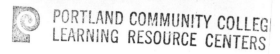

BREVE
DICCIONARIO ETIMOLÓGICO
DE LA
LENGUA CASTELLANA

BIBLIOTECA ROMÁNICA HISPÁNICA

DIRIGIDA POR DÁMASO ALONSO

V. DICCIONARIOS, 2

JOAN COROMINAS

BREVE
DICCIONARIO ETIMOLÓGICO
DE LA
LENGUA CASTELLANA

TERCERA EDICIÓN MUY REVISADA Y MEJORADA

EDITORIAL GREDOS

MADRID

EDITORIAL GREDOS, S. A.

Sánchez Pacheco, 81, Madrid. España.

PRIMERA EDICIÓN, mayo de 1961.
SEGUNDA EDICIÓN, diciembre de 1967.
TERCERA EDICIÓN, julio de 1973.
    1.ª Reimpresión, octubre de 1976.
    2.ª Reimpresión, diciembre de 1980.
    3.ª Reimpresión, diciembre de 1983.
    4.ª Reimpresión, marzo de 1987.

Depósito Legal: M. 32792-1986.

ISBN 84-249-1331-0. Rústica.
ISBN 84-249-1332-9. Guaflex.

Impreso en España. Printed in Spain.

Gráficas Cóndor, S. A., Sánchez Pacheco, 81, Madrid, 1987. — 6024.

INTRODUCCIÓN

Decir a quiénes y para qué se destina es dar de un libro la mejor definición. Éste se ha escrito para el público no especializado en lingüística, con objeto de informarle breve y claramente de lo que se sabe acerca del origen de las palabras castellanas comúnmente conocidas por la gente educada. He pensado, pues, en cuatro tipos de lectores: estudiantes de todas las disciplinas, aunque acordándome de que los de ciencias humanísticas y filológicas lo emplearán, naturalmente, más que otros; extranjeros cultos que tratan de adquirir del castellano un conocimiento algo sistemático, no meramente práctico; profesores que enseñen cualquier materia, eruditos no lingüistas y lingüistas especializados en otras lenguas, romances o no romances; y, en general y muy especialmente, todo el público educado de lengua castellana que no se contente con un conocimiento superficial de su idioma. El etimologista, el investigador de filología hispánica, el erudito en busca de datos y todos aquellos que se vean con fuerzas para formarse un juicio personal en los problemas etimológicos deberán recurrir a mi *Diccionario Crítico Etimológico*, del que éste es una versión abreviada y renovada.

Si al escribir esta otra obra comparaba y recordaba ante todo libros como los de Wartburg o Walde-Hofmann, al componer ésta he pensado más, como paradigmas dignos de imitación, en los de Oscar Bloch y Ernout-Meillet. He dado entrada en este breve diccionario a la gran mayoría de los vocablos incluidos en el *Crítico*, pero excluyendo: los localismos no conocidos fuera de una región o república determinada; los vocablos pertenecientes sólo a técnicas anticuadas y los poco empleados hoy en día o sólo propios de técnicos muy especializados; admitiendo por otra parte muchos tecnicismos de las ciencias biológicas, naturales, físicas y aplicadas que tienden a ser conocidos de amplios sectores del público; y excluyendo, en fin, bastantes arcaísmos, pero sólo aquellos que no se hallan ya en literatura en el Siglo de Oro, y aun con ciertas excepciones en favor de vocablos medievales muy conocidos y de todos aquellos que facilitan la comprensión del origen de otra palabra más moderna. En sentido contrario se han agregado aquí muchas palabras usuales que en el *Crítico* sólo figuran en el Suplemento (p. e., *sorbete*) o que allí faltan del todo, sea por no figurar en el diccionario académico, o porque aun figurando en él fueron excluidas allí deliberadamente (en particular muchos derivados de étnicos y nombres propios, como *elíseos*, *pléyade* o *mozárabe*) o por un descuido momentáneo (como *cachalote*, *convenio*, *ferina*, *friable* y bastantes más).

Los diccionarios etimológicos en general se abstienen de definir las palabras, contando con que al utilizarlos se tiene a mano un buen diccionario del uso corriente; y no suelen hacer otra excepción a esta norma que las necesarias para distinguir homónimos. Tampoco este libro permitirá prescindir del auxilio de un diccionario corriente, pero he creído prudente ser menos parco en este sentido que ciertos repertorios etimológicos de lenguas extranjeras como el francés o el inglés, por la situación de desventaja en que nos hallamos respecto de estas lenguas en cuanto a buenos diccionarios manuales y bilingües, y teniendo en cuenta que en nuestro caso será algo mayor que en aquéllos la proporción de los lectores extranjeros respecto de los nativos; como es natural, las definiciones abundarán más o serán más completas en las cabezas de artículo y en las voces algo anticuadas o más o menos regionales, y en cambio raramente se darán en los tecnicismos. De acuerdo con los propósitos históricos de un diccionario etimológico, se prescindirá de las acepciones secundarias y fácilmente comprensibles como tales, y será legítimo enfocar las definiciones dadas en el sentido que mejor facilite la comprensión del origen: es lo que hago, por ejemplo, al definir *escatimar* como 'regatear mezquinamente'. Por lo demás, me he esforzado en este libro, con particular ahínco, en explicar y fechar todos los sentidos más antiguos y básicos de cada palabra.

Claro está que una obra de esta índole debe prescindir de todo lo inseguro o excesivamente hipotético. En etimología y en la historia del vocabulario, el público desea ser informado de lo seguro y dejar lo aventurado y pendiente de discusión para los especialistas y los libros que a ellos se dirigen. La publicación todavía reciente de mi *Diccionario Crítico* facilitaba en nuestro caso la eliminación de todas estas cuestiones: a él deberán recurrir los que sientan curiosidad por ellas. Aquí convenía huir de dos extremos: mostrarnos demasiado seguros de nuestra negativa en los casos realmente dudosos, y por otra parte meternos francamente en el terreno de lo hipotético y opinable. El lector no debe extrañar por lo tanto la gran cantidad de casos en que hemos reconocido nuestra ignorancia. Si otros no lo practican así, acuérdese de cuánto abundan en nuestro tiempo los que quieren vender como ciencia conocimientos nebulosos o falsos. Pese a este reconocimiento, la ignorancia a menudo no es completa, como lo mostrará un cotejo de esos artículos con los del *Diccionario Crítico*, pero en los casos en que lo que se sabe es demasiado complicado o condicional para exponerlo en pocas palabras, no se podía hacer aquí otra cosa que remitir a la obra mayor. Si existía una explicación más o menos insegura o incompleta pero probable y que pudiera exponerse sucintamente, se ha hecho así, acompañándola de las reservas necesarias. Y ni siquiera nos hemos prohibido del todo, como lo hicieron autores de obras parecidas, la posibilidad de referirnos a dos etimologías diferentes o de aludir a una sólo para rechazarla. Era lícito y saludable abrir este ventanillo hacia lo incierto y hacia la mucha labor que está por hacer, sobre todo cuando sólo se ha practicado así en casos importantes y excepcionales.

La agrupación de los derivados y compuestos con sus simples o primitivos, y el formar con todos ellos un solo artículo, tiene dos objetos. Nos muestra, por una parte, la existencia de familias de vocablos, y las correlaciones existentes entre los elementos integrantes del léxico castellano: precisamente lo más ilustrativo en un diccionario etimológico para el lector común. Por otra parte, en un diccionario conciso como éste ahorra muchas palabras y repeticiones. No se extrañe, pues, que el concepto de derivado y de compuesto se haya tomado aquí muy ampliamente, y que en particular se hayan incluido en él los llamados seudo-derivados y seudo-compuestos, o sea, los formados con el étimo de la voz castellana y no con esta misma, y aun los formados con el primitivo de aquél, si el étimo de la voz epígrafe es ya un derivado o compuesto. Por ejemplo, *secundario* va en el artículo *segundo*, y *primogénito* se estudia en el artículo *primero*; la mayor parte de los derivados del lat. *solvere* van en el artículo *absolver*, que de él deriva, y la mayor parte de los derivados del lat. *jacere* van por la misma razón en el artículo *abyecto*. La experiencia me demuestra que el público culto es capaz de comprender la conexión semántica existente en estas vastas familias latinas, y que no se interesa tanto por el pormenor fonético, aunque pueda ocasionalmente causarle algún escrúpulo su ignorancia de las leyes de la fonética latina. Sin embargo, en este libro, de acuerdo con su carácter más elemental, he desglosado varias palabras que agrupaba en el *Diccionario Crítico*, en las cuales el enlace era demasiado difícil de percibir para el público sin estudios filológicos. He constituido aquí, por ejemplo, artículos aparte para voces como *envidia, vituperar* o *seguro*; también he separado entre sí algunos vocablos (como *ce* y *che*) que aunque pueden mirarse como variantes de una misma raíz, su enlace no puede mostrarse fácilmente al público y ni siquiera está enteramente asegurado.

La tarea de redactar este libro, una vez concluido el *Diccionario Crítico*, parecía cosa breve y sencillísima. Podía limitarme a copiar los resúmenes iniciales de los artículos sin más que hacerles leves y poco variados retoques. Pero pronto se vio que, además de los que acabo de exponer, convenía introducir, en bien del nuevo libro, cambios mucho más numerosos y esenciales. Por una parte, adoptar muchas veces un estilo más claro y sencillo, más accesible al público en quien pensaba, explicar detalles que hablando a los consultores del libro grande podían omitirse como obvios, agregar otros que en éste figuran sólo en el cuerpo del artículo pero aportan algún esclarecimiento o ilustración sustancial. Estimé conveniente desarrollar más el pormenor semántico y fechar las acepciones más destacadas, muchas veces fechar también las palabras de la lengua originaria, fechas sacadas las más de las veces del cuerpo del artículo de la obra mayor, pero otras veces, y no es nada raro, las indico ahora por primera vez. En definitiva, no hubo artículo que no fuese pensado de nuevo, como si lo redactara de buenas a primeras.

Por otra parte, ha transcurrido todo un decenio desde la redacción de mi *Diccionario Crítico*, y aunque no sean muchos años en la historia de la filología hispánica, el impulso dado por mi libro ha hecho que fuesen años de rápido adelanto, y especialmente lo han sido para mí. He sacado provecho de las críticas publicadas acerca de mi libro, y este provecho ha sido grande, sobre todo, en cuanto a las fechas de primera aparición y toda la cronología léxica; pero yo además debo agregar que he sido el más severo y exigente de mis críticos: creo haberme dado cuenta mejor que nadie de cuáles eran los artículos cuyo resultado no satisfacía, y en todos ellos he seguido acopiando materiales y reelaborándolos mentalmente, después de publicados, con paciente tesón.

La ayuda de mis colegas críticos ha resultado preciosa, y muy señaladamente en el terreno de la documentación. No doy aquí una lista completa, ni por asomo, de las reseñas de mi obra (V. otras en el suplemento a la misma, IV, 897-8), pero sí debo llamar la atención hacia aquellas que han resultado más fértiles en la aportación de materiales nuevos, y especialmente los cronológicos: Joseph E. GILLET, *Hispanic Review*, XXVI (1958), 261-295; Oreste MACRÌ, *Revista de Filología Española*, XL (1956), 127-170; Ramón MARTÍNEZ-LÓPEZ, *Boletín de Filología* de la Universidad de Chile, XI (1959), 22 págs.; Luis MICHELENA, *Boletín de la Real Sociedad Vascongada de Amigos del País*, X (1954), 373-384; XI, 283-297; XII, 366-373; XIII, 494-500; Joseph M. PIEL, *Romanische Forschungen*, LXVII, 364-376; Vittore PISANI, *Paideia*, X (1955), 252-4, 511-2; XI, 315-6 XIII, 52-54; Bernard POTTIER, *Bulletin Hispanique*, LVII, 442-453; LVIII, 84-95, 356-364; LIX, 218; LX, 257-260, y *Orbis*, V, 502-507; Gerhard ROHLFS, *Revue de Linguistique Romane*, XXI, 294-319; C. C. SMITH, *Bulletin Hispanique*, LXI (1959), 236-272; Max Leopold WAGNER, *Romanische Forschungen*, LXIX (1957), 241-272; Leo SPITZER, *Modern Language Notes*, LXXI (1956), 271-283, 373-386; LXXII, 579-591; LXXIV, 127-149. He extractado todas ellas detenidamente, junto con otras reseñas que ahora no cito y otros muchos artículos publicados en el curso de estos años, y de todo ello se ha beneficiado mucho la obra presente. En lo cronológico, sobre todo, se han podido agregar aquí, además, otros muchos datos sacados del *Tesoro* de Gili (letras *Ch-E*) y del nuevo *Diccionario Histórico* académico, en lo poco publicado, algunos de la *E* del Diccionario Cuervo, y, sobre todo, el caudal copioso de informes proporcionado por numerosas lecturas mías y por la suma diligencia del Sr. Agustín del Campo, a quien debo muy especial reconocimiento. En conjunto, pues, la información cronológica proporcionada por este diccionario ofrecerá al erudito una gran mejora frente a la de la obra básica.

Claro está que en una obra de este tipo no se puede dar bibliografía, ni había por qué darla, existiendo el libro mayor. En cuanto a fechación, se ha generalizado aquí, sin excepciones, el procedimiento de dar sólo el año, o cuando ello no es posible, el siglo o una parte del mismo, siempre sin mencionar el autor. También ahí el *Diccionario Crítico* guiará a quien desee saber más. Pero será fácil reconocer o adivinar, bajo ciertas fechas muy repetidas, un autor o una obra determinados, literarios o lexicográficos. He aquí algunas de esas fechas que recurren con mayor frecuencia:

Med. S. X, Glosas Emilianenses

2.ª mitad S. X, Glosas Silenses

hacia 1100, Botánico anónimo de Sevilla, publicado por Asín

h. 1106, Abenbeclárix

h. 1140, *Cantar de Mio Cid*

1155, Fuero de Avilés

1220-50, Berceo

1241, *Fuero Juzgo*

h. 1250, *Libros de Alexandre y de Apolonio, y Vidal Mayor*

1251, *Calila e Dimna*

1256-63 ó h. 1260, *Las Siete Partidas*

3.ᵉʳ cuarto S. XIII, *Poema de Fernán González*

h. 1270, h. 1290, *1.ª Crónica General*

h. 1280, *General Estoria*

fin S. XIII, *Biblia Medieval Romanceada* (Levítico-Deuteronomio) y otros muchos

h. 1300, *Gran Conquista de Ultramar* y *Fueros de Aragón*, publ. por Tilander

1335, Juan Manuel, *Conde Lucanor*; y h. 1330, para otras obras del mismo

1330 y 1343, para las dos versiones del *Libro de Buen Amor*, del cual V. ahora mi edición crítica de 1967, en cuyas notas queda el fundamento de varios cambios aceptados en la segunda edición de este diccionario

h. 1350, *Poema de Alfonso XI*

1386 y 1403-7 para las dos partes del *Rimado de Palacio* (algunas veces hacia 1400, indistintamente)

h. 1400, Glosarios de Palacio, de Toledo y del Escorial

princ. S. XV (otras veces 1.ª mitad S. XV, o fin S. XIV), *Cancionero* de Baena

varias fechas de 1417 a 1434, y a menudo 1433 o h. 1425, Enrique de Villena

1438, *Corbacho* de Mtz. de Toledo, y *Coronación* de J. de Mena

h. 1440, Marqués de Santillana y Alfonso de la Torre

1444, *Laberinto* de J. de Mena (h. 1450, *Ilíada* y otras obras del mismo)

mediados del S. XV, *Cancionero* de Stúñiga

S. XV, *Biblia Medieval Romanceada* (Génesis-Levítico)

varias fechas del S. XV y 2.ª mitad del S. XIV, Inventarios aragoneses de Serrano y Sanz

1475, Guillén de Segovia

1490, Vocabulario de Alonso de Palencia

h. 1490, *La Celestina*

1492, *Cartas* de C. Colón

1495, Diccionario español-latino de Nebrija

h. 1500, Juan del Encina

1505, Pedro de Alcalá, *Vocabulista arábigo en lengua castellana*

1513, *Agricultura* de G. A. de Herrera

1514, Lucas Fernández

1517, Torres Naharro

1526, 1535, Fernández de Oviedo

h. 1530, Garcilaso de la Vega

1535, Juan de Valdés, *Diálogo de la Lengua*

1539, Antonio de Guevara, *Menosprecio de Corte*

1542 y h. 1560, Bartolomé de las Casas

1555, Andrés de Laguna, *Dioscórides*

1569, 1578, 1590, Ercilla

1570, Cristóbal de las Casas, *Vocabulario de las lenguas toscana y castellana*

h. 1570, Francisco de Aldaha

h. 1573, Eugenio de Salazar, *Cartas*

(h.) 1580, Fernando de Herrera

h. 1580, Fr. Luis de León, Fr. Luis de Granada

1587, García de Palacio, *Instrucción Náutica*

1591, R. Percivale, *Dict. in Spanish and English*

1599, *Guzmán de Alfarache*, 1.ª parte

1601, Francisco del Rosal, *Origen y Etimología... de la Lengua Castellana*

1604, Joan Palet, *Dicc. de la Lengua Española y Francesa*

1605, *Quijote*, 1.ª parte; *La Pícara Justina*; *G. de Alfarache*, 2.ª parte

1607, Oudin, *Tesoro de las Lenguas Francesa y Castellana*, 1.ª ed.

1609, Juan Hidalgo, *Vocabulario de Germanía*

1611, Sebastián de Covarrubias, *Tesoro de la Lengua Castellana*

1613, Cervantes, *Novelas Ejemplares*; Góngora, *Polifemo y Soledades*

1615, *Quijote*, 2.ª parte

1616, Oudin, *Tesoro*, 2.ª ed.

principios del S. XVII, la mayor parte de la producción de Lope de Vega, Tirso de Molina, Quevedo y Góngora

1620, L. Franciosini, *Vocabulario Español e Italiano*

1623, J. Minsheu, *Diccionario español e inglés*

h. 1627, Gonzalo Correas, *Vocabulario de Refranes*

1633, D. López de Arenas, *Carpintería de lo Blanco*

h. 1640, L. Quiñones de Benavente

mediados del S. XVII, Calderón

1696, *Vocabulario Marítimo* de Sevilla

1709, Tomás V. Tosca, *Compendio Matemático*

1726, 1729, 1732, 1734, 1737, 1739, los seis tomos del *Diccionario de Autoridades*

1770, 1780, 1792, 1817, 1832, 1843, 1869, 1884, 1899, 1914, 1925, 1936-1939, otras ediciones, que cito a menudo, del Diccionario de la Academia

1765-83, Esteban de Terreros, *Diccionario Castellano*

h. 1800 y princ. S. XIX, L. Fernández de Moratín

1831, M. Fernández de Navarrete, *Diccionario Marítimo*

1836, A. Pichardo, *Dicc. de Voces Cubanas*

1848, A. Jal, *Glossaire Nautique*

1859, J. Borao, *Diccionario de Voces Aragonesas* (2.ª ed. 1908)

1864, Lorenzo-Murga-Ferreiro, *Diccionario Marítimo*

1872, Rufino J. Cuervo, *Apuntaciones Críticas sobre el Lenguaje Bogotano* (5.ª ed. 1907)

1875, Zorobabel Rodríguez, *Diccionario de Chilenismos*

1890, Daniel Granada, *Vocabulario Rioplatense*

1892, Apolinar de Rato, *Vocabulario Bable*; Carlos Gagini, *Dicc. de Costarriqueñismos*

1895, F. Ramos Duarte, *Diccionario de Mejicanismos*; A. Membreño, *Vocabulario de Provincialismos de Honduras*

1899, García Icazbalceta, *Vocabulario de Mexicanismos*

1901, Aniceto de Pagés, *Gran diccionario de la lengua castellana* (en parte publicado sólo poco antes de 1930)

1910, Tobías Garzón, *Diccionario Argentino*

1912, Lisandro Segovia, *Diccionario de Argentinismos*

Estas indicaciones cronológicas se dan para fechar la aparición de los vocablos, pero también la de sus principales acepciones, ya que, asimismo, en este aspecto se han rectificado y ampliado mucho los informes del diccionario mayor.

Conviene comprender bien el valor de estas fechas: no nos es posible, salvo en raros casos, fijar exactamente el año de la creación de una palabra o de un uso, o de su entrada en el léxico castellano; estos datos nos permiten sólo asegurar que en esta fecha *ya* estaba en circulación, porque tenemos prueba escrita de su empleo, pero la fecha de entrada sería en general algo anterior, a veces en muchos años y aun siglos, si se trata de un elemento léxico de uso poco frecuente o de una época literaria, en las etapas iniciales, en que aquella parte del léxico aparece poco en la literatura castellana. Es más, es posible que tengamos seguridad de que el vocablo se empleó s i e m p r e, y entonces, bien mirado, era casi ocioso dar la primera fecha de su aparición en la literatura castellana; sin embargo, por las razones indicadas en el prefacio del *Diccionario Crítico*, esta fecha se ha indicado en todos los casos. Pero en el de los vocablos siempre empleados, deberá entender el lector que la fecha sólo puede ser de aparición en la literatura, no en el idioma. Es el caso de las palabras llamadas hereditarias. Siendo así, es importante distinguir éstas de las tomadas por la gente culta del latín o del griego de los libros, de los extranjerismos y demás préstamos lingüísticos que han acabado por tomar carta de nacionalidad en el uso español, pero que antes eran sólo palabras forasteras, y de todas las creaciones nuevas que la lengua ha ido acumulando en el curso de su historia más o menos tardía. Las palabras hereditarias se distinguen cuidadosamente de estas otras imprimiendo la palabra etimológica en VERSALITAS, mientras que en las demás se imprime en *cursiva* y, además, por lo general, se la hace preceder de la expresión *tomado de*, abreviada *tom. de*; ocasionalmente se ha podido prescindir de este último distintivo (especialmente en palabras compuestas y derivadas), pero nunca del primero. Compárense, por ejemplo, los tres artículos consecutivos *acólito, acónito* y *acontecer*: se comprende que una palabra como *acontecer* —o su antecedente *contir*— se ha empleado siempre y sin interrupción, trasmitida de padres a hijos, desde que el latín se hizo de uso popular en España, mientras que *acólito* es un cultismo eclesiástico, y *acónito* un tecnicismo botánico y farmacéutico, que se tomaron del vocabulario greco-latino de los libros, y probablemente no en fecha muy anterior a los años de 1192 y 1490 en que los registramos por primera vez en fuentes escritas; *acontecer*, en cambio, sería ya palabra muy antigua cuando se empleó, primeramente, en uno de los textos más arcaicos de la literatura castellana, el *Poema del Cid*, y si no tenemos datos escritos de su empleo en los siglos anteriores, es sencillamente porque casi no hay ningún monumento más antiguo en lengua romance.

Por lo demás, se ha prescindido en la redacción de este libro de toda palabra y estilo técnico de filólogos que pudiera entorpecer la comprensión. Aun la terminología gramatical empleada se ha reducido al mínimo indispensable. Palabras como *onomatopeya, sufijo, asimilación* o *metátesis* no crearán dificultades serias, ya que pueden hallarse bien definidas en los diccionarios corrientes, pero aun así se han empleado con suma parquedad[1].

Los adelantos científicos que contiene este diccionario respecto de la obra mayor del autor no se reducen al aspecto cronológico. En el curso de esta

---

[1] Hay que definir solamente una locución indispensable para un diccionario etimológico, pero que no es de empleo general. Las *palabras de creación expresiva* son parecidas a las *onomatopeyas*, pero hay cierta diferencia: la onomatopeya imita directamente un sonido real (como *cacarear* o *pito* o *gago*), mientras que las creaciones expresivas, aun siendo, como aquéllas, una invención elemental del idioma, y careciendo de etimología como aquéllas, no imitan un sonido pero sugieren directamente una idea por el valor psicológico de sus vocales o consonantes (por ejemplo, *niño, meñique, fanfarrón, beja* o *zape*).

década el autor ha seguido trabajando en todos los problemas que no habían quedado definitivamente resueltos. Y habiendo llegado ahora a resultados más satisfactorios o más aproximados, aprovecha esta ocasión para dar a conocer sus nuevas ideas, aunque tenga que ser en términos muy sucintos y reservando para otra ocasión la documentación y bibliografía pertinentes. He aquí una lista de artículos que han experimentado aquí una mejora total o parcial, pero de alcance decisivo. Es una lista muy incompleta, pues no se ha tratado de recopilarla sistemáticamente, sino fiando mucho de la memoria: *aro, atisbar, atocha, avería, barniz, bellaco, berrueco, bisagra, blanquibol, borracha* (con *borracho*), *bota, brusco, calambre, cursi, dado, empinar, escaramujo, millón, nesga, pala, parva, pina, ragua, rosca, sabandija, salpicar, sandunga, sicalíptico, sima, sinovia, tarasca, tertulia, tirar, tomo II, tozuelo, varga, zaino, zaragata.* Claro está que, además, se han incorporado al texto los progresos ya recogidos en las *Adiciones y Rectificaciones* de aquella obra, y que más de una vez ahora, gracias a la perspectiva y firmeza que sólo los años y la aprobación de la crítica podían darnos, se ha podido afirmar sin tanteos lo que entonces se presentaba sólo con el carácter de hipótesis algo vacilante. Y deben agregarse a ello artículos mucho más numerosos todavía, donde las innovaciones se reducen a un matiz, a un dato aislado más o menos importante, a un mero enfoque nuevo de los mismos hechos esenciales o a una sencilla aclaración. Más que dar un análisis y clasificación de estos casos será bueno proporcionar otra lista que, aun estando muy lejos de lo completo, permita apreciar, mediante un cotejo con los artículos paralelos de la obra anterior, toda la variedad de las mejoras abarcadas: *aburrir, aliso, alquiler, alrededor, amainar, amartelar, baldear, bodoque, bosquejar, caraba, cascabel, casta, catacumbas, cazo, cebra, colodra, cresa, cuscuta, chacal, destello, disfrazar, divieso, elipse, embajada, empeine II, encallar, enfiteusis, enfrascarse, engatusar, engreírse, enjundia, entremés, entresijo, erraj, escarpín, escrúpulo, escueto, espiche, estancar, estandarte, explayar, fandango, filatelia, flotar, fusilar, gancho, garúa, guiñapo, lacha, losange, lúa, malvado, manteca, melindre, misa, morro, mugre, najarse, suero,* etcétera. La dirección de los trabajos del autor durante los últimos años le ha permitido, en particular, dar a los datos relativos a las lenguas del Oriente indoeuropeo un carácter más preciso y exacto, y más de primera mano.

1.º de enero de 1961.

A LA SEGUNDA EDICIÓN. — Se ha revisado ahora totalmente el texto de la primera, lo cual, además de eliminar muchas erratas, ha conducido a introducir cambios —adiciones o modificaciones— a unos doscientos artículos. Aun cuando muchos de ellos se reducen a mejoras de detalle, en algunas docenas ha habido nueva redacción, y aun nuevas conclusiones etimológicas (v., p. ej., *barruntar, columbrar, columpiar*, etc.) o al menos importantes renovaciones parciales (*ardite, artimaña, badulaque, boina, butano...*). Marzo de 1967.

A LA TERCERA EDICIÓN. — El favor que el público culto y los estudiosos siguen dispensando a este libro ha aconsejado someterlo ahora a una revisión más a fondo, sin esperar la nueva edición ampliada del *Diccionario Crítico*, que se proyecta para un futuro más distante. De ahí han resultado nuevamente mejoras en casi doscientos artículos. Pero esta vez los que han sufrido cambios muy importantes, o una renovación total, son tan numerosos que decidimos dar una lista casi completa de éstos[1]. Hay además otros muchos que han sufrido mejoras o aumentos, asimismo considerables pero menos profundos, como, para dar idea de algunos, los que han afectado a los artículos *fárfara, fideo, filibustero, flamenco* y *forajido*; y, en fin, una cantidad casi incontable de mejoras y correcciones de menor cuantía.

Marzo de 1973.

---

[1] Abacera, abanto, ajonjolí, almizcle, ànea, añagaza, arrumaco, baranda, barraca, bellaco, bisagra, cabrestante, cacha, cambalache, cangilón, cerrojo, cieno, cimbrar, collado, cuy, chaparrón, charco, danzar, derrochar, desleír, encaramar, escamar, escarcha, escatimar, escoria, fandango, gana, ganar, gazmoño, jota, lerdo, macolla, macuto, mazamorra, mazapán, melón, mellar, monserga, muérdago, muro, pan, pantalla, pétalo, pingüino, piorno, plaza, puerto, roano, rosicler, silfo, sumir, tanda, velo, zapato, zarpa, zatico, zote, zumo, zurrar.

PARA LA PRONUNCIACIÓN DE FORMAS DIALECTALES Y DE LENGUAS CITADAS EN TRANSCRIPCIÓN

Las lenguas literarias escritas con el alfabeto latino se citan, naturalmente, en su ortografía normal. La transcripción fonética sólo se ha empleado para lenguas de escritura diferente, como el árabe o el griego; más raramente se ha recurrido a la notación fonética para ciertas voces dialectales y en algún otro caso excepcional.

En la transcripción del griego se han observado las normas generalmente admitidas, distinguiendo la *eta* de la *épsilon* y la *omega* de la *ómicron* mediante el signo de vocal larga: *ēthikós* = ἠθικός pero *ethnikós* = ἐθνικός, *ōmós* = ὠμός 'crudo' pero *homós* = ὁμός 'igual'. Como el acento circunflejo presupone vocal larga, no puede llevarlo una épsilon ni una ómicron; luego sería ocioso, cuando hay tal acento, poner el signo de larga (*ômos* = ὦμος 'hombro'); se exceptúan los diptongos, como *eu, ei, oi,* que aun teniendo épsilon u ómicron pueden llevar circunflejo; ahora bien, al transcribir se ha puesto aquí el acento en la primera vocal del diptongo (*pâis, lêukos*), lo cual, por lo demás, no dará ocasión a vacilaciones si se quiere volver a la grafía griega, pues no hay o casi no hay diptongos con la primera larga. A no ser los casos de *iota* suscrita, que aquí se transcriben con una *i* pequeña y volada (*ó^ídē, tê^íde*).

En la transcripción del árabe sigo en general las normas adoptadas en mi libro mayor. Sólo he cambiado la *ǧ* en *ŷ*, y he sustituido la *a* o *â* por *e(ê)* cuando el árabe vulgar de España había realizado este cambio fonético. La *ḥ* tiene el sonido de la *j* y la *ṯ* el de la *z* del castellano; la *ŷ* es como la *j* del inglés o del valenciano o como la *gi* del italiano; las consonantes con un punto suscrito (*ḥ, ṣ, ḍ, ṭ, ẓ*) y también la *q*, son enfáticas, pronunciadas con mayor energía que las correspondientes sin el punto (o la *k*, respectivamente); el ' y el ᶜ expresan dos modalidades del ataque brusco o áspero de una vocal. No sólo en la transcripción del árabe, sino en la de muchas más lenguas y dialectos, se emplearán los símbolos siguientes: *š* = *sh* inglesa, *ch* francesa y *x* catalana, vasca o portuguesa; *ž* = *j* francesa, catalana o portuguesa; *č* = *ch* castellana; *è* (*ę*) y *ò* (*ǫ*) indican vocales más abiertas que *é* (*ẹ*) y *ó* (*ọ*) en catalán e italiano, oposición que en portugués se indica mediante *é, ó* para lo abierto, frente a *ê, ô* para lo cerrado, y el francés combina los sistemas portugués y catalán en la forma probablemente ya conocida del lector curioso.

Es sabido que la vocal breve se indica con el símbolo ˘, y la vocal larga con ¯ en unas lenguas, con ^ en otras (en la transcripción del árabe este símbolo significa que una vocal, además de ser larga, lleva el acento); la *ü* es una vocal intermedia entre *i* y *u* (*u* francesa); la *ö*, intermedia entre *o* y *e* (*eu* francesa); la *ä*, intermedia entre *e* y *a*; la *â*, intermedia entre *a* y *o*; la *ę* expresa varios matices de *e* relajada (inglés *singer*, cat. *pare*, fr. *tenir*).

ABREVIATURAS

ac. = acepción
adj. = adjetivo
adv. = adverbio
ags. = anglosajón
alem. = alemán
amer. = americano, americanismo
and. = andaluz
ant. = antiguo
ár. = árabe
arag. = aragonés
arg. = argentino
astur. o *ast.* = asturiano
b. = bajo (sobre todo *b. lat.*)
cast. = castellano
cat. = catalán (con sus dialectos o variedades: *val.* o *valenc.* = valenciano, *mall.* = mallorquín, *rosell.* = rosellonés y *occid.* = occidental)
célt. = céltico
ccntroamer. = centroamericano
cl. o *clás.* = clásico
colomb. = colombiano
comp. = compárese
conj. = conjunción
cpt. = compuesto, Cpt. = compuestos
cub. = cubano
chil. = chileno
deriv. = derivado, Deriv. = derivados

dial. = dialectal
ecuat. = ecuatoriano
ej. = ejemplo
escand. = escandinavo
esl. = eslavo
esp. = especial
f. o *fem.* = femenino
fig. = figurado
fr. = francés
gaél. = gaélico escocés
gall. = gallego
gasc. = gascón
germ. = germánico
gót. = gótico
gr. = griego
h. = hacia
hebr. = hebreo
hisp.-am. = hispanoamericano
indoeur. = indoeuropeo
ingl. = inglés
interj. = interjección
irl. = irlandés
it. = italiano
langued. = languedociano (hablas occitanas del Centro-Sur, V. *oc.*)
lat. = latino
lat. cl. = latino clásico
lat. vg. = latino vulgar

leon. = leonés

lit. = lituano

m. o *masc.* = masculino

mall., véase *cat.*

med. = mediados o medio

mej. = mejicano

mod. = moderno

mozár. = mozárabe

murc. = murciano

n. = neutro

nav. = navarro

neerl. = neerlandés (holandés + flamenco)

oc. = occitano o lengua de Oc (lengua
de los trovadores y hablas populares
modernas del sur de Francia)

occid. = occidental

orient. u *or.* = oriental

part. = participio

p. ej. = por ejemplo

per. = peruano

pl. = plural

port. = portugués

prep. = preposición

princ. = principios del

prob. o *probte.* = probablemente

pron. = pronombre

propte. = propiamente

prov. = provenzal (hablas occitanas al
Este del Ródano)

quich. = quichua

rosell., véase *cat.*

rum. = rumano

S. = siglo

salm. = salmantino

sánscr. = sánscrito

santand. = santanderino o montañés

sing. = singular

SS. = siglos

sust. = sustantivo

tom. = tomado (V. pág. 14)

v. = verbo

V. o *vid.* = véase

val. o *valenc.,* véase *cat.*

venec. = veneciano

venez. = venezolano

vg. = vulgar

Un asterisco * precediendo a una
palabra indica que es hipotética, no
documentada en texto alguno ni en el
lenguaje hablado, aunque en general
se considera de existencia segura

A

A, prep., S. XII. Del lat. AD 'a', 'hacia', 'para'.

ABACÁ, 1786 (1664, dato indirecto). Del tagalo *abaká* íd.

ABACERA -ERO 'vendedora o vendedor de aceite, legumbres, etc.', S. XIII (*fabacera*). Parece ser derivado de *haba*, que es el artículo que sobre todo vendería el abacero en sus orígenes. *Haba* primitivamente significaba también 'habichuela', como hoy todavía en Asturias. No es imposible que sea alteración de *abastero* 'tendero de abastos', pero no hay indicio alguno de origen arábigo.
DERIV. *Abacería*, 1551.

ÁBACO, 1585. Tom. del lat. *abăcus*, y éste del gr. *ábax, -akos,* íd.

ABAD, 1107. Del lat. *abbas, abbātis*, y éste del arameo *abba* 'padre', pasando por el griego; *abate* es variante de empleo afrancesado o italianizante.
DERIV. *Abadengo*, 1099, sust. 1288; *abadesa*, 1159; *abadía*, 1.ª mitad S. XIII; *abadejo*, 1495 ('especie de escarabajo'), 1550-75 ('bacalao'), se explica por el sentido de 'sacerdote' que tenía *abad* en la Edad Media; en la acepción 'bacalao' es posible que naciera como una variación de *curadillo* 'bacalao seco', que se entendió como derivado de *cura*, aunque en realidad lo era de *curar* 'preparar con sal'.

Abajar, V. *bajar*   *Abajo*, V. *bajo*
Abalanzarse, V. *balanza*   *Abaldonar*, V. *baldón*   *Abalizar*, V. *baliza*

ABALORIO, 1400 (*havalloro*). Del ár. *billáuri* 'cristalino', derivado de *bullâr* o *billáur* 'cristal', 'berilo', que a su vez se tomó del gr. *bēryllos*.

ABANAR 'abanicar', 1601. Del port. *abanar* 'aventar, cribar', 'agitar', 'abanicar', y éste derivado del lat. VANNUS 'criba'. Hoy *abanar* se emplea todavía en Canarias para 'abanicar', *abanear* en Galicia; *albañar* es 'cribar' en Burgos y Álava.
DERIV. *Abano* 'abanico', h. 1549 (de ahí el cat. *vano* íd.); *abanico*, 1591, diminutivo del anterior; también se ha dicho *abanillo*, 1587, y *abanito*, 1689; *abanicar*, 1705.

Abanderado, abanderar, V. *bandera*

ABANDONAR, h. 1420 (*abaldonar* ya h. 1270). Del fr. *abandonner* íd., deriv. de *laisser à bandon* 'dejar en poder (de alguien)', *bandon* 'poder, autoridad', y éste del fráncico BANN 'mando, jurisdicción' (hoy alem. *bann*). Comp. *BALDÓN.*
DERIV. *Abandono*, 1710.

Abanear, abanico, abanillo, abano, V. *abanar*

ABANTO 'hombre torpe', 'toro cobarde', h. 1275. Entonces significa 'cierta ave de presa, de naturaleza tímida y perezosa', vasco *abendu* 'cernícalo, milano', port. *abanto* íd., que es el sentido primitivo: probablemente del lat. vg. AD-VANNITARE (comp. *ABANAR*) 'aventar, cribar' por la misma comparación que explico en *CERNÍCALO.*

Abaratar, V. *barato*

ABARCA 'calzado consistente en una suela de cuero atada al pie con cuerdas o correas', S. X. Palabra común a los tres romances hispánicos, de origen prerromano (emparentado con el vasco *abarka*). El ár.

hispánico *párǵa* se tomó del cast. *abarca* y no viceversa: del plural *parǵât* de esta palabra hispanoárabe salió luego el cast. *alpargate*, fin S. XV, alterado más comúnmente en *alpargata*, desde la misma fecha.

ABARCAR, h. 1300. Del lat. vg. *AB-BRACCHICARE 'abrazar', derivado de BRACCHIUM 'brazo'; *abracar* se dice hoy vulgarmente en partes de América, de Asturias y de Aragón. El anticuado y provincial *sobarcar*, 1495, de significado análogo, es otro derivado parecido, *SUBBRACCHICARE.

Abarloar, V. *barlovento*   *Abarquillar,* V. *barca*   *Abarraganarse,* V. *barragán* *Abarrancar,* V. *barranco*   *Abarrotar, abarrote,* V. *barra*   *Abastecer,* V. *basto* *Abasto,* V. *bastar*   *Abatanar,* V. *batán* *Abate,* V. *abad*   *Abatimiento, abatir,* V. *batir*   *Abdicación,* V. *abdicar*

ABDICAR 'renunciar a la realeza', h. 1420. Tom. del lat. *abdĭcare* íd., deriv. de *dicare* 'proclamar solemnemente' (de la raíz de *dicere* 'decir').
DERIV. *Abdicación,* 1687.

ABDOMEN, 1555. Tom. del lat. *abdōmen* íd.
DERIV. *Abdominal,* 1817.

ABDUCCIÓN, 1716. Tom. del lat. *abductio* 'acción de llevarse o separar', deriv. del verbo *abducere,* y éste de *ducere* 'llevar, conducir'.
DERIV. *Abductor,* 1786.

ABECÉ, 1182. Compuesto del nombre de las tres primeras letras del alfabeto.
DERIV. *Abecedario,* 1233, lat. tardío *abecedarium* íd.

ABEDUL, 1761. Del céltico *BETŪLE, variante de BETŪLLA, nombre (también céltico) del mismo árbol, documentado en la literatura latina; el fr. ant. *boul* (hoy *bouleau*) y el cat. *bedoll* proceden de otra variante *BETULLUS. La *a-* castellana se debe al influjo de *abeto*.

ABEJA, 951. Del lat. APĬCŪLA, diminutivo de APIS íd.
DERIV. *Abejaruco,* 1505 (*-juruco,* 1495), ave que se alimenta de abejas, también llamada *abejero. Abejón,* 1343. *Abejorro,* h. 1560. *Apiastro,* 1555, tom. del lat. *apiaster,* deriv. de *apis*.
CPT. *Apícola,* formado con el lat. *colĕre* 'cultivar, criar', con el cual se formaron también *apicultor* y *apicultura*.

ABELMOSCO, 1859. Tom. por vía culta del lat. mod. *abelmoschus* íd., y éste del ár.

ḥabb al-músk 'grano de almizcle', por el olor que despide el abelmosco.

Aberración, aberrar, V. *errar*   *Abertura,* V. *abrir*

ABETO, 1545 (arag. *avet,* med. S. XIII). Del lat. ABIES, ABIĔTIS, íd.
DERIV. *Abietino,* 1572, *abietíneo,* 1859.
CPT. *Pinabete,* 1601, del cat. *pinavet,* formado con *pin,* forma antigua de *pi* 'pino'.

Abierto, V. *abrir*   *Abietíneo, -tino,* V. *abeto*

ABIGARRADO, 1611. Tom. del fr. *bigarré* íd., S. XV, palabra de historia oscura, quizá procedente del Sur de Francia, pero de etimología incierta.
DERIV. *Abigarrar,* 1726.

ABIGEATO, 1597. Tom. del lat. *abigeatus* íd., deriv. de *abigĕre* 'llevarse' y éste de *agere* 'conducir'.

ABINTESTATO, sust., 1623. De la locución adverbial lat. *ab intestato* 'sin testar', también empleada en cast., h. 1260.

ABISMO, 1219. Forma común a todos los romances hispanos y gálicos (fr. *abîme*), debida a una alteración del lat. *abyssus* íd. (éste del gr. *ábyssos* 'sin fondo', deriv. privativo de *byssós* 'fondo'); se han dado varias explicaciones de esta alteración, ninguna averiguada.
DERIV. *Abismar,* 1604; *abismal,* h. 1400. *Abisal,* h. 1580.

Abjurar, V. *jurar*

ABLACIÓN, 1803. Tomado del latino *ablatio, -onis,* íd., deriv. de *auferre* 'llevarse (algo)', y éste de *ferre* 'llevar'. Otro deriv. de éste: *ablativo,* 1445-50, lat. *ablatīvus* 'relativo al llevarse'.

Ablandar, V. *blando*   *Ablativo,* V. *ablación*

ABLUCIÓN 'acción de purificarse por medio del agua', 1606. Tom. del lat. *ablutio, -onis,* íd., deriv. de *ablŭĕre* 'sacar (algo) lavando' (deriv. de *lavĕre* 'lavar').

Abnegación, abnegar, V. *negar*   *Abobar,* V. *bobo*   *Abocar,* V. *boca*   *Abocinar,* V. *bocina*   *Abocinar* 'echar de bruces', V. *bruces (de)*   *Abochornar,* V. *bochorno*   *Abofetear,* V. *bofetada*

ABOGADO, 1.ª mitad S. XIII. Del lat. ADVOCATUS íd., participio de ADVOCARE 'convocar', 'llamar en calidad de abogado', deriv. de *vocare* 'llamar'.

Deriv. *Abogar*, med. S. XIII. *Abogacía*, 1436. *Advocación*, 1438, tom. del lat. *advocatio* 'acción de llamar como abogado o protector'.

Abolengo, V. *abuela*

ABOLIR, h. 1500. Tom. del lat. *abolēre* íd.
Deriv. *Abolición*, 1252; *abolicionista*, 1831, aplicado primeramente en los Estados Unidos a los partidarios de la abolición de la esclavitud, después a los enemigos de la pena de muerte y a los de la prostitución.

Abolorio, V. *abuela*   *Abolladura*, *abollar*, *abollonar*, V. *bollo*

ABOMASO 'cuajar', 1884. Deriv. culto del lat. *omāsum* 'tripas del buey'.

Abombar, V. *bomba*

ABOMINAR, h. 1440. Tom. del lat. *abominare* íd.
Deriv. *Abominación*, h. 1440; *abominable*, h. 1300.

Abonanzar, V. *bonanza*   *Abonar* 'dar por bueno', 'fertilizar', V. *bueno*

ABONAR 'suscribir', h. 1820. Del fr. *abonner* íd., deriv. del antiguo *bonne* 'límite', variante de *borne* 'hito', de origen céltico; significó primitivamente 'comprometer a pagar por algo hasta cierto límite'.
Deriv. *Abono*, h. 1820.

Abordaje, *abordar*, V. *borde* I   *Aborigen*, V. *origen*   *Aborrecer*, V. *aburrir*   *Aborregarse*, V. *borrego*

ABORTAR, 1241. Tom. de lat. *abortare* íd. deriv. de *aboriri* 'perecer', 'abortar', y éste de *oriri* 'levantarse', 'ser oriundo', 'nacer'.
Deriv. *Aborto*, 1587, lat. *abortus*. *Abortivo*, 1438.

ABOTAGARSE, princ. S. XVII, 'inflarse', 'entorpecerse', deriv. del antiguo (hoy montañés) *buétago* 'bofe, pulmón', fin S. XIII, de origen incierto, probte. de una raíz romance BŎTT- 'hinchazón', 'objeto redondeado', de creación expresiva (fr. *botte* 'manojo', it. *bòtta* 'sapo'); la variante *abotargarse*, h. 1750, es debida al influjo de *botarga* por etimología popular.

Abotargarse, V. *abotagarse*   *Abotonar*, V. *botón*

ABRA 'ensenada', 1478. Del fr. *havre* m. 'puerto de mar', 'puerto que queda en seco a la bajamar', y éste del neerl. med. *havene*

'puerto' (= ingl. *haven*, alem. *hafen*). En América *abra* tomó por comparación el sentido de 'abertura entre dos montañas', med. S. XVI.

Abrasar, V. *brasa*   *Abrazar*, V. *brazo*

ÁBREGO, 1.ª mitad S. XIII. Del lat. AFRĪCUS íd., propiamente *ventus africus* 'viento del Sur o africano'.

ABREVAR, med. S. XIII (*abevrar*). Del lat. vg. *ABBIBERARE* íd., deriv. de BĬBĔRE, forma sustantivada del verbo que significaba 'beber'; comp. el port. *abeberar*, cat. *abeurar*, fr. *abreuver*, it. *abbeverare*, y V. *BREBAJE*.
Deriv. *Abrevadero*, h. 1495.

Abreviar, *abreviatura*, V. *breve*

ABRIGAR, 1.ª mitad S. XIII. Del lat. APRĪCARE 'calentar con el calor del sol', deriv. de APRĪCUS 'soleado, que le da el sol'.
Deriv. *Abrigo*, 3.ᵉʳ cuarto S. XIII. *Desabrigar*, 1455.

ABRIL, 1188. Del lat. APRĪLIS íd.

ABRIR, h. 1140. Del lat. APERIRE íd.
Deriv. *Abertura*, 1220-1250; de la forma fr. correspondiente *ouverture* se tomó el término musical *obertura*, h. 1764; el lat. *apertura* pasó como cultismo al castellano, h. 1800. *Aperitivo*, 1555. *Entreabrir*, 1705; *entreabierto*, 1604.

Abrochar, V. *broche*   *Abrogar*, V. *rogar*

ABROJO, med. S. XIV. Contracción de la frase latina APĔRI OCŬLOS 'abre los ojos', primitivamente advertencia al que segaba en un terreno cubierto de abrojos para que se guardara de los mismos, y luego nombre de la planta.
Deriv. *Abrojín* 'marisco provisto de púas'.

Abroncar, V. *bronco*   *Abroquelar*, V. *broquel*

ABRÓTANO, fin S. XIII. Tom. del lat. vg. *abrŏtănum*, lat. cl. *abrotonum*, y éste del griego.

ABRUMAR, 2.º cuarto S. XVI (*brumar*), h. 1570 (*abr-*). Deriv. de *bruma*, variante de *broma* 'carcoma de los buques', por lo pesado que era el barco comido de broma; se dijo también *bromar* y *abromar* en el sentido de 'molestar'.
Deriv. *Abrumador*, 1499 (*brumador*).

Abrupto, V. *romper*

ABSCESO, 1555. Tom. del lat. *abscessus, -ūs,* íd. deriv. de *abscedere* 'separarse' (por levantarse más que la piel de entorno).

Abscisa, V. *escindir* *Absentismo,* V. *ausente*

ÁBSIDE, 1877. Tom. del lat. *absis, absĭdis,* 'bóveda', 'coro de iglesia', y éste del gr. *apsís* 'nudo', 'bóveda'. Igual origen tiene el término astronómico *ápside,* 1723.

ABSOLVER, 1.ª mitad S. XIII. Tom. del lat. *absolvere,* deriv. de *solvere* 'desatar, soltar'.
DERIV. *Absolución,* 1.ª mitad S. XIII, lat. *absolutio. Absoluto,* 1.ª mitad S. XV, del lat. *absolūtus,* propiamente 'desatado', 'sin limitaciones'; *absolutismo,* 1828; *absolutista.* Los demás son deriv. de *solvere. Disolver,* princ. S. XV, lat. *dissolvere* íd.; *disolución,* h. 1440; *disoluto,* 1438, lat. *dissolūtus,* propiamente 'desenfrenado'. *Resolver,* h. 1440, lat. *resolvere* íd.; *resolución,* 1490; *resoluto,* h. 1440. *Soluble,* 1739, lat. *solubĭlis,* propte. 'que se puede soltar'; *solubilidad*; *insoluble,* 1438; *solución,* h. 1570, lat. *solutio* 'disolución (de una dificultad)'; *solucionar,* fin S. XIX. *Suelto,* h. 1140, al principio no fue más que participio del antiguo verbo *solver* 'soltar' (SS. XII-XV); *soltura*; *soltar,* h. 1140: *soltadizo*; *suelta,* 1495; *soltero,* antiguamente 'suelto' (aplicado a las riendas, a los presos), med. S. XIII, después 'no casado'; *solterón*; *soltería. Solvente,* 1739; *solvencia*; *insolvente, insolvencia*; *solventar,* 1884.

Absorber, absorción, absorto, V. *sorber*

ABSTEMIO, 1524. Tom. del lat. *abstemius* íd. (no se relaciona con *abstener* ni *abstinencia,* pero sí con *temulentus* 'borracho').

Abstención, abstener, V. *tener* *Abstergente, abstersión,* V. *terso* *Abstinencia,* V. *tener* *Abstracción, abstracto, abstraer,* V. *traer* *Abstruso,* V. *intruso* *Absurdo,* V. *sordo*

ABUBILLA, h. 1400. De un diminutivo del lat. UPUPA íd.

ABUCHEAR 'reprobar tumultuosamente', S. XX. Alteración de *ahuchear* (pronunciado *ajuchear* en Andalucía), antes *huchear,* 1575, 'formar un griterío', 'lanzar los perros en la cacería dando voces'. Deriva del grito de caza *¡hucho!,* S. XVI, y éste del verbo hoy dialectal *huchar* 'azuzar', que se tomó del fr. anticuado y dialectal *hucher* 'llamar a voces o con silbidos', 'llamar a juicio', S. XII, hermano de oc. ant. *ucar,* cat. y arag. *ahucar* 'aullar'. Ésta es la primitiva forma romance del vocablo, probablemente

de origen onomatopéyico, aunque no se puede asegurar si esta onomatopeya nació en románico o en germánico (pues no sólo se halla también en esta familia lingüística, sino además en eslavo).

ABUELA, 1241: Del lat. vg. AVIŎLA 'abuelita', diminutivo de AVIA 'abuela'.
DERIV. *Abuelo,* 1055 (*abolo*): no tiene relación directa con el masculino lat. AVUS, cuyo diminutivo habría sido *AVŬLUS. Bisabuelo,* 1155, *bisabuela,* formados con el prefijo BIS- 'dos veces'. *Abolengo,* 1223, aplicado primero a los bienes heredados de los abuelos, luego al parentesco ascendente lejano; también se dijo *abolorio,* h. 1250.

Abuhado, V. *bofe*

ABULIA, 1906. Tom. del gr. *abulía,* deriv. de *ábulos,* y éste de *bulē* 'voluntad', con el prefijo privativo.
DERIV. *Abúlico,* 1936.

Abultar, V. *bulto* *Abundancia, abundante, abundar,* V. *onda*

ABUR, interj., 'adiós', h. 1780; *agur,* h. 1650. Tom. del vasco *agur* íd., que viene probablemente del lat. *augurium* 'agüero'.

ABURRIR, 1.ª mitad S. XIII. Del lat. ABHORRĒRE 'tener aversión (a algo)', derivado de HORRĒRE 'erizarse'. En toda la Edad Media y en el S. XVI *aburrir* y *aborrecer,* h. 950 (del derivado tardío ABHORRĒSCĔRE), son sinónimos, con el significado latino; la acepción 'fastidiar', el empleo reflexivo y la distinción moderna entre *aborrecer* y *aburrirse* no aparecen hasta el S. XVI o más tarde.
DERIV. *Aburrimiento,* 1599. *Aborrecimiento,* h. 1280. *Aborrecible.*

Abusar, abusivo, abuso, V. *uso* *Abuzado,* V. *bruces*

ABYECTO, h. 1560. Tom. del lat. *abjectus* 'bajo, humilde', y éste de *abjĭcĕre* 'echar abajo', deriv. de *jacĕre* 'arrojar'.
DERIV. *Abyección,* 1494, lat. *abjectio.* Los siguientes son derivados de *jacĕre. Deyección,* 1786, lat. *dejectio,* deriv. de *dejicere* 'echar abajo'. *Proyectar,* fin S. XVII, lat. *projectare,* frecuentativo de *projicere* 'echar adelante', 'proyectar'; *proyecto,* 1737; *proyección,* 1884, lat. *projectio,* 'acción de echar adelante o a lo lejos'; *proyectil,* 1884. *Conjetura,* h. 1440, lat. *conjectura* íd., y éste de *conjicere* 'echar en un montón', 'juntar (ideas)', 'conjeturar'; *conjeturar,* 1490; *conjetural. Adjetivo,* h. 1440, lat. *adjectivus* 'que se añade', 'adjetivo', deriv. de *adjicere* 'añadir'. *Interjección,* 1490, lat. *interjectio,* propiamente 'intercalación', de *interjicere* 'poner en medio'. *Objeto,* 1438, del b. lat. *objectum* íd., lat. *objectus, -a, -um,*

participio de *objicere* 'poner delante (de algo)', 'oponer', 'proponer'; *objetivo*, 1726, bajo latín *objectivus*; *objeción*, 1490, latín *objectio* íd.; *objetar*, 1611, lat. *objectare*. *Óbice*, principios S. XVII, lat. *obex, obĭcis*, íd., derivado de *objicere*. *Sujeto*, 1490, lat. *subjectus, -a, -um*, 'sometido', 'sujeto', participio de *subjicere* 'poner debajo'; *sujetar*, 1611, lat. *subjectare*; *sujeción*, 1438, lat. *subjectio*; *subjetivo*; *subjetivismo*. *Inyección*, 1726, lat. *injectio*, deriv. de *injicere* 'echar en (algo)'; *inyectar*, 1884, lat. *injectare*. *Trayecto*, 1884, tom., por conducto del francés, del lat. *trajectus, -ūs*, 'travesía', deriv. de *trajicere* 'lanzar más allá, cruzar'; *trayectoria*, 1884, imitado del fr. *trajectoire*.

Acá, V. *aquí*   *Acabar*, V. *cabo*

ACACIA, 1490. Tom. del lat. *acacia*, y éste del gr. *akakía* íd.

ACADEMIA, 1559. Tom. del lat. *Academīa* 'la escuela de filosofía platónica', y éste del gr. *Akadēmeia*, propiamente 'el jardín de Academos, donde enseñaba Platón'.
Deriv. *Académico*, h. 1440, lat. *academĭcus*.

Acaecer, V. *caer*   *Acalambrarse*, V. *calambre*

ACALEFO, 1884. Del gr. *akalēphē* 'ortiga', 'ortiga de mar', por conducto del fr.

Acalorar, V. *caliente*   *Acallar*, V. *callar*   *Acamar*, V. *cama*   *Acampar*, V. *campo*   *Acanalar*, V. *canal*   *Acantilado*, V. *cantil*

ACANTO 'planta espinosa', 1555. Tom. del lat. *acanthus*, deriv. del gr. *ákantha* 'espina'.
Deriv. *Acantáceo. Acantio*, gr. *akánthion*, diminutivo de *ákanthos*.
Cpt. *Acantopterigio*, formado con el gr. *pterýgion* 'aleta'.

Acantonar, V. *canto*

ACAPARAR, 1855. Del fr. *accaparer*, que en el S. XVI significaba 'comprar dejando arras', más tarde 'acaparar'; el francés lo tomó del it. *accaparrare* 'asegurar un contrato dejando arras', llamadas *caparra* en italiano (para el cual vid. *ARRAS*).
Deriv. *Acaparador, acaparamiento*.

ACÁPITE 'párrafo', 'aparte', 'epígrafe', amer., 1885. Tom. de la frase latina *a capĭte* 'desde la cabeza', con la que se indicaba que una parte del texto había de empezar en la cabeza del renglón.

Acardenalado, V. *cárdeno*   *Acariciar*, V. *caricia*

ÁCARO, 1760. Tom. del lat. mod. *acarus*, y éste del gr. *ákari* íd.

ACARRALAR 'encoger un hilo, o dejar un claro entre dos, en los tejidos', 1884. Probte. de una palabra cat. *acarrerar*, deriv. de *carrera* 'defecto consistente en la falta de un hilo', propiamente 'camino'.

ACARRARSE, 1770. Origen desconocido. En portugués es más antiguo (S. XV) y de sentido más general 'amodorrarse', 'quedarse inmóvil'.

Acarrear, acarreo, V. *carro*   *Acaso*, V. *caso*   *Acataléctico*, V. *cataléctico*   *Acatamiento*, V. *acatar*

ACATAR 'tributar homenaje de sumisión', S. XIV, y después 'reconocer la autoridad de alguien'. Primitivamente significó 'mirar con atención, considerar', h. 1140, y es deriv. del antiguo *catar* 'mirar' (véase éste).
Deriv. *Acatamiento*, 1495. *Acato*, 1611. *Desacatar*, 1604; *desacatamiento*, 1607; *desacato*, 1604.

ACCEDER, 1765-83. Tom. del lat. *accedĕre* 'acercarse', deriv. de *cedere* 'retirarse'.
Deriv. *Accesible*, 1.ª mitad S. XV, lat. *accessibilis* íd. *Accesión*, 1256-63, lat. *accessio, -onis. Accésit*, 1884, de *accessit* 'se acercó', pretérito de *accedere. Acceso*, 1493, lat. *accessus, -ūs*, íd. *Accesorio*, princ. S. XV.

Accesible, accesión, accésit, acceso, accesorio, V. *acceder*

ACCIDENTE, h. 1300. Tom. del lat. *accĭdens, -tis*, íd., y participio activo de *accĭdĕre* 'caer encima', 'suceder', derivado de *cadere* 'caer'.
Deriv. *Accidental*, princ. S. XV. *Accidentado*, 1726; en el sentido de 'abrupto', 1855, se imitó del francés.

Acción, accionar, V. *acto*

ACEBO, 1001. De una variante vulgar latina de AQUIFOLIUM íd.; en latín vulgar existieron las variantes *ACIFOLIUM (astur. *arfueyu*), ACRIFOLIUM (it. *agrifoglio*), ACRIFŬLUM (cat. *grèvol*) y probablemente *ACIFUM, de donde pueden salir la forma española, la gall. *acibo* y la port. *azevinho*; en parte, debidas a un influjo de *tríphyllon* (V. *TRÉBOL*).

ACEBUCHE, 1490. Del ár. hispánico *zebbûǧ* íd., que parece ser de origen bereber.

Acecinar, V. *cecina*

ACECHAR 'poner asechanzas', 'mirar desde un lugar oculto', 1.ª mitad S. XIII. Del lat. ASSECTARI 'seguir constantemente', 'perseguir', derivado de SEQUI 'seguir'. DERIV. *Acecho*, 1.ª mitad S. XIII; *asechanza*, S. XV, ha conservado la -s- primitiva, alterada en el verbo: en la Edad Media y Siglo de Oro se encuentra también *acechanza*, y se emplea indiferentemente *assechar* o *acechar*, así en el sentido de 'poner asechanzas' como en el de 'estar al acecho'.

ACECHE, 1.ª mitad S. XIV, del ár. *zêŷ* 'vitriolo'.

Acecho, V. *acechar*   *Acedar, acedera*, V. *acedo*

ACEDO 'ácido', 1.ª mitad S. XIII. Del lat. ACĒTUM 'vinagre', deriv. de ACĒRE 'ser agrio'. DERIV. *Acedar*, 1490. *Acedera*, 1.ª mitad S. XIV. *Acedía*, 1495. *Acetábulo*, 1555, tom. del lat. *acetabŭlum* 'vasija para vinagre', 'cavidad comparable a una vasija'. *Acético*; *acetato*; *acetilo*; *acetileno*, 1888. *Acetona*, 1865. *Ácido*, 1555, tom. del lat. *acĭdus* íd., deriv. de *acēre*; *acidez*; *acídulo*, 1624.

Acefalía, acéfalo, V. *cefálico*.

ACEITE, 1251. Del ár. *zéịt* íd. DERIV. *Aceitera*, 1642. *Aceitero. Aceitoso. Enaceitar. Aceituna*, 1256, del ár. *zeịtûna* íd.

Aceituní, V. *satén*   *Aceleración, acelerar*, V. *celeridad*

ACELGA, 1272. Del ár. *sílqa* íd.

ACÉMILA, 1060. Del ár. *zêmila* íd. DERIV. *Acemilero*, 1181.

ACEMITE 'afrecho con harina', S. XV. Del ár. *semíd* 'flor de la harina'. Hoy se emplea todavía *cemita* 'pan de acemite' en la Arg., Bolivia y Ecuador.

ACENDRAR, 1539, antes *cendrar*, 2.º cuarto S. XV. Deriv. del anticuado *cendra*, h. 1440, 'pasta de ceniza de huesos con que se afina el oro y la plata', tom. del cat. *cendra* 'ceniza', S. XIII, que procede del lat. CĬNIS, -ĔRIS, íd. DERIV. *Acendrado. Acendramiento.*

ACENTO, 1.ª mitad S. XV. Tom. de lat. *accentus* íd., derivado de *canĕre* 'cantar'. DERIV. *Acentuar*, 1495.

ACEÑA 'molino harinero', 945. Del ár. *sêniya* íd. y 'noria'. DERIV. *Aceñero*, 1238.

ACEPTAR, 1279. Tom. del lat. *acceptare*, derivado de *accipĕre* íd., y éste de *capĕre* 'coger'. DERIV. *Aceptación*, 1495.

ACEQUIA, 1140. Del ár. *sâqiya* íd., participio activo del verbo *sáqà* 'regar'.

ACERA, 1560-75 (*facera*, S. XIII). Derivado de *faz* 'cara': primero significó 'fachada', luego 'cada una de las filas de casas que hay a los dos lados de una calle o a los cuatro lados de una plaza' o (1491) 'cada uno de estos lados', y finalmente 'la orilla de la calle junto a estas hileras de casas', 1612.

ACERBO, h. 1420. Tom. del lat. *acerbus* 'áspero y agrio'. DERIV. *Exacerbar*, 1604, lat. *exacerbare* íd.; *exacerbación*.

Acerca, acercamiento, acercar, V. *cerca*

ACERICO, 'almohada pequeña que se pone sobre las otras para mayor comodidad', 1611; 'almohadilla para clavar alfileres', 1607. Diminutivo de *hacero* íd., antiguamente *facero*, y éste derivado de *faz* 'cara'; con los mismos sentidos se han empleado *acerillo*, 1620, *acerito* y (f)*aceruelo*.

ACERO, 1.ª mitad S. XIII. Del lat. tardío ACIARIUM íd., derivado de ACIES 'filo'. DERIV. *Acerar*, 1599; *acerado*, 1545.

ACEROLA, 1611. Del ár. *zacrûra* íd. DERIV. *Acerolo*, 1555. De ahí prob. *cerollo* o *zorollo*, aplicado a las mieses algo verdes y a los manjares medio crudos, por comparación con el sabor siempre agrillo de la acerola (llamada *atzerolla* o *sorolla* en Valencia, arag. *ciruella*, gall. *cerollo* 'ciruela agria').

Acérrimo, V. *agrio*   *Acertar, acertijo*, V. *cierto*

ACERVO 'montón', 1525. Tom. del lat. *acervus* íd.

Acetábulo, acetato, acético, acetileno, acetona, V. *acedo*

ACEZAR 'jadear', amer. y leon., 1495. Alteración o variante del lat. OSCĬTARE 'bostezar', 'abrir la boca, echar el aliento'. DERIV. *Acezo*, 1495.

ACIAGO, 1.ª mitad S. XIII. Voz semiculta, del lat. AEGYPTIACUS 'egipcio', que en la Edad Media se aplicaba a ciertos días del año considerados infaustos o peligrosos.

ACIAL, 1564. Del ár. *ziyâr* 'mordaza', 'acial'.

ACÍBAR, 1495. Del ár. *şíbar* íd., de la misma raíz a que pertenece *zábila*.
DERIV. *Acibarar*, S. XVII.

ACICALAR, h. 1270. Del ár. *şáqal* 'pulir'.

ACICATE 'espuela con una punta de hierro para picar al caballo', 1575. Del ár. *sikkât*, plural de *sikka* 'punzón', 'piquete de hierro'.
DERIV. *Acicatear*, S. XX.

Acidez, ácido, acídulo, V. *acedo*

ACIMUT, fin S. XIII. Del ár. *sumût*, plural de *samt* 'paralelo', 'acimut'.

ACIÓN 'correa del estribo', S. XV. Del ár. *siyûr*, plural de *sáir* 'correa'; la -*n*, y la -*r*- de la variante *arción*, se explican por influjo de *arzón*.
DERIV. *Acionera*.

Aclamación, aclamar, V. *llamar Aclaración, aclarar*, V. *claro Aclimatar*, V. *clima Acobardar*, V. *cobarde Acodado, acodar, acodillar, acodo*, V. *codo Acoger, acogida, acogimiento*, V. *coger Acogollar*, V. *cogollo Acogotar*, V. *cogote Acolchar*, V. *colcha*

ACÓLITO, 1192. Tom. del lat. tardío *acolythus* y éste del gr. *akóluthos* 'compañero', propiamente 'que va por el mismo camino', de *kéleuthos* 'camino'.

Acometer, acometida, acometividad, V. *meter Acomodación, acomodar, acomodo*, V. *cómodo Acompañamiento, acompañar*, V. *compañero Acompasar*, V. *paso Acondicionar*, V. *condición Acongojar*, V. *congoja*

ACÓNITO, 1490. Tom. del gr. *akóniton* íd.

Aconsejar, V. *consejo Aconsonantar*, V. *sonar*

ACONTECER, h. 1140 (*contecer*). Derivado del antiguo *contir* íd., y éste de lat. vg. *CONTĪGĔRE 'tocar', 'suceder'; en lat. clásico se decía CONTINGERE, pero vulgarmente se generalizó la forma del pretérito (*contĭgit*), muy empleado en este verbo.
DERIV. *Acontecimiento*, 2.ª mitad S. XIII. *Contingente* 'que puede o no suceder', 1615, tom. del lat. *contingens, -tis*, participio de *contingere*; en el sentido de 'lo que toca a cada uno', 'cuota', 1726, es imitado del francés; de ahí recientemente 'tropas, fuerzas' (propiamente las aportadas por cada aliado); *contingencia*, h. 1570.
CPT. *Cariacontecido* 'con cara de haberle acontecido algo', 1611.

Acopiar, acopio, V. *copia Acoplamiento, acoplar*, V. *copla*

ACOQUINAR 'acobardar', 1605. Del fr. *acoquiner* 'acostumbrar a un hábito degradante', 'acurrucar', deriv. de *coquin* 'mendigo', 'bribón', S. XII, que a su vez parece ser deriv. semiculto del lat. *coquus* 'cocinero' (por la fama de pícaros y ladronzuelos, de que gozaron los pinches de cocina).

Acorazado, acorazar, V. *cuero*

ACORDAR I, h. 1140, 'poner de acuerdo (a personas)', 'poner acordes (instrumentos musicales)', 'resolver, determinar'. Del lat. vg. *ACCORDARE 'poner de acuerdo', derivado de *cor, cordis*, 'corazón', según el modelo de *concordare* 'estar de acuerdo' y *discordare* 'discrepar'; en la 2.ª acepción hubo influjo de *cuerda* 'filamento vibrante de instrumento músico', palabra de otro origen.
DERIV. *Acorde* adj., 2.º cuarto S. XV; 'combinación musical armónica', 1495. *Acuerdo*, 1251; *desacuerdo*, h. 1275.

ACORDAR II, 1.ª mitad S. XIII, 'volver uno en su juicio' ant., 'despertar', 'caer en la cuenta'. Sacado de *acordado* 'cuerdo, prudente', h. 1140, el cual viene del lat. CORDATUS íd., deriv. de COR, CORDIS, 'corazón'.
DERIV. De CORDATUS saldría *cordado, y de éste se sacaría *cuerdo*, 1251, como hay *colmo* junto a *colmado*, *pago* junto a *pagado*; *muela cordal* 'la del juicio', 1580. *Recordar*, intr., 'volver en sí', h. 1140; 'despertar', 1476.

Acordarse III 'recordar', V. *recordar Acorde*, V. *acordar* I

ACORDEÓN, 1853. Del fr. *accordéon*, y éste del alem. *akkordion*, derivado de *akkord* 'acorde musical' por un músico vienés en 1829.

Acordonar, V. *cuerda Acornar, acornear*, V. *cuerno*

ÁCORO, 1513. Tom. del gr. *ákoros* íd.

Acorralar, V. *corral Acorrer, acorro*, V. *correr Acortar*, V. *corto*

ACOSAR 'perseguir con empeño', princ. S. XV, 'fatigar ocasionando molestias y trabajos'. Deriv. del cast. ant. *cosso* 'curso, carrera', procedente del lat. CŬRSUS, -ŪS, íd. (deriv. de CURRERE 'correr').
DERIV. *Acoso*, S. XX. *Acosamiento*, princ. S. XV.

Acostar, V. *costilla Acostumbrar*, V. *costumbre Acotación, acotar* 'atestiguar', 'poner números o cotas', V. *cota* II *Acotar* 'reservar', 'tomar como propio', V. *coto* I

ÁCRATA, princ. S. XX, formado con la terminación de *demócrata, autócrata*, y el prefijo privativo griego *a-*.

ACRE, m., 1884, del ingl. *acre*.

Acre, adj., V. *agrio   Acrecentar, acrecer*, V. *crecer   Acreditar, acreedor*, V. *creer*

ACRIBILLAR, 1557. Del lat. CRĪBELLARE (derivado de CRIBELLUM 'criba', dimin. de CRIBRUM íd.), que en el antiguo romance hispánico tomó el sentido 'dar un aspecto de criba'.

ACRÍDIDO, S. XX, deriv. del gr. *akrís, -ídos*, 'saltamontes'.

Acrimonia, V. *agrio   Acriollarse*, V. *criollo   Acrisolar*, V. *crisol   Acritud*, V. *agrio*

ACRO-, elemento integrante de compuestos griegos, procedente del adjetivo *ákros, -a, -on*, 'extremo', y de sus formas sustantivadas *ákron* 'extremidad' y *ákra* 'cumbre'. *Acrofobia. Acromegalia*, formado con el gr. *mégas, megálē, méga*, 'grande'. *Acróbata*, med. S. XIX, del fr. *acrobate*, y éste del gr. *akróbatos* 'que anda sobre las puntas de los pies', compuesto con *báinō* 'yo ando', *acrobático, acrobatismo, acrobacia. Acromion*, 1606, gr. *akrōmion* íd., compuesto con *ōmos* 'hombro'. *Acrónimo*, con la terminación de *seudónimo* (*ónoma* 'nombre'). *Acrópolis*, 1877, gr. *akrópolis*, con *pólis* 'ciudad'. *Acróstico*, 1703, del fr. *acrostiche*, y éste del gr. *akrostikhís*, con *stíkhos* 'verso'.

Acta, V. *acto*

ACTINIO, 1925. Deriv. culto del gr. *aktís, -înos*, 'rayo'.
DERIV. *Actínico; actinismo. Actinota.*
CPT. *Actinómetro; actinometría.*

ACTITUD, 1633. Del it. *attitudine* 'aptitud', 'postura, actitud', tom. del lat. *aptitūdo*; el segundo significado lo tomó en italiano, por influjo de *atto* 'acto' y su familia.

Activar, actividad, activo, V. *acto*

ACTO, 2.ª mitad S. XIII. Tom. del lat. *actus, -ūs*, íd., deriv. de *agĕre* 'obrar'. Variante semiculta de *acto* es *auto* 'resolución judicial', 'composición dramática de carácter bíblico o alegórico', h. 1300, y antiguamente también 'acto'.
DERIV. *Entreacto*. Otros deriv. de *agere*: *Acta*, 1256, tom. del lat. *acta* 'cosas hechas', neutro plural de *actus, acta, actum*, participio de dicho verbo. *Actual*, 1460, lat. *actualis* 'activo, práctico'; *actualidad; actualizar, actualización. Actuar*, h. 1560, del b. lat.

actuare íd. *Actuario*, 1617, lat. *actuarius* 'fácil de mover'. *Activo*, h. 1335, lat. *activus* íd.; *activar*, med. S. XVIII; *actividad*, fin S. XVI. *Actor* 'demandante, acusador', 2.ª mitad S. XIII, 'comediante' 1726, lat. *actor* 'el que obra'; *actriz*, 1780, lat. *actrix, -īcis*, femenino del anterior. *Acción*, h. 1490, lat. *actio, -onis*, íd.; *accionar*, 1726; *accionista*, 1870. *Agenda*, 1855, del fr. *agenda* íd., lat. *agenda* 'cosas que se deben hacer', pl. neutro del adj. verbal del verbo *agere. Agente*, h. 1560, lat. *agens, -tis*, participio activo del mismo verbo; *agencia*, 1609; *agenciar*, 1609. *Ágil*, 1490, lat. *agĭlis* íd.; *agilidad*, 1490. *Agitar*, h. 1335, lat. *agitare* íd. *Reacción*, 1726; *reaccionar*, 1914; *reaccionario*, 1884; *reactivo*, 1843; *reactor. Retroactivo*, 1832, formado con *retro* 'atrás'; *retroactividad; retroacción.*

Actor, actriz, actual, actuar, actuario, V. *acto*

ACUARELA, 1881. Del it. *acquarella* íd., deriv. de *acqua* 'agua'.

Acuario, V. *agua   Acuartelar*, V. *cuarto   Acuático*, V. *agua*

ACUCIA, ant., 'diligencia', med. S. XIII. Tom. del b. lat. *acutia* 'astucia, agudeza', deriv. de *acutus* 'agudo'.
DERIV. *Acuciar* 'cuidar con diligencia', 'estimular', 'instigar', med. S. XIII. *Acucioso*, 1250.

Acuchillar, V. *cuchillo*

ACUDIR, h. 1330. Sacado del antiguo *recudir*, h. 1140, 'resurtir al paraje de donde se salió', 'responder', 'recurrir (a alguno)', 'concurrir (a un lugar)', y éste del lat. RECŪTĔRE 'rechazar', 'hacer resurtir' (deriv. de QUATERE 'sacudir').
DERIV. *Acudimiento*, 1495.

Acueducto, V. *agua   Acuerdo*, V. *acordar* I   *Acuidad*, V. *agudo   Acullá*, V. *allá   Acumen*, V. *agudo   Acumular*, V. *cúmulo   Acunar*, V. *cuna   Acuñar*, V. *cuño   Acuoso*, V. *agua   Acupuntura*, V. *aguja*

ACURRUCARSE, 1490. Ahí *acorrucarse* con el sentido de 'arrugarse', 'encogerse' (también val., ahí ya h. 1400); probablemente *acorrucado* fue alteración del lat. CORRŪGATUS 'arrugado'; el vocablo sufrió en su sentido, en el Norte de España, el influjo del astur. y gall. *curuxa*, port. *coruja*, 'lechuza', por la costumbre de estas aves nocturnas de estarse ocultas y acurrucadas durante el día, de donde resultó la variante *acurujarse*, usual en Asturias, Galicia y Colombia.

ACUSAR, h. 1140. Del lat. ACCŪSARE íd. (deriv. de CAÚSA 'causa').
DERIV. *Acusación,* 3.er cuarto S. XIII. *Acuse,* 1881. *Acusetas; acusete. Acusativo,* h. 1435, tom. del lat. *accusativus* íd. Derivan de CAUSA paralelamente: *Excusar,* 1076, lat. EXCUSARE 'disculpar'; *excusa,* 1.ª mitad S. XIII; *excusado. Recusar,* 1554, tom. del lat. *recusare* íd.; *recusación,* 1556.

ACÚSTICO, 1709. Tom. del gr. *akustikós* íd., deriv. de *akúō* 'oigo'.
DERIV. *Acústica,* 1815.

Acutángulo, V. *agudo*

ACHACAR, 1220-50, 'acusar' ant., 'imputar falsamente'. Del ár. vg. *'atšákkā* 'acusar', deriv. del ár. *šákā* 'quejarse'.
DERIV. *Achaque,* 1224, 'acusación', 'causa' ant., 'pretexto', 'enfermedad habitual', del ár. *šakâ,* f. (y del masculino *šakâ'*, confundido con él), 'queja', 'mal corporal', 'enfermedad', de la misma raíz arábiga que dicho verbo, cuyo influjo fonético sufrió también en castellano; *achacoso,* h. 1400.

Achaflanar, V. *chaflán   Achantarse,* V. *chantar   Achaparrado, achaparrarse,* V. *chaparro   Achaque,* V. *achacar*

ACHARES 'celos', 'tormentos', h. 1880. Del gitano *ḥačáre* 'quemazón', 'tormento', deriv. de *ḥačá* 'calor'.
DERIV. *Achararse,* 1909.

Acharolado, V. *charol   Achatar,* V. *chato   Achicar,* V. *chico*

ACHICORIA, 1590. Voz mozárabe, del lat. CICHORIA, pl. de CĬCHŎRĬUM, gr. *kikhórion* íd.

Achicharrar, V. *chicharrón   Achispar,* V. *chispa*

ACHUCHAR, 1601, 'empujar bruscamente', 'aplastar', 'azuzar'. Palabra de creación expresiva.

Achulado, achulaparse, V. *chulo*

ACHURA 'entraña de un animal sacrificado' arg., princ. S. XIX. Del quichua *achúra* 'porción de algo que se distribuye entre varios', por hacerse así entre los que ayudan a voltear y descuartizar la res.
DERIV. *Achurar* 'sacar las entrañas', 'matar'.

ADAGIO I, 'proverbio', 1580. Tom. del lat. *adagium* íd.

ADAGIO II, 'aire lento del ritmo musical', 1883. Del it. *ad agio* 'despacio'.

ADALID 'guía', 1071. Del ár. *dalîl* íd., deriv. del verbo *dall* 'enseñar el camino'.

Adamantino, V. *diamante   Adaptación, adaptar,* V. *apto*

ADARGA, h. 1140 (*adágara*), h. 1285 (*adáraga*). Del ár. *dárqa* o *dáraqa* 'escudo'.
DERIV. *Adargar,* princ. S. XVII; *adargado,* S. XIII. *Adarguero,* med. S. XIII.

ADARME 'peso equivalente a 179 centigramos', h. 1280 (*adárham*), 1495 (*adáreme*). Del ár. hispánico *dúrham* (ár. *dírham*) íd., y éste del gr. *drákhma* (moneda y peso).

ADARVE, 1202, 'camino detrás del parapeto en lo alto de una fortificación', 'muralla'. Del ár. *darb* 'camino de montaña'.

Adecentar, V. *decente   Adecuado, adecuar,* V. *igual*

ADEFESIO 'despropósito, extravagancia', 1705, 'prenda de vestir o adorno ridículo', 'persona de aspecto feo o ridículo', 1765-83. De la antigua locución adverbial *ad Efesios,* 1555, 'en balde', 'disparatadamente' (*hablar ad Efesios*), y ésta de las palabras lat. *ad Ephesios* 'a los habitantes de Éfeso', título de una epístola de San Pablo, aludiendo a la inutilidad de la predicación del santo en esta ciudad de Asia Menor, donde estuvo a punto de sufrir martirio a manos de la plebe.

ADEHALA 'propina, emolumento', S. XV. Del ár. *daḥâla* 'porción que se recibe de algo', 'ingreso', deriv. del verbo *dáḥal* 'entrar'.

Adelantado, adelantar, adelante, adelanto, V. *delante*

ADELFA, med. S. XIII. Del ár. hispánico *défla* (ár. *díflà*) íd., y éste del gr. *dáphnē* 'laurel'.

Adelgazar, V. *delgado*

ADEMÁN, fin S. XIII. Origen desconocido; significó primitivamente 'falsedad, ficción' y después 'gesto afectado, modales rebuscados'.

Además, V. *más*

ADENITIS, 1884. Deriv. culto del gr. *adēn* 'glándula'.
DERIV. del mismo vocablo griego: *Adenoso,* 1658. *Adenia. Adenoma.*
CPT. *Adenología,* 1884. *Adenoideo.*

Adentrarse, adentro, V. *dentro*

ADEPTO, h. 1730. Tom. del lat. *adeptus* 'adquirido', participio de *adipisci* 'alcanzar'.

ADEREZAR, 1250. Del antiguo *derezar* y éste del lat. vg. *DIRECTIARE 'dirigir', 'poner derecho', derivado del lat. DIRIGERE íd., participio DIRECTUS.

DERIV. *Aderezo*, 1495. *Enderezar*, h. 950.

Aderredor, V. *alrededor*   *Adestrar*, V. *diestro*   *Adeudar*, V. *deber*

ADHERIR, h. 1490. Tom. del lat. *adhaerēre* 'estar adherido', deriv. de *haerere* íd. DERIV. *Adhesión*, med. S. XV, lat. *adhaesio, -ōnis*. *Adhesivo*, 1884, lat. *adhaesivus* íd. *Adherente*, princ. S. XV; *adherencia*. Otros deriv. de *haerere*: *Coherente*, 1600, lat. *cohaerens, -tis*, participio activo de *cohaerēre* 'estar pegado'; *coherencia*, 1600; *incoherente*; *incoherencia*. *Cohesión*, 1884. *Cohesivo*, 1884. *Inherente*, h. 1650, lat. *inhaerens, -tis*, part. activo de *inhaerere* 'estar adherido a'; *inherencia*.

ADICIÓN 'acción de añadir', 1499. Tom. del lat. *additio, -ōnis*, íd., deriv. de *addĕre* 'añadir'. DERIV. *Adicional*, 1881. *Adicionar*, 1604. De *addere* deriva: *Aditamento*, 1532, lat. *additamentum*.

Adición de la herencia, V. *ir*

ADICTO, 1726. Tom. del lat. *addictus*, participio de *addicĕre* 'adjudicar', 'dedicar' (deriv. de *dicere* 'decir').

Adiestrar, V. *diestro*   *Adinerar*, V. *dinero*   *Adiós*, V. *dios*

ADIPOSO, 1726. Deriv. culto del lat. *adeps, adĭpis*, 'grasa'.

Adir, V. *ir*   *Aditamento*, V. *adición*

ADIVAS 'cierta inflamación de la garganta en las bestias', fin S. XIII. Del ár. *dî'ba* íd.

Adivinación, adivinanza, adivinar, adivino, V. *dios*   *Adjetivo*, V. *abyecto*   *Adjudicación, adjudicar*, V. *juez*   *Adjunto*, V. *junto*

ADMINÍCULO 'objeto auxiliar', 1542. Tom. del lat. *adminicŭlum* 'puntal, rodrigón', 'ayuda'.

Administración, administrar, administrativo, V. *menester*   *Admiración, admirar, admirativo*, V. *mirar*   *Admisible, admisión, admitir*, V. *meter*   *Admonición*, V. *amonestar*

ADOBAR 'arreglar, adornar', 'guisar', 'curtir', h. 1140. Del fr. ant. *adober* 'armar caballero', 'preparar', y éste del fráncico *DUBBAN* 'empujar', 'golpear', por la costumbre de dar un espaldarazo al caballero novel.

DERIV. *Adobo*, 1.ª mitad S. XIII.

ADOBE 'ladrillo de barro crudo', 1157. Del ár. *ṭûb* 'ladrillos', colectivo de *ṭûba* 'ladrillo', de donde proceden el cat. *tova* y el murc. *atoba*.

Adobo, V. *adobar*   *Adocenado*, V. *dos*   *Adoctrinar*, V. *doctor*   *Adolecer*, V. *doler*

ADOLESCENTE, 1.ª mitad S. XV. Tom. del lat. *adolescens, -tis* (también *adulescens*), 'hombre joven', part. activo de *adolescĕre* 'crecer'. DERIV. *Adolescencia*, 1444, lat. *adolescentia* 'juventud'. *Adulto*, h. 1560, tom. del lat. *adultus* íd., part. pasivo del propio verbo *adolescĕre*.

Adonde, adondequiera, V. *donde*

ADÓNICO, 1827. Deriv. culto del lat. *Adōnis*, gr. *Ádōnis*, nombre del amante de Afrodita.

Adopción, adopcionista, adoptar, adoptivo, V. *optar*

ADOQUÍN, 1572. Del ár. vg. *dukkîn* (clásico *dukkân*) 'banco de piedra', que en el árabe de España tomó el sentido de 'piedra grande de empedrar'. DERIV. *Adoquinar*, 1877; *adoquinado*, 1877.

Adoración, adorar, V. *orar*   *Adormecer, adormidera, adormilarse*, V. *dormir*   *Adornar, adorno*, V. *ornar*   *Adosar*, V. *dorso*   *Adovelado*, V. *duela*

ADQUIRIR, princ. S. XV. Tom. del lat. *acquīrĕre* íd., deriv. de *quaerĕre* 'buscar', 'inquirir, pedir'. DERIV. *Adquirente*. *Adquisición*, deriv. del participio *acquisītus* de dicho verbo latino. *Adquisitivo*. De otros deriv. de *quaerere*: *Exquisito*, 1438, lat. *exquisītus* íd., participio de *exquirĕre* 'rebuscar'; *exquisitez*, S. XIX. *Inquirir* med. S. XV, lat. *inquirĕre* íd.; *inquisidor* 1444; *inquisición*, 1438; *inquisitivo*; *inquisitorio, inquisitorial*. *Encuesta*, 1720, adaptación del fr. *enquête*, S. XII, según el modelo de *recuesta*. *Requerir*, 1220-50, lat. *requirĕre*; *requerimiento*; *recuesta*, 1438; *requisitoria*, 1599; *requisito*, S. XVII: *requisa*, S. XII, adaptación del fr. *réquisition*, S. XII, según el modelo de *pesquisa* frente al fr. *perquisition*; *requisar*, S. XIX; *requilorio*, h. 1900, de *requirorio*.

Adquisición, adquisitivo, V. *adquirir*
Adragante, V. *tragedia*

ADRAL 'cada uno de los zarzos o tablas que se ponen en los costados del carro', 1770. De *ladral,* empleado en el Norte de España con el mismo sentido, y éste del lat. LATERALIS 'lateral'; la *l-* se perdió por confusión con la del artículo.

ADREDE 'con intención, deliberadamente', 2.ª mitad S. XIII. Origen incierto, probablemente del gót. AT *RED 'a consejo, con consejo'. Comp. *ARREAR.*

Adrenalina, V. *riñón   Adscribir, adscripción,* V. *escribir*

ADUANA, h. 1260. Del ár. *dīwân* 'registro', 'oficina', 'oficina de aduanas', y éste del persa (V. *diván*).
DERIV. *Aduanero,* 1595.

ADUAR, h. 1440. Del ár. *dawwâr* 'campamento cuyas tiendas forman círculo alrededor del ganado', deriv. del verbo *dâr* 'dar vuelta'.

ADUCIR, h. 1140. Del lat. ADDŪCĔRE 'conducir a (alguna parte)', deriv. de DŪCĔRE 'conducir'.
DERIV. *Aducción; aductor.* Derivan también del lat. *ducere*: *Conducir,* h. 1440, tom. del lat. *conducĕre* 'conducir juntamente'; *conducente; coducción; conducta,* 1604, lat. *conducta,* participio del mismo verbo; *conducto,* 1490, del b. lat. *conductus, -ūs,* íd.; *condutal; conductor,* 2.ª mitad S. X; *conductivo. Deducir,* 1495, tom. del lat. *deducere* íd.; *deducción,* 1505; *deductivo,* 1884. *Dúctil,* 1765-83, tom. del lat. *ductĭlis* 'que se deja conducir', 'maleable'; *ductilidad. Inducir,* h. 1330 (*en-*), lat. *inducere* íd.; *inducción,* h. 1330; *inductivo,* S. XVII; *inductor. Introducir,* h. 1440, lat. *introducere; introducción,* h. 1450; *introductorio; introductor. Producir,* h. 1440, lat. *producere* 'hacer salir', 'criar'; *producción,* 1583; *productivo,* h. 1570; *producto,* 1709 (adj., h. 1440), lat. *productum,* participio del mismo verbo; *productor; reproducir,* 1726; *reproducción, reproductivo, reproductor. Reducir,* 1438, lat. *reducere* íd.; *reducción,* 1595; *reductible, irreductible; reducto,* 1595, castellanización del it. *ridotto* íd. *Seducir,* 1627, lat. *seducere* íd.; *seducción; seductor. Traducir,* h. 1450, lat. *traducere* 'trasportar', 'traducir'; *traducción,* h. 1450; *traductor,* 1611.
CPT. *Contraproducente,* 1884, de la locución lat. *contra producentem* 'contra el que alega', aplicada al que aduce un testimonio que le es adverso.

Adueñarse, V. *dueño*

ADULAR, 2.º cuarto S. XV. Tom. del lat. *adulari* íd.
DERIV. *Adulación,* 1444; *adulador,* med. S. XVI; *adulón,* 1887.

ADULTERAR, princ. S. XV. Tom. del lat. *adulterare* 'alterar, falsificar', 'deshonrar'.
DERIV. *Adúltero, -era,* S. XIII, lat. *adulter, -ĕra, -ĕrum,* 'que comete adulterio'; *adulterio,* S. XIII, lat. *adulterium; adulterino.*
Adulto, V. *adolescente*

ADUSTO, 1438. Tom. del lat. *adustus,* propiamente participio pasivo de *adurĕre* 'chamuscar, quemar superficialmente', que de 'requemado, tostado' pasó a designar lo 'de aspecto duro y sombrío'.

Advenedizo, advenimiento, adventicio, V. *venir   Adverbio,* V. *verbo   Adversario, adversativo, adversidad, adverso, advertencia, advertir,* V. *verter   Adviento,* V. *venir   Advocación,* V. *abogado   Adyacente,* V. *yacer*

AEDO, 1907, tom. por conducto del fr. *aède* del gr. *aoidós* 'cantor', deriv. de *áidō* 'yo canto'.

Aeración, aéreo, aerífero, aeriforme, aero-, V. *aire*

AFABLE, h. 1440. Tom. del lat. *affabĭlis* 'a quien se puede hablar', deriv. de *fari* 'hablar'.
DERIV. *Afabilidad,* 1570. Otro deriv. de *fari: Inefable,* 1438, lat. *ineffabilis* íd., de *effabilis* 'expresable'.

Afamado, V. *fama*

AFANAR, 1.ª mitad S. XIV. De un verbo lat. vg. *AFFANNARE íd., común a los principales romances de Occidente, de origen incierto, probablemente deriv. del lat. vg. AFANNAE 'palabras embrolladas y sin sentido', que pasaría a significar 'situación enredada, difícil' y luego 'apuro, afán'.
DERIV. *Afán,* h. 1140; *afanoso,* princ. S. XV.

AFANÍPTERO, 1884. Compuesto culto del gr. *aphanḗs* 'invisible' y *pterón* 'ala'.

Afanoso, V. *afanar*

AFASIA, 1884. Tom. del gr. *aphasía* íd., deriv. de *phēmí* 'yo hablo'. *Disfasia* es deriv. culto del mismo verbo griego.

Afayancarse, V. *fayanca*   *Afear*, V. *feo*
Afección, afectar, V. *afecto*

AFECTO, adj., 1588. Tom. del lat. *affectus*, participio pasivo de *afficĕre* 'poner en cierto estado', deriv. de *facĕre* 'hacer'. DERIV. *Afecto* sust., princ. S. XV, lat. *affectus, -ūs*, íd.; *afectar*, 1444, lat. *affectare*, frecuentativo de *afficere*; *afectación*, 1535; *afectivo*, med. S. XVI; *afectuoso*, princ. S. XV; *afección*, princ. S. XV, del cual es duplicado semipopular *afición*, 2.º cuarto S. XV; *aficionar*, 1555; *aficionado*, S. XV. *Desafecto*.

AFEITAR, 1.ª mitad S. XIII. Del lat. *affectare* 'dedicarse (a algo)' y de su participio *affectatus* 'afectado, rebuscado', de donde el sentido antiguo 'adornar, hermosear', y de ahí 'raer el pelo'. DERIV. *Afeite*, 1406.

Afelio, V. *sol*   *Afelpar*, V. *felpa*   *Afeminado*, V. *hembra*

AFÉRESIS, 1490. Tom. del gr. *apháiresis* 'acción de llevarse', deriv. de *aphairéō* 'me llevo', y éste de *hairéō* 'yo cojo'.

Aferrar, V. *hierro*   *Afianzar*, V. *fiar*
Afición, aficionar, V. *afecto*   *Afijo*, V. *fijo*   *Afilar*, V. *hilo*   *Afiliar*, V. *hijo*
Afiligranar, V. *hilo*   *Afín*, V. *fin*   *Afinar*, V. *fino*   *Afincarse*, V. *hincar*   *Afinidad*, V. *fin*   *Afirmación, afirmar*, V. *firme*
Aflautado, V. *flauta*

AFLIGIR, 1403. Tom. del lat. *affligĕre* 'golpear contra algo', 'abatir', deriv. de *fligere* 'golpear'. DERIV. *Afligente*; *aflictivo*; *aflicción*, 1.ª mitad S. XIII. De otros deriv. de *fligere*: *Conflicto*, 1438, lat. *conflictus, -ūs*, íd., deriv. de *confligĕre* 'chocar'. *Infligir*, 1832, lat. *infligere* íd., por conducto del francés.

Aflojar, V. *flojo*   *Aflorar*, V. *flor*
Afluencia, afluente, afluir, aflujo, V. *fluir*
Afollado, V. *fuelle*   *Afonía, afónico, áfono*, V. *fonético*   *Aforar*, V. *fuero*

AFORISMO 'sentencia breve que se da como regla', 1590. Tom. del gr. *aphorismós*, propiamente 'definición', deriv. de *aphorízō* 'yo separo, defino', y éste de *hóros* 'mojón'.

Aforo, V. *fuero*   *Aforrado, aforrar* 'forrar', *aforro*, V. *forrar*   *Afortunado*, V. *fortuna*

AFRECHO 'salvado', h. 1330. Del lat. AFFRACTUM, deriv. de FRANGERE 'romper', así llamado por ser la cáscara del grano desmenuzada durante la molienda.

Afrenillar, V. *freno*   *Afrenta, afrentar, afrentoso*, V. *frente*   *Africado*, V. *fregar*

AFRODISÍACO, 1867. Tom. del gr. *aphrodisiakós* íd., deriv. de *Aphroditē* 'Venus'. DERIV. (con prefijo negativo). *Anafrodisia*; *anafrodita*.

Afrontación, afrontar, V. *frente*

AFTA, 1765-83. Tom. del gr. *áphtha* íd. DERIV. *Aftoso*, 1859.

Afuera, V. *fuera*   *Afufar*, V. *huir*
Afuste, V. *fuste*

AGÁ, 1547. Del turco *agá* 'caballero, señor'.

AGACHAR, 1251. Origen incierto. DERIV. *Agachada. Agachadiza. Gacho*, princ. S. XVII.

AGÁLOCO, 1555. Tom. del gr. *agállokhon* íd.

AGALLA I, 'excrecencia que se forma en el roble', 1.ª mitad S. XIII. Del lat. GALLA íd. DERIV. *Agallón*, 1553.

AGALLA II, 'amígdala', 1495, 'branquia del pez', h. 1400 (*galla*), 'costado de la cabeza del ave', 'testículo', 'ánimo esforzado, arrestos'. Origen incierto, emparentado con el gall. *garla*, cat. *ganya*, sardo *ganga* 'branquia', 'glándula', que no es probable tengan nada que ver con *agalla* I; como el toscano *gàngola* significa 'glándula', es posible que todas estas palabras vengan del lat. GLANDŬLA, cambiado en *GANGLA y luego *galla*. DERIV. *Agalludo* 'valiente'; *galludo* 'especie de tiburón', princ. S. XV. *Gallillo* 'úvula', 1495, hoy *galillo* 'gaznate' en Andalucía.

ÁGAPE, 1765-83. Tom. del lat. *agápe* 'amor, amistad', 'comida fraternal de los cristianos primitivos', y éste del gr. *agápē* 'amor'.

AGÁRICO, 1488. Tom. del lat. *agarĭcum*, y éste del gr. *agarikón* íd.

Agarradero, agarrafar, agarrar, V. *garra*
Agarrotar, V. *garrote*

AGASAJAR, último tercio S. XVI. Deriv. del antiguo *gasajo* 'placer en compañía, diversión social', procedente del gót. *GASALI 'compañía', deriv. de *GASALJA 'compañero' (*geselle* en alemán). DERIV. *Agasajo*, S. XV. El antiguo *gasajo*, 1330; *gasajado* 'diversión en común', 1.ª mitad S. XIII.

ÁGATA, h. 1430. Tom. del lat. *achātes,* y éste del gr. *akhátēs* íd.

AGAVANZO, h. 1100 (*ǵabánso*). De origen prerromano, emparentado con el vasco *gaparra* o *kaparra* 'zarza', 'cambrón', 'chaparro', y con el cat. *gavarra* 'agavanza', arag. *garrabera* 'zarzamora', gascón *gabarro* íd., *gabardero* 'agavanzo'.
Deriv. *Agavanza* 'fruto del agavanzo', 1495 (*gavança*).

Agavillar, V. *gavilla Agazaparse,* V. *gazapo* I *Agencia, agenda,* V. *acto Agenesia,* V. *engendrar Agente,* V. *acto*

AGÉRATO, 1555. Tom. del gr. *agḗraton* íd.

Agestado, V. *gesto Ágil,* V. *acto*

AGIO, 1831. Del it. *aggio* íd., seguramente por conducto del francés; en italiano parece ser el mismo vocablo que *agio* 'comodidad' (tomado del fr. *aise*), de donde 'interés que se paga a cambio de las facilidades otorgadas'.
Deriv. *Agiotaje, agiotista,* tom. de *agiotage, agiotiste,* deriv. franceses de *agio.*

Agitar, V. *acto*

AGLOMERAR, 1765-83. Tom. del lat. *agglomerare* 'juntar', deriv. de *glomus, glomĕris,* ovillo'.
Deriv. *Aglomeración. Aglomerado. Conglomerar,* 1765-83; *conglomerado,* 1765-83, tom. del lat. *conglomerare* 'amontonar', otro deriv. de *glomus.*

Aglutinar, V. *gluten Agnación, agnado,* V. *cuñado*

AGNOCASTO, fin S. XV. Tom. del lat. mod. *agnus castus* íd., y éste del gr. *agnós* íd.; de haberse confundido con el gr. *hagnós* 'casto' nació la superstición de que la semilla del agnocasto podía emplearse como remedio para guardar la castidad, de aquí que se agregara el lat. *castus* a su nombre.

Agnosticismo, agnóstico, V. *gnóstico*

AGNUSDÉI, h. 1600. Tom. del lat. *Agnus Dei* 'Cordero de Dios', por la imagen del Cordero que lleva impresa el agnusdéi.

AGOBIAR, 1599. Deriv. del lat. vg. *GUBBUS,* variante del clásico GIBBUS 'giba', de donde el antiguo *agobiado* 'cargado de espaldas' y de ahí *agobiar* 'agachar la cabeza' y luego 'abrumarla con el peso'.
Deriv. *Agobio,* 2.ª mitad S. XIX.

Agolparse, V. *golpe*

AGONÍA, med. S. XV. Tom. del b. lat. *agonia,* gr. *agōnía* 'lucha', 'angustia', deriv. de *agṓn* 'reunión', 'lucha'.
Deriv. *Agónico,* h. 1900. *Agonístico. Agonizar,* 1588. *Antagonista,* h. 1625, tom. del lat. *antagonista,* gr. *antagōnistḗs* 'el que lucha contra alguien'; *antagonismo*; *antagónico.*
Cpt. *Protagonista,* de los gr. *prôtos* 'primero' y *agōnistḗs* 'actor'.

ÁGORA, 1884. Tom. del gr. *agorá* 'reunión', 'plaza pública'.
Cpt. *Agorafobia.*

Agorar, agorero, V. *agüero Agorgojarse,* V. *gorgojo*

AGOSTO, 1192. Del lat. AUGŪSTUS íd., nombre puesto en memoria del emperador Octavio Augusto.
Deriv. *Agostar,* h. 1470, 'secar las plantas (el calor excesivo)', por ser propio de este mes.

AGOTAR, 1.ª mitad S. XIII. Del lat. vg. *EGUTTARE* 'secar hasta la última gota', derivado de GŪTTA 'gota', del cual proceden también el port. y cat. *esgotar.*
Deriv. *Agotador,* 1607. *Agotamiento,* 1604.

Agracejo, V. *agrio Agraciado, agraciar,* V. *gracia Agradable, agradar, agradecer, agrado,* V. *grado* II *Agrafia,* V. *gráfico*

AGRAMAR 'majar el cáñamo o lino para separar el tallo de la fibra', h. 1400 (*gramar*). Origen incierto, quizá del lat. CARMĬNARE 'cardar' a pesar de las dificultades fonéticas y de que el it. dial. *gramolare* y el port. *gramar* indican en apariencia un étimo diverso.
Deriv. *Agramadera.*

Agrandar, V. *grande Agrario,* V. *agro Agravar, agraviar, agravio,* V. *grave Agraz, agrazón,* V. *agrio*

AGREDIR, h. 1890. Tom. del lat. *aggrĕdi* 'dirigirse (a alguno)', 'atacarle', deriv. de *gradi* 'andar'.
Deriv. *Agresión,* 1770, lat. *aggressio. Agresivo,* med. S. XIX. *Agresor,* 1535, lat. *aggressor.*

Agregación, agregado, V. *agregar*

AGREGAR 'reunir, juntar', 1423. Tom. del lat. *aggregare* 'juntar, asociar', deriv. de *grex, gregis,* 'rebaño' (V. *GREY*).
Deriv. *Agregación,* h. 1600. *Agregado. Congregar,* 1402, lat. *congregare* 'asociar', deriv. de dicho *grex*; *congregación*; *con-*

gregante. Disgregar, 1540, lat. tardío *disgregare* 'dispersar un rebaño'; *disgregación. Segregar*, princ. S. XVII, lat. *segregare* 'separar de un rebaño'; *segregación*.

AGREMÁN. 1878. Del fr. *agrément*, propiamente 'agrado, atractivo', deriv. de *agréer*, del mismo significado y origen que *agradar*.

Agremiar, V. *gremio Agresión, agresivo, agresor*, V. *agredir Agreste, agrícola, agricultor, agricultura*, V. *agro Agrietar*, V. *grieta Agrimensor, agrimensura*, V. *agro*

AGRIMONIA, 1537. Tom. del lat. tardío *agrimonia* íd., alteración del gr. *argemónē*.

AGRIO, 1599, y ya quizá a princ. S. XVI (*agro*, 1251). Del lat. ACER, ACRIS, ACRE, 'agudo, penetrante'; en latín vulgar se dijo ACER, ACRA, ACRUM, de donde el cast. ant. *agro*, que fue normal hasta el S. XVII y por esta época se alteró bajo el influjo de *agriar*.
DERIV. *Agriar*, h. 1730, lat. vg. *ACRIARE íd. *Agrión* 'berro', h. 1300, 'tumor nervioso de las caballerías' 1629. *Agraz*, med. S. XIII; *agracejo* 'bérbero (arbusto)', 1527, del cual se tomó el ár. africano *'argîs*, y de éste a su vez el cast. *alarguez*, 1.ª mitad S. XIV. *Agrazón. Acre*, 1555, forma culta del mismo origen que *agrio*; *acrimonia*, 1555, lat. *acrimonia* íd.; *acritud*, 1555, lat. *acritūdo* íd. *Acérrimo*, lat. *acerrĭmus*, superlativo de *acer*.
CPT. *Agridulce*, 1620 (*agriod-*, 1607). *Agripalma*, 1557, por tratarse de una planta punzante.

AGRO 'extensión de tierra labrantía', 'territorio de una ciudad', 1599. Tom. del lat. *ager, agri*, 'campo'.
DERIV. *Agrario*, 1490, lat. *agrarius. Agreste*, 2.º cuarto S. XV, lat. *agrestis* íd.
CPT. *Agrícola*, 1535, lat. *agricŏla* íd., formado con *colĕre* 'cultivar'; *agricultor*, h. 1440, lat. *agricultor*; *agricultura*, h. 1440, lat. *agricultura. Agrimensor*, 1740, del lat. *agrimensor* íd., formado con *metiri* 'medir' (participio *mensus*); *agrimensura. Agropecuario. Agrónomo*, 1832, del gr. *agrónomos* 'inspector agrícola', de los gr. *ágros* 'campo' (hermano del lat. *ager*) y *némō* 'yo divido', 'administro'; *agronomía. Agrología*.

AGUA, 2.ª mitad S. X. Del lat. AQUA íd.
DERIV. *Aguachento* 'aguanoso', amer. *Aguada*, h. 1440 (pictórica, 1580); *guadal* 'pantano, tembladeral', 1787, amer. *Aguadero*, 1492; *aguaderas*, 1604. *Aguadija*, 1680. *Aguanoso*, 1535. *Aguado*, 1495. *Aguar*, S. XIII. *Aguador. Aguatero. Agua-*

za; *aguazal*; *aguacero*, 1492. *Desaguar*, 1604; *desaguadero*, 1526; *desaguador*; *desagüe. Guachapear* 'golpear y agitar con los pies el agua detenida' 1734, 'resolver malamente, despachar sumariamente' 1588, de *aguachapear, cruce de *aguachar* 'encharcar con la raíz onomatopéyica *chap-* de los sinónimos *chapotear, chapalear, chapullar. Enaguachar. Acuario*, fin S. XIII, tom. del lat. *aquarium* íd. *Acuático*, 1490, lat. *aquaticus. Acuoso*, 1499, lat. *aquosus*.
CPT. *Aguafuerte. Aguamanos*, S. XV, del lat. *aqua in manus* 'agua para las manos'; *aguamanil*, 1069, lat. tardío AQUAMANĪLE íd. *Aguamarina. Aguamiel*, 1513. *Aguapié* 'vino hecho con orujo y agua', 1495, propiamente 'agua de pies' por los que pisaron el orujo. *Aguardiente*, 1406. *Aguasal. Aguaviento*, 1604. *Acueducto*, 1600, tom. del lat. *aquae ductus* 'conducto de agua'.

AGUACATE, h. 1560. Del azteca *auácatl* íd.
CPT. *Guacamole*, 1895, 'ensalada de aguacate', del azteca *auacamúlli*, formado con *múlli* 'mole'.

Aguacero, aguachento, V. *agua Aguachirle*, V. *sirle Aguada, aguadero, aguadija, aguado, aguador, aguafuerte*, V. *agua*

AGUAITAR, h. 1300, hoy amer. Del cat. *aguaitar* 'estar al acecho', 'mirar', deriv. de *guaita* 'vigía', 'centinela', y éste del fráncico *WAHTA 'guardia, servicio de guardia' (alem. *wacht*).
CPT. *Aguaitacaimán*.

Aguamanil, aguamanos, aguamarina, aguamiel, aguanoso, V. *agua*

AGUANTAR, 1587. Del italiano *agguantare* 'coger, empuñar', 'detener (una cuerda que se escurre)', 'resistir (una tempestad)', y éste deriv. de *guanto* 'guante', por alusión a los guanteletes de los guerreros medievales, comp. el cast. *echar el guante* 'agarrar'.
DERIV. *Aguante*, 1644.

Aguapié, aguar, V. *agua Aguardar*, V. *guardar Aguardiente*, V. *agua*

AGUARRÁS, 1488. Compuesto de *agua* con el lat. RASIS 'pez en bruto'.

Aguasal, aguatero, V. *agua Aguaturma*, V. *tormo*

AGUDO, h. 1140. Del lat. ACŪTUS íd., part. pasivo de ACUĔRE 'aguzar'.
DERIV. *Agudeza*, 1.ª mitad S. XIII. *Agudizar*, 1914, de uso general pero no académico. *Acuidad*, h. 1900, del fr. *acuité*, deriv. del fr. *aigu* latinizado en parte. *Acumen,*

1684, tom. del lat. *acūmen* 'agudeza', deriv. de *acuere*.
CPT. *Acutángulo*, 1709.

AGÜERO, 2.ª mitad S. X. Del lat. AUGŪRĬUM íd., deriv. de AUGUR 'augur'. DERIV. *Agorero*, 1.ª mitad S. XIII. `Agorar*, 1438. *Augur*, 1655, tom. del lat. *augur, -ŭris*, íd.; *augural. Augurar*, h. 1560, lat. *augurare* íd. *Augurio*, h. 1500, tom. del lat. *augurium* 'agüero'. *Inaugurar*, 1726, tom. del lat. *inaugurare* 'observar los agüeros', 'consagrar solemnemente un local', porque al inaugurar era costumbre hacer lo primero; *inauguración*, med. S. XVII; *inaugural*.

Aguerrido, aguerrir, V. *guerra*

AGUIJADA, 1.ª mitad S. XIII. Del lat. vg. PERTICA AQUILEATA 'bastón provisto de aguijón', deriv. de AQUILEUS, variante vulgar del lat. clásico ACULĔUS 'aguijón'. DERIV. *Aguijar*, h. 1140. *Aguijón*, 1.ª mitad S. XIII, del lat. vg. AQUILEO, -ONIS, íd., deriv. de AQUILEUS; *aguijonear*, 1495.

ÁGUILA, 1129. Del lat. *aquĭla* íd. DERIV. *Aguilucho*, 1604 (*aguilocho*, S. XIV). *Aguileño*, h. 1450.

AGUILEÑA 'cierta planta ranunculácea', 1592 (*guileña*). Del b. lat. *aquilegia* íd. (alterado por influjo de *aguileño*), compuesto de *aqua* 'agua' y *legĕre* 'recoger', así llamada porque sus pétalos recogen el agua de lluvia.

Aguileño, aguilucho, V. *águila*

AGUINALDO, h. 1400. Alteración del antiguo *aguinando*, de origen incierto, probablemente de la frase lat. *hoc in anno* 'en este año', que se empleaba como refrán de las canciones populares de Año Nuevo; del mismo origen el fr. antic. y dial. *aguilanneu* y el ingl. dial. *hogmanay*.

Aguisado, aguisar, V. *guisa*

AGUJA, 1.ª mitad S. XIII. Del lat. vg. ACUCŬLA, diminutivo de ACUS 'aguja'. DERIV. *Agujeta*, h. 1460. *Agujero*, h. 1300, el significado fue primero 'perforación de aguja', y luego 'perforación pequeña', a diferencia de los demás romances, donde el mismo vocablo vale 'canuto de agujas'; *agujerear*, 1513. CPT. *Acupuntura*, 1884, combinación de las palabras lat. *acus* y *punctura* 'punción'.

AGUZANIEVES, 1495. Alteración de *auze de nieves* 'pájaro de nieves', así llamado por su costumbre de dejarse ver andando por la nieve; *auze* era sinónimo antiguo de *ave*, que se sacó de *auziella*, procedente del diminutivo lat. AVICELLA.

AGUZAR, 1.ª mitad S. XIII. Del lat. vg. *ACUTIARE íd., deriv. de ACUTUS 'agudo'.

AH, interj., S. XV. Voz de creación expresiva.

AHECHAR, h. 1400. Del lat. vg. *AFFACTARE, forma vulgar que sustituyó a la clásica AFFECTARE 'dedicarse (a algo)', 'rebuscar', de donde luego 'adornar', 'preparar' y finalmente 'limpiar cereales'. DERIV. *Ahechadura. Ahecho.*

AHERROJAR 'sujetar con cadenas', princ. S. XV (*ferrojar*). Probablemente deriv. del antiguo *ferrojo*, variante de *cerrojo* (debida al influjo de FERRUM 'hierro'), con el sentido de 'encerrar con cerrojo o en prisión', de donde más tarde 'cerrar firmemente', 'oprimir, subyugar' (SS. XV y XVI), y el sentido moderno, por influencia de *hierro*. DERIV. *Aherrojamiento.*

AHÍ, princ. S. XIII. Del antiguo *hi* con la partícula *a-* demostrativa o enfática que aparece en *ayer, allá* y otros adverbios; el antiguo *hi* 'ahí', 'allí' resulta de una fusión del lat. ĬBĪ, de igual significado, con HĪC 'aquí'.

Ahidalgado, ahijadero, ahijado, ahijar, V. *hijo Ahilamiento, ahilado*, V. *hilo Ahincar, ahínco*, V. *hincar Ahitar, ahíto*, V. *hito*

AHOGAR, 2.ª mitad S. X (*focare*), 1241 (*afogar*). Del lat. OFFŌCARE 'sofocar, ahogar', deriv. de FAUCES 'garganta'; el significado 'anegar', 1.ª mitad S. XIII, resulta de una innovación semántica propia de los tres romances hispánicos, que sólo reapareció en italiano y en algún idioma balcánico, y quizá se imitó del griego antiguo. DERIV. *Desahogado*, 1599; *desahogar*, 1604; *desahogo*, 1679. *Rehogar* 'sazonar una vianda a fuego lento y muy tapada', 1832, antes se dijo *ahogar*, como todavía en Andalucía y América; en cat. *ofegar*. *Sofocar*, 1587, tom. del lat. *suffocare* íd., otro deriv. de *fauces*; *sofocación*, 1615; *sofoco*; *sofoquina*; *sofocón.*

Ahondar, V. *hondo Ahora*, V. *hora Ahorcado, ahorcajarse, ahorcar*, V. *horca Ahornagarse*, V. *horno Ahorquillar*, V. *horca*

AHORRAR 'economizar', 1505. Antes se encuentra en el sentido de 'librar o sacar de un trabajo, pena, pago, etc.', S. XVI y ya alguna vez en el XIII, y propte. significaba 'poner en libertad (a un esclavo o cautivo)', 1219. Deriv. del antiguo *horro*, 1074, 'libre de nacimiento', 'liberto, manumitido', 'exento, desembarazado', que viene del ár. *ḥorr* 'libre, de condición libre'. Primero se dijo *ahorrar de trabajos*, y sólo después *ahorrar trabajos..* DERIV. *Ahorrativo. Ahorro*, 1543.

Ahuecar, V. *hueco* *Ahumar*, V. *humo* *Ahusado, ahusar*, V. *huso* *Ahuyentar*, V. *huir* *Airado, airar*, V. *ira*

AIRE, 1251 (*áere*, 2.ª mitad S. X). Del lat. AËR, y éste del gr. *aḗr* íd. DERIV. *Airear. Airoso*, 1492. *Desairar*, 1705; *desairado*, 1611; *desaire*, h. 1630. *Aéreo*, 1515, tom. del lat. *aërĭus. Aeración.* CPT., tom. todos del gr. *aḗr: Aerobio*, con el gr. *bíos* 'vida'; *anaerobio. Aerodinámico*, con el gr. *dýnamis* 'fuerza'. *Aeródromo*, con el gr. *drómos* 'carrera'. *Aerolito*, 1859, con el gr. *líthos* 'piedra'. *Aeromancía*, S. XVIII, con el gr. *mantéia* 'adivinación'; *aeromántico. Aeronauta*, 1832, con el gr. *náutēs* 'navegante'. *Aeróstato* y *aerostático*, 1832, con el gr. *hístēmi* 'yo coloco'. *Aeroterapia*, con el gr. *therápeia* 'tratamiento'. *Aeronave, aeroplano, aerífero, aeriforme*, 1832, formaciones híbridas con elementos latinos.

AIRÓN 'garza real' 1571, 'copete o penacho de la garza' 1611, 'adorno de plumas en el tocado de las mujeres' 1597. Del fr. ant. *hairon* 'garza' (hoy *héron*), y éste del fráncico *HAIGRO (hoy alem. *reiher* íd.).

Aislado, aislamiento, aislar, V. *isla*

AJÁ, AJAJÁ, interj., 1884. Reduplicación de *ah*, voz de creación expresiva.

AJAR, 1475 (*afajar*), 1495 (*ahajar*). Del antiguo *ahajar* 'ajar', 'romper', voz emparentada con el gasc. *halhà* y langued. *falhà* 'agrietar', de origen incierto, probte. deriv. del lat. vg. *FALLIA 'defecto', 'grieta', deriv. de FALLĔRE 'faltar, fallar'.

AJEDREA, 1495; *assadrea*, fin S. XIII. Del ár. *šaṭriya*, y éste del lat. SATUREJA íd.

AJEDREZ, h. 1250. Del ár. *šiṭrány̆* íd., y éste del sánscr. *čatur-anga* 'el de cuatro cuerpos', aludiendo a las cuatro armas ·del ejército índico —infantería, caballería, elefantes y carros de combate—, simbolizadas, respectivamente, por los peones, caballos, alfiles y torres.

AJENJO, fin S. XIII (*asensio, acienso*). Del lat. ABSĬNTHĬUM íd., y éste del gr. *apsínthion*, diminutivo de *ápsinthos* íd.

AJENO, h. 1140. Del lat. ALIĒNUS íd., deriv. de ALIUS 'otro'. DERIV. *Enajenar*, med. S. XIII; *enajenación*, 1612. *Alienar*, variante culta del anterior; *alienado*; *alienación*; *alienista.*

AJENUZ, h. 1330. Del ár. hispánico *šenûz* (ár. *šūniz*) íd.

AJETREARSE 'fatigarse en alguna ocupación de mucho movimiento', 1884. Deriv. del antiguo *hetría* 'enredo, confusión', con pronunciación andaluza de la *h*; *hetría* fue primeramente *feitoría*, derivado del antiguo *feitor* (hoy *hechor* 'malhechor' en Chile y Andalucía), procedente del · lat. FACTOR, -ŌRIS, 'el que hace', que tomó el sentido peyorativo de 'el que enreda o hace males'; de ahí también los anticuados *enhetrar* y *ahetrar* 'enredar (el cabello, etc.)'. DERIV. *Ajetreo.*

AJÍ 'pimiento', 1493. Del taíno de Santo Domingo *ašↄ.* DERIV. *Ajiaco*, 1789.

Ajiaceite, V. *ajo* *Ajiaco*, V. *ají* *Ajilimójili*, V. *ajo*

AJIMEZ, 1487. Del ár. *šimêsa* 'ventana, especialmente la cerrada con celosías de madera'.

AJO, 1.ª mitad S. XIII. Del lat. ALIUM íd. CPT. *Ajiaceite*, 1540; *alioli* íd., 1836, del cat. vg. *alioli* (cat. *allioli*, de *all* 'ajo' más *oli* 'aceite'). *Ajilimójili*, 1726, antes *ajilimoje*, formado con *mojar* y añadidura jocosa de la sílaba *-li* como si fuese algún latinismo. *Ajoarriero.* DERIV. cultos: *aliáceo, aliaria.*

AJÓ, interj., 1611. Voz de creación expresiva perteneciente al lenguaje infantil.

AJOMATE 'alga de filamentos muy delgados', 1826. Del ár. *ǧummât*, plural de *ǧúmma* 'cabellera'.

Ajonje, ajonjera, ajonjero, V. *ajonjolí*

AJONJOLÍ 'sésamo', 1495. Del ár. granadino *ǧonǧolíl* (ár. clásico *ǧulǧulân*) íd. DERIV. Es muy dudoso que *ajonje*, 1495, derive de *ajonjolí* (aunque la variante *ajonjolín* parece significó 'ajonje' en árabe granadino), pues difícilmente se podría explicar así el cat. *llonja*, que significa lo mismo; *ajonjera*, 1495, *ajonjero*, 'cardo que produce el ajonje'.

AJORCA, 2.º cuarto S. XV. Del ár. hispánico *šórka* íd., palabra de la misma raíz que el clásico *šáraka* 'lazo' (de donde el cast. ant. *ajaraca*).

Ajorrar, ajorro, V. *jorro*

AJUAGAS 'enfermedad de las extremidades del caballo', fin S. XIII (*axuague*). Origen incierto.

AJUAR, h. 1140! Del ár. *šuwâr*. La acepción 'ajuar de novia', que es la corriente en árabe, es general hasta el S. XVI en castellano, y única hasta hoy en portugués y catalán.

Ajustar, ajuste, ajusticiar, V. *justo*

ALA I, 1.ª mitad S. XIII. Del lat. ALA íd.
DERIV. *Alado,* 1417. *Alero,* 1618. *Aleta,* 1490. *Aletear,* 1765-83; *aleteo,* h. 1800. *Alón,* 1423. *Aluda,* 1535. *Desalar,* 1596; *desalado,* 1220-50.
CPT. *Aliabierto, alicaído, aliquebrado.*

ALA II 'helenio', 1495. Del lat. tardío ALA íd., clásico ALUM.

ALABAR, h. 1140. Del lat. tardío ALA-PARI 'jactarse, alabarse', quizá relacionado con el clásico ALĂPA 'bofetón' en el sentido de 'jactarse de fuerte', propiamente 'darse golpes' o 'amenazar con golpes'.
DERIV. *Alabanza,* h. 1280.

ALABARDA, 1548. Del alem. medio *helmbarte* íd., propiamente 'hacha de mango largo', compuesto de *helm* 'empuñadura' y *barte* 'hacha'; el castellano lo tomó probablemente del fr. *hallebarde*.
DERIV. *Alabardero,* 1546.

ALABASTRO, h. 1300. Tom. del lat. *alabaster, -tri,* y éste del gr. *alábastros* íd.
DERIV. *Alabastrino,* 1607.

ÁLABE, S. XIII, 'ala o lado del tejado, de una tienda de campaña', 'paleta curva de la rueda hidráulica'. Voz común a todos los romances, de origen incierto; el sentido primitivo parece ser el de 'ala', conservado por el rum. *áripă*: teniendo en cuenta esta forma, quizá se trate de una sustantivación del lat. ALĬPES 'alado'.
DERIV. *Alabearse,* 1726; *desalabeado,* 1580.

ALACENA, 1554. Antiguamente *alhazena,* 1534, del ár. *ẖazéna* 'armario', 'aparador', 'recámara', 'librería', de la misma raíz que ha dado el cast. *almacén.*

ALACRÁN, 1251. Del ár. *ᶜaqrab* íd.

ALACHE 'boquerón', 1495, del lat. ALLEC, ALLĒCIS, 'especie de escabeche', 'el pescado que con él se condimentaba', pasando por el dialecto mozárabe.

ALADAR 'porción de cabellos que cae sobre la sien', 1495. Parece ser de origen arábigo, de *ᶜiḏâr* 'patilla', 'mechón de pelo'.

ALADIERNA, 1780. Del femenino lat. ALATĔRNUS íd.

Alado, V. *ala* I

ALAFIA, *pedir —,* 'pedir gracia, perdón', med. S. XVII. Del ár. *ᶜâfiya* 'integridad corporal', 'salud', femenino del part. activo del verbo *ᶜâfä* 'perdonar'.

ÁLAGA 'especie de trigo', 1601. Del lat. ALĬCA íd.

Alajú, V. *alfajor*

ALAMAR, 1555. Origen incierto, quizá del ár. *ᶜamâra* 'sedal de pescador', 'guarnición de traje'.

ALAMBIQUE, 1444. Del ár. *ᶜanbîq,* y éste del gr. *ámbix, -ikos,* íd.
DERIV. *Alambicar,* 1611.

ALAMBOR 'escarpa, superficie inclinada', 1583. Origen incierto, probablemente arábigo, quizá de *ᶜubúr,* variante de *ᶜubr* 'margen, orilla de río', que en romance se confundiría con *alambor* 'toronja', procedente del ár. *ḥammâḍ* íd.

ALAMBRE, 2.ª mitad S. XIV. Antes *aramne* (princ. S. XIII), del lat. tardío AE-RAMEN 'objeto de bronce', 'bronce', deriv. del lat. AES, AERIS, 'cobre', 'bronce', que es lo que en la Edad Media significaba el cast. *alambre.*
DERIV. *Alambrar,* 1717, *alambrada. Alambrera. Inalámbrico,* S. XX. *Erario,* princ. S. XVII, tom. del lat. *aerarium* 'tesoro público', deriv. de *aes,* por emplearse este metal para hacer moneda.

ÁLAMO, 1218. Origen incierto; teniendo en cuenta el port. *álemo* o *álamo* parece que fue *almo* la forma primitiva; probablemente prerromano, quizá del celta, donde el nombre indoeuropeo del 'olmo' tomó en parte el significado de 'álamo' (así el bret. *elf*), y donde el vocablo hubo de tener la forma *ALM(I)OS o bien *ELMOS (en este caso pudo sufrir en España el influjo del lat. ALBUS 'álamo').
DERIV. *Alameda,* 1008.

Alancear, V. *lanza*

ALANO, S. XV, 'lebrel grande y feroz', antiguamente *alán*, 1.ª mitad S. XIII. Voz de origen incierto, que en las lenguas hermanas parece ser procedente de España, probablemente del gót. ALANS 'crecido, grande'.

ALANTOIDES, 1606. Tom. del gr. *allantoeidḗs* 'en forma de salchichón', y éste de *allâs* 'salchichón'.

ALARDE, S. XIII. Del ár. *ᶜarḍ* 'revista de tropas', de la raíz *ᶜáraḍ* 'mostrar'. DERIV. *Alardear*, 1505.

Alargar, V. *largo*

ALARIDO, h. 1140. Origen incierto, probablemente fue primero **alalido,* voz de creación expresiva, como el fr. *hallali* 'grito de caza', gr. *alaẽ́* 'alarido', cat. *aliret* íd.

Alarma, alarmante, alarmar, alarmista, V. *arma*

ALAZÁN, h. 1280. Del ár. *'azᶜar* 'rojizo', 'alazán'; **alazar* se cambiaría en *alazán* o *alazano* (forma antigua usual) según el modelo de la voz preexistente *ruano* o *ruán*, otro pelaje de caballo.

Alba, V. *albo*

ALBACEA, 1205. Del ár. *waṣîya* 'cosa encargada en testamento', deriv. de *wáṣà* 'encargar', 'hacer testamento'. DERIV. *Albaceazgo*, 1540.

Albada, V. *albo*

ALBAHACA, 1495. Metátesis de *alhabaca.* Del ár. *ḥabaqa* íd. DERIV. *Albahaquilla*, 1570.

ALBAIDA (planta), 1832. Del ár. vg. *báiḍa* 'blanca'.

ALBALÁ, 1039. Del ár. *barā'a* 'dispensa', 'recibo, carta de pago', de la raíz *b-r-'* 'libertar, absolver'.

ALBANEGA 'cofia o red para recoger el pelo', 1330. Del ár. *banîqa* 'pieza triangular que se agrega a una prenda de vestir', 'cofia, gorro de mujer'.

ALBAÑAL, h. 1560 (*albañar,* fin S. XIII). Del ár. *ballâᶜa* 'cloaca', de la raíz *báliᶜ* 'tragar'; **aballar* se cambió en *albañar, -ñal,* por disimilación e influjo de *baño.*

ALBAÑIL, 1268. Del ár. vg. *banní,* pronunciación hispana del clásico *bannâ'* 'constructor', 'albañil', deriv. de *bána* 'edificar'. DERIV. *Albañilería*, 1599.

Albar, V. *albo*		*Albarazado,* V. *albarazo*

ALBARAZO 'especie de lepra que hace salir manchas blancas a la piel', 1251. Del ár. *baraṣ* 'lepra blanca'. DERIV. *Albarazado* 'enfermo de albarazo', 1726, 'manchado de blanco', 1605.

ALBARDA, 1238. Del ár. *bárdaᶜa* íd. DERIV. *Albardar,* 1517, o *enalbardar,* 1495. *Albardilla. Albardón,* 1438, secundariamente 'loma que sobresale en una llanura', comparada con las dos pendientes laterales de la albarda.

ALBARICOQUE, h. 1330. Del ár. *birqûq* o *barqûq* íd., de origen incierto por su parte (quizá del gr. *praikókion,* tomado a su vez del lat. *persica praecocia* 'melocotones precoces').

ALBARRAZ 'hierba piojera', 1325 (*habarraz*). Del ár. *ḥább ar-rá's* íd., propiamente 'grano de la cabeza', así llamada porque se emplea contra los piojos.

Albatros, V. *alcatraz*

ALBAYALDE, 1439. Del ár. *bayâḍ* 'blanco', deriv. de *'ábyaḍ* 'blanco'.

ALBEDRÍO, 1219. Del lat. ARBĬTRĬUM íd. (derivado de ARBITER 'árbitro'); el traslado del acento se debe al influjo del presente *albedría* del antiguo verbo *albedriar* 'juzgar', 'reflexionar'.
Del lat. *arbĭter, -tri,* se tomó *árbitro,* 1302. DERIV. *Arbitraje,* fin S. XVII. *Arbitral,* 1705. *Arbitrar,* princ. S. XIV, tom. del lat. *arbitrare* íd. *Arbitrario,* 1369, lat. *arbitrarius. Arbitrio,* princ. S. XIV, lat. *arbitrium* íd.

ALBÉITAR, 1256. Del ár. *béiṭar* y éste del gr. *hippiatrós* íd. (compuesto de *híppos* 'caballo' e *iatrós* 'médico'). DERIV. *Albeitería,* 1495, procede de **albeitaría* bajo el influjo de los muchos vocablos en *-ería.*

ALBERCA 'depósito de agua', 1253. Del ár. *bírka* 'estanque'.

ALBÉRCHIGO 'variedad de melocotón', 1513. De una forma mozárabe procedente del lat. PERSĬCUM 'melocotón', abreviación de MALUM PERSICUM 'fruta de Persia'. DERIV. *Albérchiga,* 1439. *Alberchiguero.*

ALBERGUE, 3.ᵉʳ 'cuarto S. XIII. Del gót. *HARIBAÍRGO (pron. *Jarlbergo*) 'campamento', 'alojamiento', cuya existencia puede

deducirse del alem. *herberge* (antiguamente *heriberga*); es compuesto de HARJIS 'ejército' y BAÍRGAN 'conservar, guardar'.
DERIV. *Albergar*, h. 1140, gót. *HARIBAÍRGÔN 'alojar'; *albergada*, h. 1140. *Alberguero*, 1219; *alberguería*, 1276.

Albino, albita, V. *albo*

ALBO 'blanco', 929. Del lat. ALBUS íd.
DERIV. *Albu* 'aurora', h. 1140, 'túnica sacerdotal', 1220-50; *albada. Albar*, 1495. *Albillo. Albino*, h. 1570; *albinismo. Albita. Albor*, h. 1140; *alborada*, 1.ª mitad S. XIII; *alborear*, 1495. *Albura*, S. XIII. *Enjalbegar*, 1330 (que también se dijo *jalbegar* y *axalvegar*), del lat. vg. *EXALBICARE íd.; *jalbegue*. Y los siguientes cultismos: *Albicante, albugo*; *albugíneo*, 1832. *Albumen*, latín *albūmen, -inis*, 'clara de huevo'; de ahí el fr. *albumine*, de donde se tomó el cast. *albúmina*, 1858; *albuminoide, albuminoideo*; *albuminuria* (compuesto con el gr. *uréō* 'yo orino'). *Album*, h. 1860, es el lat. *album* 'encerado blanco en el cual los funcionarios romanos daban a conocer sus edictos al pueblo', que tomó el sentido moderno en alemán y de ahí pasó al francés y al castellano.
CPT. *Cuatralbo.*

ALBOGUE 'especie de flauta', h. 1250. Del ár. *búq* 'especie de trompeta'.
DERIV. *Albogón*, h. 1280.

ALBÓNDIGA, 1406. Del ár. *búnduqa* 'bola'.
DERIV. *Albondiguilla*, 1512.

Albor, alborada, alborear, V. *albo*

ALBORNOZ, h. 1350. Del ár. *burnús* íd.

ALBORONÍA 'guisado de hortalizas picadas', 1605. Del ár. *būrānīya* íd., que se cree deriv. del nombre de Burán, esposa del califa Mamún.

ALBOROQUE 'agasajo a los que intervienen en una venta', 965. Del ár. *burúk* íd., 'regalo', 'propina', de la misma raíz que *báraka* 'bendición'.

ALBOROTAR, 1475 (*abolotar*). Probablemente tom. del lat. *volūtare* 'agitar' (deriv. de *volvere* 'dar vueltas'); el cat. *esvalotar* (*avolotar* en la Edad Media) conserva una forma más próxima a la latina, que en castellano se alteró por disimilación e influjo de *alborozar*.
DERIV. *Alboroto*, S. XV (*avolot*, h. 1300).

ALBOROZO, h. 1140 (*avoroz*). Del ár. *burúz* 'salir en gran pompa a recibir a al-guno', infinitivo del verbo *báraz*; por los gritos de alegría que se daban entonces.
DERIV. *Alborozarse*, h. 1280.

ALBRICIAS, h. 1140. Del ár. *bišâra* 'buena noticia', 'recompensa al que la traía', palabra que reviste muchas formas en árabe (*búšrà, bišâra, bušâra, bašr, bušr*): la castellana debe de proceder de otra variante árabe *bíšrà*, de donde *albiçra, albriça*, y la forma moderna por influjo del sufijo *-icia*.

ALBUFERA, 1256. Del ár. *buháira* 'laguna', diminutivo de *bahr* 'mar'.

Albugíneo, albugo, álbum, albumen, albúmina, albuminoide, albuminuria, V. *albo*

ALBUR 'pez de río semejante al mújol' 1330, de donde 'carta que saca el banquero y que puede hacer ganar a éste o al jugador' (por una comparación, propia del juego del monte, con lo que saca del río el pescador), fin S. XVI, y luego 'contingencia a que se fía el resultado de una empresa'. Del ár. *búrî* 'pez albur' (vulgarmente *búri*), deriv. del nombre de la ciudad egipcia de Bura.

Albura, V. *albo*

ALCABALA, 1101. Del ár. *qabâla* 'adjudicación de una tierra mediante pago de un tributo', 'contribución', de la raíz *q-b-l* 'recibir', 'alquilar una tierra'. De ahí también el it. *gabella*, de donde se tomó el cast. *gabela*, 1726.
DERIV. *Alcabalero*, 1495.

ALCACER, h. 1250. Del ár. *qaṣîl* 'forraje, cereales verdes'.

ALCACHOFA, 1423 (*carchofa*). Del ár. hispano *ḫaršúfa* íd. (*ḫáršafa* en árabe clásico).

ALCAHUETE, 1251. Del ár. *qawwéd* íd.
DERIV. *Alcahuetear*, 1256. *Alcahuetería*, 1256.

ALCAICERÍA 'lonja a modo de bazar donde tenían los mercaderes sus tiendas', 1229. Del ár. *qaisârîya* íd., deriv. de *Qáisar*, nombre que daban los árabes al emperador romano, procedente del lat. CAESAR; probablemente por haberse empleado en Oriente como alcaicerías edificios de la antigua administración bizantina.

ALCAICO, 1490. Tom. del lat. *alcaicus*, gr. *alkaïkós* íd., deriv. de *Alkâios*, Alceo, poeta griego.

ALCAIDE, 1076. Del ár. *qấid* 'capitán', 'gobernador de una ciudad', part. activo del verbo *qấd* 'mandar'.
DERIV. *Alcaidesa. Alcaidía*, 1480.

ALCALDE, 1062. Del ár. *qấḍī* 'juez', part. activo de *qấḍà* 'resolver', 'juzgar'.
DERIV. *Alcaldesa*, 1780. *Alcaldía*, 1219. *Alcaldada*, 1607.

ÁLCALI, 1555. Del b. lat. *alcali*, y éste del ár. vg. *qalī* 'sosa' (ár. clásico *qíly*).
DERIV. *Alcalino*, 1555. *Alcalizar. Alcaloide.*
CPT. *Alcalímetro.*

Alcance, V. *alcanzar*

ALCANCÍA, princ. S. XV. De un ár. vg. **kanzíya* íd., adjetivo femenino deriv. de *kanz* 'tesoro escondido'.

ALCANFOR, S. XV. Del ár. *kāfûr*, y éste del sánscr. *karpûra* íd.
DERIV. *Alcanforar, -ado*, 1623.

ALCANTARILLA, 1202. Diminutivo del ár. *qánṭara* 'puente', aplicado a un puentecillo junto al camino y luego al pequeño acueducto que pasaba bajo el mismo.
DERIV. *Alcantarillado.*

ALCANZAR, 1135. De *alcalçar*, alteración de *acalçar*, 1129, 'pisar los talones, perseguir de cerca', deriv. del lat. CALX, -CIS, 'talón'; el it. conserva *incalzare*, y el cat. *encalçar*, en sentido primitivo.
DERIV. *Alcanzado. Alcanzadura*, 1564, 'lesión que se hace el caballo en los talones'. *Alcance*, 3.er cuarto S. XIII.

ALCAPARRA, 1406. Voz mozárabe emparentada con el lat. CAPPĂRI y con el ár. *kábar* íd.
DERIV. culto: *Caparídeo.*

ALCARAVÁN, 1251. Del ár. *karawân* íd.

ALCARAVEA, h. 1400. Del ár. hispano *karawía* (*karáu̯yā* y otras variantes en clásico), emparentado con el gr. *káron* íd.

ALCARRAZA, S. XVI (*carraço*, 1331). Del ár. *karrâz* 'vasija para refrescar el agua', 'jarro de boca estrecha'.

ALCATRAZ 'especie de pelícano', 1386. Probablemente del ár. *ġaṭṭâs* 'especie de águila marina'. Del castellano pasó al inglés, donde *álbatross*, 1769, se aplicó a otra ave, con alteración fonética debida al color albo de la misma, y de ahí volvió recientemente al cast. *albatros.*

ALCAUDÓN, h. 1325 (*caudón*). Origen incierto.

ALCAYATA 'clavo grande de gancho', 1570. Voz mozárabe hermana del cast. *cayada* 'bastón de pastor con gancho en la punta' y deriv. como éste del lat. tardío CAJA 'bastón'.

Alcayota, V. *cayote*

ALCAZABA 'ciudadela', h. 1490. Del ár. *qaṣaba* íd.

ALCÁZAR, 1069. Del ár. *qaṣr* 'fortaleza', 'palacio', y éste del lat. CASTRUM 'campamento', 'castillo'.

ALCE 'anta', 1607. Tom. del lat. *alce* íd., voz de origen germánico (ingl. *elk*, alem. *elch*).

Alce, V. *alzar*

ALCIÓN, 1.ª mitad S. XV. Tom. del gr. *alkyŏn, -ónos*, íd.
DERIV. *Alcionio.*

ALCOBA, h. 1280. Del ár. *qúbba* 'bóveda, cúpula', 'cuarto pequeño adyacente a una sala'.

ALCOHOL, ant., 'antimonio', 1278; 'polvo finísimo de antimonio empleado por las mujeres para ennegrecerse los ojos', h. 1490; 'cualquier esencia obtenida por trituración, sublimación o destilación', 1726; mod., espíritu de vino', 1765-83. Del ár. vg. *koḥól* (clásico *kuḥl*) 'antimonio o galena empleados de este modo por las mujeres orientales', de la misma raíz que *ákḥal* 'negro'.
DERIV. *Alcoholar*, 1278. *Alcoholato. Alcohólico. Alcoholismo.*

ALCORNOQUE, 1209. Del dialecto mozárabe, procedente del lat. tardío QUERNUS 'encina' (adjetivo en latín clásico), con el sufijo despectivo hispánico -OCCUS.
DERIV. *Alcornocal. Alcornoqueño.*

ALCORZA, med. S. XV. Del ár. *qúrṣa* 'disco, rueda', 'dulce o galleta de forma redonda', 'mazapán'.

ALCOTÁN 'especie de halcón', fin S. XIII. Del ár. vg. *qoṭám* (clásico *qaṭám*).
DERIV. *Alcotana* 'herramienta de albañil que termina por un lado en forma de azuela y por el otro en forma de hacha', 1770, por comparación con las garras y dientes del alcotán.

ALCURNIA, 1604 (*alcuña*, princ. S. XV). Del ár. *kúnya* 'sobrenombre', 'apellido'.

ALCUZA, 1253. Del ár. *húza* 'jarrito'.

ALCUZCUZ, 2.º cuarto S. XV. Del ár. *kuskus* íd.

ALDABA, 1343. Del ár. *dábba* 'barra de hierro para cerrar una puerta', 'cerradura de madera', 'hembrilla del pasador'.
DERIV. *Aldabada,* 1.ª mitad S. XV, *Aldabilla,* 1406. *Aldabón,* 1607; *aldabonazo,* 1780.

ALDEA, 1030. Del ár. *ḍéiʿa* 'campo', 'aldea'.
DERIV. *Aldeano,* 1202. *Aldehuela,* 1.ª mitad S. XV.

Aleación, V. *alear*

ALEAR 'mezclar dos o más metales fundiéndolos', 1604. Del fr. ant. *aleiier* íd. (hoy *allier,* de donde el cast. *aliar*), y éste del lat. ALLĬGARE 'atar o ligar (a algo)', deriv. de LIGARE. Del derivado fr. ant. *alei* (hoy *aloi*) 'calidad de los metales una vez hecha la aleación' se tomó el cast. *ley* en el mismo sentido, fin S. XVI.
DERIV. *Aleación,* 1604.

ALEATORIO, 1884. Tom. del lat. *aleatorius* íd., deriv. de *alĕa* 'dado', 'azar'.

Alebrarse, alebrestarse, V. *liebre   Aleccionar,* V. *leer*

ALEDA primera cera con que las abejas untan por dentro la colmena', 1564. Del lat. LĬTA, part. pasivo femenino de LINĔRE 'embadurnar'.

ALEDAÑO, 1188. De *aladaño,* que es la forma usual en el S. XII, deriv. de la locución *al lado;* la *e* moderna se debe a influjo del sinónimo *paredaño,* deriv. de *pared.*

Alegar, alegato, V. *legar*

ALEGORÍA, h. 1250. Tom. del gr. *allēgoría* 'metáfora, alegoría', compuesto de *álla* 'otras cosas', y *agoréuō* 'yo hablo'.
DERIV. *Alegórico,* 1439, gr. *allēgorikós.*

ALEGRE, h. 1140. Del lat. vg. *ALĬCER,* genitivo *ALĔCRIS* (clásico ALĂCER, -ĂCRIS), 'vivo, animado'.
DERIV. *Alegrar,* h. 1140. *Alegría.* h. 1140. *Alegrón. Alegro,* 1883, tom. del it. *allegro* 'alegre' y 'alegro'.

Alejamiento, alejar, V. *lejos   Alelar,* V. *lelo*

ALELUYA, 1.ª mitad S. XIII. Del hebreo *hallelu Yah* 'alabad al Señor', palabras con que empiezan varios salmos.

ALENTAR, 1490. Del lat. vg. *ALĒNĬTARE,* metátesis de *ANHELITARE,* y éste derivado de ANHĒLARE 'respirar, alentar'.
DERIV. *Aliento,* h. 1430. *Desalentar,* 1604; *desaliento,* 1717.

ALERCE, 1475. Del ár. *'arz* íd.

Alero, V. *ala* I

ALERTA, 1517. Del it. *all'erta* íd., y éste del sustantivo *erta* 'subida', propiamente participio del verbo anticuado *èrgere* 'levantar', procedente del lat. ERIGĔRE íd.; la locución interjectiva *all'erta* sirvió al principio para invitar a los soldados a levantarse y ponerse en guardia en caso de ataque.

Aleta, V. *ala* I   *Aletargar,* V. *letargo   Aletear, aleteo,* V. *ala* I

ALEVE, 1241. Probablemente del ár. *ʿeib* 'vicio, defecto', 'acción culpable'; en la Edad Media *aleve* fue sólo sustantivo con el sentido de 'alevosía', y el empleo como adjetivo, que no aparece hasta el S. XVI, parece debido a un error gramatical por haberse anticuado el vocablo.
DERIV. *Alevoso,* h. 1140; *alevosía,* 1.ª mitad S. XIII.

ALFABETO, princ. S. XV. Tom. del lat. *aphabētum,* íd., formado con los nombres de las dos primeras letras griegas *álpha* y *bēta.*
DERIV. *Alfabético,* 1623. *Analfabeto,* 1607; *analfabetismo.*

ALFAJOR, 1495. Del ár. hispano *hašú* íd. (clásico *hášw* 'relleno'), de la raíz *h-š-w* 'rellenar'; se han empleado también en castellano las formas *alajú* y *alajur.*

ALFALFA, 1290. Del ár. *fáṣfaṣa* íd., y éste del persa *aspest.*

ALFANJE, h. 1280. Del ár. *hánǧar* 'puñal', 'espada corta', ár. vg. *hánǧel,* de donde **alfánjel,* que perdió la *-l* por disimilación.

ALFAQUE, 1613. Del ár. *fakk* 'mandíbulas', 'fauces', por alusión a la entrada del puerto.

ALFAQUÍ 'doctor o sacerdote musulmán', h. 1300. Del ár. *faqîh* 'teólogo y jurisconsulto'.

ALFAR 'taller de alfarero', 1585 (*alfahar*). Del ár. *fahhâr* 'alfarero'.
DERIV. *Alfarero,* 1607 (-*faha-*); *alfarería,* 1706.

ALFARDA I 'contribución', 1351. Del ár. *fárḍa* íd., de la raíz *f-r-ḍ* 'mandar', 'imponer'.
DERIV. *Alfardero.*

ALFARDA II, 'paño que cubría el pecho de las mujeres', 1303. Del ár. *fárda* 'cada una de las dos mitades de un todo', 'cada uno de los dos paños con que las mujeres sudanesas se cubren el pecho y el abdomen con los muslos'.
DERIV. *Alfardilla* 'esterilla'.

Alfarería, alfarero, V. *alfar*

ALFARJE I, 'la muela de abajo, en la almazara', 1495. Del ár. *ḥáǧar* 'piedra', 'muela de almazara'.

ALFARJE II, 'techo de maderas labradas', 1539. Del ár. *farš* 'pavimento', 'piso que separa dos altos de una casa'.
DERIV. *Alfarjía,* 1535, ár. *faršíya* 'cabrio'.

ALFÉIZAR 'hueco de la ventana', 1726 (*alfeiza*). Origen incierto, probablemente del ár. *fésḥa* 'espacio vacío'.

ALFEÑIQUE, 1330. Del ár. *feníd* 'especie de dulce de azúcar', y éste del persa *pānîd* íd.; la *-q-* y la acepción 'delicado, remilgado', parecen debidas a una confusión con el ár. *feníq* 'mimado'.
DERIV. *Alfeñicarse,* 1589.

ALFERECÍA 'epilepsia', 1555. Probablemente de una confusión popular entre las locuciones ár. *an-nâr al-fārisîya* 'erisipela' y *al-ᶜilla al-fēliǧíya* 'apoplejía'.

ALFÉREZ, ant. 'abanderado en el ejército', 932, mod. 'subteniente'. Del ár. *fêris* 'jinete', 'caballero', deriv. de *fáras* 'caballo': era costumbre confiar el estandarte real al jinete más diestro.

ALFIL 'pieza del ajedrez', 128?. Del ár. *fíl* 'elefante', y éste del persa *pîl* íd.; los alfiles representaban una de las cuatro armas del ejército índico, las tropas montadas en elefantes.

ALFILER, 1330 (*alfilel*). Del ár. *ḫilêl* 'astilla aguda empleada para prender unas con otras las prendas de vestir', 'alfiler'.
DERIV. *Alfilerazo. Alfiletero,* 1620.

ALFOMBRA, último tercio S. XIV. Del ár. *ḥúmra* íd.
DERIV. *Alfombrar,* 1684. *Alfombrilla* 'erupción cutánea', 1693 (*alfombra,* 1438), no deriva del moderno *alfombra* sino del ár. *ḥúmra* 'rojez', que a su vez viene de *'áḥmar* 'rojo'.

ALFÓNSIGO, princ. S. XVII. Alteración de los antiguos *alfócigo,* h. 1490, *alfóstigo,* h. 1335, procedentes del ár. *fústaq,* y éste del gr. *pistákē* íd.

ALFORFÓN 'trigo sarraceno', 1765-83 (*alforjón*). Origen incierto, parece derivado del gall. *alforfa* 'alfalfa', o más bien alteración del cat. *fajol* 'alforfón' (deriv. de *faja* 'fruto del haya') por influjo de dicho *alforfa.*

ALFORJA, h. 1400. Del ár. *ḫurŷ* íd.

ALFORZA, 1438 (*alfoza*). Del ár. *ḥúzza* íd., deriv. de *ḥazz* 'cortar'.
DERIV. *Alforzar,* h. 1620.

ALFOZ 'distrito', 924. Del ár. *ḥáuz* 'comarca', deriv. de *ḥâz* 'allegar', 'poseer'.

ALGA, 1555. Del lat. ALGA íd.

ALGALIA I, 'sustancia de olor fuerte', h. 1330. Del ár. *ǧâliya* 'almizcle'.
DERIV. *Algaliar,* 1438.

ALGALIA II, 'sonda para la vejiga', 1551. Del b. lat. *argalia* íd., y éste del gr. *ergalêion* 'herramienta', deriv. de *érgon* 'obra'.

ALGARABÍA 'lengua arábiga', fin S. XIII, 'lenguaje incomprensible, jerigonza', 1540, 'griterío confuso', 1618. Del ár. *ᶜarabîya* 'lengua arábiga'.

ALGARADA, h. 1280. Deriv. del antiguo *algara* 'incursión brusca en tierra enemiga', del ár. *ǧâra* íd. (de la misma raíz que *almogávar*).

ALGARROBA 'fruto del algarrobo', 1269. Del ár. *ḥarrûba* íd.; como nombre de legumbre (Vicia sativa), 1555, viene del sentido de 'vaina de legumbre' que se ha desarrollado, partiendo del otro, en árabe vulgar. En América se aplicaron *algarrobo* y *algarrobilla* a plantas indígenas muy diferentes de las españolas.
DERIV. *Algarrobo,* 1513; *algarrobal.* De una variante *garrofa* (usual en Murcia, Salamanca, Cataluña, etc.) deriva *guinda garrofal,* 1611, 'clase de guinda mayor que la ordinaria', por ser casi tan grande como el fruto del algarrobo, forma luego alterada en *garrafal* y aplicada a cualquier cosa de tamaño enorme, h. 1625.

ALGAZARA, princ. S. XV. Del ár. vg. *gazâra* 'locuacidad', 'murmullo, ruido', deriv. de *gázzar* 'abundar', 'hablar mucho'.

ÁLGEBRA 'parte de las matemáticas' 1604, 'arte de restituir a su lugar los huesos dislocados' 1495. Del b. lat. *algebra* íd., y éste del ár. *ŷebr* 'reducción', 'álgebra ma-

temática', de la raíz *ÿ-b-r* 'reforzar', 'curar', 'restituir'.
DERIV. *Algebraico*, 1772; *algébrico*. 1709. *Algebrista* 'componedor de huesos' 1535, 'estudioso de dicha ciencia matemática' 1726.

ÁLGIDO 'muy frío', h. 1800. Tom. del lat. *algĭdus* íd., deriv. de *algēre* 'tener frío'; el sentido 'culminante', med. S. XIX, nació de haber entendido bárbaramente la aplicación al período crítico de ciertas enfermedades, que va acompañado de frío glacial.

Algo, V. *alguno*

ALGODÓN, 950 (*algotón*). Del ár. *quṭn* íd., vulgarmente *qoṭón*.
DERIV. *Algodonero*. Del cat. *cotó* 'algodón' deriva *cotonada*, tomado por el cast., 1832; quizá también *cotonía*, 1434, procedente del deriv. árabe *quṭníya*; del it. *cotone*, el cast. *cotoncillo*, h. 1700.

ALGORFA 'sobrado para conservar grano', 1251. Del ár. *ġúrfa* 'cuarto alto'.

Algoritmo, V. *guarismo*

ALGUACIL, 1075. Del ár. *wazír* 'ministro', 'visir', de la raíz *w-z-r* 'soportar un peso'; los árabes de España aplicaron el vocablo al gobernador de una ciudad y luego pasó a otros funcionarios subalternos; sentido moderno, 1256.

Alguien, V. *alguno*

ALGUNO, ALGÚN, 1077. Del lat. vg. *ALICŪNUS* íd., contracción de ALIQUIS 'algún', 'alguien', con UNUS 'uno'. De *alguno*, único empleado como pronombre sustantivo en la Edad Media, se sacó *alguien* en el S. XV bajo el influjo de *quien* y de *nadie*, pero se acentuó *alguién* hasta el S. XVII. *Algo*, h. 1140 (*alico* en 1055), viene de ALĬQUOD íd., neutro de ALIQUIS.

ALHAJA, 1112. Del ár. *ḥâŷa* 'objeto necesario', 'mueble', 'utensilio', 'joya', de la raíz *ḥ-w-ŷ* 'ser necesario'.

ALHARACA, 1490. Del ár. *ḥaraka* 'movimiento', 'emoción', 'agitación', de la raíz *ḥ-r-k* 'mover'.

ALHARMA 'ruda silvestre', 1770, y sus variantes *hármaga*, S. XVII, *alhármaga*, S. XIV, *gamarza*, 1576, *amargaza*, S. XIV, etc. Del ár. *hármal* íd.; en *alhármal(a)* hubo disimilación de la segunda *l* en *g* y derivado *harmagaza*.

ALHELÍ, 1555. Del ár. *ḫeiri* o *ḫírî* íd.

ALHEÑA, 3.er cuarto S. XIII. Del ár. *ḥinnâ* íd., vulgarmente *ḥínna*.
DERIV. *Alheñar*, h. 1300.

ALHOLVA, fin S. XIII. Del ár. *ḥúlba* íd.

ALHÓNDIGA 'casa pública destinada a la compra y venta del trigo', 1033. Del ár. *fúnduq* 'posada donde se alojaban los mercaderes con sus mercancías', y éste del gr. *pandokhêion* 'fonda' (propiamente 'lugar donde se recibe a todo el mundo', de *pás* 'todo' y *dékhomai* 'yo recibo'). Comp. FONDA.

ALHORRE 'erupción en la piel de los recién nacidos', h. 1575. Del ár. vg. *ḥorr* 'enfermedad inflamatoria', afín al ár. *ḥarr* 'calor'.

ALHUCEMA, 1475. Del ár. *ḫuzêmà* íd.

Aliáceo, V. *ajo*   *Aliaga*, V. *aulaga*

ALIAR, h. 1375. Del fr. *allier* 'juntar', 'aliar', y éste del lat. ALLIGARE 'atar (a algo)', deriv. de LIGARE 'atar'.
DERIV. *Aliado*, 2.º cuarto S. XV. *Alianza*, h. 1460.

ALIARA, 2.º cuarto S. XV, 'colodra'. Del antiguo *alhiara* 'vasija pequeña para vino', h. 1335, descendiente mozárabe del b. lat. PHIALA 'redoma', tom. del gr. *phiálē* 'taza'.

Aliaria, V. *ajo*

ALIAS 'por otro nombre', med. S. XV. Tom. del lat. *alias* 'de otro modo', deriv. de *alius* 'otro'.

Alicaído, V. *ala I*

ALICATES, 1585. Del ár. vg. *laqqâṭ* 'tenazas', de la raíz *l-q-ṭ* 'coger'.

ALICIENTE, 1770. Tom. del lat. *alliciens, -tis*, 'que atrae', part. activo de *allicĕre* 'atraer'.

ALÍCUOTA, 1538. Tom. del b. lat. *aliquotus*, sacado del lat. *aliquot* 'algunos, cierto número', según el modelo de *quotus* junto a *quot*.

ALIDADA, 3.er cuarto S. XIII. Del ár. *ꜥiḍâda* 'jamba de puerta', 'regla de astrolabio'.

Alienación, alienar, alienista, V. *ajeno*
Aliento, V. *alentar*

ALIFAFE 'tumor que se desarrolla en los corvejones de las caballerías', fin S. XIII, 'achaque habitual de las personas', h. 1600. Del ár. *nefaḫ* 'alifafe de las caballerías', cambiado en *alnefafe*, de donde la forma moderna.

Aligerar, V. *ligero   Aligustre,* V. *ligustro*

ALIJAR .'descargar una nave', 1492. Del fr. ant. *alegier* o *aligier* (hoy *alléger*) 'aligerar, aliviar', y éste del lat. tardío ALLEVIARE íd., deriv. de LEVIS 'ligero'.
DERIV. *Alijo,* h. 1600.

ALIMAÑA, h. 1300. Tom. del lat. *animalia* (empleado como cast. en los SS. XIII-XVI), plural de *animal* 'bestia', con metátesis de las consonantes *l* y *n*; primero se empleó solamente como plural.

ALIMARA 'señal que se hace con fuego', 1403. Del ár. *'imâra* 'señal', propiamente 'la que se hace para dar una orden', de la raíz *'-m-r* 'mandar'.

ALIMENTO, 1444, raro hasta fin S. XVI. Tom. del lat. *alimentum* íd., deriv. de *alěre* 'alimentar'.
DERIV. *Alimentar,* 1515; *alimentación,* h. 1500. *Alimenticio,* 1513. *Sobrealimentar.*

Alinear, aliñado, aliñar, aliño, V. *línea
Alioli,* V. *ajo   Aliquebrado,* V. *ala I
Alisador, alisar,* V. *liso*

ALISIOS, *vientos —,* 1884. Origen desconocido: aparece por primera vez en Francia, 1678.

ALISO, 1330, quizá ya 976. Origen incierto, probablemente prerromano, al parecer indoeuropeo pre-céltico.

Alistar, V. *lista* y *listo   Aliteración, aliterado,* V. *letra   Aliviar, alivio,* V. *leve*

ALJABA 'carçaj', 1325. Del ár. *ŷáᶜba* íd.

ALJAMA 'conjunto de los judíos o moros de una localidad', 'sinagoga', 1219. Del ár. *ŷamâᶜa* 'conjunto de personas' (especialmente *ŷamâᶜaᵗ al-yahûd* 'conjunto de los judíos').

ALJAMÍA 'romance, lengua castellana (para los moros)', 'el castellano corrompido que hablaban los moros', h. 1350. Del ár. *ᶜaŷamíya* 'lengua extranjera', deriv. de *'aᶜŷam* 'bárbaro, extranjero'.
DERIV. *Aljamiado,* 1505.

ALJIBE 'cisterna', 1202. De una variante vulgar del ár. *ŷubb* 'pozo', 'cisterna'.

ALJÓFAR, h. 1250. Del ár. *ŷáu̯har* 'perlas', que a su vez procede del persa clásico *gáu̯har* 'perla'.

ALMA, S. XI. Del lat. ANĬMA 'aire, aliento', 'alma'.
DERIV. *Desalmado,* 1495. Los siguientes son cultismos. *Ánimo,* 1328, de *anĭmus* íd.; *animoso,* 1.ª mitad S. XV, lat. *animosus; animosidad,* 1490 (en el sentido de 'hostilidad' se imitó del fr. en el S. XIX). *Animal,* 1251, lat. *anĭmal, -ālis,* íd.; *animalada; animalizar; animálculo. Animar,* h. 1440, lat. *animare* íd.; *animación. Anímico,* fin S. XIX. *Animismo,* 1884. *Desanimar,* 1569. *Exánime,* 1732, lat. *exanĭmis* íd. *Inánime,* S. XVII, lat. *inanĭmis* íd.; *inanimado,* princ. S. XVII.

CPT. *Animadversión,* hacia 1600, lat. *animadversio* 'atención', 'amonestación', formado con *advertěre* 'dirigir'; el sentido 'ojeriza', princ. S. XIX, por influjo de *aversión* y *animosidad.*

Ecuánime, h. 1900, derivado en romance de *ecuanimidad,* h. 1450, lat. *aequanimitas* íd., formado con *aequus* 'igual'. *Longanimidad,* h. 1640, lat. *longanimitas,* con *longus* 'largo'. *Magnánimo* y *magnanimidad,* 1490, lat. *magnanimus* íd., con *magnus* 'grande'. *Pusilánime,* h. 1440, lat. *pusillanĭmis* íd., con *pusillus* 'pequeño'; *pusilanimidad,* 1515. *Unánime,* 1490, lat. *unanĭmis* íd., con *unus* 'uno'; *unanimidad,* 1739.

ALMACÉN, 1225. Del ár. *máḫzan* (vulgarmente *maḫzén*) 'depósito', 'granero', 'almacén', de la raíz *ḫ-z-n* 'depositar'.
DERIV. *Almacenar,* 1607. *Almacenaje. Almacenero. Almacenista.*

ALMÁCIGA I, 'resina de lentisco', 1495 (*almástic,* S. XIII; *almázaque,* 1325). Del ár. *mástakā* y éste del gr. *mastíkhē* íd.
DERIV. *Almácigo. Almacigar,* 1607.

ALMÁCIGA II, 'semillero', 1513. Origen incierto, probablemente variante de *almajara,* como todavía se dice dialectalmente, tomado del ár. *másŷara* 'arboleda', de donde viene el val. *almàixera* o *almàcera* 'semillero'; en hispanoárabe parece haber existido una variante *másŷara* con el sentido de 'semillero'.

ALMADÉN 'mina', 1243. Del ár. *máᶜdin* 'criadero de cualquier cosa', 'mina', de la raíz *ᶜ-d-n* 'residir'.

ALMÁDENA 'mazo de hierro', h. 1300. Del ár. hispano y africano *mátana,* que a su vez es de origen incierto, quizá lo mismo que el ár. clásico *máṭḥana* 'muela'.

ALMADÍA 'balsa', 1492. Del ár. *ma°diya* 'barca de paso', 'almadía', de la raíz *°-d-w* 'cruzar'.
DERIV. *Almadiero.*

ALMADRABA 'lugar donde se pescan los atunes', último tercio S. XIV. Del ár. *madraba* 'lugar donde se golpea', 'almadraba' (así llamada porque los atunes cogidos en ella son rematados a golpes), de la raíz *ḍ-r-b* 'golpear'.
DERIV. *Almadrabero*, 1527.

ALMADREÑA 'zueco', h. 1400 (*madrueñas*). Contracción de **maderueña*, derivado de *madera*.

ALMAGRE 'arcilla roja para hacer marcas', 1278. Del ár. *mágra* íd.
DERIV. *Almagrar*, 1495.

ALMANAQUE, princ. S. XV. Del ár. hispano *manáḫ* 'calendario, almanaque', probablemente la misma palabra que el ár. vulgar *manáḫ* 'parada en un viaje', de donde 'signo del Zodíaco' (en el cual se estaciona el sol parte del año) y de ahí 'calendario'; raíz *n-w-ḫ* 'descansar'.

ALMARADA 'puñal pequeño', 'aguja grande', 3.ᵉʳ cuarto S. XV. Del ár. *míḫraz* (vulgarmente *maráẓa*) 'punzón', de la raíz *ḫ-r-z* 'perforar'.

Almarraja, V. **borracha**

ALMAZARA 'molino de aceite', 1604. Del ár. vg. *ma°ṣára* íd., deriv. de *°áṣar* 'apretar, exprimir'.

ALMEJA, 1423. Origen incierto, en cast. se tomó probablemente del port. *amêijoa* íd., que se encuentra desde el S. XIII; no está relacionado con *mejillón*.

ALMENA, h. 1270. Del antiguo *mena*, h. 1300; o *amena*, h. 1250, y éste del lat. MĪNA íd. (del mismo origen que *eminere, imminere, prominere*, 'ser saliente').
DERIV. *Almenado* (*ame-*, h. 1250).

ALMENARA 'señal que se hace con fuego en lugar elevado', h. 1250. Del ár. *menára* 'faro', deriv. de *nár* 'fuego'.

ALMENDRA, 1.ª mitad S. XIII. Del lat. AMYGDĂLA (vulgarmente AMĪNDŬLA), y éste del gr. *amygdálē* íd.
DERIV. *Almendro*, h. 1400, lat. AMYGDĂLUS. *Almendrate*, 1525. *Almendruco*, 1611. *Almendrilla. Amígdala*, 1537, es la forma culta de la palabra *almendra*, nombre que se dio a esta glándula por su forma; *amigdalitis. Amigdaláceo. Amigdalina.*

ALMEZ, 1555. Del ár. *méis* íd.
DERIV. *Almeza* o *almecina*, 1607.

ALMIAR, 1495 (*almear*). Es probable que designara primeramente el palo del almiar y que venga del lat. MEDIALIS, abreviación de PERTĬCA MEDIALIS 'palo de en medio'; *la meal* pudo cambiarse en *l'ameal* (como se dice todavía en tierras de Salamanca), de donde luego *el almeal* y *el ulmiur.*

ALMÍBAR, 1495. Del ár. *míba* 'especie de jarabe hecho con membrillo', voz de origen persa.
DERIV. *Almibarar*, 1599.

ALMIDÓN, 1488 (*amidón*). Tom. del b. lat. *amidum* (lat. *amȳlum*) íd., y éste del gr. *ámylon* 'no molido', 'almidón' (deriv. de *mȳlē* 'muela'); la terminación moderna quizá se explique por el influjo de una pronunciación helenizante *amylón.*
DERIV. *Almidonar*, 1604; *almidonado*, 1604. Cultismos deriv. de *amylum*: *amiláceo, amílico.*

ALMINAR 'torre de las mezquitas', princ. S. XIX. Del ár. vg. *menár* 'faro', 'alminar' (deriv. de *nár* 'fuego'). En el S. XIX se introdujo *minarete*, tomado del fr. *minaret*, el cual viene del turco *minaré* y éste del ár. clásico *manára* íd.

ALMIRANTE, 1256 (*amirate*, 2.ª mitad S. X). Del antiguo *amirate*, que viene del ár. *'amîr* 'jefe, emir' (deriv. de *'ámar* 'mandar'), probablemente por conducto del gr. bizantino *amirás, -ádos*, y del b. lat. *amiratus.*
DERIV. *Almirantazgo*, 1495.

ALMIREZ, h. 1490. Del ár. *mihrês* íd., deriv. de *háras* 'machacar'.

ALMIZCLE, 1406 (*almizque*). Del ár. *misk* íd., y éste del persa *misk* variante de *musk.*
DERIV. *Almizcleño. Almizclera*, 1611. Del persa *musk* se tomó el lat. *muscus*, del cual derivan: *nuez moscada*, 1555, así llamada por su olor; *moscatel*, 1513, tom. del cat. *moscatell* o *moscat* íd.

ALMOCAFRE 'especie de escardillo', 1513. Probablemente del ár. hispano *mukáffir*, deriv. de la raíz *k-f-r* 'tapar, cubrir'.

ALMOCÁRABE 'adorno arquitectónico en forma de lazos', 1527. Del ár. *muqárbaṣ* 'adorno de talla', participio del verbo *qárbaṣ* 'construir' (procedente del gr. *krēpís* 'cimientos').

ALMOGÁVAR 'soldado de una tropa escogida, de las zonas fronterizas', 1256, cat.

almugàver. Del ár. *muĝâwir* 'incursor, el que toma parte en una algarada', participio activo de *ĝâwar* 'realizar una expedición' (de donde también *algarada*).

ALMOHADA, h. 1400. Del ár., hispano *muḫádda* íd. (ár. clásico *miḫádda*), derivado de *ḫadd* 'mejilla'. DERIV. *Almohadilla,* 1604; *almohadillar. Almohadón.*

ALMOHADE, ḫ. 1295. Del ár. *muwáḫḫid* 'unitario', part. activo de *wáḫḫad* 'unificar'.

ALMOHAZA, 1343. Del ár. *miḫássa* íd., deriv. de *ḫáss* 'quemar', 'almohazar'. DERIV. *Almohazar,* fin S. XIII.

ALMOJARIFE 'recaudador de contribuciones', 1081. Del ár. *múšrif* 'tesorero, superintendente de Hacienda', part. activo de *'ášraf* 'inspeccionar'.

ALMONEDA, 1142. Del ár. *munêda* íd., deriv. de *nádā* 'gritar'.

ALMORÁVID, 1095. Del ár. *murâbiṭ* 'ermitaño', 'devoto'.

ALMORRANAS, 1490. Lo mismo que el port. *almorreimas* y el cat. *morenes,* procede de un b. lat. **haemorrheuma* (análogo a la denominación culta *hemorroides*), compuesto con el gr. *hâima* 'sangre' y *rhêuma* 'flujo'; la terminación erudita *-euma* sufrió varias alteraciones populares en los diversos idiomas.

ALMORTA 'especie de guisante de forma cuadrada', 1726. Es la forma mozárabe de la palabra castellana *muerta,* por su parecido con las muelas arrancadas de un cadáver; en Castilla la Vieja se llaman *mucias,* en Toledo *almuertas,* en otras partes *dientes de muerto.*

Almorzada, V. *ambuesta*   *Almorzar,* V. *almuerzo*

ALMOTACÉN 'inspector de pesas y medidas', 1202 (*almutaceb*). Del ár. *muḫtásib* (vulgarmente *moḫtaséb*), part. activo de la 8.ª forma de *ḫ-s-b* 'contar'.

ALMUD, 1028. Del ár. *mudd* íd.

ALMUDENA 'alcázar', 1562. En cat. *Almudaina;* del ár. *mudéyyina* 'ciudadela', diminutivo de *madína* 'ciudad'.

ALMUÉDANO 'el que desde el alminar invita al pueblo musulmán a la oración', h. 1300. Del ár. *mu'éddin* íd., part. activo de *'áḏḏana* 'hacer saber', 'convocar a la oración', deriv. de *'úḏn* 'oído, oreja'; la variante *muecín* es reciente, tomada por conducto del fr. *muezzin.*

ALMUERZO, h. 1295. Del lat. vg. **ADMÖRDĬUM* íd., deriv. de ADMORDĒRE 'morder ligeramente', 'empezar a comer algo'. DERIV. *Almorzar,* h. 1140.

ALMUNIA 'huerto', 'granja', 916. Del ár. *múnya* íd.

Alocado, V. *loco*   *Alocución,* V. *locuaz*

ÁLOE, h. 1300. Tom. del lat. *alŏe,* y éste del gr. *alóē* íd.

ALOJA, 1475 (*alosa,* 1438). Palabra de historia oscura, que procede de una variante del lat. tardío ALOXĬNUM 'especie de hidromel con ajenjo', y éste probablemente del gr. *alóē oxínēs* 'áloe agrio'.

Alojamiento, alojar, V. *lonja* II   *Alón,* V. *ala* I

ALONDRA, 1495 (*aloa,* h. 1330). Forma alterada que ha tomado en castellano el lat. ALAUDA íd., por una confusión parcial de *aloda* 'alondra' (como se dice todavía en Aragón) con **olondra* o *golondra* 'golondrina', este último aplicado dialectalmente a la alondra (en la Mancha) y a otras aves (Colombia).

Alongar, V. *luengo*

ALOPECIA 'caída del pelo', 1555 (*alopicia,* 1490). Tom. del lat. *alopecia,* y éste del gr. *alōpekía* íd., deriv. de *alōpēx, -ekos,* 'zorra', animal que pierde el pelo con frecuencia.

ALOQUE 'rojo claro', 1490. Del ár. *ḫalūqî* (vulgarmente *ḫalûqî*) íd., deriv. de *ḫalûq,* nombre de un perfume de color rojo amarillento.

Alotropía, alotrópico, V. *tropo*

ALPACA 'variedad doméstica de la vicuña', 1778. Probablemente del aimara *allpaca* íd. Antes (h. 1554) se dijo *paco,* hoy todavía más usual en América, y procedente del quichua *p'aco* 'rubio, amarillo rojizo', que es el color de la lana del animal. *Alpaca* 'aleación de aspecto semejante a la plata' es palabra reciente (princ. S. XX), cuya posible relación con el nombre del animal no se ha estudiado. Se desistió de emplear la alpaca para llevar carga, como se hace con la llama, por tener el inconveniente de echarse fácilmente al suelo y entonces es imposible hacerla continuar: de aquí em-

pacarse, 1590, 'plantarse una bestia', 'obstinarse, una persona, en no hacer algo', muy vivo en América.

Alpargata, V. *abarca*

ALPISTE, 1555. Forma mozárabe del hispanolatino pǏstum íd., propiamente part. pasivo del lat. pinsere 'desmenuzar', por lo menudo de esta semilla.

ALQUERÍA, 1253. Del ár. *qárya* (vulgarmente *qarîya*) 'aldea', 'casa de campo'.

ALQUIBLA 'punto hacia donde los musulmanes dirigen la vista cuando rezan', 1268. Del ár. *al-qíbla* 'el Sur'.

Alquilar, V. *alquiler*

ALQUILER, 1490, antes *alquilé*, 1202. Del ár. *kirâ'* íd. (vulgarmente *kiré*), de la raíz *k-r-w* 'alquilar'.
Deriv. *Alquilar*, 1251.

ALQUIMIA, h. 1250. Del ár. *kīmiyâ'* 'piedra filosofal', 'alquimia', que a su vez es de origen incierto. *Química*, 1616, se tomó del b. lat. *ars chimica*, deriv. de *chimia* 'alquimia', que a su vez viene de dicha palabra arábiga.
Deriv. *Alquimista*, 1256. *Alquimila* 'pie de león', 1606, del b. lat. *alchimilla* íd., así llamada por haberla empleado los alquimistas en su empeño de convertir metales viles en oro. *Químico*, princ. S. XVII.

ALQUITARA 'alambique', h. 1460 (*alcatara*, princ. S. XV). Del ár. *qaṭṭâra* íd., deriv. de *qáṭra* 'gota', *qáttar* 'destilar'.
Deriv. *Alquitarar* 'destilar', 1770, y hoy 'acendrar, quintaesenciar'.

ALQUITRÁN, 1256. Del ár. *qiṭrân* íd., de la misma raíz arábiga que el anterior.
Deriv. *Alquitranar*, 1607.

ALREDEDOR, S. XV. Del anticuado *alderredor*, 1360, compuesto de *al* y el adverbio *derredor* íd., h. 1140; y éste de *redor*, h. 1200, preposición. Ésta es probable que llegara al sentido 'alrededor de' partiendo de los de 'detrás de' y 'cerca de', y procede probablemente del lat. retro 'detrás'. *Redro la cása* se convertiría en *redor la cása*, gracias a la pronunciación proclítica de las preposiciones; el empleo como adverbio acentuado es más tardío, como se ve por la circunstancia de no hallarse más que en la forma derivada *de-redor*.

Altanería, altanero, altar, altavoz. V. *alto   Alteración, alterar,* V. *otro*

ALTERCAR, h. 1300. Tom. del lat. *altercari* íd.
Deriv. *Altercación*, 1604. *Altercado*, 1706.

Alternancia, alternante, alternar, alternativo, alterno, V. *otro*

ALTO I, adj., 1042. Del lat. altus íd.
Deriv. *Altanero* 'de alto vuelo (ave)' h. 1330, 'altivo' 1495; *altanería*, 1611. *Altar*, h. 1140, lat. altar íd. *Alteza*, 1238. *Altillo*, 1560. *Altitud*, 1444, tom. del lat. *altitudo* íd. *Altivo*, h. 1300. *Altura*, 1219. *Enaltecer*, 1607. *Exaltar*, 1.ª mitad S. XIII, lat. *exaltare* íd.; *exaltación*, 1623; *exaltado*, 1705. *Peraltar*, 1817; *peralte*, 1633.
Cpt. *Altavoz. Altibajo*, 1604. *Altímetro; altimetría*, 1617. *Altiplanicie*, princ. S. XX. *Altisonante*, 1605. *Contralto*, 1553.

ALTO II 'detención en una marcha' e interj. de sentido correspondiente; 1571. Del alem. *halt* íd., deriv. de *halten* 'detener'.

ALTOZANO, 1570; ant., 'plazuela ante la puerta de un edificio, especialmente atrio de una iglesia' 962 (*antuzano*), 'el lugar elevado donde solían edificarse las iglesias'; mod., 'elevación de poca altura en un terreno' h. 1600. Del antiguo *anteuzano*, 1029, y éste derivado de *uzo* 'puerta' (lat. ostium íd.), con prefijo *ante-*, en el sentido de 'lo que está ante la puerta'; la alteración de las dos primeras sílabas se debe al influjo de *alto* ayudado por la disimilación de las dos *nn*, pero *antuzano* se dice todavía en Vizcaya y *antuixà* en muchos dialectos catalanes.

ALTRAMUZ, 1328. Del ár. *túrmus* (vulgarmente *turmús*), y éste del gr. *thérmos* íd.

ALTRUISMO, h. 1900. Del fr. *altruisme*, y éste deriv. culto del fr. *autrui* 'otra persona, los demás'.
Deriv. *Altruista*, h. 1900, fr. *altruiste*.

Altura, V. *alto*

ALUBIA 'judía', 1644. Del ár. *lūbiyâ'* íd., de origen persa.
Deriv. *Alubial*, h. 1550.

ALUCINAR, 1499. Tom. del lat. *alucinari* íd. (sin relación con *luz*).
Deriv. *Alucinación. Alucinante.*

ALUD 'desprendimiento de nieve', 1880. Palabra de origen hispánico prerromano, hermana del vasco *luta* 'desmoronamiento de tierras' y relacionada con el vasco *lurte* íd. y 'alud', los cuales derivan respectivamente de *lur* 'tierra' y de *elur* 'nieve'.

ALUDIR, 1553. Tom. del lat. *alludĕre* íd., propte. 'bromear o juguetear con alguien'.
DERIV. *Alusión*, 1611. *Alusivo*.

Alumbrado, alumbrar, V. *lumbre*

ALÚMBRE 'sulfato de alúmina', h. 1295. Del lat. ALŪMEN íd.
DERIV. cultos de *alumen*: *Alúmina*, 1513. *Aluminio*, 1856, del ingl. *aluminium* íd., formado en 1812 por Davy.

ALUMNO, 1605. Tom. del lat. *alumnus* 'persona criada por otra', 'alumno', y éste de un antiguo participio de *alĕre* 'alimentar'.
DERIV. *Alumnado*, amer.

Aluvión, V. *diluir*

ÁLVEO 'cauce de una corriente de agua', 1625. Tom. del lat. *alvĕus* 'cavidad', 'cauce', deriv. de *alvus* 'vientre'.
DERIV. *Alvéolo*, 1728, lat. *alveŏlus*, diminutivo de *alveus*.

Alverja, V. *arveja*

ALZAR, 1044. Del lat. vg. *ALTIARE íd., deriv. del lat. ALTUS 'alto'.
DERIV. *Alza. Alzada*, fin S. XIII. *Alzado. Alzamiento*, 1604. *Alce*, 1607. *Realzar*, 1606; *realce*, 1580.
CPT. *Alzacuello. Alzapié. Alzapón. Alzaprima*, 1535, con *prime*, imperativo del verbo arcaico *premer* 'apretar' (lat. PREMĔRE); *alzaprimar*, 1599.

ALLÁ, h. 1140. Del lat. ILLĀC 'por allá', acentuado en la A ya en latín. *Allí*, h. 1140, viene paralelamente de ILLĪC íd.; y *allende*, 1056, de ILLĪNC 'de allá': el uso originario fue *allén de* 'de allá de', 'más allá de', pero el uso casi constante de *allén* (1084) en combinación con *de* hizo que se aglutinaran las dos palabras, resultando *allende* aun en los casos en que se empleaba como adverbio.
CPT. *Acullá*, h. 1300, parece venir del lat. vg. ECCUM ILLĀC 'he allá' (formación paralela a la de *aquel* ECCUM ILLE frente al lat. ILLE).

Allanar, V. *llano* — *Allegadizo, allegado, allegamiento, allegar*, V. *llegar* — *Allende, allí*, V. *allá*

AMA 'nodriza', 'dueña de casa', 1.ª mitad S. XIII. Del hispanolatino AMMA 'nodriza', que debió significar primeramente 'madre que amamanta', de donde 'dueña de casa'; voz del lenguaje infantil, de creación expresiva (como *mama*), que se halla en idiomas muy diversos.

DERIV. *Amo* 'dueño', h. 1250, antiguamente 'ayo', 1019.

Amable, V. *amar* — *Amachinarse*, V. *machín* — *Amador*, V. *amar* — *Amadrinar*, V. *madre* — *Amaestrar*, V. *maestro*

AMAGAR 'hacer ademán de ir a ejecutar alguna cosa en daño de otro', 1202. Origen incierto. La misma palabra significa 'ocultar' en catalán y lengua de Oc, desde fin S. XII, y de esta acepción se pasa a 'agacharse, agazaparse' en Aragón, Murcia, Andalucía y en varias provincias portuguesas; de 'ocultar' se pudo llegar a 'amagar' pasando por 'disfrazar, disimular', que es lo que significa el gascón *amacà*, y de ahí 'aparentar que se hace algo'.
DERIV. *Amago*, princ. S. XVII.

Amago, V. *hámago*

AMAINAR 'perder fuerza (el viento)', S. XVII (quizá ya XV o XVI), antes 'recoger (las velas· de una embarcación)', 1399. Origen incierto, probablemente tomado del catalán, donde significa además 'calmar, mitigar', y será hermano de oc. *amainà*, fr. ant. *amaisnier* 'domesticar', deriv. de *maison* 'casa' (lat. MANSIO): de 'amansar' se pasaría a 'calmar' y 'amainar'.

AMALGAMA 'aleación de metales, especialmente las formadas por el mercurio con otros metales', 1765-83. Tom. del b. lat. *amalgama*, alteración del sinónimo *algama* que, junto con las variantes *algamala, algamana* y *almagala*, procede del ár. *ŷamâ'a* 'reunión' (raíz *ŷ-m-'* 'reunir'); el cast. lo tomaría de Francia, donde *algame* ya se halla a princ. S. XVII, *amalgame* en el XV y las otras tres formas en la 1.ª mitad del XVI.
DERIV. *Amalgamar*, 1735; *amalgamación*, 1726.

Amamantar, V. *mama* — *Amancebar*, V. *mancebo* — *Amancillar*, V. *mancilla* — *Amanecer*, V. *mañana* — *Amanerado, amaneramiento*, V. *manera* — *Amansador, amansar*, V. *manso* — *Amante*, V. *amar* — *Amanuense*, V. *mano* — *Amañar, amaño*, V. *maña*

AMAPOLA, 1495 (*hamapol*, h. 1400). Del mozárabe *ḥabapáura*, y éste alteración del lat. PAPĀVER, -ĔRIS, íd., por influjo del ár. *ḥábba* 'grano de cereal', 'semilla de verdura'.
DERIV. culto de *papaver*: *papaveráceo*.

AMAR, 1140. Del lat. AMARE íd.
DERIV. *Amable*, h. 1280; *amabilidad. Amador. Amante*, S. XV. *Amasia* 'concubina', tom. del lat. *amasia* 'enamorada';

amasiato. Amativo; *amatividad. Amatorio. Amor*, h. 1140, lat. AMOR, -ŏRIS, íd.; *amorcillo*; *amorío*, 1256; *amoroso*, 1250; *desamor*, 1220-50; *desamorado*, 1495; *enamorar*, 1438; *enamoradizo*, 1616; *enamorado*, 1444; *enamoramiento*, 1570; *enamoricarse* (*-iscar*, 1599). *Amigo*, h. 1140, lat. AMĪCUS íd.; *amiga*, 1256; *amigable*, h. 1330; *amigote. Amistad*, h. 1140, lat. vg. *AMĪCĬTAS, -ATIS; *amistoso*, 1726. *Enemigo*, h. 1140, lat. ĪNĬMĪCUS íd., deriv. privativo de AMICUS; *enemiga* 'enemistad', 'maldad' h. 1250. *Enemistad*, 1.ª mitad S. XIII, lat. vg. *INIMICITAS, -ATIS; *enemistar*, 1505. *Desamar*, 1444.

AMARANTO, 1555. Tom. del lat. *amarantus*, y éste del gr. *amárantos* 'inmarcesible', 'amaranto', deriv. de *maráinō* 'yo me marchito'.
DERIV. *Amarantáceo. Amarantina.*

Amargaza, V. *alharma*

AMARGO, 1062. Del anticuado *amaro*, alterado por influjo del verbo *amargar*, y procedente del lat. AMĀRUS íd.
DERIV. *Amargar*, 1.ª mitad S. XIII, lat. vg. AMARICARE íd. *Amargaleja. Amargón. Amargor*, 1205. *Amargura*, 1.ª mitad S. XIII. *Marrasquino*, 1914, del it. *maraschino* íd., deriv. de *marasca* 'cereza algo agria', reducción de *amarasca*, deriv. de *amara* 'amarga'.

AMARILÍDEO, 1884. Deriv. culto del lat. *Amaryllis*, -ĭdis, nombre de una pastora en las Églogas de Virgilio.

AMARILLO, 1074 (*amarellus*, 919). Del b. lat. hispánico AMARĚLLUS 'amarillento, pálido', diminutivo del lat. AMĀRUS 'amargo', probablemente aplicado a la palidez de los que padecían de ictericia, por ser enfermedad causada por un trastorno en la secreción de la bilis o humor amargo.
DERIV. *Amarillento*, 1818. *Amarillez*, 1495.

AMARRAR, med. S. XV. Del fr. *amarrer* íd., y éste del neerl. med. *aanmarren* 'atar'.
DERIV. *Amarra*, 1492. *Amarradero. Amarraje. Amarre.*

Amartelado, amartelar, amartillar, V. *martillo   Amasadera, amasadura, amasar.* V. *masa   Amasia, amasiato*, V. *amar   Amasijo*, V. *masa*

AMATISTA, hacia 1440. Tomado del lat. *amethystus* y éste del gr. *améthystos* íd., propiamente 'sobrio, que no está borracho' (deriv. de *methýō* 'estoy borracho'), porque se creía que esta piedra preservaba de la embriaguez.

Amativo, amatorio, V. *amar   Amazacotado*, V. *mazacote*

AMAZONA, h. 1275; en el sentido moderno, 1620. Tom. del lat. *Amazon*, -ŏnis, y éste del gr. *Amazṓn*, -ónos, íd.

AMBAGES 'rodeos, circunloquios', h. 1560. Tom. del lat. *ambāges* 'rodeos, sinuosidades', deriv. de *agere* 'conducir' con el prefijo *amb-* 'entorno'.

ÁMBAR, h. 1330. Del ár. *ᶜánbar* 'cachalote', 'ámbar gris, que se forma en el intestino del cachalote, en el Océano Índico'.
DERIV. *Ambarino.*

Ambición, ambicioso, V. *ambiente   Ambidextro*, V. *diestro*

AMBIENTE, 1588. Tom. del lat. *ambĭens, -tis*, 'que rodea', part. activo del verbo *ambire* 'rodear, cercar', 'pretender', y éste deriv. de *ire* 'ir'.
DERIV. de dicho verbo latino: *Ámbito*, 1557, lat. *ambĭtus, -ūs*, íd. *Ambición*, 2.º cuarto S. XV, lat. *ambitio, -onis*, íd.; *ambicioso*, h. 1450, lat. *ambitiosus*; *ambicionar.*

AMBIGUO, h. 1560. Tom. del lat. *ambĭgŭus* íd., deriv. de *ambĭgĕre* 'estar en discusión', y éste de *ăgĕre* 'conducir', con prefijo *amb-* 'entorno'. *Ambigú* 'comida en que se sirven manjares fríos y calientes', 1770, del fr. *ambigu*, propiamente 'ambiguo'.
DERIV. *Ambigüedad*, 1490.

Ámbito, V. *ambiente   Amblador, amblar*, V. *ambular*

AMBOS, h. 950. Del lat. AMBO, -AE, -O, íd.
DERIV. *Ambo.*
CPT. *Entrambos*, 1031.

AMBROSÍA, 1438. Tom. del gr. *ambrosía* íd., deriv. de *ámbrotos* 'inmortal'.

AMBUESTA, 1884, o **ALMUE(R)ZA**, 1330, 'porción de cualquier cosa suelta que cabe en el hueco formado por las dos manos juntas'. Del celta *AMBŎSTA íd., deriv. de *BOSTA 'hueco de la mano' (irl. *boss*, bret. *boz*), con el prefijo AMBI- 'ambos'.
DERIV. *Almo(r)zada* 'ambuesta', h. 1560.

AMBULAR, h. 1650. Tom. del lat. *ambulare* 'caminar', 'pasearse'. Con evolución popular el mismo vocablo ha dado el cast. *amblar*, 1438, 'andar un caballo moviendo a un tiempo el pie y la mano de un mismo lado'.
DERIV. *Ambulante*, h. 1630; *ambulancia*; *ambulativo. Deambular*, h. 1900, lat. *deam-*

bulare; *deambulatorio*. *Preámbulo*, 1438 (como adj., 1427). De *amblar*: *Amblante*, h. 1200; *amblador*, h. 1250; *ambladura*.

AMEBA, princ. S. XX, 'animalito microscópico de forma cambiante'. Tom. del gr. *amoibé* 'cambio, transformación'.

Amechar, V. *mecha* *Amedrentar*, V. *miedo*.

AMELGA 'faja de terreno que el labrador señala para esparcir la simiente con igualdad', S. XIII (*enbelga*). Origen incierto, probablemente céltico; la forma primitiva es *ambelga*, hoy general en leonés, y el significado más antiguo parece ser 'foso que delimitaba un terreno rodeándolo', S. XIII: quizás *AMBELĬCA, formado con la raíz céltica EL- 'ir' y el prefijo AMBI- 'entorno'. DERIV. *Amelgar*, 1550.

AMÉN 'así sea', h. 1140. Del hebreo *amen* 'ciertamente'. La locución prepositiva *amén de* 'además de' probablemente es la misma palabra, empleada figuradamente en el sentido de 'acabado (esto)', 'después de (esto)'.

AMENAZA, 1.ª mitad S. XIII (*menaza*). Del lat. vg. MĬNACIA, deriv. del lat. MINA íd. DERIV. *Amenazar*, 1.ª mitad S. XIII; *amenazador*; *amenazante*. Del lat. *mina* derivan *minari* 'amenazar' y *comminari*, de donde se tomó el cast. *conminar*, 1637; *conminación*, S. XVI; *conminatorio*.

AMENO, h. 1560. Tom. del lat. *amoenus* íd. DERIV. *Amenidad*, 1607. *Amenizar*.

Amenorrea, V. *mes*

AMEOS 'planta umbelífera', fin S. XV. Tom. del lat. *améos*, genitivo de *ami* 'ameos', y éste del gr. *ámmi* íd.

Ametralladora, *ametrallar*, V. *metralla*

AMIANTO, 1629. Tom. del lat. *amiantus*, y éste del gr. *amíantos* 'sin mancha', 'incorruptible', 'amianto', deriv. de *miáinō* 'yo mancho'.

Amiga, *amigable*, V. *amar* *Amígdala*, *amigdaláceo*, *amigdalitis*, V. *almendra* *Amigo*, V. *amar* *Amiláceo*, V. *almidón* *Amilanar*, V. *milano* *Amílico*, V. *almidón* *Amillaramiento*, *amillarar*, V. *mil* *Aminorar*, V. *menos* *Amistad*, *amistoso*, V. *amar*

AMITO 'lienzo que el sacerdote se pone debajo del alba', 1.ª mitad S. XIII. Tom.

del lat. *amictus*, *-ūs*, 'envoltura, lo que cubre', 'vestido', deriv. de *amicire* 'envolver', y éste de *jacēre* 'echar' y *amb-* 'alrededor'.

Amnesia, V. *mente*

AMNIOS 'membrana que envuelve el feto', 1551. Tom. del gr. *amneiós* 'vasija para la sangre en los sacrificios', 'amnios', deriv. de *amnós* 'cordero'. DERIV. *Amniótico*.

Amnistía, V. *mente* *Amodorrar*, V. *modorro* *Amohinar*, V. *mohino* *Amojamar*, V. *mojama* *Amojonar*, V. *mojón* *Amoladera*, *amolar*, V. *moler* *Amoldar*, V. *modo*

AMOMO 'planta tropical', 1.ª mitad S. XIV. Tom. del lat. *amōmum*, y éste del gr. *ámōmon* íd.

Amondongado, V. *mondongo* *Amonedar*, V. *moneda*

AMONESTAR, 1.ª mitad S. XIII. Procede indirectamente del lat. *admonēre* íd. (deriv. de *monēre* íd.), quizá por influjo de *molestare* 'molestar', que se cruzaría con *admonere* en el lenguaje humorístico de clérigos y estudiantes, con alusión al carácter molesto de las amonestaciones. DERIV. *Amonestación*, h. 1300. *Amonestador*. Cultismos deriv. de *monēre* 'advertir': *mónita*, 1843, del título del libro *Monita Privata* ('advertencias privadas'), que se atribuye a los jesuitas. *Monitor*, h. 1639. *Admonición*. *Premonitorio*.

AMONÍACO, h. 1440. Tom. del lat. *ammoniăcus* '(goma) amoníaca', y éste del título gr. *Ammōniakós*, propiamente 'del país de Ammón', nombre egipcio de Júpiter, porque esta goma se traía de Libia, donde había un célebre templo de Ammón. DERIV. *Amoniacal*. *Amónico*. Otro deriv. de *Ammón* es *amonita* 1884, 'concha fósil en forma de espiral' (por los cuernos con que se representaba a este dios).

Amontonar, V. *monte* *Amor*, V. *amar* *Amoral*, V. *moral* *Amoratado*, V. *mora* *Amordazar*, V. *morder*

AMORFO, 1867. Tom. del gr. *ámorphos* 'sin forma', deriv. de *morphé* 'forma'. DERIV. de *morphé*: *Anamorfosis*. *Dimorfo*; *dimorfismo*. *Polimorfo*; *polimorfismo*. *Metamorfosis*, h. 1620, lat. *metamorphōsis*, gr. *metamórphōsis* íd.; *metamorfosear*; *metamórfico*; *metamorfismo*. De *morphé* en el sentido de 'apariencia engañosa' vino *Morphéus* 'dios de los sueños y del sueño', de

donde deriva *morfina*, con sus deriv. y cpt. *morfinismo, morfinómano, morfinomanía.*
Cpt. *Morfología*, princ. S. XX, *morfológico.*

Amorío, amoroso, V. *amar   Amorrar*, V. *morro   Amortajar, amortecer, amortiguar, amortizar*, V. *morir   Amoscar*, V. *mosca   Amostazar*, V. *mosto   Amotinar, amover, amovible, amovilidad*, V. *mover   Amparar, amparo*, V. *parar*

AMPELÍDEO, 1865. Deriv. culto del gr. *ámpelos* 'vid'.
Cpt. *Ampelografía; ampelográfico; ampelógrafo.*

AMPERIO, h. 1900. Del nombre del físico francés *Ampère*.
Cpt. *Amperímetro.*

Ampliación, ampliar, amplificar, amplio, amplitud, V. *ancho   Ampo*, V. *relámpago*

AMPOLLA, 1.ª mitad S. XIII, 'redoma', 'vejiga', 'burbuja'. Del lat. AMPŬLLA 'redoma, botellita'.
Deriv. *Ampollar*, 1495. *Ampolleta. Ampuloso*, 1433, tom. del b. lat. *ampullōsus* íd. (hinchado como una vejiga); *ampulosidad*; sin relación con *amplio, amplificar*, etcétera.

Ampulosidad, ampuloso, V. *ampolla*

AMPUTAR 'cortar un miembro', 1832. Tom. del lat. *ampŭtare* 'podar', 'cortar' (deriv. de *putare* 'podar').
Deriv. *Amputación*, 1765-83.

Amueblar, V. *mover   Amugronar*, V. *mugrón   Amulatado*, V. *mulo*

AMULETO, 1624. Tom. del lat. *amulētum* íd.

Amura, amurada, V. *amurar   Amurallar*, V. *muro*

AMURAR 'sujetar los vértices inferiores de las velas asegurándolos con un cabo a un costado del buque', 1538. Probablemente deriv. de *muro* en el sentido supuesto de 'amurada, pared lateral del buque'.
Deriv. *Amura* 'el cabo que sirve para amurar' 1538, 'parte de los costados del buque, donde se amura' 1538. *Amurada* 'costado del buque por la parte interior', 1587, alteración de *murada*, deriv. de *muro*, con *a-* por influjo de *amurar* y *amura*.

AMUSGAR 'echar hacia atrás las orejas el caballo, el toro, etc., en ademán de querer morder, tirar coces o embestir' 1582, 'recoger la vista para ver mejor' 1623. Sig-

nificó también 'molestarse' y quizá primitivamente 'refunfuñar', como el lat. vg. *MUSSICARE*, deriv. del lat. MUSSARE 'murmurar, cuchichear, mascullar'.

Anabaptismo, anabaptista, V. *bautizar*

ANACOLUTO, h. 1900. Tom. del lat. *anacolūthon* íd., y éste del gr. *anakóluthos* 'que no sigue, inconsecuente', deriv. de *akóluthos* 'compañero de camino'; comp. *ACÓLITO.*

ANACORETA, 1417. Tom. del lat. *anachorēta*, y éste del gr. *anakhōrētēs* íd., deriv. de *anakhōréō* 'me retiro'.

Anacrónico, anacronismo, V. *crónica*

ÁNADE 'pato', 1251. Del lat. ANAS, ANĂTIS, íd.
Deriv. *Anadón*, 1604.

Anaerobio, V. *aire   Anafilaxis*, V. *profilaxis   Anafrodisia, anafrodita*, V. *afrodisíaco.*

ANAGNÓRISIS, 1875. Tom. del gr. *anagnōrisis*, deriv. de *anagnōrízō* 'reconozco'.

Anagrama, anagramático, V. *gramático   Anal*, V. *ano   Analectas*, V. *análogo   Analéptico*, V. *epilepsia   Analfabeto*, V. *alfabeto*

ANALGESIA, h. 1900. Tom. del gr. *analgēsía*, deriv. de *álgos* 'dolor'.

ANÁLISIS, 1617. Tom. del gr. *análysis* 'disolución de un conjunto en sus partes', deriv. de *analýō* 'desato', y éste de *lýō* 'yo suelto'.
Deriv. *Analizar*, h. 1760, imitado del fr. *analyser. Analítico*, 1617, lat. *analyticus*, gr. *analytikós* íd. Otros deriv. de *lýō: Catálisis*, 1847, gr. *katálysis* íd., de *katalýō* 'disuelvo, destruyo'; *catalítico; catalizador. Diálisis*, h. 1900, gr. *diálysis*, de *dialýō* 'disuelvo'; *dialítico; dializar.*

ANÁLOGO, 1663. Tom. del lat. *analŏgus*, y éste del gr. *análogos* 'proporcionado, relacionado, parecido,' deriv. de *analégō* 'reúno, recojo'.
Deriv. *Analogía*, 1602, gr. *analogía*. De *analégō* deriva el gr. *análektos* 'recogido', de donde *analectas*, h. 1900.

Anamorfosis, V. *amorfo*

ANANÁS 'piña de América', 1578 (raro antes del S. XIX). Tom. del port. *ananás*, y éste del guaraní *naná* íd.

ANAPELO 'acónito', h. 1443. Del mozárabe *napel* (S. X), diminutivo del lat. NAPUS 'nabo', planta de raíz fusiforme como el acónito.

ANAPESTO, 1490. Tom. del lat. *anapaestus*, y éste del gr. *anápaistos* íd., deriv. de *páiō* 'golpeo' y *anà* 'al revés', por la posición del ictus en el anapesto, opuesta a la que tiene en el dáctilo. DERIV. *Anapéstico.*

ANAQUEL, 1611. Del ár. *naqqâl* 'trasportador', de la raíz *n-q-l* 'trasportar': designó primero al que trasportaba objetos, después la tabla en que los llevaba y finalmente un estante o anaquel.

Anaranjado, V. *naranja*

ANARQUÍA, 1612. Tom. del gr. *anarkhìa* íd., deriv. de *ánarkhos* 'sin jefe' y éste de *árkhō* 'yo mando, gobierno'. DERIV. *Anárquico,* 1726; *anarquista; anarquismo.* Otros deriv. de *árkhō: Exarco,* med. S. XVI, gr. *éxarkhos,* de *exárkhō* 'yo gobierno'; *exarcado.* CPT. *Monarca,* h. 1400, gr. *monárkhēs* íd., formado con *mónos* 'uno'; *monarquía,* principio S. XV, gr. *monarkhía; monárquico; monarquismo. Oligarquía,* h. 1440, gr. *oligarkhía,* con *olígoi* 'pocos'; *oligárquico,* 1726; *oligarca.*

Anasarca, V. *sarco- anastomosis,* V. *estoma*

Anastomizarse,

ANATEMA, 1256. Tom. del lat. *anathēma,* y éste del gr. *anáthema* íd., variante tardía de *anáthēma* 'objeto consagrado, exvoto', deriv. de *anatíthēmi* 'yo cuelgo de una pared'. DERIV. *Anatematizar,* 1601.

ANATOMÍA, 1325. Tom. del lat. *anatomĭa* íd., deriv. (según el modelo de *dicotomía*) del gr. *anatémnō* 'yo corto de arriba abajo', deriv. a su vez de *témnō* 'yo corto'. DERIV. *Anatómico. Anatomizar,* 1607. *Dicotomía,* 1709, del gr. *dikhotomía* 'división en dos partes', es compuesto de *témnō* con *díkha* 'en dos partes'; *dicótomo; dicotómico.*

ANCA 'cadera', 'nalga de las caballerías', 'grupa', 1256. Del fráncico *HANKA* 'cadera', relacionado con el neerl. med. *hanke,* a. alem. med. *hanke,* 'cadera', 'anca', y con el escand. *honk* 'hebilla', 'empuñadura', y el ingl. *hang* 'colgar'. DERIV. *Enancarse,* amer. *Anquear.*

ANCIANO, 1.ª mitad S. XIII. Deriv. del antiguo adverbio romance *anzi* 'antes', procedente del lat. ANTE íd., hoy it. *anzi,* cat. y oc. *ans,* fr. ant. *ainz.* DERIV. *Ancianía. Ancianidad.*

ANCLA, S. XIII. Del lat. ANCŎRA íd. DERIV. *Anclar,* h. 1560 (*ancorar,* h. 1250); *ancladero; anclaje. Áncora.*

ANCÓN 'ensenada pequeña', 1421. Del gr. *ankṓn, -ônos,* 'codo', 'recodo o sinuosidad en un río'.

Áncora, V. *ancla*

ANCUSA 'lengua de buey (planta)', 1555. Tom. del lat. *anchūsa* 'orcaneta', y éste del gr. *ánkhusa* íd.

ANCHO, 1.ª mitad S. XIII. Del lat. AMPLUS íd. DERIV. *Anchura,* 1.ª mitad S. XIII; *anchuroso,* 1604. *Ensanchar,* 1.ª mitad S. XIII, lat. vg. EXAMPLARE íd.; *ensanchamiento,* 1495, *ensanche,* 1679. Cultismos: *Amplio,* h. 1640, alteración de *amplo,* S. XVI, por influjo de *ampliar. Ampliar,* 2.º cuarto S. XV, lat. *ampliare* íd.; *ampliación,* 1636. *Amplitud,* 1617, lat. *amplitūdo.* CPT. *Amplificar,* 1495, lat. *amplificare; amplificación,* 1580.

ANCHOA, 1495 (*anchova*). Tom. del genovés *anciöa,* y éste del lat. vg. *APIÚA,* procedente del gr. *aphýē* íd.

Anchura, anchuroso, V. *ancho*
Andaderas, andador, andamiaje, andamio, V. *andar*
Andanada, V. *andén*

ANDAR, 2.ª mitad S. X. De una forma romance *amlare,* pronunciación descuidada del lat. AMBULARE, de donde vienen también el fr. *aller* y el it. *andare;* dicha pronunciación vulgar pasó en otras partes a *amnare,* documentado en inscripciones, de donde el oc. y cat. *anar,* rum. dial. *îmnare,* rético *amnad.* DERIV. *Andaderas. Andador. Andadura,* h. 1300. *Andanza,* 1.ª mitad S. XIII. *Andante;* en el sentido musical, med. S. XIX, viene del it. *andante; andantino. Andurriales,* 1464, cuyo sufijo se dedujo del de *andorrera* 'amiga de callejear', 1726, y *andorrear* 'andar vagando', que en realidad son derivados del anticuado *andorra* 'andorrera', 1343 (*andora* en 1611), procedente del ár. *gandûra* 'mujer coqueta, perezosa, entrometida y amiga de diversiones'. *Andamio* ant. 'camino, especialmente de detrás del parapeto en lo alto de una fortificación' 997, 'tablado que se pone en sitios públicos para ver alguna fiesta' h. 1295, mod. 'armazón para trabajar en la construcción o reparación de edificios' 1590; *andamiaje. Desandar*, 1581. *Andariego*, 1330. *Andarín*, 1726. Cpt. *Andarríos. Bienandante*; *bienandanza*, 1438. *Malandante*; *malandanza*.

ANDARIVEL 'cabo que va del árbol mayor al trinquete' 1587, 'cuerda colocada en lugares del buque, a manera de pasamano', 'maroma tendida entre las dos orillas de un río para palmear embarcaciones menores', amer. 'especie de cerca que aísla el campo de carreras' 1910. Del cat. *andarivell*, y éste del it. *andarivello*, nombre de varios cabos de uso náutico, alteración de *anda e rivieni* 'va y vuelve', por el movimiento de vaivén que se imprime a estas cuerdas.

Andarríos, V. *andar*

ANDAS, 1.ª mitad S. XIII (*andes*). Del lat. AMĬTES 'varas de las andas', plural de AMES 'percha'.

ANDÉN 'faja estrecha y larga de terreno destinada a andar por ella, en medio de un jardín, alrededor de una torre, de una noria, a lo largo de una vía o de un muelle, etcétera', 1406. Palabra común a los varios romances de la Península, de Francia y de parte de Italia, que en todas partes corresponde a una base románica *ANDAGĬNE de origen incierto. probablemente alteración del lat. ĬNDĀGO, -ĬNIS, 'cerco o cordón de redes, trampas u hombres, con que se rodea a la caza en el monte para que no pueda escapar', 'cordón de fosos o fortificaciones para impedir las incursiones del enemigo'; la *a*-inicial se debe, entre otras causas, al influjo de *andar* y palabras afines. *Andanada* 'descarga cerrada de una hilera de cañones' 1832, 'represión, reconvención', es deriv. de *andana* 'hilera de cosas puestas en línea', 1535, tomado del italiano, donde es la palabra correspondiente al cast. *andén*.

Andorrear, andorrera, V. *andar*

ANDRAJO 'harapo', 1490. Origen incierto; como antiguamente se pronunciaba *handrajo* con *h* aspirada, y teniendo en cuenta que en varios dialectos portugueses se dice *fandalho* o *frandalho*, es probable que esté por *haldrajo y derive de *ha'ld(r)a* variante de *FALDA* (en portugués *fralda*), que etimológicamente significó 'pedazo de vestido'. DERIV. *Andrajoso*, 1599.

ANDRÓGINO, 1611. Tom. del gr. *andrógynos* íd., compuesto de *anḗr, andrós*, 'varón', y *gynḗ* 'mujer'. Cpt. de *anḗr: Androceo*, 1871, 'conjunto de los órganos masculinos de una flor', tom. del lat. mod. *androecium* íd., compuesto con el gr. *oikíon* 'casa', y adaptado a la terminación de *gineceo*. *Androide*, con *éidos* 'figura'. *Diandro* 'que tiene dos órganos masculinos'. *Poliandria*.

ANDRÓMINA 'embuste, enredo con que se pretende alucinar', 1726. Origen incierto, quizá deformación del nombre de *Andrómeda*, cuya historia mitológica se tomó como prototipo de lo fabuloso.

ANDULLO 'tejido que se pone en las jaretas de los buques para evitar el roce', 'hoja de tabaco preparada en forma cilíndrica', 1831 ('pandero', 1770). Del fr. *andouille* 'embuchado de tripas', y éste del lat. tardío INDUCTĬLIS íd., deriv. de INDUCĔRE 'meter dentro, introducir'.

Andurrial, V. *andar*

ANEA, 1495 (*enea*). Probablemente del ár. *an-êya* 'la caña', 'la flauta', aludiendo al tallo en forma de caña que tiene esta planta; aunque no es palabra de uso general en árabe (que la tomó del persa *nai* 'especie de caña, junco o anea') tuvo empleo más o menos extendido en el vulgar de África y de España, con el sentido de 'flauta' y de 'variedades de la cañavera y la anea', y el nombre de lugar valenciano *Bunea*, nombre de un barranco (de *Abū'n-Nêya*, propte. 'el de la caña', 'padre de la flauta'), comprueba su vitalidad en España. DERIV. *Aneal, eneal*.

Aneblar, V. *niebla*

ANÉCDOTA, h. 1775. Tom. del gr. *anékdota*, neutro plural de *anékdotos* 'inédito', deriv. de *ekdídōmi* 'yo publico'. DERIV. *Anecdótico. Anecdotario*.

ANEGAR 'ahogar en agua', h. 1260. Del lat. ENECARE 'matar (especialmente por estrangulación o asfixia)', deriv. de NECARE 'matar'. DERIV. *Anegadizo*.

ANEJO, 1228. Tom. del lat. *annexus*, part. pasivo de *annectĕre* 'unir a (algo)', deriv. de *nectĕre* 'anudar'. DERIV. *Anexar*, S. XV. *Anexión*, 1600, lat. *annexio*; *anexionar, anexionista. Conexo*, 1444, lat. *connexus*, part. pasivo de *connectĕre* 'conectar', deriv. de *nectĕre*; *conexivo*; *conexión*, 1556, lat. *connexio* íd.; *conectar*, 1884, del ingl. *connect* 'unir', tom. a su vez del lat. *connectere*; *conectador. Nexo*, 1726, lat. *nexus, -ūs*, íd., deriv. de *nectere*.

Aneldo, V. *eneldo*   *Anélido*, V. *anillo*
Anemia, anémico, V. *hemo-*

ANEMO-, primer elemento de compuestos cultos procedente del gr. *ánemos* 'viento': *Anemógrafo, anemográfico. Anemómetro*, 1858; *anemometría. Anémona*, 1555, del lat. *anemōne*, gr. *anemṓnē* íd., cuya etimología es incierta, pero se cree deriv. de *ánemos* por abrirse fácilmente al contacto del viento.

Anémona, V. *anemo-*

ANEROIDE '(barómetro) que funciona sin mercurio, por la presión del aire sobre una tapa flexible', 1858. Del fr. *anéroïde*, formado por su inventor Vidi con el gr. *nērós* 'fluido, líquido' y el prefijo privativo *a-*.

Anestesia, anestesiar, anestésico, V. *estético*

ANEURISMA, 1606. Tom. del gr. *anéurysma* íd., deriv. de *aneurýnō* 'yo dilato'.

Anexar, anexión, anexionar, anexo, V. *anejo* *Anfibio,* V. *bio-*

ANFIBOLOGÍA, 1611. Tom. del b. lat. *amphibologia,* alteración del lat. *amphibolia* por influjo de *tautologia*; *amphibolia* procede del gr. *amphibolía* 'ambigüedad', deriv. de *amphíbolos* 'ambiguo', y éste de *bállō* 'yo echo' y *amphí* 'a ambos lados'. DERIV. *Anfibológico.*

Anfiteatro, V. *teatro*

ÁNFORA, 1555. Tom. del lat. *amphŏra,* y éste del gr. *amphoréus* 'cántaro de dos asas', deriv. de *phérō* 'yo llevo' con prefijo *amphi-* 'por ambos lados'.

ANFRACTUOSO, 1589. Tom. del lat. *anfractuosus* 'tortuoso', deriv. de *anfractus, -ūs,* 'rodeo, sinuosidad', y éste de *frangĕre* 'romper', con prefijo *am(b)-* 'por ambas partes'. DERIV. *Anfractuosidad.*

ANGARILLAS, 1369, 'armazón de la que penden unas como bolsas para trasportar objetos en una caballería', 'especie de andas para llevar a mano ciertos materiales'. De *ANGARIELLAE, diminutivo del lat. ANGARIAE 'prestaciones de trasporte, transporte obligado en caballería o en carro', 'la silla de caballo empleada para este efecto'. De *angarillas·o anguerillas* por metátesis salió la variante *arganillas,* 1378 (y *arguen-*), de donde se extrajo un seudo-primitivo *árganas,* h. 1500, o *árguenas,* S. XIII.

ÁNGEL, h. 1140. Tom. del lat. *angĕlus* íd., y éste del gr. *ángelos* 'nuncio, mensajero'. DERIV. *Angelus* 'oración en honor de la Encarnación, que se rezaba a la caída de la tarde', de las palabras latinas *Angelus Domini* 'el ángel del Señor', por las cuales empezaba. *Angélico,* 1.ª mitad S. XIII. *Angelical,* h. 1250. *Arcángel,* 1220-50, lat. *archangĕlus,* gr. *arkhángelos* íd., deriv. con prefijo *arkhi-* 'jefe'. *Evangelio,* 1.ª mitad S. XIII, lat. *evangelium,* gr. *euangélion* íd., propiamente 'el buen anuncio, la buena

nueva', 'las palabras de Jesucristo'; *evangelista,* 1.ª mitad S. XIII; *evangelizar,* h. 1580; *evangélico,* 1515.

Ángelus, V. *ángel*

ANGINA, 1537. Tom. del lat. *angīna* íd., deriv. de *angĕre* 'estrechar, ahogar'.

ANGOSTO, h. 1140. Del lat. ANGŬSTUS íd. DERIV. *Angostura,* 1495. *Angustia,* 2.º cuarto S. XV, tom. del lat. *angŭstĭa* 'estrechez, situación crítica', deriv. de *angustus*; *angustioso,* 1607; *angustiar,·*1495.

ANGUILA, 1.ª mitad S. XIII. Del lat. ANGUĪLLA íd.; en su forma actual el vocablo parece tomado del catalán, a cuya fonética corresponde, la forma propiamente castellana *anguilla* fue predominante hasta el S. XVII y todavía se oye en la mayor parte de América, pero fue reemplazada por aquélla por hallarse en tierras de lengua catalana las bocas de los ríos Ebro, Llobregat, Turia y Júcar, que es donde más abunda la anguila. *Angula* 'cría de la anguila' 1884, se tomó del vasco *angula,* que es alteración de ANGUILLA. DERIV. *Anguilazo. Anguilero.*

ÁNGULO, 3.er cuarto S. XIII. Tom. del lat. *angŭlus* 'ángulo', 'rincón'. DERIV. *Angular,* 1599. *Anguloso.* CPT. *Triángulo,* h. 1440; *triangular, triangulación. Equiángulo,* con el lat. *aequus* 'igual'.

ANGURRIA 'dificultad de orina', 1599. Alteración de *estranguria,* 1495 (tom. del gr. *stranguría* íd.), que una vez perdida la primera *r* por disimilación, sufrió la mutilación de *esta-,* que se tomó por el adjetivo demostrativo. La acepción americana 'ansia, deseo', S. XIX. se debe a una confusión de *angurria* 'micción dolorosa' con el dialectal *engurriarse* 'arrugarse' (*engurria* 'arruga', 1495), de donde 'encogerse' y 'entristecerse', 1555, que resulta de una metátesis de *enrugarse* por *arrugarse.* DERIV. *Engurruñar,* 1732, o *engurruñir* 'encoger'.

Angustia, angustiar, angustioso, V. *angosto*

ANHELAR, 2.º cuarto S. XV, 'desear con vehemencia'. Tom. del lat. *anhēlare* 'respirar con dificultad'. DERIV. *Anhelo,* princ.·S. XVII. *Anheloso,* princ. S. XIX.

Anhídrido, anhidro, anhidrosis, V. *hidro-* *Anidar,* V. *nido* *Anilina,* V. *añil*

ANILLO, 1.ª mitad S. XIII. Del lat. ANĔLLUS 'anillo pequeño', diminutivo de ANŬLUS 'anillo'.
DERIV. *Anélido*, 1865, deriv. culto de la voz latina. *Anular* adj., 1709, deriv. de *anulus*.

Anima, animación, animadversión, animal, animálculo, animar, anímico, animismo, ánimo, animosidad, animoso, V. *alma Aniñado,* V. *niño*

ANIQUILAR, fin S. XV. Tom. del b. lat. *annichilare*, deriv. de *nichil*, que es alteración del lat. *nihil* 'nada'; la variante más correcta *annihilare* 'reducir a nada, considerar como nada' se encuentra ya en latín tardío.
DERIV. *Aniquilación.*

ANÍS, 1495. Del lat. ANĪSUM, y éste del gr. *ánison*, palabra de origen oriental; entró por conducto del cat. *anís*, 1284.
DERIV. *Anisado. Anisete*, princ. S. XIX: no está averiguado si en cast. viene del fr. *anisette* o al revés.

Aniversario, V. *año*

ANO, 1555. Tom. del lat. *anus* 'anillo', 'ano'.
DERIV. *Anal.*

Anoche, anochecer, V. *noche*

ANODINO, 1555, 'que no causa dolor, insignificante'. Tom. del gr. *anŏdynos* 'que no causa dolor', 'que templa el dolor', deriv. de *odýnē* 'dolor'.

ÁNODO 'polo positivo de un generador eléctrico', princ. S. XX. Tom. del gr. *ánodos* 'camino ascendente', deriv. de *hodós* 'camino' con prefijo *ana-* 'arriba'. *Cátodo* 'polo negativo', 1903, gr. *káthodos* 'camino descendente', viene de la misma palabra con prefijo *kata-* 'abajo'.
DERIV. *Catódico.*

ANOFELES 'mosquito de la fiebre palúdica', h. 1900. Tom. del gr. *anŏphelḗs* 'inútil', 'dañoso', deriv. de *óphelos* 'utilidad'.

ANÓMALO, 1611. Tom. del lat. *anomălus* y éste del gr. *anŏmalos* 'irregular', deriv. de *homalós* 'igual, liso'. *Anormal*, 1855 (pero ya empleado alguna vez desde el S. XIII, en Aragón), se formó del fr. *anormal*, S. XIII, que es alteración de *anomal* 'anómalo' por influjo de *normal*.
DERIV. *Anomalía*, 1709. *Anormalidad.*

Anonadamiento, anonadar, V. *nadie Anónimo,* V. *nombre Anopluro,* V. *oplo-*

teca Anormal, V. *anómalo Anotación, anotar,* V. *nota Anquear,* V. *anca*

ANQUILOSIS, 1728. Tom. del gr. *ankýlōsis* íd., deriv. de *ankýlos* 'encorvado'.
DERIV. *Anquilosarse.*

ÁNSAR, 'ganso, especialmente el salvaje', 1208. Del lat. ANSER 'ganso', vulgarmente ANSAR, ANSĂRIS.
DERIV. *Ansarera*, h. 1140. *Ansarón.*

ANSIA, h. 1250. Tom. del lat. tardío *anxĭa* íd., deriv. del lat. *anxius, -a, -um*, 'ansioso'.
DERIV. *Ansiar*, 1607. *Ansiedad*, h. 1460, poco frecuente hasta el S. XIX. *Ansioso*, med. S. X, lat. tardío *anxiosus*.

Anta (rumiante), V. *ante I*

ANTA 'pilastra', S. XIII. Del lat. ANTAE, -ARUM, 'pilares a los dos lados de las puertas'.

Antagónico, antagonismo, antagonista, V. *agonía Antaño,* V. *año Antártico,* V. *ártico.*

ANTE I 'rumiante parecido al ciervo', 1505. Del ár. hispano y africano *lamṭ* íd. También se ha dicho *anta* y *danta, -te.*

ANTE II, prep., h. 1140. Del lat. ANTE 'delante de', 'antes de'. Del mismo origen es el adverbio *antes*, h. 1140, con añadidura de la llamada *-s* adverbial, pero en la Edad Media se empleaba *ante* con los dos sentidos.
DERIV. *Anterior*, 3.er cuarto S. XIII, tom. del lat. *anterior, -oris*, íd.; *anterioridad.*

Ante-, las palabras formadas con este prefijo búsquense sin él *Antecedente, anteceder, antecesor,* V. *ceder*

ANTELACIÓN, 1607, 'anticipación'. Tom. del b. lat. *antelatio, -onis*, 'acción de anteponer', deriv. del lat. *anteferre* 'llevar delante, anteponer', y éste de *ferre* 'llevar'.

ANTENA 'verga de la vela latina' 1406, 'especie de cuerno de ciertos animales' S. XIX, 'mástil del telégrafo sin hilos' S. XX. Del lat. ANTĔMNA 'verga de navío'; en el primer sentido se recibió por conducto del cat. *antena* (o quizá del gallegoportugués), en los demás es cultismo.

Anteojera, anteojo, V. *ojo Antepasado,* V. *paso Antepecho,* V. *pecho Antera,* V. *antología Anterior, antes,* V. *ante II Anti-*, las palabras formadas con este prefijo búsquense sin él

ANTICIPAR, 1444. Tom. del lat. *antícipare* íd.
DERIV. *Anticipación*, 1495. *Anticipo*, h. 1870.

ANTICRESIS, h. 1850. Tom. del lat. *antichrēsis*, y éste del gr. *antíkhrēsis* 'uso de una cosa en lugar de otra', deriv. de *khrômai* 'yo empleo'.

Anticuado, anticuar, anticuario, V. *antiguo Antidotario, antídoto,* V. *dar Antifaz,* V. *faz Antiflogístico,* V. *flema*

ANTÍFONA, 1490. Tom. del lat. tardío *antiphōna* 'canto alternativo', y éste deriv. del adjetivo gr. *antíphōnos* 'que suena en contestación (a algo)', que a su vez lo es de *phōnē* 'voz'.
DERIV. *Antifonario*, 1627.

Antífrasis, V. *frase*

ANTIGUO, 1043. Del lat. ANTĪQUUS, -A, -UM, íd.
DERIV. *Antigüedad*, fin S. XIV. *Antigualla*, 1548, imitado del it. *anticaglia*. *Anticuar*, 1600, tom. del lat. *antiquare*; *anticuado*; *anticuario*, princ. S. XVII, lat. *antiquarius. Antiquísimo*, lat. *antiquissimus*.

ANTÍLOPE, 1884. Tom., por conducto del fr. *antilope*, del ingl. *antelope*, 1607; los viajeros ingleses dieron este nombre al animal africano en reminiscencia del b. lat. *antilops* (tom. del gr. *anthálōps*), animal mal conocido o fabuloso, del cual el fabulista inglés Odo de Cheriton (S. XIII) cuenta que se complacía en enredar sus cuernos con las ramas de los árboles.

ANTIMONIO, 1537 (*antimonia*, h. 1440). Del b. lat. *antimonium*, S. XI, que parece venir de una variante del ár. *'uṯmud* íd.; en bajo latín se encuentra asimismo *alcimod*, y en árabe hay otra variante *'iṯmid*, lo cual sugiere la existencia de una tercera variante arábiga *ṯimud*, con artículo *aṯ-ṯimud*, deformado en *antimonium* por influjo de las numerosas palabras latinas en *anti-* y en *-monium*.

ANTINOMIA, 1597. Tom. del lat. *antinomia* y éste del gr. *antinomía* 'contradicción en las leyes', deriv. de *nómos* 'ley'.
DERIV. *Antinómico*.

Antipara, antiparra, V. *parar Antipatía, antipático,* V. *patético Antipendio,* V. *pender Antipirético, antipirina,* V. *piro- Antípoda,* V. *podagra Antiquísimo,* V. *antiguo Antisepsia, antiséptico,* V. *seta Antispasto,* V. *pasmo Antístrofa,* V. *estrofa Antítesis, antitético,* V. *tesis Antítrago,* V. *tragedia Antojadizo, antojarse, antojo,* V. *ojo*

ANTOLOGÍA, 1765-83. Tom. del gr. *anthología* íd., compuesto de *ánthos* 'flor' y *légō* 'yo cojo, recojo'. Deriv. de *ánthos* es *exantema* 'especie de eflorescencia morbosa', 1606, gr. *exánthēma, -ēmatos*, 'eflorescencia'; *exantemático. Antera*, del gr. *anthērós, -á, -ón*, adjetivo derivado de *ánthos*.

Antónimo, antonomasia, antonomástico, V. *nombre*

ANTORCHA 'blandón de cera compuesto de tres o cuatro velas juntas y retorcidas', 1302 (?), 1490. Probte. tom. de oc. ant. *entorcha*, 1332, y éste resultante de un cruce entre *entorta* íd. (procedente del lat. INTŎRTA, participio de INTORQUĒRE 'torcer') y el fr. *torche* 'antorcha', h. 1220, que desciende del lat. vg. *TŎRCA (lat. TORQUES) 'cosa retorcida', 'collar', 'guirnalda'.
DERIV. *Antorchera, -ero. Entorchar* 'fabricar alguna cosa torciéndola como se hace con las antorchas (p. ej., columnas salomónicas)', *entorchado* 'cordoncillo retorcido, esp. el bordado distintivo de los ministros y militares' S. XVII, antes *antorchar, antorchado*, 1527, deriv. de *antorcha* por comparación de forma.

ÁNTRAX 'carbunclo maligno', 1537. Tom. del lat. *anthrax* y éste del gr. *ánthrax, -akos*, 'carbón', 'ántrax'.
DERIV. del sentido griego: *Antracita*, 1853.

ANTRO 'cueva', 1615. Tom. del lat. *antrum* y éste del gr. *ántron* íd.

ANTROPO-, primer elemento de compuestos tom. del gr. *ánthrōpos* 'hombre, persona': *Antropófago*, 1535, gr. *anthrōpóphagos* íd., con *éphagon* 'yo comí'; *antropofagía*, med. S. XIX. *Antropoideo*, formado con el gr. *êidos* 'figura'. *Antropología*, con el gr. *lógos* 'tratado'; *antropólogo; antropológico. Antropometría*, con el gr. *métron* 'medida'. *Antropomorfo*, con el gr. *morphē* 'forma'; *antropomórfico; -morfita*, 1611.

Anual, anualidad, anuario, V. *año Anublar, anublo,* V. *nube Anudar,* V. *nudo*

ANUENTE 'que consiente', 1780. Tom. del lat. *annŭens, -tis*, part. activo de *annŭēre* 'hacer signos', 'asentir con un signo de la cabeza', deriv. de *nŭēre* íd.
DERIV. *Anuencia*, h. 1770. *Nutación*, tom. del lat. *nutatio* 'balanceo, oscilación', deriv. de *nutare* 'hacer signos con la cabeza', 'balancearse', frecuentativo de *nuere. Nutual*, deriv. de *nutus, -ūs*, 'anuencia, voluntad'. *Numen*, h. 1440, lat. *numen, -ĭnis*, 'voluntad y poder divinos'.

Anulación, anular v., V. *no   Anular*
adj., V. *anillo   Anunciación, anunciar,
anuncio,* V. *nuncio   Anuo,* V. *año   Anuria,* V. *orina*

ANZUELO, 1.ª mitad S. XIII. De una
forma romance primitiva **HAMICIOLUS,* diminutiva del lat. HAMUS íd.; el diminutivo
hubo de generalizarse en Castilla para evitar una homonimia grotesca con *amo*; en
otras tierras donde esta palabra no existía
se dice todavía it. *amo* y cat. *ham* para
'anzuelo'.

AÑADIR, h. 1140 (*eñadir*). Del lat. vg.
hispánico **INADDERE,* deriv. de ADDERE íd.,
del cual proceden también el port. ant.
enader y el cat. ant. *enadir*; en castellano el
antiguo *anadir* se cambió en *añadir* por analogía de la vacilación entre *anudar* y *añudar, anublar* y *añublar, anascar* y *añascar*.
DERIV. *Añadido,* 1604. *Añadidura,* 1495.

AÑAFIL 'trompeta de los moros', h.
1250. Del ár. *nafir* 'señal de ataque', 'añafil' (raíz *n-f-r* 'lanzarse contra alguno').

AÑAGAZA, 2.º cuarto S. XV, 'señuelo
para coger aves', 'artificio para atraer con
engaño'. Origen incierto; emparentado con
el port. *negaça* íd. y el ár. hispano *naqqâza*
'añagaza para coger aves', *náqqaz* 'cazar
con señuelo', S. XIII, pero en realidad no
consta si el vocablo árabe dio el español
o el español dio el árabe, idioma en el
cual es palabra rara y sólo documentada
en el de España; luego más bien puede
ser forma semi-culta del lat. *necatio* 'acción
de matar', con cuya *i* aparece todavía en
el testimonio más antiguo, *añagacia*. En su
significado y en su forma sufriría el influjo
del cast. ant. *añascar* 'enredar, urdir, maquinar', proble. voz prerromana, de un
célt. **EN-NASKA,* comp. irl. ant. *nascim* 'yo
ato', 'yo prometo', *imnascim* 'yo anudo',
nasc 'anillo, vilorto', bretón *naska* 'yo ato',
avéstico *naska-* 'haz, fajo', 'colección' (emparentados con el lat. *nexus* y su sinónimo
irl. ant. *naidm*).

Añalejo, añejo, V. *año*

AÑICOS, h. 1600. Origen incierto, probablemente de un radical iberorromance
*ANN-, de etimología desconocida, que ha
dado, con otros sufijos, el gallegoportugués
anaco, naco, 'pedazo', y quizá el cat. *anyoc*
'racimo', 'mazo'.

AÑIL 'cierto arbusto', 'pasta de color
azul oscuro que se saca de esta planta',
'color azul oscuro', S. XIII. Del ár. *nil* íd.,
con artículo *an-nil,* a su vez de origen persa o sánscrito.
DERIV. *Anilina,* 1901, del fr. *aniline* íd.,
deriv. del fr. *anil,* que se tomó del port.
anil, forma correspondiente a la castellana.

AÑO, 2.ª mitad S. X. Del lat. ANNUS íd.
DERIV. *Añal,* 1149; *añalejo. Añejo,* 1.ª

mitad S. XIII, del lat. ANNICULUS 'que tiene
un año', aplicado a los animales (sentido en
el cual el lat. vg. dijo ANNUCULUS, de donde
el cast. *añojo*), pero en España aplicado al
vino y viandas cuando tenían un año o
más, y finalmente, a lo añoso o vetusto;
trasañejo. Añoso, 1620. Cultismos: *Anuo,*
princ. S. XVII, lat. *annŭus; anuario,* 1884;
anual, 1513; *anualidad,* 1832. *Anales,* princ.
S. XVII, lat. *annales. Perenne,* S. XVII,
lat. *perennis* íd., deriv. de *annus* con prefijo *per-*; *perenna.*; *perennidad.*

CPT. *Bienio,* 1644, lat. *biennium,* compuesto con *bi-* 'dos'; *bienal*; paralelamente:
*trienio, cuadrienio, quinquenio, sexenio,
decenio, milenio,* con los deriv. respectivos
trienal, etc. *Aniversario,* 1220-50, lat. *anni-
versarius,* adj., 'que vuelve cada año', formado con *vertere* 'volver'. *Antaño,* 1330,
del lat. ANTE ANNUM 'un año antes, hace
un año'; el sentido primitivo fue 'el año
pasado', secundariamente 'en otro tiempo';
antañón. Hogaño, 980, lat. HOC ANNO 'en
este año'.

AÑORAR 'recordar con pena la ausencia de persona o cosa querida', h. 1840.
Del cat. *enyorar* íd., y éste del lat. IGNO-
RARE 'ignorar', en el sentido de 'no saber
(dónde está alguno)', 'no tener noticias (de
un ausente)'.
DERIV. *Añoranza,* fin S. XIX, cat. *enyo-
rança* íd.

Añoso, V. *año   Añublar, añublo,* V.
nube   Añudar, V. *nudo   Aojamiento,
aojar,* V. *ojo   Aojar* 'ojear', V. *ojear
Aojo,* V. *ojo*

AORISTO, 1884. Tom. del gr. *aóristos*
'ilimitado, indefinido', deriv. de *horízō* 'yo
limito'.

AORTA, 1709. Tom. del gr. *aortē* íd.,
deriv. de *aéirō* 'yo elevo'.
DERIV. *Aórtico.*

Aovado, V. *huevo*

APABULLAR 'golpear', 'aplastar', 1884.
Alteración de *apagullar,* 1726 (y hoy leonés), y éste de un cruce de *apalear* con
magullar.
DERIV. *Apabullo,* med. S. XIX.

Apacentar, V. *pacer   Apacible,* V. *placer   Apaciguar,* V. *paz*

APACHE 'bandido parisiense y de otras
grandes ciudades', 1925. Del nombre de una
banda de malhechores *Les Apaches de Bel-
leville* (suburbio de París), lanzado por el
periodista V. Moris en 1902, aludiendo al
de la tribu india de los apaches, que vivía
en el Noroeste de Méjico, y que se hizo
famosa por su ferocidad, ponderada en
narraciones de viajeros y en las novelas
francesas de Ferry y de Gustave Aymard.

Apadrinar, V. *padre   ·   Apagapenol,* V.
penol

APAGAR, ant., 'satisfacer, apaciguar', h. 1250; mod., 'aplacar, extinguir (la sed, el hambre, el rencor, etc.)', 'extinguir (el fuego, la luz)', h. 1300. Deriv. del antiguo *pagar* 'satisfacer, contentar': ambos proceden del lat. PACARE 'pacificar', deriv. de PAX, -CIS, 'paz'.
DERIV. *Apagado.*
CPT. *Apagavelas.*

Apainelado, V. *paño   Apaisado,* V. *pago   Apalabrar,* V. *palabra   Apalancar*. V. *palanca   Apalear,* V. *palo   Apandillar,* V. *pandilla   Apani(a)guado,* V. *pan*

APAÑAR 'coger (algún objeto)' h. 1280, 'componer, arreglar' h. 1100. Parece ser deriv. de *paño* (procedente del lat. PANNUS íd.), por una parte en el sentido de 'tomar en prenda (un paño u objeto de uso personal)', de donde 'apoderarse de (algo), coger' (de ahí luego el gascón *panar* 'robar'), y en la segunda acepción partiendo de la idea de 'adornar con paños, ataviar'.
DERIV. *Apañado. Apañadura. Apaño,* 1599.

APAÑUSCAR, h. 1630, y **APEÑUSCAR,** 1490. De estos dos verbos, con frecuencia confundidos en el habla popular y en los diccionarios, el primero deriva directa o indirectamente de *PAÑO* (compárese *APAÑAR*), y el segundo es de origen incierto, quizá derivado del cast. ant. *peña* 'piel de abrigo', lat. PENNA, que se aplicaría primero al pelaje enredado del vellón de un animal y se diría después de cualquier cosa apelotonada o apiñada.

Aparador, aparar, aparato, aparatoso, V. *parar*

APARCERO, 937 (*parcera*), ant., 'partícipe, el que toma parte en una obra', dial. 'compañero', mod. 'el que va a partir con otro en un contrato, especialmente agrícola'. Del lat. tardío PARTIARIUS 'partícipe', 'aparcero' (deriv. de PARS, PARTIS, 'parte', de donde cat. *parcer*); la *a-* se debe al influjo de las locuciones *ir a partir* y análogas.
DERIV. *Aparcera. Aparcería,* 1581.

Aparear, V. *par   Aparecer, aparecido,* V. *parecer   Aparejador, aparejar, aparejo,* V. *par   Aparentar, aparente, aparición, apariencia,* V. *parecer   Aparrado, aparragarse,* V. *parra   Apartadizo, apartado, apartamiento, apartar, aparte,* V. *parte   Aparvar,* V. *parva   Apasionado, apasionar,* V. *padecer   Apatía, apático,* V. *patético*

APEA 'soga que sirve para trabar las caballerías', 1726. De **pea,* y éste del lat. vg. **PĔDĔA,* deriv. de PES, PEDIS, 'pie'.

DERIV. *Pihuela* 'correa con que se aseguran los pies de los halcones y otras aves', h. 1330, 'embarazo, estorbo'; en gallego *pioga,* en leonés occidental *piola* 'bramante o cordel en general'. De ahí se tomó el término marítimo cast. *piola* íd., 1696, que en en el Sur de América ha pasado al uso gegeneral; *piolín,* amer., 'cordel'; *apiolar* 'aprisionar' h. 1330; *empiolar.*
Pegual o *pehual* 'sobrecincha', americano, resulta probablemente de un cruce de *pihuela* con *peal* 'lazo de enlazar', 1490, que a su vez es derivado de **pea* 'apea'; *pealar* 'enlazar con peal'.

Apeadero, apear, V. *pie   Apechugar,* V. *pecho   Apedrear,* V. *piedra   Apegar, apego,* V. *pegar   Apelación,* V. *apelar*

APELAR, h. 1300. Tom. del lat. *appellare* 'dirigir la palabra', 'apelar', 'llamar (a alguno)'.
DERIV. *Apellidar* h. 1295, del lat. *appellitare* 'llamar repetidamente'; *apellido,* 942, el sentido especial 'nombre de familia' no se encuentra hasta el S. XV y en el XVII se empleaba todavía en el de 'nombre cualquiera'. *Apelable. Apelación,* fin S. XIII. *Apelativo,* h. 1440. *Interpelar,* 1657, tom. del lat. *interpellare* íd., deriv. de la misma raíz que *appellare; interpelación.*

Apelmazar, V. *pelmazo   Apelotonar,* V. *pelota   · Apellidar, apellido,* V. *apelar   Apenar, apenas,* V. *pena   Apencar,* V. *penca   Apéndice, apendicitis, apendicular,* V. *pender   Apeñuscar,* V. *apañuscar*

APERAR 'componer, aderezar', 1726. Del lat. vg. **APPARIARE* 'emparejar', 'preparar, disponer', deriv. de PAR, PARIS, 'par'. Vivo hoy en América en el sentido de 'enjaezar (el caballo)'.
DERIV. *Aperador* 'encargado de la labranza', etc., 1601. *Apero,* S. XIII.

Apercibir, V. *percibir   Apercollar,* V. *cuello   Apergaminado,* V. *pergamino   Aperitivo,* V. *abrir   · Apero,* V. *aperar   Aperrear,* V. *perro   Apersonado,* V. *persona   Apertura,* V. *abrir   Apesadumbrar, apesarar, apesgar,* V. *pesar   Apestar, apestoso,* V. *peste   Apétala,* V. *pétalo   Apetecer, apetecible, apetencia, apetito, apetitoso,* V. *pedir   Apezonado,* V. *pezón   Apezuñar,* V. *pie   Apiadar,* V. *pío   Apiastro,* V. *abeja y apio*

ÁPICE 'punta', 1490. Tom. del lat. *apex, apicis,* íd.
DERIV. *Apical,* h. 1915.

Apícola, apicultor, apicultura. V. *abeja   Apilar,* V. *pila II   Apiñado, apiñar,* V. *pino*

APIO, 1423. Del lat. APIUM íd.
DERIV. *Apiastro,* 1607.

Apiolar, V. *apea　　Apiparse,* V. *pipa*
Apirético, apirexia, V. *piro-　　Apisona-*
miento, apisonar, V. *pisar　　Apitonado,*
V. *pito*

APLACAR, 2.º cuarto S. XV. Deriv. culto del lat. *placare* íd.
DERIV. *Aplacable. Implacable,* 1499, lat. *implacabĭlis.*

Aplanar, V. *llano　　Aplanchar,* V. *palanca*

APLASTAR, 1611. Seguramente voz de creación expresiva u onomatopéyica, deriv. de *¡plast!,* imitación del ruido que hace una cosa blanda cuando cae o se aplasta; de la misma procede el vasco *palastatu* 'aplastar' y 'chapotear', *p(a)last* 'ruido de cosa blanda que cae'.
DERIV. *Aplastamiento. Aplastante.*

APLAUDIR, 1438. Tom. del lat. *applaudēre* íd., deriv. de *plaudēre* 'golpear', 'aplaudir'.
DERIV. *Aplauso,* 1570, lat. *applausus, -ūs,* íd. *Plausible,* 1639, lat. *plausibĭlis,* 'que es digno de aplauso'.

Aplazar, V. *plazo　　Aplicación, aplica-*
do, aplicar, V. *plegar　　Aplomar, aplomo,*
V. *plomo　　Apnea,* V. *neuma　　Apoastro,*
V. *asiro　　Apocado, apocamiento,* V. *poco*
Apocináceo, V. *cínico　　Apocopar, apó-*
cope, V. *síncope　　Apócrifo,* V. *gruta*

APODAR 'poner o decir apodos', 1599. Significó primero 'calcular, evaluar' y 'comparar', S. XIII, y procede del lat. tardío APPŪTARE, deriv. del lat. PUTARE 'calcular, evaluar'.
DERIV. *Apodo* 'mote' 1599, antes 'cálculo' 1543, 'comparación' 1570.

Apoderado, apoderar, V. *poder*

APODÍCTICO 'demostrativo', 1884. Tom. del lat. *apodictĭcus,* y éste del gr. *apodeiktikós* íd., deriv. de *apodéiknymi* 'yo muestro'.

Apodo, V. *apodar　　Apodo,* V. *podagra*
Apódosis, V. *dar　　Apófisis,* V. *físico*
Apogeo, V. *geo-　　Apolillar,* V. *polilla*
Apologético, apología, V. *apólogo*

APÓLOGO, 1547, lat. *apolŏgus.* Tom. del gr. *apólogos* 'fábula', propte. 'relato detallado', deriv. de *légō* 'yo digo'. Otro deriv. de éste es el gr. *apología* 'defensa, justificación', cast. 1607.
DERIV. *Apologista,* 1705. *Apologético,* 1596, gr. *apologētikós* 'defensivo'; *apologética.*

Apoltronarse, V. *potro　　Aponeurosis,*
V. *nervio*

APOPLEJÍA, h. 1280. Tom. del lat. *apoplexĭa,* y éste del gr. *apoplēxía* íd., deriv. de *apoplēssō* 'yo dejo estupefacto, derribo', *plēssō* 'golpeo'.
DERIV. *Apoplético,* 1542, lat. *apoplecticus,* gr. *apoplēktikós* íd. *Hemiplejía,* 1883, deriv. culto del gr. *hēmiplēgēs* 'medio herido', deriv. de *plēssō* con prefijo *hēmi-* 'medio'; *hemipléjico. Cataplexia. Paraplejía.*

Aporcar, V. *puerco　　Aporrear, aporreo,*
aporrillarse, V. *porra　　Aportación, apor-*
tar, V. *portar　　Aportar* 'llegar', V. *puerto*
Aporte, V. *portar　　Aportillado,* V. *puerta*
Aposentador, aposentar, aposento, V. *posar*
Aposición, apositivo, apósito, aposta, apos-
tar, V. *poner　　Apostasía, apóstata, aposta-*
tar, V. *estático　　Apostemar, apostemoso,*
V. *postema*

APOSTILLA 'acotación que aclara o completa un texto', 1542. Tom. del b. lat. *postilla* íd., probablemente contracción de la frase *post illa* 'después de aquellas cosas'
DERIV. *Apostillar,* 1542.

Apostillarse, V. *pústula*

APÓSTOL, med. S. X. Tom. del lat. *apŏstŏlus* íd., y éste del gr. *apóstolos* 'enviado', 'apóstol', deriv. de *apostéllō* 'yo envío'.
DERIV. *Apostolado,* 1505. *Apostólico,* 1570.

APÓSTROFE 'figura retórica consistente en interrumpir el discurso para dirigir a alguno la palabra con vehemencia', 1580. Tom. del lat. *apostrŏphe,* y éste del gr. *apostrophē* 'acción de apartarse', deriv. de *apostréphō* 'yo aparto'.
DERIV. de la misma raíz: *Apóstrofo,* 1726, lat. *apostrŏphus,* gr. *apóstrophos* 'que se aparta', 'apóstrofo'. *Apostrofar,* 1589 (gram., S. XX), deriva de ambos, según el sentido.

Apostura, V. *poner*

APOTEGMA, 1599. Tom. del gr. *apóphthegma* íd., deriv. de *apophthéngomai* 'yo declaro', 'enuncio una sentencia'.

Apoteosis, V. *teo-*

APOYAR, 1587, y una vez ya en 1544 (?), palabra poco castiza.
Es adaptación del italiano *appoggiare* íd., bajo el influjo del castellano *poyo; appoggiare* es derivado (lo mismo que *poyo*) del lat. PŎDIUM 'sostén en una pared'; en castellano entró muy tardíamente, como tecnicismo arquitectónico, y ha generalizado modernamente su aplicación por influencia del

francés y el italiano; en el sentido de 'sacar de los pechos el raudal de leche que acude cuando dan de mamar', 1495, *apoyar* es palabra diferente y genuina, que significó primero 'henchirse de leche, levantarse (la teta)' y es hermana del cat. *pujar* 'subir', lat. vg. PODIARE; de ahí *apoyo* 'raudal de leche', 1601, *apoyadura*.
DERIV. *Apoyo* 'sustento', 1600. *Apoyatura*, 1890, it. *appoggiatura*.

Apreciar, apreció, V. *precio   Aprehender, aprehensión,* V. *prender*

APREMIAR, 1220-50, 'oprimir', 'obligar', 'dar prisa'. Deriv. del antiguo *premia* 'coacción, violencia que se hace a· alguno', h. 1140, palabra relacionada con el lat. PRÉMÉRE 'apretar, oprimir'; pero es verosímil que en último término se trate del lat. PRAEMIA, plural de PRAEMIUM 'botín, presa', de donde 'despojo infligido a alguno', aunque influido por el sentido de PREMERE. Entonces *apremiar* vendría de PRAEMIARE 'despojar, saquear', sentido que tiene también *apremiar* en la Edad Media, y ello explicaría la existencia de *apremiar* en catalán antiguo, S. XIII (donde no existe *premia*). De *premia* deriva: *premioso* 'que se mueve o habla con dificultad', 1737; antes 'gravoso', S. XV. *Apremio,* 1570; *apremiante. Premura,* 1737, se tomó del it., S. XVI, donde es deriv. de *prèmere* 'tener prisa'.

Aprender, aprendiz, -zaje, V. *prender Aprensar,* V. *prensa   Aprensión, aprensivo, apresar,* V. *prender   Aprestar, apresto,* V. *prestar   Apresuramiento, apresurar,* V. *prisa*

APRETAR, 2.ª mitad S. X. De *apetrar* y éste del lat. tardío APPÉCTÓRARE 'estrechar contra el pecho', deriv. de PÉCTUS, PÉCTÓRIS, 'pecho'.
DERIV. *Apretón,* 1611. *Apretujar; apretujón. Apretura,* S. XIV. *Aprieto,* fin S. XIII. *Prieto* 'apretado', 'espeso' (ant. y dial. 'oscuro', 'negro'), 1272, deriv. regresivo.

Aprisa, V. *prisa*

APRISCAR 'recoger el ganado en lugar protegido de la intemperie', h. 1330. Del lat. vg. *APPRÉSSÍCARE* 'apretar', 'estrechar', derivado de APPRIMÉRE íd. (participio APPRÉSSUS).
DERIV. *Aprisco,* h. 1400; *apriesca* y *apriesco* se redujeron a *aprisca, aprisco* (como en *prisa* de *priesa*), de donde la *i* se extendió a todo el verbo.

Aprisionar, V. *prender   Aprobación, aprobado, aprobar,* V. *probar   Aprontar,* V. *pronto   Apropiado, apropiar,* V. *propio   Aprovechar,* V. *provecho   Aproximación, aproximar,* V. *próximo*

ÁPTERO 'sin alas', 1909. Tom. del gr. *ápteros* íd., deriv. de *pterón* 'ala'.
CPT. de esta palabra griega: *Díptero,* h. 1764 (en sentido arquitectónico), formado con el gr. *di-* 'dos'. *Pterodáctilo,* formado con *dáktylos* 'dedo'.

APTO, princ. S. XV (*abte,* forma acatalanada o galicada, h. 1280). Tom. del lat. *aptus* íd.
DERIV. *Aptitud,* princ. S. XV. *Adaptar,* med. S. XV, lat. *adaptare* íd., propiamente 'hacer apto para tal o cual menester'; *adaptable; adaptación. Inepto,* 1490, lat. *ineptus* íd., deriv. negativo de *aptus;* *inepcia,* 1499; *ineptitud.*

Apuesta, apuesto, V. *poner   Apunamiento, apunarse,* V. *puna   Apuntación, apuntado, apuntador, apuntalar, apuntamiento, apuntar, apunte,* V. *punta   Apuñalar, apuñar,* V. *puño   Apurado, apurar, apuro,* V. *puro   Aquedar,* V. *quedo   Aquejar,* V. *quejar*

AQUEL, 1135. Del lat. vg. ECCUM ÍLLE, combinación de ÍLLE 'aquel' con ECCUM 'he aquí', que se empleó como partícula enfática.

AQUELARRE 'conciliábulo de brujas con el demonio', h. 1800. Del vasco *akelarre,* propiamente 'prado del macho cabrío', compuesto de *larre* 'prado' con *aker* 'cabrón', por creerse que el demonio aparece bajo la forma de este animal; primero designó el lugar donde se reunían las brujas, después la propia reunión.

Aquende, V. *aquí*

AQUENIO 'fruto que no se abre', 1871. Tom. del lat. mod. *achaenium* íd., deriv. del gr. *kháinō* 'me abro'.

Aquerenciarse, V. *querer   Aquese,* V. *ese*

AQUÍ, h. 1140. Del lat. vg. ECCUM HÍC, combinación de HÍC 'aquí', con ECCUM 'he aquí', empleado como partícula enfática. De la misma raíz que HIC es el lat. HAC 'por aquí', lat. vg. ECCUM HAC, de donde el cast. *acá,* 1074; e HÍNC 'de acá', lat. vg. ECCUM HÍNC, de donde el cast. ant. *aquén,* 1210, empleado casi siempre en la locución *aquén de* '(del lado) de acá de', hoy *aquende* (compárese lo dicho de *allende*).

Aquiescencia, aquietar, V. *quedo   Aquilatar,* V. *quilate*

AQUILEA 'milenrama', 1555. Tom. del lat. *achilléa* y éste del gr. *akhílleios* íd., deriv. de *Akhilléus* 'Aquiles'.

ARABESCO, 1567. Del it. *arabesco* íd., deriv. de *àrabo* 'árabe', por ser este adorno característico del arte musulmán, que no admite representación de imágenes.

DERIV. *Mozárabe* 'cristiano que vivía en la España mora', 1024, del ár. *mustáᶜrib* 'el que se ha hecho semejante a los árabes', deriv. del nombre de esta nación; *mozarabía*.

Arable, V. *arar   Arácnido,* V. *araña
Arado, arador, aradura,* V. *arar*

ARAMBEL 'colgadura que se emplea para adorno o cobertura' 1527, 'colgajo, harapo' 1599. Alteración de *alambel* (conservado en portugués) y éste del ár. africano *hánbal* 'tapete, tapiz, alfombra', 'prenda de ropa usada', con artículo y en pronunciación vulgar *alḥanbél.*

ARANCEL, 1294 (*alenzel*). Del antiguo *alanzel*, palabra de origen arábigo pero de étimo incierto; probablemente empezó por significar 'lista de cantidades recaudadas' y vendrá del ár. *'anzêl*, plural de *nuzl* 'producto, fruto' (raíz *n-z-l* 'hacer bajar').
DERIV. *Arancelario,* h. 1900.

ARÁNDANO 'Vaccinium Myrtillus', 1726. Origen incierto, quizá de una alteración del lat. RHODODENDRON (gr. *rhodódendron*) 'adelfa', análoga a las formas conocidas RODANDĂRUM y LORANDRUM, con influjo de la palabra prerromana *arán*, que en vasco designa el endrino; *arándalo* aparece en el S. XI como nombre de la adelfa, y fácilmente pudo salir de LORANDRUM pasando por **l'arándaro.*

ARANDELA, h. 1500, nombre de varias piezas en forma de anillo o corona empleadas en las lanzas, candeleros, espuelas, máquinas, etc. Seguramente del fr. *rondelle,* que designa varias piezas semejantes, diminutivo de *rond* 'redondo'; el influjo del cast. *aro* hizo que se entendiera *la rondelle* como si fuese *l'arondelle.*

Aranzada, V. *arienzo*

ARAÑA, h. 1330. Del lat. ARANĔA 'telaraña', 'araña'. *Arácnido* es derivado culto del gr. *arákhnē*, de igual origen y significado que la palabra latina.

ARAÑAR, 1513. Probablemente deriva de *arar,* con el significado de 'hacer surcos en la piel', aunque es verosímil que exista mayor o menor relación con el lat. tardío ARANEA 'sarna', teniendo en cuenta que este vocablo ha dejado descendencia romance (rum. *rîie* íd.), que el gall. *rañar* significa 'rascar' y que la sarna es enfermedad causada por el arador.

DERIV. *Arañazo,* 1780. *Araño,* 1604. *Raña* 'instrumento erizado de garfios, para pescar pulpos', 1925; *raño* 'garfio para arrancar lapas, etc.', 'grada de hierro', 1936.

ARAR, h. 1295. Del lat. ARARE íd.
DERIV. *Arador,* 1495. *Aradura,* 1604. *Arable. Sobrearar. Arado,* princ. S. XV, antes *aradro,* S. XIII, del lat. ARĀTRUM íd.

ARAUCARIA, 1878. Deriv. de *Arauco,* región de Chile donde nace este árbol.

Arbitraje, arbitral, arbitrar, arbitrario, V. *albedrío*

ÁRBOL, 1197 (*árbor*). Del lat. ARBOR, -ŎRIS, íd.
DERIV. *Arbolado. Arboladura. Arbolar,* 1560, o *enarbolar,* 1599, propiamente 'poner erguido como el árbol o mástil de un navío'. *Arboleda,* 1.ª mitad S. XIII, lat. vg. ARBORĒTA íd. *Arbolillo.* Cultos: *Arbóreo. Arborescente; arborescencia. Arbusto,* 1535, del lat. *arbustum* 'bosquecillo', 'arbusto', derivado del lat. arcaico *arbos = arbor; arbustivo.*
CPT. *Arboricultor; arboricultura.*

Arbusto, V. *árbol*

ARCA, h. 1140. Del lat. ARCA íd.
DERIV. *Arcón,* 1604. *Arquear,* 1604; *arqueo,* 1722. *Arcaz,* 1362. *Arqueta,* h. 1280. CPT. *Arquibanco,* 1514. *Arquimesa,* 1598.

ARCABUZ, h. 1550. Del fr. *arquebuse* íd., y éste del neerl. med. *hakebus* (hoy *haakbus,* alem. *hakenbüchse* íd.), alterado por influjo del fr. *arbalète* 'ballesta'; *hakebus* es compuesto de *bus* 'caja', 'canuto hueco' y *hake* 'gancho', por el que servía para fijar el cañón del arcabuz.
DERIV. *Arcabucear,* 1604. *Arcabucero,* 1535; *arcabucería,* 1604. *Arcabuzazo,* 1604.

Arcada, V. *arco*

ARCADUZ, princ. S. XV, antes *alcaduz,* 1256, alteración moderna a causa del arco que forma la sarta de arcaduces. Del ár. *qādûs* íd., procedente a su vez del gr. *kádos* 'jarro'.

ARCAICO, 1884. Tom. del gr. *arkhaïkós* íd., deriv. de *arkhâios* 'antiguo'.
DERIV. *Arcaísmo,* h. 1764 (una vez h. 1575), gr. *arkhaïsmós; arcaísta. Arcaizar.*

Arcángel, V. *ángel*

ARCANO, 1555. Tom. del lat. *arcānus, -a, -um,* 'secreto', 'oculto'.

Arcaz, V. *arca*

ARCE, 1475. Del lat. ACER, ACĔRIS, íd. DERIV. culto: *Aceríneo*.

ARCEDIANO, S. XIII. Del antiguo *arcediagno*, 1154, lat. *archidiacŏnus*, y éste del gr. *arkhidiákonos* 'jefe de los diáconos', deriv. de *diákonos*, propiamente 'servidor'.

ARCIFINIO 'que tiene límites naturales', h. 1850. Tom. del lat. tardío *arcifinius* '(campo) encerrado en límites naturales o artificiales', compuesto de *arca* 'mojón', 'linde' y *finis* 'límite'.

ARCILLA, h. 1400. Del lat. ARGĪLLA íd. DERIV. *Arcillero*, 1210. *Arcilloso*, 1705.

Arción, V. *ación*　　*Arciprestazgo, arcipreste*, V. *presbítero*

ARCO, 1136. Del lat. ARCUS, -ŪS, íd. DERIV. *Arcada*, 1533; en la ac. 'náusea', 1540, se explica por el arqueo o encorvamiento que provocan las ansias del vómito. *Arquear*, 1604. *Arquero*, h. 1300. *Arcuación*, 1708, lat. *arcuatio*. *Enarcar*, 1570.

Arcón, V. *arca*　　*Arcuación*, V. *arco*

ARCHI-, prefijo tom. del b. lat. *archi-*, y éste del gr. *arkhi-*, extraído del verbo *árkhō* 'yo mando, soy jefe', y empleado desde muy antiguo en palabras como *archipreste, archiduque, archipoeta*, luego extendido a muchas más desde fines del S. XVI (*archibribón*, etc.). Búsquense en el correspondiente artículo sin el prefijo.

ARCHIVO, 1490. Tom. del lat. tardío *archīvum*, y éste del gr. *arkhêion* 'residencia de los magistrados', 'archivo', deriv. de *arkhḗ* 'mando', 'magistratura'. DERIV. *Archivar*, 1644. *Archivero*, 1717.

ARCHIVOLTA 'conjunto de molduras de un arco', 1772, del fr. *archivolte*, y éste del it. *archivolto* íd., que a su vez parece tomado del fr. ant. *arvolt* (compuesto de *arc* 'arco' y *volt* 'curvo').

ARDER, 2.ª mitad S. X. Del lat. ARDĒRE íd. DERIV. *Ardiente*, 1438. *Ardor*, 1.ª mitad S. XIII, lat. ARDOR; *ardoroso. Enardecer*, h. 1400.

Ardid, V. *ardido*

ARDIDO, ant., 'intrépido', h. 1140. Tom. conjuntamente del fr. *hardi* y del cat. *ardit* íd., derivados del fráncico *HARDJAN 'endurecer' (en alemán *härten*, deriv. de *hart* 'duro').

DERIV. *Ardimiento*, 1495. *Ardid* ant. 'empresa guerrera', h. 1300, mod. 'estratagema bélica, acto astuto' S. XVI: del cat. *ardit* 'empresa guerrera', 'plan de operaciones', 'estratagema, ardid', sustantivación del adjetivo *ardit* 'audaz' (recuérdense los ardides astutos y prodigiosos de Tirante el Blanco, S. XV, novela en catalán, cuya traducción ayudaría a la popularización de este vocablo en Castilla).

ARDILLA, 1620. Diminutivo del antiguo *harda* íd., S. XIII, palabra común al castellano con el bereber, el hispanoárabe y el vasco, de origen no latino; estrechamente relacionado con la forma bereber *'aġárda* 'ratón campestre' está el cast. *garduña*, h. 1330, deriv. de esta misma raíz prerromana.

Ardimiento, V. *ardido*

ARDITE 'moneda de poco valor', 1400. Del gasc. *ardit*, de origen incierto; quizá alteración del ingl. *farthing* íd. realizada en la Gascuña inglesa, donde esta palabra pudo cambiarse fonéticamente en *hardí y luego alterarse algo más por etimología popular, por corresponder *ardit* en gascón al adjetivo fr. *hardi* 'atrevido' (sin embargo en vasco un *ardít* 'ardite' se opone al aspirado *hardit* 'osado' ya en el S. XVI).

Ardor, ardoroso, V. *arder*

ARDUO, 2.º cuarto S. XV. Tom. del lat. *ardŭus* 'escarpado', 'difícil'.

Área, V. *era* II

ARENA, h. 1140. Del lat. ARĒNA íd. DERIV. *Arenal*, 1495. *Arenilla*, 1611. *Arenisco*, 1490; *arenisca. Arenoso*, 1438. *Desarenar; desareno. Enarenar. Arenáceo*, lat. *arenacĕus*.

ARENGA, 1466. Probablemente del gót. *HARIHRINGS 'reunión del ejército', compuesto de HARJIS 'ejército' y *HRINGS 'círculo, reunión' (afín al ingl. y alem. *ring* 'aro, círculo'); *arerenga se simplificó en *arenga* y se aplicó a los discursos pronunciados en dichas reuniones. DERIV. *Arengar*, 1611.

Arenilla, arenisco, arenoso, V. *arena*

ARENQUE, 1277. Tom. del fr. *hareng* o del gasc. *arenc* (también *herenc*), procedentes ambos del fránc. *hâring* íd. (afín al alem. *hering*).

Aréola, V. *era* II　　*Arete*, V. *aro* I

ARFAR 'cabecear (un buque)', 1573. Del port. *arfar* 'jadear (una persona o animal)', 'cabecear (un buque)', y dialectalmente 'secarse (un fruto)', probablemente del lat. vg. *AREFARE, lat. AREFACĔRE 'secar', teniendo en cuenta que los animales jadean por falta de bebida; en Portugal significa además 'levantar demasiado el cuarto delantero un caballo al galopar', acepción que ha pasado también al castellano en la forma alfar, 1884.

Arfil, V. *alfil*

ARGAMASA 'mezcla de cal, arena y agua que se emplea en las obras de albañilería', 1190. Antigua palabra común a los tres romances hispánicos, formada probablemente con el lat. MASSA 'masa' y· otro elemento de origen incierto; desde luego no puede haber relación directa con el lat. ARGILLA 'arcilla'; sí puede haberla, aunque no se puede asegurar, con la voz prerromana de que derivan el asturiano y santanderino argayo 'porción de tierra y piedras que cae deslizándose por un monte' y el cat. ant. y langued. aragall 'surco marcado por las aguas de lluvia', 'barranco, arroyo', fin S. X (cat. xaragall).

Árganas, V. *angarillas*   *Arganel, arganeo*, V. *árgano*

ÁRGANO 'especie de grúa', 1526. Del lat. vg. *ARGĂNUM, sacado del gr. vg. tárgana, contracción de tà órgana, plural de tò órganon 'el instrumento'. DERIV. Arganel 'parte del astrolabio de navío', 1774, del cat. arganell, 1331, diminutivo de argue, del mismo origen que el cast. árgano; el propio arganell pasó al fr. arganeau, y de éste al cast. arganeo 'argolla de hierro en el extremo superior del ancla', 1587.

ARGENTO 'plata', 1241. Cultismo muy raro, del lat. argĕntum íd. DERIV. Argentado, ḥ. 1300. Argentero, 1351; argentería, 1438. Argentino, 1602, como título del poema La Argentina de Barco Centenera, de donde se sacó después el nombre de la República del Plata. CPT. Argentífero, h. 1900.

ARGO, 1914. Del gr. argós 'inactivo'.

ARGOLLA 'aro grueso', h. 1280. De *algolla, y éste del ár. ḡúlla íd.

ÁRGOMA 'variedad de aliaga', S. XIV. Voz prerromana, propia del Norte y Noroeste ibéricos.

ARGONAUTA 'cierto molusco que parece una barquilla navegando', 1884. Alude al mito griego de los navegantes de este nombre.

Argucia, V. *argüir*   *Arguenas*, V. *angarillas*

ARGÜIR, princ. S. XV. Tom. del lat. arguĕre íd. DERIV. Argumento, h. 1250, lat. argumĕntum íd.; argumentar, princ. S. XV, lat. argumentari íd.; argumentación. Argucia 'sutileza', princ. S. XVII, lat. argutīa íd., de argūtus 'expresivo', 'ingenioso', propiamente participio de arguere.

ARIA 'composición musical', med. S. XVIII. Del it. aria íd., propiamente 'aire'. DERIV. Arieta, it. arietta.

ÁRIDO, 1569. Tom. del lat. arĭdus íd., deriv. de arēre 'estar seco'. DERIV. Aridez.

ARIENZO 'moneda y peso antiguos', 930. Del lat. ARGĔNTĔUS 'de plata', deriv. de ARGENTUM 'plata'. DERIV. Aranzada, en 1038 arienzata, 'lo que se puede comprar por un arienzo', 'cierto peso de mercancías', 'medida agraria'.

Arieta, V. *aria*

ARIETE 'viga de cabeza reforzada que se empleaba para batir murallas', 1490. Tom. del lat. arĭes, arĭĕtis, 'carnero padre', 'ariete', nombre que se le dio por comparación con el macho de la oveja, que embiste con la frente.

Arillo, V. *aro I*

ARÍSARO, 1555. Tom. del gr. arísaron íd.

ARISCO, h. 1330. Origen incierto, quizá del port. areisco 'arenisco', derivado de areia 'arena', con paso del sentido de 'estéril', 'áspero', aplicado a las tierras, al de 'bravío', 'huraño', aplicado a las personas; pero hay dificultades, y la historia de la palabra está mal estudiada.

ARISTA, S. XIV (ariesta). Del lat. vg. *ARĔSTA, lat. ARĬSTA, 'arista de la espiga', 'espina de pescado'.

ARISTOCRACIA 'gobierno ejercido por los nobles', 'clase noble', h. 1440. Tom. del gr. aristokratía, compuesto de áristos 'el mejor' y krátos 'fuerza'. DERIV. Aristocrático, 1612, gr. aristokratikós; aristócrata, princ. S. XIX. Otro compuesto de áristos es aristoloquia, 1494, gr. aristolokhía íd., formado con lókhos 'parto', por creerse que dicha hierba facilitaba este trance; aristoloquiáceo.

ARITMÉTICA, 3.er cuarto S. XIII. Tom. del lat. *arithmetĭca*, y éste del gr. *arithmētikĕ tékhnē* íd., propiamente 'arte numérica', deriv. de *arithmós* 'número'; *aritmético*, 1547, del adjetivo correspondiente *arithmētikós*.

ARLEQUÍN 'personaje cómico de la antigua comedia italiana', 'maniquí', 'chisgarabís', princ. S. XVII. Del it. *arlecchino*, y éste probablemente del fr. ant. *Herlequin*, *Hellequin*, en la frase *mesnie Herlequin*, 'estantigua, procesión de diablos', de origen incierto.
DERIV. *Arlequinada. Arlequinesco.*

ARMA, h. 1140. Del lat. ARMA 'armas' (plural neutro).
DERIV. *Armar*, h. 1140, lat. ARMARE íd. *Armada*, 1476. *Armadijo*, 1456. *Armadillo*, 1607. *Armador. Armadura*, princ. S. XIV. *Armamento*, h. 1300, tom. del lat. *armamĕntum*. *Armazón*, 1492. *Desarmar*, 1495; *desarme*, 1884. *Rearmar, rearme*, h. 1930. *Armario*, 1.ª mitad S. XIII, tom. del lat. *armarium* íd., que primero significó 'lugar donde se guardan las armas'. *Armero*, 1431; *armería*, 1607. *Inerme*, 1444, tom. del lat. *inermis* íd.
CPT. *Armatoste* 'aparato con que se armaban antiguamente las ballestas', 1495, del cat. ant. *armatost* íd., h. 1460, compuesto del verbo *armar* y el adverbio *tost* 'pronto', porque facilitaba el acto de armar la ballesta; al anticuarse la ballesta con la generalización de las armas de fuego, pasó a designar un enser viejo y embarazoso, 1693. *Alarma*, 1548, del grito *¡al arma!*, dado para poner una fuerza en disposición de combate; *alarmar*, 1723, *alarmante, alarmista*. *Armígero*, 1502, lat. *armĭger*, cpt. con *gerĕre* 'llevar (algo) puesto'. *Armisticio*, 1726, tom. del lat. mod. *armistitium*, formado con el verbo *stare* 'estar quieto' en la jerga diplomática del Renacimiento según el modelo de los lat. *justitium* 'suspensión de los tribunales', *solstitium* y análogos.

Armadía, V. *almadía Armadijo, armadillo, armador, armadura, armamento, armar, armario, armatoste, armazón*, V. *arma*

ARMIÑO, h. 1140. Probablemente tom. del lat. *armenĭus mus* 'rata de Armenia', porque se importó a Europa desde el Mar Negro —en latín clásico *mus ponticus* aludía a lo mismo—, aunque en realidad no venía de Armenia sino de tierras rusas y asiáticas, pero Armenia era más conocida en Occidente en la Edad Media.

Armisticio, V. *arma*

ARMÓN, 1832, 'juego delantero de la cureña de campaña, con el cual se completa un carruaje de cuatro ruedas'. Del fr. *armon* 'pieza en la parte delantera de un carruaje en la cual encaja el extremo posterior de la lanza o timón del mismo', y éste quizá del alem. ant. *aram* 'brazo' (hoy *arm*).

ARMONÍA, 1444. Tom. del gr. *harmonía* íd. (lat. *harmonĭa*).
DERIV. *Armónico*, h. 1440, gr. *harmonikós. Armonioso*, 1780. *Armonio*, 1884. *Armonizar*, princ. S. XIX y una vez S. XV; *armonización. Enarmónico.*

ARMUELLE 'salsolácea parecida al bledo', 1495. Del lat. HOLUS MŎLLE, propiamente 'hortaliza muelle, suave', por las propiedades medicinales que se le atribuyen; de ahí **olmuelle* y por disimilación *armuelle*, pero en catalán antiguo era *almoll*, S. XV.

ARNÉS, 1385. Del fr. ant. *harneis* (hoy *harnais*) 'conjunto de armas defensivas que se acomodaban al cuerpo', y éste probablemente del escand. ant. **herrnest* 'provisiones de ejército', compuesto de *herr* 'ejército' y *nest* 'provisiones de viaje'.

ÁRNICA, 1765-83. Del lat. mod. *arnĭca*, que parece ser deformación del gr. *ptarmikĕ*, nombre de una planta que hace estornudar, como el árnica, del adjetivo *ptarmikós* 'estornutatorio', deriv. de *ptáirō* 'yo estornudo'.

ARO I, 'anillo grande de metal o de madera', S. XIII. Palabra peculiar del portugués y el castellano, de origen incierto; en el sentido de 'distrito, territorio que circunda una ciudad' *aro*, usual en port. (1258) y oc. (883) antiguos, procede del lat. ARVUM 'campo', y acaso se pasaría desde ahí a 'palenque o redondel que rodea una liza o una plaza de toros' y luego 'aro de un escudo, de un cedazo, etc.'; sin embargo, esta evolución es sumamente hipotética, y debe contarse con la posibilidad de un origen prerromano indoeuropeo **AROS* 'rueda, círculo' en relación con el sánscr. *aráḥ* 'rayo de rueda', del cual podría derivar un **ARŎNA* perpetuado por los leoneses *arna, arniella* 'aro de corteza para hacer la colada', *arno* 'molde de queso', y el arag., cat. e it. *arna* 'colmena' (frecuentemente la hecha con un cilindro de corteza).
DERIV. *Arete*, 1853. *Arillo*, 1601.

ARO II, 'planta de raíz tuberculosa', 1555. Tom. del lat. *arum*, y éste del gr. *áron* íd.
DERIV. *Aroideo.*

AROMA 'goma u otro objeto vegetal de mucha fragancia' 1607, 'perfume', princ. S.

XIX, 'flor del aromo' 1726. Tom. del lat. *arōma*, y éste del gr. *árōma, -atos*, íd. DERIV. *Aromático*, h. 1440, gr. *arōmatikós. Aromatizar*, 1617. *Aromo* 'árbol que produce una flor muy fragante', 1726.

ARPA 'instrumento músico', h. 1250. Del fr. *harpe* íd., y éste del fráncico HARPA 'rastrillo', 'arpa' (afín al alem. *harfe* y al ingl. *harp*). DERIV. *Arpado,* h. 1490. *Arpegio*, del it. *arpeggio*, deriv. de *arpeggiare* 'tocar el arpa'. *Arpista. Arpón*, h. 1300, del fr. *harpon* íd., deriv. de *harpe* 'garra', sentido procedente del de 'rastrillo, gancho', que tenía la palabra germánica; *arponero.*

ARPÍA, 1438. Tom. del lat. *harpȳia*, y éste del gr. *hárpyia* íd.

Arpillera, V. *harpillera   Arpón, arponero,* V. *arpa   Arquear, arqueo,* V. *arca*

ARQUEOLOGÍA, 1876. Tom. del gr. *arkhaiología* 'historia de lo antiguo', compuesto de *arkhâios* 'antiguo' y *lógos* 'tratado'. DERIV. *Arqueológico. Arqueólogo.*

Arquero, V. *arco   Arqueta,* V. *arca*

ARQUETIPO, hacia 1570. Tom. del lat. *archetȳpum*, y éste del gr. *arkhétypon* 'modelo original', compuesto de *árkhō* 'soy el primero' y *týpon* 'tipo'. DERIV. *Arquetípico.*

Arquibanco, arquimesa, V. *arca*

ARQUITECTO, h. 1520. Tom. del lat. *architectus*, y éste del gr. *arkhitéktōn* íd., compuesto de *árkhō* 'soy el primero' y *téktōn* 'obrero', 'carpintero' (deriv. de *tíktō* 'produzco', 'doy a luz'). DERIV. *Arquitectura*, h. 1520, lat. *architectura. Arquitectónico*, 1780, lat. *architectonicus*, gr. *arkhitektonikós. Tectónico*, S. XX; término geológico, deriv. de *téktōn.*

Arquitrabe, V. *trabar   Arra,* V. *arras*

ARRABAL, 1146. Del ár. *rabad* íd. DERIV. *Arrabalero*, 1832.

Arracife, V. *arrecife*

ARRACLÁN 'arbusto de la familia de las rámneas', h. 1790. Origen incierto, probablemente alteración de *alacrán* 'escorpión', por lo espinoso de las plantas de esta familia.

ARRÁEZ 'caudillo moro', 'patrón de barco', 1293. Del ár. *râ'is* 'jefe', 'patrón de barco' (deriv. de *râ's* 'cabeza').

Arraigar, arraigo, V. *raíz   Arraj,* V. *erraj   Arramblar,* V. *rambla*

ARRANCAR 'desarraigar, extirpar, arrebatar', h. 1140. Origen incierto; el significado antiguo 'desbandar, vencer', 1015, acaso sea el primitivo; partiendo de una variante arcaica **esrancar* (compárense el gall. ant., arag. ant. y oc. *derrancar* y el cat. *arrencar*) podría ser deriv. del cat. ant. *renc* o del fr. ant. *ranc* (ambos significan 'hilera de tropa' y vienen del germ. HRING), que pasaría del sentido de 'romper las hileras' a 'desbandar' y de 'sacar de las filas' a 'separar' (así en oc. ant.) y finalmente 'desarraigar'. DERIV. *Arrancada*, h. 1140. *Arranque*, 1623.

Arranchar, V. *rancho   Arrapiezo,* V. *harapo*

ARRAS 'lo que se da en prenda de algún contrato' 1438, 'donación dotal' h. 1140. Del lat. ARRAE 'lo que se da en prenda de un contrato', forma popular abreviada del gr. *arrhabōn* íd., de origen semítico.

Arrasar, V. *raer   Arrastrado, arrastrar, arrastre,* V. *rastro*

ARRAYÁN 'mirto', h. 1280 (*arraihan*). Del ár. *raiḥân* 'cualquier planta olorosa'.

ARRE, interj. empleada para arrear bestias, 1330 (*harre*). Voz de creación expresiva, que también se halla, con ligeras variantes, en las demás lenguas peninsulares, en lengua de Oc, italiano y árabe africano. DERIV. *Arrear* 1495 'hacer andar animales', 'marchar de prisa', 'hacer de arriero'. *Arriero*, S. XV; de *arriero* se extrajo *arria* 'recua' amer., 1540.

Arrear 'hacer andar animales', V. *arre.*

ARREAR 'adornar, engalanar', h. 1140. Del lat. vg. **ARREDARE* 'proveer', deriv. del gót. *.*RÊTHS* 'consejo', 'previsión', 'provisión' (afín al alem. *rat* 'consejo' y antes 'provisión', ags. *ræd*, escand. ant. *râð*). DERIV. *Arreo* 'atavío, adorno', princ. S. XV.

Arrebañar, V. *rebaño   Arrebatado, arrebatar, arrebatiña, arrebato,* V. *rebato   Arrebol, arrebolar,* V. *rubio   Arrebozar,* V. *bozo   Arrebujar,* V. *orujo   Arreciar,* V. *recio*

ARRECIFE, h. 1280, ant. 'calzada', 'afirmado de un camino', mod. 'línea de escollos'. Del ár. *raṣîf* 'dique', 'calzada' (que en la lengua clásica era sólo adjetivo, con el significado de 'firme'). En cuanto a *cardo arracife* 'especie de alcachofa' es el ár. *qard arraṣíf* íd., propiamente 'cardo del camino'.

ARRECHUCHO, h. 1850, 'indisposición repentina y pasajera', 'arranque, ímpetu de cólera'. Origen incierto, quizá deriv. del antiguo *arrecho* 'tieso' (lat. ERECTUS), de donde 'actó de quedarse rígido, sin sentidos'.

ARREDRO, adv. ant., 'atrás, hacia atrás', 1256 (*arriedro*), todavía a veces empleado en la frase *arredro vaya* y sus variantes, dirigida al diablo. Del lat. AD RÉTRO 'hacia atrás'.
DERIV. *Arredrar,* 1.ª mitad S. XIII, 'hacer retroceder', 'apartar, separar', 'retraer, amedrentar'. *Redrojo* 'fruto o flor tardía', 'racimo que dejan atrás los vendimiadores', 1253, deriv. del lat. RETRO 'detrás, atrás'.

Arregazar, V. *regazo   Arreglar, arreglo,* V. *regla   Arregostarse,* V. *gusto   Arrellanarse,* V. *llano   Arremangar,* V. *manga   Arremeter, arremetida,* V. *meter   Arremolinarse,* V. *moler   Arrempujar,* V. *empujar   Arremueco,* V. *arrumaco   Arrendador,* V. *rendir   Arrendajo,* V. *imitar   Arrendar* 'alquilar', V. *rendir   Arrendar* 'atar por las riendas', V. *rienda   Arrepápalo,* V. *papa III*

ARREPENTIRSE, 1251. Del antiguo *repentirse,* h. 1140, y éste del lat. tardío REPAENĬTĔRE (lat. clásico PAENĬTĔRE íd.).
DERIV. *Arrepentimiento,* 1256. *Penitente,* 1495, tom. del lat. *paenĭtens, -tis,* íd.; *penitencia,* 1155, tom. del lat. *paenĭtēntĭa* íd.; *penitencial; penitenciario, penitenciaría.*

ARREQUIVE ant. 'ribete, galoncillo', S. XVI, mod. *arrequives* 'adornos', 'requisitos', h. 1600. Del ár. *rakib* 'adaptado o engarzado a otra cosa' (raíz *r-k-b* 'montar a caballo').

Arrestar, arresto, V. *restar   Arretranca, arretranco,* V. *retranca   Arrevesado,* V. *verter   Arria,* V. *arre*

ARRIAR 'bajar (velas, banderas, cuerdas, en un buque)', 1587. Es variante de *arrear* en el sentido de 'arreglar'.

ARRIATE 'parterre', 1505. Del ár. africano *riyâḍ* 'jardín', 'parterre' (propiamente plural de *ráuḍa* 'jardín', de la raíz *r-w-ḍ* 'beber mucho', 'regarse').

Arriba, arribada, arribar, arribazón, arribo, V. *riba   Arriedro,* V. *arredro   Arriendo,* V. *rendir   Arriero,* V. *arre*

ARRIMAR 'poner una cosa junta a otra' med. S. XIII, 'abandonar, arrinconar' 1569.

'colocar adecuadamente la carga de un buque' 1765-83. Origen incierto; es palabra común y propia de las tres lenguas romances de la Península, y no procede del Norte —del francés o del germánico— como se ha afirmado: como en el S. XIII significa en castellano 'apoyar una construcción en otra' y en cat. esto y 'hacer rimar, poner en rima', quizá sea derivado de *rima* 'igualdad de terminaciones en el verso', de donde *arrimar* 'igualar o adaptar la construcción a la pared en que se apoya' y luego el sentido moderno; *arrumar* y *arrumbar* 'estivar la carga', 1519, es palabra de origen independiente (aunque luego se confundió parcialmente con *arrimar*), tomada del fr. *arrumer* íd., deriv. del germ. RŪM 'espacio' (ingl. *room,* alem. *raum*); comp. *RUMBO.*
DERIV. *Arrimadizo,* 1636. *Arrimo,* 1570. *Rimero* 'montón', 1.ª mitad S. XIII, y *rima* íd., 1495, quizá sean también derivados de *rima* en el sentido de 'acoplamiento, emparejamiento de objetos'.

Arriscar, V. *risco   Arritranco,* V. *retranca   Arrizar,* V. *rizar*

ARROBA 'peso equivalente a la cuarta parte de un quintal', 1219 (*arrobo,* 1088). De *róbaᶜ,* pronunciación vulgar del ár. *rubᶜ* 'cuarta parte' (deriv. de *'árbaᶜ* 'cuatro').

Arrobamiento, arrobar 'embelesar', *arrobo,* V. *robar   Arrocero,* V. *arroz   Arrocinado,* V. *rocín   Arrodillar,* V. *rueda   Arrodrigar,* V. *rodrigón   Arrogancia, arrogante, arrogarse,* V. *rogar*

ARROJAR, S. XIII. Del lat. vg. *ROTULARE* 'rodar', 'echar a rodar, lanzar rodando', deriv. de ROTARE 'rodar'.
DERIV. *Arrojadizo,* 1604. *Arrojado. Arrojo,* med. S. XVII.

Arrollado, arrollar, V. *rueda   Arromadizar,* V. *reuma   Arromanzar,* V. *romano   Arropar,* V. *robar*

ARROPE 'jarabe de mosto con trozos de fruta', h. 1400. Del ár. *rubb* 'zumo de fruta cocido hasta quedar espeso'.

Arrostrar, V. *rostro*

ARROYO, 775. Vocablo hispánico prerromano: del masculino correspondiente a ARRŬGIA, que Plinio recogió en España en el sentido de 'galería de mina', teniendo en cuenta que por esas galerías circulaba agua.
DERIV. *Arroyar,* 1570. *Arroyuelo,* 1604; *arroyuela* 'salicaria' (planta que se cría junto a los arroyos).

ARROZ, 1251. Del ár. *ruzz* íd., que parece ser procedente de la India (lo propio

que el gr. *orýza*, de donde vienen el fr. *riz*, it. *riso*, cat. arcaico *ris*, 1273, etc.).
Deriv. *Arrocero. Arrozal*, S. XVIII.

Arrufianado, V. *rufián*

ARRUGA, princ. S. XV. Del antiguo *ruga* (todavía en el S. XVII), y éste del lat. RŪGA íd.
Deriv. *Arrugar*, princ. S. XV, lat. RŪGARE íd. *Rugoso*, h. 1400, lat. *rugosus; rugosidad. Desarrugar*, 1495. *Corrugar*.

Arruinar, V. *ruina*

ARRULLAR, 1495, 'emitir el palomo o tórtolo su voz natural', 'adormecer al niño meciéndole o cantándole algo'. Onomatopeya de la voz del palomo, y del canto *ro-ro* con que las madres arrullan a sus niños; de ahí también *rorro* 'crío', 1726.
Deriv. *Arrullo*, 1604.

ARRUMACO 'demostración afectada de cariño', principio S. XVI, palabra de carácter afectivo y de origen incierto; aunque es seguro que hay relación con el dialectal *arremueco* íd., y Quevedo ya empleó *arrumueco*, que parecen derivados de *mueca* (comp. el fr. *se moquer* 'burlarse' y el port. *remocar* 'calificar con remoquete'), como lo más frecuente y antiguo es la forma *arrumaco*, lo probable es que resulte de una alteración del vasco *urrumaka* 'lamento, quejido' (deriv. de *urruma* 'arrullo', voz onomatopéyica como el fr. *ronronner* 'arrullar' y 'roncar el gato') que en castellano se confundiría con *arremueco* y demás familia de *MUECA*; del citado *remocar*, y en definitiva de *mueca*, derivan *remoque*, hoy anticuado, y su sinónimo *remoquete*.

Arrumar, V. *arrimar*   *Arrumbada*, V. *rumbo*   *Arrumbar*, V. *arrimar y rumbo*

ARSENAL, 1610, 'establecimiento donde se construyen embarcaciones y se guardan los pertrechos para equiparlas', 'depósito de efectos de guerra'. Del it. *arsenale* íd., éste del venec. ant. *arzanà*, y éste del ár. *dâr ṣinâ‘a* 'casa de construcción'.

ARSÉNICO, h. 1460. Tom. del lat. *arsenicum* y éste del gr. *arsenikón* íd.
Deriv. *Arseniato. Arseniuro. Arsenioso. Arsenito. Arsenical.*

ARTANITA 'pamporcino', 1515. Tom. del ár. *‘arṭaníṭā* íd.

ARTE 'conjunto de preceptos para hacer bien algo', h. 1140. Del lat. ARS, ARTIS, f., 'habilidad', 'profesión, arte'.
Deriv. *Artero*, 1.ª mitad S. XIII, de *arte* en el sentido medieval de 'fraude, engaño'; *artería*, h. 1280. *Artesano*, h. 1440, del it. *artigiano*, deriv. según el modelo de *corti-*

giano 'cortesano'; *artesanía*, h. 1490. *Artista*, 1495; *artístico*, 1832. *Inerte*, h. 1530, tom. del lat. *iners, -ĕrtis*, 'sin capacidad, sin talento', 'inactivo'; *inercia*.
Cpt. *Artefacto*, med. S. XVIII, lat. *arte factus* 'hecho con arte'. *Artífice*, h. 1490, lat. *artifex, -fícis*, íd., formado con *facĕre* 'hacer'; *artificio*, 2.ª mitad S. X, lat. *artificium* íd.; *artificial*, h. 1250; *artificioso*, 1495; *artificiero*.
Artilugio 'disimulo, astucia', 1884, 'mecanismo artificioso pero endeble', h. 1900, compuesto culto formado en cast. con las voces latinas *ars* y *lugēre* 'llorar', con el sentido inicial de 'llanto fingido'; la segunda acepción se debe a una confusión parcial con *artificio* y *artefacto. Artimaña* 'artificio para engañar', 1330, más que de una mera contracción de *arte* y *maña*, parece tratarse de una alteración del lat. ARS MAGICA, bajo el influjo del cast. *maña*; como en el fr. ant. *artimage* 'magia', se pasó primero por 'truco de magia'.

Artejo, V. *artículo*

ARTEMISA, 1490. Tom. del lat. *artemisia*, y éste del gr. *artemisía* íd., deriv. de *Ártemis* 'Diana'.

ARTERIA, 1438. Tom. del lat. *artería* y éste del gr. *artēría* íd.
Deriv. *Arterial*, 1636. *Arteriola*, 1780.
Cpt. *Arteriosclerosis*, formado con el gr. *sklērōsis* 'endurecimiento'.

Artería, artero, V. *arte*

ARTESA 'cajón cuadrilongo de madera que se va angostando hacia el fondo', 1330. Origen incierto, probablemente prerromano: las tres poblaciones llamadas *Artesa* en tierras de lengua catalana (donde no se conoce el nombre común *artesa*), y situadas dos de ellas en el fondo de una hoya, sugieren la idea de que el vocablo significara primitivamente 'cavidad', 'receptáculo cóncavo'; compárese el vasco *artesi* 'grieta, hendidura, agujero'.
Deriv. *Artesón*, 1547, por comparación con una artesa vista desde fuera; *artesonado*, 1693.

Artesano, V. *arte*

ARTESIANO, *pozo —*, 1866. Del fr. *artésien*, 1803, propte. 'perteneciente al Artois', región donde se abrió primeramente este tipo de pozo.

Artesón, artesonado, V. *artesa*

ÁRTICO, 1438. Tom. del lat. *arcticus* y éste del gr. *arktikós* íd., deriv. de *árktos* 'oso', 'Osa Mayor y Menor', 'Polo Norte'.
Deriv. *Antártico*, 1438, gr. *antarktikós*, con prefijo *anti-* 'opuesto'.

ARTÍCULO, h. 1250. Tom. del lat. *articŭlus* 'articulación (de los huesos, etc.)', 'miembro o división', diminutivo de *artus, -ūs,* íd.; del mismo, por vía popular, viene *artejo,* 1256, 'parte exterior de las junturas de los dedos', 'falange de los mismos'. Deriv. *Articular,* v., 1433, lat. *articulare; articulación,* 1680; *articulatorio. Articular,* adj. *Articulista.*

Artífice, artificial, artificio, artificioso, artilugio, V. *arte*

ARTILLERÍA, 2.º cuarto S. XV. Del fr. *artillerie* íd., deriv. del fr. ant. *artillier* 'preparar, equipar', anteriormente *atillier,* y éste probablemente del lat. vg. *APTICULARE,* derivado de *APTARE* 'adaptar'. Deriv. *Artillero,* S. XIV. *Artillar,* 1595, fr. antic. *artiller* íd.

Artimaña, artista, artístico, V. *arte   Arto,* V. *zarza*

ARTRÍTICO, 1495 (*artético*). Tom. del lat. *arthritĭcus,* y éste del gr. *arthritikós* 'referente a las articulaciones, gotoso', deriv. de *arthrîtis* 'gota', y éste de *árthron* 'articulación'; de ahí también *artritis,* 1733; *artritismo.*
Deriv. y Cpt. de *árthron* son: *Diartrosis; enartrosis* (*enantr-,* 1606); *sinartrosis. Artrópodo,* formado con el gr. *pûs, podós,* 'pie'.

ARVEJA, 1219, o **ALVERJA** 'guisante' (en algunos puntos de España 'algarroba', 'almorta' o 'afaca'). Del lat. *ERVILĬA* 'planta análoga a los yeros y a los garbanzos', derivado de *ERVUM* 'yeros'.

ARVENSE 'que crece en los sembrados', 1871. Deriv. culto del lat. *arvum* 'campo cultivado'.

Arzobispado, arzobispo, V. *obispo*

ARZÓN 'fuste delantero o trasero de la silla de montar', h. 1140. Del lat. vg. *ARCIO, -ŌNIS,* deriv. de *ARCUS* 'arco', por la forma arqueada del arzón.
Deriv. *Desarzonar,* S. XIX.

AS 'punto único en una de las caras del dado' 2.ª mitad S. XIII, 'carta que lleva el número uno en cada uno de los palos de la baraja' 1570. Del lat. *AS, ASSIS,* 'unidad monetaria fundamental de los romanos'.

ASA 'asidero en forma de curva o anillo', 1050. Del lat. *ANSA* íd.
Deriv. *Asilla,* 1599.

Asacar, V. *sacar   Asado, asador, asadura,* V. *asar   Asaetear,* V. *saeta*

ASAFÉTIDA, 1537. Tom. del b. lat. *asa foetĭda* íd., compuesto con el lat. *foetidus* 'hediondo' y el persa *aze* 'almáciga'.

Asalariar, V. *sal   Asaltar, asalto,* V. *saltar*

ASAMBLEA, S. XVII. Del fr. *assemblée* íd., deriv. de *assembler* 'juntar', del lat. vg. *ASSIMULARE,* deriv. de SIMUL 'juntamente'.
Deriv. *Asambleísta.*

ASAR, 1.ª mitad S. XIII. Del lat. ASSARE íd., deriv. de ASSUS, -A, -UM, 'asado', 'seco'.
Deriv. *Asado. Asador,* 1389. *Asadura,* 1129. *Soasar.*

ASAZ, 1.ª mitad S. XIII. Tom. de oc. ant. *assatz* 'suficientemente', 'mucho', y éste del lat. vg. AD SATIS (lat. SATIS 'suficientemente').
Deriv. del lat. *satis: Saciar,* med. S. XVII, tom. del lat. *satiare* íd.; *insaciable,* 1515. *Saciedad,* princ. S. XVIII, tom. del lat. *satietas, -atis,* íd. *Saturar,* princ. S. XVIII, lat. *saturare* 'hartar' deriv. de *satur, -a, -um,* 'harto' (perteneciente a la misma raíz que *satis*); de cuyo femenino parece sustantivado el lat. *satŭra* 'especie de olla podrida de manjares varios', más tarde 'sátira' (compárese el fr. *pot pourri* 'composición consistente en una mezcolanza de varias poesías'), acepción en la cual aparece en la baja época la variante *satira,* de donde el cast. *sátira,* 1438; *satírico,* 1438; *satirizar,* h. 1525. *Saturación.*
Cpt. *Satisfacer,* 1444, tom. del lat. *satisfacĕre* íd., formado con *facĕre* 'hacer'; *satisfecho; satisfacción,* 1.ª mitad S. XIII, lat. *satisfactio; satisfactorio,* 1542.

ASBESTO, 'especie de amianto', 1611. Tom. del gr. *ásbestos* 'inextinguible, que no se puede apagar', deriv. de *sbénnymi* 'yo apago'; aunque el asbesto es mineral incombustible, antiguamente se creía que una vez encendido no se podía apagar.

Ascalonia, V. *chalote*

ASCÁRIDE, 1624. Tom. del lat. *ascăris, -ĭdis,* y éste del gr. *askarís, -ídos,* íd.

Ascendencia, ascendente, ascender, ascensión, ascenso, ascensor, V. *descender*

ASCETA, h. 1700. Tom. del b. lat. *ascēta* íd., y éste del gr. *askētḗs* 'profesional', 'atleta', deriv. de *askéō* 'me ejercito'.
Deriv. *Ascético,* h. 1700. *Ascetismo,* 1862.

ASCLEPIADEO, h. 1700. Tom. del lat. *asclepiadēus* y éste del gr. *asklēpiádeion,* deriv. de *Asklēpiádēs*, nombre del poeta que lo inventó (que a su vez deriva de *Asklēpios* 'Esculapio').

ASCO, 1220-50. Parece venir del antiguo *usgo* íd., 1241, adaptado al radical de *asqueroso*, h. 1200; *usgo*, junto con el port. *osga* 'odio, tirria', vendría de un verbo *osgar* 'odiar', y éste del lat. vg. *OSICARE*, derivado del lat. ODI íd. (participio OSUS); en cuanto a *asqueroso*, viene indudablemente del lat. vg. *ESCHAROSUS* 'lleno de costras', deriv. del lat. ESCHÁRA 'costra' (tom. del gr. *eskhára* 'hogar, brasero', 'costra causada por una quemadura, costra en general'; de éste se tomó el término médico *escara*, 1578).
DERIV. *Asquerosidad*, 1604. *Asquear*.

ASCUA 'brasa viva', 1251. Origen desconocido; el germ. ASCA 'ceniza' no explicaría la terminación de la palabra española, y el vasco *ausko-a* (deriv. de *hauts* 'ceniza') parece ser palabra meramente supuesta; es probable que *ascua* sea de origen prerromano.

ASEAR 'arreglar con curiosidad y limpieza', princ. S. XV. De un deriv. del lat. SEDES 'sede, sitio (de alguien o algo)', probablemente lat. vg. *ASSĒDEARE* 'poner las cosas en su sitio', de donde procede también el rum. *așezà*.
DERIV. *Aseo*, 1220-50.

Asechanza, asechar, V. *acechar*

ASEDIO 'acción de cercar un punto fortificado', h. 1460. Tom. del lat. *obsĭdium* íd., deriv. de *obsĭdere* 'instalarse enfrente', 'asediar', deriv. de *sedēre* 'estar sentado'.
DERIV. *Asediar*, 1569. *Obsidional*, h. 1730, tom. del lat. *obsidionalis*, deriv. de *obsidio*, *-ōnis*, variante de *obsidium*.

Asegurar, V. *seguro Aseidad,* V. *sí* I
Asendereado, asenderear, V. *senda Asenso,* V. *sentir Asentaderas, asentamiento, asentar,* V. *sentar Asentimiento, asentir,* V. *sentir Aseo,* V. *asear Asépalo,* V. *pétalo Asepsia, aséptico,* V. *seta Asequible,* V. *seguir Aserción,* V. *aserto Aserradero, aserrado, aserrar, aserrín,* V. *sierra Asertivo,* V. *aserto*

ASERTO 'afirmación', 1765-83. Tom. del lat. tardío *assertum* íd., propte. participio de *asserere* 'afirmar', 'conducir ante el juez' (deriv. de *serere* 'entretejer, encadenar').
DERIV. *Asertivo*, 1589. *Asertor*; *asertorio*. *Aserción*, 1636, lat. *assertio*, *-onis*.

Asesar, V. *seso*

ASESINO, 1256. Del ár. *ḥaššāšī* 'bebedor de *ḥašīš*, bebida narcótica de hojas de cáñamo', nombre aplicado a los secuaces del sectario musulmán conocido por el Viejo de la Montaña, S. XI, que fanatizados por su jefe y embriagados de *ḥašīš*, se dedicaban a ejecutar sangrientas venganzas políticas; aunque empleado antes varias veces y con muchas variantes, el vocablo no queda fijado y no se generaliza en el uso castellano hasta el S. XVIII.
DERIV. *Asesinar*, 1535. *Asesinato*, h. 1700.

ASESOR, 1495. Tom. del lat. *assessor, -ōris*, 'el que se sienta al lado', 'asesor', deriv. de *assidēre* 'estar sentado al lado', y éste de *sedēre* 'estar sentado'.
DERIV. *Asesorar*, 1770. *Asesoramiento*. *Asesoría*, 1620.

ASESTAR, h. 1250, 'dirigir una arma hacia el objeto que se quiere ofender con ella', 'descargar un golpe o tiro'. Parece ser derivado del antiguo *siesto* 'sitio o asiento natural de una cosa', que procedería del lat. SĔXTUS 'sexto' en el sentido de 'sexta parte del círculo', 'blanco de puntería'.

Aseveración, aseverar, aseverativo, V. *severo Asexual,* V. *sexo*

ASFALTO, 1535 (*espalde*, 1495). Tom. del lat. *asphaltus*, y éste del gr. *ásphaltos* íd.
DERIV. *Asfaltar. Asfaltado. Asfáltico.*

ASFIXIA, 1765-83. Tom. del gr. *asphyxía* 'detención del pulso', 'asfixia', deriv. de *sphýzō* 'hago un latido'.
DERIV. *Asfixiar*, 1882; *asfixiante*.

ASFÓDELO, 1555. Tom. del lat. *asphodĕlus* y éste del gr. *asphódelos* íd.

ASÍ, 2.ª mitad S. X. Del antiguo *sí* 'así', y éste del lat. SĪC íd.; la *a-* es una mera ampliación del cuerpo del adverbio, como en *ayer* o *abés*, analógica de muchos adverbios y frases adverbiales, como *apenas, adur, afuera, a menudo,* etc. *Sí* en su sentido etimológico era todavía usual en el S. XIV; pero ya en el S. XII era más usual emplear esta forma acompañando a un verbo, como perífrasis afirmativa (*sí fago, sí quiero,* y análogas, propiamente 'hago así como dices'), y luego abreviando tomó *sí* por sí solo el valor de partícula afirmativa, con el cual ya aparece en el S. XII, y esporádicamente aun en latín.
CPT. *Asimismo*, 2.ª mitad S. XIII.

Asidero, V. *asir*

ASIDUO, h. 1425. Tom. del lat. *assĭdŭus* íd., deriv. de *assidēre* 'estar sentado junto a (alguno o algo)'.
DERIV. *Asiduidad,* h. 1425.

Asiento, V. *sentar*   *Asignar,* V. *seña*

ASILO, h. 1560. Tom. del lat. *asȳlum,* y éste del gr. *ásylos,* adj., 'inviolable', *ásylon,* sustantivo, 'asilo', deriv. de *syláō* 'yo saqueo'.
DERIV. *Asilar,* S. XVIII; *asilado.*

Asilla, V. *asa*   *Asimetría, asimétrico,* V. *metro*   *Asimilación, asimilar, asimilista,* V. *semejar*

ASÍNDETON, 1490. Tom. del lat. *asyndĕton,* y éste del gr. *asýndeton* íd., neutro del adjetivo *asýndetos* 'desatado', deriv. de *syndéō* 'ato'.
CPT. de *syndéō*: *polisíndeton,* 1580.

ASÍNTOTA 'línea recta que se acerca a una curva sin llegar nunca a tocarla', 1772 (*asymptoto,* 1709). Tom. del gr. *asýmptōtos* 'que no coincide', deriv. de *sympíptō* 'coincido'.
DERIV. *Asintótico,* S. XX.

ASIR, h. 1300. Deriv. de *asa* con el sentido inicial de 'coger por el asa'.
DERIV. *Asidero,* 1604. *Desasirse,* 1505.

Asistencia, asistente, asistir, V. *existir Asistolia,* V. *diástole*

ASMA, 1495. Tom. del lat. *asthma,* y éste del gr. *ásthma* 'jadeo', 'asma', deriv. de *áō* 'yo resuello'.
DERIV. *Asmático,* 1495.

ASNO, 1076. Del lat. ASĬNUS íd.
DERIV. *Asna,* 1205. *Asnada. Asnal,* 2.ª mitad S. XIII. *Asnerizo. Asnino,* o en forma culta *asinino,* 1555. *Desasnar,* 1599.

Asociación, asociado, asociar, V. *socio Asolar,* V. *suelo*   *Asoldadar, asoldar,* V. *sueldo*   *Asomar,* V. *somero*   *Asombrar, asombro,* V. *sombra*   *Asomo,* V. *somero*

ASONADA 'reunión numerosa para conseguir tumultuariamente algún fin', 1256. Del antiguo verbo *asonar* 'reunir (gente)', deriv. de la antigua locución *de so uno* 'juntamente'; en lugar de éste se dijo posteriormente *de con so uno,* S. XIV, contraído en *de consuno,* 1438.

Asonancia, asonantar, asonante, asonar 'hacer asonancia', V. *sonar*   *Asordar,* V. *sordo*

ASPA, 1256, 'especie de devanadera compuesta de un palo y otros dos menos gruesos atravesados', 'conjunto de maderos o figura en forma de X', 'aparato exterior del molino de viento, en figura de X', 'cada uno de los brazos de este aparato', amer. 'cornamenta de los venados, de igual figura', 'cuerno de cualquier animal'. Del gót. *HASPA 'especie de devanadera' (hoy *haspel* en alemán, pero *haspa* en la lengua antigua y *hespa* en escandinavo antiguo).
DERIV. *Aspar,* 1.ª mitad S. XIII, *Aspado.*

ASPAVIENTO 'demostración excesiva de espanto u otro sentimiento', 1587. Del antiguo *espaviento,* 1617, y éste del it. *spavento* 'espanto', deriv. de *spaventare,* del mismo significado y origen que el cast. *espantar;* en los dialectos se conservan formas más parecidas a la italiana, *espamento, aspamento* y *espamiento.*

ASPECTO, princ. S. XV. Tom del lat. *aspectus, -ūs,* 'acción de mirar', 'presencia, aspecto', deriv. de *aspicĕre* 'mirar'.

ÁSPERO, h. 950. Del lat. ASPER, -ĔRA, -ĔRUM, íd.
DERIV. *Aspereza,* h. 1295. *Aspérrimo,* S. XVI, tom. del lat. *asperrĭmus,* superlativo de *asper. Asperiega* 'variedad de manzana no harinosa y de sabor levemente agridulce', h. 1625, quizá sea derivado de *áspero,* pese a la variante (sólo moderna) *espedriega. Exasperar,* h. 1580, tom. del lat. *exasperare* íd.; *exasperación,* 1620; *exasperante.*

Aspersión, aspersorio, V. *esparcir*

ÁSPID, h. 1440. Tom. del lat. *aspis, -ĭdis,* y éste del gr. *aspís, -ídos,* íd.

ASPILLERA 'abertura larga y estrecha en un muro para disparar por ella', 1852. Del cat. *espillera* (también *espillera,* fin S. XIII) 'tragaluz', 'aspillera', y éste probablemente del lat. SPECULARIA 'vidrieras de una ventana'; se tomaría en las guerras del S. XVIII y XIX, que en gran parte se desarrollaron en tierras catalanas.

Aspirado, aspirador, aspirante, aspirar, V. *espirar*

ASPIRINA, palabra creada en 1899 y adoptada poco después en España. Del alem. *aspirin,* formado por la industria química cón el prefijo privativo griego *a-* y el nombre de la *'Spiraea* ulmaria' en cuyas flores se encuentra el ácido acetilsalicílico, para indicar el producto sintético fabricado sin el empleo de dicha planta.

Asquear, asqueroso, V. *asco*

ASTA 'palo de la lanza o pica', h. 1140; 'pica', 'cuerno', med. S. XVII. Del lat. HASTA 'palo de la lanza o pica', 'pica'. DERIV. *Enastar*, 1495. *Subastar*, S. XIX, tom. del lat. *subhastare* íd., deriv. de la frase *sub hasta vendere* íd., porque una asta o pica, como símbolo de la propiedad pública, se hincaba ante el lugar de venta de los bienes de los deudores del fisco; *subasta*. *Astil*, h. 1140, lat. HASTĪLE íd.

ASTENIA, 1884. Tom. del gr. *asthéneia* 'debilidad', deriv. de *sthénos* 'fuerza'. DERIV. *Asténico*.

ASTER 'género de plantas', 1555. Tom. del lat. *aster*, -*ĕris*, íd., y éste del gr. *astḗr*, -*éros* 'estrella'. DERIV. *Asterisco*, 1490, gr. *asterískos*, diminutivo del gr. *astḗr*. CPT. *Asteroide*, 1884, gr. *asteroeidḗs* 'de figura de astro'.

Astigmatismo, astigmómetro, V. *estigma Astil*, V. *asta*

ASTILLA, h. 1100. Del lat. tardío ASTĔLLA 'astillita', diminutivo de ASTŬLA, variante vulgar del lat. ASSŬLA 'astilla'. DERIV. *Astilloso*.

ASTILLERO 'establecimiento donde se construyen y reparan buques', 1524. Del mismo origen que el port. *estaleiro* íd., y el fr. ant. *astelier* (hoy *atelier*) 'montón de madera', 'taller de carpintero o de albañil', 'taller en general': derivados todos ellos de *astilla* (o de sus hermanos port. *astela*, fr. ant. *astele*), con el sentido primitivo de 'montón o almacén de maderas'. Del fr. mod. *atelier* se tomó el cast. *taller*, 1611.

Astilloso, V. *astilla*

ASTRACÁN 'tejido de lona que forma rizos en la superficie', S. XX. Del fr. *astracan*, 1895, y éste de *Astrakhan*, grafía francesa del nombre de la ciudad rusa de Astraján, a orillas del Caspio, de donde se importó este tejido. DERIV. *Astracanada*, h. 1920.

ASTRÁGALO, 1555. Tom. del lat. *astragălus*, y éste del gr. *astrágalos* 'vértebra', 'taba'.

Astral, V. *astro*   *Astringente*, V. *estreñir*

ASTRO, med. S. XVI. Tom. del lat. *astrum* y éste del gr. *ástron* íd. DERIV. *Astral*. *Astroso* 'el que tiene mala estrella, desgraciado', 1.ª mitad S. XIII, 'desaseado, roto', 'vil, abyecto'. *Desastre* 'infeli-

cidad', 1444, 'catástrofe', de oc. ant. *desastre* 'desgracia', deriv. de *astre* '(buena o mala) estrella'; *desastrado*, 1438; *desastroso*, 1884. *Apoastro*, formado con la preposición gr. *apò* 'desde', según el modelo de *afelio* (véase *SOL*). CPT. *Astrofísica*; *astrofísico*. *Astrolabio*, 3.ᵉʳ cuarto S. XIII, gr. *astrolábion* íd., formado con *lambánō* 'yo tomo (la altura)'. *Astrólogo*, h. 1200, lat. *astrolŏgus*, gr. *astrológos* 'astrónomo'; *astrología*, h. 1250; *astrológico*. *Astronauta*, h. 1250, gr. *astronomía* íd., formado con *némō* 'distribuyo, reparto'; *astrónomo*, 3.ᵉʳ cuarto S. XIII; *astronómico*.

ASTUTO, 1406. Tom. del lat. *astūtus* íd., deriv. de *astus* 'astucia'. DERIV. *Astucia*, med. S. XV, lat. *astūtĭa*.

ASUETO 'vacación que tienen los estudiantes por un día o parte de él', 1679. Tom. del b. lat. *festum assuētum* 'fiesta acostumbrada', del lat. *assuētus*, participio de *assuescĕre* 'acostumbrar'.

Asumir, asunción, asunto, V. *sumir Asustadizo, asustar*, V. *susto*   *Atabacado*, V. *tabaco*

ATABAL, h. 1300. Del ár. *ṭabl* íd., vulgarmente *ṭabál*. La variante *timbal*, 1739, se debe a un cruce con *tímpano*. DERIV. *Atabalero*. *Timbalero*, 1739.

ATACAR ant. 'atar o abrochar al cuerpo una pieza de vestido' h. 1470, mod. 'acometer, combatir' 1639. Del it. *attaccare* 'pegar, clavar, unir', 'acometer'; éste probablemente se sacó de *staccare*, que hoy vale 'separar, despegar', pero primitivamente significaría 'atar', lo mismo que oc. ant. *estacar*, del cual procede; el elemento *s-*, tomado por el prefijo que indica separación, se cambió por el prefijo *a-*, con el fin de poner de acuerdo la apariencia de la palabra con su significado; en cuanto a oc. ant. *estacar*, era derivado de *estaca*, de igual origen y significado que el cast. *estaca*. DERIV. *Atacante*. *Ataque*, 1644; *contraataque*, princ. S. XVIII. *Destacar*, en la acepción militar, 1705, del fr. *détacher* íd., castellanizado según el modelo de *atacar* = fr. *attacher*; éste y *détacher* tienen el mismo origen que los it. *attaccare* y *staccare*; en la acepción pictórica, destacar procede del it. *staccare*; *destacamento*, 1705.

Atado, atadura, V. *atar*

ATAHARRE 'correa que rodea las ancas de una caballería', 1256. Del ár. *ṭafar* íd.

Atahona, V. *tahona*   *Atajar, atajo*, V. *tajar*

ATALAYA, 1017, sust. m. ant., 'centinela diurno'; sust. f. mod., 'lugar donde estaba el centinela: eminencia o torre desde donde se descubre el país'. Del ár. *ṭaláyiᶜ*, plural de *ṭalíᶜa* 'centinela', 'avanzada de un ejército' de la raíz *ṭ-l-ᶜ* 'estar en lo alto', 'acechar, atalayar'.
DERIV. *Atalayar,* 1256.

Atañer, V. *tañer*   *Ataque,* V. *atacar*

ATAR, 1.ª mitad S. XIII. Del lat. APTARE 'adaptar, sujetar', deriv. de APTUS 'sujetado', 'apropiado, apto', participio de APISCI 'coger'.
DERIV. *Atado. Atadura,* 1256. *Desatar,* h. 1140. *Reatar,* 1490; *reata* 'cuerda que une dos o más caballerías' 1490, 'hilera de caballerías', 'mula que se agrega a un vehículo'.

Atarantar, V. *tarántula*

ATARAZANA 'arsenal de navíos', 1277 (*adaraçana*). Del ár. vg. *dâr aṣ-ṣánaᶜ* (ár. clásico *dâr aṣ-ṣinâᶜa*) 'casa de la fabricación', 'atarazana'.

ATARAZAR 'cortar en dos pedazos, especialmente con los dientes' h. 1440, 'mortificar, torturar' 1616. Origen incierto, probablemente del lat. vg. *TRACTIARE* 'arrastrar con caballos', 'descuartizar, despedazar', derivado del lat. TRAHERE 'arrastrar' (participio TRACTUS). Del propio *TRACTIARE* deriva el antiguo *estrazar* 'desgarrar, despedazar', de donde *estraza* 'desecho de ropa', 1601, y *papel de estraza* 'el fabricado con pedazos de ropa', 1605; *estracilla,* 1732. Otro derivado de *TRACTIARE*, en castellano *retrazar*, se cambió en *retazar* 'cortar, romper' 1330, de donde *retazo,* 1330.

Atardecer, V. *tardar*   *Atarear,* V. *tarea*
Atarfe, V. *taray*

ATARJEA, 1527, 'caja de ladrillo con que se visten las cañerías', 'caño de ladrillos que lleva las aguas de la casa al sumidero'. Origen incierto, probablemente del ár. *taŷriya* 'acción de cubrir con tejas o ladrillos' (de la raíz *ŷ-r-y* 'correr el agua', con frecuencia aplicada a los conductos de la misma), vulgarmente pronunciado *taŷréya*.

Atarre, V. *ataharre*   *Atarugar,* V. *tarugo*   *Atascar, atasco,* V. *tascar*

ATAÚD, princ. S. XIII. Del ár. *tābût* 'caja', 'ataúd', 'tumba'.

ATAVIAR 'adornar o vestir ricamente', h. 1300. Del gót. TAUJAN 'hacer', 'obrar'; probablemente, en forma más precisa, de un deriv. gót. *ATTAUJAN 'preparar', compárese el neerl. *touwen,* de este significado y del mismo origen.
DERIV. *Atavío,* princ. S. XV.

ATAVISMO 'semejanza con los abuelos', 1899. Deriv. culto del lat. *atăvus* 'tatarabuelo'.
DERIV. *Atávico.*

Ateísmo, V. *teo-*   *Atemorizar,* V. *temer*   *Atemperar,* V. *templar*   *Atenazar,* V. *tener*   *Atención, atender,* V. *tender*   *Atener,* V. *tener*   *Atentado, atentar, atentatorio,* V. *tentar*   *Atento,* V. *tender*   *Atenuante, atenuar,* V. *tenue*   *Ateo,* V. *teo-*   *Aterciopelado,* V. *tres*

ATERIR 'envarar, dejar sin tacto (el frío)', 1330. Origen incierto, quizá sacado del antiguo *enterecer* íd., y éste de *entero* en el sentido de 'envarado, todo de una pieza'; *aterecer* por 'aterir' fue muy común hasta el S. XVII, y *enterido* 'tullido' existió en portugués.

Aterrador, aterrar, aterrizaje, aterrizar, V. *tierra*   *Aterrorizar,* V. *terror*   *Atesar,* V. *tender*   *Atesorar,* V. *tesoro*   *Atestación, atestado,* V. *testigo*

ATESTAR, 1386, 'llenar una cosa hueca apretando lo que se mete', 'embutir una cosa en otra'. Deriv. del antiguo adjetivo *tiesto* 'tieso, duro', porque se pone así la superficie de la cosa atestada; *tiesto,* como *tieso,* es antiguo participio del verbo *tender,* creado por analogía de otros participios, como *puesto, respuesto, tuesto, quisto, visto.*

Atestar 'testificar', *atestiguar,* V. *testigo*   *Atetado,* V. *teta*   *Atezado, atezar,* V. *tez*   *Atiborrar,* V. *estibar*   *Atiesar,* V. *tender*   *Atildado, atildar,* V. *título*   *Atinar,* V. *tino* I

ATISBAR 'mirar con viveza o disimuladamente', 1599. De origen incierto: fue primeramente voz jergal, durante todo el S. XVII; quizá palabra de creación expresiva, en relación con el leonés *achisbar, achisgar,* que significa lo mismo y 'guiñar el ojo': éste pudo ser el sentido primitivo, modificado bajo el influjo de *avistar.*
DERIV. *Atisbo,* 1693.

Atizar, V. *tizón*

ATLAS 'colección de mapas geográficos en un volumen', 1772. Nombre dado al célebre atlas de Mercator (1595), en cuya portada figuraba el héroe mitológico del mismo nombre, que lleva el mundo sobre las espaldas; la acepción 'primera vértebra cervical', 1765-83, se explica porque la función de esta vértebra, soporte de la cabeza, es comparable a esta misión que los antiguos asignaban a Atlas.

ATLETA, 1541. Tom. del lat. *athlēta*, y éste del gr. *athlētēs* íd., deriv. de *âthlon* 'premio (de una lucha)', 'lucha'. DERIV. *Atlético*, 1832. *Atletismo*.

ATMÓSFERA, 1709. Compuesto culto de las palabras griegas *atmós* 'vapor' y *sphâira* 'esfera'. DERIV. *Atmosférico*, S. XVIII. En fecha reciente se han formado con la terminación de *atmósfera*: *barisfera, estratosfera, hidrosfera, litosfera, pirosfera, ionosfera, troposfera*, para los cuales V. los artículos correspondientes al primer elemento de cada una de estas palabras.

ATOCHA 'esparto', 1202. Del mozár. *țáuča* íd., procedente, al parecer, de una palabra hispánica prerromana, *TAUTIA, que ha dado varias formas gallegoportuguesas (*touça*), leonesas y aragonesas (*toza*) con el significado de 'mata, matorral', 'arranque del tronco de una planta'. Comp. *TOZUELO, RETOZAR*.

ATOLE 'especie de gachas mejicanas', h. 1560. Del azteca *atúlli* íd.

ATOLONDRAR 'aturdir', h. 1500, idea que podría venir de la de 'golpear causando chichón', si fuese derivado de *tolondrón*; sin embargo, teniendo en cuenta el port. *atordoar* 'aturdir', que sale de *atordonar* (conservado en el Norte de Castilla), parece que se trata más bien de un antiguo *atonodrar* 'atronar', deriv. de una variante del antiguo *tonidro* 'trueno' (lat TONÍTRUS), que en unas partes se cambió en *atordonar* por metátesis, y en otras pasó a *atolondrar* por una alteración fonética favorecida por el influjo de *tolondrón*. DERIV. *Atolondrado*. *Atolondramiento*.

Atolladar, atolladero, atollar, V. tollo II

ÁTOMO, h. 1330. Tom. del lat. *atŏmus* y éste del gr. *átomos* íd., propiamente 'indivisible', deriv. de *témnō* 'yo corto'. DERIV. *Atómico*, fin S. XIX. *Atomismo*; *atomista*, S. XVIII. *Atomizar. Diatomea* es deriv. culto del gr. *diátomos* 'cortado por la mitad', que deriva también de *témnō*.

Atonía, V. tono

ATÓNITO, S. XV. Tom. del lat. *attonĭtus* 'herido del rayo', 'aturdido', participio de *attonare* 'herir (el rayo)', deriv. de *tonare* 'tronar'.

Átono, V. tono   Atontar, V. tonto Atorar, V. tuero   Atormentar, V. torcer Atornillar, V. torno

ATORRANTE 'vagabundo, pordiosero' amer., h. 1880. Del verbo *atorrar* 'estarse quieto, vivir sin trabajar', de origen incierto, probablemente deriv. del antiguo y dialectal *torrar* 'tostar, quemar' (lat. TORRĒRE), de donde 'paralizar, tullir'.

Atosigar, V. tósigo   Atrabancar, V. trabar   Atrabiliario, atrabilis, V. bilis

ATRACAR 'arrimar una embarcación a otra o a tierra', 1587. Término náutico común con el portugués, catalán, lengua de Oc y genovés, de procedencia mediterránea, pero de etimología incierta, acaso de un ár. vulgar *'atráqqà 'se aproxima a la costa' (deriv. del ár. *'árqà 'lanzó', 'echó el ancla'); en la acepción 'hartar de comida', 1770, es sólo castellano y no está averiguado si es la misma palabra. DERIV. *Atraco* 'acción de saltear en poblado', S. XX, propiamente 'acción de arrimarse'. *Atracón* 'hartazgo', med. S. XIX.

Atracción, V. traer   Atraco, atracón, V. atracar   Atractivo, atraer, V. traer Atragantar, V. trugar   Atraillar, V. traílla Atrancar, atranco, V. tranca

ATRAPAR, 1726. Del fr. *attraper* 'coger en una trampa', 'alcanzar a coger', 'alcanzar', deriv. de *trappe*, del mismo origen y sentido que el cast. *trampa*.

Atrás, atrasar, atraso, V. tras   Atravesar, V. verter   Atrayente, V. traer   Atreguar, V. tregua

ATRESIA, S. XX. Deriv. culto del gr. *trêsis* 'perforación', deriv. de *titráinō* 'yo perforo'.

ATREVERSE 'sentirse capaz de hacer algo que puede parecer arriesgado' 1251. Del antiguo *treverse*, h. 1140, 'confiar (en algo)', 'atreverse', y éste del lat. TRĪBŬĔRE SIBI 'atribuirse (la capacidad de hacer algo)'. DERIV. *Atrevido. Atrevimiento*, h. 1295.

ATRIBUIR, 1423. Tom. del lat. *attrĭbŭĕre* íd., deriv. de *tribuere* 'abonar', 'atribuir'. DERIV. *Atribución*, h. 1620, lat. *attributio. Atributo*, 1515, lat. *attributus*, participio de *attribuere; atributivo*. Otros deriv. de *tribuere: Contribuir*, med. S. XV, lat. *contribuere* íd.; *contribución*, 1571; *contributivo; contribuyente. Distribuir*, 1423, lat. *distribuere* íd.; *distribución*, 1515; *distributivo*, 1490. *Retribuir*, 1490, lat. *retribuere* íd.: *retribución*, h. 1440; *retributivo. Tributo*, 1.ª mitad S. XIII, lat. *trĭbūtum* íd., propiamente 'impuesto atribuido a cada 'tribu'; *tributario,* 1495; *tributar,* h. 1250; *tributación.*

ATRIBULAR, 2.º cuarto S. XV. Del antiguo *tribular,* 1330, tom. del lat. *tribŭlare* 'trillar', 'atormentar', deriv. de *tribŭlum* 'trillo' y de *tribŭlus* 'abrojo'.
DERIV. *Tribulación,* 1.ª mitad S. XIII.

Atributivo, atributo, V. *atribuir Atrición,* V. *triturar*

ATRIL, h. 1400. Del antiguo *latril,* 1310, y éste del b. lat. LECTORĬLE íd., deriv. de LEGĔRE 'leer'.

Atrincherar, V. *trance*

ATRIO, 1.490. Tom. del lat. *atrium* íd.

Atrocidad, V. *atroz Atrofia, atrofiar,* V. *trófico Atronar,* V. *tronar Atropellar, atropello,* V. *tropa*

ATROPINA, 1865. Deriv. de *atrŏpa,* nombre de la belladona en el latín científico, procedente del gr. *Átropos,* nombre de la Parca que cortaba el hilo de la vida, por alusión a lo venenoso de la belladona.

ATROZ, h. 1450. Tom. del lat. *atrox, -ōcis,* íd., deriv. de *ater* 'negro'.
DERIV. *Atrocidad,* 1679.

ATUENDO, 1019 (*atondo*), 'pompa, fausto, aparato', 'utensilio'. Del lat. ATTŎNĬTUS, participio de ATTONARE 'tronar (en presencia de alguien)'; aplicado primeramente a la pompa estruendosa que ostenta la majestad real, se extendió luego al ajuar y mobiliario que la acompañaba en sus viajes, de aquí tomó el significado de 'conjunto de utensilios cualesquiera' y acabó por designar los avíos más modestos; comp. *ESTRUENDO.*

ATÚN, 1330. Del ár. *tûn,* procedente del lat. *thŭnnus* y éste del gr. *thýnnos* íd. *Tonina,* que en unos puntos designa el delfín y en otros el atún, es derivado romance del lat. THŬNNUS.

ATURDIR, 1.ª mitad S. XIII (*atordir*). Deriv. de *tordo,* pájaro atolondrado
DERIV. *Aturdimiento,* 1604.

Atu(r)rullar, V. *turulato*

AUDAZ, 2.º cuarto S. XV. Tom. del lat. *audax, -ācis,* íd., deriv. de *audēre* 'atreverse'.
DERIV. *Audacia,* princ. S. XV, lat. *audacia.*

Audible, audición, audiencia, auditivo, auditor, auditorio, V. *oir*

AUGE 'apogeo de un astro, punto de máximo alejamiento respecto de la tierra', 1256. Del ár. *'áuǵ* íd.

Augur, augural, augurar, augurio, V. *agüero*

AUGUSTO 'venerable, majestuoso', h. 1440. Tom. del lat. *augŭstus* íd.

AULA, 1600. Tom. del lat. *aula* 'patio', 'atrio', 'corte', y éste del gr. *aulḗ* íd.
DERIV. *Áulico* 'palaciego', 1611, gr. *aulikós.*

AULAGA o **ALIAGA,** ambos h. 1400, nombre de varias plantas espinosas de los géneros Ulex y Genista. Del mismo origen incierto que el ár. hispano *yelâqa,* cat. *argelagá,* y langued., prov. y auvernés *argilaĉ* (o *árgelàs*); probablemente de una voz hispánica prerromana *AJELAGA, que dio en castellano *aïlaga* y luego por metátesis *aliaga,* mientras que en el Sur de España, por influjo del ár. *ͨulláiq* 'zarza', se convirtió en *yulâqa* o *ayulaga,* de donde la variante castellana *aulaga.*

Áulico, V. *aula*

AULLAR, h. 1270, 'emitir el lobo su voz natural', 'ladrar el perro a manera de lobo'. De *ULLAR, y éste del lat. ŬLŬLARE, que en lat. vg. se pronunció ŪL(U)LARE. En forma culta *ulular,* S. XIX.
DERIV. *Aullido,* 2.º cuarto S. XV.

AUMENTO, 2.º cuarto S. XV. Tom. del lat. *augmĕntum* íd., deriv. de *augēre* 'aumentar'.
DERIV. *Aumentar,* 2.º cuarto S. XV; *aumentativo.*

AÚN, h. 1140. Del lat. ADHŪC 'hasta ahora', vulgarmente 'aún'; antiguamente se encuentran con este valor *adú,* h. 1210, y *ahú,* 1284, que por influjo de varias partículas terminadas en -*n* (como *bien, sin, non, según*) se convirtió en *aún,* lo mismo que *así* en el vulgar *asín.*
CPT. *Aunque,* 1.ª mitad S. XIII.

Aunar, V. *uno Aupar,* V. *upa*

AURA I, 1417. Tom. del lat. *aura* 'brisa', 'viento', 'soplo', y éste del gr. *áura* íd., emparentado con *áō* 'yo soplo'.

AURA II, 'ave rapaz americana', 1560. Voz indígena de Cuba.

Auranciáceo, V. *naranja Aureo, aureola, aureolar,* V. *oro Auricular,* V. *oreja Aurífero,* V. *oro*

AURIGA, 1547. Tom. del lat. *aurĭga* 'cochero'.

AURORA, 1.ª mitad S. XIII. Tom. del lat. *aurōra* íd.

Auscultar, V. *escuchar*

AUSENTE, 2.ª mitad S. XIII (*absente*). Tom. del lat. *absens, -tis,* íd., part. activo de *abesse* 'estar ausente'.
DERIV. *Ausencia,* h. 1300, lat. *absentĭa* íd. *Ausentar,* h. 1460. *Absentismo,* 1888, tom. del ingl. *absenteeism.*

AUSPICIO, med. S. XV. Tom. del lat. *auspĭcĭum* 'observación de las aves', 'presagio que se sacaba de la observación de las aves al tomar posesión un magistrado', 'poder de dicho magistrado', compuesto de *avis* 'ave' y *spĕcĕre* 'mirar'.

AUSTERO, 1555. Tom. del lat. *austērus* 'áspero', 'severo, austero', y éste del gr. *austērós* íd.
DERIV. *Austeridad,* 1607.

AUSTRO 'Sur', 'viento Sur', 2.º cuarto S. XV. Tom. del lat. *auster, -tri,* íd.
DERIV. *Austral,* h. 1280.

AUTARQUÍA 'calidad del que se basta a sí mismo', 1.ᵉʳ tercio S. XX. Tom. del gr. *autárkeia* íd., compuesto de *arkéō* 'yo basto' y *autós* 'sí mismo'. Palabra mal españolizada; la forma actual sugiere el sentido erróneo 'gobierno por sí mismo' (como si viniera del gr. *árkhō* 'yo mando'), que en efecto se le ha dado en varios países hispanoamericanos; de ahí *autárquico.*

AUTÉNTICO, 1220-50. Tom. del lat. *authentĭcus* íd., y éste del gr. *authentikós* 'que tiene autoridad', deriv. de *authéntēs* 'dueño absoluto'.
DERIV. *Autenticar,* 1611. *Autenticidad,* 1726. *Efendi* 'título honorífico entre los turcos', del turco *efendi,* y éste del gr. mod. *afzendis* (con *z* castellana), pronunciación actual del citado *authéntēs.*

AUTILLO 'ave parecida a la lechuza', 1475. Probablemente de *a-ut,* imitación del grito del ave.

AUTO-, forma prefijada del gr. *autós* 'mismo': *autobiografía, autogiro, automotor, autorretrato, autosugestión,* etc. Más recientemente aún, *auto-* se ha empleado como forma prefijada de la palabra *automóvil* (V. *mover*): *autocamión, autotransporte* (*autovía,* con la terminación del it. *ferrovia* 'ferrocarril'), etc.

CPT. *Tautología,* 1739, formado con *t'autó* 'lo mismo' (contracción de *tò autó*) y *lógos* 'discurso'; *tautológico.*

Auto 'automóvil', V. *mover*   *Autoclave,* V. *llave*

AUTÓCRATA, h. 1835. Tom. del gr. *autokratḗs* 'que gobierna por sí solo', compuesto de *kratéō* 'yo domino' y *autós* 'el mismo'.
DERIV. *Autocracia. Autocrático.*

AUTÓCTONO, 1884. Tom., por conducto del fr. *autochtone,* del lat. *autochthon, -ŏnis,* y éste del gr. *autókhthōn* 'indígena'. compuesto de *khthṓn* 'tierra' y *autós* 'mismo'.
DERIV. *Autoctonía.*

Autodidacto, V. *didáctico*

AUTÓGENO, 1888. Compuesto del gr. *autós* 'mismo' y *gennáō* 'yo engendro'.

Autografía, autógrafo, V. *gráfico*

AUTÓMATA, 1765-83. Tom. del lat. *automăton,* y éste del adjetivo gr. *autómatos, -ē, -on,* 'que se mueve por sí mismo'; por conducto del fr. *automate.*
DERIV. *Automático. Automatismo.*

Automóvil, V. *mover*

AUTÓNOMO, 1873. Tom. del gr. *autónomos* íd., compuesto de *nómos* 'ley' y *autós* 'propio, mismo'.
DERIV. *Autonomía,* 1702, gr. *autonomía* íd. *Autonómico. Autonomista.*

AUTOPSIA, 1728. Tom. del gr. *autopsía* 'acción de ver con los propios ojos', compuesto de *ópsomai* 'yo veo' y *autós* 'mismo'.

AUTOR, 1155. Tom. del lat. *auctor, -ōris,* 'creador, autor', 'fuente histórica', 'instigador, promotor', deriv. de *augēre* 'aumentar', 'hacer progresar'.
DERIV. *Autoridad,* 1.ª mitad S. XIII, lat. *auctoritas, -atis; autoritario, autoritarismo. Autorizar,* princ. S. XV; *autorización,* 1705.

AUXILIO, h. 1450. Tom. del lat. *auxĭlĭum* íd.
DERIV. *Auxiliar,* v., 1632, lat. *auxiliare. Auxiliar,* adj., 1490, lat. *auxiliaris; auxiliaría. Auxiliatorio.*

Avahar, V. *vaho*

AVAL, 1885. Del fr. *aval* íd., de origen incierto (quizá de *aval* 'abajo', lugar del documento donde suele ponerse el aval).
DERIV. *Avalar. Avalista.*

AVALANCHA, 1900. Del fr. *avalanche* íd., 1611, alteración de *lavanche*, 1611 (oc. *lavanca*), por influjo de *avaler* 'bajar'; *lavanche* es, por lo menos en parte, de origen prerromano.

Avalorar, avaluar, avalúo, V. *valer Avance, avante,* V. *avanzar Avantrén,* V. *trajinar*

AVANZAR, med. S. XV. Se tomó entonces del cat. *avançar* íd., sufriendo más tarde el influjo del it. *avanzare* (en la acepción · comercial anticuada 'sobrar de las cuentas alguna cantidad' 1611) y del fr. *avancer* (en la acepción militar 'adelantar, las tropas', 1645); en estas lenguas es voz documentada desde los orígenes y procedente del lat. vg. *ABANTIARE íd., deriv. de ABANTE 'delante', compuesto de las preposiciones AB y ANTE del latín clásico. De ABANTE salieron el ĉat. *avant* 'adelante' —de donde se tomó el cast. *avante,* 1406, que es sólo expresión náutica— y el fr. *avant,* del cual deriva *avantage* 'superioridad, mejoría', castellanizado en la forma *ventaja,* 1444 (pero *avantaja,* h. 1250, *aventaje,* h. 1420, y otras variantes); *aventajar,* 1495, *ventajoso; desventaja,* 1607; *desventajoso. Avanzada. Avanzado. Avance,* 1705.

AVARO, princ. S. XV. Tom. del lat. *avārus* íd.
DERIV. *Avariento,* h. 1250. *Avaricia,* 1.ᵃ mitad S. XIII, lat. *avarĭtĭa; avaricioso,* med. S. XIII.

Avasallador, avasallar, V. *vasallo*

AVE, h. 1140. Del lat. AVIS íd.
DERIV. *Avecilla. Avechucho,* 1605, quizá de *avezucho por asimilación. *Aviación, aviador,* tom. del fr. *aviation* (1869), *aviateur,* deriv. cultos del lat. *avis; avión* (en francés, 1875) se tomó en fecha más reciente, h. 1918.
CPT. *Avicultura; avicultor; avícola,* 1939 (según el modelo de *agricultura, -cultor, agrícola*).

Avecinar, avecindar, V. *vecino Avechucho,* V. *ave Avejentar,* V. *viejo*

AVELLANA, med. S. XIII. Del lat. ABELLANA NUX 'nuez de *Abella*' (ciudad de Campania donde abundaban), 'avellana'.
DERIV. *Avellano,* 1073. *Avellaneda.*

AVENA, 1.ᵃ mitad S. XIII. Del lat. AVĒNA íd.

Avenencia, avenida, avenir, V. *venir Aventado,* V. *viento Aventajar,* V. *avanzar Aventar,* V. *viento Aventura,* V. *venir Avergonzar,* V. *vergüenza*

AVERÍA, 1494 (cat. 1258, genovés 1200). Etimología incierta: no convencen las arábigas ni griegas propuestas. Como la ac. más antigua parece ser 'contribución pública para compensar un perjuicio comercial' y en ésta se empleó también el genovés *avere,* acaso sea deriv. del sust. *aver(e)* 'haber'.
DERIV. *Averiar,* 1526.

Averiguar, V. *verdad Aversión,* V. *verter*

AVESTRUZ, 1406, *unas aves que llaman estruces,* h. 1340. Compuesto de *ave* y *estruz,* éste tom. de oc. ant. *estrutz,* que procede del lat. STRŪTHIO, -ŌNIS, y éste del gr. *struthíōn,* abreviación de *struthiokámēlos* íd. (compuesto de *struthós* 'gorrión' y *kámēlos* 'camello', propiamente 'camello-pájaro').

AVETORO 'ave parecida a la garza', h. 1900. Seguramente alteración del fr. *butor* íd., de origen incierto, quizá compuesto del lat. BŪTIO íd. y TAURUS 'toro', por comparación de su voz con el bramido de este animal.

AVEZAR 'acostumbrar', h. 1250. Deriv. del antiguo *bezo* 'costumbre', y éste del lat. VĬTĬUM 'defecto', 'falta', 'vicio'. De éste como cultismo sale *vicio,* 1.ᵃ mitad S. XIII, de donde derivan: *vicioso,* 1.ᵃ mitad S. XIII; *viciar,* h. 1450; *enviciar.*

Aviación, aviador, V. *ave Aviar,* V. *vía Avícola, avicultor, avicultura,* V. *ave*

ÁVIDO, 1438. Tom. del lat. *avĭdus* íd.
DERIV. *Avidez.*

AVIESO, 1.ᵃ mitad S. XIII. Del lat. AVĔRSUS 'apartado', 'opuesto', 'trasero', participio de AVERTĔRE 'apartar' (deriv. de VERTERE 'dar vuelta'); significó antiguamente en castellano y en portugués, 'torcido, extraviado' y 'opuesto a lo que debe ser', de donde el sentido moderno.

AVILANTEZ 'audacia, insolencia', hacia 1570. Del antiguo *avinanteza,* 1438, o *avilanteza,* 1521, que ambos significaban 'ocasión, coyuntura favorable'; éstos proceden del cat. *avinentesa* íd., deriv. de *avinent* 'adecuado, oportuno, cómodo', S. XII, part. activo de *avenir-se* 'adaptarse'; el significado moderno 'audacia' nació en *tomar avilanteza* 'aprovecharse de una ocasión', y frases análogas; la primera *n* se cambió en *l* por disimilación, ayudando quizá el influjo del cast. *vil.*
DERIV. *Avilantarse,* 1837.

Avinagrado, V. *vino Avío,* V. *vía*

AVIÓN 'vencejo, Cypselus apus', h. 1330. Probablemente del antiguo *gavión*, h. 1250, de origen incierto, quizá relacionado con el lat. GAVIA 'gaviota'.

Avión 'aeroplano', V. *ave*

AVISAR, h. 1360. Del fr. *aviser* 'instruir', 'avisar', deriv. de *avis* 'opinión', que nació en la frase antigua *m'est a vis* o *m'est vis* 'yo creo, yo opino', procedente del lat. MIHI VĪSUM EST, del verbo VIDERI 'parecer'. DERIV. *Avisado. Aviso*, antes 'opinión', princ. S. XV; 'noticia dada a alguno', 1508.

AVISPA, h. 1250 (*abiespa*). Del lat. VĔSPA íd., con influjo fonético de *abeja*. DERIV. *Avispero*, 1607. *Avispón*, 1495.

AVISPADO, 2.º cuarto S. XVI. Probablemente de la raíz expresiva ¡*visp*!, lo mismo que el it. *vispo* 'vivo, avispado, despabilado'.

Avispero, avispón, V. *avispa* *Avistar*,
V. *ver* *Avituallar*, V. *vitualla* *Avivar*,
V. *vivo*

AVIZOR, 1609. Primero fue voz jergal, que, con el significado inicial 'el que está mirando disimuladamente para avisar a otro', vino del fr. anticuado *aviseur* 'el que avisa'. DERIV. *Avizorar*, 1555.

Avucasta, V. *avutarda* *Avulsión*, V. *convulsión*

AVUTARDA 'zancuda común en España, algo parecida al avestruz', S. XIII (*abtarda*). Del antiguo *autarda* y éste del lat. hispánico AVIS TARDA íd., propiamente 'ave tarda', así llamada por su vuelo pesado. La misma ave se llama también *avucasta*, 1386, procedente del lat. AVIS CASTA (con evolución paralela), propiamente 'ave santa': parece haberse tratado de una ave sagrada de los antiguos hispanos.

AXILA 'ángulo formado por la articulación de una parte de la planta con una rama o tronco', 1871. Tom. del lat. *axĭlla* 'sobaco'. DERIV. *Axilar*, 1728, lat. *axillaris* íd.

AXIOMA, 1607. Tom. del lat. *axíōma*, y éste del gr. *axíōma* 'lo que parece justo', 'proposición (en lógica)', deriv. de *axióō* 'yo estimo justo', y éste de *áxios* 'digno, justo'. DERIV. *Axiomático.*

Axis, V. *eje*

AY, 1.ª mitad S. XIII. Voz de creación expresiva.

Aya, V. *ayo*

AYER, h. 1300. Del antiguo *yer*, h. 1250, y éste del lat. HĔRĪ íd.; para la *a-*, V. ASÍ. CPT. *Anteayer*, 1495 (*antier*).

AYO, 1107. Probablemente sacado del femenino *aya* (que casualmente no se ha registrado hasta princ. S. XV), y éste del lat. AVIA 'abuela', tomado en el sentido de 'mujer de edad que cuida de los niños'.

AYUDAR, h. 1140. Del lat. ADJŪTARE, frecuentativo de ADJUVARE, deriv. de JUVARE íd. DERIV. *Ayuda*, h. 1140. *Ayudante*, 1607; *ayudantía. Coadyuvar*, 1438, tom. del lat. tardío *coadjuvare; coadyuvante. Coadjutor*, 1556, lat. *coadjūtor, -ōris; coadjutorio*, 1438.

AYUNO, adj., 1.ª mitad S. XIII. Del lat. JEJŪNUS íd., vulgarmente JAJŪNUS; de aquél, por cultismo, viene el término anatómico *yeyuno*. DERIV. *Ayunar*, 1241, lat. JEJUNARE, lat. vg. JAJUNARE; de éste deriva el sustantivo *ayuno*, 1256. *Desayunarse*, 1490; *desayuno*, 1706.

Ayuntamiento, ayuntar, V. *junto*

AZABACHE, h. 1400 (*azabaya*, 1362). Del ár. hispano *zabáŷ* (ár. clásico *sábaŷ*).

AZACÁN 'aguador' h. 1280, 'acarreador, ganapán' 1679. Del ár. *saqqáʾ* 'aguador' (de la misma raíz *s-q-y* 'dar de beber, regar', de donde viene *acequia*).

AZADA, 978. Del lat. vg. *ASCIATA* 'herramienta provista de una *ascia*': *ascia* era una especie de hacha o azuela y en este caso hace referencia a la hoja de la azada. DERIV. *Azadón*, 1199.

AZAFATE 'bandeja', 1496. Del ár. *safat* 'cesta de hojas de palma', 'enser donde las mujeres ponen sus perfumes y otros objetos'. DERIV. *Azafata*, 1582, así llamada por la bandeja que tiene en las manos mientras se viste la reina.

AZAFRÁN, 3.er cuarto S. XIII. Del ár. *zaᶜfarân* íd. DERIV. *Azafranado.*

AZAGAYA, h. 1295. Del bereber *zaĝâya* íd.

AZAHAR, princ. S. XV. Del ár. *zahr*, vulgarmente *zahár*, 'flor en general' 'flor de azahar' (de la raíz *z-h-r* 'lucir', 'ser hermoso', 'florecer').

AZALEA 'arbusto de adorno perteneciente a la familia de las ericáceas', 1878. Del lat. mod. *azalea* íd., probablemente tom. del adjetivo gr. *azaléos* 'seco, árido', sea porque la azalea crece en terreno arenoso o por la madera seca y quebradiza de este arbusto.

AZAR ant. 'cara desfavorable del dado' 1495, 'lance desfavorable en el juego de los dados' 1283, 'cierto juego que se jugaba con dados' h. 1250, mod. 'mala suerte, desgracia, riesgo' med. S. XVI, 'casualidad, caso fortuito' princ. S. XVII. Del ár. *zahr* 'flor', vulgarmente 'dado', por la flor que se pintaría en una de sus caras (comp. *AZAHAR*).
DERIV. *Azarar* 'desgraciar' h. 1620 (para el sentido de 'azorar', V. *azor*). *Azaroso*, 1618.

AZARCÓN, 1.ª mitad S. XIV, 'minio', 'color anaranjado subido'. Del ár. *zarqûn* íd.; de ahí pasó también al bajo latín, de donde el cultismo moderno *circón*, 1884, con sus deriv. *circona* y *circonio*.

Azaroso, V. *azar*

AZCONA 'venablo, pequeña lanza arrojadiza', 1.ª mitad S. XIII. Palabra común a las tres lenguas romances de la Península, a la lengua de Oc y al vasco (*azkon*); de origen incierto, probte. vasco, donde la variante *aucona* ya se encuentra en el S. XII.

ÁZIMO 'sin levadura', 1565. Tom. del gr. *ázymos* íd., deriv. de *zýmē* 'levadura'.

ÁZOE 'nitrógeno', 1832. Tom. del fr. *azote* íd., 1787, que en siglos anteriores designó otras sustancias químicas, en particular el *azogue*, y se tomó a su vez de esta palabra española; el cast. *ázoe* es una alteración de *azote* fundada en una falsa etimología que lo interpretaba como derivado del gr. *zōé* 'vida, existencia', con *a*- privativa, por ser el nitrógeno impropio para la respiración de los seres vivos, a distinción del oxígeno.
DERIV. *Azoico. Azoado.*

AZÓFAR 'latón', 1330. Del ár. *ṣufr* íd. (deriv. de *'áṣfar* 'amarillo').

AZOGUE 'mercurio', h. 1300. Del ár. *zá'uq* íd.
DERIV. *Azogar*, 1599, 'cubrir con azogue los cristales', 'contraer una enfermedad que produce un temblor continuo, causada por los vapores de mercurio', 'agitarse mucho', *cal azogada* 'la disuelta pero no del todo muerta' (porque corre fácilmente, como el azogue); *azogado.*

Azoico, V. *ázoe*

AZOR 'ave de rapiña', h. 1250 (*azttore*, 941). Del lat. vg. ACCEPTOR, -ŌRIS, íd. (ACCIPĬTER en latín clásico).

DERIV. *Azorar*, 1495, 'sobresaltar, conturbar', por el efecto que tiene sobre las aves la persecución del azor; *azorarse* se convirtió en *azararse*, fin S. XIX, por influjo de *azar* o del sinónimo gitano *achararse*. *Cetrero* 'el que cría y enseña azores y otras aves de presa', princ. S. XVII, antes *acetrero*, 1386, síncopa de *acetorero*, y éste derivado de la forma arcaica *acetor* por *azor* (lat. ACCEPTOR); *cetrería* 'el arte del cetrero', 1535, antes *acetrería*, 1505.

Azorar, V. *azar*

AZOTE, 1020. Del ár. *sáuṭ* 'azote (instrumento)'.
DERIV. *Azotar*, 1020. *Azotaina*, 2.º cuarto S. XVI.

AZOTEA, 1406. Del ár. *suṭéiḥ*, diminutivo de *saṭḥ* 'planicie', 'azotea'.

AZÚCAR, 1.ª mitad S. XIII. Del ár. *súkkar* íd.; lo mismo la palabra arábiga que el gr. *sákkharon* proceden en definitiva de un común original índico.
DERIV. *Azucarado*, 1495; *azucarar. Azucarera; azucarero. Azucarillo.* Deriv. cultos del gr. *sákkharon*: *sacarino*, 1884, *sacarina*, *sacaroideo*, 1884, *sacarímetro*, *sacarosa.*

AZUCENA, h. 1475. Del ár. *súsana*, vulgarmente *sussêna*.

AZUD, 1128, 'presa para tomar agua de los ríos', 'rueda hidráulica que sirve para lo mismo'. Del ár. *sudd* 'obstáculo, obstrucción', 'presa' (del verbo *sadd* 'cerrar').

AZUELA 'herramienta de carpintero para desbastar', 1351. Del lat. hispano AS-CIOLA, diminutivo del lat. ASCIA 'azuela', 'hacha'.

AZUFAIFA, 1495. Del ár. hispano *zufáizafa* íd., diminutivo del ár. *zifzûf* o *zuᶜzûfa.*
DERIV. *Azufaifo,* h. 1330.

AZUFRE, h. 1250 (*sufre*). Del lat. SŬL-PHŬR íd.; la *a*- pudo agregársele por un falso análisis de la locución *piedra sufre* y la *z* se deberá a una pronunciación dialectal itálica (compárese el it. *zolfo*).
DERIV. cultos: *Sulfato*, 1884; *sulfatar. Sulfito. Sulfonal. Sulfúreo*, h. 1440, o *sulfúrico*, de donde se extrajo luego *sulfuro* (y de ahí nació el sufijo químico *-uro*); *sulfurar, sulfuroso. Hiposulfato; hiposulfito; hiposulfuro. Protosulfuro. Solfatara*, del it., donde es derivado de *solfo* (variante de *zolfo* 'azufre').
CPT. *Sulfhídrico. Sulfamida.*

AZUL, 944. Del ár. vg. *lāzūrd,* variante del ár. *lāzawárd* íd., propiamente 'lapislázuli', voz de origen persa.

Deriv. *Azulado. Azulear. Azulete.*
Cpt. *Lapislázuli* (V. este artículo).

AZULEJO 'ladrillo fino de colores', 1490. Palabra común al castellano, el portugués y los dialectos africanos e hispánicos del árabe (*zuléiǧ*); de origen incierto, quizá arábigo.

AZUMBRE 'medida de líquidos equivalente a la octava parte de una cántara', 1268 (*azumne,* med. S. XII). Del ár. *ṭumn* 'octava parte' (deriv. de *ṭamâniya* 'ocho'); la *ṭ* arábiga suena aproximadamente como una *z* del castellano moderno, y aunque era muy diferente de la antigua *ç* castellana, se empleó ésta como transcripción aproximada por no haber equivalencia exacta en el sistema fonético del idioma; compárese *CELEMÍN.*

AZUZAR 'incitar al perro para que embista' 1580, 'irritar, estimular'. De la interjección *zuz* o *zuzo* que se dirige al perro en estos casos.

B

BABA, 1495. Del lat. vg. BABA (representado en todas las lenguas romances), voz expresiva creada por el lenguaje infantil con la repetición de la sílaba BA, para expresar el babeo, mezclado con balbuceo, de los niños de pecho.
DERIV. *Babilla. Babada. Babador,* 1604, o *babero*; *babera* 'pieza de la armadura que cubría la boca'. *Babosa* 'limaza' 1495. *Rebaba,* 1765-83, 'reborde formado por una masa de metal al fundir una pieza, etc.'.

BABIECA, h. 1140. Palabra de creación expresiva, de la misma familia que sus sinónimos lat. *baburrus,* it. *babbèo,* cat. *babau,* ast. *babayu,* etc.; la frase *estar en Babia* se creó precisamente por alusión a la palabra *babieca,* gracias al parecido fonético de los dos vocablos, más que por lo apartado de este territorio de la provincia de León.

BABIRUSA, 1914. Del malayo, palabra compuesta de *babi* 'cerdo' y *rusa* 'ciervo', por sus colmillos retorcidos, que se compararon a los cuernos de un ciervo.

BABLE 'dialecto popular asturiano', h. 1800. Onomatopeya que indica el habla confusa y balbuciente de las personas de lenguaje imperfecto; de la misma familia son el ingl. *babble* 'balbucear' y el fr. *babiller* íd.

BABOR, 1526. Del fr. *babord,* y éste del neerl. *bakboord* íd., compuesto de *bak* 'trasero' y *boord* 'borda', porque el piloto estaba antiguamente situado a estribor.

BABUCHA, 2.ª mitad S. XIX. Tom. del fr. *babouche,* y éste del ár. *bābûš,* que a su vez procede del persa *pāpûš,* compuesto de *pā* 'pie' y un verbo que significa 'cubrir'.

BACA, princ. S. XIX, 'cubierta de cuero o tela con que se cubre el techo de las diligencias', 'el techo de las mismas, donde se colocan equipajes, tapados con esta cubierta'. Parece ser adaptación del fr. *bâche,* que designa esta misma cubierta, y probablemente procedente, en definitiva, del galo BASCAUDA 'cesto, canasto' (de donde 'red o tela en forma de bolsa' y de ahí el sentido moderno).

BACALAO, 1519 (*bacallao*). Origen incierto, aparece por primera vez en Flandes en el S. XII, en la forma latinizada *cabellauwus,* pero son inciertos la forma y el idioma originarios de esta palabra; quizá del gasc. *cabilhau* íd., deriv. de *cap* 'cabeza' (lat. CAPUT).

BACANAL, princ. S. XVII, 'perteneciente a Baco y a las fiestas celebradas en su honor', 'orgía'. Tom. del lat. *bacchanalis* íd., deriv. de *Bacchus* 'Baco'; de éste deriva también el lat. *bacchans, -tis,* de donde su sinónimo cast. *bacante,* 1596.

BACÍA, 1368 (*bacieta,* 1331). Voz emparentada con *bacín* y con varias palabras del latín tardío (*baccea, bacausa, bacchinon, bacar,* de significado análogo); el origen último (quizá galo) y los pormenores relativos a la forma de *bacía* son inciertos, pero es verosímil que en España proceda de allende el Pirineo, quizá del fr. anticuado *bassie* íd., que parece ser forma dialectal correspondiente a un lat. vg. *BACCEATA,* deriv. del citado BACCEA (éste probte. acentuado en la A).

BACILO, 1899. Tom. del lat. *bacillum* 'bastoncito', diminutivo de *baculum* 'bastón'.

BACÍN, S. XIII. Del lat. tardío BACCHI- NON, de origen desconocido; V. *BACIA.* DERIV. *Bacina. Bacinete,* 1331.

BACTERIA, 1899. Tom. del gr. *baktēría* 'bastón'. CPT. *Bactericida. Bacteriólogo; bacteriología.*

BÁCULO, h. 1520. Tom. del lat. *bacŭlum* 'bastón'.

BACHE 'hoyo en el camino, abierto por el paso de los carruajes', 1765-83. Origen incierto; acaso exista alguna relación con el vascongado y vasco *boche, bocho,* 'hoyo', y con *baque,* pero es difícil precisar la índole de este nexo (comp. *BUCHE*).

BACHILLER, 1393. Del fr. *bachelier* 'joven que aspira a ser caballero', 'bachiller', y éste del lat. vg. *BACCALLARUS,* de origen incierto, probte. céltico (V. *BELLACO*). DERIV. *Bachillerato,* 1765-83. *Bachillerear,* 1607. *Bachillería,* 1535.

BADAJO, 1495. Del lat. vg. *BATUACŬ-LUM* íd., deriv. de BATTUERE 'golpear, batir'. DERIV. *Badajada. Badajear:* debidos a una comparación de la lengua del hablador con el badajo de una campana.

BADANA 'cuero curtido de oveja', 1050. Del ár. *biṭâna* 'forro', vulgarmente *baṭâna,* que en España y otras partes tomó el significado de 'badana' porque con ella se forraban otros cueros.

BADEA, 1423. Del ár. *baṭîḫa* íd.

BADÉN 'zanja que forman en el terreno las aguas de lluvia', 1644. Del ár. *baṭn,* vulgarmente *baṭén,* 'vientre', 'cauce seco de un río'.

BADERNA 'cabo trenzado que se emplea para sujetar la caña del timón y para otros usos náuticos', 1587. Del prov. *baderno,* de origen incierto; como también se emplea para proteger la base de los mástiles, quizá del gr. *ptérna* 'talón' y 'parte inferior del mástil' (romanizado en *BATĔRNA*). DERIV. *Abadernar,* 1732.

BADIL 'paleta para mover la lumbre', 1289. Del lat. vg. *BATĪLE,* lat. clásico BA-TILLUM, íd.

BADULAQUE 'afeite que se usaba para el rostro' 1534, 'chanfaina' med. S. XVI, 'bobo, necio', h. 1640; en Portugal ya sale a fines del S. XIV; en Castilla parece que se halla ya *badelate* a principios del mismo. Origen incierto, probablemente mozárabe.

BAGAJE 'impedimenta de un ejército', 1555. Tom. del fr. *bagage* 'equipaje', derivado de su antiguo sinónimo *bague,* de origen incierto; quizá sea lo mismo que el fr. *bague* 'anillo, sortija', tom. del neerl. med. *bagge* íd. (emparentado con el alem. *biegen* 'doblar, torcer' y *bogen* 'arco'): de 'anillo' se pasaría a 'lazada', y de ahí a los paquetes sujetados por ésta.

BAGATELA 'cosa de poco valor', 1615. Del it. *bagattella* 'juego de manos', 'friolera', de origen incierto.

BAGAZO 'residuo de lo que se exprime para sacar el zumo de la caña de azúcar, etc.', 1600. Deriv. de *bago,* que en portugués y en muchos dialectos del Oeste designa al grano de uva y deriva a su vez del lat. BACA 'fruto (de cualquier planta)'; en castellano *bagazo* se tomó probablemente del port. *bagaço* 'orujo de la uva', que en el S. XIV se aplicaba a la semilla o a la pulpa de la misma.

BAGRE 'pez malacopterigio, de río, propio de América', h. 1545. Origen incierto; quizá del mozárabe, donde procedería del lat. PAGRUS 'especie de pagel, pez marino teleostio' (gr. *phágros* íd., deriv. de *éphagon* 'yo comí'); del mozárabe pasaría a su vez al ár. hispano y africano *bâgar,* S. XV, y al cat. *bagra,* f., 'pez ciprínido, de río'.

BAGUAL, amer. 'bravo, indómito', 1696. Del nombre de persona *Bagual,* cacique de los indios querandíes, de raza pampeana, que vivió en la zona de Buenos Aires por los años 1582-1630, y se hizo famoso con los indios de su parcialidad por sus porfiadas tentativas de escapar a la vida sedentaria y dedicarse al merodeo.

BAGUIO 'huracán de las Filipinas', 1831. Quizá sea variante de la voz *vahido,* antiguamente pronunciada *váguido.*

BAH, interj., princ. S. XIX. Voz de creación expresiva.

BAHÍA, 1476. Viene probablemente del fr. *baie* íd., que a su vez es de origen incierto, quizá deriv. del fr. ant. *ba(i)er* 'abrir'; un derivado participial *baíée,* había de cambiarse regularmente en *baie* en el Oeste de Francia, de donde por una parte la forma castellana, y por la otra el fr. mod. *baie.*

BAILAR, h. 1270. Tom. de oc. ant. *balar* íd., aunque no se explica fácilmente la *i*; quizá en los Pirineos españoles se cruzó con la voz *bailar* 'mecer', todavía usual en el Alto Aragón; ésta vendría de BAJULARE 'llevar a cuestas', deriv. de BAJULA 'ama de cría', que lleva el niño pero también lo mece; mientras que el oc. *balar* sale del lat. tardío BALLARE 'bailar', procedente a su vez del gr. *pállō* 'yo salto, me meneo'.
DERIV. *Baile*, h. 1300. *Bailarín*, princ. S. XVII.

BAJÁ, 2.º cuarto S. XVI. Del ár. *bāšā*, y éste del turco *pāšā* íd.; la variante *pachá*, 1855, del francés, que la tomó directamente del turco.
DERIV. *Bajalato*, del deriv. turco *pāšāláq*.

BAJAR, S. XII. Del lat. vg. *BASSIARE, deriv. de BASSUS 'bajo'.
DERIV. *Baja*, 1604. *Bajada*. *Rebajar*; *rebaja*; *bajo*, 1737; *rebajamiento*. *Abajar*, h. 1140.
CPT. *Bajamano*, 1609, 'ladrón que hurta en tienda con una mano por lo bajo mientras señala mercancías con la otra'.

BAJEL 'buque', 1.ª mitad S. XIII. Del cat. *vaixell* íd., y éste del lat. VASCĒLLUM 'vasito', diminutivo de VAS 'vaso'.

BAJO, 1.ª mitad S. XIII. Del lat. vg. BASSUS 'gordo y poco alto', que sólo se halla en glosas y como nombre propio de persona, y se cree de origen osco; la *-j-* de *bajo* se debe a influjo de *bajar*.
DERIV. *Bajeza*, 1495. *Bajío*, 1521, primero fue adjetivo, 1490. *Bajura*, 1444.
CPT. *Abajo*, h. 1300 (raro antes del S. XV). *Bajamar*, 1557. *Contrabajo*, 1553. *Debajo*, fin S. XIII.

BALA 'fardo de mercaderías', fin S. XIII. Del fr. *balle* íd., pasando por el catalán; en francés viene del fráncico *BALLA 'pelota' (afín al alem. *ball*, ingl. *ball*). En la acepción 'proyectil de arma de fuego', 1595, se tomó del it. *palla* íd., propiamente 'pelota de jugar', asimilado a la forma de *bala* 'fardo'; pero la voz italiana salió del longob. PALLA, que es variante dialectal de la citada voz germánica.
DERIV. *Embalar* 'empaquetar', 1611; en la ac. 'acelerar' es galicismo reciente; *embalaje*. *Balón* 'pelota grande', 3.er cuarto S. XVI, del it. *pallone*, aumentativo de *palla*.

BALADA 'composición poética provenzal' 2.º cuarto S. XV, 'especie de romance originario de Inglaterra y Alemania' S. XIX. De oc. *balada* 'baile' y 'balada', deriv. de *balar* 'bailar' (V. este artículo).

BALADÍ, 1343, 'de clase inferior, de poco aprecio'. Del ár. *baladî* 'del país, indígena', deriv. de *bálad* 'tierra, provincia'; los artículos del país han sido casi siempre de menor aprecio que los importados.

BALADRÓN 'fanfarrón que blasona de valiente', 1253. Del lat. BALATRO, -ŌNIS, empleado como injuria o término despectivo por varios autores clásicos.
DERIV. *Baladronada*.

BÁLAGO 'paja larga de los cereales, quitado el grano', med. S. XV. De una voz céltica afín al bretón, *balazn*, galés *banadl* 'retama', de la cual proceden también el cat. *bàlec* 'retama enana' y el fr. *balai* 'escoba'.

BALAJ, h. 1330. Del ár. *baláḫš* íd., del nombre de la provincia persa de *Badaḫšân* o *Balaḫšân*, de donde proceden estas piedras preciosas.

BALANDRA, 1573. Parece resultar de la amalgama de dos voces diferentes: el neerl. *bijlander* 'embarcación de trasporte, de fondo plano', venido a través del fr. *bélandre* o *balandre*, y otra palabra *palandra*, embarcación mediterránea de origen turco, para trasporte de tropas, el nombre de la cual procede, al parecer, de este idioma.
DERIV. *Balandro*, h. 1900.

BÁLANO, 1551. Tom. del gr. *bálanos* 'bellota'.

BALANZA, 3.er cuarto S. XIII. Del lat. vg. *BILANCIA (cuya existencia puede deducirse de todas las lenguas romances), deriv. del lat. tardío BILANX íd., compuesto de BI- 'dos' y LANX 'platillo'.
DERIV. *Balance*, 1599, se ignora si se imitó del it. *bilancio*, S. XVI o del cat. *balanç*, 1461. *Balancear*, 1770. *Balancín*, 1607. *Abalanzarse*, 1.ª mitad S. XV, se explica semánticamente por el movimiento acelerado de la balanza cuando se rompe el equilibrio.

BALAR, h. 1250. Del lat. BALARE íd.
DERIV. *Balido*, 1330.

BALASTO, S. XIX. Tom. del ingl. *ballast* íd.

BALAUSTRE 'columnita de barandilla', h. 1600. Del it. *balaùstro* íd. y 'flor de granado', y éste del lat. *baláustium* 'fruto del granado silvestre' (de origen griego): se comparó el capitel del balaustre con una flor.
DERIV. *Balaustrada*, 1715.

BALBUCIR, h. 1580, o **BALBUCEAR**, med. S. XIX. Tom. del lat. *balbutire* íd.
DERIV. *Balbuciente*, 1422.

BALCÓN, 1535. Del it. *balcone* íd., derivado de *balco* 'tablado', y éste del longob. 'BALKO 'viga' (hoy *balken* en alemán); de una pronunciación más tardía en longobardo, con *p-*, viene el it. *palco*, aplicado a un lugar de forma comparable, y transmitido también al cast., 1737.
DERIV. *Balconear*, princ. S. XIX.

BALDAQUÍN, 1325, 'especie de tela preciosa', 'dosel', 'pabellón que cubre un altar'. De *Baldac*, antiguo nombre español de Bagdad, de donde venía aquella tela.

BALDAR ant. 'anular, quebrantar' 1219, mod. 'privar del uso de algún miembro' 1380, 'privar de una carta fallando con triunfo', princ. S. XVII. Del ár. *báṭal* 'hacer inútil', 'invalidar, lisiar'.
DERIV. *Baldado*, 1607.

BALDE I, h. 1200: *de balde* 'gratis', *en balde* 'en vano'. Del ár. *bâṭil* 'vano, inútil', part. activo del verbo *báṭal* 'ser inútil' (V. BALDAR).
DERIV. *Baldío*, S. XIII.

BALDE II, 'cubo para agua', 1587. Vocablo primitivamente marítimo, de origen incierto; muy arraigado en portugués, donde coexiste con *baldear* 'trasegar líquidos', 'trasbordar mercancías o pasajeros', 1550.
DERIV. *Baldear*, 1587.

BALDÉS 'piel de oveja curtida', h. 1400, antes *baldrés* S. XIII. Origen incierto: la relación con el fr. *baudrier* (fr. ant. *baldrei*) 'tahalí', oc. *baldrat*, a. alem. med. *balderich* íd. y con el port. *baldreu* 'baldés', a su vez palabras de origen incierto, no está averiguada.

BALDÓN 'injuria', 1330, significó antes 'tratamiento soberbio', S. XIV, y primitivamente 'tratamiento arbitrario, a discreción', princ. S. XIII; tomado del fr. ant. *bandon* de este significado, descendiente del fráncico BANN 'mando, jurisdicción' (alem. *bann*); de este sustantivo francés deriva el verbo *abandonner*, de donde *abandonar*, que en la Edad Media, y hoy todavía en América y Asturias, tiene la forma *abaldonar*, disimilada como *baldón*.
DERIV. *Baldonar* 'entregar, exponer', h. 1300, 'injuriar', 2.ª mitad S. XIV.

BALDOSA 'ladrillo fino para solar', 1642, quizá de *piedra baldosa* 'ladrillo superpuesto' (por oposición a las losas naturales), derivado de *balde* I en el sentido de 'baldío, desocupado, libre' (sentido del port. ant. *valdo*, cat. *balder*, y del cast. *baldío* todavía en el *Quijote*).
DERIV. *Embaldosar*.

BALDRAGAS 'hombre flojo', fin S. XIX; anteriormente se encuentra *baldraque* 'cosa sin valor', princ. S. XVII, y es probable que ambas palabras deriven del nombre de la *bufa de baldrac*, S. XIII, juego análogo al de damas, por la vulgaridad de este juego; nombre que a su vez parece procedente del de la ciudad de Bagdad, en la Edad Media llamada *Baldac* (vid. *BALDAQUÍN*).

Baldrés, V. *baldés*

BALÍSTICA 'ciencia que calcula el alcance y dirección de los proyectiles', 1709, derivado de *balista*, lat. *ballista* 'máquina de sitio usada en la Antigüedad' (de donde viene también *ballesta*).

BALIZA 'señal fija o flotante en el mar para marcar direcciones o lugares peligrosos', 1673, del port. *baliza* 'palo hincado en el fondo del mar o de un río para señalar un rumbo', med. S. XV, 'estacada de la cual arrancaban los caballos de carreras', 1446, probablemente derivado mozárabe del lat. PALUS 'palo'; desde el puerto fluvial de Lisboa, muy necesitado de balizas, y situado en territorio primitivamente mozárabe, este vocablo, hermano del fr. *palisse* y *palissade* (que también significó 'baliza' en el S. XVII), se propagó además al francés (donde es más tardío y tiene menor extensión semántica) y a otras lenguas de Europa.
DERIV. *Balizar* o *abalizar*, 1831.

BALNEARIO, S. XIX, tom. del lat. *balnearius* 'relativo al baño', deriv. de *balneum* 'baño'.

Balón, V. *bala*

BALSA I 'hueco del terreno que se llena de agua', fin S. XIII, voz protohispánica, probablemente ibérica, común al castellano con el catalán (*bassa*, 1065) y algunas hablas occitanas; como nombre propio *Balsa* aparece ya en Plinio como nombre de una ciudad del Sudoeste de España, y hoy lo es de una población de Cerdeña, ambas situadas en lugares pantanosos; el vasco dial. *balsa, palsa*, 'balsa, charco, pozo', se tomó del cast.
DERIV. *Embalsar*, S. XVI, *embalse*. *Rebalsar*, 1604, 'llenarse de agua', 'desbordar, rebosar', y en la Argentina 'adelantarse a alguno', del cual parece ser variante *rebasar*, 1817, que en el Oeste vale 'desbordar de agua, rebosar de fuerzas', pero es más conocido en el significado de 'pasar navegando más allá de cierto punto', 'exceder de cierto límite', y deriva de la variante *bassa*, propia hoy de Cataluña, Aragón y dialectos portugueses. *Rebalse*.

BALSA II 'almadía', fin S. XIII, voz pre-rromana, común al español y el portugués, y quizá idéntica a la anterior, teniendo en cuenta que ésta toma en Portugal el sentido de 'matorral pantanoso', 'espinar', de donde se pudo pasar a 'tejido de arbustos o maderos trabados con zarzos', y esto constituyó un tipo corriente de almadía.

BÁLSAMO, 1220-50, tom. del lat. *balsămum*, procedente del gr. *bálsamon* íd., que a su vez es de origen oriental.
DERIV. *Balsamina*, h. 1550. *Embalsamar*, 1604 (*balsamar*, 1220-50).

BALUARTE, h. 1460, del fr. antic. *boloart, balouart* íd. (hoy *boulevard*), y éste del neerl. med. *bolwerc*, propiamente 'obra hecha con vigas', compuesto de *werc* 'obra' y *bol* (en alemán *bohle*) 'viga gruesa'. En París el vocablo se aplicó a ciertas calles que corrían a lo largo del recinto amurallado, de donde el galicismo reciente *bulevar*.

BALUMBA, 1524, antes *baluma*, 1495, o *balume*, 1599, todavía usuales en dialectos españoles e hispanoamericanos; voz comercial tomada del cat. *balum* íd. (también *abalum, embalum*), variante de *volum* 'volumen', que procede del lat. VOLŬMEN; con artículo, *l'abalum* fue entendido como si fuese *la balum* y se feminizó la terminación.

BALLENA, 1256-63, del lat. BALLAENA, y éste del gr. *phálaina* íd.
DERIV. *Ballenato*, 1535. *Ballenero*, antes *ballener*, 1256-63 (variante de origen occitano).

BALLESTA, h. 1250, del lat. BALLĬSTA 'máquina de guerra que disparaba piedras', deriv. del gr. *bállō* 'yo lanzo'.
DERIV. *Ballestero*, S. XIII.

BALLESTRINQUE 'especie de nudo marinero', 1732 (*ballestrenque*, todavía cubano), del cat. *ballestrinc* íd., deriv. del cat. *ballestra*, variante de *ballesta*, de igual sentido que en castellano pero que en aquel idioma designa además una cuerda de a bordo.

BALLICO 'planta semejante a la cizaña', h. 1400, origen desconocido, seguramente ibérico; de la misma raíz BALL-, con otros sufijos, prerromanos como el de *ballico*, vienen el arag. *ballueca* 'cizaña', 1106, o *balluerta*, y el port. *balanco* íd.

BAMBA 'bobo', 1568, voz de creación expresiva.
DERIV. *Bambarria*, 1607, 'bobo', 'chiripa'.

Bambalear, bambalina, bambanear, V. *bambolear*

BAMBOCHE 'persona rechoncha y grotesca', 1770, del fr. *bamboche*, y éste del it. *bamboccio* íd., deriv. de la misma raíz expresiva que el artículo precedente.
DERIV. *Bamboche* y *bambochada* designan además, 1715, un género de paisaje de la escuela flamenca, puesto de moda en Roma en el S. XVII por el pintor P. de Laar, a quien se apodó *Bamboccio* por su baja estatura.

BAMBOLEAR, 1550, 'oscilar', perteneciente a una raíz de creación expresiva que es común a muchos idiomas (p. ej., el gr. *bambalízō* 'yo tiemblo'). Hay variantes *bambalear*, S. XIV, y *bambanear*, 1495, y a la misma familia pertenecen el cub., hond., and. y salm. *bamba* 'columpio', y el común *bambalina* 'tira de lienzo ondulante que cuelga del telar del teatro' 1644.

BAMBOLLA, antes 'burbuja', 1537, hoy 'boato, ostentación', 2.ª mitad S. XVII: de una base romance BŬL-BŬLLA 'burbuja', formada por repetición expresiva del radical del lat. BŬLLIRE 'bullir, hervir'; conservan el sentido primitivo el cat. *bombolla*, S. XIII, el vasco *bonbollo* y el sardo *bumbulla*, con la misma disimilación de la primera L en *n*, mientras que en el cast. *burbuja* (véase) hubo otra disimilación.

BAMBÚ 'caña tropical', 1609, voz traída de la India por los portugueses (1516), del marati y guyarati *bāmbū* íd.; el cat. ant. *vambó* (1498) vino por conducto del árabe.

BANAL, 1900. Del fr. *banal* íd., antes 'común a todos los habitantes de una población' y primitivamente 'perteneciente a un *ban*', deriv. de *ban* 'circunscripción feudal' (vid. *BANDO* I).
DERIV. *Banalidad*, 1855.

BANANA 'plátano', 1765 - 83, procede probablemente de una lengua del Oeste africano, desde donde y de las Canarias fue llevado el fruto a las Antillas en 1516; el nombre tradicional en castellano es *plátano*, aunque *banana* ha sido favorecido en ciertas repúblicas por el influjo portugués (1562) y francés.
DERIV. *Banano*, 1789.

BANASTA, 1499, voz procedente del Sur de Francia (S. XIII), donde resulta de un cruce del oc. *canasta* (V. este artículo) con un descendiente del galo BENNA 'carro' y 'cesto de mimbre' (tal como el fr. *banne* o el prov. *begno* íd.).
DERIV. *Banasto*, 1330. *Embanastar*, 1717.

BANCO, h. 1250, del germ. BANK íd., tomado ya por el latín vulgar de todo el Imperio de Occidente; en la acepción 'establecimiento de crédito', 1504, se tomó del italiano (donde ya corría en 1340).

DERIV. Banca 'asiento sin respaldo' S. XVI; 'comercio bancario' h. 1800, ac. tomada del it. banca 'establecimiento bancario' por conducto del fr. banque 'banca' 1549. Bancario, 1597. Banquero, 1529. Bancal 'tapete que cubre un banco' 1330, 'pedazo de tierra cultivada' 1614. Banqueta 'asiento' fin S. XIV, 'andén a lo largo de una construcción' 1607, 'acera de calle' mej. Desbancar S. XVII, término de juego, propiamente 'derribar la banca'. Embancarse 'varar en un banco', 'cegarse un río o lago' (propiamente 'formarse bancos de arena').

CPT. Bancarrota, 1617, tom. del it. banca rotta 'banco quebrado'.

BANDA I 'faja, cinta', h. 1140, del fr. ant. bende, bande, 'faja, cinta, venda', del mismo origen que nuestro venda, o sea del fráncico BĪNDA íd., derivado de BINDAN 'atar'.

BANDA II 'porción de gente armada' 1540, 'bandada, manada' h. 1300, del femenino gót. BANDWO 'signo' que pasaría a designar el estandarte distintivo de un grupo (vid. bandera) y luego este mismo; la ac. 'lado, costado de una nave', med. S. XV, que sobre todo en América llega a significar 'lado, parte en general', es común al castellano con el it., cat. y port., y su génesis no es clara: quizá se pasó de 'grupo de gente, partido' a 'parte'.

DERIV. Bandada, 1605. Bandear chil., arg. 'atravesar de parte a parte', 'cruzar', princ. S. XIX. Desbandar, 1608; desbandada.

Bandalaje, V. vandalismo   Bandarria, V. mandarria

BANDEJA 'canastillo llano y con borde de poca altura, a modo de fuente', 1634, del port. bandeja 'soplillo grande de paja para limpiar el trigo aventándolo', 'bandeja', derivado de bandejar 'aventar con este soplillo', y éste de banda II 'parte', en el sentido de 'menear una parte para otra'; el préstamo del portugués se explica porque en el S. XVII se importaban las bandejas de la India y la China (de ahí el amer. charol 'bandeja'); la antigua denominación española fue azafate (hoy todavía cat. safata).

BANDERA, 1256-63, deriv. de BANDA II en su sentido etimológico de 'signo, estandarte'.

DERIV. Abanderado, 1568. Banderilla, 1607, así llamada por las cintas y papeles cortados con que adornan su empuñadura.

Banderola, princ. S. XIV, término náutico tom. del cat. banderola. Embanderar, 1604.

Bandería, banderizo, V. bando II

BANDIDO 'proscrito', 'forajido', 1516, tom. del it. bandito íd., deriv. de bandire 'proscribir', oc. bandir, que se tomó del fráncico BANNJAN íd., confundido en romance con el gót. BANDWJAN 'hacer una seña'.

DERIV. Bandidaje (comp. bandalaje).

BANDO I 'edicto solemne', h. 1300, del fr. ban, y éste del fráncico BAN íd. y 'coto', 'prohibición' (en alemán bann), que en castellano se asimiló a la forma del vocablo siguiente; en Castilla no se hace corriente hasta el S. XVI, en que sufrió el influjo del it. bando, también préstamo francés.

DERIV. Contrabando, 1611; contrabandista.

BANDO II 'facción, partido', 1131, lo mismo que banda II, procede del gót. BANDWO 'signo', 'estandarte distintivo de un grupo'.

DERIV. Bandería, 2.ª mitad S. XIII. Banderizo, S. XVI. Bandolero 'salteador', 1542 (entonces también 'banderizo'), tom. del cat. bandoler íd., como consecuencia del gran desarrollo de las banderías y luchas civiles en la Cataluña de los SS. XV-XVII, que degeneraron en bandolerismo; el cat. bandoler, 1455, deriva de bàndol 'facción', tomado a su vez del cast. o arag. bando. Bandolera 'correa que cruza el pecho y la espalda y sirve para colgar una arma de fuego' 1629, del cat. bandolera íd., deriv. de bandoler porque así llevaban ellos las suyas para comodidad en sus marchas por la montaña; de Cataluña "tierra clásica del bandolerismo en el S. XVII" (Mz. Pelayo), pasó el vocablo a todas las lenguas europeas.

BANDOLA 'cierto instrumento músico de cuatro cuerdas', 1726, del lat. PANDŪRA, y éste del gr. pandûra 'instrumento de tres cuerdas'; quizá llegó por conducto del it. mandòla, princ. S. XVII; la forma del vocablo más conocida y genuina en España es bandurria.

DERIV. Mandolina o bandolina, del fr. bandoline, S. XVIII, y éste del it. bandolino. Bandolón, 1884, mej. y filip., del cual parece ser alteración (por influjo de acordeón) el rioplatense bandoleón o bandoneón, h. 1930.

Bandoleón, V. bandola   Bandolera, bandolero, V. bando II   Bandolina 'instrumento', V. bandola

BANDOLINA (cosmético), 1846, del fr. bandoline, formado híbridamente con el

fr. *bandeau* 'venda que ciñe el cabello' y el lat. *linere* 'untar'.

Bandolón, bandoneón, V. *bandola Bandujo, bandullo,* V. *mondongo*

BANDURRIA, 1330 (*mand-* h. 1280), del lat. tardío PANDURIUM 'especie de laúd de tres cuerdas', y éste de un diminutivo del gr. *pandûra* íd.; comp. *BANDOLA.*

BANQUETE, 1524, del fr. *banquet,* y éste probablemente del it. *banchetto* íd., diminutivo de *banco.*
DERIV. *Banquetear,* 1535.

BANZO, 1772, nombre de travesaños o barras de madera empleadas para varios usos, voz leonesa, vascongada y gallego-portuguesa, de origen incierto, probablemente del célt. *WANKJOS 'travesaño' (deducible del irl. med. *fēice* 'viga cumbrera, dintel' y del sánscr. *vámçyaḥ* 'travesaño').

BAÑO, 1048, del lat. BALNĔUM íd. (lat. vg. BANEUM en inscripciones y papiros). La ac. 'corral donde los turcos y moros guardaban a los cautivos', 1605, se explica porque en Constantinopla los encerraban en una antigua casa de baños.
DERIV. *Bañar,* fin S. XII, del lat. BAL-NEARE íd. *Bañado. Bañera. Bañista.*

BAÑÓN, *palo de* —, 'aladierna', 1779-84, del nombre del pueblo de Bañón (Teruel).

BAO 'travesaño para consolidar la cubierta del buque', 1538, del fr. *bau* íd., fr. ant. *balc* 'viga', y éste del fránc. *BALK,* pariente del alem. *balken* íd. (comp. *BALCÓN).*

BAOBAB, fin S. XIX, de una lengua del África Central.

Baptista, baptisterio, V. *bautizar*

BAQUE 'batacazo', princ. S. XV, probablemente de BAK, onomatopeya que expresa el ruido de un golpe.

BAQUERO 'vestido exterior que cubre todo el cuerpo y se abrocha por una abertura que tiene atrás', 1600, origen incierto, probablemente del ár. *baqîr* íd., sustantivación del adjetivo *baqîr* 'hendido, abierto'.

BAQUETA 'vara usada para atacar el fusil, golpear el caballo, etc.', 1517, tom. del it. *bacchetta,* diminutivo de *bacchio* 'bastón', del lat. BACŬLUM íd.
DERIV. *Baquetada* y *baquetazo,* 1517.

BAQUÍA 'conocimiento práctico del terreno de un país', h. 1555, voz americana de origen incierto; probablemente del ár. *baqīya* 'el resto, lo restante': *hombres de baquía* parece haber indicado primitivamente los que quedaron en América de expedi-

ciones anteriores, y por lo tanto conocían ya el país; este arabismo se empleó con sentido general en la Edad Media castellana: *albaquía* 'lo restante', 1495, 'resto de una deuda', SS. XV-XVII.

DERIV. *Baquiano* 'práctico, conocedor del país', 1544: esta forma (medida como de cuatro sílabas en el Siglo de Oro) es la correcta, y *baqueano,* mucho más tardío (1789), se debe a una ultracorrección.

BÁQUICO, 1555, tom. del lat. *bacchicus,* gr. *bakkhikós,* derivado de *Bákkhos* 'Baco, dios del vino'.

BÁQUIRA 'especie de cerdo silvestre americano', 1535, voz del caribe de Venezuela y Guayanas. *Pécari* o *pecarí* es variante de la misma palabra, muy reciente en castellano, tomada de algún dialecto de la zona panameña por los filibusteros franceses e ingleses (1681) y trasmitida por estos idiomas.

BARAHUNDA 'desorden, confusión, griterío', 1330, origen incierto; sólo consta que es palabra oriunda de la Península (port. *barafunda,* val. y cat. occid. *bar(r)afunaa),* de donde pasó al it. *baraonda,* S. XIX.

BARAJAR 'revolver, confundir', especialmente 'mezclar (los naipes)' princ. S. XVI. significó primitivamente 'reñir, pelearse' h. 1140 (desde donde se pasó a 'hacer un revoltijo, como de combatientes'), y en este sentido es palabra común a todas las lenguas romances (it. *sbaragliare,* cat. y oc. *barallar, -lhar,* 'pelear', port. *baralhar* 'barajar', fr. ant. *berele* 'perturbación'), de origen desconocido. Comp. *baratar.*
DERIV. *Baraja* 'juego de naipes', 1555, antes 'riña', SS. XII-XVI.

BARANDA, h. 1460, 'cerca que rodea una escalera, terraza, balcón', 'corredor o terraza'; en hablas aragonesas, argentinas y catalano-occitanas 'redil o cerca para encerrar ovejas, tierras, etc.'; voz de origen incierto, común con el port. (*varanda),* cat. (*barana,* 1082) y lengua de Oc: probablemente prerromana indoeuropea y afín al sánscr. y prácrito *varáṇḍaḥ* (m.) 'tabique', 'muro de tierra divisorio' (hoy difundido desde el Nepal hasta la costa suroeste de la India, de donde pasó al anglo-indio *verandah* 'terraza'), por otra parte emparentado con el lit. dial. *varanda* 'entrelazamiento de varas de mimbre', y aun acaso con el irl. ant. *ferann, ferenn* 'campo o túmulo encerrado en un seto o en un margen de piedras' (< célt. ṾERONO- o ṾERONDO- ?) y el avéstico *varana-* 'envoltorio'.
DERIV. *Barandilla,* princ. S. XVII.

Baratar, baratero, baratija, V. *barato*

BARATO adj. 'de bajo precio' 1495, adv. 'a bajo precio' 1529; fue primitivamente sustantivo con el sentido de 'abundancia y baratura' h. 1300, 'porción de dinero que se da' 1592, 'rebaja para saldar una deuda', 'fraude' 1155, y como adverbio y adjetivo parece haber nacido de una interpretación secundaria de frases como *comprar barato* o *a barato*; el sustantivo *barato* es derivado del antiguo verbo *baratar*, h. 1250, 'hacer negocios', 'alterar el precio de algo para ganar dinero', 'trocar, permutar' (acepción usual aún en el S. XVII), voz común a todos los romances hispánicos, gálicos e itálicos, con el significado fundamental de 'negociar', de origen incierto (quizá prerromano y emparentado con el célt. *MRATOS 'engaño, traición', irl. med. *brath*, bret. *brat*, de donde 'embaucar con un negocio o trueque', 'traficar', pero hay dificultades fonéticas).

DERIV. de *baratar*: *barata* ant. 'ganancia' 'baratija', 'fraude', 'barullo', h. 1140. *Baratero* 'bravucón' S. XIX, antes 'tramposo' S. XV. *Baratija*, 1505. *Desbaratar* 'desconcertar' y antes 'malbaratar', 2.º cuarto S. XIII en ambos sentidos. *Malbaratar*, 1614. De *barato*: *baratura*, 1631; *abaratar*, 1563.

BÁRATRO 'infierno', 1612, tomado del lat. *barathrum* 'abismo', gr. *bárathron*.

Baraza, V. *embarazar*

BARBA, h. 1140, del lat. BARBA 'pelo de la barba'; la ac. 'barbilla, parte inferior de la cara', h. 1400, debe de ser muy antigua, pues es común a toda la Península, Languedoc, Italia y Rumanía, y quizá se calcó del griego; la ac. 'el que hace el papel de viejo', S. XVII, viene de que la barba simboliza la edad adulta; también simboliza la virilidad, de donde *barba* 'hombre', h. 1140, y de ahí nuestra locución *por barba* 'cada uno', 1611.

DERIV. *Barbado*. *Barbar* 'echar barbas', S. XVI. 'echar raíces', 1513. *Barbear*, 1726. *Barbijo*. *Barbilla*, princ. S. XV. *Barbón* 'que tiene barbas', princ. S. XVII. *Barbudo*, 1330. *Desbarbado*, 1495. *Sobarba*. *imberbe*, tom. del lat. *imberbis* íd., deriv. de *barba*. CPT. *Barbicano*; *barbilampiño*; *barbitaheño*. *Barbiponiente* S. XVI, antes *barvapuñiente* S. XIII: compuesto con el lat. PUNGENS, -TIS, 'que apunta', part. de PUNGERE 'punzar'.

BARBACANA 'obra de fortificación avanzada para defender puertas de plazas', 1272 (y en Mallorca med. S. XII), del ár. vulgar *b-al-baqára* (clásico *bâb al-báqara*) 'puerta de las vacas' porque la barbacana protegía un recinto intermedio entre esta fortificación y la muralla principal, en el cual los sitiados guardaban el ganado destinado a proveerlos de carne; *balbacara* se

cambió en *barbacana* probablemente por el influjo de otro arabismo, *albarrana*, 'torre rodeada por la barbacana'; *albacara* en castellano y *albacar* en catalán se emplearon también en la Edad Media con el sentido de 'barbacana'.

BARBACOA, amer., 1518, nombre de armazones y andamios destinados a usos varios, procede de una lengua aborigen de la zona del Caribe; de la ac. 'parrilla que se emplea para asar carne' mej., salv., procede el anglo-amer. *barbecue* 'lugar donde se asa carne'.

BÁRBARO, h. 1250, tom. del lat. *barbărus*, y éste del gr. *bárbaros* íd.

DERIV. *Barbaridad*, 1570. *Barbarismo*, h. 1440.

BARBECHO 'campo arado sin sembrar', 1191, del lat. VERVACTUM íd.

DERIV. *Barbechar*, 1074.

BARBETA, 1539, 'cabo de cuerda que sirve para tirar de una chalupa, etc.', voz náutica de uso común en las varias lenguas romances, de origen incierto.

DERIV. *Abarbetar* 'amarrar con barbeta', 1793.

BARBIÁN 'gallardo, arriscado', 1884, propiamente 'airoso', probablemente deriv. del gitano *barban* 'aire, viento', que viene del hindustani *bara* íd.

BARBO 'cierto pez de río', S. XV. del lat. BARBUS íd., así llamado por las barbillas que le caracterizan.

BARBOQUEJO 'cinta con que se sujeta por debajo de la barba el sombrero o morrión', h. 1570, diminutivo en *-ejo* de un derivado de *barba*; con el mismo sentido se han empleado *barbuquejo*, *barbiquejo*, *barhaquejo*, *barbicacho* y *barbijo*, lo cual prueba que se trata de derivados y no compuestos, y que para *barbuquejo* (alterado en *barboquejo* por influjo de *boca*) hay que partir probablemente de un *barbuco semejante a *barbijo* que, con el mismo sentido, se emplea en la Argentina.

BARBOTAR 'mascullar', 1601, de la raíz onomatopéyica BARB- 'hablar confusamente', de donde vienen asimismo los sinónimos fr. ant. y dial. *barboter*, it. *borbottare*, *barbottare*, cat. *barbotejar*, lat. *balbutire*.

Barbuquejo, V. *barboquejo*

BARCA, h. 1140, del lat. tardío BARCA íd., quizá palabra de origen hispánico.

DERIV. *Barco*, 2.ª mitad S. XIII. *Barquero*, med. S. XIV. *Barquillo* 'hoja delgada de pasta', hoy en forma de canuto, antes convexa o de barco, 1605; *abarquillar, -llado*, 1642. *Barcarola*, 1885, tom. del it. *barcarola* 'canción de barquero'. *Embarcar*, h. 1440, que del castellano ha pasado al fr. *embarquer*, ingl. *embark*, etc.; *embarcación*, 1493; *embarcadero*, 1604, de donde el fr. *embarcadère*, 1723; *embarco*; *embarque*. *Desembarcar*, 1495; *desembarcadero*, 1607; *desembarco*, 1705.

CPT. *Barcolongo*, 1611, del port. *barco longo* 'barca larga'.

BARCINO 'blanco y pardo, a veces rojizo (animal)', 1475, origen desconocido.

Barco, barcolongo, V. *barca*

BARCHILLA, 1468 (-*ella*), 'medida de capacidad de áridos', forma mozárabe procedente del lat. PARTICELLA 'partecilla'.

BARDA, 1092, 'cubierta que se pone sobre las tapias de los corrales', de origen incierto, seguramente prerromano, con el sentido primitivo de 'barrera, cerca': es voz común a los tres romances peninsulares y al sardo.

DERIV. *Bardal*, 1188.

BARDANA 'lampazo', voz culta en español, 1555, que ya se encuentra en el latín tardío, S. VI, de origen incierto.

BARDO I 'poeta celta', S. XIII, tom. del lat. *bardus* íd., de origen céltico.

Bardo 'barro', V. *embadurnar*

BARGUEÑO 'mueble con muchos cajoncitos', h. 1900, del gentilicio *bargueño* 'perteneciente a Bargas', población de la provincia de Toledo, donde solían fabricarse los bargueños.

BARÍ 'excelente', 1884, del gitano *baré* 'grande', de raíz indostánica.

BARI-, elemento que entra en la composición de varios tecnicismos, del gr. *barýs* 'pesado': *baricéntrico* (de *centro*), *barisfera* (del gr. *spháira* 'esfera'), *barítono*, 1780 (del gr. *tónos* 'tono').

BARITA, 1853, del gr. *barýs* 'pesado'. DERIV. *Bario* (ingl. *barium*, 1808), extraído de *barita*, por entrar este elemento en la composición de dicho mineral.

Barítono, V. *bari-* *Barloar*, V. *barlovento*

BARLOVENTO 'parte de donde viene el viento', 1492, origen incierto; hay relación con *barloar* (o *abarloar*) 'venir por barlovento' (SS. XVI-XVII) y con el antiguo *loo* 'barlovento': éste se tomó del escand. LÔF íd., por conducto del fr. *lof*; la locución francesa *venir par lof* (o *parloo*) pudo cambiarse en *venir de barloo* por influjo del sinónimo castellano *venir de bolina*; de *barloo* derivaría *barloar*, y de aquél se sacaría también *barlovento* por adaptación al contrapuesto *sotavento*.

DERIV. *Barloventear* 'ganar distancia contra el viento navegando de bolina', 1492.

BARNIZ, S. XIII (*verniz*; *barniz*, 1495), del b. lat. VERONIX, -ĬCIS, 'sandáraca, que con otras sustancias resinosas se ha empleado en la composición de los barnices' (S. VIII), el cual, por conducto del bajo griego *veroníkī*, siglo I, procede probablemente del sánscr. *varṇikā* 'pintura' (derivado de *varṇah* 'cubierta, tinte, pintura', indoeur. *wer-* 'cubrir'); compárese lo dicho de *SANDÁRACA*.

DERIV. *Barnizar*, princ. S. XV.

BARO-, forma prefijada del gr. *báros* 'pesadez', que figura en *barómetro*, 1709, *barógrafo* y otros.

BARÓN 'hombre noble', fin S. XI, después 'título nobiliario' (1605, acepción importada del cat. y el fr.): probablemente del germ. *BARO 'hombre libre, apto para la lucha', emparentado con el escand. ant. *beriask* 'pelear'. La palabra *varón* 'persona de sexo masculino' S. XIII, no es más que una generalización semántica del mismo vocablo: con una y otra acepciones se encuentran desde los orígenes así *varón* como *barón*, y sólo desde el S. XVI tiende a generalizarse la artificial distinción ortográfica de la actualidad, debida al influjo del lat. *vir* 'varón' entre los humanistas, voz que nada tiene que ver primitivamente con *varón*; comp. *BARRAGÁN*.

DERIV. *Baronesa*, 1617. *Baronía*, S. XV. *Varonil*, 1495.

Barquillo, V. *barca*

BARQUINAZO 'tumbo o vaivén de los carruajes', 'caída' 1765-83, deriv. de *barco* con la ac. primitiva 'balanceo de embarcación' todavía usual en el Ecuador.

DERIV. sinónimo: *barquinada*, 1623.

BARRA, 1283, voz prerromana común a todas las lenguas romances (salvo el rumano).

DERIV. *Barrera*, h. 1300. *Barrón*, 1607. *Barrote*, 1535; de éste viene *abarrotar*, término marítimo que significó asegurar la estiba llenando los huecos primero con barrotes, 1726, y después con cualquier objeto, en especial artículos alimenticios, que ocupaban poco, 1559; de ahí *abarrotes* como nombre de estos fardos, 1696, y, en América, de los artículos que contenían, importados de España en la época colonial.

BARRABÁS, 'persona díscola', S. XVII, de *Bar Abbás*, nombre del malhechor judío a quien se indultó en lugar de Jesús. DERIV. *Barrabasada*, h. 1620.

BARRACA, 1569, del cat. *barraca* íd. 1249, de origen desconocido, seguramente prerromano; el nombre de lugar val. *Barratxina* debe de ser descendiente mozárabe de un diminutivo *BARRACCINA de fecha ya romana; del catalán pasó también *barraca* al fr. *baraque* en el S. XV, y de ahí se trasmitió a todas las lenguas europeas en tiempo de la Guerra de los Treinta Años. DERIV. *Barracón*.

BARRACHEL, 1516, 'jefe de los alguaciles', particularmente en Italia, del it. antic. *barigello* (hoy *bargello* íd.), y éste del fráncico BARIGILD 'funcionario distinguido de la justicia franca'.

BARRAGÁN I, h. 1140, 'mozo, hombre joven', 'valiente', en portugués *barregão*, origen incierto, verosímilmente germánico, quizá de un gót. *BARĪKA, -KANS, diminutivo de BARO 'barón, hombre libre y apto para la lucha', pariente del escand. *beriask* 'pelear'; comp. *BARÓN*. DERIV. *Barragana*, h. 1140, 'manceba', 'mujer morganática'. *Barraganete* 'madero vertical en la nave', 1609. *Barraganía*, h. 1250. *Abarraganarse*, h. 1345.

BARRAGÁN II, 'género de paño', 2.ª mitad S. XIII, en ár. *barrakán* íd., pero no es seguro que venga de esta lengua (en cat. ya aparece en 1024).

BARRANCO 'torrente profundo' 1094, 'ribazo o precipicio por donde puede despeñarse algo' 1.ª mitad S. XVI, voz común a los tres romances hispánicos (desde donde se propagaría a ciertas hablas del Sur de Francia y del Mediodía de Italia) y a algún dialecto de los Alpes centrales; de origen, sin duda, prerromano. DERIV. *Barranca*, princ. S. XVI. *Abarrancarse*, 1458-71, o *embarrancarse* 'meterse en lance de donde no se sale fácilmente', 1884, de donde *embarrancar* 'encallar (un barco)' 1831.

Barreal, V. *barro* I   *Barredero, barredura*, V. *barrer*

BARRENA 'instrumento de acero con punta espiral, para taladrar', princ. S. XV, del hispanoárabe *barrina* íd. (pronunciado *barrena*), y éste del lat. VERUĪNA 'jabalina', derivado de VERU 'asador', 'dardo'; viene también a través del árabe el port. *verruma,*

mientras que el it. *verrima,* prov. *verruno* y cat. *barrina* (con variante dialectal *barrobí*) proceden directamente del latín. DERIV. *Barrenar*, 1495; *barreno*, 1495.

Barreño, V. *barro* I

BARRER, 1220-50, del lat. VERRĔRE íd. DERIV. *Barredero*, 1071. *Barrendero*, 1495.

Barrial, V. *barro* I

BARRICA, 1639, tom. del gasc. *barrique* íd. 1476, procedente de una base *BARRĪCA, cuyo origen exacto —quizá galo— se desconoce, y de cuya raíz procede asimismo *barril*; *barriga* es la forma autóctona que tomó la misma palabra en castellano. DERIV. *Barricada*, 1617, del fr. *barricade*, antes de 1588, deriv. del gasc. *barrique*, porque las barricadas se hacían con barricas.

BARRIGA, 1406-12, es la forma genuinamente castellana del anterior, que cambió de significado por comparación del vientre, adonde se echa el vino y la vianda, con un barril; análogamente se ha empleado *pipa* en las Antillas y el Ecuador con el sentido de 'barriga'. DERIV. *Barrigón, Barrigudo*, h. 1300. *Barriguera*, 1765-83.

BARRIL, h. 1300, voz común a todos los romances de Occidente (977, cat.), de origen prerromano y de la misma raíz que las dos anteriores. DERIV. *Barrilete* 'vasija de aceite' 1490, 'cometa' amer. *Embarrilar*.

BARRILLA 'planta cuyas cenizas se emplean para fabricar sosa' 1607, 'sosa fabricada con las cenizas de esta planta' 1726, en catalán *barrella*, y en el Noroeste de ese territorio lingüístico *parrella* (¿1293?), que parece ser la forma originaria, alterada en otras partes por influjo del árabe; origen incierto, probablemente derivado de *parra* por estar dispuestas las ramas de la barrilla a modo de emparrillado (comp. *zarzaparrilla*). DERIV. *Barrillar. Barrillero*.

BARRIO, 949, del ár. *barr* 'afueras (de una ciudad)' o más precisamente del derivado árabe *barrî* 'exterior', en árabe vulgar *bárri*. DERIV. *Barriada*, 1726.

BARRO I 'fango', 1250-80, antigua voz prerromana, común con el portugués, gascón y languedociano. DERIV. *Barreño*, 1513, abreviación de *jarro* o *lebrillo barreño*, así llamado por la materia de que se hace. *Barrero*, 1495. *Ba-*

rrial 'barrizal' and., leon., amer. 1061 (*barreal* es grafía incorrecta). *Barrizal*, h. 1475. *Embarrar*, h. 1400.

BARRO II 'granillo rojizo que sale en el rostro', 1495, del lat. VARUS 'grano que sale en la piel'.
DERIV. *Barroso*, S. XIII.

BARROCO, S. XIX, tomado del fr. *baroque* 'extravagante', fin S. XVII, 'barroco (estilo arquitectónico)', 2.ª mitad S. XVIII: resultante de la fusión de *Barocco*, nombre de una figura de silogismo de los escolásticos, y tomado por los renacentistas como prototipo del raciocinio formalista y absurdo, con *baroque*, adjetivo aplicado a la perla de forma irregular, 1531; este último se tomó del port. *barrôco* 'barrueco, perla irregular', del mismo origen que el cast. *berrueco* 'peñasco'; aunque el estilo arquitectónico barroco se creó en Italia en el S. XVII, su nombre no se documenta allí hasta fines del siguiente, y debió de bautizarse en Francia, pues en italiano no existe la ac. 'extravagante'.
DERIV. *Barroquismo*, 1909.

Barrón, *barrote*, V. **barra**

BARRUMBADA 'juerga desordenada' princ. S. XVII (*borr*-), 'dicho jactancioso' med. S. XVIII, de *burrumbada* 1726, y éste cruce de *bulla* y *bullicio* con *rumba* 'francachela, parranda'.

BARRUNTAR, 1220-50, 'conjeturar, presentir', origen incierto; en la Edad Media junto al verbo existió el sustantivo femenino *barrunte* 'acción de espiar y noticia que trae el espía', 'espía, sujeto que trae noticias del enemigo', y ésta parece ser la idea fundamental del vocablo; puede tratarse de un vasco antiguo *barrunti* 'interioridad', hoy conservado en varias localidades del País Vasco español, en formas levemente alteradas (*barronde*, *barrunda*), y derivado de *barru(n)* 'dentro, interior'.
DERIV. *Barrunto*, h. 1300.

BARTOLA 'vientre' 1765-83, *a la bartola* 'perezosamente, en posición supina' med. S. XVIII, proceden por antonomasia de *Bartolo*, forma abreviada de *Bartolomé*, empleada a menudo como nombre de personajes despreocupados y perezosos.

BÁRTULOS 'libros de estudio' 1627, 'argumentos jurídicos' 1.ª mitad S. XVII, 'enseres' 1780, del nombre del famoso jurisconsulto boloñés del S. XIV *Bártolo*, cuyas obras eran libro de texto fundamental para los estudiantes de derecho.

BARULLO 'confusión, mezcolanza', 1832, del port. *barulho* íd., y éste de *barulhar*, *embarulhar*, *emb(u)rulhar* 'producir barullo, desordenar', 'perturbar, enredar', deriv de *embrulho* 'objeto envuelto, paquete', 'enredo', del lat. INVOLŪCRUM 'envoltorio', en latín vulgar (IN)VORUCLU; del mismo vocablo proceden *gurullo* y *orujo*.
DERIV. *Embarullar*, 1884.

BARZÓN 'anillo por donde pasa el timón del arado en el yugo', 1286, port. dial. *bração*, es alteración de **brazón* 'brazal, brazalete, asa', deriv. de *brazo*.

Basa, V. **balsa** I y **base**

BASALTO (roca volcánica), fin S. XVIII, tom. del lat. *basaltes* íd. por conducto del francés.

BASCA, 1220-50, 'náuseas', 'congoja', 'angustia' (y dialectalmente 'calor sofocante'), origen incierto, probablemente del celta WASKĀ 'opresión'.
DERIV. *Bascoso*, S. XVI; *bascosidad*, S. XVI.

BÁSCULA 'aparato para medir pesos grandes', 1765-83, del fr. *bascule* 'aparato que se balancea', 'báscula', antiguamente *bacule* (alterado por influjo de *basse* 'baja'), deriv. de *baculer* 'balancearse', y éste compuesto de *battre* 'golpear' y *cul* 'culo'.

BASE 'fundamento y apoyo principal', 1709, tom. del lat. *basis*, y éste del gr. *básis* íd. Antes se había dicho *basa*, h. 1250, hoy restringido a la ac. 'asiento de una columna o estatua'.
DERIV. *Basar*, 1873. *Basamento*, S. XVIII. *Diabasa* 'dorita', corrupción de *dibasa*, propiamente 'roca de dos bases'.

BASÍLICA 'iglesia notable', 1490, tom. del lat. *basilica* 'especie de lonja' (edificio que el cristianismo al triunfar aprovechó para construir las antiguas iglesias), y éste del gr. *basilikós* 'perteneciente al rey, al Estado', deriv. de *basiléus* 'rey'.

BASILISCO 'animal fabuloso al que se creía capaz de matar con la vista o el aliento', princ. S. XIV, tom. del lat. *basiliscus*, gr. *basiliskos* íd., diminutivo de *basiléus* 'rey'.

BASQUIÑA 'saya que usaban las mujeres sobre la ropa interior', 1547, del port. antic. *vasquinha* íd., diminutivo del gentilicio *vasco*.

BASTA 'hilván' arag. 1611, 'puntadas que se dan al colchón para mantener la lana

en su lugar'. 1601, deriv. del verbo germ. *BASTJAN 'zurcir', 'pespuntar'.
DERIV. *Embastar*, 1611; *embaste*.

BASTAR 'ser bastante', fin S. XIII. de un lat. vg. *BASTARE, y éste del gr. *bastázō* 'llevo. sostengo (un peso)'.
DERIV. *Bastante*, adj., h. 1300; adv., h. 1800; *bastantear*. fin S. XIX; *bastanteo*. *Abastar*, h. 1140, ant. 'ser bastante', 'abastecer'; *abasto*, h. 1300.

BASTARDO 'ilegítimo', fin S. XIV (quizá ya 1206). tom. del fr. ant. *bastart* íd., de origen incierto, quizá deriv. de *bast* 'albarda' por alusión a los hijos nacidos de las relaciones de arrieros con mozas de posada, como las de la Maritornes del *Quijote*.
DERIV. *Bastardear*, 1582. *Bastardía*, 1495. *Bastardilla* 'letra cursiva', 1765-83.

Bastimento, V. *basto*

BASTIÓN 'baluarte', 1526. del it. *bastione* íd.; deriv. de *bastìa* 'obra fortificada', forma de origen dialectal, del Norte. en lugar de *bastita*, deriv. de *bastire* 'construir'.

BASTO 'grosero', 1423, propiamente 'bien provisto', h. 1400 (pasando por 'grueso', 1495): probablemente de *bastar* en el sentido de *abastecer* (V. *abastar* en aquel artículo).
DERIV. 1.º De la ac. 'abastecido': *Bastir* ant. 'abastecer', 'disponer, arreglar', h. 1140; *abastecer* 'proveer', 1435-48; *abastecimiento*, *abastecedor*. *Bastidor* 'armazón para bordar o pintar' 1547, 'armazón de la decoración teatral' S. XVII, deriv. de *bastir*. *Bastimento* 'provisión', 1242. 2.º De la ac. 'grosero'; *Desbastar*, 1495, *desbastador*, *desbaste*. *Embastecer*.

BASTÓN, 1074, deriv. del lat. tardío BASTUM íd., representado en todas las lenguas romances de Occidente.
DERIV. regresivo: *Basto* 'naipe de uno de los palos de la baraja', 1554. *Bastonazo*, 1607. *Bastonear*. *Bastonero*.

BASURA, 1155. del lat. vg. *VERSŪRA 'acción de barrer', deriv. de VERRERE (participio VERSUS), cuya primera E se cambió también en *a* en su sinónimo y descendiente castellano *barrer*.
DERIV. *Basurero*. *Basural* amer.

BATA 'ropa talar casera, que se forraba con desecho de algodón' 1717, primitivamente 'estopa o desecho de la seda' 1726, emparentado con *guata*, fr. *ouate*, it. *ovatta*, alem. *watte*, ingl. *wad* 'algodón en rama para forrar' (lo que antes se hacía con el desecho de la seda), palabra que aparece

primeramente en Inglaterra, 1540, de origen incierto, acaso del ár. *wáḍḍaᶜ* 'poner', que parece haberse empleado abreviadamente por *wáḍḍaᶜ baṭâna* 'enguantar', propiamente 'poner forro'.

BATACAZO 'golpe fuerte', 1607, onomatopeya.

BATAHOLA 'algazara', 1601, es alteración de *batayola* 'barandilla que se colocaba sobre las bordas del buque', 1569, tras la cual se apostaban los soldados al pelear en los tumultuosos combates navales, tom. del cat. *batallola* íd., 1354, diminutivo de *batalla*.

BATALLA, 1129, del lat. tardío BATTUALIA 'esgrima', deriv. de BATTUERE 'batir'; voz de origen galorromance en castellano.
DERIV. *Batallar*, med. S. XIV; *batallador*, 1438. *Batallón*, 1539, del it. *battaglione* íd.

BATÁN 'máquina hidráulica, provista de mazos, para golpear y desengrasar los paños', 3.ᵉʳ cuarto S. XV (en el Sur de Francia en el S. XIV, y ya en 1171), origen incierto, quizá del ár. vg. *baṭṭán* íd., de la misma raíz que *báttan* 'forrar', 'batanar', *biṭâna* 'piel de carnero preparada' (de donde nuestro *badana*) y *baṭn* 'vientre'.
DERIV. *Abatanar*. h. 1500, o *batanar*, S. XVI. *Batanero*, 1511.

BATATA 'planta convolvulácea de tubérculo dulce y comestible', 1519. vocablo antillano, tomado, al parecer, del taíno, lengua de Haití.

Batayola, V. *batahola*

BATEA 'artesa, empleada especialmente para lavar arenas auríferas' 1521, 'bandeja' 1726. origen incierto, quizá del ár. *báṭiya* 'gamella'.

BATEL 'bote, barquichuelo', fin S. XIII, del fr. ant. *batel* íd. (hoy *bateau* 'buque'), diminutivo del ags. *bât* 'bote' (hoy ingl. *boat*).
DERIV. *Batelero*, 1831.

BATERÍA, 1547. del fr. *batterie* íd., h. 1200, deriv. de *battre* 'batir'.

Batiburrillo, V. *baturrillo*

BATIMETRÍA, 1936. **BATÓMETRO**, 1914, formados con el adjetivo gr. *bathýs* 'hondo' (el segundo con su afín *báthos* 'profundidad') unido a *métron* 'medida'.

BATIR 'golpear', h. 1140, del lat. BATTUĔRE íd.

Deriv. *Batidor,* 1495. *Batiente,* 1495. *Bátida,* 1644. *Abatir,* h. 1140; *abatimiento,* h. 1450. *Combatir,* 1220-50; *combate,* 1495; *combatiente,* 1601; *combativo, combatividad,* 1936. *Debatir,* 1220-50; *debate,* 1392. *Embatirse,* ant. 'embestir', 1490; *embate,* 1490. *Rebatir,* 1490. Cpt. *Baticola,* 1884 (*baticol,* 1765-83).

BATISTA 'cierto lienzo muy delgado', 1780, del fr. *batiste* íd., 1401, procedente de *Baptiste,* nombre del primer fabricante de esta tela.

BATO 'tonto', 'rústico', 1859, probablemente sacado de *batueco* 'huevo huero', 1859 (que en la ac. figurada 'grosero, rústico' ya se encuentra en 1607, y quedó fijado en el nombre de *Las Batuecas*), derivado de *batir,* por el ruido como de golpes que produce este huevo al sacudirlo dentro de la cáscara. Deriv. *Baturro* 'campesino aragonés', 1859.

Batómetro, V. *batimetría*

BATRACIO, 1865, tom. del gr. *batrákheios* 'relativo a la rana', deriv. de *bátrakhos* 'rana'.

Batueco, V. *bato*

BATURRILLO 'revoltijo', 1.ª mitad S. XVII, deriv. de *batir* en el sentido de 'revolver, mezclar'; por cruce con el sinónimo onomatopéyico *zurriburri* se ha dicho también *batiburrillo,* h. 1650.

Baturro, V. *bato*

BATUTA, 1855, del it. *battuta* 'compás', de *oattere* 'batir'.

BAÚL 'cofre', 1570, del fr. ant. *bahur,* S. XII (hoy *bahut*) íd., de origen incierto, quizá onomatopéyico: compárese el verbo fr. dial. *bahuter, bahurer, bahuler,* 'meter ruido', por el mucho que se hace al clavetearlo y al cerrar la tapa del baúl. Deriv. *Embaular* 'poner dentro del baúl' 1611, 'comer abundantemente' 1605.

BAUPRÉS 'palo horizontal o algo inclinado que va proyectado en la proa de los barcos', 1406-12, del fr. *beaupré,* y éste del b. alem. med. *bâghsprêt* íd., compuesto de *bâgh* 'brazo', 'proa', y *sprêt* 'barra', 'verga'.

BAUSÁN 'bobo', med. S. XVI ('cosa de poco precio', 1495), del antiguo *bausana, babusana,* h. 1330, 'figurón embutido en paja, en representación de un soldado, que se coloca en una fortaleza para impresionar al enemigo', y éste de la misma raíz expresiva BAB- que figura en *babieca* y en el antiguo *embabucar* 'embaucar'.

BAUTIZAR, h. 1250, tom. del lat. *baptizare* íd., y éste del gr. *baptízō* 'yo zambullo, bautizo'. Deriv. *Bautizo,* 1679; antes se dijo *batear* y *bateo,* 1348, formas con evolución popular. *Bautismo,* 1220-50, del gr. *baptismós* íd. *Bautista* (o *baptista*), h. 1500, gr. *baptistḗs.* *Baptisterio* (o *bautisterio*), 1545, gr. *baptistḗrion.* *Anabaptista,* 2.º cuarto S. XVI, deriv. del gr. *anabaptízō* 'yo bautizo de nuevo'.

BAYA 'frutita', 1.ª mitad S. XIV, del fr. *baie,* y éste del lat. BACA íd.

BAYADERA 'danzarina india', 1884, del fr. *bayadère* íd., y éste del port. *bailadeira* 'bailarina', deriv. de *bailar.*

BAYETA 'tela floja de lana', 1601, probablemente del fr. antic. *baiette* íd., que parece ser diminutivo de *bai* 'pardo' (para el cual V. *BAYO*).

BAYO 'blanco amarillento', 944, del lat. BADIUS íd.

BAYONETA 'arma blanca complementaria del fusil', 1705, del fr. *baïonnette* íd., 1575, derivado del nombre de Bayona, donde se fabricó primeramente esta arma.

BAZA 'cartas que recoge el que gana la mano', 1599, parece haberse tomado del it. *bazza* íd., y 'ganga, ganancia', S. XV, de origen incierto (el ár. africano *bazza* es palabra reciente); aunque la raíz *baz-,* como nombre de juegos, tiene bastante difusión y antigüedad en lenguas iranias, la carencia de datos intermedios hace dudar de que exista relación.

BAZAR 'mercado de Oriente', 1555, del persa *bāzâr* íd.

BAZO 'moreno tirando a amarillo', h. 1300, probablemente del lat. BADIUS 'rojizo'; el mismo adjetivo, sustantivado, dio *bazo,* nombre de víscera, fin S. XIII, por el color de la misma. Deriv. *Bacera* 'enfermedad del bazo', 1545. *Embazar(se)* 'pasmar, detener, embarazar', h. 1250, por suponer la medicina antigua que tenía su sede en el bazo el humor melancólico.

BAZOFIA 'comida grosera', 'cosa soez y desordenada', 1.ª mitad S. XVII, del it. *bazzòffia* íd., de origen incierto, tal vez contracción dialectal del it. antic. *battisóffia* 'palpitación del corazón', 'susto', 'confusión', S. XIV, compuesto de *battere* 'batir' y *soffiare* 'soplar'.

BAZUCAR 'menear una cosa líquida agitando la vasija en que está', 1513, onomatopeya; también *bazuquear* y *bazuqueo*, 1756.

BEATO 'bienaventurado', 1387 (de donde 'el que trae hábito religioso sin vivir en comunidad' y 'devoto'), tom. del lat. *beatus* 'feliz', participio de *beare* 'hacer feliz'.
Deriv. *Beatitud*, med. S. XV. *Beatilla* 'lienzo para hacer mantillas', 1496, empleado sobre todo para las beatas. *Beatificar*, 1427; *beatífico*.

BEBER, S. X, del lat. BĬBĔRE íd.
Deriv. *Bebedizo*, 1491. *Bebida*, 1495. *Bebido* 'borracho', 1605. *Embeber*, 1220-50, y *embebecer*, 1444; *imbibición*.

BECA 'vestido que bajaba de la cabeza hasta las espaldas, llevado por ciertos clérigos', fin S. XV; 'insignia en forma de bandolera, que llevan ciertos estudiantes', med. S. XVII; 'prebenda o pensión de colegial', princ. S. XVII; origen incierto: quizá la última ac. sea más antigua de lo que enseñan los textos y pueda partirse del hebreo *bécah* 'medida equivalente a la mitad de un siclo', que habría pasado a la cantidad otorgada en especie al estudiante de antigüedades sagradas para su manutención, y de ahí al distintivo que llevaba.
Deriv. *Becario* 'estudiante provisto de una pensión para estudio', usual ya h. 1920, aunque falta en el diccionario académico; igual ocurre con el verbo *becar* 'proveer de beca'.

BECERRO 'toro de menos de dos años', 964, de origen ibérico, probablemente de un *IBICIRRU deriv. del hispanolatino IBEX, -ĬCIS, 'rebeco', por el carácter indómito y arisco de ambos animales (vid. *REBECO*). La ac. 'libro de privilegios guardado en monasterios', S. XIV, se explica por la piel de becerro con que se encuadernaba.
Deriv. *Becerra*, S. XV. *Becerrada*. *Becerril*. *Becerruno*.

Becuadro, V. *bemol*

BEDEL 'subalterno de un centro docente', 1256-63, del fr. ant. *bedel* íd. (hoy *bedeau* 'sacristán'), procedente del fráncico *bidil* 'ujier' (hoy alem. *büttel*, ingl. *beadle*).

BEDUINO, 1786 (y una vez ya h. 1300), del ár. *bedawî* 'campesino', 'que vive en el desierto'.

BEFA 'mofa', princ. S. XVI (S. XIII en otros sentidos), de la raíz expresiva BEFF-, que indica escarnio; parece haberse tomado del it. *beffa*.
Deriv. *Befar* 'escarnecer', 1594.

Befo, V. *belfo*   *Begardo*, V. *beguina*

BEGONIA, 1871, del fr. *bégonia*, creado por el botánico Plumier († 1706) en honor de Bégon, intendente francés de Santo Domingo.

BEGUINA, princ. S. XIV, 'mujer perteneciente a la tercera orden de San Francisco', 'hereje begarda', 'beata hipócrita', del fr. *béguine* íd., y éste del flamenco; existió ya en francés una variante *bégard*, de la cual se tomó el antiguo *begardo*, 1594, 'miembro de cierta secta herética de los SS. XII - XIV', con su variante *bigardo*, 1438, 'religioso de vida relajada', 'vago, vicioso'.

BEHETRÍA 'población cuyos vecinos tenían derecho a elegir su señor', 1075 (*benefetria*, *benfectria*, 1078), del bajo latín español BENEFACTORÍA, derivado de BENEFACTOR 'bienhechor', porque las behetrías recibían como señor a quien les hiciera más bien.

BEJÍN 'especie de hongo también llamada *pedo de lobo*', 1611, del lat. vg. *VĬSSĪNUM 'pedo', deriv. de VISSIRE 'peer', ac. primitiva que conserva todavía el ast. *bixín*.

BEJUCO 'liana', 1526, del taíno de Santo Domingo.
Deriv. *Bejucal*. *Bejuquillo*, 1693.

BELDAR 'aventar las mieses', 1490, *abellar* en el S. XIII, del lat. VENTILARE 'agitar en el aire', que pasó a *be(n)dlar*, de donde la forma moderna por trasposición de la *d* y la *l*; hoy está muy extendida la variante *ablentar*, con otra metátesis de la *l*.
Deriv. *Bieldo*, 1493 (variantes *bielgo*, *bieldar*).

BELÉN 'nacimiento', 'confusión, sitio en que hay mucha confusión' (por la que reina en ciertas representaciones populares del nacimiento de Jesús), med. S. XIX, de *Bethlehem*, nombre de la población donde nació el Redentor.

BELEÑO, h. 1106, nombre de una planta narcótica, viene de una base *BELENIUM, de origen prerromano indoeuropeo, cuyas variantes se documentan desde el S. I, y que ha pasado también a varias lenguas germánicas y eslavas; por influjo de *beleño* el verbo *envenenar* se convirtió en *embeleñar*, *-iñar*, en textos de los SS. XIII-XVI, pero este nexo entre las dos palabras es secundario; V. el siguiente.

BELESA 'planta que se emplea para emborrachar los peces y pescarlos', h. 1100, de una base emparentada con el alem. ant. *bilisa* 'beleño' (hoy alem. *bilsenkraut*), tal vez céltica, y emparentada con *beleño*.

DERIV. *Embelesar*, hoy 'arrebatar los sentidos (una cosa grata)', pero antes fue 'aturdir, dejar atónito' (SS. XV-XVII), sentido más próximo al etimológico 'emborrachar los peces envenenando las aguas con belesa', usual en la Edad Media; *embeleso*, 1607 (que en Cuba significa 'belesa').

BELFO, 1610-11 (y *befo* en 1492), 'que tiene el labio inferior caído', 'que lo tiene más grueso que el de arriba', del lat. BĪFĬDUS 'partido en dos (aplicado a las partes del cuerpo)', aplicado luego a la persona o animal que tenía . la cara como partida en dos por la caída del labio; BIFIDUS pasó vulgarmente a *BID(I)FUS*, *bedfo*, *belfo*, pero el cat. *bifi* y el oc. *bèfi* 'belfo' son prolongación directa de BIFIDUS.

BÉLICO 'perteneciente a la guerra', h. 1440, tom. del lat. *bellĭcus* íd., deriv. de *bellum* 'guerra'.

DERIV. *Belicoso*, 1444. *Debelar* 'someter por las armas', h. 1440, lat. *debellare*, otro deriv. de *bellum*.

CPT. *Beligerante*, 1793, tom. del lat. *belligerans* íd., compuesto de *bellum* con *gerere* 'hacer'; *beligerancia*.

BELITRE 'pícaro, ruin', 1607, tom. del gr. *blítyri*, empleado por los escolásticos como tipo del vocablo que no significa nada, y de ahí, popularmente, como nombre de la cosa o persona que no vale nada; pasó seguramente por el fr. *blitre* (1506), más tarde *bélitre* íd.

BELLACO 'hombre de mala vida, despreciable' 1263, 'bribón' 1495, de origen incierto, acaso emparentado con el cat. ant. *bacallar* íd., al que se . cree procedente de una variante del céltico *BAKKALLĀKOS* 'pastor, campesino, palurdo', mas para el castellano esto es mucho menos probable, pues se debería partir de una tercera variante céltica más diferente todavía de la comprobada en celta. Como en el S. XIV, en el alavés López de Ayala, encontramos un verbo *bellacar* en el sentido de 'infamar, deshonrar', lo cual coincide con el vasco oriental *bilhakatu* 'arruinar, maltratar' y 'tironear', y en otras variedades vascas muy conservadoras hallamos el sentido de 'tirar de los pelos' o 'arrancarlos', lo cual parece derivado del vasco *bilho* 'pelo, cabello', es más verosímil suponer que *bellaco* se creara, en ambientes bilingües vasco-castellanos de Álava y montaña de Burgos, como derivado del verbo *bellacar* de origen vascuence; comp. el alem. *raufhold* 'bellaco, rufián', deriv. de *raufen* 'reñir', 'mesar el cabello'.

DERIV. *Bellaquería*, 1325. *Bellaquear*, 1529. *Embellaquecerse*.

BELLADONA 'planta solanácea calmante', 1795, del it. *belladonna* íd.

Bellido, V. *bello*

BELLO 'hermoso', princ. S. XIII, del lat. BĔLLUS 'bonito', tom. por conducto del oc. ant. *bel*.

DERIV. *Beldad*, h. 1250, de oc. ant. *beltat* íd. *Belleza*, 2.º cuarto S. XV. *Embellecer*, 3.er cuarto S. XVI. *Bellido* ant. 'bonito, hermoso', 982 (y como nombre propio ya 683), deriv. quizá debido a un cruce con el lat. MELLĪTUS 'dulce', que se empleaba junto con BELLUS en frases cariñosas para dirigirse familiarmente a personas queridas.

BELLOTA 'fruto de la encina, el roble y árboles análogos', 1212, del ár. *bellûṭa*.

BEMOL 'nota cuya entonación es un semitono más baja que su sonido normal', princ. S. XV, tom. del b. lat. *be molle* 'be suave, muelle', dicho así porque se representaba la nota *si* (en la que . es frecuente el bemol) por una letra *b*. El análogo *becuadro*, S. XIX, o *becuadrado*, S. XV, se explica porque con este valor se empleaba una *b* de fondo cuadrado.

DERIV. *Abemolar*, algo antes de 1597.

Bencina, V. *benjuí*

BENEFICIO, 1223, tom. del lat. *beneficium* íd., compuesto de *bene* 'bien' y *facere* 'hacer'.

DERIV. *Beneficiar*, 1495; *beneficiado*, 1285. *Beneficiario*. *Beneficioso*. *Beneficencia*, 2.º cuarto S. XV (lat. *beneficentia*) y *benéfico*, h. 1600 (lat. *beneficus*), se formaron en latín con los mismos elementos que *beneficio*.

BENEMÉRITO, 1569, tom. del lat. *bene merĭtus* 'que se ha portado bien (con alguien)', del verbo *mereri* 'merecer'.

BENEPLÁCITO, 1600, tom. del lat. *bene placĭtus* 'que ha gustado, que ha parecido bien', nota que solía poner el superior a las propuestas de nombramiento.

BENÉVOLO, 1529 (*benívolo*, S. XV), tom. del lat. *benevŏlus* íd., compuesto de *bene* 'bien' y *velle* 'querer'.

DERIV. *Benevolencia*, 2.º cuarto S. XV.

BENGALA 'insignia de mando a modo de bastón' princ. S. XVII, 'luz de Bengala' 1884, 'muselina' 1586, del nombre de esta parte de la India, de la cual se trajeron estos objetos o la caña con que se hacía el primero.

BENIGNO, h. 1290, tom. del lat. *benignus* 'de buen natural', cpt. de *bene* 'bien' con *gignere* 'engendrar'.

DERIV. *Benignidad*, 1220-50.

BENJUÍ 'bálsamo que se obtiene por incisión de la corteza de un árbol de los países malayos', 1438, del ár. *lubên ŷāwí* 'incienso de Samatra', isla donde se producía el más puro, y a la que los árabes daban el nombre de Java (*ŷâwa*); el vocablo llegó por conducto· del catalán (1430), donde con artículo es *lo benjuí*; al bajo latín se adaptó en la forma *benzoe*, de donde *benzoico*, ácido extraído del benjuí, y de ahí *bencina*, 1884.

BEODO 'borracho', 1438, antes *beudo*, 1.ª mitad S. XIII, y *bebdo*, fin S. XIII, del lat. BĬBĬTUS 'bebido', participio de BIBĔRE 'beber'.
DERIV. *Beodez*, h. 1250 (*beudez*).

BERBERECHO 'clase de marisco', 1884, etimología incierta, quizá del mismo origen que el gr. *bérberi* 'molusco donde se encuentra la perla'.

BERBERÍS 'clase de espino', 1537, tom. del ár. *barbāris* íd.
DERIV. *Berberídeo*.

BERBIQUÍ 'especie de barrena', 1765-83 (*birbiquí*), 1782 (*berbiquín*), del fr. dial. *veberquin*, y éste del neerl. *wimmelken* íd., deriv., con el sufijo diminutivo *-ken*, de un verbo correspondiente al alem. *wimmeln* (hoy 'hormiguear', antes 'moverse vivamente').

BERENJENA 'solanácea que produce un gran fruto aovado', princ. S. XV, del ár. *bēdinŷêna* íd., de origen persa.
DERIV. *Berenjenal* 'campo de berenjenas' 1523, 'enredo, dificultad' 1438.

BERGAMOTA, 1599, del it. *bergamotta* 'lima bergamota', *bergamotto* 'pera bergamota', y éstos del turco. *beg armūdi* 'pera (*armūdi*) del bey o señor', por su fino aroma.

BERGANTE 'pícaro, bribón', 1570, del catalán *bergant*, fin S. XIV, 'trabajador que trabajaba en brigada', 'bergante', emparentado con oc. ant. *bregan* 'soldado, mercenario', it. *brigante*, antiguamente 'hombre de mundo que va con gente alegre', 'mercenario', hoy 'malhechor', deriv. al parecer del gót. BRIKAN 'romper' (alem. *brechen*).

BERGANTÍN 'buque de vela rápido, de dos palos', h. 1490, del cat. *bergantí* (1435, quizá S. XIV), deriv. del anterior, por comparación con la ligereza de las brigadas de soldados; es posible que el vocablo se formara primeramente en Italia (*brigantino*), aunque el castellano lo tomó de Cataluña.

BERILO 'variedad de esmeralda', med. S. XVII, tom. del lat. *beryllus*, y éste del gr. *bêryllos* íd. Comp. *VIRIL* II.

BERLANGA 'juego de azar que se gana reuniendo tres cartas iguales', 1914-1925, del fr. antic. *berlant* íd., anteriormente *brelenc* 'mesa de juego' (hoy *brelan*), y éste del a. alem. ant. *bretling*, diminutivo de *brett* 'tabla'.

BERLINA I 'coche cerrado', 1721, del fr. *berline* íd., y éste del nombre de la ciudad de Berlín, por alusión al elector de Brandeburgo, en cuya corte se inventó este tipo de coche.

BERLINA II, *poner en —*, 'poner en ridículo', h. 1820, del it. *berlina* 'picota', de origen probablemente germánico.

BERMEJO 'rubio rojizo', h. 1140, del lat. VERMĬCŬLUS 'gusanillo, cochinilla', que ya se empleó como adjetivo, con el significado 'encarnado', en la baja época, por el uso que se hacía del quermes o cochinilla para producir el color grana; es palabra que ha permanecido más viva en otros romances (port. *vermelho*, etc.), particularmente el cat. *vermell* 'rojo', de cuyo derivado *vermelló* (S. XIII; en 1380, como artículo importado de Oriente por los marinos catalanes) se tomó el cast. *bermellón*, 1423.
DERIV. *Embermejecer*, 1438.

BERREAR 'gritar desaforadamente', 1604 (*berrar*, princ. S. XVI), deriv. del lat. VERRES 'verraco', por la voz de este animal.
DERIV. *Berrido*, 1721.

BERRENDO 'que tiene la piel manchada o de dos colores, uno de ellos el blanco' 972, 'antílope mejicano de color castaño y blanco' S. XVIII (quizá ya 1548), probablemente del céltico *BARROVĪNDOS (irl. med. *barrfind*, galés *Berrwyn*) 'blanco en un extremo, de cabeza blanca', cambiado en *berruendo y *berrendo* (como *fruente* pasó a *frente*), compárese el antiguo *berrondio* 'cobertor de varios colores'.

Berretín, V. *berrinche*

BERRINCHE 'enojo grande, esp. el de los niños', princ. S. XVII, deriv., junto con *berrear* y *berrido*, del lat. VERRES 'verraco', por lo rebelde de este animal. Con sentidos análogos se emplean en hablas españolas *berrín*, *berrón* y *berretín* ('persona de mal genio' en Salamanca), que en la Argentina ha tomado la ac. 'terquedad, obsesión'.
DERIV. *Berrenchín* 'tufo que arroja el jabalí furioso' 1599, 'berrinche' fin S. XVIII; *emberrenchinarse* o *emberrincharse*, h. 1654.

BERRO 'crucífera de lugares aguanosos, que se come en ensalada', h. 1340, del célt. BERŬRON íd. (irl. med. *biror*, galés *berwr*).

BERRUECO o **BARRUECO** 'peñasco granítico' 1490 (*berrocal*, 1006), 'tumorcillo en los ojos' 1605, 'perla irregular' h. 1570, probablemente prerromano, y concretando, céltico, de un *VERROCCON relacionado con *roca*, con el cual el port. *barroco, barroca*, puede estar en una relación de aumentativo análoga a la del celta *vernemetis* 'templo grande' con *nemetos* 'templo'; podría tratarse de un derivado del indoeuropeo WERS-'alto', puesto que los sufijos en -KK- están bien documentados lo mismo en el celta de España que en el de Galia y Britania.
DERIV. *Berrocal*, 1006. *Piedra berroqueña*, 1440.

BERZA 'col', 1135, del lat. vg. VĬRDĬA 'cosas verdes', 'verduras', plural neutro del lat. vg. VIRDIS 'verde', clásico VĬRĬDIS, de donde procede también el rum. *varză*. De ahí que en arag. significara 'plantel de hortalizas', 2.ª mitad S. XIII.

BESANTE, h. 1300, del griego medieval *byzántis* (clásico *byzántios*) 'bizantino', por haberse acuñado primero en Bizancio esta moneda.

BESO, 1220-50, del lat. BASIUM íd., voz familiar en este idioma.
DERIV. *Besar*, h. 1140, del lat. BASIARE íd.; *besucar*, 1607, *besuquear*.
CPT. *Besalamano, besamanos*, 1611.

BESTIA, S. X, tom. del lat. bēstĭa íd.
DERIV. *Bestezuela*, 1679. *Bestial*, 1438. *Bestión*, 1220-50. *Vestiglo*, 1240, tom. del b. lat. *BESTICULUM, por lo común BESTICULA, diminutivo de BESTIA; en 1240 significa 'reptil' y pudo empezar por ser nombre eufémico de la culebra, como hoy lo es *bicho*.

BESUGO, 1330, origen incierto, quizá procedente del oc. *besu(c)* o *besugue* 'bizco', por los ojos abultados del besugo; *besuc* parece ser hermano del cast. anticuado *bisojo* 'bizco' (donde *bis-*, prefijado a *ojo*, indica, como suele, imperfección), levemente alterado por influjo de *caluc* 'miope',
DERIV. *Besuguete*, 1674.

BETARRAGA 'remolacha', 1693 (*-terr-*), con sus variantes argentina *beteraba*, mejicana *betabel* y otras, se tomó del fr. *betterave* íd. compuesto de *bette* 'acelga' (lat. *beta* íd.) y *rave* 'naba, nabo gallego' (lat. RAPA íd.).

BETÚN, 1490, del lat. BĬTŪMEN íd., por conducto del cat. *betum*.
DERIV. *Embetunar*, 1611. *Bituminoso*.

BEZO 'labio, especialmente el abultado', h. 1250, origen incierto, quizá de un célt. *BAIKKION 'jeta, boca bestial', relacionado con el irl. ant. *béccim* 'yo rujo, bramo', galés *beichio* 'mugir', bret. *baeguelat* 'balar'.

BEZOAR, fin S. XVI, del ár. africano *bezuwâr*, ár. clásico *bā(di)záhr*, y éste del persa *pādzahr* 'que preserva del veneno'.

BI-, prefijo culto tomado del latín, donde se aplica a cosas dobles, y empleado en castellano para formaciones nuevas: *bicarbonato, biforme, bilabial, bilingüe, bimetalismo, bisector, bisexual, bisílabo*, etc.

BIBERÓN, 1883, del fr. *biberon* 'gollete', 'biberón', deriv. semiculto del lat. *bibere* 'beber'; en francés empezó por ser adjetivo aplicado a gente que bebe mucho, S. XV; galicismo que ha penetrado poco en América, donde se dice *mamadera*.

Biblia, V. *biblio-*

BIBLIO-, forma prefijada del gr. *biblíon* 'libro', que entra en la formación de cultismos castellanos: *Bibliófilo*, 1765-83, cpto. con el gr. *philéō* 'yo amo'; *bibliofilia. Bibliografía*, 1765-83, y *bibliógrafo*, 1832, con *gráphō* 'escribo'. *Bibliología. Bibliomanía*, 1765-83, y *bibliómano*, con *máinomai* 'estoy loco'. *Biblioteca*, h. 1440, lat. *bibliothēca*, gr. *bibliothḗkē* íd., cpto. con *thḗkē* 'caja', deriv. de *títhēmi* 'coloco'; *bibliotecario*, 1490. *Biblia* 'colección de los libros sagrados de los hebreos', S. XIV, es el plural griego de *biblíon* 'libro'.

BÍCEPS, 1782, 'músculo del brazo, que en su parte alta tiene dos porciones', tom. del lat. *biceps* 'de dos cabezas', deriv. de *caput* 'cabeza' con prefijo *bi-* 'doble'.
DERIV. *Tríceps*, formado análogamente con *tri-* 'triple'.

BICICLO, 1899, cpto. del gr. *kýklos* 'círculo' y el prefijo latino *bi-* 'doble'; se tomó primero del ingl. *bicycle*, 1868; pero la forma más usual, *bicicleta*, 1899, se creó en francés (*bicyclette*) con dicha palabra inglesa.

BICOCA, 1580, 'cosa de poca estima', antes 'fortificación insignificante', del it. *bicòcca* 'castillo en una roca', 1360, de origen incierto; la ac. 'birrete de dos puntas' se explica por comparación con las almenas de una fortaleza.
DERIV. *Bicoquete*, 1496; *bicoquí(n)*, 1555, 'birrete de jesuita'.

BICHERO 'madero con un gancho, para atracar las barcas', 1793, del port. *bicheiro*, S XIII o XIV, 'palo para pescar con un anzuelo en la punta', 'bichero', probablemente deriv. de *bicho*, por los que se cogían con el bichero

BICHO, 1578, de BESTIUS 'animal', forma del latín vulgar en lugar de la clásica BĒSTIA, el castellano tomó *bicho* del gallegoportugués, donde se halla desde el S. XIII, lo cual explica la evolución fonética del vocablo *Bicha*, 1573, sale paralelamente de BĒSTIA.
DERIV. *Bichoco* rioplat. 'caballo malo', del gall. *bichoco* 'bicho'.

BIDÉ 'mueble higiénico sobre el cual se sienta uno a horcajadas', 1820, del fr. *bidet* íd., propiamente 'caballito' (relacionado con el fr. antic. *bider* 'trotar').

BIDENTE, 1565, tom. del lat. *bidens, -tis*, íd., deriv. de *dens* 'diente' con prefijo *bi-* 'doble'.

BIELA, 1858, del fr. *bielle* íd., 1751, de origen desconocido.

Bieldar, bieldo, bielgo, V. *beldar*

BIEN, 1109, del lat. BĚNE íd., forma adverbial correspondiente a BŎNUS 'bueno'; en BENE el influjo de la E final impidió el cambio de la otra E en O, cambio que se produjo en BONUS por la acción de la U de la forma originaria DUENOS.

Bienio, V. *año*   *Bienquistar, bienquisto*, V *querer*

BIENTEVEO 'choza elevada sobre estacas para guardar una viña', 1850, cristalización de la frase *bien te veo*; como nombre de pájaro, *bienteveo* antill., *benteveo* arg., resulta, por adaptación a aquella frase, de una imitación aproximada del canto del ave, que también se ha imitado en las formas *genteveo, quintové, venteví*, empleadas en el interior americano.

Bifásico, V *fase*   *Bife*, V. *bistec*

BÍFIDO, 1611, tom. del lat. *bifidus* íd., deriv. de *findere* 'hender, partir' con prefijo *bi-* 'doble'.

Biftec, V. *bistec*

BIFURCARSE, 1882, deriv. culto del lat. *bifurcus* 'bifurcado', y éste de *furca* 'horca' con prefijo *bi-* 'doble'.
DERIV. *Bifurcado*, 1867. *Bifurcación*, 1802. *Trifurcado*, íd. con prefijo *tri-* 'triple'.

BÍGAMO 'casado dos veces', 1256-63, tom. del lat. *bigămus* íd., y éste alteración de *digamus* por influencia del prefijo latino *bi-* 'doble', *digamus*, del gr *dígamos*, deriva de *gaméō* 'me caso', con el correspondiente prefijo griego
DERIV. *Bigamia*, S. XIII *Polígamo*, 1737, gr. *polýgamos*, se formó paralelamente con *polýs* 'mucho'; *poligamia*, 1641

Bigardo, V *beguina*

BIGORNIA 'yunque de dos puntas', 1495, *bicornia* en 1365, del lat. vg. *BICORNIA, variante vulgar del adjetivo BICORNIS 'de dos cuernos' (lat. CORNU 'cuerno' + prefijo BI- 'doble').

BIGOTA 'especie de garrucha que se empleaba normalmente con una pareja', h. 1573, del it. *bigotta*, 1268, deriv de *biga* 'tiro de dos caballos'.

BIGOTE, 1475 (*bigot*), origen incierto, parece resultar en definitiva de la frase germánica *bî God* 'por Dios', juramento empleado a manera de apodo para llamar a personas con bigote, y luego el bigote mismo; hay indicios de que la moda del bigote, apenas conocida en Castilla todavía en el S. XV, se introdujo desde Francia, lo cual explicaría el que se le pusiera este apodo, aplicado a los normandos (por sus relaciones con los ingleses, que en la Edad Media pronunciaban *bi* en vez del moderno *bai*, escrito *by*).
DERIV. *Bigotera*, 1705. *Bigotudo*

BILIS, 1550, tom. del lat. *bilis* íd.
DERIV. *Biliar. Bilioso*, 1706.
CPT. *Atrabilis*, princ S XVII, lat. *atra bilis* 'bilis negra': *atrabiliario* 'que sufre de atrabilis', 1555, 'de mal carácter', *atrabilioso*.

Bilma, V. *bizma*

BILLAR 'juego que se ejecuta impulsando con tacos bolas de marfil', 1765-83, del fr. *billard* íd., deriv de *bille* 'tronco desbastado, tuero', 'taco de billar' De la misma fuente viene el cast. *billarda* 'juego de la tala', 1770.

BILLETE, 1580, del fr *billet* íd , 1457, antes *billette*, 1389, alteración de *bulle, bullette*, 'documento', tom. del lat. *bulla* 'bula'; el ingl. *bill* se extrajo de la misma palabra francesa.

BILLÓN, 1803, del fr. *billion*, hoy 'mil millones', pero antes, y ya en el S. XVI, significó 'billón'. *Billón* se formó por introducción del prefijo *bi-* 'doble' en la palabra *millón*, y de *billón* se sacaron luego *trillón* y los demás.

BÍMANO, 1884, del fr. *bimane*, formado por Buffon (según *quadrumane* 'cuadrúmano') con el lat. *mănus* 'mano' y *bi-* 'dos'.

BIMBA 'sombrero de copa', 1903, voz de creación expresiva.

Bimembre, V. *miembro*   *Bimestre*, V. *mes*

BINAR 'dar segundo arado a las tierras', 1235, deriv. del lat. BĪNUS 'doble'.
DERIV. *Bina*, 1627; *binazón*, 1555.

BINARIO, 1490, tom. del lat. *binarius* íd., deriv. de *bini* 'de dos en dos'.

BINOMIO, 1709, tom. del b. lat. *binomium* íd., sustantivación del adjetivo *binomius* 'de dos nombres', S. XI, y éste deriv. del fr. *nom* o del it. *nome* 'nombre' (lat. NOMEN); *binomium* fue creado por Gerardo de Cremona en el S. XIII para traducir la expresión griega de Euclides *ek dýō onomátōn* 'de dos nombres'. Según *binomio* se crearon posteriormente *monomio* (fr. *monôme*, 1701), por simplificación de *mononomio*, formado con el gr. *mónos* 'único, uno'; *polinomio* (fr. *polynôme*, 1697), con *polýs* 'mucho'; *trinomio*, etc.

BINZA, 1546, 'tela delgada en el cuerpo del animal', probablemente deriv. de un verbo lat. vg. *VINCTIARE* 'atar', y éste del lat. VINCIRE íd.; el significado primitivo fue 'atadura' y después 'fibra'.

BIO-, forma prefijada del gr. *bíos* 'vida', que entra en compuestos como: *Biodinámica*. *Biógrafo*, 1765-83; *biografía*, 1838; *biográfico*, 1828, con el gr. *gráphō* 'yo describo'. *Biología* y *biólogo*, 1884, con gr. *lógos* 'tratado'. *Bioquímica*. Deriv. de *bíos* con el prefijo *amphi-* 'ambos' es el gr. *amphíbios*, de donde el cast. *anfibio*, 1624; interviene el gr. *syn-* 'junto con' en *simbiosis*; el gr. *anti-* en *antibiótico*.

BIOMBO, 1684, del port. *biombo*, 1569, y éste del japonés *byóbu* íd.

BÍPEDO 'que tiene dos pies', 1832, tom. del lat. *bipes, -ĕdis*, íd., deriv. de *pes, pedis*, 'pie', con prefijo *bi-* 'doble'.

BIRLAR 'hurtar, estafar', 1601, primero significó 'derribar (los bolos con la bola)', 'tumbar, matar de un golpe' y luego 'arrebatar'; es deriv. del antiguo *birlo* 'bolo', 1514, sacado de *birla*, fin S. XVI, en francés *bille* 'bolo' y 'bola', probablemente del alem. ant. *BIKKIL* 'dado', 'huesecito'.

BIRLIBIRLOQUE, *por arte de —*, 'por arte de encantamiento', 1770, abreviación de *birliqui-birloque*, fórmula alternante de creación expresiva.

Birlocha, V. *milano*

BIRLOCHO 'carruaje ligero', 1780-91, del it. *biroccio* 'carreta de dos ruedas', y éste del lat. vg. *BIROTIUM*, deriv. del lat. ROTA 'rueda' con BI- 'doble'.

BIRLONGA, *a la —*, 'a la suerte, al descuido, a lo que sale', 1726, del fr. ant. *beslonc, -gue*, 'oblongo', que también significaba 'torcido', y éste derivado de *long* 'largo' con el prefijo *bes-*, que expresa idea de imperfección.

BIRRETE, 1438, 'especie de bonete o sombrero propio de gente de leyes, de universidad o de iglesia', de oc. ant. *birret* 'sombrero', diminutivo del lat. tardío BIRRUS 'capote con capucho'.

BIRRIA, 1907, voz de origen dialectal leonés (compárese el port. *birra* 'pasión', 'terquedad'), procedente, al parecer, de un lat. vg. *VERRĔA*, deriv. de VERRES 'verraco', con el significado de 'terquedad, rabieta, capricho', de donde 'cosa despreciable'.

BIS, 1884. Tom. del adverbio lat. *bis* 'dos veces'.

Bisabuelo, V. *abuela*

BISAGRA, 1495, 'pieza que une las dos mitades de una puerta o mesa, haciendo posible su movimiento'; voz propia del castellano y portugués, de origen incierto. Acaso del nombre de la famosa *Puerta Bisagra* de Toledo (en cuya formación entra el ár. *bâb* 'puerta', propte. 'Puerta de la Sagra'); aunque no consta que esta puerta tuviese bisagras notables, es de creer que fuesen grandes, y desde luego conspicuas, siendo en los SS. XII-XV la puerta más frecuentada de España; por lo demás, puede sospecharse también que proceda del avéstico *bizangra-* 'de dos pies o pedúnculos' (cf. persa *bazang* 'barra, cerrojo, llave') que pasara al árabe aplicándose a las dos piezas de una *bisagra*, y que resulte de un cruce de esta palabra perso-arábiga con el nombre de la puerta Bisagra, de origen distinto. En el sentido de 'palo que usa el zapatero para alisar los zapatos', registrado mucho más tarde, 1765-83, es palabra diferente, en portugués *bisegre*, tomada del fr. *bizègle*, alteración de *besaiguë* íd., deriv. de *aigu* 'agudo' con *bes-* 'doble', pero los dos vocablos se influirían mutuamente, lo que explicará ciertas anomalías fonéticas que presentan los dos.

Bisalto, V. *guisante*

BISEL 'corte oblicuo en el borde de una lámina', 1589, del fr. ant. *bisel*, S. XIII íd.

(hoy *biseau*), de origen incierto, sin duda emparentado con *biais* 'sesgo'.
Deriv. *Biselar*, 1888.

BISIESTO, h. 1250. Del lat. BISĔXTUS 'día que en los años bisiestos se agregaba entre el 24 y el 25 de febrero', compuesto de BIS 'dos veces' y SEXTUS 'sexto', por ir detrás del 24 de febrero, que, según el cómputo latino, era el día sexto de las calendas de marzo.

BISMUTO, 1756. Del alem. *wismut* íd., de origen incierto, quizá cpt. de *wiese* 'prado' y de un deriv. del verbo *muten* 'aspirar', 'solicitar una concesión minera', así llamado por haberse extraído por primera vez, en el S. XV, de un lugar llamado *Wiesen* en las montañas de Bohemia.

Bisojo, V. *besugo*

BISONTE, 1490. Tom. del lat. *bison, -ntis*, y éste del gr. *bísōn, -ōnos*, 'toro salvaje'.

BISOÑÉ 'media peluca', 2.º cuarto S. XIX. Parece tomado del fr. *besogneux* 'necesitado', deriv. de *besoin* 'necesidad'; porque lo usaban los que no podían pagarse una peluca entera.

BISOÑO 'soldado nuevo', 1517, 'nuevo en un oficio, inexperto', h. 1535; del it. *bisogno* 'necesidad', aplicado por los italianos en el S. XVI a los soldados españoles recién llegados a Italia, probte. por lo mal vestidos que iban, como reclutas allegadizos.

BISTEC 'lonja de carne asada o frita', med. S. XIX. Del ingl. *beefsteak* 'bistec de carne de vaca', compuesto de *steak* 'bistec' y *beef* 'carne de vaca'; también se ha simplificado en *biftec*, y en el Río de la Plata, en *bife*.

BISTURÍ 'instrumento en forma de cuchillo finísimo, para hacer incisiones', 1765-83. Del fr. *bistouri* íd., S. XV (*bistorie*), que entonces significa 'puñal' y parece derivado del nombre de la ciudad italiana de *Pistoia*, en latín PISTORIA, donde se fabricaban puñales.

BISUTERÍA 'joyería de baratijas', 1870. Del fr. *bijouterie* 'joyería', deriv. de *bijou* 'joya'.

BITÁCORA 'especie de armario inmediato al timón, en que se pone la brújula', 1538 (*bitácula*). Tom. del lat. *habitacŭlum* 'vivienda', probablemente pasando por el fr. *bitacle, habitacle* 'vivienda' y 'bitácora'.

BITOQUE, 1527, 'tarugo para cerrar la piquera de los toneles'. Origen incierto, probablemente del gascón *bartoc* íd., princ. S. XIV, *bartocar* 'cerrar con bitoque', fr. ant. *vertoquer, vertochier* íd., a su vez de origen inseguro. En la Península el vocablo sufrió el influjo de *bodoque* y otros vocablos: en port. es *botoque* o *batoque*, gall. *betoque*.

Bivalvo, V. *valva*

BIZARRO 'valiente, osado', 1569, después 'gallardo' y 'generoso'. Del it. *bizzarro* 'fogoso', propiamente 'iracundo, furioso', S. XIII, deriv. de *bizza* 'ira instantánea, rabieta', de origen incierto, quizá voz de creación expresiva; el fr. *bizarre* 'estrambótico' procede también de Italia.
Deriv. *Bizarría*, 1569.

BIZCO 'estrábico', 1240. De origen incierto, seguramente de una raíz de creación expresiva que designó primero la idea de 'guiñar el ojo' (en portugués, *piscar*) y luego 'bizcar'; de este carácter expresivo es indicio la multitud de variantes que ofrece la palabra en los dialectos y en lenguas hermanas: *viesgo, pizco*, fr. *bigle, bicle*, etc., que serían inexplicables con cualquier etimología de tipo normal y unitario.
Deriv. *Bizcar*, 1627, o *bizquear*, S. XIX, o *embizcar*.

BIZCOCHO, h. 1260, 'especie de galleta', significó primero 'pan dos veces cocido', del antiguo participio *biscocho* 'cocido dos veces', 1220-50, lat. BIS COCTUS íd.
Deriv. *Bizcochar*, 1525. *Bizcochuelo*, 1590.

BIZMA 'emplasto', h. 1340, antes *bitma*, fin S. XIII, descendiente semiculto del lat. EPÍTHĔMA, gr. *epíthema* íd., deriv. de *epitíthēmi* 'yo pongo encima'. Otras formas de la misma palabra son *bilma*, y *pítima* 'cataplasma', princ. S. XVII (hoy en la ac. secundaria 'borrachera', 1843), tomada ésta por conducto del italiano.
Deriv. *Bizmar*, 1604.

BIZNAGA 'zanahoria silvestre', 1495. Del mozárabe *bišnáqa, bištináqa*, íd., y éste del lat. PASTINĀCA 'zanahoria'.

Biznieto, V. *nieta*

BLANCO, h. 1140. Del germ. BLANK 'brillante', 'blanco' (hoy raro, pero aún existente, en alemán e inglés).
Deriv. *Blanca*, 1438, 'moneda de escaso valor', antes 'moneda de plata'. *Blancor*, 1495. *Blancura*, S. XV. *Blancuzco*, med. S. XIX. *Blanquear*, 1220-50. *Blanquecino*, 1495. *Blanquete* 'albayalde', 1438, del cat. *blanquet* íd.; alterado en *blanquibol*, S. XV.

por influjo de *arrebol,* por ser los dos tipos de afeite más empleados entonces por las mujeres.

BLANDIR 'mover una arma o cosa semejante con movimiento vibratorio', med. S. XIV. Del fr. *brandir* íd., deriv. del fr. ant. *brant* 'espada', 'hierro de la lanza', y éste del fráncico *BRAND 'hoja de la espada' (propiamente 'tizón encendido', derivado de *BRENNAN 'arder', por el brillo de esta hoja). DERIV. *Blandear* 'esgrimir', 1495.

BLANDO, h. 1250. Del lat. BLANDUS 'tierno, lisonjero'. DERIV. *Blandura,* h. 1400; *blandurilla* 'cierta pomada'. *Blandujo,* 1588. *Blandengue* 'hombre de poca energía', 1874; 'lancero que defendía la provincia de Buenos Aires contra los indios' (cuerpo formado en 1752, así llamado por las lanzas que sus componentes blandían, por juego de palabras con la ac. anterior). *Ablandar,* 1251. *Reblandecer,* 1817; *reblandecimiento.*

BLANDÓN 'hacha de cera', 1495. Del cat. *brandó* íd., S. XIII, deriv. del fránc. *BRAND 'tizón encendido' (V. *BLANDIR*).

Blanquibol, V. *blanco*

BLASFEMO, 1438. Tom. del lat. *blasphēmus* íd., y éste del gr. *blásphēmos* íd. y 'difamador'. DERIV. *Blasfemar,* 1240, lat. *blasphemare,* gr. *blasphēméō. Blasfemia,* 2.° cuarto S. XIII, lat. *blasphemia,* gr. *blasphēmía.*

BLASÓN 'figura que se pinta en el escudo', 1539-42, del fr. *blason* íd., y 'escudo', S. XII, de origen incierto. DERIV. *Blasonar,* 1.ª mitad S. XV.

BLEDO 'salsolácea de tallos rastreros, de poco aprecio, que algunos comen cocida', med. S. XV. Del lat. BLĪTUM, y éste del gr. *blíton* íd.

BLEFARITIS, 1884. Deriv. culto del gr. *blépharon* 'párpado'. CPT. de esta voz griega: *blefaroplastia.*

BLENDA, 1877. Del alem. *blende* íd., deriv. del verbo *blenden* 'cegar', 'engañar', así llamada por su aspecto engañoso, parecido al de la galena.

BLENORRAGIA, 1846. Cpt. del gr. *blénna* 'mucosidad' con *rhégnymi* 'rompo', 'broto (refiriéndose a un líquido)'. Otro cpt. de *blénna: blenorrea,* 1865, con el gr. *rhéō* 'yo mano'.

BLINDA 'objeto empleado para blindar', 1687. Del fr. *blinde,* y éste del alem. *blinde*

íd., deriv. de *blenden* 'cegar, tapar' (que a su vez lo es de *blind* 'ciego'). DERIV. *Blindar,* h. 1870. *Blindaje,* 1838. *Blinde,* 1625.

BLOCAO, 1884. Del alem. *blockhaus* íd., cpt. de *block* 'tronco' y *haus* 'casa': propiamente 'choza de troncos'.

BLONDA, 1770. Del fr. *blonde* íd., 1751, del adjetivo *blond* 'rubio', porque antiguamente se hacían del color de la seda cruda.

BLONDO 'rubio', 1717. Del fr. *blond* íd., de origen desconocido.

BLOQUE, 1884. Del fr. *bloc* íd., y éste del neerl. med. *bloc* 'tronco cortado'.

BLOQUEAR 'cortar toda clase de comunicaciones', 1693. Del fr. *bloquer* 'hacer un bloque', de *bloc* 'bloque', deriv. que a fines del S. XVI tomó el significado de 'bloquear' por influjo del fr. *blocus* 'fortín de asedio', 'bloqueo', procedente del neerl. med. *blochuus,* cpt. de *bloc* 'tronco cortado' y *huus* 'casa'. DERIV. *Bloqueo,* fin S. XVII.

BLUSA, 2.° cuarto S. XIX. Del fr. *blouse* íd., de origen desconocido.

BOA, 1490. Tom. del lat. *boa* 'serpiente acuática', 'culebra de gran tamaño'.

BOATO, 1539-42. Tom. del lat. *boatus* 'grito ruidoso, mugido', deriv. de *boare* 'gritar, mugir', y éste del gr. *boáō* 'yo grito'.

DE BÓBILIS BÓBILIS 'gratis, sin esfuerzo', 1463. Deformación de la forma *de vobis vobis,* todavía empleada en el *Quijote,* formada con el lat. *vobis* 'para vosotros', expresión del que reparte dinero a otra gente.

BOBINA 'carrete', 1889. Tecnicismo eléctrico tom. del fr. *bobine* 'carrete de hilo', 1544, voz de creación expresiva (quizá relacionada con el fr. popular *babine* 'labio').

BOBO 'tonto', 1490. Del lat. BALBUS 'tartamudo'. DERIV. *Abobar,* 1528. *Bobalicón,* h. 1750. *Embobecer,* 1495. *Embobar,* h. 1570; *embobamiento,* 1616.

BOCA, h. 1140, del lat. BŬCCA 'mejilla'. DERIV. *Bocado,* 2.° cuarto S. XIII. *Bocadillo* 'pequeña porción de comida', S. XV; 'cierta tela o lienzo delgado', 1642. *Bocanada,* 1611. *Boquear,* med. S. XV; *boqueada. Boquera; boquerón* 'brecha', h. 1460, 'pez que puesto en salmuera es la anchoa', 1780, así llamado por su gran boca. *Boquete,* 1726. *Boquilla; emboquillar. Abocar,* 1565; 'verter el contenido de un recipiente', 1588; refl. 'juntarse varias personas para tratar de algo', 1588, ac. esta última que por error a menudo se escribe *avocarse. Desbocado,* 1495, del caballo, dicho así porque no obedece al freno; *desbocarse. Embocar,* 1220-50, *embocador, embocadura,* 1604, *emboque,* 1604, *desembocar,* 1570, *-adura. Bucal,* deriv. culto.

CPT. *Bocacalle. Bocacaz,* S. XVIII. *Bocamanga,* 1627. *Bocamina. Bocateja. Bocatoma. Boquiabierto,* princ. S. XVI; *boquiancho; boquiangosto; boquimuelle,* h. 1500; *boquirroto,* 2.º cuarto S. XVI (y ya S. XIII); *boquirrubio,* 1599.

BOCACÍ, 1397. Voz oriental entrada por conducto del árabe.

Bocal de pozo, V. *brocal*

BOCAL 'jarro', 1517. Del lat. tardío BAUCALIS, y éste del gr. *báukalis* f., íd.

Bocedar, bocedo, V. *bostezar*

BOCEL 'moldura lisa de forma cilíndrica', 1542. Del fr. antic. *bossel* íd. (hoy *bosel*), quizá diminutivo de *bosse* 'bulto, joroba'.

BOCETO 'esbozo', 1832. Del it. *bozzetto* íd., diminutivo de *bòzza* 'piedra sin desbastar', 'boceto', de origen incierto (compárese *bocel*).

DERIV. *Abocetado, -tar,* 1900. De la misma raíz es *esbozo,* 1640, del it. *sbòzzo* íd. (también *abbòzzo* íd.); *esbozar,* S. XX.

BOCINA, S. XIII. Del lat. BŪCĬNA 'cuerno de boyero'.

DERIV. *Abocinar.*

BOCIO 'glándula tiroides hipertrofiada, papera', 1537, probablemente tomado del b. lat. galicano *bocius* 'bubón', 1350-1415, y éste del fr. *bosse* 'bulto', 'bubón', S. XII.

BOCOY 'barril grande', 1853 (*bocois,* plural). Del fr. *boucaut* 'odre', 'barril grosero para materias secas', deriv. de *bouc* 'macho cabrío' y 'odre'; se esperaría que hubiese dado *bocó,* pero el plural de éste, *bocoes,* fácilmente pudo contraerse en *bocóis,* sobre todo si el vocablo entró a través de Galicia, por el comercio marítimo.

BOCHA 'bola para jugar a bochas', 1726. Del it. *bòccia* íd. y 'botón de flor', voz de origen incierto, aunque emparentada con el fr. *bosse* 'bulto, joroba'.

Boche 'hoyo', V. *buche;* 'alboroto', V. *bochinche.*

BOCHINCHE 'bulla, alboroto', S. XIX. El sentido originario parece ser el de 'tabernucho' (local bullanguero), vivo en Asturias y Canarias, y primitivamente 'sorbo' (por los muchos que se toman en una taberna), ac. que en la forma *bochincho* se documenta en 1565 y sobrevive en Mérida: deriv. de *buche* en el sentido de 'sorbo, enjuague'; de *bochinche* se extrajo regresivamente *boche* 'alboroto' en la costa americana del Pacífico.

BOCHORNO 'viento caliente', 'sofocación', 1490; SS. XIII-XIV (*buchurno*), 1147 (*vulturno*); del lat. VŬLTŬRNUS 'viento, especialmente el del Sur'.

DERIV. *Abochornar, abochornado,* 1422-33. *Bochornoso,* 1717.

BODA 'casamiento', h. 1250 (*votas,* S. X). Del lat. VŌTA, plural de VŌTUM 'voto, promesa', por las pronunciadas en el acto de contraer matrimonio.

Bode, V. *bota*

BODEGA, 1092. Del lat. APOTHĒCA 'despensa', 'bodega', y éste del gr. *apothēkē* 'depósito, almacén de provisiones' (de *apotíthēmi* 'yo deposito').

DERIV. *Bodegón,* 1495. *Bodeguero,* 1063. *Embodegar.*

BODIGO 'panecillo que se da en la iglesia por ofrenda', princ. S. XIII (*bodivo* en el mismo siglo), del b. lat. *votivum,* abreviación de *libum votivum* íd. (*libum* 'pastel sagrado' + *votivus* 'dado en ofrenda').

BODOQUE 'bola de barro endurecida que se emplea como bala para tirar con ballesta', S. XV. Parece venir del ár. *bunduq* 'avellana' y 'bodoque' (procedente, a su vez, del gr. [*káryon*] *pontikón* 'avellana', propiamente 'nuez del Mar Negro'); pero no está explicado cómo desapareció la *n.*

DERIV. *Bodoquera,* princ. S. XVI.

BODRIO 'caldo con sobras de otras comidas que se daba a los pobres en los conventos', 1646; antes *brodio,* 1517. Tom. del b. lat. *brodium* 'caldo', y éste del germ. *brod* íd. (compárese alem. *brut* 'cría empollada', *brühe* 'caldo').

Bofar, V. *bofe*

BOFE 'pulmón', 1495, deriv. del verbo *bofar,* que significó originariamente 'soplar', palabra onomatopéyica; *bofar,* SS. XV-XVI, significa normalmente 'echar por la boca exclamaciones violentas', pero es mera variante de *bufar*, 1438, que además de esto significó 'resoplar (los animales)' y vale todavía 'soplar' en catalán.

DERIV. de *bufar*: *Bufado* 'hinchado'; *abuhado*; *bufido*, S. XV.

BOFETADA, princ. S. XV, deriv. del antiguo *bofete* íd., h. 1500, y éste de *bofar* 'soplar', de origen onomatopéyico (vid. *BOFE*), compárese cat. *bufa*, *bufet*, *bufetada* 'bofetada'.

DERIV. de *bofete*: *Abofetear*, h. 1400; *bofetón*, 1547.

BOGA I 'cierto pez', 1423. Del lat. BŎCA, y éste del gr. *bôka*, acusativo de *bôx* íd.

BOGA II 'moda', 1770. Del fr. *vogue* íd., 1480, y éste de *voguer* 'remar, navegar' (vid. *BOGAR*).

BOGAR 'remar', princ. S. XV. Común a todos los romances de Occidente, aunque parece oriundo del Meditrráneo; de origen oscuro: en vista de la forma *vucari* de Sicilia y Sur de Italia, se ha supuesto, con verosimilitud, que proceda del lat. VŎCĀRE 'llamar', por las voces de la chusma que gritaba marcando el ritmo del remar, o por las del alguacil que marcaba lo mismo con su grito de mando.

DERIV. *Boga*, med. S. XV.

CPT. *Bogavante*, 1539, 'primer remero de cada galera', probablemente del cat. *vogavant* íd., formado con *avant* 'adelante'; como nombre de crustáceo, es otra palabra, vid. *LOBAGANTE*.

BOHÍO 'choza americana', h. 1500. De un dialecto arauaco de las Antillas.

BOHORDAR, ant. 'lanzar bohordos en los juegos de caballería', h. 1250 (*bofordar*). Del fr. ant. *bohorder* íd. y 'combatir en torneo', y éste del fráncico *BIHORDAN* 'hacer un cercado' (de la misma raíz que el alem. *hürde* 'cercado'), que aplicándose esp. a los cercados para torneos, pasó luego a significar 'tomar parte en un torneo'.

DERIV. *Bohordo* ant. 'lanza corta', h. 1250: 'tallo de la espadaña', 1555.

BOINA 'gorra vasca', 1843. Tomado modernamente del vasco, donde probablemente se emparenta con el b. lat. *abonnis*, S. VII (de donde *BONETE*); en las hablas norteñas del vasco la antigua ñ se desdobla normalmente en *in*.

BOJ, 2.ª mitad S. XIII. Del lat. BŬXUS íd.

DERIV. *Bojedal*, 1765-83.

BOJA, nombre de varias labiadas y compuestas, 1770, del cat. *botja* íd., princ. S.

XVI, de origen desconocido; se ha empleado particularmente en la ac. 'conjunto de ramas (comúnmente de boja), que se pone a los gusanos de seda para que hilen' 1732; de donde *embojar* 'preparar la boja', 1732, y *embojo* 'boja de embojar', voces especialmente murcianas.

BOJAR, 1492, tr. 'recorrer la periferia de una isla, península o cabo', intr. 'tener (un lugar) tal o cual dimensión en circuito'; del cat. *vogir* 'hacer girar, dar vueltas', 'bojar', S. XIV, y éste del lat. VOLVĔRE 'dar vueltas' (que, a juzgar por el it. *vòlgere*, parece haberse cambiado vulgarmente en *VOLGĔRE*).

DERIV. *Boj*, *boje*, *bojo*, *boja*, S. XVI, 'acción de bojar, perímetro'.

Bojiganga, V. *mojiganga*

BOL 'ponchera', 'taza grande', 1884, del ingl. *bowl* 'taza'.

BOLA, h. 1400. De oc. ant. *bola* íd., y éste del lat. BŬLLA 'burbuja', 'bola'. Para la ac. 'mentira', V. *BULO*.

DERIV. *Bolado* arag. 'azucarillo'. *Bolear*; *boleaderas*. *Bolo* 'birlo' 1552; *bolillo* 'palito torneado para hacer encajes', 1607.

BOLDO 'arbusto chileno cuyas hojas se emplean en infusión contra males del estómago y del hígado', S. XVII, parece ser de origen araucano.

BOLERO 'bailador profesional', fin S. XVIII, 'aire popular bailable, de movimiento majestuoso' íd., 'sombrero redondo parecido al calañés'; origen incierto.

BOLETA 'cédula militar de alojamiento', 1593, y luego (desde el S. XVII) nombre de documentos varios. Del it. antic. *bolletta* 'salvoconducto', 'documento que acredita el pago de los derechos de aduana, consumos, etc.' (hoy *bulletta*), diminutivo de *bolla* 'marca de sello para autenticar una escritura', 'diploma', del lat. BŬLLA 'burbuja, bola' (por dicho sello).

DERIV. *Boleto*, S. XX, amer. y astur. *Boletín*, 1599, del it. *bollettino*, *bullettino*.

BOLICHE 'taberna pobre, tenducho', amer., 1890; antes 'casa de juego', 1609, y 'especie de juego de bolos', S. XVII; acepciones que se desarrollaron (apoyadas por *bola*) partiendo de la 'red pequeña para coger pescado (y el pescado que con ella se coge)', 1599, porque el *boliche* de jugar servía para 'pescar' dinero; del cat. *bolitx* 'red pequeña', y éste del gr. *bolídion*, diminutivo de *bólos* 'red'.

DERIV. *Bolichero* 'encargado de un boliche de juego', 1609.

BÓLIDO, 1884, cultismo procedente del lat. *bolis, -ĭdis*, íd., y éste del gr. *bolís* 'objeto que se lanza', deriv. de *bállō* 'yo lanzo'.

BOLINA, 1492, 'cuerda que sirve para oblicuar la vela cuando el viento sopla por los lados', 'navegación contra el viento', del fr. *bouline*, S. XII, y éste del ingl. *bowline* íd.

Bolo, V. *bola*

BOLO 'píldora', 'alimento masticado', 'bol arménico', 1537 (*bol*, 1527), tom. del gr. *bôlos* 'terrón', 'bola'. DERIV. *Embolar* 'dar una mano de bol', 'lustrar los zapatos'.

BOLSA, 1240. Del lat. BŬRSA, y éste del gr. *býrsa* 'cuero', 'odre'; la *l* resulta de un esfuerzo mal logrado por pronunciar el grupo *rs* de esta voz semiculta, grupo inusitado en el castellano primitivo. La ac. 'casa de contratación', 1646, se tomó del it. *borsa* íd., 1567, donde viene del nombre de la familia de Brujas, Van der Burse, en cuya casa se reunían los mercaderes venecianos desde el S. XVI. DERIV. *Bolso,* fin S. XVI. *Bolsillo,* princ. S. XVII, que también se dijo *bolsico,* 1495. *Bursátil,* med. S. XIX. *Embolsar,* 1570; *desembolsar,* 1604; *desembolso,* 1705; *reembolsar, reembolso.*

BOLLO 'panecillo', 1490; 'abolladura, chichón', 1570, forma masculina sacada del lat. BŬLLA 'burbuja', 'bola', por la figura redondeada que es común a los dos objetos. DERIV. *Bollón,* med. S. XV, o *bullón,* 1600; *abollonar. Abollar,* h. 1300.

Bollorita, V. *vellorita*

BOMBA 'máquina para elevar agua', 1490, voz afín al lat. BŎMBUS 'zumbido' (gr. *bómbos*) por el ruido que hace la bomba, pero se trata de una reiteración de la misma onomatopeya que en latín y griego, más bien que de un descendiente de la palabra antigua; en la ac. 'proyectil esférico de gran calibre', 1569, se trata, en realidad, de un deriv. regresivo de *bombarda* íd., 2.º cuarto S. XV (en catalán, h. 1380, y quizá ya 1359), que a su vez es alteración onomatopéyica del antiguo *lombarda* íd., h. 1400, así llamada por haberse inventado en Italia (donde aparece el vocablo en 1376). DERIV. de la 1.ª ac.: *Bombero. Bombilla,* arg. 'tubo para sorber el mate'. De la 2.ª ac.: *Bombo* sust. 'tambor', 1832, adj. 'aturdido', 1832, de donde el amer. *abombar* 'aturdir', *abombado* '(líquido) sin gusto y

mal calentado', 'podrido'. Por la forma esférica de las bombas: *Bombacho,* 1884, *bombacha,* arg. 'pantalón ancho'; *bombilla* 'globo de cristal para iluminación eléctrica'; *bombín* 'sombrero hongo'. *Rimbombar,* S. XVII, del it. *rimbombare* íd.; *rimbombante; rimbombo. Lombardear,* 1482, y más tarde *bombardear,* 1609; *bombardeo,* 1705.

BOMBASÍ 'fustán', 1599. Del cat. *bombasí,* y éste de una forma italiana **bombagino,* variante de *bambagino* íd., y deriv. de *bambagia* o *bombage* 'algodón', que a su vez pertenece a la familia del lat. BOM-BYX 'gusano de seda', 'seda'.

BOMBÓN, 1884. Del fr. *bonbon* íd., 1604; en francés lo formó el lenguaje infantil por reduplicación del adjetivo *bon* 'bueno'. DERIV. *Bombonera,* 1921.

BOMBONA 'vasija barriguda, de vidrio o loza, para trasportar ciertos líquidos y gases', 1859 (ó 1873), del cat. *bombona* íd., diminutivo de *bomba* 'proyectil esférico'.

Bon-, para derivados de *bueno,* V. este artículo

BONANZA 'tiempo tranquilo en el mar', princ. S. XV. Probte. de lat. vg. **BONACIA,* alteración (común a las varias lenguas romances) del lat. MALACIA 'calma chicha' por influjo de BONUS 'bueno', por haberse tomado MALACIA por un derivado de MALUS; en realidad, MALACIA procedía del gr. *malakía* 'blandura, flojedad', deriv. de *malakós* 'blando'. DERIV. *Bonancible,* 1607 (*bonacible,* 1611). *Abonanzar,* 1493.

Bondejo, bondongo, V. *mondongo*

BONETE 'especie de gorra', 1488. Del cat. *bonet,* 1204, diminutivo del b. lat. ABONNIS íd. (S. VII). DERIV. *Bonetero; bonetería,* 1596.

BONIATO 'batata', 1537, aparece primeramente en las Antillas, de donde viene la planta, pero es de origen incierto; como sustantivo es muy raro hasta el S. XVIII, mientras que desde 1516 aparece frecuentemente como adjetivo, *ají boniato, yuca boniata* (también llamada *yuca buena*), con aplicación a las plantas dulces o inofensivas, opuestas a las picantes o venenosas, lo que sugiere la posibilidad de que fuese creación latina del viajero Anghiera, como derivado culto de *bueno*: la forma *buniato,* rara y reciente, carece de autoridad.

BONITO 'pez parecido al atún', 1505, probablemente idéntico al adjetivo *bonito* (vid. *BUENO*), quizá por el color dorado de los ojos y plateado del vientre del bonito.

Bonito 'lindo', V. *bueno*

BONO, 1882, 'título de la deuda', 'vale para canjear por artículos de primera necesidad', adaptación del fr. *bon* íd., que es el adjetivo *bon* 'bueno' sustantivado.

BONZO 'sacerdote budista', 1618. Tom. del japonés *bózu* íd., seguramente por conducto del port. *bonzo* (con la misma adición de nasal que en *biombo*).

BOÑIGA 'excremento de vacuno y animales análogos', 1.ª mitad S. XIV, seguramente de una base *BUNNĬCA (o *BONNĬCA), emparentada con el cat. *bony* 'bulto', 'chichón', gasc. *bougno* íd., fr. ant. y dial. *bugne* íd., navarro *bueña* o *meñuga*, 'boñiga', de origen incierto, al parecer prerromano (V. *BUÑUELO*).
DERIV. *Boñigo*, 1629. *Emboñigar.*

BOQUE, arag., 'macho cabrío', 1726, o *buco* S. XIII-XIV, del franco BUKK íd. (en alemán *bock*).
DERIV. *Bucardo* 'cabra hispánica, especie de ciervo pirenaico'.

Boqueada, boquear, boquera, boquerón, boquete, boquilla, V. *boca*

BÓRAX, 1438 (en que probablemente deberá pronunciarse *borásh*). Del lat. moderno *borax*, latinización del iberorromance *borráx* (1603, en catalán desde 1252), que se tomó del ár. vulgar *baŭráq* (ár. clásico *búraq*), y éste del persa *búrah* 'nitro'.
DERIV. regresivo: *Boro*, 1865 (en inglés ya 1812); *bórico; borato; perborato.*

BORBOLLAR, 1635 (*borbollear*, 1570). De una forma reduplicada *bolbollar*, sacada del lat. BŬLLARE 'burbujear', deriv. de BULLA 'burbuja'.
DERIV. *Borbollón*, h. 1490. *Borbolla*, 1513, 'burbuja'. De éste, cruzado con *hervor*, viene *borbor* m. 'burbujeo que se produce al hervir', princ. S. XVII, de donde sale el antiguo y dialectal *borborito, -ita*, 'burbuja', 1606, y de éstos *borboritar*, S. XVIII. De *borbollar*, por cruce con *brotar*, salió *borbotar* 'nacer el agua impetuosamente', 1705, de donde *borbotón*, med. S. XV.

BORBORIGMO, 1765-83. Tom. del gr. *borborygmós* íd.

Borboritar, borbotar, V. *borbollar*

BORCEGUÍ, h. 1460 (*borzeguí(n)a*, 1351), voz común al castellano con varios romances —incluyendo el fr. antic. *brosequin* (hoy *brodequin*, con influjo de *broder* 'bordar')— y con el neerl. *broseken* íd., de origen desconocido.

BORDAR, h. 1450. De una forma germánica como *BRUZDÔN, emparentada con el alem. ant. *gaprortôn* íd.; cambiado en *brordar*, se redujo variamente a *bordar* y a sus variantes *boslar, broslar*, fr. *broder*, cat. ant. *broidar*, etc., por evolución fonética.
DERIV. *Bordado*, princ. S. XVII. *Bordador*, h. 1495. *Bordadura*, 1488.

BORDE I 'orilla', 1444. Del fr. *bord*, y éste del fráncico BORD íd.; hubo variante *bordo*, 1492, aplicado especialmente a los lindes del navío, de donde *virar de bordo*, presentando otro borde la nave al viento, y de ahí *bordo* 'bordada', 1535, para la forma de navegar presentando al viento alternativamente los dos bordos.
DERIV. *Borda* 'borde', 1459; 'canto superior del costado de un buque', 1722. *Bordada*, 1831. *Bordear* 'andar por la orilla', 1526. *Abordar*, 1521; *abordaje*, 1527, y *zabordar*, 1504, por cruce con *zozobrar*. *Desbordar*, S. XVII; *desbordado* 'presuntuoso, insolente', 1604. *Reborde; rebordear. Trasbordar*, 1884; *trasbordo.*

BORDE II, adj., 'bastardo', 1464 (*bort*, 1300, arag.). Del cat. *bord* íd., y éste del lat. tardío BŬRDUS 'mulo'.
DERIV. *Regoldano* 'silvestre', 1611, de *reboldano, *rebordano.*

BORDÓN 'bastón de peregrino', 1220-50, parece ser deriv. de *bohordo*, que lo es de *bohordar.*

Bordona 'cuerda', V. *fabordón*

BÓREAS, 1438. Tom. del lat. *borĕas*, y éste del gr. *borĕas* íd.
DERIV. *Boreal*, 1438. *Hiperbóreo*, 1444.

BORLA, 1406-12; es muy incierto que venga de un lat. vg. *BŬRRŬLA 'fleco de lana', diminutivo del lat. tardío BŬRRA 'lana burda'; se ha supuesto también que sea derivado de cast. y port. antiguos *borlar*, SS. XIV-XV, del mismo sentido y origen que *bordar*, y aplicado especialmente al bordado de orlas (de donde el paso a orlas formadas por borlas); etimología menos hipotética pero que tampoco está bien demostrada.
DERIV. *Emborlar*, 1617.

Borona, V. *desmoronar*

BORRA 'lana grosera', SS. XIII-XIV. Del lat. tardío BŬRRA.
DERIV. *Emborrizar*, 1617.

BORRACHA 'bota de vino' 1.ª mitad S. XV (en catalán 1379, 1380). Como en 1379 significa todavía una redoma de cristal, *borracha* 'bota' parece resultar de un cruce de las voces cat. *botella* 'bota' y *morratxa* 'redoma'; éste, junto con el cast. *almarraja*, procede del ár. *mirášša* íd.
DERIV. *Borracho*, princ. S. XV, y el cat. *borratxo*, S. XV, probablemente, dadas las fechas, derivan de *borracha*, con el sentido de 'persona llena de vino'. *Borrachera*, 1560-75, y antes *borrachez*, 1495, y *borrachería* en los SS. XVI-XVII. *Borrachuela* 'cizaña'. *Emborrachar*, 1505.
CPT. *Emborrachacabras*.

BORRAJA, 1423. Probablemente del ár. vg. *bū ᶜaráq* (clásico *'abū ᶜáraq*) 'sudorífico' (literalmente, 'padre del sudor'), por ser ésta conocida propiedad de la planta; trasmitido sin duda por conducto del cat. *borraja*, 1412 (o *borratja*).
DERIV. *Borragíneo*, deriv. del b. lat. *borrago, -inis* (adaptación, aunque antigua, de las formas romances, de la cual procede el cat. dial. *borranya*).

Borrajar, *borrajear*, V. *borrar*

BORRAR, 1495, deriv. de *borra* 'lana grosera', probablemente por la empleada para borrar lo escrito con tiza.
DERIV. *Borrador*, 1570. *Borrajar*, princ. S. XVII; *borrajear*, 1717. *Borrón*, 1495; *emborronar*. *Borroso*, 1726.

BORRASCA 'tempestad fuerte', h. 1510, voz común a todos los romances meridionales (cat., 1420; it., S. XVI), que parece ser derivada del griego ático *borrâs* 'viento del Norte, bóreas', variante del griego clásico *boréas* íd.; pero la historia de *borrasca* en romance es oscura.
DERIV. *Borrascada*, 1528. *Borrascoso*, h. 1600. *Emborrascar*.

BORREGO 'cordero de uno a dos años', 1309; seguramente derivado de *borra*, por la lana tierna de que está cubierto; *borrega*, 1604.
DERIV. *Borro*, h. 1250, y *borra*, 1485, 'borrego, -ga', parecen derivados regresivos. *Aborregarse*.

BORRÉN 'parte interior de los arzones, acolchada', h. 1570, en portugués *borraina* (éste de origen mozárabe); de una forma romance hispánica *BŬRRĀGO, -AGĬNIS, derivado de BURRA 'lana grosera'.

BORRICO, 1495, 'asno' (una forma mozárabe *borréko* ya S. X). Del lat. tardío BURRĪCUS 'caballo pequeño' (SS. III-VII); *borrica*, S. XV.
DERIV. regresivos de la pronunciación vulgar *burrico*: *Burro*, S. XV; *burra*, S. XVI. *Aborricado*. *Emborricarse*. *Borriqueño*. *Borriquero*. *Borrical*. *Borriquete*.

Borro, V. *borrego* — *Borrumbada*, V. *barrumbada*

BORUCA, mej. 'bulla, algazara', 1908, aparece en el S. XIII en la locución *a la boruca* '(luchando) a brazo partido', y el sentido fundamental puede ser 'lucha'; origen incierto, probablemente del vasco *buruka* 'lucha a cabezadas', deriv. de *buru* 'cabeza'.

Borujo, V. *orujo* — *Bosar*, V. *rebosar*

BOSQUE, 1490; voz tardía en castellano y portugués, tomada del cat. u oc. *bòsc*, 874, íd., palabra común a estas lenguas con el francés (949), las hablas del Norte y Centro de Italia (S. IX) y los idiomas germánicos (S. XI); de origen incierto, acaso prerromano.
DERIV. *Boscaje*, 1.ª mitad S. XV. *Boscoso* (no admitido por la Academia). *Emboscar* 'meter en el bosque', 1495; en la ac. 'poner en emboscada', 1571-75, es calco del it. *imboscare* íd.; *emboscada*, 1549, sustituyó el antiguo *celada*; *desemboscar*, 1495.

BOSQUEJAR 'esbozar', 1599; parece tomado del cat. *bosquejar* 'desbastar (un tronco)', 1504, 'bosquejar', 1515, deriv. de *bosc* 'bosque'; pasó al castellano por influjo de la escuela de pintura valenciana del S. XVI.
DERIV. *Bosquejo*, 1604.

BOSTA amer. 'excremento del ganado vacuno o caballar', 1741, tomado del gall.-port. *bosta* íd., princ. S. XVI, extraído de *bostal* 'establo de bueyes', que viene del lat. tardío BOSTAR íd.; la forma propiamente castellana *buesta* vive en Zamora.
DERIV. *Embostar*.

BOSTEZAR, h. 1400, relacionado con el lat. OSCĬTARE íd., con *b-* agregada por influjo de *boca* (port. dial. *boquejar* 'bostezar'); teniendo en cuenta que lo que se halla más en la Edad Media es *bocezar*, 1251, es verosímil que *bostezar* resulte de un lat. vg. *OSCITARE con la sílaba CI cambiada en *te* por disimilación ante la otra palatal TT. También existen *bocedar* (y *bocedo*), del clásico OSCITARE.
DERIV. *Bostezo*, 1570 (*bocezo*, 1490).

BOTA I 'vasija de cuero para beber vino', 1331. Del lat. tardío BŬTTIS 'odre', 'tonel' (S. VI), cuyo origen último se desconoce; quizá de un antiguo nombre del macho cabrío, del cual proceden *bode* 'chivo', 1582, y *butiondo* 'lujurioso', 1475; comp. *BOCOY*.
DERIV. *Botamen* 'pipería de un navío', h. 1600; del cat. *botam*, colectivo de *bóta* 'tonel', del mismo origen que el cast. *bota*. *Botero*, h. 1570.

BOTA II 'especie de calzado', h. 1400; palabra común con los demás romances de Francia y de la Península Ibérica, de origen incierto.
DERIV. *Botín*, 1490; *botina*, 1607.

Botaló, botalón, V. *botar*   *Botamen*, V. *bota* I

BOTANA, S. XV, 'remiendo que se pone en los agujeros de los pellejos de vino', h. 1500; 'tarugo que tapona un agujero en las cubas y otros objetos', SS. XVII, XVIII, en catalán de Valencia y Mallorca; 'especie de paño grueso', 1329; del ár. *buṭâna* 'piel de carnero preparada' (de una variante del cual procede el cast. *badana*), de la raíz de *baṭn* 'vientre'; con influjo secundario de *bota*.

BOTÁNICO, 1726. Tom. del gr. *botanikós* íd., deriv. de *botánē* 'hierba'.
DERIV. *Botánica*, 1726.

BOTAR 'lanzar, arrojar', h. 1250; hoy aplicado sólo a los barcos y a la pelota en la lengua literaria y en la coloquial de España; del fr. ant. *boter* 'golpear', 'empujar', 'poner', y éste del fráncico *BÔTAN* 'empujar', 'golpear' (hermano del ingl. *beat*, a. alem. med. *bôzen*, escand. ant. *bauta*).
DERIV. *Botadura*, 1877. *Botarel*, 1620, del cat. *botarell* íd., deriv. de *botar* en el sentido de 'empujar'; *arbotante* 'el arco que se apoya en el botarel', 1504, del fr. *arc-boutant* íd. *Bote* 'golpe de lanza' h. 1460, 'salto' 2.° cuarto S. XV. *Al botón*, amer., 'en vano', 1872, deriv. de *botar* 'tirar'. *Rebotar*, h. 1600; *rebote*, 1737.
CPT. *Botafuego*, S. XIV. *Botafumeiro* 'incensario', 'adulación', del gall. íd., 'incensario', cpt. con *fumo* 'humo'. *Botalón* 'palo que se saca hacia la parte exterior de la embarcación', 1675, alteración de *botaló*, 1538, port. *botaló*, que es contracción de la frase *bota a ló* 'echa hacia barlovento' (para *ló*, vid. *barlovento*), pues los *botalós* se empleaban para alejar el navío que trataba de ir al abordaje, lo que se realizaba desde barlovento. *Botasilla*, 1705, antes *botasella*, 1595, del fr. *bouteselle*. *Botavante* 'asta de que usaban los marineros para defenderse en los abordajes', 1770, del cat. *botavant* íd. y 'pujavante', 1504, cpt. con *avant* 'adelante'; el cast. *pujavante* 'herramienta para herrar el caballo' es traducción parcial de la voz catalana. *Botavara*, 1842. *Botivoleo*, 1604, contracción de *bote* y *voleo*:

BOTARATE 'bobalicón', 1726; relacionado con *boto* 'necio', probablemente resulta de un cruce de esta palabra con *patarata* 'mentira, ridiculez', pues en portugués éste se emplea como calificativo de personas, y en América se dice *botarata* m.
DERIV. *Botaratada*, fin S. XIX.

BOTARGA, h. 1580-90, 'personaje de las compañías italianas de comedia, con vestido ajustado al cuerpo y calzas rojas largas', 'calzón ancho y largo como el del botarga', tomado del nombre de Stefanello Bottarga, actor italiano que se vestía de este modo; es propiamente apodo, tomado del it. *bottarga* 'especie de caviar', el cual proviene del ár. *buṭâriḫ* íd., voz de origen copto.

Bote I 'golpe', 'salto', V. *botar*

BOTE II 'vasija pequeña para guardar medicinas, conservas, etc.', h. 1490; es forma alterada (bajo el influjo de *botica, botijo*) de *pote*, tom. del cat. *pot* 'bote, tarro', S. XII; de una base PŎTTUS, S. VI, quizá ya III, de origen incierto, probablemente prerromano.
CPT. *Popurrí, -urri*, del fr. *pot pourri* íd., 1585 (donde *pot* vale 'olla, puchero'), calco a su vez del cast. *olla podrida* h. 1530, propte. 'olla rebosante de manjares varios'.

BOTE III 'embarcación pequeña', 1722. Del ingl. med. *bôt* íd. (hoy *boat*); seguramente por conducto del fr. antic. *bot* y gasc. *bot*.

BOTE IV: *de bote en bote* '(lleno) completamente', 1540. Del fr. antic. *de bout en bout* (sinónimo del actual *d'un bout à l'autre* 'de un extremo al otro').

BOTELLA, 1721. Del fr. *bouteille* íd., y éste de BŬTTĬCULA, diminutivo del lat. tardío BUTTIS 'odre', 'tonel' (para el cual V. *BOTA* I); voz tardía en castellano, que sustituye el clásico *frasco*.
DERIV. *Embotellar*, 1832; *embotellado, embotellador*. *Botiller*, h. 1400, del fr. ant. *boteillier*; *botillería*, 1455.

BOTICA 'farmacia', 1.ª mitad S. XV; antes 'tienda, lugar de venta', 1251. Del gr. bizantino *apothíki* fem. (clásico *apo-*

thĕkē) 'depósito', 'almacén', deriv. de *apotíthēmi* 'yo deposito'.
DERIV. *Boticario*, 1134. *Botiquín*, 1726.

BOTIJA, h. 1300, del tardío *BŬTTĬCULA*, diminutivo de *BUTTIS* 'tonel' (para el cual V. *BOTA* I).
DERIV. *Botijo*, 1589.

Botín (calzado), V. *bota* II

BOTÍN 'despojos', 1495. Del fr. *butin* íd., antiguamente 'repartición del botín', y éste de una voz fráncica hermana del b. alem. med. *bûte* íd. (hoy el alem. *beute* ha tomado también la ac. 'botín').

Botivoleo, V. *botar*

BOTO, 1220-50, 'romo, sin punta', 'necio'; voz común al castellano, el portugués y el francés, de origen incierto; como reaparece, con leves variantes, no sólo en las lenguas germánicas, sino en las eslavas y en magiar, y en romance hay dificultades para derivarla del germánico, es probable que en todas ellas se creara paralelamente, con carácter expresivo.
DERIV. *Embotar*, med. S. XIII. *Rebotar* 'embotar', 'doblar la cabeza de un clavo', 1383; *rebotado* 'engreído', S. XVI, 'conturbado, puesto fuera de sí', princ. S. XVII, de donde, con metátesis, *retobarse* rioplat. 'enfurruñarse', *retobado* amer. 'taimado', 'terco', 'indómito'; partiendo de 'embotar': *retobar* 'forrar de cuero', per., chil., rioplat., fin S. XVI; *retobo*.

Al botón, V. *botar*

BOTÓN 'yema de planta', 1495; 'pieza que se pone en los vestidos para abrocharlos', 1258, etc.; del fr. ant. *boton* (hoy *bouton*) íd., deriv. de *boter* en el sentido de 'brotar' (V. *BOTAR*).
DERIV. *Abotonar*, 1495; *desabotonar*, 1495. *Botones*, sust. sing., S. XX.

BÓVEDA, fin S. XIII. Tom. del b. lat. *VŎLVĬTA*, participio del lat. VOLVERE 'dar vuelta', con carácter semiculto.
DERIV. *Abovedar*, h. 1570.

Bóvido, bovino, V. *buey*

BOXEAR, S. XX, del ingl. *box* 'golpear', 'boxear', que se cree de origen onomatopéyico.
DERIV. *Boxeo. Boxeador.*

BOYA 'señal flotante', 1495. Tom. de un **boye*, variante antigua o dialectal del fr. *bouée* (anticuado *boyee*), y éste deriv. del fráncico **BAUKAN* 'señal', 'boya' (hermano

del ingl. *beacon*, alem. ant. *bouhhan* 'señal', oberdeutsch *bôchen* 'boya'); las formas germánicas modernas para 'boya' (ingl. *buoy*, alem. *boje*, etc.), se tomaron de la misma fuente francesa.
DERIV. *Boyar* 'flotar', 1726; *boyante*. h. 1350 (que pasaron a los ingl. *buoy*, verbo, y *buoyant*).

Boyada, boyal, boyerizo, boyero, V. *buey*

BOZO 'vello que apunta antes de nacer la barba', 1330; antes, 'parte del rostro próxima a la boca', S. XIII, y hoy arag. *bozo* 'bozal (de la reja, de un animal, etc.)'. Origen incierto, quizá de un **BŬCCIU*, derivado romance antiguo del lat. BUCCA 'boca', 'mejilla'; pero es posible que este derivado se extrajera secundariamente del verbo *embozar*, que entonces vendría de **IMBUCCIARE*, deriv. directo de BUCCA.
DERIV. *Bozal*, sust. 'tapa de la boca', 1570. *Bozal*, adj. 'que aún tiene bozo', 'inexperto, bobo', 1495; 'negro recién sacado de su país'. *Embozar* 'cubrir la mitad inferior del rostro', h. 1250; *embozo*, 1706; *desembozar*, 1679. *Rebozar*, h. 1490, o *arrebozar*, fin S. XVI; *rebozo*; *rebociño* o *rebocillo* (de donde el mall. *rebosillo*).

Bracear, braceo, bracero, braci-, V. *brazo*

BRÁCTEA, 1802. Tom. del lat. *brattĕa* (o *bractĕa*) 'hoja de metal'.

BRAGA 'calzón', 1191; 'metedor', arag., 1726. Del lat. BRACA 'calzón', y éste del galo.
DERIV. *Bragado. Bragadura*, 1607. *Bragazas. Braguero* 'cinturón', S. XIII; 'aparato para contener una hernia', 1555. *Bragueta*, h. 1490. *Embragar* 'abrazar un fardo con bragas', 1899; la ac. mecánica, S. XX, se copió del fr. *embrayer* íd., 1858, deriv. de *braie* 'braga', 'travesaño del molino de viento', con el sentido primitivo de 'apretar este travesaño'; *embrague*.

BRAMANTE 'cordel delgado de cáñamo', h. 1500. De *Brabante*, provincia de los Países Bajos, renombrada por sus manufacturas de cáñamo.

BRAMAR, h. 1251. Del gót. **BRAMÔN* íd., emparentado con el alem. *brummen* 'murmurar' y con el b. alem. med. *brammen* 'bramar'.
DERIV. *Brama* 'celo de los ciervos' (que les hace bramar), 1.ª mitad S. XIV; 'sensualidad o pasión', princ. S. XVII. *Bramadera. Bramadero. Bramido*, h. 1280. *Bramura*, 1330. *Embramar* arg. 'atar al bramadero los animales para reducirlos', 1879.

BRANQUIA, 1884. Tom. del lat. *branchia, -ae,* y éste del gr. *bránkhia,* plural de *bránkhion* íd.

Deriv. *Branquial,* 1909.

BRAÑA 'prado húmedo', santand., ast., gall., 780. De origen prerromano, probablemente del célt. *BRAKNA* 'lugar húmedo' (irl. med. *brēn,* galés *braen* 'podrido'), primitivamente *MRAKNA,* perteneciente a la raíz céltica e indoeuropea MRK (galo *bracu* 'cieno', *émbrekton* 'sopa, pan mojado', lituano *merkiù* 'pongo en remojo', lat. *marcere,* etc.).

Deriv. *Brañales, brañizas.*

BRAQUI-, elemento integrante de compuestos cultos. Del gr. *brakhýs* 'corto': *braquicéfalo,* 1914, *braquigrafía, braquiópodo,* 1914. Del gr. *amphíbrakhys,* con prefijo *amphi-* 'de ambos lados', viene el cast. *anfíbraco.*

BRASA, 1220-50; voz común a todas las lenguas romances de Occidente (de las cuales pasó al escandinavo moderno, 1651). Debe de remontarse hasta el latín vulgar; de origen incierto (latino o prerromano).

Deriv. *Brasero,* 1495. *Abrasar,* 1495. *Sobrasar.*

BRASCA, S. XX. Del fr. *brasque,* lomb. *brasca* íd., que procede de un lat. vg. *BRASICA,* deriv. del anterior.

Deriv. *Brascar,* 1856.

BRASIL 'árbol que produce el palo brasil', 'palo brasil, material encarnado empleado en tintorería y como afeite', S. XIII, probablemente deriv. de *brasa* por su color encendido.

Bravata, bravear, braveza, bravío, V. *bravo*

BRAVO 'violento, cruel', 'fiero, salvaje', 'inculto', 1030, 'revuelto', y más tarde 'valiente', S. XVI, o 'bueno', S. XVI, adjetivo antiguo en todas las lenguas romances del Mediodía. De origen incierto, probablemente del lat. BARBĂRUS 'bárbaro', 'fiero', 'salvaje' (que debió de pasar a *BABRU* por disimilación y, con trasposición, *BRABU*); como interjección, S. XVIII, se tomó del italiano, donde es propiamente adj. 'bueno', aplicado en tono de aplauso a un hombre.

Deriv. *Bravear. Braveza,* 1251. *Bravío,* S. XVI. *Bravucón,* 1836. *Bravura,* S. XIII. *Desbravar* 'amansar', 1604; *desbravador. Embravecer,* 1251. *Bravata,* 1548, del it. *bravata,* deriv. de *bravo* en el sentido de bravucón'.

BRAZO, 1044. Del lat. BRACCHIUM íd.
Deriv. *Bracear,* 1495; *braceo. Bracero,* 1369. *Braza,* h. 1140, es BRACCHIA, el anti-

guo plural neutro de BRACCHIUM, pues la braza era lo abarcado con los dos brazos extendidos. *Brazada,* 1490. *Brazal,* 1.ª mitad S. XIV; *brazalete,* 1490, antes *bracelete,* 1450, del fr. *bracelet* íd. *Brazuelo. Abrazar,* h. 1140; *abrazadera; abrazo,* 1.ª mitad S. XV; *abracijo. Antebrazo. Embrazar,* h. 1140. Además, V. *ABARCAR* y *BARZÓN.*
Cpt. varios en *braci-* (*bracilargo,* etc.).

BREA 'alquitrán', 1504, deriv. del verbo *brear* 'embrear', 1519, y éste del fr. *brayer* íd., que procede del escand. ant. *brǽða* íd.
Deriv. *Embrear,* 1604.

BREBAJE 'bebida', fin S. XIII; antes *bebrajo,* 1220-50. Tomado del fr. ant. *bevrage* (hoy *breuvage*) íd., deriv. del lat. BĬBĔRE 'beber', sustantivado con el sentido de 'bebida'; comp. *ABREVAR.*

BRECA, 1505, clase de pescado; parece ser descendiente mozárabe del lat. PERCA 'perca'.

BRÉCOL, 1865; en Aragón y otras partes *brócul* y *bróculi,* princ. S. XVII. Del it. *bròccoli* íd., diminutivo plural de *brocco* 'retoño' (que a su vez procede del lat. BROCCUS 'que tiene los dientes salidos'); la forma *brécol* sufrió cruce con el cast. *bretón,* nombre de otra variedad de col.

BRECHA 'portillo en una fortificación', 1643, del fr. *brèche* íd. y 'mella', que viene del fráncico BREKA 'roto, hendidura' (hermano del neerl. med. *breke* íd., y del alem. *brechen* 'romper').

BREGAR, 1423. Del gót. BRĬKAN 'romper'.
Deriv. *Brega,* 2.ª mitad S. XIV.

BREÑA 'lugar fragoso', princ. S. XV (y quizá 781), en portugués *brenha.* De origen seguramente prerromano, tal vez un célt. *BRIGNA,* derivado del conocido BRĬGA 'monte, altura', que se conservó en muchos nombres propios hispanos (como *Conimbriga, Segobriga,* etc.).

BRETE 'cepo que se pone en los pies para que el reo no pueda huir', fin S. XVI (antes 'reclamo para cazar aves', 1330), y figuradamente 'aprieto', h. 1600. Del gót. *BRĬD* 'tabla' (hoy alem. *brett*), probablemente tomado por conducto de oc. *bret* 'trampa para coger pájaros'.

BRETÓN, 1513, 'brote de cualquier planta', 'el de la col llamada bretón', 'variedad de col cuyos tallos son muchos y rebrotan fácilmente'; de *brotón,* 1513, por disimilación, y éste aumentativo de *brote.*

BREVA, 1495, 'primer fruto que da cada año la higuera breval, y que es mayor que el higo'; antes *bebra,* fin S. XIII, y éste del lat. BÍFĚRA, propiamente FICUS BIFERA 'higuera breval', del adjetivo BIFER, -RA, -RUM, 'que da fruto dos veces', deriv. de. FERRE 'dar fruto' con el prefijo BI-.
DERIV. *Breval,* 1495. *Brevera.*

BREVE, 1220-50. Tom. del lat. *brěvis* íd. DERIV. *Brevedad,* 1495. *Breviario,* 1112, tom. del lat. *breviarium. Abreviar,* 1220-50, lat. *abbreviare; abreviatura,* 1495; *abreviación,* 1438.

BREZO 'arbusto ericáceo conocido', 1220-50, reducción de **bruezo* (hoy *beruezo* en Navarra), del hispano-latino **BRŎCCǏUS,* y éste del célt. **VROICOS* íd. (hoy galés *grug,* irl. *froech*).
DERIV. *Brezal.*

BRIAL 'vestido de seda o tela rica que usaban las mujeres', h. 1140. De oc. ant. *blial* íd. (o *blizaut, blidall*), de origen incierto, como el fr. ant. *bliaut,* quizá germánico (aunque no se le conoce antecedente en esta familia lingüística).

Briba, bribar, bribia, V. *bribón*

BRIBÓN 'pícaro', 1601 (ya 1578, pues del castellano pasó al catalán en esta fecha); deriv. de *briba* (*bribia,* 1599) 'vida holgazana del mendigo o del pícaro', 'arte de engaño de los que la llevan', y éstos, por comparación, de *biblia,* en el sentido de 'sabiduría, gramática parda', 'elocuencia persuasiva y oraciones de que se sirve el mendigo para inspirar lástima' (la forma alterada *bribia* se halla también en el sentido de 'biblia sagrada', S. XIV); partiendo de España, *briba* se internacionalizó en tiempo de la picaresca (fr. *bribe,* S. XIV, 'mendrugo de pordiosero', S. XV, 'migaja, fragmento'; ingl. *bribe* 'regalo a un pobre', 'cohecho'; it. *birba*).
DERIV. *Bribar,* 1599. *Bribonería,* 1604.

BRICBARCA 'buque de tres palos sin vergas en la mesana', 1884. Del ingl. *brig* 'buque de dos palos, con velamen especial en el mayor'; parece tratarse de una traducción parcial del ingl. *brig-schooner,* tipo especial de *brig* con ciertas características del *schooner,* embarcación pequeña de tres palos.

BRIDA, h. 1460. Del fr. *bride* íd., S. XIII, y éste de una forma germánica emparentada con el ingl. *bridle,* ags. *brídel* íd.
DERIV. *Embridar,* 1646 (*bridar,* 1572). *Bridón,* S. XVI.

BRIGADA, 1726. Del fr. *brigade* íd., y éste del it. *brigata* 'grupo de personas que van juntas', 'grupo de trabajadores', deriv. de *briga* 'trabajo, brega' (para cuyo origen V. *BREGA*).
DERIV. *Brigadier,* 1726, del fr. *brigadier.*

BRILLAR, 1617. Del it. *brillare,* S. XIII, 'girar', 'temblequear', 'brillar', voz de creación expresiva.
DERIV. *Brillante,* adj., 1617; sust. 'diamante abrillantado', h. 1750. *Brillo,* princ. S. XVII.

BRINCAR 'saltar ágilmente', 1505. Del port. *brincar* 'jugar, retozar', 'brincar', derivado de *brinco* 'juguete para los niños', primitivamente 'anillo, sortija', 'aro que junto con el engaste de la piedra preciosa constituye un anillo' (también *vinco(o),* S. XV), que procede del lat. VINCULUM 'atadura' (pasando por *vinclo, blinco*).
DERIV. *Brinco* 'salto', h. 1525.

Brindar, V. *brindis*

BRINDIS, 1609. De la frase alemana *ich bring dir's* 'te lo ofrezco' (propiamente 'te lo traigo'), que solía pronunciarse al brindar.
DERIV. *Brindar* 'manifestar el bien que se desea a la persona con quien se bebe', 1592; 'ofrecer algo voluntariamente', princ. S. XVII.

BRÍO 'pujanza', 1330. Del célt. **BRĪGOS,* que hoy sobrevive en el galés *bri* 'aprecio, dignidad, honor', córn. *bry* (emparentados con el irl. ant. *brig* 'fuerza'). En la frase *voto a bríos,* 1525-47, es alteración intencional, por eufemismo, del cast. ant. *Díos* 'Dios'.
DERIV. *Brioso,* 1417.

BRIONIA 'nueza (planta)', 1490. Tom. del lat. *bryonĭa,* y éste del gr. *bryōnía.*

BRISA 'viento del Nordeste o del Este, por lo común muy fuerte', 1504; 'viento suave', S. XIX (y alguna vez en los SS. XVII-XVIII), voz común a todos los romances de Occidente (documentada en Cataluña desde el S. XV), de origen incierto.

BRISCA 'cierto juego de naipes', 1832; abreviación del fr. *briscambille, bruscambille,* y éste del nombre de un comediánte de princ. S. XVII.

BRIZNA 'fibra, filamento', h. 1250. Del anticuado y dialectal *brinza,* que es probablemente el resultado de un cruce de *BINZA* 'fibra' con el dialectal norteño *bringa* (o *brenca*) 'tallito, brizna', de origen céltico (emparentado con el fr. *brin* íd.).

Broa, V. *groera*

BROCA, 1350; nombre técnico de varios objetos en forma de púa o de configuración puntiaguda. Del cat. *broca* íd., probablemente de origen céltico.
DERIV. *Embrocar*. *Broqueta*.

BROCADO 'tela de seda entretejida con oro o plata', h. 1440; probablemente del it. *broccato*, deriv. de un vocablo hermano del anterior.
DERIV. *Brocatel*, 1601, del it. *broccatello*.

BROCAL 'antepecho alrededor de la boca del pozo', 1581; de *bocal* íd., 1495, y éste deriv. de *boca*.

Brócul, *bróculi*, V. *brécol*

BROCHA 'pincel', 1633. Del fr. dial. *brouche* 'cepillo, pincel' (en francés *brosse* íd.), palabra hermana del cast. *broza* (que es de origen desconocido).

BROCHE, m., 1607. Del fr. *broche*, f., 'joya', 'broche', 'botón del vestido'; del mismo origen que *broca*.
DERIV. *Abrochar*, 1406-12; *desabrochar*, 1505.

BROMA 'molusco que carcome los buques', 1504. Del gr. *brôma* 'caries' (deriv. de *bibrŏskō* 'devoro'); por la pesadez de los buques atacados de broma pasó a significar 'cosa pesada', 1599 (de donde 'contrariedad, molestia', ac. muy viva en América); luego 'chanza, burla', fin S. XVIII, y 'bulla, diversión', 2.º cuarto S. XIX.
DERIV. *Embromar*, en América 'fastidiar'. *Bromazo*, 1832. *Bromear*, 1832. *Bromista*, 1832. V. además *ABRUMAR*.

BROMATOLOGÍA, 1884; cpt. del gr. *brôma* 'alimento' con *lógos* 'tratado'.

BROMELIÁCEO (de una familia de plantas), 1865, de *Bromel* o *Bromelius*, botánico sueco del S. XVIII, a quien Linneo dedicó una de ellas.

BROMO, 1853, formado con el gr. *brômos* 'hedor', por el que echa este metaloide.
DERIV. *Bromuro*, 1856.

BRONCE 'aleación del cobre con el estaño', 1522, tomado del it. *brónẓo* íd., S. XIV; de origen incierto, probablemente del lat. AES BRŬNDŬSI 'bronce de Bríndisi', famoso por el que se hacía en esta ciudad de Italia.
DERIV. *Broncear*, 1715; *bronceado*. *Broncería*. *Broncino*, *-íneo*. *Broncista*. *Broncita*.

BRONCO, 1490; parece haber significado originalmente 'pedazo de rama cortada', 'nudo en la madera', y proceder del lat. vg. *BRUNCUS íd., cruce de BROCCUS 'objeto puntiagudo' (vid. *BROCA*), con TRŬNCUS 'tronco'; en Nuevo Méjico tomó la ac. de 'caballo salvaje, mal domado', de donde pasó a designar un animal indómito en el inglés del Far West.
DERIV. *Bronca* 'pendencia', 1886; *bronquina*, h. 1750; *abroncar*, 1891.

BRONQUIO, 1726. Tom. del lat. *bronchium*, y éste del gr. *brónkhion* íd.

BROQUEL, h. 1300. Del fr. ant. *bocler* íd. (hoy *bouclier*), deriv. de *bocle* 'guarnición de metal que el escudo llevaba en su centro', y éste del lat. BŬCCŬLA íd., diminutivo de BUCCA 'mejilla'.
DERIV. *Abroquelar*, primera mitad S. XVI. *Embroquelarse*.

Broqueta, V. *broca*   *Bróquil*, V. *brécol*

BROTE, 1490. Del gót. *BRŬT íd. (hermano del alem. ant. *broz* íd., y pariente del alem. *sprosse* íd., ingl. *sprout* 'brotar').
DERIV. *Brotar*, 1490. *Rebrotar*; *rebrote*; V. *BRETÓN*.

BROZA, 1514; palabra común con el cat., oc., fr. y dialectos de la alta Italia, de origen incierto, probablemente prerromano.
DERIV. *Desbrozar*, princ. S. XVII; *desbroce*.

DE BRUCES, 1514. Origen incierto; las formas primitivas parecen ser *de buzos* y *de buces* (ambas S. XVI, *abuçado* 'boca abajo' S. XIII y *abocinado*), probablemente alteradas por influjo de *debrocado*, *embrocado*, 'echado cabeza abajo', 1495; el origen de la locución *de buzos* a su vez es incierto, quizá variante de *bozo* 'parte inferior del rostro', del cual hay una forma paralela *buço*, bien conocida en portugués.

BRUJA 'hechicera', h. 1400; de un tipo *BRŬXA común a los tres romances hispánicos y con algunas variantes en los dialectos de Gascuña y Languedoc. De origen desconocido, seguramente prerromano.
DERIV. *Brujo*, 1495. *Brujería*, 1726. *Embrujar*, S. XVIII; *embrujo*.

BRÚJULA, 2º cuarto S. XV. Del it. *bùssola* íd., S. XIII, y éste del lat. vg. BŬXIDA 'cajita', procedente del gr. *pyxís*, *-ídos*, íd.; en España el vocablo sufrió el influjo del cast. ant. *buxeta* 'cajita' (de igual origen) y tomó *r* por repercusión de la otra líquida (*búixola* sigue siendo forma viva en la Costa de levante catalana).

Deriv. *Brujulear* 'tratar de adivinar las cartas en el juego de naipes', 1601; 'adivinar, atisbar', princ. S. XVII.

BRULOTE 'barco cargado de materias inflamables que se dirigía sobre los buques enemigos para incendiarlos', 1709; del fr. *brûlot* íd., deriv. de *brûler* 'quemar' (del lat. vg. *BUSTULARE, emparentado con USTULARE y COMBURERE).

BRUMA 'niebla', 1570. Del lat. BRŪMA 'invierno' (con este sentido, 1444).
Deriv. *Brumoso*, 1627.

BRUÑIR 'acicalar', h. 1250. Tomado de oc. ant. *brunir*, y éste del fráncico *BRŪNJAN íd., deriv. de BRŪN 'moreno' (alem. ant. *brûnen* 'bruñir').

BRUSCO I, m., 'especie de arrayán silvestre', 1545. Del lat. RUSCUS íd., cruzado con el nombre galo de la misma planta BRISGO (de donde el lemos. *bresegoun*, fr. *fragon*).

BRUSCO II, adj., 1496; probablemente el tipo romance *BRŪSCUS 'rudo', 'quebradizo', es adaptación de una voz indoeuropea prerromana BHR(O)ISQO- representada por los celtas antiguos *Bruscos, Brusca, Bruscius* (nombres propios), galés *brysg* 'vivo, ágil', bretón *bresk*, irl. *brisk* 'frágil', checo *břesk*, polaco *brzazg* 'áspero', ruso ant. *obřězgnuti* 'agriarse', noruego *brisk* 'amargo' (de donde el ingl. *brisk* 'ágil, vivo'); aunque la historia del vocablo dentro de las lenguas romances es complicada y oscura.
Deriv. *Brusquedad*, fin S. XIX.

BRUSELAS 'pinzas de platero', 1713; quizá del nombre de la ciudad de Bruselas.

BRUTO, 1440. Tom. del lat. *brutus* 'estúpido'.
Deriv. *Brutal*, 1490. *Embrutecer*, 1495; *embrutecedor; embrutecimiento. Abrutado.*

BRUZA 'cepillo para caballerías', 1680. Del fr. dial. *brusse*, variante del fr. *brosse* 'cepillo', de origen incierto (idéntico al de BROZA y BROCHA).

BUBA, h. 1400, o *búa*, 1535, 'tumor venéreo en la ingle', 'pústula', deriv. regresivo de *bubón* 'tumor voluminoso, en particular el de la peste', 1537, y éste del gr. *bubón* 'ingle', 'tumor en la ingle', 'pústula'; pero en algunas de sus acs. es nueva creación onomatopéyica del romance.
Deriv. *Bubónico*, S. XIX.

Bucardo, V. *boque*　　　*Bucal*, V. *boca*

BÚCARO, h. 1530, 'vasija para beber, por lo común de barro', 'arcilla olorosa de que se hacían estos vasos'. Del dialecto mozárabe, y en éste del lat. PŌCŬLUM 'copa'; es posible que en castellano se tomara de Portugal, donde es forma de dialectos, equivalente del port. *púcaro* íd., h. 1380.

BUCLE 'rizo', 1725. Del fr. *boucle*, f., 'hebilla', 'bucle', y éste del lat. BŬCCŬLA 'guarnición de metal, de forma redondeada, que los escudos llevaban en su centro'.

BUCÓLICO, 2.º cuarto S. XV. Tom. del lat. *bucolĭcus* 'pastoril', y éste del gr. *bukolikós* íd., deriv. de *bukólos* 'boyero'.
Deriv. *Bucólica* 'poema bucólico', 1632, y, por deformación del sentido, como si fuese derivado de *boca*: 'comida', 1599.

BUCHE 'bolsa que tienen ciertos animales para recibir la comida', 1386, y nombre de varios objetos de forma abultada ('carrillo hinchado', 'el agua que cabe en el mismo', etc.): voz expresiva de formación paralela a la de varias extranjeras que significan 'barriga' u 'objeto abultado': it. *bużżo* 'estómago y vientre de los animales'; cat. balear *butza, bêtza, bitza* 'barriga', 'bandullo'; alem. *butzo, batzen*; neerl. *butse* 'bulto'. Los cast. *boche* 'hoyo' y *bocha* 'bolsa en los vestidos' pertenecen a la misma familia (junto con los port. dial. *bocha* 'vejiga', *boche* 'pulmón', *bochinca* 'pústula'), y vid. BACHE.
Deriv. *Buchada* 'enjuague' amer., and. *Buchete* 'carrillo hinchado', 1495. *Embuchar* 'embutir carne picada en un buche o tripa', 1604; *embuchado*, 1607; *desembuchar*, 1644.

BUDÍN, 1797, del ingl. *pudding* 'salchicha', 'budín'; de donde además el tecnicismo *pudinga.*
Deriv. *Budinera.*

Buega, V. *muga*

BUENO, 1032. Del lat. BŎNUS íd. (comp. BIEN).
Deriv. *Abonar* 'dar por bueno', h. 1500, 'fertilizar', h. 1800 (para la ac. 'suscribir' V. artículo aparte); *obono*, 1600 ('fertilizador', h. 1800). *Bonacho*, 1765-83; *bonachón*, 3.er cuarto S. XIX. *Bondad*, 1220-50; *bondadoso*, 1490. *Bonificar*, h. 1400. *Bonito*, 1517, con evolución de sentido paralela a la del lat. *bellus* 'lindo', originariamente diminutivo de *bonus. Embonar*, 1673; *embón*, 1722, o *embono*, 1706.
Cpt. *Buenaventura*, S. XV.

Buétago, V. *abotagarse*

BUEY, 1184. Del lat. BOS, BOVIS íd.; BŏVEM, reducido a BŏE, dio *buee,* y luego *buey.*

DERIV. *Boyada,* fin S. X. *Boyal. Boyero,* h. 1330; *boyerizo,* h. 1420. *Boyuno,* 1546. *Bovino,* h. 1450,. tom. del lat. *bovinus. Bóvido.*

CPT. *Detienebuey* 'gatuña', 1555, por estorbar la labor del arado en los campos.

BÚFALO, h. 1300. Tom. del lat. tardío *bufălus* íd., clásico *bubălus,* y éste del gr. *búbalos* 'gacela'.

BUFANDA 'prenda con que se abriga el cuello', 1782. Del fr. antic. *bouffante,* y éste del participio activo de *bouffer* 'inflarse' (vid. *BOFE*).

Bufado, bufar, V. *bofe*

BÚFETE 'mesa, en particular la de escribir', 1587; 'despacho de abogado'. Del fr. ant. *buffet* 'especie de mesa', S. XII (hoy 'aparador'), de origen incierto.

Bufido, V. *bofe*

BUFO, 1770, adj. 'grotesco', sust. 'gracioso'. Del it. *buffo* 'cómico, que hace reir', voz de creación expresiva, relacionada con *befa.*

DERIV. *Bufón,* 1607, tom. del it. *buffone* íd., 1275. *Bufonada,* 1705. *Bufonería,* princ. S. XVII.

BUGALLA 'agalla del roble', 1607 (y port. *bugalho,* S. XIII); metátesis de *bullaga* (y otras variantes: *bullaca, bollagra,* etc.). Origen incierto, probablemente del celta *BULLĀKĀ 'pústula' (irl. ant. *bolach* f.).

BUGANVILLA, S. XX. Del nombre del navegante francés Bougainville, que trajo esta planta a Europa.

BUGLE (instrumento musical), S. XX. Tom. del fr. *bugle,* y éste del ingl. *bugle* íd., antes 'cuerno de caza', que a su vez procede del fr. ant. *bugle* 'búfalo' (de cuyos cuernos se hacía el bugle), y éste del lat. BŪCŬLUS 'buey joven'. *Figle* 'variación moderna del bugle', 1884; parece ser modificación convencional del fr. *bugle* con la *f* característica de *ophicléide,* nombre francés del figle, compuesto del gr. *óphis* 'culebra' (por la forma doblada del figle) y *kléis* 'clave' (por tener muchas este instrumento).

BUGLOSA 'lengua de buey (planta)', 1488. Tom. del lat. *buglossa,* gr. *búglōsson* íd.; cpt. de *bûs* 'buey' y *glóssa* 'lengua'.

BUHARDILLA, princ. S. XVIII, 'ventana en el. tejado de una casa', 'desván con esta ventana, empleado como vivienda', diminutivo del anticuado *buharda* íd., 1611, que significó primitivamente 'respiradero para el humo' y deriva del verbo *buhar,* variante de *bufar* 'soplar' (vid. *bofe*); también corren las variantes *bohardilla,* 1832-6, y *guardilla,* 1693.

BUHO (ave nocturna), 1250-80. Del lat. vg. BŪFO, lat. clásico BŪBO, -ONIS, íd.

DERIV. *Buharro,* 1495.

BUHONERO 'vendedor de baratijas', 1330. Deriv. del antiguo *buhón* íd., 1220-50, y éste de la onomatopeya BUFF-, expresiva de las peroratas del buhonero en alabanza de su mercadería (V. *BOFE, BUFO*).

DERIV. *Buhonería,* 1480. *Bujería* 'chuchería (esp. las que se dan a los indios)', 1528, deformación (comparable a los vulgarismos *junción, jurioso,* por *función, furioso*) del port. *bufaria* íd. (contracción de *bufõaria = buhonería*).

BUIDO, 1595, 'acanalado, estriado (dicho de una arma)', 'aguzado'. Del cat. *búit* 'vacío', 'hueco' (fem. *buida*), S. XII, y éste del lat. vg. VŏCĬTUS íd., participio de VOCARE, variante del lat. VACARE 'estar vacío'.

DERIV. Es raro y de formación secundaria el verbo *buir* 'hacer buido', 1601.

BUITRE 'ave rapaz de gran tamaño que se alimenta de carne muerta', 1098. Del lat. VŬLTUR, VŬLTŬRIS, íd.

DERIV. *Buitrón* 'garlito para coger peces', 1074. *Buitrera.*

BUJARRÓN 'sodomita', 1526. Deriv. del b. lat. BULGĂRUS, nombre de 'los búlgaros, empleado como insulto por tratarse de herejes pertenecientes a la Iglesia ortodoxa griega; entró en castellano por conducto de otra lengua romance, probablemente el fr. antic. *bougeron,* S. XV.

DERIV. *Bujarronear,* 1570.

BUJE 'pieza cilíndrica que guarnece el cubo de la rueda', 1765-83. Seguramente del lat. BUXIS, -ĬDIS 'cajita' (y éste del gr. *pyxís* íd.); aunque la historia del vocablo no es clara.

Bujería, V. *buhonero*

BUJÍA 'vela de cera o materia semejante', 1611. Del ár. vg. *Buŷiya,* nombre de la ciudad africana de Bujía, de donde se traía la cera.

BULA 'documento pontificio', 1328. Tom. del lat. *bŭlla* 'bola', 'sello de plomo que va pendiente de ciertos documentos papales', 'uno de éstos'.

DERIV. *Bulero,* 1613 (*buldero,* 1555: de la variante semipopular *bulda,* 1325).

BULBO 'parte redondeada del tallo de ciertas plantas', 1555. Tom. del lat. *bulbus* íd.

Bulevar, V. *baluarte*

BULIMIA, 1884. Tom. del gr. *bulimía* íd., cpt. de *bûs* 'buey' y *limós* 'hambre': 'hambre boyuna'.

BULO 'noticia falsa', 1920. Voz jergal, tomada probablemente del gitano *bul* 'porquería, excremento' (propiamente 'trasero'); en el cambio de significado pudo influir *bola* 'mentira', 2.º cuarto S. XVIII, aplicación figurada de *bola* 'esfera', en el sentido de 'cosa hinchada'.

BULTO, tom. del lat. *vŭltus* 'rostro': este latinismo significó primeramente lo que en latín (princ. S. XV); en seguida se aplicó a las imágenes que representaban la cabeza de los santos, 1517; luego a las estatuas que figuraban de relieve el cuerpo de una persona, S. XV, especialmente en las sepulturas, por oposición a las que reproducían su contorno en una losa plana; de aquí pasó a designar la masa del cuerpo de una persona, 1599, y se extendió finalmente a una masa cualquiera, 1560-75 (quizá ya 1495).
DERIV. *Abultar*, 1513.

BULULÚ 'comediante que representaba solo, mudando la voz según las personas que se suponía hablaban por su boca', 1603. Probablemente voz de creación expresiva u onomatopéyica; secundariamente 'alboroto, escándalo', venez., portorr., por las voces varias del bululú.

Bulla, V. *bullir*   *Bullaca*, V. *bugalla*
Bullanga, V. *bullir*

BULLARENGUE 'prenda usada por las mujeres para abultar las nalgas', med. S. XIX. Deriv. de *bollo* 'masa redondeada', 'abolladura', 'plegado de tela de forma esférica', usado en las guarniciones de trajes de señora'.

BULLIR, 1220-50. Del lat. BŬLLĪRE 'bullir', 'hervir', deriv. de BŬLLA 'burbuja'.
DERIV. *Bulla*, 1601; *embullar*; *bullanga*, 1857; *bullanguero*.
Bullicio, 1220-50, tom. del lat. *bullitio, -onis*, 'burbujeo'; *bullicioso*. *Ebullición*, 1705, del lat. *ebullitio, -onis*, íd. *Rebullir*; *rebullicio*.
CPT. *Bullebulle*. *Ebullómetro*.

Bullón 'cabeza de clavo', V. *bollo*

BUÑUELO, S. XIV. Del mismo origen que el cat. *bunyol* y fr. *beignet* (antes *beuignet*) íd., derivados de un congénere del cat. *bony* 'bulto, protuberancia', voz de origen desconocido, seguramente prerromana (V. BOÑIGA).
DERIV. *Buñolero*, 1604; *buñolería*, 1617.

BUQUE 'barco', 1519. Del cat. *buc*, S. XIII, 'vientre, capacidad interior de algo', 'casco de una nave' (acepciones estas dos también existentes en castellano hasta el S. XVIII), que a su vez procede del fráncico *BŪK 'vientre' (hermano del alemán *bauch*, ags. *bûc* íd.).

Buraco, V. *horadar*   *Buratín*, V. *volatín*

BURBUJA, 1495. De un verbo *burbujar 'burbujear', y éste del lat. vg. *BULBULLIARE, deriv. por reduplicación del lat. BULLA 'burbuja' (del cual proceden el port. *burbulhar*, cat. *borbollar* 'burbujear', it. *borbogliare* 'roncar los intestinos'); comp. BAMBOLLA y BORBOLLAR.
DERIV. *Burbujear*, 1495.

BURDÉGANO 'hijo de caballo y burra', 1495. Origen incierto, al parecer deriv. del lat. tardío BŬRDUS íd. (V. BORDE II).

BURDEL 'lupanar', S. XIV. Del cat. *bordell* o de oc. *bordel* íd., S. XIII, diminutivos de *borda* 'cabaña', y éste del fráncico BORD 'tabla'.

BURDO 'basto', 1607. Origen incierto, parece haberse aplicado originariamente a los carneros y ovejas de lana grosera, a distinción de los merinos; a su lana y a las calidades de paño que se hacían con la misma; teniendo en cuenta la forma *burdalla* 'oveja grosera', documentada en Andalucía en 1495, es posible que ésta y *burdo* sean formas del dialecto mozárabe, donde pueden proceder normalmente lo mismo del lat. BŬRDUS 'bastardo' que de BRŪTUS 'brutal, estúpido'.

BUREO, antes 'juzgado en que se conocía de lo tocante a los que gozaban del fuero de la casa real', 1533; 'discusión', 1612, y hoy 'diversión', h. 1600. Del fr. *bureau* 'oficina', 'comité' (y anteriormente 'paño buriel', 'mesa cubierta de este paño', del mismo origen que *buriel*).

BURGADO 'caracol de varias especies, sobre todo marino', 1789; antes *burgao*, 1639, que es la forma primitiva; voz del mismo origen desconocido que el port. *burgau* y el fr. antillano *burgau*, S. XVI.

BURGO, 1087, 'arrabal, barrio'. Tom. del b. lat. *burgus*, y éste del germ. común *bŭrgs* 'ciudad pequeña', 'fuerte'.

Deriv. *Burgués,* fin S. XIII, forma re-adaptada a *burgo,* en lugar de las antiguas *burgés,* h. 1140, y *burzés,* S. XI, que se tomaron del derivado b. lat. *burgensis. Burguesía,* 1646.

Cpt. *Burgomaestre,* 1548; adaptación del alem. *burgmeister* íd.

BURIEL 'paño de color gris', 1268. Del fr. ant. *burel, buriau,* íd. De origen incierto, quizá emparentado con el adjetivo romance *BŪRIUS, que ha dado el it. *buio* 'oscuro'.

BURIL (instrumento de grabador), 1495. Del cat. *burí* íd., 1412, palabra del mismo origen incierto que el fr. *burin* y el it. antic. *burino* (hoy *bulino*); es muy dudoso que pertenezca a la familia germánica del alem. *bohren* 'taladrar'; acaso voz prerromana afín a ésta.

Deriv. *Burilar,* 1735; *burilada,* 1572.

BURLA, 1330; palabra común a los tres romances peninsulares. De origen desconocido.

Deriv. *Burlar,* 1251; *burlador,* princ. S. XV. *Burlería,* 1439. *Burlesco,* princ. S. XVII, parece haberse creado en Italia a med. S. XVI, en donde *burla* puede haber penetrado desde España en este siglo. *Burlón, -ona,* 1495.

BURLETE, 1884. Del fr. *bourrelet* íd., diminutivo de *bourre* 'borra'.

BUROCRACIA, 1832-36. Del fr. *bureaucratie,* cpt. de *bureau* 'oficina' (vid. *BUREO*).

Deriv. *Burócrata. Burocrático.*

Burro, V. *borrico   Burrumbada,* V. *barrumbada   Bursátil,* V. *bolsa   Burujo, burujón,* V. *orujo*

BUSCAR, h. 1140. Vocablo propio del castellano y el portugués, de origen incierto, acaso prerromano.

Deriv. *Busca,* 1251. *Buscón,* h. 1600. *Búsqueda,* 1884. *Rebuscar,* S. XV; *rebuscadera,* 1290; *rebusca,* princ. S. XVI; *rebusco.*

Cpt. *Buscapié, -piés. Buscarruidos. Buscavida(s).*

BUSILIS 'punto en que estriba la dificultad de una cosa', 1615. Extraído de la frase latina *in diebus illis* 'en aquellos días', mal entendida por un ignorante que, separando *in die,* se preguntó qué significaba *bus illis.*

Búsqueda, V. *buscar*

BUSTO, h. 1580, 'representación de la cabeza y parte superior del tórax', 'parte superior del tórax'. Tom. del lat. *bustum* 'crematorio de cadáveres', 'sepultura', 'monumento fúnebre', deriv. de *burere,* variante de *urĕre* 'quemar'.

BUSTRÓFEDON, 1884. Tom. del gr. *bustrophēdón* adv. 'arando en zig-zag' derivado parasintético de *bûs* 'buey' y *stréphō* 'doy vuelta'.

BUTACA, 1843. De *putaka* 'asiento', voz de un dialecto caribe de Venezuela, el cumanagoto.

BUTIFARRA, 2.º cuarto S. XIX. Del cat. *botifarra* 'cierto embutido', del mismo origen que *embutir.* Alterado también en *gutifarra,* amer.

Butiondo, V. *bota I*

BUTÍRICO, S. XIX, derivado del gr. *bútyron* 'mantequilla', por formarse este ácido al fermentar la mantequilla rancia.

Deriv. *Butano,* formado según el modelo de *metano, propano,* etc.

BUZ 'reverencia', h. 1300, 'beso que se da en la mano por reverencia', 1587. Probablemente onomatopeya expresiva del contacto de los labios; el mismo vocablo con sentidos análogos aparece no sólo en árabe, sino también en celta, germano e iranio.

Cpt. *Buzcorona,* 1601.

BUZO 'el que trabaja sumergido en el agua', 1570. Tom. del port. *búzio* íd., propiamente 'caracol que vive debajo del agua', y éste del lat. BŪCĬNA 'cuerno de boyero' (que en castellano había dado la forma castiza *búzano* 'buzo', 1547-princ. S. XVII, 'nombre de un marisco', and.).

Deriv. *Bucear,* 1726. *Buzar.*

BUZÓN 'agujero para echar las cartas al correo', 1770. Significó primeramente 'masa de hierro con que los fundidores tapan la boca del horno, de donde sale el metal líquido', 1765-83; 'pieza que se introduce en algún agujero para sacar agua, aire, etc.' íd., 'conducto por donde desaguan los estanques', 1726, 'agujero'; y viene del antiguo *bozón* 'ariete', 1256-63 (de oc. ant. *bosson* íd., y 'flecha gruesa', procedente ·del fráncico *BULTJO 'clavo grueso, perno').

C

CA, conj. ant., 'porque', 2.ª mitad S. X. Viene, al parecer, del lat. QUIA íd.

¡CA!, med. S. XVII, o **¡QUIA!**, interjección de incredulidad. Probablemente reducción de la frase *¡qué ha de ser!*, como el equivalente *¡qué va! lo es de ¡qué va a ser!*

Cabal, V. *cabo*

CÁBALA, 1325-6. Tom. del hebr. *qabbalah* 'tradición', aplicado a la interpretación mística del Antiguo Testamento, que pretendía ser tradicional; posteriormente se aplicó a otras doctrinas esotéricas. DERIV. *Cabalista*, 1607. *Cabalístico*, 1607. *Cábula* amer. 'intriga, maquinación', 'treta en el juego' es alteración de *cábala* según *fábula*; *cabulear* 'maquinar' rioplat., princ. S. XIX.

Cabalgada, cabalgador, cabalgadura, cabalgar, cabalgata, cabalhuste, V. *caballo* *Cabalista, cabalístico*, V. *cábala* *Caballa, caballada, caballar, caballeresco, caballería, caballeriza, -izo, caballero, caballeroso, caballete, caballista, cabailito*, V. *caballo*

CABALLO, 932. Del lat. *caballus* 'caballo castrado', 'caballo de trabajo', 'caballo malo, jamelgo', que en latín vulgar ya se empleó en el sentido general de 'caballo'. DERIV. *Caballa* 'scomber colias', 1599, nombre que primero se aplicaría a la caballa voladora, pez que salta sobre el agua. *Caballar*, 1438. *Caballete*, 1430. *Caballista*, med. S. XIX. *Caballón* 'lomo entre surco y surco', 1726; también alterado en *camellón*, 1560-75. *Caballerizo*, 1495; *caballeriza*, h. 1490. *Caballuno. Acaballar. Encaballar. Caballero*, 1076, ya lat. tardío CABALLARIUS;

caballeresco, 1605; *caballerete*; *caballería*, 1092; *caballeroso*, 1438. *Cabalgar*, 1073, del lat. vg. CABALLICARE íd., *cabalgadura*; *cabalgata*, med. S. XVIII, del it. *cavalcata* íd.; *descabalgar*, 1495; *encabalgar*, 1438, *encabalgamiento*. CPT. *Cabalhuste*, h. 1295, del lat. CABALLUS FUSTIS 'caballo de fuste'.

CABAÑA, 1044. Del lat. tardío CAPANNA íd., tomado de una lengua prerromana. DERIV. *Cabañal. Cabañera. Cabañero. Cabañuela*, 1495.

CABE 'cerca de', prep. antic. o poét., h. 1140. Abreviación de la antigua locución *a cabo de, a cab de* 'a la orilla de', 'al canto de'. De esta prep. parece sustantivado *cabe* sust. 'golpe que se da con una bola a otra' (porque se pone junto a ella), 1604.

Cabecear, cabeceo, cabecera, cabecero, cabeciduro, cabecilla, V. *cabeza*

CABELLO, 1050. Del lat. CAPILLUS íd. DERIV. *Cabellar. Cabelludo. Cabellera*, 1495. *Descabellar*, 1495; *descabellado*. *Encabellado*, 1495. *Capilar*, S. XV, tom. del lat. *capillaris* 'relativo al cabello'; *capilaridad*.

CABER, h. 1140. Del lat. CAPĔRE 'asir', 'contener, dar cabida (a algo)'. DERIV. *Cabida. Cupo* 'cuota asignada a un pueblo o a un particular', 1884, del pretérito de *caber* en la acepción 'tocar en parte' (*lo que cupo a cada uno*).

CABESTRO, 1330. Del lat. CAPISTRUM íd. DERIV. *Cabestrear. Cabestrillo. Descabestrar. Encabestrar*, 1495.

CABEZA, 957. De CAPĬTĬA, forma que sustituyó a CAPUT, -ĬTIS íd., en el latín vulgar hispánico.
DERIV. *Cabecear,* 1495; *cabeceo. Cabecera,* 1374. *Cabecilla. Cabezada,* 1505. *Cabezal,* 1195; *cabezalero. Cabezo* 'cerro', h. 1340; *cabezón,* 1220-50. *Cabezota. Cabezudo. Cabezuela. Descabezar,* 1220-50. *Encabezar,* h. 1570; *encabezamiento,* 1604. *Cabeciancho. Cabeciduro. Cabizbajo,* 1555, síncopa de *cabecibajo.*

Cabida, V. *caber*

CABILA, fin S. XIX. Del ár. *qabîla* 'tribu'.
DERIV. *Cabileño,* 1894.

CABILDO, 1202. Descendiente semiculto del b. lat. *capĭtŭlum* 'reunión de monjes o canónigos'.
DERIV. *Cabildada,* 1617. *Cabildante. Cabildear; cabildeo. Capitular* 'relativo a un cabildo', deriv. culto.

Cabizbajo, V. *cabeza*

CABLE, 1.er cuarto S. XIV. Del fr. *câble* íd., de origen incierto, probablemente del lat. tardío CAPŬLUM 'cuerda'.
CPT. *Cablegrama,* h. 1900, o abreviadamente: *cable; cablegrafiar.*

CABO 'extremo', 931; 'extremo de una 'cuerda', 'cuerda'. Del lat. CAPUT 'cabeza'.
DERIV. *Cabal* 'completo, perfecto', 1155, porque llega hasta el cabo; *descabalar,* 1693. *Acabar,* h. 1140, propiamente 'hacer algo hasta el cabo'; *acabado; acabamiento,* h. 1250; *acabóse. Recabar,* h. 1250, deriv. de *cabo:* propiamente fue 'conseguir del todo, hasta el cabo', y comp. *acabar* en frases como *no pudo acabar nada con la entrevista: Menoscabar,* 1220-50, propiamente 'hacer imperfecto', formación negativa partiendo de *acabar,* con el prefijo *menos-* equivalente de *no; menoscabo,* 1220-50.
CPT. *Capicúa,* S. XX, del cat. *cap-i-cua* íd., propiamente 'cabeza y cola'.

CABOTAJE, h. 1800. Del fr. *cabotage* íd., deriv. de *caboter* 'practicar el cabotaje', 1690, de origen incierto, quizá deriv. del fr. antic. *cabo* 'cabo, lengua de tierra que se adentra en el mar', 1614 (tom. del cast. *cabo*), en el sentido de 'navegar a lo largo de la costa, siguiendo derrota de cabo en cabo'.

CABRA. 965. Del lat. CAPRA íd.
DERIV. *Cabrearse* 'amoscarse', 1891, por las rabietas típicas de la cabra. *Cabrerizo,* 1495; *cabreriza. Cabrero, -a,* 1495. *Cabrilla. Cabrío,* 1427. *Cabrito,* 1220-50, del lat. tardío CAPRĬTUS, con influjo del sufijo diminutivo castellano; *cabritilla,* 1611; *encabritarse,* 1832, por la tendencia de la cabra y el cabrito a erguirse sobre las patas traseras. *Cabrón,* 1220-50; de donde *cabro,* princ. S. XVII, amer., y secundariamente 'muchacho', chil. *Cabruno,* 1050, lat. tardío CAPRŪNUS.
CPT. *Capricornio,* 1256-76. *Caprifoliáceo,* deriv. del lat. *caprifolium* 'madreselva', cpt. con *folium* 'hoja'. *Capriforme.*

CABRAHIGO 'higuera silvestre', 'su fruto', 1490. Del lat. CAPRĬFĪCUS íd., cpt. de *ficus* 'higo' y *caper* 'cabrón', porque sólo el ganado se come los cabrahigos.

CABRESTANTE, 1518. Palabra propia del inglés (*capstan,* h. 1325), francés (*cabestan,* 1382), portugués, castellano y catalán (*capistran*); término de mineros y marineros, de origen desconocido; acaso sea la variante ingl. *cap-string* lo primitivo y trasmitido por el francés a las lenguas hispánicas.

CABRIA 'máquina de levantar pesos consistente en una armazón triangular con un torno de eje horizontal', 1587. Del lat. CAPRĔA 'cabra montés', por recordar la posición de la cabra erguida y con las patas traseras esparrancadas.

CABRIO 'madero que forma parte de la armadura de un tejado, viga', 1220-50. Del lat. vg. *CAPRĔUS,* deriv. de CAPRĔA 'cabra montés'; quizá por la costumbre de figurar la cabeza de un animal en los extremos de las vigas.

Cabrío, V. *cabra*

CABRIOLA 'brinco de bailarín', 1586-1604. Del it. *capriola* íd., deriv. de *capriolo* 'venado', del lat. CAPREOLUS íd.

CABRIOLÉ, 2.ª mitad S. XVIII. Del fr. *cabriolet* íd., 1759, deriv. de *cabriole* (vid. *CABRIOLA*) por los saltos que dan estos coches ligeros.

Cabritilla, cabrito, cabro, cabrón, cabruno, V. *cabra*   *Cábula,* V. *cábala*

CABUYA 'pita', 'su fibra', 'cuerda de pita o de otra materia', amer., and., 1535. Del taíno de Santo Domingo.
DERIV. *Cabuyera. Encabuyar.*

CACA 'excremento', 1517. Voz de creación expresiva procedente del lenguaje infantil.

CACAHUETE, 1765-83; antes *cacahuate,* 1653, todavía mejicano. Del náhuatl *tlalcacáuatl* íd., cpt. de *tlalli* 'tierra' y *cacáuatl* 'cacao', propiamente 'cacao de la tierra'.

CACAO, 1535 (*cacap*, 1523-5). Del náhuatl *cacáua*, forma radical de *cacáuatl* íd.

CACAREAR, 1539. Onomatopeya. DERIV. *Cacareador. Cacareo.*

CACATÚA, S. XX. Del malayo *kakatûwa* íd.

Cacería, V. *cazar*   *Cacerola*, V. *cazo*
Cacicato, V. *cacique*

CACIQUE, 1492. Del taíno de Santo Domingo, donde designaba a los reyezuelos indios.
DERIV. *Cacicazgo* o *cacicato. Caciquil. Caciquismo.*

CACO-, primer elemento de compuestos griegos, procedente de *kakós* 'malo': *Cacofonía*, 1580, griego *kakophōnía*, con *phōnē* 'sonido'; *cacofónico. Cacografía*, 1765-83. *Cacoquimia*, 1555, con *khymós* 'humor'.

CACODILO, S. XX. Cpt. del gr. *kakŏdēs* 'maloliente' y *hýlē* 'materia'. DERIV. *Cacodílico. Cacodilato.*

CACTO, 1802. Tom. del gr. *káktos* 'cardo'. DERIV. *Cácteo* o *cactáceo.*

CACHA 'cada una de las dos piezas que forman el mango de las navajas', 1256-76. De origen incierto, probablemente de una forma vulgar *CAPPŬLA, en lugar del lat. CAPULA, plural de CAPŬLUM 'empuñadura de la espada'. Secundariamente tomó el sentido de 'nalga', leon., y luego 'carrillo', 'carne rolliza', cub.
DERIV. *Cachete*, h. 1550, 'carrillo abultado', 'bofetón, golpe en el carrillo'. Port. *cachaço* 'pescuezo grueso', 'soberbia, arrogancia', de donde el cast. *cachaza*, 1708; *cachazudo.* Port. *cachola* 'cabezota' (de donde probablemente el port. *cacholote*, que pasaría al cast. *cachalote* 'pez de gran cabeza', 1795, y al gasc. *cachalot*, 1670, aunque podría también haberse formado en este lenguaje como derivado de *cachau* 'diente molar') puede pertenecer a la misma familia o resultar de un cruce de *cabeça* con *chola*, equivalente del cast. *cholla.*

Cacharro, V. *cacho* I   *Cachaza, cachazudo*, V. *cacha*

CACHEAR 'registrar a los sospechosos', 1896. Palabra jergal cuyo significado primitivo parece ser 'apoderarse de algo'. DERIV. *Cacheo.*

CACHERULO o **CACHIRULO** 'vasija en que se suelen guardar licores', and.; 'cierto baile andaluz', fin S. XVIII; 'adorno que las mujeres se ponían en la cabeza en el S. XVIII' (y hoy en Aragón 'pañuelo que llevan los hombres arrollado en la cabeza'). Probte. variante mozárabe de *cacerola* (V. art. *CAZO*).

Cachete, V. *cacha*

CACHIDIABLO, 1599. Propiamente nombre propio de un célebre corsario turco (1529), y éste quizá alteración del it. *cacciadiavoli* 'exorcista', cpt. de *cacciare* 'echar, expulsar' y *diavoli* 'diablos'.

CACHIMBA, 1836, amer. 'hoyo (lleno de agua)', 'pipa'; *cacimba*, en 1729. Probablemente del quimbundo *kišima* 'hoyo, poza', por conducto del portugués. DERIV. *Cachimbo*, 1836.

CACHIPORRA, 1548, *qazpórra* mozárabe, S. XII. Compuesto de *porra* y un elemento *cach-* o *caz-*, de origen desconocido, que reaparece en los sinónimos *cachava, cachurra*, port. *cacheira, cacete.*

Cachirulo, V. *cacherulo*   *Cachivache*, V. *cacho* I

CACHO I 'cacharro, cazo', 'tiesto, vasija rota', 'pedazo de cualquier cosa', 1495; 'rato', fin S. XV. Probablemente del lat. vg. *CACCŬLUS, procedente del lat. CACCĂBUS 'olla' por cambio de sufijo.
DERIV. *Cachar* 'hacer pedazos', 1495; 'hablar de alguien burlona o irónicamente' arg., ecuat. *Cacharro*, h. 1500; *cacharrero, cacharrería; escacharrar, descacharrar. Cachopo* 'tronco hueco o seco', 1431-50; *cachupín*, 1729, antes *cachopín*, 1607, hoy comúnmente *gachupín*, mej., 'español que se establece en América', así llamado por su ignorancia de las cosas americanas. *Cachucho*, 1609, 'medida de aceite', 'alfiletero', 'pequeña embarcación', *cachucha* 'embarcación pequeña', 'especie de gorra'.
CPT. *Cachivache*, 1604; formación reduplicada con alternancia consonántica, *cachibachi.*

CACHO II 'cuerno', amer., 1861-3. Origen incierto, probablemente de *cacho* I en el sentido de 'cacharro', por el empleo que se hacía de cuernos huecos como vasija para llevar líquidos.

Cacho 'pez', 'manojo', V. *cachorro. Cachola*, V. *cacha*   *Cachondez, cachondo*, V. *cachorro*   *Cachopín, cachopo*, V. *cacho* I

CACHORRO 'cría del perro y de ciertas fieras', 1490. Origen incierto, parece ser derivado de *cacho*, que hoy sólo subsiste en acepciones secundarias ('cierto pez malacopterigio', 1624: 'manojo de flores de olivo'), pero que significaría primitivamente 'cachorro'; es probable que proceda del lat. vg. *CATTULUS, por reduplicación afectiva del lat. CATŪLUS 'cachorro'. Del propio *cacho* derivan: *cachillada* 'parto de animal que da a luz muchos hijuelos', 1720; *cachondo*, h. 1450, 'dominado por el apetito venéreo' (esp. la perra), reducción de *cachiondo*, formado como *torionda* de *toro* y *verrionda* de VERRES; *cachondez*, 1611; *cachondearse*, *cachondeo*. *Cachucho*, 1627, *cachuelo*, *cachama*, *cachampa*, nombres de peces.

Cachucha, *cachucho*, V. *cacho* I — *Cachucho* 'pez', *cachuelo*, V. *cachorro* — *Cachupín*, V. *cacho* I

CADA, pron., 987. Del lat. vg. CATA, y éste de la preposición griega *katá* 'desde lo alto de', 'durante', 'según', que se empleaba en locuciones adverbiales de sentido distributivo (*kať eniautón* 'en todos los años', *katà trêis* 'de tres en tres', *kath' hén* 'de uno en uno').

CADALSO, 1613, antes *cadahalso*, h. 1300, *-falso*, h. 1260. Tom. del oc. ant. *cadafalcs* (nominativo de *cadafalc* íd.), y éste de lat. vg. *CATAFALĬCUM* íd., resultante de un cruce de CATASTA 'estrado en que se exponían los esclavos a la venta' con FALA 'torre de madera'. La variante *catafalco*, 1765-83, se tomó del italiano.

CADARZO 'seda basta de los capullos enredados', fin S. XIII. De una variante latina del gr. *akáthartos* 'impuro', 'sin limpiar', deriv. privativo de *kathàirô* 'yo limpio'. De un cruce de *cadarzo* con *madeja* sale al parecer el cast. *cadejo* 'madeja pequeña', 1601, 'parte del cabello muy enredada', 'mechón de cabellos', 1604, 'animal fantástico de pelo envedijado' centroamer.

CADÁVER, 1438. Tom. del lat. *cadāver*, -ĕris, íd.
DERIV. *Cadavérico*.

Cadejo, V. *cadarzo*

CADENA, 1220-50. Del lat. CATĒNA íd.
DERIV. *Cadenilla*. *Encadenar*, princ. S. XV; *encadenamiento*, 1623. *Desencadenar*, 1495. *Concatenación*, 1644, del lat. tardío *concatenatio* íd. (y *concatenar*, raro, h. 1440).

Cadencia, *cadencioso*, V. *caer*

CADERA 'parte saliente formada por la pelvis a ambos lados del cuerpo', 1330. Del lat. vg. CATHÉGRA, variante del lat. CATHĔDRA 'silla', que en la lengua vulgar había tomado por metonimia el sentido de 'nalga'; el lat. CATHEDRA sale del gr. *kathédra* 'asiento', 'trasero', deriv. de *hédra* 'asiento'.

CADETE, 1729. Del fr. *cadet* 'joven noble que servía como voluntario', y éste del gasc. *čapdet* 'jefe, oficial', procedente del lat. CAPITELLUM 'cabecita' (del mismo origen, el cast. *caudillo*).

CADÍ, 1555. Del ár. *qâdī* 'juez'.

CADILLO 'planta de fruto espinoso', 1495. Significó primero 'cachorro', como hoy todavía en el Alto Aragón, y se aplicó a los cadillos porque su fruto se pega a los vestidos como los perros al caminante; procede del lat. CATĔLLUS 'perrito'.

Cadmio, V. *calamina*

CADOZO 'olla o poza en un río o laguna', h. 1300. Seguramente del ár. *qādûs* 'cubo', 'cangilón', 'vaso', 'jarro'.

CADUCEO, h. 1590. Tom. del lat. *caducěus* íd.

CADUCO, 1422-3. Tom. del lat. *cadūcus* 'que cae', 'perecedero', deriv. de *caděre* 'caer'.
DERIV. *Caducar*, h. 1490. *Caducidad*.

CAER, med. S. X. Del lat. CADĔRE íd.
DERIV. *Caída*. *Acaecer*, h. 1140, del lat. vg. *ACCADERE* (lat. ACCĬDERE) íd.; *acaecimiento*, h. 1250. *Decaer*, 1220-50, lat. *DECADERE* (lat. DECIDERE) íd.; *decaimiento*. *Recaer*, 1495; *recaída*, 1495. *Cadencia*, 1580, del it. *cadenza*, deriv. de *cadere* 'caer'; *cadencioso*; *intercadencia*.
Decadencia, 1607, del fr. *décadence*, 1413, deriv. culto del lat. *cadere*; *decadente*, 1832.

CAFÉ, 1705. Del turco *kahvé* íd. (que viene del ár. *qáhwa*, aplicado al vino y al café), tomado por conducto del it. *caffé*, 1655.
DERIV. *Cafetera*, 1729, del fr. *cafetière*, deriv. de *café* (según el modelo de *rejeter* junto a *rejet*, pron. *reyé*, y voces análogas). *Cafetero*, 1765-83, que se aplicó también al arbusto del café, de donde se extrajo *cafeto*, 1836 (según el modelo de *manzano* junto a *manzanero*); *cafetal*, 1832; *cafetería*, creado en Méjico, pero propagado desde los Estados Unidos, en parte con sentido nuevo. *Cafeína*, 1867.
CPT. *Poscafé*, S. XIX (también alterado en *pluscafé*), del fr. *pousse-café*, propiamente 'empuja-café'.

CÁFILA, 1570. Del ár. *qâfila* 'cuadrilla de viajeros', 'caravana', participio activo de *qáfal* 'regresar de viaje'.

Cafiroleta, V. *caspiroleta* (art. *CASPA*)

CAFTÁN, 1555. Del turco *qaftân* íd.

Cagaaceite, cagajón, cagalaolla, cagalar, V. *cagar*

CAGAR, princ. S. XV. Del lat. CACARE íd., voz infantil de formación expresiva (comp. *caca*).
DERIV. *Cagajón*, h. 1400. *Cagalera*, 1607. *Cagarria* 'colmenilla (hongo)', 1627, se explica por el aspecto repulsivo que le da el esporangio que cubre su sombrero. *Cagarruta*, 1495. *Cagón*, 1495. *Cagalar*, 1729.
CPT. o DERIV. *Cagarrache*, 1729, 'mozo que en el molino de aceite lava el hueso de la aceituna', 'zancuda parecida al tordo', así llamada por su característico excremento oleoso: el segundo elemento es incierto (quizás una variante de *erraj*).
CPT. *Cagaaceite. Cagalaolla.*

CAHÍZ, 1025. Del ár. *qafiz* 'medida de capacidad para áridos'.
DERIV. *Cahizada*, 1206.

CAÍD 'juez o gobernador árabe', h. 1900. Del ár. *qâ'id* 'capitán', 'gobernador'.

Caída, V. *caer*

CAIMÁN, 1530. Origen incierto, probablemente del caribe *acayuman*.

CAIQUE, 1729. Del turco *qâîq* 'barca', 'chalupa'.

CAIREL, 1497, 'ribete, orillo', 'guarnición a modo de fleco en el borde de algunas ropas', 'cerco de cabellera postiza', 'adorno', 'movimiento gracioso'. De oc. ant. *cairel* 'pasamano que adorna el borde de un traje o sombrero', diminutivo de *caire* 'canto, esquina', 'borde', del lat. QUADRUM 'cuadrado', 'piedra escuadrada'.
DERIV. *Cairelar*, 1611. *Cairelado*, 1607.

CAJA, 1251. Del lat. CAPSA íd., probablemente por conducto del cat. *caixa*.
DERIV. *Cajero*, 1570, *-ra. Cajeta*, 1587; *cajetilla. Cajista. Cajón*, 1490; *encajonar. Encajar*, 1490; *encaje*, 1575 ('puntillas', 1611); *desencajar*, 1604. *Cápsula*, tom. del lat. *capsúla*, diminutivo; *capsular.*

CAL, h. 1250. Del lat. vg. CALS íd. (lat. CALX, CALCIS).
DERIV. *Calar* 'calizo', 1571. *Caleño. Calera*, 1220-50. *Calería. Calero. Caliche*, 1719, quizá variante mozárabe de *calizo*; *calichera. Calizo*, h. 1500. *Caliza. Encalar*, S. XV. Cultismos: *Calcáreo*, lat. *calcarius. Calcio. Cálcico. Calcina*, 1505, del cat. *calcina*, fin S. XIII, deriv. de *calç* 'cal'; *calcinar*, 1607; *calcinado*; *calcinamiento.*

CPT. *Calicanto*, 1679. *Calseco. Calcificar*; *calcificación.*

Cala 'acción de calar', V. *calar*

CALA I 'ensenada pequeña', 1431-50. Voz común con el italiano, lengua de Oc y catalán, de origen incierto, quizá prerromano, de una lengua anterior al celta y al íbero; comp. *CALABOZO* I.
DERIV. *Caleta*, 1535. *Calera.*

CALA II 'planta acuática aroidea', 'su flor', 1802. Del nombre científico en latín moderno *Calla Aethiopica*, dado por Linneo.

CALABAZA, 978. De una base *CALAPACCIA, común a los tres romances hispánicos, de origen prerromano, seguramente ibérico, probablemente emparentada con *galápago* y *caparazón*, por la cubierta a modo de cáscara dura que es típica de la tortuga y de la calabaza.
DERIV. *Calabacera, -ero. Calabacilla. Calabacín*, S. XVIII; *calabacinate. Calabazada. Calabazate*, 1611. *Calabazo*, 946. *Calabazuela*, S. X. *Calamorra*, 1693, 'cabeza humana', es cruce de *calabaza* íd. con *morra*; *calamorrada, calamorrazo*; *calamocha* 'calamorra' es otra deformación de *calabaza*, orientada por *mocho* y por el nombre de lugar *Calamocha* (éste del ár. *qál'a* 'castillo', propiamente 'castillo descabezado, medio arruinado').

Calabobos, V. *calar*

CALABOZO I 'mazmorra', 1945. Probablemente de un lat. vg. *CALAFODIUM, compuesto del prerromano *CALA 'lugar protegido, cueva' (vid. *CALA* I) y del lat. vg. *FODIUM 'hoyo' (del lat. FODERE 'cavar').

CALABOZO II 'especie de podadera', 1495. Probablemente compuesto de *calar* 'penetrar, atravesar' y el leonés *boza* 'matorral', 'roza, rompido', de origen prerromano.

CALABRIADA, 1539, 'mezcla de varias cosas', 'mezcla de vinos, esp. blanco y tinto'. Deriv. del nombre propio *Calabria*, con el significado básico de 'adulterar', fundado en la mala reputación que tenían los calabreses.
DERIV. *Calabriar*, 1601.

Calabrina, V. *calavera*

CALABROTE 'cable náutico', 1542. Derivado del antiguo *calabre*, tom. del port. *calabre*, S. XIV; port. ant. *caabre*, h. 1450; y éste del fr. ant. *caable* (para cuyo origen vid. *CABLE*); la *-l-* se debe al influjo del antiguo *calabre* 'catapulta'.

Calada, caladero, calado, calador, V. calar

CALAFATEAR, 1256-63. Del antiguo *calafatar,* palabra común a los principales idiomas mediterráneos medievales —griego, árabe, italiano, catalán, lengua de Oc—, oriunda, sin duda, de uno de los dos primeros, 'probte. del ár. *qálfaṭ* íd., que a su vez es de origen incierto, quizá procedente de CALEFA(C)TUM, participio del lat. CALE-FACĔRE 'calentar', por ser la operación de derretir el alquitrán, sometiéndolo al fuego, una de las más importantes que practica el calafate. El nombre de éste, 1490, del ár. *qalafâṭ* íd.

CALAGUALA, 1748. Voz indígena americana, de origen incierto: se duda entre el quichua y el taíno.

CALAÍTA 'turquesa', 1853. Tom. del lat. *callais, -aïdis,* y éste del gr. *ká(l)laïs* íd.

CALAMACO 'cierta tela de lana', amer., 1729. Propiamente 'poncho colorado': parece ser el araucano *kelü* ('rojo') *mákuñ* ('poncho, manto de hombre con abertura en medio para pasar la cabeza').
CALAMAR, 1495. Tom. del it. dial. *calamaro* (it. *calamaio*) 'tintero' y 'calamar', pasando por el cat. *calamar* íd.; la voz italiana deriva normalmente del antiguo *càlamo* 'pluma de escribir', lat. CALĂMUS 'pluma'. Se llamó 'tintero' al calamar por la tinta que derrama.

CALAMBRE, fin S. XIII. Del mismo origen que el port. *cãibra,* arag. ant. y nav. *calambria, calambrio,* y seguramente del mismo que el fr. *crampe* íd.; es decir, del germ. *KRAMP íd. (alem. ant. *kramph,* alem. *krampf,* ingl. *cramp* íd.); probte. sería adaptado primero en *crambe,* que pudo pasar por vía fonética a *cambre* (así en Asturias), *clambre* y *calambre;* es posible que el vocablo pasara del francés al castellano por conducto del vasco, lo cual explicaría en gran parte estos cambios (las formas documentadas en este idioma, *palanbrea,* 1562, y *arhanpa,* son ya alteración de variantes con *k* inicial).
DERIV. *Acalambrarse.*

Calambrojo, V. escaramujo

CALAMIDAD, 1490. Tom. del lat. *calamĭtas, -atis,* 'plaga', 'calamidad'.
DERIV. *Calamitoso,* h. 1550, lat. *calamitōsus* íd.

Calamiforme, V. cálamo

CALAMINA, 1729. Tom. del b. lat. *calamina,* alteración del lat. *cadmïa,* que viene del gr. *kadméia* íd. (deriv. del nombre de

Cadmo, fundador de Tebas, por hallarse calamina cerca de esta ciudad); la alteración se deberá a una confusión con *calamita,* 1490, 'imán, brújula' (del gr. *kalamítēs*).
DERIV. *Cadmio,* 1851, metal hallado en minerales que suelen estar asociados con la calamina.

Calamita, V. calamina   Calamitoso, V. calamidad

CÁLAMO 'caña', 'pluma', 'flauta', 'acoro', h. 1520. Tom. del lat. *calămus,* gr. *kálamos* íd.
CPT. *Calamiforme.*

CALAMOCANO 'algo embriagado', principios del S. XVII. Origen incierto; quizá deriv. de *calamoco* 'carámbano', 1605, en su sentido propio de 'moco que cae' (compuesto con *calar* 'bajar'), por el desaseo general del borracho; *encalamocar* 'alelar, confundir', amer., derivaría directamente de *calamoco* con el sentido de 'calamocano'.

CALANDRIA, 1220-50. Del lat. vg. *CALANDRIA, y éste del gr. *kharádrios* íd. (también *kháladros* y *khálandros* en este idioma); en la acepción 'máquina cilíndrica para prensar', 1765-83, 'cilindro hueco para levantar pesos', se tomó del fr. *calandre* íd., 1313, donde será aplicación figurada del nombre del mismo pájaro cantor, por el rechinamiento típico de esta máquina.

CALAÑA 'índole', princ. S. XV. Del antiguo *calaño* 'semejante', 1220-50, que venía de *cualaño,* relacionado con *cual* y probte. derivado de esta palabra castellana.

CALAÑÉS 'sombrero de copa en forma de cono truncado, usado por la gente del pueblo en varias provincias', 1880. De *sombrero calañés,* por ser primitivamente típico del pueblo de Calañas (Huelva).

Calaño, V. calaña   Calapatillo, V. galápago   Calar 'calizo', V. cal

CALAR, h. 1300, 'sumergir', 'penetrar', 'perforar', 'meter a fondo'. Del lat. tardío CALARE 'hacer bajar', y éste del gr. *khaláō* 'yo suelto', 'hago bajar'.
DERIV. *Cala,* 1495, 'acción de calar una fruta', 'pedazo cortado al calarla', 'tienta que mete el cirujano', 'supositorio', 'parte más baja en el interior del buque'. *Caladero. Calado. Calada.*
Calador. Calatorio, 1588. *Encalada,* 1843, 'pieza de aderezo del caballo', probablemente de *calar* 'perforar', de donde 'incrustar'. *Encalar* 'poner en una cala o canuto', 1605. *Recalar,* 1492; *recalada.*
CPT. *Calabobos. Calicata,* de *cala* y *cata.*

CALAVERA, 1220-50. Del lat. CALVARIA íd., deriv. de CALVUS 'calvo'; en castellano hubo confusiones populares entre esta palabra y los derivados de *cadáver* (V. abajo *calabrina* y el vulgar *calabre* 'cuerpo muerto'), lo cual pudo ayudar al cambio fonético de *calvera* en *calavera*.
DERIV. *Calaverada*, S. XVIII. *Calabrina*, 1220-50, 'cadáver', 'esqueleto', 'hedor intenso', de *cadaverina*, influido por *calavera*; *encalabrinar* 'turbar la cabeza o el sentido' (primeramente hablando de un olor fuerte), 1611. *Descalabrar*, 1220-50, de *descalaverar*; *descalabro*.

Calca, calcadera, calcado, V. *calcar*

CALCAÑAR 'talón', h. 1300. Deriv. del antiguo y dialectal *calcaño*, del lat. CALCANĔUM íd., deriv. de CALCARE 'pisar'.

CALCAR, 1220-50, 'sacar copia por contacto del original con el papel al cual se traslada', primeramente 'apretar con el pie'. Del lat. CALCARE 'pisar'.
DERIV. *Calca* 'pisada', 1609. *Calcadera. Calcado. Calco,* 1832. *Recalcar,* 1495, propiamente 'pisar fuerte'. *Conculcar,* 1490, tomado del lat. *conculcare* 'pisotear', deriv. de *calcare. Inculcar,* 1639, tom. de *inculcare* 'meter algo pateándolo', 'hacer penetrar'.
CPT. *Calcomanía,* 1884, propiamente la manía o entretenimiento de sacar calcos; después, los calcos sacados de imágenes de color.

Calcáreo, V. *cal*

CALCEDONIA 'especie de ágata', S. XIII. Del nombre de esta región de Asia Menor, en griego *Khalkēdonía*, donde se hallaba esta piedra.

CALCÉS 'parte superior de los mástiles', 1525. Del lat. vg. *CALCESE*, alteración del lat. CARCHESIUM, y éste del gr. *karkhēsion* 'vaso de forma alargada y estrecho en medio', y luego 'calcés' (por la forma del mismo); probablemente por conducto del cat. *calcés,* 1467.

Calceta, calcetería, calcetero, calcetín, V. *calza   Cálcico, calcificar,* V. *cal   Calcilla,* V. *calza   Calcímetro, calcina, calcinar,* V. *cal   Calco,* V. *calcar*

CALCO-, primer elemento de palabras compuestas, procedente del gr. *khalkós* 'cobre', 'bronce': *calcografía,* 1832; *calcografiar. Calcopirita. Calcotipia,* cpt. con el gr. *týpos* 'impresión, huella, imagen'.

Calcomanía, V. *calcar   Calcopirita, calcotipia,* V. *calco-*

CÁLCULO 'piedrecilla', 2.ª mitad S. XVI; 'concreción que se forma en la vejiga', 1490; 'cómputo', 1604. Tom. del lat. *calcŭlus* 'guijarro', 'piedra empleada para enseñar a los niños a contar', 'tanto, ficha', 'cuenta, cálculo'.
DERIV. *Calculista. Calcular,* 1607, tom. del lat. *calculare; calculable; calculador.*

CALDO, h. 1400. Del antiguo adjetivo *caldo* 'caliente', 1050, y éste del lat. CALIDUS íd.; en forma culta, cast. *cálido,* h. 1520.
DERIV. (de la ac. etimológica): *Calda,* h. 1500. *Caldear,* 1385. *Caldera,* 922, del lat. CALDARIA íd., deriv. de CAL(I)DUS; *caldero,* 1570, lat. CALDARIUM; *calderada; calderero,* 1495; *calderería; caldereta; calderilla* (vasija) 1599, (moneda) 1705; *calderón* 'caldero grande', 1495, 'signo tipográfico y musical', 1717, por la forma antigua de estos signos. *Caldillo. Caldoso. Calducho. Caldudo. Escaldar,* 1220-50, lat. vg. EXCALDARE íd. *Calidez.*

CALÉ 'moneda de cobre', 'dinero', princ. S. XIX. Voz jergal, de un derivado gitano del zíngaro *caló* 'negro, oscuro': por el color de la moneda de cobre, en oposición a la de plata.

Calefacción, V. *caliente   Caleidoscopio,* V. *cali-*

CALENDAS, h. 1295, 'el primer día de cada mes', de donde 'época, tiempo'. Tom. del lat. *calendae* íd.
DERIV. *Calendar. Calendario,* 1295-1317, lat. *calendarium* íd.

Calentar, calentura, calenturiento, V. *caliente   Calera* 'cantera de cal', V. *cal   Calera* 'chalupa', V. *cala* I   *Calesa,* V. *cresa*

CALESA (carruaje), 1691. Tom. del fr. *calèche,* que, por conducto del alem. *kalesche* íd., 1604, viene de una lengua eslava, probablemente el checo *kolesa* 'especie de carruaje', deriv. de *kolo* 'rueda'.
DERIV. *Calesero. Calesín; calesinero. Calesita* 'tiovivo', arg.

Caleta, V. *cala* I

CALETRE 'tino, discernimiento', h. 1600. Descendiente semiculto del lat. *character* 'carácter, índole', y éste del gr. *kharaktēr* 'trazo, figura, índole'.

CALI-, CALO-, primer elemento de palabras compuestas, procedente del gr. *kállos* 'belleza' o de su primitivo *kalós* 'hermoso'. *Calidoscopio,* 1884, cpt. con *éidos* 'imagen' y *skopéō* 'miro', también, en forma incorrecta, *caleidoscopio*, 1849-62; *calidoscópico*. *Caligrafía*, 1765-83, *calígrafo*, gr. *kalligraphía*, *kalligráphos*, íd.; *caligrafiar*; *caligráfico*. *Calipedia*, deriv. del gr. *kallípais*, -*idos*, 'que tiene hijos hermosos'. *Calistenia*, cpt. con *sthénos* 'fuerza'. *Calofilo*, con *phýllon* 'hoja'. *Calóptero*, con *pterón* 'ala'. *Calomelanos*, 1865, formado, como el fr. antic. *calomélas*, 1803, con el gr. *mélas*, *mélănos*, 'negro', pero la historia y explicación semánticas del vocablo (también *calomel*, fr., ingl., 1676) son inciertas. *Calitipia*.

CALIBRE, 1594, 'diámetro interior de las armas de fuego', 'diámetro de un proyectil' (*calibio* en 1583). Tom. del fr. *calibre* íd., 1478, que es de origen incierto, quizá del ár. *qâlib* 'molde', del cual proceden indudablemente el cast. *gálibo* 'plantilla con arreglo a la cual se hacen ciertas piezas de las naves', 1526; cat. *gàlib*, fin S. XIV, y el amer. *calimbo* 'hierro de marcar animales y esclavos', 1605.
DERIV. *Calibrar*. *Calibrador*.

Calicanto, V. *cal*   *Calicata*, V. *calar*
Caliciflora, *caliciforme*, V. *cáliz*

CALICÓ 'tela delgada de algodón', 1853. Del fr. *calicot* íd., y éste de *Calicut*, nombre de una ciudad de la India, en la costa de Malabar.

Caliculado, *calículo*, V. *cáliz*   *Caliche*, V. *cal*   *Calidad*, V. *cual*   *Calidez*, *cálido*, V. *caldo*   *Calidoscopio*, V. *cali-*

CALIENTE, 1220-50. Del lat. CALENS, -ÉNTIS, 'que se ha calentado', 'ardiente', participio activo de CALÉRE 'estar caliente, calentarse'.
DERIV. *Calenta:*, 1220-50; *calentador*; *calentamiento*. *Calentura*, 1220-50; *calenturiento*; *calenturón*. *Calor*, 1220-50, del lat. CALOR, -ÓRIS, íd.; *caloría*; *acalorarse*; *calórico*, 1832; antiguamente se dijo *calura* por *calor*, de donde *caluroso*, 1438. *Recalentar*.
CPT. *Calientapiés*. *Calorífero*. *Calorífico*. *Calorímetro*. *Calefacción*, 1537, tom. del lat. *calefactio*, -*onis*, íd., deriv. de *calefacere* 'calentar' compuesto de *calere* y *facere* 'hacer'.

CALIFA, h. 1295. Del ár. *ḫalifa* 'sucesor de Mahoma', 'califa', deriv. de *ḫálaf* 'suceder'; la forma *jalifa* se ha tomado modernamente del árabe de Marruecos.
DERIV. *Califato*. *Califal*.

Calificación, *calificar*, *calificativo*, V. *cual*   *Caliginoso*, V. *calina*   *Caligrafía*, *caligráfico*, *calígrafo*, V. *cali-*   *Calima*, V. *calina*   *Calimbo*, V. *calibre*

CALINA 'neblina ligera', 1220-50. Del lat. CALÍGO, -ÍGĬNIS, 'tinieblas', 'niebla', que dio primero un femenino *calín*, con terminación luego adaptada al género; también se ha empleado *calima*, 2.º cuarto S. XIX, con terminación alterada por influjo de *calma* en su sentido etimológico de 'bochorno'.
DERIV. *Calinoso*, -*moso*. Del lat. *caligo*, por vía culta: *caliginoso*, 1438.

Calipedia, V. *cali-*

CALISAYA 'especie de quina', 1865. De un nombre propio, localizado en la región andina de América del Sur, de donde es oriunda la quina.

Calistenia, *calitipia*, V. *cali-*

CÁLIZ, 1220-50. Tom. del lat. *calix*, -*ĭcis*, 'copa'. En la ac. 'cubierta externa de las flores', del lat. *calyx*, -*ỹcis*, gr. *kályx*, -*ykos*, 'cáliz de flor'.
DERIV. de éste: *Calículo*, lat. *calyculus*, diminutivo; *caliculado*; *calicular*.
CPT. *Caliciflora*. *Caliciforme*.

Caliza, *calizo*, V. *cal*

CALMA, 1320-35. Del gr. *kâuma* 'quemadura', 'calor', deriv. de *káiō* 'yo quemo', aplicado primero a las calmas marinas que predominan durante la canícula; el sentido etimológico de 'calor, bochorno', todavía vivo en León, Aragón y Cataluña, es corriente en catalán y portugués desde la primera aparición del vocablo en estos idiomas, en el S. XV; y así el cambio de sentido como el de *u* en *l*, parecen haberse producido por primera vez en la Península Ibérica, y propagado desde ahí a los demás idiomas modernos.
DERIV. *Calmar*, 1431-50; *calmante*. *Calmaría*, 1582-5, o *calmería*, 1430. *Calmo* 'sin viento, tranquilo', hoy sólo americano, pero clásico (1513, 1584) y propagado desde Iberia al fr. *calme*, adj. (S. XV), it. *calmo*. *Calmoso*, 1543. *Encalmarse*, 1582-5 ('sofocarse los animales por excesivo calor', 1590). *Recalmón*.

Calo-, V. *cali-*

CALÓ, 1790-1800. Del gitano *caló* 'gitano'.

Calofilo, V. *cali-*   *Calofrío*, V. *escalofrío*   *Calomel*, *calomelanos*, *calóptero*, V. *cali-*   *Calor*, *caloría*, *calórico*, *calorífero*, *calorífico*, V. *caliente*

CALOSTRO, h. 1400. Del lat. *colostrum* íd.
DERIV. *Encalostrarse*.

CALOYO, 1859, 'quinto, soldado nuevo'. Voz jergal que parece aplicación figurada del arag. *caloyo* 'cordero o cabrito recién nacido', 1720, a su vez emparentado con el gascón *caloy* 'labriego', 'hombre que se las da de guapo', y con el port. *caloiro* 'estudiante novato'; origen desconocido.

CALTA, 1555. Tom. del lat. *caltha* íd.

CALUMNIA, 1155. Tom. del lat. *calumnia* íd.
DERIV. *Calumniar*, h. 1350, lat. *calumniari* íd. *Calumnioso*, 1607.

Caluroso, V. *caliente*   *Calva*, V. *calvo*

CALVARIO, 1601, 'vía crucis', 'serie de adversidades'. Tom. del lat. *calvarium* 'Gólgota, lugar donde fue crucificado Jesús', propiamente 'calavera', 'lugar donde se amontonan las calaveras', por ejecutarse allí a los condenados y dejar sus huesos en el lugar.

CALVO, 1050. Del lat. CALVUS íd.
DERIV. *Calva*, 1495. *Encalvecer*, 1495, o *encalvar*, 1495. *Calvero*. *Calvez*, 1495, hoy comúnmente *calvicie*, med. S. XVIII. *Decalvar*; *deculvación*. *Recalvastro*.
CPT. *Calvatrueno* 'hombre alocado', 'calva grande', 1605; compárese *CALAVERA* y *tronar* (art. *TRONAR*).

CALZA, h. 1140 (entonces 'media'). Del lat. vg. *CALCEA* 'media', deriv. de lat. CALCEUS 'zapato'; al aprender los romanos de los germanos el uso de las medias, las denominaron con un deriv. del nombre que entre ellos designaba el calzado; en los siglos medievales se fueron llevando cada vez más largas hasta cubrir desde los pies hasta la cintura; y cuando en el XVI se dividió esta prenda en dos partes, la que cubría el abdomen y parte de los muslos siguió llevando el nombre de *calzas* o su aumentativo *calzones*, y el resto tomó el de *calcetas* o *medias calzas*, 1604, y abreviadamente *medias*, med. S. XVII.
DERIV. *Calceta* 'media', h. 1600; *calcetín*, 1884. *Calcilla*. *Calzón*, 1495; *calzonazos*; *calzoncillos*, S. XVIII. *Sobrecalza*.

CALZADA, S. IX, 'antiguo camino empedrado'. Palabra común a todas las lenguas romances hispánicas y gálicas, procedente de un lat. vg. *CALCIATA* íd., de formación incierta: se duda entre derivarlo del lat. CALX, -CIS, 'cal' (por el empleo de cal o piedra caliza, comprobado en la construcción de ciertas vías romanas), o del lat. CALX, -CIS, 'talón' (en un sentido derivado del de 'vía apisonada con los pies' u otro análogo).

CALZAR, 1131. Del lat. CALCEARE íd., deriv. de CALCEUS 'zapato'.
DERIV. *Calzado* sust., 1220-50. *Calce* 'llanta', 'hierro que se añade a una herramienta', 'cuña'. *Descalzar*, 1328-35, lat. DISCALCEARE; *descalzo*, 1155. *Recalzar*; *recalce*, *recalzo*. *Socalzar*.

CALLAR, h. 1140. Del lat. vg. *CALLARE 'bajar', especializado en el sentido de 'bajar la voz'; la palabra latina procede del gr. *khaláō* 'yo suelto', 'hago bajar'.
DERIV. *Acallar*. *Callado*.

CALLE, 1155. Del lat. CALLIS 'sendero', especialmente el de ganado, que ya en el S. VII había tomado el sentido castellano pasando por el de 'camino estrecho entre dos paredes' (conservado en el cat.).
DERIV. *Calleja*, h. 1250; *callejear*; *callejero*, h. 1490; *callejón*, S. XV; *callejuela*, h. 1335. *Encallar*, 2.º cuarto S. XV, significaría primero 'atascarse un vehículo', sentido conservado en catalán (donde el vocablo aparece también desde 1460), y que se explica por el sentido de 'camino estrecho entre dos paredes' que tomó CALLIS allí y en otras partes; la acepción 'quedar una cosa atravesada en un resquicio, formar obstrucción', análoga a la primitiva, se halla también cn cast. en los SS. XVI y XVII.

CALLO, S. XII. Del lat. CALLUM íd. *Callos*, en la ac. 'pedazos del estómago de la vaca o carnero, que se comen guisados' (1599), se explica porque no se trata de las partes más tenues de las tripas (que se tiran), sino sólo de las más consistentes y algo duras, cortadas a pedacitos.
DERIV. *Callada* 'comida de callos'. *Encallecer*, 1495. *Callista*. *Calloso*, 1495; *callosidad*. *Descallador*, princ. S. XVI.
CPT. *Callicida*.

CAMA I 'lecho', 1251. Voz peculiar del castellano y el portugués, procedente del hispanolatino CAMA 'yacija, lecho en el suelo' (S. VII), de origen incierto, quizá prerromano.
DERIV. *Acamar* y *encamar*, 1644, 'hacer (la lluvia o el viento) que se recuesten las mieses', 1802. *Camada*, 1513. *Camastro*, 1611. *Cameña* arag. 'cama de paja o ramaje', 1220-50. *Camero*. *Camilla*, 1498: *camillero*. *Camón* 'cama grande', h. 1545, 'cercado de vidrios que se hace en los palacios para poner dentro la cama', 1729, 'trono', 'mirador, tribuna'.

CAMA II 'pieza encorvada que forma parte del arado', 1369; 'pina, trozo de madera de las ruedas', 1499; 'cada una de las nesgas que se ponían a las capas para que resultaran redondas, o los pedazos de tafetán con que se hacían los mantos de las mujeres', 1729. Del célt. CAMBOS 'curvo' (irl., bret., galés *cam(m)*). Diferente de *cama* I, según muestra la forma leonesa *camba*.

Deriv. *Cambado* rioplat. 'estevado o patizambo', del port. *cambado* íd.; *cambarse* 'torcerse' canar. *Cambuto*, per. 'pequeño, rechoncho, grueso', del port. *cambuto* 'estevado o patizambo'. *Camón* 'pina', 'parte de una cercha', 1633, 'armazón de bóveda' (derivado *encamonado*); en el alto-arag. y gascón *camón* 'claro en el bosque', 'prado junto al río', oc. ant. *cambon*, parece haber cruce con otra palabra quizá también céltica.

CAMACHUELO 'pardillo', 1832; antes, y hoy todavía en Andalucía, *camacho*, 1601. Origen incierto: teniendo en cuenta el apellido *Camacho*, que pudo significar algo como 'rechoncho' o 'estevado', quizá derivado de la raíz del anterior, por alusión a la forma abultada del pico.

Camada, V. *cama* I

CAMAFEO, h. 1375. Tom. del fr. ant. *camaheu*, S. XIII, de origen incierto, quizá germánico (alem. ant. *kimma helzas* 'piedra preciosa de la empuñadura de la espada', sustituyendo *helzas* por su equivalente fr. *heuz*).

CAMAL 'cabestro o cabezón con que se ata la bestia', 1611. Probablemente deriv. del lat. camus 'cabezada para atar los animales', 'bozal', procedente del gr. dórico *kâmos* (ático *kēmós*).

CAMALEÓN, S. XIII. Tom. del lat. *chamaelĕon, -onis*, y éste del gr. *khamailéōn, -éontos* íd., propiamente 'león que va por el suelo', denominación irónica que alude al carácter tímido del animal.

CAMALOTE, nombre de una gramínea, 1609, y de una pontederiácea, 1751, plantas americanas. De origen incierto; tal vez indigenismo mejicano; pero es dudoso teniendo en cuenta el antiguo arraigo del vocablo en zonas muy distantes de Méjico y la falta de testimonios antiguos del vocablo en náhuatl; por otra parte la existencia de la variante *camelote* íd., 1758, sugiere que venga de este nombre de tejido (V.), por comparación de lo impenetrable de aquellas plantas con el carácter impermeable de este tejido.

CAMAMA 'engaño, mentira', 1888. Vulgarismo de origen incierto.

CAMÁNDULA 'rosario de uno o tres dieces', princ. S. XVII; en plural 'hipocresía', 'explicaciones hipócritas o fútiles', 1729. De *Camáldula*, nombre de una orden monástica fundada, en el S. XI, en el santuario toscano de *Camàldoli*.

Deriv. *Camandulear. Camandulero*, fin S. XVII; *camándulo* 'camandulero', 1652-6.

CÁMARA, h. 1140. Del lat. vg. camăra (lat. camĕra) 'bóveda', y éste del gr. *kamára* 'bóveda', 'cuarto abovedado'.

Deriv. *Antecámara. Camarada* 'compañero', 1592, antes 'grupo de soldados que duermen y comen juntos', 1555, por hacerlo todos en una cámara (palabra difundida desde el castellano a los demás idiomas europeos). *Camarero, -a*, 1206. *Camareta* arg., chil., per., 'cañoncito de hierro que se dispara en algunas fiestas', ac. que se explica por la anticuada de 'batería' que tuvo *camarada* (fin S. XVII), procedente de 'conjunto de soldados que sirven una batería'. *Camarilla*, 1220-50. *Camarín*, h. 1600. *Camarista*, 1611. *Camarlengo* 'título de dignidad en la Corona de Aragón', h. 1460, 'título de dignidad entre los cardenales', 1438, tom. del cat. *camarleng*, y éste del fráncico *KAMARLING 'camarero', deriv. germánico del lat. *camera*; el mismo vocablo dio el fr. *chambellan*, de donde *chambelán*, 1843. *Camarote*, 1599. *Camaranchón* 'desván de la casa', 1570; antes 'fortificación superpuesta a un edificio', h. 1350, y 'construcción supletoria en lo alto del mismo'; probablemente de *camarachón*, deriv. de *cámara* en su sentido etimológico de 'cúpula', de donde 'remate de un edificio'. *Recámara*, 1495. Cultismos: *cameral, bicameral, unicameral*.

Camarlengo, V. *cámara*

CAMARÓN, h. 1100. Deriv. del lat. cammărus, que viene del gr. *kámmaros* íd. El primitivo, en una variante vulgar gambarus, S. VI, se conservó en la forma antigua y dialectal *gámbaro*, y en la catalana *gamba* (sacada del plural *gambes*, pronunciación ya antigua de *gàmbers*), que ha pasado recientemente al castellano, S. XX.

Camarote, V. *cámara*   *Camastro*, V. *cama* I   *Cambado*, V. *cama* II

CAMBALACHE 'trueque grosero, engañoso, etc.' 1537, voz popular común con el port. *cambalacho* (más tardío, S. XIX), probte. debida a un cruce de palabras entre *cambio* (o *cambiazo*) y el b. lat. *combinatio* 'combinación', alterado popularmente en *combelacio*, según comprueba la variante *combalache, combalachar* (arag., ast., gall.); siendo vocablo más empleado en las zonas andaluza-americana y valenciano-aragonesa, no es extraño que sufriera el influjo del sufijo peyorativo (de origen mozárabe) *-ach, -acho* (o del val. *-atge*).

Deriv. *Combalachar*, 1589, *cambalachear*, 1729.

CAMBIAR, 1068. Del lat. tardío cambiare 'trocar', de origen céltico.

Deriv. *Cambio*, 1068. *Cumbiudizo. Cambiante. Cambiazo. Cambista. Recambiar*, 1505; *recambio*, 1609.

CAMBRAY 'especie de lienzo fino', 1268. Del nombre de Cambray, ciudad del Norte de Francia, donde se fabricaba.

CAMBRILLÓN 'cada una de las piezas de cuero que los zapateros ponen entre la suela y la plantilla del calzado, para armarlo', S. XX. Del fr. *cambrillon* íd., deriv. de *cambrer* 'encorvar', y éste del fr. ant. *cambre* 'encorvado', procedente del lat. CAMUR íd.

CAMBRÓN 'arbusto espinoso de la familia de las rámneas', 1219; antes *cabrón* o *ala cabrona*, h. 1100. Del lat. CRABRO, -ŌNIS, 'abejorro', por comparación de las espinas y el ramaje enmarañado del cambrón con el aguijón y las alas de este insecto.
DERIV. *Cambronal. Cambronera*, SS. XI-XIII.

CAMBUJ, 1585. Del árabe hispánico y africano *kanbûš* íd., a su vez de origen romance, probablemente del mozárabe *capuch*, variante de los cast. *capuz* y *capucho*, derivados de *capa*.

CAMEDRIO, 1537. Tom. del gr. *khamáidryos*, genitivo de *khamáidrys* íd., propiamente 'encina del suelo, encina pequeña'.

CAMELAR 'seducir, engañar', fin S. XVIII, primitivamente 'galantear' (acepción también usual). Palabra jergal de origen incierto, probablemente del gitano *camelar* 'querer', 'enamorar', y éste del sánscr. *kama*, *kāmara*, 'deseo', 'amor'.
DERIV. *Camelo* 'galanteo', 'engaño', 1881.

CAMELIA, 1851. Del lat. botánico *camellia* íd., creado por Linneo, en honor del misionero Camelli, que la trajo de Indonesia a Europa.

Camélidos, V. *camello*   *Camelo*, V. *camelar*

CAMELOTE (tejido fuerte e impermeable), 1406-12. Del fr. ant. *camelot*, forma dialectal de *chamelot* íd., y éste probablemente del fr. ant. *chamel* 'camello' (hoy *chameau*), porque el camelote se hacía con pelo de camello.

CAMELLO, h. 1140. Del lat. CAMĒLLUS, y éste del gr. *kámēlos* íd. La misma palabra latina ha dado *ganbelu* en vasco, con artículo *ganbelua*, de donde viene probte. el cast. familiar *gambalúa* 'hombre alto y desvaído', 1734.
DERIV. *Camellero.* Cultismo: *Camélidos*.

Camellón, V. *caballón* (art. *caballo*)   *Cameña, camero, camilla, camillero*, V. *cama* I

CAMINO, 1084. Del lat. vg. CAMMĪNUS íd., de origen céltico (relacionado con el irl. *céimm*, galés *cam* 'paso').
DERIV. *Caminero. Caminar*, 1220-50. *Caminata*, 1715, del it. *camminata. Caminante*, S. XV. *Descaminado*, 1495; *descaminar*, 1570. *Encaminar*, 1495.

CAMIÓN, 1863. Del fr. *camion* íd., 1352, de origen desconocido.
DERIV. *Camionaje. Camioneta*.

CAMISA, 899. Del lat. tardío CAMISIA, palabra de procedencia extranjera en latín, de historia incierta; la opinión común es que procede del germánico (alem. *hemd*, alem. ant. *hemidi*, anglosajón *cemes*) por conducto del celta.
DERIV. *Camisero; camisería. Camiseta*, 1513. *Camisola*, 1611, del cat. *camisola. Camisón*, 1570. *Descamisado*, 1739. *Encamisar*, 1590; *encamisada*, 1604; *encamisado*.

Camón, V. *cama*

CAMORRA 'riña', 1765-83 (el it. *camòrra* 'asociación de malhechores', procedente del español, ya en 1735). Origen incierto. Quizá designó primitivamente la modorra, enfermedad convulsiva que ataca el ganado lanar, significado que conserva el vocablo en Ribagorza; en este sentido pudo tomarse del b. lat. *chimorrea* 'catarro de la cabeza en los caballos y perros' (de donde el cast. *cimorra*, 1611), compuesto del gr. *khêima* 'frío' y *rhéei* 'él mana'.
DERIV. *Camorrear. Camorrero. Camorrista*, 1828.

CAMOTE 'batata' (y secundariamente 'amorío'), amer., h. 1560. Del náhuatl *camótli* íd.
DERIV. *Encamotarse* 'amartelarse' (propiamente 'ponerse tierno como camote').

Campal, campamento, V. *campo*

CAMPANA, 1117. Del lat. tardío CAMPĀNA íd., 515, abreviación de VASA CAMPANA 'recipientes de Campania', región de la cual procedía el bronce de mejor calidad.
DERIV. *Campanada. Campanario*, 1256-76. *Campanear; campaneo. Campanero. Campanilla* 'úvula', 1495; *campanillazo. Campanudo. Campánula; campanuláceo*.
CPT. *Campaniforme. Campanólogo*.

CAMPECHANO 'afable, dispuesto para cualquier broma o diversión', 1836. Probablemente del gentilicio *campechano* 'habitante de Campeche, estado de la República Mejicana'.
DERIV. *Campechanía* (amer. *campechanería*).

CAMPEÓN, 1589-90. Del it. *campione,* h. 1300, y éste del longob. *kamphio* 'paladín que combate en defensa de otro', deriv. del germ. occid. *kamp* 'campo de ejercicios militares', 'campo de batalla' (tomado a su vez del lat. CAMPUS, aplicado especialmente al Campo de Marte, donde se instruía a los soldados germánicos del ejército romano). DERIV. *Campeonato.*

CAMPO, 931. Del lat. CAMPUS 'llanura', 'terreno extenso fuera de poblado'. DERIV. *Campal,* h. 1140. *Campamento,* 1702. *Campaña,* 1220-50, del lat. tardío CAMPANIA 'llanura', S. VI. *Campañol,* S. XX, del it. *topo campagnuolo,* por conducto del francés. *Campar,* 1571. *Campear,* h. 1250, 'guerrear, estar en campaña'; *campeador,* 1075. *Campero. Campesino,* h. 1400. *Campestre,* 1490, tom. del lat. *campester. Campillo. Campiña,* h. 1295, probablemente variante arabizada de *campaña. Acampar,* 1220-50. *Descampado,* h. 1300. *Escampar* 'cesar de llover', princ. S. XVII (*desc-,* 1495) (idea que procederá de la de 'despejar un lugar' pasando por 'limpiarse el cielo'). CPT. *Escampavía,* 1884.

CAMUESA 'variedad de manzana, caracterizada por su gusto dulce y aromático, carente de acidez', 1513. Origen incierto; quizá del port. *camoesa* íd. (también *pero camoês* 'especie de pera'), deriv. de un nombre propio. DERIV. *Camueso* 'manzano que produce la camuesa', 1578, 'hombre grosero', 2.ª mitad S. XVI.

CAN, 963. Del lat. CANIS 'perro'. DERIV. *Canalla,* 1517, del it. *canaglia; canallada; canallesco; encanallar. Canícula,* 1438, tom. del lat. *canicŭla* 'la estrella Sirio', propiamente 'la perrita'; se llamó así a la canícula porque en la Antigüedad la salida de Sirio sobre el horizonte coincidía con la del Sol durante los primeros días de agosto; *canicular,* 1438. *Cánido. Canino,* 1438.

Cana 'cabello blanco', V. *cano Canabíneo,* V. *cáñamo Canadillo,* V. *candado*

CANAL, 1107. Del lat. CANĀLIS íd. DERIV. *Acanalado,* 1580. *Canaladura. Canaleja,* 1611. *Canalizar,* 1884; *canalización. Canalizo. Canalón. Encanalar.*

Canalla, canallada, V. *can*

CANANA 'cinto para llevar cartuchos', 1832. Del ár. *kinâna* 'carcaj'.

CANAPÉ, 1729. Del fr. *canapé* íd., y éste del lat. tardío *canapeum* (lat. *conopēum*)

'pabellón de cama', que a su vez procede del gr. *kōnōpêion* 'mosquitero', deriv. de *kŏnōps* 'mosquito'.

CANARIO (pájaro), 1582-5. Del gentilicio *canario,* por haberse importado de las Canarias en el S. XVI.

Canasta, V. *canastillo*

CANASTILLO, 1251. Del lat. CANĬSTĔLLUM, diminutivo de CANĬSTRUM íd.; la forma básica *canestillo,* empleada por el Arcipreste de Hita, tuvo mucha extensión en castellano y lenguas afines. DERIV. *Canastilla,* h. 1400. *Canasta,* 1330, y *canasto,* 1513, al parecer se extrajeron secundariamente de *canastillo.*

CÁNCAMO 'armella de hierro en el buque, que sirve para enganchar motones, amarrar cabos, etc.', 1675. Del gr. tardío *kánkhalon* 'anillo (en una puerta)', que en la terminología náutica sufrió el influjo del gr. *gángamon* 'especie de red'.

CANCÁN (baile descocado), 1882. Del fr. *cancan* íd., y éste probablemente del anticuado *cancan* 'ruido que se hace por cualquier cosa' (de donde 'baile ruidoso'), hoy 'chisme', antiguamente 'arenga escolar', procedente del lat. *quamquam* 'aunque', conjunción que a menudo iniciaba estas arengas.

Cáncana, V. *cáncano* y *recancanilla Cancanear, cancanilla,* V. *recancanilla*

CÁNCANO, vulg. 'piojo', 1729, probablemente alteración del dialectal *cancro* o *cáncaro* íd., propiamente 'cáncer' por exageración irónica, procedente del lat. CANCER, -CRI, íd. DERIV. *Cáncana* 'araña gruesa', S. XX.

CANCEL, 1565. Procede del lat. *cancĕllus* 'verja o barandilla enrejada', tomado por vía culta o por conducto de otro romance. DERIV. *Cancela,* 1590.

CANCELAR, 1258-63. Tom. del lat. *cancellare* 'borrar', propiamente 'trazar un enrejado sobre lo escrito', deriv. de *cancellus* 'verja'. DERIV. *Cancelación.*

CÁNCER 'signo del zodíaco', 1256-76, 'carcinoma', 1438. Tom. del lat. *cancer, -cri,* 'cangrejo', 'carcinoma', significación imitada del gr. *kárkinos,* que además de 'cangrejo' tomó por comparación el sentido de 'tenaza, instrumento de tortura'. El mismo origen tiene el fr. *chancre* 'cáncer' ant., y luego 'úlcera sifilítica', de donde el cast. *chancro*, S. XX.

Deriv. *Cancerado*, 1705. *Canceroso*, S. XVIII. *Cancroide, cancroideo. Carcinoma*, 1629, del gr. *karkínōma*, deriv. del citado *kárkinos* (afín al lat. *cancer*).

Cpt. *Canceriforme. Carcinología.*

CANCILLER, S. XIII. Del lat. CANCELLARIUS 'escriba' y antes 'portero, ujier', derivado de CANCELLUS 'verja' por vía de otra lengua romance; probablemente resultó de un cruce de *chanciller*, 1129, tom. del fr. *chancelier*, con la forma culta *cance(l)lario*, 1220-50.

Deriv. *Cancillería*, 1617; *cancilleresco*; *chancillería*.

CANCIÓN, 1220-50. Tom. del lat. *cantio, -ōnis*, 'canto', deriv. de *canere* 'cantar'.

Deriv. *Cancionero*, 2.º cuarto S. XV. *Canzoneta*, 1780 (-*cion*-, 1611), del it. *canzonetta. Chanzoneta* 'copla', 1330, 'burla', 1605, del fr. *chansonnette* 'canción burlesca'.

Cancroide, cancroideo, V. *cáncer*

CANCHA, 1653, 'terreno llano y desembarazado', 'espacio para pasar', especialmente 'espacio destinado a depósito de ciertos objetos o a determinados juegos y deportes'. Del quich. *cancha* 'recinto', 'empalizada', 'patio'.

Deriv. *Canchero* 'el que cuida de una cancha', 'entendido, que tiene mucha práctica'. *Cancho* 'pago que exigen abogados y clérigos'. *Canchada* 'carrera sin meta a campo traviesa'. *Canchón.*

Canchal, V. *cancho*

CANCHALAGUA, med. S. XVII (*cachanlaguen*). Del arauc. *cachánlauen* íd., propiamente 'hierba medicinal (*lauen*) del dolor de costado (*cachan*)'.

Canchero, V. *cancha*

CANCHO 'peñasco' 1884 (V., abajo, *canchal*). Voz del Centro y Oeste peninsulares, de origen incierto, quizá del lat. CALCŬLUS 'guijarro'.

Deriv. *Canchal*, h. 1340.

Cancho 'paga', *canchón*, V. *cancha*

CANDADO, 1050 (*cadnato*), h. 1140 (*cannado*); *candado*, h. 1460 (y quizá ya en el S. XIII). Del lat. CATENATUM íd., deriv. de CATĒNA 'cadena', por cerrarse antiguamente con una cadena.

Deriv. *Canadillo* o *calnadillo*, h. 1800, 'blecho, ephedra fragilis'.

CANDE, *azúcar* —, 1325-6 (*candio*). Del ár. vg. *qándi* íd., adjetivo derivado de *qand*, del mismo significado.

CANDEAL, S. XVI, y antes *candial*, 1220-50. Deriv. romance del lat. CANDĬDUS 'blanco', por serlo mucho el pan hecho con esta clase de trigo.

CANDELA, 1140. Del lat. CANDĒLA 'vela de luz', deriv. de CANDĒRE 'arder'.

Deriv. *Candelabro*, 1220-50, tom. del lat. *candelabrum* íd. *Candelaria*, 3.er cuarto S. XIII. *Candelero*, 2.º cuarto S. XIII. *Encandilar* 'deslumbrar', 1570; antes, *encandelar*, h. 1490, probablemente de *candela* en el sentido de 'fuego' (ya 1240), por el que se deslumbra a fuerza de estar mirando la lumbre del hogar; al hacerse impopular *candela* en gran parte del territorio lingüístico, el vocablo sufrió el influjo de *candil*.

CÁNDIDO, 1438, 'blanco', 'sin malicia'. Tom. del lat. *candĭdus* 'blanco', deriv. de *candēre* 'ser blanco'.

Deriv. *Candidez*, 1679. *Candidato*, 1550, del lat. *candidatus* íd., así llamado porque los candidatos se vestían con toga blanca; *candidatura. Candor*, h. 1440, lat. *candor* íd., otro deriv. de *candere*; *candoroso. Candente*, 2.ª mitad S. XVI, del lat. *candens, -tis*, part. activo de *candēre* 'ponerse incandescente, arder'. *Incandescente*, 1884, del participio activo del lat. *incandescere* 'ponerse incandescente'; *incandescencia*.

CANDIL, h. 1400. Del ár. *qandíl* 'lámpara', 'candil', que a su vez viene del gr. medieval *kandíli*, tomado del lat. CANDĒLA 'vela'.

Deriv. *Candilazo*, 1620. *Candilejo*, 1495; *candileja*, h. 1640.

CANDIOTA 'especie de barril', 1495. Del gentilicio *candiota* 'perteneciente a la isla de Candía o Creta', probablemente porque en candiotas se traía de Creta la malvasía.

Deriv. *Candiotera. Candiotero.*

CANDONGO 'zalamero, astuto, remolón, que usa zalamería para engañar a uno', 1729. Voz afectiva de origen incierto; quizá de **candidongo* 'necio fingido', deriv. de *cándido*, en vista de los americanos *candungo* y *candanga* 'mentecato'.

Deriv. *Candonga*, f., 'zalamería para engañar', 1700-2. *Candonguero* 'candongo', 1729. *Candonguear.*

Candor, candoroso, V. *cándido*   *Candungo*, V. *candongo*

CANÉ (juego de azar), 1813-41. De origen gitano.

CANELA, h. 1250. Del it. *cannella* íd., diminutivo de *canna* 'caña', por la forma de canuto que toma la corteza seca del canelo; por conducto del fr. ant. *canele*, S. XII.

DERIV. *Canelo. Canelón*, 1557.

CANESÚ, 1831. Del fr. *canezou* íd., de origen desconocido.

CANGA, 1693. Significó primitivamente 'yugo' y viene probablemente del céltico *CAMBĬCA 'madera curva', deriv. de *CAMBOS 'curvo' (vid. *CAMA* II).

DERIV. *Cangalla*, leon., amer., 'aparejo para llevar carga las bestias', 'desperdicio de mineral', 'persona cobarde'; *cangallo*.

CANGILÓN 'vasija de barro o de metal para contener o beber líquidos', 1495; 'arcaduz', 1613. Debió de ser alteración de *congilón, derivado mozárabe del lat. vg. CONGIALIS 'medida de vino' (lat. cl. CONGIUS); en el árabe de España y África se encuentra *qomṣâl* y un bereber *aqanṣâl* en el mismo sentido, debidos a un cruce de CONGIALIS con sus sinónimos el lat. CONCHA y el árabe *qomqûm*.

CANGREJO, 1251. Diminutivo del antiguo *cangro*, S. XIII, y éste del lat. CANCER, -CRI, íd.

DERIV. *Cangreja*, 1738, 'vela trapezoidal envergada al *cangrejo* (1732) o vela de mesana'. *Cangrejal*.

Cangro, V. *cangrejo*

CANGUELO 'miedo', voz jergal, med. S. XIX. Del gitano español *canguelo*, procedente seguramente del gitano general *kandela*, forma verbal de la tercera persona del singular de la raíz k(h)and- 'heder, apestar', cruzada en España con el gitano *sunguelar, funguelar*, íd., por alusión a lo que se hace la persona dominada por el miedo.

CANGURO (mamífero australiano), 1914. Del ingl. antic. *kangooroo* (hoy *kangaroo*), y éste de una lengua indígena de Australia.

Canicie, V. *cano*   *Canícula, canicular, cánido*, V. *can*

CANIJO 'débil y enfermizo', med. S. XVIII. Probablemente del lat. CANĪCŬLA 'perrita', por el hambre proverbial que pasan los perros.

DERIV. *Encanijarse*, 1581; *encanijamiento*, 1615.

CANILLA: A) h. 1300 'cualquiera de los huesos largos de la pierna o del brazo, esp. la tibia', 'pierna delgada', 'tobillo'; B) 1495 'espita o grifo'; C) 'carrete en que se devana el hilo', 1604. Del antiguo *cañilla* íd., diminutivo de *caña*.

DERIV. *Canillera* 'espinillera', 1330. *Canillita* arg. 'vendedor de periódicos' (por sus piernas flacas). *Encanillar*.

Canino, V. *can*

CANJE, med. S. XVII. Deriv. del anticuado *canjar* 'cambiar', 1587, tom. del it. *cangiare*, de igual origen que nuestro *cambiar*.

DERIV. *Canjear*, med. S. XVII; *canjeable*.

CANO, h. 1250. Del lat. CANUS 'blanco'. *Cana*, h. 1360, es el femenino de este adjetivo, sustantivado.

DERIV. *Encanecer*, 1438. *Canicie* (que antes se dijo *canez*, 1495), lat. *canities*. *Uva canilla*, 1495, o *cana. Canoso*, 1604. *Entrecano*.

CANOA, 1492. Del arauaco de las Lucayas.

DERIV. *Canoero. Canotié*, del fr. *canotier*, deriv. de *canot* 'canoa', por el empleo de este sombrero en el deporte náutico.

CANON, 1220-50. Tom. del lat. *canon*, -ŏnis, íd., y éste del gr. *kanṓn* 'tallo', 'varita', 'regla', 'norma'.

DERIV. *Canónico*; con su duplicado semipopular *canónigo*, 1173, y el anticuado *canonje*, 1220-50 (tom. de oc. ant. *canonge*), de donde *canonjía*, 1211. *Canonista*, 1495. *Canonizar*, S. XIV; *canonización. Canónica*.

CANORO, h. 1580. Tom. del lat. *canōrus* íd. deriv. de *canĕre* 'cantar'.

Canoso, V. *cano*   *Canotié*, V. *canoa*

CANSAR, 1092. Del lat. CAMPSARE 'doblar (un cabo) navegando', 'desviarse (de un camino)', de donde se llegó al significado moderno, probablemente pasando por la idea de 'cesar (de hacer algo)'.

DERIV. *Cansado. Cansancio*, 1495, del antiguo *cansacio*, h. 1250, formado con el sufijo latino -*atio*, -*ationis*, en nominativo. *Cansera. Cansino* (empezó por ser nombre propio y es verosímil que tenga otro origen, aunque influido por *cansar*). *Canso*, dial., 1220-50. *Cansoso. Descansar*, 1438; *descansado; descanso*, 1495; *descansillo. Incansable*.

Canta, cantada, V. *cantar*   *Cantal*, V. *canto* III

CANTAR, 2.ª mitad S. X. Del lat. CANTARE, frecuentativo de CANĔRE 'cantar'.

DERIV. *Canta. Cantable. Cantada. Cantador. Cantadera*, 1343. *Cantaleta* 'canto bullicioso que se da para molestar', 1571, 'chasco, zumba'. *Cantante*, 1623. *Cantar*, m., h. 1140. *Cantarín*, 1729. *Cantata*, h. 1800. *Cantatriz*, S. XVIII. *Cante. Cántico*, 1220-50, lat. *canticum. Cantilena*, 1220-50, lat. *cantilena. Canto*, 1220-50, lat. CANTUS,

-ūs. *Cantor*, S. X, lat. CANTOR, -ORIS. *Canturrcar*, med. S. XIX; *canturreo*. *Encantar* 'hechizar', 1330, explicable por las fórmulas cantadas o recitadas que usaban los hechiceros; *encantador*, 1251; *encantamiento*, 1220-50; *encanto*, h. 1580; *desencantar*, 1495; *desencanto*, 1705. *Decantar* 'ponderar', 1499, lat. *decantare*. *Discantar*, h. 1580; *discante*, 1583. *Chantaje*, S. XX, del fr. *chantage*, deriv. de *chanter* 'cantar' y 'hacer chantaje'; *chantajista*.

Cántara, cantarero, V. *cántaro*

CANTÁRIDA, 1537. Tom. del lat. *canthăris, -arĭdis*, y éste del gr. *kantharís* íd. (de *kántharos* 'escarabajo').

Cantarín, V. *cantar*

CÁNTARO, 1278-84. Del lat. CANTHĂRUS 'especie de copa grande, de dos asas', y éste del gr. *kántharos* íd., propiamente 'escarabajo'.
DERIV. *Cántara. Cantarera. Cantarero; cantarería.*

Cantata, cantatriz, cante, V. *cantar*
Cantera, cantería, V. *canto* III   *Cantero*,
V. *canto* II y III   *Cántico*, V. *cantar*
Cantidad, V. *cuanto*

CANTIGA, 1280. Voz emparentada con *cantar* y su familia, pero su formación no es clara; quizá no procede, como ésta, del lat. *canĕre* 'cantar', sino de un célt. *CANTĬCA*, derivado de la raíz céltica CAN-, del mismo significado y del mismo abolengo indoeuropeo que la voz latina; la acentuación menos extendida y menos popular *cántiga*, fin S. XIV, se debe al influjo de *cántico*.

CANTIL 'cortadura vertical en un terreno, esp. en la costa, o escalón alto en el fondo del mar', 1803. Deriv. de *canto* II 'esquina, ángulo recto', o de su original latino.
DERIV. *Acantilado*, 1542; *acantilar*, 1831.

Cantilena, V. *cantar*

CANTIMPLORA, 1543, 'sifón (tubo o conducto)', 'vasija usada para enfriar el agua', 'frasco revestido para llevar bebida'. Tom. del cat. *cantimplora*, antes *cantiplora*, 1460, y éste compuesto de *canta i plora* 'canta y llora', por el ruido que hace la cantimplora al gotear.

CANTINA, 1517, 'bodega, sótano donde se guarda vino o agua', 'puesto de venta de vino y comestibles'. Del it. *cantina* íd., 1.ª mitad S. XIV, de origen desconocido.

DERIV. *Cantinero*, 1555. *Cantinera*.

Canto I 'acción de cantar', V. *cantar*

CANTO II, 1220-50, 'extremidad, lado', 'punta, esquina, saliente anguloso'. Del lat. CANTUS 'llanta de metal en una rueda', voz de origen extranjero, probablemente céltico.
DERIV. *Cantero* 'extremidad dura del pan'. *Cantillo* 'pedazo de pan', 1220-50, 'cantón, esquina'; *descantillar*. *Cantón*, 1330; *cantonada*, 1438; *cantonal, cantonalismo*; *acantonar*; *cantonero, -era*; *cantonear(se)*, 1588, 'andar de esquina en esquina para lucir'; después, *contonearse*, 1603, 'andar meneando el cuerpo como ostentación de garbo'; *contoneo*, 1599. *Decantar* 'inclinar una vasija para que se depositen las heces', 1708; 'apartar, desviar', 1615; *decantación*, 1729.
CPT. *Trascantón*, 1599.

CANTO III, 1220-50, 'piedra, esp. la empleada en construcción, o la suelta y redondeada a fuerza de rodar por impulso de las aguas'. De una raíz común a los tres romances hispánicos, de origen incierto, quizá prerromano.
DERIV. *Cantal*, 1220-50. *Cantero* 'el que labra piedras', h. 1300; *cantera*, S. XV; *cantería. Cantazo.*

Cantón, cantonada, cantonal, cantonalismo, cantonera, cantonero, V. *canto* II
Cantor, V. *cantar*

CANTUESO 'Lavandula stoechas, labiada semejante al espliego', h. 1100. Probablemente del gr. *khamài thýos* íd., propiamente 'incienso de tierra, del suelo', en forma latinizada *CHAMAETUSIUS (adaptado a *tus* 'incienso', traducción latina de *thýos*).

Canturrear, V. *cantar*   *Cánula, canular*,
V. *caña*

CANUTO o **CAÑUTO**, ambos S. XIII. Del mozárabe *cannut* íd., y éste de una forma hispánica *CANNŪTUS 'semejante a la caña', deriv. de CANNA 'caña'.
DERIV. *Canutillo* o *cañutillo*, 1599 (que pasó al fr. *cannetille*, 1534, y otras formas extranjeras). *Cañutero. Encanutar* o *encañutar.*

Canzoneta, V. *canción*

CAÑA, 1070. Del lat. CANNA íd.
DERIV. *Cañada* 'valle poco marcado', h. 1460, así llamado por distinguirse casi sólo por el cañaveral del fondo; 'vía para el ganado trashumante' (que en general sigue las cañadas), h. 1290; 'tuétano del hueso' 1325-6; *cañadilla* 'múrice comestible de la

púrpura', 1877. *Cañal*, 1604, o *cañar*. *Cañarí* 'hueco como una caña, insustancial', and., 1605-25: deriv. mozárabe con sufijo híbrido árabe-romance. *Cañero*. *Cañota*. *Cañuela*. *Encañar*, 1601. *Cañizo*, 1505; *cañizal*, *-izar*; *encañizar*. *Caño* 'tubo', h. 1250, 'pasaje subterráneo', h. 1140; *cañería*, h. 1600; *cañete*; *encañar*, 1611, *encañada*. *Cañón*, h. 1400; la ac. 'tubo para lanzar proyectiles, cañón de artillería', 1535; para *cañón* 'desfiladero', V. artículo aparte; *cañonazo*; *cañonear*, 1604, *cañoneo*; *cañonero*, 1607, *cañonera*; *encañonar*, 1495. *Sobrecaña*.
Cultismos: *Cánula*; *canular*.
CPT. *Cañaduz*, and. y amer., con *duz* 'dulce'. *Cañafístula*, h. 1400, con el lat. *fístula* 'tubo', 'flauta'. *Cañaheja*, 2.º cuarto S. XIV, alteración no bien explicada de CANNA FISTULA, junto al cual existen *cañahierla* y otras numerosas variantes que proceden de CANNA FĔRŬLA (de *ferula* 'planta de tallo largo', 'varita'). *Cañamiel*, 1611; *cañamelar*. *Cañavera* 'caña', 'carrizo', 1220-50, que, en vista del port. *canavea* (*canavé*) y el languedociano ant. *canavera*, saldrá por disimilación de *cañavena, compuesto con el lat. AVĒNA 'tallo de paja de avena', 'flauta hecha con este tallo'; hoy como sustituto de *caña* se ha anticuado *cañavera*, pero sigue diciéndose *cañaveral*, h. 1250. *Cañihueco*. *Cañivano*.

CÁÑAMO, 1170. Del lat. vg. CANNĂBUM, lat. CANNĂBIS, íd.
DERIV. *Cañamar*, 1043. *Cañamazo*, 1495. *Cañamero*. *Cañamiza*. *Cañamón*, 1495. *Canabíneo*, cultismo.

Cañar, cañarí, cañavera, cañaveral, cañería, cañero, V. *caña*

CAÑÍ 'gitano', 1886. Parece debido a una confusión del gitano *calí* 'gitana' con *cañí*, que en el mismo lenguaje significa 'gallina'.

Cañihueco, cañivano, cañizar, cañizo, caño, cañón 'tubo', 'pieza de artillería', V. *caña*

CAÑÓN, mej. y norteamer., 'desfiladero de un río', 1834. Origen incierto; siendo antiguamente *callón*, 1560-75, es probable que derive de *calle*, lat. CALLIS, en sentido de 'camino estrecho'.

Cañonazo, cañonear, cañoneo, cañonera, cañota, V. *caña* *Cañutero, cañutillo, cañuto*, V. *canuto*

CAOBA, 1535. Del taíno de Santo Domingo *kaoban*.
DERIV. *Caobilla*. *Caobo*.

CAOLÍN, 1860. Del nombre propio de lugar *Kao Ling*, en el Norte de China, de donde se extrajo primeramente esta materia; por conducto del fr. *kaolin*, 1712.

CAOS, princ. S. XV. Tom. del lat. *chaos*, y éste del gr. kháos, kháüs, 'abismo', 'espacio inmenso y tenebroso que existía antes de la creación del mundo'.
DERIV. *Caótico*, 1709, adjetivo probablemente creado en Francia, aunque se ha documentado primero en Alemania (1702) y en España (1709), pues en aquel país se explica mejor el derivado con *-t-*.

CAPA, 952. Del lat. tardío CAPPA 'capucho', fin S. VI, de origen desconocido.
DERIV. *Capear*, 1599; *capea*; *capeo*. *Caperuza*, 2.ª mitad S. XV (y *carapuça*, h. 1400). *Capirote*, h. 1300; antes *caperot*, 1294, del gasc. *capirot* 'capucho', deriv. de *capa*; *capirotada*, 1330, 'aderezo para arrebozar otros manjares', comparado a una capa o capirote; *encapirotar*, 1607; *capirotazo*. *Capote*, princ. S. XV; *capota*; *encapotar*, 1495; *desencapotar*. *Capero*.
CPT. *Capidengue*, con *dengue*. *Capigorra*, así llamado porque solía andar con *capa* y *gorra*; *capigorrón*, 1693, *-gorrista*, 1604. *Capisayo*, 1214. *Socapa*.

Capacete, V. *capacho* *Capacidad, capacitar*, V. *capaz*

CAPACHO, 1495. Forma dialectal mozárabe tomada en castellano por una palabra común a los tres romances hispánicos, a la lengua de Oc y a algunas hablas del Norte de Italia; descendiente probable de un lat. vg. *CAPACĔUM íd., deriv. de CAPĔRE 'contener' y de su derivado CAPAX 'que tiene cabida'; *capazo*, 1604, es otra forma del mismo vocablo, de procedencia aragonesa y quizá también mozárabe; el origen mozárabe, denunciado por la fonética, se comprueba por aparecer primeramente el vocablo en autores ándaluces y toledanos, y se explica por la procedencia meridional del esparto, con que se hacen los capachos.
DERIV. *Capacete* 'pieza de armadura que cubría la cabeza', h. 1300, del cat. *cabasset* íd., deriv. de *cabàs* 'capacho', por su forma. *Capacha*, 1599. *Capaza*. *Encapachar*.

Capador, capar, V. *capón*

CAPARAZÓN, S. XV. Origen incierto; parece ser metátesis de *carapazón* —nótese el cast. *carapacho* 'cáscara de los crustáceos y tortugas', S. XVI, port. *carapaça*—, quizá prerromano y emparentado con *galápago* y con *carabassa*, forma catalana equivalente a *calabaza* (V. éste); por la cáscara o cubierta dura que es común a las tres cosas designadas con estos nombres.

Caparídeo, V. *alcaparra*

CAPARROSA, 1495. Origen incierto, probablemente del ár. *qubrûsi*, variante abreviada del ár. *zâ*ŷ *qubrusî* 'vitriolo de Chipre', deriv. de *Qúbrus*, nombre árabe de esta isla; por la fama del cobre de Chipre.

CAPATAZ, 1525-47. Deriv. del lat. CAPUT 'cabeza', pero la formación no está clara. Quizá tomado de oc. ant. *captàs*, caso sujeto de *captan* 'capitán' (o de un oc. ant. *capetàs*, caso sujeto correspondiente al fr. ant. *chevetains* 'jefe').

CAPAZ, princ. S. XV. Tom. del lat. *capax, -ācis*, 'que tiene mucha cabida', 'capaz', deriv. de *capĕre* 'contener, dar cabida'.
DERIV. *Capacidad*, 1438. *Capacitar*, fin S. XIX. *Incapaz, incapacidad, incapacitar. Recapacitar*, 1589; significa 'recordar' en los SS. XVI-XVII, lo cual sugiere que sea alteración del b. lat. *recapitare* 'recordar', 'recabar' (deriv. directo de *capere*), con influjo secundario de *capaz*.

Capaza, capazo, V. *capacho*   *Capcioso*, V. *captar*   *Capea, capear*, V. *capa*   *Capellán, capellanía*, V. *capilla*   *Capellina*, V. *capillo*   *Capeo, capero, caperuza*, V. *capa*   *Capicúa*, V. *cabo*   *Capidengue, capigorra, capigorrón*, V. *capa*   *Capilar, capilaridad*, V. *cabello*

CAPILLA 'edificio pequeño destinado al culto', h. 1140. Del lat. tardío CAPPĒLLA 'oratorio, capilla', princ. S. VIII, propiamente 'capa pequeña', por alusión al pedazo de su capa que San Martín dio a un pobre y al oratorio que se erigió donde guardaban esta reliquia.
DERIV. *Capellán*, 1127, probablemente tom. de oc. ant. *capelán*, procedente del b. lat. CAPPELLANUS, deriv. de CAPPELLA; *capellanía*, fin S. XIII.
CPT. *Capelardente* (cultismo) o *capilla ardiente*.

CAPILLO 'capacete de la armadura', h. 1140, 'capuchón de fraile', 'mantilla o capucha que llevan las mujeres en algunas partes', 1350-69, 'vestidura de tela blanca que se pone en la cabeza de los niños al bautizarlos', etc. Del lat. vg. CAPPĒLLUS 'vestidura de la cabeza', deriv. diminutivo de CAPPA íd. (vid. *CAPA*).
DERIV. *Capilla* 'capucha', 'casquete de la armadura', 'religioso secular'. *Capellada* 'puntera o pala del calzado', 1537. *Capellina*, 1250-71. *Capilleja; capillejo*. Encapillar 'enganchar un cabo a un penol de verga', 1587; 'cubrir un golpe de mar a una embarcación', 1884; 'encapirotar', 'ponerse alguna ropa por la cabeza' (quizá imitado del término náutico cat. *encapellar*, 1460).

Capirotada, capirotazo, capirote, capisayo, V. *capa*

CAPITACIÓN, princ. S. XVII. Tom. del lat. *capitatio, -onis*, 'tributo que se cobraba por cabeza, por cada persona', deriv. de *caput, -itis*, 'cabeza'.

CAPITAL, h. 1250. Tom. del lat. *capĭtālis* íd., deriv. de *caput, -itis*, 'cabeza'.
DERIV. *Capitalidad. Capitalismo*, h. 1900; *capitalista*, 1832. *Capitalizar*, 1832.

CAPITÁN, h. 1375. Tom. del b. lat. *capitanus* 'jefe', deriv. del lat. *caput, -ĭtis*, 'cabeza'.
DERIV. *Capitana* (*nao* o *galera* —), h. 1493. *Capitanear*, med. S. XV. *Capitanía*, h. 1300.

CAPITEL, h. 1250. Tom. del lat. *capitĕllum* íd., diminutivo de *caput* 'cabeza'; por conducto de oc. ant. *capitel*, la variante *chapitel*, S. XV, del fr. ant. *chapitel* (hoy *chapiteau*).

CAPITOLIO, 1490. Tom. del lat. *capitolium*.
DERIV. *Capitolino*.

CAPÍTULO, 1220-50. Tom. del lat. *capitulum* íd., propiamente 'letra capital' (y antes 'cabecita'), por la que encabezaba el capítulo; diminutivo del lat. *caput* 'cabeza'.
DERIV. *Capitular*, v., h. 1460, propiamente 'redactar los capítulos que regirán la rendición'; *capitulación*, h. 1460. *Recapitular; recapitulación*, 1495.

CAPÓN, h. 1250. Del lat. vg. *CAPPO, -ŌNIS* íd. (clásico CAPO).
DERIV. *Caponera*, 1570, 'jaula en que encierran los capones para cebarlos', 'sitio donde se vive sin hacer nada', 'cárcel', 'obra de fortificación consistente en una estacada'. *Capar*, 1490, al parecer extraído secundariamente de *capón*; *capador*.

Capota, capote, V. *capa*   *Capricornio*, V. *cabra*

CAPRICHO 'antojo', 1548-51. Del it. *capriccio* 'idea nueva y extraña en una obra de arte', 'antojo', S. XVI; antiguamente, 'horripilación, escalofrío', S. XIII, que también tenía la forma *caporiccio*, S. XIV; contracción de *capo* 'cabeza' y el adjetivo *riccio* (del mismo origen y significado que' el cast. *erizado*).
DERIV. *Caprichoso*, 1615. *Caprichudo. Encapricharse*.

Caprifoliáceo, capriforme, V. *cabra*   *Cápsula, capsular*, V. *caja*

CAPTAR, h. 1560 (y en acs. anticuadas, S. XIII). Tom. del lat. *captare* 'tratar de coger', frecuentativo de *capere* 'coger'. Deriv. *Captación. Capcioso,* 1612, lat. *captiosus* íd., deriv. de *captio, -onis* (y éste de *capere*), que había tomado el sentido de 'trampa, engaño'.

CAPTURA, S. XVI. Tom. de *captūra* 'acción de coger', deriv. de *capĕre* 'coger'. Deriv. *Capturar,* 1626.

CAPUCHO, 1514 (y hay un ejemplo aragonés de 1403, pero es raro hasta el S. XVII). Tom. del it. *cappuccio* íd., deriv. de *cappa* 'capa', que en latín designaba un capucho o una capa provista de capucho; italianismo propagado progresivamente por las órdenes franciscana, capuchina y otras fundadas en Italia, que reemplazó el antiguo *capuz,* med. S. XIV, del mismo origen. Deriv. *Capucha,* med. S. XVII. *Capuchino,* 1601, del it. *cappuccino,* 1526; *capuchina. Capuchón,* S. XIX. *Encapuchar.*

CAPULLO, 1490. Resulta seguramente de un cruce de *capillo* 'capucho' y 'capullo' (lat. capellus) con *cogulla* 'capa de fraile' o su original latino cucullus 'capucho'. Deriv. *Encapullado.*

Capuz, V. *capucho*

CAQUEXIA, 1555. Tom. del lat. *cachexĭa,* y éste del gr. *kakhexía* 'mala constitución física', compuesto de *kakós* 'malo' y *ékhō* 'me hallo'. Deriv. *Caquéctico,* gr. *kakhektikós.*

CAQUI I 'de color terroso', S. XX. Del ingl. *khaki,* y éste del urdu *ẖākī* íd., adjetivo formado en la India con el persa *ẖâk* 'polvo'.

CAQUI II (fruto y árbol que lo produce), 1901-5. Del nombre científico *Diospiros kaki* dado por Linneo, de origen japonés.

CAR 'de las dos piezas que componen la entena de las embarcaciones, la inferior, que mira a proa', 1611. Del cat. *car,* 1467, y éste del bajo gr. *káreo* íd., que parece ser alteración del clásico *keráia* 'entena', propiamente 'cuerno'.

CARA, h. 1140. Quizá del gr. *kára* 'cabeza'. Deriv. *Carado, bien o mal* —. *Carear,* 1517: *careo. Careta* 'máscara', princ. S. XV, probablemente deriv. de *cara; careto* 'animal que tiene la cara blanca y el resto de la cabeza oscuro', 1780; en la acepción andaluza y popular 'fruto fallado, malo', 'persona mala, fea o inútil', no es seguro que

se trate de la misma palabra. *Carilla. Descarado,* 1570; *descararse,* 1607; *descaro. Encarar,* 1604.
Cpt. *Carasol. Cariacontecido,* 1611; *cariampollar; carichato; caridelantero; carifruncido; carigordo,* 1620; *cariharto,* 1693; *cariancho; carilargo,* 1611; *carilleno; cariparejo; carirredondo,* 1607.

CARABA 'broma, jolgorio', S. XX. Del dialectalismo leonés y extremeño *caraba* 'conversación entretenida', 1499, y éste probablemente de un deriv. del ár. *qârab* 'hablar afablemente con (alguien)'; aunque al derivado ár. *qarâba* no se le conocen otras acepciones que 'consanguinidad, parentesco', 'aproximación', es probable que tuviera sentidos más próximos a los españoles y que de él proceda la palabra en cuestión.

CARABELA, 1256-63 (raro antes del S. XV). Del port. *caravela* íd., diminutivo del lat. tardío carabus 'embarcación de mimbres forrada de cuero', y éste del gr. *kárabos* 'embarcación', propiamente 'cangrejo de mar'.

CARABINA, 3.er cuarto S. XVII. Del fr. *carabine* íd., S. XVI, y éste del fr. antic. *carabin* 'soldado de caballería ligera armado de carabina', 'enterrador de apestados', 1521, de origen incierto. Deriv. *Carabinero,* 1705.

CARACOL, h. 1400. Voz común a los tres romances hispánicos y a la lengua de Oc (*cacalaus, cagarol, caquerolle*), de origen incierto; quizá salió por metátesis de una raíz expresiva CACAR-, como nombre de la cáscara del caracol; en Castilla y Portugal es posible que sea antiguo préstamo catalán u occitano, por la mayor y más antigua popularidad del caracol como comida popular en estas tierras, en las que ya se encuentra el vocablo en el S. XIV. Deriv. *Caracola. Caracolada. Caracolear,* 1643 (de donde el fr. *caracoler,* it. *caracollare,* S. XVI); *caracoleo. Caracolillo.*

CARÁCTER, h. 1250 (*caracta*). Tom. del lat. *character, -ēris* 'carácter de estilo', propiamente 'hierro de marcar ganado' y 'marca con este hierro', y éste a su vez del gr. *kharaktĕr* 'carácter distintivo', primeramente 'grabador', 'instrumento grabador', 'marca, figura', deriv. de *kharássō* 'yo hago una incisión, yo marco'. El plural culto *caractéres* se ha acentuado modernamente de acuerdo con el plural latino *characteres.* Deriv. *Característico,* S. XVII; *-ística,* 1803. *Caracterizar,* S. XVII.

CARAMAÑOLA ᴏ **CARAMAYOLA** 'cantimplora de soldado', arg., chil., 'vasija con tubo para beber', leon., 1861. Del fr. *carmagnol* 'soldado de la primera República francesa', deriv. de *carmagnole* 'chaqueta distintiva de los revolucionarios jacobinos', anteriormente 'chaqueta de ceremonia de los campesinos del Delfinado', que procede del nombre de la ciudad piamontesa de *Carmagnola*.

CARÁMBANO, 1490. Del anticuado *carámbalo* íd., y éste de **caramblo,* procedente del lat. vg. **CALAMŬLUS,* diminutivo de CALĂMUS 'caña', por la forma de los carámbanos.

CARAMBOLA, 1601. Significó propiamente 'enredo, trampa', 1611, y quizá viene de *carambola* 'fruto del carambolo, árbol de las Indias orientales, de gusto agrio', 1578, que a su vez procede del marati *karambal* íd. (prolongación moderna del sánscrito *karmaranga*); trasmitido a España desde Portugal, donde ya aparece como nombre de fruto en 1563, y en la acepción de enredo en 1537-61.
DERIV. *Carambolo,* 1714. *Carambolero; carambolista.*

CARAMELO, 1601 (*caramel,* 1611). Del port. *caramelo* íd., propiamente 'carámbano', S. XVI, y éste del lat. CALAMĔLLUS, diminutivo de CALĂMUS 'caña' (vid. *CARÁMBANO*).
DERIV. *Acaramelar.*

CARAMILLO, 1330, 'flautilla', 'zampoña', 'especie de barrilla de tallo erguido'. Del lat. CALAMĔLLUS, diminutivo de CALĂMUS 'caña', por la materia con que se hacía el caramillo.

Caramujo, V. *escaramujo   Carantamaula,* V. *carantoña*

CARANTOÑA 'halago, caricia falsa', med. S. XVII, 'hipocresía', 1636. Significó anteriormente 'careta', 1495, y resulta de un cambio de terminación del anticuado *carántula,* S. XV, variante de *carátula.*
CPT. *Carantamaula* 'halago, carantoña', S. XVII, antes 'careta', 'cara fea', fin S. XVI, de *caránt(ul)a mala,* con influjo de *maula* 'engaño, trampa'.

Carapacho, V. *caparazón   Carasol,* V. *sol*

CARÁTULA, 1490, 'máscara', 'la profesión histriónica'. Del antiguo *carátura* 'brujería', SS. XIV-XV, y éste del lat. *character* en el sentido de 'signo mágico'. Al sentido moderno se llegó partiendo de 'cara pintarrajeada como la de las brujas y magos'; y a la acepción americana 'cubierta de un

libro', por comparación con la máscara o cubierta del rostro (compárese *carantoña*).

CARAVANA, h. 1350. Del persa *kārawân* 'recua de caballerías', 'caravana'.
CPT. *Caravanserrallo* 'posada destinada a las caravanas', del persa *kārawānsarāī* íd. (voz que con carácter más castizo tomó la forma *caravasar* en castellano).

Caravasar, V. *caravana   Carbinol,* V. *carbón*

CARBÓN, 1220-50. Del lat. CARBO, -ŌNIS, íd.
DERIV. *Carbonada* 'carne cocida picada, asada después en las ascuas', 1517, 'carne tierna en pedacitos sofrita con condimentos y mucho caldo', amer., probablemente del it. *carbonata* íd. *Carbonario,* del it. *carbonaro* íd., propiamente 'carbonero'. *Carboncillo. Carbonear; carboneo. Carbonero,* fin S. XV; *carbonera. Carbonilla. Carbonita. Carbonizar,* h. 1500. *Carbono,* 1853; de aquí: *carbinol; carbol, carbólico; carbonato, carbonatar, carbonatado; carbónico,* 1832; *carbónidos; carburo,* 1865, *carburar, -buración, -burador, -burante.*
CPT. *Carbonífero. Carborundo,* S. XX, del ingl. *carborundum,* 1893, provisto de la terminación de *corundum,* del mismo sentido y origen que el cast. *corindón. Carbógeno.*

Carborundo, V. *carbón*

CARBUNCO, 1529, 'rubí', 'ántrax', 'peste que ataca a los animales'. Antes *carbunclo,* S. XIII, tom. del lat. *carbŭncŭlus* íd., propiamente 'carboncillo', diminutivo de *carbo* 'carbón'.
DERIV. *Carbuncosis. Carbuncoso.*

Carburador, carburar, carburo, V. *carbón
Carca,* V. *carcunda*

CARCAJ 'aljaba', 1250-80. Procede, en definitiva, del persa *tarkaš* (compuesto con *ũr* 'flecha'). Vocablo de historia incierta; al parecer, la forma castellana viene del fr. ant. *carcais,* 1213 (hoy alterado en *carquois*), tom. en la época de las Cruzadas del bajo gr. *karkḗsion,* resultante de un cruce del bajo gr. *tarkásion,* de origen persa, con el gr. *karkhḗsion* 'vaso de beber, más ancho en la boca que en la parte media' (clásico en este idioma). Comp. *TIRAR.*

CARCAJADA, 1438. Onomatopeya representada en muchos idiomas (port. *gargalhada,* vasco *karkailla,* cat. pallarés *gargassada,* árabe *qahqah, karkél,* lat. *cachinnus*).

CARCAMAL 'viejo achacoso', 1765-83. Probablemente deriv. de *cárcamo,* variante de *cárcavo* 'viejo achacoso', voz dialectal que significa propiamente 'hoya en que se entierran los muertos' (*cárcava*, 1589), 'zanja o foso defensivo' (íd. h. 1140), 'la cavidad interna del vientre', 1495, 'hueco en que juega el rodezno de los molinos', S. XVII; son alteraciones de *cácavo* (h. 1240, en la última acepción), que viene del lat. CACCĂBUS 'olla, cazuela', gr. *kákkabos* íd. En varios países de América la variante *carcamán* designa un extranjero de mal aspecto, y en el Perú una persona decrépita.

Cárcava, cárcavo, V. **carcamal**

CÁRCEL, h. 1140 (*cárcere*, S. X). Del lat. CARCER, -ĔRIS, m., íd.
DERIV. *Carcelario. Carcelero,* 1220-50; *carcelera; carcelería. Encarcelar,* 1495. *Excarcelar; excarcelación.*

Carcinología, carcinoma, V. **cáncer**

CÁRCOLA 'listón de madera en el telar, que el tejedor mueve con el pie', 1570. Del it. *càlcola* íd., deriv. de *calcare* 'pisar', lat. CALCARE. *Carquerol,* 1765-83, en sentido análogo, parece ser catalanismo, de origen paralelo.

CARCOMA, 1256-76. Origen incierto, quizá prerromano, y procedente del dialectal *corcoma,* 1646, por disimilación. Es probable sea derivado de la misma palabra que el cat. *corc* 'carcoma', *corcar* 'carcomer', S. XIV: pero en cuanto a éstos no se puede asegurar si se extrajeron del lat. CŬRCŬLIO íd., por una especie de mutilación del vocablo, o si son de raíz prerromana, lo que es más verosímil.
DERIV. *Carcomer,* 1490; antes (med. S. XV), y todavía en Nebrija y en el S. XVI, se halla sólo el participio *carcomido* y el verbo *carcomecer,* derivados directos de *carcoma;* partiendo de *carcomido,* que coincidía con *comido,* se creó luego el infinitivo *carcomer* paralelo a *comer* (el infinitivo primitivo sería *carcomir, cuya conjugación coincidía totalmente con la de *(car)comer).*

Carcomer, carcomido, V. **carcoma**

CARCUNDA 'reaccionario', med. S. XIX. Del gall.-port. *carcunda* o *corcunda* íd., propiamente 'avaro, mezquino, egoísta', aplicación figurada de *carcunda* 'joroba' y 'jorobado', que es alteración de *corcova.*
DERIV. *Carcundería. Carca,* fin S. XIX, abreviación jergal de *carcunda.*

Cardador, cardal, V. **cardo**

CARDAMOMO, h. 1300. Tom. del lat. *cardamōmum,* y éste del gr. *kardámōmon*

íd., cpt. de *kárdamon* 'berro' y *ámōmon* 'amomo'.
DERIV. *Cardamina,* 1555; lat. *cardamina,* gr. *kardaminē,* deriv. de *kárdamon.*

Cardar, V. **cardo**

CARDENAL 'prelado del Santo Colegio', 1220-50. Descendiente semiculto del lat. *cardĭnalis* 'cardinal, principal' (deriv. de *cardo, -dĭnis,* 'gozne, pernio').
DERIV. *Cardenalato. Cardenalicio.*

Cardenal 'equimosis', V. **cárdeno** *Cardencha,* V. **cardo** *Cardenillo,* V. **cárdeno**

CÁRDENO 'amoratado', 929. Del lat. CARDĬNUS 'azulado', deriv. de CARDUS 'cardo', por el color de las flores de esta planta.
DERIV. *Cardenal* 'huella azul o amoratada que deja un golpe', 1495 (quizá ya 1155); *acardenalado,* 1605. *Cardenillo* 'materia de color azul verdoso que se forma por oxidación en los objetos de cobre', 1495.

CARDÍACO, 1490. Tom. del lat. *cardiăcus,* gr. *kardiakós* íd., deriv. del gr. *kardía* 'corazón'. *Cardias* 'boca del estómago', del mismo sustantivo griego, que Galeno emplea en el sentido de 'estómago' (probablemente abreviación del gr. *trêma kardías* 'agujero del estómago').
DERIV. y CPT. del gr. *kardía: Carditis'. Cardialgia. Cardiógrafo, cardiografía. Cardiología. Endocardio,* con el gr. *éndon* 'dentro'; *endocarditis. Pericardio,* con el gr. *perí* 'alrededor'; *pericarditis.*

CARDINAL, 1438. Tom. del lat. *cardĭnālis* 'principal', deriv. de *cardo, -dĭnis,* 'gozne', 'pernio'.

Cardiografía, cardiología, V. **cardíaco**

CARDO, h. 1250. Del lat. CARDUS, -ŪS, íd.
DERIV. *Cardal. Cardón,* 1535, del lat. tardío CARDO, -ŌNIS; *cardonal; cardoncillo. Cardoncho* 'cardencha', 1782, del lat. vg. *CARDŬNCŬLUS, hoy empleado en el lat. botánico, diminutivo de CARDO; *cardoncha* arag.; con cambio de terminación: *cardencha,* 1555 (arag. *cardincha, -dinche*); *cardenchal,* 1490; *cardoncho* rioj. *Cardillo. Cardizal. Carduza; carduzar,* 1495. *Cardar,* 1272-84, 'peinar la lana antes de hilarla', lo cual se hacía con la cabeza del cardo o de la cardencha; *carda* 'cabeza de la cardencha empleada para cardar', S. XIII, 'instrumento para cardar', 'acción de cardar'; *cardado; cardador. Escardar,* 1330, 'limpiar de malas hierbas', propiamente 'sacar los cardos'; *escarda,* 1495; *escardadera,* 1604; *escardillo,* 1495; *escardillar.*
CPT. *Cardaestambre.*

CARDUMEN 'multitud de peces que caminan juntos', fin S. XVI. Del gall.-port. *cardume* 'muchedumbre de gente o de cosas', med. S. XVI, 'cardumen de peces', deriv. de *carda*, por la espesura de las púas o dientes de este instrumento.

Carduza, carduzar, V. *cardo*   *Carear*, V. *cara*

CARECER, h. 1400. Del lat. vg. CARĒSCĔRE íd., deriv. del lat. CARĒRE íd.
DERIV. *Carencia*, S. XV, deriv. culto del lat. *carens, -ĕntis*, participio de *carēre*; *carente*, 1924.

CARENA, 1435-39. Del lat. CARĪNA 'quilla de la nave'; la explicación del cambio irregular de ī en *e*, común y muy antiguo en todos los idiomas hermanos, es incierta: probablemente viene ya del latín vulgar.
DERIV. *Carenar*, 1528.

Carencia, carente, V. *carecer*   *Careo*, V. *cara*   *Carero*, V. *caro*   *Caresa*, V. *cresa*

CARESTÍA, h. 1250. Del b. lat. *caristia* 'escasez de víveres', de origen incierto, probablemente sin relación etimológica con *caro*; en castellano el significado 'cualidad de caro' es secundario y tardío, S. XVII, y todavía entonces predomina el matiz de 'escasez'.

Careta, careto, V. *cara*

CAREY, 1515. Del taíno de Santo Domingo.

CARGAR, 972. Del lat. vg. CARRĬCARE íd., deriv. de CARRUS 'carro', voz latina de origen céltico.
DERIV. *Carga*, 1220-50. *Cargador. Cargamento*, 1604. *Cargante. Cargazón*, 1604. *Cargo*, h. 1300. *Cargoso. Descargar*, 1220-50; *descarga; descargadero*, 1611; *descargador; descargo*, 1475. *Encargar*, 1220-50; *encargado; encargo. Recargar*, 1733; *recargo* íd. *Sobrecargar; sobrecarga*, 1495; *sobrecargo*, med. S. XVI. *Caricatura*, 1828, del it. *caricatura* íd., propiamente 'cargadura', por la exageración o recargo de los rasgos fisonómicos, deriv. del it. *caricare*, del mismo sentido y origen que *cargar; caricaturesco; caricaturista; caricaturizar; caricato*, med. S. XIX, del it. *caricato* íd.
CPT. *Cargaréme.*

Cariacontecido, V. *acontecer* y *cara*   *Cariado*, V. *caries*   *Cariampollar, cariancho*, V. *cara*   *Cariarse*, V. *caries*

CARIÁTIDE, 1605. Tom. del lat. *caryātis, -atĭdis*, y éste del gr. *Karyâtis*, mujer de Karyai, ciudad de Laconia, donde había un templo famoso de Ártemis provisto de cariátides.

CARICIA, 2.º cuarto S. XVI. Probablemente tomado del it. *carezza* íd., o más exactamente, de su variante dialectal, del Sur de Italia, *carizze* o *carizia*, deriv. de *caro* 'querido'.
DERIV. *Acariciar*, 1540, it. *carezzare.*

CARIDAD, h. 1140. Tom. del lat. *carĭtas, -ātis*, 'amor, cariño', en la baja época 'amor al prójimo como virtud cristiana', deriv. de *carus* 'querido'.
DERIV. *Caritativo*, princ. S. XV.

CARIES, 1723. Tom. del lat. *carĭes* f. 'podredumbre, caries'.
DERIV. *Cariarse*, S. XVIII. *Cariado.*

Carifruncido, carigordo, cariharto, carilargo, carilla, V. *cara*

CARILLÓN, 1901. Del fr. *carillon* íd., antiguamente *quarregnon*, y antes **quadregnon*, del lat. tardío QUATERNIO, -ŌNIS, 'grupo de cuatro objetos', por las cuatro campanas que constituían un carillón.

Carimbo, V. *calibre*

CARIÑO, h. 1500, 'afecto', S. XVII, antiguamente 'nostalgia', 'deseo', 1514. Probablemente del dialectal *cariñar* 'echar de menos, sentir nostalgia', hoy sólo aragonés, pero antes general (según muestra el haber pasado del español al sardo), deriv. del lat. CARĒRE 'carecer'. *Cariñoso* 'afectuoso', 1636, 'nostálgico, deseoso', 1496. *Encariñarse*, S. XVII.

CARISMA, med. S. XVII. Tom. del lat. *charisma*, gr. *khárisma* 'gracia', 'beneficio', deriv. de *kharízomai* 'concedo una gracia', 'complazco'.
DERIV. *Carismático.*

Caritativo, V. *caridad*

CARIZ 'gesto o aspecto de la cara', h. 1880, 'aspecto de la atmósfera, del tiempo', 1836. Origen incierto, quizá tom. del cat. *carís*, cat. dial. *carés*, íd., y éste de oc. ant. *caraitz*, caso sujeto de *carai(t)* (también *cara(c)h*) 'aspecto de la cara', procedente del lat. CHARACTER 'carácter'.

CARLANCA, 1601, o **CARRANCA**, 1330, 'collar erizado de puntas de hierro que preserva a los mastines de las mordeduras del lobo'. Origen incierto, quizá del lat. tardío CARCANNUM 'collar', cambiado por metátesis en **CARNANCU, de donde las formas castellanas, por disimilación.

CARLEAR 'jadear', 1565. De *calrear,* y éste, por síncopa, de *calorear,* deriv. de *calor.*

CARLINA, 1555, 'ajonjera, planta medicinal serrana, que tiene una gran flor amarilla y estrellada, a ras del suelo'. Probablemente de *cardina,* deriv. de *cardo.* Tiene el mismo origen el bereber *thiqornina,* que, por conducto del árabe, pasó al cast. *tagarnina* 'especie de cardo', 1611, hoy 'especie de puro'.

CARLINGA 'hueco en que se encaja la mecha de un mástil', 1573. Del fr. *carlingue,* 1382, y éste del escand. ant. *kerling* 'mujer', 'carlinga', por una comparación de orden sexual.

CARLOTA 'torta hecha con huevos, leche y otros ingredientes', 1901-8. Del nombre propio de mujer *Carlota,* dado probablemente a este postre en honor de la esposa del rey Jorge II de Inglaterra.

Carmañola, V. *caramañola*

CARMEN 'quinta granadina, con huerto y jardín', 1595. Del antiguo *carme* íd., y éste del ár. *karm* 'viña', 'viñedo'.

CARMENAR 'desenredar y limpiar el cabello, la lana', h. 1400. Del lat. CARMĬNARE 'cardar'.

CARMESÍ, med. S. XV (y *clemesín,* S. XIV). Del árabe hispánico *qarmazî* íd., derivado de *qármaz* (ár. clásico *qírmiz*) 'cochinilla', que a su vez procede del persa *kirm* 'gusano' (emparentado con el lat. *vermis* íd.); pero la forma del castellano actual debió tomarse por conducto de otro idioma (probablemente el cat. *carmesí,* 1398), y no del árabe directamente. De *qírmiz* el cultismo *quermes.* Comp. el siguiente.

CARMÍN, 1571. Del fr. *carmin* íd., S. XII, de origen incierto. Probablemente emparentado con el anterior, pero el modo de formación es oscuro.

Carnación, carnada, carnadura, carnal, V. *carne.*

CARNAVAL, 1495, raro hasta el S. XVII. Del it. *carnevale* íd., y éste de *carnelevale,* 1130, alteración de *carnelevare,* S. XIV, compuesto de *carne* y *levare* 'quitar', por ser el comienzo del ayuno de Cuaresma. El nombre tradicional castellano es *carnestolendas.* DERIV. *Carnavalada. Carnavalesco.*

CARNE, 1095. Del lat. CARO, CARNIS, íd.

DERIV. *Carnación. Carnada,* 1653. *Carnadura. Carnal,* 1220-50; *carnalidad,* 1438. *Carnaza,* 1490. *Carnear* amer. *Carniza* 'pasto de las fieras', 'destrozo, carnicería', h. 1250; *carnicero,* 1131; *carnicería,* 1287 (*carnesçería,* 1274); *encarnizarse, -zado,* h. 1300, *encarnizamiento,* 1495. *Carnoso,* 1490; *carnosidad. Descarnar,* 2.º cuarto S. XIII. *Encarnar,* 1220-50; *encarnación,* 1570; *encarnado* 'rojo', 1599 (y quizá ya en 896). *Carúncula,* S. XV, tom. del lat. *carŭncŭla* íd., diminutivo del lat. *caro.*

CPT. *Carnestolendas* 'carnaval', 1258, tom. por abreviación de la frase latina *dominica ante carnes tollendas* 'el domingo antes de quitar las carnes', es decir, antes de Cuaresma. *Carnívoro,* 1611, lat. *carnivŏrus* íd. (con *vorare* 'devorar').

CARNERO 'macho de la oveja castrado', 1049. Deriv. de *carne,* para designar al animal de su especie que sólo se emplea para carne, a distinción de la oveja, útil por sus crías, y del morueco, necesario para la propagación de la especie.

DERIV. *Carneril. Carneruno.*

Carnívoro, carniza, carnosidad, carnoso, V. *Carne*

CARO, h. 1140. Del lat. CARUS íd.

DERIV. *Carero. Encarecer,* h. 1250; propiamente 'ponderar el valor o precio de algo'; *encarecimiento,* 1604.

CAROCA 'palabra o acción afectadamente cariñosa o lisonjera', 1729, propiamente nombre de una composición dramática despreciable, escrita para solazar al vulgo, 1621. Palabra afectiva, de origen incierto, quizá forma mozárabe de CRŎCUS 'azafrán', que en latín se tomó metonímicamente por la escena dramática; a causa del empleo que en ella se hacía de este producto.

DERIV. *Caroquero.*

CARONA 'parte esquilada del lomo de una caballería sobre la cual se pone la albarda', 1528; 'parte inferior de la albarda o de la montura, en contacto directo con el pellejo del animal', 1850-72. Junto con la antigua locución adverbial *a (la) carona* 'en contacto directo con la carne de una persona o animal', 1220-50, procede de una forma antigua *carón* (empleada con este mismo valor y hoy leonesa y gallego-portuguesa) de origen incierto, quizá de una declinación CARO, *CARŎNIS, 'carne', propia del latín vulgar en lugar de la clásica CARO, CARNIS.

Caroquero, V. *caroca*

CARÓTIDA, 1728. Tom. del gr. *karótis, -ídos,* íd., deriv. de *karóō* 'adormezco' (y éste de *káros* 'estupor'), porque las carótidas llevan la sangre al cerebro y de ellas se creía depender el sueño.

CAROZO 'hueso de fruta', rioplat. y leon., 'fruto de una clase de palmera, encerrado en una corteza muy dura', amer., 1680 (*corozo*), 'centro o medula de la panoja del maíz', ast. y gall. 1729. Del lat. vg. CARŬDIUM, y éste del gr. *karýdion* 'avellana', 'nuez pequeña', diminutivo de *káryon* 'nuez', 'almendra'.

CARPA I 'cierto pez de río', 1599. Del lat. tardío CARPA íd., tomado del germánico.

CARPA II, amer., 'tienda de campaña', 'toldo', h. 1870. Origen incierto; no es seguro si el quich. *carppa* 'toldo', 1560, es padre o hijo de la voz castellana.

CARPANEL, 1709, o **ZARPANEL**, 1877, adj. '(arco) rebajado y formado por varios arcos de círculo tangentes cada dos en su punto de encuentro'. Se ignora cuál es el origen y la forma legítima de esta palabra.

CARPANTA, h. 1840. Voz jergal de origen incierto.

CARPE 'árbol parecido al abedul', 1495. Tom. de oc. *carpe*, y éste del lat. CARPĬNUS íd.

CARPETA, 1601, 'tapete', 'cubierta de un legajo'. Tom. del fr. *carpette*, y éste del ingl. *carpet* 'alfombra', que a su vez viene del it. antic. *carpita* 'manta peluda', deriv. de *carpire*, lat. CARPĔRE, en el sentido de 'cardar lana'.
DERIV. *Carpetazo*. *Encarpetar*.

CARPINTERO, h. 1300, del antiguo *carpentero*, 1209, por influjo de *pintar*. *Carpentero* viene del lat. CARPENTARIUS 'carpintero de carretas', deriv. de CARPENTUM 'carro', palabra latina de origen céltico.
DERIV. *Carpintear*, 1495. *Carpintería*, h. 1250.

Carpir, V. *escarpidor*

CARPO, 1728. Tom. del gr. *karpós* 'muñeca', articulación de la mano con el brazo'. CPT. *Metacarpo*. *Pericarpio*.

Carquerol, V. *cárcola*

CARQUESA o **CARQUEJA**, med. S. XVIII (*carquesia*, 1627), 'cierta planta medicinal parecida a la retama'. Origen incierto, quizá del lat. COLOCASIA 'arum colocasia L.', gr. *kolokasía*; la variante *carqueja*, principalmente americana, se tomó del gallego-portugués *carqueija*, 1258.

CARRACA I 'nave de transporte antigua, muy voluminosa', 1256-63, 'nave u otra cosa, vieja o lenta'. Vieja voz mediterránea, de origen incierto.

CARRACA II 'instrumento de madera para hacer ruido en Semana Santa', 1607. Onomatopeya del ruido de este instrumento.

Carraleja, V. *carro*   *Carranca*, V. *carlanca*

CARRASCA, 1369 (y V. abajo *carrascal* y *carrasquilla*), 'encina, generalmente pequeña'. Vocablo común a las tres lenguas romances peninsulares, de una raíz prerromana KARR-, a la cual pertenecen también el bereber *akarruš*, cat. y oc. *garric*, calabr. *carrigliu* y lat. *cerrus*, de igual significado.
DERIV. *Carrasco* 'carrasca', S. XV. *Carrascal*, 1176. *Carrasquilla*, 1106, 'Teucrium chamaedrys', también llamada *encinilla* y en latín con el equivalente *quercula*.

CARRASPEAR 'hacer con la garganta un ruido bronco para remondarla de las mucosidades que la embarazan', h. 1880 (y V. *carraspera*, abajo). Palabra onomatopéyica, emparentada con el port. *escarrar* 'expectorar con esfuerzo'. La terminación del vocablo se debe a un cruce con otra voz, quizá *raspear* (y *raspar*) en el sentido de 'picar (el paladar)'.
DERIV. *Carraspera*, 1601. *Carrasposo* 'áspero al tacto' amer.

CARRASPIQUE 'Iberis umbellata L.', 1780-8. Alteración de oc. *taraspic* íd., que lo es, a su vez, del gr. *thláspi*, hierba semejante al carraspique.

Carrasposo, V. *carraspear*   *Carrasquilla*, V. *carrasca*   *Carrera, carreta, carretada, carrete, carretear, carretela, carretera, carretero, carretilla, carretón, carricoche, carricuba, carril*, V. *carro*

CARRILLO 'parte carnosa de la cara desde la mejilla hasta lo bajo de la mandíbula', 1241. Origen incierto; como antiguamente significó 'mandíbula'; puede ser diminutivo de *carro*, por el movimiento de vaivén de las quijadas al masticar.
DERIV. *Carrillada*, 1220-50. *Carrilludo*.

CARRIZO, gramínea acuática, 'Phragmites communis L.', 1330. Del lat. vg. *CARICĔUM* 'carrizal', deriv. de CAREX, -ĬCIS, 'carrizo'.
DERIV. *Carrizal*, h. 1280.

CARRO, 1220-50. Del lat. CARRUS íd., de origen céltico.
DERIV. *Carraleja* 'especie de cantárida', 1555, también llamada *aceitera*, propiamen

te 'barrilito', deriv. del antiguo *carral* 'barril de transporte', h. 1295, que a su vez lo es de *carro*. *Carrera*, 929, del lat. vg. *CARRA-RIA 'vía para carros', voz conservada por todas las lenguas romances. *Carreta*, 1200; *carretada*, h. 1300; *carretear*, 1679; *carretela*, princ. S. XIX, del it. *carrettella*; *carretero*, 1157; *carretera*, 3.er cuarto S. XIII; *carretilla*; *carretón*, S. XV. *Carrete*, 1610, del fr. *caret*, 1382. *Carril*, h. 1400; *carrilada*; *encarrilar*, princ. S. XVII; *descarrilar*, 1884, *descarrilamiento*. *Carroza*, 1599, del it. *carrozza* íd.; *carrocería*. *Carruaje*, 1729, antes 'conjunto de los carros de un ejército', 1547, tom. del cat. *carruatge*, S. XV. *Acarrear*, 1220-50; *acarreo*. *Charrete*, S. XX, del fr. *charrette* 'carreta'. CPT. *Carricoche*, 1605. *Carricuba*. *Carromato*, 1583, del it. *carro matto* 'carro compuesto de un fuerte suelo de tablas, sin varales, sobre cuatro ruedas muy bajas', donde el adjetivo *matto*, propiamente 'loco', significa 'falso, impropio' (como en *casamata*). *Charabán*, S. XX, del fr. *char-à-bancs* 'carro con bancos'. *Ferrocarril*, 1869; el adjetivo correspondiente *ferroviario* se tomó del italiano, donde deriva de *ferrovia* 'ferrocarril' (cpt. con *via*).

Carromato, V. *carro*

CARROÑA, 1601 (pero fue poco usado hasta el S. XVIII). Del it. *carogna* íd., procedente del lat. vg. *CARŌNĔA 'carne putrefacta', que parece deriv. de CARO 'carne' pero quizá en definitiva sea el gr. *kharṓneia* 'cavernas llenas de vapores mefíticos a la entrada del infierno' incorporado a la familia de CARO; las denominaciones castizas castellanas fueron *calabrina* y otras.
DERIV. *Carroño* 'corrompido, achacoso', princ. S. XVII.

Carroza, carruaje, V. *carro*

CARTA, h. 1140. Del lat. CHARTA, f., 'papel', y éste del gr. *khártēs*, m., 'papiro', 'papel'.
DERIV. *Cartear*; *carteo*. *Cartel*, h. 1460, del cat. *cartell* íd.; *cartelero*; *cartelera*; *cartelón*. *Cartera*, 1616; *carterista*. *Cartero*, 1607; *cartería*. *Cartilla*, 1581. *Cartón*, S. XVI, del it. *cartone*, aumentativo de *carta* 'papel'; *acartonarse*; *encartonar*. *Cartucho*, 1588, fr. *cartouche*, y éste del it. *cartoccio*; *cartuchera*; *encartuchar*. *Cartulario*, 1490, tom. del b. lat. *chartularium* íd., deriv. de *chartŭla* 'documento, escritura', diminutivo de *charta*. *Cartulina*, 1729, del it. *cartolina*. *Descartar*, h. 1580; *descarte*. *Encartar*, princ. S. XIII; *encartado*.
CPT. *Cartógrafo*; *cartografía*; *cartográfico*. *Pancarta*, 1884, del fr. *pancarte*, S. XV, b. lat. *pancharta* 'documento donde cons-

taban todos los bienes de una iglesia', formado con el gr. *pân* 'todo'. *Cartomancia*, con la terminación de *nigromancia*, etc.

CARTABÓN, 1256-76. De oc. ant. *escartabont* íd., deriv. de un verbo *escartar 'dividir en cuatro', que a su vez deriva de *cart* 'cuarta parte', procedente del lat. QUARTUS 'cuarto'.

CÁRTAMO 'especie de azafrán', h. 1500. Probablemente de una variante fonética del ár. *qírṭim* íd., voz de origen incierto.

CARTAPACIO, 1495. De un compuesto o derivado de *carta*, pero la segunda parte del vocablo es de origen incierto.

Cartel, cartelera, cartelero, carteo, cartera, cartería, carterista, cartero, V. *carta*

CARTÍLAGO, 1537. Tom. del lat. *cartĭlāgo, -agĭnis*, íd.
DERIV. *Cartilaginoso*.

Cartilla, V. *carta*

CARTIVANA, 1765-83. Origen incierto; quizá del cat. *escativana* (o *cativana*) íd., y éste de *catiu* 'cautivo', por tratarse de tiras que quedan sujetas.

Cartografía, cartógrafo, cartón, cartonero, cartucho, cartulario, cartulina, V. *carta*
Carúncula, V. *carne*

CASA, 938. Del lat. CASA 'choza, cabaña'.
DERIV. *Casal*, rioplat. y canar., 'pareja de macho y hembra', del port. *casal* íd. *Caserón*, 1875. *Casería*, 1351; *caserío*, 1607. *Casero*, 1084. *Caseta*, 1175. *Casilla*, 1495; *casillero*, 1729; *encasillar, encasillado*. *Casino*, 1651, del it. *casino* 'pequeña casa elegante'. *Casona*. *Casuca*. *Casucha*; *casucho*.
CPT. *Casamata* 'bóveda muy resistente, para instalar una o más piezas de artillería', 1536, del it. *casamatta*, 1520, donde *matto*, propiamente 'loco', parece tener el valor de 'falso, impropio', por tratarse de algo que sólo se parece a una casa (comp. *carromato*).

CASACA, 1601. Probablemente del fr. *casaque* íd., 1413, de origen incierto; quizá relacionado de algún modo con el nombre nacional de los cosacos (ruso *kazák*, turco *qazaq*), pero se ignora cómo llegaría el vocablo a Francia.
DERIV. *Casacón*, S. XVIII. *Casaquín*, fin S. XIX. *Casaquilla*, 1604.

Casadero, V. *casar* II   *Casal, casamata*, V. *casa*   *Casamentero, casamiento*, V. *casar* II   *Casaquín*, V. *casaca*

CASAR I 'anular', 1492. Tom. del lat. *cassare* 'anular', 'destruir'.
Deriv. *Casación*, 1495.

CASAR II, 1058, 'contraer matrimonio', 'unir en matrimonio'. Deriv. antiguo de *casa* quizá con el sentido primitivo de 'poner casa aparte';' derivados análogos se encuentran en portugués, catalán, gascón, languedociano, italiano y árabe (y aun en rumano y en alemán medieval).
Deriv. *Casadero*, 1495. *Casamiento*, h. 1140; *casamentero*, 1490. *Casorio*, 1525-47. *Descasar*, 1495.

Casca, V. *cáscara*

CASCABEL, h. 1140. De oc. *cascavel* íd., diminutivo de una antigua forma romance CASCABUS, S. IX, variante de CACCĂBUS 'olla', que ya en la Antigüedad se empleó figuradamente para designar un cencerro, y se alteró en la forma indicada, por influjo de *casco* 'pedazo de vasija' y su familia; hubo una forma castiza *cascabillo* 'cascabel', 1247, que ha pasado por comparación a significar 'cascarilla del grano', 1513.
Deriv. *Cascabelear*, 1616; *cascabeleo*. *Cascabelillo* 'cascabel chico', 1599, 'ciruela chica' 1729.

Cascabillo, V. *cascabel*

CASCADA 'salto de agua', 1729. Del it. *cascata* 'caída' y 'cascada', participio de *cascare* 'caer', del lat. vg. *CASICARE, deriv. del lat. CADĔRE íd. (participio CASUS).

Cascado, cascadura, cascajo, cascajoso, V. *cascar*

CASCAR, 3.er cuarto S. XV. Del lat. vg. *QUASSICARE, deriv. del lat. QUASSARE 'sacudir', 'blandir', 'golpear', 'quebrantar', frecuentativo de QUATERE 'sacudir'.
Deriv. *Cascado. Cascadura. Cascajo*, 1177; *cascajoso. Cascamiento. Cascote*, princ. S. XVII; *encascotar. Casquijo*, 1611.
Cpt. *Cascanueces. Cascarrabias*, 3.er cuarto S. XIX.

CÁSCARA, 1328-35. Deriv. de *cascar*; porque hay que cascarla para comer el contenido. También se dijo y se dice dialectalmente *casca*, 1251.
Deriv. *Cascarilla*, h. 1560; *descascarillar*, 1706. *Cascarón*, S. XVI. *Descascarar*.

Cascarrabias, V. *cascar*

CASCO 'pedazo de vasija o de teja roto', 1495, deriv. de *cascar* 'romper, quebrantar'; la acepción 'pieza de armadura que cubre la cabeza', h. 1140, viene de la de 'cráneo', h. 1295, hoy algo anticuada, que a su vez procede de la de 'pedazo de vasija', por una comparación popular que se halla en muchos idiomas (it. *testa* 'cabeza', propiamente 'tiesto'); del castellano *casco* pasó a los varios idiomas europeos.
Deriv. *Casquete*, h. 1280; *encasquetar*, 1705. *Casquillo*, 1495; *encasquillar*.
Cpt. *Casquivano*.

Cascote, V. *cascar*　*Caseificar, caseína, caseoso*, V. *queso*　*Casería, caserío, casero, caserón, caseta*, V. *casa*

CASI 'poco menos de', 1406-12. Tom. del lat. *quasi* 'como si'.

CASIA, 1495, 'canela', 'otro arbusto de la India'. Tom. del lat. *casĭa*, y éste del gr. *kasía* íd.

CASIDA 'cierta composición poética arábiga y persa', S. XX. Tom. por vía culta del ár. *qaṣīda* íd., deriv. de *qáṣad* 'componer poemas'.

Casilla, casillero, V. *casa*

CASIMIR 'cierta tela muy fina', 1853 (*cachemira*, h. 1830). Tom. del ingl. *cassimire*, alteración de *cashmere* íd. (por influjo de *kersey*, nombre de otro paño), propiamente nombre del país de Cachemira, en el Norte de la India, donde se fabricaba, con la lana de los carneros y cabras de aquellas tierras montañosas.

Casino, V. *casa*

CASITÉRIDOS, S. XX. Deriv. culto del gr. *kassíteros* 'estaño'. Otro deriv. es *casiterita*, 1909.

CASO, princ. S. XV, 'suceso', 'casualidad', etc. Tom. del lat. *casus, -ūs*, 'caída', 'caso fortuito', 'accidente', 'caso gramatical', y éste de *casus*, participio pasivo de *cadere* 'caer'.
Deriv. *Casual*, med. S. XV, del lat. *casualis* íd.; *casualidad*, S. XVII. *Casuística*, 1616; *casuismo*; *casuístico*, 1828, *casuística*.
Cpt. *Acaso*, h. 1440.

Casorio, V. *casar* II

CASPA, 1490. Origen desconocido; probablemente prerromano, con el sentido fundamental de 'residuos', 'fragmentos', y emparentado con otros vocablos como el ast. *caspia* 'orujo de la manzana', sic. *caspu* y otras formas dialectales del Sur y Norte de Italia con el significado de 'orujo de la uva', y aun acaso con oc. *gaspo* y fr. ant. y dial. *gaspaille*, que designan residuos diversos de la leche o de los cereales.

DERIV. *Caspiroleta* amer. 'manjar en que entran pedacitos de coco, etc.' (y alterado, *cafiroleta*, 1836). *Casposo*, 1495,

CÁSPITA, interj., 1765-83. Del it. *càspita* (también *càppita*) íd., debido a un cruce de *càpperi*, empleado con el mismo valor (propiamente 'alcaparras'), con *cospetto di Bacco*, propiamente 'cara de Baco', que también tiene uso como juramento en este idioma.

Casquete, V. *casco*   *Casquijo*, V. *cascar* *Casquillo*, *casquivano*, V. *casco*

CASTA 'especie animal', 1417, 'raza o linaje de hombres', h. 1500, 'clase, calidad o condición', h. 1513. Voz oriunda de la Península Ibérica y común a sus tres lenguas romances y al occitano; de origen incierto. Probablemente de un gót. *KASTS 'grupo de animales', 'nidada de pájaros' (hermano del ingl. *cast*, sueco y noruego *kast* íd.); aplicado a las castas de la India, el vocablo portugués se extendió luego a todas las lenguas modernas con el significado de 'clase social privada de mezcla y contacto con las demás'. Cat. *casta*, S. XV; port. *casta*, 1516; gall. *caste*, fem., forma más cercana a la germánica, alterada por influjo del género en los demás romances.
DERIV. *Castizo*, 1529; *casticismo. Descastar, descastado*, 1832.

CASTAÑA, 1256-76. Del lat. CASTANĔA íd., deriv. del gr. *kástanon* íd.
DERIV. *Castañar*, 1.ª mitad S. XIV. *Castañeda*, 1210. *Castañeta*, 1571, o *castañuela*, 1495; *castañetear*, 1611. *Castaño*, sust. 1210; adj. S. X u XI.

Castellana, castellano, V. *castillo*   *Casticismo*, V. *casta*   *Castidad*, V. *casto*

CASTIGAR, h. 950. Tom. del lat. *casīgare* 'amonestar, enmendar'.
DERIV. *Castigador. Castigo*, 1220-50.

CASTILA, 1893, 'español', 'idioma castellano'. Pronunciación aindiada de *Castilla*, empleada en América y Filipinas, como sustantivo femenino, para designar la lengua castellana.

CASTILLO, 972. Del lat. CASTĔLLUM 'fuerte, reducto', diminutivo de CASTRUM 'campamento fortificado', 'fortificación'.
DERIV. *Castellano* 'señor o alcaide de un castillo', h. 1140; *castellana. Castillejo*, h. 1250. *Castillero*, 1220-50. *Castillete. Encastillar*, 1495.

Castizo, V. *casta*

CASTO, 1220-50. Tom. del lat. *castus* 'puro, virtuoso', 'casto'.
DERIV. *Castidad*, 1220-50.

CASTOR, h. 1330. Tom. del lat. *castor, -ŏris*, y éste del gr. *kástōr, -oros*, íd.
DERIV. *Castorina. Castóreo*, 1537.

Castrametación, V. *castro*

CASTRAR, 1241. Del lat. CASTRARE íd.
DERIV. *Castración (-azón*, 1495). *Castrado* 'eunuco', h. 1250. *Castrador*.

CASTRO, 1313. Del lat. CASTRUM 'campamento fortificado'.
DERIV. *Castrense*, tom. del lat. *castrensis* 'relativo a los campamentos y al ejército en general'.
CPT. *Castrametación*, deriv. culto de *castrametari* 'acampar', cpt. con *metari* 'medir', 'delimitar'.

Casual, casualidad, V. *caso*

CASUARIO 'especie de avestruz propia de Nueva Guinea', 1899. Del malayo *kasuwārī* íd.
DERIV. *Casuárido. Casuarina*, 1802.·

Casuca, casucha, casucho, V. *casa*   *Casuismo, casuista, casuístico*, V. *caso*

CASULLA, 896. Del b. lat. CASUBLA 'vestidura eclesiástica provista de capucho', S. VII, deriv. de CASA 'choza' (porque protegía el cuerpo a la manera de una choza); CASUBLA en España se convirtió en CASULLA bajo el influjo de CUCULLA 'capa provista de capucho'.
DERIV. *Casullero*.

CATA 'cotorra', amer., 1910 (y *catita*, 1776). Abreviación de *Catalina*, aplicado como apodo a esta ave, h. 1590.

Cata 'acción de catar', V. *catar*

CATACLISMO, 1541. Tom. del lat. *cataclysmos* 'diluvio', y éste del gr. *kataklysmós* íd., deriv. de *kataklýzō* 'inundo' (y éste de *klýzō* 'yo baño').

CATACRESIS, h. 1490. Tom. del lat. *catachrēsis*, gr. *katákhrēsis* íd., deriv. de *katakhrêmai* 'yo abuso' (y éste de *khrêmai* 'yo uso').

CATACUMBAS, 1765-83. Tom. del lat. tardío *catacumbae* íd., quizá alteración de (*cavae*) *catechumĕnae* por influjo de *tumbae*.

Catadióptrico, V. *óptico*   *Catador, catadura*, V. *catar*   *Catafalco*, V. *cadalso*

CATALÉCTICO, 1490. Tom. del lat. *catalectĭcus*, gr. *katalēktikós* íd., deriv. de *katalēgō* 'ceso' (éste de *lēgō* íd.).
DERIV. *Acataléctico*.

CATALEJO, 1765-83. Primitivamente *catalejos* como singular, compuesto del adverbio *lejos* con el antiguo *catar* 'mirar'.

CATALEPSIA, 1494. Tom. del gr. *katálēpsis* íd., deriv. de *katalambánō* 'me apodero de', 'ataco (enfermedad)' (éste de *lambánō* 'yo cojo').
DERIV. *Cataléptico*, 1490, gr. *katalēptikós*.

Catalina, V. *cata*   *Catálisis, catalítico, catalizador*, V. *análisis*

CATÁLOGO, 1533. Tom. del lat. *catalŏgus*, y éste del gr. *katálogos* 'lista, catálogo', deriv. de *katalégō* 'enumero' (y éste de *légō* 'digo').
DERIV. *Catalogar; catalogación*.

CATANA, 1609, o **CATÁN** íd. 'especie de sable o alfanje asiático' y luego término despectivo para 'sable en general'. Del japonés *katana* 'espada'.

Cataplasma, V. *plástico*   *Cataplexia*, V. *apoplejía*

CATAPULTA, 1536. Tom. del lat. *catapulta*, y éste del gr. *katapéltēs, -páltēs*, íd., procedente de *pállō* 'yo lanzo'.

CATAR, h. 950. Del lat. CAPTARE 'tratar de coger' y luego 'tratar de percibir por los sentidos', frecuentativo de CAPĔRE 'coger'.
DERIV. *Cata*, 1490; *catear. Catador. Catadura*, 1601.
CPT. *Catalicores. Catarribera*, fin S. XV. *Catavino; catavinos*.

CATARATA 'cascada', 1578-90, 'enfermedad que priva la vista', h. 1440. Del lat. *cataracta* 'catarata, cascada', y éste del gr. *kataráktēs* 'cascada' y 'rastrillo que cierra un puente o puerta' (de donde se pasó a designar la enfermedad), deriv. de *katarássō* 'me lanzo, me precipito'.

Catarribera, V. *catar*

CATARRO, h. 1460. Tom. del lat. *catarrhus*, y éste del gr. *katárrhus* íd., deriv. de *katarrhéei* 'corre (un líquido) de arriba abajo', y éste de *rhéei* 'él mana'.
DERIV. *Catarral. Catarroso*, 1604. *Acatarrar*, med. S. XVII.

CATÁRTICO, 1537. Tom. del gr. *kathartikós* íd., deriv. de *katharós* 'limpio'. De la misma raíz, *catarsis*.

CATASTRO, 1731. Del fr. antic. *catastre* (hoy *cadastre* íd.), y éste del it. *catasto* (dialectalmente *catastro*) 'inventario', 'catastro', anteriormente *catàstico*, procedente del gr. bizantino *katástikhon* 'lista' (deriv. del gr. *stíkhos* 'línea'), alterado por influjo de *registro*.
DERIV. *Catastral*, S. XIX.

CATÁSTROFE med. S. XVII. Tom. del gr. *katastrophḗ* 'ruina, trastorno', 'desenlace dramático' (acepción que en castellano hallamos ya en 1577), deriv. de *katastréphō* 'subvierto', 'destruyo' (y éste de *stréphō* 'doy vuelta').
DERIV. *Catastrófico*, 1911.

Catavino, V. *catar*

CATE 'bofetada, golpe, paliza', 1896. Del gitano *caté* (o *caste*) 'bastón' y éste del sánscr. *kāṣṭham* 'madero'.
DERIV. *Catear* 'suspender en los exámenes'.

Catear, V. *catar* y *cate*

CATECISMO, 1588. Lat. tardío *catechismus*. Tom. del griego helenístico *katēkhismós* íd., deriv. de *katēkhízō* 'catequizo', y éste del gr. *katēkhéō* 'resueno', 'instruyo de viva voz', deriv. a su vez de *ēkhos* 'sonido', 'eco'.
Otros deriv. de *katēkhízō*: *Catequista*, h. 1600; *catequístico. Catequizar*, S. XVI (y ya S. XIII). *Catecúmeno*, 1256-63, lat. tardío *catechumĕnus*: del gr. *katēkhúmenos*, participio pasivo de *katēkhéō. Catequesis*.

Catecúmeno, V. *catecismo*

CÁTEDRA, 1220-50. Tom. del lat. *cathĕdra* 'silla', y éste del gr. *kathédra* 'asiento', deriv. de *hédra* íd.
DERIV. *Catedral* 'la iglesia en que reside un obispo o arzobispo', 1220-50, deriv. de *cátedra* en el sentido de 'trono del obispo o arzobispo'; *catedralicio*, 1611. *Catedrático* 'el que enseña en cátedra', 1495, primitivamente 'cierto derecho que se pagaba al prelado eclesiástico', 1575, tom. del lat. *cathedraticum* íd.

CATEGORÍA, 1611. Tom. del gr. *katēgoría* 'calidad que se atribuye a un objeto', deriv. de *katēgoréō* 'yo afirmo, atribuyo', propiamente 'acuso', deriv. de *agoréuō* 'hablo'.
DERIV. *Categórico*, 1490, lat. *categoricus*, del gr. *katēgorikós* 'afirmativo'. *Categorema*.

Catequesis, catequista, catequístico, catequizar, V. *catecismo*

CATERVA, h. 1440. Tom. del lat. *caterva* 'batallón, muchedumbre'.

CATÉTER, 1847. Tom. del gr. *kathetér* 'sonda de cirujano', deriv. del mismo primitivo que el siguiente.
DERIV. ·*Cateterismo.*

CATETO I, 'lado del ángulo recto en el triángulo rectángulo', 1633, lat. *kathétus.* Tom. del gr. *káthetos* 'perpendicular', deriv. de *kathíemai* 'yo dejo caer' (y éste de *híemai* 'echo, envío').

CATETO II 'palurdo, campesino', voz andaluza de origen incierto, 1904. Quizá alteración (por influjo de *campesino*) de **pateto,* deriv. de *pata* como *patán* y el port. *pateta* 'necio'.

CATINGA, 1889, 'olor fuerte y desagradable de algunos animales y plantas', 'olor típico de los negros'. Del guaraní *katí* 'olor pesado' (y su deriv. *ykatyngaí* 'huele mal').

Catión, V. *ir*

CATIRRINO 'mono que tiene las ventanas de la nariz abiertas hacia abajo'. Alteración de *catarrino,* 1906, deriv. del gr. *rhís, rhinós,* 'nariz', con el prefijo *kata-* 'hacia abajo'.

Catita, V. *cata*   *Catódico, cátodo,* V. *ánodo*

CATÓLICO, 959. Tom. del lat. *catholícus,* y éste del gr. *katholikós* 'general', 'universal', deriv. de *hólos* 'todo'.
DERIV. *Catolicidad. Catolicismo,* 1729.

Catóptrico, V. *óptico*   *Catorce,* V. *cuatro*

CATRE 'cama ligera para una sola persona', 1578. Tom. del port. *catre* íd., 1510, y éste del tamul *kaṭṭil* 'cama', 'sofá', procedente del sánscr. *khaṭvā* 'armazón de cama', 'cama (de enfermo)'.

CAUCE, 1330, antes *calçe,* 1063. Del lat. CALIX, -ĬCIS, 'tubo de cobre o bronce en las conducciones de agua', primitivamente 'vaso para beber'; *caz* 'canal para tomar agua', 1592, tiene el mismo origen, pasando por *calz.*
DERIV. *Encauzar,* 1884. *Socaz.*

Caución, V. *cauto*

CAUCHO, 1738, antes *cauchuc,* 1653. Del nombre indígena americano *cáuchuc,* al parecer perteneciente a una lengua del Perú.

DERIV. *Cauchal, Cauchera, Cauchero. Cauchotina,* tom. del fr. *caoutchoutine. Cauchutar,* 1931, del fr. *caoutchouter. Encauchar.*

Caudd, caudado, V. *cola* I

CAUDAL, sust. 'bienes', 'abundancia de algo', S. XIV, antes *cabdal,* 1132. Sustantivación del antiguo adjetivo *caudal* (*cabdal,* h. 1140), 'caudaloso, principal' (todavía empleado en *águila caudal*), del lat. CAPĬTĀLIS 'principal', propiamente 'referente a la cabeza', deriv. de CAPUT 'cabeza'.
DERIV. *Caudaloso,* S. XV. *Acaudalar,* 1565; *acaudalado.*

Caudal, adj., 'perteneciente a la cola', *caudatario, caudato, caudatrémula,* V. *cola* I

CAUDILLO, S. XIV, antes *cabdiello,* 1220-50. Del lat. CAPITĚLLUM 'cabecilla', diminutivo de CAPUT, CAPITIS, 'cabeza'.
DERIV. *Acaudillar,* h. 1275. *Caudillaje,* 1883..

Caulescente, cauliforme, V. *col*

CAUSA, 1251. Tom. del lat. *causa* íd.
DERIV. *Causar,* 1148; *causante*; *causativo. Causal,* lat. *causalis*; *causalidad. Concausa. Encausar*; *encausamiento,* 1480.
CPT. *Causahabiente. Causídico,* 1611, lat. *causídicus* íd., cpt. con *dicĕre* 'decir'.

Causídico, V. *causa*

CÁUSTICO, 1535, lat. *caustĭcus.* Tom. del gr. *kaustikós* 'que quema', deriv. de *káiō* 'quemo'.
DERIV. *Causticidad. Cauterio,* 1490, lat. *cauterium*: tom. del gr. *kautérion* íd., otro deriv. de *káiō*; *cauterizar,* 1570, *cauterización, cauterizador. Encausto,* 1832, gr. *énkaustos* 'pintado por medio del fuego', de *káiō*; *encáustico,* S. XVIII. *Hipocausto,* gr. *hypókauston* 'calentado por debajo'.

Cautela, cauteloso, V. *cauto*   *Cauterio, cauterizar,* V. *cáustico*

CAUTÍN 'instrumento de cobre, con espiga de hierro y mango de madera, que sirve para soldar con estaño', 1849, voz técnica de historia incierta. Probablemente alteración del lat. *cauterium* 'instrumento que funciona con fuego' (comúnmente 'cauterio'), para cuyo origen, V. el anterior; teniendo en cuenta que también se dice *cautil,* probablemente tom. por conducto del cat. **cautir* (más conocido en la variante *cautiri,* SS. XV y XVI).

CAUTIVO, 1250-71 (*cativo,* 1131). Tom. del lat. *captīvus* 'preso, cautivo', deriv. de *capere* 'coger'. Tomó también el sentido de 'desdichado', S. XIII, de donde luego el quijotesco 'malvado'.

DERIV. *Cautivar*, 1220-50. *Cautividad*, fin S. XIV. *Cautiverio*, 1250-71.

CAUTO, princ. S. XV. Tom. del lat. *cautus* íd., participio de *cavēre* 'guardarse', 'tener cuidado'.

DERIV. *Cautela*, 1438, lat. *cautēla* íd.; *cauteloso*, 1438. *Caución*, 1590, lat. *cautio*. *Incauto*, h. 1440. De *cavere* deriva igualmente el lat. *praecavere*, de donde el cast. *precaver*, 1737; *precavido*; *precaución*, 1737.

Cava, V. *cavar*

CAVAR, princ. S. XIII. Del lat. CAVARE 'ahuecar', 'cavar', deriv. de CAVUS 'hueco'.

DERIV. *Excavar*, 1235; *excavación*. *Entrecavar*, 1505. *Socavar*, 1490; *socavón*, 1590. Otros deriv. de CAVUS: *Cava* 'foso, zanja, cueva', h. 1275. *Caverna*, h. 1440, tom. del lat. *cavĕrna* íd.; *cavernoso*, 1495; *cavernario*. *Cavidad*, 1607, lat. *cavitas, -atis*. CPT. *Cavernícola*, 1909, formado con *colĕre* 'habitar'.

CAVATINA, fin S. XVIII. Del it. *cavatina* íd., deriv. de *cavare* 'sacar', de donde *cavata di voce* 'partido que se saca de la voz'.

Caverna, cavernario, cavernoso, V. *cavar*

CAVIAR, 1439-45. Tom. del turco *ḫāviâr* íd., por conducto del italiano.

Cavidad, V. *cavar*

CAVILAR, 1476, propiamente 'discurrir con sutileza'. Tom. del lat. *cavillari* 'bromear', 'emplear sofismas', deriv. de *cavilla* 'chanza'.

DERIV. *Cavilación*, 1438. *Caviloso*, 1438.

CAYADO, 1220-50. Del lat. vg. hispánico *CAJATUS* íd., abreviado de BACULUS *CAJATUS* 'bastón a modo de porra', deriv. del lat. tardío CAJA 'porra'.

DERIV. *Cayada*, 1495.

CAYO 'isleta rasa en el Mar de las Antillas', 1551. De un dialecto arauaco hablado en estas islas; las variantes *cay*, 1541, *caico* y *caic*, hacen suponer que esta última fuese la forma primitiva.

CAYOTE 'variedad de sandía con cuyo fruto se hace el dulce llamado cabello de ángel', 1765-83. Abreviación del antiguo *chilacayote*, 1644, procedente del náhuatl *tzilacayútli* 'calabaza blanca y muy lisa', compuesto de *ayútli* 'calabaza'; mutilóse

aquél por creer erróneamente que contenía la palabra *chile* 'ají', que se consideró inapropiada; de la misma abreviación resultó también *acayota* o *alcayota*, como se dice en otras partes de América.

Cayote (animal), V. *coyote*   *Caz*, V. *cauce*   *Caza*, V. *cazar*

CAZABE 'pan de harina de mandioca', 1492. Del taíno de Santo Domingo *caçábi*.

CAZAR, h. 1140. Del lat. vg. *CAPTIARE* íd., deriv. de CAPĔRE 'coger' (participio CAPTUS).

DERIV. *Caza*, h. 1250. *Cazador*, 1256. *Cacería*, princ. S. XVII.

CPT. *Cazatorpedero*.

Cazatorpedero, V. *cazar*

CAZCARRIA, 1495, 'suciedad, esp. el lodo y excrementos que se cogen en la parte de ropa que va cerca del suelo, o en la lana o piel de los animales'. Origen incierto: seguramente emparentado con el bearn. *cascant* 'sucio', a su vez de procedencia dudosa; quizá deriv. del lat. CASCUS 'viejo decrépito' (de donde el ast. *cascañu* y el it. ant. *casco* íd.), sentido desde el cual se pudo pasar al de 'el que se ensucia'; o bien prerromano.

DERIV. *Cazcarriento*, 1604.

CAZO 'vasija de metal con un mango para manejarla', h. 1400. Voz común a los romances ibéricos con la lengua de Oc y el italiano (donde se extiende hasta la Vendée y los Alpes vénetos): de origen incierto: hay dificultades en partir del ár. *qaṣ'a* 'escudilla, gamella, artesa', y peores para aceptar un origen griego.

DERIV. *Cacerola*, 1765-83; tom. del fr. *casserole*, 1583, y éste a su vez del cat. *casserola* íd., diminutivo de *càssera* 'vasija para sacar agua' (deriv. de *cassa* 'cazo'). *Cazuela*, 1438; *cazoleta*, 1604; *cazolón*.

CAZÓN (nombre de un pez selacio muy voraz y de otras especies de peces), h. 1335. Origen incierto; es común al castellano con el portugués, catalán y dialectos francoprovenzales e italianos.

Cazuela, V. *cazo*

CAZURRO, 1220-50, 'grosero', 'marrullero', 'malicioso', 'insociable'. Vieja palabra afectiva, común al castellano y el portugués, de origen desconocido, quizá prerromano.

DERIV. *Cazurría*, 1330.

¡CE!, interjección con que se llama, se hace detener o se pide atención a una persona, 1465-73. De la consonante fricativa o africada *sss* o *tsss*, que suele emplearse en estos casos.

CEBADA, h. 1140. En la Edad Media significa 'pienso (en general)' y sólo después se especializó como nombre del cereal más empleado con este objeto; deriv. de *cebar* 'alimentar a un animal' (véase).
DERIV. *Cebadal. Cebadilla.*

CEBAR, 1220-50, fecha en que todavía podía aplicarse a las personas; lo común es aplicarlo a los animales, de donde figuradamente *cebarse* 'encarnizarse', cuando se extiende a los hombres. Del lat. CĪBARE 'alimentar', deriv. de CĪBUS 'alimento' (V. *CEBO*).
DERIV. *Cebador. Cebadura. Cebón*, 1495.

CEBO, S. XIV. Del lat. CĪBUS 'alimento, manjar'; la acepción etimológica 'comida (en general)' se empleó en castellano desde el S. XIII hasta el XVI. V. *CEBAR.*

CEBOLLA, 1227. Del lat. CEPŪLLA 'cebolleta', diminutivo de CĒPA 'cebolla'.
DERIV. *Cebollada. Cebollana. Cebollar. Cebollero. Cebolleta*, 1611. *Cebollino*, 1495. *Cebolludo.*

Cebón, V. *cebar*

CEBRA 'Equus zebra, animal sudafricano', 1611; antiguamente 'asno salvaje', 1207 (animal muy veloz, como la cebra, y autóctono entonces en España). Origen incierto; teniendo en cuenta las formas antiguas *ezebro* o *ezebra* de 1091, *ezevra* de 1202, *zevro* de 1179, etc., es probable que venga del lat. vg. *ECĪFÉRUS*, clásico EQUIFERUS 'caballo salvaje', compuesto de EQUUS (en vulgar ECUS) y FERUS 'silvestre'.
DERIV. *Cebrado. Cebrero*, 1148. *Cebruno* '(caballería) de color entre oscuro y zaino', 1379, por el color del asno salvaje (la forma posterior *cervuno*, 1729, resulta de una identificación secundaria con *cervuno* 'propio del ciervo', 1351, que se produjo al olvidarse en España el antiguo significado de *cebro*).

Cebro, cebruno, V. *cebra*

CECA, 1511. Del hispanoárabe *sékka*, abreviación de *dâr as-sékka* 'casa de la moneda' que contiene el árabe clásico *síkka* 'punzón para marcar la moneda' y 'moneda' (deriv. de *sakk* 'cavar', de donde 'reja de arado' y luego 'punzón').
DERIV. *Cequí*, princ. S. XVII, del árabe *sikkî* íd.

CECEAR 'pronunciar la *s* como *c*', 1272-84. Derivado del nombre de esta letra. Paralelamente, *sesear*, 1729.

DERIV. *Ceceo*, 1604; *ceceoso*, 1495; con su variante *zazoso*, 1705, o *zazo*, 1601. *Seseo.*

CECIAL adj. 'seco y curado al aire', aplicado al pescado, 1330. Origen incierto, quizá deriv. en *-al* de un adjetivo lat. vg. *SĪCCĪDUS*, deriv. a su vez de SICCUS 'seco'. Compárese el siguiente.

CECINA, sust., 'carne salada, enjuta y seca al aire, al sol o al humo', h. 1250. En la misma época aparece también como adjetivo *carne cecina*; probablemente de un lat. vg. CARO *SĪCCĪNA*, derivado de SICCUS 'seco'; compárese el anterior.
DERIV. *Acecinar.*

CEDAZO, 1330. Abreviación del lat. vg. CRIBRUM SAETACĒUM 'criba hecha de cerdas', deriv. del lat. SAETA 'cerda, crin'.

CEDER, h. 1580. Tom. del lat. cedĕre 'retirarse, marcharse', 'ceder, no resistir'.
DERIV. *Cesión*, S. XVI, lat. *cessio, -ōnis*, íd.; *cesionario, cesionista. Anteceder*, S. XIII, lat. *antecedĕre* íd.; *antecedente; antecesor*, 2.º cuarto S. XIII, lat. *antecessor* íd. *Conceder*, h. 1335, lat. *concedĕre* 'retirarse', 'ceder', 'conceder'; *concesión*, 1604, lat. *concessio, -onis*, de donde *concesionario, concesivo. Preceder*, 1490, lat. *praecedere*, íd.; *precedente, 1433, precedencia; precesión. Retroceder*, 1438, lat. *retrocedere* íd.; *retroceso.*

CEDOARIA, 1537. Del b. lat. *zedoarium*, y éste del ár. *zedwâr*, de origen persa.

CEDRO, 1220-50. Tom. del lat. *cĕdrus*, y éste del gr. *kédros* íd.

Cedrón, V. *cidro*

CÉDULA, 1396. Tomado del lat. tardío *schedŭla* 'hoja de papel, página', diminutivo del lat. *scheda* íd.

CEFÁLICO, 1537, lat. *cephalĭcus*. Tom. del gr. *kephalikós* 'perteneciente a la cabeza', deriv. de *kephalḗ* 'cabeza'.
DERIV. del gr. *kephalḗ*: *Cefalea*, princ. S. XVI, gr. *kephaláia* íd. *Cefalitis. Acéfalo*, h. 1250, gr. *aképhalos* 'sin cabeza'; *acefalía. Encéfalo*, 1884, gr. *enképhalon* íd.; *encefálico, encefalitis.*
CPT. *Cefalalgia*, 1555, gr. *kephalalgía*, con *álgos* 'dolor'. *Cefalópodo*, con *pûs, pódos*, 'pie'. *Braquicéfalo*, con *brakhýs* 'corto'. *Dolicocéfalo*, con *dolikhós* 'largo'. *Macrocéfalo*, con *makrós* 'grande'; *macrocefalia. Microcéfalo*, con *mikrós* 'pequeño'.

CÉFIRO, S. XV, lat. *zephỹrus*. Tom. del gr. *zéphyros* íd.

Cegajoso, cegar, cegarrita, cegato, cega-toso, ceguera, V. *ciego*

CEIBA 'cierto árbol bombáceo, de talla gigantesca, propio de los países ribereños del Caribe', 1535. Origen incierto; parece ser voz del taíno de Santo Domingo. DERIV. *Ceibo,* 1601, hoy anticuado como nombre del mismo árbol; como denominación de una anacardiácea argentina, 1745, parece tratarse de la misma palabra, aplicada secundariamente a este árbol austral.

Ceibo, V. *ceiba*

CEJA, 1220-50. De CĬLĬA, plural del lat. imperial CĬLĬUM 'ceja' y 'párpado' (extraído secundariamente del clásico SUPERCILIUM 'ceja'). DERIV. *Cejudo. Ciliar* y *superciliar,* derivados cultos. CPT. *Cejijunto,* 1438. *Entrecejo,* 1490.

CEJAR 'ceder o aflojar en un empeño', 1599, empleo figurado en lugar del sentido de 'retroceder, andar hacia atrás', 1475, que fue casi general hasta el Siglo de Oro. Indudablemente relacionado con el lat. CESSARE 'pararse', 'entretenerse', 'cesar' (frecuentativo de CEDERE 'retirarse, marcharse'); es probable que *cejar* venga de un lat. vg. *CESSIARE* 'retirarse', deriv. de CEDERE (participio CESSUS). DERIV. *Cejador* 'especie de chicote', arg.

Cejijunto, cejudo, V. *ceja   Celada,* V. *celar   Celador,* V. *celo   Celaje,* V. *cielo Celar* 'demostrar celo, vigilar', V. *celo*

CELAR 'encubrir, ocultar', fin S. XII. Del lat. CELARE íd. DERIV. *Celada* 'emboscada'. h. 1140; en la acepción 'casco que cubría el rostro', h. 1460, es abreviación de *capellina celada* 'capellina cubierta' (el fr.· *salade,* 1419, se tomó del cat. *celada,* 1429, que se pronuncia como *salada*). *Recelar,* 1251; la construcción primitiva fue *recelarse de,* propiamente 'ocultarse de alguien'; *recelo,* h. 1335; *receloso,* 1330.

CELDA, h. 1400, antes *cella* (pronunciado *cel-la*), fin S. XIII. Tom. del lat. *cĕlla* 'cuarto o habitación pequeña', 'santuario'.

CÉLEBRE, 1495. Tom. del lat. *cĕlĕber, -ĕbris, -ĕbre,* 'frecuentado, concurrido', 'celebrado'. DERIV. *Celebridad,* 1607, lat. *celebritas, -atis. Celebérrimo,* 1438, lat. *celeberrimus. Celebrar,* 1220-50, lat. *celebrare* 'frecuentar', 'asistir a una fiesta'; *celebración,* 1495; *celebrante.*

CELEMÍN 'medida de varios tipos, esp. la de áridos equivalente a cuatro cuartillos', S. XIII. Del ár. hispánico θemēni, plural de θumníya 'vaso de barro, cantarillo', antiguamente 'medida equivalente a la octava parte de otra mayor' (deriv. de θamániya 'ocho'); cambiado en *cemenín* y *cenemín,* pasó luego a *celemín* por disimilación. V. además *AZUMBRE.*

Celenterios, V. *celíaco*

CELERIDAD, med. S. XV. Tom. del lat. *celerĭtas, -atis,* íd., deriv. de *celer, -ĕris, -ĕre* 'pronto, rápido' (que también se emplea poéticamente en castellano). Deriv. de *celer* es *accelerare* 'apresurar', de donde el cast. *acelerar,* 1438; *aceleración,* 1623; *acelerador; aceleramiento,* 1604.

Celeste, celestial, celestina, celestinesco, V. *cielo*

CELÍACO, 1555, lat. *coeliăcus.* Tom. del gr. *koiliakós* 'perteneciente al vientre', derivado de *koilía* 'vientre', y éste de *kôilos,* adj., 'hueco'. CPT. *Celenterios,* 1909, del gr. *kôilos* con *énteron* 'intestinos'.

Celiandro, V. *culantro*

CÉLIBE, h. 1625. Tom. del lat. *caelebs, -ĭbis,* 'soltero'. DERIV. *Celibato,* h. 1600, lat. *coelibatus, -ūs,* íd.

CELIDONIA, 1490 (*ciridueña,* 1495). Tomado del lat. *chelidŏnĭa* íd., y éste del gr. *khelidónion* íd., neutro de *khelidónios* 'semejante a la· golondrina' (en griego *khelidṓn*), por el color azul oscuro de algunas variedades, semejante al de este pájaro.

CELO, 1220-50. Tom. del lat. *zēlus* 'ardor, celo', 'emulación', 'celos', y éste del gr. *zêlos* íd. (deriv. de *zéō* 'yo hiervo'). DERIV. *Celar,* 1438, 'velar, vigilar', 'tener celos', lat. tardío *zelari* 'demostrar celo', 'tener celos'; *celador,* 1620. *Celoso,* 1220-50. *Celosía* 'enrejado de madera que se pone en ciertas ventanas para que las personas que están en lo interior vean sin ser vistas', 1555 (¿y 1526?); antiguamente 'celos', S. XV; se llamó así la celosía por la causa que determina su uso, ya que la mujer oculta tras una celosía no está a la vista de los viandantes.

Celosía, celoso, V. *celo   Celsitud,* V.· *excelente*

CELTÍDEO, 1865. Deriv. del lat. *celthis, -is,* 'almez'.

CÉLULA, h. 1440. Tom. del lat. *cellŭla*, propiamente 'celdita', diminutivo de *cĕlla* 'cuarto pequeño' (V. *celda*).
Deriv. *Celular. Celulosa*, de donde *celuloide*.

CELLISCA 'borrasca de nieve, agua y viento', med. S. XVII. Origen incierto; quizá de un verbo **cellar*, deriv. del lat. cingŭlum 'cincha', en el sentido de 'azotar con una cincha', 'azotar la cara (el viento)'. De cingulum viene indudablemente el dialectal y anticuado *cello* 'aro con que se sujetan las duelas de los toneles', h. 1600 (*cenllo*, 1614).

Cementación, V. *cimiento*

CEMENTERIO, 1220-50. Tom. del lat. tardío *coemetērium* íd., y éste del gr. *koimētḗrion* 'dormitorio', deriv. de *koimáō* 'me acuesto'.

Cemento, V. *cimiento*   *Cemita*, V. *acemite*

CENA, h. 1140. Del lat. cēna 'comida de las tres de la tarde'.
Deriv. *Cenar*, h. 1140, del lat. cenare 'comer a las tres de la tarde'. *Cenáculo*, 1604, tom. del lat. *cenacŭlum* 'comedor, local donde se come', aplicado en castellano a la sala en que se celebró la santa cena, después 'reunión de personas que profesan unas mismas ideas', h. 1880.

CENACHO 'espuerta de esparto o palma, con asas, empleada para llevar víveres', 1601. Del mozárabe *cennách* 'capacho, cenacho, canasta', de origen incierto, voz emparentada con el cat. *senalla* íd., S. XIII; en vista de éste y del fr. ant. *senail* 'granero', 'henil', S. XIII, viene probablemente del lat. cenacŭlum 'cámara alta', 'piso superior de un edificio', que pasó de ahí a 'granero' y luego 'recipiente para grano'; en mozárabe el vocablo sufrió en su terminación el influjo de *capacho* y del mozárabe *canách* 'canasto'.

Cenagal, cenagoso, V. *cieno*   *Cenar*, V. *cena*

CENCEÑO 'delgado, enjuto', h. 1440; 'puro, sin mezcla', 1495; 'ácimo', S. XIII. Origen incierto. Quizá del lat. cĭncĭnnus 'tirabuzón, rizo pendiente en espiral', 'zarcillo, sarmiento', con el sentido primitivo de 'delgado como un zarcillo', 'sarmentoso, nervudo'.

CENCERRO, 2.ª mitad S. XIII (*cencerra*, 1240). De formación onomatopéyica; quizá

tomado del vasco *zinzerri* íd., que es también de origen imitativo.
Deriv. *Cencerrada*, 1693-1729.

CENDAL, h. 1140. Palabra común con el fr. ant. (*cendal* íd.) y con otros romances, de origen incierto; es muy dudoso que venga del gr. *sindṓn, -ónos*, 'tejido fino, especie de muselina de origen índico'.

Cendra, V. *acendrar*

CENEFA, h. 1400. Del ár. *ṣanífa* 'borde, orillo'.

Cenicero, ceniciento, V. *ceniza*

CENIT, 1256-76. Abreviación del ár. *semt ar-ra's* 'el paraje de la cabeza'; parece tratarse de una antigua mala lectura *zenit* en vez de *zemt* (= *semt*) en los manuscritos de Alfonso el Sabio.

CENIZA, 1220-50. Del lat. vg. **cĭnisĭa* 'cenizas mezcladas con brasas'; derivado colectivo del lat. *cĭnis, -ĕris*, 'ceniza', que ha sustituido al primitivo castellano, en portugués y en varios dialectos sardos, réticos y dalmáticos, y que ha dejado otras huellas en casi todas las lenguas romances.
Deriv. *Cenicero*, 1607. *Ceniciento*, 1495, *cenicienta. Cenicilla* 'oídio', h. 1100. *Cenizo*, 1729.

Cenizo, V. *ceniza*

CENOBIO, 1220-50. Tom. del lat. tardío *coenobĭum* íd., y éste del gr. *koinóbion* 'vida en común', cpt. de *koinós* 'común' y *bíos* 'vida'.
Deriv. *Cenobita*, h. 1600; *cenobítico*. h. 1600.

CENOTAFIO, 1600, lat. *cenotaphium*. Tom. del gr. *kenotáphion* íd., cpt. de *kenós* 'vacío' y *táphos* 'sepulcro'.

CENSO, 1155. Tom. del lat. *census, -ūs*, íd., deriv. de *censēre* 'estimar, evaluar'.
Deriv. *Censatario*, 1611.

CENSOR, h. 1460. Tom. del lat. *censor, -ōris*, íd., deriv. de *censēre* 'estimar, evaluar'.
Deriv. *Censorio. Censura*, 1471, lat. *censūra* 'oficio de censor', 'examen, crítica'; *censurar*, h. 1600; *censurable*.

CENTAURO, 1256-76, lat. *centaurus*. Tomado del gr. *kéntauros* íd.
Deriv. *Centaurea*, 1555, o en forma más popular *centaura*, 1555, lat. *centauria*, del gr. jónico *kentauríē* (de *kentáureios* 'propio del centauro').

Centavo, V. *ciento*

CENTELLA, 1251. Del lat. scĭntĭlla 'chispa'.
Deriv. *Centellear*, 1495; *centelleante*; *centelleo*.

Centena, *centenar*, *centenario*, V. *ciento*

CENTENO, 1212. Del lat. hispánico centēnum íd., S. IV, y éste del clásico centēnī 'de ciento en ciento', porque se creía daba cien granos por cada uno que se siembra.
Deriv. *Centenero*. *Centenoso*.

Centesimal, *centésimo*, *centi-*, *centímetro*, *céntimo*, V. *ciento*

CENTINELA, h. 1530. Del it. *sentinella* 'servicio de vigilancia que presta un soldado en un lugar fijo', 'el soldado encargado de este servicio', deriv. de *sentire* 'oír', 'sentir'.

Centinodia. V. *ciento*

CENTOLLA 'crustáceo marino grande, de caparazón oval', 1495. En portugués y gallego *centola*, 1519; gall. *centolo*, ast. *centollu*. Origen incierto, probablemente céltico; de un tipo *centollos (de formación paralela a los galos condollos y cicollos), compuesto del céltico ollos 'grande', con otro elemento inseguro (quizá cĭntus 'principal, superior', en cuyo caso dicho cpt. sería lo mismo que el nombre de persona Cintu(o)llos, muy frecuente en la Galia y en ambas vertientes del Pirineo).

CENTÓN, 1256-76. Tom. del lat. *cento*, *-ōnis*, 'paño lleno de remiendos', de donde se pasó a 'obra compuesta de una combinación de sentencias ajenas'.

CENTRO, 1256-76, lat. *centrum*. Tom. del gr. *kéntron* íd., propiamente 'aguijón', por alusión a la punta del compás o del alfiler empleado con el mismo objeto.
Deriv. *Central*, 1413; *centralismo* y *centralista*, 1899; *centralizar*, 1.ª mitad S. XIX; *descentralizar*. *Centrar*. *Céntrico*; *concéntrico*, 1633; *excéntrico*, princ. S. XVII, *excentricidad*. *Descentrado*. *Concentrar*, S. XVI; *concentración*; *reconcentrar*. *Epicentro*, formado con el gr. *epì* 'encima de'.
Cpt. *Centrífugo*, 1765-83, cpt. con *fugere* 'huir'; *centrípeto*, íd., cpt. con *petere* 'dirigirse a'.

Centuplicar, *céntuplo*, *centuria*, *centurión*, V. *ciento*

CEÑIR, h. 1140. Del lat. cĭngĕre íd.
Deriv. *Ceñidor*, 1570. *Desceñir*, 1495.

CEÑO, 2.ª mitad S. XIII, 'expresión severa del rostro que se toma dejando caer el sobrecejo o arrugando la frente'. Del lat. tardío cĭnnus 'señal que se hace con los ojos' (principio del S. VI).
Deriv. *Ceñudo*, 1438. *Ceñar* o *aceñar* ant., h. 1250, 'hacer señas con los ojos'.

Cepa, *cepillar*, *cepillo*, V. *cepo*

CEPO 'pie del tronco de un árbol', 1220-50; 'instrumento de madera agujereado, en el cual se aseguraba la garganta o la pierna de un reo', 1050; 'trampa de madera para coger animales salvajes', S. XIII. Del lat. cĭppus 'mojón', 'columna funeraria', 'palo puntiagudo clavado en un agujero del suelo y destinado a detener la marcha del enemigo'.
Deriv. *Cepillo* 'instrumento de carpintería', 1495, 'arquilla de madera para limosnas en la iglesia', comparados con el pie de un tronco de árbol; de la 1.ª acepción se pasó a 'instrumento de manojitos de cerdas para sacar el polvo'; *cepillar*, 1330. *Cepa*, 1220-50.
Cpt. *Cepa caballo* 'ajonjera', h. 1490, contracción de *cepa de caballo*.

Cequí, V. *ceca*

CERA, 1220-50. Del lat. cēra íd.
Deriv. *Cerato*, 1599, lat. *ceratum* íd. *Cerote* 'mezcla de pez y cera, o de cera y aceite, que usan los zapateros', 'hez de la cera', 1495, del gr. *kērōté* 'mezcla de cera, aceite, goma, etc.', deriv. de *kērós* 'cera', voz hermana del lat. *cera*. *Céreo*, tom. del lat. *cerĕus* íd. *Cerero*, 1604; *cerería*. *Cerilla*, 1570. *Cerumen*, 1728. *Ceroso*. *Cerusa*, 1705, tom. del lat. *cerussa* íd.; *cerusita*. *Encerar*, 1495; *encerado*, 1604.
Cpt. *Cerapez*, 1495. *Ceroleína*, cpt. con el lat. *oleum* 'aceite'.

CERÁMICA, 1869. Tom. del gr. *keramikós* 'hecho de arcilla', deriv. de *kéramos* 'arcilla'.
Deriv. *Cerámico*. *Ceramista*.

Cerapez, *cerato*, V. *cera*

CERBATANA, 1493. Del ár. vg. *zerbaṭâna* íd. (clásico *zabaṭâna*), de origen persa.

CERCA, adv. y prep., 998. Del lat. cĭrca 'alrededor'.
Deriv. *Cercano*, S. XIII; *cercanía*, h. 1460. *Acercar*, h. 1140; *acercamiento*.
Cpt. *Acerca*, h. 1140.

Cercado, V. *cerco*   *Cercanía*, *cercano*, V. *cerca*   *Cercar*, V. *cerco*   *Cercén*, V. *cercenar*

CERCENAR, 1240. Del lat. cĭrcĭnare 'redondear, dar forma redonda', de donde 'dar forma redondeada a la copa de los árboles', y de ahí se pasó a 'podar', 'cortar la barba' y 'recortar en general'. *A cercén,* 1729; anteriormente *a cércen,* S. XV, o *cércen* empleado como adverbio, 1495; vienen del lat. ad cĭrcĭnum 'en círculo' (o de una variante vulgar del mismo), locución formada con el sustantivo circinus 'compás', del cual deriva el verbo circinare.

CERCETA, h. 1250. De una variante del lat. v, cercedŭla, clásico querquetŭla, íd.

CERCO, 1220-50, 'círculo', 'aro y otros objetos circulares', 'asedio de una plaza'. Del lat. cĭrcus 'círculo', 'circo'. Deriv. *Cercar,* 1099, lat. tardío circare 'dar una vuelta, recorrer'; *cercado,* 1570; *descercar,* S. XIII; *cerca* 'asedio', 1076, 'cercado', 1241. Cultismos: *Circo,* 1495, duplicado culto de *cerco; circense. Círculo,* 1444, lat. cĭrcŭlus, íd., diminutivo de circus; *circular,* adj., 1433; *circular,* v., h. 1620, lat. circulare 'redondear', 'formar grupo', de donde *circulación,* 1490; *circulante; semicírculo, semicircular. Circun-,* prefijo tomado del lat. *circum-,* propiamente preposición con el significado 'alrededor'.

CERCHA 'patrón de contorno curvo empleado principalmente en arquitectura y carpintería', 1633. Del fr. antic. *cerche,* S. XII (hoy *cerce*) íd., y 'aro flexible para montar cedazos y cribas', procedente de un lat. vg. *cĭrca,* deriv. (como el cast. *cerca*) del lat. cĭrcus 'círculo'. Deriv. *Cerchón,* 1661. *Cerchar* 'encorvar', 1736.

CERDA 'cada uno de los pelos duros y gruesos de ciertos animales, como el caballo y el cerdo', 1495, y antes 'mechón de pelos', h. 1280. Del lat. vg. cĭrra 'vellón', 'mechón de pelos', deriv. colectivo de cĭrrus 'rizo de cabellos', 'la crin de un caballo', 'copete de una ave'; el cat. *cerra* 'cerda' conserva el consonantismo etimológico, alterado en castellano por un fenómeno fonético como el que cambió *ezquerro* en *izquierdo,* ayudado en este caso por el influjo del sinónimo anticuado *seda,* SS. XIII-XVI, procedente del lat. saeta. Deriv. *Cerdear. Cerdoso,* 1604. *Cerdo* 'puerco', 1729 (*cerdudo* con este sentido en 1682), creación eufemística tardía, resultante de abreviar la expresión *ganado de cerda,* con el objeto de reemplazar a *puerco,* y a sus sucedáneos *marrano* y *cochino,* cuando éstas se hicieron palabras de mal tono.

Cerdo, V. *cerda*

CEREAL, 1832. Tom. del lat. *cerealis* 'perteneciente a Ceres, diosa de la Agricultura', 'relativo al trigo y al pan'.

CEREBRO, 1251. Tom. del lat. cerĕbrum íd. Deriv. *Cerebral,* 1859. *Cerebelo* 'parte del encéfalo que ocupa las fosas occipitales inferiores', 1551, tom. del lat. cerebĕllum, diminutivo de *cerebrum.*

CEREMONIA, h. 1375. Tom. del lat. caeremōnĭa 'carácter sagrado', 'práctica religiosa', 'ceremonias, actos rituales'. Deriv. *Ceremonial,* 1607. *Ceremonioso,* 1623.

Céreo, cerero, V. *cera*

CEREZA, 1330, antiguamente *ceresa,* h. 1250. Del lat. vg. cerĕsĭa, clásico cerăsĭum íd. Deriv. *Cerezo,* 944. *Cerezal. Cereceda.*

Cerilla, V. *cera*

CERIO, 1853. Del nombre del planeta Ceres, que se descubrió en los primeros años del S. XIX, al mismo tiempo que este metal.

CERMEÑA 'variedad de pera, temprana, de tamaño reducido y muy olorosa', 1330. Origen incierto, quizá del lat. tardío sarmĭnĭa 'perifollo', por lo aromático de esta hierba. Deriv. *Cermeño* 'árbol que da la cermeña', 1512, 'hombre tosco', S. XVIII (por lo áspero del gusto de la fruta).

CERNADA 'lejía de ceniza para hacer la colada', 1495, 'pasta de ceniza con agua'. De **cen(e)rada,* deriv. del lat. cinis, -ĕris, 'ceniza'. Deriv. *Cernadero,* h. 1600.

Cernadero, V. *cernada*   *Cernedero, cernedor,* V. *cerner*

CERNEJA 'mechón de pelo que tienen las caballerías detrás del menudillo', princ. S. XVI, antes 'mechón de cabellos del hombre', 'cabellera', princ. S. XIII, 'crin o melena de los animales', 1291. De un lat. vg. *cernĭcŭla, plural de *cerniculum 'separación de los cabellos', deriv. de cernĕre 'separar', 'distinguir'.

CERNER 'separar con el cedazo la harina del salvado y otras materias sutiles', 1220-50. Del lat. cĕrnĕre 'separar', 'distinguir'. Deriv. *Cernedero. Cernedor. Cernidillo.* Cultismos: *Discernir,* 2.º cuarto S. XV, 'distinguir, separar mentalmente', tom. del lat. *discernere* íd.; *discernimiento*, 1705. *Discreto*, 1220-50, lat. *dĭscrētus*, participio de dicho *discernere*; *discretear, discreteo*; *discreción*, 1220-50, lat. *discretio, -onis*; *discrecional. Discriminar* amer. 'separar, diferenciar', lat. *discriminare* íd., deriv. de *discrimen*, que a su vez lo es de *discernere*.

CERNÍCALO, 1243 (*cerniclo*). Del lat. CERNĬCŬLUM 'criba, cedazo', por comparación del ave cuando se cierne en el aire con el movimiento balanceante de un cedazo; probablemente tomado del dialecto mozárabe.

Cernidillo, V. cerner

CERO, h. 1600. Tom. del it. *zèro*, S. XV, que a su vez se tomó del b. lat. *zephỹrum*, S. XII íd., y éste del ár. *ṣifr* 'vacío', 'cero', pronunciado vulgarmente *ṣéfer*.

Ceroleína, ceroso, cerote, V. cera   Cerradura, V. cerrar

CERRAJA 'compuesta agreste parecida a la lechuga', 1495 (*xerralla*, mozárabe, S. X). Del lat. SERRATŬLA 'betónica', que en latín vulgar tomó el sentido de *cerraja*; deriv. de SERRARE 'aserrar', por la forma dentada de sus hojas.

CERRAR, h. 1140. Del lat. tardío SERARE íd., deriv. de SERA 'cerrojo', 'cerradura'; la *-rr-*, que aparece ya en latín vulgar, S. V, se debe a una confusión popular con SERRARE 'aserrar'.
DERIV. *Cerradura*, 1220 - 50. *Cerrazón*, 1594. *Cierre*, 2.ª mitad S. XIX. *Encerrar*, h. 1140; *encerrona*; *encierro*, 1611. *Cerrajero*, 1351, deriv. del antiguo *cerraja* 'cerradura', 1220 - 50; *cerrajería*; *descerrajar*, 1495. *Cerruma* 'cuartilla de las caballerías', 1780, tom. del gall. *cerrume* 'cerca, vallado', y así llamada porque la cerruma está alrededor de las patas; *descerrumarse*, 1731.

Cerril, cerrillo, V. cerro

CERRO 'elevación de tierra aislada menos considerable que una montaña', h. 1300; antes 'lomo de un monte', 917, y propiamente 'lomo, espinazo, pescuezo de los animales, en particular el toro', h. 1300. Del lat. CĬRRUS 'rizo, copete, crin', en el sentido de 'crin del caballo', por hallarse ésta en el cerro de este animal; la aplicación de un vocablo que significa 'pescuezo, lomo' a la idea de 'montaña' es hecho frecuente en todas partes (cast. *loma, espinazo*, gr. *lóphos*, rumano *grumaz*, cat. *tossa*, etc.).
DERIV. *Cerril*, 1436, deriv. como el antiguo y americano *cerrero* íd., 1495. *Cerrillo*, 1604.

CERROJO, h. 1300, del antiguo *berrojo* íd., med. S. XIII, alterado por influjo de *cerrar*. *Berrojo* (de donde el vasco *berrollo*), lo mismo que el fr. *verrou* y otras formas romances, supone un lat. vg. *VERRŬCŬLUM, de origen incierto, quizá modificación del clásico VERŬCŬLUM, diminutivo de VERU 'asador', por analogía de forma; sin embargo, cf. osco y umbro *ueru* 'puerta', indoeur. *u̯er-* 'cerrar'.
DERIV. *Cerrojazo*.

CERTAMEN, 1560. Tom. del lat. *certāmen* 'lucha, justa, combate', deriv. de *certare* 'pelear'.

Certero, certeza, certidumbre, certificado, certificar, V. cierto

CERÚLEO 'azul', 1427. Tom. del lat. *caerŭleus* íd., deriv. de *caelum* 'cielo'.

Cerullo, V. zurullo   Cerumen, cerusa, V. cera   Cerval, cervatillo, cervato, V. ciervo

CERVEZA, 1535, antes *cervesa*, S. XV. Del lat. CERVĒSĬA íd., voz de origen galo.
DERIV. *Cervecero, cervecería. Cerevisina*.

Cervical, V. cerviz   Cérvido, V. ciervo Cerviguillo, V. cerviz

CERVIZ, S. XIII. Del lat. CERVIX, -ĪCIS, íd.
DERIV. *Cerviguillo*, 1220-50. *Cervical*.

CESAR, 1220-50. Tom. del lat. *cessare* íd., propte. 'descansar, pararse', frecuentativo de *cedere* 'retirarse', 'ceder'.
DERIV. *Cesante*, h. 1425; *cesantía*, med. S. XIX. *Cese*, 1832. *Incesante*.

CESIO, 1867. Llamado así según el lat. *caesius* 'azul verdoso', por las dos rayas azules que caracterizan el espectro de este metal.

Cesión, V. ceder

CÉSPED, 1076. Del lat. CAESPES, -ĬTIS, 'terrón cubierto de césped'.

CESTA, 1330. Del lat. CĬSTA íd.
DERIV. *Cesto* 'cesta de forma diferente', 1220-50. *Cestero*, 1495; *cestería. Cestón*.

CESTODOS, S. XX. Deriv. culto del gr. *kestós* 'cinturón bordado', por la forma en cadena de estos animales; imitado del fr. *cestodes*.

CESURA, h. 1490. Tom. del lat. *caesūra* 'corte', 'cesura', deriv. de *caedĕre* 'cortar'.

CETÁCEO, 1624. Deriv. culto del lat. *cētus* 'monstruo marino', que viene del gr. *kêtos* íd. Otro deriv. de esta palabra clásica es *cetilo*; *cetilato*.

Cetilato, cetilo, V. *cetáceo* *Cetrería, cetrero,* V. *azor.*

CETRINO, med. S. XV. Tom. del lat. tardío *cǐtrǐnus* 'análogo al limón', deriv. de *citrus* 'limonero', por el color de su fruto.

CETRO, 1220-50. Tom. del lat. *sceptrum* íd., y éste del gr. *skêptron* 'bastón'.

Cevica, V. *cibica* *Ciaboga,* V. *ciar* *Cianhídrico,* V. *cianógeno*

CIANÓGENO, 1884. Cpt. del gr. *kýanos* 'azul' con *gennáō* 'yo engendro', por entrar en la composición del azul de Prusia. DERIV. *Ciánico; cianato; cianuro. Cianosis.* CPT. *Cianhídrico.*

CIAR 'remar hacia atrás, hendiendo el agua con la popa', 1.ª mitad S. XV. Voz náutica del mismo origen incierto que el port. y cat. *ciar,* it. *sciare* íd.; tal vez deriv. del anticuado *cía* 'cadera', 1495 (del mismo origen que *ciática*) por el esfuerzo que desarrolla esta parte del cuerpo al ciar. CPT. *Ciaboga,* 1539, formado con *bogar* 'remar'.

CIÁTICA 'neuralgia del nervio ciático', 2.ª mitad S. XIII; femenino de *ciático* 'que sufre de ciática', 1495; 'relativo a la cadera'. Tom. del b. lat. *sciaticus* íd., deriv. del lat. *ischia, -ōrum,* 'huesos de la cadera', del gr. *iskhía, -iôn,* íd.

CIBELINA 'variedad de marta', h. 1460 (*cenbellin,* S. XIII). Del fr. *zibeline,* fr. ant. *sebelin,* que vino de una lengua asiática por conducto del ruso *sóboľ* y el alem. *zobel* íd.

CIBERNÉTICA, h. 1950. Deriv. del gr. *kybernêtēs* 'piloto', que alude a la función del cerebro con respecto a las máquinas.

CIBICA 'barra de hierro dulce que se emplea como refuerzo de los ejes de madera, en los carruajes', 1589 (*cevica*). Del ár. *sebika* 'lingote', 'pedazo (de metal)', derivado de *sábak* 'fundir, forjar (un metal)'.

Cicádidos, V. *cigarra*

CICATERO 'ruin; miserable', 1599. Del antiguo *cegatero* 'regatón, revendedor', 1379, y éste deriv. de un sinónimo **cegate,* procedente del ár. *saqqáṭ* 'ropavejero', 'vendedor de baratillo' (que a su vez deriva de la raíz ár. *sáqaṭ* 'caer, hacer caer; podar, sustraer'); la forma moderna ha sufrido el influjo de la voz jergal *cica* 'bolsa de dinero', 1601, procedente del ár. *kîsa* íd. DERIV. *Cicatear,* 1780. *Cicatería,* 1599.

CICATRIZ, 1490. Tom. del lat. *cǐcātrix, -īcis,* íd. DERIV. *Cicatrizar,* 1490.

CICINDELA 'cierto coleóptero', S. XX. Tom. del lat. *cicindēla* 'luciérnaga'. DERIV. *Cicindélidos.*

CICLAMOR 'Cereis siliquastrum L.', árbol usado como adorno, h. 1590. Alteración del gr. *sykómoron* 'sicomoro' (cpt. de *sýkon* 'higo' y *móron* 'mora'), por conducto del lat. *sycomŏrus* y del fr. ant. *sicamor.* El cultismo *sicomoro* ya 1555.

CICLÁN, 1475, 'que tiene un solo testículo', 'animal cuyos testículos están en el vientre y no salen al exterior'. Del ár. vg. *siqláb* 'eunuco', ár. *síqlab* 'eslavo', 'esclavo', y éste del gr. bizantino *sklávos* íd.; comp. *ESCLAVO.*

CICLO, 1601, lat. *cyclus.* Tom. del gr. *kýklos* 'círculo'. DERIV. *Cíclico,* 1884, gr. *kyklikós. Ciclón,* 1884, del ingl. *cyclone* íd., deriv. del gr. *kyklóō* 'doy vueltas', por los remolinos del huracán; *anticiclón. Ciclismo, ciclista,* 1901. *Encíclica,* del gr. *enkýklios* 'circular'. *Epiciclo,* gr. *epíkyklos* 'círculo concéntrico'; *epicicloide; epicíclico,* 1577-90. CPT. *Cíclope,* 1490, lat. *cyclops, -ōpis,* gr. *kýklōps, -ōpos,* formado con *ṓps* 'ojo', por el gran ojo circular del cíclope; *ciclópeo, ciclópico. Ciclostilo,* con *stýlos* 'columna'. *Enciclopedia,* 1580, de la frase gr. *en kýklōi paidéia* 'educación en círculo, panorámica'; *enciclopédico,* 1832, *enciclopedismo, enciclopedista.*

CICUTA, 1499 (*ciguta,* 1220-50). Tom. del lat. *cǐcūta* íd.

Cidra, V. *cidro*

CIDRO 'árbol semejante al limonero', 1490 (*cidrio,* h. 1400). Del lat. *cǐtrus* 'limonero', o más bien de su deriv. y sinónimo *cǐtrēus.* DERIV. *Cidra* 'fruto del cidro', 1330, probablemente de *cǐtrēa,* plural de *citreum* 'limón'. *Cedrón* 'hierba Luisa', amer., 1888, por su olor a limón. Cultismos: *Cítrico; çitrato; citrón,* 1720.

CIEGO, h. 1140. Del lat. CAECUS íd. DERIV. *Cegar,* 1220-50, lat. CAECARE íd. *Cegajoso,* 1220-50; *cegajear,* 1495. *Cegarra; cegarrita,* 1611. *Cegato,* 1637; *cegatón,* 1679. *Ceguera,* 1495. Cultismos: *Cecal,* 1765-83. *Obcecar, obcecado,* med. S. XVII, del lat. *occaecare* íd.; *obcecación. Enceguecer,* amer., 'cegar'.

CIELO, h. 1140. Del lat. CAELUM íd.
DERIV. *Celaje,* 1535. *Celeste,* 2.º cuarto
S. XIII, lat. *caelestis* íd.; *celestial,* fin S.
XII. *Celestina* 'alcahueta', princ. S. XVII,
por alusión a la heroína de la tragicomedia
de F. de Rojas; *celestinear, celestinesco.
Célico,* h. 1440, lat. *caelĭcus* íd. *Cielito*
'baile y tonada de los gauchos', arg., por
empezar su letra con la palabra *¡cielo!* o
¡cielito!

Ciempiés, cien, V. *ciento   Ciénaga,* V.
cieno

CIENCIA, 1220-50. Tom. del lat. *scientia*
'conocimiento', deriv. de *sciens, -tis,* participio activo de *scire* 'saber'.
DERIV. *Conciencia,* h. 1300, lat. *conscien-
tia* 'conocimiento', 'conciencia'; *concienzudo,* 1611; *consciente,* 1884, lat. *consciens,
-tis,* participio de *conscire* 'tener conciencia
de'; *inconsciente, inconsciencia; subconsciente, subconsciencia.*
CPT. *Científico,* S. XIV, lat. tardío *scien-
tifĭcus.*

CIENO, 1490. Del lat. CAENUM 'fango,
cieno'.
DERIV. *Cenagoso,* 1490; *encenagar,* 1417
(encenegar); ciénaga, 1578 *(ciénega,* 1525);
cenagal, 1529. Probablemente *ciénaga* se
sacó de *encenegar* y *cenegoso* y estas palabras se derivaron de *cieno* en fecha ya
muy antigua.

CIENTO, h. 1140; y *cien.* Del lat. CĔN-
TUM íd.
DERIV. *Centavo,* 1869. *Centena; centenar,*
h. 1600; *centenario,* h. 1250, lat. *centenarius*
íd. *Centésimo,* 1438, lat. *centesĭmus; centesimal. Céntimo,* 1884, del fr. *centime* (éste
del lat. CENTESĬMUS). *Centuria,* 1490, lat.
centuria; centurión, 1495. *Porcentaje,* 1936,
tom. del ingl. *percentage,* 1789.
CPT. *Ciempiés,* 1495 *(ciento pies). Doscientos (dozientos,* 1495), lat.. DUCENTI. *Trescientos,* antes *trezientos,* lat. TRECENTI. *Cuatrocientos. Quinientos,* lat. QUINGENTI, etc.
Cultismos: *Centinodia,* 1555, lat. *centinodia,* formado con *nodus* 'nudo'. *Centígrado,
centigramo, centímetro,* 1884, etc. *Centuplicar,* 1765-83; *céntuplo* íd., lat. *centŭplus.*

EN CIERNE o **EN CIERNES:** del sustantivo *cierne* 'el fruto en formación, principalmente en la vid y en los cereales',
1513. Origen incierto, probablemente de
cerner en el sentido de 'lanzar las plantas
el polen fecundante', por comparación del
polen con el polvillo que cae del cedazo al
cerner.

Cierre, V. *cerrar*

CIERTO, 2.ª mitad S. X. Del lat. CĔRTUS
'decidido', 'cierto, asegurado', deriv. de CER-
NĔRE 'decidir'.

DERIV. *Acertar,* 2.ª mitad S. X; *acertijo,*
1726; *acierto,* h. 1600; *desacertado, desacierto,* 1616. *Certero,* 1220-50. *Certeza,* h.
1572. *Certidumbre,* 1240. *Cerciorar,* 1729,
tom. del lat.' tardío *certiorare,* deriv. de
certior, comparativo de *certus. Incierto,*
1444; *incertidumbre.*
CPT. *Certificar,* 1220-50, lat. *certĭfĭcare;
certificación,* 1611; *certificado,* 1705.

CIERVO, S. XIII. Del lat. CĔRVUS.
DERIV. *Cierva,* 1330. *Cerval,* 1251. *Cervato,* 1555; *cervatillo,* S. XV. *Cervino. Cervuno,* 1351. *Cérvido.*

CIERZO, S. XIII. Del lat. CĔRCĬUS, variante antigua de CIRCIUS 'viento Noroeste'.

CIFOSIS, S. XX. Deriv. culto del gr.
kyphós 'encorvado'.

CIFRA, 1495. Del ár. *ṣifr* 'vacío', 'cero':
aplicóse en romance primeramente al cero
y después a los demás guarismos.
DERIV. *Cifrar,* h. 1580; *cifrado. Descifrar,*
h. 1600.

CIGARRA, h. 1250. Relacionado con el
lat. CĬCĀDA íd.; probablemente de una variante *CICĀRA,* que esta voz, de origen mediterráneo, tendría en latín. *Chicharra,* 1580,
alteración del antiguo *chicarro,* 1495 (*chi-
carra),* es forma de origen mozárabe andaluza y toledana.
DERIV. *Cigarral* 'en Toledo, huerta cer-
cada fuera de la ciudad, con árboles fruta-
les y casa para recreo', 1599. por las ciga-
rras que allí abundan. *Cicádidos.*

CIGARRO, 1610. Origen incierto, quizá
deriv. de *cigarra* por comparación con el
cuerpo cilíndrico y oscuro de este animal.
DERIV. *Cigarrero,* 1832; *cigarrera; cigarre-
ría. Cigarrillo.*

CIGOMÁTICO, 1884. Deriv. del gr. *zý-
gōma, -atos,* 'arco cigomático', deriv. de
zygós 'yugo', porque une.

Cigoñal, V. *cigüeña,   Cigua,* V. *ciguato*

CIGUATO, antill., 'el que se ha envenenado comiendo ciertos peces y crustáceos,
que causan palidez intensa y relajación general de las fuerzas', 1780, parece ser palabra aborigen de las Antillas, quizá deriv. de
cigua 'caracol de mar'.
DERIV. *Ciguatera,* 1780. *Aciguatar(se),*
1721.

CIGÜEÑA, S. XIII. Del lat. CĬCŌNĬA íd.
DERIV. *Cigoñuela. Cigoñal* 'pértiga para
sacar agua de los pozos, eneiada sobre un
pie en horquilla', princ. S. XV, por comparación con el largo cuello de la cigüeña.

Ciliar, V. *ceja.*

CILICIO, 1220-50. Tom. del lat. *cĭlĭcĭum* 'pieza de paño fabricada con piel de cabra de Cilicia', 'vestidura áspera, cilicio'.

CILINDRO, 1499, lat. *cylindrus.* Tom. del gr. *kýlindros* íd., deriv. de *kylíō* 'yo ruedo'.
DERIV. *Cilíndrico,* 1620. *Cilindrar;* *cilindrado.*

CIMA 'cumbre', 1490, procedente de la idea de 'sumidad de las plantas' ('rama de árbol', 1220-50, 'punta superior de un mástil', 1330). Del lat. CȲMA 'renuevo o tallo joven de la col y de otras plantas', y éste del gr. *kŷma, -atos,* 'brote, vástago tierno', 'ola, onda', cuyo significado primitivo fue 'hinchazón' (compárese *kŷō* 'estoy encinta').
DERIV. *Cimero,* adj., 1490. *Cimacio,* 1715, del gr. *kymátion,* diminutivo de *kŷma* en el sentido de 'onda'.
CPT. *Encima,* 1251.

CIMARRÓN, amer., 1535, 'alzado, montaraz', aplicado a los indios, negros y animales huidos, 'salvaje, silvestre'; probablemente deriv. de *cima,* por los montes adonde huían los cimarrones; compárese *cerril* y *cerrero.*

CÍMBALO, 1220-50. Tom. del lat. *cȳmbălum* 'especie de platillos, instrumento músico de los antiguos', y éste del gr. *kýmbalon* íd.

CÍMBARA 'especie de guadaña corta y ancha para cortar y podar árboles', 1505 (*zimbarra*). Del ár. hispánico y africano *zebbâra* íd., deriv. de *zábar* 'podar'.

CIMBORRIO, 1601 (*cimborio,* 1575; *cimorro,* h. 1460), 'cuerpo cilíndrico que sirve de base a la cúpula', 'cúpula que remata una iglesia'. Tom. del lat. *cĭbŏrĭum* 'especie de copa', y éste del gr. *kibŏrion* 'fruto del nenúfar de Egipto'.

CIMBRA 'armazón de maderos que sostiene la superficie convexa sobre la cual se van colocando las dovelas de una bóveda' 1524 (*cimbria,* princ. S. XV). Del fr. ant. y dial. *cindre* (fr. *cintre* íd.), deriv. de *cintrer, cindrer* 'disponer en bóveda', que viene probablemente de un lat. vg. CĬNCTŪRARE, deriv. de CINCTURA 'acto de ceñir'. El cambio de *ndr* en *mbr* es una alteración de causa incierta, sin duda debida al influjo de otra palabra, quizá *cimbrear. Cintra* es también cast., de donde *cintrado.*

CIMBRAR, 1509, o **CIMBREAR** 'mover una vara larga u otra cosa flexible vibrándola'. Voz común a los tres romances ibéricos y a algunos dialectos de Oc, con ligeras variantes fonéticas en algunas partes (cat. *fimbrar,* oc. *fi(m)blà*), de origen incierto, probablemente alteración del sinónimo *mimbrear* o *mimbrar,* derivado de *mimbre,* con la inicial cambiada por una causa perturbadora, probablemente contaminación de otra palabra (tal vez *CIMBRA,* por los pisos y bóvedas que se cimbrean o más bien una voz prerromana: vasco *zimaildu* 'volverse flexible' de *zimail, -mitz* 'ramita, vara', bearn. *cible* íd., cat. ant. *cimbre d'oliva*).
DERIV. *Cimbreante. Cimbrón* 'tirón', 'dolor lancinante', amer.; *cimbronazo* 'cintarazo', princ. S. XVII.

Cimbria, V. *cimbra* *Cimbrón, cimbronazo,* V. *cimbrar* *Cimentar,* V. *cimiento*

CIMERA, 1343, 'figura de un animal fantástico que remataba los yelmos', 'penacho'. Tom. del lat. *chĭmaera* 'quimera, animal fabuloso', y éste del gr. *khímaira* íd.; de éste, en su sentido propio, viene el cultismo *quimera,* 1438.
DERIV. *Quimérico,* 1832. *Quimerista,* S. XVIII. *Quimerizar,* 1665.

CIMIENTO, 1220-50. Del lat. CAEMĚNTUM 'canto de construcción, piedra sin escuadrar', deriv. de CAĚDERE 'cortar'; significó también 'argamasa', de donde el cultismo *cemento,* 1884.
DERIV. *Cimentar,* 1220-50. *Cementar; cementación.*

CIMITARRA, 1495. Origen desconocido; se suele derivar del persa y turco *šimšîr* (o *šemšîr*) 'espada', 'cimitarra', lo cual no es posible (a no ser que el vocablo se cruzara con otra palabra que ignoramos).

Cimorra, V. *camorra*

CINABRIO, 1490. Tom. del lat. *cinnabări,* y éste del gr. *kinnábari* íd.

CINAMOMO, 1438, lat. *cinnamōmum.* Tom. del gr. *kinnámōmon* íd.

CINC, 1765-83. Tom. del alem. *zink* íd., por conducto del fr. *zinc.*
CPT. *Cincograbado. Cincografía.*

CINCEL, 1475. Del fr. ant. *cisel* íd. y 'tijeras' (hoy *ciseau*) que sale de *cisoir* íd., por cambio de sufijo; *cisoir* procede del lat. vg. *CAESŌRĬUM* íd., deriv. de CAEDERE 'cortar'; la *n* se debe a influjo de *pincel.* Por cruce con *tenaille* 'tenaza' el fr. *ciseau* se convirtió en *cisaille* 'especie de tijera grande para cortar metal', de donde el cast. *cizalla* h. 1600.
DERIV. *Cincelar,* 1495.

CINCO, 1090. Del lat. vg. CĪNQUE, lat. QUĪNQUE, íd.

DERIV. *Cincuenta,* h. 1140 (*cinquaenta*), lat. QUĪNQUAGĪNTA; *cincuentenario; cincuentón. Quincuagésimo,* 1605, del lat. *quinquagesimus; quincuagésima,* 1737, lat. *quinquagesima dies,* por ser el día quincuagésimo después de la Pascua de Resurrección. *Quinto,* 1115, lat. QUĪNTUS íd.: *quinta* 'quinta parte del botín, entregada al señor de la hueste', 1076, 'quinta parte de los frutos que el arrendador entrega al dueño de una finca', 1611; 'esta misma finca, empleada por el dueño como lugar de recreo', 'finca de recreo', 1611; *quinteto,* S. XIX, del it. *quintetto; quintar,* 1640; *requintar* 'pujar la quinta parte en los arriendos', 1817, etc.; con los compuestos *quintaesencia, quintaesenciar; quíntuplo, quintuplicar. Quintero. Quiñón,* 1082, lat. QUINIO, -ONIS, 'grupo de cinco'.

CPT. *Cincoenrama,* 1555. *Quince,* h. 1140, lat. QUĪNDĒCIM íd., formado con DECEM 'diez'; *quincena, quincenal, quincenario.* Cultos: *Quinquenio,* 1735, lat. *quinquennium,* formado con ANNUS 'año', de donde *quinquenal. Quinientos,* 1122, lat. QUĪNGENTI, formado con CENTUM 'ciento'.

Cincograbado, cincografía, V. *cinc   Cincuenta, cincuentenario, cincuentón,* V. *cinco*

CINCHO, h. 1400. Del lat. CĪNGŬLUM 'cinturón' (deriv. de CINGERE 'ceñir'). El duplicado *cíngulo,* 1490, es cultismo.
DERIV. *Cincha,* h. 1140, del lat. CĪNGŬLA íd. *Cinchar,* S. XV. *Sobrecincho; sobrecincha.*

CINEGÉTICO, fin S. XIX. Tom. del gr. *kynēgetikós* 'relativo a la caza', deriv. de *kynēgétēs* 'cazador', 'el que lleva perros a la caza', cpt. de *kýōn, kynós,* 'perro', y *ágō* 'conduzco'.
DERIV. *Cinegética.*

CINEMÁTICA, h. 1876. Deriv. del gr. *kínēma, -atos,* 'movimiento', que a su vez lo es de *kinéō* 'yo muevo'.
CPT. de dicho sustantivo griego: *Cinematógrafo,* h. 1900, formado con *gráphō* 'yo inscribo, dibujo', y abreviado en *cine; cinematografía, cinematográfico.* De *cine* deriva *cineasta* 'artista técnico cinematográfico'.

Cinerama, V. *panorama   Cineraria, cinéreo, cinericio,* V. *incinerar   Cingiberáceo,* V. *jengibre   Cíngulo,* V. *cincho*

CÍNICO, 1490, lat. *cynĭcus.* Tom. del gr. *kynikós* 'perteneciente a la escuela cínica', propiamente 'de perro, perteneciente al perro', deriv. de *kýōn, kynós,* 'perro'.
DERIV. *Cinismo,* 1884, gr. *kynismós* 'doctrina cínica'. *Apocináceo,* 1867, deriv. del

gr. *apókynon* 'cierta planta empleada para matar perros', deriv. de *kýōn.*

CÍNIFE 'mosquito', 1490. Tom. del lat. *scĭnĭphes* o *ciniphes* íd., procedente, a su vez, del gr. *skníps, sknipós,* o *kníps, knipós,* que designan varias especies de insectos y gusanos que pican o muerden.

Cinismo, V. *cínico*

CINOCÉFALO, 1624. Tom. del gr. *kynoképhalos* íd., cpt. de *kýōn, kynós,* 'perro', y *kephalē* 'cabeza'.

CINOGLOSA, 1832. Tom. del gr. *kynóglōssos,* cpt. de *kýōn, kynós,* 'perro', y *glōssa* 'lengua'.

CINTA, 1012. Del lat. CĬNCTA, participio pasivo femenino de CĬNGĔRE 'ceñir'.
DERIV. *Cinto,* 1490, del lat. CINCTUS, -ŪS, 'acción de ceñir', 'cinturón', 'cintura', deriv. de CINGERE; *cintillo,* 1611. *Cintarazo,* 1607. *Cintura,* h. 1140, del lat. CĬNCTŪRA íd., deriv. de CINGERE; *cinturón,* 1705.

Cintillo, cinto, V. *cinta   Cintra, cintrado,* V. *cimbra   Cintura, cinturón,* V. *cinta*

CIPAYO, 1884. Del persa *sipāhī* 'jinete', 'soldado', tomado en la India por los portugueses y trasmitido por el francés.

CIPERÁCEO, 1899. Deriv. culto del lat. *cypērum* 'juncia', procedente del gr. *kýpeiron* íd.

CIPOTE 'porra', voz regional y americana, 1475 (y *cipotada,* princ. S. XV). Parece ser deriv. de una variante de *cepo* 'pie del tronco de una planta' (lat. CĬPPUS).
DERIV. *Cipotazo. Cipotada.*

CIPRÉS, 1380 (*aciprés,* h. 1300). Tom. del lat. tardío *cypressus* (clásico *cupressus*), cuya *y* se debe al influjo del gr. *kypárissos.*
DERIV. culto: *Cupresíneas.*

Circense, circo, V. *cerco   Circón, circonio,* V. *azarcón   Circuir, circuito,* V. *ir   Circulación, circulante, circular, círculo,* V. *cerco*

CINCUNCIDAR, 1220-50. Tom. del lat. *circumcīdĕre* 'recortar en redondo', 'circuncidar', deriv. de *caedĕre* 'cortar', con prefijo *circum* 'alrededor'.
DERIV. *Circunciso,* 1611. *Circuncisión,* 1570, lat. *circumcisio, -onis.*

CIRCUNDAR, h. 1290. Tom. del lat. *circumdăre* íd., deriv. de *dare* 'dar' con prefijo *circum* 'alrededor'.
DERIV. *Circundante.*

CIRCUNFERENCIA, h. 1440. Tom. del lat. *circumferĕntia* íd., deriv. de *circumferre* 'circunscribir', y éste de *ferre* 'llevar' y *circum* 'alrededor'.
DERIV. *Semicircunferencia.*

Circunflejo, V. *flexible Circunlocución, circunloquio,* V. *locuaz Circunnavegación,* V. *nave Circunscribir, circunscripción, circunscrito,* V. *escribir*

CIRCUNSPECTO, 1592. Tom. del lat. *circumspectus* íd., participio de *circumspicĕre* 'mirar alrededor', deriv. del latín arcaico *specere* 'mirar' (vid. *espectáculo*).
DERIV. *Circunspección,* fin S. XVII.

CIRCUNSTANTE, h. 1440. Tom. del lat. *circumstans, -tis,* 'el que está alrededor', participio de *circumstare* 'estar entorno'.
DERIV. *Circunstancia* 'accidente de tiempo, lugar o modo que acompaña un hecho', h. 1260, del lat. *circumstantia* 'cosas circundantes', neutro plural de dicho participio; *circunstanciado; circunstancial,* 2.ª mitad S. XIX.

Circunvalación, circunvalar, V. *valla Circunvecino,* V. *vecino Circunvenir,* V. *venir Circunvolución,* V. *volver Cirial,* V. *cirio Ciridueña,* V. *celidonia*

CIRIO, 1220-50. Tom. del lat. *cērĕus* 'de cera', 'cirio', deriv. de *cera* 'cera'.
DERIV. *Cirial,* 969.

CIRRO 'tumor duro, especie de cáncer', 1607, lat. *scirrhos.* Tom. del gr. *skirrhós* íd. (del adjetivo *skirrhós* 'duro').
DERIV. *Cirrosis. Cirrótico. Escirroso.*

CIRUELA, 1490 (y 1106 en forma mozárabe), antes *ceruela,* 1438. Del lat. CEREŎLA, abreviación de CEREOLA PRUNA 'ciruelas de color de cera', diminutivo de CERĔUS 'de color de cera', deriv. a su vez del lat. CĒRA, que significa lo mismo que en castellano.
DERIV. *Ciruelo,* h. 1400.

CIRUGÍA, h. 1340, lat. *chirurgĭa* íd. Tom. del gr. *kheirurgía* 'operación quirúrgica', propiamente 'trabajo manual', 'práctica de un oficio', deriv. de *kheirurgós* 'que trabaja con las manos', 'cirujano', cpt. de *khéir* 'mano' y *érgon* 'trabajo'.
DERIV. *Cirujano,* 1570; antes *cirugiano,* SS. XIII-XIV. *Quirúrgico,* 1832, lat. *chirurgĭcus,* gr. *kheirurgikós,* deriv. de los anteriores, en forma más culta.

Cisca, V. *sisca Ciscar,* V. *cisco*

CISCO, 1495, 'detrito', 'residuo de combustión', 'basura', 'excremento'. Palabra común al castellano y al portugués, de origen incierto; en vista de la existencia de variantes fonéticas como *chisca, ciescu, cispar,* etc., inexplicables con toda etimología, es probable que se trate de una voz de creación expresiva, emparentada con la que ha dado *chico,* con el sentido básico de 'cosa insignificante o muy pequeña'.
DERIV. *Ciscar,* 1552.

CISMA, 1398. Tom. del lat. tardío *schisma, -ătis,* íd., y éste del gr. *skhísma, -atos,* 'separación', propiamente 'hendimiento', derivado de *skhízō* 'yo hiendo, parto'.
DERIV. *Cismático,* 1495, lat. tardío *schismaticus.*

Cismontano, V. *monte*

CISNE, S. XIII (*Cisneiros* ya en 1064). Del fr. ant. *cisne* (hoy *cygne*), y éste del lat. vg. CICĬNUS, clásico CYCNUS, tom. del gr. *kýknos* íd.

Cistáceo, V. *cistíneo*

CISTERNA, h. 1350. Tom. del lat. *cĭstĕrna* íd., deriv. de *cista* 'cesta'.

Cisticerco, cístico, V. *quiste*

CISTÍNEO, 1899, o **CISTÁCEO.** Deriv. culto del gr. *kísthos* 'jara'.

Cistitis, cistotomía, V. *quiste Cisura,* V. *escindir Cita,* V. *citar*

CITAR, 1490. Tom. del lat. *cĭtare* 'llamar, convocar', propiamente 'poner en movimiento', 'hacer acudir' (frecuentativo de *ciēre* 'poner en movimiento').
DERIV. *Cita,* 1679. *Citación,* 1495. *Citote* 'intimación que se hace a alguno', antiguamente 'persona que se enviaba para citarle', S. XVII, viene del lat. *citōte* 'llamad, haced venir', que es el plural del futuro de imperativo de dicho *ciere.*

CÍTARA (instrumento músico), h. 1440. Tom. del lat. *cĭthăra,* y éste del gr. *kithára* íd. Con el mismo sentido se tomó en forma semipopular *cítola* (SS. XIII-XV), hoy anticuado en su acepción propia, pero empleado figuradamente en la de 'tablita de madera en el molino harinero que va golpeando mientras el molino funciona, y con su silencio avisa cuando éste se para', h. 1490, de donde 'persona parlanchina', 1612.
DERIV. *Citarista,* 1444.

CITERIOR 'del lado de acá', h. 1520. Tom. del lat. *citerior, -oris,* íd., comparativo de *citra,* empleado como adverbio en el mismo sentido.

Citiso, V. *codeso   Cítola,* V. *cítara
Citoplasma,* V. *plástico   Citote,* V. *citar
Citrato, cítrico, citrón,* V. *cidro*

CIUDAD, h. 1140 (*cibdad*). Del lat. cīvĬ-TAS, -ATIS, 'conjunto de los ciudadanos de un estado o ciudad', 'ciudadanía', deriv. de cīvis 'ciudadano'.
DERIV. *Ciudadano,* 1220-50; *ciudadanía; conciudadano. Ciudadela,* h. 1500, adaptación del it. *cittadella,* diminutivo de *città* 'ciudad'.

Cívico, V. *civil*

CIVIL, 1169. Tom. del lat. cīvīlis 'propio del ciudadano', 'político', deriv. de cīvis 'ciudadano'.
DERIV. *Civilidad,* 1495. *Civilista. Civilizar,* 1765-83; *civilización. Incivil. Cívico,* 1490 (raro hasta 1800), lat. *civicus,* otro deriv. de *civis; civismo,* 1884, del fr. *civisme,* neologismo de la época revolucionaria, 1791.

Civilización, civilizar, civismo, V. *civil
Cizalla,* V. *cincel*

CIZAÑA, S. XIV, 'planta de semilla venenosa que cunde entre los sembrados y les hace mucho daño', de donde figuradamente 'lo que daña a las demás cosas o personas', 'disensión, enemistad'. Del lat. tardío *zizania, -orum,* y éste del gr. *zizánion,* que designan la misma planta.
DERIV. *Encizañar. Cizañero,* 1616.

CLAC 'sombrero de copa alta, o de tres picos, plegable', 1884. Del fr. *claque,* m., íd., deriv. de *claquer* 'crujir, chasquear', 'golpear con las manos', de origen onomatopéyico, por el ruido del clac al plegarse. El mismo origen tiene *claque* 'conjunto de los que en un teatro cobran por aplaudir', S. XX, fr. *claque,* f., íd.

CLADODIO, 1899, 'órgano axilar con apariencia de hoja', deriv. culto del gr. *kládos* 'ramita arrancada', 'rama' (deriv. a su vez de *kláō* 'yo rompo').
CPT. de *kláō* con el gr. *kéras* 'cuerno', 'antena': *cladóceros,* S. XX, 'crustáceos provistos de grandes antenas ramosas'. Otro cpt. de *kláō* es *panclastita,* 1914 o 1899, formado con *pân* 'todo'.

Clamar, V. *llamar*

CLÁMIDE, 1636, lat. *chlamys, -ӯdis.* Tom. del gr. *khlamýs, -ýdos,* íd.

Clamor, clamorear, clamoreo, clamoroso, V. *llamar*

CLAN, S. XX. Del gaélico escocés *clann* 'descendencia, hijos' (por conducto del inglés).

CLANDESTINO, 1553. Tom. del lat. *clandestīnus* 'que se hace ocultamente', derivado de *clam* 'a escondidas'.
DERIV. *Clandestinidad.*

Claque, V. *clac   Clara, claraboya, clarea, clarear, clarete, claridad, clarificar, clarín, clarinete,* V. *claro*

CLARO, h. 1140. Del lat. CLARUS, -A, -UM, íd.
DERIV. *Clara* (de huevo), 1490. *Clarea* (bebida), 1525, probablemente del fr. ant. *claré* íd. *Clarear.
Clarete,* 1591, del fr. ant. *claret* íd. *Claridad,* 1220-50. *Clarín,* med. S. XVI; *clarinete,* 1780, tom. del it. *clarinetto,* S. XVIII, diminutivo de *clarino,* a su vez tomado del cast. *clarín. Aclarar,* 3.ᵉʳ cuarto S. XIII; *aclaración,* 1495. *Esclarecer,* 1438; *esclarecido,* 1444. *Declarar,* 1220-50, tom. del lat. *declarare* 'aclarar', 'declarar'; *declaración,* 1438. *Preclaro,* lat. *praeclarus* 'muy claro', 'muy conocido, muy ilustre'.
CPT. *Claraboya,* 1495, del fr. *claire-voie,* cpt. con *voie* 'vía'. *Clarificar,* med. S. XV, lat. *clarificare. Clarividente,* fin S. XIX, formación imitada del fr. *clairvoyant,* S. XIII, y amoldada al lat. *clarividus* íd., cpt. con *videre* 'ver'; *clarividencia. Claroscuro,* S. XVIII (una vez S. XV, pero con sentido diferente), del it. *chiaroscuro.*

CLASE, 1587. Tom. del lat. *classis* 'clase, grupo, categoría'.
DERIV. *Clásico,* h. 1630, tom. del lat. *classicus* 'de primera clase', que se aplicaba a los ciudadanos no proletarios, y que Quintiliano trasladó ya a los escritores; *clasicismo,* 1884. *Clasificar,* 1832; *clasificación.*

CLAUDIA, *ciruela* —, 1884 (*ciruela reina claudia,* 1765-83). Abreviación del fr. *prune de la reine Claude* íd., así llamada por el nombre de la esposa de Francisco I de Francia (S. XVI).

CLAUDICAR 'proceder defectuosamente', med. S. XVII. Tom. del lat. *claudicare* 'cojear, ser cojo', deriv. de *claudus* 'cojo'.
DERIV. *Claudicación.*

CLAUSTRO, 1209. Tom. del lat. *claustrum* 'cerradura, cierre' (de donde 'lugar cerrado' y 'grupo que se reúne en lugar cerrado'), deriv. de *claudĕre* 'cerrar'.
DERIV. *Claustral,* 1607. *Enclaustrar. Exclaustrar; exclaustración.*

CLÁUSULA, 1220-50. Del lat. *clausŭla* 'conclusión', 'conclusión de una frase' (derivado de *claudĕre* 'cerrar'), de donde 'cada una de las disposiciones de un texto legal, que se alinean sucesivamente formando párrafo, y ante punto y aparte'.

CLAUSURA, 1433. Tom. del lat. *clausūra* 'acto de cerrar', deriv. de *claudĕre* 'cerrar'.
Deriv. *Clausurar*, S. XX.

Clava, clavar, V. *clavo*   *Clavario*, V. *llave*   *Clavazón*, V. *clavo*   *Clave*, V. *llave*

CLAVEL, 1555. Del cat. *clavell* 'flor del clavel', 1460, llamada así por su olor análogo al del *clavell* 'clavo de especia', 1455, acepción que a su vez procede, al parecer, del cat. ant. *clavell* 'clavo de clavar', S. XIII, por comparación de forma (ha sido común dar al clavel, propagado desde Italia a principios del Renacimiento, el nombre del clavo de especias, de donde el it. *garòfano*, mozárabe *carónfal*, fr. *giroflée* 'clavel', del grecolatino CARYÓPHYLLUM, así como el port. *cravo*, ingl. *clove* y alem. *nelke*, que han reunido ambos sentidos).
Deriv. *Clavellina* 'clavel de flores sencillas', h. 1440, del cat. *clavellina* 'planta del clavel', deriv. de *clavell*.

Clavero, V. *clavo* y *llave*   *Clavetear*, V. *clavo*   *Clavicímbalo, clavicordio, clavícula, clavija, clavijero*, V. *llave*

CLAVO, h. 1140. Del lat. CLAVUS íd. Para el clavo de especias, V. CLAVEL.
Deriv. *Clavar*, 1444, del lat. tardío CLAVARE íd.; *clavazón*, 1438. *Clavero* 'árbol que da los clavos de especia'. *Clavete*, 1611; *claveta*, 1623; *clavetear*, 1616. *Desclavar*, h. 1460. *Enclavar*, h. 1250. *Clava* 'cachiporra', h. 1570, tom. del lat. *clava* íd., emparentado con *clavus* en la acepción 'nudo en la madera'.

CLEMÁTIDE, 1555, lat. *clemātis, -ĭdis*. Tom. del gr. *klēmatís, -ídos*, íd., y 'leña de sarmientos', deriv. de *klēma* 'vid', 'sarmiento'.

CLEMENTE, 1490. Tom. del lat. *clemens, -tis*, íd.
Deriv. *Clemencia*, 1220-50, lat. *clemĕntia* íd. *Inclemente*, 1580; *inclemencia*, 1613.

CLEPSIDRA 'reloj de agua o de arena', 1765-83, lat. *clepsȳdra*. Tom. del gr. *klepsȳdra* íd., cpt. de *hýdōr* 'agua' con *kléptō* 'yo robo', en el sentido de 'sustraer furtivamente', 'dejar escurrir'. Otros compuestos del mismo verbo griego son *cleptomanía, cleptomaníaco, cleptómano*, S. XX, en cuya formación entra el gr. *manía* 'locura'.

Cleptomanía, cleptómano, V. *clepsidra*
Clerecía, clerical, clérigo, clerizonte, V. *clero*

CLERO, 1487. Tom. del lat. tardío *clerus* 'conjunto de los sacerdotes', y éste del gr.

klêros 'lo que toca a uno en suerte' y, en el lenguaje bíblico, 'clero', seguramente por un calco del hebreo *naḥalah* 'parte que toca en suerte a alguno', por ser en cierto modo posesión de Jehová la tribu de Leví, que constituía el clero entre los hebreos.
Deriv. *Clérigo*, 1495, tom. del lat. *clericus* 'miembro del clero'. *Clerecía* ant. 'el clero', 'la clase intelectual', 1220-50. *Clerizonte*, 1700, antes *clerizón*, 1264, b. lat. *clericio, -onis*, 840. *Clerical*, 1553; *clericalismo*, S. XIX.

CLIENTE, 1490. Tom. del lat. *cliens, -tis*, 'persona defendida por un patrón', 'protegido'.
Deriv. *Clientela*, 2.ª mitad S. XVI.

CLIMA, h. 1250. Tom. del lat. *clima, -ǎtis*, 'cada una de las grandes regiones en que se dividía la superficie terrestre por su mayor o menor proximidad al Polo', propiamente 'inclinación o curvatura de dicha superficie desde el Ecuador al Polo', y éste del gr. *klíma* íd. (deriv. de *klínō* 'inclino').
Deriv. *Climático*, S. XX (y ya en 1599, pero como voz poco usada); a menudo sustituido bárbaramente por *climatérico*, de otro sentido. *Aclimatar*, h. 1800; *aclimatación*.
Cpt. *Climatología; climatológico*.

CLÍMAX 'gradación retórica', princ. S. XIX, lat. *climax, -ǎcis*. Tom. del gr. *klímax, -akos*, 'escala, escalera', 'gradación', deriv. de *klínō* 'inclino'.
Deriv. *Climatérico*, 1616, 'relativo a una época crítica', tom. del gr. *klimaktērikós* íd., deriv. de *klimaktēr* 'escalón, peldaño', 'en la vida de alguien, momento difícil de superar', a su vez deriv. de *klímax* (emplear *climatérico* por *climático* es barbarismo común, pero muy disparatado).

Clin, V. *crin*

CLÍNICO, 1884, lat. *clinǐcus*. Tom. del gr. *klinikós* 'que visita al que guarda cama', deriv. de *klínē* 'cama', y éste a su vez de *klínō* 'inclino'; tom. por conducto del francés, 1696.
Deriv. *Clínica*, 1832 (en fr. ya 1626).
Cpt. *Policlínica*, 1914; se aplicó primeramente a establecimientos públicos que aspiraban a servir para toda una ciudad (gr. *pólis*), y como las policlínicas estaban atendidas por muchos especialistas se tomó después en el sentido de 'clínica común de varios doctores', como si fuese compuesto de *polýs* 'mucho'.

CLÍPER, h. 1900. Tom. del ingl. *clipper* íd., deriv. de *clip* 'cortar con tijeras', por la rapidez con que hiende las olas; posteriormente aplicado a aviones.

Clisar, V. *clisos*

CLISÉ, 1884. Tom. del fr. *cliché* íd., de formación onomatopéyica.

CLISOS, caló, 'los ojos', 1896, y **CLISAR** 'mirar'. Parece sacado del verbo dialectal *clisarse* 'quedarse mirando algo fijamente', princ. S. XIX, 'embobarse', y éste de *eclipsarse*.

CLÍTORIS, 1765-83. Tom. del gr. *kleitorís* íd.

CLOACA, 1546 (*cloaga*, S. XIV). Tom. del lat. *cloāca* íd.

Cloquear, cloqueo, V. *clueca*

CLORO, 1884. Tom. del gr. *khlōrós* 'verde claro', 'verde amarillento'.
Deriv. *Clorato. Clórico. Cloruro*; *clorurar, clorurado*; *protocloruro. Clorídeas*, derivado culto del gr. *Khlōrís, -ídos*, nombre de la diosa de las flores y de la vegetación. *Clorosis*, 1765-83, otro deriv. de *khlōrós*; *clorótico*.
Cpt. *Clorhídrico*, cpt. de *cloro* con la primera parte de la voz *hidrógeno*; *hiperclorhidria, -ídrico. Cloroformo*, del mismo con el radical de *fórmico*; *cloroformizar. Clorofila*, cpt. del gr. *khlōrós* con *phýllon* 'hoja'.

CLUB, med. S. XIX. Del ingl. *club* íd.

CLUECA, 1495 (*qalúqa*, S. XIII, en hispanoárabe), y el provincial *llueca*. De una forma *CLŌCCA, del romance hispánico primitivo, onomatopeya de la voz de la clueca.
Deriv. *Cloquear*, 1495. *Enclocarse*, 1611.

En cluquillas, V. *cuclillas (en)*

CO-, prefijo que puede agregarse a muchas palabras indicando unión o compañía (*coautor, coacreedor, coacusado*, etc.).

COACCIÓN, 1729. Tom. del lat. *coactio, -onis*, 'acción de forzar', deriv. de *cogĕre* 'constreñir, forzar' (participio *coactus*), derivado de *agere* 'conducir, empujar'.
Deriv. *Coaccionar*, h. 1915. *Coactivo*, 1595, lat. *coactivus* íd.

Coactivo, V. *coacción*   *Coadjutor*, V. *ayudar*   *Coadunar*, V. *uno*   *Coadyuvante, coadyuvar*, V. *ayudar*   *Coagulación, coagular, coágulo*, V. *cuajo*

COALICIÓN, 1832. Del fr. *coalition*, y éste del inglés, que a su vez lo formó como deriv. de su verbo *coalesce*, tom. del lat. *coalescĕre* 'crecer juntamente', 'juntarse', derivado de *alescere* 'brotar', y éste de *alĕre* 'alimentar'; de *coalition* derivó también el vocabulario político francés un verbo *coaliser*, que algunos han imitado bárbaramente diciendo *coaligar*, 1885, en castellano.

COARTAR, 1438. Tom. del lat. *coartare* íd., deriv. de *artare* 'apretar', 'reducir', y éste de *artus* 'estrecho'.
Deriv. *Coartada*, S. XVIII.

COBA 'halago, conversación que se da a alguno para halagarle', h. 1880; 'gallina', 1780. Voz jergal de origen incierto. Quizá deriv. del verbo romance (cat., arag., it., fr.) *covar* 'empollar' (procedente del lat. CŬBARE 'acostarse'); a no ser que se trate de un deriv. de la antigua voz de germanía *coba* 'moneda de a real' (1572), en el sentido de 'dar cosas de poco valor' (entonces *coba* 'real' y *coba* 'gallina' serían de origen desconocido).

COBALTO, 1832 (*cobalt* en dicc. castellano del S. XVIII). Del alem. *kobalt* íd., variante de *kobold* 'duende', por la creencia de los mineros, que consideraban sin valor este metal y creían que un duende lo ponía en lugar de la plata que había robado.

COBARDE, 1251. Del fr. ant. *coart* íd. (hoy *couard*), deriv. de *coe* 'cola', probablemente porque el cobarde vuelve la cola o huye.
Deriv. *Cobardía*, 1330. *Acobardar*, 1539.

COBAYA, h. 1643, o **COBAYO**, amer., 'conejillo de Indias'. Voz americana de origen incierto; quizá de una variante del tupí *sabúia, çabuia*, con olvido de la cedilla.

Cobertera, cobertizo, cobertor, cobertura, V. *cubrir*.

COBIJAR 'albergar, acoger en un edificio', 1490, antes 'tapar con cualquier abrigo', h. 1400, y particularmente con ropa de cama, S. XV. Origen incierto; probablemente deriv. de *cobija* 'cubierta de cama', med. S. XVI (todavía americano y andaluz), y éste del lat. CŬBĪLĬA 'lecho, yacija', plural de CŬBĪLE 'sitio donde se acuesta una persona o animal'.
Deriv. *Cobijo*, 1884. *Cobijamiento*.

Cobra, V. *culebra*   *Cobranza, cobrar*, V. *recobrar*

COBRE, 1220-50. Del lat. CŬPRUM íd., procedente del gr. *Kýpros*, nombre propio de la isla de Chipre, donde se obtenía en abundancia este metal.
Deriv. *Cobrizo*, S. XVIII. Cultismos: *Cúprico*; *cuproso*.
Cpt. *Cuprífero. Cuproníquel*.

Cobro, V. *recobrar*

COCA 'cierto arbusto del Perú, y su hoja, de donde se saca la cocaína', h. 1550. Del quich. *cuca* íd., que a su vez quizá proceda del aimara. DERIV. *Cocaína*, S. XIX. No tiene que ver con esta palabra el sudamericano *cocaví* 'provisión de víveres para un viaje', del quich. *ccoccaui* íd.

Coca 'cabeza', V. *descocado*

CÓCCIX, med. S. XIX. Tom. del gr. *kókkyx, -ygos*, íd., propiamente 'cuclillo'. DERIV. *Coccígeo*.

Cocear, V. *coz*

COCER, 1220-50. Del lat. CŎQUĔRE íd. (COCERE en latín vulgar). DERIV. *Cocido. Cocimiento*, 1570. *Escocer*, 1556; *escocedura*; *escozor*, 1616. *Recocer*. Cultismos: *Cocción*, S. XVIII. *Decocción*, 1438.

COCIENTE, 1709. Tom. del b. lat. *quotiens, -tis*, y éste del adverbio lat. *quotiens* 'cuántas veces'.

COCINA, 947. Del lat. COQUĪNA íd. (COCINA en latín vulgar). DERIV. *Cocinar*, 1490, lat. COQUINARE íd. *Cocinero*, 1220-50.

COCO 'fantasma que se figura para meter miedo a los niños', 1554 (en Portugal ya en 1518). Voz infantil, de creación expresiva. Al 'fruto del cocotero', 1526, le dieron este nombre los compañeros de Vasco de Gama en la India en 1500 por comparación de la cáscara y sus tres agujeros con una cabeza con ojos y boca, como la de un cóco o fantasma infantil. DERIV. *Cocotero* 'palmera de cocos', 1843, probablemente tom. del fr. *cocotier*, empleado en las Antillas francesas desde 1701, y deriv. del fr. *coco* (préstamo del castellano) según un procedimiento normal en este idioma. De la misma raíz expresiva, en otros sentidos, deriva *coquito* 'ademán o gesto que se hace a un niño para que ría', S. XVIII, 'fruto de una especie de palma'.

COCODRILO, 1251. Tom. del lat. *crocodīlus*, y éste del gr. *krokódeilos* íd.

CÓCORA 'persona molesta en demasía', 1816. Voz familiar de origen incierto, probablemente variante de *clueca* en el sentido de 'persona achacosa, inútil', que tiene el adjetivo familiar y antiguo *clueco*; quizá *cócora* se sacó del verbo *encocorar* 'fastidiar, molestar', 2.º cuarto S. XIX, variante de *encocrar*, S. XX, por *enclocar* 'hacer volver clueco'.

Cocotero, V. *coco*

COCUYO 'luciérnaga grande', amer., 1535. Voz aborigen de Santo Domingo.

Cochambre, cochambrero, cochambroso, V. *cochino*

COCHE, 1548. Es incierto si procede del húngaro *kocsi* o del eslovaco *koči* íd. (que se pronuncian igual). DERIV. *Cochero*, 1604; *cochera*, 1611.

COCHINILLA, 1555, 'insecto americano del cual se extrae la grana colorante'. Origen incierto; aunque la documentación coetánea localiza la grana en América, el vocablo no parece ser indigenismo indiano, si bien en el Nuevo Mundo se aplicó este nombre a una variedad de grana americana; más bien parece ser de origen romance, y quizá ya procedente de España, con la forma primitiva *conchilila*, derivado mozárabe del gr. *konkhýlion* 'concha', pues *concilla* (S. XIII) se empleó allí en el sentido de 'púrpura' y 'cochinilla'.

COCHINO, 1330. Deriv. de la interjección *¡coch!*, empleada en muchas lenguas para llamar al cerdo. DERIV. *Acochinar. Cochinada. Cochinilla* 'crustáceo terrestre que se cierra en forma de bola', 1587 (diferente de la cochinilla de la grana, V. esta palabra). *Cochambre* 'suciedad', 1611, derivado del antiguo *coche* por 'cochino'; *cochambroso*, S. XVIII, *cochambrero*.

Cocho, V. *cochura*

COCHURA, 1220-50. Deriv. del antiguo *cocho* 'cocido' (todavía empleado en los SS. XVI y XVII), lat. COCTUS. Comp. *SANCOCHAR*.

Coda, V. *cola I*

CODASTE 'madero puesto verticalmente sobre el extremo de la quilla, inmediato a la popa, al cual va sujeto el timón', 1526. Origen incierto, probablemente de *cadaste* (así en port.) y éste del lat. CATASTA 'andamio, tablado'.

Codazo, codear, V. *codo*

CODEÍNA, 1884. Deriv. culto del gr. *kōdeia* 'cabeza de la adormidera'.

CODESO, 1386. Probablemente del lat. vg. CŬTĬSUS, lat. CYTISUS, y éste del gr. *kýtisos* (aunque existen pequeñas dificultades fonéticas).

Códice, V. *código*

CODICIA. Primitivamente *cobdicia*, principios del S. XIII. Tom. del b. lat. *cŭpĭdĭtĭa*, deriv. del lat. *cŭpĭdus* 'codicioso'.
DERIV. *Codiciar*, 1220-50. *Codicioso* 1220-50.

Codicilo, V. *código* *Codicioso*, V. *codicia*

CÓDIGO, 1490. Tom. del lat. *codex, -ĭcis*, 'libro', aplicado por antonomasia al código de Justiniano y después a otras fuentes legales. *Códice*, 1433, es duplicado culto, con el sentido de 'manuscrito' (como lo eran todos los libros en la Antigüedad).
DERIV. *Codicilo*, 1374, lat. *codicillus*, diminutivo de *codex* en el sentido de 'testamento'.
CPT. *Codificar*, 1884, tom. del fr. *codifier*, que se extendió gracias al esfuerzo codificador de Napoleón; *codificación*.

Codillo, V. *codo*

CODO, h. 1140. Del lat. *cŭbĭtus* íd.
DERIV. *Acodar*, 1495; *acodadura*, 1495; *acodo. Codazo*, 1539. *Codear*, 1495; *còdeo. Codillo*, 1620; *acodillar. Recodo*, 1737. *Cubital*, deriv. culto.

CODORNIZ, S. XIII. Del lat. COTŬRNIX, -ĭcis, íd.

Coeficiente, V. *efecto*

COERCER, 1884, 'contener, refrenar'. Tom. del lat. *coercēre* 'reprimir', deriv. de *arcere* 'encerrar, contener'.
DERIV. *Coerción*, 1780, del lat. *coercitio, -onis. Coercitivo*, 1843. *Coercible; incoercible*.

Coetáneo, V. *edad* *Coexistir*, V. *existir*

COFA, 1745, 'meseta colocada horizontalmente en lo alto de un mástil'. Del cat. *cofa*, 1331, 'espuerta', 'cenacho', 'cofa', y éste del ár. *qúffa* 'espuerta', 'canasto', por comparación con el tejido de cuerdas que formaba las cofas de los navíos antiguos.
DERIV. *Cofín*, 1495, del cat. *cofí* 'cenacho, serón', 1284, diminutivo de *cofa* íd.

COFIA, h. 1140. Del lat. tardío COFIA íd., de origen incierto, acaso germánico.

Cofín, V. *cofa* *Cofrade, cofradía*, V. *fraile*

COFRE, h. 1400. Del fr. *coffre* íd., y éste del lat. CŎPHĬNUS 'cesta', tom. a su vez del gr. *kóphinos* íd.
DERIV. *Encofrar. Cofrecillo*, princ. S. XV.

COGER, 1074. Del lat. COLLĬGĔRE 'recoger', 'allegar' (deriv. de LEGERE 'coger', 'escoger').
DERIV. *Cogida*, 1720. *Acoger*, h. 1140; *acogedor; acogimiento. Encoger*, 1220-50; *encogido. Escoger*, h. 1140; el prefijo *es-* conserva ahí la fuerza del lat. EX-: *escoger* primitivamente fue 'coger de entre (varios)'; *escogido. Recoger*, 1495, lat. RECOLLIGERE; *recogida; recogido; recogimiento*, 1495. *Sobrecoger*, 1737; *sobrecogedor; sobrecogimiento*.

COGOLLO 'cima del pino', 'brote de árbol u otra planta', 1495; 'lo interior y más apretado de la lechuga, berza y otras hortalizas', h. 1400. Del lat. CŬCŬLLUS 'capucho', por comparación de forma con el remate o brote de una planta.
DERIV. *Acogollar*.

COGOTE, 1490, también *cocote*, forma hoy vulgar pero antes de uso normal, S. XVI. Palabra emparentada con oc. *cogòt*, cat. ant. *coc*, íd.: probablemente voces derivadas de la popular *coca* 'cabeza', 1604, y su familia, palabra de creación expresiva.
DERIV. *Cogotera. Cogotudo. Acogotar*, 1613 (*acocotar*).

COGUJADA 'especie de alondra con un moño en la cabeza', h. 1400. Del lat. vg. *CŬCULLIATA* 'provista de capucho o copete', deriv. del lat. CŬCULLUS 'capucho'.

COGULLA 'hábito que visten varios religiosos', 1220-50. Del lat. tardío CŬCULLA 'capucho', 'capa con capucho' (deriv. del clásico CUCULLUS íd.). *Cucurucho* 'capirote de penitente', princ. S. XVII, 'papel revuelto, rematado en punta por un lado, para llevar mercancías', 1693, parece resultar de un cruce de *cogulla* con *corocha*, 'especie de casaca o capa', h. 1360, del lat. vg. CROCEA 'vestido de color azafranado'.

COHECHAR 'sobornar, corromper a un funcionario público', 1209 (en la forma antigua *confeitar*). Del lat. vg. *CONFECTARE* 'acabar', 'negociar', deriv. del lat. CONFĬCĔRE íd.
DERIV. *Cohecho* 'soborno', 'exacción ilícita', h. 1400, antes *confecho* 'transacción, arreglo de un asunto', S. XIII.

Coherencia, coherente, cohesión, cohesivo, V. *adherir*

COHETE, 1488 (en Aragón; en Castilla no aparece hasta el S. XVI). Origen incierto, probablemente del cat. *coet* íd., 1474, deriv. del cat. ant. y dial. *coa* 'cola' (hoy cat. *cua*).

COHIBIR 'reprimir, embarazar', fin S. XVII. Tom. del lat. *cohĭbēre* 'refrenar, reprimir' (compárese *prohibir*).
DERIV. *Cohibido. Cohibición.*

COHOMBRO 'especie de pepino', 1490, antiguamente *cogonbro*, 1219. Del lat. CŬCŬMIS, -ĔRIS. íd.

Cohonestar, V. *honor*

COHORTE 'división de una legión romana', 1545. Tom. del lat. *cohors, -tis*, íd.

COIMA 'paga del garitero', S. XVII, arg. 'dinero que se paga para corromper a alguno'. Del port. *coima* 'multa, pena pecuniaria que paga alguien', antes *cooymha*, derivado de *cooymhar* 'tomar testimonio de una falta punible', 'multar', del lat. CALUMNIARI 'acusar, calumniar'.
DERIV. *Coimero* 'dueño del garito', 1599; *coime* íd., 1609, y 'mozo de billar'; *coima* 'amante', proptc. 'dueña' (comp. el fr. *maîtresse*).

COITO, 1438. Tom. del lat. *coĭtus, -ūs*, íd., deriv. de *coīre* 'juntarse', 'ayuntarse carnalmente'.

Cojear, cojera, V. *cojo*

COJÍN 'almohadón', 1380. Del lat. vg. *COXĪNUM* íd., deriv. de CŌXA 'cadera', porque sirve para sentarse encima; probablemente por conducto del cat. *coixí* íd.
DERIV. *Cojinete*, 1765-83, adaptación del fr. *coussinet* íd.

COJO, 1014. Del lat. vg. COXUS íd., quizá deriv. de CŌXA 'cadera'.
DERIV. *Cojear*, 1330. *Cojera*, 1570. *Encojar*.
CPT. *Cojitranco*, 1620 (-*ca*, 1611), formado con *atrancar* 'dar trancos'.

COL, 1219. Del lat. CAULIS, m., 'tallo', 'col'. Deriv. cultos: *Caulescente. Acaule* 'sin tallo'.
CPT. *Coliflor*, 1765-83, tom. del it. dial. *caolifior* íd. (it. *cavolfiore*, cpt. de *cavolo* 'col' y *fiore* 'flor'). *Cauliforme*.

COLA I 'rabo', 1220-50. De una variante del lat. CAUDA íd.; probablemente se trata de una forma *CŌLA, también conservada en dialectos del Sur de Italia, y que ya pudo existir en latín vulgar. *Coda* 'adición al final de una pieza de música', tom. del it. *coda* íd., propiamente 'cola'; *cauda* 'cola de la capa consistorial' es latinismo.
DERIV. *Colear*, 1495. *Coleta*, 1490; *coletazo*; *coletilla*, 1607. *Colilla*, 1555. De *cauda*: *caudado, caudato; caudatario; caudal* 'relativo a la cola'.

CPT. *Caudatrémula.*

COLA II 'pasta para pegar', 1490. Tom. del gr. *kólla* 'goma', 'cola'.
DERIV. *Encolar*, 1490. *Colodión*, fin S. XIX, deriv. culto del gr. *kollṓdēs* 'pegajoso', a su vez deriv. de *kólla*.
CPT. *Coloide*, S. XX; *coloidal. Icticola*, 1734, o *ictiocola*, gr. *ikhthyókolla*, formado con *ikhthýs* 'pez'.

COLA III 'semilla de un arbol ecuatorial, muy estimada por sus cualidades tónicas', S. XX. De una lengua indígena del África occidental.

Colaboración, colaborar, V. *labor*

COLACIÓN 'comida, especialmente la ligera', med. S. XIV, 'cotejo', 'acción de conferir un grado o beneficio', 1599. Tom. del lat. *collatio* 'acción de aportar o comparar', deriv. de *conferre* 'aportar un contingente de víveres', 'comparar', 'conferir'.
DERIV. *Colacionar. Colar* 'conferir', 1495.

Colada, coladero, colador, V. *colar* *Colagogo*, V. *cólera* *Colapso*, V. *lapso* *Colar* 'conferir', V. *colación*

COLAR, 1220-50, 'pasar un líquido por un coladero', 'blanquear la ropa metiéndola en lejía caliente', *colarse* 'introducirse furtivamente', 1679. Del lat. CŌLĀRE 'pasar por coladero', deriv. de COLUM 'coladero'.
DERIV. *Colada*, 1495. *Coladero*, 1495. *Colador*, 1604. *Trascolar*.

Colateral, V. *lado*

COLCÓTAR 'color rojo formado con peróxido de hierro', 1765-83. Del ár. hispánico *qolqotâr* 'vitriolo amarillo', 'caparrosa'.

COLCHA 'cobertura de cama', 1495; antes 'colchón para echarse o sentarse en el suelo', med. S. XV. Del fr. ant. *colche* 'yacija, lecho' (hoy *couche*), deriv. de *colchier* 'acostar' (hoy *coucher*), lat. COLLOCARE.
DERIV. *Colchón*, 1490; *colchonero*, 1611; *colchoneta. Acolchar*, med. S. XVIII.

Colear, V. *cola* I

COLECCIÓN, 1573. Tom. del lat. *collectio, -ōnis*, íd., deriv. de *colligĕre* 'recoger', 'allegar'.
DERIV. *Coleccionista. Coleccionar*, 1884. *Colecta*, 1553, lat. *collecta*, neutro plural del participio *collectus* de *colligere*; *colectar*, 1611. *Colectivo*, 1490, lat. *collectivus*; *colectividad; colectivismo. Colector*, 1611. *Recolección*, med. S. XV, lat. *recollectio, -ōnis*, de *recolligere* 'recoger'. *Recolectar. Reco-*

leto, h. 1600, de *recollectus,* participio de *recolligere,* con el significado 'el que se recoge en sí mismo'.

Colecta, colectividad, colectivo, colector, V. *colección* Colédoco, V. *cólera*

COLEGA, 1545. Tom. del lat. *collēga* 'compañero en una magistratura', 'colega'. DERIV. *Colegio,* 1433, lat. *collegium* 'conjunto de colegas, asociación'; *colegial,* 1495; *colegiata,* S. XVIII.

COLEGIR, 2.º cuarto S. XV. Tom. del lat. *collĭgĕre* 'recoger, coger', 'allegar', con paso de la idea de 'recoger' a la de 'relacionar' y 'deducir'.

COLEÓPTERO, 1884. Tom. del gr. *koleópteros* íd., cpt. de *koleós* 'vaina' y *pterón* 'ala', por los élitros que recubren las alas de estos insectos.

CÓLERA, f., 'ira', h. 1572, y antes 'bilis', 1251. Tom. del lat. *cholĕra* 'bilis' y 'enfermedad causada por la bilis', procedente del gr. *kholéra* íd., que deriva de *kholĕ* 'bilis'; en el sentido de 'cólera-morbo (enfermedad)', masculino, 1843. DERIV. *Colérico,* 1438. *Encolerizar,* 1605. CPT. *Cólera-morbo,* 1765-83. *Colagogo,* gr. *kholagōgós* íd., cpt. de *kholĕ* y *ágō* 'empujo, pongo en marcha'. *Colédoco,* gr. *kholēdókhos* 'que contiene la bilis'.

COLETO, 1591. Del it. antic. *colletto* 'vestidura de cuero que cubría pecho y espalda y se llevaba bajo la coraza', deriv. de *collo* 'cuello'.

COLGAR, h. 1140. Del lat. COLLŎCARE 'situar', 'colocar' (deriv. de LOCUS 'lugar'). DERIV. *Colgador,* 1604. *Colgadura,* 1495. *Colgajo,* 1495. *Colgandero,* fin S. XIX, antes *colgadero* íd. 1604. *Colgante. Descolgar,* 2.º cuarto S. XIII.

Colibacilo, V. *cólico*

COLIBRÍ 'pájaro mosca', 1843 (en el S. XVIII *colibre* o *calibre*). Del fr. *colibri* íd., 1640, de origen incierto. Es palabra procedente de las Antillas francesas.

CÓLICO, 1495. Tom. del lat. *cōlĭcus morbus* íd., deriv. de *colon,* que procede a su vez del gr. *kôlon* 'colon (parte del intestino)', propiamente 'miembro en general'; de éste se tomó el cast. *colon,* S. XVIII. DERIV. de *colon: colitis* 'inflamación del colon'. CPT. *Colibacilo,* lat. *coli bacillum* 'bacilo del colon'.

Coliflor, V. *col* *Coligar,* V. *ligar* *Colilla,* V. *cola* I

COLIMACIÓN, S. XX. Tom. de *collimatio, -onis,* íd., falsa lectura en lugar del lat. *collineatio,* deriv. de *linea,* con el significado de 'acción de poner en línea'.

COLINA, 1623. Del it. *collina* 'loma extensa y algo elevada', deriv. de *colle* 'colina', que procede del lat. CŎLLIS íd.; entró como palabra de soldados.

Colindante, colindar, V. *límite*

COLIRIO, 1251, lat. *collȳrĭum.* Tom. del gr. *kollýrion* íd.

Coliseo, V. *coloso*

COLISIÓN 'choque', 1580. Tom. del lat. *collisio, -ōnis,* íd., deriv. de *collĭdĕre* 'chocar' (que a su vez lo es de *laedere* 'herir').

Colitis, V. *cólico* *Colmado, colmar,* V. *colmo*

COLMENA 'casa de las abejas', 1174. Voz típica del castellano y el portugués, de origen incierto, probablemente prerromano; quizá de un célt. *KOLMĒNĀ, deriv. de KŎLMOS 'paja' (de donde vienen, por una parte, el bret. *kôlô* y galés *calaf* íd., y por la otra el leonés *cuelmo* íd., 1605); se trata primitivamente del tipo de colmena hecha de paja, muy antiguo y arraigado en la Península. DERIV. *Colmenar,* 1495. *Colmenero,* 1495. *Colmenilla,* fin S. XIX.

COLMILLO 'diente canino', 1251. Del lat. tardío y vulgar COLUMĒLLUS íd., deriv. de COLUMELLA 'columnita', por la forma cilíndrica de estos dientes. DERIV. *Colmilludo,* 1604.

COLMO, sust., 'lo que sobresale', 1490 (y más tarde adjetivo 'lleno del todo', princ. S. XVII). Del lat. CŬMŬLUS 'montón', 'colmo, exceso'. DERIV. *Colmar,* 1495, del lat. CŬMŬLARE 'amontonar', 'llenar'; el sustantivo *colmado* 'figón o tienda donde se sirven comidas especiales, principalmente mariscos', 'tienda de comestibles', 'especie de cabaret', S. XX, no parece ser deriv. de *colmar,* sino de *cuelmo* 'paja de techar' (para el cual vid. *COLMENA*).

COLOCAR 'situar', S. XIV. Tom. del lat. *collocare* íd. (comp. *COLGAR*). DERIV. *Colocación,* 1607.

COLOCASIA, 1765-83, lat. *colocasĭa*. Tom. del gr. *kolokasía* íd. Comp. *CARQUEJA*.

Colodión, V. *cola* II

COLODRA (vasija de madera), 1060. Origen incierto, acaso prerromano. DERIV. *Colodro* íd., S. XIII. *Colodrillo* 'cogote', 2.ª mitad S. XIII, propiamente 'concavidad del occipucio'.

COLOFÓN 'anotación al final de los libros', 1884. Tom. del gr. *kolophṓn, -ŏnos*, 'cumbre', 'remate, fin de una obra'. DERIV. *Colofonia* 'resina translúcida sacada de la trementina', 1555, lat. *colophonĭa*, gr. *kolophōnía* íd., propiamente adjetivo gentilicio de la ciudad jonia de Colofón, de donde procedía esta resina, y cuyo nombre significaba 'cumbre'..

Coloidal, coloide, V. *cola* II   *Colon*, V. *cólico*

COLONO, 1618. Tom. del lat. *colōnus* 'labriego', 'labrador que arrienda una heredad', 'habitante de una colonia'. DERIV. *Colonia*, h. 1570; en el sentido de agua aromática, S. XX, es abreviación de *agua de Colonia*, que se refiere a la ciudad alemana de Colonia, antigua colonia romana; *coloniaje*, 1883; *colonial*, 1843; *colonizar*, 1843, *colonización*.

COLOQUÍNTIDA (planta cucurbitácea), 1490, lat. tardío *coloquinthĭda*. Tom. del gr. *kolokynthís, -ídos*, íd.

Coloquio, V. *locuaz*

COLOR, h. 1140. Del lat. COLOR, -ŌRIS, íd. DERIV. *Colorar*, 1330; *colorado* 'rojo', 1438, antes 'adornado, compuesto', 1220-50. *Coloración; colorante. Colorete*, 1843, según el modelo de *blanquete* (V. éste y *blanquibol* en *BLANCO*). *Colorido*, sust., 1685 (adj., 1580). *Colorín* 'jilguero', 1605. *Colorismo. Descolorar*, 1495; *-ado*, 1220-50; *descolorir* y *descolorido*, 1570. *Decoloración*, del fr. *décoloration. Incoloro.* CPT. *Tricolor.*

COLOSO, h. 1580, lat. *colossus*. Tom. del gr. *kolossós* 'estatua colosal'. DERIV. *Colosal*, 1765-83. *Coliseo*, nombre del grandioso anfiteatro romano, 1545, se tomó del it. vulgar *Colisèo*, alteración no bien explicada del gr. *kolossiáios* 'colosal'.

CÓLQUICO (hierba medicinal), 1555, lat. *colchĭcum*. Tom. del gr. *kolkhikón* íd., derivado de *Kólkhos* 'Cólquide, país ribereño del Mar Negro'.

COLUMBRAR 'divisar a lo lejos', 1555. Aparece primeramente como voz de germanía. Probablemente modificación fonética (apoyada por el influjo de *vislumbrar*) de *culmbrar* resultante de un CULMINARE derivado del lat. CULMEN, -INIS, 'cumbre, altura', en el sentido primitivo de 'divisar desde un lugar alto' (tal como *otear* deriva de la raíz de *otero*); reducción de *culmbrar* es *acumbrar* 'divisar' empleado al parecer en la Mancha, pues de allí pasó al valenciano fronterizo de la zona Bocairente-Villena.

COLUMNA, 1220-50. Tom. del lat. *colŭmna* íd. DERIV. *Columnata. Intercolumnio.*

COLUMPIAR, 1475, 'mecer en un columpio'. Es *columbiar* en dialectos americanos y leoneses, y *columbarse* 'zambullirse' en otras hablas de esta zona: éstos son la forma y sentido primitivos, por las zambullidas que da el columpio. Pasa por ser procedente del gr. *kolymbáō* 'me zambullo', pero esto es muy incierto, dada la extrema rareza de las palabras populares de origen griego; tanto más cuanto que hay llamativa coincidencia con el vasco *pulunpatu* 'zambullirse, sumergir', 'agitarse (hablando del agua)', y el navarro *bolimbiar*, que proceden del lat. vg. *PLUMBIARE* (de donde oc. *plombiar*, fr. *plonger*, ingl. *plunge*), derivado de PLUMBIO 'somorgujo'; es posible que en castellano el vocablo se propagase partiendo de un *polumbiar* o *polumpiar* del romance cantábrico, y en otras zonas castellanas se alterara en *columpiar* por cruce con el dialectal *capuzar* (vid. *CHAPUZAR*), empleado en Aragón, Murcia, Almería, etc., y tomado del cat. *ca(p)bussar*. DERIV. *Columpio* 'aparato para mecerse', h. 1400.

COLLADO 'depresión entre montañas', princ. S. XIX, antes 'colina, otero', 1011, sentido todavía general en los clásicos. Del lat. CŎLLIS íd. Más que de un verdadero deriv. debe de tratarse de un compuesto COLLIS LATUS 'colina ancha', soldado desde antiguo.

Collar, V. *cuello*

COLLEJA 'silene inflata', 1505 (y *caulilla* o *colella* en mozárabe desde h. 1100). Del lat. vg. CAULĬCŬLA (lat. CAULICULUS 'col pequeña'), diminutivo de CAULIS 'col'; la *l* pasó a *ll* por asimilación a la antigua articulación palatal de la *j*.

COMA I (signo de puntuación), 1495, lat. *cŏmma* 'miembro del período', 'coma'. Tom. del gr. *kómma* 'fragmento', 'miembro corto de un período del discurso'. DERIV. *Entrecomar. Comĭlla; entrecomillar.*

COMA II 'sopor profundo de un enfermo', 1884. Término médico tom. del gr. *kôma, -atos,* 'sueño profundo'.
·DERIV. *Comatoso.*

Comadre, comadrear, comadreja, comadrona, V. *madre   Comandante, comandita, comanditario,* V. *mandar   Comarca, comarcal, comarcano,* V. *marcar   Comatoso,* V. *coma* II

COMBA, f., 1573, 'convexidad o concavidad', 'inflexión que toman algunos cuerpos cuando se encorvan'. Palabra de origen dialectal en castellano (leonesa o mozárabe), probablemente emparentada con el lat. gálico *cŭmba* 'vallecito' (fr. *combe,* etc.), que parece ser de origen céltico (galés *cwm* 'valle profundo').
DERIV. *Combar,* 1534; *combadura,* 1534. *Combo,* adj. 1577.

Combate, combatiente, combatir, combativo, V. *batir.*

COMBÉS 'parte de la cubierta del navío', h. 1575. En portugués *convés* o *converso.* Parece ser deriv. de *conversar,* por ser el lugar donde platican los tripulantes.

COMBINAR 'unir cosas diversas', 1599. Tom. del lat. tardío *combīnāre* íd., deriv. de *bini* 'dos cada vez'.
DERIV. *Combinación,* 1594.

Combo, V. *comba*

COMBUSTIBLE 'que se puede quemar', princ. S. XVII. Deriv. culto del lat. *combūrĕre* 'quemar'.
DERIV. de esta voz latina: *Combustión,* 1780, lat. *combustio, -ōnis.*

COMEDIA, 1438. Tom. del lat. *comoedía,* y éste del gr. *kōmōídía* íd., cpt. de *kômos* 'fiesta con cantos y bailes', y *áidō* 'yo canto'.
DERIV. *Comediante,* 1607, formado en italiano (*commediante*). *Cómico,* h. 1440, lat. *cōmĭcus,* gr. *kōmikós* íd., deriv. de dicho *kômos; comicidad.*
CPT. *Comediógrafo,* fin S. XIX.

COMEDIDO 'cortés', 1495, propiamente 'mesurado, moderado por reflexión'. Deriv. de *comedirse,* h. 1140, primitivamente 'pensar, reflexionar', después 'ofrecerse a hacer algo, anticiparse espontáneamente a prestar un servicio', med. S. XVI, acepción hoy americana y todavía usual en España en el S. XVII; procede del lat. COMMETIRI 'pensar', 'moderar', propiamente 'medir un conjunto de cosas, confrontar' (deriv. de METIRI 'medir').

DERIV. *Comedimiento* 'cortesía', 1570, antes 'meditación', fin S. XIV. *Descomedido,* 1599.

Comediógrafo, V. *comedia   Comedirse,* V. *comedido   Comedor,* V. *comer*

COMEJÉN 'insecto tropical que roe la madera, cuero, lienzo, etc.', 1535. Del arauaco de las Antillas.

Comendador, V. *mandar   Comensal,* V. *mesa*

COMENTAR, 1495. Tom. del lat. *commentari* íd., propiamente 'meditar', 'ejercitarse' (de la raíz de *mens, mentis,* 'mente, pensamiento').
DERIV. *Comentador,* 1438. *Comentario,* h. 1440, lat. *commentarium; comentarista. Comento,* 1438.

COMENZAR, princ. S. XIII. Del lat. vg. *COMINITIARE íd., deriv. del lat. INITIARE 'iniciar', 'instruir', que en la época cristiana ya significa 'empezar'.
DERIV. *Comienzo,* 1220-50.

COMER, h. 1140. Del lat. COMĔDĔRE íd. (deriv. de ĔDĔRE íd.).
DERIV. *Comedor* 'el que come', 1251; 'lugar donde se come', 1604. *Comestible,* 1780, tom. del lat. tardío *comestibilis* íd. *Comida,* 1490; *comidilla. Comilón,* 1495; quizá procedente del lat. COMĔDO, -ŌNIS, íd., de donde *comelón* (hoy vulgarismo muy extendido en América); *comilona. Comistrajo,* 1780; *comistrajear. Comezón* 'picazón', h. 1400, del lat. COMESTIO, -ŌNIS, 'acción de comer'. *Concomerse* 'sentir comezón', 'hacer como quien se estrega', 1581; *concomio,* princ. S. XVII; *reconcomerse, reconcomio,* 1693.

COMERCIO, h. 1580. Tom. del lat. *commĕrcĭum* íd., deriv. de *merx, -cis,* 'mercancía'.
DERIV. *Comerciar,* 1544; *comerciante,* 1680. *Comercial,* med. S. XVII.

Comestible, V. *comer*

COMETA 'astro cabelludo', 1444, lat. *comēta.* Tom. del gr. *komḗtēs* íd., deriv. de *kómē* 'cabellera'. Por comparación se aplicó a un juguete volante de figura análoga, S. XVIII.

Cometer, cometido, V. *meter   Comezón,* V. *comer   Comicidad,* V. *comedia*

COMICIOS, 1612, 'elecciones'. Tom. del lat. *comitia,* plural de *comitium* 'lugar donde se reunía el pueblo', cpt. de *ire* 'ir' y *com-* 'juntamente'.

Cómico, V. comedia   Comida, comidilla, V. comer   Comienzo, V. comenzar   Comilón, comilona, V. comer   Comilla, V. coma I

COMINO (semilla aromática empleada como condimento), S. XIII. Del lat. CŬMĪNUM, y éste del gr. kýminon íd. Cúmel 'licor alemán a base de comino', del alem. kümmel 'comino', 'cúmel', procedente de la misma palabra latina.
DERIV. Cominear. Cominero, 1832.

COMISARIO, 1511. Deriv. del lat. committere (participio commissus) 'confiar (algo a alguno)'. (V. cometer, art. METER.)
DERIV. Comisaría y comisariato, S. XVIII.

COMISIÓN, 1438, 'encargo', 'retribución que se paga por un encargo comercial', 'conjunto de personas encargadas de entender en un asunto'. Tom. del lat. commissio, -ōnis, deriv. de committere 'confiar, encargar' (V. cometer, art. METER).
DERIV. Comisionar. Comisionario. Comisionista.

Comistrajo, V. comer

COMISURA 'punto de unión de los labios, párpados, etc.', 1570. Tom. del lat. commǐssūra íd., deriv. de committere 'juntar' (V. cometer, art. METER).

COMITÉ 'comisión de personas', S. XX. Del ingl. committee íd., propiamente 'aquel a quien es confiado algo', deriv. de commit 'confiar', tom. del lat. committere íd. (V. cometer, art. METER). De este verbo latino viene el cast. comitente 'aquel que pone algo a cargo de otro'.

Comitente, V. comité

COMITIVA 'acompañamiento', princ. S. XVII. Tom. del lat. tardío comitiva dignitas 'categoría de acompañante del emperador', deriv. de comes, -ĭtis, 'compañero' (V. CONDE).

CÓMITRE 'persona encargada de dar órdenes a la tripulación', h. 1260 (palabra rara hasta el S. XV). Alteración de *cómite (por influjo de contramaestre), tom. del lat. comes, -ĭtis, 'compañero', porque el cómitre acompañaba necesariamente al almirante, de quien era segundo; por conducto del cat. còmit 'cómitre'.

COMO, adv. y conj., S. X. Del lat. QUŌMŎDŎ íd. (lat. vg. QUOMO).

CÓMODO, 1535. Tom. del lat. cŏmmŏdus 'apropiado, oportuno' (deriv. de mŏdus 'manera').

DERIV. Comodidad, 1517. Comodín, 1832. Comodón. Cómoda, 1780, del fr. commode, f., abreviación de armoire commode. Acomodar, 1535; acomodación; acomodadizo; acomodador; acomodaticio; acomodo. Incómodo, med. S. XVI; incomodidad; incomodar, 1734. Comodato, lat. commodatus, -us, íd., deriv. de commodare 'prestar'; comodatario.

COMODORO, 1884, 'capitán de navío que manda más de tres buques'. Del ingl. commodore, que a su vez viene del fr. commandeur 'comandante'.

COMPACTO 'de consistencia apretada', 1817. Tom. del lat. compactus íd., propiamente participio de compingere 'ensamblar, unir' (deriv. de pangere 'clavar, fijar').

Compadecer, V. padecer   Compadre, compadrón, V. padre   Compaginación, compaginar, V. página   Compaña, V. compañero

COMPAÑERO, 1081. Deriv. del antiguo y dialectal compaña 'compañía', procedente del lat. vg. *COMPANĬA, deriv. de PANIS 'pan', en el sentido de 'acción de comer de un mismo pan'. De la misma combinación procede el lat. tardío COMPANIO, -ŌNIS, 'compañero', de donde compaño y compañón, equivalentes anticuados de compañero.
DERIV. Compañía, 1220-50. Acompañar, h. 1140; acompañamiento; acompañante. Compañerismo.

Compañía, V. compañero

COMPARAR, h. 1340. Tom. del lat. comparare íd. (deriv. de parare 'disponer').
DERIV. Comparable. Comparación, S. XIII. Comparativo, 1438.

Comparecencia, comparecer, comparendo, comparsa, V. parecer   Compartidor, compartimiento, compartir, V. parte

COMPÁS, 1490 (instrumento geométrico; 'ritmo, medida'). Deriv. del antiguo compasar 'medir', 1220-50, palabra común a las varias lenguas romances, que a su vez deriva del lat. passus 'medida de un paso'.
DERIV. Acompasar. Descompasar, 1495.

Compasión, compasivo, compatible, V. padecer   Compatriota, V. padre

COMPELER 'obligar', princ. S. XIV. Tom. del lat. compellĕre 'empujar en bloque', 'acorralar, reducir' (deriv. de pellere 'empujar').
DERIV. Compulsión 'acción de obligar', S. XVIII, lat. compulsio, de compulsus, participio de compellere. Compulsivo. Compul-

sar 'cotejar entre sí dos textos con fuerza legal', 1539, lat. *compulsare* 'hacer que dos cosas choquen una con otra'; *compulsa*, S. XVIII.

COMPENDIO 'resumen', 1438. Tomado del lat. *compendium* 'ahorro', 'abreviación' (deriv. de *pendere* 'pagar').
DERIV. *Compendiar*, 1729. *Compendioso*, 1611.

Compenetrarse, V. *penetrar*

COMPENSAR, princ. S. XV. Tom. del lat. *compensare* íd., propiamente 'pesar juntamente dos cosas hasta igualarlas', deriv. de *pensare* 'pesar'.
DERIV. *Compensación*, 1607. *Recompensar*, 1495; *recompensa*.

COMPETIR 'contender aspirando a una misma cosa', S. XV. Tom. del lat. *competĕre* 'ir al encuentro una cosa de otra', 'pedir en competencia', 'ser adecuado, pertenecer' (deriv. de *petere* 'dirigirse a', 'pedir'); tiene el mismo origen *competer* 'pertenecer, incumbir', 1495.
DERIV. *Competente* 'adecuado', 'apto', princ. S. XV; *competencia*, fin S. XVI. *Competidor*, 1495.

Compilar, V. *recopilar* *Compinche*, V. *pinchar* *Complacencia*, *complacer*. V. *placer*

COMPLEJO, 1625, con su variante *complexo*. Tom. del lat. *complexus* 'que abarca', participio del verbo *complector* 'yo abarco, abrazo'. Sust., h. 1920.
DERIV. *Complejidad*. *Complexión*, h. 1250, lat. *complexio, -onis*, 'conjunto, ensambladura', 'complexión, temperamento'.

Complicar, *cómplice*, V. *plegar*

COMPLOT 'conspiración,   ga', med. S. XIX. Del fr. *complot* íd.

Componenda, *componer*, V. *poner* *Comporta*, *comportamiento*, *comportar*, V. *portar* *Composición*, *compositor*, *compostura*, V. *poner*

COMPOTA 'dulce de fruta', 1780. Del fr. *compote* íd., femenino del fr. ant. *compost*, *-oste*, 'compuesto', del lat. *compositus*, participio de *componere* 'componer'.

COMPRAR, 1095. Del lat. vg. *COMPĔRARE* íd., clásico COMPĂRARE 'adquirir, proporcionar' (deriv. de PARARE íd.).
DERIV. *Compra*, 1102. *Comprador*.

Comprensible, *comprensión*, *comprensivo*, V. *prender* *Compresa*, *compresión*, *compresor*, V. *comprimir*

COMPRIMIR 'apretar', h. 1440. Tom. del lat. *comprimĕre* íd. (deriv. de *premere* íd.).
DERIV. *Comprimido*. *Compresa*, fin S. XIX, lat. *compressa*, participio femenino de *comprimere*. *Compresión*, 1433. *Compresivo*. *Compresor*

Comprobación, *comprobante*, *comprobar*, V. *probar* *Comprometer*, *compromisario*, *compromiso*, V. *meter* *Compuerta*, V. *puerta* *Compuesto*, V. *poner* *Compulsa*, *compulsar*, *compulsión*, *compulsivo*, V. *compeler*.

COMPUNGIDO 'atribulado, dolorido'. fin S. XVI, participio de *compungir*. Tom. del lat. *compungere* 'atravesar de parte a parte' (deriv. de *pungere* 'punzar').
DERIV. *Compunción*, 1611.

Computación, *computar*, *cómputo*, V. *contar*

COMULGAR, 1220-50, 'dar o recibir la sagrada comunión' (antiguamente *comungar*, S. XIII). Del lat. COMMŪNĬCARE 'comunicar', que en la baja época se empleaba ya en el sentido de 'comulgar'.
DERIV. *Descomulgar*, 1220-50, *Comunión*, 1107 (sacramento; comunidad); tom. del lat. *communio, -ōnis*, 'comunidad', deriv. de *communis* 'común', como lo es *communicare*. *Excomunión* 'acto de descomulgar', 1432.

COMÚN, 1220-50. Del lat. COMMŪNIS íd.
DERIV. *Comunal* 'común', 1220-50; *descomunal* 'extraordinario', 1330. *Comunero*, 1370. *Comunidad*, h. 1440. *Comunismo*, 1884; *comunista*, med. S. XIX. *Comunicar*, 1438, tom. del lat. *communicare* 'compartir', 'tener comunicaciones (con alguien)'; *comunicación*, h. 1440; *comunicado*; *comunicante*; *comunicativo*, S. XVI.
CPT. *De mancomún*, 1203, contracción de *mano común*, propiamente 'con una misma mano'; *mancomunar*, 1605; *mancomunidad*, 1735.

Comunicar, V. *común* *Comunión*, V. *comulgar*

CON, S. X. Del lat. CŬM íd.
CPT. *Conque*, princ. S. XVII.

CONATO 'intento', 1583. Tom. del lat. *conatus, -us*, 'esfuerzo', 'tentativa', deriv. de *conari* 'prepararse (para algo)', 'emprenderlo'.

Concatenación, V. *cadena* *Concausa*, V. *causa* *Concavidad*, V. *cóncavo*

CÓNCAVO, h. 1440. Tom. del lat. *cŏncăvus* íd., deriv. de *căvus* 'hueco' (de donde *cavidad*).
Deriv. *Concavidad,* h. 1440.

CONCEBIR, 1220-50, 'quedar preñada', 'formar idea'. Del lat. CONCĬPĔRE íd., propiamente 'absorber, contener' (deriv. de CAPERE 'coger').
Deriv. *Concepción,* 1438, tom. del lat. *conceptio, -onis,* íd. *Concepto,* h. 1460, tom. del lat. *conceptus, -us,* 'acción de concebir', 'pensamiento'; *conceptista,* 1605; *conceptual, conceptualismo*; *conceptuar,* med. S. XVII; *conceptuoso,* 1620. *Preconcebir.*

Conceder, V. *ceder*

CONCEJO 'ayuntamiento, municipio', S. X. Del lat. CONCĬLĬUM 'reunión', 'asamblea'. De éste por vía culta sale *concilio,* h. 1260.
Deriv. *Concejal,* 1362; *concejalía. Concejil,* 1371. De *concilio: Conciliar,* adj., 'ordenado por un concilio'. *Conciliar,* v., 1495, 'componer, concertar opiniones opuestas', lat. *conciliare* íd., propiamente, 'unir, asociar'; *conciliador; conciliación,* 1607; *conciliábulo,* 1490, lat. *conciliabulum* 'lugar de reunión'. *Reconciliar,* 1449; *reconciliación.*

Conceller, V. *consejo Concentración, concentrado, concentrar, concéntrico,* V. *centro Concepción, conceptismo, concepto, conceptual, conceptuar, conceptuoso,* V. *concebir*

CONCERNIENTE, 1491, participio activo del verbo raro *concernir* 'atañer', princ. S. XV, tom. del b. lat. *concernere* íd., derivado de *cernere* 'cerner, distinguir' en el sentido de 'mirar'.

CONCERTAR, 1251, 'acordar, pactar', 'componer, poner de acuerdo'. Del lat. CONCERTARE 'debatir, discutir', y primitivamente 'combatir, pelear' (deriv. de CERTARE 'luchar').
Deriv. *Desconcertar,* 1495; *desconcertante*; *desconcierto,* 1495. *Concierto* 'convenio, acuerdo', h. 1400; la ac. musical, 1655, se imitó del italiano; *concertante*; *concertista.*

Concesión, concesivo, V. *ceder Conciencia, concienzudo,* V. *ciencia Concierto,* V. *concertar Conciliábulo, conciliación, conciliar, concilio,* V. *concejo*

CONCISO 'expresado con las menos palabras posibles', 1606. Tom. del lat. *concīsus* íd., propiamente 'cortado', participio de *concīdĕre* 'cortar en pedazos'.
Deriv. *Concisión,* 1490, lat. *concisio, -onis.*

Concitar, V. *excitar Concludadano,* V. *ciudad*

CONCLAVE 'lugar donde los cardenales se encierran para elegir papa', 'la junta que celebran con este objeto', 1444. Tom. del lat. *conclāve* 'cuartito, habitación pequeña'.

CONCLUIR, 1220-50. Tom. del lat. *concludĕre* 'cerrar', 'encerrar', 'terminar', derivado de *claudere* 'cerrar'.
Deriv. *Concluyente. Conclusión,* med. S. XIII, lat. *conclusio. Conclusivo,* 1705. *Concluso,* h. 1520. Otros deriv. de *claudere,* de formación parecida: *Excluir,* 1438, del lat. *excludĕre* 'cerrar afuera, cerrar la puerta (a alguno)'; *exclusión,* 1611, lat. *exclusio*; *exclusivo,* 1832; *exclusiva,* 1640; *exclusive,* del adverbio b. lat. *exclusīvē* 'con exclusión'; *exclusivismo, exclusivista*; del participio latino EXCLŪSA procede el fr. *écluse* 'esclusa', de donde el cast. *esclusa,* 1580, tom. durante las guerras de Flandes. *Incluir,* 1515 (*encloír,* 1223), del lat. *includĕre* 'encerrar dentro de algo'; *inclusión*; *inclusivo*; *inclusive,* 1492, del adverbio b. lat. *inclusive* 'con inclusión'; *incluso,* princ. S. XV (el empleo adverbial es muy reciente). *Ocluir,* del lat. *occludĕre* 'cerrar', 'cerrar con llave'; *oclusión*; *oclusivo. Recluir,* h. 1440, del lat. tardío *recludere* 'encerrar'; *reclusión,* 1626; *recluso, -a,* 1444.

Conclusión, concluyente, V. *concluir Concomerse, concomio,* V. *comer Concomitancia, concomitante,* V. *conde Concordancia, concordar, concordato, concorde, concordia,* V. *corazón Concreción,* V. *concreto*

CONCRETO 'no abstracto', 2.ª mitad S. XIII. Tom. del lat. *concrētus* 'espeso, compacto', participio de *concrescĕre* 'crecer por aglomeración', 'espesarse, endurecerse'.
Deriv. *Concretar,* h. 1760. *Concreción,* 1832, lat. *concretio, -onis* 'agregación, materia'.

Concubina, concubinato, V. *cubil Conculcar,* V. *calcar*

CONCUPISCENCIA, h. 1440. Tom. del lat. *concupiscentia* íd., deriv. de *concupiscere* 'desear ardientemente' (a su vez deriv. de *cupĕre* 'desear').

Concurrencia, concurrente, concurrir, concurso, V. *correr*

CONCUSIÓN, 1580, 'exacción hecha por un funcionario en provecho propio', 'conmoción violenta'. Tom. del lat. *concussio, -onis,* 'agitación, sacudida', 'extorsión', derivado de *concŭtĕre* 'sacudir a fondo, hacer vacilar' (deriv. de *quătĕre* 'sacudir').
Deriv. *Concusionario. Inconcuso* 'firme, inatacable', 1648, lat. *inconcussus* íd., negativo de *concussus,* participio de *concutere.*

CONCHA, 1186. Del lat. tardío CONCHŬ-LA, diminutivo del lat. CONCHA 'concha', y éste del gr. *kónkhē* íd.

DERIV. *Conchero. Conchudo. Desconchar, desconchado.*

CPT. *Conquiliólogo,* del gr. *konkhýlion* (diminutivo de *kónkhē*) con *lógos* 'tratado'; *conquiliología.*

CONCHABARSE 'ponerse de acuerdo para algún fin', fin S. XV, *conchabar* 'ajustar, contratar los servicios de una persona', amer. Parece haber significado originariamente 'acomodarse varias personas en un mismo lugar', h. 1440, y proceder de un verbo lat. CONCLAVARI 'acomodarse en una habitación', deriv. de CONCLĀVE 'habitación íntima y reservada'.

DERIV. *Conchabo* 'contrato', amer.

Conchero, conchudo, V. *concha*

CONDE, 999 (*komde*). Del lat. CŎMES, -ĬTIS, 'compañero', que en el Bajo Imperio se aplicó a los nobles que vivían en el palacio imperial y acompañaban al soberano en sus expediciones, y acabó por convertirse en el nombre de un escalón determinado de la jerarquía feudal.

DERIV. *Condado,* 943. *Condal,* 1780. *Condesa,* 1085; *condesil. Concomitar,* 1537, tom. del lat. *concomitari* 'acompañar', deriv. del sentido primitivo de dicho *comes; concomitante,* S. XVII; *concomitancia,* 1438.

CPT. *Condestable,* princ. S. XV, b. lat. *comes stabuli* 'conde encargado del establo real' (por conducto del cat. o del fr.). *Vizconde,* h. 1260, b. lat. *vice comitis* 'en lugar del conde'; *vizcondado.*

Condecir, V. *decir   Condecoración, condecorar,* V. *decente   Condena, condenación, condenado, condenar,* V. *daño   Condensación, condensar,* V. *denso   Condesa,* V. *conde   Condescendencia, condescender,* V. *descender   Condestable,* V. *conde*

CONDICIÓN, 1219. Tom. del lat. *condĭcĭo, -ōnis,* 'estipulación o circunstancia esencial para que algo suceda', 'estado o manera de ser (de algo o alguien)'.

DERIV. *Condicional,* 1495. *Condicionar,* med. S. XVII. *Acondicionar,* 1504.

CÓNDILO, 1884, lat. *condȳlus.* Tom. del gr. *kóndylos* 'juntura, articulación'.

CONDIMENTO, 1555. Tom. del lat. *condimentum* íd., deriv. de *condire* 'sazonar, aderezar (manjares)'.

DERIV. *Condimentar,* 1780.

Condolencia, V. *doler   Condominio,* V. *dueño   Condonar,* V. *donar*

CÓNDOR, h. 1554. Del quich. *cúntur* íd.

Conducción, concudente, conducir, conducta, conductible, conducto, conductor, V. *aducir   Conducho,* V. *condumio*

CONDUMIO 'manjar que se come con pan', 1601. Origen incierto; probte. aplicación figurada de un lat. vg. *CONDOMIUM* 'accesorios, pertenencias', deriv. del lat. tardío CONDŎMA 'la casa con sus pertenencias', que lo es a su vez de DOMUS 'casa'. Llaman la atención por la fecha muy tardía de *condumio* y el hecho de que hasta entonces se había dado siempre a la misma cosa el nombre de *conducho,* h. 1140 (del lat. CONDUCTUM, participio de CONDUCERE, en el sentido de 'acompañar un alimento a otro'). Al parecer *CONDOMIUM* fue especializando su sentido en el de *condumio* bajo el influjo del roce secular con *conducho,* que tanto se le parecía.

Conectar, V. *anejo*

CONEJO, 1130. Del lat. CŬNĬCŬLUS íd., voz de origen ibérico en latín, con el sentido primitivo de 'galería subterránea, madriguera'; comp. vasco *untxi, kui* 'conejo', mozárabe *conchair* 'especie de galgo'.

DERIV. *Conejera. Trasconejarse,* 1739.

Conexión, conexo, V. *anejo   Confabulación, confabular,* V. *hablar*

CONFALÓN, 'estandarte de la Iglesia', 1463, del it. *confalone* íd., y éste del fráncico GUNDFANO 'pendón de batalla', cpt. de GUND 'combate' y FANO 'bandera'.

CONFECCIÓN, S. XVI (*confasión,* 1251). Tom. del lat. *confectio, -ōnis,* 'composición, preparación', deriv. de *conficere* 'componer', y éste de *facere* 'hacer'.

DERIV. *Confeccionar,* h. 1490.

Confederación, confederar, V. *federar*

CONFERIR, med. S. XIII, 'tratar entre varias personas un negocio', 'asignar a uno un empleo o derechos'. Tom. del lat. *conferre* íd., propiamente "llevar junto con' (deriv. de *ferre* 'llevar').

DERIV. *Conferencia* 'plática entre varios para tratar de un negocio', 1611: *conferenciar,* 1787; *conferenciante; conferencista,* amer.

CONFESAR, 1220-50. Tom. del b. lat. *confessare* íd., deriv. del lat. *confiteri* (part. *confessus*), y éste de *fateri* íd.

DERIV. *Confesable. Confeso,* 953, lat. *confessus,* part. pasado activo de *confiteri. Confesión,* 1220-50, lat. *confessio. -ōnis,* íd.; *confesional; confesionario,* 1526, o *confesonario,* 1717. *Confesor,* 1220-50.

Confeti, V. *confite   Confianza, confiar,* V. *fiar   Configuración,* V. *figura   Con-*

fin, confinado, confinamiento, confinar, V. *fin* Confirmación, confirmar, confirmativo, V. *firme* Confiscación, confiscar, V. *fisco*

CONFITE, 1330. Del cat. *confit* 'confite', antiguamente íd. y 'dulce de fruta', fin S. XIII, procedente del lat. CONFĔCTUM, participio pasivo del verbo CONFĬCĔRE 'elaborar', 'componer' (deriv. de FACERE 'hacer'). *Confeti*, S. XX, del it. *confetti*, plural de *confetto* 'confite', del mismo origen que dicha voz catalana; el confeti ha reemplazado hoy a los confites que se arrojaban antes en las fiestas carnavalescas.
DERIV. *Confitar*, 1534, cat. *confitar*, 1489. *Confitero*, 1495; *confitería*, 1611. *Confitura*, 1552, cat. íd.

Conflagración, V. *flagrante* Conflicto, V. *afligir* Confluencia, confluir, V. *fluir* Conformación, conformar, conforme, conformidad, conformista, V. *forma* Confortable, confortante, confortar, V. *fuerte* Confraternidad, confraternizar, V. *fraile* Confrontación, confrontar, V. *frente* Confundir, confusión, confuso, V. *fundir* Congelación, congelar, V. *hielo* Congénere, V. *género* Congenial, congeniar, V. *genio* Congénito, V. *engendrar*

CONGESTIÓN 'acumulación', S. XVI. Tom. del lat. *congestio, -ōnis*, íd., deriv. de *congerĕre* 'amontonar'.
DERIV. *Congestionar. Congestivo.*

Conglomeración, conglomerado, V. *aglomerar*

CONGOJA, 1495. Tom. del cat. *congoixa* íd., procedente del lat. vg. CONGŬSTĬA 'angostura', deriv. de CONGŬSTUS 'angosto', contracción de COANGUSTUS, forma que a su vez deriva del lat. clásico ANGUSTUS íd., bajo el influjo del verbo COANGUSTARE. El origen catalán, explicable por el influjo de la lírica trovadoresca y catalana sobre la antigua poesía castellana, en particular el Marqués de Santillana y su escuela, se comprueba por la fecha más antigua del vocablo en aquel idioma, por el tratamiento fonético, y por la ausencia en castellano del primitivo *congost* 'angostura', muy vivo en catalán.
DERIV. *Congojar*, 1490, o *acongojar*, 1600; *congojoso*, 1490.

Congraciar, V. *gracia* Congratulación, congratular, V. *grado* II Congregación, congregante, congregar, V. *agregar*

CONGRESO, 1684. Tom. del lat. *congressus, -ūs*, 'entrevista, reunión', deriv. de *congrĕdi* 'encontrarse', y éste de *gradi* 'andar'.
DERIV. *Congresista*.

CONGRIO, 1330. Del lat. CONGER íd. (acusativo CONGRUM); la *i* se explica por influjo astur-leonés.

CONGRUENTE, 1515. Tom. del lat. *congrŭens, -tis*, 'conforme, congruente', participio de *congrŭĕre* 'ser congruente, concordar'.
DERIV. *Congruencia*, 1596. *Congruo*, med. S. XV, lat. *congrŭus* íd. *Incongruente*; *incongruencia*.

Cónico, conífero, conirrostro, V. *cono*

CONIZA, 1555, lat. *conyza*. Tom. del gr. *kónyza* íd.

Conjetura, V. *abyecto* Conjugación, conjugar, V. *yugo* Conjunción, conjuntiva, conjuntivitis, conjunto, V. *junto* Conjura, conjuración, conjurado, conjurar, conjuro, V. *jurar* Conllevancia, conllevar, V. *llevar* Conmemoración, conmemorar, conmemorativo, V. *remembrar* Conmensurable, conmensurar, V. *medir* Conmilitón, V. *militar* Conminación, conminar, V. *amenaza* Conmiseración, V. *mísero* Conmoción, conmovedor, conmover, V. *mover* Conmutación, conmutar, V. *mudar* Connatural, connaturalizar, V. *nacer*

CONNIVENCIA, 1617, 'tolerancia para una acción condenable', 'confabulación'. Tom. del lat. *coniventia* íd., propiamente 'guiño de los ojos', deriv. de *conivēre* 'cerrar los ojos', 'dejar hacer con indulgencia' (de la misma raíz que *nictare* 'guiñar').

Connotación, connotar, V. *nota* Connubio, V. *nupcias*

CONO, 1490, lat. *cōnus*. Tom. del gr. *kônos* 'cono', 'piña'.
DERIV. *Cónico*, 1729.
CPT. *Conífero*, propiamente 'que lleva piñas'. *Conirrostro*, con el lat. *rostrum* 'pico de ave'. *Conoide*; *conoidal*.

CONOCER, 1055. Del lat. COGNŌSCĔRE (lat. vg. CONOSCERE), deriv. de NOSCERE íd.
DERIV. *Conocimiento*, h. 1250. *Cognoscible*, 1495, deriv. culto. *Desconocer*, 1220-50; *desconocimiento*; *desconocido*. *Reconocer*, h. 1280; *reconocimiento*.
Cognoscitivo, 1610. *Incógnito*, hacia 1490, tom. del lat. *incognĭtus* íd., negativo de *cognitus*, participio pasivo de *cognoscere*; *incógnita*.

Conoidal, V. *cono* Conque, V. *con* Conquiliología, conquiliólogo, V. *concha*

CONQUISTA, 1220-50. Propiamente participio femenino del antiguo *conquerir* 'conquistar', h. 1140, del lat. CONQUĪRĔRE 'buscar por todas partes, hacer una búsqueda'.

DERIV. *Conquistar*, h. 1334; *conquistador*, 1604; *reconquista*, 1838; *reconquistar*, fin S. XVIII.

Consabido, V. *saber* — *Consagración*, *consagrar*, V. *sagrado* — *Consanguíneo*, *consanguinidad*, V. *sangre* — *Consciente*, V. *ciencia* — *Conscripto*, V. *escribir* — *Consecución*, *consecuencia*, *consecuente*, *consecutivo*, *conseguir*, V. *seguir*

CONSEJO, h. 1140. Del lat. CONSĬLĬUM 'consejo, parecer', 'asamblea consultiva', propiamente 'deliberación, consulta' (del mismo origen que *cónsul*).
DERIV. *Aconsejar*, h. 1140. *Conseja*, 1330, propiamente 'cuento moral', 'máxima', de CONSILIA, plural de CONSILIUM por la moraleja con que era costumbre terminarlas. *Consejero*, 1076. *Conceller*, del cat. *conseller* 'concejal' (aludiendo al Consejo de Ciento, que gobernaba la ciudad de Barcelona). *Desaconsejar*.

Consenso, *consentido*, *consentir*, V. *sentir*

CONSERJE, h. 1700, 'portero de un palacio'. Del fr. *concierge* 'portero', voz de origen desconocido.
DERIV. *Conserjería*.

CONSERVAR, 1220-50. Tom. del lat. *consĕrvare* íd. (deriv. de *servare* íd.).
DERIV. *Conserva*, 1495. *Conservación*, 1438. *Conservador*, 1505; *conservadurismo*. *Observar*, med. S. XVI, lat. *observare* 'guardar, vigilar', 'examinar atentamente', 'respetar, cumplir'; *observación*, 1605; *observante*, *observancia*; *observatorio*. *Preservar*, 1438, lat. tardío *praeservare* íd.; *preservación*; *preservativo*. *Reservar*, 1444, lat. *reservare* íd.; *reserva*, 1633, *reservista*; *reservado*.

CONSIDERAR, fin S. XIV. Tom. del lat. *considĕrare* 'examinar atentamente', primitivamente sería 'examinar los astros en busca de agüeros' (deriv. de *sidus* 'constelación', 'estrella').
DERIV. *Considerable*. *Consideración*, princ. S. XV. *Considerando*, propiamente gerundio con que se introduce cada una de las razones. *Desconsiderado*, *desconsideración*. *Reconsiderar*, amer.

Consigna, *consignación*, *consignar*, *consignatario*, V. *seña* — *Consiguiente*, V. *seguir*

CONSISTIR, h. 1400. Tom. del lat. *consistere* íd., propiamente 'colocarse', 'detenerse', 'ser consistente', deriv. de *sistere* 'colocar', 'detener'.
DERIV. *Consistente*, med. S. XVII; *consistencia*, 1555; *inconsistente*, 1884; *incon-*

sistencia, 1765-83. *Consistorio*, 1220-50, lat. *consistorium* 'lugar de reunión'; *consistorial*.

CONSOLA 'mesa sin cajones, arrimada a una pared, destinada a sostener un reloj, candelabros, etc.', 1884. Del fr. *console* 'ménsula fija a una pared y empleada como sostén de un balcón o cornisa o como pedestal de una estatua', 'consola', y éste derivado de *consoler* 'consolar', que en el lenguaje monacal de la Edad Media se empleó en el sentido de sostener materialmente.

CONSOLAR, h. 1140. Del lat. CONSŌLĀRĪ 'consolar', 'aliviar' (emparentado con *solaz*).
DERIV. *Consolación*, 1438. *Consuelo*, 1570. *Desconsolado*, 1570; *desconsuelo*, 1570. *Inconsolable*.

Consolidar, V. *sueldo* — *Consonancia*, *consonante*, *consonar*, V. *sonar* — *Consorcio*, V. *suerte* — *Conspicuo*, V. *espectáculo* — *Conspiración*, *conspirar*, V. *espirar* — *Constancia*, *constante*, *constar*, V. *estar* — *Constelación*, V. *estrella*

CONSTERNAR, 1682. Tom. del lat. *consternare* 'azorar, alocar de miedo, abatir' (deriv. de *sternĕre* 'tender por el suelo').
DERIV. *Consternación*, med. S. XVII.

CONSTIPAR, reciente en el sentido de 'acatarrar', S. XIX, propiamente 'cerrar, apretar, atiborrar', con referencia primero, 1729, a otros conductos fisiológicos, como el intestino o los poros de la transpiración. Tom. del lat. *constīpare* íd., deriv. *stipare* 'meter en forma compacta', 'amontonar'.
DERIV. *Constipado*, 1617. *Constipación*, 1542.

CONSTITUIR, 1438. Tom. del lat. *constitŭĕre* 'organizar, instituir', 'disponer', propiamente 'poner, colocar', deriv. de *statuĕre* íd.
DERIV. *Constitución*, 1220-50, lat. *constitutio*, *-onis*, 'decreto, edicto' (sentido que mantiene en cast. hasta el S. XVIII); *constitucional*. *Constitutivo*, S. XVIII. *Constituyente*, 1611. *Reconstituir*, fin S. XIX; *reconstituyente*. Otros deriv. latinos de *statuere* son: *Destituir*, h. 1570, lat. *destitŭĕre* 'abandonar', 'privar', 'suprimir'; *destitución*, 1705. *Instituir*, 1490, lat. *instituĕre* íd.; *institución*, S. XVIII; *institucional*; *instituto*, 1490; *institutriz*, S. XX, tom. del fr. *institutrice* 'maestra de primeras letras'. *Restituir*, 1438, lat. *restituĕre* 'reponer, restablecer'; *restitución*. 2.º cuarto S. XV. *Sustituir* (o *subs-*) 'reemplazar', h. 1620, lat. *substituĕre* 'poner (a alguno) en lugar (de alguien)'; *sustitución*; *sustituto*. Y vid. PROSTITUIR.

Constreñir, constricción, V. *estreñir*

CONSTRUIR, 1495. Tom. del lat. *con-strŭĕre* 'construir, edificar', propiamente 'amontonar' (deriv. de *struere* íd.).
Deriv. *Construcción,* 1495; *constructor.* Otros deriv. de *struere: Destruir,* 1220-50, lat. *destrŭĕre* 'demolir, destruir'; *destrucción,* hacia 1450, lat. *destructio; destructible, indestructible; destructivo; destructor,* 1490. *Instruir,* 1330, lat. *instrŭĕre* 'enseñar, informar', propiamente 'levantar paredes, etc.', 'proveer de armas o instrumentos', 'formar en batalla'; *instrucción,* 1490; *instructivo; instructor; instrumento,* 1220-50, lat. *instrŭmĕntum* íd.; *instrumental; instrumentar, instrumentación; instrumentista. Obstruir,* 1590, lat. *obstruere* 'construir enfrente', 'tapar, taponar'; *obstrucción,* 1737; *obstruccionismo; obstructor. Estructura,* 1580, lat. *structūra* 'construcción, fábrica', 'arreglo, disposición', deriv. de *struere* 'amontonar', 'construir'; *estructural,* S. XX; *estructurar,* S. XX; *estructuración.*

CONSUELDA, 1505, vulgarmente *suelda,* h. 1400, y en la Argentina *suelda-suelda.* Del lat. CONSŎLĬDA (también SŎLĬDA), así llamada por su empleo para cerrar o "consolidar" heridas.

Consueta, consuetudinario, V. *costumbre*

CÓNSUL (magistrado romano), h. 1275, 'representante consular', 1494. Tom. del lat. *consul, -ŭlis,* 'magistrado supremo de la República romana', probablemente deriv. de *consŭlĕre* 'deliberar', 'consultar', 'tomar una resolución' (de donde derivan también *consejo* y *consultar*). En la acepción moderna la institución consular fue introducida en España, 1268, por el comercio catalán de Oriente.
Deriv. *Consulado,* h. 1275. *Consular,* h. 1440. *Procónsul.*

CONSULTAR, h. 1440. Tom. del lat. *consŭltāre* 'pedir consejo', propiamente 'deliberar muchas veces con alguien' (deriv. de *consulere,* V. *CÓNSUL*).
Deriv. *Consulta,* 1515. *Consultante. Consultivo. Consulto; inconsulto. Consultor,* 1611. *Consultorio,* 1617.

Consumación, consumar, V. *somero Consumero, consumición,* V. *consumir*

CONSUMIR, h. 1260, 'destruir, extinguir, gastar'. Tom. del lat. *consŭmĕre* íd., deriv. de *sumere* 'tomar', que muchas veces se aplicaba ya a los alimentos (de donde el cast. *sumir*).
Deriv. *Consumidor. Consumición,* S. XX. *Consumo,* 1505; *consumero. Consunción*

'acción de consumirse', 1679, lat. *consumptio, -onis. Consuntivo.*

Consumo, consunción, V. *consumir De consuno,* V. *asonada Consuntivo,* V. *consumir Consu(b)stancial,* etc., V. *sustancia Contabilidad, contable,* V. *contar Contacto,* V. *tañer Contador, contaduría,* V. *contar*

CONTAGIO 'trasmisión de una enfermedad', 1626. Tom. del lat. *contagĭum* íd., derivado de *tangĕre* 'tocar'.
Deriv. *Contagiar,* h. 1620. *Contagioso,* fin S. XVI.

CONTAMINAR, 1438, 'contagiar, corromper', 'pervertir'. Tom. del lat. *contaminare* 'ensuciar tocando', 'corromper'.
Deriv. *Contaminación,* 1604.

CONTAR, h. 1140. Del lat. CŎMPŬTARE 'calcular', deriv. de PUTARE íd. La acepción derivada 'narrar, relatar', propiamente 'hacer un recuento', es tan vieja en cast. como la otra. El duplicado culto *computar,* 1573.
Deriv. *Contador,* 1362; *contaduría. Descontar,* 1268, propiamente 'dejar de contar algo', de donde 'contar en menos'; *descuento,* 1495. *Incontable. Recontar* y *recuento,* S. XVIII. *Cuento,* 1200, lat. COMPŬTUS 'cálculo, cómputo'; *cuentero; cuentista. Cuenta* 'acción y efecto de contar', h. 1140, 'cada una de las bolitas del rosario que sirven para llevar la cuenta de las oraciones rezadas', 1330. *Contable; contabilidad.*
Cultismos: *Computación. Cómputo,* 1601; *computista.*

Contemperante, contemperar, V. *templar*

CONTEMPLAR, 1403. Tom. del lat. *contemplari* 'mirar atentamente, contemplar'.
Deriv. *Contemplación,* 1220-50. *Contemplativo,* h. 1335.

Contemporáneo, contemporización, contemporizar, V. *tiempo Contención,* V. *tener Contencioso, contender, contendiente, contendor,* V. *tender Contener, contenido,* V. *tener Contentar,* V. *contento*

CONTENTO, h. 1375. Tom. del lat. *contĕntus* 'satisfecho', propiamente 'contenido', participio pasivo del verbo *contĭnēre* 'contener'.
Deriv. *Contentar,* 1438; *contento,* sust. m., 'contentamiento', 2.ª mitad S. XVI. *Descontento,* adj., 1431-50; *descontentar,* 1495; *decontento,* sust. m., 1604.

Contera, V. *cuento* (de lanza) *Contertulio,* V. *tertulia*

CONTESTAR 'responder', med. S. XVIII, propiamente 'comparecer en juicio confesando o negando la demanda', 1330, 'declarar algo de acuerdo con otros, convenir, confirmar', fin S. XVI. Tom. del lat. *contĕstari* 'empezar una disputa invocando testigos', deriv. de *testis* 'testigo'.
DERIV. *Contestable*; *incontestable*. *Contestación*, 1369. *Conteste*, 1594, deriv. de la última acepción de *contestar*.

Contexto, contextura, V. *tejer*   *Contienda*, V. *tender*

CONTIGUO 'inmediato, que se toca con otra cosa', 1616. Tom. del lat. *contĭgŭus* íd. (deriv. de *tangere* 'tocar').
DERIV. *Contigüidad*.

Continencia, continental, continente, V. *tener*   *Contingencia, contingente*, V. *acontecer*

CONTINUO 'que no presenta interrupción', 2.ª mitad S. XIII. Tom. del lat. *contĭnŭus* 'adyacente', 'consecutivo', 'continuo', deriv. de *continēre* 'mantener unido', 'abarcar, contener' (y éste de *tenēre* 'tener, aguantar').
DERIV. *Continuidad*, 1590. *Continuar*, h. 1260, lat. *continuare*; *continuación*, 1438. *Discontinuo*; *discontinuar*.

Contonearse, contoneo, V. *canto II*   *Contornado, contornear, contorno*, V. *torno*   *Contorsión*, V. *torcer*

CONTRA, h. 1140. Del lat. CŎNTRA 'frente a', 'contra'.
DERIV. *Contrario*, 1220-50, tom. del lat. *contrarius* íd.; *contrariedad*, 1495; *contrarioso*; *contrariar*, S. XIII. *Encontrar* 'salir al encuentro', h. 1200, 'hallar', sentido raro hasta el S. XVII; *encontrado*, 1570; *encuentro*, 1238, *reencuentro*; *encontrón*, 1604, *encontronazo*; *desencontrarse*, arg., 'no encontrarse (dos personas)', 'estar en desacuerdo', y *desencuentro* 'contratiempo'.

Contraataque, V. *atacar*   *Contrabajo*, V. *bajo*   *Contrabandista, contrabando*, V. *bando I*   *Contracción, contráctil, contractivo, contracto, contractual*, V. *traer*   *Contradanza*, V. *danzar*   *Contradecir, contradicción, contradictor, contradictorio*, V. *decir*   *Contraer*, V. *traer*   *Contrafacción*, V. *hacer*   *Contrafuerte*, V. *fuerte*   *Contrahacer*, V. *hacer*

CONTRAHECHO 'lisiado', 'jorobado', h. 1535. Alteración (por influjo de *contrahacer* 'falsificar') del antiguo *contrecho*, 1220-50, 'envarado', 'paralítico', y éste del lat. CON-

TRACTUS 'contraído' (participio de CONTRA-HĔRE 'contraer').

Contrahierba, V. *hierba*

CONTRALOR 'interventor de gastos y cuentas en la Casa Real y en el ejército', 1611. Del fr. *contrôleur* 'empleado que se encarga de las comprobaciones administrativas', deriv. de *contrôler* 'comprobar, verificar', y éste de *contrôle* 'doble registro que se llevaba en la administración para la verificación recíproca', contracción de *contre-rôle*, deriv. a su vez de *rôle* 'registro' (del mismo origen que *rollo*). En el sentido de 'verificación, comprobación' *contralor* y su derivado *contralorear* arg., son barbarismos más graves aún que *control* y *controlar*, a los que tratan de sustituir.

Contralto, V. *alto I*   *Contraluz*, V. *luz*   *Contramaestre*, V. *maestro*   *Contramarcha*, V. *marchar*   *Contrapelo*, V. *pelo*   *Contrapesar, contrapeso*, V. *pesar*   *Contraponer, contraposición*, V. *poner*   *Contraproducente*, V. *aducir*   *Contrapuntarse, contrapunto*, V. *punto*   *Contrariar, contrariedad, contrario*, V. *contra*   *Contrarrestar*, V. *restar*   *Contraseña*, V. *seña*   *Contrastar, contraste*, V. *estar*   *Contrata, contratación, contratar*, V. *traer*   *Contratiempo*, V. *tiempo*   *Contratista, contrato*, V. *traer*   *Contravención*, V. *venir*   *Contraveneno*, V. *veneno*   *Contravenir, contraventor*, V. *venir*   *Contrayente*, V. *traer*   *Contrecho, contrahecho*   *Contribución, contribuir, contribuyente*, V. *atribuir*   *Contrición*, V. *triturar*   *Contrincante*, V. *trincar*   *Contristar*, V. *triste*   *Contrito*, V. *triturar*   *Control, controlar*, V. *contralor*   *Controversia, controvertible, controvertir*, V. *verter*   *Contubernio*, V. *taberna*

CONTUMAZ 'obstinado, terco', 2.ª mitad S. XIII. Tom. del lat. *contŭmax, -ācis*, 'obstinado'.
DERIV. *Contumacia*, 2.ª mitad S. XIII.

CONTUNDIR 'magullar, golpear', 1780. Tom. del lat. *contŭndĕre* íd., deriv. de *tundere* 'golpear', 'triturar'.
DERIV. *Contundente*, 1780. *Contuso*, lat. *contūsus* 'magullado', participio pasivo de *contundere*; *contusión*, 1555, lat. *contusio, -onis*; *contusionar*, S. XX.

Conturbado, conturbar, V. *turbar*   *Contusión, contuso*, V. *contundir*

CONVALECIENTE 'que sale de una enfermedad', fin S. XVI. Participio de *convalecer* 'salir de una enfermedad', princ. S.

XV, tom. del lat. *convalescĕre* íd. (deriv. de *valēre* 'estar sano').
DERIV. *Convalecencia*, 1611.

Convalidar, V. *valer* *Convencer, convencimiento*, V. *vencer* *Convención, convencional, conveniencia, conveniente, convenio, convenir, conventículo, conventillo, convento, conventual*, V. *venir*

CONVERGIR 'dirigirse dos o más líneas a unirse en un punto', h. 1840. Tom. del lat. *convergĕre* íd., deriv. de *vergere* 'inclinarse', 'dirigirse'.
DERIV. *Convergente*, 1709; *convergencia*. *Divergente*, 1709, sacado de *convergente* mediante el prefijo lat. *di-*, que indica separación; de ahí *divergir*, 1884; *divergencia*, 1732. Vocablos creados, en latín moderno, por Kepler, como términos de óptica.

Conversación, conversante, conversar, conversión, converso, convertible, convertir, V. *verter*

CONVEXO, 1611. Tom. del lat. *convexus* 'curvo', 'convexo', 'cóncavo'.
DERIV. *Convexidad*.

Convicción, convicto, V. *vencer* *Convidado, convidar*, V. *invitar* *Convincente*, V. *vencer* *Convite*, V. *invitar* *Convivencia, convivir*, V. *vivo* *Convocación, convocar, convocatoria*, V. *voz* *Convolar*, V. *volar* *Convolvuláceo, convólvulo*, V. *volver*

CONVOY 'escolta o guardia para llevar con seguridad alguna cosa por mar o tierra', 'conjunto de los buques o carruajes así escoltados', 1644-8. Del fr. *convoi* 'escolta de soldados o navíos', 'acompañamiento de un entierro, etc.', deriv. de *convoyer* 'escoltar, acompañar', y éste del lat. vg. **CONVIĀRE* íd., deriv. de VIA 'camino'.
DERIV. del verbo francés: *Convoyar*, med. S. XVII.

CONVULSIÓN 'agitación violenta o patológica', 1555. Tom. del lat. *convulsio, -onis*, íd., deriv. de *convulsus* 'que padece convulsiones', participio de *convellĕre* 'arrancar de cuajo', 'quebrantar' (deriv. de *vellere* 'arrancar'); de ahí también *convulso*, 1765-83.
DERIV. *Convulsivo*, 1729. *Revulsión*, 1832, lat. *revulsio, -ōnis*, 'acción de arrancar', otro deriv. de dicho *vellere*; *revulsivo*, 1737. *Avulsión*.

Conyugal, cónyuge, V. *yugo*

COÑAC, 1914. Del fr. *cognac* íd., S. XVII, llamado así por la ciudad de *Cognac*

(depto. Charente), en cuya región empezó a elaborarse.

Cooperación, cooperador, cooperar, cooperativa, -vo, V. *obrar* *Coordenada, -ado, coordinación, coordinador, coordinante, coordinar*, V. *orden*

COPA, 939. Del lat. vg. CŬPPA íd.
DERIV. *Copero*, h. 1250. *Copón*, 1604. *Copudo. Copo*, h. 1400, 'mechón de lana, de cabello', 'porción de nieve que cae trabada', probablemente aplicación figurada del antiguo *copo* 'especie de copa o de taza cilíndrica', 917; 'el contenido de la rueca', y de ahí las demás acepciones; *copete* 'mechón', fin S. XIII, *copetón, copetona, copetudo*, 1717; *encopetado* 'de alto copete', 'presumido, engreído'.

COPAIBA, 1706. Del port. *copaíba* íd., 1576, y éste del tupí o lengua general del Brasil.
DERIV. *Copaína. Copayero*.

COPAR, 1884, 'cortar la retirada a una fuerza militar', 'hacer con éxito en los juegos de azar una puesta equivalente a todo el dinero con que responde la banca', de donde 'conseguir en una elección todos los puestos'. Del fr. *couper* 'cortar'.
DERIV. *Copo* 'acción de copar'.

COPELA 'vaso donde se ensayan y purifican los metales', 1497. Voz de origen extranjero, de procedencia incierta. Se duda entre derivarla del it. *coppella*, S. XVI (quizá ya h. 1340), que sería deriv. de *coppa* 'copa', o bien del fr. *coppelle*, antes *coipelle*, 1431, que aunque significa lo mismo, designó también la plata depurada, y parece deriv. del fr. ant. *coispel* (hoy *copeau*) 'placa metálica delgada' (el cual derivará del antiguo **coispe*, hoy dialectal, y éste del lat. CŬSPIS, -IDIS, 'punta, aguijón metálico'); la última alternativa parece más probable.

Copero, copete, copetón, copetudo, V. *copa*

COPIA 'abundancia', 2.ª mitad S. XIII. Tom. del lat. *cōpĭa* 'abundancia, riqueza, fuerzas'; la acepción 'reproducción escrita', 1511, se explica por el sentido 'posibilidad de tener algo' (que es también clásico, en frases como *alicui alicuius copiam facere* 'poner algo a la disposición de alguien'), de donde *tener copia (de un texto)*, entendido en el sentido de 'tener un ejemplar'.
DERIV. *Copiar*, 1592. *Copista*, 1611. *Copioso* 'abundante', 1413, lat. *copiosus*. *Acopiar*, 1693; *acopio*.

Copioso, copista, V. *copia*

COPLA 'estrofa', h. 1140. Tom. del lat. *cōpŭla* 'lazo, unión'. El latinismo *cópula*, 1438, ha conservado el sentido primitivo. DERIV. *Coplear*, 1505. *Coplero*, 1580. *Coplista. Acoplar*, 1220-50; *acoplamiento. Cuplé* 'tonadilla', h. 1910, fr. *couplet* íd., diminutivo de la misma palabra; *cupletista. Copular*, 1780. *Copulativo*, 1490.

Copo, V. *copa* y *copar*   *Copón*, V. *copa*

COPRO-, primer miembro de compuestos cultos, procedente del gr. *kópros* 'estiércol, excremento': *coprófago*, S. XX, formado con el gr. *éphagon* 'yo comí'; *coprolito*, S. XX, con el gr. *líthos* 'piedra'; *coprolalia* 'tendencia enfermiza a proferir obscenidades', con el gr. *laléō* 'yo charlo'.

Copudo, V. *copa*   *Cópula, copular, copulativo*, V. *copla*

COQUE (especie de carbón), h. 1900. Del ingl. *coke* íd.

COQUETA, med. S. XVIII. Del femenino del adjetivo fr. *coquet, coquette*, íd., deriv. de *coqueter* 'coquetear', propiamente 'alardear coquetonamente en presencia de mujeres, como un gallo entre gallinas', derivado de *coq* 'gallo' (voz de origen onomatopéyico). DERIV. *Coquetear*, 1843; *coqueteo. Coquetería*, 1843. *Coquetón*, 1884.

Coquito, V. *coco*   *Coracero*, V. *cuero*

CORACOIDES, princ. S. XVIII. Tom. del gr. *korakoeidḗs* 'semejante a un cuervo', cpt. de *kórax* 'cuervo' y *êidos* 'forma'.

Coraje, corajudo, V. *corazón*

CORAL, sust., 1330. Del lat. CORALLIUM o CORALLUM, y éste del gr. *korállion* íd.; el castellano lo tomó del francés o del catalán. DERIV. *Coralero. Coralina. Coralino.* CPT. *Coralífero.*

Coral, adj., V. *coro*   *Coral, gota —*, V. *corazón*   *Coralífero, coralina*, V. *coral*   *Corambre, coraza*, V. *cuero*

CORAZÓN, h. 1100. Deriv. del lat. COR íd. Primitivamente sería un aumentativo, que aludía al gran corazón del hombre valiente y de la mujer amante. DERIV. *Corazonada* 'impulso', 'presentimiento', 1729. *Corazoncillo* 'hipérico', h. 1495. *Descorazonar*, 1604 (*-aznar*, 1495). Directamente del lat. COR derivan los siguientes: *Corada* 'entraña', 'asadura', 1220-50. *Coraje* 'valentía', h. 1440, 'ira', h. 1330,

del fr. *courage* 'valentía'; *corajudo*, S. XIV; *corajina. Gota coral* 'epilepsia', 1581, por la creencia de que derriba al hombre por atacarle en el corazón. Cultismos deriv. del lat. *cor, cordis*, 'corazón': *Cordial*, 1438, lat. *cordialis. Concordar*, 1240, lat. *concordare* íd.; *concordante*, princ. S. XV; *concordancia*, h. 1250; *concordato, concordatario. Concorde* 'que concuerda, está de acuerdo', princ. S. XV, lat. *concors, -dis*, íd.; *concordia*, 1220-50. *Discordar*, 2.ª mitad. S. XIII, lat. *discordare* íd.; *discordante*, 1705; *discordancia*, 1604. *Discorde* 'disconforme', h. 1440, lat. *discors, -dis*, íd.; *discordia*, 1220-50.

CORBATA, 1679. Del it. *corvatta* íd. (también *crovatta*), propiamente 'croata, propia de Croacia', así llamada por haber empezado a llevarla los soldados de caballería croatos; a su vez el it. *corvatta* procede del serviocroato *hrvat*, denominación que se dan a sí mismos los habitantes de Croacia. DERIV. *Corbatín*, 1729. *Corbatero; corbatería.*

CORBETA, 1765-83. Del fr. *corvette* íd., 1476, de origen incierto, quizá germánico.

CORCEL 'caballo de batalla', med. S. XVII (*cosser*, h. 1375). Del fr. *coursier* íd., deriv. de *cours* 'carrera, corrida', que procede del lat. CŪRSUS, -ŪS, íd. (deriv. de CURRERE 'correr').

CORCOVA 'joroba', h. 1400 (en portugués ya en 1272). Del bajo lat. hispánico CŬCŬRVUS 'encorvado', del cual procede también *corcovo* 'salto que da un caballo con el lomo encorvado'; CUCURVUS es palabra de formación incierta, probablemente reduplicación del lat. CŬRVUS íd. DERIV. *Corcovado*, 1490; *corcovar*, 1570; *corcoveta. Corcovo*, h. 1475; *corcovear* 'dar corcovos', princ. S. XV.

Corcusido, corcusir, V. *coser*

CORCHEA, 1605. Del fr. *crochée* íd., participio de *crocher une note* 'hacer un gancho o cola a una nota' (deriv. de *croc* 'gancho', V. CORCHETE).

CORCHETE 'gancho', 1490, y figuradamente 'policía encargado de prender a los reos', h. 1600. Del fr. *crochet* 'gancho', diminutivo de *croc* íd., de origen germánico. DERIV. *Encorchetar.*

CORCHO, h. 1495 (y ya S. XIII en un códice de Murcia, con acepción especial). Del mozárabe *corch* o *corcho*, y éste del lat. CŎRTEX, -ĬCIS, 'corteza', que ya en la

Antigüedad se aplicaba especialmente a la del alcornoque.
Deriv. *Descorchar*, h. 1495.
Cpt. *Corchotaponero*.

Cordaje, V. *cuerda*   *Cordal*, V. *cuerdo*   *Cordel, cordelejo, cordelero, cordellate*, V. *cuerda*

CORDERO 'hijo de la oveja, nacido hace menos de un año', 1025. De un vocablo *CORDARIUS, del latín vulgar, deriv. del lat. CORDUS, adjetivo que se aplicaba a las plantas y animales nacidos tardíamente, y en particular a las crías de la oveja.
Deriv. *Cordera*, 984. *Corderillo. Corderuelo*.

Cordial, cordialidad, V. *corazón*   *Cordillera, cordillerano*, V. *cuerda*

CORDOBÁN 'piel curtida', princ. S. XIII. Propiamente 'cordobés', deriv. de *Córdoba*; por el gran desarrollo que alcanzó en la Córdoba musulmana el curtido de pieles.

Cordón, cordoncillo, cordonería, cordonero, V. *cuerda*   *Cordura*, V. *cuerdo*   *Corea, corear, corego, coreo, coreografía, coreográfico*, V. *coro*   *Coriáceo*, V. *cuero*   *Coriámbico, coriambo*, V. *coro*   *Coriandro*, V. *culantro*

CORIFEO 'el que guiaba el coro en las tragedias antiguas', 1620, 'el que es seguido de otros en una opinión, secta o partido'; lat. *coryphaeus*. Tom. del gr. *koryphâios* 'jefe' (deriv. de *koryphē* 'cumbre').

CORIMBO, 1884, lat. *corymbus*. Tom. del gr. *kórymbos* 'cumbre', 'racimo'.

CORINDÓN, 1884. Del fr. *corindon* íd., y éste del tamul *kurundam* 'rubí' (que en esta lengua de la India viene del sánscrito).

Corista, V. *coro*   *Coriza* 'abarca', V. *cuero*

CORIZA 'catarro, resfriado', 1765-83; lat. *coryza*. Tom. del gr. *kóryza* íd.

CORMA 'especie de cepo de madera con que se sujeta el pie de un hombre o de un animal', 1220-50. Del ár. *qórma* 'leño, zoquete, tronco', 'cepo' (y éste del gr. *kórmos* 'leño, tronco').

Cormano, V. *hermano*

CORMIERA 'arbolillo silvestre de la familia de las pomáceas', S. XX. Del fr. *cormier* íd., de origen galo.

Cormorán, V. *cuervo*

CORNACA, 1706, o **CORNAC** 'el que cuida de un elefante'. Procede de Ceilán (singalés *kūrunęka*) por conducto del portugués (*cornaca*, 1612) o del inglés (*cornac*).

Cornada, V. *cuerno*   *Cornado*, V. *corona*   *Cornal, cornalina, cornamenta, cornamusa, córnea, cornear*, V. *cuerno*

CORNEJA (especie de cuervo), h. 1140. Del lat. CORNICULA íd., dimin. de CORNIX, -ĬCIS, íd.

CORNEJO 'cierto arbusto de madera muy dura', 1607. Deriv. del lat. CORNUS, -I, íd.

Córneo, corneta, cornetín, cornezuelo, cornicabra, corniforme, cornijal, V. *cuerno*

CORNISA, 1526. Probablemente del gr. *korōnís* 'rasgo final', 'remate', 'cornisa' (derivado de *korōnē* 'corneja', 'objeto curvo').

Cornucopia, cornudo, cornúpeta, cornuto, V. *cuerno*

CORO, 1170, lat. *chŏrus*. Tom. del gr. *khorós* 'danza en corro', 'coro de tragedia'.
Deriv. *Coral*, 1780. *Corear*, S. XVIII. *Corista*, 1567. *Corea* 'mal de san Vito', lat. *chorēa*, gr. *khoréia* 'danza'. *Coreo*, S. XVIII, 'pie de dos sílabas: larga y breve', gr. *khorêios* íd. (por emplearse en los coros dramáticos); *dicoreo*.
Cpt. *Corego*, gr. *khorēgós* 'el que conduce el coro'. *Coreografía, coreográfico*, compuestos del mismo (en el sentido de 'danza') con *gráphō* 'yo dibujo, describo'. *Coriambo*; *coriámbico*.

COROIDES, h. 1840. Compuesto del gr. *khórion* 'piel, cuero' con *êidos* 'figura'.

COROLA, 1765-83. Tom. del lat. *corolla* 'corona pequeña' (diminutivo contracto del lat. *corona*).
Deriv. *Corolario*, h. 1490, lat. *corollarium* 'proposición que resulta evidente después de demostrar otra', propiamente 'propina, añadidura', 'corona pequeña'.
Cpt. *Coroliflora*.

CORONA, 1220-50. Del lat. CORŌNA íd.
Deriv. *Coronilla. Coronal*, 1587. *Coronar*, 1220-50, lat. CORONARE íd.; *coronación*, 1438; *coronado*, h. 1140, con variante sincopada *cornado* 'nombre de una moneda que tenía grabada una corona', S. XIV.

CORONDEL, 1729, 'regleta que ponen para dividir la plana en columnas', 'cada una de las rayas verticales trasparentes que se advierten en el papel de tina'. Del cat. *corondell*, 1429, 'columna en un impreso o manuscrito', 'corondel', disimilación de *colondell*, que a su vez es diminutivo de *colonda* 'columna' (del lat. COLUMNA).

CORONEL, 1511, 'jefe que manda un regimiento'. Del it. *colonnello* íd., primitivamente 'columna de soldados', diminutivo de *colonna* (de igual significado y origen que *columna*).

COROTOS 'trastos, trebejos', amer., 1867. Origen incierto, quizá del quichua *corota* 'testículos'.

COROZA 'capirote que como señal afrentosa se ponía a ciertos delincuentes', 1465-73. Probablemente del lat. CROCĔA, -ORUM, 'vestido de color de azafrán'. DERIV. *Encorozar*.

Corpachón, corpanchón, corpiño, corporación, corporal, corporativo, corpóreo, corps, corpulencia, corpulento, corpus, corpúsculo, V. *cuerpo*

CORRAL, 1014, 'recinto para pelear o para encerrar ganado', 'sitio cerrado y descubierto junto a una casa o dentro de ella', vocablo común a los tres romances hispánicos y al occitano. De origen incierto, aunque desde luego relacionado con *corro* 'recinto', 'cerco formado por un grupo de personas', S. XV (y quizá ya una vez en 975). *Corral* puede acaso venir de un lat. vg. *CŬRRĂLE, en el sentido de 'circo para carreras' o de 'lugar donde se encierran los vehículos', deriv. del lat. CURRUS 'carro'; no es seguro que haya relación con el dialectalismo norteño *corra* 'vara o mimbre retorcida', que parece ser de origen prerromano, aunque se haría probable tal etimología si se lograra demostrar que *corro* fue tan antiguo y arraigado como *corral* en la Edad Media. DERIV. *Corralero*, 1693. *Corraliza*, 1720. *Acorralar* 'encerrar el ganado en corral', h. 1260; 'arrinconar, encerrar a una persona en lugar sin salida', h. 1250. *Trascorral*. De *corro*: *corrillo*, 1495. *Corrincho*, 1609.

CORREA, 1220-50. Del lat. CORRĬGĬA íd. DERIV. *Correaje*, 1729. *Correhuela*, 1490. *Correoso*, 1490, propiamente 'que tiene consistencia de correa'.

Corrección, correccional, correcto, corrector, V. *corregir*   *Corredera, corredizo, corredor*, V. *correr*

CORREGIR, S. XIV. Tom. del lat. *corrĭgĕre* íd., deriv. de *regĕre* 'regir, gobernar'.

DERIV. *Corregible. Corregidor*, h. 1490; *corregimiento*, 1495. *Correcto*, 1607, lat. *correctus* íd., propiamente participio de *corrigere*; *incorrecto*; *corrección*, 1438; *correccional*; *correctivo*, 1705; *corrector*, 1599.

Correhuela, V. *correa*   *Correlación, correlativo*, V. *referir*   *Correligionario*, V. *religión*   *Correntoso*, V. *correr*

CORREO 'el que tiene por oficio llevar la correspondencia', h. 1495, 'servicio público que desempeña este oficio'. Del oc. ant. *corrieu* 'mensajero', 'correo', h. el año 1000 (por conducto del cat. *correu*, h. 1200); el oc. *corrieu*, a su vez, parece ser alteración del fr. ant. *corlieu* íd. (cpt. de *corir* 'correr' y *lieu* 'lugar'), bajo el influjo del verbo *correr*. En castellano el vocablo se confundió con el medieval *correo* 'bolsa para guardar dinero', palabra sin relación etimológica con la moderna.

Correoso, V. *correa*

CORRER, med. S. X. Del lat. CŬRRĔRE íd.

DERIV. *Corredera*, h. 1495. *Corredizo. Corredor*, 1495; en sentido locativo, princ. S. XVII. *Correría*, 1570. *Corretear*, 1780; *correteo. Corrida*, h. 1495; *corrido* íd. *Corriente*, h. 1495; *correntoso. Corrimiento*, h. 1495. *Corso*, 1611, del it. *corso* íd., y éste del lat. CURSUS 'corrida, acción de correr'; *corsario*, fin S. XIV. *Curso*, 1220-1250 (*corso*), tom. de esta misma voz latina; *cursar*, 1528; *cursillo*; *cursivo*, h. 1620. *Acorrer*; *acorro. Concurrir*, 1438, tom. del lat. *concurrĕre* 'correr junto con otros'; *concurrente*, 1615; *concurrencia*, 1607; *concurso*, 1490, lat. *concursus*; *concursar. Decurso*, 1765-83, lat. *decursus* íd. *Discurrir*, 1438, tom. del lat. *discurrere* 'correr acá y acullá', 'tratar de algo'; *discurso*, 1490, lat. *discursus, -ūs; discursar* o *discursear*; *discursivo*. *Escurrir*, 1220-50; *escurridizo*, 1604; *escurribanda*, 1615. *Excursión*, 1612, lat. *excursio, -onis*, íd., de *excurrere* 'correr afuera'; *excursionista*, 1925-36, del catalán (donde está en uso desde antes de 1878); *excursionismo. Incurrir*, 1438, lat. *incurrere* 'correr hacia, meterse en'; *incurso*; *incursión*, 1640. *Ocurrir*, 1584, lat. *occurrere* 'salir al paso'; *ocurrente*; *ocurrencia*, S. XVII. *Precursor*, h. 1620, lat. *praecursor* 'el que corre delante de otro'. *Recorrer*, 1490; *recorrido. Recurrir*, 1427, lat. *recurrere* 'volver a correr'; *recurso*, h. 1440. *Socorrer*, 1323; *socorro*, h. 1440; *socorrido. Sucursal*, h. 1900. del fr. *succursale*, 1675, propiamente 'suplente', deriv. del lat. *succursus*, participio de *succurrere* 'socorrer'. *Transcurrir*, S. XIX, lat. *transcurrere* íd.; *transcurso*.

CPT. *Correveidile*, 1693 (-*ved*-).

Correspondencia, corresponder, correspondiente, corresponsal, V. *responder*

CORRETAJE, 1548. Tom. de oc. ant. *corratatge* íd., deriv. de *corratier* 'corredor', 'intermediario', y éste de *corre* 'correr'.

Corretear, correveidile, corrida, corrido, corriente, V. *correr   Corrillo, corrincho, corro,* V. *corral*

CORROBORAR 'confirmar', 1555. Tom. del lat. *corroborare* íd., deriv. de *robur, roboris,* 'fuerza, robustez' (de donde el cast. *roble*).
DERIV. *Corroboración.*

Corroer, V. *roer   Corromper, corrompido,* V. *romper   Corrosión, corrosivo,* V. *roer   Corrugar,* V. *arruga   Corrupción, corruptela, corrupto,* V. *romper   Corsario,* V. *correr   Corsé, corsetero,* V. *cuerpo   Corso,* V. *correr   Corta, cortacallos, cortada, cortadera, cortado, cortador, cortadura, cortafierro, cortafrío, cortante,* V. *corto*

CORTAPISA 'condición o restricción con que se tiene algo', 1627; antes 'añadidura, elemento postizo', h. 1600, y anteriormente 'guarnición de tela diferente que se ponía a ciertas prendas de vestir', 1438. Del cat. ant. *cortapisa,* de este significado, S. XIV, que parece haber significado primitivamente 'colcha basteada para abrigo en la cama', S. XV, de donde 'guarnición de material diferente que se pone a una colcha' y luego aplicado a las prendas de vestir: probablemente del lat. CŬLCĬTA PĬNSA 'colchón apretado con bastas'.

Cortaplumas, cortar, corte, m., V. *corto*

CORTE, h. 1140, 'acompañamiento de un soberano', pl. 'cuerpo consultivo-legislativo de los reinos medievales', 'Cámara legislativa de los estados modernos'. Del lat. CO-HORS, -ORTIS, 'séquito de los magistrados provinciales', propiamente 'división de un campamento o de la legión que allí acampaba', 'grupo de personas'.
DERIV. *Cortejar* 'asistir y acompañar a uno, haciendo su gusto', 1607, del it. *corteggiare,* S. XIV, deriv. de *corte; cortejo* 'agasajo', 'séquito', h. 1640, it. *corteggio. Cortés,* 1220-50, aplicado a las maneras que se adquieren en la corte; *cortesía,* 1220-50; *descortés,* h. 1495, *descortesía. Cortesano,* 1490, del it. *cortegiano,* 774; *cortesanía,* 1490. *Cortijo,* 1224, masculino sacado del lat. COHORTĬCULA, diminutivo de COHORS en su sentido etimológico de 'recinto, corral' (es deriv. de HORTUS 'recinto', 'huerto').

Cortedad, V. *corto   Cortejar, cortejo, cortés, cortesano, cortesía,* V. *corte*

CORTEZA, 1220-50 De CORTĬCĔA, que en latín clásico es adjetivo femenino aplicado a objetos que se hacen de corteza; deriv. de CORTEX, -ĬCIS, 'corteza'.
DERIV. *Descortezar,* h. 1495. *Cortical,* S. XX, deriv. culto del lat. *cortex.*

Cortical, V. *corteza   Cortijo,* V. *corte*

CORTINA 'paño con que se cubren puertas, ventanas, camas, etc.', 1220-50. Del lat. tardío CORTĬNA íd. (deriv. del lat. CO-HORS, -TIS, 'recinto').
DERIV. *Cortinado. Cortinaje,* 1617. *Encortinar,* 1706.

CORTO, 1054. Del lat. CŬRTUS 'truncado', 'cortado', 'incompleto'.
DERIV. *Cortar,* h. 1140, lat. CŬRTARE 'cercenar'; *cortón* (insecto ortóptero que corta raíces), 1616. *Corta. Cortadera. Cortador,* h. 1495. *Cortadura,* 1490. *Cortante. Corte,* m., 1565. *Acortar,* 1220-50. *Entrecortar,* h. 1495, *entrecortado. Recortar,* 1737; *recorte,* S. XIX. *Cortedad.*
CPT. *Cortacallos. Cortacigarros. Cortafrío* o *cortafierro. Cortalápices. Cortaplumas,* S. XVIII. *Cortapuros.*

Corva, corvado, corvar, corvejón, corveta, corvetear, V. *corvo   Córvidos,* V. *cuervo   Corvillo,* V. *corvo   Corvina, corvino,* V. *cuervo*

CORVO 'encorvado', 1220-50. Del lat. CŬRVUS 'curvo', 'corvo'. *Curvo,* 1615, es el mismo, tomado por vía culta.
DERIV. *Corva* 'parte de la pierna opuesta a la rodilla, por donde se dobla y encorva', h. 1495; *corvejón,* 1586. *Corveta* 'movimiento que hace el caballo levantándose sobre las piernas de atrás', 1581, del fr. *courbette,* med. S. XVI, que deriva del verbo *courbetter* 'corvetear', y éste a su vez de *courbe* 'corvo'; *corvetear. Miércoles corvillo* 'miércoles de Ceniza', 1330, por la actitud de humildad y encorvamiento moral que debe adoptarse al principiar la Cuaresma. *Corvar; corvado,* 1438. *Encorvar,* h. 1495; *encorvamiento,* 1604. De *curvo: Curva. Curvatura.*
CPT. *Curvilíneo,* 1705. *Curvímetro.*

CORZO 'cuadrúpedo silvestre algo mayor que la cabra', S. XIII. Deriv. del antiguo verbo *acorzar* o *corzar 'cercenar, dejar sin cola' (por ser rabón el corzo), procedente del lat. vg. *CURTIARE íd., deriv. de CURTUS 'truncado'.
DERIV. *Corza* 'hembra del corzo', h. 1140.

COSA, S. X. Del lat. CAUSA 'causa, motivo', 'asunto, cuestión', que en latín vulgar, partiendo de su segundo significado, tomó el sentido de 'cosa' ya en el S. IV de nuestra era.

COSACO, princ. S. XIX, del ruso *kazák*, que en las lenguas occidentales de Europa se propagó en una variante *kozák*.

Coscarse, V. *cosquillas*

COSCOJO 'agalla producida por el quermes en la encina coscoja', 1611. Del lat. CŬSCŬLĬUM 'coscoja', que en latín parece ser de origen hispánico.

DERIV. *Coscoja* 'mata que produce la grana', 1490. *Coscojal*, h. 1495. Como nombre de una pieza del bocado que hace ruido al marchar las caballerías, 1611, *coscojo* y *coscoja* se explican por comparación de las puntas que se ponían a esta pieza para domeñar al caballo duro de boca, con las espinillas de la hoja de la coscoja.

COSCORRÓN 'golpe en la cabeza, que no saca sangre y duele', 1535. De KOSK, onomatopeya del golpe dado a un objeto duro. Origen semejante tiene *cuscurro* 'mendrugo, cantero de pan duro', 1843.

COSECHA, 1495, antes *cogecha*, 1220-50. Primitivamente fue el femenino del participio pasivo de *coger*, antiguamente *cogecho*, 1241, o *cosecho*, 1362, del lat. COLLĒCTUS, participio de COLLIGĔRE 'recoger, coger', 'allegar'; la *g* antigua se cambió en -*s*- por disimilación de palatales.

DERIV. *Cosechero*, 1729. *Cosechar*, 1884.

Coselete, V. *cuerpo*

COSER, 1179. Del lat. CONSŬĔRE 'coser una cosa con otra', deriv. de SUĔRE 'coser'.

DERIV. *Cosido*. *Costura*, h. 1330, del lat. vg. *CONSUTURA 'cosedura'; *costurero*; *costurera*, 1495; *costurón*. *Descoser*, h. 1495; *descosido*. *Recoser*. *Inconsútil*, deriv. negativo del lat. *consutilis* 'que se puede coser'. *Sutura*, princ. S. XVIII, tom. del lat. *sutūra* 'costura', deriv. del citado *suere*.

CPT. *Corcusido* 'zurcido mal formado' y *corcusir* 'hacer corcusidos', anteriormente *culcusido* y *culcusir*, princ. S. XVII (todavía cat. *culcosir*), combinados con *culo*, en el sentido de hacer, como suele decirse, un "culo de gallina" o zurcido somero formando bolsa.

COSMOS, 1884, lat. *cosmos*. Tom. del gr. *kósmos* 'mundo, el universo', propiamente 'orden, estructura', 'adorno, compostura'.

DERIV. *Cósmico*, 1709. *Cosmético*, 1843, gr. *kosmētikós,* deriv. del último sentido de *kósmos.*

CPT. *Cosmogonía, cosmogónico,* formados con el gr. *gígnomai* 'yo llego a ser'. *Cosmografía,* h. 1495; *cosmógrafo, cosmográfico,* con *gráphō* 'yo describo'. *Cosmología,* con *lógos* 'tratado'. *Cosmopolita,* 1765-83, con *políteēs* 'ciudadano' (de ahí 'ciudadano del mundo'); *cosmopolitismo.*

Cosquearse, V. *cosquillas*

COSQUILLAS, h. 1400. Del radical expresivo KOSK, creación espontánea del idioma (que acaso reproduce el chasquido que hace con la lengua el que trata de hacer reír a un niño cosquilleándole).

DERIV. *Cosquillar*, 1617, o *cosquillear*; *cosquilleo*. *Cosquilloso*, h. 1490. *Coscarse* o *cosquearse* 'concomerse, hacer pequeños movimientos nerviosos como si uno tuviera cosquillas'.

Costa 'gasto, importe', V. *costar*

COSTA 'orilla del mar', princ. S. XIV. Del lat. CŎSTA 'costado, lado' (propiamente 'costilla'); en Castilla el vocablo es importación forastera, tomada de las varias hablas no castellanas que cubrían casi totalmente la costa hispánica en la Edad Media; lo cual explica la ausencia del diptongo que vemos en *cuesta,* voz del mismo origen.

DERIV. *Costanero,* 1780; *costanera* 'flanco del ejército', h. 1280. *Costear,* 1492. *Costeño,* 1843. *Costero,* 1780.

COSTADO, h. 1140. De la voz romance *COSTATUM, deriv. del lat. CŎSTA 'costado, lado', propiamente 'costilla'.

Costal, costalada, costalazo, V. *costilla* *Costanero,* V. *costa* *Costanilla,* V. *cuesta*

COSTAR, h. 1140. Del lat. CŎNSTĀRE 'adquirirse por cierto precio', propiamente 'estribar en, depender de', 'existir, mantenerse'.

DERIV. *Costa* 'cantidad que se paga por algo', 'gasto', 1220-50. *Coste,* 1601. *Costo,* h. 1495; *costear* 'seguir la costa' 1570, 'pagar el gasto'; *costoso,* h. 1495. *Cuesta* 'coste'.

Costear, V. *costa* y *costar* *Costeño, costero,* V. *costa*

COSTILLA, 1220-50. Diminutivo del lat. CŎSTA íd.

DERIV. *Costal* 'relativo a las costillas', 1884, tom. del lat. *costalis,* deriv. de *costa; intercostal; subcostal. Costalada,* 1729, o *costalazo. Costillar. Costillaje. Acostar,* h. 1140, 'tender o poner de espaldas en el suelo', 'meter en la cama', 'ladear, inclinar', deriv. del lat. COSTA 'costilla', de donde 'espaldas' (acepción conservada por el cast. en *llevar algo a cuestas*). *Recostar*, 1490; *recostadero*. *Costal* 'saco grande de tela', 1375, porque suele llevarse a cuestas.

COSTO 'cierta planta aromática de los países tropicales', 1555; lat. *costus*. Tom. del gr. *kóstos* íd.

Costo 'coste', *costoso*, V. *costar*

COSTRA, med. S. XV. Del lat. CRŬSTA 'costra', 'corteza'.
DERIV. *Costroso. Encostrar*, h. 1495. Cultismos: *Crustáceo*, 1832. *Incrustar*, propiamente 'clavar en la corteza'; *incrustación*.

Costreñir, V. *estreñir*

COSTUMBRE, h. 1140 (más antiguamente *costumne*, 1127, y **costudne*). Del lat. CONSUETŪDO, -ŪDĬNIS, íd. (deriv. de SUESCERE 'acostumbrar').
DERIV. *Costumbrista*, fin S. XIX. *Acostumbrar*, 1330 (*costunnado*, 1220-50); *desacostumbrado*, 1570. Cultismos: *Consuetudinario*, S. XVI. *Consueta* 'cada una de las conmemoraciones comunes que se dicen en el oficio divino', 1729, 'apuntador' (por ser tolerancia acostumbrada): del lat. *consueta*, participio femenino de *consuescere* 'acostumbrar'.

Costura, costurera, costurero, costurón, V. *coser*

COTA I 'jubón, especialmente el de cuero o de mallas llevado como arma defensiva', 1330. Del fr. ant. *cote* íd., y éste del fráncico **KOTTA* 'paño basto de lana' (en alemán *hotze* o *kutte*).

COTA II 'número que en los planos topográficos indica la altura', med. S. XIX; antes 'parte o porción determinada, cupo', y 'cita o acotación',· 1611. Tom., por abreviación, de las locuciones latinas *quota pars* 'qué parte, cuánta parte', *quota nota* 'qué cifra' (del adjetivo interrogativo *quotus* 'cuán numeroso, en qué número').
DERIV. *Cotejar*, 1348, 'compulsar, comparar', por la comparación de citas y cantidades en el cotejo de escrituras; *cotejo*, 1604. *Cotizar*, 1846: resulta de una confusión de las dos voces francesas *coter* íd., y *cotiser* ('imponer una contribución financiera a varios indicando a cada uno su cuota'), deriv. ambas de *cote*, del mismo origen que el cast. *cota*; *cotización*. *Acotar* 'citar un autor, aducir una autoridad', 1531, 'poner cotas en los planos'; *acotación* 'nota marginal', 1605.

Cotarro 'albergue', V. *coto* I   *Cotejar, cotejo,* V. *cota* II   *Coterráneo,* V. *tierra*

COTIDIANO 'diario', 2.ª mitad S. XIII. Tom. del lat. *quotidianus* íd., deriv. de *quotidie* (o *cottidie*) 'cada día' (cpt. de *quotus* 'cuán numeroso' con *dies* 'día').

COTILEDÓN, S. XVI. Tom. del gr. *kotylēdōn, -ónos,* 'hueco de un recipiente', 'cavidad donde encaja el hueco de una cadera'.
DERIV. *Cotiledóneo. Dicotiledón*; *dicotiledóneo.*

COTILLÓN 'danza con figuras en bailes de sociedad', 1884, 'baile de sociedad'. Del fr. *cotillon* íd., propiamente 'enaguas' (del mismo origen que *cota* I).

Cotización, cotizar, V. *cota* II

COTO I 'límite fijado a los precios', h. 1260, 'terreno acotado', 897, primitivamente 'mandamiento, precepto', 1220-50 (luego 'multa', 938; 'término, límite, mojón', 897). Del lat. CAUTUM 'disposición preventiva en las leyes', neutro de CAUTUS 'garantizado, asegurado' (el participio de CAVĒRE 'tener cuidado', 'tomar precauciones, garantizar').
DERIV. *Cotarro*, 1601, 'albergue de pobres y vagabundos', 'habitación de gente de mal vivir', de *coto* en el sentido de 'cercado'. *Cotilla* 'mujer chismosa, que anda de cotarro en cotarro', *cotillero*, S. XX. *Acotar* 'reservar legalmente el uso de un terreno', 1219.

COTO II 'bocio', amer., h. 1600. Del quichua *coto* 'buche', 'bocio'.
DERIV. *Cotudo* 'el que tiene bocio'.

Cotonada, cotoncillo, cotonía, V. *algodón*

COTORRA 'papagayo pequeño', 1693. Parece sacado de *cotorrera*, 1601, 'mujer parlanchina', variante de *cotarrera*, 1609, 'mujer que gasta el tiempo en visitas inútiles de cotarro en cotarro' (deriv. de *cotarro*, V. *COTO* I). En la aplicación al ave influyó el sinónimo *cata* (véase).
DERIV. *Cotorrear*, 1720; *cotorreo*. *Cotorrería*. De *cotarro* directamente viene *cotorrona* 'la mujer que ha corrido mucho y ya es muy conocida', de donde *cotorrón, -ona,* 'persona de edad madura', med. S. XIX.

Cotorrón, -ona, V. *cotorra*   *Cotudo,* V. *coto* II

COTUFA 'tubérculo de la raíz de la aguaturma' (de donde 'golosina, comida rebuscada'), 1603. Origen incierto, quizá del mozárabe *quqúffa* 'fruslería', 'cuchufleta', alterado por influjo de *turma* o *trufa*.

COTURNO, 1490. Tom. del lat. *cothurnus* 'calzado de lujo empleado por los romanos, especialmente por los actores trágicos'.

Covacha, covachuela, covachuelista, V. *cueva   Covanillo,* V. *cuévano*

COY, 1832. Del neerl. *kooi* 'cama de a bordo, hamaca' (antes, 'corral de ovejas', procedente del lat. CAVEA 'corral').

COYOTE, 1532, del náhuatl *cóyotl* íd.

COYUNDA, h. 1440. Del lat. vg. *CONJUNGŬLA* íd., deriv. de CONJUNGERE 'uncir', y éste de su sinónimo JUNGERE (con la misma evolución fonética que *sendos* del lat. SINGULOS).

Coyuntura, V. *junto*

COZ 'golpe que dan las bestias con una de las patas', 1220. Del lat. CALX, -CIS, 'talón'.
DERIV. *Cocear,* 1220-50; *coceador. Recalcitrante,* participio de *recalcitrar* 'echar coces', fin S. XVII, tom. del lat. *recalcitrare* íd., deriv. de *calx.*

CRÁNEO, h. 1580. Tom. del gr. *kraníon* íd., diminutivo de *krános* 'casco, yelmo'.
DERIV. *Craneal. Craneano. Pericráneo.*
CPT. *Hemicránea* 'jaqueca', del gr. *hēmikranía* íd., formado con *hēmi-* 'medio', porque sólo afecta una parte de la cabeza.

CRÁPULA 'libertinaje', 1615. Tom. del lat. *crapŭla* 'embriaguez, borrachera' (y éste del gr. *kraipálē* íd.).
DERIV. *Crapuloso.*

Crasitud, craso, V. *grasa*

CRÁTER 'boca de un volcán', 1832. Tom. del lat. *crater, -ēris,* íd., y éste del gr. *kratȇr, -ēros,* propiamente 'vasija', 'pilón de fuente' (deriv. de *keránnymi* 'yo mezclo' porque en esta vasija se mezclaba vino con agua; de ahí *discrasia,* 1606, con prefijo peyorativo *dys-*).

Creación, creador, crear, creativo, V. *criar*

CRECER, h. 1140. Del lat. CRESCĔRE íd.
DERIV. *Creces,* 1611. *Crecida,* S. XVI. *Creciente,* adj.; sust. f., 1444. *Crecimiento,* h. 1250. *Crescendo,* del italiano, donde es propiamente gerundio de *crescere* 'crecer'. *Acrecer,* h. 1140, lat. ACCRESCĔRE íd.; *acrecentar,* 1241. *Incremento,* 1499, tom. del lat. *incremĕntum* íd., deriv. de *increscere* 'acrecentarse'; *incrementar. Recrecerse,* S. XIII. *Decrecer,* 1607 (quizá 1504), lat. *de-*

crescere íd.; *decrecimiento. Excrecencia,* 1555, tom. de *excrescentia* íd.

Crédito, credo, crédulo, V. *creer*

CREER, h. 1140. Del lat. CRĒDĔRE 'creer, dar fe (a alguno)'.
DERIV. *Creencia,* 1220-50. *Creíble. Creyente,* 1220-50. *Acreer* ant. 'dar prestado', 1220-50 (propiamente 'dar fe'), de donde *acreedor,* 1241. *Descreído,* 1604. Cultismos: *Credencia,* 1611; *credencial* 'carta de crédito', S. XVIII. *Crediticio,* 1939. *Crédito,* med. S. XVI, tom. del lat. *credĭtum* 'préstamo, deuda'; *acreditar,* 1546; *descrédito,* 1617; *desacreditar,* 1581. *Credo,* 1565, propiamente 'yo creo', primera persona del presente del lat. *credere. Crédulo,* h. 1570, lat. *credŭlus* íd.; *credulidad,* h. 1440; *incrédulo,* 1438, *incredulidad.*

CREMA I, 1646. Del fr. *crème* 'nata', procedente del galo-latino CRAMA íd., que se lee en textos de Francia desde el S. VI; voz de origen céltico.

CREMA II 'diéresis, signo ortográfico', 1765-83. Alteración del gr. *trêma, -atos,* 'puntos marcados en un dado' (propiamente 'agujero', deriv. de *titráō* 'yo perforo').

CREMACIÓN, 1884. Tom. del lat. *crematio, -ōnis,* íd., deriv. de *cremare* 'quemar'.
DERIV. *Crematorio.*

CREMALLERA, 1884. Del fr. *crémaillère* 'barra metálica con dientes destinada a suspender las ollas, calderas, etc., sobre el fuego', de donde 'barra metálica con dientes para diversos oficios mecánicos', deriv. del fr. antic. *cremail* íd. (que procede del gr. *kremastȇr* 'suspendedor').

CREMATÍSTICO, S. XX. Tom. del gr. *khrēmatistikós* 'relativo a los negocios financieros' (deriv. de *khrȇmata* 'bienes, dinero').
DERIV. *Crematística.*

Crematorio, V. *cremación*

CRÉMOR, princ. S. XVIII. Abreviación de *crémor tártaro,* cuyo primer miembro es el lat. *cremor* 'jugo, zumo'.

CRENCHA, 1490, 'raya que divide el cabello en dos partes', 'cada una de estas partes'. Del mismo origen incierto que el port. antic. *crencha* 'trenza' y cat. *clenxa, crenxa,* 'crencha'; por razones fonéticas no puede ser voz genuina a la vez en los tres romances ibéricos, pero es dudoso desde cuál de los tres se propagó a los otros dos (se documenta primero en catalán, S. XIV).

CREOSOTA, 1884. Cpt. culto formado con el gr. *kréas* 'carne' y *sõizō* 'yo salvo, preservo'.

Crepitación, crepitante, crepitar, V. *quebrar*

CREPÚSCULO, 1490. Tom. del lat. *crepuscŭlum* íd.
DERIV. *Crepuscular*.

CRESA 'huevo o larva de ciertos insectos, especialmente los que se hallan en algunos alimentos que empiezan a descomponerse', 1729. Anteriormente *queresa*, 1475, gallego *careixa*; otros dicen *caresa*, 1601, o *calesa*. Todas, formas que proceden de una base *CARĬSĬA, probablemente emparentada con el lat. CARIES 'podredumbre', 'carcoma'; la terminación -ISIA sungiere origen prerromano: puede tratarse de una palabra céltica afín a la latina, o de un derivado de ésta formado con sufijo aborigen.

CRESPO, 1115. Del lat. CRĬSPUS 'rizado, ondulado'.
DERIV. *Crespilla*, 1832. *Crespón*, 1765-83. *Encrespar*, h. 1495. *Crispar*, h. 1580, tom. del lat. *crispare* 'ondular, fruncir', 'agitar remover (el mar)'. *Crispir* 'salpicar de pintura la obra con una brocha gorda para imitar una piedra de grano', 1832, del fr. *crépir*, propiamente 'rizar el cabello', deriv. del fr. ant. *crespe* 'crespo'.

CRESTA, 1490 (y desde los orígenes del idioma). Del lat. CRĬSTA íd.
DERIV. *Crestería*, 1715.

CRESTOMATÍA, med. S. XIX. Tom. del gr. *khrēstomátheia* íd., propiamente 'estudio de las cosas útiles', compuesto de *khrēstós* 'bueno, útil' y *manthánō* 'yo aprendo'.

Cresuelo, V. *crisol*   *Cretáceo*, V. *greda*

CRETINO 'el que sufre de cretinismo', 1884. Del fr. *crétin* íd., a su vez tomado de un dialecto de la Suiza francesa, donde es la forma local de la palabra francesa *chrétien* 'cristiano', aplicada allí a los cretinos como eufemismo compasivo.
DERIV. *Cretinismo* 'enfermedad degenerativa que causa alteraciones de la inteligencia y vicios de conformación del cuerpo'.

CRETONA, 1884. Del fr. *cretonne* íd., 1723, así llamada por el pueblo de *Creton* en Normandía, donde se fabricaba.

Creyente, V. *creer*

CRIAR, 1097, 'nutrir a un niño o un animal', 'instruir, educar'. Del lat. CREARE 'crear, producir de la nada', 'engendrar, procrear'. *Crear* viene de la misma palabra por vía culta, y ya se emplea en la Edad Media.
DERIV. *Cría*, 1438. *Criadero*, S. XV. *Criadilla* 'trufa', 1555 (así llamada porque la "cría" espontáneamente la tierra), 'testículo', 1611 (por comparación de forma). *Criado*, 1064 (en el sentido de 'hijo o discípulo'), antes 'vasallo educado en casa de su señor', h. 1140, de donde 'sirviente', 1330. *Criador*, h. 1140. *Crianza*, 1105. *Criatura*, 1220-50. *Criazón*, 780. *Crío*, h. 1500. De *crear*: *creación*, 1611, *creador*, 1679, *creativo*, S. XVIII; *increado*. *Procrear*, 1737, lat. *procreare* íd.; *procreación*, 1737. *Recrear* (propiamente 'reparar las fuerzas'), 1438, lat. *recreare* 'restablecer, reparar'; *recreo*, 1737; *recreativo*; *recreación*; *recriar, recría*.
CPT. *Malcriado*.

CRIBO, h. 1400. Del lat. CRĬBRUM íd.
DERIV. *Criba*, 1490 (*griva*, 1379). *Cribar*, h. 1495 (*agrivar*, 1373), lat. CRĬBRĀRE íd.

CRIC 'gato, nombre de varias máquinas, en particular una que sirve para levantar grandes pesos a poca altura', 1884. Del fr. *cric*, onomatopeya del chirrido del instrumento.

CRICOIDES 'cartílago anular de la laringe', S. XX. Tom. del gr. *krikoeidḗs* 'circular', compuesto de *kríkos* 'anillo' y *éidos* 'forma'.

CRIMEN, 1220-50. Tom. del lat. *crimen*, *-mĭnis*, 'acusación'; en la baja época 'falta, crimen'.
DERIV. *Criminal*, 1220-50, lat. *criminalis*; *criminalidad*; *criminalista*. *Criminoso*, med. S. XV, lat. *criminosus*. *Incriminar*; *incriminación*. *Recriminar*, 2.ª mitad S. XIX; *recriminación*.
CPT. *Criminología*.

CRIN, 1220-50. Del lat. CRĬNIS 'cabello', 'cabellera'.
DERIV. *Crinado*, 1438.

CRIOLLO, 1590. Adaptación del port. *crioulo* 'blanco nacido en las colonias': significó primeramente 'esclavo que nace en casa de su señor' y 'negro nacido en las colonias (a distinción del procedente de la trata)' y en consecuencia, es deriv. de *criar*. Sólo la terminación ofrece dificultades pero es verosímil que se trate de un deriv. de *cria* 'esclavo criado en casa de su señor' con el sufijo diminutivo portugués *-oulo* (adaptado después al cast. según el modelo del cast. *illo* = port. *elo*.
DERIV. *Acriollarse*, 1889.

Cripta, criptógamo, criptografía, criptograma, V. *gruta*   *Crisálida, crisantema, -emo*, V. *criso-*

CRISIS, 1705, 'mutación grave que sobreviene en una enfermedad para mejoría o empeoramiento', 'momento decisivo en un asunto de importancia'; lat. *crisis.* Tom. del gr. *krísis* 'decisión', deriv. de *krínō* 'yo decido, separo, juzgo'.
DERIV. *Crítico*, 1580, lat. *críticus*, gr. *kritikós* 'que juzga', 'que decide', 1705; *criticar*, princ. S. XVII, *criticón*, 1651. *Criterio*, 1765-83, del lat. *criterium* 'juicio', gr. *kritērion* 'facultad de juzgar', 'regla'. *Diacrítico*, gr. *diakritikós* 'distintivo', deriv. de *diakrínō* 'yo distingo'. *Hipercrítico*, 1580.

CRISMA, 1220-50; lat. *chrisma, -ătis.* Tom. del gr. *khrisma, -atos*, 'acción de ungir', deriv. de *khriō* 'yo unjo' (V. *CRISTO*); como la cabeza es la que recibe el crisma, el femenino *crisma* se emplea vulgarmente en el sentido de 'cabeza'.
DERIV. *Descrismar.*

CRISO-, primer elemento de compuestos, procedente del gr. *khrysós* 'oro'. *Crisoberilo*, S. XVIII, formado con gr. *bēryllos* 'berilo'. *Crisocola*, con gr. *kólla* 'cola'. *Crisantemo*, 1555, gr. *khrysánthemon* íd., formado con *ánthemon* 'flor'. *Crisolito*, S. XIII, con gr. *líthos* 'piedra'. *Crisoprasa (-acio*, 1705; por conducto del fr. *chrysoprase*), del gr. *khrysóprasos* íd., con gr. *prásos* 'puerro'. *Crisálida*, 1765-83, gr. *khrysallis, -ídos*, íd., deriv. de *khrysós* por el color dorado de muchas crisálidas.

CRISOL 'recipiente para fundir materias a temperatura elevada', h. 1495. En su forma actual viene del cat. ant. y dial. *cresol*, 1363 (*creol* ya 1299, hoy *gresol*) íd., cuyo significado básico es 'candil'. La forma propiamente castellana fue *cresuelo*, h. 1250, que, lo mismo que el it. *crogiuolo* y el fr. ant. *croisuel*, tiene este último sentido. La base común en romance es *CROSIOLUM*, de origen incierto, probablemente derivada del adjetivo prerromano *CROSUS* 'hueco' (de donde sale el fr. *creux* íd.), aplicado a la candileja o parte inferior y cóncava del candil, donde se deposita el aceite; el candil antiguo era de barro o de piedra, como lo es el crisol.
DERIV. *Acrisolar*, 1605.

Crisolito, crisoprasa, V. *criso-*   *Crispar, crispir*, V. *crespo*

CRISTAL, 1043; lat. *crystallus.* Tom. del gr. *krýstallos* 'hielo', 'cristal'.
DERIV. *Cristalería. Cristalizar*, 1765-83; *cristalización*, 1780. *Cristalino*, princ. S. XV, lat. *crystallinus.*
CPT. *Cristalografía. Cristaloide.*

CRISTO, 1220-50 (*Christus*, h. 1140); lat. *Christus.* Tom. del gr. *Khristós* íd., propiamente 'el Ungido', deriv. de *khriō* 'yo unjo'.
DERIV. *Cristiano*, 1129, lat. *christianus* íd.; *cristianar*, 1604, o *acristianar*; *cristiandad*, h. 1140; *cristianismo*, h. 1140; *cristianizar.*

Crisuelo, V. *crisol*   *Criterio, crítica, criticar, crítico, criticón*, V. *crisis*   *Crizal*, V. *quicio*

CRIZNEJA, 1505, 'trenza de cabellos', 'soga o pleita de esparto o materia semejante'. Probablemente del lat. vg. *CRINICŬLA*, diminutivo de CRINIS 'cabello', 'cabellera', 'trenza', con una *-z-* adventicia.

CROAR, 1765-83, y *croajar*, 1490. Onomatopeya.

CROCANTE, 1884. Del fr. *croquant* íd., deriv. de *croquer* 'comer algo que cruje', voz de origen onomatopéyico. Del mismo verbo deriva el fr. *croquette*, de donde el cast. *croqueta*, 1884.

CROMO, nombre de un metal, 1884. Deriv. del gr. *khrōma* 'color', por el empleo que en pintura se hace de las combinaciones del cromo.
DERIV. *Cromático*, princ. S. XVII, gr. *khrōmatikós. Cromatina. Cromatismo.*
CPT. *Cromolitografía*, 1884, abreviado comúnmente en *cromo*, 1884. *Cromotipografía. Dicromático. Policromo; policromía. Tricromía.*

CRÓNICA, h. 1275. Tom. del lat. *chronica, -orum*, 'libros de cronología', 'crónicas', plural neutro del adjetivo *chronicus* 'cronológico', que se tomó del gr. *khronikós*, deriv. de *khrónos* 'tiempo'.
DERIV. *Cronicón*, S. XVII, b. lat. *chronicon*, y éste del neutro singular del citado adj. griego. *Cronista*, princ. S. XV. *Crónico*, 2.ª mitad S. XIII, lat. *chronicus* 'que dura hace tiempo', aplicado a las dolencias; *cronicidad. Anacronismo*, 1726, gr. *anakhronismós* 'acto de poner algo fuera del tiempo correspondiente', deriv. de *khrónos* con prefijo *ana-*, que indica movimiento hacia arriba o hacia atrás; *anacrónico*, 1877. *Sincronismo*, 1765-83, gr. *synkhronismós* íd., formado con *syn-* 'junto con'; *sincrónico.*
CPT. *Cronografía*, 1611. *Cronología*, 1705; *cronológico. Cronómetro*, 1765-83, *cronometría, cronométrico.*

CROQUIS, 1832. Del fr. *croquis* íd., derivado de *croquer* 'indicar sólo a grandes rasgos la primera idea de un cuadro o dibujo', propiamente 'comer rápidamente haciendo crujir lo comido' (para el cual, V. *CROCANTE*).

Cruce, crucero, crucífero, crucificar, crucifijo, crucifixión, cruciforme, crucigrama, V. *cruz*

CRUDO, 1220-50. Del lat. CRŪDUS 'crudo', propiamente 'que sangra' (emparentado con *cruento*).
DERIV. *Crudeza,* 1220-50. *Encrudecer,* h. 1495. *Recrudecer* 'volver a agravarse un mal', 1884, lat. *recrudescĕre* 'volver a sangrar (una herida), volver a ser sangrienta (la lucha)'; *recrudescencia; recrudecimiento. Cruel,* 1220-50, del lat. CRŪDĒLIS íd.; *crueldad,* 1220-50.

Cruel, crueldad, V. *crudo*

CRUENTO 'sangriento', h. 1520. Tom. del lat. *cruentus* íd., deriv. de *cruor* 'sangre' (V. *CRUDO*).

CRUJÍA, princ. S. XV, 'espacio de popa a proa en medio de la cubierta del buque'. Del it. *corsìa* íd., que a su vez viene del adjetivo *corsìo* 'corriente', deriv. de *corso* 'curso'. En castellano el vocablo sufrió el influjo del verbo *crujir* porque en las galeras se hacía pasar a los soldados delincuentes a lo largo de la crujía, recibiendo los golpes de los galeotes situados en los bancos de ambos lados (castigo llamado *pasar crujía*).

CRUJIR, med. S. XV. De origen incierto, probablemente onomatopéyico; palabra común al castellano con el italiano, el catalán y el galorrománico (de donde pasó al inglés).
DERIV. *Crujido,* 1604. *Crujiente.*

Crúor, V. *cruento*

CRUP 'difteria', 1884. Del ingl. *croup* íd., deriv. del verbo anticuado y dialectal *croup* 'gritar roncamente', 'toser con tos ronca', de origen onomatopéyico.
DERIV. *Crupal.*

CRURAL, h. 1720. Tom. del lat. *cruralis,* deriv. de *crus, cruris,* 'pierna'.

Crustáceo, V. *costra*

CRUZ, 960. Del lat. CRUX, CRŬCIS, 'cruz', 'horca', 'picota', 'tormento, pena, azote'; por vía semiculta.
DERIV. *Crucero,* 1495. *Cruceta. Cruzar,* 1220-50; *cruzado,* 1218; *cruzada,* 1220; *cruce,* 2.ª mitad S. XIX. *Encrucijada,* 1220-50. *Entrecruzar.*
CPT. *Crucificar,* 1220-50, tom. del lat. *crucifigĕre* (formado con *figere* 'clavar'), con adaptación a la forma del cast.. ant. *ficar* 'hincar, clavar'. *Crucifijo,* 1220-50, lat. *crucifixus,* participio de *crucifigere; cruci-*

fixión, S. XVIII. *Crucífero,* 1611. *Cruciforme. Crucigrama,* h. 1940.

CUADERNO, 1220-50. Del antiguo adjetivo *quaderno* 'cuádruple, que consta de cuatro' (por el número de cuatro pliegos de que consta el cuaderno), descendiente semiculto del lat. *quaternus* (deriv. de *quattuor* 'cuatro').
DERIV. *Cuaderna,* 1505, 'conjunto de las cuatro piezas formadas por cada una de las estamenaras y de las varengas de ambos lados del navío', 1538. *Encuadernar,* 1495; *encuadernación,* 1495; *desencuadernar,* 1570, o *descuadernar,* S. XVII. En forma más culta: *Cuaterno; cuaterna. Cuaternario.*

Cuadra, cuadrado, V. *cuadro Cuadragenario, cuadragésima, cuadragésimo,* V. *cuaresma Cuadrángulo, cuadrante, cuadrar, cuadratura, cuadrícula, cuadricular, cuadrienal, cuadrienio, cuadriga,* V. *cuadro*

CUADRIL, 1330, 'hueso del anca', 'anca', 'cadera'. La forma primitiva parece ser la dialectal *cadril* (usual en Asturias, León y Galicia), que seguramente procede de *hueso caderil,* deriv. de *cadera.*
DERIV. *Descuadrilarse.*

CUADRO, 968, 'cuadrado o rectángulo (aplicado especialmente a las obras de arte pintadas, a porciones de tierra labrada, etc.)'. Del lat. QUADRUM 'un cuadrado' (afín a QUATTUOR 'cuatro').
DERIV. *Cuadra* 1061, 'sala' h. 1140, 'caballeriza' 1729; 'manzana de casas de forma cuadrada, propia de América', 1688, del lat. QUADRA 'un cuadrado'. *Cuadrar,* 929, lat. QUADRARE 'escuadrar, hacer cuadrado', de donde 'acomodarse, estar perfectamente adaptado (a algo)'. *Cuadrado,* h. 1250. *Cuadrante,* 1490. *Cuadratura,* S. XVII. *Cuadrícula,* 1708; *cuadricular. Cuadrilla,* S. XIII, 'división de la hueste en cuatro partes para repartir el botín', 'bando, grupo a que pertenece alguien', 'grupo de personas para un fin determinado'; *cuadrillero,* 1605; *acuadrillar. Encuadrar. Escuadrar,* 1459; *escuadra,* 1459; *escuadrón,* fin S. XV; *escuadrilla,* S. XVI. *Recuadro; recuadrar.*
CPT. *Cuadrángulo; cuadrangular. Cuadri-,* forma prefijada del lat. *quattuor* 'cuatro', que entra en los siguientes compuestos cultos: *Cuadrienio,* lat. *quadriennium* íd., formado con *annus* 'año'; *cuadrienal. Cuadrilátero. Cuadrilítero. Cuadrilongo,* 1729 (con *longus* 'largo'). *Cuadriga,* 1611, lat. *quadrīga* íd., contracción de *quadrijŭga,* formado con *jugus* 'yugo'. *Cuadrúmano. Cuadrúpedo,* S. XVII, lat. *quadrŭpes, -edis. Cuádruplo,* 1729, o *cuádruple,* lat. *quadrŭplus. Cuadruplicar,* h. 1665, lat. *quadruplicare.*

Cuadruplicar, cuádruplo, V. *cuadro*

CUAJO, h. 1400, 'sustancia cuajada', 'sustancia que sirve para cuajar'. Del lat. COAGŬLUM íd. (deriv. de AGERE 'empujar, hacer mover' con prefijo CO- 'juntamente'). DERIV. *Cuajar,* v., med. S. XIII, lat. COAGULARE íd.; *cuajada,* 1705. *Cuajarón,* 1555, antes *cuajadón,* S. XIII. *Cuajar,* sust., h. 1400, lat. tardío COAGULARE íd., parte del sistema digestivo de los rumiantes, así llamada porque en ella se cuaja la leche en los animales de teta. *Descuajar,* 1220-50; *descuajaringar.* Duplicados cultos: *Coágulo; coagular,* 1709; *coagulación,* 1729.

CUAL, S. X. Del adjetivo relativo e interrogativo latino QUALIS 'tal como', 'como', 'de qué clase'. DERIV. *Cualidad,* 1490, o *calidad,* 1220-50, tom. del lat. *qualĭtas, -atis,* íd.; *cualitativo,* S. XV. CPT. *Cualquiera* y *cualquier,* 1220-50. *Calificar,* 1547, tom. del b. lat. *qualificare,* usado esp. por los escolásticos; *calificación,* 1611; *calificativo; descalificar,* h. 1925, tom. del ingl. *disqualify,* deriv. de *qualify* 'ser considerado apto'.

Cuan, V. *cuanto*

CUANDO, S. X. Del lat. QUANDO íd.

CUANTO, S. X. Del lat. QUANTUS íd.; del neutro del mismo, QUANTUM, por apócope, procede probablemente el cast. *cuan.* DERIV. *Cuantía,* 1236; *cuantioso,* S. XIV. *Cantidad.* h. 1250, tom. del lat. *quantĭtas, -atis; cuantitativo,* S. XVII. *Cuántico.*

Cuarcita, V. *cuarzo*

CUARENTA, 1206 (*quaraenta*). Del lat. QUADRAGĬNTA (vulgarmente QUARAGINTA). DERIV. *Cuarentena,* 1220-50. *Cuarentón.*

CUARESMA, 1220-50. Abreviación del lat. QUADRAGĒSĬMA DIĒS 'día cuadragésimo', por la duración de cuarenta días, que tiene este período religioso. *Cuadragésimo,* 1545, tom. del lat. *quadragesĭmus* íd.; *cuadragenario,* 1684, lat. *quadragenarius.*

Cuarta, V. *cuarto*

CUARTAGO 'jaca, caballo de poca altura', med. S. XVI. Antiguamente *curtago,* port. *quartau:* tomados del fr. *courtaud* 'persona o animal de poca estatura' (pronunciado *kurtáu* en la Edad Media y deriv. de *court,* de igual significado y origen que *corto*): el vocablo se alteró en castellano por influjo de *cuarto,* nombre de una parte del cuerpo del caballo.

CUARTO, 1074. Del lat. QUARTUS íd. Así como se emplea *cuatro* como expresión de un número poco crecido, pero indeterminado (*decir cuatro palabras,* etc.), se ha empleado análogamente *cuarto* para una división en pocas partes, de aquí el empleo sustantivado de *cuarto* para cada uno de los aposentos en que se parte una casa, princ. S. XVII; *cuartear,* 1505, 'dividir en pocas partes', 'rajar, agrietar' se explica del mismo modo.

DERIV. *Cuarta. Cuartana,* h. 1530, lat. QUARTANA íd., por repetirse cada cuatro días. *Cuartel,* 2.º cuarto S. XV, del cat. *quarter* 'cuartel de un escudo', 'cuarta parte', 'distrito de una ciudad', etc.; la acepción 'alojamiento de una tropa en campaña', h. 1572, se tomó más tarde del fr. *quartier;* de ahí luego 'edificio donde se alojan las tropas', 1729; *cuartelada; cuartelero; cuartelillo; acuartelar. Cuartero. Cuarteta,* h. 1690, del it. *quartetta* íd.; *cuarteto,* princ. S. XVII, it. *quartetto. Cuartilla,* 1303; *cuartillo,* princ. S. XVII. *Cuartón. Descuartizar,* 1570, deriv. de *cuartizo,* hoy sólo 'pedazo de madera de aserrar', que pudo tener antes el sentido de 'cuarta parte en general'. *Encuartar,* 2.ª mitad S. XIX; *encuarte.*

CUARZO, 1832. Del alem. *quarz* íd. DERIV. *Cuarzoso. Cuarcita.*

Cuasi, V. *casi   Cuaternario, cuaterno,* V. *cuaderno   Cuatralbo,* V. *cuatro*

CUATRERO 'ladrón de caballos', med. S. XVI. Deriv. de *cuatro* 'caballo', voz de germanía, abreviación del antiguo *cuatropea* o *cuadropea* 'animal cuadrúpedo', lat. ANIMALIA QUADRUPEDIA.

CUATRO, 1090. Del lat. QUATTUOR íd. CPT. *Cuatralbo,* 1729 (y en sentido secundario, 1615) 'animal que tiene blancos los cuatro pies', formado con *albo* 'blanco'. *Cuatrocientos. Catorce,* 1187, del lat. QUATTUORDĔCIM, formado con DECEM 'diez'.

Cuatropea, V. *cuatrero*

CUBA. 1092. Del lat. CŪPA íd. DERIV. *Cubo.* 1293, del lat. tardío CŪPUS, deriv. de aquél porque los cubos antiguos se hacían con duelas de madera como las cubas; la acepción 'pieza en que encajan los rayos de las ruedas' se explica por la forma que tenían como de aceituna o tonelito alargado y abultado en medio. *Cubero.* 1350. *Cubeta,* 1611.

CUBEBA, 1488. Del ár. *kubêba* íd.

Cubero, cubeta, V. *cuba   Cubicar, cúbico,* V. *cubo   Cubierta, cubierto,* V. *cubrir*

CUBIL 'sitio donde las bestias silvestres se recogen para dormir', 1330. Del lat. CŬBĪLE 'lecho', 'cubil', deriv. de CUBARE 'acostarse'.

DERIV. *Cubilar* 'majada' arag. *Concubina*, 1438, tom. del lat. *concubīna* íd., deriv. de dicho verbo; *concubinario*; *concubinato*. *Concúbito*, 1618, lat. *concubĭtus, -us*. *Decúbito*, 1732, lat. *decubĭtus, -us*.

CUBILETE 'vaso angosto y hondo, ordinariamente de cuerno, para menear los dados y evitar las trampas en este juego', 1611 (también *gobelete* y *gobilete* en castellano). Del fr. *gobelet* 'vaso de beber, sin pie y sin asa', que ya en Francia en el S. XVI se empleaba en el sentido castellano, y en España sufrió el influjo de los autóctonos *cubo* y *cubil*.

DERIV. *Cubiletear*.

Cubismo, cubista, V. *cubo*   *Cubo* 'vasija', V. *cuba*

CUBO 'sólido limitado por seis cuadrados iguales', 1490. Tom. del lat. *cŭbus*, y éste del gr. *kýbos* 'cubo', 'dado'.

DERIV. *Cúbico*, 1616; *cubicar. Cubismo, cubista* (creados en Francia, h. 1908).

CUBRIR, S. X. Del lat. COOPERIRE íd.

DERIV. *Cubierto*; *cubierta*, 1538. *Cobertera*, 1330, antes *cobertero*, íd., del lat. COOPERTŌRĬUM íd. *Cobertizo*, 1490. *Cobertor*, 1330. *Cobertura*, h. 1140. *Descubrir*, h. 1140; *descubrimiento*, 1330; *descubridor*, 1581; *descubierta. Encubrir* h. 1140; *encubrimiento*, 1570; *encubridor*, 1505. *Encubierto*, 1330. *Encubertar. Recubrir*.

CPT. *Cubrecama*; *cubrecorsé*.

CUCAÑA 'lo que se consigue con poco trabajo o a costa ajena', 1646, de donde irónicamente 'palo largo, untado de jabón o de grasa, por el cual se ha de trepar o andar para coger como premio un objeto atado a su extremidad', 1780. Del it. *cuccagna* 'abundancia de bienes o placeres', 'país de Jauja', 'palo de cucaña', voz hermana del fr. *cocagne* íd., de origen incierto, probablemente de creación expresiva.

CUCARACHA, 1535. Deriv. de *cuca* 'oruga o larva de mariposa', que en catalán y otras lenguas romances significa 'bicho, sabandija' genéricamente, y en dialectos castellanos (Álava, Filipinas) vale 'cucaracha'; ésta es voz de creación expresiva, perteneciente en su origen al habla infantil.

EN CUCLILLAS, 1571. Viene del anticuado *en cluquillas*, 1560-75, y éste de **en cloquillas*, deriv. de *clueca*, por ser ésta la posición que toma al empollar los huevos.

DERIV. *Acuclillarse*, fin S. XIX.

CUCLILLO, 1490. De la variante *cuquillo*, 1588-98, diminutivo de *cuco*, que también significa lo mismo, 2.º cuarto S. XV; onomatopeya de la voz del ave, creada análogamente en muchos idiomas (lat. *cucūlus*, etc.).

CUCO 'astuto', 1588-98. De *cuco* (nombre de ave, V. *CUCLILLO*), por la habilidad con que el cuclillo hace empollar sus huevos a otros pájaros; la acepción 'pulido, mono', 1843, se explica porque el arte de componerse se considera la habilidad por excelencia en la mujer.

DERIV. *Cucarro* 'apodo que se da al fraile aseglarado', 1601.

CUCÚRBITA 'retorta para operaciones químicas', 1765-83. Tom. del lat. *cucurbĭta* 'calabaza', por la forma.

DERIV. *Cucurbitáceo*, 1884, 'perteneciente a la familia de la calabaza'.

Cucurucho, V. *cogulla*

CUCHARA, 1112 (*cuchare*). Del antiguo y dialectal *cuchar*, femenino, y éste del lat. COCHLEAR, -ĀRIS, íd.

DERIV. *Cucharada*, h. 1495. *Cucharero. Cuchareta*, 1604, *cucharetear. Cucharilla. Cucharón*, 1490.

CUCHÉ, *papel —*, 'el muy satinado y barnizado que se emplea para publicaciones con grabados', S. XX. Del fr. *papier couché* 'papel sobre el cual se ha extendido el primer color para que haga de fondo a los demás', deriv. de *couche* 'capa (de color)'.

CUCHICHEAR, h. 1590 (y *cuchuchear*, 1586). Voz onomatopéyica.

DERIV. *Cuchicheo*, S. XVIII.

CUCHILLO, 1219. Del lat. CŬLTĔLLUS 'cuchillito', diminutivo de CULTER 'cuchillo'.

DERIV. *Cuchilla*, h. 1250. *Cuchillada*, fin S. XIV. *Cuchillero*, 1604; *cuchillería. Acuchillar*, S. XIV.

CUCHIPANDA 'comida que toman juntas y regocijadamente varias personas', 1884. Voz afectiva y reciente, de origen incierto; quizá de **cochipanda*, propiamente 'llena de guisados', compuesto de *cocho* 'cocido', antiguo participio de *cocer*, y el adjetivo *pando* 'hinchado, lleno, vanidoso'.

- CUCHITRIL, 1786, 'habitación estrecha y desaseada'. Voz familiar de origen incierto. Teniendo en cuenta el leonés *enco-trilao* 'encuchitrilado', parece tratarse de una alteración de **cotril* (que como el cat., oc. y fr. ant. *cortil* 'corral' vendría del lat. vg. **cohortīle* íd.), bajo el influjo de *cochinera* o *cochera*, anticuado hoy por 'pocilga', y deriv. de *cochino* (o de su primitivo *coche* 'cochino').

Cuchufleta, V. *chufa*   *Cueca*, V. *zamacueca*   *Cuelmo*, V. *colmena*

CUELLO, h. 1140. Del lat. CŎLLUM íd. DERIV. *Collar*, 1255, lat. COLLARE íd.; *collarada*; *acollarar*. *Apercollar*, 1726. *Descollar*, princ. S. XVII, propiamente 'sacar el cuello por encima'.

CUENCA, 1065, 'cavidad en que está cada uno de los ojos', 'zona cuyas aguas afluyen todas a un mismo río o mar', antiguamente 'pila' y 'escudilla'. Del lat. CŎNCHA 'concha de molusco', y éste del gr. *kónkhē* íd. DERIV. *Cuenco*, 1720.

CUENDA, princ. S. XV, 'cordoncillo que recoge y divide la madeja para que no se enmarañe'. Parece ser deriv. de **condar* (variante fonética de *contar*, hoy conservada en Gascuña, y frecuente en el S. XIII en cat.) porque era costumbre poner una cuenda en las madejas después de contar cada cien hilos.

Cuenta, *cuentagotas*, *cuentista*, *cuento*, V. *contar*

CUENTO 'pieza de metal que se pone en el extremo inferior de las lanzas y bastones', 1599. Significó antiguamente 'bastón', 1220-50, y 'vara de la lanza', h. 1330, y viene del lat. CŎNTUS 'pértiga (de barquero)', 'fuste de lanza, de pica, etc.' (del gr. *kontós* íd.). DERIV. *Contera*, 1599.

Cuera, V. *cuero*

CUERDA, h. 1140. Del lat. CHŎRDA 'cuerda de instrumento musical', 'soga, cordel' (y éste del gr. *khordē* 'tripa', 'cuerda musical hecha con tripas'). DERIV. *Cordaje*, 1705. *Encordar*, 1607. *Cordel*, 1330, del cat. dial. *cordell* íd.; *cordelejo*, 1604; *cordelero*, 1705, *cordelería*; *encordelar*, 1607; *cordellate*, 1511, del cat. *cordellat*, 1617. *Cordería*, 1617. *Cordilla*, 1729. *Cordillera*, 1601, deriv. de *cuerda* en la acepción 'cima aparente de las montañas'; *cordillerano*. *Cordón*, h. 1140; *cordoncillo*, 1620; *cordonero*, 1570, *cordonería*; *acordonar*, 1780.

CUERDO 'prudente', h. 1140. Deriv. regresivo del lat. CORDATUS íd. (deriv. de CŎR, CORDIS, 'corazón'); de CORDATUS hubo de salir **cordado* en la lengua arcaica, del cual se extraería *cuerdo* según el modelo de *colmo*, *pago*, *canso* y análogos junto a *colmado*, *pagado*, *cansado*. DERIV. *Cordal* (*muela* — 'muela del juicio', 1580). *Cordura*, h. 1260.

Cuerear, V. *cuero*

CUERNO, 945. Del lat. CŎRNU íd. DERIV. *Cornada*, 1543. *Cornadura*. *Cornamenta*, princ. S. XVII. *Cornezuelo*, 1620, o *cuernezuelo*. *Cornudo*, 1219. *Cuerna*, 1582. *Acorn(e)ar*. *Descornear*. *Encornado*; *encornadura*. *Cornalina*, med. S. XIX (y *cornelina*, S. XIII), 'ágata semitrasparente (como los objetos de cuerno)', del fr. *cornaline*, *corneline*, S. XII. *Córnea*, 1709, del adj. lat. *corneus* 'de cuerno', por ser dura y trasparente como el cuerno. *Córneo*. *Cornal*, 1717. *Cornear*, 1495. *Cornijal*, 1611. *Cornuto*. *Corneta*, 1552 (y tal vez ya en el S. XIII): probablemente resulta de un cruce de *trompeta* con *cuerna* 'bocina de cuerno'; *cornetín*.

CPT. *Cornicabra*, 1575. *Corniforme*. *Descuernacabras*. *Descuernapadrastros*, 1609. *Cornucopia*, 1499, tom. del lat. *cornu copia* 'la abundancia del cuerno'. *Tricornio*, 1884. *Unicornio*, 1283, lat. *unicornuus* íd. *Cornúpeta*. *Cornamusa*, 1570, del fr. *cornemuse*, formado con *muser* 'divertirse, tocar la gaita'.

CUERO, h. 1250. Del lat. CŎRĬUM 'piel del hombre o de los animales'. DERIV. *Cuerear* amer. *Cuera*, 1535. *Corambre*, 1503. *Coraza*, 1330, lat. CORIACĔA 'hecha de cuero' (como lo eran las corazas antiguas); *coracero*; *acorazar*, *acorazado*. *Coracha* (saco), 1693; 'especie de fortificación' fin S. XIV (en este sentido, propte. 'coraza' es variante mozárabe de esta palabra). *Coriza* 'abarca'. *Coriáceo*, tom. del lat. *coriaceus* íd. *Encorar*, 1220-50. *Encorecer*, h. 1490. *Excoriar*, 1765-83, lat. *excoriare* 'sacar la piel'; *excoriación*, 1555.

CUERPO, S. X. Del lat. CŎRPUS, -ŎRIS, íd. DERIV. *Cuerpear*. *Corpanchón*, princ. S. XVII, o *corpachón*, 1706. *Corpiño*, 1580, tom. del gall. o port. *corpinho* 'cuerpecito' y 'corpiño'. *Corpudo*. Extranjerismos: *Corps*, 1611, del fr. *corps* 'cuerpo'. *Corsé*, 1765-83, del fr. *corset* íd., diminutivo de *corps*; *corsetero*, *corsetería*; *encorsetar*. *Coselete*, 1552, del fr. antic. *corselet* 'coraza ligera, sin mangas', SS. XV-XVI. Cultismos: *Corporación*, 1832, del ingl. *corporation*, S. XIV. *Corporativo*, 1855, ingl. *corporative*,

1833. *Corporal*, 1220-50, lat. *corporalis* íd. *Corpóreo*, 1438, lat. *corporeus*; *corporeidad*; *incorpóreo*, h. 1440. *Corpulento*, med. S. XV, lat. *corpulentus*; *corpulencia*, 1570. *Corpúsculo*, 1499, lat. *corpusculum*, diminutivo de *corpus*. *Incorporar*, 1386, lat. *incorporare*; *incorporación*.

CUERVO, 1075. Del lat. cŏrvus íd.
DERIV. *Corvato*. *Corvina*, 1607, así llamada por su color pardo y negro, semejante al del cuervo. *Corvino*. *Córvidos*.
CPT. *Cormorán*, S. XX, del fr. *cormoran* íd., fr. ant. *cormarenc*, combinación de *corp* 'cuervo' y *marenc* 'marino'.

CUESCO 'hueso de la fruta', 1490 (¿y S. XIV?); 'pedo ruidoso', 1571 (propiamente 'golpe seco'). De KOSK, onomatopeya del golpe que se da a un objeto duro, extendida al objeto mismo o a un ruido comparable.

CUESTA 'terreno en pendiente', 972. Del lat. cŏsta 'costilla', 'costado, lado', que en romance tomó la acepción 'costado o ladera de una montaña' y de ahí 'terreno pendiente'. En *llevar a cuestas* se trata de la acepción antigua 'espalda', evolución directa de la del lat. *costa* 'costilla'.
DERIV. *Costana*, 1601, 'calle en pendiente'; *costanilla*, 1601. *Cuestezuela*. *Cuesto* 'cerro'; *recuesto*, h. 1495.

Cuesta 'coste', V. *costar*   *Cuestación*, V. *cuestión*

CUESTIÓN, 1220-50. Tomado del latín *quaestio, -onis*, 'búsqueda', 'interrogatorio', 'problema', deriv. de *quaerĕre* 'buscar', 'inquirir', 'pedir'.
DERIV. *Cuestionario*, med. S. XVII. *Cuestor*, lat. *quaestor, -oris*, propiamente 'el que pide'; *cuestura*. *Cuestación*.

Cuestor, cuestura, V. *cuestión*

CUEVA, 963. Del lat. vg. *cŏva* 'hueca', femenino del adjetivo co(v)us, variante arcaica del lat. cavus 'hueco'.
DERIV. *Covacha*, 1574; *covachuela*, 1611, 'Secretaría del Despacho real' (así llamada por hallarse en una bóveda de Palacio), de ahí 'oficina pública'; *covachuelista* 'burócrata'. *Encovar*, 1330. *Recoveco*, 1737.

CUÉVANO, h. 1260. Del lat. cŏphĭnus 'cesto hondo', 'cuévano' (gr. kóphinos íd.).

CUEZO 'artesilla de albañil para amasar yeso', 2.ª mitad S. XIII. De una base romance *cŏccĕum (común con el italiano, la lengua de Oc y el catalán), de origen incierto, quizá de creación expresiva.
DERIV. *Cozuelo* 'medida de trigo o sal', 1485.

CUIDAR, S. XVI en el sentido moderno; h. 1140 en su acepción medieval 'pensar'. Del lat. cōgĭtare 'pensar', de donde se pasó a 'prestar atención' y de ahí 'asistir (a alguno)', 'poner solicitud (en algo)'.
DERIV. *Cuidado* 'solicitud', h. 1140, lat. cogitatum 'pensamiento, reflexión'; *cuidadoso*, h. 1400. *Cuidador*. *Descuidar*, 1220-50; *descuidado*; *descuido*, h. 1495, *descuidero*. Cultismos: *Cogitación*, 1438. *Cogitativo*. *Excogitar*, 1499.

CUITA 'aflicción', h. 1140. Deriv. del antiguo *cuitar* 'apurar, mortificar, poner en cuita', que se tomó del occitano *coitar* íd., probablemente procedente del lat. vg. *COCTARE, deriv. de cŏctus (en latín clásico coactus), participio de cōgĕre 'obligar, forzar'.
DERIV. *Cuitado*, h. 1300.

CULANTRO, h. 1100. Alteración popular del lat. *coriandrum* íd. (tomado del gr. *koriandron*); también se ha empleado *celiandro*.
DERIV. *Culantrillo*, h. 1490.

Culata, culatazo, V. *culo*   *Culcasilla*, V. *curcusilla*

CULEBRA, antiguamente *culuebra*, 1220-50. Del lat. vg. *cŏlŏbra íd. (clásico cŏlŭbra); en portugués dio *cobra*, que pasó luego al cast., S. XX.
DERIV. *Culebrazo*. *Culebrear*, 1620; *culebreo*. *Culebrilla*, h. 1495. *Culebrina*, 1599. *Culebrón*.

Culero, V. *culo*

CULÍCIDOS, S. XX. Deriv. culto del lat. *culex, -ĭcis*, 'mosquito'.

CULINARIO, 1.ª mitad S. XIX. Tom. del lat. *culinarius* íd., deriv. de culīna 'cocina'.

Culminación, culminante, culminar, V. *cumbre*

CULO, 1155. Del lat. cūlus íd.
DERIV. *Culata*, 1611; *culatazo*. *Culero*, h. 1495. *Recular*, 1607, probablemente tom. del fr. *reculer*, S. XII.

CULOMBIO, 1899. Deriv. del nombre del físico francés Coulomb, que vivió en el S. XVIII.

CULPA, 1220-50. Tom. del lat. cŭlpa íd.
DERIV. *Culpar*, 1251, lat. *culpare* íd. *Culpado*, 1241. *Culpable*, med. S. XVI; *culpabilidad*. *Disculpar*, S. XIII; *disculpa*, h. 1490. *Exculpar*. *Inculpar*.

CULTO, sust., hacia 1440. Tomado del lat. *cŭltus, -us,* 'acción de cultivar o practicar algo', deriv. de *colĕre* 'cultivar', 'cuidar', 'practicar', 'honrar'. Otros deriv. de *colere*: *Culto,* adj., h. 1530, lat. *cultus* 'cultivado', participio pasivo de dicho verbo; *culterano,* 1629; *culteranismo,* 1624. *Cultismo,* S. XX. *Cultivar,* 1515, tom. del b. lat. *cultivare* íd. (que es latinización del fr. ant. *coutiver,* S. XII, o del it. *coltivare,* princ. S. XIV, a su vez deriv. del adj. *coltiv(o)* 'cultivado'); *cultivo,* sust., 1644; *cultivador,* h. 1440. *Cultura,* 1515; *cultural,* S. XX, tom. del alem. *kulturell.* *Inculto,* 1580; *incultura.*
CPT. *Cultalatiniparla,* 1629. *Cultiparlar*; *cultiparlista.*

CUMBRE, 1220-50. Del lat. CULMEN, -ĬNIS, 'caballete del tejado', 'cumbre, cima'. DERIV. *Cumbrera,* S. XIV. *Encumbrar,* h. 1495. *Culminar,* 1899, deriv. culto del lat. *culmen*; *culminante,* 1843; y una vez S. XV; *culminación.*

Cúmel, V. *comino*

CUMPLIR, h. 1140. Del lat. CŎMPLĒRE 'llenar', 'completar', por vía semiculta. DERIV. *Cumplido,* adj., 1330; sust., 1729. *Cumplidor. Cumplimiento* 'abundancia', 1220-50; 'oferta de ceremonia', 1608; *cumplimentar,* S. XVIII; *cumplimentero,* S. XVIII; *cumplimentoso. Complemento,* med. S. XVII, tom. del lat. *complementum* íd.; *complementar*; *complementario. Completo,* h. 1720, tom. del lat. *complētus* 'lleno', participio de *complere*; *completas,* 1505; *completar,* 1729; *completivo.*
CPT. *Cúmplase. Cumpleaños,* 1729.

Cumquibus, V. *qué*

CÚMULO, 1580. Tom. del lat. *cŭmŭlus* 'amontonamiento', 'exceso', 'colmo' (V. COLMO).
DERIV. *Acumular,* 1546; lat. *accumulare* 'amontonar', 'agregar'; *acumulación.*

CUNA, 1220-50. Del lat. CŪNA íd. DERIV. *Acunar,* fines S. XIX. *Cunero. Incunable,* 1884, tom. del lat. *incunabŭla,* plural de *incunabulum* 'cuna', propiamente 'el origen, los pañales de la imprenta'; por conducto del fr. *incunable.*

CUNDIR 'dar de sí, abundar', 1611, en la lengua clásica y antigua 'propagarse' (sobre todo hablando de males), fin S. XIII (raro hasta el S. XV). Origen incierto. Está en evidente relación con el antiguo *percundir,* fin S. XV, o *percudir,* princ. S. XIII, 'infectar', 'envenenar', que procede del lat. PERCŪTĔRE 'herir, golpear, perforar'; al pa-

recer *cundir* se extrajo secundariamente de *percundir* (aplicado a las culebras y luego a cualquier clase de envenenamiento o infección); intervino en este proceso el influjo de otro verbo antiguo y dialectal, *condir* o *cundir,* 1604, 'condimentar' (lat. *condire*).

Cuneiforme, V. *cuño*   *Cunero,* V. *cuna*

CUNETA 'zanja llena de agua en medio de los fosos de las fortificaciones', 1705; 'zanja a cada uno de los lados del camino, para recibir las aguas de lluvia', 1884. Del it. *cunetta* 'zanja en los fosos de las fortificaciones' y en general 'charco de aguas estancadas'; extraído de *lacunetta,* diminutivo de *lacuna* 'laguna'.

Cuña, V. *cuño*

CUÑADO, h. 1140. Era antiguamente 'pariente político' (en general), y viene del lat. COGNĀTUS 'pariente consanguíneo' (derivado de NATUS 'nacido' y CON- 'juntamente'), que en la baja época significa 'pariente de cualquier clase' y luego especializó progresivamente su significado.
DERIV. *Concuñado,* 1693 (y abreviado *concuño*). Cultismos: *Cognación. Agnado* 'pariente de parte del padre', lat. *agnatus* (paralelo a *cognatus,* con prefijo *ad-*); *agnación.*

CUÑO 'troquel con que se sellan monedas y medallas', h. 1495; antes 'cuña', 1220-50 (de donde la acepción posterior, por el punzón que antiguamente se empleaba para amonedar). Del lat. CŬNĔUS 'cuña'.
DERIV. *Cuña,* 1251. *Acuñar,* S. XVI; *acuñación.*
CPT. *Pescuño,* 1817, de *poscuño* (formado con POST 'detrás'). *Cuneiforme,* dicho de la escritura que empleaba signos en forma de cuña.

Cuodlibeto, V. *qué*

CUOTA, 1736. Abreviación de *cuota parte,* h. 1665, tom. del lat. *quota pars* 'qué parte, cuánta parte' (del adjetivo interrogativo *quotus* 'cuán numeroso').

CUPÉ 'especie de coche corto', 1729. Del fr. *coupé* íd., participio de *couper* 'cortar' por ser como un coche al que se hubiera cortado la mitad anterior.

Cuplé, cupletista, V. *copla*   *Cupo,* V. *caber*

CUPÓN, 1884. Del fr. *coupon* 'recorte, retazo', 'cupón', deriv. de *couper* 'cortar'.

Cupresíneas, V. *ciprés*   *Cúprico, cuprífero, cuproníquel, cuproso,* V. *cobre*

CÚPULA 'bóveda que cubre un edificio, esp. la capilla mayor de un templo', 1604. Del it. *cùpola* íd., y éste de un diminutivo del lat. CŪPA 'cuba', por comparación de forma.

CURA, 1220-50, 'asistencia que se presta a un enfermo' y antiguamente 'cuidado'. Del lat. CŪRA 'cuidado, solicitud'. Al 'párroco', 1330, se aplicó esta denominación por tener a su cargo la cura de almas o cuidado espiritual de sus feligreses. DERIV. *Curar*, S. XIV (*curiar*, h. 1140), lat. CŪRĀRE 'cuidar'; *curadillo* 'bacalo seco'; 1605 (véase *abadejo*); *curable*, 1611; *curación*. *Curador*; *curaduría*, 1495; *curatela*. *Curandero*, S. XVIII. *Curativo*. *Curato*, 1607. *Incurable*, 1515. *Curioso*, 1490, tom. del lat. *curiosus* 'cuidadoso', 'ávido de saber'; *curiosidad*, 1495, *curiosear*. *Incuria*, S. XVII, lat. *incuria* íd. *Procurar*, 1220-50, lat. *procurare* íd., *procuración*; *procurador*. CPT. *Sinecura*, S. XIX, del lat. *sine cura* 'sin cuidados'.

CURARE, 1745. De un dialecto caribe de Tierra Firme.

Curatela, curativo, curato, V. *cura*

CÚRCUMA 'especie de azafrán procedente de la India', 1555. Tom. del ár. *kúrkum* íd.

Curcusido, V. *coser*

CURCUSILLA o **CURCASILLA** 'rabadilla', 1843. Del antiguo *culcasilla*, 1.ª mitad S. XV, probablemente de un lat. vg. CULI CASELLA 'la casita o armazón del trasero'.

CUREÑA, 1601, 'armazón en que se monta el cañón de artillería', antiguamente *curueña* 'palo de ballesta', 1373. Origen incierto. Probablemente del lat. COLŪMNA (de donde el occitano *coronna* 'columna' y milanés *corogna* 'sostén de un emparrado'), alterado bajo el influjo del sufijo *-ueño* y de *cuero*, porque las cureñas de ballesta iban forradas con este material; el palo de la ballesta se apoyaba verticalmente en el suelo al tenderla y podía compararse por la forma a una columna.

CURIA, 1565. Tom. del lat. *curia* 'local del Senado y de otras asambleas', en la Edad Media 'corte de un príncipe', 'tribunal judicial'. DERIV. *Curial*, 1438; lat. *curialis* 'relativo a la curia', 'cortesano'; *curialesco*.

CURIANA 'cucaracha', 1601. Origen incierto, quizá de *coriana* por alusión al traje negro de las aldeanas del obispado de Coria (Extremadura).

Curiosear, curiosidad, curioso, V. *cura*

CURRO, 1836, 'majo, afectado en los movimientos o en el vestir', y en las Antillas 'andaluz'. Parece ser este último el sentido primitivo, y resultar del nombre propio de persona *Curro* (forma familiar de *Francisco, Pacurro, Pacorro*), que es de uso frecuente en esta región española. *Currutaco* 'muy afectado en el uso riguroso de las modas', 1792, en América 'rechoncho', parece resultar de un cruce de *curro* con *retaco* 'rechoncho', 'de corta estatura'. DERIV. *Currinche. Acurrado.*

Currutaco, V. *curro*   *Cursar*, V. *correr*

CURSI 'de mal gusto', 1865. Vocablo semijergal, de origen incierto. Como aparece primeramente en Andalucía, debió de tomarse modernamente del árabe marroquí, donde *kúrsi* significa 'figurón, personaje importante', y es aplicación metafórica de la palabra corriente para 'silla', que en otras partes se registra en el sentido de 'ciencia, saber', 'sabio, docto' y 'cátedra de profesor o predicador'; de ahí se pasaría a 'pedante', 'presuntuoso', y la acepción española. DERIV. *Cursilería*, h. 1900. *Cursilón.*

Cursillo, cursivo, curso, V. *correr*

CURTIR, h. 1250. Voz exclusiva del castellano y el portugués, de origen incierto. Cabe dudar entre considerarlo deriv. de *corto*, porque los cueros y frutas al curtirse se encogen, o partir de un lat. vg. *CORRETRIRE*, deriv. de *RETRIRE*, extraído del lat. clásico RETRĪTUS 'desgastado por el roce' (participio de RETERĔRE 'desgastar'); compárese *DERRETIR*. DERIV. *Curtido*, 1604. *Curtidor*, 1256. *Curtidura*, 1495. *Curtiembre*, 1644, amer. *Encurtir, encurtido*, 1732.

CURUL, 1595. Tom. del lat. *curūlis* íd.

Curva, curvatura, curvilíneo, curvo, V. *çorvo*   *Cuscurro*, V. *coscorrón*

CUSCUTA, 1555. Tom. del b. lat. *cuscuta*, h. 1200, deformación del ár. *kušūtā* (voz antigua en Oriente, afín o procedente del gr. *kassýtas*, neobabilónico *kiširtu*).

CÚSPIDE, 1832. Tom. del lat. *cuspis, -ĭdis*, 'punta', 'objeto puntiagudo'. CPT. *Tricúspide.*

CUSTODIA, 1220-50. Tom. del lat. *custōdĭa* 'guardia, conservación', 'prisión' (derivado de *custos, -ōdis*, 'guardián'); en el lenguaje eclesiástico se ha aplicado a la pieza de oro donde se custodia el Santísimo Sacramento.

DERIV. *Custodio*, S. XVI. *Custodiar*, 1843.

Cutáneo, V. *cutis*

CÚTER, 1843. Del ingl. *cutter* íd.

CUTÍ 'tela de lienzo rayado usada para colchones', med. S. XVIII. Del fr. *coutil* (pronunciado *kutí*), deriv. del fr. ant. *coute* 'colchón' (lat. CŬLCĬTA).

CUTIS, princ. S. XVII. Tom. del lat. *cutis* 'piel', 'pellejo (de fruta, etc.)'.

DERIV. *Cutáneo*, h. 1720; *subcutáneo*. *Cutícula*, 1706.

CUY 'conejillo de Indias', 1570. Origen incierto, probablemente onomatopeya del chillido del animal; probablemente sólo por casualidad coincide con el vasco *kui* 'conejo' que debe de proceder de un antiguo *kuni*, de donde el lat. *cuniculum* de origen hispánico.

Cuyo, V. *qué*   *Cuzco*, V. *gozque*

CH

CHABACANO, 1527-47. Origen incierto. El sentido propio es 'desabrido' (de donde el mejicano *chabacano* 'albaricoque') y primero parece haber significado 'de poco precio', luego podría ser deriv. de *chavo*, variante vulgar de *ochavo*, en el sentido de 'mercancía de a ochavo'.

DERIV. *Chabacanada. Chabacanería,* S. XVIII. *Chabacanear.*

CHABOLA, 1891, 'barraca', 'albergue provisional'. Del vasco *txa(b)ola* 'choza', 'cabaña' (también *etxola* y *etxabola*), palabra ya algo antigua en vasco, 1630, si bien es probable que este idioma la tomara del fr. antiguo y provincial *jaole* 'jaula', 'cárcel' (hoy *geôle,* procedente del lat. CAVEOLA 'jaulita'), alterándola en su forma y en su sentido por influjo del vasco *etxe* 'casa'.

CHACAL, 1765-83. Viene, por vía europea, del turco *čakâl,* a su vez procedente del persa *šagâl* íd.

Chacarero, chacarita, V. *chacra*

CHACO 'cacería que hacían antiguamente los indios de América del Sur estrechando en círculo la caza para cogerla', 1555. Del quich. *chacu* íd.

CHACÓ 'sombrero militar propio de la caballería ligera', 1843. Del húngaro *csákó* (pronunciado *cháco* con ambas vocales largas), por conducto del francés.

CHACOLÍ 'vino ligero y agrio que se hace en las Vascongadas y Santander', 1729. Del vasco *txakolin* íd. (en esta lengua la forma con artículo *txakolina* pasó a *txako-* *lia* por evolución fonética, de donde la forma castellana).

CHACONA 'danza clásica española bailada con castañuelas', 1592 (empleado también, antiguamente, en el sentido de 'bailarina descocada'). Lo mismo que *chacota* (véase), parece ser derivado de la onomatopeya *chac,* que imita el ruido de las castañuelas. Del castellano pasó a las varias lenguas europeas ya en el siglo XVII.

CHACOTA 'bulla y alegría, mezclada con bromas y carcajadas', 1517, también portugués, donde significó antiguamente una canción que los rústicos cantaban en coro. Probablemente de la onomatopeya *chac,* imitativa del ruido que emite el que ríe convulsivamente y del sonido de ciertos instrumentos de música popular (y véase *CHACONA*).

DERIV. *Chacotear,* 1604; *chacoteo. Chacotero,* 1604.

CHACRA, amer., 'huerta, campo de riego labrado y sembrado', 1540. Del quichua antiguo *chacra* íd. (hoy *chajra*).

DERIV. *Chacarero. Chacrita* o *chacarita.*

Chacha, V. *muchacho*

CHÁCHARA, 1551. Del it. *chiàcchiera* 'conversación sin objeto y por mero pasatiempo' (pronunciado correctamente *kiákkiera,* pero localmente suena casi como *chá-* *chera*); en italiano procede a su vez de la raíz onomatopéyica romance KLAKK- 'charla'.

DERIV. *Chacharear. Chacharero,* 1720.

Chafaldita, chafallón, chafalonía, V. *cha-* *far*

CHAFAR, princ. S. XVII, 'aplastar', 'ajar'. Onomatopeya común con el cat. *aixafar* 'aplastar'.

DERIV. *Chafaldita* 'pulla inofensiva', 1884, de la acepción secundaria de *chafar* 'deslucir a uno en una conversación dejándole sin tener qué responder'. *Chafallo*, 1599, 'remiendo mal echado', 'emborronadura'; *chafallar* 'hacer una cosa de cualquier manera', 1729; *chafallón* 'chapucero', 1729, de donde *chafalonía,* amer., 1811 (por *chafallonía*) 'objetos de plata y oro que, por no usarse ya, se venden a peso, desestimando la confección', 'quincalla', es decir, joya mal hecha y chafallona. *Chafarrinar; chafarrinada,* princ. S. XVII.

Chafarote, V. *chifla   Chafarrinada, chafarrinar,* V. *chafar*

CHAFLÁN 'cara, comúnmente larga y estrecha, que resulta en un sólido, de cortar una esquina por un plano', 1729 (*chaflanado,* ya 1604). Del fr. *chanfrein* íd., deriv. del anticuado *chanfraindre* 'cortar en chaflán', y éste compuesto de *chant* 'canto, ángulo' y *fraindre* 'cortar' (procedente del lat. FRANGĚRE íd.).

DERIV. *Achaflanar* o *chaflanar,* 1633.

CHÁGUAR, amer., 'especie de cáñamo silvestre', 1652. Del quichua *ch'áhuar* íd.

DERIV. *Chaguarazo* 'latigazo', 1872.

CHAIRA, 1765-83, 'cuchilla que usan los zapateros para cortar la suela', 'cilindro de acero que usan los carniceros y carpinteros para sacar filo a sus cuchillas'. Del gallego *chaira,* 'pedazo de hierro acerado en que·los zapateros afilan la cuchilla', y éste del adjetivo gallego y port. dialectal *chairo* (antes *cháeiro*) 'plano', deriv. de *chão* (en gallego *chan*) 'llano', lat. PLANUS.

DERIV. *Chairar* 'afilar'.

CHAL, 1832. Del fr. *châle,* 1666, y éste del persa *šál.*

DERIV. *Chalina,* 1884.

CHALADO 'loco, alelado', 1847, propiamente 'ido' (de donde 'enajenado'). Voz jergal, del gitano *chalar* 'ir, andar, caminar' (de origen sánscrito).

DERIV. *Chalarse,* fin S. XIX. *Chaladura.*

CHALÁN 'el que compra y vende caballos', 1729; antes 'el que trata en compras y ventas de cualquier mercancía', 1601. Del fr. *chaland* 'cliente de un mercader', tomado de los muchos franceses que se dedicaban en España a la compraventa de animales; el fr. *chaland,* que también significó 'amigo o allegado (de alguien)', era primitivamente participio activo del verbo *chaloir* 'importar, ser de interés (para alguno)', procedente del lat. CALĒRE 'interesarse (por algo)', propiamente 'estar caliente'.

CHALANA 'embarcación menor, de fondo plano', 1831. Del fr. *chaland* íd., h. 1100, y éste del bajo gr. *khelándion* íd.

CHALECO, 1765-83, antes *jaleco,* 1605. Del ár. argelino *ǧalīka* 'casaca de cautivo', y éste del turco *ielék.* De la variante castellana anticuada *gileco,* empleada por Cervantes, se tomó el fr. *gilet.*

CHALOTE 'liliácea, que produce bulbos semejantes al ajo', 1832. Del fr. *échalotte,* alteración, por cambio de sufijo, del fr. ant. *eschalogne,* procedente del lat. ASCALONIA CEPA íd., propiamente 'cebolla de Ascalón', ciudad de Palestina.

CHALUPA, 1587. Del fr. *chaloupe* íd., 1522, de origen incierto; probablemente es palabra nacida en Francia, hermana del oc. ant. *calup* 'especie de barca', quizá aplicación figurada de un vocablo que significaba 'cáscara de nuez' (*chalupe* en el Poitou, *chalupper* 'seleccionar nueces' en Rabelais).

CHAMARILERO, 1729, 'persona que se dedica a comprar y vender trastos viejos'. Deriv. del antiguo *chambariles* 'instrumentos de zapatero', S. XV, primitivamente *chambaril* 'pierna de un animal', 1533, y luego 'palo que se adaptaba a la pierna', deriv. a su vez del port. ant. *chamba* 'pierna', 1500, que es alteración del fr. *jambe* íd.; la generalización del sentido de *chamarilero* 'vendedor de enseres zapateriles' en 'cambiador y vendedor de trastos viejos' se deberá al influjo de *chambar* o *chamar* 'trocar', que resulta probablemente de una mezcla del port. anticuado *cambar* 'cambiar' con el fr. *changer* íd.

CHAMARIZ, 1601, 'pajarillo más pequeño que el canario, de color verde, que canta a suma velocidad'. Del port. *chamariz* 'reclamo, señuelo, ave que se pone para atraer a otras', deriv. de *chamar* 'llamar' (del lat. CLAMARE).

CHAMBA 'chiripa', 1884, voz popular semi-jergal. Parece extraído de *chambón,* 1836, 'torpe en el juego', 'que sólo gana por chiripa', que significó primeramente 'grosero', 'chapucero'; probablemente deriv. del port. ant. *chamba* 'pierna' (vid. *CHAMARILERO*), en el sentido de 'zancarrón', 'patán'.

Chambaril, V. *chamarilero   Chambelán,* V. *cámara*

CHAMBERGO, -GA, se aplicó primeramente, en calidad de adjetivo, a la casaca chamberga, que trajeron el General Schomberg y sus tropas cuando vinieron de Francia a la guerra de Cataluña (h. 1650); y de ahí pasó luego a un regimiento formado h. 1670, y finalmente al sombrero chambergo, 1729, y a otras prendas llevadas por los militares que vestían chamberga. Del nombre del general que introdujo aquella casaca.

Chambón, V. *chamba*

CHAMBRA 'especie de blusa sin adorno que las mujeres llevan en casa sobre la camisa', 1884. Abreviación del fr. *robe de chambre*, porque sirve para permanecer en la *chambre* o cuarto (lat. CAMĔRA).

CHAMBRANA 'moldura que se pone alrededor de las puertas, ventanas y chimeneas', 1495. Del fr. ant. *chambrande* (hoy *chambranle*) íd., tomado por vía del cat. *xambrana*, 1505. En francés procede de CAMERANDUS, -A, participio de futuro pasivo del verbo CAMERARE 'construir en forma de bóveda', 'hacer algo artísticamente'.

CHAMICO, amer., 'Datura stramonium', 1642. Del quichua *chamico* íd.

CHAMIZA, 1601, 'chamarasca, leña menuda', 'hierba silvestre que se seca mucho, empleada para techar chozas'. Del port. *chamiça* (o gallego *chamiza*) íd., deriv. de *chama* 'llama'.
DERIV. *Chamizo* 'leño medio quemado', 1729, 'choza cubierta de chamiza', 'tugurio de gente sórdida'.

CHAMORRO, h. 1350, 'que tiene la cabeza esquilada'. Origen incierto, probablemente prerromano y con parentela en vasco. En la Edad Media se aplicó como apodo étnico a los portugueses, por haberse introducido primero entre ellos la costumbre de cortarse el cabello, cuando en Castilla los hombres llevaban todavía el cabello largo.
DERIV. *Chamorra* 'cabeza trasquilada', 1611.

CHAMPÁN, 1690, 'embarcación grande de fondo plano que se emplea para navegar por los ríos'. Del malayo *čampán* íd., y éste del chino *san pan* 'tres tablas' (del cual, por otro conducto, puede salir la forma castellana anticuada *çempán*, 1535).

CHAMPAÑA, 1910, o **CHAMPÁN**. Del fr. *Champagne*, región de Francia donde se hace este vino.

CHAMPÚ 'loción empleada para lavar la cabeza', 1908. Del ingl. *shampoo* íd., derivado del verbo *shampoo* 'someter a masaje', 'lavar la cabeza', tomado del hindi *čampo*, imperativo del verbo *čampnā* 'apretar', 'sobar'.

Champurrar, V. *chapurrar*

CHAMUSCAR, princ. S. XV. Del port. *chamuscar* íd., deriv. de *chama* 'llama', procedente del lat. FLAMMA.
DERIV. *Chamusquina*, 1495; de donde *chamuchina* 'naderías, cosas sin valor', 1604, 'riña, alboroto', 1729, 'populacho, muchedumbre', amer. Del port. *chama* salen también *chamarasca* 'leña que levanta mucha llama', 1729, y *charamusca* (de *chamarusca*), cuyo sentido propio es el mismo.

CHANADA 'superchería, chasco', fin S. XVIII. Voz familiar probablemente deriv. del gitano *chanar* 'saber, entender' (procedente del sánscr. *jānāti* 'él conoce'), con el sentido propio de 'acto hábil e inteligente' y de ahí 'timo, superchería'.

Chanciller, V. *canciller*   *Chancleta*, V. *chanclo*

CHANCLO, 1693, 'especie de sandalia de madera o suela gruesa que se sujeta debajo del calzado con tiras de cuero y sirve para preservarse de la humedad y del lodo', 1729; 'zapato de goma empleado con el mismo objeto', S. XIX. Alteración del dialectal *chanco*, 1609, *chanca*, 1720, 'chapín', 'chinela', que parece ser forma mozárabe correspondiente a *zanca*; la alteración fue causada por el influjo de *choclo* 'chanclo con suela de madera' (empleado en Bilbao y otras partes), que viene del lat. SŏCCŬLUS 'zueco pequeño' (por conducto del vasco *txokolo*).
DERIV. *Chancleta*, 1604; *chancletear*.

Chancro, V. *cáncer*

CHANCHO, amer., 'cerdo', 1764. De *Sancho*, nombre propio de persona, que en el S. XVII se aplicó como apodo a este animal, y que se extendió al uso propio con el fin de evitar la denominación malsonante *puerco*.

CHANCHULLO 'manejo ilícito', 1884, parece haber significado primero 'botes de afeites de mujer', 1720, deriv. del it. *cianciullare* 'hacer naderías' (de donde *chanchullarse*, 1720), deriv. de *ciancia* 'burla, broma' (vid. CHANZA).

CHANFAINA 'guisado de bofes aderezados con cebolla y otros condimentos', 1605, en catalán *samfaina* 'fritada o salsa que acompaña dicho guisado', que es el sentido primitivo. Parece ser alteración de *samfoina*, con cambio de sufijo; palabra tomada del lat. *sȳmphōnia* 'acompañamiento musical', gr. *symphōnía* 'acuerdo de voces o de sonidos', 'consentimiento, unión' (de *phōnḗ* 'voz' y el prefijo *syn-* que expresa compañía). El mismo origen tiene el dialectal *chanflonía* 'chanza, chuscada' (en dialectos italianos *sanfònia* 'chismes, habladurías'), de donde se extrajo *chanflón* 'tosco, ordinario', 1601.

Chanflón, chanflonía, V. *chanfaina*

CHANGADOR, arg., urug., 'mozo de cordel', S. XIX, significó antiguamente 'el que se dedica a matar animales para sacar provecho de los cueros', 1730. Parece extraído de *changada* 'cuadrilla de changadores dedicados al trasporte de cueros', que se tomó del port. *jangada* 'almadía, balsa', por hacerse este trasporte en dicho vehículo por los ríos Paraná y Uruguay. La voz portuguesa procede a su vez de una lengua dravídica de la India.
DERIV. *Changa*, arg. 'trasporte de una maleta, etc., que se hace fuera de las horas de trabajo', 'faena de poca monta'; *changar* 'hacer trabajos de jornalero'.

CHANGÜÍ 'chasco, engaño', *dar* —, 1836. Palabra jergal de origen incierto.

CHANTAR, 1601, 'vestir o poner', 'clavar, hincar', 'decir a uno una cosa sin reparos'. Del port. o gallego *chantar* 'plantar, clavar', y éste del lat. PLANTARE íd.
DERIV. *Achantarse* 'aguantarse, agazaparse o esconderse mientras dura un peligro', 1884.

CHANTRE, h. 1260. Del fr. *chantre* 'cantor', en la Edad Media caso sujeto de *chanteur*, del lat. CANTOR, -ŌRIS, íd.
DERIV. *Sochantre*, 1739.

CHANZA, 1601. Del·it. *ciancia* 'burla, broma', 'bagatela', 'mentira, embuste', palabra de creación expresiva.
DERIV. *Chancear*, 1646.

Chanzoneta, V. *canción*

CHAPA 'lámina u hoja de metal, madera, etc., especialmente la usada para cubrir la superficie de algo', h. 1440, antiguamente 'cada uno de los pedazos de chapa encajados en una superficie (p. ej., en los arneses de un caballo)', 1403 (y ya S. XIV en Portugal), que es el sentido primitivo. Probablemente del mismo origen que el cat. y oc. *clapa* 'cada una de las manchas o manchones que salpican una superficie'. Voz de origen incierto, probablemente idéntico al

del oc. y retorrománico *clap* 'roca, peñasco', especialmente cada uno de los diseminados por una ladera de montaña, que representa una base *KLAPPA, de procedencia desconocida (quizá onomatopeya del golpeteo de una losa oscilante).
DERIV. *Chapear*, 1495. *Chapeado*, S. XVI. *Chapería*, 1604. *Chapar*, 1495, *chapado*, 1495. *Enchapado*.

Chapalear, V. *chapotear* *Chapar*, V. *chapa*

CHAPARRO 'mata de encina o roble, de muchas ramas y poca altura', 1600. De origen prerromano, emparentado con el vasco dialectal *txapar(ra)* íd., diminutivo de *zaphar(ra)* 'matorral', 'seto'.
DERIV. *Chaparral*, 1644. *Achaparrado*, 1726.

CHAPARRÓN, 1729 (y *chaparrada* ya en 1605). De la raíz onomatopéyica *chap-*, que expresa el ruido del golpe aplastante de la lluvia al caer violentamente sobre las plantas y cosechas; una raíz semejante existe en vasco (*zapar(r)*, *zaparrada* 'chaparrón', *zapart* 'estallido', etc.), pero es probable que allí sea también una onomatopeya.

Chapear, V. *chapa*

CHAPEO 'sombrero', 1550. Del fr. *chapeau* íd., y éste del lat. vg. CAPPELLUS 'vestidura de la cabeza', diminutivo de CAPPA íd.

Chapería, V. *chapa*

CHAPESCAR, caló, 'huir, escapar', 1884. Tal vez metátesis de *chescapar*, procedente de un cruce entre *escapar* y el gitano *chalar* 'ir, andar' (vid. CHALADO).

CHAPETÓN 'europeo recién llegado a América y, por consiguiente, inexperto, bisoño, en las dificultades del país', 1555. Probablemente sacado, por cambio de sufijo, de *chapín* 'chanclo con suelo de corcho' (en que se andaba incómodamente y metiendo ruido), por alusión al andar pesado del que sufre de niguas en los pies, de las cuales solían padecer los inexpertos en la vida tropical.
DERIV. *Chapetonada*, h. 1600.

CHAPÍN 'calzado de mujer, con suela gruesa de corcho, de cuatro dedos o más de alto, destinado a aumentar aparentemente la estatura', 1389. Vocablo de formación paralela a la del cat. *tapí* íd., y a la del vasco *zapino*; deriv. de una onomatopeya *chap-*, imitativa del ruido que hacía la que andaba en chapines.

CHÁPIRO, 1729. Sacado regresivamente del antiguo *chaperón*, 1600, o *chapirón*, 1611, 'capirote', tomado del fr. *chaperon* íd., deriv. de *chape* (hermano del cast. *capa*).

Chapitel, V. *capitel*

CHAPLE, *buril* —, 'buril redondo, en figura de gubia o de escoplo, que no hace punta', 1765-83. Probablemente deriv. del fr. ant. y dialectal *chapler* 'tajar, trinchar'.

Chapodar, V. *podar*   *Chapona,* V. *jubón*

CHAPOTEAR, fin S. XVII, 'hacer movimientos en el agua o lodo, con los pies ò manos, hasta salpicarse'. De *chap-,* onomatopeya del golpe que se da en el agua. Del mismo origen *chapalear,* 1884.

Deriv. *Chapoteo. Chapaleo; chapaleta* 'válvula de la bomba de sacar agua', 1675.

CHAPUCERO 'oficial que hace las obras groseramente', 1601, deriv. del más raro *chapuz* 'obra manual de poca importancia o hecha sin arte ni pulidez', 1680. Del fr. anticuado y dialectal *chapuisier,* S. XII, 'desbastar madera', 'carpintear groseramente', *chapuiserie* 'trabajo del carpintero que obra así', deriv. del radical *chap-* (de donde viene también el fr. ant. *chapoter* 'desbastar madera', *chapler* 'cortar a pedazos, tajar, trinchar'), relacionado con el cast. *capar* 'castrar' y el neerl. *kappen* 'cortar'; la terminación de *chapuisier* se tomó del fr. *menuiser* 'trabajar de ebanista' (lat. vg. *MINUTIARE* 'desmenuzar', deriv. de MINUTUS 'menudo').

Deriv. *Chapucería,* 1729. *Chapucear,* 1765-83.

CHAPURRAR, h. 1800, o **CHAMPURRAR,** 1729. Origen incierto; el sentido antiguo de 'mezclar líquidos diversos' es posible que sea el primitivo y que haya relación con *purrela* 'vino de mala calidad'.

CHAPUZAR 'meter a uno de cabeza en el agua', 1596, variante de *zapuzar,* S. XIII. Antiguamente *sopozar,* med. S. XIII, deriv. de *pozo* con el prefijo *so-* 'debajo', en el sentido de 'hundir en un pozo o poza'. La *u* de *chapuzar* se debe al influjo del sinónimo *capuzar,* cat. *cabussar* íd., que es derivado del lat. CAPUT 'cabeza'.

Deriv. *Chapuzón.*

Chaqué, V. *chaqueta*

CHAQUETA, 1804, y **CHAQUÉ,** S. XX. Del fr. *jaquette* 'chaqué', 'chaqueta larga', especialmente la que antes llevaban los campesinos: deriv. del fr. anticuado *jaque,* m., 'especie de jubón', 'cota de malla'; éste probablemente del fr. anticuado *jacques* 'campesino', denominación tomada del nombre propio Jacques 'Santiago'.

Deriv. *Chaquetilla. Chaquetón,* 1884.

CHAQUIRA 'abalorio o grano de aljófar que llevan los indígenas americanos como adorno y que se empleó para comerciar con ellos', 1526. De una lengua aborigen de la zona del Mar Caribe, probablemente de la región de Panamá.

Charabán, V. *carro*

CHARADA, 1843. Del fr. *charade* íd., 1770, de origen incierto, quizá tomado de oc. mod. *charrado* 'conversación, charla', deriv. del verbo oc. *charrà,* del mismo sentido y origen que *charlar.*.

Charamusca, V. *chamuscar*

CHARANGA, 1836, 'orquesta popular descompasada', 'música militar que sólo consta de instrumentos de viento'. Voz imitativa de un sonido estridente.

Deriv. *Charango,* 1836.

CHARCO, 1335. Voz común al castellano y al portugués, de origen incierto; de todos modos empezó por emplearse sólo en el Sur de España, donde es frecuente en la toponimia andaluza, manchega, valenciana y portuguesa meridional, luego se trata probablemente de una palabra mozárabe y sería lícito sospechar que provenga en definitiva del lat. CÍRCUS 'círculo', por conducto del mozárabe *cherco* y una pronunciación arabizada *čärko,* en el sentido de 'charco de forma oval o aproximadamente circular' (como lo son casi todos); hay también la posibilidad de que fuese prerromano en mozárabe (cf. *Xaraco,* pueblo con una gran laguna cerca de Gandía, y el andal. *chargue* 'remolino u olla en un río').

Deriv. *Charca,* 1604. *Encharcar,* 1490.

CHARLAR, 1.ª mitad S. XVI. Voz de creación expresiva, pero tomada probablemente del it. *ciarlare* íd., S. XIV.

Deriv. *Charla,* h. 1580. *Charlador,* 1.ª mitad S. XVI. *Charlotear; charloteo.*

CHARLATÁN, 2.º cuarto S. XVI. Del it. *ciarlatano* íd., S. XVI, alteración del más antiguo *cerretano* 'vendedor de panaceas y de indulgencias falsas', 1477, bajo el influjo de *ciarlare,* vid. *CHARLAR; cerretano* es deriv. de *Cerreto,* ciudad de Umbría, región donde abundaba el tipo popular del vendedor locuaz de medicamentos e indulgencias.

Deriv. *Charlatanear,* S. XVIII. *Charlatanería,* S. XVIII. *Charlatanismo.*

CHARNECA 'lentisco', princ. S. XVI, en portugués *charneca* es 'terreno inculto, arenoso y estéril, en que sólo vegetan plantas silvestres', 1180. Probablemente se tomó de este idioma, concretando el significado a una de las plantas que más se hallan en las landas y eriales, y puede sospecharse que sea voz prerromana, deriv. del ibero-vasco SARNA 'escamas', 'escorias', 'arena gruesa' (V. *SARRO* y *SARNA*).

Deriv. *Charnecal,* 1517.

CHARNELA 'bisagra', h. 1495. Del fr. *charnière* íd., deriv. de un antiguo **charne* 'gozne' (dialectalmente *carne*), y éste procedente del lat. CARDO, -DINIS, íd.

CHAROL 'barniz muy lustroso y permanente inventado por los chinos: laca', S.

XVII; 'cuero de zapato lustrado con este barniz', 1836. Del port. *charão* 'laca', y éste del chino *čat-liao* íd., compuesto del chino dialectal *čat* 'barniz' y *liao* 'tinta', 'óleo'.

DERIV. *Charolar* (*charolear*, 1729). *Acharolado*.

CHARPA 'faja o banda empleada por las mujeres, los bandoleros, etc.', h. 1630. Del fr. *écharpe* 'bandolera', 'charpa', 'cabestrillo', en francés ant. *escharpe*, del fráncico *SKERPA (comp. el escand. ant. *skreppa* 'bolsa que se lleva en bandolera').

CHARQUE o **CHARQUI**, amer., 'carne curada al aire, al sol o al hielo', 1602. Origen incierto, quizá aborigen, pero no es seguro que el quichua *ch'arqui*, 1560, no sea de origen hispánico, teniendo en cuenta que *enxerca* y *enxarca* (de origen arábigo) existen con el mismo sentido en Portugal y, al menos aquél, desde la Edad Media.

DERIV. *Charquear.*

CPT. *Charquicán* 'guisado que antes se hacía con charque (hoy con carne fresca) y ciertos condimentos': del arauc. *charquican* 'guisar el charque'.

Charquicán, V. *charque*   *Charrada*, V. *charro*

CHARRÁN 'pillo, tunante', 1884, 'joven esportillero malagueño que vende pescado', 1832. Quizá del vasco *txarran* (o *txerren*) 'malvado, traidor', 'diablo' (probte. sacado del nombre propio *Txerran*, dimin. de *Ferran* Fernando', tal vez como eco de acontecimientos del S. XV); pero es incierto dada la posibilidad de un encuentro casual y de un origen arábigo de la palabra castellana.

CHARRASCA 'navaja de muelles', 'sable u otra arma arrastradiza', 1884. Voz familiar imitativa del ruido de la charrasca o navaja al abrirse.

DERIV. *Charrasco*, 1905.

Charrete, V. *carro*   *Charretera*, V. *jarrete*

CHARRO, 1627, 'basto, tosco', 'aldeano', 'de mal gusto'. Vocablo familiar probablemente emparentado con el vasco *txar* 'malo, defectuoso', 'débil', 'pequeño', y tomado de esta voz vasca o heredado de una ibérica correspondiente.

DERIV. *Charrada*. 1729. *Charrería*. De la variante vasca *za(h)ar* proceden *zarria* 'cazcarria', 1475 (V. *ZARPA*), y el and. *zarrio* 'charro', 1729.

Chascarrillo, V. *chasco*

CHASCO, 1627, 'burla o engaño que se hace a alguno', 'decepción que causa un suceso contrario'. Significó primitivamente 'chasquido, estallido', 1604, y es voz onomatopéyica.

DERIV. *Chasquear*, princ. S. XVII. *Chascarrillo* 'anécdota ligera y picante', 1884. *Chasquido*, h. 1572.

CHASIS, S. XX. Del fr. *châssis* 'marco', 'chasis', deriv. de *châsse* 'cofre', 'montura', del lat. CAPSA 'caja'.

Chasquear, chasquido, V. *chasco*

CHATARRA, 1906, 'hierro viejo', 'escoria que deja el mineral de hierro'. Del vasco *txatar* íd. (con artículo *txatarra*), diminutivo de *zatar* 'andrajo, trapo'.

CHATO, 1601. Del lat. vg. *PLATTUS 'plano', 'chato, aplastado', y éste del gr. *platýs* 'ancho', 'plano'. La forma *ñato* empleada en América se debe a un cruce con el leonés *nacho* 'chato' (en forma más dialectal *ñacho*), que a su vez parece resultar de una pronunciación afectiva de *naso* 'nariz', lat. NASUS.

DERIV. *Chata* 'chalana', 1720. *Achatar*, 1803.

Chau, V. *esclavo*

CHAVAL, 1859. Del gitano *chavale*, vocativo masculino plural de *chavó* 'hijo, muchacho'. El sinónimo más jergal *chavea*, 1909, viene del vocativo masculino singular *chavaia*.

Chavea, V. *chaval*

CHAVETA, 1527, 'clavija o pasador que se pone en el agujero de una barra e impide que se salgan las piezas que la barra sujeta'. Del it. dialectal *ciavetta* íd. (en italiano común *chiavetta*), diminutivo del it. *chiave*, del mismo origen y sentido que *llave*.

CHAYOTE, 1765-83, 'fruta semejante a una calabaza, espinosa por encima'. Del náhuatl *chayútli* íd.

DERIV. *Chayotera.*

Chaza, V. *chazar*

CHAZAR 'detener la pelota antes de que llegue a la raya señalada para ganar', 1618. Del fr. *chasser* 'perseguir, expulsar', que aplicado a la pelota significa expulsarla con fuerza, y tiene el mismo origen que el cast. *cazar*.

DERIV. *Chaza* (suerte del juego de pelota), h. 1500.

CHE, interj. rioplatense, para dirigir la palabra a uno a quien se tutea, S. XIX. Origen incierto. En vista de que en valenciano se emplea con el mismo valor *xe*, que suena igual, debe descartarse toda procedencia aborigen americana; probte. es alteración del antiguo *¡ce!*, empleado sobre todo para llamar la atención de alguien; pronunciado *tse* antiguamente, cuando la *ç* antigua dejó de ser africada debió de cambiarse en *che*, con objeto de conservar la fuerza expresiva del vocablo.

CHELÍN, 1765-83. Del ingl. *shilling* íd.

Chepa, V. *giba*

CHEQUE, fines S. XIX, 'documento de pago dirigido a un banco'. Del ingl. *cheque* (grafía británica) o *check* (grafía americana) íd., 1774, propiamente 'complemento del cheque en el talonario', 1706, deriv. del verbo *check* 'comprobar', 1695 (y en otros sentidos ya antes del S. XV).

Cherinola, V. *chirinola*

CHÉSTER (variedad de queso), S. XX. De *Chester*, nombre de un condado de Inglaterra.

CHEVIOT, S. XX, 'lana del cordero de Escocia y paño que se hace con ella'. Del ingl. *cheviot* íd., procedente del nombre de los montes escoceses de Cheviot, donde se cría aquella raza.

CHICLE, 1780, 'gomorresina masticatoria'. Del náhuatl *tzictli* íd.

CHICO, adj., h. 1140. Voz de creación expresiva, común al castellano con el vasco, el catalán, el sardo y algunos dialectos italianos; sólo indirectamente relacionada con el lat. CICCUM 'membrana que separa los granos de la granada', 'cosa insignificante, pizca'.
DERIV. *Chica. Chiquillo*, 1604; *chiquillada*; *chiquillería. Chiquito*, h. 1490, *chiquitín*; *chiquirritín*, S. XVIII. *Chiquilín. Achicar*, 1495.

CHICOLEAR, med. S. XVII, 'decir donaires y dichos graciosos', 'requebrar a una mujer'. Voz de creación expresiva, formada con la sílaba *chic-* (paralela a *chac-*, de CHACOTA, CHACONA), y que sugiere la idea de reír o hacer reír (ingl. *chuckle*, it. *cigolare*, alem. *kichern*).
DERIV. *Chicoleo*, 1717 (*chicolío*, princ. S. XVII).

CHICOTE 'colilla, punta de cigarro', 1832, 'cabo o punta de cuerda en un navío, o pedazo separado de la misma', 1587, y en América 'látigo, azote', 1789. Probablemente del fr. *chicot* 'pedazo de tronco o de raíz

cortados que sobresale de tierra', 'astilla que se clava en el pie de un caballo', 'raigón de diente'; a su vez palabra del mismo origen incierto que el fr. *chique* 'trozo de tabaco que se mastica', dialectalmente 'pedazo en general', y que *déchiqueter* 'desmenuzar'.
DERIV. *Chicotazo. Chicotear.*

Chicha 'carne', V. *salchicha* y *chichón*

CHICHA I 'bebida alcohólica usada en América y resultante de la fermentación del maíz, y de otros granos y frutos, en agua azucarada', h. 1521. Parece ser voz de los indios cunas, de Panamá.
DERIV. *Chichería*, 1680.

CHICHA II, adj., *calma* — 'calma absoluta en el mar, falta completa de viento', 1831. Origen incierto, quizá del fr. *chiche* 'avaro', apellidada así por los marinos porque no da nada de viento.

CHÍCHARO 'guisante', and., gall., cub., mej., 1705. Del lat. CICER, -ĔRIS, 'garbanzo', por conducto del dialecto mozárabe.

Chicharra, V. *cigarra*

CHICHARRO (especie de pez marino), 1729. Voz de la costa atlántica de España y Portugal, desde el País Vasco hasta Canarias y Cádiz; de origen incierto.

CHICHARRÓN, fin S. XIII, 'residuo de las pellas del cerdo después de derretida la manteca'. De una raíz onomatopéyica *chich-*, imitadora del ruido del chicharrón al freírse; común al castellano con el vasco, el gascón pirenaico y el italiano.
DERIV. *Achicharrar*, princ. S. XVII, 'abrasar', procedente de la misma onomatopeya.

Chichería, V. *chicha* I

CHICHÓN 'bulto que de resultas de un golpe se hace en el cuero de la cabeza', 1601. Voz común al castellano y al it. *ciccione*; de origen incierto, probablemente deriv. del vocablo infantil *chicha* 'carne', de creación expresiva.

Chifla 'silba, silbato', V. *silbar*

CHIFLA, 1611, 'cuchilla ancha de corte curvo con que los encuadernadores y guanteros raspan y adelgazan las pieles'. Voz técnica, probablemente del ár. *šífra* 'chaira de zapatero', 'navaja de barbero', de la raíz *š-f-r* 'disminuir', 'bajar', vulgarmente 'recortar' *Chafarote* 'alfanje', 1729, quizá derive de una variante árabe *šáfra*.

Chifladura, chiflar, V. *silbar*

CHIFLE, fin S. XVIII, 'cuerno, especialmente el empleado para contener municiones o líquidos'. Vocablo propio de las hablas leonesas, hispanoamericanas y portuguesas, cuyo significado básico parece haber sido 'tubo' (de donde 'cuerno', por el empleo de éste como tubo) y antes 'silbato'; deriv.·de *chiflar* por *silbar*.

CHILABA, 1886. Del ár. marroquí y sahárico *ỹillába* íd.; propiamente 'traje de esclavo', deriv. de *ỹalib* '(esclavo) importado'.

Chilatole, V. *chile*

CHILCA, amer., 1586 (nombre de varios arbustos del género *Baccharis*). Del quichua *ch'illca* íd.

CHILE 'pimienta', mej. y centroamer., 1521. Del náhuatl *chilli* íd.
DERIV. *Enchilar*; *enchilada*.
CPT. *Chilatole*. *Chilmole*. *Chiltipiquín*.

CHILINDRINA, 1615, 'burla, gracejo', 'cosa de poca importancia'. Voz familiar cuya idea básica parece ser 'entretenimiento', deriv. del juego del *chilindrón* 'juego de naipes de pasatiempo', 1611; en cuanto a éste, quizá sea lo mismo que el anticuado *chilindrón* 'golpe en la cabeza', 1729, que puede resultar de un cruce de *chirlo* con *tolondrón*.

Chilmole, chiltipiquín, V. *chile*

CHILLAR 'lanzar gritos agudos', 1490. En la Edad Media *chirlar*, 1335; en portugués *chilrar*, y en gallego y aragonés *chilar*, formas que sólo pueden reunirse a base de un original común *chislar*; el cual se enlaza con el cat. *xisclar* 'chillar', oc. ant. *cisclar*, fr. dialectal *síler* y *cicler*; todos juntos suponen una base romance *TSISCLARE*, alteración (quizá onomatopéyica) del lat. FISTULARE 'tocar la flauta', de donde vienen las voces vascas *txistulari* 'tocador de flauta' y *txistu* (o *hixtu*) 'flauta vasca', 'silbido'.
DERIV. *Chillería*; *chillerío*. *Chillido*, 1495. *Chillón*, 1611.

CHIMENEA, h. 1400. Del fr. *cheminée* íd., y éste del lat. tardío CAMĪNATA, deriv. del lat. CAMĪNUS íd. (a su vez tomado del gr. *káminos*).

Chimentar, chimento, V. *chisme*

CHIMPANCÉ, 1884. De una lengua del África Occidental.

CHINA I 'piedrecita, especialmente las redondeadas y las empleadas para juegos y cálculos', 1495. Parece ser vocablo del lenguaje infantil.

CHINA II, amer., 1553, 'mujer india o mestiza', 'mujer del bajo pueblo'. Del quichua *china* 'hembra (de los animales)', 'sirvienta'.
DERIV. *Chino* 'mestizo'.

Chincol, V. *chingolo*

CHINCHE, h. 1400. Del lat.· CĪMEX, -ĬCIS íd. Parece ser forma del dialecto mozárabe, que a fines de la Edad Media sustituyó a la propiamente castellana *cisme*, h. 1330 (también se dijo *chisme*, V. éste).
DERIV. *Chinchorro*, 1519; *chinchorrero* y *-rrería*, 1611.

CHINCHILLA 'mamífero roedor sudamericano de piel muy estimada', 1590. Origen incierto; probablemente de una lengua del antiguo Perú: el aimara o el quichua.

Chinchorrería, chinchorrero, chinchorro, V. *chinche*

CHINELA, 1490, antes también *chanela*, 1601. De *cianella*, variante dialectal del it. *pianella* íd., S. XIV, diminutivo de *piano* 'plano, llano' (lat. PLANUS). Se explica este nombre porque las chinelas se distinguían de los chapines y demás calzado por su falta de tacón.

CHINGANA 'taberna de baja estofa' amer., 1835, antes 'caverna, escondrijo', 1789. Del quichua *chincana* 'escondrijo' (derivado de *chíncai* 'perderse, desaparecer').

CHINGAR, 1867. Voz de origen jergal, cuyo significado primitivo parece haber sido 'pelear, reprender', de donde 'fastidiar, estropear'; probablemente del gitano *chingarar* 'pelear', de origen índico. Pero no todas las palabras castellanas que empiezan por *ching-* derivan de este verbo, pues en América se mezclaron con ellas algunos radicales aborígenes.

CHINGOLO o *chincol*, 1847, amer. 'especie de gorrión'. Del araucano.

DE CHIPÉN, DE CHIPÉ, 1896, 'de verdad', 'excelente'. Resulta de la confusión de dos palabras gitanas, *chipén* 'vida' y *chipé* 'verdad', ambas de origen índico.

CHIQUERO 'zahurda de los cochinos', h. 1670. Significó primitivamente 'recinto' o 'corral' en términos generales, y procede del mozárabe *širkáir*, S. XIII, 'cabaña', 'grane-

ro', de origen incierto: podría ser un lat. vg. *CIRCARIUM, deriv. de CIRCUS 'circo', 'cercado', alterado por el influjo fonético del ár. *šárka* (o *šúrka*) 'red', 'lazo', 'correa'; aunque también podría tratarse de un mero deriv. mozárabe de esta palabra arábiga (comp. *REDIL*).
DERIV. *Enchiquerar.*

Chiquilín, chiquillería, chiquillo, chiquirritín, chiquitín, chiquito, V. *chico*

CHIRIGOTA 'broma, chacota', 'cuchufleta, burla', 1836. Origen incierto; está relacionado con el port. *girigoto* 'tramposo', 'que habla en jerga', 'ligero, listo' (que puede haber sufrido el influjo de *gíria,* ast. *xíriga,* cast. *jerigonza*), pero se ignora si este vocablo procede de España o al revés; por otra parte quizás haya relación con el vasco ant. *txiriboga* 'taberna' (con sus afines *txiologa* íd., y *txirifa* y *txipiriton(a)* 'camorra, reyerta'): la idea básica en los tres idiomas sería 'costumbres y gente tabernaria', y en su terminación romance habría sufrido el influjo de *CHACOTA* y *ZARAGATA.*

CHIRIMBOLO 'cachivache', 1884. Voz popular y afectiva, de origen incierto; sale probablemente de *chirumbela, churumbela* 'chirimía, instrumento musical' (V. el artículo siguiente), con influjo de *carambolo* 'enredo' (V. *CARAMBOLA*); es posible que en el sentido influyera también *chambariles* 'trastos, cachivaches' (V. *CHAMARILERO*).

CHIRIMÍA, 1461. Del fr. ant. *chalemie* íd., con *-r-* por influjo del sinónimo *charamela,* charumbela, procedente del fr. ant. *chalemelle,* íd., que a su vez viene del lat. CALAMELLUS, diminutivo de CALĂMUS 'caña', 'flauta de caña'; en cuanto a *chalemie,* ha de ser otro deriv. de la misma palabra o de su original griego: quizá procedente del gr. *aulós kalamítēs* 'flauta de caña'.

CHIRIMOYA, 1653, 'fruto del *Anona Cherimolia'.* Voz indígena americana, pero es incierta la etimología exacta, ya que si bien la chirimoya procede de la América Central, pronto la aclimataron los españoles en el Perú, y el nombre podría explicarse por el quichua *chiri* 'fresco' (de acuerdo con las propiedades del fruto): luego puede dudarse entre el quichua y el quiché.
DERIV. *Chirimoyo,* h. 1740.

CHIRINOLA 'friolera', 'fiesta de buen humor', S. XVIII. Voz familiar y afectiva que en el Siglo de Oro, 1580, significó 'bandería, disputa, pelea', 'junta de rufianes', 'enredo, embrollo': del nombre de la batalla de Cerignola (1503), en la que muchos bravos se alababan de haber estado; el voca-

blo sufrió en su sentido el influjo del nombre propio cast. *Cherinos* (procedente de la épica francesa), que en esta época parece haberse empleado como apodo de bandoleros y rufianes.

CHIRIPA, 1832, 'suerte favorable en el juego, casualidad favorable'. Vocablo familiar y moderno, de origen incierto: es muy dudoso que haya relación alguna con la palabra siguiente (comp. *chiripita* 'cosa pequeña', *chiribita* 'chispa', voces dialectales del Norte de España).

CHIRIPÁ 'especie de faldas que llevan el gaucho y el indio', 1845. Del quichua *chirípac* 'para el frío' (con el acento trasladado por influjo del guaraní).

CHIRIVÍA 'hortaliza parecida al nabo', 1220-50. De origen incierto; probablemente formado en hispanoárabe por un cruce entre una forma mozárabe **chísera* íd. (port. *alchísera*), procedente de lat. SISER, -ĔRIS, íd., y el ár. *karāwiya* 'alcaravea, comino de los prados', planta análoga a la chirivía.

Chirle, V. *sirle*

CHIRLO, 1570, 'herida prolongada en la cara, como la que hace una cuchillada', 'la cicatriz resultante'. Fue primitivamente voz de germanía, con el significado de 'golpe', y quizá procede de *chirlar,* variante de *chillar,* por el chillido que se supone dará el que lo recibe.

CHIRONA 'cárcel', 1884. Voz popular semi-jergal, de origen desconocido.
DERIV. *Enchironar.*

CHIRRIAR, 1438, 'emitir un sonido agudo ciertos objetos, como las sustancias al penetrarlas un calor intenso, las ruedas del carro al ludir con el eje, etc.'. Onomatopeya.
DERIV. *Chirrido,* 1490. *Chirrión* 'carro que chirría mucho', 1490.

CHIRUMEN 'caletre', 1843, anteriormente *churumo* 'jugo, sustancia o virtud de una cosa', 1729. Del port. *chorume* 'grasa, enjundia', deriv. del antiguo y dialectal *chor,* que procede del lat. FLOS, FLORIS, 'flor', probablemente en el sentido de 'flor de la leche', 'nata, sustancia grasienta de la leche' (la *-n* castellana, como en *resumen, cardumen*).

Chisembra, V. *sisimbrio*

CHISGARABÍS 'zascandil, mequetrefe', 1601. Voz de creación expresiva, según la fórmula rimada *chis-g...bis*, que sugiere un movimiento repetido de alguien que va y vuelve sin cesar.

CHISGUETE, 1729, 'chorrillo de un líquido que sale violentamente', 'trago de vino'. Onomatopeya del líquido al salir con fuerza por un orificio estrecho.

CHISME, 1495, 'noticia falsa o mal comprobada que se rumorea', 'trasto insignificante'. Origen incierto, parece ser aplicación figurada del antiguo *chisme* 'chinche', procedente del lat. CĪMEX, -ĬCIS, íd., en el sentido de 'niñería, cosa despreciable'.
DERIV. *Chismoso,* fin S. XVI. *Chismorrear,* h. 1900; *chismorreo. Chimentar,* 1943, arg., 'traer y llevar chismes'; *chimento,* 1940, arg., 'chisme'; *chimentero,* arg., 'chismoso'. *Chismero,* 1423.

CHISPA 'centella', h. 1580. Voz expresiva y onomatopéyica que imita el ruido del chisporroteo.
DERIV. *Chispazo,* 1729. *Chispear,* 1604. *Chisporrotear,* 1729; *chisporroteo. Achispar,* princ. S. XIX.

CHISTE, 1534, 'dicho agudo y gracioso'. Tuvo especialmente el significado de 'chiste obsceno', S. XVI (y *chista* con ese sentido ya S. XIII), que parece haber sido el originario, pues se trata de un deriv. de *chistar* 'hablar en voz baja', 1587, 'hacer ademán de hablar', 'sisear, llamar siseando', debido a que esta clase de chistes se dicen en voz baja o al oído; en cuanto a *chistar,* proviene de la voz *ššt* o *čst,* onomatopeya del cuchicheo y empleada también para llamar a personas.
DERIV. *Chistoso,* princ. S. XVII.

CHISTERA 'cestilla que emplean los pescadores para echar los peces', princ. S. XVII; 'especie de pala de tiras de madera de castaño entretejidas, cóncava y en figura de uña, que sujeta a la mano sirve para jugar a la pelota vasca', S. XX; 'sombrero de copa', 1884. Del vasco *xistera* íd., y éste del lat. CISTELLA 'cestilla' (por conducto del gascón *cistere*).

CHITA, 1601, o **CHITO,** 1627, 'astrágalo o taba, hueso del tobillo de los animales, empleado para el juego de la taba', 'palo, bolillo, hueso u otra cosa que se pone empinada, como señal, en el juego de la taba'. Origen incierto, quizá voz creada en el lenguaje de los niños.

¡CHITO!, 1601, interjección para imponer silencio. Del nexo consonántico *tššt,* que suele emplearse con este objeto.
DERIV. *¡Chitón!,* 1601.

CPT. *Chiticalla,* 1627; *chiticallando,* h. 1640.

Chivato, V. *chivo*

CHIVO 'cría de la cabra', 1475. Fue originariamente voz de llamada para hacer que acuda el animal, y en este sentido es creación expresiva común a varios idiomas (sardo, rético, dialectos italianos, catalanes y alemanes).
DERIV. *Chiva,* 1475. *Chivar. Chivato,* 1370; *chivata. Chivital,* 1495, o *chivitil,* 1706, 'corral donde se encierran los chivos'; ampliado éste en *chiribitil,* que toma el sentido secundario de 'desván, escondrijo, tabuco', 1693.

CHOCAR, 1600. Voz común con el fr. *choquer* íd., S. XIII, y con el ingl. *shock,* neerl. y b. alem. *schokken* 'sacudir violentamente', 'ofender' (muy antiguo en estos idiomas). De origen incierto; probablemente el castellano lo tomó del francés y éste del germánico; aunque no puede descartarse del todo la posibilidad de que sea onomatopeya autóctona en todas partes.
DERIV. *Chocante,* med. S. XVI. *Choque,* 1604. *Entrechocar.*

Chocarrería, chocarrero, V. *socarrón Choclo* 'chanclo', V. *chanclo* y *zueco*

CHOCLO, amer., 'mazorca de maíz no bien maduro, que se come cocida, asada o guisada en otra forma', 1540. Del quichua *choccllo* íd.

CHOCOLATE, h. 1580. Palabra de origen azteca, pero de formación incierta. Como las noticias más antiguas acerca de la preparación de este brebaje son de que los antiguos mejicanos lo hacían con semilla de ceiba (*póchotl*) y de cacao (*cacáuatl*), quizá provenga de *pocho-cacaua-atl* 'bebida de cacao y ceiba', abreviado por los españoles en **chocauatl* (en la forma actual pudo haber influjo fonético de otros brebajes mejicanos, como *poçolatl* 'bebida de maíz cocido', *pinolatl* 'bebida de pinole', *chilatl* 'bebida de chile').
DERIV. *Chocolatero,* 1705. *Chocolatería.*

CHOCHA, 1607, o **CHORCHA,** 1560, 'zancuda de pico largo, poco menor que la perdiz, Scolopax rusticola'. Origen incierto: es dudoso si se trata de una voz de creación expresiva, o viene del lat. SCOLŎPAX. -ᴘᴵᴄɪs, íd. (a su vez procedente del gr. *skolópax*), pasando por **esclopche* y **eschopcha.*

CHOCHO 'caduco, que chochea', 1611. Parece ser la misma palabra que el port. *chôcho* '(huevo) huero, podrido' y el cast. *clueco* 'chocho, caduco'; procedentes ambos

del nombre de la gallina que empolla —en la forma *clueca* y en otras variantes—, porque el viejo achacoso debe permanecer inmóvil como la gallina clueca. *Chocho* 'altramuz', h. 1575, quizá sea vocablo diferente en su origen: voz infantil de creación expresiva.
DERIV. *Chochear*, 1626. *Chochez*, 1729.

CHÓFER, princ. S. XX. Del fr. *chauffeur* íd., y primitivamente 'fogonero de una locomotora', deriv. de *chauffer* 'calentar'.

CHOLLA 'cabeza, cráneo', 1497. Voz popular y afectiva, de origen incierto; quizá del fr. anticuado y dialectal *cholle* 'bola, pelota', y éste del fráncico KEULA 'maza'.

CHOPA 'acantopterigio marino semejante a la dorada', 1729. Del lat. CLŪPĔA 'sábalo', probablemente por conducto del port. *choupa*.

CHOPO 'Populus nigra', 1373. Del lat. vg. *PLŎPPUS, alteración del lat. PŌPŬLUS íd.

Choque, V. *chocar*   *Choquezuela*, V. *chueca*   *Chorcha*, V. *chocha*

CHORIZO (embutido), 1601. Vocablo propio del castellano y del portugués (*chouriça*, antes *souriço*, S. XIII), de origen desconocido; la forma originaria parece ser *SAURICIUM.
DERIV. *Choricero*; *choricería*.

CHORLITO, h. 1330. Onomatopeya de la voz del ave.

CHORRO, 1496. Voz común al castellano con el portugués, el vasco y el gascón. La acepción originaria parece haber sido 'agua que salta en cascada o torrente'. Onomatopeya de la caída del agua.
DERIV. *Chorrear*, 1495. *Chorrera*, 1729. *Chorrillo*, 1587. *Chorreón.*

Chotacabras, chotar, chotear, V. *choto*

CHOTIS, S. XX. Del alem. *schottisch* íd., propiamente 'baile escocés'.

CHOTO, 1335, 'cabrito que mama', 'otros animales lactantes'. Vocablo del lenguaje familiar, de carácter onomatopéyico, por imitación del ruido que hace el animal al chupar las ubres.
DERIV. *Chotar*, 1601. *Chotuno*, 1464. *Chotear.*
CPT. *Chotacabras*, 1495.

CHOZA, 1251, 'cabaña', vocablo típico del castellano y el portugués. Parece ser deriv. de *chozo* 'choza pequeña', que a su vez vendrá del lat. PLŪTĔUS 'armazón de tablas, fija o móvil, con que los soldados se guarecían de los tiros del enemigo'.

CHOZPAR 'brincar alegremente los cabritos, corderos, etc.', 1614. Onomatopeya.
DERIV. *Chozpo.*

Chubasco, chubasquero, V. *llover*

CHÚCARO, amer., 'arisco, montaraz', 1612. Origen incierto; quizá del quichua *chucru* 'duro'.

CHUCHERÍA, 1589, 'cosa de poca importancia', 'alimento ligero pero apetitoso'. Probablemente de una raíz *chuch-, chich-*, de creación expresiva, que expresa objetos pequeños y lindos, compárese el americano y dialectal *chiche, chicho*, 'juguete para niños, joya pequeña, friolera', colombiano *chucho* 'comercio de chucherías, buhonería'.

CHUCHO, h. 1850, amer., 'tercianas', 'escalofrío', 'miedo'. Del quichua *chuhchu* 'tercianas' (compárese *chúhchuy* 'tiritar').

Chucho 'perro', V. *gozque*

CHUECA, 1490, 'hueso de extremo redondeado, o parte de él, que encaja en el hueco de otro', 'juego de labradores que se hace impeliendo una bolita con un palo de punta combada' (también port. *choca*, así llamado quizá por comparación de la bola con la chueca del hueso). Voz común al castellano con el vasco *txoko* 'taba', 'articulación de huesos', que además en este idioma significa 'rincón', 'concavidad', y en este sentido es diminutivo normal del vasco *zoko* 'rincón'. De origen incierto, probablemente vasco o ibérico.
DERIV. *Choquezuela* 'rótula', 1570. *Chueco*, amer., 1764, 'torcido de pies, patituerto, estevado' (no es seguro que derive, ni en qué forma deriva, de *chueca*).

Chueco, V. *chueca*

CHUFA 'tubérculo del *Cyperus esculentus* empleado para hacer horchata', 1505. Parece ser la misma palabra que el cast. ant. *chufa* 'burla, donaire', S. XIII, que por el intermedio de la idea de 'fruslería' pasaría a 'golosina' y 'chufa'. En cuanto a *chufa* 'burla', viene del verbo *chufar* 'chancearse' (primitivamente *chuflar*, alterado por influjo del sinónimo *trufar*), y éste, que además significa 'silbar' (de donde 'hacer rechifla'), procede del lat. vg. SUFILARE (lat. SIBILARE 'silbar').
DERIV. *Chufear. Chufeta*, 1335, o *chufleta*, 1601 (por lo general alterado en *cuchufleta*, 1783, por influjo de *quqúfla*, vid. COTUFA).

Chufar, chuf(l)eta, V. *chufa   Chulapo,
chulear, chulería, chulesco,* V. *chulo*

CHULETA 'costilla con carne de ternera, carnero o cerdo, guisada o a punto de
guisar', h. 1600. Del catalán de Valencia
xulleta, S. XVI, diminutivo de *xulla* 'chuleta', que anteriormente significó 'lonja de
carne de cerdo' y 'tocino', y procede seguramente del cat. ant. *ensunya* 'grasa, especialmente la del cerdo', S. XIV, cambiado
en **enxunya* y luego **enxulla* por disimilación. En cuanto a *ensunya,* tiene el mismo origen que el port. *enxulha* y el cast.
enjundia, a saber lat. AXUNGIA 'grasa de
cerdo'.

CHULO, 1666, 'que se comporta graciosa pero desvergonzadamente', 'individuo del
pueblo bajo, que se distingue por cierta
afectación y guapeza en el traje y en la
manera de producirse'. Antigua voz jergal,
que en la germanía del Siglo de Oro significaba 'muchacho (en general)', 3.er cuarto
S. XVI, procedente del it. *ciullo* 'niño', aféresis de *fanciullo* íd., que a su vez es diminutivo de *fante,* lat. INFANS, -NTIS, íd.
    DERIV. *Chulada. Chulamo,* 1609. *Chula-
po, -apa,* 1896. *Chulear,* S. XVIII. *Chulería,*
1693. *Chulesco. Achulado,* h. 1735. *Achu-
lapado.*

CHUMACERA, 1675, 'tablita que se pone en el borde de una embarcación y en
cuyo medio está el tolete, destinada a evitar el desgaste por el roce del remo'. Del
port. *chumaceira* íd., deriv. de *chumaço*
'almohadilla', 'sustancia empleada para almohadillar', que procede del lat. tardío
PLUMACIUM 'cama de plumas', deriv. de
PLŪMA.

CHUMBO, *higo* —, *higuera chumba,*
1836. Etimología incierta; parece ser voz
oriunda de las Antillas originada modernamente.

CHUNGA, 1729 (y ¿1679?), 'broma',
'burla que se hace de alguien'. Del gitano
chungo 'feo, pesado', aplicado primeramente a la broma de mal gusto o desagradable.

Chupa, V. *jubón*

CHUPAR, 1251, 'sacar con los labios el
jugo de una cosa, aplicándolos con fuerza'.
Vocablo propio del castellano y el portugués, imitativo del ruido que producen los
labios al chupar.

DERIV. *Chupada. Chupandina,* amer. y
and. *Chupón,* princ. S. XVII. *Chupete. De
rechupete,* 1884. *Chupetón.*
    CPT. *Chupaflor. Chupamieles. Chupóp-
tero.*

Churrasco, V. *socarrón*

CHURRE, 1593, 'pringue gruesa y sucia'.
Origen incierto; probablemente prerromano
y emparentado con el port. *surro* o *churro*
'suciedad' y 'sucio', y con el adjetivo port.
churdo, aplicado a la lana antes de prepararla.
    DERIV. *Churrete,* 1601. *Churriento,* 1729.
Churro, aplicado al carnero de pelo grueso
y lana basta, 1752, y a su lana. *Churro* 'especie de buñuelo alargado e impregnado
de aceite', 1884, así llamado quizá porque
este tipo de buñuelo se hizo primero en
Murcia y la Mancha, cuyos habitantes se
llaman *xurros* (propiamente 'groseros') en
Valencia.

CHURRULLERO, 1613, 'fanfarrón, charlatán', 'el que hace mal su profesión'. Del
anticuado *churrillero* o *chorillero,* 1555, derivado de *Cho(r)rillo,* nombre que se daba
en castellano a la calle y hostería del *Cerri-
glio,* en Nápoles, donde solían reunirse los
soldados hampones que no querían luchar.

CHUSCO 'gracioso, chocarrero', 1765-83.
Palabra afectiva y moderna, de origen incierto; quizá extraída de **chuscarrón,* derivado de *chuscarrar* por *socarrar* 'burlarse
cáusticamente'; comp. el gall. *chuscarran-*
deiro 'chusco' y los cast. *socarrón* y *chocarrero.* En el sentido de 'pan de munición',
parece procedente del sentido de 'pedazo de
pan demasiado tostado', que es el que tiene
el afín *churrusco,* deriv. de *churruscar,* otra
variante de *socarrar.*
    DERIV. *Chuscada.*

CHUSMA, 1524, 'conjunto de galeotes
que servían en las galeras reales', 'conjunto
de gente baja'. Del genovés antiguo *ciüsma*
íd., procedente del lat. vg. **CLUSMA,* contracción del gr. *kéleusma* 'canto rítmico del
remero jefe para dirigir el movimiento de
los remos' (propiamente 'voz de mando', derivado del gr. *keléuō* 'yo ordeno').

CHUZO, 1607, 'palo armado con un pincho de hierro'. Origen incierto, quizá derivado regresivo de *chuzón* íd., 1525-47, que
a su vez sería alteración de *zuizón,* deriv.
de *suizo* o *zuizo,* porque la soldadesca suiza usaba esta arma.
    DERIV. *Chuza* 'lanza', 1525-47. *Chucero.*

D

Daca, V. dar

DÁCTILO 'pie compuesto de una sílaba larga y dos breves', 1592, lat. *dactỹlus*. Tom. del gr. *dáktylos* íd., propiamente 'dedo', por comparación con el tamaño de las tres falanges que componen los dedos.
DERIV. *Dactílico. Dactilar.*
CPT. del gr. *dáktylos* en su sentido propio: *Dactilografía*; *dactilógrafo*; *dactilográfico. Dactiloscopia*, con el gr. *skopéō* 'examinar'; *dactiloscópico.*

Dádiva, dadivoso, V. dar

DADO, h. 1250. Palabra común a todas las lenguas romances, que juntas suponen una forma básica *DADU, de origen incierto. Probablemente de origen oriental, de una palabra que existe en árabe (*dad* 'juego', 'dado') y en iranio (persa *dada, dadan*, y con matices varios de la idea de juego en otros idiomas de esta familia), y aunque no consta de cuál de estas dos lenguas es oriunda la palabra (quizá más bien del iranio, no traída a España por los musulmanes), de todos modos es de origen oriental en los mismos.

DAGA, h. 1400. Voz común a todas las lenguas romances de Occidente y a otros idiomas europeos, de origen incierto; como en la Gran Bretaña aparece antes que en ninguna parte, ya en el S. XII, quizá sea de origen céltico.

DAGUERROTIPO, med. S. XIX. Compuesto con *Daguerre*, nombre del inventor, el gr. *týpos* 'imagen', 'golpe', 'huella'.
DERIV. *Daguerrotipia.*

DAIFA, 1605, 'señora, dama (irónicamente)', 'concubina'. Del árabe hispánico *dáifa*

dueña, señora' (raíz *ḍ-y-f* 'pedir o dar hospitalidad').

DALIA, 1884. Del nombre del botánico sueco Dahl, que h. 1789 la trajo de Méjico a Europa.

DALMÁTICA, 1112. Tom. del lat. tardío *dalmaỉca vestis* íd., propiamente 'túnica de los dálmatas'.

DALTONISMO, 1884. Del nombre del físico inglés Dalton († 1844), que por primera vez describió esta enfermedad.
DERIV. *Daltoniano.*

DAMA, 1220-50. Del fr. *dame* 'señora', y éste del lat. DŎMĬNA 'dueña'.
DERIV. *Adamado*, 1608. *Damisela*, 1495, del fr. ant. *dameisele* 'señorita' (hoy *demoiselle*), procedente del lat. vg. *DOMNICILLA, diminutivo de DOMINA.

DAMAJUANA, 1822, 'vasija grande, por lo común de vidrio, de vientre esférico y cuello corto, generalmente forrada de mimbres'. Del fr. *dame-jeanne* íd., propiamente 'señora Juana', llamada así por una comparación humorística de marineros.

DAMASCO 'cierta clase de tela', 1440; 'especie de albaricoque', 1732. Del nombre de la ciudad de Damasco, gran centro de intercambio comercial entre el Occidente y el Oriente, región desde donde se importaron estos productos.
DERIV. *Damascado* o *adamascado*, 1605. *Damasquino*, princ. S. XVII; *damasquina*; *damasquinar*; *damasquinado.*

Damisela, V. dama   Damnación, damnificar, V. daño

DANDI, 1855. Del ingl. *dandy* íd.
DERIV. *Dandismo*.

DANZAR, h. 1280. Aunque se persiste en suponer que sea de origen francés en todas las lenguas europeas, el hecho es que en Francia no se ha podido dar con ninguna etimología, y que en todas las lenguas hispánicas se documenta con gran arraigo casi desde la misma fecha. En el árabe vulgar de España también aparece aplicado a danzas de gran arraigo popular, y como allí el vocablo se explica como derivado normal de la raíz semítica y clásica *dánas* 'ser sucio, impúdico' no es inverosímil que el vocablo se aplicara ya antiguamente a las danzas tabernarias y populares de la Andalucía musulmana, miradas como crapulosas por los alfaquíes muslimes; con la popularidad de las bailadoras hispanoárabes en el Sur de Francia, en tiempo de los trovadores, el vocablo tomaría ahí matiz noble y de ahí se propagaría a toda Europa; compárese *CHACONA, ZARABANDA*, etc. para otros casos de propagación europea de nombres de danzas españolas, y para otros arabismos y mozarabismos en el terreno de la danza, comp. los casos de *JOTA, CACHERULO* y el repertorio de eso mismo que nos dejó el Arcipreste de Hita.
DERIV. *Danza*, princ. S. XIV. *Danzante*, 1627. *Danzarín*, 1732. *Danzón. Dance*, 1720. CPT. *Contradanza*, 1732, del fr. *contredanse* íd., y éste del ingl. *country-dance*, propiamente 'baile campesino'.

DAÑO, h. 1140. Del lat. DAMNUM íd.
DERIV. *Dañino*, 1490. *Dañoso*, 1241. *Dañar*, 1220-50; *dañado*, 1570. *Condenar*, 1220-50, tom. del lat. *condemnare* íd., derivado de *damnare*, y éste de *damnum*; *condena*, 1832; *condenable*; *condenación*, 1495; *condenado*; *condenatorio. Damnación; damnificar. Indemne*, S. XVIII, lat. *indemnis* 'que no ha sufrido daño'; *indemnizar*, S. XVIII, del fr. *indemniser*, 1598; *indemnización*, S. XVIII.

DAR, h. 1140. Del lat. DARE íd.
DERIV. *Dádiva*, 1184, tom. del b. lat. *dativa* (plural de *dativum* 'donativo'), con el acento trasladado por influjo de varios esdrújulos de sentido relacionado (los antiguos *dédiva* 'deuda', *véndida, cómpreda, mándida, búsqueda*); *dadivoso*, princ. S. XV. *Dador. Data*, 1601, del b. lat. *data* (referido a *charta* 'documento'), participio de *dare* 'dar' en el sentido de 'extendido, otorgado', palabra que en las escrituras latinas precede inmediatamente a la indicación del lugar y fecha; *datar*, 1617. *Dativo*, 1495, lat. *dativus. Dato* 'informe', 1765-83, tom. del lat. *datum*, participio de *dare. Dosis*, 1595, tom. del gr. *dósis* 'acción de dar', 'porción', deriv. del verbo *dídōmi*, del mismo origen y sentido que el lat. *dare. Anti-*

doto, 1555, lat. *antidŏtum*, del gr. *antídoton*, deriv. del mismo en el sentido 'lo que se da en contra de algo'; *antidotario. Apódosis*, 1580, del gr. *apódosis* íd., deriv. de *apodídōmi* 'yo restituyo, doy a cambio (de algo)'.
CPT. *Daca*, h. 1490, contracción del imperativo *da* más el adverbio *acá. Posdata*, del lat. *post datam (epistulam)* 'después de la fecha'. De *dosis: Dosificar; dosificación; dosimetría*.

DARDO 'arma arrojadiza a modo de lanza pequeña', 1283. Del fr. *dard*, y éste del fráncico *DAROÞ íd. (equivalente del anglosajón *darodh*, etc.).

DÁRSENA 'zona resguardada artificialmente, empleada como fondeadero o para la carga de embarcaciones', 1606. Del it. *dàrsena* 'la parte más interna de un puerto', 1162, y éste del ár. *dâr ṣinâᶜa* 'casa de construcción, atarazana', porque la dársena solía emplearse, a falta de astillero, para la reparación de navíos.

Data, datar, V. *dar*

DÁTIL, 1490. Tom. del lat. *dactўlus* íd., y éste del gr. *dáktylos* 'dedo', 'dátil', así llamado por su forma (probablemente tomado por conducto del cat. *dàtil*, S. XIII).
DERIV. *Datilera*.

Dativo, dato, V. *dar*

DATURINA 'atropina, alcaloide del estramonio', 1884. Deriv. culto del sánscrito *dhattūra* 'especie de estramonio'.

DE, med. S. X. Del lat. DĒ 'desde arriba a bajo de', 'desde', '(apartándose) de'.

Deambular, V. *ambular*

DEÁN, 1192. Del fr. ant. *deiien* íd. (hoy *doyen*), y éste del lat. DECĀNUS 'jefe de una decena de monjes, en un monasterio', derivado de DECEM 'diez'. De *decanus*, por vía culta, se tomó *decano*, 1601.
DERIV. *Deanazgo*, 1495. *Decanato*, 1611.

Debajo, V. *bajo*   *Debate, debatir*, V. *batir*   *Debelación, debelar*, V. *bélico*

DEBER, h. 1140. Del lat. DĒBĒRE íd. (derivado de HABĒRE 'tener'). Sustantivado en el sentido de 'obligación moral', ya fin S. XVI.
DERIV. *Debe. Deuda*, 1206, lat. DĒBĬTA, plural de DĒBĬTUM 'deuda' (del cual viene el cast. *deudo*, antes 'obligación', h. 1140, y de ahí 'parentesco', 1335, finalmente 'pariente', 1595 (evolución de sentido igual a la del gr. *anankaîoi*); *débito*, 1573, es duplicado culto); *adeudar*, h. 1300. *Deudor*, 1219, lat. DĒBĬTOR, -ŌRIS, íd.
CPT. Con la correspondencia griega del sust. *deber*, a saber *tò déon* (participio activo de *dêi* 'falta', 'es preciso'), y el gr. *lógos* 'tratado', se formó *deontología*.

DÉBIL, 1433. Tom. del lat. *dēbĭlis* íd.
DERIV. *Debilidad,* 1570. *Debilitar,* 1438, lat. *debilitare.*

Débito, V. *deber   Década,* V. *diez Decadencia, decadente,* V. *caer   Decaedro,* V. *diez   Decaer,* V. *caer   Decágono, decagramo,* V. *diez   Decaimiento,* V. *caer Decalitro, decálogo,* V. *diez   Decalvar,* V. *calvo   Decámetro,* V. *diez   Decanato, .decano,* V. *deán   Decantación decantar,* V. *canto* II   *Decapitación,* V. *decapitar*

DECAPITAR, 1832. Tom. del b. lat. eclesiástico *decapitare* íd. (S. XII, y antes), deriv. de *caput* 'cabeza'; calcado del gr. *apokephalízō* íd.
DERIV. *Decapitación.*

Decápodo, decasílabo, decena, V. *diez Decencia,* V. *decente   Decenio, deceno,* V. *diez*

DECENTAR, 1535, 'empezar a cortar o a gastar de una cosa', 'empezar a hacer perder lo que se había conservado sano'. Del anticuado *encentar,* med. S. XV, y éste del antiguo y dialectal *encetar,* 1495, voz común a las tres lenguas romances hispánicas; del lat. ĬNCĔPTARE 'empezar', 'emprender', frecuentativo de ĬNCĬPĔRE 'empezar'.

DECENTE, 1517. Tom. del lat. *decens, -ntis,* íd., participio activo de *decēre* 'convenir, estar bien (algo a alguien), ser honesto'.
DERIV. *Decencia,* 1574, lat. *decentia. Adecentar,* 1884. *Condecente. Indecente,* 1580; *indecencia,* h. 1430. *Decoro,* 1535, del lat. *decōrum* 'las conveniencias, el decoro', otro deriv. de *decere; decorar,* h. 1450, lat. *decorare* íd.; *decoración,* 1705; *decorado; decorador,* 1705; *decoroso,* med. S. XVII, lat. *decorōsus. Condecorar* y *condecoración,* S. XVIII.

DECEPCIÓN 'desengaño', princ. S. XIX (antes 'engaño', 1652, pero era latinismo raro). Tom. del lat. *deceptio, -onis,* 'engaño', deriv. de *decipere* 'engañar' (deriv. de *capere* 'coger'). La acepción moderna se debe a la imitación del fr. *déception* y *décevoir* 'decepcionar', S. XV.
DERIV. *Decepcionar,* usual, aunque no admitido por la Academia, cuando menos desde princ. S. XX.

Deciárea, V. *diez*

DECIDIR, 1569. Tom. del lat. *decīdĕre* 'cortar', 'decidir, resolver', deriv. de *caedĕre* 'cortar'.
DERIV. *Decisión,* 1565, lat. *decisio, -ōnis,* íd.; *decisivo,* med. S. XVII. *Indeciso,* negativo del lat. *decisus,* participio de *decidere; · indecisión.*

Decidor, V. *decir   Decígramo, decilitro, décima, decimal, decímetro, décimo,* V. *diez*

DECIR, med. S. X. Del lat. DĪCĔRE íd.
DERIV. *Decidor,* 1679. *Indecible,* 1530-62. *Dicción,* 1444, tom. del lat. *dictio, -onis,* 'acción de decir', 'discurso', 'modo de expresión'; *diccionario,* 1495. *Antedicho,* S. XIII. *Condecir,* S. XX. *Contradecir,* 1220-50; *contradicción,* 1231; *contradictor; contradictorio. Desdecir,* 1495. *Entredicho,* 1495, participio del antiguo *entredecir,* h. 1260, lat. INTERDICERE 'prohibir'; *interdicción, interdicto. Predecir; predicción. Redecir; redicho. Sobredicho,* S. XIII. *Dita* 'deuda', amer., antiguamente 'promesa de pago', h. 1575, dialectalmente 'lo que se ofrece cuando se subasta algo', probablemente del cat. *dita* 'lo que se ofrece o promete' (propiamente participio femenino de *dir* 'decir'). *Dicho,* m., 1495; *dicharacho,* S. XVIII, *dicharachero. Dicterio,* S. XVIII, lat. *dicterium.*
CPT. *Bendecir,* h. 1140, lat. BENEDICERE; *bendito; bendición. Maldecir,* h. 1200, lat. MALEDICERE; *maldito; maldición; maldiciente,* 1438; *maledicencia. Dimes y dirétes,* 1609. *Dizque,* h. 1550.

Decisión, decisivo, V. *decidir   Declamación, declamador, declamar, declamatorio,* V. *llamar   Declaración, declarar,* V. *claro   Declinación, declinar, declinatorio,* V. *inclinar*

DECLIVE, 1705. Tom. del lat. *declīvis* adj. 'pendiente, que forma cuesta', deriv. de *clivus* 'cuesta'.
DERIV. de éste: *Proclividad,* 1580.

Decocción, V. *cocer   Decoloración,* V. *color   Decomisar, decomiso,* V. *meter Decoración, decorado, decorar, decorativo, decoro, decoroso,* V. *decente   Decrecer,* V. *crecer*

DECRÉPITO '(viejo) caduco', fin S. XVI. Tom. del lat. *decrepĭtus* 'sumamente viejo'.
DERIV. *Decrepitud,* 1611.

DECRETO, 1220-50. Tom. del lat. *decrētum* íd., deriv. de *decernĕre* 'decidir', 'determinar', que a su vez lo es de *cernere* 'distinguir', 'comprender'.
DERIV. *Decretar,* princ. S. XV. *Decretal,* 1505.

Decuplicar, décuplo, decuria, decurión, V. *diez   Decurso,* V. *correr*

DECHADO 'modelo', h. 1490. Del lat. DĬCTĀTUM 'texto dictado por un maestro a sus alumnos', deriv. de DICTARE 'dictar' (y éste de DICERE 'decir').
DERIV. *Dechadillo* (alterado en *echandillo,* 1438).

Dedal, V. *dedo*

DÉDALO 'laberinto', 1884. Del nombre de Dédalo, que construyó el laberinto de Creta.

DEDICAR, 1438. Tom. del lat. *dedicare* íd. (deriv. de *dicare* íd., propiamente 'proclamar con carácter solemne', de la raíz de *dicere* 'decir').
Deriv. *Dedicación*, 1495. *Dedicante. Dedicatorio. Dedicatoria*, 1623.

DEDO, 1155. Del lat. DĬGĬTUS íd.
Deriv. *Dedal*, 1495. *Dedil*, 1495. Cultismos: *Digital*, 1619, tom. de *digitalis* 'relativo a los dedos', por la forma de dedal que tiene la corola de esta planta; *digitalina. Dígito*, princ. S. XVIII, números así llamados porque pueden contarse con los dedos.
Deducir, deductivo, V. *aducir   Defecación, defecar*, V. *hez*

DEFECTO, 1433. Tomado del latino *defectus, -ūs*, íd., deriv. de *deficere* 'faltar', y éste de *facere* 'hacer'. *Deficiente*, princ. S. XVII, del participio activo de dicho verbo; *deficiencia*, 1822. *Déficit*, S. XIX, lat. *deficit* 'falta', 3.ª pers. presente del mismo verbo.
Deriv. *Defectivo*, 1611, lat. *defectivus*; *defectuoso*, 2.º cuarto S. XV; *defectible*, 1726, es raro, pero no su negativo *indefectible*, 1884; *defección*, 1612, lat. *defectio*.

DEFENDER, 1155. Tom. del lat. *defĕndĕre* 'alejar, rechazar (a un enemigo)', 'defender, proteger'.
Deriv. *Defensa*, 1490, tom. del lat. tardío *defensa* íd. *Defensivo*, h. 1440; *defensiva*, 1705. *Defensor*, 1438, lat. *defensor, -oris.*
Defensa, defensivo. defensor, V. *defender*

DEFERENCIA, 1765-83. Deriv. del verbo raro *deferir* 'adherirse al dictamen de otro por respeto o moderación', princ. S. XVII, tom. del lat. *deferre* 'llevar ante una jurisdicción'; probablemente imitado por el cast. del fr. *déférence*, h. 1400.
Deriv. *Deferente*, 1822.

Definición, definir, definitivo, V. *fin Deflagración, deflagrar*, V. *flagrante   Deformación, deformatorio, deforme, deformidad*, V. *forma   Defraudar*, V. *fraude Defunción*, V. *difunto   Degeneración, degenerar*, V. *género   Deglución, deglutir*, V. *glotón*

DEGOLLAR, 1214. Del lat. DECŎLLARE íd., deriv. de COLLUM 'cuello'.
Deriv. *Degollación*, 1705. *Degollina*, 1884. *Degüello*, 1717.

Degradación, degradar, V. *grado I   Degüello*, V. *degollar   Degustar*, V. *gusto*

DEHESA 'tierra destinada a pastos', 924. Del lat. tardío DEFENSA 'defensa', en la Edad Media 'prohibición', porque la dehesa está comúnmente acotada.

DEHISCENTE, 1899. Tom. del lat. *dehiscens, -tis*, participio de *dehiscere* 'entreabrirse' (del mismo radical que *hiato*).
Deriv. *Dehiscencia*, 1899. *Indehiscente.*

Deicida, deidad, deificar, deípara, deísmo, deísta, V. *dios*

DEJAR, fin S. XII. Alteración del antiguo *lexar*, S. X, procedente del lat. LAXARE 'ensanchar', 'aflojar, relajar' (deriv. de LAXUS 'flojo, laxo'). Por vía culta: *laxar*, 1734, y el adjetivo *laxo*, S. XIX.
Deriv. *Deja*, 1720. *Dejación*, 1611. *Dejado*; *dejadez. Dejamiento*, 1623. *Dejo*, 1495; *deje. Laxante*; *laxativo*, h. 1440. *Relajar*, h. 1530, tom. del lat. *relaxare* íd.; *relajación*, S. XV; *relajamiento*; *relajo*, amer. y canario. *Laxitud.*

Dejo, V. *dejar   Delación*, V. *delator*

DELANTE, 1124. Del arcaico *denante*, med. S. X, formado con *de* y *enante*, procedente del lat. tardío ĬNANTE 'delante, enfrente', deriv. de ANTE 'delante', 'antes', con la preposición IN.
Deriv. *Delantero*, 1220-50; *delantera*, h. 1440. *Delantal*, 1570 (antes *devantal, avantal*, SS. XV-XVII, del cat. *davantal*, deriv. de *davant* 'delante' DE ABANTE). *Adelante*, 913. *Adelantar*, h. 1250; *adelantado*, 1169 (en su sentido militar parece ser un calco del ár. *muqáddam*, cast. *almocadén*); *adelantamiento*; *adelanto*, 2.ª mitad S. XIX.

DELATOR, 1431. Tom. del lat. *delator, -ōris*, íd., deriv. de *deferre* 'denunciar, llevar a un tribunal'.
Deriv. *Delación*, 1638, tom. de *delatio, -onis*, 'denuncia', deriv. del propio verbo. *Delatar*, 1611.

Dele, V. *indeleble   Delectación*, V. *delicia   Delegación, delegado, delegar*, V. *legar   Deleitable, deleitar, deleite, deleitoso*, V. *delicia*

DELETÉREO, 1843. Tom. del gr. *dēlētērios* 'nocivo', 'pernicioso', deriv. de *dēléomai* 'yo hiero', 'yo destruyo'.

Deletrear, deletreo, V. *letra*

DELEZNARSE 'resbalar. deslizarse'. fin S. XIV. Sale de *deslenar*, 2.ª mitad S. XIII, por metátesis (*deslanar* en textos del S. XIII, *eslenarse* en aragonés), y éste es derivado de *lene* 'suave. liso. resbaloso', que a su vez procede del lat. LĒNIS 'suave'.
Deriv. *Deleznable*, h. 1400 (*eslenable*, S. XIII) 'que se desliza y resbala con facili-

dad' y con sentido secundario, 'poco duradero, inconsistente', fin S. XVI.

DELFÍN, 1276, lat. DELPHĪNUS. Del gr. *delphís, -inos,* íd.

DELGADO, 1034. Del lat. DELICATUS 'tierno, fino', propiamente 'delicado, delicioso'. Por vía culta, *delicado,* 1438.
DERIV. *Delgadez,* h. 1250. *Delgaducho. Adelgazar,* 3.er cuarto S. XIII, antes *delgazar,* 1220-50, del lat. vg. *DELICATIARE 'afinar', deriv. de DELICATUS. *Delicadeza,* 1490.

DELIBERAR, princ. S. XV, 'considerar el pro y el contra', 'resolver'. Tom. del lat. *delīběrare* íd.
DERIV. *Deliberación,* 1490. *Deliberante. Deliberativo,* 1705.

Delicadeza, delicado, V. *delgado*

DELICIA, h. 1440. Tom. del lat. *delĭcĭae* íd.
DERIV. *Delicioso,* 1220-50. De la misma raíz sale el lat. *delectare* 'seducir', 'deleitar', de donde por vía semiculta el cast. *deleitar,* 1220-50; *deleitable,* 1611; *deleite,* h. 1140; *deleitoso,* 1220-50; *delectación,* 1438.

Delictivo, delictuoso, V. *delito*   *Delicuescencia, delicuescente,* V. *licor*   *Delimitar,* V. *límite*   *Delincuencia, delincuente,* V. *delito*   *Delineante, delinear,* V. *línea*   *Delinquir, deliquio,* V. *delito*

DELIRAR, h. 1590. Tom. del lat. *delīrare* 'delirar, desvariar', propiamente 'apartarse del surco' (deriv. de *lira* 'surco').
DERIV. *Delirante. Delirio,* 1611, lat. *delirium* íd.; *delirium tremens,* frase latina = 'delirio tembloroso'.

DELITO, 1301. Tom. del lat. *delictum* íd., propiamente participio de *delinquĕre* 'faltar', 'cometer una falta', deriv. de *linquere* 'dejar'.
DERIV. *Delictivo. Delictuoso. Delinquir,* 1423, de dicho *delinquere; delincuente,* 1449, del participio activo del mismo verbo; *delincuencia. Deliquio* 'desmayo, desfallecimiento', 1616, tom. del lat. *delĭquĭum* 'falta, ausencia', deriv. de *delinquere* (el significado se ha alterado recientemente por influjo de *delicia*).

DELTA 'isla triangular comprendida entre los brazos de un río en su desembocadura', 1843. Del nombre de la letra griega *delta,* por comparación con la forma mayúscula de la misma (Δ).
DERIV. *Deltoides,* 1606, por la forma triangular de este músculo.

Demacración, demacrarse, V. *magro*   *Demagogia, demagógico, demagogo,* V. *democracia*   *Demanda, demandante, demandar,* V. *mandar*   *Demarcación, demarcar,* V. *marcar*   *Demás, demasía, demasiado,* V. *más*   *Demencia, demente,* V. *mente*   *Demérito,* V. *merecer*

DEMIURGO, S. XX, lat. *demiurgus.* Tom. del gr. *dēmiurgós* 'artesano', 'Creador', compuesto de *dêmios* 'público', 'popular' y *érgon* 'trabajo' (propiamente 'el que trabaja para el público').

DEMOCRACIA, 1611, lat. tardío *democratĭa.* Tom. del gr. *dēmokratía* 'gobierno popular, democracia', cpt. de *dêmos* 'pueblo' y *kratéō* 'yo gobierno'.
DERIV. *Democrático,* 1616, gr. *dēmokratikós* íd. *Demócrata,* 1843. *Democratizar.*
CPT. del gr. *dêmos: Demagogo,* 1765-83, gr. *dēmagōgós* 'que conduce al pueblo, que capta el favor del pueblo', formado con *ágō* 'yo conduzco'; *demagogia,* 1832; *demagógico,* 1832. *Demografía,* 1899, con *gráphō* 'yo describo'; *demográfico,* 1899. *Epidemia,* 1606, gr. *epidēmía* íd., propiamente 'residencia en un lugar o país', deriv. de *epidēméō* 'yo resido en un lugar en calidad de extranjero'; *epidémico. Endémico,* 1832, deriv. de *endēméō* 'yo vivo en un lugar permanentemente'; *endemia. Pandemia.*

Demoler, demolición, V. *mole* I

DEMONIO, 1220-50. Tom. del lat. tardío *daemonĭum* íd., y éste del gr. *daimónion* 'genio, divinidad inferior', entre los cristianos 'demonio', diminutivo de *dáimōn* 'dios, divinidad'.
DERIV. *Endemoniado,* 1495; *endemoniar,* h. 1500. *Demoníaco,* 1611.
CPT. *Pandemónium* 'capital del reino infernal', h. 1900, formado con el gr. *pân* 'todo'.

Demora, demorar, V. *morar*   *Demostración, demostrar, demostrativo,* V. *mostrar*   *Demudar,* V. *mudar*   *Denegar,* V. *negar*   *Denegrido,* V. *negro*

DENGUE, 1732, 'melindre, remilgo', 'esclavina de mujer', 'enfermedad epidémica, gripe'. Probablemente voz de creación expresiva, con el primero de estos significados (comp. *dingolondango* 'mimo, arrumaco', princ. S. XVII, mejicano *tenguedengue* 'remilgo', and. *estar en tenguerengue* 'a punto de caer').
DERIV. *Dengoso,* 1732.

Denigrar, V. *negro*

205

DENODADO-DERRAMAR

DENODADO 'valiente', 1220-50. Del antiguo verbo *denodarse* 'atreverse, mostrarse valiente', del lat. DENŌTARE SE 'darse a conocer', de donde 'ilustrarse por el valor'. DERIV. *Denuedo* 'valentía, intrepidez', princ. S. XV.

Denominación, denominador, denominar, V. *nombre*

DENOSTAR 'injuriar gravemente', 1155. De una forma arcaica *donestare* (*donastar* y *doniesto* en aragonés antiguo, *doestar* en portugués), forma que a su vez procede del lat. DEHONESTARE 'deshonrar, infamar' (derivado de HONESTUS 'honrado'). DERIV. *Denuesto* 'insulto', 1155.

Denotar, V. *nota*

DENSO, 1438. Tom. del lat. *densus* 'espeso, compacto, denso'. DERIV. *Densidad*, 1618. *Condensar*, 1555, lat. *condensare* 'apretar, hacer compacto'; *condensación*; *condensador*.

Dentado, dentadura, dental, dentecer, dentejón, dentellada, dentera, dentición, dentífrico, dentina, dentista, V. *diente*

DENTRO, 1074. Deriv. del antiguo *entro* íd., procedente del lat. ĪNTRO 'adentro, en el interior'. DERIV. *Adentro*, h. 1140. *Adentrarse*.

Denuedo, V. *denodado*   *Denuesto*, V. *denostar*   *Denuncia, denunciante, denunciar*, V. *nuncio*   *Deontología*, V. *deber*   *Deparar*, V. *parar*   *Departamento, departimiento, departir*, V. *parte*   *Depauperación, depauperar*, V. *pobre*   *Dependencia, depender, dependiente*, V. *pender*   *Depilación, depilar, depilatorio*, V. *pelo*   *Deplorable, deplorar*, V. *llorar*   *Deponente, deponer*, V. *poner*   *Deportar, deportación*, V. *deporte*

DEPORTE 'placer, entretenimiento', ant. h. 1440 (y *depuerto*, S. XIII), Deriv. del antiguo *deportarse* 'divertirse, descansar', h. 1260, y éste del lat. DEPORTARE 'trasladar, trasportar' (pasando quizá por 'distraer la mente'); en el sentido moderno de 'actividad al aire libre con objeto de hacer ejercicio físico' *deporte* fue resucitado en el S. XX para traducir el ingl. *sport* íd. (que a su vez viene del fr. ant. *deport*, equivalente del cast. *deporte*). DERIV. *Deportivo, deportista, deportismo*, S. XX. Del cultismo *deportar*, en el sentido latino: *deportación*.

Deposición, depositar, depositario, depósito, V. *poner*

DEPRAVADO 'malvado', 1570. Participio de *depravar* 'pervertir', 1604, tom. del lat. *depravare* íd., deriv. de *pravus* 'malo,

malvado' (de ahí *pravedad* 'maldad', 1600, en la frase *herética pravedad*). DERIV. *Depravación*, 1604.

Deprecación, deprecar, deprecatorio, V. *preces*   *Depreciar*, V. *precio*

DEPREDACIÓN 'pillaje', 1884. Deriv. del raro *depredar* 'saquear', tom. del lat. *depraedari* íd., que a su vez lo es de *praeda* 'presa, rapiña'.

Depresión, depresivo, deprimente, V. *deprimir*

DEPRIMIR, med. S. XVI. Tom. del lat. *deprĭmĕre* íd., deriv. de *prĕmĕre* 'apretar'. DERIV. *Deprimente. Depresión*, princ. S. XVII. *Depresivo*, h. 1800.

Depuración, depurar, depurativo, V. *puro*

DERECHO, 1056. Del lat. DĪRĒCTUS (lat. vg. DĒRĒCTUS) 'recto', 'directo', participio de DIRIGERE 'dirigir' (deriv. de REGERE 'conducir, guiar'). Como sustantivo en el sentido de 'justicia', 'facultad de hacer algo legalmente', 1010. *Directo* es duplicado culto, 1555. DERIV. *Derecha*; *derechista. Derechura*, h. 950.

DERIVAR, 1220-50. Tom. del lat. *derivare* 'desviar una corriente de agua', 'derivar' (deriv. de *rivus* 'arroyo'). En la acepción marina 'ser llevada una embarcación por la corriente' es palabra diferente, S. XIX, del fr. *dériver*, antes *driver*, S. XVI, a su vez tomado del ingl. *to drive* 'empujar' y 'derivar'. DERIV. *Deriva*, 2.ª mitad S. XIX. *Derivación*, 1438; *derivado*, 1611; *derivativo*, 1611.

DERMATOSIS, 1884. Deriv. culto del gr. *dérma, -atos*, 'piel'. DERIV. *Dermatitis. Epidermis*, 1832, lat. *epidermis*, del gr. *epidermís* íd.; de donde secundariamente se sacó *dermis*, med. S. XIX; *epidérmico, dérmico*. CPT. *Dermatología; dermatólogo. Hipodérmico*.

Derogación, derogar, V. *rogar*   *Derrabar*, V. *rabo*

DERRAMAR 'verter un líquido', S. XIV, antes 'dispersar, desperdigar', h. 1140. De un lat. vg. *DIRAMARE* 'separarse las ramas de un árbol', de donde el it. *diramarsi* 'bifurcarse, dividirse en ramas, separarse' y otras palabras romances. Deriv. del lat. RAMUS 'rama'. DERIV. *Derrama* 'tributo, contribución', 1573, primitivamente 'repartimiento de una contribución' (de la antigua acepción 'dispersar, desparramar' y luego 'distribuir'). *Derramamiento*, 1505. *Derrame*, 1832. CPT. *Derramasolaces*, 1587.

Derredor, V. *alrededor*

DERRENGAR 'lastimar gravemente el espinazo', princ. S. XV. De un lat. vg. *DERENICARE 'lesionar los riñones, los lomos', deriv. de RENES 'riñones'. Deriv. *Derrengado*. *Derrengadura*, 1495.

DERRETIR 'liquidar una sustancia sólida', 1386. Deriv. del antiguo *retir* íd., S. XIII; voz común al castellano y al portugués (*reter*, *derreter*), probablemente del lat. *RETRIRE, forma vulgar en lugar del lat. clásico RETERĔRE, que hacía el participio RETRĪTUS (de donde sacó el infinitivo *RETRIRE la lengua hablada); RETERERE significaba 'desgastar rozando', y a la idea de 'derretir' se llegó desde la de 'desgastar' a causa de la desaparición paulatina de la nieve o la cera liquidadas por la acción del calor.

DERRIBAR, 1202. Probablemente derivado de *riba* con el sentido de 'hacer caer de un ribazo', de donde 'echar al suelo a una persona o animal' y luego 'demoler una construcción'. Deriv. *Derribo*, 1636.

Derrocar, V. *roca*

DERROCHAR 'malbaratar', 1817. El sentido primitivo parece haber sido el de 'derribar (árboles, etc.)', 1596, de donde la acepción actual, por metáfora; voz creada paralelamente al fr. *dérocher* 'despeñar', formado como el cast. *derrocar*; pero aunque la -*ch*- sugiere un galicismo con pronto arraigo, *rocha* para 'cuesta pendiente y rocosa' es voz regional de la zona occidental de Valencia (cast. y cat.) donde parece ser un mozarabismo local; es probable que se trate, junto con el port. *rocha* (también de origen mozárabe) y el it. *roccia*, de un derivado *ROCCIA ya formado en la lengua prerromana de donde procede *roca*. Deriv. *Derrochador*. *Derroche*, 1884.

Derrota 'rumbo', V. *derrotero*

DERROTA 'revés militar', 1705. Del fr. *déroute* 'desbandada', 1611, con influjo del cast. *rota* 'derrota', 1600 (propiamente participio de *romper*); el fr. *déroute* derivaba del anticuado *desroter* 'desbandar, dispersar', S. XII, a su vez derivado del fr. ant. *rote* 'cuadrilla, grupo de hombres', al parecer deriv. de *rompre* 'romper' en el sentido de 'partir, dividir (un ejército, etc.)'. Deriv. *Derrotar* 'vencer', 1683, y al parecer ya en 1617. *Derrotista*, 1916, calcado del fr. *défaitiste* (que a su vez lo es del ruso *poražénets* íd., 1915, deriv. de *poražénie* 'derrota').

DERROTERO 'rumbo', 1607, raro hasta el S. XVIII, primitivamente 'libro o mapa que indicaba los rumbos', h. 1600. Deriv. de *derrota* en el sentido hoy anticuado de

'rumbo', 1474, antes 'camino terrestre', y primitivamente 'camino abierto rompiendo los obstáculos'; en su origen participio de *derromper* 'romper', S. XII, deriv. de *romper* (lat. RUMPERE).

DERRUIR, 1577. Tom. del lat. *dīrŭĕre* 'derribar, demoler' (deriv. de *ruere* 'lanzar violentamente, derrumbar').

DERRUMBAR, 1569. De una antigua forma *derrubar*, portuguesa hoy (y ya 1544), y ésta del lat. vg. *DĒRŪPĀRE 'despeñar' (de donde también el it. *dirupare* y otras formas romances), deriv. de RUPES 'precipicio, ribazo'; *derrubar* pasó a *derrumbar* por influjo de otras palabras como *tumbar*, y especialmente el antiguo *derrundiar* 'arruinar, desmoronar', 1251. Deriv. *Derrumbadero*, 1599. *Derrumbamiento*, S. XVIII. *Derrumbe*, h. 1900.

DERVICHE, 1765-83. Del persa *dervīš* 'fraile mahometano que ha hecho voto de pobreza', propte. 'pobre'; por conducto del francés, 1559.

Desabrido, *desabrimiento*, V. *saber* *Desacatar*, *desacato*, V. *acatar* *Desacierto*, V. *cierto* *Desacreditar*, V. *creer* *Desafecto*, V. *afecto* *Desafiador*, *desafiar*, V. *fiar* *Desafinar*, V. *fino* *Desafío*, V. *fiar* *Desaforado*, *desafuero*, V. *fuero* *Desagradable*, *desagradecer*, *desagrado*, V. *grado II* *Desaguadero*, *desaguar*, *desagüe*, V. *agua* *Desaguisado*, V. *guisa* *Desahogado*, *desahogar*, *desahogo*, V. *ahogar*

DESAHUCIAR, S. XIV (y quizá ya XIII), 'quitar las esperanzas', 'despedir a un arrendatario'. Deriv. del antiguo *ahuciar*, primitivamente *afiuzar*, 'dar confianza o crédito a una persona', 1335, que a su vez lo es de *fiuza* 'confianza', 1220-50, procedente del lat. FĪDŪCIA íd. (de éste el cultismo *fiducia*, h. 1600, y su derivado *fiduciario*, S. XIX). Deriv. *Desahucio*.

Desairar, *desaire*, V. *aire* *Desalado*, *desalarse*, V. *ala I* y *hálito* *Desalentar*, *desaliento*, V. *alentar* *Desaliñado*, *desaliñar*, *desaliño*, V. *línea* *Desalmado*, V. *alma* *Desalojar*, V. *lonja II* *Desamar*, *desamor*, V. *amar* *Desamparado*, *desamparar*, *desamparo*, V. *parar* *Desangrar*, V. *sangre* *Desanimar*, V. *alma* *Desapacible*, V. *placer* *Desaparecer*, *desaparición*, V. *parecer* *Desapercibido*, V. *percibir* *Desarmar*, *desarme*, V. *arma* *Desarraigar*, *desarraigo*, V. *raíz* *Desarreglar*, *desarreglo*, V. *regla* *Desarrollar*, *desarrollo*, V. *rueda* *Desarzonar*, V. *arzón* *Desasnar*, V. *asno* *Desasosegar*, *desasosiego*, V. *sosegar* *Desastrado*, *desastre*, *desastroso*, V. *astro* *Desatar*, V. *atar* *Desatentado*, *desatentar*, V. *tentar* *Desatinado*, *desatino*, V. *tino I*

Desayunarse, desayuno, V. *ayuno   Desazón, desazonar,* V. *sazón   Desbancar,* V. *banco   Desbandada, desbandar,* V. *banda* II

DESBARAJUSTAR 'desordenar', 1843 (*desbarahustar,* 1607). Parece ser deriv. intensivo de *barahustar,* S. XV, 'desbaratar, trastornar', que parece haber significado primitivamente 'golpear con lanza' y luego 'parar un golpe por medio de una lanza'; quizá compuesto de *vara* y un verbo **hustar,* procedente del lat. tardío FUSTARE 'azotar', 'golpear' (lat. FUSTIGARE).
DERIV. *Desbarajuste,* 1843.

Desbaratado, desbaratar, V. *barato   Desbarrar,* V. *resbalar   Desbastar,* V. *basto   Desbocado, desbocar,* V. *boca   Desbordar,* V. *borde* I   *Desbravar,* V. *bravo   Desbrozar,* V. *broza   Descabalar,* V. *cabo   Descabalgar,* V. *caballo   Descabellado, descabellar,* V. *cabello   Descabezado, descabezar,* V. *cabeza   Descalabrar,* V. *calavera   Descalzar, descalzo,* V. *calzar   Descallador,* V. *callo   Descamación,* V. *escama   Descaminado, descaminar,* V. *camino   Descamisado,* V. *camisa   Descampado,* V. *campo   Descansado, descansar, descanso,* V. *cansar   Descantillar,* V. *canto* II   *Descarado, descararse,* V. *cara   Descarga, descargador, descargar, descargo,* V. *cargar   Descarnado, descarnar,* V. *carne   Descaro,* V. *cara*

DESCARRIAR, 1464, 'apartar a una res del rebaño', 'dispersar', 'apartar de lo justo o de la razón'. Deriv. indirecto de *carro:* parece debido a un cruce de *descarrerar* 'descarriar', deriv. de *carrera* 'camino' (que a su vez lo es de *carro*), con *desviar.*
DERIV. *Descarrío.*

Descarrilar, V. *carro   Descarrío,* V. *descarriar   Descartar, descarte,* V. *carta   Descastado,* V. *casta*

DESCENDER 'bajar', 1220-50. Tom. del lat. *descendĕre* íd. (deriv. de *scandĕre* 'subir, escalar').
DERIV. *Descendencia,* 1570. *Descendiente,* 1570. *Descendimiento,* 1495. *Descenso,* 1611, lat. *descensus. Condescender,* princ. S. XV, tom. del lat. *condescendere* 'ponerse al nivel de alguno'; *condescendencia,* 1679. *Ascender,* 1555, del lat. *ascendere* 'subir' (otro deriv. de *scandere*); *ascendente; ascendencia; ascensión,* 1438; *ascensional; ascenso,* S. XVII, lat. *ascensus* 'subida'; *ascensor. Trascender,* 1444, tom. del lat. *transcendere* 'rebasar subiendo', 'rebasar' (la acepción 'oler mucho', 1571, parece partir de la de 'pasar (el olor) a través de algo'); *trascendente,* h. 1440; *trascendental,* princ. S. XVII; *trascendencia.*

Descentrado, descentralizar, V. *centro   Descerrajar,* V. *cerrar   Descifrar,* V. *cifra*

DESCOCADO 'desvergonzado', 1657. Derivado del familiar *coca* 'cabeza' (voz de creación expresiva), en el sentido 'que no tiene cabeza'.
DERIV. *Descocarse,* 1679. *Descoco,* h. 1660.

Descoco, V. *descocado   Descolorar, descolorido,* V. *color   Descollar,* V. *cuello   Descomedido, descomedimiento,* V. *comedido   Descomponer, descomposición, descompostura, descompuesto,* V. *poner   Descomulgar,* V. *comulgar   Descomunal,* V. *común   Desconcertado, desconcertante, desconcertar, desconcierto,* V. *concertar   Desconchar,* V. *concha   Desconfiar,* V. *fiar   Desconocido,* V. *conocer   Desconsiderado,* V. *considerar   Desconsolado, desconsolar, desconsuelo,* V. *consolar   Descontar,* V. *contar   Descorazonar,* V. *corazón   Descortés,* V. *corte   Descortezar,* V. *corteza   Descoser,* V. *coser   Descoyuntar,* V. *junto   Descrédito, descreido,* V. *creer   Describir, descripción,* V. *escribir   Descuadernar,* V. *cuaderno   Descuajar, descuajaringar,* V. *cuajo   Descuartizar,* V. *cuarto   Descubrir,* V. *cubrir   Descuernapadrastros,* V. *cuerno   Descuidar, descuido,* V. *cuidar*

DESDE, h. 1140. Combinación de la antigua preposición *des,* 1054 (equivalente de *desde*), con la preposición *de; des* procede a su vez de la combinación latina DE EX 'desde dentro de'.

Desdén, V. *desdeñar   Desdentado,* V. *diente*

DESDEÑAR, 1220-50. Del lat. DEDĬGNARI 'rehusar como indigno, desdeñar', deriv. de DIGNUS 'digno'.
DERIV. *Desdén,* h. 1280. *Desdeñoso,* h. 1260.

Desdicha, desdichado, V. *dicha   Desdoblamiento, desdoblar,* V. *dos   Desdoro, desdoroso,* V. *oro   Desear,* V. *deseo   Desecar,* V. *seco   Desechar, desecho,* V. *echar   Desembarazar, desembarazo,* V. *embarazar   Desembarcar, desembarco,* V. *barca   Desembocadura, desembocar,* V. *boca   Desembolsar, desembolso,* V. *bolsa   Desembozar,* V. *bozo   Desembuchar,* V. *buche   Desempeñar, desempeño,* V. *empeñar   Desencadenar,* V. *cadena   Desencontrarse, desencuentro,* V. *contra   Desenfadar, desenfado,* V. *enfadar   Desenfrenar, desenfreno,* V. *freno   Desengañar, desengaño,* V. *engañar   Desenlace,* V. *lazo   Desentenderse,* V. *tender   Desentrañar,* V. *entraña   Desenvoltura, desenvolver, desenvuelto,* V. *volver*

DESEO, 1220-50. Del lat. vg. DESĬDĬUM 'deseo erótico', deriv. del lat. clásico DESI-DIA 'indolencia, pereza', que ya en la Antigüedad tomó el significado de 'libertinaje', 'voluptuosidad', conforme a la doctrina moral de que la ociosidad es el incentivo de la lujuria.
DERIV. *Desear*, h. 1140. *Deseoso*, 1220-50. *Indeseable*, 1936, imitado del ingl. *undesirable*, 1911.

Desequilibrado, desequilibrio, V. *igual Deserción, desertar, desértico, desertor,* V. *desierto Desesperación, desesperanza, desesperar,* V. *esperar Desfachatado, desfachatez,* V. *faz*

DESFALCAR 'tomar para sí dinero que se tenía con obligación de custodiarlo', med. S. XVI. Tom. del it. *defalcare* íd. (o *diffalcare*), deriv. del antiguo *falcare* íd., que parece procedente del longobardo FALKAN, alem. ant. FALGAN 'despojar', 'sustraer'.
DERIV. *Desfalco*, 1765-83.

Desfallecer, desfallecimiento, V. *fallido Desfavorable,* V. *favor Desfigurar,* V. *figura Desfilar, desfile,* V. *hilo Desflorar,* V. *flor Desfogar,* V. *huir Desfondar, desfonde,* V. *hondo*

DESGAIRE, 1438, 'ademán de desprecio', 'desaliño, desaire'. Se empleó originariamente en la locución *mirar de desgaire* 'mirar con desprecio', y proviene seguramente de una locución catalana *a escaire* 'oblicuamente, al sesgo', deriv. de *caire* 'canto, ángulo', procedente a su vez del lat. QUADRUM 'cuadrado'.

Desgajar, V. *gajo Desgalgarse,* V. *galgo*

DESGALICHADO 'desaliñado, desgarbado', 1832. Cruce de *desgalibado* íd., deriv. de *gálibo* 'modelo con arreglo al cual se hacen ciertas piezas de los barcos' (véase CALIBRE), con *desdichado*.

Desgana, desganado, V. *gana*

DESGAÑITARSE, h. 1640. Regionalmente *(d)esgañar*, 1607, o *desgañotarse*, o *desgañifarse*, 1706; son, todos, derivados de *gañir* 'aullar'.

Desgarbado, V. *garbo Desgaritado,* V. *garete Desgarrado, desgarrar, desgarro, desgarrón,* V. *garra Desgastar, desgaste,* V. *gastar Desglosar, desglose,* V. *glosa Desgobernado, desgobernar, desgobierno,* V. *gobernar Desgracia, desgraciado,* V. *gracia Desgranar,* V. *grano Desgreñado,* V. *greña Desguarnecer,* V. *guarnecer Deshacer,* V. *hacer Deshambrido,* V. *hambre Desharrapado,* V. *harapo Deshecho,* V. *hacer Desheredar,* V. *heredad*

Deshielo, V. *hielo Deshojar,* V. *hoja Deshollinar,* V. *hollín Deshonesto, deshonor, deshonra, deshonrar, deshonroso,* V. *honor Deshora,* V. *hora*

DESIDERATIVO 'que expresa deseo', S. XX. Tom. del lat. *desiderativus* íd., derivado de *desiderare* 'desear'.
DERIV. *Desiderátum*, 1899, lat. *desideratum* 'cosa deseada'.

DESIDIA 'negligencia, inercia', fin S. XVII. Tom. del lat. *desidia* 'pereza, indolencia'.
DERIV. *Desidioso*, med. S. XVII.

DESIERTO, princ. S. XIII. Tom. del lat. *desĕrtus, -a, -um,* 'abandonado', 'desierto', propte. participio de *deserĕre* 'abandonar, desertar'.
DERIV. *Desertar*, princ. S. XVIII, creado en francés (*déserter*, S. XII). *Desertor*, 1732, del fr. *déserteur*, S. XIII, lat. *desertor*; *deserción. Desértico.*

Designación, designar, designio, V. *seña Desigual,* V. *igual Desilusión,* V. *ilusión*

DESINENCIA 'terminación gramatical', med. S. XVIII. Deriv. culto del lat. *desĭnens, -ntis,* 'el que cesa o termina', participio de *desinĕre* 'cesar, terminar'.
DERIV. *Desinencial.*

Desinfectante, desinfectar, V. *infecto Desinterés,* V. *interés Desistir,* V. *existir Desjarretar,* V. *jarrete Deslavazar,* V. *lavar Desleal,* V. *ley*

DESLEÍR 'disolver en un líquido', S. XV; antes 'destruir', y 'extenuar', 1220-50. Voz romance que en esta forma es sólo castellana y de formación incierta, pues no coincide bien con *delir,* que en portugués es 'deshacer, apagar', en lengua de Oc 'extenuar' y 'derretir', en catalán 'consumirse, suspirar por': es seguro que éstos proceden del lat. DELĒRE 'destruir, borrar', pero como así no se explicarían la segunda *e* ni la *s* del cast., parece que aquí hubo confusión con el lat. vg. EXLIGERE (clás. ELĬGĔRE) 'escoger', que pasó a 'separar, descomponer', según muestra la forma vasca *esleitu* de origen latino, hoy anticuada, pero que figura con el sentido de 'separar' y 'escoger' en seguros autores vizcaínos y orientales, y *esleír* en cast. antiguo. Coincidiendo tanto los dos verbos en cast. acabaron por confundirse del todo.

Deslenguado, V. *lengua Deslindar, deslinde,* V. *límite*

DESLIZAR 'irse los pies por encima de una superficie lisa o mojada', 1335. De una

raíz LIZ- común a varios idiomas, de creación, sin duda, onomatopéyica, imitativa del rumor que produce un deslizamiento.
DERIV. *Deslizamiento*, 1505. *Desliz*, princ. S. XVII.

Deslucir, V. *luz* *Deslumbrar*, V. *lumbre* *Deslustrar*, V. *lustre* *Desmadejado*, V. *madeja* *Desmalazado*, V. *desmazalado* *Desmallar*, V. *malla* *Desmamar*, *desmamonar*, V. *mama*

DESMÁN, 1565 (*desmano*, 1403), 'exceso, desorden, tropelía', 'desgracia'. Deriv. del antiguo *desmanarse* 'desbandarse, dispersarse (las tropas)', SS. XIII-XV, hoy confundido con el verbo *desmandarse* 'insubordinarse', pero originariamente significó 'apartarse del rebaño, descarriarse', y derivaba de *mano* en el sentido antiguo de 'manada, grupo de personas o animales' (lat. MANUS, íd.).

Desmandar, V. *mandar* y *desmán* *Desmangarrillar*, V. *manganilla* *Desmanotado*, V. *mano* *Desmantelar*, V. *manto* *Desmañado*, V. *maña*

DESMAYAR, princ. S. XIII, 'desfallecer', 'perder el conocimiento'. Del fr. ant. *esmaiier* 'perturbar, inquietar, espantar', 'espantarse, desfallecer', y éste procedente del lat. vg. *EXMAGARE* 'quitar las fuerzas', voz que dejó descendientes en varias hablas romances de Italia, Francia y Península Ibérica, derivada del germ. MAGAN 'tener fuerzas, poder'.
DERIV. *Desmayo*, h. 1330.

DESMAZALADO, princ. S. XV, 'decaído, flojo de ánimo', 'descuidado en el cuerpo o en el vestir'. Deriv. del hebreo *mazzāl* 'destino, suerte' (propte. 'estrella'); significó primitivamente 'desdichado', acepción que se ha conservado en el español de los judíos.

Desmedido, V. *medir* *Desmedrar*, *desmedro*, *desmejora*, *desmejorar*, V. *mejor* *Desmelenar*, V. *melena* *Desmembrar*, V. *miembro* *Desmemoriado*, V. *remembrar* *Desmentir*, V. *mentir* *Desmenuzar*, V. *menudo* *Desmerecer*, V. *merecer* *Desmesurado*, V. *medir*

DESMIRRIADO o **ESMIRRIADO**, fam., 1732, 'flaco, consumido'. Del mismo origen incierto que el port. *mirrado* 'amojamado, seco, consumido', S. XV; es probable que sea portuguesismo de procedencia leonesa, quizá deriv. de *mirra* (producto empleado para la conservación de cadáveres), con el sentido primitivo de 'embalsamado, momificado'.

Desmochar, V. *mocho* *Desmondongar*, V. *mondongo* *Desmonetizar*, V. *moneda* *Desmontar*, *desmonte*, V. *monte* *Desmoralizar*, V. *moral*

DESMORONAR, 1585, 'deshacer y arruinar poco a poco las construcciones, los márgenes, etc.'. Del antiguo y dialectal *desboronar*, 1490, 'desmigajar (el pan)', 'desmoronar', deriv. del dialectal *borona* 'pan de mijo o de maíz', 'migaja' (en port. *boroa*, 1220), voz norteña de origen prerromano (probte. de un *BORUNA perteneciente a una antigua lengua indoeuropea de España, afín al eslavo *borŭ* 'especie de mijo').
DERIV. *Desmoronamiento*. De *borona* deriva quizá un *boronanga*, luego *borondanga*, 1625, alterado comúnmente en *morondanga*, 1734, 'conjunto de cosas insignificantes' (la *d* tal vez por influjo de *morondo*).

Desnarigado, V. *nariz* *Desnatar*, V. *nata* *Desnaturalizar*, V. *nacer* *Desnivelar*, V. *nivel*

DESNUDAR, 1215. Del lat. DĒNŪDĀRE íd., deriv. de NUDUS 'desnudo'.
DERIV. *Desnudo*, h. 1140: bajo el influjo del verbo sustituyó a *nudo*, lat. NŪDUS íd., desde los orígenes del idioma. *Desnudez*, 1495.

Desobedecer, *desobediente*, V. *obedecer* *Desocupado*, *desocupar*, V. *ocupar* *Desoír*, V. *oír*

DESOLAR 'desconsolar', 1520. Del lat. DĒSŌLĀRE 'devastar', 'dejar desierto' (de la misma raíz que *solaz* y *consolar*).
DERIV. *Desolado*, 1444. *Desolación*, 1611. *Desolador*.

DESOLLAR 'sacar el pellejo', 1335. Del antiguo *desfollar*, y éste del lat. vg. hispánico *EXFOLLARE 'sacar la piel' (b. lat. *effollare*), deriv. del lat. FOLLIS 'fuelle', 'bolsa de cuero', que en el vulgar de Hispania tomó el significado 'piel de los animales'.
DERIV. *Desolladura*, 1604. *Desuello*.
CPT. *Desuellacaras*, 1604.

Desonce, *desonzar*, V. *onza* *Desopilar*, V. *pila I* *Desorden*, *desordenar*, V. *orden* *Desortijado*, V. *suerte* *Desosar*, V. *hueso* *Desovar*, *desove*, V. *huevo* *Desoxidar*, *desoxigenar*, V. *oxi-* *Despabilar*, V. *pabilo* *Despacio*, *despacioso*, V. *espacio* *Despachar*, *despacho*, V. *empachar*

DESPACHURRAR 'aplastar despedazando', princ. S. XVII. Parece procedente de *despanchurrar (alterado por influjo de *despachar* 'matar'), el cual a su vez sería derivado del familiar *pancho*, variante de *panza*, así como los sinónimos *despanzurrar*, 1732, y *despancijar*, 1646, derivan de *panza*.

Despampanante, despampanar, V. *pámpano Despancijar, despanzurrar*, V. *despachurrar*

DESPARPAJO 'sumo desembarazo en el hablar y en las acciones', 1822. Deriv. del anticuado y dialectal *desparpajar* 'hablar mucho y sin concierto', propte. 'desparramar', 1490; voz hermana del it. *sparpagliare*, fr. *éparpiller*, oc. *esparpalhar*, cat. dial. *esparpallar*, 'desparramar, dispersar', que probablemente resultan de un cruce entre el lat. SPARGĔRE 'esparcir' y el lat. vg. *EXPALEARE (port. *espalhar* íd.), deriv. este último de PALEA 'paja', con el sentido de 'esparcir como paja en la era'.

DESPARRAMAR 'esparcir', 1555, y su variante *esparramar*, 1607. Proceden de un cruce entre *esparcir* y *derramar*, que antiguamente significaba 'dispersar, desparramar'. Comp. *DESPARPAJO*.

Despatarrar, V. *pata Despavesar*, V. *pavesa Despavorido*, V. *pavor Despearse*, V. *pie*

DESPECHO 'malquerencia nacida en el ánimo por desengaños sufridos', 1220-50. Del lat. DESPECTUS, -US, 'desprecio' (acepción conservada en el castellano de la Edad Media), deriv. de DESPICĔRE 'despreciar', propte. 'mirar desde arriba'.
DERIV. *Despechar*, 1220-50. Cultismo: *despectivo*, 1832.

Despedazar, V. *pedazo*

DESPEDIR, antiguamente se empleaba sólo el reflexivo *espedirse*, h. 1140, y en el sentido de 'pedir licencia para marcharse'. Procede del lat. EXPĔTĔRE 'reclamar, reivindicar', deriv. de PETERE 'pedir'.
DERIV. *Despedida*, 1495. *Despido*, h. 1900.

Despegar, despego, V. *pegar Despeinar*, V. *peine*

DESPEJAR 'desembarazar', 1569. Del port. *despejar* 'vaciar, desembarazar, desocupar', S. XV, deriv. de *pejar* 'impedir, embarazar, llenar', deriv. a su vez de *peia*, 1156, 'cuerda o lazo para atar el pie de los animales', 'embarazo, impedimento', que proviene del lat. vg. *PĔDĔA, deriv. de PES, PEDIS, 'pie'.
DERIV. *Despejado. Despejo*, 1601.

Despenar, V. *pena Despensa, despensero*, V. *dispendio Despeñar, despeño*, V. *peña Despeo*, V. *pie Despepitar*,

V. pepita Desperdiciar, desperdicio, V. *perder Desperdigar*, V. *perdiz Desperezarse, desperezo*, V. *pereza Desperfecto*, V. *perfecto Despertador, despertar*, V. *despierto Despiadado*, V. *pío Despido*, V. *despedir*

DESPIERTO, 1220-50. Voz común a los tres romances ibéricos y a algunas hablas periféricas de Francia e Italia; derivada del lat. vg. EXPĔR(C)TUS, forma analógica usada con el valor del lat. EXPERRECTUS, participio de EXPERGISCI 'despertarse'.
DERIV. *Despertar*, h. 1140. *Despertador*, h. 1535 (reloj, 1611).

DESPILFARRAR 'derrochar, malbaratar', 1765-83, primitivamente *despilfarrado* 'roto, andrajoso', 1611. Deriv. de *pilfa* 'andrajo', variante dialectal de *felpa, pelfa* (de *pilfa* se sacó *filfa* 'mentira, noticia falsa', 'objeto despreciable', S. XX).
DERIV. *Despilfarro*, 1732.

Despique, V. *picar Despistar*, V. *pisto Desplantar, desplante*, V. *planta Desplazar*, V. *plaza Desplegar, despliegue*, V. *plegar Desplomar, desplome*, V. *plomo Desplumar*, V. *pluma Despoblar*, V. *pueblo*

DESPOJAR, 1215. Del lat. DESPOLIARE 'despojar, saquear', deriv. de SPOLIARE íd., y éste de SPOLIUM 'pellejo de los animales', 'botín' (de ahí el cultismo *espolio*, 1686).
DERIV. *Despojo*, 1223. *Expoliar*, 1884, tom. de *exspoliare* íd., deriv. de *spoliare*; *expoliación*, 1490.

Desportillar, V. *puerta Desposado, desposar*, V. *esposo Desposeer*, V. *poseer Desposorio*, V. *esposo*

DÉSPOTA, 1565. Tom. del gr. *despótēs* 'dueño', y, hablando de los Imperios Orientales, 'señor absoluto'.
DERIV. *Despótico*, 1611, gr. *despotikós. Despotismo*, 1765-83.

DESPOTRICAR, 1605, 'hablar sin consideración todo lo que a uno se le ocurre'. Puede ser deriv. de *potro*, quizá con el sentido fundamental de 'saltar como potro', o más precisamente de su diminutivo *potrico*, que en algunas partes significa 'chispa' (de donde 'echar chispas'); sin embargo, como dialectalmente vale por 'despachurrar, despedazar', no puede descartarse la posibilidad de que venga de *potra* 'hernia', en el sentido de 'destripar, reventar'.

Despreciar, desprecio, V. *precio Desprender, desprendimiento*, V. *prender Despreocuparse*, V. *ocupar Desprevenido*, *V. venir Desproporción, desproporcionado*, V. *porción Despropósito*, V. *poner*

Desprovisto, V. *ver   Después,* V. *pues*
Despuntar, V. *punta   Desquiciar,* V. *quicio   Desquijarar,* V. *quijada   Desquitar, desquite,* V. *quitar   Destacamento,*
destacar, V. *atacar   Destajar, destajero,
destajo,* V. *tajar   Destapar,* V. *tapa*

DESTARTALADO, 1817, se refiere a edificios y habitaciones, con los sentidos de
'desproporcionado', 'excesivamente grande',
'desmantelado, medio destruido', 'abandonado'. De origen incierto, probablemente
hermano del port. *estatelado* 'extendido a
lo largo y sin movimiento', y procedente
del ár. *'istatâl* 'alargarse', 'extenderse'.

DESTELLO 'resplandor vivo y efímero',
1603, antiguamente 'gota que cae', S. X, de
donde el sentido moderno por los destellos
que emiten las gotas al ser heridas por la
luz. Deriv. del antiguo *destellar* 'gotear', h.
1140, del lat. DESTĪLLARE íd., deriv. de
STĪLLA 'gota'. Del mismo, por vía culta, sale
destilar, med. S. XV. El cambio del sentido
de 'gota' en el de 'resplandor' se produjo
en el sustantivo. El vasco *disti(ra)* 'brillo', y
disti(r)atu 'brillar, reflejar', con su segunda
i, muestra que ésta es verdaderamente la
etimología, a pesar de que el cat. *estel* 'estrella', que en Mallorca se emplea con el
sentido de 'destello', parezca sugerir otra
cosa.
DERIV. *Destilable. Destilación.* 1495. *Destilería.*

Destemplado, destemplanza, destemplar,
V. *templar   Desternillarse,* V. *tierno*
Desterrar, desterronar, V. *tierra   Destetar,
destete,* V. *teta   Destierro,* V. *tierra   Destilación, destilar, destilería,* V. *destello*

DESTINAR, 2.º cuarto S. XV. Tom. del
lat. *destĭnare* íd., propiamente 'fijar, sujetar',
'apuntar, hacer puntería (hacia)'.
DERIV. *Destino,* 1503 - 36. *Destinatario.
Predestinado;* predestinar, 1438; *predestinación,* 1438.

Destitución, destituir, V. *constituir   Destornillar,* V. *torno   Destreza,* V. *diestro*
Destripar, destripaterrones, V. *tripa   Destronar,* V. *trono   Destrozar, destrozo,* V.
*trozo   Destrucción, destructivo, destruc-
tor, destruir,* V. *construir   Desuello,* V.
desollar   Desunión, V. *uno   Desusado,
desuso,* V. *uso*

DESVAÍDO, 1601, 'alto y desairado',
'(color) bajo y disipado'. Forma parte de un
conjunto de homónimos iberorromances de
historia complicada y oscura; la voz castellana se tomó, al parecer, del port. *esvaído,
desvaído,* S. XVI, 'desvanecido', 'evapora-
do', 'enflaquecido, sin sustancia', procedente del participio del lat. EVANESCĔRE 'des-

aparecer', 'disiparse', 'evaporarse' (deriv. de
VANUS 'vano'). Sin embargo, aunque menos
probable, existe la posibilidad de que proceda del lat. EVADERE en el sentido de 'asaltar (una muralla)', sea como descendiente
castizo, o como advenedizo tomado del cat.
esvair, S. XIII, 'asaltar', 'atacar', 'destruir,
consumir', *esvair-se* 'desvanecerse', S. XIX.

Desvalido, V. *valer   Desvalijar,* V. *valija*

DESVÁN, 1495, 'parte más alta de la
casa, inmediata al tejado'. De un antiguo
verbo *desvanar,* 1607, 'vaciar' (de donde
salir en desvano 'dar en falso', h. 1300), derivado de *vano,* lat. VANUS 'vacío', 'inútil';
propiamente significó 'lugar vacío entre el
tejado y el último piso'. De *desvanar* sale
devanarse los sesos 'meditar mucho una
cosa, cansando la cabeza', 1732.

Desvanecer, desvanecimiento, V. *vano*
Desvariar, desvarío, V. *vario   Desvasar,*
V. *vaso   Desvelar, desvelo,* V. *velar*
Desvencijar, V. *vencejo* I   *Desventaja,
desventajoso,* V. *avanzar   Desventura,
desventurado,* V. *venir   Desvergonzado,
desvergüenza,* V. *vergüenza   Desviación,
desviar, desvío,* V. *vía   Desvirgar,* V.
virgen   Desvirtuar, V. *viril* I   *Detallar,
detalle,* V. *tajar   Detardar,* V. *tardar
Detención, detener, detenido, detentar, detentor,* V. *tener   Detergente,* V. *terso*

DETERIORAR, 1611. Del lat. tardío *de-
teriorare* íd., deriv. del lat. *deterior, -oris,*
'peor, inferior'.
DERIV. *Deterioro,* 1832.

*Determinante, determinar, determinativo,
determinismo,* V. *término   Detestar,* V.
testigo . Detienebuey, V. *buey* y *tener
Detonación, detonante, detonar,* V. *tronar
Detracción, detractar, detractor,* V. *traer
Detrás,* V. *tras*

DETRIMENTO 'quebranto', 1438. Tom.
del lat. *detrimentum* 'pérdida, perjuicio',
propte. 'acción de quitar mediante el roce',
deriv. de *deterere* 'quitar rozando'. De este
mismo verbo deriva el sinónimo *detritus,
-ūs,* de donde el cast. *detrito,* 1899.

Deturpar, V. *torpe   Deuda, deudo, deudor,* V. *deber*

DEVANAR 'arrollar hilo en ovillo o carrete', h. 1400. Del lat. vg. *DEPANARE* íd.,
deriv. del lat. PANUS 'hilo de trama puesto
en la devanadera' (del gr. dialectal *pânos,*
ático *pênos*).
DERIV. *Devanadera,* f. 1400.

Devanear, devaneo, V. *vano Devastación, devastar*, V. *gastar Develar*, V. *velo Devéngar, devengo*, V. *vengar Devenir*, V. *venir Devoción, devocionario*, V. *voto Devolución, devolver*, V. *volver Devorar*, V. *voraz Devoto*, V. *voto Dextrina, dextrógiro, dextrorso*, V. *diestro Deyección*, V. *abyecto*

DÍA, 978. Del lat. vg. *DÍA, lat. DIES íd. DERIV. Diurno, 1607, tom. del lat. diurnus; diurnal, h. 1440. Diario, 1581. Diana 'toque militar del alba', 1765-83, del it. diana íd., 1561, nombre que se le dio por llamarse así en italiano la estrella matutina o planeta Venus, que aparece al apuntar el día. CPT. Triduo, lat. triduum 'conjunto de tres días'; triduano.*

Diabasa, V. *base*

DIABETES 'enfermedad caracterizada por la secreción de orina cargada de glucosa', 1606, lat. *diabētes*. Tom. del gr. *diabḗtēs* íd., propiamente 'sifón' (deriv. de *diabáinō* 'yo cruzo, atravieso, paso'). DERIV. *Diabético.*

DIABLO, med. S. X. Tom. del lat. tardío *diabŏlus*, y éste del gr. *diábolos* íd., propte. 'el que desune o calumnia' (deriv. de *diabállō* 'yo separo, siembro discordia, calumnio', de *bállō* 'yo arrojo'). Deformado por eufemismo con formas diversas, como *diantre*. DERIV. *Diablura*, 1335, o *diabladura. Diabólico*, 1438; lat. *diabolĭcus*, gr. *diabolikós* íd. *Endiablado*, 1220-50.

DIÁCONO, princ. S. XIII, lat. tardío *diacŏnus*. Tom. del gr. *diákonos* 'sirviente', 'diácono'. DERIV. *Diaconado*, 1495. *Diaconisa.*

Diacrítico, V. *crisis*

DIADELFO, S. XX. Cpt. culto del gr. *di-* (forma prefijada de *dýo* 'dos') y *adelphós* 'hermano', aludiendo a los dos hacecitos en que se agrupan los estambres de esta clase de plantas.

DIADEMA 'cinta que ceñía la cabeza de los reyes', 1438, lat. *diadēma*. Tom. del gr. *diádēma, -atos*, íd., deriv. de *diadéō* 'yo rodeo atando' (y éste de *déō* 'yo ato').

DIÁFANO, 1438. Tom. del gr. *diaphanḗs* 'trasparente', deriv. de *diapháinō* 'yo dejo ver a través de mí, soy trasparente' (de *pháinō* 'yo brillo', 'aparezco'). DERIV. *Diafanidad. Fenol*, S. XX, deriv. de dicho *pháinō*, por obtenerse este producto durante la fabricación del gas del alumbrado; *fénico. Fenómeno*, h. 1730, lat. tardío *phaenomenon*, del gr. *phainómenon* 'cosa que aparece' participio del mismo verbo); *fenomenal*, 1884. CPT. *Fanerógamo*, 1899, cpt. de *phanerós* 'aparente' (deriv. del propio verbo) y el gr. *gámos* 'cópula, matrimonio'.

DIAFORÉTICO 'sudorífico', 1732. Tom. del gr. *diaphorētikós*, deriv. de *diaphórēsis* 'evacuación de humores' (de *diaphoréō* 'yo me llevo, hago evacuar').

DIAFRAGMA 'músculo que separa la cavidad del pecho de la del vientre', 1570, lat. tardío *diaphragma*. Tom. del gr. *diaphrágma, -atos*, 'separación, barrera' (deriv. de *diaphrássō* 'yo separo', y éste de *phrássō* 'yo obstruyo').

DIAGNÓSTICO, 1843. Tom. del gr. *diagnōstikós* 'distintivo, que permite distinguir', deriv. de *diagignṓskō* 'yo distingo, discierno', que a su vez lo es de *gignṓskō* 'yo conozco' (pariente del lat. *cognoscere*). DERIV. *Diagnosticar. Diagnosis.*

DIAGONAL, 1633. Tom. del lat. *diagonalis* íd., latinización del gr. *diagṓnios* íd., deriv. de *gōnía* 'ángulo'. CPT. de este último es *goniómetro.*

Diagrama, V. *gramático Dialectal*, V. *dialecto Dialéctico*, V. *diálogo*

DIALECTO, 1604. Tom. del gr. *diálektos* 'manera de hablar', 'lengua', 'dialecto', derivado de *dialégomai* 'yo discurro, converso' (vid. *DIÁLOGO*). DERIV. *Dialectal; dialectalismo.* CPT. *Dialectólogo; dialectología.*

Diálisis, dialítico, dializar, V. *análisis*

DIÁLOGO, 1448, lat. *dialŏgus*. Tom. del gr. *diálogos* 'conversación de dos o de varios', deriv. de *dialégomai* 'yo discurro, converso' (propte. 'yo hablo [légō] a través [diá] de algo'). DERIV. *Dialogar*, 1444. *Dialogismo; dialogístico. Dialéctico*, hacia 1440, gr. *dialektikós* 'referente a la discusión', otro deriv. de *dialégomai; dialéctica*, med. S. XIII.

DIAMANTE, med. S. XIII. Del lat. vg. DIAMAS, -ANTIS, alteración del lat. ADĂMAS, -ANTIS, íd., y éste del gr. *adámas, -antos*, 'acero', 'diamante', deriv. negativo de *damáō* 'yo domo, venzo', con el sentido primitivo de 'indomable, duro'. DERIV. *Diamantino*, 1617; culto: *adamantino.*

DIAMELA 'gemela (especie de jazmín)', 1884. Parece ser nombre puesto en honor del horticultor francés del S. XVIII Duhamel.

Diametral, diámetro, V. *metro   Diana,* V. *día   Diandro,* V. *andrógino   Diantre,* V. *diablo*

DIAPASÓN, 1495. Tom. del lat. *diapason* íd., y éste abreviación del gr. *dià pasôn khordôn* 'a través de todas las cuerdas'.

Diapente, V. *penta-   Diapositiva,* V. *poner   Diaquilón,* V. *quilo   Diario,* V. *día*

DIARREA, 1490, lat. tardío *diarrhoea.* Tom. del gr. *diárrhoia* íd., deriv. de *diarrhéō* 'yo fluyo por todas partes' (y éste de *rhéō* 'yo mano, fluyo'). DERIV. *Diarreico.*

Diartrosis, V. *artrítico*

DIASTASA, S. XX. Tom. del gr. *diástasis* 'separación', deriv. de *diístēmi* 'yo separo'; por conducto del fr. *diastase* 'diastasa'.

DIÁSTOLE, 1606, lat. *diastŏle.* Tom. del gr. *diastolē* 'dilatación', deriv. de *diastéllō* 'yo separo, aparto, dilato' (y éste de *stéllō* 'yo envío'). DERIV. *Sístole,* princ. S. XVIII, gr. *systolē* 'contracción', de *systéllō* 'yo reduzco, contraigo (deriv. de *stéllō,* opuesto a *diastéllō*); *asistolia. Perístole,* gr. *peristolē* 'contracción del vientre', otro deriv. de *stéllō; peristáltico,* gr. *peristaltikós* 'que tiene la propiedad de contraerse'.

Diatérmano, diatermia, V. *termo-   Diatomea,* V. *átomo   Diatónico,* V. *tono*

DIATRIBA, 1765-83, lat. *diatrĭba.* Tom. del gr. *diatribē* 'conversación filosófica', propte. 'pasatiempo, entretenimiento' (derivado de *diatríbō* 'yo paso el tiempo, me entretengo', a su vez de *tríbō* 'yo desgasto'); por conducto del fr. *diatribe,* S. XVI.

DIBUJAR, 1220-50. Palabra común a los tres romances ibéricos y a las lenguas medievales de Francia; significó primero 'representar gráficamente (esculpiendo, pintando o dibujando)' y también 'labrar (madera)'. El origen es incierto, pero es probable que las lenguas iberorrománicas lo tomaran del fr. ant. *deboissier* 'labrar en madera', 'representar gráficamente', el cual derivará de *bois* 'madera' (del mismo origen que nuestro *bosque*). DERIV. *Dibujo,* 1495. *Dibujante.*

Dicçión, aiccionario, V. *decir   Diciembre,* V. *diez   Dicotiledón, dicotiledóneo,* V. *cotiledón   Dicotomía, dicotómico,* V. *anatomía   Dictado, dictador, dictadura, dictamen, dictaminar,* V. *dictar*

DÍCTAMO, 1555. Tom. del gr. *díktamnon* íd. (variante *díktamon*).

DICTAR, 1220-50. Tom. del lat. *dictare* íd. (frecuentativo de *dicĕre* 'decir'). DERIV. *Dictado,* 1220-50. *Dictador,* 1495 (en el S. XIII 'el que redacta o compone'), lat. *dictator; dictadura,* 1495; *dictatorial. Dictamen,* princ. S. XVII, lat. tardío *dictamen* 'acción de dictar'; *dictaminar.*

Dicterio, V. *decir*

DICHA, 'suerte feliz', 1335; primitivamente significó 'destino, sino', en general. Del lat. DICTA 'cosas dichas', al cual en el lenguaje vulgar se trasmitió el sentido de FATUM 'hado', propiamente participio de FARI 'decir, hablar', pero empleado con el sentido de 'suerte, destino', por la creencia pagana de que la suerte individual se debía a unas palabras que pronunciaban los dioses o las Parcas al nacer el niño. DERIV. *Dichoso,* 1490. *Desdichado,* 1490; *desdicha,* 1505.

Dicharachero, dicharacho, dicho, V. *decir   Dichoso,* V. *dicha*

DIDÁCTICO 'perteneciente a la enseñanza', 1765-83. Tom. del gr. tardío *didaktikós* íd., deriv. de *didáskō* 'yo enseño'. DERIV. *Didáctica. Didascálico,* med. S. XVI, del gr. *didaskalikós* 'didáctico', deriv. de *didáskalos* 'maestro'. CPT. *Autodidacto.*

DIDELFO, h. 1875. Cpt. culto del gr. *di-* (forma prefijada de *dýo* 'dos') y *delphýs* 'matriz'.

Dídimo, V. *dos   Diecinueve, dieciocho, dieciséis, diecisiete,* V. *diez   Diedro,* V. *dos*

DIENTE, h. 1140. Del lat. DENS, DĔNTIS, íd. La acepción especial *diente de ajo,* 1495. DERIV. *Dentar,* 1581. *Dentado,* 1495. *Dentadura,* 1581. *Dental,* adj., 1490. *Dental* (parte del arado), h. 1400, lat. DENTALE íd. *Dentario. Dentellar* o *adentellar,* 1495; *dentellado,* 1607; *dentellada,* 1495. *Dentera,* 1220-50. *Dentición,* 1616; *denticina. Denticulado. Dentina. Dentista,* 1832. *Dentón,* 1490. *Dentudo,* 1570. *Desdentar,* 1495. *-ado,* 1495. *Dentecer,* 1495. *Dentejón. Interdental. Postdental.*

CPT. *Tridente*, 1444, lat. *tridens* 'que tiene tres dientes'. *Dentífrico*, formado con el lat. *fricare* 'frotar'. *Dentirrostro*, con lat. *rostrum* 'pico de ave'. Con el gr. *odús*, *odóntos* (hermano y sinónimo del lat. *dens*): *Odontólogo, odontología. Odontalgia.*

DIÉRESIS, 1490. Tom. del gr. *diáiresis* 'separación', deriv. de *diairéō* 'yo separo', y éste de *hairéō* 'yo cojo'.

DIESI, 1618, lat. *diĕsis*. Tom. del gr. *diesis* 'separación, disolución', 'diesi', deriv. de *diíēmi* 'yo separo, disuelvo' (de *híēmi* 'yo envío, echo').

DIESTRO, h. 1140. Del lat. DÉXTER, DEXTRA, DEXTRUM, 'derecho, que está a mano derecha', 'diestro (como lo es la mano derecha)'.
DERIV. *Diestra*, 1220-50. *Adestrar*, h. 1140, o *adiestrar*, S. XVII. *Destreza*, 1490. Cultismos: *Dextrina* (porque sus soluciones desvían la luz a la derecha); *dextrosa*.
CPT. *Ambidextro*, formado con el lat. *ambo* 'ambos'. *Dextrógiro* (con el lat. *gyrare* 'girar'; el opuesto *levógiro*, con el lat. *laevus* 'izquierdo'). *Dextrorso*, lat. *dextrorsus*.

DIETA, h. 1250, 'régimen de alimentación prescrito por los médicos', 1490, lat. *diaeta*. Tom. del gr. *díaita* 'manera de vivir', 'régimen de vida'. En la acepción 'honorario que devenga un funcionario cada día en que está de comisión' parece derivar de la anterior en el sentido de 'lo que se le da para que coma', pero el influjo de *día* hizo que se tomara por 'salario o retribución de un día asignado a varios profesionales y miembros de asambleas' y por 'jornada que hacen los funcionarios judiciales', 1555. En la acepción 'junta que se celebra en ciertos estados centroeuropeos', 1565, puede ser también el mismo vocablo grecolatino, quizá en el sentido de 'casa donde se vive', y luego 'casa, cuarto, pabellón', aplicado al edificio asignado a estas juntas y luego a las juntas mismas.
DERIV. *Dietario* 'libro en que se anotan los ingresos y gastos diarios de una casa', S. XX (también 'libro en que los cronistas de la Corona de Aragón escribían los sucesos más notables', 1765-83), tom. del b. lat. *dietarium* 'libro donde se anotan las compras de víveres' (probablemente por conducto del cat. *dietari*, med. S. XV). *Dietético*, gr. *diaitētikós* íd.; *dietética*, 1732.

DIEZ, h. 1140. Del lat. DĚCEM 'diez'.
DERIV. *Deceno*, h. 1140; *decena*, h. 1250. *Décimo*, 1220-50, tom. del lat. *dĕcimus* íd.; *déclma*, 1611; *declmal*, 1379; de DECIMUS por vía popular viene *diezmo*, h. 1140,

propte. 'décima parte de la cosecha'; *dezmar*, 1220-50, y luego *diezmar*, 1623, primero 'matar uno cada diez', luego 'mermar fuertemente en número'; *dezmero*, 1495 o *diezmero*. *Diciembre*, 1220-50, lat. DECĚMBER, -BRIS, íd., que era el décimo mes del año en el primitivo cómputo romano. *Decuria*, 1679, lat. *decuria* íd.; *decurión*, 1611, lat. *decurio, -onis*, íd. *Década*, 1601, del gr. *dekás, -ádos*, 'decena', deriv. del gr. *déka* 'diez'.
CPT. *Dieciséis*, 1495. *Diecisiete, dieciocho, diecinueve*: orígenes del idioma. *Decenio*, 1597, lat. *decennium* íd., formado con *annus* 'año'. *Decenviro*, lat. *decemvir*, con *vir* 'varón'; *decenvirato*.
Deci-, forma culta prefijada: *Deciárea, decigramo, decilitro, decímetro. Décuplo*, 1706, lat. *decŭplus* íd.; *decuplicar. Décimotercio* (o *-tercero), decimocuarto*, etc. *Deca-*, forma prefijada del gr. *déka* 'diez'; *decaedro* (con *hédra* 'asiento, base de un cuerpo'), *decágono* (con *gōnía* 'ángulo'), *decagramo, decalitro, decálogo*, 1607 (gr. *dekálogos* íd., con *lógos* 'precepto'), *decámetro, decápodo* (con *pûs, podós*, 'pie'), *decasílabo*.

Difamación, difamar, difamatorio, V. *fama*.

DIFERIR, med. S. XV, 'ser diferente', 'aplazar'. Tom. del lat. *differre* íd., deriv. de *ferre* 'llevar'.
DERIV. *Diferente*, 1490; *diferencia*, 1220-50; *diferenciar*, 1423; *diferenciación; diferencial; indiferente; indiferencia; indiferentismo. Dilación*, 1495, lat. *dilatio, -onis*, íd., de *dilatus*, participio de *differre*; *dilatorio; dilatoria*.

Difícil, dificultad, dificultar, dificultoso, V. *hacer*   *Difracción, difrangente*, V. *fracción*

DIFTERIA, 1884. Deriv. culto del gr. *diphthéra* 'membrana', 'piel'.
DERIV. *Diftérico*.

Difumino, V. *humo*   *Difundir*, V. *fundir*

DIFUNTO, 1220-50. Tom. del lat. *defunctus* íd., participio de *defungi* 'cumplir con (algo), pagar una deuda', *vitā defungi* 'fallecer'.
DERIV. *Defunción*, 1617, lat. *defunctio, -onis*.

Difusión, difuso, V. *fundir*

DIGERIR, h. 1440. Tom. del lat. *digerĕre* íd., propiamente 'distribuir, repartir' (de donde 'repartir por el cuerpo'), deriv. de *gerĕre* 'llevar'.

DERIV. *Digestión*, 1438, lat. *digestio, -ōnis*, íd. *Digestivo*, h. 1440. *Indigesto*, 1515; *indigestión*, 1438; *indigestarse*. *Digesto*, propiamente 'recopilación de leyes convenientemente repartidas', 1495.

Digital, digitalina, dígito, V. *dedo*

DIGNO, h. 1140. Tom. del lat. *dignus* íd. DERIV. *Dignidad*, 1220 - 50. *Dignatario*, princ. S. XIX, deriv. culto del lat. *dignitas* 'dignidad', formado como el ingl. *dignitary*, 1672, fr. *dignitaire*, 1752. *Dignarse*, 1535; lat. *dignari* 'juzgar digno'. *Indigno*, 1438; *indignidad*. *Indignar*, h. 1440, lat. *indignari* 'indignarse, irritarse'; *indignación*, 1465; *indignante. Condigno*.
CPT. *Dignificar*, 1636, lat. tardío *dignificare* íd.

DIGRESIÓN, h. 1570. Tom. del lat. *digressio* íd., deriv. de *digrĕdi* 'apartarse', y éste de *gradi* 'andar'.

DIJE, 1601, 'adorno o juguete que se cuelga del cuello de los niños', 'pequeña alhaja que suelen llevar por adorno los adultos', en portugués *dixe*. Quizá vino de la idea de 'friolera, menudencia' y ésta de la de 'cuentecillo, patraña, enredo, bravata', 1604, formado con *dije*, pretérito del verbo *decir*.

Dilación, V. *diferir   Dilapidar*, V. *lápida   Dilatación, dilatado, dilatar*, V. *lato Dilatorio*, V. *diferir   Dilección, dilecto*, V. *diligente   Dilema*, V. *lema   Diligencia*, V. *diligente*

DILIGENTE, 1386. Tom. del lat. *dilïgens, -tis*, 'lleno de celo, atento, escrupuloso', participio activo de *dilïgĕre* 'amar' (y éste de *legere* 'recoger').
DERIV. *Diligencia*, h. 1375, lat. *diligentia* íd. *Dilecto* 'amado', 1611, lat. *dilectus*, participio de dicho *diligere*; *dilección*, 1220-50, lat. *dilectio, -onis*; *predilecto* y *predilección*, 1737. *Negligente* 'descuidado', fin S. XVI, del lat. *negligens, -tis*, participio de *neglïgĕre* 'descuidar', verbo opuesto a *diligere* y deriv. de la misma raíz; *negligencia* 'descuido', 1438.

Dilucidar, V. *luz*

DILUIR 'desleír', 1817. Tom. del lat. *dilŭĕre* 'desleír', 'anegar' (deriv. de *lăvĕre* 'lavar').
DERIV. *Diluvio*, h. 1275, lat. *diluvium* 'inundación, diluvio'; *diluviar*; *diluviano*; *diluvial*; *antediluviano. Aluvión* 'avenida fuerte de agua', h. 1450, lat. *alluvio, -onis*, íd., deriv. de *allŭĕre* 'bañar', de la misma raíz que *diluere*; en la acepción 'tierra

traída por las aguas', es abreviación de la locución compuesta *terrenos de aluvión*; *aluvial*, 1860.

Dimanar, V. *manar   Dimensión*, V. V. *medir*

DÍMERO, S. XX. Cpt. del gr. *méros, -us*, 'parte', 'miembro', con *di-*, forma prefijada del gr. *dýo* 'dos'. *Pentámero*, cpt. del mismo vocablo con *penta-*, forma prefijada del gr. *pénte* 'cinco'.

Diminutivo, diminuto, V. *mengua   Dimisión, dimitir*, V. *meter*

DINÁMICO, med. S. XIX. Tom. del gr. *dynamikós* 'potente, fuerte', deriv. de *dýnamis* 'fuerza, potencia' (*dýnamai* 'yo puedo, soy capaz').
DERIV. *Dinámica*, 1765-83. *Dinamia*, derivado culto de *dýnamis*; por abreviación se formó también *dina*. Otros deriv. cultos del mismo vocablo griego: *dinamismo, adinamia, adinámico. Dinamita*, 2.ª mitad S. XIX, *dinamitero, dinamitar* 'volar (algo) con dinamita'. *Dinasta*, 1765-83, gr. *dynástēs* 'príncipe soberano', del verbo *dýnamai*; *dinastía*, 1765-83, gr. *dynásteia* 'dominación, gobierno'; *dinástico*.
CPT. *Dinamómetro. Dinamo*, 1899, abreviación de *máquina dinamoeléctrica*.

Dinasta, dinastía, dinástico, V. *dinámico*

DINERO, 1081. Del lat. DENARIUS 'moneda de plata que había valido diez ases' (deriv. de DENI 'cada diez', y éste de DECEM 'diez').
DERIV. *Dineral*, 1765-83 (acepción antigua, 1607). *Adinerar* y *adinerado*, 1604.

Dingolondango, V. *dengue   Dinornis*, V. *dinosaurio*

DINOSAURIO 'reptil fósil gigantesco', S. XX. Cpt. del gr. *deinós* 'terrible' con *sâuros* 'lagarto'. Otros cpts. de *deinós*: *dinoterio* 'elefante gigantesco', con *thērion* 'animal'; *dinornis* 'avestruz antediluviano', con *órnis* 'ave'.

Dinoterio, V. *dinosaurio*

DINTEL 'parte superior de las puertas, etc.', med. S. XVII. Del antiguo *lintel*, 1588, procedente del fr. anticuado *lintel* íd. (hoy *linteau*), que a su vez viene del lat. LĪMITĀLIS, alteración del lat. LIMINARIS 'perteneciente a la puerta de entrada' (deriv. de LIMEN, -INIS, 'umbral, puerta de entrada'), alteración debida al influjo de LIMES, -ITIS. 'límite'.

DIÓCESIS 'obispado', 1480. Tom. del lat. tardío *diocesis*, lat. *dioecēsis* 'circunscripción', 'diócesis', y éste del gr. *dióikēsis* 'administración, gobierno', 'provincia' (deriv. de *dioikéō* 'yo administro' y éste de *óikos* 'casa').
DERIV. *Diocesano*, 1607. *Archidiócesis*.

DIOICO, aplicado a las plantas que tienen las flores de cada sexo en pie separado, 2.ª mitad S. XIX. Cpt. del gr. *óikos* 'casa', con *di-*, forma prefijada de *dýo* 'dos'. Del mismo con *mónos* 'uno': *monoico*.

DIONISÍACO, 1899. Tom. del gr. *dionysiakós* íd., deriv. de *Diónysos* 'dios del vino, Baco'.

Dioptria, dióptrica, V. *óptico   Diorama*, V. *panorama*

DIORITA, 1899. Deriv. culto del gr. *diorízō* 'yo distingo'.

DIOS, S. X. Del lat. DĔUS íd.
DERIV. *Diosa*, h. 1490. *Deidad*, h. 1440, lat. *deitas, -atis. Deismo; deísta. Endiosar*, 1604; *endiosamiento. Semidiós; semidiosa. Divo*, h. 1440, lat. *dīvus* 'divino'; *diva*, princ. S. XV. *Divino*, S. X, lat. *divīnus* íd.; *divinal*, 1220-50; *divinidad*, 1220-50; *divinizar*, 1732, *divinización. Adivinar*, S. XIII, deriv. de *divinus* 'adivino', por mirar la adivinación como un don divino (con *adivinación, adivinanza*, 1570, *adivinatorio* o *divinatorio*); *adivino*, 1220-50, y antes *divino*, sust., del lat. *divinus*.
CPT. *Adiós*, princ. S. XV, elipsis de *a Dios seas. Pordiosero*, 1596, deriv. de la locución *pedir por Dios* 'pedir caridad'; *pordiosería; pordiosear*, h. 1630. Cultimos: *Deicida*, 1636, formado con *caedere* 'matar'; *deicidio. Deificar*, h. 1570; *deificación*, 1580. *Deípara*, con *parĕre* 'dar a luz'.

DIPLOMA, 1677. Tom. del lat. *diplōma, -ătis*, 'documento oficial', y éste del gr. *diplōmá* 'tablilla o papel doblado en dos' (deriv. de *diplóō* 'yo doblo', y éste de *diplûs* 'doble').
DERIV. *Diplomático*, 1765-83; *diplomática* íd.; *diplomacia*, 1.er tercio S. XIX.

DIPSOMANÍA, 2.ª mitad S. XIX, cpt. del gr. *dípsa* 'sed' y *manía* 'locura, manía'.
DERIV. *Dipsomaníaco. Polidipsia. Dipsáceo*, 1899, deriv. del gr. *dípsakos* 'cardencha', planta que se hace en terrenos secos, deriv. de *dípsa* 'sed'.

DIPTONGO, 1433. lat. tardío *diphthongus*. Tom. del gr. *díphthongos* íd., cpt. de *phthóngos* 'sonido' y *di-*, forma prefijada de *dýo* 'dos'.

DERIV. *Diptongar*, 1732; *diptongación. Triptongo*, cpt. de *phthóngos* con *tri-*, forma prefijada del gr. *trêis* 'tres'.

DIPUTADO, hacia 1440. Participio del verbo hoy algo anticuado *diputar*, S. XIV, 'reputar, tener por', 'elegir a un individuo como representante de una colectividad', del lat. *deputare* 'evaluar, estimar', y en la baja época 'asignar, destinar'.
DERIV. *Diputación*, 1611.

DIQUE, 1515. Del neerlandés *dijk* íd.

Dirección, directivo, V. *dirigir   Directo*, V. *derecho   Director, directorio, directriz*, V. *dirigir*

DIRIGIR, S. XV. Tom. del lat. *dirĭgĕre* íd., deriv. de *rĕgĕre* 'regir, gobernar'.
DERIV. *Dirigente. Dirigible. Dirección*, 1607, lat. *directio, -onis. Directivo*, 1732. *Director*, 1604; *directorio*, 1732; *directriz*.

DIRIMIR, 1613, 'disolver', 'resolver'. Tomado del lat. *dirĭmĕre* 'partir, separar', 'interrumpir, terminar' (deriv. de *ĕmĕre* 'coger' con prefijo *dis-* que indica separación).
DERIV. *Dirimente*, 1648.

Discantar, discante, V. *cantar   Discernimiento, discernir*, V. *cerner   Disciplina, disciplinar*, V. *discípulo*

DISCÍPULO, 1220-50. Tom. del lat. *discĭpŭlus* íd.
DERIV. *Condiscípulo. Disciplina* 'doctrina, ciencia', 2.ª mitad S. XIII; 'sumisión a las reglas', 'azote de penitente', 1335: lat. *disciplīna* 'enseñanza, educación, disciplina'; *disciplinar* 'someter a disciplina', 1490; 'azotar', 1611; *disciplinado*, 1490; *disciplinante*, 1570; *disciplinario*.

DISCO, 1580, lat. *discus*. Tom. del gr. *dískos* íd.
CPT. *Discoidal. Discóbolo*, gr. *diskóbolos* íd., formado con gr. *bállō* 'yo lanzo'. *Discoteca*, con gr. *thēkē* 'caja para depositar algo'.

DÍSCOLO 'insolente', 1611, lat. tardío *dyscŏlus*. Tom. del gr. *dýskolos* 'malhumorado, de trato desagradable'.

Disconforme, V. *forma   Discontinuo*, V. *continuo   Discordancia, discordante, discordar, discorde, discordia*, V. *corazón   Discoteca*, V. *disco   Discrasia*, V. *cráter   Discreción, discrecional*, V. *cerner*

DISCREPAR 'estar en desacuerdo', 2.º cuarto S. XV. Tom. del lat. *discrĕpare* íd., propiamente 'disonar, sonar diferente', derivado de *crepare* 'crujir, dar un chasquido'.

Deriv. *Discrepante*, 1444; *discrepancia*, 1616.

Discretear, discreto, discriminar, V. *cerner Disculpa, disculpar*, V. *culpa Discurrir, discurso*, V. *correr*

DISCUTIR, med. S. XV. Tom. del lat. *dïscütëre* 'decidir', propte. 'quebrar', 'disipar' (deriv. de *quätëre* 'sacudir'). Deriv. *Discutible. Discusión*, 1577, lat. *discussio, -onis.*

Disecar, disección, disector, V. *segar Diseminar*, V. *sembrar Disensión*, V. *sentir Disentería*, V. *enteritis Disentir*, V. *sentir Diseñar, diseño*, V. *seña*

DISERTAR, 1619. Tom. del lat. *dissertare* íd., frecuentativo de *disserere* 'razonar coordinadamente, disertar' (que deriva de *serere* 'entretejer, encadenar'). Deriv. *Disertación*, 1682; *disertante. Diserto* 'erudito', 1604, lat. *dissertus* íd., propiamente participio de *disserere*.

Disfagia, V. *fagocito Disfasia*, V. *afasia*

DISFRAZAR, h. 1460, 'enmascarar'. En catalán *disfressar*, fin S. XIV, port. *disfarçar* (antiguamente *disfraçar*). De origen incierto. Como la forma *desfrezar* existió también en castellano, y en las tres lenguas romances peninsulares el vocablo tuvo, sobre todo en lo antiguo, la acepción 'disimular', S. XV, es probable que derive de *freza* y sus congéneres, S. XIII, en el sentido de 'huellas o pista (de un animal)': entonces *disfrazar* sería primitivamente 'despistar, borrar las huellas' y sólo después 'desfigurar' y 'cubrir con disfraz'. En cuanto a *freza*, deriva del verbo *frezar*, lat. vg. *FRICTIARE 'rozar, frotar' (a su vez deriv. de FRICARE 'restregar'). La documentación más antigua de esta voz en catalán hace sospechar que el vocablo se propagara desde allí, lo cual explicaría el cambio de *e* en *a*. Deriv. *Disfraz*, 1599 (*disfrez*, 2.ᵘ cuarto S. XVI).

Disfrutar, disfrute, V. *fruto Disgregar*, V. *agregar Disgustar, disgusto*, V. *gusto*

DISIDENTE 'que manifiesta público desacuerdo', 1832. Tom. del lat. *dissidens, -tis*, íd., propte. participio de *dissidere* 'sentarse lejos', de donde 'estar separado', 'discrepar'. Deriv. *Disidencia*, 1606.

Disílabo, V. *epilepsia Disimetría*, V. *metro Disímil, disimilación, disimilar, disimilitud, disimulado, disimular, disímulo*, V. *semejar*

DISIPAR, 1438, 'desvanecer'. Tom. del lat. *dïssïpare* 'desparramar', 'aniquilar'. Deriv. *Disipación*, 1495. *Disipado. Disipador.*

DISLALIA 'dificultad en articular las palabras', S. XX. Formado con el gr. *laléō* 'yo charlo, hablo' y *dys-*, que indica actos defectuosos.

DISLATE 'despropósito', 1574 (*deslate* 'desbandada, acción de disparar a correr', 1444). Probablemente sacado del antiguo *deslatar* 'disparar una arma', h. 1440, de donde 'hacer algo violento o detonante'. *Deslatar* parece ser deriv. de *lata* 'palo, viga', tomado en el sentido de 'cureña de la ballesta'.

Dislocar, disloque, V. *lugar Dismenorrea*, V. *mes Disminución, disminuir*, V. *mengua Disnea, disneico*, V. *neumático Disociación, disociar*, V. *socio Disolución, disoluto, disolvente, disolver*, V. *absolver Disonancia, disonar*, V. *sonar Disparar*, V. *parar*

DISPARATE 'despropósito', 1496, es alteración de *desbarate* 'desconcierto', 1564 (V. *BARATO*), por influjo de *disparar* 'hacer actos desatentados, disparatar', 1615, propte. 'disparar un arma'; la forma primitiva *disbarate* o *desbarata* se halla en Santa Teresa y coetáneos, y se conserva en cat. *disbarat* (*desb-*) y port. *disbarate*; el fr. *disparate* 'contradictorio', S. XVIII, que aparece por primera vez en autores hispanizantes del S. XVII, y con el significado de 'disparate', parece haberse tomado del castellano, aunque luego se adaptó al sentido del lat. *disparatus* 'que contradice'. Deriv. *Disparatar*, 1600.

Disparo, V. *parar*

DISPENDIO 'gasto excesivo', 1611. Tom. del lat. *dïspendïum* 'gasto', deriv. de *dispendëre*, propte. 'distribuir (algo) pesándolo', aplicado a la moneda que se pesaba antes de pagar (deriv. de *pendëre* 'pagar'). Deriv. *Dispendioso. Expender* 'vender al menudeo', 1616; antes 'gastar' (*esp-*, h. 1140), 'despachar'; lat. EXPENDERE 'gastar', 'pesar moneda'; *expendedor, expendeduría; expensas* 'costas', 1220-50; de éste son variantes los antiguos *despesa* y *despensa* (1241), de donde 'provisión que se hace de cosas comestibles' (1495) y luego 'lugar donde éstas se guardan' (1495); *despensero* (h. 1440).

DISPENSAR, h. 1260. Tom. del lat. *dispensare* 'distribuir', 'administrar'; el sentido de 'eximir de algo' partió del derivado *dis-*

pensatio. -onis, propte. 'administración', 'moderación'.
Deriv. *Dispensable*, 1611; *indispensable*, 1734. *Dispensario*, 2.ª mitad S. XIX. *Dispensa*, 1623.

DISPEPSIA, 2.ª mitad S. XIX. Tom. del gr. *dyspepsía* 'digestión difícil', deriv. de *péssō* 'yo digiero'.
Deriv. *Dispéptico*. Otros deriv. de dicho verbo griego: *Eupepsia*; *eupéptico*. *Pepsina*. *Peptona*.

Dispersar, dispersión, disperso, V. *esparcir   Displicencia, displicente*, V. *placer   Disponer, disposición, dispositivo, dispuesto*, V. *poner*

DISPUTAR, 1220-50. Tom. del lat. *dĭspŭtare* 'examinar o discutir (una cuestión)', 'discutir, disertar' (deriv. de *putare* 'limpiar', 'podar (una planta)', 'contar, calcular').
Deriv. *Disputable*; *indisputable*. *Disputante*. *Disputa*, 1495. *Putativo*, princ. S. XVII, lat. *putativus* 'que se calcula'.

DISQUISICIÓN, 1732. Tom. del lat. *disquisitio, -onis*, íd., deriv. de *dĭsquirĕre* 'indagar' (y éste de *quaerere* 'buscar').

Distancia, distanciar, distante, distar, V. *estar   Distender, distensión*, V. *tender*

DÍSTICO 'dos versos emparejados', 1587. Tom. del gr. *dístikhos* íd., propte. 'que tiene dos hileras', deriv. de *stíkhos* 'hilera', 'línea de prosa o verso', con *di-*, forma prefijada de *dýo* 'dos'. *Hemistiquio* 'mitad de un verso', princ. S. XVII, gr. *hēmistíkhion* íd., derivado de la misma voz griega, con *hēmi-* (forma prefijada de *hēmisys* 'medio').

DISTINGUIR, 2.ª mitad S. XIII. Tom. del lat. *dĭstĭnguĕre* 'separar, dividir', 'distinguir, diferenciar'.
Deriv. *Distinguido*. *Distingo*, 1765-83, de *distinguo*, 1.ª persona del presente del mismo verbo latino, empleada en la lógica medieval y moderna para introducir distinciones. *Distinto*, h. 1440, lat. *dĭstĭnctus* 'distinguido, diferenciado', propte. participio de dicho verbo latino. *Distinción*, S. XIV, lat. *distinctio, -onis*, íd.

Distocia, distócico, V. *tocología   Distorsión*, V. *torcer   Distracción, distraer*, V. *traer   Distribución, distribuir, distributivo*, V. *atribuir*

DISTRITO, 1569. Tom. del lat. *dĭstrĭctus, -us*, íd., deriv. de *dĭstrĭngĕre* 'separar' (y éste de *stringĕre* 'estrechar').

Disturbio, V. *turbar   Disuadir, disuasión, disuasivo*, V. *persuadir   Disuelto*,

V. *absolver   Disyuntiva, disyuntivo*, V. *junto   Dita*, V. *decir*

DITIRAMBO, 1623, lat. *dithyrambus*. Tom. del gr. *dithýrambos* 'composición poética en honor de Baco', propiamente epíteto de este dios.
Deriv. *Ditirámbico*, med. S. XVI.

Diuresis, diurético, V. *orina   Diurno*, V. *día   Diva*, V. *Dios   Divagación, divagar*, V. *vago*

DIVÁN 'sala en que se reunía el consejo de Estado y de justicia de los turcos', 'este consejo', 1575, 'banco sin respaldo con almohadones sueltos', 1884. Del turco *diwán* 'sala de recepción, rodeada de cojines', que a su vez procede del persa *dīwān* 'tribunal, oficina, reunión'; de éste, por conducto del francés, la acepción 'colección de poesías', 1899. Comp. *ADUANA*.

Divergencia, divergente, V. *convergir   Diversidad, diversificar, diversión, diverso, divertir*, V. *verter*

DIVIDIR, 1423. Tom. del lat. *divĭdĕre* 'partir', 'separar'.
Deriv. *Dividendo*. *Individuo* 'indivisible, individual', h. 1440; 'persona', med. S..XVII: deriv. negativo del lat. *dividuus* 'divisible': *individual*, h. 1570, *individualidad*; *individualismo* e *individualista*, 2.ª mitad S. XIX; *individualizar*, 1832; *individuar*. *Subdividir*; *subdivisión*. *Divisa* 'faja de un blasón', 'lema o mote del mismo', 'señal para distinguir a personas', h. 1400, de *divisus, -a, -um*, 'dividido', participio de *dividere*. *Divisar*, med. S. XIII, 'ver confusamente a lo lejos', propiamente 'discernir o separar con la vista unas cosas de otras', deriv. del mismo participio. *Divisible*, 1570; *divisibilidad*; *indivisible*. *División*, med. S. XIII, lat. *divisio, -onis*, íd.; *divisionario*; *indiviso*; *indivisión*. *Divisor*; *divisorio*.
Cpt. *Pro indiviso*; *proindivisión*.

DIVIESO 'tumor inflamatorio y doloroso, con clavo en medio', 1251. Voz exclusiva de la lengua castellana, de origen incierto; quizá del lat. DĪVĔRSUS 'apartado', 'opuesto', también empleado en la acepción 'enemigo, hostil', que pudo tomarse en el sentido de 'tumor maligno'.

Divinal, divinatorio, divinidad, divinizar, divino, V. *Dios   Divisa, divisar, división, divisor, divisorio*, V. *dividir   Divo*, V. *Dios   Divorciar, divorcio*, V. *verter   Divulgación, divulgar*, V. *vulgo   Do*, V. *donde   Dobla, dobladillo, doblado, doblar, doble, doblegar, doblete, doblez, doblón, doce, docena*, V. *dos   Docente, dócil*, V. *doctor*

DOCTOR, med. S. XIII. Tom. del lat. *doctor, -ōris,* 'maestro, el que enseña', derivado de *docēre* 'enseñar'.
DERIV. *Doctorar,* 1604, *doctorando. Doctoral,* 1611. *Doctorado,* 1705. *Docto* 'sabio', 2.º cuarto S. XV, lat. *doctus* 'enseñado', participio de *docere. Doctrina,* 1220-50, lat. *doctrīna* íd.; *doctrinar,* 1220-50, o *adoctrinar,* 1780 (quizá ya S. XV); *doctrinal; doctrinario, doctrinarismo.* Los siguientes son derivados directos de *docere. Dócil,* 1515, lat. *docĭlis* íd., propte. 'que aprende fácilmente'; *docilidad,* 1515. *Documento,* h. 1520, lat. *documentum* 'enseñanza', 'ejemplo', 'muestra'; *documentar; documentación; documental. Docente,* 1884, del participio activo, *docens, -tis,* de *docere; docencia.*

Dodecaedro, dodecágono, dodecasílabo, V. *dos*

DOGAL 'soga para atar las caballerías o los reos por el cuello', 1220-50. Voz peculiar al castellano y el catalán, procedente del lat. tardío DŪCĀLE 'ronzal para conducir las caballerías', deriv. de DŬX, -CIS, 'guía, el que conduce', con el sentido de 'soga del conductor'.

DOGMA, 1599-1601, lat. *dogma.* Tom. del gr. *dógma, -atos,* 'parecer', 'decisión, decreto', deriv. del verbo *dokêi* 'parece', 'es opinión (de alguien)'.
DERIV. *Dogmático,* 1732. *Dogmatista,* 1611; *-ismo,* 2.ª mitad S. XIX. *Dogmatizar,* h. 1580.

DOGO 'mastín', 1644. Del ingl. *dog,* 'perro en general', por ser los dogos procedentes de Inglaterra.

DOLAMA 'enfermedad oculta de las caballerías', 1601; 'achaque que aqueja a una persona', fin S. XIX. Origen incierto; probablemente del ár. *ζulâma* 'perjuicio', 'injusticia', que es verosímil significara también 'queja' y 'enfermedad' (de *ζálam* 'abusó, defraudó, perjudicó').

DOLAR 'desbastar madera o piedra', 1220-50. Del lat. DŎLĀRE íd.
DERIV. *Doladera. Doladura,* 1604.

DÓLAR, 1899. Del ingl. *dollar* íd., procedente del bajo alem. *daler* (alem. *thaler*).

DOLER, h. 1140. Del lat. DŎLĒRE íd.
DERIV. *Doliente,* 1220-50; *dolencia,* h. 1295. *Dolido. Dolor,* h. 1140, lat. DOLOR, -ORIS, íd.; *doloroso,* 1335; *dolorido,* 1220-50; *dolora. Duelo,* h. 1140, lat. tardío DŎLUS 'dolor'. *Adolecer* 'caer enfermo', 1251. *Condoler,* S. XIII; *condolencia,* med. S. XVIII, imitado del fr. *condoléance. In-*

dolente, 1734, lat. *indŏlens, -tis,* 'que no siente dolor'; *indolencia,* 1734.

DOLICOCÉFALO, 1899. Cpt. del gr. *dolikhós* 'largo' y *kephalé* 'cabeza'.
DERIV. *Dolicocefalía,* S. XX.

Dolido, doliente, V. *doler*

DOLMEN, 1884. Del fr. *dolmen* íd., de formación incierta, probablemente tomado del córnico *tolmên,* propiamente 'agujero de piedra', aplicado en Cornualles a las estructuras naturales formadas por una gran losa que descansa sobre dos puntos de apoyo, entre los cuales puede pasar una persona o un animal.
DERIV. *Dolménico.*

DOLO, h. 1440. Tom. del lat. *dŏlus* 'astucia', 'fraude', 'engaño'.
DERIV. *Doloso,* 1612.

DOLOMÍA, 1884. Del fr. *dolomie* íd., creado en 1792 con el nombre del naturalista Dolomieu, que estudió esta formación.
DERIV. *Dolomita; dolomítico,* 1899.

Dolor, dolora, dolorido, doloroso, V. *doler   Doloso,* V. *dolo   Dom,* V. *dueño*

DOMAR, 1030. Del lat. DOMARE íd.
DERIV. *Domador,* 1444. *Domadura. Doma,* 1765-83. *Indomable. Indómito,* lat. *indŏmĭtus* íd., negativo de *domitus,* participio pasivo de *domare. Redomado* 'astuto y cauteloso', 1599, probablemente con el sentido primero de 'animal redomón, traidor, a quien se ha domado repetidamente pero en vano'. *Redomón.*

Domeñar, V. *dueño*

DOMÉSTICO, h. 1440. Tom. del lat. *domestĭcus* 'de la casa, doméstico', deriv. de *domus* 'casa'.
DERIV. *Domesticidad. Domesticar,* 1570 (quizá 1386); *domesticación.* De otros derivados de *domus: Domicilio,* 1490. lat. *domicilium* íd.; *domiciliario, domiciliar.*

Dominación, dominador, dominante, dominar, domingo, dominguejo, dominguero, dominguillo, domínica, dominical, dominicatura, dominico, dominio, dominó, dompedro, V. *dueño   Don,* V. *donar* y *dueño*

DONAR, S. X. Del lat. DŌNĀRE íd., derivado de DŌNUM 'don' (y éste de DARE 'dar').
DERIV. *Donación,* S. XIII. *Donativo,* 1490, lat. *donativum* íd. *Don,* h. 1140, lat. DŌNUM íd. *Donaire,* 2.º cuarto S. XIII, 'gracia, chiste' (antes *donario,* 1220-50, y *donairo.* S. XIV, de donde la forma actual por influjo de *aire*): tom. del lat. tardío *donarium* 'do-

nativo', aplicado al mejor de los dones naturales, la gracia. *Donoso*, 1220-50; *donosura*. *Perdonar*, h. 1140, lat. tardío PERDONARE íd.; *perdón*, h. 1140. *Condonar*.
CPT. *Perdonavidas*.

Doncel, doncella, doncellez, V. *dueño*

DONDE, h. 1140. Refuerzo del antiguo *onde* 'de donde', h. 1140, mediante la preposición *de*; *onde* procede del lat. ŬNDE, de igual significado. La variante poética *do*, procede del arcaico *o* 'donde', que viene del lat. ŬBI 'donde'.
DERIV. *Ubicación*, h. 1630, tom. del lat. escolástico *ubicatio, -onis*, 'situación, estancia (de algo)', deriv. de dicho *ubi*; *ubicarse*, 1739, *ubicar*, S. XIX.
CPT. *Doquier*, S. XIII, o *doquiera*, h. 1490; *dondequiera*, h. 1490. *Adonde*. *Ubicuidad*, 1739, del lat. escolástico *ubiquitas, -atis*, íd., deriv. del lat. *ubīque* 'en todas partes'; *ubicuo*.

Dondiego, donjuanesco, donjuanismo, V. *dueño   Donoso, donosura*, V. *donar   Doña, doñigal*, V. *dueño   Doquier, doquiera*, V. *donde   Dorada, dorador, dorar*, V. *oro*

DORMIR, h. 1140. Del lat. DORMIRE íd.
DERIV. *Adormidera*, h. 1560 (*dormidera*, 1490). *Dormilón*, h. 1490; *dormilona*; *adormilarse*. *Dormitar*, 1220-50, tom. del lat. *dormitare* íd. *Dormitorio*, 1220-50. *Durmiente*, h. 1200 (*durmente* 'madero de la nave', 1587). *Adormecer*, h. 1250.
CPT. *Duermevela*, 1884.

DORNAJO 'artesa pequeña', h. 1400. Deriv. del provincial y anticuado *duerna*, 910; *duerno*, 1208. Palabra hermana del port. *dorna* 'cuba para pisar la uva', 'aportadera para llevarla al lagar', y de oc. *dorna* 'jarro', 'olla de barro', de origen incierto; probablemente emparentado con oc. *dorn*, fr. antic. *dour*, fr. dial. *dorne* 'medida de longitud', que debió de extenderse a una medida de capacidad y luego a la vasija empleada para medirla; entonces vendría del célt. DŬRNO- 'puño, mano', junto al cual parece haber existido una variante dialectal *DŎRNĀ.
DERIV. *Dornillo*, 1309; *dornillero*.

DORSO, 1391. Tom. del lat. *dŏrsum* 'espalda'.
DERIV. *Dorsal*, 1765-83. *Adosar*, h. 1900, del fr. *adosser* (deriv. de *dos* 'espalda, dorso'). *Endosar*. 1732, del fr. *endosser*, 1636; *endoso*. *Dosel*, h. 1500, del cat. *dosser* íd. (deriv. del cat. ant. *dòs* 'espalda'); *doselera*.
CPT. *Extradós*, S. XX, o *trasdós*, 1526, del fr. *extrados*; *intradós*.

DOS, 1055. Del lat. DŬŏS, acusativo de DUO 'dos'.
DERIV. *Dual*, 1843, lat. *dualis* 'binario'; *dualidad*, med. S. XIX; *dualismo, dualista*, fin S. XIX. *Dúo*, 1566, tom. del lat. *duo* 'dos'; *düeto*, 1843, it. *duetto*. *Dídimo*, gr. *dídymos* 'doble, gemelo', deriv. de *dýo* 'dos' (hermano del lat. DUO).
CPT. *Entredós*, 1765-83, copiado del fr. *entre-deux*, S. XII. *Doble*, h. 1140, del lat. DŬPLUS íd., de donde también *duplo*; *dobla*, med. S. XIII, y su aumentativo *doblón*, 1550. *Doblez* 'duplicidad', 1495, 'pliegue', 1490 (sentido en el que fue antes femenino). *Doblete*, 1406. *Doblar*, h. 1140, lat. tardío DUPLARE íd.; *dobladillo*; *desdoblar*, 1604; *redoblar*, 1495; *redoble*. *Doblegar*, 1490, lat. DUPLICARE 'doblar, hacer doble', 'curvar'. *Dúplice*, h. 1520, tom. del lat. *dŭplex, -ĭcis*, 'doble'; *duplicidad*, med. S. XVII; *duplicar*, 1584, lat. *duplicare*; *duplicado*; *dúplica*, 1607; *reduplicar, reduplicación*.
Doce, 1220-50, lat. DŬŏDĔCIM, cpt. con DECEM 'diez'; *docena*, 1495, *adocenado*, 1611, *-narse*, 1679; *dozavo*, 1616; *duodécimo*. *Duodeno*, tom. del lat. *duodēni* 'de doce en doce' (por tener doce dedos de largo); *duodenal, duodenitis*. Helenismos: *dodecaedro, dodecágono, dodecasílabo*, con el gr. *dōdeka* 'doce'. *Doscientos*, h. 1140, lat. DUCENTI. *Duunviro*, lat. *duumvir*, con *vir* 'varón'; *duunvirato*. *Diedro*, del gr. *di-* (forma prefijada de *dýo* 'dos') y *hédra* 'asiento, base'.

Dosel, V. *dorso   Dosificar, dosimetría, dosis*, V. *dar*

DOTE, princ. S. XV. Tom. del lat. *dōs, dōtis*, 'dote que aporta la desposada', 'cualidades o méritos de alguien' (deriv. de *dare* 'dar').
DERIV. *Dotal*, 1475. *Dotar*, princ. S. XIV; *dotación*, 1611.

Dovela, V. *duela*

DRACMA, 1555, lat. *drachma*. Tom. del gr. *drakhmē* íd.
CPT. *Didracma*.

Draconiano, V. *dragón*

DRAGA, 1879. Del ingl. *drag* íd., derivado del verbo *drag* 'arrastrar'.
DERIV. *Dragar*. *Dragado*.
CPT. *Dragaminas*.

Dragar, V. *draga*

DRAGÓN, fin S. XIII. Del lat. DRACO, -ŏNIS, y éste del gr. *drákōn, -ontos*, íd.
DERIV. *Dragonear*, 1765-83. *Dragontea*, 1555, del lat. *dracontēa*, gr. *drakónteion*,

íd.; *taragontía*, h. 1106, es variante mozárabe del mismo. *Draconiano*, formado con el nombre de *Drákōn*, célebre y severo legislador ateniense.

Dragontea, V. *dragón*

DRAMA, 1611, lat. tardío *drama, -ǎtis.* Tom. del gr. *dráma, -atos,* 'acción', 'pieza teatral' (deriv. de *dráō* 'yo obro', 'yo hago'). DERIV. *Dramático*, 1490, gr. *dramatikós; dramática; dramatismo; dramatizar, dramatización. Dramón.* CPT. *Dramaturgo*, 1884, gr. *dramaturgós* íd., formado con *érgon* 'obra'; *dramaturgia*, 1884.

DRÁSTICO 'enérgico', 1765-83. Tom. del gr. *drastikós* 'activo', 'enérgico', deriv. de *dráō* 'yo obro', 'hago'.

DRÍADE, 1438, lat. *dryas, -ǎdis.* Tom. del gr. *dryás, -ádos,* íd. (deriv. de *drŷs* 'árbol', 'roble'). CPT. *Hamadríade*, 1438, gr. *hamadryás,* formado con *háma* 'juntamente'. DERIV. *Druida*, 1765-83, tom. del lat. *druida* íd., de origen galo, del nombre céltico del roble (*d[a]ru-, derṳa-*), hermano de dicha palabra griega; explicable por las prácticas mágicas de los sacerdotes galos con el muérdago de roble; *druídico; druidismo.*

DRIL, 1884. Del ingl. *drill* íd., que parece ser alteración del alem. *drillich* íd. (propte. 'tela tejida con tres lizos'), el cual a su vez lo fue del lat. *trilix, -īcis* (cpt. de *tri-* 'tres' y *licium* 'lizo').

DRIZA, 1690 (*triça*, 1555). Del it. *drizza* íd., deriv. de *drizzare* íd., propte. 'levantar, enderezar', porque se emplean las drizas para subir las velas.

DROGA, fin S. XV. Palabra internacional de historia oscura, que en castellano parece procedente del Norte, probablemente de Francia. El origen último es incierto; quizá sea primitiva la acepción 'cosa de mala calidad', S. XV, y proceda de la palabra céltica que significa 'malo' (bret. *droug,* galés *drwg,* irl. *droch*), que se habría aplicado a las sustancias químicas y a las mercancías ultramarinas, por el mal gusto de aquéllas y por la desconfianza con que el pueblo mira toda clase de drogas. DERIV. *Droguero*, 1607; *droguería. Droguista*, 1616.

DROMEDARIO, 1495. Tom. del lat. *dromedarius* íd., deriv. del gr. *dromás, -ádos,* íd., propte. 'corredor', y éste de *édramon* 'yo corrí'. DERIV. *Pródromo,* gr. *pródromos* 'que corre por delante, que precede', otro deriv. de *édramon. Síndrome,* gr. *syndromē* 'concur-

so, acción de juntarse', de *synédramon* 'yo concurrí, me junté'.

DROSÓMETRO, S. XX. Cpt. del gr. *drósos* 'rocío' con *métron* 'medida'. DERIV. *Droseráceo*, S. XX, gr. *droserós* 'húmedo de rocío'.

Druida, druídico, druidismo, V. *dríade*

DRUPA, 1884. Tom. del lat. *druppa* 'aceituna madura', y éste del gr. *drýppa* íd. (forma abreviada de *drypetēs* 'maduro, que se cae del árbol', cpt. de *drŷs* 'árbol' y *píptō* 'yo caigo'). DERIV. *Drupáceo.*

DRUSA, 1884. Del alem. *druse* íd., por conducto del francés.

Dual, dualidad, dualismo, V. *dos*   *Dubitativo,* V. *dudar*   *Ducado, ducal,* V. *duque*   *Dúctil,* V. *aducir*

DUCHA 'chorro de agua para lavarse el cuerpo o como remedio', 1884. Del fr. *douche,* y éste del it. *doccia* íd., propte. 'caño de agua', deriv. regresivo de *doccione* 'caño grande' (que procede del lat. DŬCTIO, -ŌNIS, 'conducción', deriv. de DŪCĔRE 'conducir'). DERIV. *Duchar.*

DUCHO 'experimentado, diestro', 1732. Antes significaba constantemente 'acostumbrado', 1220-50, y procede del lat. DUCTUS 'conducido, guiado', participio de DŪCĔRE 'conducir'.

DUDAR, 1220-50 (*dubdar*). Tom. en fecha antigua del lat. *dŭbĭtare* 'vacilar', 'dudar', deriv. de *dubius* 'vacilante, dudoso' (que a su vez lo es de *duo* 'dos', por las dos alternativas que causan la duda). DERIV. *Indudable. Duda,* h. 1140 (*dubda*); *dudoso,* 1251. *Dubitativo,* 1490, tom. del lat. *dubitativus. Indubitable.*

DUELA 'cada una de las tablas que forman las paredes curvas de los toneles', 1527. Del fr. ant. y dial. *douelle* íd., diminutivo de *douve, doue,* íd., que a su vez procede del lat. tardío DOGA 'tonel' (y éste del gr. *dokhē* 'recipiente', deriv. de *dékhomai* 'yo recibo'). *Dovela,* 1609, 'piedra labrada en forma de cuña que sirve para formar arcos de puerta, etc.', del fr. dial. *douvelle* íd. (duplicado del anterior). DERIV. *Adovelado.*

DUELO 'desafío, combate entre dos', 1565 (quizá med. S. XV). Tom. del b. lat. *duellum* íd., alteración de sentido (por influjo de *duo* 'dos') del lat. *duellum* 'guerra' (variante arcaica de *bellum* íd.). DERIV. *Duelista.*

Duelo 'dolor', V. *doler*

DUENDE, 1490, 'espíritu travieso, que se aparece fugazmente', por lo común 'el espíritu que se cree habita en una casa'. Significó antiguamente 'dueño de una casa', 1221, y es contracción de *duen de casa* (éste con el sentido de 'duende', med. S. XV), locución cuya primera palabra es forma apocopada de *dueño*.

DUEÑO, 1062. Del lat. DŎMĬNUS (en lat. vg. DOMNUS); abreviado *dom*, como título de ciertos monjes.
DERIV. *Dueña*, S. XI, 'propietaria', lat. DOMINA íd., y de ahí 'dama', y luego 'dueña de servicio', h. 1140; *dueñesco*, 1615. *Don*, med. S. X, y *doña*, 924, son duplicados de *dueño* y *dueña*, con el tratamiento fonético propio de las palabras proclíticas, debido al uso como tratamiento. *Doñigal*, 1601, propte. 'perteneciente al señor'. *Adueñarse*, fin S. XIX. *Doncella*, 1220-50, lat. vg. *DOMNICĬLLA, diminutivo de DOM(I)NA; *doncellez*; *doncellueca*, 1611; *doncel*, 1220-50, lat. vg. *DOMNICILLUS, por conducto del cat. *donzell* 'joven noble'; del fr. ant. *dameisele* (hoy *demoiselle*), hermano del cast. *doncella*, procede *damisela*. *Domeñar*, 1529, voz de formación incierta (comp. *domellar*, S. XIII), probte. de un lat. vg. *DOMINIARE íd.
Cultos: *Dominar*, 1423, lat. *dominare*; *dominante*, 1705; *dominación*, 1604; *dómino* o más comúnmente *dominó*, de *domino* 'yo gano', 1.ª persona del presente de dicho verbo latino, en el segundo caso pronunciado a la francesa; *predominar*, 1438; *predominante*, 1438; *predominancia*; *predominio*, 1438. *Dómine*, del vocativo singular de *dominus* 'dueño, maestro', empleado al dirigirle la palabra sus alumnos. *Dominio*, med. S. XV, lat. *dominium* 'propiedad, dominio'. *Domingo*, princ. S. XIII, descendiente semiculto del lat. (DIES) DOMĬNĬCUS 'día del Señor'; *dominguejo*; *dominguero*, 1611; *dominguillo*, 1611; *endomingarse*; del mismo origen latino, en forma más culta: *domínica, domínico* (ant. y amer.), con las variantes primitivamente afrancesadas *dominica*, 1517, y *dominico*, 1651; *dominical*; *dominicatura*. *Condominio*, S. XIX.
CPT. *Dompedro*. *Dondiego*. *Donjuán*; *donjuanesco*; *donjuanismo*.

Duermevela, V. *dormir*   *Duerna*, *duerno*, V. *dornajo*   *Dueto*, V. *dos*

DULA, 931, 'turno en el riego o en el apacentamiento de ganado', 'terreno comunal donde pacen, por turno o juntamente, todas las cabezas de ganado de los vecinos de un pueblo', 'rebaño comunal'. Del ár. vg. *dûla* 'turno, alternativa, ocasión sucesiva de cada uno' (ár. *dáula* 'cambio, vicisitud'), perteneciente a la raíz *d-w-l* 'sucederse, cambiar'.

DERIV. *Dulero* o *adulero*, h. 1300.

DULCE, h. 950. Del lat. DŬLCIS íd.
DERIV. *Dulcero*; *dulcería. Dulcinea*, 1605. *Dulzaina*, h. 1400, del fr. ant. *douçaine*; *dulzainero. Dulzón. Dulzura*, 1490. *Endulzar*, 1495. *Edulcorar*, tom. del b. lat. *edulcorare*, deriv. del lat. *dulcor* 'dulzura'.
CPT. *Dulcamara*, 1832, también *dulceamara*, 1765-83, contraído con el lat. *amarus* 'amargo'. *Dulcificar*.

Dulero, V. *dula*

DULÍA, *culto de* —, 1499. Tom. del gr. *duléia* 'esclavitud', deriv. de *dûlos* 'esclavo'.
DERIV. *Hiperdulía*.

Dulzaina, dulzainero, dulzura, V. *dulce*

DUNA 'médano', 1592. Del neerlandés *duin* íd. (antiguamente *dûnen*).

Dúo, duodécimo, duodeno, dúplica, duplicado, duplicar, dúplice, duplicidad, duplo, V. *dos*

DUQUE, h. 1295 (*duc*, 1220). Del fr. ant. *duc* íd., tom. del lat. *dŭx* 'guía, conductor', que en el Bajo Imperio romano se aplicó a dignatarios de las provincias que ocupaban un alto cargo cívico-militar. Duplicado latino: *dux*.
DERIV. *Duquesa*, 1435. *Archiduque*, h. 1517; *archiduquesa*, 1512; *archiducal*; *archiducado*, 1617. *Ducado*, h. 1260; en la acepción 'especie de moneda', h. 1440, viene del it. *ducato* íd., 1181. *Ducal*, 1607.

Durable, duración, duradero, V. *durar* *Duramáter,* V. *duro*

DURAR, h. 1140. Del lat. DŪRĀRE 'durar'.
DERIV. *Durable*, 1220-50. *Duración*, h. 1440. *Duradero*, 1438. *Durante*, prep., h. 1440 (antes adj. 'que dura, duradero', 1382). *Perdurar*, h. 1900, lat. *perdurare*; *perdurable*, S. XIII.

DURAZNO 'especie de melocotón', 1335. Del lat. DŪRACĬNUS 'de carne fuertemente adherida al hueso' (aplicado a melocotones y cerezas), 'de piel dura' (íd. a uvas) (cpt. de *durus* 'duro' y *acinus* 'fruto').
DERIV. *Duraznero. Duraznillo.*

Dureza, durillo, V. *duro*   *Durmiente,* V. *dormir*

DURO, 1205. Del lat. DŪRUS íd.
DERIV. *Dureza*, 1490. *Durillo. Endurecer*, 1438; *endurecimiento*, 1495.
CPT. *Duramáter*, S. XIX, formado con el lat. *mater* 'madre'.

Dux, V. *duque*

E

E, V. *y*

¡EA!, 1220-50. Del lat. ĒIA íd.

ÉBANO, 1545, lat. *ĕbĕnus*. Tom. del gr. *ébenos* íd. Por conducto del ár. *'abenûs* se tomó el antiguo *abenuz*, 1386.
DERIV. *Ebanista* 'el que trabaja ébano y maderas preciosas', 1705; 'carpintero de lo fino', 1884; *ebanistería*. *Ebenáceo*. *Ebonita*, 1899, del ingl. *ebonite* íd. (deriv. de *ebony* 'ébano').

Ebriedad, ebrio, V. *embriagar* *Ebullición, ebullómetro,* V. *bullir*

EBÚRNEO, 1438. Tom. del lat. *ebŭrnĕus* 'de marfil', deriv. de *ebur, ebŏris,* 'marfil'.

Eccehomo, V. *hombre*

ECLAMPSIA, fin S. XIX. Tom. del gr. *éklampsis* 'brillo súbito', deriv. de *eklámpei* 'brilla repentinamente', 'se declara de pronto (una enfermedad)', que a su vez deriva de *lámpei* 'resplandece'.

Ecléctico, V. *elegir* *Eclesiastés, eclesiástico,* V. *iglesia* *Eclímetro,* V. *inclinar*

ECLIPSE, 1438, lat. *eclipsis*. Tomado del gr. *ékleipsis* f. íd., propte. 'desaparición', 'deserción', deriv. de *ekléipō* 'yo abandono' (y éste de *léipō* 'yo dejo').
DERIV. *Eclipsar*, princ. S. XV. *Eclíptico*, 1607, gr. *ekleiptikós* 'relativo a los eclipses'; *eclíptica*, 1515: así llamada porque en la antigua astronomía se daba este nombre a la línea en que se producían los eclipses.

Eclógico, V. *elegir*

ECO, h. 1440, lat. *echo*. Tom. del gr. *ēkhṓ* 'sonido', 'eco'.
DERIV. *Ecoico*.
CPT. *Ecolalia*, 1939, cpt. con *laléō* 'yo charlo, hablo'.

ECONOMÍA, 1607, lat. *oeconomĭa*. Tom. del gr. *oikonomía* 'dirección o administración de una casa', deriv. de *oikonómos* 'administrador', 'intendente', cpt. de *ôikos* 'casa' y *némō* 'yo distribuyo, administro'.
DERIV. *Económico*, 1607, gr. *oikonomikós* 'relativo a la administración de una casa'. *Economista*. *Economizar*. *Ecónomo*, 1591, gr. *oikonómos* 'administrador'; *economato*. Otros cpt. del gr. *ôikos*: *Ecología*, S. XX, formado con el gr. *lógos* 'tratado' con el sentido de 'estudio del lugar donde vive o se halla algo'; *ecológico*. *Meteco*, gr. *métoikos* 'que vive juntamente'.

Ectopía, V. *topo-* *Ecuación, ecuador,* V. *igual* *Ecuánime,* V. *alma* *Ecuatorial,* V. *igual* *Ecuestre,* V. *yegua*

ECUMÉNICO 'universal', 1611. Tom. del gr. *oikumenikós*, deriv. de *oikuménē* 'la tierra habitada', participio de *oikéo* 'yo habito', que deriva de *ôikos* 'casa'.

Ecuo, V. *igual*

ECZEMA, S. XX. Tom. del gr. *ékzema, -atos,* 'erupción cutánea', deriv. de *ekzéō* 'yo hago hervir', 'bullo, hormigueo' (y éste de *zéō* 'yo hiervo'); por conducto del fr. *eczéma*, 1828.
DERIV. *Eczematoso*.

ECHAR, 1125. Del lat. JACTARE 'arrojar, lanzar', 'agitar' (frecuentativo de JACĔRE 'echar, arrojar'). En la locución *echar menos*, 1517, o *echar de menos*, 1786, viene del gall.-port. *achar menos* íd., donde *achar* tiene igual origen y sentido que el cast. *hallar*. *Jactar*, cultismo, 2.º cuarto S. XV, de *jactare* 'alabar' (propte. 'agitar de acá para allá').

DERIV. *Echazón*, h. 1600. *Desechar*, 1220-50; *desecho*, 1495; en la acepción americana 'atajo', fin S. XVI, deriva de *desechar un paso* 'evitar un trayecto de camino'. *Enechar*, 1495. *Jactancia* (V. arriba *jactar*); *jactancioso*. CPT. *Echacuervos*, h. 1400, 'impostor despreciable'.

EDAD, h. 1140. Del lat. AETAS, -ATIS, 'vida, tiempo que se vive', 'edad' (contracción del arcaico AEVITAS, y éste deriv. de AEVUM 'duración', 'tiempo', 'vida', 'edad').

DERIV. *Coetáneo*, 1684, tom. del lat. *coaetanĕus* íd., deriv. de *aetas*. *Eterno*, h. 1440, lat. *aetĕrnus* íd. (contracción de *aeviternus*, deriv. de *aevum*); *eternidad*, 1490; *eternizar*, 1599. El primitivo *evo*, 1732, empleado en poesía y teología; *coevo*; *eón*, del gr. *aiṓn*, hermano del lat. *aevum*.

CPT. *Medieval* o *medioeval*, S. XX (en inglés ya 1827), deriva del lat. *medium aevum* 'Edad Media'; *medievalista*.

EDECÁN 'oficial auxiliar de un militar de grado superior', 1765-83. Del fr. *aide de camp* íd., propte. 'ayuda de campo'.

EDEMA, 1581. Tom. del gr. *oídēma*, -*átos*, 'hinchazón', 'tumor', deriv. de *oidéō* 'me hincho', y éste de *ôidos* 'hinchazón'. DERIV. *Edematoso*.

EDÉN, 1884. Tom. del hebr. *ʿeden*, propiamente 'deleite', aplicado al jardín donde vivieron Adán y Eva. DERIV. *Edénico*.

EDICIÓN, 1553. Tom. del lat. *editio*, -*onis*, 'parto', 'publicación', deriv. de *edĕre* 'sacar a fuera', 'dar a luz', 'publicar'. DERIV. *Editor*, 1765-83, lat. *editor*, -*oris*; *editorial*, 1884; *editar*, 1855, imitado del fr. *éditer*, S. XVIII. *Inédito*, lat. *inedĭtus*, negativo de *editus*, participio de *edere*.

EDICTO, 1490. Tom. del lat. *edictum* íd., deriv. de *edicere* 'proclamar' (y éste de *dicere* 'decir').

EDIFICAR, 1220-50. Tom. del lat. *aedĭficare* íd., cpt. de *aedes* 'casa, edificio, templo' y *facĕre* 'hacer'. DERIV. *Edificación*, 1220-50. *Edificador*, 1490. *Edificante*, 1855. *Edificio*, h. 1275, lat. *aedĭfĭcĭum* íd. *Edículo*, lat. *aediculum* íd., dimin. de *aedes*. *Edil*, 1545, lat. *aedīlis* íd.,

así llamado porque entre otras funciones cuidaba de la conservación de los templos; *edilicio*; *edilidad*.

Editar, editor, editorial, V. *edición*

EDREDÓN 'plumón de ciertas aves', 1765-83; 'almohadón relleno de este plumón', 1884. Del fr. *édredon* íd., y éste del sueco *eiderdun* 'plumón del éider, especie de pato salvaje de los climas boreales', cpt. de *eider* y *dun* 'plumón'.

EDUCAR, 1623. Tom. del lat. *ēdŭcāre* íd. (emparentado con *dūcĕre* 'conducir', *educere* 'sacar afuera', 'criar'). DERIV. *Educador. Educando. Educativo. Educación*, 1604.

Edulcorar, V. *dulce*

EFEBO, 1609, lat. *ephēbus*. Tom. del gr. *éphēbos* 'adolescente', deriv. de *hḗbē* 'juventud'.

EFECTO, 1438. Tom. del lat. *effectus*, -*ūs*, íd., deriv. de *efficere* 'producir un efecto', y éste de *facere* 'hacer'. DERIV. *Efectuar*, 1601; *efectual*; *efectivo*, 1732; *efectista*, 1922; *efectismo*. *Eficaz*, 1495, lat. *efficax*, -*acis*, íd.; *eficacia*, 1580. *Eficiente*, 1438, lat. *efficiens*, -*tis*, participio activo de *efficere*; *coeficiente*.

Efectual, efectuar, V. *efecto*   *Efélide*, V. *sol*   *Efemérides*, V. *efímero*   *Efendi*, V. *auténtico*   *Efervescente*, V. *hervir*   *Eficacia, eficaz, eficiente*, V. *efecto*   *Efigie*, V. *fingir*

EFÍMERO, 1606. Tom. del gr. *ephḗmeros* 'que sólo dura un día, efímero', deriv. de *hēméra* 'día'. DERIV. *Efemérides*, 1610, tom. del gr. *ephēmerís*, -*ídos*, 'diario, memorial diario'. *Hemeroteca*, cpt. culto formado con *hēmerológion* 'periódico, diario' (cpt. de *hēméra* 'día') y *thḗkē* 'depósito'.

Eflorescencia, eflorescente, V. *flor*   *Efluvio*, V. *fluir*   *Efusión, efusivo*, V. *fundir*

ÉGIDA, 1832, lat. *aegis*, -*ĭdis*. Tom. del gr. *aigís*, -*ídos*, 'escudo', deriv. de *áix*, *aigós*, 'cabra', porque el escudo de Zeus se hizo con la piel de la cabra Amaltea.

Égloga, V. *elegir*   *Egocéntrico, egoísmo, egoísta, egolatría,ególatra, egotismo*, V. *yo*   *Egregio*, V. *grey*

EGRESO, 1884. Tom. del lat. *egressus*, -*ūs*, 'salida', deriv. de *egrĕdi* 'salir', y éste de *gradi* 'andar'.

DERIV. *Egresar* 'terminar los estudios', amer.

¡EH!, interj., 1732. Voz de creación expresiva.

EJE, S. XIII. Del lat. AXIS íd. De ahí también el duplicado culto *axis* 'vértebra segunda' (a cuyo alrededor gira el cuello como en torno a un eje), 1728.

EJECUTAR, 1444. Deriv. culto de *exsĕqui* (participio *exsecūtus*), propte. 'seguir hasta el final' (deriv. de *sequi* 'seguir'). ι DERIV. *Ejecutor*, med. S. XV, lat. *exsecūtor, -oris* íd. *Ejecución*, 1438, lat. *exsecutio, -onis. Ejecutorio; ejecutoria*, 1604. *Exequias*, 1444, lat. *exsequiae* íd., deriv. de *exsequi* en el sentido de 'seguir el entierro'. *Exequátur*, S. XIX, lat. *exsequātur* 'ejecútese', subjuntivo de *exsequi*.

EJEMPLO, h. 1140 (*enssiemplo*). Tom. del lat. *exĕmplum* 'ejemplo, modelo', 'ejemplar, reproducción, muestra', deriv. de *exĭmēre* 'sacar, extraer' (y éste de *ĕmĕre* 'coger'). DERIV. *Ejemplar*, adj., 1541, lat. *exemplaris*, íd.; *ejemplaridad; ejemplar*, sust., 1495, lat. *exemplar* íd. *Ejemplario*. CPT. *Ejemplificar*, 1495.

EJERCER, princ. S. XV. Tom. del lat. *exĕrcēre* 'agitar, hacer trabajar sin descanso', 'hacer practicar', 'ejercitar, practicar' (deriv. de *ărcēre* 'encerrar, contener'). DERIV. *Ejército*, h. 1440, lat. *exercĭtus, -us*, íd., propte. 'cuerpo de gente instruida militarmente'. *Ejercitar*, 1410, lat. *exercitare* 'ejercitar a menudo'. *Ejercicio*, 1438, lat. *exercĭtĭum* íd.

EJIDO 'campo a la salida de un pueblo, común a todos sus vecinos, donde suelen reunirse los ganados o establecerse las eras', 1100; todavía empleado en América en el sentido de 'territorio de la jurisdicción de una población'. Es el participio regular del antiguo verbo *exir* 'salir', procedente del lat. ĔXĪRE íd. (a su vez deriv. de IRE 'ir').

EL, artículo, orígenes del idioma (h. 1140, etc.). Del lat. ILLE 'aquel', que ya en la baja época se empleó vulgarmente como mero artículo, con la evolución fonética propia de la pronunciación inacentuada. El pronombre *él*, 1135, etc., tiene el mismo origen, con el tratamiento propio de la pronunciación acentuada.

Elaboración, elaborar, V. *labor*   *Elación*, V. *prelado*

ELÁSTICO, 1732. Deriv. culto del gr. *elastós* 'que puede ser empujado o dirigido',

'dúctil', variante de *elatós* íd., adjetivo verbal de *eláunō* 'yo empujo', 'dirijo', 'lanzo'. DERIV. *Elasticidad*, 1732.

Elativo, V. *prelado*   *Elayómetro*, V. *olivo*

ELÉBORO, 1490, lat. *hellebŏrus*. Tom. del gr. *helléboros* íd.

Elección electivo, electo, elector, electorado, electoral, electorero, V. *elegir*

ELÉCTRICO, 1765-83. Deriv. culto del gr. *élektron* 'ámbar', por la propiedad que tiene esta sustancia de atraer eléctricamente al frotarla (deriv. que en otras lenguas europeas ya se documenta en el S. XVII). DERIV. *Electricidad*, 1765-83. *Electricista. Electrizar*, 1765-83. *Electrón*, S. XX; *electrónico*. CPT. *Electrificar. Electrocutar y electrocución*, S. XX, de las voces ingl. *electrocute* y *electrocution*, formadas con la terminación de *execute* 'ejecutar' y *execution. Electrodinámico, -ica. Electrodo*, formado con el gr. *hodós* 'camino'. *Electróforo*, con el gr. *phérō* 'yo llevo'. *Electrógeno. Electrólisis*, con gr. *lýsis* 'disolución'; *electrolítico; electrolizar. Electromagnético. Electrómetro. Electromotor. Electroquímico, -a. Electroscopio*, con gr. *skopéō* 'yo examino'. *Electrotecnia, -técnico. Electroterapia*.

Electuario, V. *elegir*

ELEFANTE, med. S. XIII, lat. *elĕphas, -antis*. Tom. del gr. *eléphas, -antos*, íd. DERIV. *Elefantino. Elefantíasis*, 1606.

ELEGANTE, 1479. Tom. del lat. *elĕgans, -tis*, 'refinado, distinguido, de buen gusto' (emparentado con *eligĕre* 'escoger, elegir'). DERIV. *Elegancia*, 1479, lat. *elegantia*.

ELEGÍA, 1495, lat. *elegīa*. Tom. del gr. *elegéia* íd., deriv. de *élegos* íd. DERIV. *Elegíaco*, h. 1440, gr. *elegeiakós* íd.

ELEGIR, 2.º cuarto S. XV (antes *esleer*, med. S. XIII). Tom. del lat. *elĭgĕre* 'escoger', propte. 'sacar, arrancar' (deriv. de *lĕgĕre* 'recoger'). DERIV. *Elegible. Elegido. Elección*, 1220-50, lat. *electio, -onis*, íd.; *eleccionario. Electo*, S. XIII, lat. *electus*, participio de *eligere. Electivo*, 1607. *Elector*, 1220-50; *electorado*, 1705; *electoral*, 1705; *electorero. Electuario* (o *letuario*), 1220-50, lat. tardío *electuarium* íd., propte. 'preparado con materiales seleccionados'. *Ecléctico*, med. S. XVIII, gr. *eklektikós* 'miembro de una escuela filosófica que escogía las mejores doctrinas de todos los sistemas', deriv. de *eklégō* 'escojo' (hermano del lat. *eligere*); *eclecticismo*. *Égloga*, 1449, lat. *eclŏga* 'selección, extracto', 'pieza en verso', 'égloga', gr. *eklogē* 'selección', deriv. de dicho verbo; *eclógico*. *Selecto*, med. S. XVIII, lat. *selectus*, participio de *seligere* 'escoger poniendo a parte' (del mismo origen que *eligere*, con otro prefijo). *Selección*, 1739; *seleccionar*; *selectivo*.

ELEMENTO, 1220-50. Tom. del lat. *elementum* 'principios, elementos', 'conocimientos rudimentarios'.
Deriv. *Elemental*, 1495.

ELEMÍ, 1765-83. Tom. del fr. *élémi* íd., 1600, de origen oriental, quizá procedente de Ceilán o de la India (de donde viene también el ár. *lēmî* íd. S. XVI).

ELENCO 'catálogo, tabla o índice', 1611, lat. *elenchus* 'apéndice de un libro'. Tom. del gr. *élenkhos* 'argumento, prueba'.

Elevación, elevador, elevar, V. *levar*

ELFO, S. XX. Del ingl. *elf*, vieja palabra de la mitología germánica.

Elidir, V. *lisiar*

ELIMINAR, 1843. Tom. del lat. *elĭmĭnare* 'hacer salir, expulsar', deriv. de *limen* 'umbral'.
Deriv. *Eliminación. Eliminador. Eliminatorio. Limen*, poét., del citado *limen, -inis*; *liminar* 'propio del principio'. *Preliminar*, 1685.

ELIPSIS, 1765-83, lat. *ellipsis*. Tom. del gr. *élleipsis* íd., 'insuficiencia', deriv. de *elléipō* 'yo descuido, dejo a un lado' (deriv. de *léipō* 'yo dejo'). De ahí también el duplicado *elipse*, 1732, propte. 'figura defectiva, insuficiente' (en comparación con otras curvas y figuras relacionadas).
Deriv. *Elíptico*, 1732, gr. *elleiptikós* íd. Cpt. *Elipsoide; elipsoidal*.

ELÍSEOS, *campos* —, 1490, tom. del gr. *ēlýsion* (*pedíon*) íd.

Elisión, V. *lisiar*

ÉLITRO, 1884. Tom. del gr. *élytron* 'envoltorio', 'estuche, vaina' (deriv. de *elýō* 'yo envuelvo').

ELIXIR, h. 1420, 'la sustancia específica y esencial de cada cuerpo, según los alquimistas', 'licor que constituve un remedio maravilloso'. Por conducto del b. lat. *elīxir*, tom. del ár. *'iksîr* (con artículo *el-'iksîr*)

'piedra filosofal, polvos empleados para hacer oro, según los alquimistas'.

Elocución, elocuencia, elocuente, V. *locuaz*

ELOGIO, 1605. Tom. del lat. *elŏgĭum* 'epitafio', 'sentencia breve', que en bajo latín tomó el significado de 'alabanza', por influjo del gr. *eulogía* 'elogio'.
Deriv. *Elogiar*, 1703. *Elogioso*, del fr. *élogieux*.

Eloquio, V. *locuaz*

ELOTE 'mazorca de maíz tierno que tiene ya cuajados los granos', 1575. Del náhuatl *élotl* 'mazorca de maíz ya cuajada'.

ELUDIR, 1612. Tom. del lat. *elūdĕre* 'escapar jugando' (deriv. de *ludere* 'jugar').
Deriv. *Eludible; ineludible*.

Ella, ello, V. *él*   *Emaciación*, V. *magro*
Emanación, emanar, V. *manar*

EMANCIPAR 'libertar de la potestad paterna, de la tutela o de la servidumbre', h. 1260. Tom. del lat. *emancĭpare* íd., cpt. de *ex* 'fuera', *manus* 'mano', 'potestad', y *căpĕre* 'coger'.
Deriv. *Emancipación*, 1570. *Emancipador*, 1604. *Emancipado*.

Emasculación, V. *macho* I   *Embabucar*, V. *embaucar*

EMBADURNAR 'untar, embarrar', S. XIV. Metátesis del dialectal *embardunar* (variante *embarduñar*, 1490), deriv. de un adjetivo **barduno* 'barroso' (variante *barruno*, 1198), que a su vez deriva de *bardo*, forma dialectal de *barro*.

EMBAJADA, 1.ª mitad S. XV. Tom. del oc. ant. *ambaissada* 'encargo', 'embajada', deriv. de *ambaissar* 'cumplir un encargo', lat. vg. **AMBACTIARE*, que a su vez deriva del galo AMBACTOS 'servidor' (por conducto del gót. *andbahti* 'empleo', 'servicio' o del bajo lat. AMBACTIA 'encargo').
Deriv. *Embajador*, 2.° cuarto S. XV.

EMBARAZAR 'impedir, estorbar', h. 1460. Del leonés o port. *embaraçar* íd., derivado de *baraça* 'lazo', 'cordel, cordón', h. 1120. Éste, a su vez, es de origen incierto, pero acaso prerromano y acaso céltico: el sentido primitivo puede ser el del port. dial. *baraço* 'cuerda hecha de pelos sacados de la cola de un animal', comp. el irl. ant. *barr* 'copete', 'penacho'.
Deriv. *Embarazado*, 1495. *Embarazo*, h. 1460; *embarazoso*, h. 1570. *Desembarazar*, 1495; *desembarazo*, 1495.

Embarcación, embarcadero, embarcar, embarco, V. *barca* *Embardunar, embarduñar*, V. *embadurnar*

EMBARGAR 'embarazar, impedir', h. 1140; voz común a los tres romances hispánicos y a la lengua de Oc. Procede de un verbo *IMBARRICARE* del latín vulgar o románico primitivo de esta zona, deriv. probablemente de la voz prerromana *BARRA (véase este artículo). DERIV. *Embargo*, 1020. *Desembargar*, 1220-50; *desembargo*, 1495.

Embarque, V. *barca* *Embarrancar*, V. *barranco* *Embarrar* 'untar, embadurnar', V. *barro* I *Embarullar*, V. *barullo* *Embate, embatirse*, V. *batir*

EMBAUCAR 'engañar abusando de la inexperiencia o candor del engañado', 1475. Del antiguo y dialectal *embabucar* íd., SS. XVI-XVII, deriv. de la raíz BAB- de creación expresiva, que es común a este vocablo y a *babieca* y *bausán, bausana* (antiguamente *babusana*); la pérdida de una *b* interna en estos vocablos se comprueba por la antigua pronunciación *embaücar*, 1475, y *baüsana*, sin diptongo. DERIV. *Embaucador*, 1570.

Embaular, V. *baúl* *Embazar*, V. *bazo* *Embebecer, embeber, embebido*, V. *beber*

EMBELECAR 'embaucar, engañar con embustes y falsas apariencias', 1615. Origen incierto: teniendo en cuenta que en portugués antiguo significaba 'quedar aturdido', S. XV, sale probablemente del ár. *béliq* íd., o de otra forma verbal arábiga derivada de la misma raíz (*'inbélaq* 'quedar atónito'). DERIV. *Embeleco*, 1601.

Embelesar, embeleso, V. *belesa* *Embellecer*, V. *bello* *Emberrenchinarse, emberrincharse*, V. *berrinche*

EMBESTIR, 1554. Tom. probablemente del it. *investire* 'acometer, atacar con violencia', S. XIV, que procede del lat. INVESTIRE 'revestir', 'rodear' (deriv. de VESTIRE 'vestir'). DERIV. *Embestida*.

Embetunar, V. *betún* *Embicar*, V. *pico*

EMBLEMA, 1601, lat. *emblēma* 'adorno en relieve', 'labor de mosaico'. Tom. del gr. *émblēma* íd., deriv. de *embállō* 'yo arrojo a (alguna parte)', 'injerto', 'inserto', y éste de *bállō* 'yo lanzo'. DERIV. *Emblemático*, 1706.

Embobar, embobecer, V. *bobo* *Embocadura, embocar*, V. *boca* *Embodegar*, V. *bodega* *Embojar, embojo*, V. *boja*

ÉMBOLO, princ. S. XVIII, lat. *embŏlus* íd. Tom. del gr. *émbolos* 'pene', deriv. de *embállō* 'yo inserto', 'arrojo a (alguna parte)' (y éste de *bállō* 'yo lanzo'). DERIV. de *embállō*: *Embolia*, 1884. *Embolismo*, lat. *embolismus* 'intercalación'.

Embolsar, V. *bolsa* *Embonar*, V. *bueno* *Emboque, emboquillar*, V. *boca* *Emborrachar*, V. *borracho* *Emborronar*, V. *borrar* *Emboscada, emboscar*, V. *bosque* *Embotar* 'dejar sin filo o punta', V. *boto* *Embotellar*, V. *botella* *Embozar, embozo*, V. *bozo* *Embragar, embrague*, V. *braga* *Embravecer*, V. *bravo* *Embrazar*, V. *brazo*

EMBRIAGAR 'emborrachar', h. 1400. Deriv. del antiguo *embriago* 'borracho', S. XIII, y éste del lat. vg. EBRIACUS íd., deriv. de su sinónimo lat. EBRIUS. DERIV. *Embriagador*. *Embriaguez*, h. 1400. *Ebrio*, princ. S. XVII, tom. del lat. *ebrius*; *ebriedad*.

EMBRIÓN, 1601. Tom. del gr. *émbryon*, *-ŷu*, 'feto', 'recién nacido', deriv. de *brýō* 'yo broto', 'yo retoño'. DERIV. *Embrionario*. CPT. *Embriogenia*; *embriogénico*. *Embriología*; *embriológico*.

EMBROCACIÓN 'cataplasma', 1606. Derivado del antiguo *embroca* íd., 1491, lat. tardío *embrŏcha* íd., que se tomó del gr. *embrokhḗ* 'fomento', 'loción', deriv. de *brékhō* 'yo mojo'.

Embrocar 'poner cabeza abajo', V. *bruces*

EMBROLLAR, 1607. Del fr. *embrouiller* íd. S. XIV, deriv. de *brouiller* 'confundir, mezclar'. Éste, antiguamente *brŏeillier*, parece ser deriv. del antiguo *breu* 'caldo, sopa', 'fango, espuma', procedente del fráncico *BROÐ* 'caldo, jugo'. DERIV. *Embrollo*, 1765-83. *Embrollón*.

Embromar, V. *broma* *Embrujar*, V. *bruja* *Embrutecer*, V. *bruto* *Embuchado*, V. *buche*

EMBUDO, 1335. Del lat. tardío IMBŪTUM íd., abreviación de TRAJECTORIUM IMBUTUM (*trajectorium* 'embudo' + el participio de IMBŬERE 'mojar [en algo], meter [en un líquido]').

Embullar, V. *bullir*

EMBUSTERO, 1580. Origen incierto; probablemente tomado del fr. anticuado *empousteur* (hoy *imposteur*), del mismo sentido y origen que *impostor*; la *b* castellana

se explica por la fonética del gascón y el vasco, que trasmitirían el vocablo al español.
Deriv. *Embuste*, 1490.

EMBUTIR 'llenar apretando', h. 1460. Antiguamente *embotir*, 1406, deriv. del dialectal *boto* 'odre' (lat. tardío BUTTIS; vid. *BOTA*), en el sentido de 'rellenar como un odre'.
Deriv. *Embutido*, sust., 1605.

Emenagogo, V. *mes   Emergencia, emerger*, V. *somorgujo   Emérito*, V. *merecer*

EMÉTICO, 1732, lat. *emetĭcus*. Tom. del gr. *emetikós* íd., deriv. de *eméō* 'yo vomito'.

EMÍDIDOS, S. XX. Deriv. culto del gr. *emýs, -ýdos*, 'galápago'.

EMIGRAR, 1817. Tom. del lat. *emĭgrare* 'mudar de casa', 'expatriarse', deriv. de *migrare* 'cambiar de estancia, partir'.
Deriv. *Emigración*, 1499 (muy raro antes de 1790). *Emigrado*, 1804. *Emigrante*, h. 1800. *Emigratorio. Inmigrar*, 1884, lat. *immigrare* 'penetrar, introducirse'; *inmigración*, 1884; *inmigrante*; *inmigratorio. Migración*, lat. *migratio, -onis*, deriv. de dicho *migrare*; *migratorio. Transmigración*, h. 1450.

EMINENTE, h. 1440. Tom. del lat. *emĭnens, -tis*, 'elevado, saliente, prominente', participio de *eminēre* 'elevarse, formar eminencia' (deriv. de *minae* 'salientes de una pared, de una peña').
Deriv. *Eminencia*, h. 1440. *Preeminente*, princ. S. XVII, lat. *praeeminens*; *preeminencia. Inminente*, 1641 (y ya 1438), lat. *immĭnens, -tis*, participio de *imminere* 'elevarse por encima de algo', 'estar muy próximo'; *inminencia. Prominente*, 1843, lat. *prominens, -tis*, participio de *prominere* 'adelantarse, formar saliente', deriv. del mismo primitivo que *eminere* e *imminere*; *prominencia*.

EMIR, h. 1300. Del ár. *'amîr* 'jefe, comandante, el que manda', deriv. de *'ámar* 'mandar'.
Deriv. *Emirato*.
Cpt. *Miramamolín*, h. 1295, del ár. *'amîr al-mu'minîn* 'el jefe de los creyentes'.

Emisario, emisión, emisor, emitir, V. *meter   Emoción, emocional, emocionar*, V. *mover   Emoliente*, V. *muelle I*

EMOLUMENTO, 1481. Tom. del lat. *emolumentum* íd., propte. 'ganancia del molinero' (deriv. de *molĕre* 'moler').

Emotivo, V. *mover   Empacar*, V. *paca* y *alpaca*

EMPACHAR 'estorbar, impedir', h. 1385. Del fr. *empêcher* íd. por conducto de oc. ant. *empachar* íd.; el fr. *empêcher* (antiguamente *empeechier*) viene (por vía semiculta) del lat. tardío *impedĭcare* 'trabar', deriv. de *pedĭca* 'traba', 'lazo', 'cadena' (que a su vez lo es de *pes, pedis*, 'pie').
Deriv. *Empacho*, 1475. *Despachar*, 1406, del fr. ant. *despeechier* (hoy *dépêcher*), a través de oc. *despachar*; deriv. de *impedicare*, por cambio del prefijo *em-* en el negativo correspondiente; *despacho*, 1545.

Empadronar, V. *padre*

EMPALAGAR, 1386. Probablemente *empalagarse* 'sentir hastío de un manjar comido en demasía' es evolución de la idea de 'comprometerse excesivamente en algo' y procederá de *empelagarse* 'internarse demasiado en el mar', sentido conservado en catalán, S. XIII, y portugués, deriv. de *piélago* 'alta mar'.
Deriv. *Empalago*, 1732; *empalagoso*, 1832.

Empalizada, V. *palo*

EMPALMAR 'juntar por sus extremos dos cuerdas, maderos, etc.', 1587. Reducción de *empalomar*, 1587, 'atar con bramante', 'coser la relinga a la vela con ligadas fuertes', término náutico mediterráneo que al parecer procede del catalán, donde deriva de *paloma* 'amarra que se lanzaba desde la embarcación para unir a ésta con la playa', 1283; éste viene probablemente del lat. PALŬMBES 'paloma', por comparación del lanzamiento de la amarra con el vuelo de esta ave.
Deriv. *Empalme*, 1633.

Empamparse, V. *pampa   Empanada*, V. *pan   Empandar*, V. *pando   Empandillar*, V. *pandilla   Empantanar*, V. *pantano   Empanzarse*, V. *panza   Empañar*, V. *paño   Empapar*, V. *papa III   Empapelar*, V. *papel   Empaque*, V. *paca   Empaquetar*, V. *paca   Emparamarse*, V. *páramo   Emparedar*, V. *pared   Emparejar*, V. *par   Emparentar*, V. *parir   Emparrado, emparrar, emparrillar*, V. *parra   Emparvar*, V. *parva   Empastar, empaste*, V. *pasta* y *pacer*

EMPATAR 'tratándose de una votación, de un juego, etc., obtener un mismo número de votos o de bazas los dos adversarios', 1601. Deriv. del anticuado y dialectal *pata* 'empate', med. S. XV, empleado primitivamente en la locución *hacer pata*, propte. 'pactar', 'hacer la paz (con alguien)', 'quedar en paz sin ganar ni perder', donde¹ *pata* se tomó del lat. *pacta*, plural de *pactum*. 'pacto'.

DERIV. *Empate*, 1732.

Empavesar, V. *pavés*   *Empavonar*, V. *pavo*   *Empecatado*, V. *pecar*   *Empecer*, V. *impedir*   *Empecinado, empecinamiento, empecinarse*, V. *pez* II   *Empedernido, empedrado, empedrar*, V. *piedra*   *Empeine* 'bajo vientre', V. *peine*

EMPEINE II 'parte superior del pie, entre la caña de la pierna y el principio de los dedos', 1490, 'parte superior del calzado'. Del mismo origen incierto que el fr. *empeigne* 'parte superior del zapato' y otras formas romances, probablemente del lat. PECTEM, -INIS, 'uña del caballo', propte. 'peine', por comparación de un peine con la ramificación ósea que forma los cinco dedos del pie (comp. vasco *oin-orrazi* 'empeine', propte. 'peine del pie', y por otra parte el sardo *péttini* 'patada de caballo').

EMPEINE III 'enfermedad del cutis, que lo pone áspero y encarnado, causando picazón', 1490. Fue primitivamente *empeíne* y viene del lat. vg. ĬMPEDĪGO, -ĪGĬNIS (del lat. IMPETĪGO, alterado quizá por influjo de IMPEDIRE 'estorbar, entorpecer, molestar').

EMPELLÓN 'empujón recio', 1490. Derivado del anticuado *empellir*, 1490, o *empellar*, 1219, 'empujar', que procede del lat. IMPELLĔRE 'impulsar' (deriv. de PELLĔRE 'poner en marcha').

EMPEÑAR 'dejar en prenda', h. 1140, *empeñarse* 'obligarse, comprometerse'. Derivado del antiguo *peños* 'prenda', h. 1140, procedente del lat. PĬGNUS, -ŎRIS, íd. (vid. *PRENDA*).

DERIV. *Empeño*, S. XV (quizá ya XIII); *empeñoso*; *desempeñar*, 1495, *desempeño*, 1604.

Empeorar, V. *peor*   *Empequeñecer*, V. *pequeño*   *Emperador, emperatriz*, V. *imperar*   *Emperejilar*, V. *piedra*   *Emperifollar*, V. *perifollo*   *Empernar*, V. *perno*   *Empero*, V. *pero*   *Emperrarse*, V. *perro*

EMPEZAR, h. 1140. Deriv. de *pieza* con el sentido primitivo de 'cortar un pedazo (de alguna cosa) y comenzar a usarla'.

Empiema, V. *pus*

EMPINAR, 2.º cuarto S. XV. Del mismo origen incierto que *pino* 'levantado' (en las frases *tocar a pino* 'doblar las campanas empinándolas', *tenerse en pino* 'enderezarse un cuadrúpedo', *hacer pinos o pinitos*) y que el port. *empinar* 'enderezar, levantar en alto', *pino* 'pináculo, punto culminante'; quizá derivados de *pino*, nombre de árbol, por la verticalidad y esbeltez de

esta conífera, o más bien de la familia del port. *pino* 'clavija', cast. *PINA*.

EMPINGOROTADO, 1732, deriv. de *pingorote* 'punta', S. XIX, que resulta de un cruce de los dialectales *picorota* 'cúspide' (deriv. de *pico*) y *píngano* 'monte agudo' (o *pinganillo*), deriv. de *pingar* 'colgar' (V. *PENDER*). Otro deriv. de *pingorote* es *pingorotudo* 'empinado', 1737.

Empiolar, V. *apea*   *Empíreo, empireuma, empireumático*, V. *piro-*

EMPÍRICO, 1611, lat. *empirĭcus*. Tom. del gr. *empeirikós* 'que se guía por la experiencia', deriv. de *pêira* 'prueba, experiencia, tentativa'.

DERIV. *Empirismo*.

EMPLASTO, 1220-50, lat. *emplastrum*. Tom. del gr. *émplastron* íd., deriv. de *emplássō* 'yo modelo (sobre algo)', que a su vez lo es de *plássō* 'yo amaso, modelo'.

DERIV. *Emplastar*, 1495 (*-trar*). *Emplástico*.

Emplazamiento, emplazar, V. *plazo* y *plaza*

EMPLEAR, h. 1140. Del fr. arcaico *empleiier* íd. (hoy *employer*), procedente del lat. IMPLĬCARE 'meter (a alguno en alguna actividad), dedicarle (a ella)', propte. 'envolver, complicar' (deriv. de PLICARE 'plegar, doblar').

DERIV. *Empleado. Empleo*, 1576.

CPT. *Empleomanía*.

Empleita, V. *pleita*   *Empleo*, V. *emplear*   *Emplumar*, V. *pluma*   *Empobrecer*, V. *pobre*   *Empolvar*, V. *polvo*   *Empollar, empollón*, V. *pollo*   *Emponzoñar*, V. *ponzoña*   *Emporcar*, V. *puerco*

EMPORIO, princ. S. XVII, lat. *emporium*. Tom. del gr. *empórion* 'mercado', deriv. de *émporos* 'viajante de comercio' (y éste de *poréuomai* 'yo viajo').

Empós, V. *pues*   *Empotrar*, V. *potro*   *Empozar*, V. *pozo*   *Empradizar*, V. *prado*   *Emprender*, V. *prender*   *Empreñar*, V. *preñada*   *Empresa, empresario*, V. *prender*   *Emprestar, emprestillar, empréstito*, V. *prestar*

EMPUJAR, 1240. Probablemente del lat. tardío IMPULSARE íd., frecuentativo de IMPELLĔRE 'impulsar' (que a su vez lo es de PELLĔRE 'poner en marcha').

DERIV. *Empuje*, 1765-83. *Empujón*, 1495. *Rempujar*, 1438, o *arre-*.

Las siguientes son palabras afines. *Pujar* 'tener dificultad en la ejecución de algo', 1737, antes 'hacer fuerza para pasar adelante', 1240, viene paralelamente de PULSARE 'dar empellones' (deriv. de PELLERE); no debe confundirse con *pujar* 'aumentar el precio en almoneda, etc.', fin S. XIII, antes también 'subir', 'sobrepujar', tom. del cat. *pujar* 'subir', lat. vg. *PODIARE, deriv. de₁ PODIUM 'altozano'; relacionado con aquél, *pujo* 'esfuerzo de vientre', 1495, lat. PULSUS, -US, 'impulso'; y el cpt. *pujavante*, fin S. XIII (adaptación del cat. *botavant* íd., cpt. con *avant* 'adelante', por sustitución de *botar* por su sinónimo castellano *pujar*). Del *pujar* catalanizante: *puja* (de almoneda), 1495. *Repujar* 'labrar a martillo formando relieve', 1925, del cat. *repujar* íd.; *repujado*. *Sobrepujar*, h. 1295, del cat. *sobrepujar* íd. *Pujamen*. S. XVI o XVII, del cat. *pujament* íd.

Empulgar, V. *pulgar* *Empuñadura*, *empuñar*, V. *puño* *Emulación*, *emular*, V. *émulo* *Emulgente*, V. *emulsión*

ÉMULO, h. 1425. Tom. del lat. *aemulus* 'el que trata de imitar o igualar a otro', 'rival, émulo'.
DERIV. *Emular*, 1545, lat. *aemulari* íd.; *emulación*, 2.ª mitad S. XV.

EMULSIÓN 'líquido con ciertas partículas insolubles en suspensión', 1705. Deriv. culto del lat. *emulgēre* (participio *emulsus*) 'ordeñar', por el aspecto lácteo de las emulsiones.
DERIV. *Emulsionar*. *Emulgente*, del participio activo del mismo verbo.

EMUNTORIO, 1732. Deriv. culto del lat. *emungēre* 'sonar, limpiar de mocos' (participio *emunctus*).
DERIV. *Emunción*, S. XX.

EN, prep., orígenes del idioma (S. X, etc.). Del lat. IN 'en, dentro de'. En la locución *en adelante*, S. XIII, *en* es reducción fonética de *en(d)* por *ende* 'desde allí'.

ENAGUA, h. 1580. Del antiguo *naguas*, 1519, y éste del taíno de Santo Domingo, donde designaba una especie de faldas de algodón que las indias llevaban hasta las rodillas; la *e-* se introdujo por aglutinación en frases como *estaba en naguas, salió en naguas*, evitando así el que en tales casos pudiera entenderse *en aguas*.

Enaguachar, V. *agua* *Enajenación*, *enajenar*, V. *ajeno*

ENÁLAGE, 1580. Tom. del gr. *enallagḗ* 'inversión, cambio', deriv. de *enallássō* 'yo cambio' (que a su vez lo es de *állos* 'otro', pariente del lat. *alius* íd.).

Enalbardar, V. *albarda* *Enaltecer*, V. *alto* *Enamorado*, *enamorar*, V. *amar* *Enancarse*, V. *anca*

ENANO, 1293. Del antiguo *nano*, 1294, procedente del lat. NANUS, y éste del gr.

nânos íd.; *enano* es alteración quizá debida al influjo del antiguo *enatío* 'feo, deforme', h. 1260 (deriv. del lat. vg. INAPTUS 'torpe, grosero').

Enarbolar, V. *árbol* *Enardecer*, V. *arder* *Enarmónico*, V. *armonía* *Enartrosis*, V. *artrítico* *Enastar*, V. *asta* *Enatío*, V. *enano* *Encabalgamiento*, *encabalgar*, V. *caballo* *Encabestrar*, V. *cabestro* *Encabezar*, V. *cabeza* *Encabritarse*, V. *cabra* *Encadenar*, V. *cadena* *Encajar*, *encaje*, *encajonar*, V. *caja* *Encalabrinar*, V. *calavera* *Encalada*, V. *calar* *Encalar*, V. *cal* y *calar* *Encalmarse*, V. *calma* *Encalostrarse*, V. *calostro* *Encalvar*, *encalvecer*, V. *calvo* *Encalzar*, V. *alcanzar* *Encallar*, V. *calle* *Encallecer*, V. *callo* *Encamar*, V. *cama I* *Encaminar*, V. *camino* *Encamisada*, *encamisar*, V. *camisa* *Encamonado*, V. *cama II* *Encamotarse*, V. *camote* *Encanallar*, V. *can* *Encandilar*, V. *candela* *Encanecer*, V. *cano* *Encanijarse*, V. *canijo* *Encantado*, *encantador*, *encantar*, *encanto*, V. *cantar* *Encantusar*, V. *engatusar* *Encañada*, *encañar*, *encañizar*, *encañonar*, V. *caña* *Encapillar*, V. *capillo* *Encapotar*, V. *capa* *Encapricharse*, V. *capricho* *Encapuchar*, V. *capucho*

ENCARAMAR 'levantar hasta lo alto de algo, hacer subir a un lugar alto o escarpado', 1438, significó antiguamente 'ponderar o alabar en extremo', h. 1570; 'amontonar', h. 1550; 'hacer que algo se eleve en forma puntiaguda', 1495. Origen incierto por sobra y no por falta de etimologías verosímiles. I. Podría ser metátesis de *encamarar, hermano del b. lat. *incamarare* 'adulterar, desnaturalizar', cat. ant. y oc. ant. *encamarar* íd., del lat. CAMERARE 'construir en forma de bóveda', 'fabricar con arte', deriv. del lat. CAMĔRA 'bóveda' (vulgarmente CAMĂRA); desde la idea de 'hacer subir hasta la bóveda' pudo llegarse a 'levantar a lo alto', y de la de 'fabricar con arte' se pasaría a 'ponderar exageradamente' o 'desnaturalizar'. II. *Encaramarse la perdiz* por 'subirse a ramas altas' se decía también *encarbarse* y *perro de encaramo* o *de encarbo* era el que obligaba a la perdiz a subirse (adonde el tirador le podía tirar fácilmente), lo cual parece derivado de *carba*, matorral de robles en Salamanca y otras partes (voz prerromana afín al sardo *carva* 'rama', prov. *garbo* 'tronco de árbol hueco', vasco *karbaza* 'tallo, tronco', port. *carvalho* 'roble', etc.). III. La raíz árabe *kárama* significa 'honrar, ensalzar', y sobre todo en España se emplean mucho sus derivados *karáma* 'honra, fama, magnificencia', *ákrama* 'honrar, rendir homenaje' y en particular *'inkárama* 'ser tratado con honor'. Las tres etimologías son defendibles casi por igual, y aunque es posible

que sólo una sea cierta, acaso es más verosímil suponer que el *encamarar* 'ponderar,
levantar a lo alto' de origen latino se confundiera con *encarbar* de procedencia prerromana y con un *caramar* o *ac(n)ramar
'ensalzar' tomado del árabe, resultando *encaramar* que acumularía las acepciones de
los tres. Comp. *CAMARANCHÓN.*

Encarar, V. *cara*   Encarcelar, V. *cárcel*
Encarecer, V. *caro*   Encargado, encargar,
encargo, V. *cargar*   Encariñarse, V. *cariño   Encarnación, encarnado, encarnar,
encarnizarse, V. *carne*   Encarrilar, V. *carro*

ENCARRUJARSE 'retorcerse, ensortijar-
se', 1588; *carrujado* 'ensortijado', 1534 o
1623. Origen incierto, quizá de un lat. vg.
*CORROTULARE, deriv. de ROTULA 'ruedecita';
la *-u-* podría ser debida al influjo de *acurrucarse* y su variante *acurujarse.*

Encartado, encartar, encartonar, encartuchar, V. *carta*   Encasillar, V. *casa*   Encasquetar, encasquillar, V. *casco*   Encastillar, V. *castillo*   Encausar, V. *causa*
Encáustico, encausto, V. *cáustico*   Encauzar, V. *cauce*   Encebro, V. *cebra*   Encefálico, encefalitis, encéfalo, V. *cefálico*
Enceguecer, V. *ciego.*

ENCELLA 'forma de mimbres para hacer quesos y requesones', 1495. Probablemente del lat. FĪSCĔLLA íd.; cambiado quizá primero en *heciella*, aunque las causas
del cambio de éste en *encella* no están bien
claras (comp. el arag. *faxella*, el val. *fan-
zella* y el port. *francelho*).

Encenagar, V. *cieno*

ENCENDER, S. X. Del lat. INCĔNDĔRE
'quemar', 'incendiar', deriv. de CĂNDĒRE 'ser
blanco', 'abrasarse'.
DERIV. *Encendedor,* 1617. *Encendimiento,*
1495. *Incienso,* 1112, tom. del lat. *incensum*
íd., propte. participio de *incendere; incensar,* 1495 (*enc-*); *incensario,* 1112. *Incendio,*
1438, tom. del lat. *incendium,* íd.; *incendiar,* 1765-83; *incendiario,* 1618.

Encentar, V. *decentar*   Encerado, encerar, V. *cera*   Encerrar, encerrona, V. *cerrar*   Encetar, V. *decentar*

ENCÍA, 1251. Del lat. GINGĪVA íd.
DERIV. cultos: *Gingival. Gingivitis.*

Encíclica, enciclopedia, enciclopédico, enciclopedista, V. *ciclo*   Encierro, V. *cerrar*
Encima, V. *cima*

ENCINA, 1124. Del lat. vg. ĪLĪCĪNA, derivado adjetivo de ĪLEX, ĪLĬCIS, 'encina';
probablemente pasando por el antiguo y
hoy aragonés *lezina,* 1043, y después *lenzina.*
DERIV. *Encinal,* S. XV, o *encinar,* 1611.
Ilicíneo, deriv. culto.

ENCINTA, h. 1330. Del lat. tardío ĬN-
CĪNCTA íd., S. VII, de origen incierto. Probablemente se trata de una evolución del
lat. INCIENS, -TIS, íd., pronunciado *INCEN-
TA en el habla popular, que el latín vulgar
modificó luego levemente como si fuese derivado de CINGERE ₁ 'ceñir', interpretándolo
unos como si significara 'no ceñida, desce-
ñida' (como suele ir la mujer grávida), y
otros como si fuese derivado de INCINGERE
'ceñir o rodear (algo)', aludiendo a las cintas y fajas benditas que solían ponerse las
futuras madres.

Enclaustrar, V. *clausura*   Enclavar, V.
clavo

ENCLENQUE 'muy débil, enfermizo',
1732. Origen incierto, probablemente del
occitano (donde hallamos languedociano
clenc íd., provenzal *cranc* 'cojo, impotente,
decrépito', bearn. *encrancat* 'derrengado,
que sufre lumbago'); allí parece resultar
de un cruce entre el autóctono *cranc* 'cangrejo' (lat. CANCER, -CRI, por su andar titu-
beante) y el fr. ant. y dial. *esclenc* 'izquierdo' (procedente del alem. ant. SLINK íd.).

Énclisis, V. *enclítico*

ENCLÍTICO, 1765-83 (una vez 1490).
Tom. del gr. *enklitikós* íd., deriv. de *enklínō*
'yo inclino, apoyo'.
DERIV. *Énclisis,* princ. S. XX, gr. *énklisis,*
propte. 'acto de inclinarse o apoyarse'. *Proclítico* y *proclisis,* deriv. de *proklínō* 'me
inclino hacia adelante'.

Enclocarse, V. *clueca*   Encobar, V. *incubar*   Encofrar, V. *cofre*   Encoger,
V. *coger*   Encojar, V. *cojo*   Encolar,
V. *cola II*   Encolerizar, V. *cólera*   Encomendar, encomendero, V. *mandar*   Encomiar, encomiástico, V. *encomio*   Encomienda, V. *mandar*

ENCOMIO, 1569. Tom. del gr. *enkó-
mion* 'elogio', 'discurso panegírico', neutro
del adjetivo *enkómios* 'cantado en una fiesta o triunfo', que a su vez deriva de *kômos*
'fiesta con cantos'.
DERIV. *Encomiar,* 1884. *Encomiástico,* fin
S. XVII, gr. *enkōmiastikós.*

ENCONAR 'inflamar una llaga', med. S.
XIII: 'irritar el ánimo', 1335. Como en toda
la Edad Media significó 'manchar, contaminar', 1220-50, e 'infectar', med. S. XIII,
es probable que venga del lat. ĬNQUĪNARE
'manchar, mancillar', 'corromper'.
DERIV. *Enconado. Enconamiento,* 1220-
50. *Encono,* 1717. *Desenconar,* h. 1490.

Encontinente, V. *tener*   Encontrar, encontrón, encontronazo, V. *contra*   Encopetado, encopetar, V. *copa*   Encorar, V.
cuero   Encordar, encordelar, V. *cuerda*

Encornadura, encornado. V. *cuerno* *Encorozar,* V. *coroza* *Encorsetar.* V. *cuerpo* *Encorvar,* V. *corvo* *Encostrar,* V. *costra* *Encovar,* V. *cueva* *Encrespado, encrespar,* V. *crespo* *Encruciiada,* V. *cruz* *Encrudecer,* V. *crudo* *Encuadernación, encuadernar,* V. *cuaderno* *Encuadrar,* V. *cuadro* *Encuartar, encuarte,* V. *cuarto* *Encubertar, encubierto, encubrir,* V. *cubrir* *Encuentro,* V. *contra* *Encuesta,* V. *adquirir* *Encumbrado, encumbrar,* V. *cumbre* *Encurtido, encurtir,* V. *curtir* *Enchapado,* V. *chapa* *Encharcar,* V. *charco* *Enchilada,* V. *chile* *Enchiquerar,* V. *chiquero* *Enchironar,* V. *chirona*

ENCHUFAR, 1884, 'ajustar la boca de un caño en la de otro', 'establecer una conexión eléctrica'. De *chuf,* onomatopeya del ruido que producen ciertas conexiones, como la de ciertas tuberías de calefacción, ferroviarias, etc.
DERIV. *Enchufe.*

ENDE, pronombre - adverbio anticuado que significaba 'de allí', 'de ello', h. 1140, y hoy sólo se emplea alguna vez como sinónimo de *ello* en la locución *por ende;* del lat. ĬNDE 'de allí'.

ENDEBLE, 1605. Viene, en definitiva, del lat. vg. *ĬNDĒBĬLIS,* variante intensiva de DEBILIS 'débil'; es probable que el castellano lo tomara del fr. ant. *endeble* 'enclenque, endeble', S. XII.
DERIV. *Endeblez.*

ENDECASÍLABO, S. XVIII, lat. *hendecasyllăbus,* por conducto del italiano. Tom. del gr., donde es compuesto de *héndeka* 'once' y *syllabê* 'sílaba'.

ENDECHA, 1335, 'canción funeral', 'elegía'. Probablemente del lat. ĬNDĬCTA 'cosas proclamadas', participio neutro plural de ĬNDĬCĔRE 'declarar públicamente', 'proclamar', en el sentido (según es verosímil) de 'proclamación de las virtudes del muerto'.
DERIV. *Endechar,* h. 1260; *endechadera,* 1599.

Endemia, endémico, V. *democracia* *Endemoniado,* V. *demonio* *Enderezar,* V. *aderezar* *Endiablado,* V. *diablo*

ENDÍADIS, 1580. Tom. de la frase griega *hén dià dyôin* 'una cosa por medio de dos', por conducto de una adaptación latina *hendiădys.*

ENDILGAR, S. XV. Palabra familiar, de sentidos múltiples —'dirigir, encaminar', 'facilitar, proporcionar', 'encajar, endosar' y, hoy en los dialectos del Noroeste, 'ver con dificultad, divisar, comprender'—, de origen incierto; quizá sea variante leonesa del aragonés *endizcar,* cast. *enguizgar,* 'incitar, inducir a una pelea', voz de creación expresiva (de la voz G(I)ZG para azuzar al perro).

Endógeno, V. *engendrar*

ENDRIAGO 'monstruo fabuloso combatido por los caballeros andantes', S. XV. Parece resultar de un más antiguo **hidriago,* cruce de *hidria,* S. XV, 'hidra, serpiente de muchas cabezas', con *drago* 'dragón'.

ENDRINA 'ciruela silvestre, negra y áspera', 1335 (y V. abajo *endrino*). Viene de la forma antigua y dialectal *andrina,* S. X, y ésta de una más antigua **adrina,* emparentada con el it. merid. (*a*)*trigna* íd., y procedente del lat. vg. PRUNA **ATRĪNA* 'ciruelas negruzcas', deriv. de ATER, ATRA, ATRUM, 'negro'.
DERIV. *Endrino (andrino,* 915). *Endrinal,* S, XIII.

Endulzar, V. *dulce* *Endurecer,* V. *duro* *Enea,* V. *anea* *Eneágono,* V. *nueve* *Eneal,* V. *anea* *Eneasílabo,* V. *nueve*

ENEBRO, fin S. X. Del lat. vg. JĬNĬPĔRUS íd. (lat. JŪNĬPĔRUS). *Ginebra* (licor), 1817, del cat. *ginebra* íd., variante meramente gráfica de *ginebre* (que es la forma catalana del mismo nombre de planta) por las bayas de enebro que se emplean en la fabricación de este licor.
DERIV. *Enebral. Nebreda.*

Enechado, enechar, V. *echar*

ENELDO '*Anethum graveolens* L., planta umbelífera', 1490. Del antiguo *aneldo,* S. XIV, y éste del lat. vg. **ANĒTHŪLUM,* diminutivo de ANĒTHUM íd. (procedente del gr. *ánēthon*).

ENEMA 'lavativa', 1606, lat. *ĕnĕma.* Tom. del gr. *énema, -ématos,* íd., deriv. de *eníēmi* 'yo echo adentro, inyecto' (y éste de *híēmi* 'yo envío').

Enemiga, enemigo, enemistad, enemistar, V. *amar*

ENERGÍA, 1611, lat. tardío *energīa.* Tom. del gr. *enérgeia* 'fuerza en acción', deriv. de *érgon* 'obra'.
DERIV. *Enérgico,* princ. S. XVII. *Energúmeno,* 1600, gr. *energúmenos* 'influido por un mal espíritu', participio pasivo de *energéō* 'yo actúo sobre alguien' y éste de *érgon. Ergástulo,* 1899, lat. *ergastŭlum* 'lugar donde se encerraba a los esclavos para hacerlos trabajar', adaptación del gr. *ergastêrion* 'taller, lugar de trabajo' (deriv. de *ergázō* 'yo trabajo', y éste de *érgon*); la variante *ergástula,* S. XX, es mala adaptación del fr. *ergastule.*
CPT. *Exergo,* de la frase gr. *ex érgu* 'fuera de la obra'.

ENERO, 1218 (*yenair*, h. 1150). Del lat. vg. JENUARIUS (lat. JANUARIUS).

Enervante, enervar, V. *nervio*

ENFADAR, 1495 (raro hasta fines del S. XVI). Del gallegoportugués, donde *enfadarse*, S. XIII, significaba en la Edad Media 'desalentarse', 'cansarse', 'aburrirse', y parece ser derivado de *fado* 'hado', 'destino, especialmente el desfavorable', probablemente en el sentido de 'entregarse a la fatalidad', 'ceder a ella y disculparse con ella'; en castellano *enfadar* significó sólo 'aburrir, hastiar, cansar' hasta el S. XVIII, en que de ahí pasó a usurpar el sentido de *enojar*, vocablo que es todavía casi el único empleado en América.

DERIV. *Enfado*, med. S. XVI; *enfadoso*, 1570. *Desenfadar* 'distraer, entretener', 1495 (1400 en autor aportuguesado); *desenfado* 'desembarazo', 1495.

Enfangar, V. *fango*   *Enfardar,* V. *fardo*

ÉNFASIS, 1580, lat. *emphăsis*. Tom. del gr. *émphasis* 'expresión que deja entender más de lo que se dice, énfasis', propte. 'demostración, explicación', 'moraleja', deriv. de *empháinō* 'yo hago ver, muestro, manifiesto' (que a su vez lo es de *pháinō* 'parezco, aparezco').

DERIV. *Enfático*, princ. S. XVII.

ENFERMO, S. XI. Descendiente semiculto del lat. ÍNFÍRMUS 'débil, endeble', 'impotente', 'enfermo', deriv. de FIRMUS 'firme'.

DERIV. *Enfermedad*, 1220-50. *Enfermero*, h. 1570; *enfermería*, 1220-50. *Enfermizo*, 1604. *Enfermucho. Enfermar*, 1220-50.

Enfilar, V. *hilo*

ENFISEMA, 1765-83. Tom. del gr. *emphýsēma*, *-ématos*, 'hinchazón', deriv. de *emphysáō* 'yo soplo'.

ENFITEUSIS, h. 1260. Tom. del lat. *emphyteusis* íd., deriv. del gr. *emphytéuō* 'yo injerto o planto en un lugar', porque se otorgaba este contrato al que labraba una finca rústica.

DERIV. *Enfitéutico*, 1611. *Enfiteuta.*

Enflaquecer, V. *flaco*   *Enflautar,* V. *flauta*   *Enfocar, enfoque,* V. *fuego*   *Enfranque,* V. *franco*

ENFRASCARSE, 1495, 'aplicarse con intensidad a un asunto'. Parece tomado del it. *infrascarsi* 'internarse en la vegetación', 'enredarse', princ. S. XIV, deriv. de *frasca* 'rama' (princ. S. XIV, palabra italiana de origen desconocido); pero el vocablo que nos interesa no ha sido estudiado a fondo,

y la aparición bastante temprana del mismo en castellano y portugués, y la existencia popular de *frasca* 'abundancia de cosas nocivas', 'hedor', 'porquería', en los dialectos del Noroeste hispánico y en catalán, fin S. XIV, hacen dudoso el préstamo del italiano.

Enfrentar, enfrente, V. *frente*   *Enfrontar,* V. *frente*   *Enfundar,* V. *funda*   *Enfurecer,* V. *furia*   *Enfriar,* V. *frío*

ENFURRUÑARSE 'ponerse enojado', 1732. Parece ser alteración del fr. anticuado *enfrogner*, provenzal *s'enfrougnà* (hoy fr. *se renfrogner*) 'poner ceño, poner mala cara', deriv. del fr. ant. *froigne* 'cara de mal humor', que procede del galo *FROGNA* 'ventanas de la nariz' (galés *ffroen* íd., irl. *srón* 'nariz').

DERIV. *Enfurruñamiento.*

Enfurtido, enfurtir, V. *fuerte*   *Engaitar,* V. *gaita*   *Engalanar,* V. *gala*   *Engalgar,* V. *galgo*   *Engallado, engalladura, engallarse,* V. *gallo*   *Enganchar, enganche,* V. *gancho*   *Engaitar,* V. *gaita*

ENGAÑAR, 1220-50. Del lat. vg. *INGANNARE* 'escarnecer, burlarse de alguien' (documentado poco antes del S. IX), deriv. de la onomatopeya latina GANNIRE 'regañar, reñir', propiamente 'ladrar, aullar'.

DERIV. *Engañador*, 1495. *Engaño*, 1073. *Engañifa*, 1615. *Engañoso*, h. 1250. *Desengañar*, 1251; *desengaño*, 1495.

Engarce, V. *engarzar*   *Engargantar,* V. *gargajo*   *Engarrafar,* V. *garra*

ENGARZAR, 1604, o **ENGAZAR,** 1604, 'trabar una cosa con otra formando cadena', 'engastar'. Palabra de historia poco investigada y de origen incierto; probablemente de una forma mozárabe *engaçrar*, procedente del lat. vg. INCASTRARE 'insertar, articular' (V. *ENGASTAR*).

DERIV. *Engarce* (*engace*, 1593).

ENGASTAR 'embutir una cosa en otra, como una piedra preciosa en un metal', 1490. Del lat. vg. INCASTRARE 'insertar, articular' (de donde INCASTRATURA, INCASTRATOR, en textos vulgares y tardíos). En latín es voz de origen incierto, quizá alteración fonética de un *INCLAUSTRARE* que sustituiría al lat. clásico INCLŪDĔRE 'engastar', palabra de la misma raíz. La forma española es una alteración de *encastrar* (comp. el it. *incastrare*), debida a influjo del antiguo sinónimo *engastonar*, 1220-50, deriv. de *gastón* 'engaste', que a su vez se tomó del fr. ant. y dial. *caston* íd. (hoy *chaton*), procedente del fráncico KASTO 'caja' (alem. *kasten*).

DERIV. *Engaste*, 1490.

Engastonar, V. *engastar*

ENGATUSAR, 1732. En este vocablo del habla actual vinieron a confundirse los antiguos *encantusar* íd., h. 1534 (deriv. de *encantar* 'engañar con brujerías'), *engatar* 'engañar con arrumacos', 1601 (deriv. de *gato*) y *engaratusar* 'engañar con halagos', 1732, deriv. de *garatusa* 'carantoña', 1509, que parece haberse tomado del oc. ant. *gratuza* 'almohaza' (deriv. de *gratar* 'rascar'). *Engatusar* parece resultar de *engaratusar* bajo el influjo de *engatar*.

Engazar, V. *engarzar*

ENGENDRAR, h. 1140. Descendiente semiculto del lat. *ĭngĕnĕrare* 'hacer nacer, engendrar', 'crear', deriv. de *genus, -ĕris,* 'origen, nacimiento, raza'.
DERIV. *Engendramiento,* S. XIII. *Engendro,* princ. S. XVII. De la misma raíz latina: *Generar,* 1438, raro entonces; *generador*; *generatriz*; *generativo*; *generación,* S. XII, lat. *generatio, -onis,* íd., propte. 'reproducción'. *Regenerar; regeneración. Genital,* 1220-50, lat. *genitalis* íd., deriv. de *genĭtus,* participio de *gignere* 'engendrar'. *Genitivo,* 1490, lat. tardío *genitivus* (clásico *genetivus*) 'natural, de nacimiento', 'engendrador', '(caso) genitivo'. *Genitor,* h. 1630, lat. *genitor, -oris*; *genitorio*. *Congénito,* 1843, lat. *congenĭtus* 'engendrado juntamente'. *Ingénito,* h. 1625, lat. *ingenĭtus* 'no engendrado'. *Progenitor,* h. 1440, deriv. latino de *progignere* 'engendrar'; *progenitura,* h. 1440; *progenie,* h. 1440, lat. *progenies* íd. *Génesis,* 1608, gr. *génesis* 'creación', deriv. de *gennáō* 'yo engendro' (voz hermana del lat. *gignere*); *genético*; *genética; genesíaco; genésico; agenesia. Eugenesia; eugenésico. Epígono,* gr. *epígonos* íd., deriv. de *epigígnomai* 'nacer más tarde'.
CPT. *Indígena,* 1832, lat. *ĭndigĕna* íd., formado con *inde* 'de allí'; *indigenismo. Primogénito,* 1438, lat. *primogenĭtus* íd., formado con *primo* 'primeramente'; *primogenitura,* 1490. *Segundogénito. Primigenio. Unigénito. Endógeno,* formado con el gr. *éndon* 'adentro'. *Gonorrea,* cpt. de *gónos* 'esperma' y *rhéō* 'yo fluyo'. *Gonococo,* de aquél con el gr. *kókkos* 'granito' ('microbio'). *Poligenismo; poligenista.*

Engestado, V. *gesto Englobar,* V. *globo Engolado, engolarse,* V. *gola Engolfarse,* V. *golfo* I *Engolosinar,* V. *gola Engollamiento, engolletado,* V. *engullir Engomar* V. *goma Engordar, engorde,* V. *gordo*

ENGORRO 'estorbo, impedimento', 1732, Deriv. del antiguo verbo *engorrar* 'fastidiar,

ser molesto', princ. S. XV, propte. 'tardar, detener', 1335. Éste parece salir del antiguo y dialectal *engorar* 'incubar (la gallina)', de donde 'estar inmovilizado' (para el cual vid. *HUERO*), por una alteración debida a influjo de *engorra* 'gancho de hierro de algunas saetas, que sirve para que no puedan sacarse de la herida', h. 1444, probablemente voz independiente de la anterior, quizá procedente de **angorra,* y derivada del dialectal *anga* 'gancho' (cuyo derivado *angazo* está más extendido), a su vez derivado probable del gót. **ANGA* 'gancho', 'anzuelo'.
DERIV. *Engorroso,* 1591.

Engranaje, engranar, V. *grano Engrandecer,* V. *grande Engrasar,* V. *grasa*

ENGREÍRSE 'envanecerse', 1251. Entonces *engreerse*; como ésta es la forma corriente en todo el período medieval, viene probablemente de *encreerse,* S. XIII, deriv. de *creer,* en el sentido de 'creerse superior, infatuarse'; hoy *creído* es popular en muchas partes en el sentido de 'infatuado, presuntuoso, mimado'.
DERIV. *Engreimiento,* h. 1570.

Engrosar, V. *grueso*

ENGRUDO 'masa de harina o almidón cocidos en agua, que se emplea para pegar papeles, etc.', 1251; antiguamente *englut,* 1220-50, o *engrut,* 1251. Procede del lat. tardío GLUS, -ŪTIS (lat. GLŪTEN, 'cola', 'goma', 'muérdago', con prefijo tomado del verbo *engrudar,* med. S. XIII. Pero en romance el vocablo se confundió con el germ. GRŪTS 'papas, gachas' (comp. el alem. *grütze* íd.).

Engualdrapar, V. *gualdrapa Enguantar,* V. *guante Enguizgar,* V. *endilgar*

ENGULLIR, h. 1490, del antiguo *engollir,* 1517. Viene del preliterario (hoy catalán) *engolir,* deriv. de *gola* 'garganta' (lat. GŪLA), alterado bajo el influjo de *degollar,* de *gollete* y de *cuello* y sus derivados. *Gollete,* 1611, se tomó del fr. *goulet,* deriv. de GULA, con el mismo cambio de consonante.
DERIV. *Engolletado,* 1646. *Engollar,* 1832; *engollamiento,* S. XX.

Engurria, engurruñar, engurruñir, V. *angurria Enharinar,* V. *harina Enhebrar,* V. *hebra Enherbolar,* V. *hierba Enhestar,* V. *enhiesto Enhetrar,* V. *ajetrearse*

ENHIESTO 'levantado, derecho', 1118 *(infesto,* 992). Probablemente del lat. ĬNFĔSTUS 'hostil, dirigido contra alguien', que se aplicó de preferencia a las lanzas.y otras armas, tomando así la acepción del moderno *enhiesto*.

DERIV. *Enhestar*; y el cultismo *infestar* 'causar estrago con hostilidades y correrías', S. XVII, 'inficionar, dañar'.

Enhorabuena, enhoramala, V. *hora*

ENIGMA, h. 1600, lat. *aenigma.* Tom. del gr. *áinigma, -atos,* 'frase equívoca u oscura', deriv. de *ainíssomai* 'doy a entender', y éste de *áinos* 'fábula, apólogo, moraleja'. DERIV. *Enigmático,* 1611.

Enjaezar, V. *jaez*   *Enjalbegadura, enjalbegar,* V. *albo*

ENJALMA, 1554. Del antiguo y dialectal *salma,* 1350-69, procedente del lat. vg. SALMA, lat. SAGMA, íd., que a su vez procede del gr. *ságma, -atos,* 'carga', 'guarniciones', 'enjalma', deriv. de *sássō* 'yo armo, relleno'. DERIV. *Enjalmar,* 1535. *Enjalmero.*

ENJAMBRE 'muchedumbre de abejas con su reina, que salen a formar una nueva colonia', 1335. Del lat. EXAMEN íd. DERIV. *Enjambrar,* 1495.

Enjaretar, V. *jareta*   *Enjaular,* V. *jaula* *Enjoyado,* V. *joya*

ENJUAGAR, 1615, 'limpiar con agua lo jabonado', 'limpiar la boca'. Del antiguo y dialectal *enxaguar,* 1475 (y todavía S. XVII), y éste del lat. vg. **EXAQUARE* 'lavar con agua', deriv. de AQUA 'agua'. DERIV. *Enjuagadura,* princ. S. XVII. *Enjuague,* 1708. CPT. *Enjuagadientes.*

ENJUGAR 'secar', med. S. XIII. Del lat. tardío EXSUCARE 'dejar sin jugo, enjugar', deriv. de SUCUS 'jugo'.

Enjuiciamiento, enjuiciar, V. *juez*

ENJULLO 'madero cilíndrico del telar, en el cual se va arrollando la urdimbre', 1495, antes *ensullo,* 1490. Del lat. tardío INSUBULUM íd. (emparentado con SUERE 'coser').

ENJUNDIA, 1335, 'gordura de cualquier animal'. Antes *axundia,* 1607, *anxungia,* 1537, y hoy *juncia* en el Sur y SO. de España. Descendiente semiculto del lat. AXUNGIA 'grasa de cerdo' (primitivamente 'sebo', compuesto de AXIS 'eje' y UNGERE 'untar', por el empleo del sebo en las ruedas). DERIV. *Enjundioso.*

ENJUTO, 1220-50. Del lat. EXSUCTUS 'secado', participio de EXSUGERE 'chupar', 'absorber', 'secar' (deriv. de SUGERE 'chupar').

DERIV. *Enjuta* 'especie de triángulo que el círculo inscripto en él deja en un cuadrado', 1611, por lo delgado o enjuto de estos triángulos.

Enlace, V. *lazo*   *Enladrillar,* V. *ladrillo* *Enlazar,* V. *lazo*   *Enlodar,* V. *lodo*   *Enloquecer,* V. *loco*   *Enlosar,* V. *losa*   *Enlucir,* V. *luz*   *Enlutar,* V. *luto*   *Enmadejar,* V. *madeja*   *Enmaderar,* V. *madera* *Enmadrarse,* V. *madre*   *Enmallarse,* V. *malla*   *Enmangarrillado,* V. *manganilla* *Enmaniguarse,* V. *manigua*   *Enmarañar,* V. *maraña*   *Enmascarar,* V. *máscara*   *Enmechar,* V. *mecha*   *Enmelar,* V. *miel*

ENMENDAR, h. 1140. Tom. en fecha antigua del lat. *emendare* 'corregir las faltas', deriv. de *menda* y *mendum* 'falta, error, defecto'.

DERIV. *Enmienda,* 1220-50. *Emendación. Remendar,* 1335; *remendado; remendón,* 1495; *remiendo,* 1495. *Mendaz,* 1765-83, tom. del lat. *mendax, -acis,* íd., deriv. de *menda; mendacidad.*

Enmohecer, V. *moho*   *Enmudecer,* V. *mudo*   *Enmustiar,* V. *mustio*   *Ennegrecer,* V. *negro*   *Ennoblecer,* V. *noble*

ENOJAR, 1220-50. De oc. ant. *enojar* 'aburrir, fastidiar, molestar', y éste del lat. vg. INODIARE 'inspirar asco u horror', deriv. de la locución clásica IN ODIO ESSE ALICUI 'ser odiado por alguien'.

DERIV. *Enojo,* princ. S. XIII; *enojoso,* 1220-50.

Enología, enólogo, V. *vino*   *Enorgullecer,* V. *orgullo*   *Enorme, enormidad,* V. *norma*   *Enotecnia, enotécnico,* V. *vino* *Enquiridión,* V. *quiro-*   *Enquistarse,* V. *quiste*   *Enrabiar,* V. *rabia*   *Enraizar,* V. *raíz*   *Enramada, enramar,* V. *ramo* *Enrarecer, enrarecimiento,* V. *raro*   *Enrasar,* V. *raer*   *Enrayar,* V. *rayo*   *Enredadera, enredar, enredijo, enredo, enredoso,* V. *red*   *Enrejado, enrejar,* V. *reja* II *Enriar,* V. *río*   *Enripiar,* V. *ripio*   *Enriquecer,* V. *rico*   *Enriscar,* V. *riesgo*   *Enristrar, enristre,* V. *ristra*   *Enrocar,* V. *roque*   *Enrodrigar, enrodrigonar,* V. *rodrigón*   *Enrojecer,* V. *rojo*   *Enrollar,* V. *rueda*   *Enronauecer,* V. *roncar*   *Enroque,* V. *roque*   *Enroscar,* V. *rosca*   *Enrostrar,* V. *rostro*   *Ensabanar,* V. *sábana* *Ensacar,* V. *saco*   *Ensaimada,* V. *saín* *Ensalada, ensaladera,* V. *sal*   *Ensalmar, ensalmo,* V. *salmo*

ENSALZAR, 1220-50, 'engrandecer, exaltar, alabar'. Del lat. vg. *EXALTIARE, combinación del lat. EXALTARE 'levantar, ensalzar', con el lat. vg. *ALTIARE 'levantar', ambos derivados de ALTUS 'alto'.
DERIV. Ensalzamiento, 1495.

ENSAMBLAR, 1570, 'unir, juntar', especialmente 'ajustar piezas de madera'. Del fr. ant. ensembler 'juntar, reunir', deriv. de ensemble 'juntamente' (procedente éste del lat. ĪNSĪMUL íd.).
DERIV. Ensambladura, 1609. Ensamblaje, 1661. Ensamblador, 1631.

Ensanchar, ensanche, V. ancho   Ensandecer, V. sandio   Ensangrentar, V. sangre   Ensañamiento, ensañar, V. saña   Ensarnecer, V. sarna   Ensartar, V. sarta

ENSAYO, 1220-50. Del lat. tardío EXAGIUM 'acto de pesar (algo)'; voz afín a las clásicas EXĪGĔRE 'pesar' y EXĀMEN 'acción de pesar, examen'.
DERIV. Ensayar, h. 1140. Ensayista, S. XX, imitado del ingl. essayist, deriv. de essay 'ensayo', 'artículo'.

Ensebar, V. sebo   Ensenada, V. seno   Enseña, enseñado, enseñanza, enseñar, V. seña   Enseñorearse, V. señor   Enserar, V. sera   Enseres, V. ser   Enseriarse, V. serio

ENSIFORME, 1884. Cpt. culto del lat. ensis 'espada' y forma 'forma'.

Ensilar, V. silo   Ensillar, V. silla   Ensimismamiento, ensimismarse, V. sí I   Ensoberbecer, V. soberbia   Ensogar, V. soga   Ensoñar, V. sueño   Ensopar, V. sopa   Ensordar, ensordecer, V. sordo   Ensortijar, V. suerte   Ensotar, V. soto   Ensuciar, V. sucio   Ensueño, V. sueño   Entablar, entablillar, V. tabla   Entalegar, V. talega

ENTALINGAR 'amarrar al cable el ancla para dar fondo', 1587. Probablemente del fr. étalinguer íd., de origen incierto.

Entallar, entalle, V. tajar   Entarimado, entarimar, V. tarima   Entarugar, V. tarugo   Ente, V. ser

ENTECO 'enfermizo, flaco', 1601. Deriv. del antiguo y dialectal entecarse 'caer víctima de enfermedad crónica' (entecado, 1220-50), alteración de *heticarse, derivado de hético 'tísico', que a su vez se tomó del gr. hektikós pyretós 'fiebre constante, tisis' (hektikós 'habitual', deriv. de ékhō 'yo tengo, estoy').
DERIV. Hetiquez.

Entelar, V. tela   Entelequia, V. teleología   Entenado, V. nacer   Entender, entendimiento, V. tender   Enteralgia, V. enteritis   Enterar, entereza, V. entero

ENTERITIS 'inflamación intestinal', 1884. Deriv. culto del gr. énteron 'intestino'.
DERIV. Entérico. Disentería, 1555, tom. del gr. dysentería íd., formado con el prefijo dys-, que indica mal estado; disentérico.
CPT. Enterocolitis, 1800. Enteralgia, con algéō 'yo sufro'.

Enterizo, V. entero   Enternecer, V. tierno

ENTERO, 1223. Del lat. ĪNTĔGER, -ĔGRA, -ĔGRUM, 'intacto, entero' (según la pronunciación vulgar INTÉGRUM). El duplicado culto íntegro, 1640.
DERIV. Entereza, 1490. Enterizo, 1495. Enterar 'informar', 1573, antes 'reintegrar, restituir algo en su integridad', 1495, de donde 'pagar, contentar' (sentido todavía vivo en Colombia y otras partes), y de ahí la acepción moderna. Integrar; integración; integrante. Integérrimo, princ. S. XVII, del superlativo lat. integerrĭmus. Integral. Integridad, 1444. Integrismo; integrista. Reintegrar, 1737; reintegro, 1737.

Enterocolitis, V. enteritis   Enterrar, V. tierra   Entibar, V. estibar   Entibiar, V. tibio   Entidad, V. ser   Entierro, V. tierra

ENTIMEMA 'especie de silogismo fundado en lo que parece claro', 1611, lat. enthýmēma. Tom. del gr. enthýmēma, -ématos, íd., deriv. de enthyméomai 'yo deduzco por raciocinio', y éste a su vez de thymós 'espíritu'.

Entintar, V. teñir   Entitativo, V. ser   Entizar, V. tiza   Entoldado, entoldar, V. toldo

ENTOMOLOGÍA, 1884. Cpt. culto del gr. éntomon 'insecto' (deriv. de entémnō 'yo corto a pedazos', por los segmentos que los caracterizan) y lógos 'tratado'.
DERIV. Entomólogo; entomológico.

Entonación, entonar, V. tono

ENTONCES, h. 1250 (estonces, h. 1140). Del lat. vg. *ĪNTŬNCE íd., cpt. de ĬN 'en' y el lat. arcaico *TŬNCE, de donde salió el lat. TŬNC 'entonces'.

Entongar, V. túnica   Entontecer, V. tonto   Entorchado, V. antorcha   Entornar, V. torno   Entorpecer, V. torpe   Entortar, V. torcer   Entosigar, V. tósigo   Entozoario, V. zoo-   Entrada, entrado, V.

entrar   Entramado, V. *trama   Entrambos*, V. *ambos   Entrampar*, V. *trampa
Entrante*, V. *entrar*

ENTRAÑA, 2.ª mitad S. X. Del lat. IN-
TERANĔA 'intestinos', neutro plural del ad-
jetivo INTERANĔUS 'interno'. DERIV. *Entrañable*, 1490. *Entrañar*, h.
1570. *Desentrañar*, 1596.

Entrapajar, V. *trapo   Entrapazar*, V.
trampa

ENTRAR, h. 1140. Del lat. ÍNTRARE íd.
DERIV. *Entrada*, h. 1140. *Entrante*. Cultismos: *Subintrar; subintrante; subintración*.

ENTRE, prep., h. 1140. Del lat. ÍNTER íd.
DERIV. *Interno*, med. S. XV, lat. *intĕrnus*
íd.; *internar*, h. 1632; *internado. Interin*,
1595, lat. *intĕrim* 'mientras tanto'; *interino*,
1734; *interinidad. Interior*, 1438, lat. *interior, -oris*, íd.; *interioridad. Íntimo*, h. 1440,
lat. *intĭmus* 'de más adentro de todo'; *intimidad; intimar*, 1492, lat. *intimare* 'llevar
adentro de algo', 'dar a conocer'; *intimación. Intestino*, 1591 y ya S. XIII, lat. *in-
testīnus* 'interior, intestino'; *intestinal*.
CPT. *Intrínseco*, med. S. XV, lat. *intrin-
sĕcus*, formado con *secus* 'según, junto a'.

Entreabrir, V. *abrir   Entreacto*, V. *acto
Entrecano*, V. *cano   Entrecavar*, V. *cavar
Entrecejo*, V. *ceja   Entrecomar, entrecomillar*, V. *coma* I   *Entrecortado, entrecortar*, V. *corto   Entrecruzar*, V. *cruz
Entrechocar*, V. *chocar   Entredicho*, V.
decir   Entredós, V. *dos   Entrefino*, V.
fino

ENTREGAR, 1220-50, primitivamente
entegrar, 1252 (*entergar*, h. 1140), 'hacer
entrega'; significó primeramente 'reintegrar,
restituir'. Del lat. INTEGRARE 'reparar, rehacer', deriv. de INTEGER 'entero, íntegro'.
DERIV. *Entrega*, med. S. XIII.

Entrelazar, V. *lazo   Entrelinear*, V.
línea

ENTREMÉS, 1427. Tom. del cat. *entremès*, 'manjar entre dos platos principales',
'entretenimiento intercalado en un acto público' (con ambas acepciones desde el S.
XIV), o del fr. ant. *entremès* (con ambas
desde el S. XII); procedentes del lat. ÍN-
TERMÍSSUS, participio de INTERMÍTTĔRE 'intercalar', deriv. de MÍTTĔRE.

Entremeter, entremetido, V. *meter   Entrepaño*, V. *paño   Entresacar*, V. *sacar
Entreseña*, V. *seña*

ENTRESIJO, 1475, 'mesenterio, tela llena
de gordura que cubre el abdomen por delante, en medio del vientre'. Deriv. de un
verbo *entrasijar 'cubrir de un lado a otro
de las ijadas' (*entresilhar* en portugués), y
éste de *trasijar* 'ceñir estrechamente por las
ijadas', princ. S. XVII, que a su vez procede del lat. TRANS 'a través' más el lat. ĪLIA
'ijadas, vientre'.

Entresuelo, V. *suelo   Entretanto*, V.
tanto   Entretejer, V. *tejer   Entretela*,
V. *tela   Entretener, entretenimiento*, V.
tener   Entretiempo, V. *tiempo   Entrever*, V. *ver   Entreverado, entreverar, entrevero*, V. *vario   Entrevista, entrevistarse*,
V. *ver   Entripado*, V. *tripa   Entristecer*,
V. *triste   Entrojar*, V. *troj   Entrometer*, V. *meter   Entroncar*, V. *tronco   Entronizar*, V. *trono   Entronque*, V. *tronco
Entuerto*, V. *torcer   Entumecer, entumecimiento*, V. *tumor   Enturbiar*, V. *turbar*

ENTUSIASMO, 1606. Tom. del gr. *en-
thusiasmós* 'arrobamiento, éxtasis', deriv. de
enthusiázō 'estoy inspirado por la divinidad', que a su vez procede de *enthusía*
'inspiración divina', y éste de *énthus* 'inspirado por los dioses' (deriv. de *theós* 'dios').
DERIV. *Entusiasta*, 1765-83, del fr. *enthou-
siaste*, 1544, deriv. culto de dicha voz griega. *Entusiástico*, 1765-83, copiado del ingl.
enthusiastic, 1603, gr. *enthusiastikós. Entu-
siasmar*, 1832.

Enumeración, enumerar, V. *número
Enunciado, enunciar, enunciativo*, V. *nuncio   Envainar*, V. *vaina   Envalentonar*,
V. *valer   Envanecer*, V. *vano   Envaramiento, envarar*, V. *vara   Envasar, envase*, V. *vaso   Envejecer*, V. *viejo   Envenenar*, V. *veneno   Envergar*, V. *verga
Envés, envesado*, V. *verter   Enviar*, V.
vía   Envidar, V. *invitar*

ENVIDIA, 1220-50, tom. del lat. *invĭ-
dĭa* íd., deriv. de *invidēre* 'mirar con malos
ojos, con envidia' y éste de *videre* 'ver'.
DERIV. *Envidioso*, 1220-50. *Envidiar*,
1220-50.

Envigar, V. *viga   Envilecer*, V. *vil
Envinagrar, envinar*, V. *vino   Envío, envión*, V. *vía   Enviscar*, V. *visco   Envite*, V. *invitar   Enviudar*, V. *viuda   Envoltorio, envoltura, envolvente, envolver, envuelto*, V. *volver   Enyesar*, V. *yeso   Enzarzar*, V. *zarza*

ENZIMA, S. XX. Deriv. culto del gr.
zými 'fermento', con el prefijo *en-* 'en, dentro de'.

Enzootia, V. *zoo-   Enzunchar*, V. *zuncho*

EOCENO, S. XX. Cpt. culto del gr. *ēós* 'aurora' con *kainós* 'nuevo', por formar el punto de partida del terciario.

Eón, V. *edad* *Epa,* V. *¡upa!*

EPACTAS, 1601, lat. *epactae* íd. Tom. del gr. *epaktài hēmérai* 'días introducidos o intercalados, de *epaktós,* adjetivo verbal de *epágō* yo traigo, introduzco' (deriv. de *ágō* 'yo conduzco').

Epéntesis, epentético, V. *tesis*

EPERLANO, 1817. Del fr. *éperlan* íd., y éste del fráncico *SPIRLING* íd. (alem. *spierling,* neerlandés *spirling*).

Épica, V. *épico*

EPICENO, 1490, lat. *epicoenus.* Tom. del gr. *epíkoinos* 'común', deriv. de *koinós* íd.

Epicentro, V. *centro* *Epiciclo, epicloide,* V. *ciclo*

ÉPICO, 1580, lat. *epïcus.* Tom. del gr. *epikós* íd., deriv. de *épos, épus,* 'verso, especialmente el épico', propte. 'palabra', 'recitado'.
DERIV. *Épica.*
CPT. *Epopeya,* 1612, gr. *epopoiía* íd., propte. 'composición de un poema épico', formado con *poiéō* 'yo hago'.

Epidemia, epidémico, V. *democracia* *Epidermis,* V. *dermatosis* *Epífisis,* V. *físico* *Epifonema,* V. *fonético* *Epigástrico, epigastrio,* V. *gástrico* *Epiglotis,* V. *glosa* *Epígono,* V. *engendrar* *Epígrafe, epigrafía,* V. *gráfico* *Epigrama, epigramático,* V. *gramático*

EPILEPSIA, 1494, lat. *epilepsïa.* Tom. del gr. *epilēpsía* íd., propte. 'interrupción brusca', deriv. de *epilambánō* 'yo cojo, ataco, intercepto' (de *lambánō* 'yo cojo').
DERIV. *Epiléptico,* 1490, gr. *epilēptikós.* De otros deriv. de *lambánō*: *Analéptico,* gr. *analēptikós,* de *analambánō* 'yo vuelvo a tomar, recupero'. *Epanalepsis,* 1580, gr. *epanálēpsis* 'repetición', de *epanalambánō* 'yo vuelvo a empezar'. *Prolepsis,* gr. *prólēpsis,* de *prolambánō* 'yo cojo de antemano'. *Silepsis,* 1739, gr. *sýllēpsis,* de *syllambánō* 'yo junto'; *sílaba,* h. 1250, lat. *syllăba,* del gr. *syllabē* íd., deriv. de este verbo; *silabario; silabear, silábico; bisílabo o disílabo; disilábico; trisílabo, trisilábico; polisílabo, polisilábico. Sílabo,* lat. *syllăbus* 'lista, sumario'.

Epilogar, epílogo, V. *prólogo*

EPINICIO 'himno triunfal', 1765-83, lat. *epinicion.* Tom. del gr. *epiníkion* íd., derivado de *níkē* 'victoria'.

EPIPLÓN, 1939. Tom. del gr. *epíploon* íd.

Epiquerema, V. *quiro-*

EPIQUEYA 'interpretación moderada y equitativa de la ley', 1491. Del gr. *epiéikeia* 'equidad', deriv. de *epieikēs* 'mesurado', 'equitativo'.

Episcopal, episcopologio, V. *obispo*

EPISODIO, 1615. Tom. del gr. *epeisódion* 'parte del drama entre dos entradas del coro', 'accesorio', deriv. de *éisodos* 'entrada', y éste de *hodós* 'camino' (con prefijo *eis-* 'adentro').
DERIV. *Episódico.* Otros deriv. de *hodós*: *Éxodo,* 1596, gr. *éxodos* 'salida'. *Método,* 1611, gr. *méthodos,* propte. 'camino para llegar a un resultado'; *metódico,* h. 1440; *metodizar; metodismo, metodista* y el cpt. *metodología. Período,* 1490, gr. *períodos,* propte. 'revolución de los astros', 'periodicidad', formado con *peri-* 'alrededor'; *periódico,* 1737; *periodicidad; periodista,* fin S. XIX, *periodismo* íd., *periodístico. Sínodo,* 1444, gr. *sýnodos* 'reunión'; *sinodal,* 1490.
CPT. *Hodómetro.*

Epispástico, V. *pasmo*

EPÍSTOLA 'carta misiva', 1220-50, lat. *epistŭla.* Tom. del gr. *epistolē* 'mensaje escrito', 'carta', deriv. de *epistéllō* 'yo envío un mensaje', y éste de *stéllō* 'yo envío'.
DERIV. *Epistolar,* med. S. XVII. *Epistolario,* 1611.
CPT. *Epistológrafo.*

EPITAFIO 'inscripción sobre una tumba', h. 1250, lat. *epitaphïum* íd. Tom. del gr. *epitáphios* 'que se hace sobre una tumba', 'fúnebre', deriv. de *táphos* 'sepultura'.

Epitalámico, epitalamio, V. *tálamo*

EPITELIO 'tejido tenue que cubre las membranas mucosas', med. S. XIX. Deriv. de *thēlē* 'pezón del pecho' con *epi-* 'encima de'.
CPT. *Endotelio,* 1939, formado con *éndon* 'adentro' y la terminación de *epitelio.*

Epítema V. *bizma* *Epíteto,* V. *tesis* *Epítima,* V. *bizma* *Epítimo,* V. *tomillo* *Epítome,* V. *tomo* *Epizootia,* V. *zoo-*

ÉPOCA, 1682. Tom. del gr. *epokhē* 'período, era, época', propte. 'parada, deten-

·ción', 'lugar del cielo donde se creía se detiene un astro en su apogeo, y momento en que lo hace', deriv. de *epékhō* 'yo estoy encima, ocupo un lugar', y éste de *ékhō* 'yo tengo, me hallo'.

Epodo, V. *oda*   *Epónimo*, V. *nombre*
Epopeya, V. *épico*   *Equiángulo*, V. *ángulo*
lo   Equidad, equidistancia, equidistante, V. *igual   Equidna*, V. *equino   Équido*, V. *yegua   Equilátero, equilibrado, equilibrar, equilibrio*, V. *igual   Equimosis*, V. *quimo*

EQUINO 'erizo marino', 1444; 'moldura convexa', princ. S. XVIII; lat. *echīnus* 'erizo'. Tom. del gr. *ekhînos* íd. *Equidna* 'mamífero monotrema, con púas como un erizo', S. XX, debido a una confusión entre *ekhînos* y el gr. *ékhidna* 'víbora'.
Cpt. *Equinococo*, formado con el gr. *kókkos* 'gusanillo'; *equinococosis. Equinodermo*, con gr. *dérma* 'piel'.

Equino 'relativo al caballo', V. *yegua*
Equinoccial, equinoccio, V. *igual   Equinococo, equinococosis, equinodermo*, V. *equino*

EQUIPAR 'proveer de lo necesario', 1732. Del fr. *équiper* íd., procedente del escand. ant. *skipa* 'equipar un barco', deriv. de *skip* 'barco'.
Deriv. *Equipaje* 'equipo de los soldados', 1705, 'conjunto de lo que uno lleva en los viajes', 1732. *Equipo*, 1843.

Equiparar, V. *igual   Equipo*, V. *equipar*
Equisetáceo, equitación, V. *yegua   Equitativo, equivalencia, equivalente, equivaler, equivocación, equivocar, equívoco*, V. *igual*

ERA I, 1220-50, 'fecha desde la cual se empiezan a contar los años', 'época larga'. Tom. del lat. tardío *aera -ae*, íd., propte. 'número, cifra', primitivamente plural de *aes, aeris*, 'cantidad', propte. 'bronce', 'dinero'.

ERA II, 938, 'espacio de tierra donde se trillan las mieses'. Del lat. ARĔA 'solar sin edificar, era'. Duplicado culto: *área*, 1600.
Deriv. *Aréola. Erial* 'tierra sin cultivar', 1335, deriv. de *ería* 'yermo, despoblado', 1220-50.

Erario, V. *alambre   Erección, eréctil*, V. *erguir   Eremita, eremítico*, V. *yermo   Eretismo*, V. *erístico   Ergástula, ergástulo*, V. *energía*

ERGO, 1765-83. Tom. del lat. *ergo* 'por lo tanto'.
Deriv. *Ergotista*, 1843, *ergotismo*, 1884, del fr. anticuado *ergotisme*, deriv. de *ergo-*

ter, S. XIII, 'argumentar'; *ergotizar*, fin S. XIX.

ERGOTINA 'principio activo del cornezuelo de centeno', 1899. Del fr. *ergotine* íd., deriv. de *ergot* 'cornezuelo de centeno', propte. 'espolón del gallo', de origen desconocido.
Deriv. *Ergotismo* 'conjunto de síntomas producidos por la ergotina'.

ERGUIR 'enderezar', princ. S. XIII. Del lat. ĔRĬGĔRE íd., contraído comúnmente en *ĔRGĔRE; ERIGERE era deriv. de REGERE 'dirigir'. *Yerto* 'tieso, derecho', 1335, fue el antiguo participio de *erguir* (lat. vg. *ERCTUS). *Erigir*, princ. S. XVII, es duplicado culto.
Deriv. *Erección*, princ. S. XVII, tom. del lat. *erectio, -onis; eréctil*, 1884.

Erial, V. *era* II

ERICÁCEO, 1884. Deriv. culto del lat. *erīce* 'jara', del gr. *eríkē*.

Erigir, V. *erguir*

ERISIPELA, 1581, lat. *erysipĕlas*. Tom. del gr. *erysípelas, -élatos*, íd., cpt. de *eréuthō* 'yo enrojezco' y *pélas* 'cerca', por la propagación paulatina de las erisipelas y empeines. Alterado vulgarmente en *disipela, disípula, erisípula*.
Deriv. *Eritema*, 1884, gr. *erýthēma* 'rubicundez', de la misma raíz griega.
Cpt. *Eritroxíleo*, 1899, cpt. del gr. *xýlon* 'madera' y *erythrós* 'rojo', también de dicha raíz.

ERÍSTICO, 1884. Tom. del gr. *eristikós* 'consistente en discusiones', deriv. de *éris* 'disputa'. Deriv. de la misma raíz: *Eretismo* 'exaltación de las propiedades de un órgano', 1765-83, gr. *erethismós* 'irritación', deriv. de *erethízō* 'yo provoco, irrito'.

Eritema, eritroxíleo, V. *erisipela*

ERIZO, 1335. Del lat. ERĪCIUS íd. (o HERICIUS), deriv. del arcaico ER íd.
Deriv. *Erizar*, 1335.

Ermita, ermitaño, V. *yermo   Erogación, erogar*, V. *rogar   Erosión*, V. *roer*

ERÓTICO 'perteneciente al amor', 1580, lat. *eroticus*. Tom. del gr. *erōtikós* íd., derivado de *érōs, -ōtos*, 'amor'.
Deriv. *Erótica. Erotismo*, princ. S. XVII.
Cpt. *Erotomanía; erotómano*.

Errabundo, V. *errar   Erradicar*, V. *raíz*
Errado, V. *errar*

ERRAJ 'cisco hecho con el hueso de la aceituna después de prensado en el molino', 1611. Origen incierto, probte.. del vasco, como voz propagada en fecha tardía desde los olivares de la Rioja (aunque es difícil precisar si viene de *erragin* 'combustible' o de otra palabra vasca).

ERRAR, S. X. Del lat. ĔRRĀRE 'vagar, vagabundear', 'equivocarse'. Deriv. *Errada* 'error', 1495. *Erradizo,* 1495. *Errante,* h. 1520. *Yerro,* 1220-50. Cultismos: *Aberrar,* 1880, lat. *aberrare; aberrante,* 1918; *aberración,* 1772. *Errabundo,* 1438. *Errata,* 1617, lat. *errata,* plural de *erratum* 'cosa errada'. *Errático,* princ. S. XV. *Erróneo,* h. 1440, lat. *erroneus. Error,* 1220-50.

Erubescencia, erubescente, V. *rubio*

ERUCTAR, 1607. Tom. del lat. *eructare* íd. Deriv. *Eructo,* 1832; antes se dijo *eructación,* 1599, y antes *regüeldo.*

Erudición, erudito, V. *rudo*   *Erupción, eruptivo,* V. *romper*

ESBELTO, 1633, 'airoso y alto'. Del it. *svelto* 'alto y moderadamente delgado', 'ágil, desenvuelto en sus movimientos', participio de *svèllere* 'arrancar', y éste del lat. EVĔL-LĔRE íd. Deriv. *Esbeltez,* 1884; *esbelteza,* 1621.

ESBIRRO 'corchete', 1611, término que designa despectivamente al agente policíaco. Del it. *sbirro,* deriv. despectivo de *birro* íd. (ambos anteriores al S. XVI, y de origen incierto).

Esbozar, esbozo, V. *boceto*

ESCABECHE 'adobo con vinagre y otros ingredientes para conservar los pescados', 1525 (el cat. *escabetx,* ya S. XIV). Del árabe, procedente de una forma vulgar **iske-bêŷ,* en lugar de la antigua *sikbâŷ* 'guiso de carne con vinagre y otros ingredientes' (ya medieval en este idioma, aunque no parece autóctono en el mismo). Deriv. *Escabechar,* 1611. *Escabechina.*

ESCABEL, 1604 (*escabello,* S. XIV), 'tarima pequeña frente a una silla, para que descansen los pies del que en ella se sienta', 'asiento pequeño y sin respaldo'. Tom. del lat. *scabĕllum* íd., probablemente por conducto del cat. ant. *escabell,* 1430 (hoy *escambell*).

ESCABIOSA, 1495, 'hierba dipsácea, de cuya raíz se saca un cocimiento empleado popularmente contra las afecciones del pecho'. Tom. del lat. *scabiōsa* íd., propte. femenino de *scabiōsus* 'áspero, rugoso' (al parecer por lo velloso de las hojas), deriv. de *scabies* 'sarna'.

ESCABROSO, h. 1580, 'desigual, lleno de tropiezos y estorbos'. Tom. del lat. tardío *scabrōsus* 'desigual, áspero, tosco', 'sarnoso', deriv. del lat. *scaber, -bra, -brum,* íd. (de la misma raíz que *scabĕre* 'rascar' y *scabies* 'sarna').

ESCABULLIRSE, S. XIV, 'escaparse de entre las manos como deslizándose'. Hermano del port. *escapulir-se,* cat. *escapolir-se,* it. *scapolarsi,* íd., con el adjetivo correspondiente cat. *escàpol,* it. *scàpolo,* 'huido, suelto, libre'. Familia léxica de formación oscura y complicada, al parecer procedente de un lat. vg. *EXCAPULARE 'escaparse de un lazo', deriv. de CAPŬLARE 'enlazar (animales)', (y éste de CAPĔRE 'coger'). De las formas romances, unas se alteraron por influjo de *escapar,* y la castellana sufrió la contaminación del antiguo y dialectal *escullirse* 'escurrirse, resbalar' (SS. XVIII y XV, V. en *GUILLARSE*) o de *bullir* 'menearse'.

ESCAFANDRA, 1901 (*-andro,* 1899). Tom. del fr. *scaphandre,* masc., cpt. con la frase griega *skáphē andrós* 'bote de un hombre (esquife para un hombre)'. Cpt. *Escafoides,* 1765-83, cpt. del gr. *ská-phē* 'bote' y *êidos* 'aspecto'.

ESCALA, 1490. Del lat. SCALA 'escalón', 'escala', 'escalera'. Deriv. *Escalera,* 1220-50, lat. SCALARIA íd. (plural de SCALARE o SCALARIUM íd.). *Escalar,* 1438; *escalada,* 1604; *escalador,* 1495; *escalamiento. Escalinata,* 1803, lat. *scalinata* íd., deriv. de *scalino* 'escalón'. *Escalón,* 1220-50; *escalonar; escalonamiento. Escalafón,* 1843, palabra de formación oscura, quizá adaptación popular, entre militares, de una expresión francesa *échelle de fonds* 'escala de los fondos necesarios para pagar a la oficialidad'.

Escalambrujo, V. *escaramujo*

ESCÁLAMO 'tolete', 1564. Del lat. vg. *SCALᴬMUS, alteración del gr. *skalmós* íd. por influjo del lat. CALᴬMUS 'caña'.

Escaldar, V. *caldo*

ESCALENO, 1617, lat. tardío *scalēnus* íd. Tom. del gr. *skalēnós* 'cojo', 'oblicuo'.

Escalera, escalerilla, V. *escala*

ESCALFAR 'cocer los huevos sin cáscara', 1505; antes 'calentar en general', 1152, voz siempre poco usada en castellano. Derivado de *calfar*, conservado en Murcia y en otras lenguas romances, procedente del lat. vg. CALFARE, lat. CALEFACĔRE íd., cpt. de CALĒRE 'estar caliente' y FACĔRE 'hacer'; las formas modernas están tomadas en parte del cat. *escalfar* 'calentar en general'.

DERIV. *Escalfador*, 1390. *Escalfarote*, 1720, del it. *scalferotto*.

Escalinata, V. *escala*   *Escalofriado*, V. *escalofrío*

ESCALOFRÍO, 1604, antes *calofrío*, 1496 (alterado bajo el influjo del deriv. *escalofriado*, 1732). Compuesto de la raíz de *calor* con *frío*, aunque el modo de formación no está bien claro (compárese el port. *calefrío* y el cat. *calfred*).

Escalón, escalonar, V. *escala*   *Escalpelo*, V. *escoplo*   *Escalla*, V. *escanda*   *Escama* 'recelo', V. *escamar*

ESCAMA, 1335. Del lat. SQUAMA íd.
DERIV. *Escamar* 'quitar las escamas', 1495. *Escamoso*, 1438. *Descamación*.

Escamar 'quitar las escamas', V. *escama*

ESCAMAR, 1765-83, 'hacer entrar en cuidado o recelo'. Voz familiar y moderna, de historia oscura, probte. relacionada con *escamonear*, 1732, de igual significado, que quizá sea un mero derivado del nombre de la *escamonea*, 1495 (*escamna* en Mallorca, gr. *kámōn* o *skammōnía*), por los efectos de este purgante drástico y maligno. Sin embargo en catalán existen las variantes *escatmar* (S. XIII), *escamnar* (S. XV), *escammar* (fin S. XIV), y en Asturias y Santander *escarmar* 'escarmentar', todas las cuales podrían resultar de un derivado de *escátima* 'perjuicio' (V. *ESCATIMAR*).
DERIV. *Escama* 'recelo', 1832; *escamón*, fin S. XIX.

ESCAMOCHO, h. 1480, 'desperdicio de comida o carne'. Probablemente alteración de *esquimocho* (*esquimochón*, S. XIII-XV), deriv. del antiguo *esquimar* por *esquilmar* (V. éste); la moderna forma con *a* se deberá entonces al influjo de *escamar* 'quitar las escamas al pescado'.
DERIV. *Escamochar* o *escamochear*, SS. XIX-XX, 'quitar hojas inútiles a las plantas'; por cruce de éste con *mondar*; *escamondar*, h. 1530, 'limpiar los árboles quitándoles ramas inútiles y hojas secas'.

Escamón, V. *escamar*   *Escamondar*, V. *escamocho*   *Escamonea, escamonearse*, V. *escamar*   *Escamoso*, V. *escama*

ESCAMOTEAR, 1855 (*escamotar*, 1817), 'hacer desaparecer con juegos de manos', 'hacer desaparecer hábilmente algo'. Del

fr. *escamoter* íd., 1560, de origen incierto; probablemente emparentado con el cast. *camodar*, h. 1480, 'hacer juegos de manos', 'trastrocar', que parece venir del lat. COMMŪTARE 'trocar'. Es posible que el vocablo francés se tomara a su vez del castellano, adaptando su terminación a la frecuente terminación verbal francesa *-oter*.
DERIV. *Escamoteo*.

Escampar, escampavía, V. *campo*

ESCANCIAR, 1062, 'servir el vino en mesas y convites'. Del gót. *SKANKJAN* 'servir bebida' (comp. el alem. *schenken* íd., antes *skẹnken*).

ESCANDA, 883 (también *escalla*, S. XI, o *escaña*, 1601), 'especie de trigo'. Del lat. tardío SCANDŬLA íd.; pero al menos la variante *escandia*, h. 1285, se debe a un cruce con el ár. *qatníya* 'escandia'.

ESCÁNDALO, 1374, lat. *scandǎlum*. Tomado del gr. *skándalon* íd., propte. 'trampa u obstáculo para hacer caer'.
DERIV. *Escandaloso*, 2.º cuarto S. XV; *escandalosa* 'vela pequeña que, en buenos tiempos, se orienta sobre la cangreja', 1831 (quizá por el ruido que mete con ella un viento fresco). *Escandalera. Escandalizar*, 1251.

Escandia, V. *escanda*

ESCANDIR 'medir versos', 1449. Tom. del lat. *scandere* 'escalar', 'medir versos'.
DERIV. *Escansión*, 1611, lat. *scansio, -onis*.

Escansión, V. *escandir*   *Escaña* V. *escanda*

ESCAÑO, 910, 'banco de madera con respaldo'. Del lat. SCAMNUM 'escambel', 'banco'.

ESCAPAR, h. 1140. Del lat. vg. *EXCAPPARE* 'salirse de un estorbo', deriv. de CAPPA 'capa' (por lo que embaraza el movimiento).
DERIV. *Escape*, 1626. *Escapatoria*, 1599.

ESCAPARATE, 1616, 'especie de armario con puertas de cristal para guardar cosas delicadas', 'hueco que hay en la fachada de las tiendas, resguardado con cristales, que sirve para colocar muestras de los géneros en venta'. Del neerlandés anticuado *schaprade* (pronúnciese *sjáprade*, con *j* castellana) 'armario (especialmente el de cocina)', cpt. de *schapp* 'estante, armario', y una forma frisona correspondiente al neerlandés *reeden* 'preparar'.

Escapatoria, escape, V. *escapar*

ESCAPO 'fuste de columna', 1732, 'bohordo de planta'. Tom. del lat. *scapus* 'tallo de planta', 'fuste de columna'.

ESCÁPULA, 1765-83, 'omóplato', término de anatomistas y zoólogos. Tom. del lat. *scapŭla* 'hombro, omóplato'. DERIV. *Escapular,* adj., 1765-83; *subescapular. Escapulario,* 1220-50, tom. del bajo lat. *scapularia* íd., neutro plural del adjetivo *scapularis* 'que cuelga sobre los hombros'.

Escaque, escaqueado, V. *jaque Escara,* V. *asco*

ESCARABAJO, S. XIII. Alteración, por cambio de sufijo, de *escaravayo* (hoy leonés), procedente del lat. vg. **SCARAFAJUS,* variante dialectal del lat. SCARABAEUS íd. (comp. el it. *scarafaggio*).

Escaramucear, V. *escaramuzar*

ESCARAMUJO 'agavanzo, especie de rosal silvestre', 1475 (y derivados ya en el S. XIII). Origen incierto, pero probablemente relacionado con *cambrón* (véase). Viniendo éste del lat. CRABRO, -ONIS, del cual existió una variante antigua **SCRABRO* (it. *scalabrone*), *escaramujo* puede venir de un diminutivo lat. **SCRABRUNCŬLUS* cambiado (por disimilación y metátesis) en **SCARAMBUCŬLUS;* teniendo en cuenta que la forma no disimilada **(S)CARAMBRUCULUS* se ha conservado dialectalmente: arag. *escalambrujo,* 1720, santand. *calambrojo* (y en otras partes *caramujo*).

ESCARAMUZAR, fin S. XV (y quizá ya S. XIII), 'sostener una refriega de poca importancia'. Voz común a todos los romances de Occidente, de origen incierto; quizá nacida de oc. ant. *escar(a)mussar* íd., S. XIV, el cual puede ser derivado de *s'escremir* 'pelear', de igual origen germánico que nuestro *esgrimir.* DERIV. *Escaramuza,* h. 1440; *escaramucear,* 1524.

ESCARAPELA 'divisa compuesta de cintas de varios colores', 1732, más antiguamente 'riña', 1577, de donde el sentido actual, por el desacuerdo entre los colores. Derivado del anticuado *escarapelarse* 'reñir arañándose', h. 1630, tomado del port. *escarpelar-se* íd. (o *escarapelar-se*), deriv. de *carpir-se* 'arrancarse el cabello, arañarse', procedente del lat. CARPĔRE 'arrancar', 'lacerar' (comp. el arag. *escarapizar* 'reñir', 1720).

ESCARBAR, 1335, 'rayar o remover levemente la superficie de la tierra, según suelen hacerlo con las patas la gallina y otros animales', 'limpiar los dientes o los oídos con las uñas o un objeto puntiagudo', voz común con el port. *escarvar,* de origen incierto. Probablemente del lat. tardío SCARIFARE 'rascar', 'rayar superficialmente', 'herir levemente', 'escarbar', y éste del gr. *skaripháomai* íd.; una forma del mismo vocablo, *scarificare,* deformada en bajo latín, por influjo de los muchos cultismos de esta terminación, ha dado por vía culta el cast. *escarificar,* 1765-83. DERIV. *Escarbitar,* 1220-50. *Escarificación.* CPT. *Escarbadientes,* 1495.

ESCARCELA 'especie de bolsa', 1475. Del it. *scarsella* (o quizá de oc. ant. *escarsela*) 'bolsa para dinero', 'bolsa de peregrino o de mendigo', diminutivo de *scarso,* del mismo origen y significado que el cast. *escaso,* que allí significó antiguamente 'avaro': por los ahorros que contenía la *scarsella.*

ESCARCEOS, 1634, 'pequeñas olas ampolladas que se levantan en la superficie del mar cuando hay corrientes', 'tornos y vueltas que dan los caballos fogosos, u obligados por el jinete', 'rodeo, divagación', origen incierto. El significado originario parece ser el portugués 'gran oleada en un mar tempestuoso' (*escarceu,* h. 1500).

ESCARCHA, 1330, *escacha* 'granizo menudo que cae cuando hace mucho frío', 'rocío de la noche congelado' 1399; *escarcha* 1601. Origen incierto; quizá de una palabra vasca dialectal y anticuada **ezkartxa,* diminutivo de un vocablo que designó el granizo en varios puntos del País Vasco: *ezkararr* y *gazkararr* en antiguas variedades alavesas, hoy *gazkaragarr* en Navarra, *kazkaragarr* en Vizcaya, *kazkarabarr* en Guipúzcoa, *kazkaburr* en Sule, *ezkabarra* y *kaskabarra* en otras variedades vizcaínas y antiguas.

Escarda, escardar, escardillar, escardillo V. *cardo Escarificación, escarificar,* V. *escarbar*

ESCARLATA, 1220-50, 'cierta tela lujosa de color carmesí', 'color de esta tela'. Del ár. hispánico *'iškirlâṭa* íd., S. XIII, alteración del más antiguo *siqirlâṭ,* que a su vez lo es del ár. *siqillâṭ* 'tejido de seda brocado de oro', S. VII. Éste procede del gr. bizantino *sigillâtos* 'tejido de lana o lino adornado con marcas en forma de anillos o círculos', que por su parte venía del lat. TEXTUM SIGILLATUM 'paño sellado o marcado'. DERIV. *Escarlatina* 'fiebre eruptiva caracterizada por un exantema de color rojo subido', S. XIX, antes 'cierta tela de lana carmesí', 1497.

ESCARMIENTO, h. 1260, 'castigo ejemplar', 'desengaño adquirido con la experiencia'. Síncopa de *escarnimiento,* que en el S. XIII se halla con la primera de estas acepciones, resultante de una evolución del sentido de 'escarnio' pasando por el de 'daño infligido a alguno', sentidos no menos corrientes entonces. Deriv. de *escarnir,* del mismo origen que *escarnecer.*

DERIV. *Escarmentar* 'castigar para ejemplo', 1220-50, antes 'escarnecer, burlar', h. 1140.

ESCARNECER 'hacer a otro víctima de una burla cruel', h. 1140. Deriv. del antiguo *escarnir*, y éste de una forma germánica *SKERNJAN íd., comp. el alem. ant. *skërnôn* 'escarnecer, burlarse'.
DERIV. *Escarnio*, 1220-50 (*escarno* o *escarne*, fin S. XII).

ESCAROLA, 1513. Procede del lat. tardío ESCARIŎLA íd., abreviación de LACTUCA ESCARIOLA, propte. 'lechuga apetitosa', del diminutivo del adjetivo ESCARIUS 'comestible'; probablemente tomado del cat. *escarola*, donde la evolución fonética responde al desarrollo normal.
DERIV. *Escarolado*, 1615.

ESCARPA 'declive que forma la parte inferior de la muralla de una fortificación hasta el foso', 1625. Del it. *scarpa* íd., de origen incierto: parece sacado de *scarpa* 'zapato' (V. aquí *ESCARPÍN*), por comparación con el declive que forma el pie de una bota por debajo de su caña.
DERIV. *Escarpado* 'en pendiente oblicua' (aplicado a fortificaciones), 1609, 'muy pendiente' (aplicado a peñas), 1732; *escarpe*, 1884. *Contraescarpa*, 1572.

ESCARPIA, 1438, 'clavo grande, con cabeza acodillada'. Origen incierto, probablemente del catalán, donde *escàrpia* íd. se halla junto al dialectal *escarpi* o *escarpe* 'escoplo', del cual deriva; éste y el cat. central *escarpra* proceden del lat. SCALPRUM íd.

ESCARPIDOR, 1680, 'peine de púas ralas para desenredar el cabello'. Del cat. *escarpidor* íd., deriv. de *escarpir* 'desenredar el cabello', y éste de *carpir*, lat. CARPĔRE 'arrancar', 'desgarrar'. *Carpir* ha sido también castellano, 1251, y se emplea todavía en la Argentina y otras partes con el sentido 'escardar'.

ESCARPÍN, 1495. Del it. *scarpino*, diminutivo de *scarpa* 'zapato', S. XIII, voz muy antigua en Italia, de origen incierto (las etimologías germánicas que se le han supuesto son falsas; quizá viene más bien del Levante que del Norte).

Escartivana, V. *cartivana*

ESCARZANO, arco —, 1709 (y ya *esca(r)çano* S. XVI), 'el que es menor que el semicírculo del mismo radio'. Origen incierto.

ESCARZAR 'castrar colmenas', princ. S. XV. Voz común con el port. *escarçar*, de origen incierto. Quizá de un mozárabe *caçrar, y éste del lat. CASTRARE íd., propte. 'castrar animales'.

ESCASO, 1251, 'poco abundante'. Del lat. vg. *EXCARSUS 'entresacado', procedente de un más antiguo EXCARPSUS, participio vulgar del lat. EXCERPĔRE 'entresacar, sacar de entre muchos', deriv. de CARPĔRE 'coger'.
DERIV. *Escasez*, 1604 (*escaseza*, h. 1330). *Escasear*, princ. S. XVII.

ESCATIMAR 'regatear mezquinamente', princ. S. XV. Palabra propia del castellano y del portugués antiguo, que en la época primitiva significa 'evaluar o rectificar minuciosamente', h. 1260, 'tergiversar, argumentar capciosamente', h. 1280. Debido probte. a un cruce de dos sinónimos: el lat. AESTIMARE y el gót. *SKATTJAN (o un derivado suyo *SKATTINON) 'evaluar, calcular' (comp. el alem. *schätzen* íd.).
DERIV. *Escátima* o *escatima*, 1212, 'argumentación minuciosa', 'pleiteo capcioso', 'engaño', 'perjuicio'. 'afrenta'. V. *ESCAMAR*. *Escatimador*, 1220-50.

ESCATOFAGIA, S. XX. Cpt. culto del gr. *skôr, skatós*, 'excremento', y *éphagon* 'yo comí'.
DERIV. *Escatófago*.
CPT. *Escatofilia*, S. XX, cpt. del mismo con *phílos* 'amigo'. *Escatológico* 'referente a los escrementos y suciedades', S. XX, formado con *lógos* 'tratado': *escatología*. Comp. el siguiente.

ESCATOLOGÍA 'creencias referentes a la vida de ultratumba', S. XX. Cpt. culto del gr. *éskhatos* 'último' y *lógos* 'tratado'.
DERIV. *Escatológico* 'referente a estas creencias'; para el significado 'excrementicio', V. el artículo anterior.

ESCAYOLA, 1765-83, 'yeso espejuelo calcinado', 'estuco'. Del it. *scagliuola* 'especie de estuco yesoso, adhesivo y resistente, al cual se juntan materias colorantes, para imitar piedras venosas', diminutivo de *scaglia* 'escama'.

ESCENA, 1577. Tom. del lat. *scaena* 'escenario, teatro', y éste del gr. *skēnḗ* 'escenario', propte. 'choza', 'tienda'.
DERIV. *Escenario*, 1843. *Escénico*, 1490. CPT. *Escenificar*; *escenificación*. *Escenografía*, 1732; *escenógrafo*; *escenográfico*. *Proscenio*, gr. *proskḗnion*, formado con *pro-* 'ante'.

ESCÉPTICO, 1615. Tom. del gr. *skeptikós* íd., propte. 'que observa sin afirmar', deriv. de *sképtomai* 'yo miro, observo'.
DERIV. *Escepticismo*, 1832.

ESCINDIR 'partir, dividir', S. XX. Tom. del lat. *scindĕre* 'rasgar', 'rajar', 'dividir'.
DERIV. *Escisión*, 1765-83, lat. *scissio, -onis*, 'corte, división'. *Abscisa*, 1772, lat. *abscissa linea*, participio de *abscindĕre* 'cor-

tar, separar, arrancar'. *Prescindir*, h. 1570,
lat. *praescindĕre* 'separar', tomado en el sentido de separación mental; *prescindible*,
imprescindible. *Rescindir*, 1832, lat. *rescin-
dĕre* íd.; *rescindible*; *rescisión*. *Cisura*, lat.
scissūra.

Escirroso, V. *cirro*   *Escisión*, V. *escindir*   *Esclarecer, esclarecimiento*, V. *claro*

ESCLAVO, S. XV. Tom. indirectamente
del gr. bizantino *sklávos* 'esclavo' y 'eslavo',
deriv. regresivo del gr. biz. *sklavinós* 'esclavo', y éste de *slověninŭ*, nombre propio que
se daba a sí misma la familia de pueblos
eslavos, que fue víctima de la trata esclavista en el Oriente medievaL El it. *schiavo*,
equivalente de *esclavo*, pronunciado *čau* en
los dialectos del Norte de Italia y empleado
como expresión de cortesía con el sentido
de 'servidor de usted', ha pasado como interjección de despedida al castellano de la
Argentina y de otros países americanos
DERIV *Esclavista*. *Esclavitud* 1604 *Escla-
vizar Esclavina*, 1335, de la mencionada
antigua forma gr *sklavinós*, por la vestidura tosca que llevaban los eslavos en peregrinación a Roma y a Compostela

ESCLEROSIS, S XX Del gr *sklěrōsis*
endurecimiento deriv de *sklěrós* 'duro'
DERIV *Esclerótico* o *escleroso Esclerótica*
membrana dura que cubre el globo del
ojo 1581
CPT *Esclerodermia* formado con *dérma*
piel

ESCOA cada una de las dos piezas de
madera adheridas por fuera al forro de la
embarcación, y paralelas a la quilla, desti-
nadas a dar estabilidad a la embarcación
varada', 1722 Del cat *escoa* íd., S XIII,
y éste de *escosa*, participio arcaico del antiguo verbo *escondre* 'esconder' (lat. ABSCON-
DĔRE, participio ABSCONSA), porque las es-
coas van siempre ocultas debajo del agua.

ESCOBA, h 1400 (V abajo *escobar*). Del
lat. SCŌPA íd., primitivamente SCŌPAE 'briz-
nas'. Secundariamente *escoba* se vuelve
nombre de ciertas plantas empleadas para
hacer escobas, S. XV.
DERIV. *Escobar* 'sitio donde abunda esta
planta', 1135 (*scopare*, 960). *Escobajo*, 1490.
Escobilla, h. 1100; *escobillar*, 1705; *escobillón*, 1832, imitado del fr. *écouvillon*, derivado allí de la misma voz latina.

ESCOBÉN, h. 1575, 'cualquiera de los
agujeros que se abren a ambos lados de la
roda de un buque, para que pasen por ellos
los cables o cadenas'. Voz común con el
cat. *escobenc*, port. *escovém*, fr. *écubier*, de
origen incierto, parece procedente del ca-

talán, donde sería derivado regular del cat
vg *escova* variante de *escoa*

Escobilla, escobillar. escobillón. V *escoba   Escocedura, escocer*. V *cocer*

ESCOCIA moldura cóncava entre dos
toros', 1732 Tom del lat *scōtia* íd, y éste
del gr *skotía* 'oscuridad', 'especie de gote-
ra', deriv de *skótos* 'tinieblas'

ESCODAR 'labrar piedras con la escoda',
1495, 'sacudir la cornamenta los animales
que la tienen, para quitarse los pellejos que
tienen en ella', h 1820 Origen incierto,
quizá del lat. EXCŪTĔRE 'sacudir', 'arrancar',
'deshacerse de algo sacudiéndolo' (deriv de
QUĀTĔRE 'sacudir')
DERIV *Escoda* 'instrumento de hierro a
modo de martillo, con corte en ambos lados. enastado en un mango 1490

ESCOFINA, 1335, 'especie de lima grande para desbastar' Del lat vg *SCOFFĪNA*,
forma dialectal itálica del lat SCOBĪNA íd
DERIV *Escofinar* 1601

Escoger. V *coger   Escolar escolasticismo escolástico* V *escuela*

ESCÓLEX abultamiento a modo de cabeza, que la solitaria tiene en uno de sus
extremos', S XX Tom del gr *skŏlēx,
-ēkos* gusano 'lombriz'

Escoliasta. V *escuela*

ESCOLIMOSO, 1601, 'áspero, intratable,
descontentadizo' Deriv culto del lat. *scŏ-
lўmos*, gr *skólymos* 'especie de cardo',
propte. 'espinoso como un cardo'. Vulgarmente se dice *esquilimoso*, 1765-83.

Escolio, V *escuela*

ESCOLIOSIS, S. XX, 'desviación del raquis'. Deriv. culto del gr. *skoliós* 'oblicuo',
'torcido'

ESCOLOPENDRA, 1611 (en sentidos secundarios, 1555), lat. *scolopendra*. Tom. del
gr. *skolópendra* 'cientopiés'.

ESCOLTA, h. 1530, 'fuerza militar destinada a resguardar o conducir a alguien o
algo, o a acompañarlo en señal de reverencia'. Del it. *scorta* 'acompañamiento', 'escolta', deriv. de *scòrgere* (participio *scòrto*)
'divisar, observar', 'guiar', que procede del
lat. vg. *EXCORRĬGĔRE* 'enderezar', 'rectificar
el camino' (deriv. de CORRĬGĔRE íd.).
DERIV. *Escoltar*, 1623, it. *scortare* íd.

ESCOLLO 'peñasco a flor de agua', 1607
Del it. *scoglio* íd., procedente del dialecto

de la Liguria, donde hoy es *schêuggio*;
éste, con el oc. *escuelh* y el cat. *escull*, proceden de un lat. vg. *SCŎCLU, variante del
lat. SCŎPŬLUS 'peña', 'peñasco', 'escollo'.
DERIV. *Escollera*, 1832.

ESCOMBRO I 'desecho, cascote de edificación', 1607. Deriv. del antiguo *escombrar*
'desembarazar de estorbos y escombros',
h. 1140, de un lat. vg. *EXCOMBORARE 'sacar estorbos', deriv. del celta CŎMBŎROS
'amontonamiento', 'obstáculo' (comp. el irl.
commar, galés *cymmer*); cpt. de COM- 'juntamente' y BERO 'yo llevo'.
DERIV. *Escombrera*.

ESCOMBRO II 'caballa', h. 1575, lat.
scŏmber, *-bri*. Tom. del gr. *skómbros* íd.

Escomearse, V. *mear*

ESCONCE, 1543, 'ángulo entrante o saliente', 'rincón'. De un fr. ant. *escoinz*,
forma hoy conservada en los dialectos y
que debió de existir ya antiguamente junto
al más corriente *escoinçon* íd. (hoy *écoin-
çon*), deriv. de *coin* 'rincón', que procede
del lat. CŬNĔUS 'cuña'.
DERIV. *Esconzar*, *esconzado*, 1732 (*yzgon-
çado*, 1633).

ESCONDER, S. XIV. Del antiguo *ascon-
der*, h. 1140, y éste del lat. ABSCONDĔRE íd.,
deriv. de CONDERE 'colocar', 'guardar', encerrar, esconder'.
DERIV. *Escondidas*, 1495. *Escondite*, 1616.
Escondrijo, 1570, del antiguo *escondedijo*,
S. XIII, pasando por *esconderijo*. *Excusado*
'retrete' fin S. XIX, de *cuarto escusado* 'el
destinado a guardar varios trastos', 1732,
deriv. de *escusar* 'esconder, guardar', S.
XVI, que a su vez lo es de *escuso* 'escondido', S. XIII, antiguo participio de *esconder*. *Excusabaraja*, 1605, cpt. de dicho *escusar* y *baraja* 'cosa revuelta, mezclada'. *Recóndito*, S. XVII, tom. del lat. *reconditus*,
participio de *recondere* 'encerrar', otro derivado de *condere*.

Esconzado, esconzar, V. *esconce*

ESCOPETA, 1517. Del it. anticuado *scop-
pietta* o *scoppietto* íd. (hoy *schioppetto*),
diminutivo de *schioppo* íd., propte. 'explosión, estallido' (de donde el moderno *scop-
piare* 'estallar'), procedente del lat. tardío
STLOPPUS 'estallido (producido con un dedo dentro de la boca)', voz de origen onomatopéyico.
DERIV. *Escopetazo*, h. 1530. *Escopetear*,
1611; *escopeteo*. *Escopetero*, 1480; *escope-
tería*, 1525.

ESCOPLO, 1335. Del antiguo *escopro*,
h. 1250, y éste del lat. SCALPRUM 'escoplo',

'buril', 'podadera', 'escalpelo' (deriv. de
SCALPĔRE 'rascar', 'grabar', esculpir').
DERIV. *Escalpelo* (instrumento quirúrgico),
1765-83, tom. del lat. *scalpellum* íd., diminutivo de *scalprum*.

ESCORA, 1587, 'madero con que se
apuntala una embarcación '. Del fr. ant.
escore íd. (hoy *accore*), de origen germánico: neerlandés *schoor* (pronúnciese *sjor*),
ingl. medio *schore* (hoy *shoar*), probablemente del primero.
DERIV. *Escorar*, 1587, 'apuntalar el navío
en seco de modo que quede inclinado', de
donde 'inclinarse el navío por cualquier
causa (el viento, la carga, el agua que pe-
netra en él)'.

ESCORBUTO, 1765-83. Del fr. *scorbut*,
princ. S. XVII. Voz de origen germánico,
probablemente tomada de una antigua forma neerlandesa *schorbut* (hoy *schurft*), que
designaba propte. la tiña y otras enfermedades cutáneas análogas, y se aplicó a los
escorbúticos por su estado físico lamentable (comp. el cast. *tiñoso* 'miserable, ruin').

ESCORDIO, 1555, lat. *scordion*. Tom.
del gr. *skórdion* íd.

ESCORIA, 1220-50. Tom. del lat. *scŏrĭa*,
gr. *skŏría* íd., o más bien continuación popular de SCAURIA variante hispánica de esta
palabra.
DERIV. *Escorial*, 1563.

ESCORPIÓN 'alacrán', 1220-50. Tomado
del lat. *scorpio*, *-ōnis*, íd., a su vez deriv. del
gr. *skorpíos*.
DERIV. *Escorpina*, 1555, lat. *scorpaena*,
gr. *skórpaina*, propte. 'escorpión de mar'.

ESCORZAR 'representar, acortándolas,
según las reglas de la perspectiva, las cosas
que se extienden en sentido perpendicular
u oblicuo al plano del papel o lienzo sobre
que se pinta', 1580. Del it. *scorciare* 'acortar', deriv. de *corto*.
DERIV. *Escorzo*, 1580.

Escorzonera, V. *escuerzo*

ESCOTA, 1538, 'cabo que sirve para poner tirantes las velas'. Del fr. ant. *escote*
(hoy *écoute*), y éste del fráncico SKŎTA íd.
(hoy neerlandés *schote* íd., relacionado con
el escand. ant. *skaut* 'punta inferior de la
vela', propte. 'regazo', alem. *schoss* íd.).

Escotadura, V. *escotar* y *escotilla*

ESCOTAR, 1604, 'cercenar un cuerpo de
vestido por la parte del cuello y de los
hombros'. Del mismo origen incierto que
el port. *decotar* y el cat. y oc. *escotar* íd.,
probablemente deriv. de *cota* 'jubón', 'cota

de armas', por la sisa o corte que llevaban las cotas debajo de los brazos, para dar juego a éstos.

DERIV. *Escotado,* 1604. *Escotadura,* princ. S. XV. *Escote* 'corte de un vestido', 1732.

Escotar 'pagar', V. *escote   Escote* 'corte de un vestido', V. *escotar*

ESCOTE, 1220-50, 'pago de un gasto, especialmente el de comida u hospedaje, sobre todo si se hizo en común y lo pagan a prorrata los participantes'. Del fr. ant. *escot* íd. (hoy *écot*), y éste del fráncico SKOT 'contribución en dinero' (comp. el alemán *schoss* íd., deriv. de *schiessen* 'tirar', *geld zuschiessen* 'contribuir en dinero'). DERIV. *Escotar* 'pagar un escote', 1335.

ESCOTILLA, 1431-50, 'abertura en el suelo de un buque, especie de trampa para ir de una cubierta a otra, a la bodega, etc.'. Voz común con el port. *escotilha,* fr. *écoutille,* ingl. *scuttle;* de origen incierto, quizá procedente del francés, donde *écoutillon* 'escotillón' puede derivar de *écouter* 'escuchar' (lat. AUSCULTARE), porque las escotillas se han empleado para oír lo que dicen los de abajo.
DERIV. *Escotillón,* 1587. *Escotadura* 'abertura para las tramoyas', 1732.

Escozor, V. *cocer*

ESCRIBIR, h. 1140. Del lat. SCRĪBĔRE íd. DERIV. *Escribiente,* 1607. *Escrito; escrita,* 1832; llámase por las manchas de que está salpicada. *Escritor,* 1444. *Escritorio,* 1554, lat. tardío *scriptorium. Escritura,* S. X; *escriturario,* 1611. *Escribano,* fin S. XII, antes *escriván,* 1111, del bajo lat. SCRĪBA, -ĀNIS, íd. (lat. SCRIBA, -AE); de éste el cultismo *escriba,* 1611; *escribanía,* 1495. *Sobrescribir,* 1495; *sobrescrito.* Cultismos: *Adscribir,* lat. *adscribere. Circunscribir,* 1432-50, lat. *circumscribere; circunscripción. Conscripto. Describir,* 1438, lat. *describere* íd.; *descripción,* 1580; *descriptible, indescriptible. Inscribir,* S. XVII, lat. *inscribere; inscripción,* 1588. *Prescribir,* 1370, lat. *praescribere* íd.; *imprescriptible; prescripción. Proscribir,* h. 1600, lat. *proscribere* íd.; *proscripción; proscrito. Rescripto. Suscribir,* 1739, lat. *subscribere; suscripción,* 1660; *suscritor. Transcribir,* 1739, lat. *transcribere* íd.; *transcripción; transcripto,* h. 1525.
CPT. *Infrascrito,* formado con el lat. *infra* 'abajo'.

Escrita, escritor, escritorio, escritura, V. *escribir*

ESCRÓFULA, 1765-83, 'tumefacción fría de los ganglios linfáticos'. Tom. del lat. tar-dío *scrofŭla* íd., diminutivo de *scrofa* 'hembra del cerdo'.
DERIV. *Escrofularia,* 1832; *escrofulariáceo. Escrofulismo. Escrofuloso.*

ESCROTO, 1765-83. Tom. del lat. tardío *scrotum* íd.
DERIV. *Escrotal.*

ESCRÚPULO, 1515. Tom. del lat. *scrupŭlus* íd., propte. 'guijarro pequeño y puntiagudo', de donde 'preocupación, aguijón', aludiendo a la pedrezuela metida en el calzado del caminante; diminutivo de *scrupus* íd.
DERIV. *Escrupuloso,* h. 1490, lat. *scrupulosus; escrupulosidad. Escrupulizar,* princ. S. XVII.

Escrutador, escrutar, escrutinio, V. *escudriñar   Escuadra, escuadrar, escuadrilla, escuadrón,* V. *cuadro*

ESCUÁLIDO, h. 1830. Tom. del lat. *squalidus* 'áspero, tosco', 'descuidado, inculto', 'sucio' (deriv. de *squalus* íd., de la misma raíz que *squama* 'escama').
DERIV. *Escualo* 'nombre genérico de los peces análogos al tiburón', 1765-83, latín *squalus.*

ESCUCHAR, 1220-50. Del antiguo *ascuchar,* h. 1140, y éste de *ASCŪLTARE, forma vulgar del lat. AUSCULTARE íd. Duplicado culto: *auscultar,* h. 1850.
DERIV. *Escucha,* fin S. XIII. *Auscultación.*

ESCUCHIMIZADO, 1884, voz familiar de origen incierto.

Escudar, escudero, escudete, V. *escudo*

ESCUDILLA, S. XIII, 'vasija ancha y en figura de media esfera que se emplea para servir la sopa'. Del lat. SCUTĔLLA 'copita', 'bandeja'.
DERIV. *Escudillar,* 1611.

ESCUDO, h. 1140. Del lat. SCŪTUM íd. DERIV. *Escudar,* 1335. *Escudero,* 1011; *escudería; escuderil,* 1615. *Escudete,* 1495.

ESCUDRIÑAR 'averiguar minuciosamente', 1076. Del antiguo *escrudiñar,* fin S. XIII, procedente del lat. vg. *SCRŪTINIARE íd., deriv. de SCRUTINIUM 'acción de escudriñar o visitar', y éste de SCRUTARI 'escudriñar, explorar, rebuscar'. De aquí, por vía culta, *escrutar,* 1884, y *escrutinio,* 1572-91.

ESCUELA, 1192. Del lat. SCHŎLA 'lección', 'escuela', y éste del gr. *skholḗ* 'ocio, tiempo libre', 'estudio', 'escuela'.
DERIV. *Escolar,* 1220-50; *escolaridad. Escolástico,* 1495, tom. del gr. *skholastikós;*

escolástica; *escolasticismo*. *Escolio*, 1611, gr. *skhólion* 'explicación, comentario, escolio'; *escoliasta*.
CPT. *Escolapio*, 1832, deriv. del lat. *schola pia*.

ESCUERZO 'sapo', fin S. XIII. Origen incierto, probablemente emparentado con el cat. *escurçó* 'víbora', it. dial. *scorzone* íd., mozárabe *uxurchón* 'erizo', que proceden del lat. vg. *EXCURTIO, -ONIS* (lat. tardío CURTIO, -ONIS, 'víbora'), deriv. de CURTUS 'corto', por el tamaño reducido de esta culebra; el sapo pasaba por ser animal tan venenoso como la víbora.
DERIV. *Escorzonera*, 1565, del cat. *escurçonera*, 1587, deriv. de *escurçó*, por emplearse esta hierba como contraveneno de su picadura.

ESCUETO 'libre, despejado, desembarazado', 1601. Palabra exclusivamente castellana y documentada tardíamente, de origen incierto. Quizá del bajo lat. *scotus* 'escocés', que parece haberse aplicado, 974, a los hombres libres que viajaban expeditos, por la costumbre de dedicarse a la peregrinación, muy extendida entre los escoceses. Hipótesis no bien comprobada. El derivado sinónimo dialectal *escotero* y port. *escoteiro*, 1587, son indicio de que no se tomó del cat. y oc. *esclet* 'puro, escueto' (procedente del germ. SLIHT íd., alem. *schlicht*).

ESCULCAR 'indagar, escudriñar', amer. y dial., h. 1480. Junto con el antiguo *esculca* 'espía, explorador', 1251, viene de un verbo germ. *SKULKAN* 'espiar, acechar' (comp. hoy el ingl. *skulk* 'ocultarse').

ESCULPIR, 1438. Tom. del lat. imperial *sculpĕre* íd., lat. clásico *scalpere* íd., propte. 'rascar' (alterado por influjo de los deriv. como *exsculpere* e *insculpere*).
DERIV. *Escultor*, 1570, lat. *sculptor, -oris*; *escultórico*. *Escultura*, 1570, lat. *sculptura*; *escultural*.

Escullarse, *escullirse*, V. *guillarse*

ESCUPIR, 1220-50. Voz común con el cat., oc. y fr. ant. y dial. *escopir*, rum. *scuipi*, y emparentada con el port., gall. y astur. *cuspir*: éste procede del lat. CONSPŪĔRE íd., y aquéllos probablemente de un derivado *EXCONSPUERE*, que perdió la segunda s por disimilación.
DERIV. *Escupidera* (-*dero*, 1604). *Escupitajo*, 1607. *Escupitina*, S. XIV. *Esputo*, 1732, tom. del lat. *sputum* íd., deriv. de *spuere* 'escupir' (del cual deriva el citado *conspuere*); *esputar*.

Escurribanda, *escurridizo*, *escurrir*, V. *correr*

ESDRÚJULO, 1575, 'palabra acentuada en la penúltima sílaba', 'verso que termina en esdrújulo'. Del it. *sdrùcciolo* íd., y éste de *sdrucciolare* 'deslizarse', de origen incierto.

ESE, h. 1140, pronombre que fundamentalmente designa las cosas próximas a la persona a quien dirigimos la palabra. Del lat. IPSE, IPSA, IPSUM, 'mismo'.
CPT. *Aquese*, h. 1140, de la combinación ECCUM IPSE, donde ECCUM es adverbio demostrativo equivalente de 'he aquí'. *Esotro*.

Esencia, esencial, V. *ser*

ESFACELO, S. XX. Tom. del gr. *sphákelos* 'gangrena seca'.
DERIV. *Esfacelarse*.

ESFENOIDES, 1765-83. Tom. del gr. *sphēnoeidḗs* 'de forma de cuña, cuneiforme', cpt. de *sphḗn* 'cuña' y *éidos* 'figura'.
DERIV. *Esfenoidal*.

ESFERA, 1256-76, lat. *sphaera* íd. Tom. del gr. *sphâira* íd., propte. 'pelota'.
DERIV. *Esférico*, 1607 (*espérico*, 1438); *esfericidad*.
CPT. *Esferoide*; *esferoidal*.

ESFIGMÓGRAFO, S. XX. Cpt. culto del gr. *sphygmós* 'latido', 'pulsación' (deriv. de *sphýzō* 'yo me agito') y *gráphō* 'yo grabo, escribo'.
CPT. *Esfigmómetro*.

ESFINGE, h. 1570 (*espingo*, h. 1440), lat. *sphinx, -ngis*. Tom. del gr. *sphínx, -ngós*, íd. (deriv. de *sphíngō* 'yo aprieto, cierro estrechamente'). *Esfínter* 'músculo del ano y otros orificios del cuerpo', 1765-83, gr. *sphinktḗr, -êros*, íd., propte. 'lazo, atadijo', es otro deriv. del mismo verbo.

Esforzado, esforzar, esfuerzo, V. *fuerte*
Esfumar, esfuminar, esfumino, V. *humo*
Esgrafiado, V. *gráfico*

ESGRIMIR, 1605 (*eseremir*, 1283), 'jugar una arma blanca defendiéndose o atacando'. Del fráncico *SKERMJAN* 'proteger, defender, servir de defensa' (comp. el alem. *schirmen*, antiguamente *skirmen* íd.), probablemente por conducto de oc. ant. *escremir* 'practicar la esgrima'.
DERIV. *Esgrima* 'arte de esgrimir', 1335, del oc. *escrima* íd., deriv. de *escremir*.

ESGUÍN 'cría del salmón', 1765-83. Del vasco *izokin* 'salmón' (diálectalmente *izoki*), a su vez tomado del nombre céltico del salmón, directamente o por conducto del lat. *esocina*, deriv. de *exos* íd.

ESGUINCE 'torcedura o distensión violenta de una coyuntura', 1817; 'ademán hecho con el cuerpo torciéndolo para evitar un golpe o caída', 1610; 'gesto con que se demuestra disgusto o desdén', med. S. XVII. Deriv. del lat. vg. *EXQUĪNTIARE 'rasgar, desgarrar', propte. 'partir en cinco pedazos' (deriv. de QUĪNTUS 'quinta parte'), probablemente por conducto del cat esquinç 'rasgadura, desgarrón', esquinçar 'rasgar, desgarrar', S. XIV.

ESLABÓN, S. XIII, 'anillo de una cadena'. Del anticuado esclavón íd. (SS. XV-XVII), que antes había significado 'esclavo' (V. este artículo), procedente del nombre de raza y de familia lingüística eslavón 'eslavo', por el tráfico esclavista de que fueron objeto en la Edad Media los individuos de este grupo étnico. Se comparó el eslabón con un esclavo por la imposibilidad de separarlo de su cadena. Deriv. Eslabonar, 1490; eslabonamiento.

ESLINGA, 1587, 'maroma provista de ganchos para levantar grandes pesos'. Del ingl. sling íd., probablemente por conducto del fr. élingue íd. (antes eslingue).

ESLORA, 1722 (eslória, 1611). Del neerlandés sloerie 'eslora: madero que refuerza el barco de popa a proa', deriv. de sloeren 'medir un barco'. Se llama así la eslora, por tener este madero la misma longitud que todo el navío.

ESMALTE, S. XIV. Del fráncico *SMALT íd. (comp. el alem. schmelz íd.), derivado del verbo germ. *SMALTJAN 'fundir' (alem. schmelzen 'derretir'), probablemente por conducto del cat. u oc. esmalt, 1306. Deriv. Esmaltar, S. XIV.

ESMÉCTICO 'detersivo', 1899, lat. smecticus. Tom. del gr. smēktikós íd., deriv. de smēkhō 'yo limpio enjugando'. Deriv. Esmegma 'secreción del prepucio', S. XX; gr. smêgma 'líquido para limpiar'.

Esmegma, V. esméctico   Esmerado, V. mero II

ESMERALDA, h. 1295 (esmaragde, h. 1250). Del lat. SMARAGDUS, m. o f., y éste del gr. smáragdos, f., íd. Deriv. Esmeraldino, 1604.

ESMEREJÓN 'especie de azor pequeño', h. 1330 (esmerilón, S. XIII). De una forma germánica emparentada con el alem. schmerl y el escand. ant. smyrill íd. Probablemente es castellanización del fr. ant. esmereillon (hoy émerillon), que es derivado del fráncico *SMIRIL.

ESMERIL 'sustancia empleada para trabajar vidrio, etc.', 1555. Del gr. bizantino smerí, gr. ant. smýris íd. Deriv. Esmerilar, 1680.

Esmero, V. mero II

ESMILÁCEO, 1899. Deriv. culto del lat. smilax, -ăcis, nombre de varias plantas (tejo, carrasca, correhuela, judía), tom. del gr. smílax.

Esmirriado, V. desmirriado

ESÓFAGO, 1582-5. Tom. del gr. oisophắgos íd., cpt. de óisō 'yo llevaré' y éphagon 'yo comí'.

ESOTÉRICO, 1884. Tom. del gr. esōterikós 'reservado a los adeptos', propte. 'íntimo', deriv. de ésō (o éisō) 'adentro'. Formación paralela y opuesta es exotérico, 1884, gr. exōterikós 'externo, extranjero, público', deriv. de éxō 'afuera'.

Esotro, V. ese

ESPACIO, h. 1140. Descendiente semiculto del lat. spatium 'campo para correr', 'extensión, espacio'. Deriv. Espaciar, 1251. Espacioso, 1220-50. Espacial, 1939. Cpt. Despacio 'con sosiego', 1335, 'lentamente', 1410 (por espacio íd., h. 1140); despacioso.

ESPADA, 1090. Del lat. SPATHA 'espada ancha y larga', propte. 'pala de tejedor', 'espátula', y éste del gr. spáthē íd. Deriv. Espadar, 1463. Espadero, 1490. Espadaña 'planta tifácea con hojas de forma semejante a una espada', h. 1400. Espadarte 'pez espada', h. 1400. Espadilla, 1463. Espadín. Espadón. Espadachín, 1609, del it. spadaccino 'espadín', h. 1475, y 'espadachín', princ. S. XVI.

ESPÁDICE, 1884. Del gr. spádix, -īkos, 'rama de palmera arrancada, con sus frutos' (deriv. de spáō 'yo saco, arranco').

Espadilla, espadín, V. espada   Espagírica, V. espagírico

ESPAGÍRICO, 1765-83, propte. 'alquimista', tom. del lat. moderno spagiricus, probablemente inventado por Paracelso († 1541), quizá cpt. de las voces gr. spáō 'yo extraigo, arranco' y agéirō 'yo reúno'; espagírica.

ESPALDA, 1220-50. Del lat. tardío SPATŬLA 'omóplato', antes 'espátula', 'pala de ciertos instrumentos', por comparación de la forma plana de estos objetos con la de aquel hueso; es diminutivo de SPATHA, que tenía esta última acepción, y procedía del gr. *spáthē* íd. DERIV. *Espaldar*, 1220-50; *espaldarazo*, 1604. *Respaldar*, 1737; *respaldo*, 1737. Duplicado culto: *Espátula*, 1488.

ESPANTAR, h. 1140. Del lat. vg. **EXPAVENTARE* íd., deriv. de EXPAVĒRE 'temer' (que a su vez lo es de PAVĒRE íd.). DERIV. *Espantable*, fin S. XIV. *Espantada*, 1220-50. *Espantadizo*, 1495. *Espantajo*, 1495. *Espanto*, 1220-50. *Espantoso*, h. 1330. CPT. *Espantapájaros*.

ESPARADRAPO, 1765-83 (*espadrapo*, 1601). Probablemente del it. anticuado *sparadrappo*, que parece ser cpt. de *sparare* 'rajar, partir por la mitad' (deriv. negativo de *parare* 'preparar') y *drappo* 'trapo, paño, tela'; porque el esparadrapo se aplica en tiras cortadas a lo largo.

ESPARAVÁN (enfermedad de las extremidades inferiores del caballo), S. XIII. Del mismo origen incierto que el fr. ant. *esparvain*, oc. ant. *esparvanh*, cat. ant. *espar(a)va(n)y*, it. *sparagagno* o *sparaguàgnolo*; quizá de procedencia germánica.

ESPARCETA '*Onobrychis sativa* o *viciaefolia*, planta forrajera', 1737. Tom. del oc. *esparseto* íd., de origen incierto.

ESPARCIR 'desperdigar', 1220-50. Del lat. SPARGĔRE íd. DERIV. *Esparcimiento*, 1570. *Asperges*, 1605, tom. del lat. *asperges* 'rociarás', palabra con que empieza la antífona que dice el sacerdote al rociar el altar con agua bendita; futuro del verbo *aspergĕre* 'extender', 'salpicar', 'rociar', deriv. de *spargere*; *aspersión*, tom. de *aspersio*, *-onis*, deriv. de *aspergere*; *aspersorio. Disperso*, 1732, tom. del lat. *dispersus* íd., participio de *dispergere* 'esparcir, dispersar', deriv. de *spargere*; *dispersión*, princ. S. XVII, lat. *dispersio*, *-onis*; *dispersar*, h. 1830, del fr. *disperser*, h. 1327, deriv. de *dispers* 'disperso'.

ESPÁRRAGO, 1335. Del lat. ASPARĂGUS íd., propte. 'brote, tallito', y éste del gr. *aspáragos* íd.

Esparrancarse, V. *parra*

ESPARTO, h. 1275. Del lat. SPARTUM íd., y éste del gr. *spártos* (o *spárton*) 'especie de retama empleada para trenzar cuerdas', 'esparto'. DERIV. *Espartal* o *espartizal. Espartero*, h. 1400; *espartería*, 1611.

Espasmar, espasmo, espasmódico, espástico, V. *pasmo*

ESPATO, 1832 (y probte. 1709). Del alemán *spat* íd. CPT. *Feldespato*, 1884, del alem. *feldspat*, formado con *feld* 'campo'; *feldespático*.

Espátula, V. *espalda*   *Especia*, V. *especie*

ESPECIE, 1438. Tom. del lat. *species* 'tipo, especie', propte. 'aspecto, apariencia', deriv. del lat. arcaico *spĕcĕre* 'mirar'. Igual origen tiene *especia*, h. 1250, 'droga con que se sazonan los manjares', sentido que procede de la acepción 'artículo comercial, mercancía', ya usual en latín. DERIV. *Especiero*, h. 1330; *especiería*, 1490. *Especial*, 1220-50, lat. *specialis* íd.; *especialidad*, 1611; *especialista; especializar. Especioso*, 1639, lat. *speciosus* 'hermoso', deriv. del sentido de 'bella apariencia' que también tiene el lat. *species*. CPT. *Especificar*, 1438; *especificación; específico*, 1490, lat. tardío *specificus* íd.

ESPECTÁCULO, 1438. Tom. del lat. *spectaculum* íd., deriv. de *spectare* 'contemplar, mirar'. DERIV. de *spectare*: *Espectador*, 1615 (*-ator*), lat. *spectator*, *-oris*. Los siguientes derivan de *specere* 'mirar', primitivo arcaico de *spectare*: *Espécimen*, 1732, lat. *specimen*, *-inis*, 'prueba, indicio', 'muestra', 'modelo'. *Espectro*, 1732, lat. *spectrum* 'simulacro, aparición'; *espectral. Especular*, 1438, lat. *speculari* 'observar, acechar', derivado de *specula* 'puesto de observación'; *especulación*, h. 1440; *especulador*, 1604; *especulativo*, 1495 (*-iva*, sust., 1438). *Conspicuo*, h. 1700, lat. *conspicuus* 'en quien se juntan las miradas, visible, notable'. *Introspección*, S. XX, deriv. de *introspicere* 'mirar en el interior'; *introspectivo. Retrospectivo*, 1884, del lat. *retrospicere* 'mirar atrás'. CPT. *Espectroscopio*, 1899, *espectroscópico. Espectrografía* S. XX; *espectrograma* S. XX.

Especular, especulativo, V. *espectáculo Espéculo*, V. *espejo*

ESPEJO, 1220-50 (*spillu*, h. 950). Del lat. SPECŬLUM íd. (deriv. del lat. arcaico *specere* 'mirar'); *espéculo*, cultismo, 1899. DERIV. *Espejismo*, 1884. *Espejuelo*, 1495.

ESPELEOLOGÍA, S. XX. Cpt. del gr. *spēlaion* 'caverna' y *lógos* 'tratado'. DERIV. *Espeleólogo*.

Espeluznante, espeluznar, V. *pelo*

ESPERAR, h. 1140. Del lat. SPĒRĀRE 'esperar, tener esperanza'.
DERIV. *Espera,* 1220-50. *Esperanza,* h. 1140; *esperanzar y esperanzado,* 1732. *Desesperar,* S. XIII; *desesperación,* 1495; *desesperante; desesperanza; desesperanzar,* princ. S. XIX.

Esperezarse, esperezo, V. *pereza*

ESPERMA, 1505, lat. *sperma.* Tom. del gr. *spérma, -atos,* íd., propte. 'simiente, semilla', deriv. de *spéirō* 'yo siembro'.
DERIV. *Espermático. Espora,* 1899, gr. *sporá* 'semilla', deriv. del mismo verbo; *esporidio. Esporádico,* 1765-83, gr. *sporadikós* 'disperso', deriv. de dicho *spéirō.*
CPT. *Espermatorrea,* formado con *rhéō* 'yo fluyo, mano'. *Espermatozoo* o *espermatozoide,* formado con *zôion* 'animal'. *Esporangio,* cpt. de *sporá* 'semilla' y *ángos* 'vaso'. *Esporozoario,* de aquél y *zōíárion* 'animalito'.

ESPERPENTO 'persona o cosa muy fea', 1878. 'desatino literario', fin S. XIX. Palabra familiar y reciente, de origen incierto.

ESPESO, 1011. Del lat. SPĪSSUS 'apretado, compacto, espeso'.
DERIV. *Espesar,* v., 1438. *Espesura,* 1220-50; *espesor,* 1732.

Espetar, espetera, V. *espeto*

ESPETO, ant., 'asador', princ. S. XIII. Del gót. *SPĪTUS íd. (comp. el alem. *spiess,* ingl. *spit* íd.).
DERIV. *Espetón* 'asador', princ. S. XVII. *Espetar,* 1251; propte. 'clavar en la punta del asador'. *Espetera,* 1601.
CPT. *A espetaperro(s),* fin S. XIX.

ESPÍA, h. 1300. Del gót. *SPAÍHA íd. (pronúnciese *spéha*). *Espiar,* 1490, del gót. *SPAÍHÔN 'acechar, atisbar, espiar' (comp. el alem. *spähen* 'atisbar').
DERIV. *Espionaje,* 1884, del fr. *espionnage* íd., deriv. de *espion* 'espía'.

ESPIBIA 'torcedura del cuello de una caballería en sentido lateral', 1843 (*espibio,* 1732). Probablemente alteración de los antiguos *esteva* e *istivia* íd., S. XIII, propte. 'esteva', por la forma torcida de esta parte del arado; el moderno *espibia* se deberá a influjo del gitano *espibia* 'castaña'.

ESPICHE 'arma puntiaguda, como chuzo, azagaya o asador', 1615, 'estaquilla que sirve para cerrar el agujero hecho a una cuba', 1831. Quizá del neerlandés *spits* o alem. *spitze* 'punta', tomado durante las guerras extranjeras del S. XVI; pero es etimología dudosa por varias razones.
DERIV. *Espichar* 'herir con arma puntiaguda', 1732; 'morir', 1884.

ESPIGA, 1220-50. Del lat. SPĪCA íd.
DERIV. *Espigar,* h. 1400; *espigado,* 1290. *Espigón,* 1495. *Espigueo,* S. XX. *Respigar,* 1737.
CPT. *Espicanardo,* 1495 (y 1106 en mozárabe), tom. del lat. *spica nardi,* propte. 'espiga del nardo'.

ESPINA, 1220-50. Del lat. SPĪNA 'espina vegetal', 'espina de pez'.
DERIV. *Espín,* 1604. *Espino,* 1074, lat. SPĪNUS íd. *Espinal,* 1495. *Espinar,* sust. *Espinar,* v., 1495. *Espinazo,* 1220-50. *Espinela* 'décima', del nombre de Vicente Espinel († 1624), uno de los cultivadores más antiguos y famosos de este género poético, nombre derivado de *espina. Espineta,* 1611, del it. *spinetta* íd., deriv. del nombre del inventor Giovanni Spinetti (h. 1503). *Espinilla,* 1495. *Espinoso,* 1166.

ESPINACA, 1335. Del árabe hispánico *'ispināḫ* íd., procedente del persa *ispānāḫ;* en árabe sólo son conocidas las formas *'isfanâŷ, 'isfānâḫ* e *'izpinâg,* pero debió de existir también la primera variante, a juzgar por la forma persa y por la port. *espinafre* (cuya *f* supone un *ḫ* arábigo).

Espinal, espinazo, espinela, espineta, V. *espina*

ESPINGARDA, h. 1470, 'escopeta de chispa, muy larga', antes 'cañón de artillería algo mayor que el falconete y menor que la pieza de batir'. Del fr. anticuado *esp(r)ingarde, espringale* 'balista de lanzar piedras', 'cañón pequeño', deriv. de *espringaler* 'saltar, retozar', y éste del fr. ant. *espringuer* íd., que procede del fráncico *SPRINGAN 'saltar' (comp. el alem. *springen*).

Espinilla, espino, espinoso, V. *espina*
Espionaje, V. *espía*

ESPIRA, 1732, lat. *spíra.* Tom. del gr. *spéira* 'espiral'.
DERIV. *Espiral,* 1705. *Espirilo.*
CPT. *Espiroqueta,* S. XX, formado con el gr. *kháitē* 'cabellera'.

ESPIRAR 'soplar, respirar', h. 1400. Tomado del lat. *spirare* íd.
DERIV. *Espíritu,* 1220-50, tom. del lat. *spirĭtus, -us,* íd., propte. 'soplo', 'aire'; *espiritual,* h. 1140 (*espirital*); *espiritualidad; espiritualismo; espiritismo, espiritista; espirituoso,* 1581. *Aspirar,* princ. S. XIII, lat. *aspirare* 'echar el aliento hacia algo'; *aspi-*

ración, h. 1250; *aspirante*, princ. S. XVII; *aspirador*.

Conspirar, 1528, lat. *conspirare* 'estar de acuerdo', 'conspirar', propte. 'respirar juntos'; *conspiración*, 1490; *conspirador*. *Expirar*, h. 1450, lat. *exspirare* 'exhalar', 'expirar'; *expiración*, 1606; *expirante*. *Inspirar*, 1490, lat. *inspirare* 'soplar adentro de algo', 'infundir ideas'; *inspiración*; *inspirador*. *Respirar*, 1220-50, lat. RESPĪRARE íd.; *respiración*, 1433; *respiradero*, 1495; *respiratorio*, 1495; *respiro*, 1832. *Suspirar*, h. 1140, lat. SUSPIRARE 'respirar hondo', 'suspirar'; *suspiro*, h. 1140. *Transpirar*, 1555, deriv. culto del lat. *spirare*, formado en los varios idiomas modernos, partiendo de la acepción 'exhalar'; *transpiración*, 1739.

Espiroqueta, V. *espira*

ESPITA, 1588, 'canuto que se mete en el agujero de una cuba u otra vasija, para que salga por él el licor que ésta contiene'; en gallego nombre de varias especies de clavos y agujas. Junto con el arag. *espito* 'asador' y el cast. *espito*, 1832, 'palo largo que sirve en las fábricas e imprentas para poner el papel a secar', procede del gót. *SPĪTUS 'asador'; por comparación de esta herramienta puntiaguda, que se clava en la carne como la espita en la cuba. V. *ESPETO*.

ESPLENDER 'brillar, resplandecer', med. S. XV (raro). Tom. del lat. *splendēre* íd. DERIV. *Esplendente*, h. 1640. *Espléndido*, med. S. XV, lat. *splendĭdus* 'resplandeciente'. *Esplendor*, h. 1350, lat. *splendor, -oris*, íd.; *esplendoroso*, 1884. *Resplandecer*, 1220-50, lat. *resplendēre* íd.; *resplandeciente*, 1335; *resplandor*, 1220-50.

ESPLÉNICO 'perteneciente al bazo', h. 1730, lat. *splenicus*. Tom. del gr. *splēnikós* íd., deriv. de *splḗn, splēnós*, 'bazo'. DERIV. *Esplenitis*. *Esplín* 'humor tétrico', princ. S. XIX, del ingl. *spleen* 'bazo', 'esplín', tom. de dicha palabra griega: se consideraba el bazo como el centro causante de la melancolía.

ESPLIEGO 'Lavandula officinalis, planta aromática', 1495. Del antiguo y aragonés *espligo*, S. XIV, descendiente semiculto del lat. tardío SPĪCŬLUM, diminutivo de SPICUM 'espiga'. Así llamado probablemente por los macitos o ramilletes en que suele venderse el espliego; este mismo detalle sería el causante de la alteración de *espligo* en *espliego*, interpretado como un derivado de *pliego* 'doblez'.

Esplín, V. *esplénico* *Espolada, espolazo, espolear, espoleta*, V. *espuela* *Espolio*, V. *despojar* *Espolique, espolón, es-*

polonear, V. *espuela* *Espolvorear*, V. *polvo*

ESPONDEO, 1611, lat. *spondēus*. Tom. del gr. *spondêios* íd. DERIV. *Espondaico*.

ESPONJA, h. 1250 (h. 1106 en mozárabe). Descendiente semiculto del lat. *spongĭa*, que procede del gr. *spongiá* íd. DERIV. *Esponjar*, 1490. *Esponjera. Esponjoso*, 1490. *Espongiario*.

Esponsales, esponsalicio, V. *esposo*

ESPONTÁNEO, h. 1530. Tom. del lat. *spontanĕus* íd., deriv. de *sponte* 'voluntariamente'. DERIV. *Espontaneidad. Espontanearse*, 1843.

Espora, esporádico, esporangio, esporidio, esporozoario, V. *esperma* *Esportear, esportilla, esportillero, esportón, espórtula*, V. *espuerta*

ESPOSO (*esposa*), h. 1140. Del lat. SPŌNSUS 'prometido', participio de SPONDĒRE 'prometer'. Por alusión metafórica a su carácter inseparable se llamó *esposas* a las manillas del preso, 1335. DERIV. *Esposar*, 1604. *Esponsales*, h. 1620, tom. del adjetivo lat. *sponsalis* 'relativo a la promesa de casamiento'; *esponsalicio*. *Desposar*, 1495, lat. DESPONSARE íd.; *desposado, -a*; *desposorio*, 1495.

ESPUELA, 1062. Del gót. *SPAÚRA íd. (pronúnciese *spŏra*), cuya existencia puede deducirse de la del alem. ant. *sporo*, alem. *sporn*, anglosajón *spora*. DERIV. *Espolique*, 1817, 'mozo que camina a pie delante de la caballería de su amo' (porque le ayuda a ponerse y quitarse las espuelas). *Espolear*, 1495. *Espolón*, h. 1140; *espolonear. Espolada. Espolazo. Espoleta*, 1732.

ESPUERTA 'especie de capacho', 1331. Del lat. SPŎRTA íd. DERIV. *Esportear*, 1611. *Esportilla*, 1495; *esportillero*, 1607. *Esportón*, 1404. *Espórtula*, 1732.

Espulgar, espulgo, V. *pulga*

ESPUMA, 1220-50. Del lat. SPŪMA íd. DERIV. *Espumar*, 1490: *espumadera*, 1611; *espumante. Espumajo*, princ. S. XV, o *espumarajo*, princ. S. XVII. *Espumilla*, 1604. *Espumoso*, 1495.

ESPUNDIA 'úlcera en las caballerías, con excrecencia de carne', fin S. XIII. Probablemente descendiente semiculto del lat. SPONGĬA, por la consistencia fungosa o esponjosa de estas excrecencias, con la misma evolución que *enjundia*; comp. el extremeño *espuncia* y el sardo *spongia* 'espundia', mientras que el port. y gall. *espunlha* presenta huellas del influjo de *unlha* 'uña'.

ESPURIO, h. 1260 (*espúreo*, 1604). Tom. del lat. *spurĭus* 'bastardo, ilegítimo'.

Esputar, esputo, V. **escupir**

ESQUELA, 1732, 'carta breve', 'papel impreso en que se hacen invitaciones o se comunican ciertas noticias'. Probablemente es pronunciación vulgar del lat. *scheda* 'hoja de papel'.

ESQUELETO, 1581. Tom. del gr. *skeletós* 'esqueleto', 'momia', deriv. de *skéllō* 'yo seco'.
DERIV. *Esquelético.*

ESQUEMA, 1884. Tom. del lat. *schema, -ătis,* 'figura geométrica', y éste del gr. *skhêma* 'forma, figura', 'actitud' (deriv. de *ékhō* 'yo tengo, me comporto').
DERIV. *Esquemático. Esquematismo. Esquematizar.*

ESQUENANTO, 1832 (*esquinanto*, 1765-83), lat. *schoenanthus.* Tom. del gr. *skhóinanthon* íd., cpt. de *skhôinos* 'junco' y *ánthos* 'flor'.

Esquero, V. **yesca**

ESQUÍ, 1925. Del noruego *ski* íd. (pronúnciese *ši*), propte. 'leño, tronco cortado' (comp. el alem. *scheit* 'leño'), tomado por conducto del fr. *ski*.
DERIV. *Esquiar. Esquiador.*

ESQUIFE 'bote, barquichuelo', 1490. Del it. anticuado y dialectal *schifo* íd., y éste del longobardo SKIF 'barco' (comp. el alem. *schiff*, ingl. *ship*, gót. *skip*); tomado por conducto del cat. *esquif*, h. 1450.
DERIV. *Bóveda esquifada* 'bóveda de aljibe', 1604, del it. *volta a schifo* íd., así llamada por la semejanza con una barca invertida.

ESQUILA I 'cencerro o campana pequeños', h. 1140. Del gót. *SKILLA* íd. (comp. el alem. ant. *skëlla*, alem. *schelle*), tomado probablemente por conducto del oc. ant. *esquila.*

Esquila II 'esquileo', V. **esquilar**

ESQUILA III 'especie de crustáceo', 1582-5; 'cebolla albarrana', 1490; 'escribano de agua', 1832. Tom. del lat. *squilla* íd.

ESQUILAR, h. 1400. Del antiguo y aragonés *esquirar* 2.ª mitad S. XIII, y éste del gót. *SKAÍRAN* íd. (pronúnciese *skḗran*), cuya existencia puede deducirse de la del alem. *scheren*, ingl. *shear*, escand. *skḗra*; la *l* se debe al influjo de *trasquilar*, y la *i* a una pronunciación dialectal o tardía de los dialectos visigóticos. De un cruce· de *esquirar* con su sinónimo *tondir* (lat. TONDĒRE) resulta el dialectal *tosquirar* (*-ilar*), cambiado por influjo del prefijo *tras-* en *trasquilar*, S. XIII, cuya *-l-* se explica por disimilación.
DERIV. *Esquila* 'esquileo', 1732. *Esquilador,* S. XIII. *Esquileo,* 1601. *Trasquilador. Trasquiladura. Trasquilón,* 1365.

Esquilimoso, V. **escolimoso**

ESQUILMAR, 1212, 'menoscabar, agotar una fuente de riqueza sacando de ella mayor provecho que el debido'. Del antiguo *esquimar*, 1214, hoy aragonés, propte. 'dejar un árbol sin ramas', S. XIII, deriv. de *quima* 'rama de árbol' (todavía usual en Asturias, Santander y Vizcaya), que procede del lat. vg. QUIMA, y éste del gr. *kŷma* 'brote, vástago tierno'. La *l* de la forma *esquilmar* se debe al influjo de *quilma* 'costal', por el empleo de costales en las cosechas.
DERIV. *Esquilmo,* 1207 (*esquimo,* 1214).

ESQUINA, 1431-50 (y al parecer fin S. XIV), 'ángulo exterior que forman dos superficies'. Probablemente del germ. *SKINA* 'barrita de madera, metal o hueso', 'tibia', 'espinazo' (comp. el alem. *schiene*, anglosajón *skinu*), por comparación de una esquina con un hueso saliente.
DERIV. *Esquinado,* 1495. *Esquinazo,* 1607.

ESQUINENCIA, h. 1580, 'angina', antes *esquinancia,* 1490. Alteración popular del gr. *kynánkhē* íd., propte. 'collar de perro' (de *kýōn* 'perro' y *ánkhō* 'yo aprieto, estrangulo'), por la sensación de asfixia que es propia de esta enfermedad.

ESQUIRLA 'astilla de hueso', 1765-83. Probablemente tomado del francés, donde hoy es *esquille* íd., 1503, pero debió ser primero *esquil(l)e,* puesto que viene, por vía semiculta, del lat. tardío *schidia* 'viruta'.

ESQUISTO 'pizarra', 1899. Tom. del lat. *schistos lapis* íd., y éste del gr. *skhistós* 'rajado, partido', adjetivo verbal de *skhízō* 'yo parto, disocio'.
DERIV. *Esquistoso. Esquizofrenia,* S. XX, es cpt. de dicho *skhízō* con el gr. *phrēn* 'inteligencia'.

ESQUIVO 'desdeñoso, huraño', 1220-50. De origen germánico, procedente de una forma SKIUH, emparentada con el anglosa-

jón *skêoh,* hoy ingl. *shy,* alem. *scheu* 'tímido', 'asustadizo', 'desbocado'.
Deriv. *Esquivar,* h. 1250. *Esquivez,* 1604.

*Estabilidad, estabilizar, estable, establear,
establecer, establecimiento, establero, establo, estabular,* V. *estar*

ESTACA, h. 1140. Del germánico, probablemente de un gót. *staka* íd., cuya existencia se deduce del ingl. *stake,* anglosajón
staca, escand. ant. *stjaki.*
Deriv. *Estacar,* 1590. *Estacada,* 1490. *Es-
tacazo,* 1605.

Estación, estacionamiento, estacionario, V.
estar

ESTACHA 'amarra de un buque', 'cable
atado al arpón que se clava a las ballenas',
1732. Del fr. anticuado *estache* 'lazo, atadijo, amarre', deriv. del fr. ant. *estachier*
'clavar', 'amarrar', y éste de *estache,* voz
del mismo origen y significado que el cast.
estaca.

Estada, estadía, V. *estar*

ESTADIO, 1542, lat. *stadium.* Tom. del
gr. *stádion* 'cierta medida itineraria', 'estadio (que debía tener esta medida como longitud fija)', neutro de *stádios* 'estable, fijo',
deriv. de *hístēmi* 'yo coloco'.

Estadista, estadístico, -ica, estado, V. *estar*

ESTAFAR, 1513, 'timar', primitivamente
'pedir dinero con intención de no devolver-
lo', voz de germanía. Procedente en último
término del it. *staffa* 'estribo', que viene del
longobardo *staffa* 'pisada, paso' (comp.
el alem. *stapfe* y el ingl. *step* íd.). Probablemente *estafar* se tomó del it. *staffare*
'sacar (el pie) del estribo', porque al esta-
fado se le deja económicamente en falso
como al jinete cuando queda en esta posición.
Deriv. *Estafador,* 1604. *Estafa,* h. 1570.
Estafeta, 1515, del it. *staffetta* íd., abreviación de *corriere a staffetta* 'correo especial
que viaja a caballo', diminutivo de *staffa*
'estribo'.

Estafermo, V. *estar*   *Estafeta,* V. *estafar*   *Estafilococo, estafiloma,* V. *estafisagria*

ESTAFISAGRIA, 1620. Cpt. culto del
gr. *staphís* 'uva, pasa' con *agría* 'silvestre'.
Del deriv. gr. *staphylē* 'racimo' deriva *sta-
phylōma,* de donde el cast. *estafiloma,* 1765-
83; *estafilococo,* S. XX. es cpt. del mismo
con el gr. *kókkos* 'granito'.

ESTALACTITA, 1765-83. Deriv. culto
del gr. *stalaktós* 'que gotea', adjetivo verbal
de *stalássō* 'yo goteo'. *Estalagmita,* 1765-83,
deriva del gr. *stalagmós* 'goteo, acto de gotear', *estalactita.*

ESTALLAR, 1490, 'henderse o reventar
de golpe'. Metátesis del antiguo *astellar*
'hacerse astillas', deriv. de *astiella,* por *astilla* (V. éste). Del mismo origen, con *r*
secundaria, es *estrellar,* 1583, 'hacer pedazos arrojando con violencia', construido
transitivamente; el port. *estralar* significa
'estallar' pero coincide con la forma del
cast. *estrellar.*
Deriv. *Estallido,* 1490. *Restallar,* 1737 (o
restrallar).

ESTAMBRE, 1335. Del lat. STAMEN 'ur-
dimbre'.
Deriv. *Estameña,* princ. S. XIII, del lat.
TEXTA STAMĪNĒA 'tejidos de estambre', 'fila-
mentosos', plural de TEXTUM STAMINEUM,
neutro del adjetivo STAMINEUS, deriv. de
STAMEN.
Cpt. *Estaminífero.*

Estamento, V. *estar*   *Estameña, estaminífero,* V. *estambre*

ESTAMPAR, h. 1530. De origen germánico, probablemente del fr. *estamper,* antiguamente 'aplastar', 'machacar', después 'estampar', y éste del fráncico *stampôn* 'machacar' (comp. el alem. *stampfen*).
Deriv. *Estampa,* h. 1530; *estampilla,* 1732;
*estampillar, estampillado. Estampación; es-
tampado. Estampido,* 1581, 'ruido fuerte y
seco', de oc. ant. *estampida* íd., deriv. de
estampir 'retumbar', que viene del gót.
stampjan 'machacar'. *Estampía* 'carrera tu-
multuosa, partida brusca', med. S. XIX (la
forma secundaria *estampida,* 1834), del fr.
ant. *estampie* 'batahola, alboroto, lucha tu-
multuosa'.

Estampía, estampida, estampido, V. *estampar*

ESTANCAR, fin S. XIII. Forma parte
de una amplia familia de vocablos difundida por todos los países románicos, que comprende el port., cat. y oc. *estancar* 'detener
el curso de una corriente de agua', fr. *étan-
cher* 'estroncar', it. *stancare* 'cansar'; y además, sin el prefijo *es-,* el verbo primitivo,
representado por el cat. *tancar* 'cerrar', S.
XII, oc. *tancar* 'cerrar', 'detener', sardo *tan-
care* 'cerrar', y cast. *atancar,* 1595, 'encerrar', 'restañar', 'atascar', 'apretar'. La etimología de este grupo de palabras, cuya
idea central parece haber sido 'cerrar', 'detener', es incierta, probablemente prerromana, de una palabra indoeuropea *tankō 'yo

sujeto, yo fijo' (al parecer céltica, comp. el irl. ant. *co-técim* 'yo cuajo', que supone un más antiguo TNK-, galo *Tanconus, Tancorix*, sánscr. *tanákti* 'encoge', 'hace cuajar', lituano *tankus* 'espeso').
DERIV. *Estancado. Estancamiento. Estanco*, propte. 'monopolio de mercancías', S. XVI, y antes 'estanque de agua', 1241; como adjetivo, aplicado a las naves, S. XVIII, debió de tomarse del portugués o del francés; *estanquero*, 1705. *Estanque*, 1490. De *tancar*, que también existió en el Oeste de la península, deriva el port. *tanque* 'depósito de agua', princ. S. XVI, que pasó al castellano como voz náutica y de ahí al hispanoamericano (en Chile *tranque* parece ser pronunciación aindiada); por otra parte, a través de la India la voz portuguesa se trasmitió al ingl. *tank* 'cubo, balde', 1690 (antes 'piscina', 1616), de donde por comparación 'tanque, aparato bélico', 1916.

ESTANDARTE, 1444 (*estandal*, h. 1260). Del fr. ant. *estandart* 'insignia clavada en el suelo como símbolo representativo de un ejército', 'estandarte'; sacado del germ. STANDAN 'estar en pie, estar enhiesto'. Probablemente del fráncico, donde se le aplicaría como nombre la frase imperativa STAND HARD! '¡manténte firme!'; comp. la expresión paralela *estafermo*, tal vez calcada por el italiano de esta misma locución germánica.

Estanque, estanquero, V. estancar   Estante, estantería, estanterol, V. estar

ESTANTIGUA 'fantasma', h. 1490, 'persona muy alta, seca y mal vestida', princ. S. XVII. Antiguamente *huest antigua*, aplicado al diablo, 1220-50, o a un ejército de demonios o de almas condenadas, h. 1260. Procede del lat. HŌSTIS ANTĪQUUS, propte. 'el viejo enemigo', que los Padres de la Iglesia aplicaron al demonio; en castellano **huest antiguo* tomó el género femenino a causa del género de *hueste* 'ejército', que viene del mismo HOSTIS.

Estantío, V. estar

ESTAÑO, h. 1250. Del lat. STAGNUM íd. DERIV. *Estañar*, 1495.

ESTAR, h. 1140. Del lat. STARE 'estar en pie', 'estar firme', 'estar inmóvil'.
DERIV. *Estable*, 1155, lat. STABĬLIS íd.; *estabilidad*, med. S. XIII; *inestable, inestabilidad; estabilizar*, S. XX; *establecer*, 1184, *establecimiento*, h. 1280; *restablecer* y *restablecimiento*, 1737. *Establo*, 982, lat. STABŬLUM íd.; *establero; establear, estabular. Estanterol*, 1587.

Estación, 1335, tom. del lat. *statio, -onis*, 'permanencia', 'lugar de estancia'; *estacionar*, 1899; *estacionamiento; estacionario*, h. 1620. *Estado*, 1220-50 (cierta medida, 1495); *estada*, 1295; *estadía*, 1884; *estadista*, princ. S. XVII; *estadístico*, 1765-83; *estadística*, 1776; *estadizo*, 1611; *estatal; estatismo. Estatura*, h. 1440, lat. *statūra. Estamento*, 1604, del cat. *estament. Estante*, 1587, antes adjetivo, 1219; *estantería; estantío*, h. 1280. *Estancia*, 1251. *Estatuir*, h. 1440, tom. del lat. *statuere* íd.; *estatuto*, 1505, lat. *statūtum*, participio neutro de dicho verbo: *estatutario. Estatua*, 1490, lat. *statŭa* íd.; *estatuario*, 1495, *estatuaria*.
Constar, ·1283, tom. del lat. *constare* íd., propiamente 'detenerse', 'subsistir', 'estar de acuerdo'; *constante*, h. 1400; *inconstante*, 1438; *constancia*, h. 1440, *inconstancia*, 1495. *Contrastar*, 1220-50, lat. CONTRASTARE 'oponerse'; *contraste* 'oposición', 1490; 'cambio repentino de un viento en otro contrario', h. 1750, de donde la acepción americana 'revés, contrariedad'; *incontrastable. Distar*, h. 1450, tom. del lat. *dĭstare* 'estar apartado'; *distante*, h. 1440; *distancia*, 1438; *distanciar. Sobrestante*, 1591; *sobrestantía.*
CPT. *Bienestar*, h. 1800. *Malestar*, 1843. *Estafermo*, 1601, del it. *sta fermo* 'está firme, tente tieso'.

ESTARCIR, 1708. Del lat. EXTERGĒRE 'enjugar, limpiar', porque el estarcido se hacía estregando sobre el modelo una porción de carbón molido.
DERIV. *Estarcido.*

Estatal, V. estar

ESTÁTICO, 1765-83. Tom. del gr. *statikós* 'relativo al equilibrio de los cuerpos', deriv. de *hístēmi* 'yo coloco' (voz emparentada con el lat. *stare* 'estar firme').
DERIV. *Estática*, 1700. *Estatismo*. Los siguientes proceden de verbos griegos derivados de *hístēmi. Apóstata*, S. XIV, gr. *apostátēs* íd., de *aphístamai* 'me alejo'; *apostatar; apostasía. Éxtasis*, 1490, gr. *ékstasis* 'desviación', 'arrobamiento', de *exístamai* 'me desvío, me aparto'; *extasiarse*, h. 1800; *extático*, 1607. *Hipóstasis*, gr. *hypóstasis* 'sustancia', de *hyphístēmi* 'yo soporto, subsisto'; *hipostático. Próstata*, 1884, gr. *prostátēs* 'que está delante', de *proístēmi* 'yo coloco al frente'. *Sistema*, princ. S. XVIII, gr. *sýstēma* 'conjunto', de *synístēmi* 'yo reúno, compongo, constituyo'; *sistemático; sistematizar.*
CPT. *Histología*, cpt. de *lógos* 'tratado' con *histós* 'tejido', propte. 'telar', de *hístēmi* en el sentido de 'poner en pie'; *histólogo.*

Estatua, estatuario, estatuir, estatura, estatuto, V. estar

ESTAY, 1538, 'cabo que sujeta la cabeza de un mástil al pie del más inmediato, para impedir que caiga hacia popa'. Tom. del fr. ant. *estay* íd. (hoy *étai*), y éste del fráncico STÂG íd. (comp. el ingl. *stay*, escand. ant. *stag*).

ESTE I 'oriente', 1732 (antes *leste*, 1492). Del anglosajón *ēast* íd. (hoy ingl. *east*), probablemente por conducto del fr. *est*.

ESTE II (demostrativo), h. 1140. Del lat. ÍSTE, ÍSTA, ISTUD, 'ese'.
CPT. *Aqueste*, h. 1140, lat. vg. ECCUM ISTE 'he aquí: ¡ése!'. *Estotro*.

ESTEARINA, 1884. Deriv. culto del gr. *stéar, stéatos*, 'sebo'.
DERIV. *Esteárico*, 1884. *Esteatita*, 1884.

ESTELA I, 1573, 'rastro de oleaje y espuma que deja una embarcación'. En portugués es *esteira* y procede del lat. AESTUARIA, plural de AESTUARIUM, que tendría el significado de 'agitación del mar', como AESTUS, -US (del cual AESTUARIUM es derivado); en Portugal el vocablo ya aparece a med. S. XV, y es probable que de allí lo tomara el castellano, adaptándolo primero en **estera*, y luego introduciendo en él irregularmente la terminación *-ela*, sentida popularmente como característica de las palabras portuguesas. Comp. *ESTERO*.

ESTELA II 'monumento conmemorativo', 1899. Tom. del gr. *stélē* íd., deriv. de *hístēmi* 'yo coloco'.

Estelar, V. *estrella*

ESTENOGRAFÍA, 1884. Cpt. culto del gr. *stenós* 'estrecho' y *gráphō* 'yo escribo'. De ahí *estenógrafo, estenográfico. Estenosis* es deriv. de *stenós*.

ESTENTÓREO, 1615, lat. tardío *stentoreus*. Tom. del gr. *stentóreios* 'relativo a Sténtōr*, héroe de la Ilíada, cuya voz era tan poderosa como la de 50 hombres juntos'.

ESTEPA I 'erial llano y muy extenso'. Tom. del ruso *step*, fem., íd., por conducto del fr. *steppe*.

ESTEPA II 'mata de la familia de las cistíneas', 1335. Del lat. hispánico STÍPPA íd., S. VII, de origen incierto; también hay variante STIPA en los manuscritos de San Isidoro, que parece haber dado el port. *esteva* 'estepa negra'; en cuanto al it. *stipa* 'maleza de retamas, arbustos y fajina', no es seguro que sea el mismo vocablo.
DERIV. *Estepar. Estepilla.*

ESTERA, 1490. Del lat. STORĔA íd., de donde **estuera* y luego *estera*.
DERIV. *Esterilla*, 1611. *Esterar*, 1604; *estero* 'acto de esterar'. *Esterero*, 1141; *esterería*.

Estercolar, estercolero, estercóreo, V. *estiércol*

ESTEREO-, forma prefijada de palabras cultas, procedente del gr. *stereós* 'sólido, duro, robusto', 'cúbico'. *Estereometría*, 1732, formado con *métron* 'medida'; *estereométrico*, 1709. *Estereografía*, 1732, con *gráphō* 'yo escribo, dibujo'. *Estereotipia*, 1832, con *týpos* 'impresión, huella, molde'; *estereotípico* y *estereotipar*, 1832. *Estereoscopio*, con *skopéō* 'yo miro'; *estereoscópico. Estereotomía*, con *témnō* 'yo corto'. *Estéreo*, 1884, tom. del gr. *stereón* 'cubo'.

Esterero, V. *estera*

ESTÉRIL 'infecundo', 1438. Tom. del lat. *stĕrĭlis* íd.
DERIV. *Esterilidad*, 1495. *Esterilizar*, 1611; *esterilización*.

ESTERNÓN, 1730. Del gr. *stérnon* íd., pasando por el b. lat. *sternum* y el fr. anticuado *sternon* (hoy *sternum*, pronunciado *sternòm*).

ESTERO, 1495. Del lat. AESTUARIUM 'terreno costeño anegadizo que se inunda en la pleamar', 'laguna, marisma, piscina junto al mar', 'desembocadura de un gran río' (deriv. de AESTUS, -US, 'agitación del mar, oleaje'). *Estuario*, 1708, es duplicado culto.
DERIV. *Estiaje*, 1884, 'caudal mínimo que en ciertas épocas del año tienen las aguas de un río, estero o laguna', del fr. *étiage*, 1783, derivado del fr. dial. *étier* 'canal, especialmente el cercano al mar', procedente de AESTUARIUM.

ESTERTOR, 1765-83. Deriv. culto del lat. *stĕrtĕre* 'roncar durmiendo'.

ESTÉTICO 'relativo a lo bello o artístico', 1884. Tom. del gr. *aisthētikós* 'susceptible de percibirse por los sentidos', deriv. de *aísthēsis* 'facultad de percepción por los sentidos', y éste de *aisthánomai* 'yo percibo, comprendo'.
DERIV. *Estética. Anestesia*, 1884, de *aísthēsis*, con prefijo privativo; *anestesiar*, h. 1880-90; *anestésico*, 1865. *Disestesia*, de *aísthēsis*, con el prefijo peyorativo *dys-*. *Hiperestesia*, con *hyper-*, que indica exceso; *hiperestesiar*.

ESTETOSCOPIO, 1884. Cpt. culto del gr. *stêthos* 'pecho' y *skopéō* 'yo examino'.
DERIV. *Estetoscopia.*

ESTEVA 'pieza corva y trasera del arado', 1369. Del lat. vg. *STĒVA, variante dialectal del lat. STĪVA íd.

DERIV. *Estevado* 'que tiene las piernas torcidas en arco, de suerte que juntando los pies quedan separadas sus rodillas', 1495, por semejanza con la curvatura de la esteva.

Estevado, V. *esteva*   *Estiaje*, V. *estero*

ESTIBAR, med. S. XV, 'apretar, recalcar cosas sueltas para que ocupen el menor espacio posible', 'distribuir convenientemente todos los pesos del buque'. Del lat. STĪPĀRE 'meter en forma compacta', 'amontonar'.

DERIV. *Estiba*, 1609. *Estibador*. *Atibar*, 1886, 'rellenar con escombros, etc.', 'oprimir con una herramienta la parte opuesta a aquella en que se golpea'; *atiborrar*, 1693. *Entibar*, 1614, 'estribar, apuntalar'. *Constipar* 'acatarrar', S. XX, antes 'cerrar los poros impidiendo la transpiración', 1729, tom. del lat. *constipare* 'apretar, atiborrar'; *constipación*, 1542; *constipado*, sust., 'catarro' 1884. *Estíptico*, h. 1440, tom. del gr. *styptikós* 'astringente', de *stýphō* 'yo aprieto, soy astringente', hermano del lat. *stipare*.

ESTIBINA, 1899. Deriv. culto del gr. *stíbi* 'antimonio'.

ESTIÉRCOL, 1335 (*stiércore*, S. X). Del lat. STĔRCUS, -ŎRIS, íd.

DERIV. *Estercolar*, h. 1350; *estercuelo*. *Estercolero*, h. 1400. *Estercóreo*, tom. del lat. *stercorĕus*.

ESTIGMA, 1765-83. Tom. del lat. *stĭgma*, -*ătis*, 'marca impuesta con hierro candente', 'señal de infamia', y este del gr. *stígma* 'picadura', 'punto, pinta', 'marca con hierro candente', deriv. de *stízō* 'yo pico, muerdo', 'yo marco'.

DERIV. *Estigmatizar*. *Astigmatismo*, derivado de *stígma* 'punto, pinta'; *astigmático*; *astigmómetro*.

ESTILITA, S. XX. Tom. del gr. *stylítēs* 'anacoreta que vivía sobre una columna', del gr. *stýlos* 'columna'.

DERIV. de éste: *Diástilo*. *Próstilo*, *anfipróstilo*. *Éustilo*. *Peristilo*, 1832, gr. *peristýlon*.

CPT. *Estilóbato*, cpt. con el gr. *báinō* 'yo ando'. *Polistilo*. *Sístilo*.

ESTILO, 2.º cuarto S. XV. Tom. del lat. *stĭlus* 'manera o arte de escribir', propte. 'punzón para escribir', y antes 'estaca', 'tallo'.

DERIV. *Estilar*, 1604. *Estilete*, S. XX, del fr. *stylet*. *Estilista*, 1899; *estilístico*; *estilística*, S. XX. *Estilizar*, S. XX; *estilización*.

CPT. *Estilográfico*, del ingl. anticuado *stylographic*, 1880, cpt. del lat. *stilus* 'punzón de escribir' y el gr. *gráphō* 'yo escribo', en el sentido 'que escribe a la manera de un estilo'.

ESTIMAR, h. 1400. Tom. del lat. *aestĭmare* 'estimar, evaluar', 'apreciar, reconocer el mérito', 'juzgar'.

DERIV. *Estimación*, 1315. *Estima*, 1490. *Estimable*, 1495. *Estimativa*, 1438. *Desestimar*, 1623. *Inestimable*.

ESTÍMULO, 1438. Tom. del lat. *stimŭlus* 'aguijón', 'aguijada', 'tormento', 'estímulo'.

DERIV. *Estimular*, h. 1450, lat. *stimulare* íd., propte. 'pinchar, aguijonear'; *estimulante*.

ESTÍO, 1335. Del lat. AESTĪVUM, primitivamente AESTIVUM TEMPUS 'estación veraniega', deriv. de AESTAS 'verano'.

DERIV. *Estival*, 1490, cultismo.

ESTIOMENAR 'corroer', 1732, deriv. del poco usado *estiómeno* 'corrosión', 1732, tomado del gr. *esthiómenos* 'comido', participio de *esthíō* 'yo como'.

ESTIPENDIO, h. 1570-80. Tom. del lat. *stipendium* 'contribución pecuniaria', 'sueldo'.

DERIV. *Estipendiario*, 1606.

Estíptico, V. *estibar*

ESTIPULAR, 1553 (*astiprar*, 1233). Tom. del lat. *stipulari* 'hacerse prometer verbal pero solemnemente', 'prometer en esta forma'.

DERIV. *Estipulación*, S. XV.

Estiracáceo, V. *estoraque*   *Estirado*, *estiramiento*, *estirar*, *estirón*, V. *tirar*

ESTIRPE 'raza, familia', 1438. Tom. del lat. *stĭrps*, -*pis*, íd., propte. 'base del tronco de un árbol'.

DERIV. *Extirpar*, 1555, tom. del lat. *exstirpare* 'desarraigar', 'arrancar'; *extirpación*, 1604.

Estival, V. *estío*   *Estocada*, V. *estoque*

ESTOFA, 1495, 'calidad de los tejidos', 'calidad, condición'. Del fr. ant. *estofe* 'materiales de cualquier clase' (hoy *étoffe* es principalmente 'paño'). Éste parece ser derivado del verbo *estofer* 'preparar, guarnecer, aprovisionar', que procede probablemente del alem. ant. *stopfôn* (hoy alem. *stopfen* 'componer, remendar', propte. 'rellenar', 'embutir', 'tapar', ingl. *stop* 'obstruir', 'tapar', 'detener').

ESTOFAR 'guisar carne sazonada con varios condimentos, en una vasija bien tapada y a fuego lento' 1525 (también *estufar* y *estubar* en la misma fecha). Por su origen es variante del antiguo *estufar* 'calentar como en estufa o lugar herméticamente cerrado'; la historia del vocablo dentro de las lenguas románicas no es bien conocida; al parecer el it. *stufato* al pasar por Francia se convirtió en *estoufat, estouffade*, por influjo del fr. *étouffer* (antiguo *estofer*) 'ahogar' (de origen incierto pero independiente), y de Francia pasó a España; para la etimología de *estufar*, véase *ESTUFA*.
Deriv. *Estofado*, 1611.

ESTOICO, h. 1440, lat. *stōicus*. Tom. del gr. *stōikós* íd., deriv. de *stoá* 'pórtico', por el paraje de Atenas así denominado, donde se reunían estos filósofos.
Deriv. *Estoicismo*, 1832.

ESTOLA, 1220-50. Tom. del lat. *stŏla* 'vestido largo', y éste del gr. *stolē* 'vestido', deriv. de *stéllō* 'yo apercibo, aparejo, visto'.

Estolidez, estólido, V. *estulto*

ESTOLÓN, 1884. Tom. del lat. *stolo, -ōnis*, 'retoño'.

ESTOMA, 1899, 'abertura pequeñísima que hay en la epidermis de los vegetales'. Tom. del gr. *stóma, stómatos*, 'boca'.
Deriv. *Estomático* 'perteneciente a la boca'. *Estomatitis* 'inflamación de la mucosa bucal'. *Anastomosis* 'unión de unos órganos vegetales o animales con otros', gr. *anastómōsis* 'desembocadura', de *anastomóō* 'yo desemboco'; *anastomizarse*.

ESTÓMAGO, 1256. Tom. del lat. *stŏmachus* 'esófago', 'estómago', y éste del gr. *stómakhos* íd., propte. 'boca del estómago', deriv. de *stóma* 'boca'.
Deriv. *Estomacal*, 1555.

ESTOPA, 1330. Del lat. STŬPPA íd.
Deriv. *Estopilla*, 1680. *Estopón*, 1732. *Estoposo*, 1732. *Estoperol* 'trozo de filástica vieja', 1604, del cat. *estoperol*, 1331, deriv. de *estopa*; en el sentido 'clavo empleado en los buques para clavar chapas', 1587, es también cat. (1406) y deriva de *estopar* 'tapar, calafatear', operación que podía hacerse con estopa y también con chapas clavadas mediante estoperoles.

ESTOPOR 'aparato que sirve para detener la cadena del ancla que va corriendo por el escobén', 1842. Tom. del fr. *stoppeur* íd., y éste del ingl. *stopper* 'detenedor', 'estopor', deriv. de *stop* 'detener'.

Estoposo, V. *estopa*

ESTOQUE, princ. S. XIV, 'espada angosta con la cual sólo se puede herir de punta'. Del fr. ant. *estoc* 'punta de una espada', deriv. de *estoquier* 'dar estocadas', 'clavar', del neerlandés anticuado *stôken* 'clavar', 'pinchar', 'empujar', 'incitar', 'atacar', o de su antecesor el fráncico *STÔKAN (comp. el alem. *stechen* 'pinchar').
Deriv. *Estocada*, h. 1490.

ESTORAQUE, 1488. Tom. del lat. tardío *storax, -ăcis*, y éste del gr. *stýrax, -akos*, íd.
Deriv. culto: *estiracáceo*.

Estorbar, estorbo, V. *turbar*

ESTORNINO, 1490. Diminutivo del lat. STŬRNUS íd.

ESTORNUDAR, 1490. Del lat. STERNŪTARE 'estornudar con frecuencia', deriv. de STERNUERE 'estornudar'.
Deriv. *Estornudo*, 1251.

Estotro, V. *este*

ESTRABISMO, 1765-83. Tom. del gr. *strabismós* íd., deriv. de *strabós* 'bizco'.

ESTRADO, h. 1280, 'sala donde se sentaban las mujeres para recibir visitas, y conjunto de alfombras y muebles que la amoblaban', 'tarima cubierta con alfombra, destinada a la presidencia en los actos solemnes'. Significó primitivamente 'yacija empleada como asiento' y procede del lat. STRATUM 'yacija', 'cubierta de cama', 'silla y enjalmas de montar a caballo', neutro de STRATUS, que es el participio pasivo de STERNĔRE 'tender por el suelo', 'alfombrar'. *Estrato*, 1884, es duplicado culto.
Deriv. *Substrato*, S. XX, tom. del lat. *substratus* 'acción de extender por debajo de algo', del participio de *substernere* 'extender en esta forma'; *superstrato*, 1940; *adstrato*, 1940.
Cpt. *Estratificar; estratificación. Estratigrafía. Estratosfera* (V. *ATMÓSFERA*).

ESTRAFALARIO, 1700, 'desaliñado en el vestido o en el porte', 'extravagante'. Del it. dialectal *strafalario*, empleado en el Norte y en el Sur de la Península en los sentidos de 'persona despreciable', 'desaliñada', 'extravagante', 'enfermiza'; probablemente deriv. del it. *strafare* 'contrahacer', 'exagerar'.

ESTRAGAR, 1220-50. Del lat. vg. *STRAGARE 'asolar, devastar', deriv. de STRAGES 'ruinas', 'devastación', 'matanza'.
Deriv. *Estrago*, 1339.

ESTRAGÓN, 1762 (*taragona,* 1592), 'hierba de la familia de las compuestas, usada como condimento, *Artemisia Dracunculus'.* Del fr. *estragon,* 1601 (*targon,* 2.º cuarto S. XVI), y éste del ár. *ṭarḫûn* íd., de origen incierto.

ESTRAMBOTE (género de composición poética), 1445. Antiguamente *estribote,* 1220-50, del mismo origen incierto que oc. ant. *estribot,* fr. ant. *estrabot,* que designaban composiciones satíricas, e it. *strambotto,* nombre de una composición amorosa. Probablemente emparentado con *estribillo* (derivado de *estribo*), también empleado como denominación poética, y en fecha muy antigua, en vista del nombre árabe *markaz* 'apoyo, estribo', aplicado por Mucáddam de Cabra en el siglo IX al estribillo de sus zéjeles. *Estribote* parece haberse propagado en la Edad Media desde España a Francia y de ahí a Italia, alterándose *estribot* en *strambotto* bajo el influjo de oc. ant. *rims estramps* 'versos sueltos, sin rima' (lat. STRAMBUS 'bizco, estevado'); de Italia volvió a España en el S. XV con forma y significado nuevos.
DERIV. *Estrambótico,* 1732.

ESTRAMONIO, 1765 - 83 (*stramonia,* 1555). Tom. del lat. moderno de los botánicos *stramonium,* que probablemente procede del ant. *estremonía,* h. 1250, 'brujería, magia', propte. 'astrología' (deformación de *astronomía*), a causa de los efectos narcóticos del estramonio.

ESTRANGULAR, 1632 (raro hasta el S. XIX). Tom. del lat. *strangulare* íd.
DERIV. *Estrangulación.*

Estranguria, V. *angurria*

ESTRAPERLO 'práctica fraudulenta o ilegal', 'comercio ilegal', en particular 'ventas a precios ilegales', 1939. De *Straperlo,* 1935, nombre de una especie de ruleta cuya suerte podía ser gobernada por la banca, formado con los nombres de los propietarios de la misma, Strauss y Perlo; al tratar de introducirla en España, el gran escándalo causado en la opinión democrática hizo fracasar el manejo, y el nombre se aplicó desde entonces a todos los negocios ilegales.
DERIV. *Estraperlista,* 1940.

ESTRATAGEMA, 1595, lat. *strategēma.* Tom. del gr. *stratḗgēma, -atos,* 'maniobra militar', 'ardid de guerra', 'engaño astuto', deriv. de *stratēgós* 'general', cpt. de *stratós* 'ejército' y *ágō* 'yo conduzco'.
DERIV. *Estrategia,* 1832, gr. *stratēgía* 'generalato', 'aptitudes de general'; *estratégico,* 2.ª mitad S. XIX.

Estratificar, estratigrafía, estrato, estratosfera, V. *estrado* — *Estraza,* V. *atarazar* — *Estrechar, estrecho, estrechura,* V. *estreñir*

ESTREGAR, h. 1450. Probablemente del lat. vg. *STRĬCARE íd., resultante de un cruce de *STRĬGĬLARE 'almohazar' (deriv. de STRĬGĬLIS 'almohaza') con FRĬCARE 'fregar, frotar'.
DERIV. *Estregón. Restregar,* 1843; *restregón.*

ESTRELLA, h. 1140. Del lat. STĒLLA íd. La *r* castellana, que se halla también en portugués y en ciertas hablas del Norte de Italia, se debe a un fenómeno meramente fonético. (Comp. *estrellar* junto a *ESTALLAR*).
DERIV. *Estrellado* 'sembrado de estrellas', 1495. *Estelar,* cultismo. *Constelación,* 1444, tom. del lat. *constellatio, -onis,* 'posición de los astros'.
CPT. *Estrellamar,* 1609.

Estrellar 'hacer añicos', V. *estallar* — *Estremecerse, estremecimiento,* V. *temblar*

ESTRENAR, 2.ª mitad S. XIII, antiguamente 'hacer un regalo o aguinaldo'. Derivado del antiguo *estrena,* 1335, lat. STRĒNA 'regalo que se hace con ocasión de alguna solemnidad'; el sentido moderno se explica por la costumbre de hacer un regalo con motivo de estrenar algo.
DERIV. *Estreno,* 1732.

ESTREÑIR, 1490. Del lat. STRĬNGĔRE 'estrechar'.
DERIV. *Estreñimiento,* 1490. *Estrecho,* adj., S. X, de STRĬCTUS íd., propte. participio de STRINGERE; *estrechar,* 1475. *Estrechura,* h. 1250. *Estrechez,* 1705 (*-eza,* 1570). *Co(n)streñir,* S. X, lat. CONSTRĬNGĔRE íd.; cultismos: *constricción, constrictivo. Estricto,* 1692, duplicado culto de *estrecho. Astringente,* 1578, propte. participio activo del lat. *adstringere* 'estrechar'. *Restringir,* 1570, lat. *restringere* íd.; *restricción,* 1737; *restrictivo.*

ESTRÉPITO, h. 1490. Tom. del lat. *strĕpĭtus, -us,* íd., deriv. de *strepĕre* 'hacer ruido, resonar'.
DERIV. *Estrepitoso,* 1832.

Estreptococo, V. *estrofa*

ESTRÍA, 1607. Tom. del lat. *stria* íd., propte. 'surco'.
DERIV. *Estriar,* 1607; *estriado,* 1580

ESTRIBO, 1433 (antes *estribera,* h. 1140). Voz sinónima y hermana del port. *estribo,* cat. *estrep,* oc. *estreup, estrieu,* fr. ant. *estrieu, estrief* (hoy *étrier*). De origen incierto, quizá germánico. Las formas de Francia al parecer suponen un fráncico *STREUP, y la hispanoportuguesa podría venir de su correspondencia gótica *STRIUPS, pero formas equivalentes no se hallan documentadas de hecho en ningún idioma germánico. DERIV. *Estribar*, h. 1400. *Estribillo*, h. 1650, V. *ESTRAMBOTE*. *Restribar*.

ESTRIBOR, 1526. Del fr. anticuado *estribord* (hoy *tribord*), de origen germánico, probablemente del neerlandés *stierboord* íd., cpt. de *stier* (o *stuur*) 'gobernalle' y *boord* 'borda', porque el piloto se situaba antiguamente a este costado de la nave.

ESTRICNINA, 1884. Deriv. culto del gr. *strýkhnos*, nombre de varias solanáceas venenosas.

ESTRIDENTE, 1817. Tom. del lat. *stridens, -ntis*, íd., participio del verbo *stridēre* 'chillar, producir un ruido estridente'. DERIV. *Estridencia*, S. XX.

ESTRO 'moscardón', 'estímulo ardoroso que inflama a los poetas y artistas inspirarados', 'período de ardor sexual en los mamíferos', lat. *oestrus*. Tom. del gr. * óistros* 'tábano', 'delirio profético o poético' (comparado al estado del animal picado por un tábano).

ESTROBO, 1606. Procedente de una variante del lat. STRUPPUS íd. (a saber STRŬPUS o *STROPHUS), que viene del gr. *stróphos* 'cuerda', 'correa'.

ESTROFA, 1732, lat. *stropha*. Tom. del gr. *strophē* 'vuelta', 'evolución del coro en escena', 'estrofa que canta el coro', deriv. de *stréphō* 'doy vueltas', 'tuerzo'. DERIV. *Estrófico*. *Antístrofa*, 1580, gr. *antistrophē*. CPT. *Estreptococo*, S. XX, cpt. del gr. *streptós* 'trenzado redondeado' (deriv. de *stréphō*) y *kókkos* 'granito'.

ESTRONCIANA, 1899. Del ingl. *strontian* íd., 1789, propte. nombre de un pueblo de Escocia en el que se halló este mineral por primera vez. *Estroncio* deriva de ahí, por entrar este metal en la composición de la estronciana.

ESTROPAJO, 1386. Origen incierto, probablemente alteración de *estopajo*, 1604, dederivado de *estopa*; aunque los estropajos se hacen de esparto, es verosímil que se hayan hecho también de estopa; la r puede ser debida, entre otras causas, al influjo de *estrobo*. DERIV. *Estropajoso*, 1623.

ESTROPEAR, 1599. Seguramente del it. *stroppiare*, variante popular de *storpiare*

'lisiar', 'alterar, deformar', que viene probablemente del lat. vg. DISTŬRPIARE. En castellano existieron antiguamente las formas autóctonas *destorpar* y *estorpar* 'lisiar', S. XIII, procedentes de otra variante latina DISTŬRPARE. Ambas son leves modificaciones del lat. clásico DETŬRPARE 'desfigurar', 'marchitar', deriv. de TŬRPIS 'feo, deforme'. DERIV. *Estropicio*, 1884.

Estropicio, V. *estropear*   *Estructura, estructurar*, V. *construir*

ESTRUENDO, 1438. Modificación del antiguo sinónimo *atruendo*, 1495, que a su vez lo es de *atuendo*, 1019, por influjo de *trueno*; *atuendo* (V. este artículo) viene del lat. ATTŎNĬTUS, participio de ATTONARE, TONARE, 'tronar'; y el moderno *estruendo* se debe a la acción de los sinónimos *estrépito, estailido, estampido*. DERIV. *Estruendoso*, h. 1620.

ESTRUJAR 'apretar una cosa para sacarle el zumo', 1490. Del lat. vg. *EXTORCULARE 'exprimir en el trujal', deriv. de TORCŬLUM 'trujal, molino de aceite', 'lagar', que lo es a su vez de TORQUĒRE 'torcer'. Lo mismo que el cast. *trujal*, 1739 (*trullar*, 1374), procedente de TORCŬLAR, otro deriv. de la misma palabra, y que el cat. *trull*, oc. *truelh*, fr. *treuil*, procedentes de TŎRCŬLUM, nuestro vocablo sufrió una temprana trasposición de la R, cambiándose en *EXTROCLARE, de donde *estrujar*.

Estuario, V. *estero*

ESTUCO, 1569. Del it. *stucco* íd., y éste del longobardo STUKKI 'pedazo', 'costra' (comp. el alem. *stück* 'pedazo', anglosajón *stycce*). DERIV. *Estucar*, 1706; *estucado*, 1706.

ESTUCHE, 1386 (*estux*). De oc. ant. *estug* íd. (pronúnciese *estüts*), deriv. del verbo *estujar* 'guardar cuidadosamente, ocultar', procedente del lat. vg. *STUDIARE 'guardar, cuidar', deriv. de STŬDĬUM 'celo, aplicación, ardor, esfuerzo'.

ESTUDIO, 1220-50. Tom. del lat. *stŭdĭum* íd.; propte. 'aplicación, celo, ardor, diligencia'. DERIV. *Estudiar*, 1220-50; *estudiante*, 1462, *estudiantil, estudiantina. Estudioso*, h. 1450.

ESTUFA 'hogar encerrado en una caja de metal o porcelana, que se coloca en las habitaciones para calentarlas', 1705, antes 'aposento herméticamente cerrado y caldeado artificialmente', 1490, 'lugar cerrado donde se coloca al enfermo que ha de tomar sudores', 1495 (y *estuba*, h. 1300). Del verbo *estufar* 'caldear un aposento cerrado' (mejor representado en otras lenguas romances), y éste probablemente de un verbo del latín vulgar *EXTŪPHARE* 'caldear con vapores', adaptación del gr. *ektýphō* 'yo convierto en humo', 'avivo el fuego, atizo', deriv. de *týphos* 'vapor'; se trata de un vocablo común a varias lenguas romances, pero no es probable que en castellano sea autóctono en su forma actual, sino procedente del it. *stufa*, V. *ESTOFAR*.

ESTULTO, med. S XVII. Tom. del lat. *stŭltus* 'necio'. *Estólido*, h. 1520, tom. del lat. *stolĭdus* íd., voz emparentada.
DERIV. *Estulticia*, 2.º cuarto S. XV. *Estolidez*.

ESTÚPIDO, 1691. Tom. del lat. *stŭpĭdus* íd., propte. 'aturdido, estupefacto', deriv. de *stupēre* 'estar aturdido'.
DERIV. *Estupidez*, 1765-83. *Estupor*, 1515; lat. *stŭpor, -ōris*, íd. *Estupendo*, h. 1570, lat. *stŭpĕndus* 'sorprendente', participio de futuro pasivo de *stupere*.
CPT. *Estupefacción*, 1832, deriv. culto del lat. *stupefacĕre* 'causar estupor', de cuyos participios pasivo y activo vienen, respectivamente, *estupefacto*, 1843, y *estupefaciente*.

ESTUPRO, 1490, 'coito logrado con abuso de confianza o engaño'. Tom. del lat. *stŭprum* íd.
DERIV. *Estuprar*, 1604, lat. *stuprare* íd.

ESTURIÓN 'sollo', 1525. Tom. del b. lat. *sturio, -onis*, y éste del alem. ant. *sturio* íd. (hoy *stör*).

ETAPA, 1817. Del fr. *étape* 'localidad donde pernoctan las tropas', 'distancia que se debe recorrer para llegar a ella'; significó propiamente 'almacén para los víveres de las tropas en camino' y antes 'mercado, depósito comercial'. Procedente del neerlandés anticuado *stapel* 'andamio', 'depósito' (comp. el ingl. *staple* íd.).

ETCÉTERA, 1568. Tom. de la frase latina *et cetěra* 'y las demás cosas'.

ÉTER 'fluido sutil que llena los espacios fuera de la atmósfera', 1547, lat. *aether, -ĕris*. Tom. del gr. *aithḗr, -éros*, íd., propte. 'cielo' (deriv. de *áithō* 'yo quemo'). Aplicado modernamente a compuestos del alcohol, 1832, por lo ligero y volátil de estos líquidos.
DERIV. *Etéreo*, 1444.
CPT. *Etilo*, S. XX, formado con *ét(er)* y el gr. *hýlē* 'materia'; *etílico* íd.

Eternidad, eternizar, eterno, V. *edad*

ETESIO, h. 1600, lat. *etesĭus*. Tom. del gr. *etēsios* 'anual, que se repite cada año', deriv. de *étos, étus*, 'año'.

ÉTICO, hacia 1440, lat. *ethicus*. Tom. del gr. *ēthikós* 'moral, relativo al carácter', derivado de *ēthos* 'carácter, manera de ser'.
DERIV. *Ética*, h. 1440, gr. *ēthiká* íd., neutro plural de dicho adjetivo.
CPT. *Etopeya*, 1765-83, gr. *ēthopoiía* 'descripción del carácter', formado con *poiéō* 'yo hago, describo'.

Ético 'consumido', V. *enteco*   *Etílico*, V. *éter*.

ETIMOLOGÍA, 1438. Tom. del lat. *etymologĭa* 'origen de una palabra', y éste del gr. *etymología* 'sentido verdadero de una palabra', cpt. de *étymos* 'verdadero, real', y *lógos* 'palabra'. *Étimo*, h. 1910, aplicado por los lingüistas a la palabra de donde desciende otra etimológicamente, gr. *étymon* 'sentido verdadero'.
DERIV. *Etimológico*, 1705. *Etimologista*, 1705, o *etimólogo*. *Etimologizar*, 1832.

ETIOLOGÍA, 1580 (con sentido médico, S. XVIII), lat. *aetiologĭa*. Tom. del gr. *aitiología* íd., cpt. de *aitía* 'causa' y *lógos* 'tratado'.
DERIV. *Etiológico*.

ETIQUETA 'ceremonial que se observa en las casas reales o en los actos de la vida pública y privada', med. S. XVII. Del fr. *étiquette* 'rótulo, especialmente el fijado a las bolsas donde se conservaban los procesos', 1387, extendido por Carlos V al protocolo escrito donde se ordenaba la etiqueta de corte; en el sentido de 'rotulillo adherido a un objeto' se tomó en el S. XIX; del francés pasó al ingl. *ticket* 'billete, boleto', de donde el barbarismo *tiquete*, S. XX.

ETMOIDES, 1606. Tom. del gr. *ēthmoeidés* íd., propte, 'parecido a una criba', cpt. de *ēthmós* 'criba' y *êidos* 'forma'.

ÉTNICO, 1617 ('pagano', 2.ª mitad S. XIII). Tom. del gr. *ethnikós* 'perteneciente a las naciones', deriv. de *éthnos, -nus*, 'raza, nación, tribu'.
CPT. *Etnografía*; *etnográfico*; *etnógrafo*. *Etnología*; *etnológico*; *etnólogo*.

Etopeya, V. *ético*

EUCALIPTO, 1849. Deriv. culto del gr. *kalyptós* 'cubierto, tapado', adjetivo verbal de *kalýptō* 'yo tapo', 'escondo', con el prefijo *eu-* 'bien'; así llamado por la forma capsular de su fruto.

EUCARISTÍA, 1.ª mitad S. XIV. Tom. del gr. *eukharistía* íd., propte. 'reconocimiento', 'acción de gracias', deriv. de *eukháristos* 'agradecido' y éste de *kharízomai* 'yo complazco, me hago agradable'; sacramento que simboliza la última Cena, cuando Jesús distribuyó el pan entre los Apóstoles dando las gracias a Dios.
DERIV. *Eucarístico,* 1732.

EUCOLOGIO, 1899. Cpt. culto del gr. *eukhḗ* 'oración' y *légō* 'yo escojo'.

EUFEMISMO 'expresión atenuada de ideas duras o malsonantes', 2.ª mitad S. XIX. Tom. del gr. *euphēmismós* íd., deriv. de *euphēmós* 'que habla bien, que evita las palabras de mal agüero', y éste de *phḗmē* 'modo de hablar'.
DERIV. *Eufemístico. Eufémico.*

Eufonía, eufónico, V. *fonético*

EUFORBIO, 1555, lat. *euphorbium.* Tom. del gr. *euphórbion* íd.
DERIV. *Euforbiáceo.*

EUFORIA 'sensación de bienestar', S. XX, propte. 'capacidad para soportar el dolor'. Tom. del gr. *euphoría* íd., deriv. de *éuphoros* 'robusto, vigoroso' (y éste de *phérō* 'yo soporto').
DERIV. *Eufórico.*

EUFRASIA, 1555. Tom. del gr. *euphrasía* 'alegría', deriv. de *euphráinō* 'yo alegro', y éste de *phrḗn* 'mente'.

Eugenesia, eugenésico, V. *engendrar* .

EUNUCO, 1490, lat. *eunūchus.* Tom. del gr. *eunûkhos* íd., cpt. de *euné* 'lecho' y *ékhō* 'yo guardo'.

EUPATORIO, 1555. Tom. del gr. *eupatórion* íd., planta así llamada en memoria de Eupátor, sobrenombre de Mitridates, rey del Ponto.

Fupepsia, eupéptico, V. *dispepsia   Euritmia, eurítmico,* V. *rima   Éustilo,* V. *estilita*

EUTANASIA, h. 1925. Tom. del gr. *euthanasía* 'buena muerte', compuesto de *eu* 'bien' y *thánatos* 'muerte'.

Eutrapelia, eutrapélico, V. *tropelía   Evacuación, evacuar,* V. *vagar   Evadir,* V. *invadir   Evaluación, evaluar,* V. *valer   Evanescente,* V. *vano   Evangélico, evangelio, evangelista, evangelizar,* V. *ángel   Evaporar,* V. *vapor   Evasión, evasivo,* V. *invadir   Evento, eventual, eventuali-*

dad, V. *venir   Evicción,* V. *vencer   Evidencia, evidente,* V. *ver*·

EVITAR, 1438. Tom. del lat. *ēvītāre* 'evitar (algo), huir (de algo)', deriv. de *vitare* íd.
DERIV. *Vitando,* lat. *vitandus* 'que hay que evitar', participio de futuro pasivo de *vitare. Evitación. Evitable; inevitable,* 1490.

Evo, V. *edad   Evocación, evocar,* V. *voz*

EVOHÉ, 1617. Del fr. *évohé,* mala adaptación del lat. *euhoe* o *evoe,* tom. del gr. *euôi,* grito de las bacantes.

Evolución, evolucionar, evolutivo, V. *volver   Exacción,* V. *exigir   Exacerbación, exacerbar,* V. *acerbo   Exactitud, exacto,* V. *exigir*

EXAGERAR, 1599. Tom. del lat. *exaggerare* 'terraplenar', 'colmar', 'amplificar, engrosar', deriv. de *agger* 'terraplén'.
DERIV. *Exageración,* 1580.

Exaltación, exaltado, exaltar, V. *alto* I

EXAMEN, 1438. Tom. del lat. *exāmen, -inis,* íd., propte. 'fiel de la balanza' y 'acción de pesar'.
DERIV. *Examinar,* 1335, lat. *examinare* 'pesar', 'examinar'. *Examinando.*

Exangüe, V. *sangre   Exánime,* V. *alma   Exantema, exantemático,* V. *antología   Exarcado, exarco,* V. *anarquía   Exasperación, exasperar,* V. *áspero   Excarcelar,* V. *cárcel   Excavación, excavar,* V. *cavar   Excedencia, excedente,* V. *exceder*

EXCEDER, 1438. Tom. del lat. *excedĕre* 'salir', deriv. de *cedere* 'retirarse' (V. CEDER).
DERIV. *Excedente,* 1832; *excedencia. Exceso,* 1444, lat. *excessus, -ūs,* 'salida'; *excesivo,* 1438.

EXCELENTE, 1433. Tom. del lat. *excellens, -tis,* 'sobresaliente, que excede de la talla de otro', participio de *excellĕre* 'ser superior', 'sobresalir'.
DERIV. *Excelencia,* 1438, lat. *excellentia. Excelso,* h. 1440, lat. *excelsus* íd., participio del mismo verbo. *Celsitud,* 1427, lat. *celsitūdo,* 'elevación', 'grandeza', de *celsus* 'elevado', participio del inusitado *cellere* (de donde deriva *excellere*).

Excentricidad, excéntrico, V. *centro*

EXCEPTO, fin S. XIII. Tom. del lat. *exceptus,* participio de *excipere* 'sacar, exceptuar' (deriv. de *capere* 'coger').

DERIV. *Exceptuar*, 1605. *Excepción*, 1348, lat. *exceptio*, *-onis*, íd.; *excepcional*.

Excesivo, *exceso*, V. *exceder*

EXCIPIENTE 'sustancia que sirve para disolver ciertos medicamentos ocultando el sabor desagradable de los mismos', S. XIX. Tom. del lat. *excipiens*, participio de *excipĕre* 'recibir (los golpes), sostener (el choque)' (deriv. de *capere* 'coger').

EXCITAR, 2.º cuarto S. XV. Tom. del lat. *excĭtare* 'despertar', 'excitar', deriv. de *ciēre* 'poner en movimiento'.
DERIV. *Excitable*. *Excitación*, 1607. *Excitante*. *Sobreexcitar*; *sobreexcitación*.
Otros deriv. de *ciere*, de formación paralela, son: *Concitar*, 1584, lat. *concitare*; *concitador*, h. 1450. *Incitar*, h. 1440, lat. *incitare*; *incitante*; *incitativo*, 1438. *Suscitar*, 1612, lat. *suscĭtare* 'hacer levantar', 'despertar'; de donde *resucitar*, h. 1140, lat. *resuscitare* 'hacer resucitar' (sin relación etimológica con *resurrección*).

Exclamación, *exclamar*, V. *llamar* *Exclaustrar*, V. *claustro* *Excluir*, *exclusión*, *exclusiva*, *exclusivismo*, *exclusivo*, V. *concluir* *Excogitar*, V. *cuidar* *Excomunión*, V. *comulgar* *Excoriar*, V. *cuero*

EXCREMENTO, 1582. Tomado del lat. *excremĕntum* 'cernedura', 'secreción', 'excremento', deriv. de *excernere* 'separar cribando' (que a su vez lo es de *cernere* 'cerner').
DERIV. *Excrementicio*. *Excretar*, deriv. de *excretus*, participio de dicho verbo.

Excretar, V. *excremento* *Exculpar*, V. *culpa* *Excursión*, *excursionista*, V. *correr* *Excusa*, V. *acusar* *Excusabaraja*, V. *esconder* *Excusado*, V. *esconder* y *acusar* *Excusar*, V. *acusar*

EXECRAR, fin S. XVI. Tom. del lat. *exsecrari* 'maldecir, lanzar imprecaciones', deriv. de *sacer* 'santo, sagrado'.
DERIV. *Execrable*, 1444. *Execración*, 1604.

EXEGÉTICO, 1732. Tom. del gr. *exēgētikós* 'propio para la exposición o interpretación', deriv. de *exēgēsis* 'interpretación' (de donde *exégesis*, 2.ª mitad S. XIX), y éste de *exēgéomai* 'exponer', 'interpretar'.
DERIV. *Exegeta*.

Exención, *exento*, V. *eximir* *Exequátur*, *exequias*, V. *ejecutar* *Exergo*, V. *energía* *Exfoliar*, V. *hoja* *Exhalación*, *exhalar*, V. *hálito*

EXHAUSTO 'agotado', 1614 (*inesausto*, h. 1580). Tom. del lat. *exhaustus* íd., participio pasivo de *exhaurire* 'vaciar de agua', 'agotar', deriv. de *haurire* 'sacar (agua)'.
DERIV. *Exhaustivo*, 1928.

EXHIBIR 'mostrar', 1612. Tom. del lat. *exhibēre* íd., deriv. de *habēre* 'tener'.
DERIV. *Exhibición*, h. 1440; *exhibicionismo*. *Inhibir*, 1597, lat. *inhibēre* íd.; *inhibición*, 1597. *Redhibitorio*, deriv. de *redhibere* 'devolver'.

EXHORTAR, 2.º cuarto S. XV. Tom. lat. *exhortari* íd., deriv. de *hortari* 'animar, estimular, exhortar'.
DERIV. *Exhortación*, 1570. *Exhortativo*. *Exhorto*, 1732.

EXHUMAR, 1732. Tom. del b. lat. *exhumare* 'desenterrar', deriv. del lat. *humus* 'tierra', también empleado en castellano, 1884.
DERIV. *Exhumación*. *Inhumar* 'enterrar', 1884, lat. *inhumare*, que con aplicación a las plantas es ya clásico. *Trashumante*, 1739, deriv. culto de *humus*.

EXIGIR, 1604. Tom. del lat. *exĭgĕre* íd. y 'hacer pagar, cobrar', 'cumplir, ejecutar', deriv. de *ăgĕre* 'empujar'.
DERIV. *Exigente*, 1855 (y una vez 1438); *exigencia*, 1604. *Exacto*, 1607, lat. *exactus* íd., propte. 'cumplido, perfecto'; *exactitud*, 1705; *exacción*, 1545, lat. *exactio* 'cobranza'.

EXIGUO 'diminuto', 2.º cuarto S. XV, raro hasta el S. XVIII. Tom. del lat. *exĭgŭus* íd., propte. 'de pequeña talla, corto'.

EXILIO 'destierro', 1220-50, raro hasta 1939. Tom. del lat. *exsĭlĭum* íd., deriv. de *exsilire* 'saltar afuera' (y éste de *salire* 'saltar').
DERIV. *Exilado*, 1939, imitado del fr. *exilé*.

Eximio, V. *eximir*

EXIMIR 'exceptuar de una culpa u obligación', h. 1440. Tom. del lat. *exĭmĕre* íd., propte. 'sacar afuera'.
DERIV. *Eximente*. *Exento*, 1438, latín *exemptus*, propte. participio de *eximere*; *exención*, 1495; *exentar*, 1604. *Eximio*, 1438, lat. *exĭmĭus* 'privilegiado, sacado de lo corriente'.

EXISTIR, 1607. Tom. del lat. *exsistĕre* 'salir', 'nacer', 'aparecer', deriv. de *sistere* 'colocar'.
DERIV. *Existente*, h. 1440; *existencia*, h. 1490; *existencial*, *existencialismo*. *Coexistir*. Otros deriv. de *sistere*: *Asistir*, 2.ª mitad S. XVI, lat. *assistĕre* 'pararse junto a (un lugar)'; *asistente*, princ. S. XV; *asistencia*, S. XV. *Desistir*, 2.º cuarto S. XV, lat. *de-*

sistĕre íd. *Insistir*, 1444, lat. *insistere* íd; *insistente*; *insistencia*. *Persistir*, 1607, lat. *persistere* íd.; *persistente*; *persistencia*. *Subsistir*, 1607, lat. *subsistere* íd.; *subsistente*; *subsistencia*.

ÉXITO, 1732. Tom. del lat. *exĭtus, -us*, 'resultado', propte. 'salida', deriv. de *exire* 'salir' (y éste de *ire* 'ir').

Éxodo, V. *episodio*   *Exoftalmia*, V. *óptico*   *Exoneración*, *exonerar*, V. *oneroso*   *Exorbitante*, V. *orbe*

EXORCISMO 'conjuro contra el demonio', 1220-50, lat. tardío *exorcismus*. Tom. del gr. *exorkismós* íd., propte. 'acción de hacer prestar juramento', deriv. de *exorkízō* 'yo tomo juramento en nombre de Dios', y éste de *hórkos* 'juramento'.
DERIV. *Exorcista*, 1220-50. *Exorcizar*, 1604, del citado *exorkízō*.

Exordio, V. *urdir*   *Exornar*, V. *ornar*   *Exosmosis*, V. *osmosis*   *Exotérico*, V. *esotérico*

EXÓTICO, 1614, lat. *exotĭcus*. Tom. del gr. *exōtikós* 'de afuera, externo', deriv. de *éxō* 'afuera'.
DERIV. *Exotiquez*. *Exotismo*, S. XX.

EXPANDIR, 1251. Tom. del lat. *expandĕre* 'extender, desplegar', deriv. de *pandĕre* 'extender', 'desplegar', 'abrir'.
DERIV. *Expansión*, 1765-83, lat. *expansio, -onis*; *expansionarse*; *expansivo*, 1832.

Expatriarse, V. *padre*

EXPECTACIÓN, h. 1570. Tom. del lat. *expectatio, -onis*, deriv. de *exspectare* 'esperar, estar a la expectativa', y éste de *spectare* 'mirar'.
DERIV. *Expectante*, princ. S. XV. *Expectativa*, S. XV.

Expectante, *expectativa*, V. *expectación*   *Expectoración*, *expectorar*, V. *pecho*   *Expedición*, *expediente*, *expedir*, *expeditivo*, *expedito*, V. *impedir*

EXPELER 'expulsar', h. 1440. Tom. del lat. *expellĕre* íd., deriv. de *pellere* 'empujar'.
DERIV. *Expulso*, princ. S. XVII, lat. *expulsus*, participio de *expellere*. *Expulsar*, 1607. *Expulsión*, h. 1575. *Expulsivo*, h. 1440.

Expendedor, *expendeduría*, *expender*, *expendición*, *expensas*, V. *dispendio*

EXPERIENCIA, h. 1400. Tom. del lat. *experientia*, íd., deriv. de *experiri* 'intentar, ensayar, experimentar'.

DERIV. *Experimento*, h. 1280, lat. *experimentum* 'ensayo', 'prueba por la experiencia'; *experimentar*, h. 1440; *experimental*, h. 1440. *Experto*, 1438, lat. *expertus* 'que tiene experiencia', participio de *experiri*. *Perito*, 1595, lat. *perītus* 'experimentado', 'entendido', deriv. del mismo primitivo que *experiri*; *peritación*; *pericia*, 1553, lat. *peritia*; *pericial*; *imperito*, 1444.

Expiación, *expiar*, *expiatorio*, V. *pío*   *Expiración*, *expirar*, V. *espirar*   *Explanación*, *explanada*, *explanar*, V. *llano*

EXPLAYAR, 1582-5, 'ensanchar, dilatar, difundir'. Deriv. de *playa* en el sentido de 'extenderse rápidamente y fácilmente', como hace la marea por una playa llana; palabra más vivaz en catalán (*esplaiar* 'expansionar', *esplai* 'esparcimiento, consuelo', S. XIX) y en portugués (*espraiar* 'esparcir, dilatar', 2.º cuarto S. XVI).

Expletivo, V. *suplir*   *Explicación*, *explicar*, *explicativo*, *explícito*, V. *plegar*

EXPLORAR, 1604. Tom. del lat. *explō̆rare* 'observar, examinar', 'practicar un reconocimiento'.
DERIV. *Exploración*, 1732. *Explorador*, 1732.

EXPLOSIÓN, 1817. Tom. del lat. *explosio, -onis*, 'abucheo, acción de expulsar ruidosamente (a una persona o animal)', deriv. de *explōdĕre* 'expulsar ruidosamente' (y éste de *plaudere* 'golpear con las manos'); tomado en el sentido de 'manifestación ruidosa', 'estallido'.
DERIV. *Explosivo*, 1884; como opuesto a éste formaron los lingüistas *implosivo*, 1939, y de ahí *implosión*.

EXPLOTAR, 1855, 'extraer de una fuente natural la riqueza que contiene', 'sacar utilidad de algo, sobre todo con carácter abusivo'. Del fr. *exploiter* 'sacar partido (de algo)', 'esquilmar', antiguamente *esploitier* 'emplear', 'ejecutar', deriv. de *esploit* 'ventaja, provecho', 'realización', que a su vez procede del lat. EXPLĬCĬTUM 'cosa desplegada o desarrollada', neutro del participio de EXPLICARE 'desplegar, desarrollar'. En el sentido de 'hacer explosión', 1916, es barbarismo debido al influjo de *explosión* sobre este vocablo.
DERIV. *Explotación*.

Expoliación, *expoliar*, V. *despojar*   *Exponente*, *exponer*, V. *poner*   *Exportación*, *exportar*, V. *portar*   *Exposición*, *expositivo*, *expósito*, *expositor*, V. *poner*

EXPRIMIR, 1490. Del lat. EXPRĬMĔRE 'exprimir, estrujar', 'hacer salir', 'expresar' (deriv. de PRĔMĔRE 'apretar').

DERIV. *Expreso*, 1438, tom. del lat. *exprĕssus* 'declarado', 'destacado', 'expresado', participio de *exprimere*; *expresión*, 1490; *expresar*, 1438; *expresivo*, 1438; *inexpresable*.

Expropiar, V. *propio*   *Expugnar*, V. *puño*   *Expulsar, expulsión*, V. *expeler*   *Expurgar*, V. *puro*   *Exquisito*, V. *adquirir*   *Extasiarse, éxtasis, extático*, V. *estático*   *Extemporáneo*, V. *tiempo*   *Extender, extensión, extensivo*, V. *tender*   *Extenuar*, V. *tenue*   *Exterior, exteriorizar*, V. *extra*   *Exterminar, exterminio*, V. *término*   *Externo*, V. *extra*

EXTINGUIR, h. 1580. Tom. del lat. *exstĭnguĕre* 'apagar'.

DERIV. *Extinción*, 1705. *Extinto*, 1607. *Extintor. Inextinguible*, 1438.

Extirpar, V. *estirpe*   *Extorsión*, V. *torcer*

EXTRA, 1732. Preposición latina con el significado 'fuera de', que ha alcanzado considerable empleo en castellano como prefijo, así como en algún uso preposicional, y también, más recientemente, como adjetivo y sustantivo.

DERIV. de la misma raíz: *Exterior*, 1438, tom. del lat. *exterior, -oris*, íd., comparativo de *exterus* 'externo'; *exteriorizar*, 1917. *Externo*, 1607, lat. *externus* íd. *Extremo*, 1335, lat. *extrēmus* íd.; *extremidad*, h. 1440; *extremoso*, 1832; *extremista*; *extremar*, S. XIII; *extremado*, 1495; *extremadura*, 1220-50.

CPT. *Extremaunción*, 1611. *Extrínseco*, 1515, lat. *extrinsĕcus*, formado con *secus* 'a lo largo de'.

Extracción, extractar, extracto, extractor, extraer, V. *traer*   *Extralimitarse*, V. *límite*

EXTRAÑO, h. 1140. Del lat. EXTRANĔUS 'exterior', 'ajeno', 'extranjero', deriv. de EXTRA 'fuera'.

DERIV. *Extrañeza*, 1570. *Extrañar*, 1091; *extrañamiento*, 1732. *Extranjero*, 1396, del fr. ant. *estrangier* íd., deriv. de *estrange* 'extraño', del mismo origen; *extranjería*, 1611; *de extranjis*.

Extraordinario, V. *orden*   *Extravagancia, extravagante*, V. *vago*   *Extravasación, extravasarse*, V. *vaso*   *Extraviar, extravío*, V. *vía*   *Extremado, extremar, extremaunción, extremidad, extremo, extremoso, extrínseco*, V. *extra*   *Exuberante*, V. *ubre*   *Exudación, exudar*, V. *sudar*   *Exulcerar*, V. *úlcera*   *Exultación, exultar*, V. *saltar*   *Exutorio*, V. *indumentaria*   *Exvoto*, V. *voto*   *Eyaculación, eyacular*, V. *jaculatoria*

F

Fabada, V. *haba*   *Fabla, fabliella*, V. *hablar*

FABORDÓN, 1463, del fr. *faux-bourdon* íd., compuesto de *faux* 'falso' y *bourdon* 'tono bajo en ciertos instrumentos musicales', propte. 'abejorro', 'zángano' (por el zumbido de estos insectos), voz onomatopéyica. Origen parecido tiene *bordona* 'cuerda de la guitarra', arg.

FÁBRICA, h. 1440. Tom. del lat. *fabrĭca* 'taller', 'fragua', propte. 'oficio de artesano', 'arquitectura', 'acción de labrar o componer', abreviación de *ars fabrica* 'arte del obrero o artesano', deriv. de *faber*, que en latín designa a este último.
DERIV. *Fabricar*, h. 1400, lat. *fabricare* 'componer, modelar, confeccionar'; *fabricación*, 1495; *fabricante*. *Fabril*, 1499, raro hasta el S. XIX, lat. *fabrīlis* 'propio del artesano'.

Fábula, fabulista, fabuloso, V. *habla*

FACA 'cuchillo grande, con mango de madera o hueso, con punta y filo muy cortantes, y de forma levemente arqueada', h. 1850. Probablemente del port. *faca* 'cuchillo (en general)', documentado desde más de un siglo antes y de uso más general; el origen de éste es incierto, mas parece ser aplicación figurada de *faca* 'jaca, caballo pequeño', por una metáfora de carácter jergal o por comparación de forma (vid. *JACA*).
DERIV. *Facón*, amer., h. 1850.

Facción, faccioso, V. *hacer*   *Faceta, facial*, V. *faz*   *Fácil facilitar, facilitón, facineroso*, V. *hacer*

FACISTOL, 1607 (*fagistor*, 1330), 'atril grande, puesto sobre un pie alto, que permite leer a los que han de cantar de pie en el coro de la iglesia'. De oc. ant. *faldestol* íd., primitivamente 'asiento especial de que usaban los obispos en funciones pontificales', procedente del fráncico *FALDISTÔL 'sillón plegable', cpt. de FALDAN 'plegar' (alem. *falten*) y STÔL 'sillón, trono' (alem. *stuhl*); la alteración de *-ld-* en *-c-* se debe a influjo del port. ant. *cacistal* 'candelabro' (hoy *castiçal*). La acepción figurada 'pedante, farolero' se explica por los muchos libros que tiene en manos este personaje.

Facón, V. *faca*   *Facsímil, factible, facticio, factitivo, factor, factoría, factorial, factótum, factura, facturar, facultad, facultar, facultativo*, V. *hacer*

FACUNDO 'que tiene facilidad de hablar', 1444. Tom. del lat. *facŭndus* 'hablador', deriv. de *fari* 'hablar'.
DERIV. *Facundia*, med. S. XV, lat. *facundia*.

Facha, fachada, V. *faz*

FACHENDA, 1765-83, 'vanidad, jactancia'. Del it. *faccènda* 'quehacer, faena', en frases como *avere molte faccende* 'tener mucho trabajo, muchos negocios', de donde *Dottor Faccenda* 'el que se da aires de tener mucho que hacer, andando sin objeto de una parte a otra'; procedente del lat. FACIENDA 'cosas por hacer'.
DERIV. *Fachendoso. Fachendear.*

FAENA, 1596. Del cat. ant. *faena* 'quehacer, trabajo' (hoy sólo valenciano, en el

Principado *feina*), procedente del lat. FA-CIENDA 'cosas por hacer', neutro plural del participio de futuro pasivo de FACĔRE.
DERIV. *Faenar*, amer., 'sacrificar (reses)'.

FAETÓN 'carruaje descubierto', 1765-83. Del fr. *phaéthon* íd., 1721, propte. 'Faetonte' (gr. *Phaéthōn, -ontos*), figura de la mitología antigua, hijo del Sol, que gobernó el carro de su padre.

Fagáceo, V. *haya*

FAGOCITO, princ. S. XX, 'corpúsculo de la sangre y los tejidos, que devora bacterias y cuerpos nocivos'. Cpt. culto del gr. *phágos* 'comilón' (de la raíz de *éphagon* 'yo comí') y *kýtos* 'célula'.
DERIV. *Fagocitosis. Disfagia*, deriv. de *éphagon* con el prefijo *dys-* 'mal'.

FAGOT, 1843. Del fr. anticuado *fagot* íd., propte. 'haz de leña' (palabra de origen desconocido). Se llamó así a este instrumento musical por desmontarse en varias piezas, comparándolo a un conjunto de trozos de madera.

FAISÁN, 1335, lat. *phasianus*. Del gr. *phasianós* íd., propte. 'del Phasis', río de la Cólquide, de donde se trajeron estas aves; tom. por conducto de oc. ant. *faisan*.

FAJA, 1490. Del lat. FASCĬA 'venda', 'faja', 'sostén del pecho', deriv. de FASCIS 'haz'. En su origen no fue voz propte. castellana, sino de origen dialectal o tomada del catalán.
DERIV. *Fajar,* 1495; 'azotar', 1609 (porque el azote ciñe el cuerpo del azotado), de donde *fajarse*, amer. y canar. 'pelearse'. *Fajín*, 1884. *Refajo*, 1822.

Fajín, V. *faja* *Fajina, fajo*, V. *haz*
Falacia, V. *fallido*

FALANGE, 1607, lat. *phalanx, -gis*. Del gr. *phálanx, -gos*, 'garrote, rodillo', 'línea de batalla', 'batallón, tropa', 'multitud'.
DERIV. *Falangeta. Falangina. Falansterio*, del fr. *phalanstère*, deriv. con la terminación de *monastère* 'monasterio'.

Falaz, V. *fallido*

FALBALÁ, 1732. Del fr. *falbala* íd., que a su vez parece ser adaptación del lionés *farbéla* 'franja' (acentuado en la *e*), voz de creación expresiva.

Falconete, falcónido, V. *halcón*

FALDA, 1220-50, 'faldón, cada una de las partes de una prenda de vestir que cae suelta sin ceñirse al cuerpo', 'parte de una ropa talar, o de un vestido de mujer, desde la cintura abajo', 'regazo'. Del germánico; probablemente del fráncico *FALDA 'pliegue' (comp. el alem. *falte* y el ingl. *fold* íd.), por conducto del catalán o de la lengua de Oc.
DERIV. *Faldar*, 1496. *Faldear*; *faldeo. Faldero.` Faldillas*, 1497; *faldellín*, 1616. *Faldón*, 1393.

Falencia, falible, V. *fallido* *Fálico*, V. *falo*

FALO 'miembro viril', S. XX, lat. *phallus*. Tom. del gr. *phallós* 'emblema de la generación, que se llevaba en las fiestas báquicas'.
DERIV. *Fálico.*

FALSO, S. X. Del lat. FALSUS íd., propte. participio pasivo de FALLĔRE 'engañar'.
DERIV. *Falsilla. Falsear*, 1600. *Falsario*, h. 1250. *Falsedad*, h. 1140. *Falsía*, 1335. *Falsete*, 1605, imitado del fr. *fausset*, S. XIII.
CPT. *Falsabraga. Falsarregla. Falsificar*, 1611; *falsificación*, princ. S. XV.

FALTA, 1220-50. Del lat. vg. *FALLĬTA, femenino del participio *FALLĬTUS 'faltado', de FALLĔRE 'engañar', 'quedar inadvertido'.
DERIV. *Faltar*, 1335. *Falto*, adj., 1565.

FALTRIQUERA, 1570. Es alteración de las formas antiguas y dialectales *faldiquera*, 1570, y *faldriquera*, 1563, derivadas de *faldica*, forma diminutiva y amanerada de *falda*. Al principio el adjetivo *faldiquero* significó 'mujeriego, pegado a las faldas de las mujeres', y se aplicó a la faltriquera, que primitivamente era sólo la bolsita que se ataban las mujeres del pueblo a la cintura y llevaban debajo de las faldas.

FALÚA, 1582, 'embarcación menor destinada a los jefes'. Probablemente del ár. *falûwa* 'pequeña nave de carga', que primitivamente significó 'potranca'.
DERIV. *Falucho*, 1843, 'embarcación costanera con vela latina', 'sombrero de dos picos que usan marinos y diplomáticos', de *faluúcho.

Falucho, V. *falúa* *Falla*, V. *fallido*
Fallanca, V. *fayanca* *Fallar* 'decidir', V. *hallar* *Fallar* 'frustrarse', V. *fallido*

FALLEBA, 1680, 'varilla de hierro acodillada en sus dos extremos, que puede girar por medio de un manubrio para cerrar ventanas o puertas de dos hojas'. Del ár. vg. *ḫalléba* 'tarabilla para cerrar las puertas o ventanas'.

Fallecer, V. *fallido*

FALLIDO, 1220-50. Participio del verbo antiguo *fallir*, h. 1140, 'faltar', 'engañar', 'abandonar', 'pecar', 'errar', del lat. FALLĔRE 'engañar', 'quedar inadvertido'. Deriv. *Fallecer*, h. 1140, se empleó hasta el S. XVI con el sentido general 'faltar', luego sólo como eufemismo para 'morir'; *fallecimiento*, h. 1250. *Falluto*, 1910, 'falso, de pura apariencia', 'que promete y no cumple', amer. procedente de Andalucía, donde se heredó del dialecto mozárabe, lat. vg. *FALLŪTUS* 'fallido', participio de FALLĔRE. *Falla* 'defecto', h. 1140, lat. vg. FALLA; en el sentido geológico, 1884, se tomó del fr. *faille*, de origen dialectal valón, procedente del lat. vg. *FALLIA*. *Fallar* 'frustrarse, perder resistencia', 1495, 'poner un triunfo por no tener el palo que se juega', princ. S. XVII; *fallo. Desfallecer*, 1241; *desfallecimiento*, 1251. Cultismos: *falible*, med. S. XVII; *falibilidad*; *infalible*, h. 1580. *Falencia*, princ. S. XVII. *Falaz*, 1444, lat. *fallax, -acis*, 'engañoso'; *falacia*, h. 1440.

Fallo 'sentencia', V. *hallar*   *Falluto*, V. *fallido*

FAMA, med. S. X. Tom. del lat. *fama* 'rumor, voz pública', 'opinión pública', 'fama, renombre'. Deriv. *Famoso*, 1438, lat. *famosus. Afamar*, h. 1400; *afamado*, h. 1400. *Difamar*, 1397, lat. *diffamare; difamación*, 1438; *difamador; difamatorio. Infamar*, h. 1440, lat. *infamare; infamante; infamatorio. Infame*, 1398, lat. *infāmis; infamia*, 1220-50, lat. *infamia*.

Famélico, V. *hambre*

FAMILIA, 1220-50. Tom. del lat. *famĭlia* íd., primitivamente 'conjunto de los esclavos y criados de una persona', deriv. de *famŭlus* 'sirviente', 'esclavo'. Deriv. *Familiar*, 1438. lat. *familiaris; familiaridad*, 1374; *familiarizar*, princ. S. XVII. *Fámulo*, 1732, lat. *famŭlus* 'criado' (V. arriba); *fámula*, med. S. XVII.

Famoso, V. *fama*

FANAL 'farol', 1570. Del it. *fanale* íd., y éste del bajo gr. *phanári*, diminutivo del gr. *phanós* 'antorcha', 'linterna', 'lámpara'.

FANÁTICO, h. 1520. Tom. del lat. *fanaticus* 'inspirado, exaltado, frenético', hablando de los sacerdotes de Belona, Cibeles y otras diosas, los cuales se entregaban a violentas manifestaciones religiosas; propte. valía 'perteneciente al templo' y 'servidor del templo', deriv. del lat. *fanum* 'templo'; se tomó por conducto del francés.

Deriv. *Fanatismo*, 1765-83, del fr. *fanatisme*, 1688. *Fanatizar*, 1843, del fr. *fanatiser*, 1752. *Profano*, h. 1430, lat. *profānus* íd., propiamente 'lo que está fuera del templo' es otro deriv. de *fanum*; *profanidad*; *profanar*, 1573, lat. *profanare; profanación*.

FANDANGO, 1705. Origen incierto; probablemente de **fadango*, deriv. de *fado* 'canción y baile populares en Portugal' (del lat. FATUM 'hado', porque el *fado* comenta líricamente el destino de las personas); de todos modos no será palabra de origen indiano, pues el sonido de *f* es ajeno al quichua y a las principales lenguas americanas. Deriv. *Fandanguillo*, princ. S. XVIII. *Fandanguero*, íd. *Esfandangado*, aplicado a un tipo de canto popular, se empleaba ya en portugués a princ. S. XVI.

FANEGA, 1191, 'medida de capacidad para áridos, equivalente más o menos a 55 litros', 'espacio de tierra en que se puede sembrar una fanega de trigo'. Del ár. *faníqa* 'saco grande, costal', 'fanega, medida de capacidad equivalente al contenido de un saco'. Deriv. *Fanegada. Faneguero*.

Fanerógamo, V. *diáfano*

FANFARRÓN, 1555 (y antes *panfarrón*, 1514). Voz de creación expresiva que del castellano ha pasado a las demás lenguas romances. De formación paralela pero independientes, por lo menos en parte, son el fr. *fanfare* 'fanfarronería', 1546 (y hoy 'música rimbombante'), it. *fànfano* 'hablador, enredón', h. 1600, *farfanicchio* 'hombre vano y frívolo, pero presumido', ár. *farfâr* 'liviano, inconsistente', 'parlanchín, rompedor'. Deriv. *Fanfarria*, 1577; de ahí se tomó el vasco *panparreri. Fanfarronada. Fanfarronear*, S. XVII. *Fanfarronería*.

FANGO 'barro', 1765-83. Del cat. *fang* íd., S. XIII, de origen germánico, emparentado con el gót. *fani* íd., anglosajón *fen* 'pantano'; el oc. *fanh* y el fr. *fange* constituyen el resultado normal de este vocablo germánico, mientras que el cat. *fang* y el it. *fango* presentan una *g* cuya explicación es incierta, quizá debida a la fusión que parece haberse producido en romance entre esta raíz germánica y el lat. VANGA 'laya', de donde el cat. *fanga* 'laya', *fangar* 'remover la tierra con laya', it. *vanga, vangare*. Deriv. *Fangal*, 1817. *Fangoso*, 1817. *Enfangar*. Cpt. *Parafango*, 1765-83.

FANTASÍA, 1220-50, lat. *phantasia*. Tomado del gr. *phantasía* íd., propte. 'aparición, espectáculo, imagen' (deriv. de *phan-*

tázō 'yo me aparezco', y éste de *pháinō* 'yo aparezco').

DERIV. *Fantasioso*, med. S. XVII. *Fantasear*, h. 1490. *Fantástico*, princ. S. XV, gr. *phantastikós*. *Fantasma*, 1220-50, gr. *phántasma* 'aparición', 'imagen', 'espectro'; *fantasmón*.

CPT. *Fantasmagoría*, 1843, del fr. *fantasmagorie*, 1801, 'exhibición de ilusiones ópticas por medio de la linterna mágica', creación caprichosa de los inventores, quizá por combinación con la terminación de *allégorie* 'cierta representación plástica', propte. 'alegoría'; *fantasmagórico*.

Fantoche, V. *infante*

FAQUÍN, 1445, 'mozo de cuerda', 'esportillero'. Probablemente del fr. *faquin* 'mozo de cuerda' (que sólo se ha señalado en 1534, pero debió ya existir a principios del S. XV), del cual parece tomado asimismo el it. *facchino*, 1442, que posteriormente influyó en el uso del vocablo español; el fr. *faquin* se considera deriv. del fr. anticuado *facque* 'bolsillo', 'saco', S. XV, que a su vez procede del neerl. *fak* 'bolsa'.

FAQUIR, 1765-83. Del ár. *faqîr* 'pobre, mendigo', aplicado a los santones mahometanos de la India; tom. por conducto del inglés (1609) o del francés (1653).

Farabustear, V. *filibustero*

FARADIO o FARAD, princ. S. XX. Del nombre del físico inglés Faraday († 1867).

FARALLÓN, med. S. XV, o FARELLÓN, 1590, 'roca alta y escarpada que sobresale en el mar', amer. 'íd. en tierra firme'. Del cat. *faralló* 'farallón marino', y éste probablemente de un *FARALIONE, metátesis del gr. *phalariôn*, participio activo del verbo *phalariáō* 'estoy blanco de espuma'.

FARAMALLA, 1732, 'enredo o trapacería', 'charla abundante, rápida y sin sustancia', 'cosa de mucha apariencia y poca entidad'. Procede del antiguo *farmalio* 'engaño, falsía', 883, el cual es metátesis del b. lat. hispánico *malfarium* 'crimen', resultante de un cruce de *nefarium* 'crimen nefando' con *maleficium* 'maleficio' y otras palabras en *male-* de sentido semejante.

DERIV. *Faramallero*, 1732.

Farandola, V. *farándula*

FARÁNDULA 'pandilla, cuadrilla, especialmente la de comediantes vagabundos', 1603, 'profesión de farsante', 1732. Probablemente del oc. *farandoulo*, f., 'farandola,

danza rítmica ejecutada por un grupo numeroso de personas que corren dándose la mano', 'el grupo de personas que danza en esta forma', deriv. del verbo *farandoulà* 'bailar la *farandoulo*', que parece ser alteración de *brandoulà* 'oscilar, tambalearse, contonearse' por influjo de *flandrinà* 'haraganear' 'remolonear'. *Brandoulà* es deriv. de *brandà* 'oscilar, menearse, agitarse' (de igual origen que el cast. *blandir*); *flandrinà* lo es de *flandrin* 'persona alta y desgarbada', 'remolón, roncero', y éste de *Flandres* (= cast. *Flandes*), por el carácter flemático y el andar desgarbado que se atribuye a los habitantes de este país.

DERIV. *Farandulero*, fin S. XVI.

Faraute, V. *heraldo*

FARDA, 1633-65, 'corte o muesca que se hace en un madero para encajar en él la barbilla de otro'. Del ár. *farḍ* 'muesca'.

FARDO, 1570. Sacado por regresión de los antiguos *fardel* íd., h. 1400, y *fardaje* 'equipaje', h. 1400. Voces de origen incierto, probablemente procedentes del francés, donde *fardel* 'fardo' (hoy *fardeau* 'peso') y *farde* íd., se hallan desde h. 1200 y son de etimología dudosa. Aunque hoy *fárda* tiene bastante extensión en árabe con este significado, en esta lengua el vocablo se halla sólo en fecha reciente y es probable que sea de origen europeo. Teniendo en cuenta que el cat. *farcell* 'fardo', 1288, viene probablemente de *FARTICELLUM, diminutivo del lat. FARTUM 'relleno', es posible que el fr. ant. *fardel* resulte de una metátesis *FARCITELLUM.

DERIV. *Enfardar*, 1714.

Farellón, V. *farallón*   *Farfallón*, *farfalloso*, V. *farfullar*

FARFANTE, 1605, 'jactancioso, fanfarrón'. De oc. *forfant* 'bribón', participio activo de *forfar* (o *forfaire*) 'cometer un crimen', deriv. de *far* 'hacer' con el prefijo peyorativo *for-*. En España el vocablo pudo tomarse por conducto del italiano o del francés y sufrió el influjo de *fanfarrón* en su forma y en su significado.

DERIV. *Farfantón*, 1732. *Farfantonada*, 1708.

FÁRFARA I 'tusílago (hierba)', 1555. Tom. del lat. *farfǎrus* íd.

FÁRFARA II, h. 1280 (*harfala*), *fárfara* 1732 'telilla que tienen los huevos de las aves por la parte interior de la cáscara'. Probte. del ár. *hálḥal*, adj., 'claro, sutil' (hablando de tejidos).

FARFULLAR, 1611, 'hablar muy de prisa y atropelladamente', 'hacer algo de esta manera'. Voz de creación expresiva, hermana del port. *farfalhar* 'hablar neciamente', cat. *forfoll(ej)ar* 'revolver', 'tocar groseramente', fr. *farfouiller* 'revolver', dialectalmente 'hablar en forma confusa'.
DERIV. *Farfalloso* 'tartajoso', 1732. *Fargallón*, 1817, 'el que hace las cosas atropelladamente', 'el que es desaliñado en su aseo' parece ser alteración de *farfallón*.

Fargallón, V. *farfullar*   *Farináceo*, V. *harina*

FARINGE, 1732. Tom. del gr. *phárynx, -yngos*, íd.
DERIV. *Faríngeo. Faringitis.*

FARMACIA, 1706. Tom. del gr. *pharmakéia* 'empleo de los medicamentos', derivado de *phármakon* 'medicamento'.
DERIV. *Farmacéutico*, 1706, gr. *pharmakeutikós* íd., deriv. de *pharmakéus* 'el que prepara los medicamentos'.
CPT. *Farmacopea*, 1706, gr. *pharmakopoiía* 'confección de drogas', formado con *poiéō* 'yo hago'. *Farmacología.*

Farmalio, V. *faramalla*

FARO, 1611, lat. *pharus*. Tom. del gr. *pháros* 'faro', 'fanal', primitivamente nombre propio de la isla de Pharos en la bahía de Alejandría, famosa por su faro. *Farol*, 1492 (*faraón*, 1330, *farón*, S. XV) es castellanización del cat. ant. *faró* íd., S. XIII, que viene del gr. bizantino *pharós*, debido a la mezcla de los sinónimos griegos *pháros* y *phanós* (V. *FANAL*).
DERIV. *Farola*, 1836. *Farolero*, 1732, 'vano, ostentoso', 1884; *farolería; farolear*, 1843. *Farolillo.*

FARRA, 1910, 'juerga, parranda', amer., parece haber significado propte. 'algazara, broma'. Voz común con el brasileño *farra* 'diversión ruidosa', 'orgía', y con el vasco *farra o parra* 'risa', probablemente de origen onomatopéyico. *Parranda* 'jolgorio, fiesta, juerga', 1836, parece procedente de esta voz vasca.
DERIV. *Parrandear. Parrandista. Farrear. Farrista.*

FÁRRAGO, 1657, antes acentuado *farrágo*. Tom. del lat. *farrāgo, -agǐnis*, 'mezcla de varios granos', 'compilación de poco valor' (deriv. de *far, farris*, 'especie de trigo y harina').
DERIV. *Farragoso.* De *far* es deriv. latino *confarreación.*

FARRUCO 'gallego o asturiano recién salido de su tierra', 1884; de ahí, por la ingenuidad y audacia del joven inmigrante, 'valiente, impávido', S. XX; es forma popular y diminutiva del nombre de pila *Francisco*, muy usual en aquellas regiones.

FARSA, 1505. Del fr. anticuado *farse* (hoy *farce*) 'pieza cómica breve', femenino de *fars* 'rellenado, relleno', participio antiguo de *farcir* 'rellenar'.
DERIV. *Farsante*, 1600, del it. *farsante* íd., deriv. del galicismo it. *farsa; farsantería.*

POR FAS O POR NEFAS, 1553. Locución culta imitada de la latina *fas atque nefas* 'lo lícito y lo ilícito'.

Fasces, fascículo, V. *haz*

FASCINAR, 1600. Tom. del lat. *fascināre* 'embrujar', deriv. de *fascinum* 'embrujo'.
DERIV. *Fascinación*, h. 1440. *Fascinador. Fascinante.*

Fascismo, fascista, V. *haz*

FASE, 1708. Tom. del gr. *phásis* 'aparición de una estrella', deriv. de *pháinō* 'yo aparezco', aplicado sólo, primeramente, a las fases de la Luna.
CPT. *Bifásico, trifásico, polifásico.*

Fastidiar, fastidio, fastidioso, V. *hastío*

FASTO, 1615, '(día) en que era lícito en Roma tratar negocios', '(día) feliz'. Tom. del lat. *fastus, -a, -um*, íd., deriv. de *fas* 'lo lícito o permitido'. En plural *fasti* designaba el calendario donde se anotaban los días fastos, luego un calendario en general y, finalmente, los anales en que se conservaba memoria de los hechos notables: de ahí el cast. *fastos*, 1732.
DERIV. *Nefasto*, 1615, lat. *nefastus* 'que no es fasto'. *Nefario*, h. 1490, lat. *nefarius* 'malvado', deriv. de *nefas* 'cosa ilícita'.

Fastuoso, V. *fausto*   *Fatal, fatalidad, fatalismo, fatídico*, V. *hado*

FATIGAR, h. 1440. Tom. del lat. *fatigāre* 'agotar, extenuar, torturar'.
DERIV. *Fatiga*, 1438 (*fadiga*, 1335). *Fatigoso*, h. 1570.

FATUO, princ. S. XVII. Tom. del lat. *fatŭus* 'soso, insípido', 'extravagante', 'insensato'.
DERIV. *Fatuidad*, 1528. *Infatuar*, 1696, lat. *infatuare; infatuación.*

Faucal, fauces, V. *hoz*

FAUNO, h. 1440. Tom. del lat. *faunus* íd.
DERIV. *Fauna*, 1884, del lat. moderno *fau-*

na íd., inventado por Linneo en 1746, a base del lat. *Fauna,* nombre de una diosa de la fecundidad, hermana de *Faunus.*

FAUSTO, sust., 1438 (*fasto,* 1580), 'pompa, lujo extraordinario y ostentoso'. Alteración del lat. *fastus, -us,* 'orgullo, soberbia, altanería', por confusión con *faustus* 'favorable, auspicioso', confusión favorecida por *fastuosus,* derivado de *fastus.*
DERIV. *Fastuoso,* med. S. XVI, lat. *fastuōsus,* íd.

Fausto, adj., *fautor,* V. *favor*

FAVOR, 1438. Tom. del lat. *favor, -ōris,* 'favor, simpatía', 'aplauso', deriv. de *favēre* 'favorecer', 'aplaudir', 'demostrar simpatía'.
DERIV. *Favorecer,* 1438; *desfavorecer,* 1438. *Favorable,* 1444, lat. *favorabilis; desfavorable,* med. S. XIX. *Disfavor,* 1495. *Favorito, -a,* 1843, del it. *favorito, -a,* por conducto del fr. *favori, -ite,* 1535. *Fautor,* 1595, lat. *fautor, -oris,* 'defensor, partidiario', deriv. de *favere. Fausto,* adj., h. 1600, lat. *faustus* íd., deriv. del propio *favere; infausto,* h. 1580.

FAYANCA, 1620, 'cosa de poco valor', 'postura sin firmeza', 'engaño'. En portugués *faianca* 'objeto grosero, mal hecho', de origen incierto; como tiene -*y*- antigua es seguro que no puede venir de *fallar* ni del lat. FALLĚRE 'engañar'.
DERIV. *Afayancarse.*

FAZ 'cara o rostro', S. X. Del lat. FACĬES 'forma general, aspecto', 'rostro, fisonomía'. En la Edad Media se pronunciaba *haz* (escribiendo comúnmente *faz*), forma de uso todavía general en el S. XV, pero habiéndose anticuado el vocablo, la lengua literaria dio preferencia a la forma arcaica *faz* (ya 1490), conservándose *haz* solamente en ciertas acepciones especiales y en algunas locuciones. *Facha,* med. S. XVII, es préstamo náutico y militar, del it. *faccia* 'rostro', del mismo origen.
DERIV. *Faceta,* 1732, del fr. *facette* íd., término de plateros, diminutivo de *face* 'cara'. *Antifaz,* S. XV, está por *ante-faz. Facial,* 1596, tom. del lat. *facialis* íd. *Superficie,* h. 1440, tom. del lat. *superficĭes* íd., deriv. de *facies; superficial,* 1490. Del it. *faccia* derivan: *Fachada,* h. 1600, it. *facciata* íd. *Fachoso. Desfachatado,* 1836, del it. *sfacciato* íd., provisto de la terminación del sinónimo cast. *descarado; desfachatez,* 1835, del it. *sfacciatezza.* Además vid. *HACIA, ACERA, ACERICO.*

FE, h. 1140. Del lat. FĬDES 'fe, confianza', 'crédito', 'buena fe', 'promesa, palabra dada'.
DERIV. *Fiel,* h. 1140, lat. FĬDĒLIS íd.; *fidelidad,* 1490. *Fidelísimo. Infiel,* 1438; *infi-*

delidad. Pérfido, 1444, lat. *perfĭdus* íd., propiamente 'de mala fe'; *perfidia.*
CPT. *Fedatario. Fehaciente,* 1843. *Fementido,* 1220-50. *Fidedigno,* 1600, tom. de la locución lat. *fide dignus* 'digno de fe'. *Fideicomiso,* princ. S. XVII, lat. *fidei commissum* 'confiado a la fe'; *fideicomisario.*

Fealdad, V. *feo*

FEBLE 'falto en peso o en ley' hablando de monedas, 1497, del antiguo *feble* 'débil', 1220-50. Tom. del cat. *feble* íd., S. XIII, que procede del lat. FLĒBĬLIS 'lamentable', 'afligido'. De ahí el cultismo *flébil,* 1515.

FEBRERO, 1129. Descendiente semiculto del lat. *februarius* íd.

Febricitante, febrífugo, febril, V. *fiebre*
Fecal, fécula, feculento, V. *hez*

FECUNDO, h. 1440. Tom. del lat. *fecundus* 'fecundo, fértil, abundante'.
DERIV. *Fecundidad,* princ. S. XVII. *Fecundar,* h. 1575, lat. *fecundare* íd.; *fecundación; fecundador, fecundante; fecundizar. Feto,* 1543, lat. *fetus, -us,* 'ventregada, producto de un parto', de la misma raíz latina que *fecundis* y que *femina* 'hembra'; *fetal; superfetación.*

Fecha, fechador, fechar, fechoría, V. *hacer* *Fedatario,* V. *fe*

FEDERAR, fin S. XIX. Tom. del lat. *foederare* 'unir por medio de una alianza', deriv. de *foedus, -ĕris,* 'tratado, pacto', 'alianza'.
DERIV. *Federación,* 1463, no se hizo frecuente hasta el S. XIX, lat. *foederatio. -onis,.* 'alianza'. *Federal,* 1843; *federalismo; federalista. Federativo. Confederar,* h. 1460, lat. *confoederare* 'unir por tratado', 'asociar'; *confederación,* 1469; *confederativo.*

Fehaciente, V. *fe* *Feldespático, feldespato,* V. *espato*

FELIBRE 'poeta occitano moderno', 1899. De oc. *felibre* íd., vocablo de origen desconocido, tomado en 1854 por Mistral y los demás fundadores del movimiento poético en lengua de Oc, de una canción popular local.

Felicidad, felicitación, felicitar, V. *feliz* *Félidos,* V. *felino*

FELIGRÉS, 1245 (*filiigleses,* 938). Del lat. vg. hispánico FILI ECLESIAE 'hijo de la iglesia' (donde FILI es vocativo de FILIUS 'hijo' y ECLESIAE es genitivo de una forma vulgar en vez de la clásica ECCLESIA).
DERIV. *Feligresía,* 1302.

FELINO, 1899. Tom. del lat. *felīnus* íd., deriv. de *feles* 'gato'.
Deriv. *Félidos,* S. XX.

FELIZ, 1220 - 50. Tom. del lat. *felix, -īcis,* íd.
Deriv. *Felicidad,* 1438, lat. *felicitas, -atis,* íd. *Felicitar,* princ. S. XVII, lat. *felicitare* 'hacer feliz'; *felicitación. Infeliz,* 2.º cuarto S. XV; *infelicidad.*

Felón, felonía, V. *follón*

FELPA, 3.ᵉʳ cuarto S. XVI. Voz común con el port., cat. e it. *felpa* íd., oc. *feupo* 'hilachas', fr. ant. y dial. *feupe* 'harapo', de origen incierto. El vocablo aparece por primera vez en Inglaterra, en sus dos variantes fundamentales *pelf (pilfer)* y *felpe,* ya en el S. XII, y quizá sea antigua voz germánica afín a la que dio *fieltro;* en castellano debe de ser de procedencia ultrapirenaica.
Deriv. *Afelpar. Felpilla. Felposo. Felpudo.*

Femenil, femenino, V. *hembra   Fementido,* V. *fe   Femineidad, femíneo, feminismo, feminista,* V. *hembra*

FÉMUR 'hueso del muslo', h. 1730. Tomado del lat. *fěmur, -ǒris,* 'muslo'.
Deriv. *Femoral.*

Fenecer, V. *fin   Fénico,* V. *diáfano*

FÉNIX, 1438, lat. *phoenix, -īcis.* Tom. del gr. *phôinix, -ikos,* íd.

Fenol, fenomenal, fenómeno, V. *diáfano*

FEO, h. 1140. Del lat. FOEDUS, -A, -UM, 'vergonzoso', 'repugnante', 'feo'.
Deriv. *Fealdad,* S. XIV, antes (ya 1220-50) significa 'prenda', 'encargo de confianza' y procede del lat. FIDELITAS, -ATIS, 'fidelidad', pero fue atraído en su sentido por el influjo de *feo* hasta sustituir al antiguo abstracto de éste, a saber *feúra. Afear,* h. 1300.

Feracidad, feraz, féretro, V. *fértil*

FERIA, 1100. Descendiente semiculto del lat. FERĬA 'día de fiesta', que pasó a aplicarse a ciertos grandes mercados, celebrados en conmemoración de grandes fiestas anuales.
Deriv. *Feriado,* 1369. *Feriar,* 1490.

Ferina, ferino, V. *fiero   Fermentación, fermentar, fermento,* V. *hervir   Ferocidad, feroz,* V. *fiero   Férreo, ferrería,* V. *hierro*

FERRERUELO, 1611 (*herreruelo,* med. S. XVI), 'capa más bien corta y sin capilla, que cubría solamente los hombros, el pecho y la espalda'. Del antiguo *ferrehuelo,* 1597, y éste del ár. vg. *feriyûl* 'especie de capa o blusa', el cual procede a su vez del lat. PALLIOLUM 'manto pequeño', diminutivo de PALLIUM 'manto, toga'. El mismo origen tienen el port. *ferragoulo,* 1589, el it. *ferraiuolo,* med. S. XVI, y el neogriego *pheraiólo,* 1659.

Ferrete, férrico, ferro, V. *hierro   Ferrocarril,* V. *carro   Ferroso,* V. *hierro   Ferroviario,* V. *carro   Ferruginoso,* V. *hierro*

FÉRTIL, h. 1440. Tom. del lat. *fertĭlis* íd., deriv. de *ferre* 'producir frutos', propte. 'llevar (en general)'.
Deriv. *Fertilidad,* h. 1440. *Fertilizar; fertilizador; fertilizante. Feraz,* 1648, lat. *ferax, -acis,* 'fértil'; *feracidad. Féretro,* 1605, lat. *ferĕtrum,* propte. 'instrumento para llevar'.

FÉRULA, 1555. Tom. del lat. *ferŭla* 'palmeta', propte. 'cañaheja'.

Férvido, ferviente, fervor, fervoroso, V. *hervir   Festejar, festejo, festín,* V. *fiesta*

FESTINAR 'apresurar, precipitar', amer., 1251. Tom. del lat. *festināre* íd.
Deriv. *Festinación,* 2.º cuarto S. XV.

Festival, festividad, festivo, V. *fiesta*

FESTÓN 'especie de guirnalda', 1567. Del it. *festone* íd., 1521, deriv. de *festa* 'fiesta', así llamado porque los festones se emplean como adorno en las festividades.
Deriv. *Festonear.*

Fetal, V. *fecundo   Fetiche, fetichismo, fetichista,* V. *hacer   Fetidez, fétido,* V. *heder   Feto,* V. *fecundo*

FEUDO, h. 1260. Tom. del b. lat. *feudum,* latinización del fr. ant. y oc. ant. *f(i)eu* íd., que procede probablemente del fráncico *FËHU* 'posesión, propiedad' (afín al gót. *faihu* 'bienes', alem. *vieh* 'ganado', ingl. *fee* 'paga').
Deriv. *Feudal,* 1612; *feudalismo; feudatario; enfeudar.*

FEZ 'gorro usado por los moros', S. XX. Del nombre de *Fez,* capital de Marruecos, donde se fabrican los feces.

Fiado, fiador, V. *fiar   Fiambre, fiambrera,* V. *frío*

FIAR, h. 1140. Del lat. vg. *FĪDĀRE,* modificación del lat. FĪDĔRE íd.
Deriv. *Fiado,* h. 1572. *Fiador,* 1074. *Fianza,* 1095; *afianzar,* 1588, *afianzamiento. Afiar* ant.; *desafiar,* h. 1140; *desafiador,*

1505; *desafío*, 1495. *Confiar*, h. 1440; *confianza*, h. 1400; *desconfiar*, fin S. XV; *desconfianza*, 1495. *Confidente*, princ. S. XVII; lat. *confidens, -entis*, 'el que confía', 'atrevido'; *confidencia, confidencial.*

Fiasco, V. *frasco*   *Fiat*, V. *hacer*   *Fibra, fibrina, fibrocartilaginoso, fibroma, fibroso*, V. *hebra*   *Fíbula*, V. *hebilla*   *Ficción, ficticio*, V. *fingir*

FICHA, 1817. Del fr. *fiche* íd., propte. 'estaca, taco', deriv. de *ficher* 'clavar' (del mismo origen que el cast. *hincar*).
DERIV. *Fichar*; *fichador. Fichero.*

Fidedigno, fideicomisario, fideicomiso, fidelidad, V. *fe.*

FIDEO, 1382 (y S. XIII en fuentes hispanoárabes y cat. *fideu* ya 1348). Palabra creada en el dialecto mozárabe y extendida desde allí a las tres lenguas iberorrománicas y a dialectos de Francia, Italia, Suiza, Rumanía y Norte de África. Parece formada con el verbo *fidear* 'crecer', 'extravasarse, rebosar', hoy conservado en judeo-español, y deriv. a su vez del ár. *fâḍ* íd. (imperativo *fiḍ*, etc.). Los fideos recibirían este nombre por su propiedad de aumentar de tamaño al cocerlos; consta en 1382 que se importaban de Berbería.

Fiduciario, V. *desahuciar*

FIEBRE, 1220-50. Descendiente semiculto del lat. FĔBRIS íd.
DERIV. *Febril*, 1555; *afiebrado. Febricitante. Febrícula.*
CPT. *Febrífugo.*

Fiel, adj., V. *fe*

FIEL (DE LA BALANZA), 1490, antiguamente *hil, fil*, 1490, o *filo*. Viene del lat. FĪLUM 'hilo', que San Isidoro de Sevilla emplea como nombre del fiel. Apocopado en la locución compuesta *fil de la balanza*, fue confundido con la palabra *fiel*, de otro origen. De ahí *fiel* o inspector de pesos y medidas, 1495, y otros funcionarios, como el fiel de campo, h. 1140, y el fiel ejecutor, 1499, por una metáfora natural, pues la función del fiel de pesos es asegurar la exactitud de las operaciones en forma comparable a la utilización del fiel de la balanza.
DERIV. *Fielato.*

FIELTRO, 1490. Del germ. FILT íd. (comp. el alem. *filz*, ingl. *felt*). El castellano, como las demás lenguas romances (fr. *feutre*, it. *feltro*), ha alterado fonéticamente el vocablo, cambiando el timbre de la vocal y agregándole una *r* meramente epentética.

Filtro, 1706, 'aparato de filtrar', del b. lat. *filtrum* íd., propte. 'fieltro', porque los filtros pueden hacerse de este material.
DERIV. *Filtrar*, 1706; *filtración. Infiltrar.*

FIERO, h. 1140. Del lat. FĔRUS 'silvestre', 'feroz'. Sustantivado con el sentido de 'bravata', 1599.
DERIV. *Fiera*, 1335. *Fiereza*, 1220-50. *Feroz*, 1438, lat. *ferox, -ocis*; *ferocidad*, 1438. *Ferino*; *ferina*, aplicado a una especie de tos que recuerda la de ciertos animales.
CPT. *Fierabrás*, 1765-83, del fr. *fiérabras*, 1718, es aplicación figurada del nombre del gigante *Fierabrás*, de los libros de caballerías.

Fierro, V. *hierro*

FIESTA, princ. S. XIII. Del lat. tardío FĔSTA íd., primitivamente plural del lat. FESTUM íd. Éste era el neutro del adjetivo FESTUS, -A, -UM, 'festivo' (voz emparentada con el lat. clásico FERIA 'fiesta'). El cast. *fiesta* fue un semicultismo pronto popularizado.
DERIV. *Festín*, princ. S. XVII. *Festivo*, 1490; *festividad*, 1220-50. *Festival*, sust., S. XX, del ingl. *festival. Festejar*, 1438, del cat. *festejar*; *festejo.*

Figle, V. *bugle*

FIGÓN 'tabernucho, bodegón donde se guisan y venden cosas ordinarias de comer', 1636. Significó antes 'figonero, tabernero de figón', 1603, y en el origen fue término despectivo e insultante, con el significado propio de 'sodomita', princ. S. XVII, deriv. de *figo* 'tumor anal', variante de *higo*.

FIGURA, 1220-50. Tom. del lat. *figūra* íd. y 'configuración, estructura', 'forma, manera de ser' (deriv. de *fingĕre* 'amasar, modelar, dar forma').
DERIV. *Figurilla. Figurín*, 1843, del it. *figurino*, princ. S. XVI. *Figurón*, princ. S. XVII. *Figurar*, 2.ª mitad S. X, lat. *figurare* 'dar forma, representar'; *figuración*; *figurado*, 1283. *Desfigurar*, h. 1260. *Prefigurar*; *prefiguración. Transfigurar*, h. 1440; *transfiguración*, 1495. *Configurar*, 1636; *configuración.*

FIJO, 1256. Tom. del lat. *fixus* 'clavado', 'fijo', participio pasivo de *figĕre* 'clavar'.
DERIV. *Fijeza*, fin S. XVII. *Fijar*, 1570; *fijarse* 'notar, reparar (en algo)', S. XIX; *fijación*; *fijador. Prefijo*, adj., 'fijado previamente', 1580; sust., 'afijo antepuesto', 1884, lat. *praefixus* 'fijado por delante o de antemano'; *prefijar. Sufijo*, 1884, lat. *suffixus*, participio de *suffigere* 'clavar por debajo'. *Afijo*, 1884.

Fila, V. *hilo. Filacteria*, V. *profilaxis*
Filaila, V. *filili Filamento*, V. *hilo Filantropía*, *filantrópico, filántropo, filarmónico*, V. *filo-* I *Filástica*, V. *hilo Filatelia, filatélico*, V. *filo-* I *Filatería, filatero*, V. *profilaxis Fileli*, V. *filili Fileno*, V. *filis Filete*, V. *hilo Filfa*,
V. *despilfarrar Filiación, filial, filiar*,
V. *hijo*

FILIBUSTERO, 1836. Del fr. *flibustier*,
1690 (*fribustier*, 1667), y éste probablemente
del neerl. *vrijbuiter* 'corsario', cpt. de *vrij*
'libre' y *buiten* 'saquear, hacer botín'. La
-*s*- pudo nacer en castellano por el influjo
de las voces jergales *finibusterre* 'la horca'
y *farabustear* 'hurtar con mañas', 1609 (que
a su vez es alteración del it. *farabuttare*).
DERIV. *Filibusterismo*.

Filiforme, filigrana, V. *hilo*

FILILÍ 'sutileza, primor', 1732. Alteración
de *fileli* 'tela fina de lana y seda para al-
bornoces', 1573, procedente del ár. *filēlî*
'perteneciente a Tafilelt (Tafilete)', ciudad
de Berbería, donde se fabricaba. Del femenino árabe correspondiente *filēliya*, vulgarmente *al-filélia*, pasando por **alhileila*, se
llegó a *lilaila*, 1734, 'tejido delgado de lana'
(en Cuba *filaila*) y luego 'impertinencia ridícula'.

Filipéndula, V. *hilo*

FILÍPICA, S. XVIII. Tom. del lat. *phi-
lippĭca* (*oratio*) 'discurso relativo a Filipo',
en memoria de los pronunciados por De-
móstenes contra el rey de Macedonia..

FILIS 'gracia y delicadeza en decir las
cosas', princ. S. XVII; 'melindre, remilgo',
1772. Del nombre poético de mujer *Filis*
(gr. *Phyllís*), tan empleado en la lírica del
Siglo de Oro que llegó a tomarse vulgarmente como símbolo de la delicadez poética: primero se dijo que un escritor no
tenía Filis, cuando prescindía de los primores líricos en boga, y después se generalizó
la locución. *Fileno*, también nombre propio
de uso poético (gr. *Phílainos*), bajo el influjo de *Filis*, tomó el sentido de 'hombre
delicado, elegante y afeminado', med. S.
XVII.
DERIV. *Filustre* 'finura, elegancia', 1897;
filustrín(o) 'pisaverde', 'hombre flaco'.

Filo, V. *hilo*

FILO- I, elemento prefijado de compuestos cultos, procedente del gr. *philéō* 'yo
amo'. *Filólogo*, 1732, gr. *philólogos* 'aficionado a las letras o a la erudición', 'erudito,
especialmente en materia de lenguaje', formado con *lógos* 'obra literaria', 'lenguaje';
filología, 1732; *filológico*, S. XVII. *Filósofo*,
1220-50, gr. *philósophos* íd., propte. 'el que
gusta de un arte o ciencia', (el) intelectual',
con el gr. *sophía* 'sabiduría, ciencia'; *filosofía*, h. 1250, gr. *philosophía*; *filosófico*,
1515; *filosofar*, 1444, gr. *philosophéō*; *filosofal*, *piedra* —, princ. S. XVII (en el sentido de 'filosófico', princ. S. XV), así llamada porque la alquimia se miraba como una
de las materias de estudio básicas del filósofo. *Filantropía*, 1611, gr. *philanthrōpía* 'sentimiento de humanidad', 'atabilidad', 'ati-
ción por el hombre', con el gr. *ánthrōpos*
'hombre, persona'; *filántropo*; *filantrópico.
Filarmónico. Filatelia*, S. XX, con *atelēs*
'gratuito', 'que no paga gastos de porte',
aplicado al sello indicador de que el envío
debía hacerse sin otro cobro; *filatélico*;
filatelista.

Filtro 'brebaje amoroso', 1732, gr. *phíl-
tron* íd., deriv. de *philéo* 'yo amo'.

FILO- II, elemento de derivados y compuestos cultos, del gr. *phýllon* 'hoja'. *Filo-
dio*, 1899, gr. *phyllōdēs* 'análogo a una hoja'. *Áfilo. Anisófilo*, formado con *an-* privativo y gr. *ísos* 'igual'. *Filoxera*, 1884, formado con el gr. *xērós* 'seco'; *filoxérico*.

Filón, filoseda, filoso, V. *hilo Filosofal, filosofar, filosofía, filosófico, filósofo*,
V. *filo-* I *Filoxera*, V. *filo-* II *Filtración, filtrar, filtro* 'aparato filtrador', V.
fieltro Filtro 'brebaje', V. *filo-* I *Filustre, filustrín(o)*, V. *filis*

FIMOSIS, 1765-83. Tom. del gr. *phímō-
sis* íd., deriv. de *phimóō* 'yo amordazo con
bozal' (de *phimós* 'bozal').

FIN, h. 1140. Descendiente semiculto del
lat. FĪNIS 'límite, fin'.
DERIV. *Final*, princ. S. XV; *finalidad*;
finalista; *finalizar*, 1728. *Finar*, h. 1140;
finado, 1490. *Finanza*, 1855, del fr. *finance*
'hacienda', deriv. del antiguo *finer* 'finiquitar, pagar'; *financiero*, 1855, fr. *financier.
Fenecer* 'terminar', h. 1250, deriv. del antiguo *fenir, finir*, íd.; *fenecimiento*, 1495. *Finito*, 2.º cuarto S. XV, tom. del lat. *finītus*
íd.; *infinito*, 1438; *infinidad*, 1220-50; *infinitivo*, 1490; *infinitésimo* o *infinitesimal*
(formado en inglés, 1655). *Afín*, 1513, lat.
affinis íd., propte. 'limítrofe', 'emparentado';
afinidad, h. 1460; *parafina*, 1884, cpt. con
el lat. *parum* 'poco', por su naturaleza neutra y la poca afinidad que muestra con otras
sustancias. *Confín*, 1438, lat. *confinis* 'contiguo, confinante'; *confinar*, 1410; *confina-
ción*; *confinamiento. Definir*, 1438, lat. *de-
finire* íd., propte. 'delimitar'; *definible*; *definición*, 1438; *definitivo*, 1380.

CPT. *Finiquito*, h. 1500, de *fin y quito*, éste en el sentido de 'libre, pagado de una deuda'; *finiquitar*, 1884. *Sinfín*.

Finca, fincar, V. *hincar* *Fineza*, V. *fino*

FINGIR, h. 1440. Tom. del lat. *fingĕre* 'heñir, amasar', 'modelar', 'representar', 'inventar'. Del mismo origen es el popular *heñir* 'amasar', 1495.

DERIV. *Fingido. Fingimiento*, 1495. *Ficción*, 1438, lat. *fictio, -onis*, íd. *Ficticio*, princ. S. XVI. *Finta* 'amago de un golpe', 1732, del it. *finta* íd., propte. femenino del participio de *fingere. Efigie*, h. 1570, lat. *effigies* 'representación, imagen', deriv. de *effingere* 'representar'.

Finiquitar, finiquito, finir, finito, V. *fin*

FINO, princ. S XIII. Adjetivo común a las varias lenguas romances, desarrollado por ellas a base del sustantivo *fin*, en el sentido de 'lo sumo, lo perfecto', y después 'sutil', etc.

DERIV. *Fineza*, princ. S. XVI. *Finura*, 1728. *Finústico*, S. XX. *Afinar*, 1220-50; *afinación; afinamiento. Desafinar; desafinado. Refinar*, 1611; *refino*, h. 1570; *refinamiento; refinería. Entrefino*.

Finta, V. *fingir* *Finura, finústico*, V. *fino*

FIORD o **FIORDO**, S. XX. Del noruego *fjord* íd.

Firma, firmamento, V. *firme*

FIRMÁN 'decreto oriental', 1884. Del persa *firmān* 'decreto'.

FIRME, h. 1140. Del lat. vg. FĬRMIS íd. (clásico FĬRMUS).

DERIV. *Firmeza*, h. 1250. *Firmar*, S. X; *firmante; firma*, 1206. *Firmamento*, h. 1440, latín *firmamentum* 'fundamento, apoyo', adoptado en la traducción Vulgata de la Biblia para traducir el gr. bíblico *steréōma* 'firmamento', propte. 'construcción sólida', y éste calco del hebr. *rāqīaᶜ* 'extensión' y luego 'firmamento', mal comprendido por los traductores griegos porque en siríaco significaba 'solidez'. *Afirmar*, 1220-50, lat. *affirmare*, propte. 'consolidar'; *afirmación; afirmativo, -ativa. Confirmar*, 1220-50, lat. *confirmare* íd.; *confirmación*, S. XIII; *confirmante. Refirmar*, fin S. XV.

FIRULETES, amer., S. XX, 'adornos rebuscados'. De una forma gallegoportuguesa *ferolete*, por *florete*, deriv. de *flor*, que en este idioma tiene las variantes vulgares *felor* y *frol*.

DERIV. *Firulístico* 'de pronunciación rebuscada' cubano; *superferolítico* (pron. popular de *superfiruli(s)tico*), 1922, aplicado al principio al habla presuntuosa, y luego generalizado en otros países a todo lo excesivamente primoroso, 1936.

Firulístico, V. *firuletes*

FISCO, 1471. Tom. del lat. *fiscus* 'tesoro público', propte. 'espuerta de juncos o mimbres', 'la espuerta en que se tenía el dinero'.

DERIV. *Fiscal*, 1495, lat. *fiscalis* 'referente al fisco'; secundariamente 'representante del ministerio público en los tribunales', 1532; *fiscalía; fiscalizar*, med. S. XVII. *Confiscar*, 1471, lat. *confiscare* 'incorporar al fisco'; *confiscación*, 1435.

FISGAR 'pescar con fisga o arpón', 1817, y figuradamente 'burlarse diestramente', 1605. Probablemente del lat. vg. *FĪXĬCĀRE*, deriv. de FIGĔRE 'clavar, hincar' (participio FIXUS).

DERIV. *Fisga* 'tridente para pescar', 1519; 'burla', 1605. *Fisgón*, princ. S. XVII; *fisgonear*.

FÍSICO, 1220-50. Tom. del lat. *physĭcus* 'físico', 'relativo a las ciencias naturales', y éste del gr. *physikós* 'relativo a la naturaleza' (deriv. de *phýsis* 'naturaleza', y éste de *phýō* 'yo nazco, broto, crezco').

DERIV. *Física*, h. 1250. *Apófisis*, gr. *apóphysis* íd., propte. 'retoño', deriv. de *phýō. Epífisis*, gr. *epíphysis* 'excrecencia'. *Hipófisis*, formado con el prefijo gr. *hypo-* 'debajo'.

CPT. *Metafísica*, h. 1280, de la frase gr. *metà tà physiká* 'después de la física', referente a las obras que Aristóteles escribió después de su Física; *metafísico*, med. S. XVII. *Fis(i)onomía*, h. 1490, deriv. culto de *fisónomo*, 1495, gr. *physiognőmōn, -onos*, 'el que sabe juzgar la naturaleza de una persona por sus facciones' (del gr. *gnőmōn* 'conocedor'); *fisonómico*, 1765-83; *fisonomista. Fisiocracia*, formado con el gr. *kratéō* 'yo domino'; *fisiócrata*, 1899. *Fisiología*, 1765-83, gr. *physiología* 'estudio de la naturaleza (aplicado a las funciones naturales del cuerpo)'; *fisiológico*, 1490; *fisiólogo*.

Fisión, fisirrostro, V. *hender* *Fisonomía, fisonómico, fisonomista*, V. *físico*

FÍSTULA, 1495. Tom. del lat. *fistŭla* 'caño de agua', 'tubo', 'flauta'.

Fisura, V. *hender*

FITO-, elemento integrante de compuestos cultos, del gr. *phytón* 'vegetal' (deriv. de *phýō* 'yo nazco, broto, crezco', vid. *FISI-*

CO). *Fitófago*, S. XIX, formado con el gr. *éphagon* 'yo comí'. *Fitografía* íd.; *fitográfico*. *Fitolacáceo*, S. XIX, deriv. del lat. botánico *phytolacca*, formado con *lacca* 'laca'. *Fitología*. *Fitopatología*, S. XX. *Fitotomía*, S. XIX, con el gr. *témnō* 'yo corto'.

Fiuza, V. *desahuciar*   *Flabelicornio*, *flabeliforme*, V. *flato*

FLACO, 1220-50. Descendiente semiculto del lat. *flaccus* 'flojo, fláccido, dejado caer'. DERIV. *Flacucho. Flacura. Flaqueza*, h. 1280. *Flaquear*, h. 1600. *Enflaquecer*, h. 1250. *enflaquecimiento*. *Fláccido*, fin S. XIX, tomado del lat. *flaccĭdus* íd.

FLAGELO, 1444. Tom. del lat. *flagĕllum* 'látigo, azote'. DERIV. *Flagelar*, 1382, lat. *flagellare*; *flagelación*, princ. S. XVII; *flagelante*, 1611.

FLAGRANTE, 1444, 'que se está ejecutando actualmente'; de aquí *en flagrante*, princ. S. XVII, o *infraganti*, de la locución lat. *in flagranti crimine*; participio activo del lat. *flagrare* 'arder'; lo más corriente fue *en fragante*. DERIV. *Conflagrar*, S. XX, lat. *conflagrare* 'incendiarse, consumirse en llamas'; *conflagración*, 1580. *Deflagrar*, lat. *deflagrare* 'quemarse del todo'; *deflagración*.

Flamante, V. *llama* I

FLAMENCO, del neerl. *flaming* 'natural de Flandes', En España se aplicó a la persona de tez encarnada, por tomarse el flamenco como prototipo de los pueblos nórdicos (cat., S. XIII). De aquí la aplicación a la palmípeda *Phoenicopterus roseus*, h. 1330 (flamengue), por el color de la misma; de aquí probablemente también la aplicación a las mujeres de tez sonrosada, de donde luego 'gallardo, de buena presencia' y después 'de aspecto provocante, de aire agitanado', 1870, finalmente concretado en el canto agitanado o andaluz. DERIV. *Flamenguería. Flamenquismo*.

Flámeo, flamígero, flámula, V. *llama* I

FLAN, 1843. Del fr. *flan*, fr. ant. *flaon*, y éste del fráncico FLADO, -ONS, 'torta' (comp. el alem. *fladen*). En los SS. XVI-XVIII se empleó *flaón*, tomado del cat. *flaó*, del mismo origen.

FLANCO, h. 1700. Del fr. *flanc* 'costado, ijada', y éste del fráncico *HLANKA (comp. el alem. ant. *hlanca* 'cadera', propte. 'articulación', hoy alem. *ge-lenk* 'articulación'). DERIV. *Flanquear*, 1625; *flanqueo*.

Flaón, V. *flan*   *Flaquear, flaqueza*, V. *flaco*

FLATO, 1490, 'acumulación molesta de gases en el tubo digestivo'. Tom. del lat. *flatus, -us*, 'soplo', 'flatulencia', deriv. de *flare* 'soplar'. DERIV. *Flatoso. Flatulento*, 1555; *flatulencia*. *Flabelo*, 1220-50, lat. *flabellum* 'abanico', otro deriv. de *flare*. CPT. *Flabelicornio. Flabeliforme*.

FLAUTA, 1335. Probablemente de oc. ant. *flauta* íd., h. 1200; de formación incierta, quizá derivado de *flautar* 'tocar la flauta' S. XII, resultante de un cruce del lat. tardío *flatare* íd. (deriv. de *flatus* 'soplo') con oc. *flaujar* íd., deriv. de *flaujol* 'caramillo' (que viene del lat. vg. *FLABEOLUM, lat. FLABELLUM 'soplete, aparato de soplar'). DERIV. *Aflautado*, S. XIX. *Flautero. Flautín*; con la variante americana *flauchín* 'aflautado' y 'flacucho'. *Flautista. Enflautar*.

Flébil, V. *feble*   *Flebitis, flebotomía*, V. *fleme*

FLECO, 1680, del anticuado *flueco*, 1490, descendiente semiculto del lat. FLŎCCUS 'copo de lana', 'pelo de los paños'. DERIV. *Flequillo*.

FLECHA, 1397. Del fr. *flèche* íd., de origen incierto, quizá emparentado con el neerl. anticuado *vlieke* y bajo alem. ant. *fliuca* íd., y procedente de la forma fráncica correspondiente *FLEUKA (de donde el cat. ant. *fleca* 'flecha'). DERIV. *Flechar*, 1495. *Flechazo. Flechero*, 1495. *Flechilla*.

FLECHASTE, 1696, 'cada uno de los cordeles horizontales, ligados a los obenques, de medio en medio metro, de arriba abajo de estas cuerdas que bajan de lo alto de los palos: sirven a la marinería para subir a la parte alta de la arboladura'. Parece alteración del plural catalán *fletxats*, del participio del verbo *fletxar* 'flechar', nombre que se dio al *flechaste* por comparación con la cuerda de un arco, de la cual parte el obenque hacia arriba, como una flecha. La palabra catalana se adaptó además en otras formas: *aflechate*, 1587-1690; *flechate*, 1614; *aflechade*, 1600, y *aflechaste*, 1675.

Flechazo, flechero, flechilla, V. *flecha* *Flegmasía*, V. *flema*

FLEJE 'tira de chapa de hierro con que se hacen aros para asegurar las duelas de cubas y toneles y las balas de ciertas mercancías', S. XIX, antes 'aro de madera para asegurar las duelas', 1817. Del cat. dial. *fleix*, íd., propte. 'fresno', debido a un cruce del cat. *freixe* 'fresno' (lat. FRAXĬNUS), con el verbo *flixar* o *fleixir* 'doblegar', 'hacer ceder o aflojar' (procedente del lat. FLE-XARE 'doblar, encorvar', frecuentativo de FLECTĔRE íd.).

FLEMA, fin S. XIII (*fleuma*, med. S. XIII); lat. *phlĕgma*. Tom. del gr. *phlégma*, -*atos*, 'mucosidad, humores orgánicos', propiamente 'inflamación' (que los antiguos creían causa de la mucosidad), deriv. de *phlégō* 'inflamar'.
DERIV. *Flemático*, 1438, lat. *phlegmaticus*. *Flemudo*. *Flemoso*. *Flemón* 'tumor, inflamación aguda', 1624, gr. *phlegmonē* íd., derivado del propio *phlégō*; *flemonoso*. *Flegmasía*, gr. *phlegmasía* íd. *Flogisto*, gr. *phlogistós* 'consumido por el fuego', otro deriv. de *phlégō*; *flogístico*; *antiflogístico. Flogosis*, gr. *phlógōsis* íd.

FLEME 'instrumento cortante para sangrar las bestias', 1732 (*flevi*, 1365). De oc. ant. *flecme* íd., y éste del lat. vg. *fleutŏmus* o *flegtŏmus*, alteración del lat. *phlebŏtŏmus*, y éste del gr. *phlebotómos* íd., cpt. de *phléps*, -*bós*, 'vena', y *témnō* 'yo corto, hago una incisión'.
DERIV. *Flebotomía*, 1732; *flebotomar* 'sangrar', princ. S. XVII. Deriv. culto de *phléps*: *flebitis* 'inflamación de las venas', fin S. XIX.

Flemón, flemonoso, flemoso, V. *flema Flequillo*, V. *fleco Fletar* 'alquilar un barco', V. *flete*; 'frotar', V. *frotar*

FLETE 'precio estipulado por el alquiler de un barco', 1478 (*frete*, 1495). Del fr. *fret*, S. XIII, y éste del neerl. anticuado *vræcht* íd., hermano del alto alem. ant. *frêht* 'salario'. En América tomó secundariamente el valor de 'pago de cualquier transporte', luego el 'caballo' mismo con que este transporte se practicaba y, en fin, 'caballo' en general.
DERIV. *Fletar* 'alquilar un barco', 1260 (*afretar*). *Fletamiento*.

FLEXIBLE, 1585. Tom. del lat. *flexĭbĭlis* íd., deriv. de *flectere* 'doblar, encorvar'.
DERIV. *Flexibilidad. Inflexible. Flexión*, 1580, lat. *flexio*, -*onis*; *flexional. Flexor. Flexura. Flexuoso. Circunflejo*, princ. S. XVII, lat. *circumflexus*, participio de *circumflectere* 'describir una flexión alrededor'. *inflexión*, 1734, lat. *inflexio*, -*onis. Reflejo*, princ. S. XVII, lat. *reflexus*, -*us*, 'retroceso', deriv. de *reflectere* 'volver hacia atrás', 'volver a pensar en algo'; *reflejar*, 1817; *reflector*, 1899, del ingl. *reflector* (deriv. de *reflect* 'reflejar'). *Reflexión*, 1708, lat. *reflexio*, -*onis*, íd.; *reflexionar*, 1737; *reflexivo*, h. 1700.

FLICTENA, 1884. Tom. del gr. *phlýktaina* 'pústula, vesícula', deriv. de *phlýzō* 'yo mano'.

Flogístico, flogisto, flogosis, V. *flema flojel*, V. *flojo*

FLOJO, 1220-50. Del lat. FLŬXUS 'flojo, suelto, dejado caer', 'débil', 'blando', propte. 'fluido', participio de FLUĔRE 'manar'.
DERIV. *Flojedad*, 1490. *Flojera. Aflojar*, 1220-50. *Flojear. Flojel* 'pulmón', 1273, del cat. *fluixell* íd., diminutivo de *fluix* 'flojo'.

FLOR, S. X. Del lat. FLŌS, FLŌRIS, íd.
DERIV. *Flora* 'conjunto de las plantas de un país', 1884, del nombre de Flora, diosa de las plantas en latín. *Floración. Floral*, 1765-83. *Florear*, 1609; *floreo*, 1490. *Florecer*, 1220-50, lat. FLORĒSCĔRE íd.; *floreciente*, 1580; *florecimiento*; *florescencia*; *florido*, h. 1330. *Florero. Florete* 'espadín embotado', 1732, it. *fioretto*, que al parecer designó primero el botón que cubría la punta del florete y luego el arma misma. *Florín*, 1374, del it. *fiorino*, 1252, que fue primeramente nombre de una moneda florentina marcada con el lirio de los Médicis. *Florista. Florón*, 1640, it. *fiorone. Flósculo*, h. 1800, lat. *flosculus*, diminutivo de *flos. Aflorar* 'apurar algo para sacar su flor o parte selecta', princ. S. XV; 'salir a la superficie, a flor de agua', 1875, del fr. *affleurer* íd., 1379; *afloramiento. Desflorar*, S. XIV. *Eflorescente; eflorescencia. Inflorescencia*.
CPT. *Flordelisar. Floricultor*, 1884, *floricultura. Florilegio*, 1765-83, formado con el lat. *legere* 'coger (flores, etc.)', según el modelo del gr. *anthología*, de componentes iguales.

FLORESTA 'selva espesa y frondosa', 1335, 'lugar ameno y poblado de árboles', fin S. XVII. Del fr. ant. *forest*, fem. (hoy *forêt*), 'selva', de origen incierto; quizá de un fráncico *FORHIST*, colectivo de FORHA 'pino'.
DERIV. *Forestal*, 1884.

Florete, floricultor, florido, florilegio, florín, V. *flor*

FLORIPONDIO 'arbolito del género Datura, oriundo del Perú, que produce una gran flor solitaria y muy fragante', 1590. Compuesto de *flor* con un segundo elemento de origen incierto; quizá se trate de la adaptación de un quichua *ainapuni* 'la flor misma, la flor por excelencia', especie de superlativo de *aina* 'flor', con sustitución de *aina* por su equivalente castellano; de ahí primero *floripón*, como se dice todavía en varias provincias argentinas, uruguayas y colombianas, luego latinizado en *flori-pondio*.

Florista, florón, V. *flor   Floronco,* V. *hurto   Flósculo,* V. *flor*

FLOTA, h. 1260. Del fr. *flotte* íd., y éste del escand. ant. *floti* 'escuadra, flota', 'balsa, almadía' (deriv. de *fljôta,* alem. *fliessen,* que significan 'flotar' y 'manar').
DERIV. *Flotilla* (de donde el fr. *flotille,* 1723, etc.). *Flotar,* 1525, del fr. *flotter* íd., h. 1100, perteneciente a la misma familia germánica: deriv. de *flot(s)* 'olas, superficie del mar o de un río' (que procede del fráncico *FLOT, neerl. med. *vlot*) o bien debido a la superposición de este sustantivo germánico con el lat. FLUCTUARE 'agitarse sobre las olas'; *flotación; flotador; flote,* 1478, del citado fr. *flot.*

Flueco, V. **fleco**

FLUIR, 1709. Tom. del lat. *flŭĕre* 'manar, escurrirse (un líquido)'.
DERIV. *Fluente,* 1580; *fluencia. Fluctuar,* h. 1525, lat. *fluctuari* 'agitarse (el mar)', 'ser llevado de una parte a otra por las olas' (deriv. de *fluctus, -us,* 'ola', y éste de *fluere*); *fluctuación,* 1490; *fluctuante. Fluido,* 1555, lat. *fluĭdus* íd.; *fluidez. Flujo,* 1490, lat. *fluxus, -us,* 'acción de manar un líquido'. *Flúor,* 1884, lat. *fluor, -ōris,* 'flujo'; *fluorina* o *fluorita,* 1884; *fluorescencia,* S. XX, y el cpt. *fluorhídrico. Fluvial,* h. 1440, lat. *fluvialis* íd., deriv. de *fluvius* 'río'. *Fluxión,* 1555, lat. *fluxio, -onis,* 'acto de correr un líquido'. *Afluir,* 1850, lat. *affluĕre* íd.; *afluente,* 1772; *afluencia,* 1515; *aflujo,* 1599. *Confluir,* 1444, lat. *confluere* íd.; *confluencia. Efluvio,* med. S. XVII, lat. *effluvium* 'acto de manar'. *Influir,* 1444, lat. *inflŭĕre* 'desembocar en, hacer irrupción, penetrar', aplicado en la Edad Media a la influencia de los astros; *influencia,* 1438; *influjo,* h. 1525, lat. *influxus, -us; influyente. Refluir. Reflujo,* 1587. *Superfluo,* 1438, lat. *superflŭus* íd., deriv. de *superfluere* 'desbordarse'; *superfluidad,* h. 1440.

FLUX 'en ciertos juegos, la circunstancia de ser de un mismo palo todas las cartas de un jugador', 1539 (*fazer flox* 'soltar [un animal]', S. XIII o XIV), de donde luego el sentido amer. 'terno de pantalón, chaleco y chaqueta de una misma tela'. Del cat. *fluix* 'flujo', 'abundancia' o del fr. *flux* íd. y 'flux': ambos del lat. *fluxus* 'acto de correr (un líquido)'.

Fluxión, V. *fluir*

¡FO!, interjección con que se indica asco o se expresa sentir mal olor, 1836; voz de creación expresiva. Comp. la equivalente *¡po!,* 1604, y las expresiones parecidas de otros idiomas: lat. *fu,* gr. *phêu,* fr. *fi.*

FOBIA 'aversión apasionada contra algo', 1925. Extraído de cpts. como *hidrofobia, anglofobia, claustrofobia,* etc., formados con el gr. *phobéomai* 'yo temo'.

FOCA, 1438, lat. *phoca.* Tom. del gr. *phŏkē* íd.

Focal, foco, V. *fuego*

FOFO, h. 1300. Voz de creación expresiva, de una raíz parecida a la de *bofe, bufar* y *bufado.*

Fogata, fogón, fogonazo, V. *fuego*

FOGOSO, 1570. No parece ser derivado de *fuego* (aunque éste ha influido en el desarrollo histórico de su significado), sino tomado del fr. *fougueux* íd., 1589, deriv. de *fougue* 'fogosidad', h. 1580, a su vez tomado del it. *fóga* 'impetuosidad', del lat. FŬGA 'huida, fuga'.
DERIV. *Fogosidad.*

Foguear, V. *fuego   Foja,* V. *hoja*

FOJA 'ave zancuda, *Fulica atra,* semejante a la cerceta', 1577. Del cat. *fotja* íd., 1381, que parece ser forma mozárabe de Valencia y Mallorca, procedente del lat. FŬLIX, -ĬCIS, íd. (variante de FŬLĬCA).

Folicular, folículo, V. *fuelle   Folio,* V. *hoja*

FOLKLORE, 1925. Tom. del ingl. *folklore* íd., cpt. de *folk* 'gente, vulgo' y *lore* 'erudición', 'conjunto de hechos y creencias' (de la misma raíz que *learn* 'aprender').
DERIV. *Folklórico. Folklorista.*

Folla, V. *hollar   Follaje,* V. *hoja   Follar,* V. *fuelle   Folletín, folletinesco,* V. *hoja.*

FOLLÓN 'cobarde, vil', 1605, antes 'iracundo', h. 1140 o 'traidor', princ. S. XIV. Del antiguo *fellón,* 1220-50, y éste del cat. *felló* íd., que, junto con oc. ant. y fr. *felon* 'cruel, malvado', 'vil, traidor', viene probablemente del fráncico *FILLO, -ONS, 'verdugo', deriv. del germ. FILLJAN 'desollar', 'azotar'. El arcaísmo cast. *follón* no debe confundirse, como se ha venido haciendo, con los modernos *follón* 'cohete', 'ventosidad' (vid. *FUELLE*) y 'enredo' (vid. *HOLLAR*). Del fr. *felon* viene el cast. *felón* 'desleal', 1884.
DERIV. *Felonía,* 1600. *Follonía,* 1220-50.

Follosas, V. *fuelle*

FOMENTO, h. 1650. Tom. del lat. *foméntum* 'calmante, bálsamo, lenitivo', 'alimento del fuego', deriv. de *fovēre* 'calentar, mimar, animar'.
DERIV. *Fomentar,* 1611; *fomentador,* h. 1570.

Fonación, V. *fonético*

FONDA 'posada', h. 1790. Probablemente del francés de Oriente *fonde* 'establecimiento público donde se hospedaban los mercaderes y se almacenaban y vendían sus mercancías', SS. XII-XIV, procedente del ár. *fúndaq* íd.; pero no está averiguado por qué camino este vocablo tardío entró en el uso español, y mientras no se averigüe, la etimología permanecerá dudosa.
DERIV. *Fondista,* 1817.

Fondeadero, fondear, fondillos, fondo, fondón, V. *hondo*

FONÉTICO, 1884. Tom. del gr. *phōnētikós* 'relativo al sonido', deriv. de *phōnéō* 'hago oír la voz, hablo', y éste de *phōnē* 'voz'.
DERIV. *Fonética,* 1884. *Fonetismo. Fonetista. Fonación,* 1884, deriv. de *phōnē. Fonema; fonemático* y *fonemática,* h. 1945. *Fónico,* 1884. *Áfono,* con el prefijo privativo *a-; afónico; afonía,* 1882. *Epifonema,* 1580, gr. *epiphōnēma* 'interjección', de *epiphōnéō* 'llamo a alguno por su nombre'. *Eufonía,* 1433, gr. *euphōnía* 'voz hermosa', 'armonía en los sonidos'; *eufónico.*
CPT. *Fonendoscopio,* formado con gr. *éndon* 'adentro' y *skopéō* 'yo examino'. *Fonógrafo,* 1899, con gr. *gráphō* 'yo escribo, grabo'; *fonografía; fonográfico; fonograma. Fonología,* 1884; *fonológico. Polifonía,* S. XIX; *polifónico. Sinfonía,* 1739, gr. *symphōnía* 'armonía, concierto, sinfonía'; *sinfónico.*

Fonil, V. *fundir* *Fonografía, fonográfico, fonógrafo, fonología,* V. *fonético Fontana, fontanela, fontanería, fontanero,* V. *fuente*

FOQUE, 1696. Del neerl. *fok* íd., h. 1500, deriv. de *fokken* 'izar (una vela)'; probablemente por conducto del fr. *foc.*
CPT. *Petifoque,* 1831, del fr. *petit foc* 'foque pequeño'.

Forado, V. *horadar*

FORAJIDO 'bandido', 1611. Significó primero 'salido afuera', 1577; contracción de *fuera exido,* del participio del antiguo verbo *exir* 'salir', lát. EXIRE íd.; quizá tomado de oc. ant. *foreissit* 'salido afuera', de formación igual a la indicada, o de un cát. *fora(e)ixit* que se empleó bastante en el siglo XV.

Foral, V. *fuero* *Foráneo, forastero,* V. *fuera* *Forcejear, forcejeo,* V. *fuerte*

FÓRCEPS, 1884. Tom. del lat. *forceps, -ipis,* 'tenazas'.

Forense, V. *fuero* *Forestal,* V. *floresta Forfante,* V. *farfante* *Forja, forjar,* V. *fragua.*

FORMA, 1220-50. Tom. del lat. *fōrma* 'forma, figura, imagen, configuración', 'hermosura'. Duplicado popular: *horma,* 1490 (*forma,* h. 1400).
DERIV. *Formar,* 1220-50, lat. *formare* íd.; *formación; formativo. Formal,* 1390, lat. *formalis* 'referente a la forma'; *formalidad; formalismo; formalizar,* 1732; *informal, informalidad. Formalete,* S. XX, del cat. *formaret* íd. (diminutivo de *former* 'cada uno de los arcos en que descansa una bóveda vaída'). *Formón,* 1603. *Fórmula,* h. 1600, lat. *formŭla* íd., propte. 'marco, regla'; *formulario,* 1495; *formular; formulismo. Conformar,* 1220-50, lat. *conformare* 'dar forma', 'adaptar'; *conformación. Conforme,* 1.ª mitad S. XV, lat. tardío *conformis* 'muy semejante'; *conformidad,* 1444; *conformista; disconforme,* h. 1530. *Deformar,* 1515, lat. *deformare* íd.; *deformación; deformatorio. Deforme,* 1553, o *diforme,* 1438, o *disforme,* 1438, lat. *deformis* íd.; *deformidad,* 1495. *Informe,* adj., 1490, lat. *informis* íd. *Informar,* 1444, lat. *informare* 'dar forma', 'formar en el ánimo', 'describir'; *información,* 1394; *informante; informe,* sust., 1734. *Reformar,* 1220-50, lat. *reformare* íd.; *reforma, reformista; reformatorio. Transformar,* 1220-50, lat. *transformare; transformación,* 1495; *transformador; transformista.*
CPT. *Uniforme,* adj., h. 1440 (sust., 1739), lat. *uniformis* íd.; *uniformidad; uniformar,* princ. S. XVII. *Multiforme,* lat. *multiformis.*

Formiato, formicante, fórmico, V. *hormiga*

FORMIDABLE, 1596. Tom. del lat. *formidabĭlis* 'temible', 'pavoroso', deriv. de *formīdāre* 'temer'.

Formol, V. *hormiga* *Formón, fórmula, formular, formulario, formulismo,* V. *forma*

FORNICAR, 1490. Tom. del lat. *fornĭcāre* 'tener comercio carnal con prostituta' (deriv. de *fornix, -ĭcis,* 'lupanar', propte. 'lugar en forma de bóveda').
DERIV. *Fornicación,* S. X; *fornicador* 1438.

FORNIDO 'recio', 1609. Propte. participio del antiguo *fornir* 'abastecer, proveer'

(en el sentido de 'bien provisto de carnes y fuerzas'). Éste del cat. *fornir* íd., alteración del más antiguo *fromir* 'realizar, ejecutar', S. XIII, y éste probablemente del fráncico *FRŬMJAN (hoy alem. *frommen* 'ser útil, aprovechar, ejecutar').
DERIV. *Fornitura*, 1732, del fr. *fourniture*, deriv. de *fournir*, del mismo origen que el cat. *fornir*.

FORRAJE, 1547. Del fr. *fourrage* 'hierba de prados empleada como pienso', deriv. del fr. ant. *fuerre* íd., y éste del fráncico *FÔDAR 'alimento' (comp. el alem. *futter*, ingl. *food*).
DERIV. *Forrajear*, 1640. *Forrajero. Furriel*, h. 1640 (*furrier*, 1517), del fr. *fourrier* 'oficial encargado de la distribución del forraje y otros menesteres conexos'.

FORRAR 'aforrar, cubrir con forro', 1444. Del cat. *folrar* (también *forrar*), S. XIV, o del fr. ant. *forrer* íd.; derivados ambos del sustantivo cat. ant. *foure*, fr. ant. *fuerre*, 'vaina de una arma', 'estuche', que procede del gót. FÔDR 'vaina' (o de su equivalente el fráncico *FÔDAR, comp. el alem. *futter*).
DERIV. *Forro*, 1599 (*enforro*, 1465). *Aforrar*, princ. S. XV (*ahorrar*, h. 1300); *aforrado*; *aforro*.

Forro, V. *forrar*   *Fortalecer, fortaleza*, V. *fuerte*   *Fortepiano*, V. *piano*   *Fortificación, fortificar, fortín*, V. *fuerte*

FORTUNA, med. S. XIII. Tom. del lat. *fortūna* 'fortuna, suerte, azar' (deriv. del defectivo *fors, fortis*, íd.). En la acepción 'borrasca', h. 1300, fue en el origen eufemismo para no emplear palabras más alarmantes.
DERIV. *Afortunado*, h. 1400 (*fortunado*, 1256). *Infortunio*, h. 1440, lat. *infortūnium* íd.; *infortunado*, h. 1540. *Fortuito*, 1490, lat. *fortuītus* íd., otro deriv. de *fors*.

Forzado, forzador, forzar, forzoso, forzudo, V. *fuerte*

FOSA, 1542. Tom. del lat. *fŏssa* 'excavación', 'fosa', 'tumba', 'canal', propte. participio femenino de *fŏdĕre* 'cavar'. La antigua variante hereditaria *huesa*, 1200, se emplea a veces todavía en el sentido de 'tumba'.
DERIV. *Foso*, 1547, del it. *fosso*, del masculino del mismo participio. *Fósil*, 1817, lat. *fŏssīlis* 'que se saca cavando la tierra', derivado de dicho verbo; *fosilizarse*; *fosilífero*.

Fosfato, V. *fósforo*   *Fosfeno*, V. *foto-*

FÓSFORO (metaloide), 1732, 'cerilla', mediados del S. XIX (y nombre poético del lucero del alba, h. 1625). Tom. del gr. *phōsphóros*, adj., 'que lleva la luz, que da luz', cpt. de *phŏs, phōtós*, 'luz' y *phérō* 'yo llevo'.
DERIV. *Fosfórico*, 1843. *Fosforescente*, 1884; *fosforescencia*, 1884. *Fosfato*, 1884, *fosfatado*; *fosfático. Fosfuro.*
CPT. *Fosfaturia.*

Fósil, fosilizar, foso, V. *fosa*

FOTO-, primer elemento de cpts. cultos, procedente del gr. *phŏs, phōtós*, 'luz'. *Fotocopia*; *fotocopiar. Fotofobia. Fotogénico* 'que promueve la acción de la luz', S. XIX. *Fotometría*; *fotométrico. Fotografía*, 3.er cuarto S. XIX, en fr. desde 1839, año de la invención; *fotográfico*; *fotografiar*; *fotógrafo*. En los siguientes *foto-* es forma abreviada de *fotografía*: *fotogénico*, 1936, 'que tiene buenas condiciones para ser fotografiado' (del ingl. *photogenic*, creado en los Estados Unidos); *fotograbar, fotograbado*; *fotolitografía*; *fototipia, fototípico. Fosfeno*, S. XX, formado con gr. *phŏs* 'luz' y *phăinō* 'yo aparezco'.

FOTUTO 'bocina, caracola, trompeta', h. 1565. Voz americana, cuya exacta procedencia es incierta: se duda entre el Perú y la zona del Mar Caribe; por lo demás, está lejos de ser seguro que se trate de un indigenismo, y atendiendo a las variantes *botuto*, 1571, y *pototo*, 1613, puede que se trate simplemente de una onomatopeya, *bu-tu-tu*.

FRAC, h. 1835. Del fr. *frac* íd., 1767, y éste probablemente del ingl. *frock* íd., propiamente 'hábito de fraile', 'bata de mujer o de niño', que a su vez se tomó del fr. *froc* 'hábito de fraile', y éste del fráncico *HROKK 'chaqueta' (comp. el alem. *rock*).

FRACASAR, 1588, 'frustrarse, tener resultado adverso', 1625; antes 'destrozar, hacer trizas', 1605, y 'naufragar (una embarcación)', h. 1650. Del it. *fracassare* 'destrozar', 'quebrar ruidosamente', princ. S. XIV, deriv. del anticuado *cassare* 'romper' (éste del fr. *casser* íd., lat. QUASSARE).
DERIV. *Fracaso*, 1615. *Fracasado.*

FRACCIÓN, 1607. Tom. del lat. tardío *fractio, -onis*, 'acción de romper', deriv. del lat. *frangĕre* 'romper'.
DERIV. *Fraccionar*; *fraccionamiento*; *fraccionario. Fractura*, 1555, lat. *fractūra*, de *frangere*; *fracturar. Frágil*, med. S. XV, lat. *fragĭlis* íd.; *fragilidad*, 1438. *Fragmento*, 1607, lat. *fragmentum*; *fragmentar*; *fragmentario. Fragor*, 1817, lat. *fragor, -ōris*, 'ruido de algo que se rompe', 'estruendo'; *fragoroso. Fragoso*, princ. S. XV, lat. *fragōsus* 'áspero, escarpado, rocoso'. *Infringir*, 1843, lat. *infrĭngĕre* íd. (participio *infractus*), deriv. de *frangere*; *infracción*, 1642; *infrac-*

tor, 1734. *Refringir*, lat. *refrĭngĕre* íd.; *refringente*; *refrangible*; *refracción*, 1640; *refractar*; *refractario*, 1737, lat. *refractarius* 'pendenciero'. *Difracción*; *difrangente*.

FRAGANTE 'oloroso', 1534. Tom. del lat. *fragrans, -tis*, íd., participio de *fragrare* 'echar olor'.
DERIV. *Fragancia*, med. S. XV.

En fragante, V. *flagrante*

FRAGATA, 1535, del it. *fregata* íd. (dialectalmente *fragata*), h. 1350, de origen incierto. Habiendo sido la fragata hasta el S. XVII una chalupa ligera, remolcada comúnmente por los navíos mayores, es posible que recibiera su nombre del uso de la misma en caso de naufragio, por abreviación de *naufragata* (de *barca naufragata*), donde la primera sílaba *nau-* se tomaría por una voz independiente, variante del término genérico *nave*.

Frágil, fragilidad, fragmentar, fragmento, fragor, fragoroso, fragoso, V. *fracción*

FRAGUA, h. 1400, antiguamente *frauga*, h. 1210. De **fravga*, **FRABĬCA*, procedente del lat. FABRĬCA 'arte del herrero', 'fragua', 'arquitectura', deriv. de FABER 'herrero', 'artesano'.
DERIV. *Fraguar*, S. XIII (*fraucar*, h. 1090), lat. FABRICARI 'modelar', 'manufacturar'. Del mismo procede el fr. *forger*, de donde el cast. *forjar*, 1406; *forja*, 1495; *forjador*.

FRAILE, 1187 (*ffrayre*, 1174). De oc. *fraire* 'hermano', tomado cuando la entrada en España de los monjes de Cluny; y éste del lat. FRATER, -TRIS, íd. *Fray*, abreviación de *fraire*.
DERIV. *Frailecillo* 'ave fría', 1495. *Frailejón*. *Frailesco*; *frailuno*. *Cofrade*, 1505 (*confrare*, 1197), deriv. del arcaico *fradre*, forma genuinamente castellana de *fraile*; *cofradía*. *Fraterno*, h. 1440, lat. *fratĕrnus* íd., deriv. de *frater*; *fraternal*, 1438; *fraternidad*; *fraternizar*. *Confraternar* o *confraternizar*; *confraternidad*. *Fratría*, del gr. *phratría*, deriv. de *phrátōr* 'miembro de la misma confraternidad', voz hermana del lat. *frater*.
CPT. *Framontano* 'mojón en forma de persona', 1888. *Fratricida*, h. 1520, lat. *fratricīda* íd., formado con *caedere* 'cortar'; *fratricidio*.

FRAMBUESA, 1732. Del fr. *framboise* íd., y éste del fráncico **BRÂMBASI* 'zarzamora' (hermano del alem. *brombeere*, cpt. del alto alem. ant. *brâma* 'zarza' y *beere* 'frutita').
DERIV. *Frambueso*, 1732.

Framontano, V. *fraile*

FRANCACHELA, 1765-83, 'reunión de varios para comer juntos regocijadamente'. Parece ser deriv. de *franco* en el sentido propio de 'banquete íntimo, sin ceremonias'; pero no consta dónde ni cómo se formó la derivación.

Francalete, V. *franco*

FRANCO, 1102, 'libre, exento', 'liberal, dadivoso', 'noble, de trato abierto'. Del germ. FRANK, nombre de los francos, dominadores de Galia o Francia, que constituyeron allí la clase noble, exenta de tributos; llegó al castellano por conducto del bajo latín galicano o del francés más arcaico.
DERIV. *Francote*. *Francalete*, 1680, del cat. *francalet*, así llamada porque permite libertad limitada al animal. *Franqueza*, h. 1250. *Franquicia*, 1611. *Franquía*, 1765-83. *Franquear*, 1251; *franqueo*. *Enfranque*, 1765-83, del cat. *enfranc*, deriv. de *enfranquir* 'coser las piezas del calzado para juntarlas con la suela'.
CPT. *Francmasón*, 1765-83, del fr. *francmaçon*, 1740, calco del ingl. *free mason*, 1646, propte. 'albañil libre', porque la francmasonería se cobijó al principio bajo los privilegios concedidos a la corporación de los albañiles; también *masón*; *masonería*; *masónico*.

FRANCOLÍN, 1495. Del mismo origen incierto que el cat. *francolí*, 1442, el it. *francolino*, med. S. XIV, y el fr. *francolin*, fin S. XIII. Quizá se propagó desde el Sur de Francia, país donde aparece en la forma *francourlis* a med. S. XVI, y puede ser compuesto del fr. *courlis* 'chorlito' con *franc* en el sentido de 'domesticado', porque a diferencia del chorlito el *francolín* puede vivir en cautividad.

FRANELA, 1817. Del fr. *flanelle*, 1650, y éste del ingl. *flannel* íd., 1503, antes *flannen*, que a su vez procede del galés *gwlanen* 'paño de lana', deriv. de *gwlan* 'lana' (antes *wlan-*), del mismo origen indoeuropeo que esta palabra castellana.

FRANGOLLAR, 1490, and. y amer., 'quebrantar el grano del trigo', del mismo origen que el gall. *farugulla*, *f(a)rangulla*, 'migaja de pan', y otras palabras gallego-portuguesas, derivadas seguramente del lat. FRANGĔRE 'romper, quebrantar' y de su familia; pero el modo de derivación es incierto.
DERIV. *Frangollo*, 1646.

FRANJA, 1406. Del fr. *frange* íd., fr. ant. *frenge*, y éste del lat. FĬMBRĬA íd., propiamente 'borde de un vestido'.

Franquear, franqueo, franqueza, franquía, franquicia, V. franco

FRASCO, 1570. Probablemente del gót. *FLASKÔ 'funda de mimbres para una botella', 'botella' (comp. el alem. flasche íd.). DERIV. Frasquera. Fiasco, 1884, del it. fiasco íd., propte. 'botella', del mismo origen que el cast. frasco.

FRASE, 1532. Tom. del lat. phrasis 'dicción, elocución, estilo', y éste del gr. phrásis 'expresión, elocución', deriv. de phrázō 'explico, hago comprender'. DERIV. Antífrasis, h. 1490, gr. antíphrasis íd. Paráfrasis, 1611, gr. paráphrasis; parafrasear; parafrástico. Perífrasis, 1580, gr. períphrasis; perifrástico; perifrasear. CPT. Fraseología, 1843, del ingl. phraseology, 1644, formado con el gr. lógos 'habla'; fraseológico.

Frasquera, V. frasco

FRASQUETA, 1615. Probablemente del cat. fresqueta, adaptación del fr. frisquette íd., 1584, que es sustantivación del fr. dial. y anticuado frisquet 'vivaracho, coquetón' (porque la frasqueta sirve para la limpieza y buena presentación de la página impresa), diminutivo del fr. ant. frisque, que se tomó del neerl. frisch 'fresco', 'frescachón, de aspecto saludable'.

Fraternidad, fraterno, fratría, fratricida, V. fraile

FRAUDE, 1490. Tom. del lat. fraus, -dis, 'mala fe', 'engaño', 'perjuicio'. DERIV. Defraudar, 1350, lat. defraudare íd.; defraudación, 1604. Fraudulento, h. 1440, lat. fraudulentus íd.

Fray, V. fraile

FRAZADA 'manta de cama', 1541. Del cat. flassada, íd., 1175, vocablo común con la lengua de Oc, que desde estas dos lenguas romances se extendió además a muchos dialectos de Italia y Grecia y del Norte de Francia. Origen desconocido. DERIV. Frazadero.

FRECUENTE, 1515. Tom. del lat. frequens, -tis, 'numeroso, frecuentado, populoso', 'asiduo', 'frecuente'. DERIV. Frecuencia, 1515, lat. frequentia. Frecuentar, h. 1440, lat. frequentare; frecuentación; frecuentativo, 1490.

FREGAR, 1251. Del lat. FRĬCARE 'fregar', 'restregar', 'frotar'. DERIV. Fregona, 1613; fregatriz, princ. S. XVII. Friega, 1732. Refregar, 1495; re-

fregón; refriega, h. 1600. Cultismos: Africado. Fricativo. Fricción, 1555; friccionar.

FREÍR, 1335. Del lat. FRĪGĔRE íd. DERIV. Fritura. Fritada, 1732; fritanga. Refreír; refrito. Sofreír, 1525; sofrito.

Fréjol, V. frijol   Frenar, frenería, frenero, V. freno

FRENESÍ, 1490, lat. phrenēsis, -is. Tom. del gr. tardío phrénēsis íd., deriv. de phrēn, phrenós, 'diafragma', 'entrañas', 'alma', 'inteligencia, pensamiento'. DERIV. Frenético, 1490, lat. phrenētĭcus. CPT. de phrēn: Frenología; frenológico. Frenopatía; frenópata.

FRENO, 962. Del lat. FRĒNUM 'freno, bocado'. DERIV. Frenillo, 1611; afrenillar, h. 1570. Frenero; frenería. Frenar, princ. S. XV. Desenfrenar, 1495, del anticuado enfrenar, 1495; desenfrenado, 1438; desenfreno. Refrenar, 1220-50, lat. REFRENARE. Sofrenar, 1495; sofrenada, 1495.

Frenología, frenológico, frenópata, frenopatía, V. frenesí

FRENTE, 1495, antes fruente, 1124. Del lat. FRŎNS, -TIS, íd. El masculino frente, 1915, por imitación del fr. front. DERIV. Frontal, h. 1250; frontalete. Frontero, 1124; frontera, h. 1140; fronterizo, 1607. Frontil. Frontón, 1732. Afrontar, 888; del mismo origen afrentar, fin S. XV; afrenta, h. 1260; afrentoso. Afrontación. Confrontar, h. 1400; confrontación. Enfrentar y enfrontar. CPT. Enfrente, h. 1600; de donde se sacó la locución frente a, 1817; antes, frente a frente de, 1615. Frontispicio, 1570, lat. tardío frontispicium íd. (cpt. con specere 'mirar'); abreviado en frontis, h. 1700.

FRESA (planta y su fruta), 1611. Del fr. fraise íd., S. XII, alteración no bien explicada del lat. FRAGA íd. o de su derivado FRAGARIA 'fresera'; éste dio posiblemente el fr. anticuado fraire, S. XVI, del cual fraise podría ser modificación fonética (FRAGA dio el fr. dial. fraie, S. XVIII, pero es más difícil que de éste saliera fraise). DERIV. Fresal. Fresera. Fresón. Del latín: Fragaria, 1555.

Fresa 'herramienta', V. fresar

FRESAR 'labrar metales por medio de la fresa, herramienta de movimiento circular continuo', S. XX, antiguamente 'gruñir o regañar', 'rozar, triturar', 1495. Del lat. vg. *FRĒSARE 'rechinar con los dientes', 'moler,

machacar, triturar', frecuentativo del lat. FRENDERE íd. (participio FRESUM); la acepción técnica moderna se tomó del fr. *fraiser*.
DERIV. *Fresa* 'herramienta de fresar', S. XX. *Fresadora*.

FRESCO, h. 1140. Del germ. occidental FRĪSK 'nuevo', 'joven', 'vivo', 'ágil', 'atrevido' (comp. el alem. *frisch*). En la acepción pictórica, fin S. XVI, nació en italiano, al principio empleado sólo como adverbio: *pared pintada de fresco*, 1564, o *al fresco*, fin S. XVI.
DERIV. *Frescachón*. *Frescal*, 1732; *frescales*. *Frescor*, 1495, o *frescura*, 1495. *Fresquista*, 1708. *Fresquera*, 1899. *Refrescar*, 1220-50; *refresco*.

FRESNO, 1210 (*fréxeno*, 932). Del lat. FRAXĬNUS íd.
DERIV. *Fresneda*.

Fresón, V. *fresa* *Fresquera, fresquista,* V. *fresco* *Frezada*, V. *frazada*

FRIABLE, 183?, tom. del lat. *friabĭlis* íd.
DERIV. *Friabilidad*.

Frialdad, V. *frío* *Fricación*, V. *fregar* *Fricandó*, V. *fricasé*

FRICASÉ, 1560. Del fr. *fricassée* íd., propte. participio de *fricasser* 'guisar un fricasé', S. XV; éste es compuesto de *frire* 'freír' y un verbo *casser* 'desmenuzar', de origen incierto, pero quizá idéntico a *casser* 'romper'. De *fricassée* se sacó luego, por cambio de terminación, el fr. *fricandeau*, 1552, de donde el cast. *fricandó*, 1765-83.

Fricativo, fricción, friccionar, friega, V. *fregar* *Friera, frígido, frigorífico,* V. *frío*

FRIJOL 'habichuela', 1547 (*frisol*, 1492). Del lat. FASEŎLUS, y éste del gr. *phásēlos* íd. En castellano el vocablo debió de tomarse del gall. *freixó*, debido a que la habichuela se consumía mucho menos en el Centro de España que en las regiones costeñas, pero el empleo de la misma se propagó mucho en América; la acentuación que predomina ampliamente es la etimológica *frijól*, pero en algunos puntos del Sur y Oeste de España se acentúa en la primera sílaba y estas variantes *fríjol. fréjol* (debidas al influjo de *présul, gríjol* y otras variantes del nombre del guisante. lat. PĬSŬLUS), quizá provengan del dialecto mozárabe.

FRINGÍLIDOS. S. XX. Deriv. culto del lat. *fringilla* 'pinzón'.

FRÍO, 1212 (*frido*, 931). Del lat. FRĪGĬDUS íd. El cast. *frígido*, h. 1440, es cultismo del mismo origen.

DERIV. *Frialdad*, 1386. *Friera*, 1495. *Friolento*, 1220-50. *Friolero*, 1732; *friolera*, 1660, 'dicho o hecho sin gracia', cuyo sentido depende del de *frío* 'sin chiste' (SS. XV-XVII: también el lat. *frigidus* y el ár. *bârid*, propte. 'frío', reúnen las dos acepciones); de ahí luego *friolera* 'bagatela, cosa sin importancia'. *Fiambre*, 1390-1406, de *friambre por disimilación (comp. el port. ant. *friame* íd., S. XIII); *fiambrera*, 1611. *Enfriar*, 1495; *enfriamiento. Resfriar*, 1495; *resfriado*, med. S. XVII o el amer. *resfrío*, 1737. *Frigidez. Refrigerar*, h. 1620, lat. *refrigerare* 'enfriar' y luego 'reparar las fuerzas'; *refrigeración*; *refrigerante*; *refrigerio*, h. 1440.
CPT. *Frigorífico*, formado con el lat. *frigus, -ŏris*, 'el frío'.

FRISA, 1220-50, 'tela ordinaria de lana', probablemente del b. lat. *tela frisia* 'tela de Flandes', así llamada porque se importaba en barcos de Frisia. *Caballo de frisa* 'especie de empalizada', 1765-83 (del fr. *cheval de frise*, 1572), así llamado por el empleo de esta obra defensiva en Frisia durante las guerras de Flandes.
DERIV. *Frisar* 'levantar y rizar los pelillos de algún tejido', 1490, por practicarse esta operación con la frisa, mediante cardas; de donde se pasó a 'refregar, rozar', 1609 ('azotar', 3.er cuarto S. XVI), y de ahí a 'parecerse mucho (una cosa con otra)', h. 1600, o 'rivalizar', princ. S. XVII.

FRISO, 1611, 'faja de color o dibujo diferente'. Emparentado con el fr. *frise* íd., b. lat. *fris(i)um* 'franja de adorno', por otra parte con el it. *frégio* 'friso', oc. ant. y cat. ant. *fres* 'friso', 'cenefa', y finalmente con el ár. *'ifrîz* 'alero', saliente en una pared para defender de la lluvia. Aunque la historia del vocablo dentro de las lenguas romances no está clara, y aunque en árabe parece ser de origen extranjero, es posible que al románico llegara desde el árabe, pero de todos modos consta que en castellano no pudo entrar desde el árabe directamente.

Fritada, fritanga, frito, fritura, V. *freír.*

FRÍVOLO, h. 1440. Tom. del lat. *frīvŏlus* 'fútil, insignificante', 'frívolo, liviano'.
DERIV. *Frivolidad*.

FRONDA, 1765-83 (y ya h. 1440). Tom. del lat. *frons, frondis*, 'follaje, fronda'.
DERIV. *Frondoso*, h. 1440, lat. *frondōsus*; *frondosidad*.

Frontal, frontalete, frontera, fronterizo, frontil, frontis, frontispicio, frontón, V *frente*

FROTAR, fin S̆. XIII (raro hasta el S. XV). Del fr. *frotter* íd., S. XII, que parece resultante de un cruce del fr. ant. *freter* con *frôler* 'rozar', de origen onomatopéyico; en cuanto a *freter* (como el óc. y cat. *fretar*, que también se ha empleado en castellano, alterado en *fletar*) quizá proceda del germ. FRETAN 'desgastar, rozar' (comp. el ingl. *fret* 'rozar, desgastar, corroer', alem. *fressen* 'devorar', sueco *fräta* 'corroer', gót. *fraïtan* 'consumir, devorar').
DERIV. *Frotación. Frote.*

Fructífero, fructificar, fructuoso, frugal, frugalidad, fruición, frumentario, V. *fruto*

FRUNCIR 'arrugar (la frente, un paño)', h. 1140. Probablemente del fr. ant. *froncir* 'arrugar, fruncir' (hoy *froncer*), de origen germánico. En francés quizá sea derivado de un fráncico *WRUNKJA 'arruga', emparentado con el anglosajón e ingl. *wrincle* y el alto alem. anticuado *runke* íd.
DERIV. *Frunce*, fin S. XIX. *Fruncimiento.*
CPT. *Carifruncido*, princ. S. XVII.

FRUSLERÍA 'nadería, bagatela', 1605, deriv. de *fruslera* 'especie de latón de poca consistencia', S. XVI, alteración de *fuslera* íd., empleado con este sentido desde h. 1265 hasta el S. XVI, que viene del lat. FŪSILARIA, deriv. de FŪSĬLIS 'fusible, fundido' (de FUNDERE 'derretir'), porque la fruslera sólo se labraba en fundición.

FRUSTRAR 'hacer fracasar', 1438. Tom. del lat. *frustrari* 'engañar', 'hacer inútil, frustrar'.
DERIV. *Frustración.*

Fruta, frutal, frutero, V. *fruto*

FRÚTICE, 1762. Tom. del lat. *frŭtex, -ĭcis*, 'arbusto'.
DERIV. *Fruticoso. Infrutescencia*, 1939.

FRUTO, S. X. Descendiente semiculto del lat. *frūctus, -us*, íd., propte. 'usufructo, disfrute', 'producto', deriv. de *frui* 'disfrutar'.
DERIV. *Fruta*, princ. S. XIII, del lat. *fructa*, plural de la forma tardía *fructum* (= clásico *fructus*). *Frutal*, 1220-50. *Frutero; frutería. Frutilla* 'fruto pequeño', 1590, 'fresa', 1644. En forma más culta: *Fructuoso*, h. 1440. *Disfrutar*, 1765-83 (antes *desfrutar*, 1222; *defrutare*, 1076), b. lat. *exfructare; disfrute. Fruición*, h. 1440. *Frumentario*, 1765-83, deriv. del lat. *frumentum* 'cereal', que a su vez lo es de *frui. Frugal*, 1607, lat. *frugalis* 'sobrio, que observa la templanza', deriv. de *homo bonae frugis* 'hombre honrado', donde *frugis* 'producto, fruto' pertenece a la misma familia; *frugalidad.*

CPT. *Fructífero*, h. 1440. *Fructificar*, 1438. *Fruticultura.*

FÚCAR 'hombre muy rico', 1604. Del nombre de la familia alemana *Fugger*, que prestó grandes sumas a la monarquía y a la nobleza españolas en los SS. XVI y XVII.

Fucilazo, V. *fusil*

FUCSIA, 1899. Deriv. culto del nombre de Leonhard Fuchs, famoso botánico alemán del S. XVI, en cuya memoria dio este nombre a la planta el viajero francés Charles Plumier, que en 1693 por primera vez la describió.
DERIV. *Fucsina*, 1899, al parecer así nombrada por el color rojo oscuro de la flor de la fucsia y por coincidir su nombre con el alem. *fuchs* 'zorra', traducción del fr. *Renard*, que era el nombre de la casa industrial que fabricó primero la fucsina, en Lión, h. 1860.

FUEGO, 1155. Del lat. FŎCUS 'hogar', 'hoguera', 'brasero'. *Foco*, 1708, propte. 'hogar', es duplicado culto.
DERIV. *Hogar*, 1220-50, del adjetivo FOCARIS, que en latín hispánico sustituyó a FOCUS; *hogareño. Hoguera*, 1220-50. *Hogaza*, 1056, lat. FOCACIA 'panecillos cocidos bajo la ceniza del hogar'. *Trashoguero*, h. 1540. *Fogata*, 1646. *Fogón*, med. S. XVI, 'cocinita portátil en un buque', sentido en el cual se tomó del cat. *fogó*, 1403, lengua donde el sufijo *-ó* tiene valor diminutivo; de ahí pasó luego a 'hornillo de una cocina' y hoy en América 'fogata'; *fogonazo; fogonero. Foguear.* De *foco: focal. Enfocar*, 1899, *enfoque.*

FUELLE, 922. Del lat. FŎLLIS 'fuelle para el fuego', 'odre hinchado', 'bolsa de cuero'.
DERIV. *Follar* 'soplar con fuelle', 1732, de donde luego 'soltar una ventosidad', 1822, y 'practicar el coito', h. 1905: *follado* 'calzón muy ancho', 1613, *follosas* 'calzas'; *follón* 'ventosidad sin ruido', 'cohete que se dispara sin trueno'. *Afollado.*
Hollejo, hacia 1400, latino FOLLĪCULUS 'saquito', 'hollejo (de las legumbres y frutas), cascabillo de los cereales', diminutivo de FOLLIS. Duplicado culto *folículo*, 1629; *folicular; foliculario*, h. 1800, del fr. *folliculaire*, S. XVIII, que aunque deriv. de este diminutivo, tomó el sentido de 'periodista despreciable', por habérsele creído deriv. del lat. *folium* 'hoja'.

FUENTE, 938. Del lat. FŎNS, -TIS, íd.
DERIV. *Fontana*, h. 1440, voz poética y arquitectónica, tom. del it. *fontana*, del lat. FONTANA AQUA 'agua de fuente', abreviado por el latín vulgar en FONTANA 'fuente';

fontanero, 1640; *fontanería*. De un cast. arcaico **hontana* deriva el poético *hontanar*, 1220-50. *Fontanela*, del fr. *fontanelle*, propiamente 'fuente, exutorio', diminutivo de *fontaine* 'fuente'.

Fuer, V. *fuero*

FUERA, h. 1140. Del antiguo *fueras*, S. X, y éste del lat. FŎRAS 'afuera'.
DERIV. *Foráneo*, h. 1600, tom. del b. lat. *foranĕus*, 1495, del cat. *foraster*, 1123, variante del oc. *forestier* íd., y deriv. como él del oc. ant. *forest* 'aldea, caserío fuera de la población', deriv. a su vez de FORAS con la terminación de AGRESTIS y SILVESTRIS.
CPT. *Afuera*.

FUERO, 931. Del lat. FŎRUM 'los tribunales de justicia', antes 'la vida pública y judicial' y propte. 'recinto sin edificar', 'la plaza pública'. La locución *a fuer de* (que contiene una forma apocopada de *fuero*) significó primero 'con arreglo al fuero (de un lugar)', 1172, y luego 'a la manera de', 1613. Duplicado culto: *foro*, h. 1600, 'jurisdicción para sentenciar causas', 'los tribunales', y, por alusión al foro o plaza de los romanos: 'parte del escenario opuesta a la embocadura', med. S. XVII.
DERIV. *Fuerista*. *Foral*. *Forense*, h. 1600. *Aforar* 'otorgar fueros', h. 1290; 'tasar el precio de una mercancía', 1680 (acepción tomada del fr. anticuado *aforer*, SS. XIII-XVIII, donde deriva de *fuer* 'tasa', lat. FORUM) y de ahí 'calcular la cantidad de agua que lleva una corriente', S. XIX; *desaforar* 'quebrantar el fuero o ley', h. 1600, *desaforado* 'el que obra sin respetar leyes, quebrantándolo todo', 1601; 'desenfrenado', 1604; 'excesivo, monstruoso', 1578; *desafuero*, 1295; *aforo*.

FUERTE, 932. Del lat. FŎRTIS íd. Sustantivado; *fuerte* (fortaleza), 1595; *fortín*, med. S. XVII. *Forte*, voz de mando en faenas marineras, es italianismo o catalanismo.
DERIV. *Fortachón*. *Fortaleza*. 1220-50; *fortalecer*, h. 1280; *fortalecimiento*. *Confortar*, 1220-50, lat. CONFORTARE; *confortable* (en el sentido 'cómodo' es anglicismo muy reciente); *confortador*; *confortante*. *Reconfortar*.
Contrafuerte, 1443. *Enfurtir*, 1511, del cat. *enfortir* 'fortalecer'; *enfurtido*. *Fuerza*, 1115, lat. vg. FŎRTĬA. S. III; *forzar*, S. X; *forzado*; *forzoso*, 1505; *forzudo*; *forcejar*, 1490, del cat. *forcejar*, fin S. XIV; *forcejo*, de donde *forcejear*, h. 1835, y de ahí *forcejeo*. *Esforzar*, h. 1140; *esforzado*; *esfuerzo*, h. 1140. *Reforzar*, 1570; *reforzado*; *refuerzo*, 1737.
CPT. *Fortificar*, 1438; *fortificación*.

Fuerza, V. *fuerte* *Fuga, fugacidad, fugar, fugaz, fugitivo*, V. *huir* *Ful*, V. *fullero*

FULANO, 1175. Del ár. *fulân* 'tal'. En el S. XIII *fulano* se empleaba todavía como adjetivo (*fulán lugar, fulana isla*).

FULGOR, h. 1440. Tom. del lat. *fulgor, -ōris*, 'relámpago', 'brillantez, resplandor', deriv. de *fulgēre* 'relampaguear', 'relucir, brillar'.
DERIV. *Fulgente*, h. 1440. *Fúlgido*, h. 1440, lat. *fulgĭdus*. *Fulgurar*, h. 1580, lat. *fulgurare* 'relampaguear', deriv. de *fulgur, -uris*, 'relámpago'; *fulguración*; *fulgurante*, 1490; *fulgurita*. *Refulgente*, h. 1520. *Fulminar*, h. 1440, lat. *fulminare* 'lanzar el rayo', 'caer (el rayo)', deriv. de *fúlmen, -ĭnis*, 'rayo' (y éste de *fulgere*); *fulminante*. *Fulminato*; *fulmínico*. *Fulmíneo*, 1444. *Fulminación*.

Fuliginosidad, fuliginoso, V. *hollín* *Fulminación, fulminante, fulminar, fulminato, fulmíneo, fulmínico*, V. *fulgor*

FULLERO 'tramposo', 1570. Origen incierto; hay relación indudable con el antiguo *fulla* 'arte del fullero', 1513, hoy en Aragón 'mentira, impostura'; pero no consta cuál de las dos palabras deriva de la otra, y por lo tanto no es seguro, aunque sí probable, que sean tomadas del cat. *full, fulla*, 'hoja', 'defecto que tienen el metal, las monedas, las piedras preciosas', y quizá **doblez* que hace el fullero a los naipes' (lat. FOLIUM 'hoja'). De *fullero* hay que separar *fulero* 'defectuoso, malo', S. XX, derivado de *ful* 'falso, apócrifo', que parece procedente del gitano *ful* 'estiércol, porquería'.
DERIV. *Fullería*, 1607.

Fumadero, fumador, fumar, fumigar, fumista, fumistería, V. *humo* *Funámbulo*, V. *funicular*.

FUNCIÓN, 1657. Tom. del lat. *functio, -onis*, 'cumplimiento, ejecución (de algo)', 'pago (de un tributo)', deriv. de *fungi* 'cumplir (con un deber, una función)'.
DERIV. *Funcional*. *Funcionar*, 1855. *Funcionario*, 1855, imitado del fr. *fonctionnaire*, 1789. *Fungible*, 1899, del lat. *fungi* en el sentido de 'consumir'.

FUNDA, 1335. Tom. del lat. tardío *fŭnda* 'bolsa'; en latín clásico 'honda' y luego 'red de pescar', de donde 'bolsa'.
DERIV. *Enfundar*, 1495.

Fundación, fundador, fundamental, fundamentar, fundamento, fundar, V. *hondo*

FUNDIR, h. 1250. Tom. del lat. *fŭndĕre* 'derretir, fundir', propte. 'derramar', 'desparramar'. Para la acepción 'arruinar', V. *hundir.*

Deriv. *Fundente. Fundición,* h. 1280. *Fundidor. Fonil* 'embudo', 1526, del bordelés *fonilh* íd., procedente del lat. vg. *FUN-DĪCŬLUM, clásico INFUNDIBULUM íd., deriv. de INFUNDERE 'echar un líquido en un vaso' (y éste de FUNDERE). *Fusible. Fusión,* 1843, lat. *fusio, -onis,* íd.; *fusionar. Confundir,* h. 1140, lat. CONFUNDERE 'mezclar', 'enredar, hacer confuso'; *confuso,* 1438; *confusión. Difundir,* h. 1575, lat. *diffŭndere* 'propagar, esparcir'; *difuso,* h. 1525; *difusión,* 1611. *Efusión,* S. XVII, lat. *effusio, -onis,* 'acción de derramar', de *effundere* 'derramar'; *efusivo. Infundir,* h. 1440, lat. *infundere* 'echar (un líquido en una vasija)'; *infuso,* h. 1440; *infusión,* h. 1440; *infusorio* (porque se echa junto con el líquido). *Profuso,* med. S. XVII, lat. *profusus,* participio de *profundere* 'derramar extensamente'; *profusión. Refundir,* med. S. XVII, lat. *refundere* 'volver a fundir'; *refundición. Transfundir,* 1433, lat. *transfundere* 'echar un líquido de un vaso a otro': *transfusión,* 1739.

FUNERAL, 1590. Tom. del lat. *fūnerālis* 'perteneciente a un funeral', deriv. de *funus, -ĕris,* 'ceremonia fúnebre'.

Deriv. *Funerario,* 1490, lat. *funerarius. Fúnebre,* princ. S. XVII, lat. *fūnĕbris,* otro deriv. de *funus. Funesto,* h. 1580, lat. *funestus* íd., propte. 'funerario' (deriv. del mismo).

Fungible, V. *función*   *Fungosidad, fungoso,* V. *hongo*

FUNICULAR, 1765-83. Deriv. culto del lat. *funiculus* 'cordón, cuerdecita', diminutivo de *funis* 'cuerda'.

Cpt. *Funámbulo* 'saltimbanqui', 1684, lat. *funambulus,* propte. 'el que anda en la maroma', formado con *funis* 'cuerda' y *ambulare* 'andar'.

Furaco, V. *horadar*   *Furgón,* V. *hurgar*

FURIA, 1438. Tom. del lat. *fŭria* 'delirio furioso', 'violencia', deriv. de *furere* 'delirar', 'estar furioso'.

Deriv. *Furioso,* 1438, lat. *furiosus. Furibundo,* h. 1440, lat. *fŭrĭbŭndus. Furor,* h. 1440, lat. *furor, -oris. Enfurecer,* 1570; *enfurecimiento.*

Furor, V. *furia*   *Furriel,* V. *forraje Furtivo, furúnculo,* V. *hurto*   *Fuselaje,* V. *huso*   *Fusible,* V. *fundir*   *Fusiforme,* V. *huso*

FUSIL (arma de fuego), 1728. Del fr. *fusil,* que en la Edad Media significaba 'pedernal' o 'eslabón de encender fuego', se aplicó luego al pedernal que chocando con el rastrillo de una arma de fuego dispara el arma y finalmente al arma misma o fusil de chispa, que funcionaba de esta manera. El fr. *fusil* procede del lat. vg. *FOCĪLE 'pedernal', deriv. de FOCUS 'fuego'.

Deriv. *Fusilazo,* 1732. *Fusilero,* 1728; *fusilería,* 1728. *Fusilar,* 1843; *fusilamiento.* El provincialismo leonés, andaluz y americano *fucilar,* h. 1405, o *refucilar* 'relampaguear' es derivado autóctono del leonés y port. *fuzil* 'eslabón', procedente de dicho *FOCĪLE (por razones formales y semánticas no puede venir del lat. *refocilare* 'reconfortar'); *fucilazo, refucilo* 'relámpago'.

Fusión, fusionar, V. *fundir*

FUSTÁN 'tela gruesa de algodón', 1289. Palabra común a las varias lenguas romances y al árabe hispánico y moderno, de origen incierto; quizá alteración del ár. *fusṭâṭ* 'tienda de campaña hecha de algodón', variante de *fussâṭ* íd., propte. 'campamento' (del lat. FOSSATUM 'campamento rodeado de un foso').

FUSTE, 1131. Del lat. FŪSTIS 'bastón', 'garrote'. Del mismo es variante *fusta* 'vara flexible empleada como látigo', 'rebenque', 1843.

Deriv. *Afuste,* 1595, del fr. *affût,* 1437, deriv. del fr. ant. *afuster* 'poner un objeto en estado de prestar servicio'.

FUSTETE 'cierta terebintácea tintórea', 1552. Probablemente del cat. *fustet* íd., S. XIII, y éste del ár. *fustaq,* nombre de otra terebintácea, el alfóncigo.

Fustigar, V. *hostigar*

FÚTBOL (o *futbol*), S. XX. Tom. del ingl. *football* íd., cpt. de *foot* 'pie' y *ball* 'pelota'.

Deriv. *Futbolista; futbolístico.*

Futesa, V. *futre*

FÚTIL, 1693. Tom. del lat. *fūtilis* 'frívolo', 'frágil', propte. '(vaso) que pierde' (deriv. del mismo radical que *fundere* 'derramar').

Deriv. *Futilidad.*

FUTRE 'lechuguino', amer., 1910. Probablemente del fr. *foutre,* propte. 'practicar el coito' (lat. FUTUERE), que en derivados y compuestos toma el mismo sentido u otros análogos: *jean-foutre* 'persona sin dignidad', *foutriquet* 'lechuguino'; de éste pudo venir *futreque,* conservado en Chile como sinónimo de *futre. Futesa,* 1884, viene del fr. popular *foutaise* o de su hermano el cat. *fotesa,* ambos derivados de la misma raíz romance.

Futuro, V. *ser*

G

GABACHO, nombre despectivo que se aplica a los franceses, h. 1530. De oc. *gavach* 'montañés grosero', 'persona procedente de una región septentrional y que habla mal el lenguaje del país'. El sentido propio del vocablo es 'buche de ave', S. XIII, y 'bocio', aplicado a los montañeses de las zonas occitanas septentrionales, por la frecuencia de esta enfermedad entre los mismos. Voz de origen prerromano no bien puntualizado. *Gavota,* nombre de una danza, 1884, del fr. *gavotte,* S. XVI, deriva de oc. *gavot* 'montañés', que a su vez procede de otro nombre dialectal del bocio o buche, equivalente del fr. *jabot* íd., y que deriva de la misma raíz con otro sufijo.

GABÁN, 1362. Probablemente del ár. *qabâ'* 'sobretodo de hombre'.

GABARDINA 'ropón con mangas ajustadas, usado por los labradores', 1423, 'sobretodo de tela impermeable', S. XX. Resulta de un cruce de *gabán* con *tabardina,* 1397, diminutivo del sinónimo *tabardo.* Del castellano pasó *gabardine* al francés h. 1500 y al ingl. *gaberdine,* ya empleado por Shakespeare.

GABARRA 'lancha grande que se emplea para transportes y suele ir remolcada', med. S. XV. Del vasco *gabarra* o *kabarra* íd., y éste del lat. CARĂBUS, gr. *kárabos,* 'bote de mimbres', propte. 'cangrejo de mar'.

GABARRO 'especie de úlcera que pueden tener las caballerías en el casco', fin S. XIII. Del mismo origen incierto que el fr. *javart,* oc. *gavar(ri),* port. *gavarro;* quizá designó en el origen el "clavo" de un tumor, y derivará del oc. *gabarro* 'clavo', que primitivamente pudo ser un tipo especial de clavo empleado en la lancha llamada *GABARRA.* Las demás acepciones castellanas del vocablo son aplicaciones figuradas o traslaticias, y la mayor parte ya se documentan en 1734.

Gabela, V. *alcabala*

GABINETE 'aposento íntimo', 1734 (*gabineto,* 1702). Del fr. anticuado *gabinet* íd. (hoy *cabinet*), diminutivo del fr. *cabine,* ingl. *cabin* 'choza', 'cuarto pequeño', de origen incierto. Si tiene que ver con el lat. vg. CAPANNA (de donde *cabaña*), tendría que ser alteración inglesa de esta palabra, luego transmitida a Francia.

GACELA, 1570, 'especie de antílope africano y asiático'. Del ár. *ḡazêla* íd.

GACETA 'periódico', 1614. Del it. *gazzetta* íd., 1563, origen incierto; probablemente diminutivo del it. *gazza* 'urraca', por la verbosidad mentirosa de las gacetas. El vocablo italiano procede del lat. GAJA, nombre propio de mujer, que en la baja época se aplicó a la urraca.
DERIV. *Gacetero. Gacetilla;* *gacetillero. Gacetista.*

GACHAS, 1.ª mitad S. XV, 'comida compuesta de harina cocida con agua y sal'. Origen incierto; quizá de *cacho* 'pedazo', por haberse hecho las gachas de pedazos de pan desmenuzados.
DERIV. *Gachón* 'mimado', 'dulzón', 1734, de *gachas* en el sentido figurado de 'mimos' (por la consistencia blanda de las gachas).

GACHETA, 1817 (1642, *cacheta*). Del fr. *gâchette* íd., diminutivo de *gâche*, que parece ser alteración de *cache*, derivado del fr. ant. *cacher* 'apretar', lat. COACTICARE 'reunir, apretar' (deriv. de COGERE íd.).

Gacho, V. *agachar*   *Gachón*, V. *gachas*
Gachupín, V. *cacho* I

GAFA, S. XV, nombre de varios utensilios en forma de gancho o presilla. Del cat. *gafa* 'gancho, corchete', 1371 (y con derivados ya en el S. XIII), de origen incierto, quizá del ár. *qáfᶜa* 'contraída, encogida, enroscada'; al parecer tiene el mismo origen el cast. ant. *gafo* 'leproso', princ. S. XIII, por alusión a la forma encorvada que da a las manos y pies de este enfermo la contracción de sus nervios.
Deriv. *Gafete*, 1734 (en Aragón ya 1411).

Gafo, V. *gafa*

GAGO, amer. y provincial, 'tartamudo', 1223. Imitación de la voz *ga-ga* de los tartamudos.

GAITA, med. S. XII. Voz oriunda del castellano y el gallegoportugués, extendida desde la Península Ibérica por el África hasta Turquía y el Oriente europeo. Probablemente del gót. GAITS 'cabra', porque el fuelle de la gaita se hace de un pellejo de este animal.
Deriv. *Gaitero*, h. 1400. *Engaitar*, 1603.

GAJE 'molestia o perjuicio que se experimenta con motivo de una ocupación', S. XVII, propte. 'sueldo, o lo que se adquiere por algún empleo además del sueldo', h. 1400, y primitivamente 'prenda', S. XV. Del fr. *gage* 'prenda', 'sueldo', y éste del fráncico *WADDI 'prenda', comp. el gót. *wadi* 'fianza, prenda', alto alem. ant. *wetti* 'prenda', 'obligación jurídica', 'apuesta', alem. *wette* 'apuesta'.

GAJO 'cada una de las divisiones de frutos como la granada, la naranja, etc.', 1423; 'racimo pequeño o apiñado de cualquier fruta', 1604; 'rama que se desprende de un tronco de árbol', 1611; 'división o punta de las horcas, bieldos, etc.', 1495. Comp. *gallardo*. Del adjetivo lat. vg. *GALLĔUS 'comparable a una agalla de roble o encina' (llamada GALLA en latín).
Deriv. *Desgajar*, h. 1325.

GALA, med. S. XV. Del fr. ant. *gale* 'placer, diversión', S. XIII, deriv. de *galer* 'divertirse, ir de parranda', 1223; verbo de origen incierto, quizá del fráncico *WALLAN 'hervir', 'bullir, agitarse' (hoy alem. *wallen*). El vocablo y sus derivados alcanzaron en

España gran empleo y desarrollo en los SS. XVI-XVII, reaccionando luego sobre el sentido de las correspondientes palabras extranjeras y aun las francesas; desde el castellano *vestido de gala, día de gala,* y locuciones semejantes pasaron al fr. *gala,* S. XVIII; al inglés, 1625; al alemán (fin S. XVII) y al italiano.
Deriv. *Galán*, med. S. XV, del fr. *galant*, S. XIV, participio activo del citado *galer*, con el sentido inicial 'que se divierte', 'atrevido, emprendedor', después 'enamorado', 'galante' (sobre todo desde el S. XVII); primero se empleó *galán* como sust. o como adj. de una terminación (todavía en Cervantes), después se creó el adj. *galano*, med. S. XV. Por otra parte se creó *galante*, med. S. XV (pero raro hasta el XVII), al principio mera variante de *galán* con sentido idéntico, luego diferenciado; *galantería*, 1517; *galantear*, 1607; *galanteo*, med. S. XVII. *Galancete*, princ. S. XVII. *Galanía*, h. 1500; *galanura*, 1734. *Engalanar*, 1583.

Galáctico, galactómetro, galactosa, V. *galaxia*   *Galán, galancete,* V. *gala*

GALANGA (planta exótica de raíz medicinal), 1555 (*garengal*, med. S. XIII, *galingal, galangal*, SS. XIV-XVI). Del b. lat. *galanga*, y éste del ár. *ḫalánÿ* íd.

Galanía, galano, galante, galantear, galanteo, galantería, V. *gala*   *Galantina,* V. *hielo*   *Galanura,* V. *gala*

GALÁPAGO 'especie de tortuga', S. IX. Del mismo origen que el cat. *calàpet* (y *galàpet*) 'sapo', y que el port. *cágado* (variantes *cáagado, cácavo, caganapo*) 'galápago'. Probablemente de un hispánico prerromano *CALAPPĂCU, quizá emparentado con *CALAPACCĔA (de donde *calabaza*) y con *CARAPACCĔU (de donde *carapacho* y *caparazón*), de una raíz común que designaría estos varios objetos y seres cubiertos por una cáscara o cubierta dura y tiesa. En la acepción 'enfermedad del casco de las caballerías' es aplicación figurada del vocablo para 'tortuga', pero *galápago* 'especie de molde', 1734, parece ser deriv. de *galapo* empleado con sentido análogo en regiones de España y Portugal y procedente del gr. *kalápus, -podos,* 'horma de madera para hacer zapatos'.
Deriv. *Calapatillo*, 1843 (*kalapak(él*) se halla con este sentido en mozárabe de los SS. XIV-XVI), diminutivo con terminación conforme a la del citado cat. *calàpet*.

GALARDÓN, fin S. XV (y quizá ya h 1140), 'recompensa'. Del antiguo *gualardón* (SS. XIII-XVI y hoy todavía en judeoespañol), de origen germánico, probablemente del gót. *wīthralaun (comp. el neerl. ant. witherlôn, anglosajón witherleân 'pago que se da a cambio de algo'), cpt. de wīthra 'contra, frente a' y laun 'pago', 'agradecimiento'. En el románico antiguo *guedarlaun se cambió en *guelardaun, de donde la forma castellana. Deriv. Galardonar, h. 1140.

GALAXIA 'Vía Láctea', fin S. XVI. Tomado del gr. galaxías 'relativo a la leche', deriv. de gála, gálaktos, 'leche'. Otros deriv. de esta voz griega: Galactites, 1822. Galáctico; extragaláctico. Galactosa. Galio, gr. gálion, íd. Cpt. Galactófago. Galactómetro. Galega, 1822, formado con el gr. âix, aigós, 'cabra'. Polígala, 1822 (lat. polygala), gr. polýgalon, así llamada por la mucha leche que tienen las vacas apacentadas con ella; poligaleo.

GALBANA 'desidia, pereza', 1734. Origen incierto.

Galeaza, V. galera

GALENA (mineral de plomo), 1843. Tomado del lat. galēna íd.

GALERA (embarcación grande de vela latina), 2.º cuarto S. XV, antes galea, princ. S. XIII (1120 en cat., desde el cual pasaron al cast. ambas variantes). Del gr. bizantino galéa íd., S. VIII, propte. nombre de varios peces selacios semejantes al tiburón, con cuyos movimientos y acometividad se compararon los de esta nave poderosa. Deriv. Galeón, 1528 (procedente del fr. galion, fin S. XIII, y éste de galie 'galera'). Galeaza, 2.º cuarto S. XV. Galeota, h. 1260. Galeote, 1490. Galerada, 1765-83, deriva de galera en el sentido de 'tabla guarnecida de listones para poner las líneas de letras que compone el cajista', de donde luego 'prueba que se saca de esta composición para corregirla'.

GALERÍA, h. 1580. Tom. del b. lat. galilaea 'atrio o claustro de una iglesia' (1211, etc.), que a su vez viene del nombre de Galilea, región pagana de Palestina, a la que se comparó el pórtico-galería de la iglesia, donde permanecía el pueblo por convertir, mientras el coro (donde cantaban los monjes) se comparaba con Judea.

GALERNA 'viento del Noroeste en el Cantábrico', 1884, antes viento galerno, h. 1573. Del fr. galerne 'viento Noroeste', S. XII, y éste probablemente del bret. gwalern 'Noroeste', que a su vez es de origen incierto, al parecer deriv. del anglosajón Walas 'país de Gales', desde cuya dirección sopla el gwalern.

Galga, V. galgo

GALGO (raza de perros muy corredores), 1064 (gáligo, 1047). Del lat. vg. gallĭcus íd., abreviación de canis gallicus 'perro de Galia', así llamado por el gran desarrollo que alcanzó en este país la cría de perros de caza en tiempo de los romanos. Deriv. Galga 'piedra grande que, arrojada desde lo alto contra el enemigo, baja rodando rápidamente', med. S. XIII, así llamada por ser rápida como un galgo; las otras varias acepciones se explican en parte por la rapidez de movimiento, en parte (así probablemente la de 'freno que oprime una de las ruedas') quizá por comparación del madero que corre paralelo a las ruedas con el galgo que corre paralelo al cazador; desgalgarse, 1611; engalgar, S. XIX.

Gálibo, V. calibre, garbo y desgalichado

GÁLICO 'sífilis', 1615. Abreviación de mal o morbo gálico, es decir mal francés, como se ha llamado también a esta enfermedad, que se creyó introducida de Italia en Francia por los soldados de Carlos VIII (1493, 1495), y luego propagada desde allí a los demás países. Otros deriv. del lat. gallus 'galo, francés' y de su familia: Galicado, 1765-83. Galicano. Galicismo, 1765-83; galicista. Galio, metal raro, descubierto en Francia. Cpt. Galiparla, galiparlante; galiparlista, 1855.

Galillo, V. agalla II

GALIMATÍAS, 1765-83. Tom. del fr. galimatias íd., 1580, de origen incierto. Quizá de Barimatía (luego Galimatía), empleado popularmente como nombre de un país exótico, de donde procedería el personaje evangélico José de Arimatea, y luego aplicado a lenguajes incomprensibles, que se creen hablados en países lejanos. De la forma latina de su nombre Joseph ab Arimathia, salió Barimatía, después más alterado.

Galináceo, V. gallo   Galingal, V. galanga   Galio, galiparla, V. gálico

GALOCHA 'especie de zueco', 1331. Probablemente de oc. ant. galocha 'calzado con suela de madera y empeine de cuero, para preservar de la humedad', o quizá del fr. galoche íd., de origen incierto; al parecer de un lat. vg. *calopĕa, alteración de calopĕda íd., y éste del gr. kalópus, -ópodos, 'horma de madera para hacer zapatos', propte. 'pie de madera' (cpt. de gr. kâlon 'madera' y pús 'pie').

GALÓN I 'especie de cinta', h. 1620. Del fr. galon íd., 1584, deriv. del fr. ant. galonner 'adornar la cabeza con cintas', S. XII, voz de origen desconocido.

GALÓN II 'medida inglesa de capacidad', 1765-83. Tom. del ingl. *gallon* íd.

GALOPE, med. S. XIII. Del fr. *galop* íd., fin S. XI, deriv. de *galoper* 'galopar', y éste probablemente del fráncico *WELA HLAUPAN* 'saltar bien', porque el galope, por parte del jinete, consiste en una serie de saltos que es preciso ejecutar correctamente; *WELA HLAUPAN* se contrajo en *WALAUPARE*, y de ahí el fr. *galoper*.

DERIV. *Galopar*, 1651, o *galopear*, 1570, dada su fecha tardía y forma vacilante, parece ser deriv. castellano de *galope* (más que tomado directamente del fr. *galoper*). *Galopante*. *Galopín*, princ. S. XVII, 'pinche de cocina', 'muchacho sucio y desharrapado', del fr. *galopin*, S. XIII, 'muchacho a quien se manda a llevar recados' (por lo mucho que ha de correr de una parte a otra), después 'golfillo'.

Galopín, V. *galope*

GALPÓN 'cobertizo', 'barracón de construcción ligera', amer., pero en zonas tropicales designa todavía ciertas salas de edificios cerrados; del antiguo *galpol*, 1602, que primitivamente significó 'gran sala de un palacio', h. 1550. Del azteca *kalpúlli* 'casa o sala grande'.

GALVANISMO, 1843. Deriv. culto del nombre de Galvani, físico italiano del S. XIX, que describió por primera vez este fenómeno.

DERIV. *Galvánico*, 1843. *Galvanizar*. CPT. *Galvanómetro*. *Galvanoplastia*; *galvanoplástico*.

Galladura, V. *gallo*   *Gallardete*, V. *gallardo*

GALLARDO, 1495. Del fr. *gaillard*, fin S. XI, u oc. ant. *galhart*, S. XII, 'vigoroso, valiente', de origen incierto. Quizá deriv. del vocablo *galh*, *galha*, *galhon* (del mismo origen que el cast. *gajo*), empleado hoy en hablas occitanas con los sentidos 'brote, retoño', 'agalla de roble', 'glándula', o procedente del lat. vg. *GALLĔUS* 'comparable a una agalla'; el sentido primitivo pudo ser 'retoñante, lozano', de donde 'vivaz'.

DERIV. *Gallarda* 'danza airosa', h. 1570. *Gallardear*, 1615. *Gallardía*, 1570. *Gallardete*, 1570, de oc. ant. *galhardet* 'banderola de adorno', quizá deriv. de *galhart*.

GALLARUZA 'vestido de gente montañesa, con capucha para defender la cabeza del frío y de las aguas', 1605. Origen incierto; como también se ha dicho *galleruza* (Cervantes) y el cat. *gallerussa*, fin S. XVII, se ha aplicado a un capote de peregrino,

quizá derive de *GALLUS* 'galo, francés', aludiendo a los de esta nacionalidad que iban en romería a Compostela (comp. *GALLOFA*).

Gallear, V. *gallo*

GALLETA 'bizcocho de barco', 1765-83, 'bizcocho de postre', fin S. XIX. Del fr. *galette* íd., S. XIII, deriv. de *galet* 'guijarro, canto rodado', por la forma plana de la galleta; *galet* es diminutivo del fr. ant. *gal* íd., que parece ser de origen céltico.

Gallina, gallinaza, gallinero, gallineta, V. *gallo*

GALLO, h. 1140. Del lat. *GALLUS* íd.

DERIV. *Galladura*, 1734. *Gallear*, 1599. *Gallareta*, 2.º cuarto S. XVI. *Gallarín* 'cuenta que se hace doblando un número en progresión geométrica', *salir algo al gallarín* 'con pérdida exorbitante', princ. S. XV. *Engallarse*; *engallado*, 1734; *engalladura*. *Gallina*, 1050, lat. *GALLĪNA* íd.; *gallináceo*; *gallinaza*, 1495; *gallinero*, 1495; *gallineta*. CPT. *Gallipavo*, 1565. *Gallocresta*, 1490. *Galpito* 'pollo débil y enfermizo', 1843, síncopa de *gallopito*, cpt. con *pito*, que en Asturias significa 'pollo de gallina' y significaría primitivamente 'pequeño, desmedrado'.

GALLOFA 'mendrugo o pan que se da como limosna', 1335. Probablemente contiene el lat. *gallus* 'francés', que se convirtió en sinónimo de 'peregrino' (vid. *GALLARUZA*), por alusión a los de Compostela, que en su mayoría eran de esta nacionalidad; es verosímil que se trate de una expresión *galli offa* 'bocado del peregrino' creada en el latín de los conventos medievales.

DERIV. *Gallofo* 'pordiosero', h. 1400 (de donde luego el cat. *gallòfo(l)*, S. XV, oc. *galhofo* e it. *gaglioffo*, princ. S. XIV). *Gallofero*, 2.º cuarto S. XVI; *gallofería*.

GAMA 'escala con que se enseña la entonación de las notas musicales', 1783. Del nombre de la letra griega Γ, *gamma*, con que el inventor de la moderna escala musical, Guido d'Arezzo (S. XI), designó la nota más baja de la misma. El fr. *gamme* ya se encuentra en el S. XII, el ingl. anticuado *gamme* en 1390.

GAMARRA, 1734, 'correa que, partiendo de la cincha, pasa por entre los brazos del caballo y llega hasta la muserola, sirviendo para impedir que el animal baje y levante nerviosamente la cabeza'. Del lat. *CAMUS* 'cabezada para atar los animales' (de donde el it. ant. *camo* 'freno', el cat. dial. *gams* 'cuerdas para atar la carga de las caballerías' y el cast. *camal* 'cabestro'):

sea un deriv. castellano de este vocablo latino, o un cruce del mismo con *amarra*; el it. *camarra*, 1550, tiene el mismo origen y significado, pero se ignora si pasó de Italia a España o de España a Italia (influido allí por *camo*).

GAMBA 'pierna', 1609. Voz jergal o semijergal, del it. *gamba* íd., que a su vez procede del lat. vg. CAMBA 'pierna, especialmente las de las caballerías', voz de origen incierto. En francés el mismo vocablo ha tomado la forma *jambe* (que todavía se empleaba con el sentido español en el S. XVII), de donde el cast. *jamba* 'cada una de las piezas de madera que sostienen los lados de una puerta o ventana', 1526. Del cat. *cama* 'pierna' puede venir *cama del freno*, fin S. XIII.

Deriv. *Gambito*, 1899, del it. *gambetto* 'zancadilla', 1830 (de donde viene también el fr. *gambit*, 1743). *Gambeta* 'movimiento afectado', h. 1500, de la misma palabra italiana; *gambetear*. *Garambaina* 'ademán afectado y ridículo', princ. S. XVII, o *carambaina*, princ. S. XVII: metátesis de *gambaraina* (*camb-*). *Jamón*, 1335, del fr. *jambon* íd., deriv. de *jambe*; es palabra que tardó mucho en generalizarse (todavía no en el S. XVI) en lugar de la antes castiza y hoy anticuada *pernil*; *jamona*.

Gamba 'camarón', V. *camarón*   *Gambalúa*, V. *camello*

GAMBERRO, 1899, 'libertino, disoluto'. Origen incierto, quizá del valenciano, donde puede ser disimilación de *gran verro* 'gran verraco'.

Deriv. *Gamberrismo*.

Gambeta, gambetear, gambito, V. *gamba*

GAMELLA, 1286, 'artesa para dar de comer o beber a los animales, para fregar, lavar y otros usos', 1326; 'arco que se forma en cada extremo del yugo', 1605; antes *kamella* (recipiente), 1081, hoy todavía andaluz. Del lat. CAMELLA 'escudilla, gamella', deriv. de CAMELUS 'camello' (también llamado CAMELLUS), por comparación de forma de la artesa invertida, o del arco del yugo, con la joroba de un camello.

Deriv. *Gamellón*, h. 1400.

GAMO 'rumiante análogo al ciervo', 1251. Del lat. vg. GAMMUS íd., S. VII, resultante probablemente de un cruce del lat. DAMMA íd., con el lat. alpino CAMOX 'gamuza'.

Deriv. *Gama*, 1490. *Gamito* 'cría del gamo', 1495; *gamitar* 'dar balidos el gamo'. *Gamezno*, 1644.

GAMO-, forma prefijada del gr. *gámos* 'unión de los sexos' (de la raíz de *gígnomai* 'yo engendro'). *Gamopétalo* y *gamosépalo*, S. XX.

GAMÓN 'asfódelo', h. 1490 (los colectivos *Gamonedo, Gamonar*, desde 887). Vocablo común a las tres lenguas hispanorromances (port. *gamão*, cat. *gamó*, cat. ant. *camó*), de origen incierto, quizá prerromano.

Deriv. *Gamonal*, 1251. *Gamonito; gamonita*, 2.º cuarto S. XVI; *gamonital*, 1495. *Gamonoso*, princ. S. XVII.

GAMUZA 'cabra montés', 1607 (*gamuço*, 1354; *camós*, h. 1300). Aplicado casi siempre a la piel de este animal y a la de otros de cualidades semejantes, empleada con finalidades comerciales. Procede en último término del lat. tardío CAMOX, -ŌCIS, íd., de origen alpino prerromano; pero no es palabra hereditaria en la Península Ibérica, y aunque no está bien identificado el lugar de origen de la forma española, debió de llegar de los Alpes occidentales por Génova (o quizá Marsella).

GANA, 1220-50. Palabra propia del castellano y el catalán, propagada desde España a Portugal e Italia y a algunos dialectos árabes africanos y occitanos. De origen incierto, quizá de origen bereber o iberolíbico, en vista de que en el árabe de Argelia y Marruecos se pronuncia con *g* oclusiva (consonante propia allí de los bereberismos) y de que ya aparece alterada por adaptación a la morfología árabe en el granadino del S. XV; sin embargo esto es muy inseguro y puede también tratarse de un gót. *GANÔ*, fem., 'gana, avidez', emparentado con el escand. ant. *gana* 'abrirse la boca', 'desear con avidez', noruego *gana* 'quedarse boquiabierto', 'mirar con ansia', frisón oriental *gannen* 'solicitar algo con miradas ávidas'; comp. *GANAR*.

Deriv. *Desganado*, h. 1580; *desgana*, 1570; *desgano*. *Ganoso*, 1490.

GANAR, 987. Esta palabra y el port. ant. *gãar*, 874, proceden probablemente de un verbo gót. *GANAN* 'codiciar', hermano del escand. ant. *gana* 'abrir la boca', 'desear con avidez', noruego *gana* 'estar boquiabierto', 'mirar con ansia'; de la misma palabra gótica procedería indirectamente el cast. *gana*, pero comp. lo dicho en ese artículo; el significado de nuestro verbo evolucionó bajo el influjo de otro verbo romance (it. *guadagnare*, fr. *gagner*, oc. *gazanhar*, cat. *guanyar*), procedente del germ. WAIDANJAN 'cosechar', 'ganar', de donde resultó por cruce el port. mod. *ganhar*.

Deriv. *Ganado* 'conjunto de bestias mansas que se apacientan', h. 1140, primitivamente 'ganancia, bienes', h. 950, desde donde se especializó el significado castellano, por la importancia de la riqueza pecuaria en la economía primitiva, como ocurrió en en el hisp.-am. *hacienda* 'ganado' y en el lat. *pecu* 'ganado' de la raíz de *pecunia* 'dinero'; *ganadero*, S. XV, *ganadería*. *Ga-*

nador. Ganancia, 1131; *ganancial*, S. XIX; *ganancioso*, med. S. XIII.

Cpt. *Ganapán*, 1454, cuyo sentido se explica por alusión a la maldición bíblica "*ganarás el pan* con el sudor de tu frente", y por haberse tomado al mozo de cuerda como tipo del trabajador sudoroso por excelencia.

GANCHO, 1331. Palabra antigua en castellano (y portugués), que desde ahí se extendió al árabe, al turco y a los varios idiomas balcánicos, por otra parte al catalán, al galorrománico y al italiano. Origen probablemente prerromano. Como el sentido primitivo parece haber sido 'rama punzante o ganchuda', 'palito', puede venir del céltico *GANSKIO- 'rama' (de donde procede el irl. ant. *gēsca* y, como formas emparentadas, el galés *cainc* 'rama' y otras palabras indoeuropeas). El sentido etimológico se nota en varios escritores del S. XVII y en muchos dialectos del NO. (en las formas *ganzo* y *gancho*), y un *canchullo* 'abrojo' se registra ya h. 1100.

Deriv. *Ganchudo. Enganchar*, h. 1708; *enganche*; *reenganchar*; *reenganche*.

GANDAYA 'especie de redecilla para el cabello', 1817, 'tuna, vida holgazana', 1646. Del cat. *gandalla* íd., 1356, probablemente porque los bandoleros catalanes de los SS. XVI y XVII llevaban el cabello recogido con *gandalla*. El origen último es incierto, aunque podría tratarse de un derivado de oc. ant. *gandir* 'huir', 'refugiarse' (gót. wandjan 'dar vuelta'), de donde la idea de 'refugiado, desterrado, forajido'.

GANDUL 'vagabundo, holgazán', 1869; antiguamente 'moro o indio joven y belicoso', 2.ª mitad S. XV. Del ár. *ḡandûr* 'joven de clase modesta, que afecta elegancia, procura agradar a las mujeres y vive sin trabajar, tomando fácilmente las armas'.

Deriv. *Gandulear. Gandulería. Gandumbas* 'haragán', 'tonto', amer. y prov., quizá del port. anticuado *gandum* 'gandul'.

Gamdumbas, V. *gandul*

GANGA I (gallinácea semejante a la perdiz), S. XIII. Voz imitativa del grito del ave; figuradamente, 1734, se aplicó *ganga* a las cosas sin provecho (por ser la ganga difícil de cazar y dura de pelar y de comer), pero empleándose muchas veces irónicamente ha acabado por significar más bien las cosas apreciables que se adquieren a poca costa.

GANGA II 'materia que acompaña los minerales y se la separa de ellos como inútil', 1884. Del fr. *gangue* íd., 1701, y éste del alem. *gang* 'filón metálico', propte. 'marcha, andadura' y luego 'camino'.

GANGLIO, 1765-83, lat. tardío *ganglion*. Tom. del gr. *gánglion* íd.

Deriv. *Ganglionar.*

GANGOSO 'que habla con resonancia nasal', 1343. Onomatopeya.

GANGRENA, h. 1500, lat. *gangraena*. Tom. del gr. *gángraina* íd.

Deriv. *Gangrenarse*, 1581. *Gangrénico. Gangrenoso*, 1537.

Ganoso, V. *gana*

GANSO, 1495. Del gót. *GANS íd. (hermano del alem. *gans* y el ingl. *goose*).

Deriv. *Gansada.. Gansear.*

GANZÚA 'llave falsa de gancho', 1475. Del vasco *gantzua*, forma articulada de *gantzu* 'ganzúa'. Éste a su vez procede del cast. dialectal *ganzo*, variante de *GANCHO*.

GAÑÁN 'mozo de labranza', 1495. Probablemente del fr. ant. *gaaignant* 'labrador', participio activo de *gaaignier* 'ganar', y en particular 'hacer de jornalero rural', 'cultivar (la tierra)'; éste viene del germ. waidanjan 'buscar comida', 'cazar' (comp. el alto alem. ant. *weidanôn*, deriv. de *weida*, neerl. ant. *weitha* 'comida', 'lugar de pastos', 'acto de cazar').

Deriv. *Gañanía* 'casa de los gañanes', h. 1600.

GAÑIR, 1220-50, 'ladrar con ladridos agudos y plañideros'. Del lat. gannire 'gañir', 'aullar (el zorro)'.

Deriv. *Gañido*, 1490.

GAÑOTE, 1734. Del anticuado *gañón*, 1516, que a su vez es ya alteración del antiguo *cañón* íd., h. 1500. Éste deriva de *caña* 'caña del pulmón, tráquea', h. 1500. Ambas alteraciones se deben al influjo de *gaznate*, al cual pudieron ayudar *garguero*, *garganta* y *gañir*.

GARABATO 'gancho retorcido', 1335 (*garavata*, med. S. XIII). Dialectalmente *garabito*, port. *garavato* 'palo con un gancho en la punta, para coger fruta', *garavêto* 'pedazo de leña menuda'. Parecen ser derivados del asturiano y santanderino *gárabu*, *gárabа*, 'palito', de la misma familia prerromana que el salmantino *carba* 'matorral', sardo *carva* 'rama', leonés *carvayo* 'rebollo', port. *carvalho* 'roble'.

Deriv. *Garabatear. Engarabatar.*

Garabito, V. *garabato*   *Garambaina*, V. *gamba*

GARANTE, 1734. Del fr. *garant*, de origen germánico, probablemente del fráncico

*WERÊND, comp. el alto alem. ant. *wêrênt* íd., participio activo de *wêrên* 'garantir', y el alem. *gewähr* 'garantía'. DERIV. *Garantía*, 1734, del fr. *garantie* íd. *Garantir*, h. 1800, del fr. *garantir* íd.; *garantizar*, 1884, formado a base de varias formas del verbo francés *garantir* (*je garantis, nous garantissons*, etc.).

GARAÑÓN 'asno grande destinado para cubrir las yeguas y las burras', h. 1300. Del germ. WRANJO, -ONS, 'caballo padre, semental', comp. el bajo alem. ant. *wrênjo*, alto alem. ant. *reinn(e)o* íd.

GARAPIÑAR 'solidificar un líquido, congelándolo o en otra forma, de manera que forme grumos', 1734. Hermano del port. *carapinhar* íd., y del it. ant. y dial. *carapignare* 'rascar', fr. dial. *charpigner* 'arañar', 'desmenuzar'. Procedentes de un lat. vg. *CARPINIARE 'arrancar, arañar, desgarrar', deriv. de CARPĔRE íd. De 'rascar', 'desgarrar', se pasaría a 'formar burujones en la piel', y de ahí a 'formar grumos'. DERIV. *Garapiña*, h. 1640. *Garapiñera*, 1734.

Garatusa, V. *engatusar*

GARBANZO, 1219 (*arvanço*, h. 1100 en mozárabe). Vocablo común con el port. *gravanço* y el gall. *garabanzo*. Antiguamente fue *arvanço* o *ervanço*, así en portugués como en castellano, forma que luego debió de alterarse por influjo de la *g-* de varios nombres de legumbres (*garroba* 'algarroba', *gálbana* 'especie de guisante', port. *grão* 'garbanzo'). Origen incierto, aunque es probable que venga de una lengua indoeuropea, quizá prerromana, como voz emparentada con el lat. *ervum* 'yeros', el gr. *erébinthos* 'garbanzo' y el germ. *arwaits íd. (a. alem. ant. *araweiz*, alem. *erbse*). DERIV. *Garbancero. Garbanzuelo*, 1546, enfermedad así llamada por el tumor, del tamaño de un garbanzo.

GARBO 'gracia, gentileza natural', 1575 (y algún dato anterior de med. del siglo). Del it. *garbo* íd., S. XV, propte. 'plantilla, modelo', 'forma', voz de origen incierto; probablemente del ár. *qâlib* 'molde', 'modelo'; comp. CALIBRE. DERIV. *Garboso*, 1702. *Desgarbado*, 1884.

GARDENIA, fin S. XIX. Del lat. moderno botánico *gardenia*, creado por Linneo en honor del naturalista escocés Alexander Garden († 1791).

Garduña, V. *ardilla* *Garengal*, V. *galanga*

GARETE, *irse al* —, 1831, 'ir, una embarcación, sin gobierno, y llevada del viento o la marea'. Origen incierto, quizá adaptación popular del fr. *être égaré* 'ir sin dirección'. DERIV. *Desgaritarse* 'irse al garete', 'extraviarse', 1831; *desgaritado*.

Garfiñar, garfio, V. *garra*

GARGAJO, h. 1400. De la raíz onomatopéyica GARG- que imita el ruido del gargajeo y otros que se hacen con la garganta. DERIV. *Gargajear*, 1490; *gargajeo*. De la misma raíz onomatopéyica procede *garganta*, 1152; *gargantilla*; *engargantar*. Origen parecido tienen además: *gargarizar*, 1555, tom. del gr. *gargarízō* íd.; *gargarismo*, 1513, gr. *gargarismós*; *gárgara*, 1581, deriv. regresivo de los anteriores. *Gárgola*, 1611, voz común con el catalán y con el fr. ant. *gargoule*, extraída de un verbo como el fr. *gargouiller* 'producir un ruido semejante al de un líquido en un tubo', S. XIV, cat. ant. *gargolejar* 'charlar (las mujeres)', S. XIV: el vocablo alude, pues, al ruido del agua que corre por la gárgola. *Garguero*, h. 1400, pronunciado casi en todas partes *gargüero* (*gargüelo*, S. XIV), es alteración de *gorgüero*, 1220-50, gall. ant. *gorgoiro*, S. XIV, de un lat. vg. *GŬRGŬRĬUM, de la raíz también onomatopéyica GURG-, paralela a la de *garganta*.

Garganta, gargantilla, gárgara, gargarizar, gárgola, garguero, V. *gargajo*

GARIBALDINA, 1925. Del nombre del patriota y general italiano Garibaldi († 1882), por ser prenda empleada por sus voluntarios.

GARITA, 1490. Del fr. ant. *garite*, 1223, 'refugio', 'garita de centinela' (hoy *guérite*), deriv. de *se garir* 'refugiarse' (voz del mismo origen germánico que el cast. *guarecer*), con una terminación participial *-ite* que tuvo cierto uso en el francés antiguo. DERIV. *Garito* 'paraje donde concurren a jugar los tahúres', antes 'casa', 1609, como voz jergal (propte. 'garita'); *garitero*, princ. S. XVII.

GARLITO, h. 1400, 'nasa pequeña para pescar en los ríos'. Origen incierto, probablemente emparentado con el leonés *carriego*, 1669, 'cesta grande', 'garlito', con el cambio de *-rr-* en *-rl-*, que no es raro en voces de origen prerromano o extranjero.

GARLOPA, 1604, 'cepillo grande para desbastar la madera antes de acepillarla esmeradamente'. De oc. *garlopo*, fem., y éste del fr. dial. *warlope* íd., que a su vez resulta de un cruce de las dos denominaciones que este instrumento tiene en los dialectos flamencos: *voorlooper*, propte, 'precursor' (de donde el fr. *varlope*), y *weerlucht*, propte. 'relámpago'. Explicables ambas porque la garlopa precede a la labor del cepillo, como el relámpago al trueno.

GARNACHA I, 1222, 'vestidura talar que usan los togados'. De oc. ant. *ganacha* (o *garnacha*), S. XII, 'manto de piel', y éste probablemente del lat. GAUNACA 'especie de manto velloso', voz de origen iránico.

GARNACHA II, 1613, 'especie de uva, y el vino dulce que con ella se hace'. Del it. *vernaccia* íd., probablemente del nombre del pueblo de Vernazza, situado en una comarca de Liguria famosa por sus vinos.

GARO, 1555, 'especie de salmuera que hacían los antiguos con ciertos pescados', lat. *garum*. Tom. del gr. *gáron* íd.

GARRA, 1570, 'mano de las fieras y aves de rapiña, armada de uñas corvas, fuertes y agudas'. En la Edad Media *garfa*, que significaba lo mismo, med. S. XIII, y además 'puñado, cantidad de algo que se puede agarrar con una mano', 1220. Probablemente del ár. *ġárfa* 'puñado' (y 'garra' en el árabe de España, S. XIII), deriv. de la raíz árabe *ġáraf* 'sacar agua', 'arrebatar, empuñar'. En el cambio de significado influyó el parónimo *garfio*, S. XIII, 'gancho fuerte', procedente del lat. *graphium* (gr. *graphêion*) 'punzón para escribir', influido a su vez en su forma y significado por *garfa*.

DERIV. *Agarrar*, 1569; *agarradero*; *agarrado*; *agarrón*. *Desgarrar*, med. S. XV; *desgarrado*; *desgarrador*; *desgarro*, 1599; *desgarrón*, 1599. *Agarrafar* y *engarrafar*, del medieval *garfa*. *Gar(ra)fiñar*, 1609.

GARRAFA, 1570. Origen incierto. Si viene del ár. *qarába* 'utensilio para transportar agua' (voz de origen persa) es dudoso que entrase por España, pues el it. *caraffa* parece ser más antiguo (med. S. XVI, y como nombre propio, S. XIII); el cambio de *b* en *f* se explicaría en el colectivo ár. *qaráb* porque en esta posición la *b* se pronuncia *f* en árabe vulgar.

DERIV. *Garrafón*.

Garrafal, V. *algarroba*   *Garrancha*, *garranchazo*, *garrancho*, V. *garrocha*

GARRAPATA, 1490, 'arácnido que vive parásito sobre ciertos animales, chupándoles la sangre'. Parece ser metátesis de *gaparrata, deriv. (con el sufijo *-ata*, que designa animales pequeños) de *caparra*, que es el nombre de la garrapata en vasco, mozárabe, aragonés y catalán occidental, y aun en parte de Castilla la Vieja, y que debe de ser

vieja voz prerromana, idéntica al vasco *gapar(ra)* o *kapar(ra)* 'zarza, cambrón', porque así la garrapata como la zarza se agarran fuertemente a la piel.

DERIV. *Garrapato* 'rasgo caprichoso e irregular' (donde hay confusión con *garabato*); *garrapatear*.

GARRIDO 'gallardo', 'hermoso', 1335. Anteriormente significó (S. XIII) 'travieso, ligero de cascos', 'juguetón, lascivo, deshonesto'. Probablemente participio del verbo *garrir*, lat. GARRIRE 'charlar, parlotear', 'gorjear'.

GARROCHA, h. 1400 (*escarrocha*, 1219), 'vara con arponcillo en su extremo', 'banderilla para hostigar el toro'. Del célt. GARRA 'pantorrilla' (de donde el fr. *jarret* y el cat. *garra*), que en partes de España parece haber tomado el sentido de 'rama de árbol' (*desgarrar* 'desgajar una rama', h. 1330). De un cruce del propio *garra* (que no ha de confundirse con el cast. *garra* 'zarpa', de origen diferente) con *gancho* (en el sentido etimológico de 'rama') resulta *garrancho*, h. 1400, 'parte saliente de una rama o tronco', 'ramo quebrado' (con su deriv. *garranchazo*, h. 1590).

GARROTE, h. 1300. Probablemente procede de Francia, y la acepción más antigua sería 'proyectil de madera que se lanzaba con una especie de ballesta'. Aunque la etimología en definitiva es oscura, parece que la forma originaria es *waroc*, del verbo *waroquier* o *garoquier*, S. XII, 'agarrotar, apretar con cuerdas' y 'lanzar', seguramente de origen germánico.

DERIV. *Garrotazo*. *Garrotillo*, 1611. *Garrotín*. *Agarrotar*, 2.º cuarto S. XV.

GARRUCHA, 1495, 'polea'. Del antiguo y dialectal *carrucha*, 1376, deriv. de *carro*, porque sirve para acarrear el agua desde el fondo del pozo y para llevar otros pesos.

GÁRRULO 'parlanchín', h. 1600. Tom. del lat. *garrŭlus* íd.

DERIV. *Garrulidad*.

GARÚA, amer., 'llovizna', 1597, y antiguamente 'niebla', h. 1570. En Canarias se pronuncia *garuja*; del port. dial. *caruja* 'niebla', procedente del lat. vg. *CALŪGO, -ŪGĬNIS, variante del lat. CALIGO, -ĬGINIS, íd.: de *CALUGINEM salió *caúgem, y luego, por influjo de un sinónimo, *carugem y *caruja*. El verbo port. *carujar* 'lloviznar', 'caer rocío', fue castellanizado en *garuar* según el modelo de *blanquear* junto al port. *branquejar, mear* junto al port. *mijar*, correspondencia regular entre los dos idiomas.

DERIV. *Garuar* 'lloviznar'.

GARULLA 'uva desgranada', 1609, en Asturias 'conjunto de nueces, castañas y avellanas' (de donde el sentido figurado 'conjunto de gentecilla'). Voz de procedencia dialectal, quizá leonesa; probablemente del lat. vg. *CARULIA, y éste de un diminutivo griego de *káryon* 'nuez', 'almendra', 'avellana'. Comp. *GURA*.

GARZA (ave zancuda y acuática), 1251. Vocablo propio del castellano y el portugués, origen incierto, probablemente de una base prerromana *KARKIA, céltica o precéltica, comp. el bret. *kerc'heiz* íd. El lat. *ardea* 'garza' no tiene nada que ver con esta palabra castellana.
DERIV. *Garceta*, h. 1330.

GARZO, fin S. XIII, 'de color azulado, aplicado especialmente a los ojos'. Origen incierto; no es seguro pero sí posible que sea variante fonética de *zarco* (por metátesis del árabe *zárqa*, de donde viene esta palabra castellana, en *qárza).

GAS, 1817. Palabra inventada por el químico flamenco J. B. van Helmont († 1644), inspirándose en el lat. *chaos* 'caos', que sus predecesores alquimistas empleaban en el mismo sentido.
DERIV. *Gaseoso*, 1843; *gaseosa*.
CPT. *Gasificar*. *Gasógeno*. *Gasolina*, fin S. XIX, formado con el lat. *oleum* 'aceite'; *gasolinera*. *Gasómetro*.

GASA, 1611, 'tela de seda o hilo muy clara y sutil'. Probablemente del ár. *qazz* 'seda', 'borra de seda', 'gasa', de origen persa. No es palabra heredada del árabe de España, sino recibida por vía comercial, en forma no precisada hasta ahora.

Gaseoso, gasificar, gasógeno, gasolina, gasómetro, V. gas

GASTAR 'expender dinero', h. 1400, antes 'devastar, echar a perder', S. XII. Del lat. VASTARE 'devastar, arruinar', pronunciado *WASTARE en la baja época por influjo del germ. WÔST(J)AN (alem. *wüsten* 'devastar').
DERIV. *Gastador*, 1220-50, del sentido antiguo 'devastar'. *Gastamiento*. *Gasto*, 1220-50. *Desgastar*, h. 1400; *desgaste*. *Malgastar*. Del lat. *devastare* por vía culta: *devastar* íd., med. S. XVII; *devastación*; *devastador*. *Vasto* 'inmenso', 1444, lat. *vastus* íd., propiamente 'devastado' y 'vacío, desierto'; *vastedad*, 1739.

GÁSTRICO 'perteneciente al estómago', 1765-83. Deriv. culto del gr. *gastér, gastrós*, 'vientre', 'estómago'.
DERIV. *Gastritis*. *Epigastrio*; *epigástrico*. *Hipogastrio*; *hipogástrico*.

CPT. *Gastralgia*. *Gastroenteritis*. *Gastrointestinal*. *Gastronomía*, med. S. XIX, gr. *gastronomía* 'tratado de la glotonería'; *gastronómico*, med. S. XIX; *gastrónomo*, 1884.

GATO, 967. Del lat. tardío CATTUS 'gato silvestre', S. IV ('gato doméstico', h. 600), voz de origen incierto; el gato doméstico era desconocido en la Antigüedad.
DERIV. *Gata*, h. 1300; *a gatas* 'a cuatro patas', h. 1550, y luego, quizá partiendo de la locución *salir a gatas de algún sitio*: 'con dificultad', 'apenas', 1571. *Gatada*, princ. S. XVII. *Gatear*, 1495. *Gatera*, 1220-50. *Gatillo* 'parte alta del pescuezo', 1599, 'percusor en las armas de fuego'. *Gatuno*.
CPT. *Gatatumba*, 1734. *Gatuña*, propte. 'uña de gato' (*uñagato* en mozárabe, S. X).

Gatuperio, V. vituperar

GAUCHO 'criollo rural del Río de la Plata', 1782. Origen incierto; probte. indígena americano. La acentuación primitiva parece ser *gaúcho*.
DERIV. *Gauchada*, med. S. XIX, 'favor', etcétera. *Gauchaje* 'conjunto de gauchos'. *Gauchesco* 'propio de los gauchos'.

Gaudeamus, V. gozo   Gauderio, V. regodearse

GAVETA, 1570, 'cajón corredizo que hay en los escritorios', 'gamella'. Alteración del lat. *gabăta* 'escudilla', 'gamella', común al castellano con el catalán (1350), el italiano (S. XIV) y la lengua de Oc, y probablemente propagada por esta última, donde tal alteración es normal según la fonética de este idioma.

Gavia, V. jaula

GAVIAL 'cocodrilo de la India', 1899. Tom. del francés (1789), donde es corrupción del hindustani *ghaṛiyâl*.

GAVILÁN, 1220-50, nombre de una ave de presa y de varios objetos de forma ganchuda o saliente. Del mismo origen incierto que el port. *gavião*, vasco *gabirai*, 1536 íd., mallorquín *gavilans* 'especie de escardillo': probablemente de un gót. *GABILA, -ANS, de la misma raíz que el alto alem. ant. *gabila* o *gabala*, alem. *gabel*, anglosajón *geaflas* 'horca', nombre aplicado al gavilán por comparación de sus garras con una horca de campesino.

GAVILLA, 1220-50, 'haz de sarmientos, mieses, ramas, etc.'. Palabra común a todos los idiomas ibero y galorrománicos, de origen incierto; probablemente deriv. del lat. CAVUS íd., propte. 'hueco entre las manos' (como lo es el it. *covone* 'gavilla').
DERIV. *Agavillar*.

GAVIOTA, 1490. Deriv. del lat. GAVĬA íd.

GAYO 'alegre, vistoso', h. 1400. Voz galorrománica, de procedencia probablemente occitana (*gai, jai*, 'alegre', h. 1100), que desde ahí se extendió al francés, al castellano y a otros idiomas. Origen incierto: como *gai* se empleaba asimismo en el sentido de 'gozo', es probable que se trate de una reducción de *gauy*, lat. GAUDIUM 'gozo'; en efecto, *gauy* se redujo también a *gau*, que es frecuente en el sentido de 'gozo' y se encuentra además con el valor de 'alegre' (S. XII).

DERIV. *Gaya* 'lista de color diferente en una ropa', 1350, así llamada por lo vistoso de los vestidos abigarrados; de ahí luego 'franja' y 'nesga'.

Gayomba, V. *gayuba*

GAYUBA, h. 1400, 'uva de oso, *Arctostaphyllos uva ursi*', en el Norte y Centro de España, y **GAYOMBA**, 1606 (*gayunba*, 1423), 'retama de olor', en Andalucía y Murcia, *bayúnb* 'brusco' en mozárabe, princ. S. XIII. Nombres relacionados entre sí, de origen incierto, seguramente prerromanos y emparentados con el gasc. *jaugue*, fem., y fr. *ajonc* (dial. *jôghe, ajou*) 'aliaga'. Las formas galorrománicas suponen una base *AJAUGA (con su deriv. *AJAUGONE) y las españolas *AGAJÚA.

GAZA 'lazo que se forma en el extremo de un cabo', S. XVII. Término náutico común con el cat. *gassa*, it. *gassa* o *gazza*, gr. mod. *gása*, de origen incierto; quizá de la misma procedencia que oc. mod. *ganso*, fr. *ganse* 'lacito', 'ojal', pero es dudoso cuál de las dos formas sea la primitiva.

Gazafatón, gazapa, gazapatón, V. *gazapo* II   *Gazapera*, V. *gazapo* I

GAZAPO I 'cría del conejo', h. 1200. Del mismo origen incierto que el port. *caçapo* y el cat. merid. y occid. *catxap*. El sufijo es indudablemente prerromano, y lo será también el radical, si no es deriv. de *caza*, por ser los gazapos fáciles de cazar.

DERIV. *Agazaparse*, 1475, propte. 'ocultarse en los intersticios del terreno, como hace el gazapo'. *Gazapera*.

GAZAPO II 'mentira, disparate', 1822. Deriv. secundariamente de *gazapatón* 'disparate o yerro en el hablar', 'expresión malsonante', 1734, variante de *gazafatón* íd., h. 1400, antes *caçafatón*, h. 1400, que viene del cat. *gasafató*, alteración del gr. *kakémphaton* 'cosa malsonante, indecente o vulgar' (cpt. de *kakós* 'malo' y *empháinō* 'yo muestro, declaro'); el vocablo se alteró por influjo de *gazapo* I.

DERIV. *Gazapa* 'mentira', princ. S. XVII.

Gazmiar, gazmio, V. *gazmoño*

GAZMOÑO, 1691, 'que afecta devoción, escrúpulos y virtudes que no tiene', probte. compuesto formado como su sinónimo MOJI-GATO, pero con orden inverso de los componentes, como en el sinónimo catalán *gata-moixa* (y *gatamoixeria* = cast. *gazmoñería*), de donde un *gatmoño y *gazmoño con influjo de *gazmiar* 'golosinear', 'mostrar escrúpulo en la comida', 'quejarse y resentirse', princ. S. XVII, a su vez de origen incierto, quizá deriv. semiculto del lat. CADMIA 'residuos', 'esp. los de óxido de cinc que quedan pegados a las paredes de los hornos' (de donde 'fijarse en minucias, escrupulizar').

DERIV. de *gazmiar* es *gazmio* 'rufián', 'amante', princ. S. XVII (propte. 'mujeriego, goloso').

GAZNÁPIRO, 1843, 'bobalicón, simple'. Palabra familiar y reciente, de origen incierto. Quizá de un *gesnapper*, debido a una mezcla de las voces neerlandesas *gesnap* 'parloteo, charla', y *snapper* 'charlatán', 'el que quiere coger algo al vuelo', confundidas por los soldados españoles de Flandes, o por el habla vulgar flamenca, en los SS. XVI y XVII.

GAZNATE, 1490. Palabra emparentada con *caña* en la acepción de 'conducto interior del cuerpo humano', y con un grupo de palabras portuguesas (*gasganete* 'garganta', *engasgar-se* 'atragantarse') de origen onomatopéyico, y resultante de un cruce entre estos dos elementos léxicos. Sin embargo, como el sufijo -*ate* es de origen oscuro, es posible que se formara en mozárabe, resultando allí del cruce de una forma ár. *qannát (plural de un *qánna 'conducto', hermano de dicha voz romance), o del ár. *qanâ 'canal' (en estado constructo *qanât al-ḥalq* 'canal de la garganta'), con la correspondencia mozárabe de dicho grupo portugués.

GAZPACHO, 1611, en portugués *caspacho*. Origen incierto, quizá deriv. mozárabe del prerromano *caspa* 'residuo, fragmento' (de donde el cast. *caspa*) por alusión a los pedacitos de pan y verdura que entran en el gazpacho.

GAZUZA 'hambre', 1646. Voz familiar, del mismo origen incierto que el cat. *cassussa* íd.; como en América Central tiene varios significados que se agrupan alrededor de la idea de 'persecución', es probable que derive del adjetivo *gazuzo* 'muy comedor', todavía empleado en la Argentina y Chile, deriv. de *cazar* con el sentido de 'el que va a la caza de comida'.

Gea, V. *geo-*

GECÓNIDOS (familia de reptiles saurios), S. XX. Deriv. culto del ingl. *gecko* 'especie de salamanquesa', tom. del malayo *gēkoq*.

Gelatina, gelatinoso, gélido, V. *hielo*
Gema, V. *yema*   *Gemebundo*, V. *gemir*
Gemelo, mellizo   *Gemido*, V. *gemir*
Geminación, geminado, geminar, gémino, V. *mellizo*

GEMIR, fin S. XIV. Tom. del lat. *gĕmĕre*.
DERIV. *Gemebundo. Gemido*, 1335. *Gimotear*, 1765-83; *gimoteo*.

GENCIANA, 1488. Tom. del lat. *gentiana* íd.

Gendarme, gendarmería, V. *gente*

GENEALOGÍA, 1438, tom. del gr. *genealogía*, formado con *geneá* 'generación' y *lógos* 'tratado'.
DERIV. *Genealógico, genealogista*.

Generación, generador, V. *engendrar*
General, generalato, generalidad, generalizar, V. *género*   *Generar, generativo, generatriz*, V. *engendrar*

GÉNERO, h. 1440. Tom. del lat. *genus, -ĕris*, 'linaje', 'especie, género' (deriv. de *gignĕre* 'engendrar').
DERIV. *General*, 1220-50, lat. *generalis* íd.; *generala*; *generalato*; *generalidad*, 1495; *generalísimo*, 1600; *generalizar, generalización. Genérico*, h. 1600. *Generoso*, 1444, lat. *generosus* 'linajudo', 'noble'; *generosidad. Congénere. Degenerar*, 1570, lat. *degenerare* 'desdecir del linaje'; *degeneración*, 1604; *degenerativo*.

Genesíaco, genésico, génesis, genético, V. *engendrar*

GENIO, 1580 (y ya med. S. XV). Tom. del lat. *genius* 'deidad que según los antiguos velaba por cada persona y se identificaba con su suerte', 'la persona misma, su personalidad', deriv. de *gignĕre* 'engendrar'. La acepción 'grande ingenio, hombre de fuerza intelectual extraordinaria', princ. S. XIX, se tomó del francés.
DERIV. *Genial*, 1490; *genialidad. Congeniar; congenial. Ingenio*, 1490 (*engeño*, 1251), lat. *ingenium* 'cualidades innatas de alguien'; *ingenioso*, 1490 (*engeñoso*, h. 1280), *ingeniosidad. Ingeniar*, 1490; *ingeniero*, 1450, probablemente imitado del it. *ingegnere*, 2.ª mitad S. XIII; *ingeniería*. De *ingenio* por cambio de prefijo sale *pergenio*, 1605, y

después *pergeño*, S. XVII, primitivamente 'talento', 'habilidad', 'aspecto, atavío', de donde *pergeñar* 'ejecutar', 1737 (ya 1605, 'adivinar el carácter de uno según su apariencia'), propiamente 'dar pergeño o forma a algo'.

Genital, genitivo, genitor, genitorio, V. *engendrar*

GENTE, S. XIV. Es latinización del antiguo *yente*, h. 1140, procedente del lat. GENS, GĔNTIS, 'raza', 'familia', 'tribu', 'el pueblo de un país, comarca o ciudad'.
DERIV. *Gentío*, 1220-50. *Gentuza*, 1765-83, o *gentualla*, 1734. *Gentil*, fin S. X, tom. del lat. *gentīlis* 'propio de una familia' (de ahí 'linajudo, noble'), 'perteneciente a una nación, especialmente si es extranjera', 'no judío, pagano'; *gentileza*, princ. S. XV; *gentilicio*; *gentílico*; *gentilidad*.
CPT. *Gentilhombre*, med. S. XV, calcado del fr. *gentilhomme. Gendarme*, S. XX, del fr. *gendarme*, sacado del plural *gens d'armes* 'gente de armas'; *gendarmería*.

GENUFLEXIÓN, 1612. Tom. del lat. *genu flexio* 'flexión de rodilla'.

GENUINO, h. 1640. Tom. del lat. *genuīnus* 'auténtico', 'natural, innato'.

GEO-, primer elemento de compuestos cultos, tom. del gr. *gê* 'tierra'. *Geoda*, S. XIX, gr. *geṓdēs* 'terroso, semejante a la tierra'. *Geodesia*, 1734, gr. *geōdaisía* íd., cpt. con *dáiō* 'yo parto, divido'; *geodésico; geodesta. Geofísica. Geognosia*, con *gnôsis* 'conocimiento'; *geognóstico. Geografía*, 1615, gr. *geōgraphía; geográfico; geógrafo*, 1573. *Geología*, 1843; *geológico; geólogo. Geomancia*, 1490, con *mantéia* 'adivinación'; *geomántico. Geometría*, h. 1250, gr. *geōmetría* 'agrimensura', 'geometría', con *métron* 'medida'; *geométrico*, 1495; *geómetra*, 1490. *Geórgica*, lat. *georgĭca*, deriv. del gr. *geōrgós* 'agricultor', formado con *érgon* 'obra'. *Gea*, S. XIX, gr. *Gâia*, personificación divina de la tierra. *Apogeo*, 1709, gr. *apógeios* 'que viene de la tierra', formado con *apo-*, que indica alejamiento; *perigeo*, con *peri-*, que indica proximidad. *Hipogeo*, con *hypo-* 'debajo'.

GERANIO, 1765-83. Tom. del gr. *gerá-nion* íd., propte. 'pico de grulla', por comparación de forma.

Gerencia, gerente, V. *gesto*

GERIFALTE (ave de presa), h. 1330. Del fr. ant. *girfalt* (hoy *gerfaut*), y éste del escand. ant. *geirfalki* íd., cpt. de *falki* 'halcón' y *geiri* 'estría, objeto en forma de dardo' a causa de las listas semejantes a flechas que cruzan el plumaje de esta ave.

Germanesco, germanía, V. *hermano*

GERMANIO, S. XX. Deriv. culto del lat. *Germania* 'Alemania', país donde se descubrió este metal.

GERMEN, 1762. Tom. del lat. *germen, -ĭnis*, 'yema de planta', 'germen'.
Deriv. *Germinar*, 1817, lat. *germinare* 'brotar', 'germinar'; *germinación*, 1765-83; *germinativo*. *Germinal*.

GESTO, 1220-50. Tom. del lat. *gestus, -us*, 'actitud o movimiento del cuerpo', derivado de *gerĕre* 'llevar', 'conducir, llevar a cabo (gestiones)', 'mostrar (actitudes)'.
Deriv. *Gesticular*, 1817, lat. *gesticulari* íd.; *gesticulación*, 1609. *Agestado*, h. 1565. *Engestado*. *Gesta* 'historia de lo realizado por alguien', 1220-50, 'cantar de gesta', lat.. *gesta*, plural de *gestum* 'lo realizado', participio de *gerere*. *Gestación*, 1765-83, lat. *gestatio* 'acción de llevar', *gestare* 'llevar encima'. *Gestión*, 1884, lat. *gestio, -onis*, 'acción de llevar a cabo'; *gestionar*, 1884. *Gestor*, 1884, lat. *gestor* 'administrador'. *Gerente*, 1884, lat. *gerens, -tis*, 'el que gestiona o lleva a cabo'; *gerencia*. *Gerundio*, 1490, lat. *gerundium* íd., deriv. de *gerundus* 'el que se debe llevar a cabo'.

GIBA, 1490. Tom. del lat. *gĭbba* íd. *Chepa*, S. XIX, se tomó popularmente del cat. *gepa*, de igual origen.
Deriv. *Giboso*, S. XIII, lat. *gibbosus*. *Gibar* o *chibar* 'fastidiar'.

Giga, V. *gigote*

GIGANTE, 1220-50. Tom. del lat. *gĭgas, -antis*, y éste del gr. *gígas, -antos*, íd. Del mismo, por conducto del fr. ant. *jayant* (hoy *géant*), viene *jayán* 'gigante', 1605; 'hombre de gran fuerza', 1596; 'rufián', 1609.
Deriv. *Giganta. Gigantesco*, 1765-83, del fr. *gigantesque*, 1598. *Agigantarse*.

GIGOTE 'guisado de carne picada', 1611. Del fr. *gigot* 'muslo del carnero', antes 'muslo de persona', deriv. de *gigoter* 'agitar las piernas', 'danzar', que a su vez lo es de *giguer* 'saltar' (afín al fr. ant. *gigue*, cast. ant. *giga* 'violín').

GILÍ 'tonto', 1882. Del gitano español *jili* 'inocente, cándido', deriv. de *jil* 'fresco', *jilar* 'enfriar' (*šil* 'frío' en el gitano de otros países).

GIMNASIO, 1611, lat. *gymnasium*. Tom. del gr. *gymnásion* íd., deriv. de *gymnázō*

'yo hago ejercicios físicos', y éste de *gymnós* 'desnudo'.
Deriv. *Gimnasia*, 1884, gr. *gymnasía* íd. *Gimnasta*, 1765-83. *Gimnástico*, 1611.
Cpt. *Gimnosofistas*, así llamados porque iban desnudos.

Gimotear, V. *gemir*

GINECEO, 1765-83, lat. *gynaecēum*. Tomado del gr. *gynaikêion* íd., deriv. de *gynê̄*, *gynaikós*, 'mujer'.
Deriv. *Ginecología; ginecólogo*.

GINGIDIO, 1611. Tom. del gr. *gingídion* 'zanahoria silvestre'.

Giru, V. *jira*   *Girar, girasol*, V. *giro* I

GIRO I, med. S. XV, 'movimiento circular', lat. *gӯrus*. Tom. del gr. *gӯros* 'círculo, circunferencia'. En el sentido de 'estructura especial de frase', 1884, es calco del fr. *tour* íd., propte. 'vuelta'.
Deriv. *Girar*, 1444, lat. *gyrare* íd.; *giro* 'traslación de caudales', 1734. *Giratorio*.
Cpt. *Giróscopo*, formado con el gr. *skopéō* 'yo miro'; *giroscópico. Girasol*, princ. S. XVII, así llamado porque su flor va volviéndose hacia la dirección del sol; también se ha dicho *mirasol*, 1607.

GIRO II (aplicado a un gallo de tipo especial, empleado en peleas), 1836; y de ahí 'hermoso', 'excelente', 1734. Parece tratarse de *giro* 'bravata', 1734, adjetivado, por la actitud valiente del gallo giro; antes significó 'chirlo, herida en la cara', h. 1640 (de donde 'amenaza de hacer un chirlo', y luego 'bravata'). De origen incierto, quizá idéntico al anterior (pasando por la idea de 'torcedura, esguince').

GIROLA, 1884, 'nave que rodea el ábside en la arquitectura románica y gótica' Del fr. ant. *charole*, variante de *carole* 'danza popular ejecutada por un grupo de gente que se da la mano', 'procesión religiosa', 'la girola, donde se realizaban estas procesiones' (de un deriv. o cpt. del gr.-lat. *chorus* 'danza en coro').

GITANO 'cíngaro', 1570, significó también 'egipcio' en el período clásico; probte. de *egiptano*, deriv. de *Egipto*, por haber afirmado los gitanos que procedían de este país.
Deriv. *Gitanería. Gitanesco. Agitanado*.

GLACIAL, h. 1525. Tom. del lat. *glacialis* íd., deriv. de *glacies* 'hielo'.
Deriv. de *glacies: Glaciación. Glaciar*, S. XX, adaptación del fr. *glacier*, 1572; *glaciarismo. Glacis*, 1765-83, del fr. *glacis*

íd., propiamente 'terreno pendiente', deriv. de *glacer* 'helar', de donde 'resbalar'. *Glasé* 'tafetán de mucho brillo', 1734, del fr. (*taffetas*) *glacé*, participio de *glacer* 'dar un barniz parecido a una superficie de hielo'.

Gladiador, V. *gladíolo*

GLADÍOLO 'espadaña', 1490. Del lat. *gladiŏlus* íd., propte. 'espada pequeña', diminutivo de *gladius* 'espada' (*gladio* también se ha empleado en cast. con el sentido de 'gladíolo'). Otro deriv. de *gladius*: *Gladiador,* med. S. XVI, lat. *gladiator, -oris.*

GLÁNDULA, h. 1580. Tom. del lat. *glandŭla* 'amígdala', diminutivo de *glans, -dis,* 'bellota' (de donde se tomó el cast. *glande* 'cabeza del miembro viril', S. XIX). DERIV. *Glandular. Glanduloso.*

Glasé, V. *glacial*

GLASTO, 1555. Tom. del lat. *glastum* íd.

GLAUCO 'verde claro', 1884 (como nombre de molusco, 1765-83), lat. *glaucus.* Tomado del gr. *glaukós* 'brillante', 'glauco'. DERIV. *Glaucoma,* h. 1920.

GLEBA 'terrón', 1444. Tom. del lat. *glēba* íd.

GLICERINA, 1884. Deriv. culto del gr. *glykerós* 'de sabor dulce', deriv. de *glykýs* 'dulce', 'agradable'. Otros deriv. de *glykýs*: *Glicina,* S. XX, del fr. *glycine,* 1786. *Glucina,* 1884, del fr. *glucine,* 1798; *glucinio. Glucosa,* fin S. XIX, del fr. *glucose,* 1853 (la forma castellana habría sido *glicosa,* que algunos han empleado); *glucósido.* CPT. *Glucómetro. Glucosuria,* con gr. *uréō* 'yo orino'.

GLÍPTICA, S. XX. Deriv. culto del gr. *glyptikós* 'propio para grabar', y éste de *glýphō* 'yo grabo', 'esculpo'. DERIV. *Anáglifo. Anaglífico. Tríglifo.*

GLOBO, h. 1440. Tom. del lat. *glŏbus* 'bola, esfera', 'montón', 'grupo de gente'. DERIV. *Global. Globoso,* 1596. *Glóbulo,* 1765-83, lat. *globŭlus; globular; globuloso. Conglobar. Englobar,* S. XX.

GLORIA, 1220-50. Tom. del lat. *glŏria* íd. DERIV. *Gloriarse,* 1220-50, lat. *gloriari* íd. *Glorieta,* 1607, del fr. *gloriette,* S. XII íd., primero nombre de un palacio, después nombre de varios tipos de estancia peque-

ña, donde se está "como en la gloria". *Glorioso,* 1107. CPT. *Glorificar,* h. 1140, lat. tardío *glorificare.*

GLOSA, 1335. Tom. del lat. *glōssa* 'palabra rara y de sentido oscuro', 'explicación de la misma', y éste del gr. *glôssa* 'lengua del hombre o de un animal', 'lenguaje, idioma', 'lenguaje arcaico o provincial'. DERIV. *Glosar,* 1495, lat. *glossare; glosador. Glosario,* 1490, lat. *glossarium. Glosilla. Desglosar,* 1732, propte. 'quitar la nota o apéndice puesto a una escritura, etc.'; *desglose,* 1722. *Glotis,* 1765-83, gr. *glōttís, -idos,* 'úvula', deriv. de *glôtta,* forma dialectal ática y clásica del gr. común *glôssa; glótico; epiglotis* (-*osis,* 1611). CPT. *Glosopeda,* 1899, formado con el lat. *pes, pedis,* por las vesículas que causa este mal en la lengua y en las pezuñas. *Poligloto,* 1737, gr. *polýglōttos; poliglotismo.*

Glosar, glosario, glosopeda, glotis, glótico, V. *glosa*

GLOTÓN, 1251. Del lat. GLŬTTO, -ŌNIS, íd. DERIV. *Glotonería,* 1623. *Deglutir,* 1884 (y ya 1438), lat. *degluttire* íd.; *deglución,* 1765-83.

Glucina, glucinio, glucómetro, glucosa, glucosuria, V. *glicerina*

GLUMA, 1884. Tom. del lat. *gluma* 'cascabillo, película que recubre el grano'.

GLUTEN, 1658. Tom. del lat. *gluten -ĭnis,* 'cola, engrudo'. DERIV. *Aglutinar,* 1555, lat. *agglutinare* 'pegar, adherir'; *aglutinación; aglutinante. Conglutinar,* 1444. *Deglutinar; deglutinación. Glutinoso.*

GLÚTEO, 1899. Deriv. culto del gr. *glutós* 'trasero', 'nalgas'.

Glutinoso, V. *gluten*

GNEIS, 1884. Tom. del alem. *gneis* íd.

GNETÁCEO, 1899. Deriv. del lat. mod. botánico *gnetum,* nombre de una planta oriunda de Java.

GNÓMICO, S. XX. Tom. del gr. *gnōmikós* íd., deriv. de *gnômē* 'sentencia'.

GNOMO, 1884. Tom. del lat. moderno de los alquimistas *gnomus,* deformación de un gr. **gēnómos,* cpt. de *gê* 'tierra' y *némomai* 'yo habito'; con el sentido de 'el que vive dentro de la tierra'.

GNÓSTICO, S. XX. Tom. del gr. *gnōstikós* íd., deriv. de *gignōskō* 'yo conozco'. DERIV. *Gnosticismo*. *Agnóstico*, propiamente 'el que declara no saber'; *agnosticismo*.

GOBERNAR, fin S. X. Del lat. GŪBĔRNĀRE 'gobernar (una nave)', 'conducir, gobernar (cualquier cosa)', y éste del gr. *kybernáō* íd. DERIV. *Gobernable*. *Gobernación*, 1495. *Gobernador*, 1220-50. *Gobernante. Gobernalle*, fin S. XIV, del cat. *governall*, y éste del lat. GUBERNACŬLUM íd. *Desgobernar*, 1495; *desgobierno*, 1717. *Gobierno*, h. 1330. Cultismos: *Gubernativo*, 1765-83; *gubernamental*, del fr. *gouvernemental*, deriv. de *gouvernement* 'gobierno'.

GOBIO, 1555. Del lat. GŌBIUS, y éste del gr. *kōbiós* íd.

Goce, V. *gozo*

GOFIO (alimento canario típico), h. 1500-10. Palabra guanche, que desde Canarias se ha extendido a varios países ribereños del Caribe.

GOL 'en el juego de fútbol, acto de entrar el balón en una puerta', h. 1910. Del ingl. *goal* 'meta, objetivo' (pron. *góul*).

GOLA, med. S. XIII. Del lat. GŬLA 'garganta'. Es palabra de origen forastero y de procedencias diversas en castellano, según la época y las acepciones. *Gula*, 1251, es latinismo. *Gules* 'color rojo, en heráldica', 1603, del fr. *gueules* íd., plural de *gueule* 'garganta, hocico', que tomó aquel valor por la costumbre de emplear trozos de piel de la garganta de la marta, teñidos de rojo, para adornar el cuello de los mantos. DERIV. *Golilla* 'cuello, garganta', 1220-50; 'adorno que circunda el cuello', 1680; 'ministro togado que la usa', 1605. *Goloso*, 1220-50; *golosear*, 1495; *golosina*, 1335; *engolosinar*, 1604; *golosinear* (alterado en *golosmear* por cruce con *gazmiar*; hoy *gulusmear*, h. 1800, influido por *husmear*). *Engolado*.

GOLETA, 1765-83. Del fr. *goélette* íd., propte. 'golondrina de mar', diminutivo de *goéland* 'gaviota de gran tamaño' (éste del bretón *gwelan* íd.).

Golfear, golfín, V. *golfo* II

GOLFO I, 1438, 'ensenada grande', 'la anchura del mar, alta mar'. Del lat. vg. COLPHUS 'ensenada grande', y éste del gr. *kólpos* íd., propte. 'seno de una persona'; el vocablo presenta forma importada en castellano (probablemente del cat. *golf*, S. XIII).
DERIV. *Engolfarse*, 1495. *Regolfar*, 1611; *regolfo*, 1555.

GOLFO II, h. 1888, 'pilluelo, vagabundo'. Probablemente derivación retrógrada del antiguo *golfín*, SS. XIII-XV, 'salteador', 'facineroso', 'bribón', y éste seguramente aplicación figurada de *golfín* 'delfín, pez carnívoro', 1495, por alguna cualidad que el vulgo atribuye a este cetáceo; quizá por la aparición brusca del salteador, comparable a la del delfín saltando fuera del agua. El nombre del pez procede del lat. DELPHIN, -INIS, alterado por influjo de *golfo* 'alta mar'.
DERIV. *Golfear*.

GOLIARDO 'clérigo que llevaba vida irregular', fin S. XIV. Del fr. ant. *gouliard*, íd., S. XIII, alteración del bajo lat. *gens Goliae*, íd., S. IX, propte. 'gente del demonio', del lat. *Golias* 'el gigante Goliat', 'el demonio'.
DERIV. *Goliardesco*.

Golilla, V. *gola*

GOLONDRINA, h. 1300. Diminutivo de un antiguo *golondre*, procedente del lat. HĪRŬNDO, -ĬNIS, íd. La terminación sufrió un tratamiento análogo al de *sangre* del lat. SANGUĬNEM, *almendra* de AMYGDŬLA e *ingle* de INGUĬNEM; y en la inicial se cambió *erondre* en *orondre* por asimilación de las vocales y disimilación de las consonantes, tomando *g-* como sonido de relleno entre la *o* del vocablo y la *-a* final del artículo. Estos cambios fonéticos y la terminación diminutiva se generalizaron porque permitían evitar la confusión inminente entre *olondre* 'golondrina' y *alondra*.
DERIV. *Golondrino* 'golondrina', S. XIV; 'cierto pez acantopterigio', 1490; 'tumor debajo del sobaco' (colgado ahí como el nido de golondrina debajo del alero), 1822; 'vagabundo, soldado desertor', 1609 (por las migraciones de la golondrina). Derivado regresivo: *Golondro* 'vanidad, esperanza vana', 1611 (propte. 'vagabundeo de la imaginación'), 'holgazanería', 1734. Cultismo: *Hirundinaria*.

Golondro, V. *golondrina Golosear, golosina, golosinear, golosmear, goloso*, V. *gola*

GOLPE, 1251 (*colpe*, h. 1140). Del lat. vg. *COLŬPUS*, lat. COLĂPHUS 'puñetazo', y éste del gr. *kólaphos* 'bofetón'.
DERIV. *Golpear*, 1490 (*golpar, co-*, 1220-50); *golpeadura*; *golpeo*. *Golpetear*; *golpeteo*. *Agolparse* 'aglomerarse atropellada-

mente', 1601 (por la antigua locución *gran golpe de gente* 'gran cantidad de g.').

GOLLERÍA 'manjar exquisito', h. 1400 (*golloría*). Vocablo hermano del port. *iguaría* 'plato de comida, servicio', 'comida, alimento', 'manjar delicado', de origen incierto. Lo más probable es que la *i-* portuguesa sea una adición debida al influjo de otro vocablo y que ambas formas hispánicas sean deriv. de *gola* 'garganta', con influjo fonético de *engullir* y su familia, en la forma española. *Gulloría* 'cogujada', h. 1400 (también *golloría*) parece ser la misma palabra, que tomó este sentido por la rareza de la carne de este pájaro como manjar.

Gollete, V. *engullir*

GOMA, 1335. Del lat. vg. GÚMMA íd. (clásico CUMMI o GUMMI), que procede de Egipto, quizá por conducto del griego. DERIV. *Engomar*, 1515. *Gomoso*. CPT. *Gomorresina*.

Gomorresina, gomoso, V. *goma*

GÓNDOLA 'embarcación pequeña de recreo usada principalmente en Venecia', 1611; 'carruaje en que viajan juntas muchas personas', 1843. Del it. *góndola* íd., probablemente tomado del bajo gr. *kondúra* 'pequeña embarcación de transporte', med. S. X, femenino de *kónduros* 'corto, rabón' (cpt. del gr. antiguo *kontós* 'pequeño' y *urá* 'cola'). DERIV. *Gondolero*.

Goniómetro, V. *diagonal*   *Gonococo, gonorrea*, V. *engendrar*

GORDO, 1124. Del lat. GÚRDUS 'boto, obtuso', 'necio', que es quizá de origen hispánico. De 'embotado' se pasó a 'grueso' y de ahí a 'gordo'. DERIV. *Gordal*, 1513. *Gordura*, h. 1250. *Engordar*, 1251; *engorde*. *Regordete*. CPT. *Gordinflón*, 1884 (*gordiflón*, 1611), cpt. con *inflar*.

GORDOLOBO, 1423, 'Verbascum Thapsus'. Del lat. vg. CÓDA LÚPI íd., propte. 'cola de lobo', así llamado por su tallo erguido de seis a ocho decímetros de altura. Dio primero *godalobo*, alterado luego por influjo del cast. *gordo*, por etimología popular; comp. el mozárabe *codalopo* (S. XIII), *codlopa* (h. 1100) y el lat. tardío *lupicuda*, que significan lo mismo.

GORGOJO 'gusano del trigo', h. 1400. Del lat. vg. GURGULIO íd. (lat. CURCULIO, -ONIS). DERIV. *Agorgojarse*, 1513. *Gorgojoso*.

Gorgorán, V. *grano*   *Gorgoritear, gorgorito, gorguera, gorigori*, V. *gorja*

GORILA, 1884. Tom. por los naturalistas modernos del gr. *gorílla*, empleado por el viajero cartaginés Hannón (S. V antes de J. C.) para denominar a los miembros de una tribu africana cuyos cuerpos estaban cubiertos de vello.

GORJA 'alegría ruidosa', 1.ª mitad S. XVI; antes 'garganta', med. S. XIII. Del fr. *gorge* 'garganta', y éste del lat. vg. *GÚRGA* (lat. GÚRGES, -ÍTIS) 'lugar profundo en un río', 'abismo', 'garganta humana', que en definitiva era voz imitativa de los ruidos producidos por la garganta. DERIV. *Gorjear*, 1335; *gorjeo*. De la misma raíz imitativa que GURGES: *Gorgorito* 'quiebro en la voz', 1605 (*gorguerito*, 1577); *gorgoritear*. *Gorguera*, 1362, 'collar de vestido', 'íd. de armadura'. Cultismos: *Ingurgitar*, lat. *ingurgitare*; *ingurgitación*. *Regurgitar, -ación*, del bajo lat. *regurgitare*. Onomatopeyas análogas: *Gorigori* (remedo del canto de los sacristanes), 1734. *Guirigay*, 1632, 'gritería', 'lenguaje confuso'. Además vid. *GARGAJO*.

GORRA, 2.º cuarto S. XVI, 'prenda que sirve para cubrir la cabeza, sin copa ni alas'. Voz común a las tres lenguas iberorrománicas, de origen incierto. Como en el Siglo de Oro la gorra era prenda de gala, pudo ser palabra traída por las modas desde más allá de los Pirineos; del fr. anticuado *gorre* 'elegancia, pompa, vanidad, lujo', SS. XV-XVII, gascón y languedociano *gorro* 'adorno, perifollo'. Por su parte, este vocablo es de origen incierto, pero teniendo en cuenta que el fr. *gorrier* 'presumido, elegante' parece inseparable del anticuado *gorrasse* 'coqueta', fr. dial. *gore*, oc. *go(r)ro*, *gourrino*, 'mujer libertina, prostituta' —que a su vez enlaza con el fr. *gore* 'hembra del cerdo', oc. *gorrin* 'lechón', cast. *guarro* y *gorrino*—, quizá pueda derivarse indirectamente de esta denominación, que es de origen onomatopéyico (véase *GUARRO*). DERIV. *Gorrero*. *Gorretada*. *Gorro*, 1734. *Gorrón* 'parásito, el que vive a costa ajena', princ. S. XVII, deriv. de *gorra* en *vivir de gorra*, locución aplicada al parásito, princ. S. XVII, por lo mucho que éste ha de prodigar los saludos; *gorronería*; *engorronarse*; *gorrista*. CPT. *Capigorrista*; *capigorrón*.

Gorrino, V. *guarro*

GORRIÓN, med. S. XIII. Origen incierto. Aunque es voz ya antigua en castellano, debe tenerse en cuenta que no se generalizó en el Centro de España sino a expensas de la antigua denominación *pardal* (deriv. de *pardo*), común a las tres lenguas iberorrománicas. Ello ocurrió en fecha relativamente tardía, quizás a causa del. mismo significado obsceno que ha tomado *pardal* en catalán y gallegoportugués, lo cual ha sido motivo de la introducción del cast. *gorrión* en estos idiomas, en fecha más moderna y con carácter más o menos dialectal; lo mismo pudo ocurrir más antiguamente en Castilla. Y esto hace dudar de un origen prerromano, por más que formas emparentadas con *gorrión* existan en vasco, pero es verosímil que estén tomadas del castellano.

Gorrista, gorro, gorrón, gorronería, V. *gorra*

GOTA, med. S. XIII. Del lat. GŬTTA íd. Como nombre de enfermedad, 1220-50, viene de una traducción aproximada del gr. *rhêuma*, propte. 'flujo, escurrimiento de líquido'; de ahí luego *gota coral* 'epilepsia', 1490.

Gozar, V. *gozo*

GOZNE, 1588. Del antiguo *gonce*, 1438, en portugués *gonzo* o *engonço*. Probablemente tomados del fr. ant. *gonz*, plural de *gon(t)* 'gozne', 1100 (hoy *gond*), y éste del lat. tardío GOMPHUS 'clavija', 'clavo', procedente a su vez del gr. *gómphos* 'clavija', 'clavo', 'articulación'. DERIV. *Desgoznar*, 1490.

GOZO, h. 1140. Del lat. GAUDĬUM 'placer, gozo, contento', deriv. de GAUDĒRE 'gozar'. El grupo DĬ se convirtió en -z-, según es regular, tras el elemento consonántico en que termina el diptongo AU. DERIV. *Gozar*, 1220-50; *goce*, 1734. *Gozoso*, 1220-50. *Regocijar*, 1542; *regocijo*, 1570. *Gaudeamus*, 1613, tom. de la 1.ª persona plural presente de subjuntivo de *gaudere*, latinismo litúrgico empleado irónicamente en el lenguaje general.

GOZQUE 'perro pequeño y muy ladrador', 1495. Procede de la sílaba *kus(k)* o *gus(k)*, empleada popularmente para acuciar el perro o para llamarlo; lo mismo que el sinónimo *cuzco, guzco*, S. XVI, y las formas antiguas o dialectales *cuzo, cucho, chucho*, etc., así como el port. *goso* 'perrito', el cat. *gos* 'perro en general' y formas de otras lenguas y dialectos romances o de otras familias. DERIV. *Gozquejo*, 1599.

GRABAR, 1588, 'labrar en hueco o en relieve, o por otro procedimiento, una inscripción o figura'. Del fr. *graver* íd., S. XIV (en otras acepciones, S. XII), y éste probablemente del fráncico *GRABAN, comp. el alem. anticuado *graben* íd. (SS. X-XVIII), propte. 'cavar', anglosajón *grafan*, gót. *graban* 'cavar'. DERIV. *Grabado. Grabador. Grabación.*

GRACIA, h. 1140. Descendiente semiculto del lat. *gratia* íd. (deriv. de *gratus* 'agradable', 'agradecido'). DERIV. *Gracejo*, h. 1640. *Gracioso*, 1220-50. *Agraciar*, 1220-50; *agraciado. Congraciar*, med. S. XV. *Desgraciado*, h. 1400; *desgraciar*, h. 1580; *desgracia*, 1495. *Gratis*, 1607, tom. del lat. *gratis*, contracción de *gratiis* 'por las gracias, gratuitamente'.

GRÁCIL, h. 1770. Tom. del lat. *gracilis* 'delgado, flaco', que es también el sentido castellano (carece de relación con *gracia* y *gracioso*).

Grada 'peldaño, gradería', V. *grado* I

GRADA, 1490, 'instrumento en forma de parrilla para allanar la tierra', 'reja en los monasterios de monjas'. En Asturias, Galicia y Portugal es *grade*; del lat. CRATIS fem. 'zarzo', 'enrejado', 'rastrillo'.

Gradación, gradería, gradiente, V. *grado* I

GRADO I, h. 1140, 'graduación, división escalonada', 'rango, dignidad', y antiguamente 'escalón'. Del lat. GRADUS, -US 'paso, marcha', 'peldaño', 'graduación', deriv. de GRĂDĪ 'andar'. DERIV. *Grada* 'peldaño', 1220-50; *Gradación*, 1734. *Gradería*, 1734. *Graduar*, 1495; *graduación; graduado; gradual*, 1565; *graduando. Degradar*, h. 1260, lat. tardío *degradare; degradación*, 1616; *degradado*, 1599; *degradante. Retrogradar*, 1438, lat. tardío *retrogradare* íd.; *retrógrado*, 1438, lat. *retrogrădus. Gradiente*, lat. *gradiens, -tis*, 'el que anda', participio de *gradi*.

GRADO II 'voluntad, gusto', 1129. Del lat. tardío GRATUM 'agradecimiento', y éste del lat. GRATUS, -A, -UM, 'agradable', 'agradecido'. De éste se tomó el cast. *grato*, h. 1440. DERIV. *Agradar*, h. 1300 (*gradar*, h. 1140); *agradable*, 1241; *agrado*, h. 1490; *desagradar*, h. 1530; *desagradable*, 1570; *desagrado*, 1611. *Agradecer*, 1495 (*gradir* y *gradecer*, h. 1140); *agradecido*, 1490; *agradecimiento; desagradecido*, med. S. XIII; *desagradecer*, 1444; *desagradecimiento*, med. S. XV. *Congratular*, 1596, lat. *congratŭlari* 'felicitar'; *congratulación. Gratitud*, h. 1570. *Gratuito*, 1515, lat. *gratŭĭtus* íd.; *gratuidad. Ingrato*, h. 1440; *ingratitud*, h. 1440. CPT. *Gratificar*, 1490, lat. *gratificari* 'mostrarse agradable, generoso'; *gratificación.*

GRÁFICO, S. XVIII (raro hasta el XIX), lat. *graphicus.* Tom. del gr. *graphikós* 'referente a la escritura o al dibujo', 'hábil en lo uno o en lo otro' (deriv. de *gráphō* 'yo dibujo, escribo'). DERIV. del gr. *gráphō*; *Grafía*, S. XX. *Grafito,* 1843. *Esgrafiar,* del it. *sgraffiare* íd.; *esgrafiado. Agrafia. Apógrafo,* gr. *apographós* 'transcrito, copiado', *Epígrafe,* 1682, gr. *epigraphḗ* 'inscripción, título'; *epigrafía; epigráfico.* CPT. *Autógrafo,* 1617; *autografiar; autografía. Polígrafo; poligrafía. Grafomanía; grafómano.* V., además, *GRAMÁTICO* y *PÁRRAFO.*

GRAGEA 'confites menudos', 1570, antiguamente *adragea,* 1335. Del fr. *dragée* íd., de origen incierto. Probablemente es lo mismo que *dragée* 'grana de varias plantas leguminosas' con traslación de significado; éste procede de un galolatino *DRAVOCATA,* deriv. de DRÁVOCA 'cizaña' (vocablo prerromano de donde viene el fr. dial. *droue* íd.). La *g-* castellana y la del port. *grangeia* se deben al influjo de *grano.*

GRAJO, 1495. Del lat. GRAGŬLUS (o GRACŬLUS) 'corneja'. DERIV. *Graja,* 1335.

GRAMA, h. 1100. Del lat. GRAMĬNA, plural de GRAMEN 'hierba', 'césped', 'grama'. DERIV. *Gramal,* 1250. *Gramilla. Desgramar,* 1732. *Gramíneo,* h. 1800, tom. del lat. *gramĭnĕus* íd., deriv. de *gramen.*

GRAMÁTICO, fin S. XII, lat. *grammaticus.* Tom. del gr. *grammatikós* 'gramático', 'crítico literario, escritor', deriv. de *grámma* 'escrito', 'letra' (y éste de *gráphō* 'yo escribo'). DERIV. *Gramática,* h. 1240; *gramatical.* Otros derivados del gr. *grámma: Gramo,* 1884, del fr. *gramme* íd., y éste del gr. *grámma* en el sentido de 'peso equivalente a 1/24 de onza'. *Gramil,* 1611, quizá del gr. *grammḗ* 'línea' (pronunciado modernamente *grammí*). *Anagrama,* princ. S. XVII, deriv. del gr. *gráphō* con el prefijo *ana-* 'hacia atrás' (*anagrammatismós* 'anagrama' ya se encuentra en la Antigüedad); *anagramático. Diagrama,* gr. *diágramma* 'dibujo, trazado, tabla' (de *diagráphō* 'yo trazo líneas'). *Epigrama,* 1570, lat. *epigramma* 'inscripción', 'pequeña composición en verso', del gr. *epigráphō* 'yo inscribo'; *epigramático. Programa,* 1843 (1737 en otro sentido), gr. *prógramma,* deriv. de *prográphō* 'yo anuncio por escrito'. CPT. *Gramófono.*

Gramil, V. *gramático Gramilla, gramíneo,* V. *grama Gramo, gramófono,* V. *gramático Gran,* V. *grande Grana, granada, granadero, granado, granar, granate, granazón,* V. *grano*

GRANDE, 1048. Del lat. GRANDIS 'grandioso', 'de edad avanzada'. DERIV. *Grandeza,* h. 1250. *Grandor,* 1481. *Grandioso,* 1600, deriv. del antiguo *grandía* 'grandeza', med. S. XIII-XIV; del castellano pasó *grandioso* al it., fr., alem., etc.; *grandiosidad,* 1615. *Grandote. Grandullón,* 1884. *Agrandar,* 1604. *Engrandecer,* 1251; *engrandecimiento,* 1495. CPT. *Grandilocuente,* 1884; antes *grandílocuo,* 1499, formados con el lat. *loqui* 'hablar'; *grandilocuencia,* 1843.

Graneado, granear, granel, granero, granévano, granítico, granito, granívoro, granizada, granizar, granizo, V. *grano*

GRANJA, 1190. Del fr. *grange* 'casa de campo, granja' y antes 'granero', que procede del lat. vg. *GRANĬCA,* propte. adjetivo deriv. de GRANUM 'grano'. DERIV. *Granjear* 'ganar, lograr, captar', 1570, primero 'cultivar (plantas, etc.)', 1534. *Granjero,* 971; *granjería,* 1554, 'beneficio de las haciendas de campo', 'ganancia que se obtiene con algún negocio'.

GRANO, 1220-50. Del lat. GRANUM íd. DERIV. *Grana,* h. 1250, lat. GRANA, plural de GRANUM; del sentido de 'semilla de los vegetales' se pasó en España a 'grana del coscojo empleada para teñir de encarnado', S. XIII, y de ahí 'color rojo subido', 1495. *Granear,* 1765-83; *graneado. Granero,* 1490, lat. GRANARIUM íd. *A granel,* 1691 (en port., h. 1550), formado con el cat. *graner* 'granero': aplicóse primero al trasporte marítimo de granos y especias a montón, se extendió luego a toda venta de mercancías sin empaquetar. *Granito,* 1765-83, del it. *granito* íd. (participio de *granire* 'granar'); *granítico. Granizo,* 1335; *granizar,* 1335; *granizada. Granoso. Granuja* 'uva desgranada', princ. S. XVII, de donde 'conjunto de personas sin importancia', med. S. XVII, y luego, 1884, 'pilluelo, vagabundo', 'bribón, pícaro'. *Gránulo,* 1884; *granulado; granulación,* 1734; *granuloso. Granar,* 1220-50; *granado* 'que tiene mucho grano', 1513; 'grande, importante', h. 1140; *granada,* h. 1400, 'fruto del granado', de donde *granado* 'árbol que lo produce'; *granadero; granadino. Granate* (piedra preciosa de color vinoso), med. S. XIII, de oc. ant. o cat. *granat. Granazón. Grañón,* S. XIII, hispanolat. *GRANIO, -ONIS,* íd. *Desgranar,* 1599. *Engranar,* 1884, del fr. *engrener,* h. 1660 (debido a una confusión de *engrener* 'poner trigo en la tolva' con *encrener* 'hacer una muesca', deriv. de *crene* 'muesca', que se cree de origen céltico); *engranaje. Granévano*, 1762; quizá de un **granéval*, lat. **GRANĬBĬLIS* (cat. *granívol*) 'abundante en grano'.

CPT. *Gorgorán*, 1599, del ingl. *grogoram*, S. XVI, y éste del fr. *grosgrain* íd., propte. 'grano grueso'. *Granívoro*, lat. *granivŏrus* íd., formado con *vorare* 'comer'.

GRANZA 'rubia tintórea', 1569. Del fr. *garance*, S. XII, y éste del fráncico **WRANTJA* (comp. el alto alem. ant. *rezza* íd.), que a su vez es alteración del lat. tardío BRATTEA íd., resultante de una confusión entre dos palabras latinas: BRATTEA 'chapa de oro' y BLATTA 'púrpura'. En germánico el vocablo cambió la B- en W- por influjo de dos voces de sentido análogo: WAIZD 'pastel tintóreo' y WALDA 'gualda'.

GRANZAS, h. 1400, 'residuos de paja y grano que quedan en los cereales cuando se avientan o criban'. Del lat. tardío GRANDĬA 'harina gruesa', abreviación de FARRA GRANDIA, plural de FAR 'trigo' y GRANDIS 'grande, grueso'.

DERIV. *Granzón*, h. 1470.

Grañón, V. *grano*

GRAPA 'abrazadera', 1680. Probablemente del cat. *grapa* íd., propte. 'garra', S. XIV; éste del germánico: al parecer de un fráncico **KRĀPPA* 'gancho', 'garra', comp. el alem. *krapfen*. La variante *grampa*, S. XIX, probablemente del it. ant. y dialectal *grampa*.

GRASA, 1.ª mitad S. XIV. Femenino del adjetivo raro *graso* 'gordo', 1490, que viene del lat. CRASSUS íd. (de donde el cultismo *craso*, 1550).

DERIV. *Grasiento*, 1495; *grasoso. Grasilla. Engrasar*, 1617; *engrase. Crasedad; crasitud.*

Gratificación, gratificar, V. *grado* II

GRÁTIL, h. 1573, 'orilla que protege la vela del roce contra las velas, relinga'. Voz náutica, principalmente mediterránea, de origen incierto (cat. *gràil*, provenzal *gratieu*, it. *gratile* o *gratillo*, ya documentada en Marsella en el S. XIII y en Nápoles en 1275).

Gratis, V. *gracia*   *Gratitud, grato, gratuito*, V. *grado* II

GRAVA, 1765-83, 'arena gruesa, guijo', 'piedra machacada con que se afirma el piso en los caminos'. Del cat. *grava* íd., S. XIII, palabra del mismo origen prerromano que oc., retorrománico e it. septentrional *grava*, fr. *grève* íd.

GRAVE, fin S. X. Del lat. GRAVIS 'pesado', 'grave'.

DERIV. *Gravedad*, h. 1440. *Grávido*, 1884, tom. del lat. *gravĭdus* íd.; *gravidez. Gravitar*, med. S. XVII, deriv. culto común a las varias lenguas modernas; *gravitación. Gravoso*, 1607. *Gravar*, 1611, lat. *gravare* íd.; *gravamen. Agravar*, 1206; *agravación; agravante. Agraviar*, 1242, lat. vg. **AGGRAVIARE* 'agravar', 'agraviar'; *agravio*, h. 1300; *desagraviar*, 1604; *desagravio*, 1505.

GRAZNAR, 1490. De un hispano-latino **GRACĬNARE*, formado como GRACITARE y GRACILLARE íd., sinónimos suyos en latín tardío. Del mismo origen onomatopéyico que GRACULUS 'grajo'.

DERIV. *Graznido*, 1490.

GREBA, 1426, 'pieza de la armadura antigua, que cubría la pierna desde la rodilla hasta la garganta del pie'. Del fr. ant. *greve* íd., propte. 'saliente que la tibia forma en la parte anterior de la pierna'; deriv. de *graver* 'trazar un surco', y éste del fráncico **GRABAN* 'cavar' (V. *GRABAR*).

Greca, V. *gringo*

GREDA, h. 1400, 'arcilla arenosa de color blanco azulado'. Del lat. CRĒTA íd.

DERIV. *Gredera. Gredoso*, 1495. Cultismo: *Cretáceo.*

Gregario, V. *grey*   *Greguería*, V. *gringo   Gregüescos*, V. *gresca*

GREMIO, 1499, 'seno de una institución', 1565, 'corporación de trabajadores', 1615. Tom. del lat. *grĕmium* 'regazo', 'seno', 'lo interior de cualquier lugar'.

DERIV. *Gremial. Agremiar*, 1884.

GREÑA, h. 1500. Palabra emparentada con la raíz céltica GRĔNN- 'pelo en la cara', que permiten suponer las lenguas célticas insulares. Teniendo en cuenta que *greñón* (o *griñón*) aparece desde mucho antes (princ. S. XIII), así en castellano como en portugués (donde además sería difícil explicar de otro modo la *nh* de *grenha*), probablemente hay que partir de un antiguo **GRENNIO, -ONIS*, deriv. de dicha raíz céltica, y admitir que *greña* se extrajo tardíamente de *greñón.*

DERIV. *Desgreñado*, 1604; *desgreñar*, 1604.

GRES, 1925-36, 'pasta refractaria de alfarero'. Del fr. *grès* íd. y 'roca formada con granos de arena cuarzosos', procedente de una voz germánica emparentada con el alem. *griess* 'grava, arena gorda', alto alem. ant. *grioz* íd.

GRESCA, 1605 (*gresgo,* h. 1290), 'riña, pendencia', 'bulla, algazara'. Del mismo origen que el cat. ant. *greesca* 'juego de azar prohibido', hoy *gresca* 'bulla, alboroto', fr. ant. *griesche* 'juego de azar'. Proceden probablemente del adjetivo GRAECĬSCUS 'griego', por la fama de libertinos y pendencieros que tuvieron los griegos desde la República romana y desde las Cruzadas. La evolución fonética del vocablo indica que es de origen forastero en castellano, probablemente tomado del catalán, aunque ya en fecha antigua. Del mismo adjetivo, en forma autóctona y fecha tardía viene *gregüescos* 'calzones muy anchos', S. XIV, explicable por la forma ancha de calzones que caracteriza el vestido nacional de los griegos modernos; la pronunciación más asegurada en el S. XVII es sin la *u* (como se pronuncia todavía en el Valle de Arán), y la otra debida a un tardío error de pronunciación (1734), cuando se anticuó el vocablo.

GREY 'rebaño', 1219. Del lat. GREX, GRĔGIS, íd.
DERIV. *Gregario,* tom. del lat. *gregarius. Egregio,* 1438, lat. *egregius* 'que se destaca del rebaño'.

GRIAL 'escudilla', S. XIII (*greal*). Del mismo origen incierto que el cat. *greala* (cat. arcaico *gradal,* fem., 1010), oc. ant. *grazala,* fr. ant. *graal* íd. Aunque la leyenda del Santo Grial se propagó desde el Norte de Francia, el vocablo es anterior y procedía del Sur de este país y de Cataluña, donde todavía designa utensilios de uso doméstico.

GRIETA, 1564. Del antiguo *crieta,* h. 1300, y éste del lat. vg. *CRĔPTA,* contracción de CRĔPĬTA, que es el participio de CREPARE 'crepitar', 'reventar'.
DERIV. *Agrietar,* med. S. XIX.

GRIFO (animal fabuloso), S. XIII. Tom. del lat. tardío *grȳphus,* y éste del gr. *grýps, grypós,* íd. En la acepción 'llave de cañería', 1884, se explica por la costumbre de adornar con cabezas de personas o animales las bocas de agua de las fuentes.

GRILLO (insecto), S. XIII. Del lat. GRILLUS íd. En la acepción 'prisión de hierro que sujeta los pies de un preso', 1335, se explica por comparación del ruido metálico que producen los grillos al andar con el sonido agudo que emite el insecto.
DERIV. *Grillete,* 1734. *Grillón,* 1817; *engrillonar,* S. XVI.
CPT. *Grillotalpa* 'cortón', formado con el lat. *talpa* 'topo', de cuyos hábitos participa el cortón.

GRIMA, 1490, 'desazón, horror por una cosa'. Probablemente del gót. *GRIMMS* 'horrible', comp. el alem. *grimm,* ingl. *grim* 'terrible, hostil', escand. ant. *grimmr* 'rabioso, impetuoso'.

GRÍMPOLA 'enseña caballeresca de paño triangular alargado y partido por el medio', h. 1480, 'gallardete de la misma forma que se pone en los topes de los navíos en señal de fiesta o como cataviento', 1696. Del fr. ant. *guimple* 'velo de mujer', 'gallardete de lanza', y éste del fráncico *WIMPIL,* comp. el ingl. *wimple* 'toca de monja', bajo alem. *wimpel* 'grímpola de navío'.

GRINGO, 1765-83. Se aplicó primeramente a la lengua y luego al que la hablaba. Es alteración de *griego* en el sentido de 'lenguaje incomprensible', 1615, valor que en España se dio por antonomasia al nombre de la lengua de Grecia, como resultado indirecto de la costumbre de mencionarla junto con el latín, y de la doctrina observada por la Iglesia de que el griego no era necesario para la erudición católica.
DERIV. Otros deriv. de *griego: Greguería* 'algarabía', 1734. *Greca,* 1843, del femenino lat. *graeca.* Y V. *GRESCA.*

Griñón, V. *greña*

GRIPE, 1897. Del fr. *grippe* íd., 1762, y éste del suizo-alemán *grüpi* íd., 1510, deriv. de *grûpe(n)* 'agacharse, acurrucarse', 'temblar de frío', 'estar enfermizo, encontrarse mal'.

GRIS, S. XVI (ya alguna vez en el S. XIV, pero es raro entonces, a no ser en *peña gris(a)* 'piel de ardilla, piel gris', que ya aparece en 1273). De origen germánico; probablemente de oc. ant. *gris* íd., y éste del fráncico *GRĪS* íd., comp. el neerl. *grijs* íd. y el alem. *greise* 'anciano'.
DERIV. *Grisáceo.*

GRISÚ 'metano inflamable despedido por las minas de hulla', S. XX. Del fr. *grisou* íd., 1769, y éste del valón *feu grisou* íd., forma dialectal del fr. *feu grégeois* 'fuego griego, mixtura que se inventó en Grecia para incendiar barcos', deriv. de *grec* 'griego'.

GRITAR, 1335 (y vid. *GRITO* abajo). Voz común a todas las lenguas romances occidentales (fr. *crier,* cat. *cridar,* it. *gridare*), de origen incierto. Probablemente del latín QUIRĪTARE 'lanzar grandes gritos o gritos de socorro', que ya en latín vulgar hubo de reducirse a *CRĪTARE.* La forma castellana y portuguesa presenta además una conservación irregular de la *-t-,* que quizá se explique por el carácter expresivo del vocablo

DERIV. *Grito*, 1220-50; *grita* 'gritería', 1490. *Gritería*; *griterío*.

Gro, V. *grueso*

GROERA 'cada uno de ciertos agujeros practicados en las varengas de una embarcación para dar paso a un cabo o a las aguas que se acumulan en el casco', 1696. Del mismo origen incierto que el gall. *broeira* íd.; probablemente deriv. de *broa* 'entrada o embocadura del mar en la costa', 1673, a su vez de origen incierto, quizá emparentado con el oc. *broa* 'orilla de una corriente de agua', 'margen de un campo', procedente del célt. BROGA 'límite', 'campo, tierra'.

GROSELLA, 1734. Del fr. *groseille* íd., S. XII, de origen incierto.
DERIV. *Grosellero. Grosularia*, del lat. moderno botánico *grossularia* (latinización del fr. *groseille*); *grosularieo*.

Grosería, grosero, grosor, V. *grueso* *Grosularia, grosularieo*, V. *grosella* *Grosura*, V. *grueso* *Grotesco*, V. *gruta* *Grúa*, V. *grulla*

GRUESO, h. 1140. Del lat. GRŎSSUS 'grueso', 'abultado, de mucho espesor'. *Gro* 'tela de seda de más cuerpo que el tafetán', 1884, del fr. *gros* íd., propte. 'grueso'.
DERIV. *Gruesa* 'doce docenas', 1680, abreviación de *docena gruesa. Grosura*, 1251. *Grosor*, 1609. *Grosero*, 1444; *grosería*, 1490. *Engrosar*, 1545.
CPT. *Grodetur*, 1765-83, del fr. *gros de Tours* (V. arriba *gro*), porque el más conocido se fabricaba en esta ciudad.

GRUJIDOR 'barreta de la cual usan los vidrieros para igualar los bordes de los vidrios', 1765-83. Del fr. *grugeoir* íd., deriv. de *gruger* 'practicar esta operación', S. XIV, y éste del neerl. *gruizen* 'aplastar', 'triturar', deriv. de *gruis* 'grano'.
DERIV. *Grujir*, 1884 (*brujir*, 1877).

GRULLA, 1335. Alteración del antiguo *gruya*, h. 1106, o *grúa*, SS. XIII-XV, procedente del lat. GRŪS, GRŬIS, fem., íd. La explicación de la -*ll*- es incierta: *gruya* se explica como *suya* de SŬA, pero la *ll* no puede ser debida a la confusión moderna de la *ll* y la *y*, pues este fenómeno tiene escasa antigüedad; mas parece ser forma procedente de León o de Aragón, donde ya existieron focos antiguos de confusión de las dos consonantes. *Grúa* 'máquina de levantar pesos', 1600, se tomó del cat. *grua* íd., S. XV, propte. 'grulla', por comparación de este aparato con la figura de la grulla al levantar el pico del agua.

GRUMETE, 1484, 'muchacho marinero'. Palabra castellana y portuguesa, común con el gascón ant. *gormet*, ingl. anticuado y dialectal *grummet* íd., fr. ant. *gromet* 'muchacho sirviente', 1352. El lugar de origen de todas estas voces parece ser el Norte de Francia, pero su origen último es incierto, pues no está averiguado si el ingl. *groom* 'muchacho', 'sirviente', 'paje', 1229, neerl. jergal *grom* 'muchacho', fin S. XVI, son viejas palabras germánicas o por el contrario proceden del francés.

GRUMO 'pequeño cuajarón', 'racimillo', 'yema de árbol', S. XIII. Del lat. GRŪMUS 'montoncito de tierra', de donde se pasó a 'conjunto de cosas apiñadas entre sí'.

GRUÑIR, h. 1400. Del lat. GRŬNNĪRE íd.
DERIV. *Gruñente. Gruñido*, 1490. *Gruñón*.

GRUPO 'pluralidad de seres o cosas que forman un conjunto', 1734 (antes sólo en acepciones especiales: 'montón de nubes', 1490; *grupo de peña*, h. 1610). Del it. *gruppo*, S. XV, íd., especialmente 'grupo escultórico', antiguamente 'nudo', 'bulto', y éste probablemente del gót. *KRŬPPS 'objeto abultado', comp. el alem. *kropf* 'buche', 'bocio', anglosajón *cropp* 'buche', 'espiga, racimo', escand. ant. *kroppr* 'cuerpo'.
DERIV. *Agrupar*, princ. S. XIX; *agrupación. Grupada* 'nubarrón tempestuoso', 1532, del cat. *gropada*, deriv. de *grop* íd. y 'nudo en la madera', del mismo origen que el it. *gruppo. Grupa*, 1623, del fr. *croupe* íd., y éste del fráncico *KRUPPA, hermano del vocablo gótico arriba citado, que en el Norte de Francia se aplicó a esta parte abultada del cuerpo del caballo; *grupera*, h. 1495, del fr. *croupière* íd.

GRUTA, 1433. Del napolitano ant. o siciliano *grutta* íd., S. XV (en it. *grotta*), que viene del lat. vg. CRŬPTA íd. (lat. CRYPTA), y éste del gr. *krýptē* 'bóveda subterránea, cripta', deriv. de *krýptō* 'yo oculto'. *Cripta*, 1575, es duplicado culto tom. del griego por vía eclesiástica.
DERIV. *Grotesco*, h. 1550 (*grutesco*), del it. *grottesco*, dicho propte. de un adorno caprichoso que remeda lo tosco de las grutas, con menudas conchas y animales que en ellas se crían, más tarde con figuras de quimeras y follajes, de donde luego 'extravagante', 'ridículo'. *Críptico* 'que necesita descifrarse', S. XX, deriv. del citado gr. *krýptō. Apócrifo*, med. S. XV, gr. *apókryphos* 'secreto', 'que no se lee públicamente en la sinagoga' (de donde 'no auténtico', aplicado a los libros de la Escritura), deriv. de *apokrýphō* 'yo oculto'.
CPT. *Criptógamo*, formado con el gr. *gámos* 'unión de los sexos'. *Criptográfico*, con

el gr. *gráphō* 'yo escribo'; *criptografía*; *criptograma*.

GUACA, 1551, 'sepulcro de indios, en que a menudo se hallan objetos de valor', tesoro escondido', amer., antiguamente 'ídolo, templo'. Del quichua *uaca* 'dios familiar, penates'.

GUACAL, 1571, 'armazón o enrejado en forma de cajón, para trasportar cristales, loza, frutos, etc.', amer. Del azteca *uacálli* 'angarillas para llevar carga en las espaldas'. Es posible que venga del mismo vocablo el centroamericano *guacal* 'güiro, árbol que produce una especie de calabaza empleada como vasija', 1535, 'esta vasija', pero es inseguro, pues existen otras posibilidades (quizá azteca *cuacálli* 'recipiente de madera').

GUACAMAYO, 1535, 'especie de papagayo americano de gran tamaño'. Del arauaco de las Pequeñas Antillas.

Guacamole, V. *aguacate* *Guacancho,* V. *guaco*

GUACO 'especie de bejuco de la América tropical, empleado como contraveneno', 1535, parece ser voz indígena americana, quizá procedente de una lengua de Nicaragua. Como nombre de ave, S. XIX, parece ser onomatopéyico.
DERIV. *Guacancho* (ave zancuda de presa).

Guachapear, V. *agua* *Guácharo,* V. *guacho*

GUACHO, 1668, 'huérfano, sin madre', 'bastardo, expósito', 'cría de un animal', amer., 'chiquillo' en provincias españolas. Del quichua *uájcha* 'pobre, indigente', 'huérfano', diminutivo de *uaj* 'extraño, extranjero'.
DERIV. *Guácharo* 'llorón', h. 1600.

GUADAFIONES, 1495, 'maniotas, trabas con que se atan las caballerías', 'ataduras de las manos', 'cuerdecitas con que se atan las velas a la verga correspondiente'. Del mismo origen incierto que el cat. *badafions,* S. XIII (hoy *botafions*), it. *matafioni,* 1614. Quizá de un gót. *WAITHAFÂHJO, -ÔNS,* 'maniota', cpt. de *WAITHO* 'pasto, pastizal' y FÂHAN 'coger'.

Guadal, V. *agua*

GUADAMECÍ, h. 1140, 'cuero adobado y adornado con dibujos de pintura o relieve'. Antiguamente *cuero guadameci* como adjetivo, S. XIV, del ár. *ỹild ǧadēmesí*

'cuero de Gadámes', ciudad de Tripolitania donde se preparaba este famoso artículo.

GUADAÑA 'cuchilla enastada, para segar la hierba', princ. S. XV. Procede de la raíz germ. WAITH- 'cultivar la tierra'; probablemente se trata de un gót. *WAITHANEIS (plural *WAITHANJOS) 'propio de prados', deriv. del gót. *WAITHÔ 'prado, pastizal' (comp. el alem. *weide* íd., escand. ant. *veiðr* 'caza'); dicho adjetivo se latinizaría en *WATANIA, de donde *guadaña.*
DERIV. *Guadañar,* 1765-83 (ya una vez en 1607). *Guadañero,* 1734.

GUADAPERO 'peral silvestre', 1495. Probablemente del gót. *WALTHAPAIRS íd. (pronúnciese *uálzapers*), cpt. de *WALTHUS bosque', 'desierto' y *PAIRS 'peral'. Confundido fonéticamente con *guadapero* 'mozo de segador' (para el cual vid. *GUARDAR*).

Guadarnés, guadramaña, V. *guardar*

GUADUA 'bambú americano', h. 1565. Parece ser palabra aborigen, quizá procedente de un idioma indígena del Ecuador.

GUAGUA 'niño de teta', amer., h. 1770. Del quichua *úaua* íd. (probablemente voz de origen onomatopéyico en este idioma). En la locución cubana *de guagua* 'de balde', 1836 (no ajena a Murcia ni a Canarias), será voz de creación expresiva. El cubano y canario *guagua* 'ómnibus', S. XX, quizá sea adaptación del ingl. *waggon* 'coche, vagón'.

GUAICÁN, 1510, 'rémora, pez que se adhiere a los objetos flotantes'. Del arauaco de las Antillas.

GUAIRA 'hornillo para fundir mineral, que obraba exclusivamente por la fuerza del aire', 1554. Mutilación del quichua *uairachína* 'lugar o aparato para aventar', derivado de *uairáchii* 'someter algo a la acción del viento', y éste de *uáira* 'viento'; la terminación -*china* fue tomada por los españoles como si fuese la palabra quichua *china* 'criada, mujer india'.
DERIV. *Guairar* 'beneficiar metal en una guaira', 1653.

GUAIRO, 1831, 'embarcación chica y con dos guairas o velas triangulares, que se usa en América para el tráfico costero'. Probablemente del nombre del puerto de La Guaira, el principal de Venezuela, por ser típicas de aquella costa estas embarcaciones.
DERIV. *Guaira* 'vela triangular, típica de los guairos', 1831.

GUAJA 'tunante, granuja', 1896. Palabra de procedencia jergal; origen incierto, probablemente del mejicano *guaje* 'tonto, bobo', y luego 'pillo', S. XIX (acepción nacida en la frase *hacerse el guaje* 'hacerse el bobo para engañar'), que a su vez parece ser abreviación de *guajalote* (véase *GUAJOLOTE*).

Guajalote, V. *guajolote*   *Guaje*, V. *guaja*

GUAJOLOTE 'pavo, gallinácea oriunda de América del Norte', amer., 1653 (*huexolote*, 1598; *guajalote*, 1884). Del azteca *uexólotl* íd. Comp. *guaja*.

Gualatina, V. *hielo*

GUALDA (hierba empleada para teñir de amarillo), 1555. Del germ. *WALDA* íd., comp. el neerl. anticuado *woude* (hoy *wouw*) y el ingl. *weld*. No es seguro si se tomó directamente del gótico, o bien del fráncico, por conducto del fr. arcaico *gualde* (después *gaude*, S. XIII).
DERIV. *Gualdo*, princ. S. XVII.

GUALDERA 'cada uno de los dos tablones laterales que integran algunas armazones, como cureñas y otras', 1633. Probablemente de *guardera*, deriv. de *guarda*, aplicado a las varas laterales de varios objetos.

GUALDRAPA 'cobertura larga, de seda o lana, que cubre y adorna las ancas de la mula o caballo', 1599. Como en la Edad Media designó una prenda de vestir para hombres, princ. S. XV, es probable que venga de *WASDRAPPA* (de donde *guardrapa* y *gual*-), variante del lat. VASTRAPES 'especie de pantalón'. Tratándose de una palabra tardía de origen oriental, son justificables las irregularidades fonéticas en la evolución del vocablo, que debió de sufrir el influjo de DRAPPUM 'trapo'.
DERIV. *Engualdrapar*, 1616.

GUANÁBANA, 1535 (*guanaba*, 1510). Del taíno de Santo Domingo.
DERIV. *Guanábano*, 1535.

GUANACO, 1554. Del quichua *uanácu* íd.
DERIV. *Guanaquero* 'cazador de guanacos', 1547.

GUANAJO, amer., 'pavo, gallinácea americana', 1540 (*guanaxa*). Voz aborigen, de etimología incierta; probablemente del arauaco de las Grandes Antillas.

Guanera, V. *guano*

GUANÍN, 1493, 'oro de baja ley fabricado por los indios', 'joya que elaboraban con este metal'. Del taíno de las Grandes Antillas.

GUANO, h. 1590, 'estiércol en general', amer., 'estiércol de aves marinas, acumulado en las costas e islas del Perú y Norte de Chile, y utilizado como abono agrícola'. Del quichua *uánu* 'estiércol', 'abono', 'basura'.
DERIV. *Guanera*.

GUANTE, 1490 (y en Aragón desde 1331). Del germánico; probablemente del fráncico *WANT* íd. (comp. el escand. ant. *vottr*, bajo alem. *wante*, neerl. *want*); por conducto del cat. *guant*.
DERIV. *Guantada*; *guantazo*. *Guantelete*, del fr. *gantelet*. *Guantero*; *guantería*. *Enguantar*, 1611. Y vid. *AGUANTAR*.

GUAPO, antes 'chulo, rufián', h. 1640; más tarde y hoy en América 'valiente', 1734; en España 'bien parecido', fin S. XVIII. Procede en último término del lat. VAPPA 'bribón, granuja', propte. 'vino insípido', probablemente por conducto del fr. ant., dialectal y jergal *wape* (o *gape*, *gouape*) 'soso', 1223, 'bribón', 'holgazán'. El vocablo sufrió en su inicial el influjo del germ. HWAPJAN 'echarse a perder, volverse agrio' (comp. el alem. anticuado *verwepfen* 'acedarse, enmohecerse', neerl. *weepsch* 'aguado, dulzón').
DERIV. *Guapear*. *Guapería*, 1656. *Guapetón*, 1734. *Guapeza*, 1734.

GUARANGO, amer., 'torpe, grosero, incivil', 1854. Parece sacado del peruano, ecuatoriano y venezolano *guarango* '*Acacia Cavenia*, árbol semejante al algarrobo pero más rústico y de madera fuerte', 1653, a causa de esta dureza y rusticidad. En cuanto al nombre de árbol, procede del quichua, pero ha habido una confusión entre el nombre de este árbol y el del tamarisco (*uaránuai* y *uaráncu*, respectivamente), confusión que ignoramos si ocurrió realmente en el idioma o debe atribuirse sólo a los lexicógrafos.

GUARAPO, 1620, 'jugo de la caña de azúcar antes de terminar la fabricación del azúcar o del aguardiente'. Palabra de origen incierto, probablemente de *garapa* 'bebida alcohólica de gusto dulzón', voz del África Central y Occidental, propagada desde las Antillas; aunque es posible que el africano *garapa*, a su vez, sea deformación del cast. *jarabe*.

GUARDAR, h. 1140. Del germ. WARDÔN 'montar guardia', 'guardar', 'buscar con la vista', 'aguardar' (comp. el b. alem. ant. *wardôn*, anglosajón *weardian*, escand. ant. *varða*), deriv. de WARDA 'acto de buscar con la vista', 'guardia, guarda', 'atalaya', 'garita' (que a su vez deriva de WARÔN 'atender, prestar atención').

DERIV. *Guarda*, 1129, quizá procedente del citado WARDA (o deriv. del verbo). *Guardín*, 1587. *Guardoso*, 1490. *Guardería. Guardia*, 1570, del gót. WARDJA 'el que monta la guardia, centinela, vigía' (quizá tom. por el cast. del it.); *guardián*, h. 1330, de WARDJAN, acusativo de la misma palabra gótica. *Aguardar*, h. 1140. *Resguardar*, 1737; *resguardo*, 1611.

CPT. *Guardabarrera. Guardabarros. Guardabosque. Guardabrazo*, 1393. *Guardabrisa. Guardacantón. Guardacostas. Guardafrenos. Guardagujas. Guardainfante*, princ. S. XVII. *Guardalobo*, 1899, sin relación con *gordolobo*; el nombre le viene de que los pastores lo emplean para hacer fuego de noche ahuyentando los lobos. *Guardamonte. Guardamuebles. Guardapiés. Guardapolvo*, 1490. *Guardarropa*, h. 1700; *guardarropía*, 1884. *Guardavía. Guadapero* 'mozo que lleva la comida a los segadores', 1734, de *guardaapero*, con disimilación. *Guadarnés*, med. S. XVII, de *guarda-arnés*, con disimilación. *Guadramaña*, 1464, 'treta', 'embuste', de *guard(r)a-maña* 'acto para hacer frente a las mañas del adversario'. *Vanguardia*, 1611 (antes *avanguardia*, h. 1375), del cat. *avantguarda*, fin S. XIV (formado con *avant* 'ante'). *Retaguardia*, 1607 (antes *reguarda*, h. 1300), del cat. *reraguarda*, fin S. XIII (también disimilado en *reeguarda*, fin S. XIII), modificado en el S. XVI bajo el influjo del it. *retroguardia* (el cat. *rera* y el it. *retro* vienen del lat. RETRO 'detrás').

GUARECER, 1220-50. Derivado del antiguo *guarir*, h. 1140, 'proteger, resguardar', 'curar, sanar', y éste del germ. WARJAN, comp. el gótico *warjan* 'apartar, prohibir', anglosajón *werian* 'proteger', escand. ant. *verja* 'prohibir', alem. *wehren*.

DERIV. *Guarida*, 1220-50, del antiguo *guarir* 'resguardar'.

Guarida, V. *guarecer*   *Guarín*, V. *guarro*   *Guarir*, V. *guarecer*

GUARISMO, 1570, 'cifra que expresa una cantidad'. Del antiguo *alguarismo* 'arte de contar, aritmética', h. 1265, y éste de *Alḫuwārizmî*, sobrenombre del matemático árabe Abu Ŷáfar Abenmusa, cuyas traducciones introdujeron la aritmética superior en la Europa medieval. *Algoritmo*, 1822, es alteración de la misma palabra por influjo del gr. *arithmós* 'número' y el cast. *logaritmo*.

DERIV. *Algoritmia. Algorítmico.*

GUARNECER, h. 1400. Del antiguo *guarnir* íd., h. 1140, y éste del germ. occid.

WARNJAN 'amonestar, advertir (contra un peligro o amenaza)', 'proveer, guarnecer, armar' (comp. el neerl. anticuado *waernen* 'proveer, armar', 'amonestar', alem. *warnen*, ingl. *warn* 'amonestar').

DERIV. *Guarnición*, 1220-50 (-izón, h. 1140); *guarnicionero*; *guarnicionería. Desguarnecer*, 1570.

Guarnición, guarnicionero, V. *guarnecer*

GUARRO, 1765-83; **GORRINO**, 1734 (*gorrín*, princ. S. XVII), y **GUARÍN**, 1765-83. Nombres populares del cerdo o del lechón, procedentes de la onomatopeya GUARR-, GORR-, que imita el gruñido del animal.

DERIV. Ciertas acepciones de *gorrón* ('hombre vicioso', *-ona* 'ramera', S. XVII) vienen de *guarro* más bien que de *gorra*.

GUASA, 1869, 'sosería, pesadez, falta de gracia', 'chanza, burla'. Del mismo origen incierto que *guaso*, que en Cuba y otras repúblicas americanas significa 'rústico, agreste, necio', 1836, y en Chile es 'campesino', h. 1740. El área de la palabra indica una raíz antillana o romance, pero aun en este caso es probable que el vocablo se creara en América. El indigenismo antillano *guazábara* 'alboroto guerrero', 1515, cruzándose con *bullanga*, 1857, parece haber dado *guasanga* 'algazara, baraúnda', 1836, y de éste pudo extraerse *guasa*, que en Cuba significa 'jolgorio, alegría ruidosa'.

DERIV. *Guasearse. Guasón.*

Guasanga, V. *guasa*

GUASCA, 1599, amer. 'tira o lonja de cuero', 'soga', 'látigo'. Del quichua *uáskha* 'soga, lazo, cable, cuerda utilizada para liar'.

DERIV. *Guascazo. Sachaguasca* 'especie de enredadera', formado con un prefijo quichua que indica parecido.

Guasearse, guaso, guasón, V. *guasa*

GUATEQUE, 1882, 'baile bullanguero, jolgorio', amer. Voz reciente, de origen incierto; parece ser de procedencia antillana.

¡GUAY!, S. XIII, interjección de lamento. Del gót. WÁI íd.

GUAYABA, h. 1550, 'fruto del árbol *Psidium Guayava*'. Palabra aborigen de la América tropical, pero es dudoso si procede del arauaco o del caribe; al parecer, del primero.

DERIV. *Guayabo*, h. 1550. *Guayabal. Guayabera.*

GUAYACÁN, 1524, 'palo santo, *Guaiacum officinale*, árbol de la América tropi-

cal'. Del taíno de las Grandes Antillas. La
variante *guayaco*, 2.º cuarto S. XVI, se
tomó del latín farmacéutico *guaiacum*, y
éste del fr. *guayac*, que es mutilación de la
palabra castellana.
DERIV. *Guayacol*.

Guazábara, V. *guasa*   *Gubernamental,
gubernativo*, V. *gobernar*

GUBIA 'especie de formón empleado
por el carpintero y otros operarios', 1475.
Del lat. tardío GŪLBĬA íd. (del cual ya en
la Antigüedad existía una variante GUBIA),
de origen céltico, emparentado con el irl.
ant. *gulba* 'pico (de ave)'.

GUEDEJA, 1495, 'mechón largo de cabellos'. Junto con el antiguo *vedeja* íd., h.
1400, y *vedija*, h. 1550, 'mechón de lana',
'pelo enredado', procede del lat. VĪTĬCŬLA
'vid pequeña', que pasó a significar 'zarcillo de vid', luego 'tirabuzón, rizo en espiral'
y finalmente 'melena'. La *gu*- parece debida
a un cruce con el gót. *WATHILS 'mechón,
penacho', cruce comprensible por el hecho
de que el llevar guedejas formaba parte del
atavío nacional típico de los godos.
DERIV. *Enguedejado*. *Guedejón*. *Guede-
judo*, 1495.

GUERRA, 1037. Del germ. occid. WE-
RRA 'discordia', 'pelea', comp. el alem. *wir-
ren* 'desórdenes, disturbios, perturbaciones',
alto alem. ant. *wĕrra* 'pelea, confusión, tumulto'.
DERIV. *Guerrear*, h. 1140. *Guerrero*,
1076; *guerrera*. *Guerrilla*, 1535; *guerrille-
ro*, h. 1808. *Aguerrido*, h. 1800; *aguerrir*,
1880; probablemente imitados del fr. *aguerrir*, S. XVI.

GUIAR, h. 1140. Palabra común a todas
las lenguas romances de Occidente. La consonante inicial revela procedencia germánica, aunque no existe una etimología evidente en el vocabulario germánico conocido.
Teniendo en cuenta que en el derecho feudal y consuetudinario *guiar* significaba 'escoltar a alguno garantizando su seguridad',
quizá procede del gót. *WIDAN 'juntarse',
de donde 'acompañar, escoltar' (comp. el
gót. GAWIDAN y el alto alem. anticuado
weten 'juntar').
DERIV. *Guía* 'acción de guiar', 1220-50,
de donde luego 'el hombre que guía' (todavía femenino en el S. XVII). *Guión* 'guía,
guiador', 1220-50: 'estandarte o cruz que se
lleva delante'. 1552; 'en música, señal que
se pone al fin de la escala'. 1734; 'rayita
como signo ortográfico', 1822; del fr. ant.
guion 'el que guía'.

GUIJA I, h. 1300, 'piedra pelada o chica'. Del antiguo *aguija*, íd., 1495, o *piedra*

guija, 3.er cuarto S. XIII, de origen incierto.
Probablemente del lat. vg. *PETRA AQUĪLĔA
'piedra aguda', deriv. de AQUĪLĔUS 'aguijón',
que a su vez es variante del clásico ACU-
LEUS (vid. *AGUIJADA*), comp. *piedra gui-
lla* o *pedreguilla* en el Alto Aragón. Se dio
este nombre a los guijarros por lo mucho
que, en los empedrados antiguos, lastiman
los pies.
DERIV. *Guijo*, h. 1500; en la acepción
'espiga en que termina el extremo inferior
de un árbol de rotación' viene de la de
'espigón del quicial de una puerta', princ.
S. XV, y parece procedente del significado etimológico 'aguijón'. *Guijoso*. *Guijeño*,
1438. *Guijarro*, h. 1400; *guijarroso*, 1490.

GUIJA II 'almorta', 1627. Del cat. *gulxa*
íd., S. XIII, que junto con oc. ant. *geissa*
y fr. *gesse*, procede de una base *GĔSSĬA o
*GĔXA, de origen desconocido.

Guijón, V. *neguijón* (art. *negro*)

GUILLARSE 'marcharse, huir', 1870, de
donde 'chiflarse', h. 1905. Debido a un cruce de la antigua voz jergal *guiñarse* 'irse,
huir', 1609, con la familia del cat. *esquitlar-
se* 'escabullirse' (incluyendo el cast. *escullarse, escullirse*, que viene probablemente del gót. *USQUILLAN 'escurrirse [el agua]').
Guiñarse se explica por las señas que se
hacen los malhechores para escapar cuando
corren peligro.
DERIV. *Guilladura* 'chifladura'.

GUILLOTINA, h. 1793, 'máquina para
decapitar'. Del fr. *guillotine*, deriv. de
Guillotin, nombre del que ideó esta máquina.
DERIV. *Gillotinar*.

GUIMBALETE, h. 1573, 'palanca con
que se da juego al émbolo de la bomba
aspirante', antes *bimbalete*, 1745. Debido a
un cruce de dos vocablos franceses: *brim-
bale* íd., S. XVI, deriv. de *brimbaler* 'oscilar' (que parece ser cpt. de *baller* 'danzar'
—hermano de nuestro *bailar*— con un primer elemento de formación incierta), y fr.
ant. y dial. *guimbelet* 'taladro' (hoy *gibelet*),
de origen germánico (comp. el ingl. *wimble*
íd.).

GUINDA, h. 1400, 'especie de cereza, de
forma más redonda, y comúnmente ácida'.
Del mismo origen incierto que el cat. ant.
y dial. *guindola*, oc. ant. *guilha*, fr. *guigne*,
it. *visciola* íd.; palabra que se extiende
también al rum. *vísină*, eslavo *višnja*, gr.
mod. *vísino*, alto alem. ant. *wîhsila* (hoy
alem. *weichsel*). Quizá procedentes todos
ellos de una forma germánica hermana de
este último y romanizada parcialmente en
*WĪKSĬNA. Pero falta indagar la antigüedad

de las formas eslavas y orientales, que entonces debieran ser de procedencia románica. En cuanto a la castellana, puede resultar de *guinla (comp. el bearnés guinle), que a su vez sería combinación de gui(s)na con gui(s)la.
DERIV. Guindo, 1513, antes guindal, 1495, hoy asturiano; guindalera. Guindilla 'pimiento picoso', 'guardia municipal' (por el apéndice rojo que remataba su quepis de gala).

GUINDAR, h. 1440, 'izar, subir (algo) a lo alto'. Término náutico, del fr. guinder íd., S. XII, y éste del escand. ant. vinda 'izar por medio de un guindaste', propte. 'envolver', de donde 'devanar' y 'guindar'.
DERIV. Guindaleza, 1504, del fr. guinderesse, íd., 1525, deriv. con el sufijo adjetivo -erez, -erece.
CPT. Guindaste, 1587, 'especie de cabria empleada para guindar', del fr. ant. guindas íd. (hoy guindeau), por conducto de oc. *guindatz (con imitación imperfecta de -atz, final ajena al cast., comp. FLECHASTE); el fr. guindas, del escand. ant. vindâss íd., formado con âss 'madero'; de la variante fr. guindal deriva el cast. guindaleta, 1555.

Guindilla, guindo, V. guinda

GUIÑAPO, princ. S. XVII, 'andrajo'. Parece resultar de una metátesis de gañipo (como se dice todavía en Asturias y en caló), bajo el influjo de harapo. Gañipo se tomó del fr. dial. ganipe, guenipe, íd., que en el S. XVI pasó al francés común en el sentido secundario de 'mujerzuela'. Guenipe 'harapo', lo mismo que sus sinónimos fr. nippe y guenille, procede del neerlandés anticuado cnippe 'recorte', 'desecho de lana', deriv. de cnippen 'recortar'.

GUIÑAR, 1335, 'cerrar un ojo momentáneamente, quedando el otro abierto'. Probablemente de una raíz guiñ- de creación expresiva, análoga a la que sirvió para formar el lat. tardío CINNUS 'guiño', 'seña', y empleada para indicar el movimiento instantáneo del párpado. De ahí una amplia familia de voces románicas, que, como CINNUS, discrepan levemente unas de otras en su forma fonética, incluyendo el cat. guenyo 'bizco', ganya, ganyota 'mueca', port. guiñar 'desviarse un poco un navío del rumbo que lleva', oc. ant. guinhar 'mirar furtivamente', 'hacer una seña', fr. guigner 'mirar furtivamente', it. ghignare 'reírse sarcásticamente', sghignazzare 'reírse con estrépito', y finalmente el vasco keiñu (o kiñu) 'guiño', 'mueca', 'seña', 'amago'. Comp. GUILLARSE.
DERIV. Guiñadura, princ. S. XVII. Guiño, 1605.

Guión, V. guiar

GUIPAR, 1858, 'ver, mirar, atisbar'. Voz jergal de origen desconocido; quizá de creación expresiva, como guiñar.

GÜIRA 'fruto tropical semejante a la calabaza', 1836. Del antiguo hibuera, S. XVI, o higüera, 1526, y éste del arauaco de las Antillas. Güiro (o huiro, o hibuero, 1515); como nombre de alga, puede ser aplicación traslaticia del mismo vocablo.

Guirigay, V. gorja

GUIRLACHE, med. S. XIX, 'crocante, pasta comestible de almendras tostadas y caramelo'. Probablemente del fr. anticuado grillage 'manjar tostado' (1757-1864), deriv. de griller 'asar a la parrilla', 'tostar', que a su vez lo es de grille 'parrilla' (lat. CRATICULA).

GUIRNALDA, h. 1400, antes guirlanda, h. 1300, y guerlanda, 1288. Del mismo origen incierto que el port. grinalda, cat. y oc. garlanda, fr. ant. garlande, it. ghirlanda. Parece haberse tomado del fr. ant. garlande, que quizá sea alteración de *garnande, derivado germánico de la raíz de garnir 'guarnecer, adornar'. Garlande se cambiaría en guirlanda en lengua de Oc por influjo de varias palabras autóctonas, y de ahí se pasó a guirnalda por metátesis.

GUISA, h. 1140, 'modo, manera'. Del germánico WĪSA íd.; probablemente heredado por todas las lenguas romances del latín vulgar, que lo tomaría del germánico occidental (comp. el alem. weise, ingl. wise).
DERIV. Guisar 'preparar, disponer', h. 1140; 'aderezar la comida', 1490; guisado 'justo, apropiado', med. S. XIII; 'manjar aderezado', S. XVI; guiso, 1734; guisote. Aguisar, 1220-50, aguisado; desaguisado, S. XIII.

GUISANTE, 1734. En aragonés bisalto, S. XVI, bisalte o guisalto, en mozárabe bissáut, h. 1106. Es palabra de origen mozárabe, alteración de esta última forma, que procede del lat. PISUM íd. Probablemente viene de una denominación compuesta PISUM SAPĬDUM 'guisante sabroso', empleada para diferenciar esta legumbre de otras análogas, como el garbanzo o el tirabeque (éste se llama precisamente bisalto en varios puntos de Aragón, y pésul el guisante común). En otras hablas mozárabes PISUM SAPIDUM debió de dar *bisant, de donde el santand. bisán; la g- de la forma moderna se debe al influjo de guija 'almorta' y de guisar.

CPT. *Pisiforme*,. formado con los lat. *pisum* 'guisante' y *forma*.

Guisar, guiso, guisote, V. *guisa*

GUITA, 1527, 'cuerda delgada de cáñamo'. Origen incierto, probablemente viene en forma indirecta del lat. vĭTTA 'venda sagrada', 'cinta con que las mujeres se ceñían la cabeza', por conducto del germ. WITTA (tomado del latín, y corriente en alto alem. ant.) y el fr. ant. *guite*. *Guita* ha tomado figuradamente el sentido de 'dinero' por comparación con un bramante que da de sí indefinidamente.
DERIV. *Guitar* 'guarnecer con guita', 1335.

GUITARRA, 1335. Del ár. *kītāra* íd., y éste del gr. *kithāra* 'cítara'.
DERIV. *Guitarrero. Guitarresco. Guitarrillo. Guitarrista.*

Gula, gules, gulusmear, V. *gola   Gulloría*, V. *gollería*

GÚMENA, 1444, 'maroma gruesa de uso náutico'. Del cat. *gúmena*, S. XIII, del mismo origen que oc. ant. *gumena* e it. *gómena, gùmena*. La etimología es incierta, pudiéndose asegurar solamente que es de procedencia europea. Teniendo en cuenta que la forma más antigua es *egùmena*, S. XIV, o *agùmena*, 1237 - S. XVI, y que este cable se emplea a menudo para remolcar embarcaciones, es posible que venga del gr. *hēgúménē* 'cuerda que conduce', del participio de *hēgéomai* 'yo conduzco'.

GURA, voz jergal que designa 'la justicia', 3.er cuarto S. XVI, y designaba el castigo de galeras, 1613, y su derivado *guro* 'alguacil', 1572. Probablemente abreviaciones de *gurapas*, que en el propio estilo de lenguaje designaban (h. 1600) las galeras a que se condenaba a los delincuentes; palabra procedente del ár. *gurâb* 'navío', 'galera'. Ayudó a que se formara esta abreviación la existencia de *gurullada* 'corchetes', 'la justicia', que por su parte deriva de *garulla*.
DERIV. probable: *Guripa* 'soldado raso', h. 1937, 'golfo, miserable'.

Gurapas, guripa, guro, V. *gura*

GURRUMINO, 1734, 'ruin, desmedrado, mezquino', 'pusilánime', 'el que tiene contemplación excesiva a la mujer propia', en Asturias 'arrugado, decrépito' y *gurrumbín* 'jorobado'. Palabra familiar de origen incierto; quizá es alteración de *gorobino, deriv. de *goroba por *joroba*; comp. el asturiano *gurrumba* 'joroba', *gurrumbiella* 'jorobado', bogotano *gorobeto* 'torcido, combado'; la *j*- de *joroba* viene de un *ḥ* arábigo, consonante que a menudo da *g* en romance. Pero también es posible que *gurrumina* significara básicamente 'arrullo amoroso' y que con este sentido derivara de la raíz onomatopéyica vasca *urru* y *urruma* 'arrullo del palomo', 'ronroneo del gato', 'ronquido'.

Gurullada, V. *gura   Gurullo*, V. *orujo*

GUSANO, 1251. Etimología incierta, quizá prerromana; comp. *gusarapo*.
DERIV. *Gusanera. Gusaniento*, 1495. *Gusanillo*, 1490. *Agusanarse*, 1822.

GUSARAPA, med. S. XVI, o **GUSARAPO**, princ. S. XV, 'animal muy pequeño que se cría en los líquidos'. Origen incierto; es probable que proceda de la misma raíz que *gusano*, pero el origen de éste es a su vez oscuro, y la terminación de *gusarapo*, -*a*, sugiere una etimología prerromana.

GUSTO, 1490 (*gosto*, h. 1400). Tom. del lat. *gŭstus, -us*, 'acción de catar', 'sabor de una cosa'.
DERIV. *Gustoso*, h. 1570. *Gustar*, S. XV (*gostar*, 1220-50), lat. GŬSTARE 'catar, probar', acepción que se mantiene en cast. hasta el Siglo de Oro; entonces aparece la construcción *gustar de algo* en el sentido de 'catar' y luego 'tomar placer', 1599, de donde finalmente el intransitivo *gustar* 'agradar', 1734. *Gustativo. Degustar*, 1495; *degustador. Disgustar*, h. 1580; *disgustado; disgusto*, 1605 (*desg-*, 1570). *Regostarse*, h. 1600, o *arregostarse*, 1554; *arregosto* o *regosto*, 1596.

GUTAPERCHA, 1884. Del ingl. *gutapercha*, 1843, y éste del malayo *gata perča* íd., cpt. de *gata* 'goma' y *perča*, nombre del árbol de donde se extrae esta sustancia.
DERIV. *Gutífero*.

Gutifarra, V. *butifarra*

GUTURAL, 1734. Deriv. culto del lat. *gŭttur, -ŭris*, 'garganta'.

Guzco, V. *gozque*

GUZLA, h. 1870. Del fr. *guzla*, y éste del serviocroato *guslati* 'tocar un instrumento de cuerdas'.

H

HABA, 1335. Del lat. FABA íd.

DERIV. *Habichuela,* 1733; teniendo en cuenta el mozárabe *faichiela* 'legumbre semejante a los yeros y al altramuz', h. 1100, que viene del lat. vg. *FABICELLA (diminutivo de FABA), es posible que *habichuela* salga de un mozárabe *fabichela del mismo origen. *Habón. Fabada,* del asturiano *faba* 'judía'.

HABER, h. 1140. Del lat. HABĒRE 'tener, poseer'. Sustantivado: *haber* 'bienes', 1220-50.

DERIV. *Hábil,* h. 1440, tom. del lat. *habĭlis* 'manejable, que se puede tener fácilmente', 'bien adaptado', 'apto'; *habilidad, habilidoso; habilitar,* lat. tardío *habilitare; habilitación. Inhábil,* 1495; *inhabilitar,* 1495. *Rehabilitar,* 1737; *rehabilitación,* 1737. *Hábito* 'vestidura', 1220-50, lat. *habĭtus, -us,* 'manera de ser, aspecto externo', 'vestido', 'disposición física o moral'; *habituar,* 1495; *habitual; habitud. Habitar,* 1220 - 50, lat. *habitare* 'ocupar un lugar', 'vivir en él'; *habitable; habitación; habitáculo; habitante; inhabitable; cohabitar; deshabitado, deshabitar.*

Habichuela, V. *haba Hábil, habilidad, habilidoso, habilitar, habitable, habitación, habitáculo, habitante, habitar, hábito, habitual, habituar, habitud,* V. *haber*

HABLAR, h. 1140. Del lat. familiar FABULARI 'conversar', 'hablar', deriv. del lat. FABŬLA 'conversación', 'relato sin garantía histórica', 'cuento, fábula' (y éste de FARI 'hablar').

DERIV. *Habla (fabla,* ant., h. 1140), del citado FABULA; *hablilla* 'habladuría', anti-

guamente *fabliella* 'refrán', med. S. XIII; 'novéla corta', h. 1330, que conserva el sentido latino. *Hablista,* 1737, y su antiguo duplicado *hablistán,* S. XV, 'parlanchín' (formado como *sacristán* y *guardián). Hablador; habladuría. Hablante; hablantín,* 1817, parcialmente sustituido por la terminación afectiva *hablanchín,* 1817, y comúnmente *parlanchín.* Cultismos: *Fábula,* 1438, del citado lat. *fabula; fabulista,* 1596; *fabuloso,* 1413. *Confabular,* 1463 (raro hasta el S. XVIII), lat. *confabulari* 'conversar'; *confabulación.*

CPT. *Malhablado.*

Haca, hacanea, V. *jaca*

HACER, 1030 *(fere,* med. S. X). Del lat. FĂCĔRE íd.

DERIV. *Hacedero,* med. S. XIII. *Hacedor,* h. 1250. *Hacienda,* 1115, 'asuntos, ocupación', 1220-50; 'estado o prestigio de una persona', íd.; del lat. FACIĒNDA 'cosas por hacer' (neutro plural del participio de futuro pasivo de FACERE); de la acepción 'asunto' se pasó a 'bienes' y de ahí por una parte a 'administración de los mismos' (que pasó al it. *azienda* y cat. *hisenda),* y por la otra a 'ganado, bienes pecuarios', como en América; *hacendado,* 1220-50; *hacendista; hacendoso,* 1605.

Hecho. Hechor 'el que hace', princ. S. XVII, de donde 'garañón'. *Hechura,* 1220-50. *Hechizo* 'artificioso, postizo', 1495, sustantivado en el sentido de 'artificio supersticioso de que se valen los hechiceros', 1495; de la correspondiente forma portuguesa *feitiço,* mal pronunciada por los negros, se tomó el fr. *fétiche,* 1605, de donde *fetiche*, 1765-83; *fetichismo, fetichista*; *hechicero*, 1251; *hechicería*, 1438; *hechizar*, 1495.

Fecha 'data', 1611, es la forma antigua de *hecha* (participio de *hacer*), que se empleaba en combinación con *carta* para fechar los documentos ("*fecha* en las entrañas de Sierra Morena a 27 de agosto", carta de Don Quijote a Dulcinea); *fechar*, 1817; *fechador*. *Fechoría*, 1605, deriv. de *fechor*, forma antigua del *hechor* ya citado.

Deshacer, 1220-50; *deshecho*. *Contrahacer*, h. 1250; *contrafacción*. *Rehacer*, 1227.

Cultismos: *Facción*, h. 1300, lat. *factio*, *-onis*, 'manera de hacer', 'corporación, partido, facción'; *faccioso*, lat. *factiosus*. *Fácil*, 1438, lat. *facilis* 'que puede hacerse'; *facilidad*, h. 1440; *facilitar*, 1535; *facillitón*. *Facultad*, 1438, lat. *facultas, -atis*, 'facilidad', 'facultad'; *facultativo*; *facultar*. *Difícil*, 1438, lat. *difficilis* íd.; *dificultad*, 1495, lat. *difficultas, -atis*; *dificultar*, 1495; *dificultoso*, h. 1440. *Factible*. *Facticio*. *Factitivo*. *Factor*, 1413; *factorial*; *factoría*; *factura*, 1554, *facturar*. *Facineroso*, antes *facinoroso*, 1490-S. XVII, lat. *facinorosus* íd., deriv. de *facinus, -oris*, 'hazaña', 'crimen'. *Fíat*, lat. *fiat* 'hágase', subjuntivo pasivo de *facere*.

CPT. *Bienhechor*, 1251; comp. *BEHETRÍA. Malhechor*, 1219. *Hazmerreír. Facsímil*, 1843, de la frase lat. *fac simile* 'haz una cosa semejante'. *Factótum*, 1884, de la frase lat. *fac totum* 'haz todo, haz todas las cosas'. *Quehacer*, 1817.

HACIA, h. 1300 (*faza*, h. 1140). Contracción del cast. arcaico *faze a* 'de cara a', donde *faze* es la forma primitiva de *faz* 'rostro', procedente del lat. FACIES íd. En el mismo sentido y en fecha más moderna se ha empleado *cara a*, S. XVI.

Hacienda, V. *hacer*   *Hacinamiento, hacinar*, V. *haz*

HACHA I 'antorcha', h. 1400. Junto con el gall.-port. *facha* o *facho*, procede de una alteración del lat. FACŬLA 'antorcha pequeña' (diminutivo de FAX, -CIS, 'antorcha'). Dicha alteración sería probablemente *FASCULA, debida a un cruce con FASCIS 'haz, hacina', sugerido por la formación de antorchas con varias velas juntas o con un hacinamiento de teas y otras materias inflamables.

DERIV. *Hacho* 'antorcha', 1490; 'sitio elevado cerca de la costa, desde el cual solían hacerse señales con fuego', S. XV.

HACHA II 'herramienta para cortar árboles, etc.', med. S. XIII. Del fr. *hache* íd., y éste del fráncico *HAPPJA, comp. el alto alem. ant. *hâppa*, alem. anticuado y dial. *heppe, hippe* 'podadera'.

DERIV. *Hachear*, 1642, o *hachar. Hachazo. Hachuela.*

HACHE 'nombre de la letra *h*', 1433. Del fr. *hache*, y éste del bajo lat. *hacca*, modificación de *ach*, pronunciación vulgar en lugar de *ah* (con *h* aspirada), que fue el antiguo nombre latino de esta letra.

HADO, 1220-50. Del lat. FATUM 'predicción, oráculo', 'destino, fatalidad' (deriv. de FARI 'decir').

DERIV. cultos: *Fatal*, 1438; *fatalidad; fatalismo, fatalista.*

CPT. *Malhadado* 'predestinado a un mal', fin S. XIV; 'desdichado', 1734. *Fatídico*, h. 1440, tom. del lat. *fatidicus* 'el que o lo que anuncia el destino', formado con *dicere* 'decir'.

HAGIÓGRAFO, 1765-83. Tom. del lat. tardío *hagiographus* íd., cpt. del gr. *hágios* 'santo' y *gráphō* 'yo escribo, describo'.

DERIV. *Hagiografía. Hagiográfico.*

¡HALA!, interjección, h. 1140. Probablemente voz de creación expresiva; afín a *hola*, al fr. *holà* y al ingl. *halló*; en Colombia *hala* es 'hola, buenos días'.

DERIV. *Jalear*, 1817, 'llamar a los perros para que sigan o ataquen a la caza', 'animar a los que cantan, con palmadas, etc.', 'ojear': está por *halear*, con *h* aspirada; *jaleador; jaleo*, 1843.

HALAGAR, 1220-50. Junto con el cat. *afalagar* y el port. *afagar* (de *afaagar*) íd., procede del ár. *ḫálaq* 'tratar bondadosamente', propte. 'alisar, aplastar, pulir'.

DERIV. *Halagador. Halago*, 1220-50. *Halagüeño*, 1490.

HALAR 'tirar de un cabo de cuerda', h. 1573. Del fr. *haler* 'tirar de algo por medio de un cabo', y éste del germ. *HALÔN 'tirar de algo, atraer', comp. el alto y bajo alem. ant. *halôn*, alem. *holen*. También pronunciado *jalar*.

HALCÓN, 924. Del lat. tardío FALCO, -ONIS, íd., de origen incierto; probablemente idéntico al adjetivo FALCO, -ONIS, dicho de personas que tenían dedos o pies torcidos, voz derivada de FALX 'hoz'. La aplicación al ave de rapiña se deberá a las uñas retorcidas del halcón.

DERIV. *Halconero*, 1495; *halconería. Falconete. Falcónido.*

HÁLITO 'aliento', 1587. Tom. del lat. *halitus, -us*, 'vapor', 'aliento, respiración', deriv. de *halare* 'exhalar'.

DERIV. *Exhalar*, h. 1570, lat. *exhalare* íd.; *exhalarse* en la acepción 'fatigarse en exceso', 1732, y luego 'apetecer con ansia', h. 1700, pasó vulgarmente a *desalarse* 'arrojarse con ansia sobre algo', 1611, y *desalado* 'ansioso, anhelante', h. 1570. *Exhalación*, h. 1580. *Inhalar*; *inhalación*.

HALO, 1817, lat. *halos*. Tom. del gr. *hálōs* íd., propte. 'era de trillar', 'disco'.

HALO-, primer elemento de compuestos cultos, tom. del gr. *háls*, *halós*, 'sal', 'mar'. *Halógeno*, S. XIX, formado con *gennáō* 'yo engendro'. *Haloideo*, S. XIX, con *êidos* 'forma'.

HALLAR, h. 1140 (*aflare*, med. S. X). Voz común con el port. *achar*, rum. *aflà*, y varias hablas romances de la periferia itálica. Procedentes del lat. AFFLARE 'soplar hacia algo', 'rozar algo con el aliento', que de ahí pasaría a significar 'oler la pista de algo' y finalmente 'dar con algo, encontrarlo'. La forma antigua *fallar*, en el sentido de 'encontrar la ley aplicable' y en el de 'encontrar o averiguar los hechos', pasó a significar 'dar sentencia', S. XIV; el lenguaje jurídico, siempre arcaizante, conservó en este caso una forma arcaica (como *fermoso* o *fembra* por *hermoso* o *hembra*). DERIV. *Hallazgo*, 1490. De *fallar*: *fallo* 'sentencia', 1646.

HAMACA, 1519. Del taíno de Santo Domingo. DERIV. *Hamaquear* o *hamacar* 'mecer'.

Hamadríade, V. *dríade*

HÁMAGO 'sustancia correosa y amarilla, de sabor amargo, que depositan las abejas en algunas celdas de los panales', 1591 (de donde 'fastidio o náuseas', 1615), 'entrañas de una persona', S. XIX. Del mismo origen incierto que el cat. *àmec* íd. y el port. *âmago* (o *âmego*) 'médula de las plantas', 'la sustancia íntima de algo'. Probablemente de un lat. vg. *AMĬDUM* 'almidón' (lat. AMŸLUM, romance *ámido* o *amidón*), por la consistencia correosa o lechosa que es común al hámago con el almidón y con la médula de muchas plantas; *AMIDUM* pasó a *ámeo* y de ahí *ámego*, *ámago* (la ortografía con *h-* es reciente e injustificada).

Hamaquear, V. *hamaca*

HAMBRE, fin S. X. Junto con el gascón *hame*, el sardo *fámine* y el port. *fome*, procede del lat. vg. FAMIS, *FAMĬNIS*, íd. (clásico FAMES, -IS). DERIV. *Hambrear*, 1495. *Hambriento*, 1220-50. *Deshambrido*, h. 1600. *Famélico*, 1528, tom. del lat. *famelicus* íd.; duplicado semi-popular del anterior es

el cast. *jamelgo* 'caballo de mala estampa', 1884, con pronunciación aspirada de la *h-*, comp. el gall. y port. dial. *famelgo* 'hambriento'.

HAMPA 'vida maleante', 1605. Origen incierto. Puede sospecharse que *gente de hampa*, aplicado a los bravos y rufianes, significase primitivamente 'gente de armas tomar' y procediese del fr. *hampe* 'fuste de lanza y de otras armas', princ. S. XVI, palabra a su vez de origen incierto pero que parece ser alteración del antiguo *hanste* íd., que a su vez lo es del lat. HASTA íd. por influjo de un vocablo de la familia del germ. HAND 'mano' (ingl. *handle* 'mango'). DERIV. *Hampón*.

Hanega, V. *fanega*

HAPLOLOGÍA, 1925. Cpt. culto del gr. *haplûs* 'sencillo' y *lógos* 'habla'.

HARAGÁN 'holgazán', 1495. Origen incierto. Como reemplaza cronológicamente al cast. ant. *harón* íd., S. XIII, procedente del ár. *harûn* '(animal) repropio, que no quiere andar', es probable que resulte de una alteración de esta palabra por cambio de sufijo. DERIV. *Haraganear*. *Haraganería*, 1612 (*haraganía*, 1495).

HARAPO, h. 1300, en portugués *farrapo*. Es deriv. del antiguo verbo *farpar* o *harpar* 'desgarrar', h. 1300 (de donde **harapar* o *desharapar*, hoy comúnmente *desharrapar*). *Farpar* es palabra de origen incierto, común a muchas lenguas romances, y cuyas caprichosas variantes fonéticas parecen indicar una creación expresiva: it. anticuado *frappare* 'desmenuzar', 'cortar franjas a un vestido', fr. ant. *frape*, *frepe*, *ferpe*, 'harapo, franja', fr. *friper* 'ajar (la ropa)', *fripier* 'ropavejero', oc. mod. *frapilhà*, *frepilhà*, 'ajar, desharrapar', etc. DERIV. *Harapiento*. *Desharrapado*, 1599. *Arrapiezo* 'harapo, jirón' (*harr-*, 1604), 'hombre despreciable por su persona y figura', 1734; 'persona de corta edad a quien se trata despectivamente', S. XIX; a cuya formación contribuirían los dos sinónimos *ha(r)rapo* y *pieza* 'pedazo de paño', pero es posible que la aportación de *harapo* a la creación de *arrapiezo* sea escasa y secundaria, y se trate de un derivado de un verbo **arrapezar* (**arrepezar*), formado como el fr. *rapiécer*, cat. ant. *arrapaçar* 'remendar' (h. 1400).

HARCA o **JARCA,** princ. S. XIX. Del ár. marroquí *hárka* 'expedición militar' (ár. clásico *háraka*).

HARÉN, h. 1830. Tom. del fr. *harem* íd., y éste del ár. *ḥáram* 'cosa prohibida o sagrada'.

HARINA, 1220-50. Del lat. FARĪNA íd. DERIV. *Harinero*. *Harinoso*. *Harnero* 'cribo', 1335, síncopa de *harinero*; *harneruelo*, 1633. *Enharinar*, 1505. Culto: *Farináceo*.

Hármaga, V. *alharma*   *Harnero*, *harneruelo*, V. *harina*   *Harón*, V. *haragán*

HARPILLERA, 1505, 'tejido basto para empacar mercancías o defenderlas del polvo', antes *sarpillera*, 1497, en Aragón. Del mismo origen incierto que el cat. *serpellera*, 1284; oc. *serpelhieira*, h. 1200; fr. *serpillère*, S. XII íd. y que el cat. *(en)serpellar*, S. XIII, oc. ant. *serpelar*, S. XIV, 'empacar con harpillera', fr. ant. *sarpe(il)lage* 'empaque con esta tela', S. XIV. Quizá emparentado también con oc. mod. *serpilho* 'harapo', fr. ant. *de(s)serpillié*, S. XIII, 'desharrapado', *desserpillier*, 1271, 'desvalijar, robar, despojar'. En castellano el vocablo parece ser catalanismo o galicismo antiguo, y la *s*- parece haber desaparecido en castellano en la combinación *las sarpilleras*. DERIV. *Harpillar* 'cubrir con harpillera', h. 1580. *Herpil* 'saco de red de tomiza', 1884, será más bien voz independiente, emparentada con *harapo* o con *felpa*.

HARTO, h. 1140. Del lat. FARTUS 'relleno', participio pasivo de FARCIRE 'rellenar', 'atiborrar'. DERIV. *Hartura*, 1495; *hartazga*, 1495, o *hartazgo*. *Hartar*, h. 1140. *Infarto*, S. XIX, tom. del lat. *infartus* 'lleno, atiborrado', de *infarcire* 'rellenar'.

HASTA, S. XIII. Del ár. *ḥáttà* íd., de donde también procede el port. *até* íd. La *s* del castellano moderno resulta de una diferenciación de las dos *tt* del original arábigo, pasando por la antigua forma *hadta* (*adta*, 945); en castellano antiguo *fata* es tan frecuente como *fasta*.

HASTIAL, med. S. XIII, 'parte superior triangular de la fachada de un edificio, en la cual descansan las dos vertientes del tejado o cubierta'. Deriv. de un arcaico *hastío*, que procede del lat. FASTĪGĬUM 'pendiente, inclinación', 'tejado de dos vertientes', 'cumbre de un edificio construido en esta forma o de una montaña'.

HASTÍO, 1495, 'repugnancia', 'disgusto'. Del lat. FASTĪDĬUM 'asco, repugnancia', 'gusto excesivamente delicado'. *Fastidio*, 1251, es cultismo. DERIV. *Hastiar*, h. 1600 (*enhastiar*, 1495). Cultos: *Fastidioso*, 1490; *fastidiar*, 1463.

Hatajo, V. *hato*

HATO 'ropa, vestidos', 1335; 'conjunto de personas o cosas', 1335; 'porción de ganado', S. XIV. Del mismo origen incierto que su sinónimo port. *fato*, y probablemente del mismo origen que el languedociano y auvernés *fato*, fem., 'trapo, andrajo' y francoprovenzal *fata* 'bolsillo'. Procedentes, al parecer, de un gót. *FAT 'vestido', 'equipaje, bagaje', cuya existencia puede conjeturarse a base del escand. ant. *fọt* íd. (plural de *fat*), alto alem. ant. *fazzōn* 'vestirse', alem. anticuado *vetze* 'vestido' (hoy *fetzen* 'harapo'). Pero es probable que en castellano se mezclara con esta palabra germánica el ár. *ḥazz* 'porción que toca a cada cual', 'pago a un criado por su alimentación o como sueldo', de donde la acepción castellana 'provisión que se llevan los pastores o gañanes', 1734, y acaso otras. DERIV. *Hatajo* 'porción pequeña de ganado' no tenía *h*- antigua (*atajo*, 1513), y por lo tanto no deriva de *hato*, sino de *atajar* 'separar una parte del rebaño', 1495 (deriv. de *tajar*).

HAYA (árbol cupulífero), 1335. Designaría primitivamente la madera de este árbol, y procederá así del lat. MATERIA FAGĔA 'madera de haya' (abreviado en FAGEA), deriv. de FAGUS 'haya'; éste se conservó en el arag. *fau* o *favo*, alterado en *pago* por el vasco. DERIV. *Hayal*, 1495. *Hayuco*. *Fuina*, 1611, del fr. *fouine* íd., deriv. del fr. ant. *fou* 'haya' (del lat. FAGUS), por criarse este animal entre dichos árboles. Cultismo: *Fagáceo*.

HAZ, masc., 'porción atada de leña o de otros vegetales', 1335. Del lat. FASCIS íd. *Fajo*, 1734 (alteración de *faje* por haberse interpretado como deriv. de *fajar*), es la forma aragonesa del mismo vocablo. En calidad de latinismo se emplea *fasces*. DERIV. *Hacina*, h. 1280, 'amontonamiento de haces'; *hacinar*, S. XVII; *hacinamiento*; *fajina*, 1569, duplicado de *hacina*, se tomó del it. *fascina*, con el carácter de vocablo militar. *Fascista*, 1922, *fascismo*, tomados del it., donde derivan de *fascio*, propte. 'haz'. *Fascículo*, S. XX, tom. del lat. *fascĭcŭlus* 'hacecillo'. Y vid. *FAJA*.

Haz, fem., V. *faz*

HAZAÑA, h. 1150, 'hecho extraordinario', 'proeza'. Voz hermana del port. *façanha* íd., de origen incierto. Hay dificultades fonéticas y morfológicas para derivarla de *hacer* (que en portugués es *fazer*) o del lat. FACĔRE 'hacer'. Como en la Edad Media es corriente la acepción 'ejemplo', 'modelo', y

existe variante *hazana*, es probable que proceda del ár. *ḥasána* 'buena obra', 'acción meritoria' (deriv. de *ḥásan* 'hermoso'), aunque influido en romance por el verbo FACERE.
DERIV. *Hazañero. Hazañoso*, 1438.

Hazmerreír, V. *hacer*

HE, h. 1140. Adverbio que, unido con *aquí* (y a veces con *allí* o *ahí*) sirve para mostrar una persona o cosa. Del ár. *hê*, que tiene el mismo valor. En toda la Edad Media y aun el S. XVI se empleaba *he* solo, sin que fuera menester acompañarlo *aquí*.

Hebdomadario, V. *siete*

HEBÉN, adjetivo aplicado a una variedad de uva insípida, blanca, gorda y vellosa, aunque algo parecida a la moscatel en el sabor, 1513, y extendido figuradamente a todo lo que es de poca sustancia o fútil, princ. S. XVII (*poetas hebenes*, etc.). Origen incierto, quizá del ár. *ḥabén* 'hidropesía', por lo aguanoso de la uva hebén, comp. *poeta chirle* y *aguachirle.*

HEBILLA, 1335 (*fiviella*, 1258). Del lat. vg. *FĪBĔLLA, diminutivo del lat. FĪBŬLA íd. (de donde el cultismo *fíbula*).
DERIV. *Hebillero. Hebilleta,* fin S. XIII.

HEBRA, 1490, 'fibra o filamento de las plantas', 'porción de hilo u otro filamento textil que suele meterse por el ojo de una aguja'. Del lat. FĪBRA 'filamento de las plantas'. De éste, por vía culta, *fibra*, princ. S. XVII.
DERIV. *Enhebrar,* 1604. *Fibroso,* 1621. *Fibrina. Fibroma.*
CPT. *Fibrocartilaginoso.*

HECATOMBE, 1615. Tom. del gr. *hekatómbē* 'sacrificio de cien reses vacunas u otras', cpt. del gr. *hekatón* 'ciento' y *bûs* 'buey'.
CPT. de *hekatón*: *Hectárea. Hectogramo. Hectolitro. Hectómetro.*

Hectárea, hectogramo, hectolitro, hectómetro, V. *hecatombe* *Hechicería, hechicero, hechizar, hechizo, hecho, hechor, hechura,* V. *hacer*

HEDER, 1220-50. Del lat. FOETĒRE íd.
DERIV. *Hediondo,* 1220-50, de un lat. vg. *FOETIBŬNDUS íd., *hediondez. Hedentina,* 1601, del antiguo *hediente* 'hediondo', 1220-50. *Hedor,* 1220-50, lat. FOETOR, -ORIS, íd. *Fétido,* 1515, tom. del lat. *foetǐdus* íd.; *fetidez.*

HEGEMONÍA 'supremacía de un estado sobre otros', 1884. Tom. del gr. *hēgemonía* íd., deriv. de *hēgemṓn, -ónos*, 'el que marcha a la cabeza', y éste de *hēgéomai* 'yo guío, voy al frente'. No se justifica la variante académica *heguemonía*, empleada por pocos.
DERIV. *Hegemónico.*

Helada, heladería, heladero, helado, helar, V. *hielo*

HELECHO, h. 1280 (comp. los deriv.). Del lat. FĬLĬCTUM 'matorral de helechos', deriv. de FĬLIX, -ĬCIS; éste sigue empleándose en it. *felce*, mozár. *felcha* y en el alto-aragonés occid. *felce.*
DERIV. *Helechal* (-*char*, 1177). *Helechoso,* 1142.

HELENIO, princ. S. XVII, lat. *helěnǐum.* Tom. del gr. *helénion* íd.

HÉLICE, 1734, lat. *hĕlix, -ǐcis.* Tom. del gr. *hélix, -ikos,* 'espiral', 'varios objetos de esta forma'.
CPT. *Helicoide; helicoidal. Helicóptero,* con el gr. *pterón* 'ala'.

Helio y sus compuestos, V. *sol*

HELMINTO, 1899. Tom. del gr. *hélmins, -inthos,* 'gusano', 'lombriz'.
DERIV. *Helmíntico,* 1765-83; *antihelmíntico. Helmintiasis.*
CPT. *Helmintología.*

Hemacrimo, hematermo, hematíe, hematites, hematoma, hematosis, hematuria, V. *hemo-*

HEMBRA, fin S. XII. Del lat. FĒMĬNA íd.
DERIV. *Hembrilla,* por comparación con el acto sexual. *Femenino,* 1438, tom. del lat. *feminīnus* 'propio de hembra'; *femenil,* 1438, lat. tardío *feminīlis; femíneo,* S. XV, lat. *femineus; femineidad* o *feminidad. Feminismo; feminista. Afeminar,* S. XV, lat. *effeminare* íd.; *afeminado,* S. XV; *afeminación.*

Hemeroteca, V. *efímero* *Hemiciclo, hemiplejía, hemíptero, hemisférico, hemisferio,* V. *semi-* *Hemistiquio,* V. *dístico*

HEMO-, primer elemento de compuestos cultos, del gr. *hâima, háimatos,* 'sangre'. *Hemofilia,* S. XX, con gr. *philos* 'amigo'. *Hemoglobina,* princ. S. XX, con el radical de *glóbulo. Hemopatía. Hemoptisis,* 1765-83, con gr. *ptýsis* 'acción de escupir'; *hemoptísico. Hemorragia,* 1765-83, gr. *haimorrhagía,* formado con *rhēgnymi* 'yo broto'. *Hemorroide,* 1734, gr. *haimorrhoís,*

-ídos, íd., con *rhéō* 'yo mano'; *hemorroidal.*
Hemóstasis, con *hístēmi* 'yo detengo'; *he-
mostático. Hemacrimo,* con *krymós* 'frío'.
Hematermo, con *thermós* 'caliente'. *Hematuria,* con *uréō* 'yo orino'.
    DERIV. de *hâima*: *Hematíe,* S. XX. *He-
matites,* 1629, gr. *haimatítēs* 'sanguíneo'.
Hematoma, S. XX. *Hematosis. Anemia,*
1884, gr. *anaimía* 'falta de sangre', con *an-*
privativo; *anémico,* 1884.

Henal, henar, V. *heno*

HENCHIR 'llenar', h. 1140. Del lat. ĬM-
PLĒRE íd. (deriv. de PLERE íd.). La grafía
fenchir, muy corriente desde el S. XIII y
correspondiente a una pronunciación aspirada *henchir,* se debe a la confusión, muy
extendida, de este verbo con *hinchar* (en
el cual la *h-* se explicará por influjo de la
F de INFLARE).

HENDER 'rajar', 1220-50. Del lat. FĬN-
DĔRE íd.
    DERIV. *Hendidura,* 1765-83, antes *hende-
dura,* 1490. *Rendija,* 1737, de *rehendija,*
1721, que deriva de *hendija,* h. 1530, y vive
en la mayor parte de América. *Fisura,* 1765-
83, lat. *fissūra* íd., deriv. de *fissus,* participio de *findere. Físil* y *fisión,* deriv. del
propio *fissus.*
    CPT. *Fisirrostro,* con *rostrum* 'pico'.

HENEQUÉN 'hilo fino de pita', 1526.
Palabra aborigen americana, quizá oriunda
del maya, pero es posible que los españoles
la aprendieran ya en las Grandes Antillas.
También pronunciado *jenequén* o *jeniquén,*
con aspiración de la *h-.*

HENO, 1220-50, 'hierba segada y seca
para alimento del ganado'. Del lat. FĒNUM
íd.
    DERIV. *Henar,* 1074, o *henal. Henil,* 1611.
    CPT. *Fenogreco,* 1555, tom. del lat. *fenum
graecum* íd., propte. 'heno griego'.

Heñir, V. *fingir*

HEPÁTICO, 1765-83, lat. *hepatĭcus.* Tomado del gr. *hēpatikós* íd., deriv. de *hêpar,
hêpatos,* 'hígado'.
    DERIV. *Hepática,* 1555. *Hepatitis.*

*Heptacordo, heptágono, heptasílabo, hep-
tateuco,* V. *siete*

HERALDO, 1605. Del fr. *héraut* íd., y
éste del fráncico **HERIALD,* propte. 'funcionario del ejército', cpt. de HERI 'ejército' y
WALDAN 'ser poderoso'. Anteriormente el
vocablo había sido ya castellanizado en la
forma *faraute,* 1495, que tenía sobre todo
el sentido de 'intérprete' y 'mensajero de

guerra' (y del castellano pasó al fr. *faraud*
'farolero').
    DERIV. *Heráldico,* S. XVII; *heráldica.*

*Herbáceo, herbario, herbazal, herbero,
herbívoro, herbolario, herborizar, herboso,*
V. *hierba*

HEREDAD, 1107. Del lat. HEREDĬTAS,
-TATIS, 'acción de heredar', 'herencia', deriv.
de HĒRES, -ĒDIS, 'heredero'.
    DERIV. *Heredar,* 1097, del lat. tardío HE-
REDITARE íd.; *desheredar,* h. 1140. *Hereda-
miento,* 1176. *Heredero,* 1092, lat. HEREDI-
TARIUS 'referente a una herencia', que en
varias lenguas romances ha sustituido al
lat. HERES 'heredero'. *Hereditario,* h. 1600,
es duplicado culto del mismo.

HEREJE, 1220-50. De oc. ant. *eretge,* y
éste del lat. tardío HAERĒTĬCUS íd., tom. a
su vez del gr. *hairetikós* 'partidista', 'sectario', deriv. de *hairéomai* 'yo abrazo un partido' (propte. 'yo cojo', 'escojo'). *Herético,*
1495, duplicado culto del mismo.
    DERIV. *Herejía,* 1220-50.
    CPT. *Heresiarca,* 1565, tom. del gr. *haire-
siárkhēs* íd., formado con *háiresis* 'secta',
'herejía' y *árkhō* 'yo comienzo'.

HERENCIA, antiguamente significó 'bienes pertenecientes a alguno por cualquier
concepto', 914, y 'dependencias de un lugar',
fin S. IX. Tom. del lat. *haerĕntia* 'cosas
vinculadas', 'pertenencias', neutro plural de
haerēre 'estar adherido'. En castellano sufrió
en su sentido el influjo de *heredad, heredе-
ro* y su familia, pasando a significar 'bienes
y derecho que se heredan' sólo desde 1210,
y el sentido de 'derecho de heredar, sucesión en los bienes de un difunto' no aparece
hasta 1495 o 1615.

Heresiarca, herético, V. *hereje*

HERIR 'hacer una herida', 1490, antiguamente 'golpear, dar (con cualquier objeto)',
1090. Del lat. FĔRĪRE, que tiene esta última
acepción.
    DERIV. *Herida,* h. 1140. *Herido. Hiriente.*
    CPT. *Zaherir,* 1475; antes *façerir,* 1220-
50, o *fazfirir,* 1241: cpt. de *faz* 'cara' y
herir en el sentido de 'dar (con algo) en la
cara (a alguno)', y de ahí 'echar en cara,
reprochar', con metátesis de *hacerir* en *zaherir.*

Hermafrodita, V. *hermético*

HERMANO, 938. Del lat. GERMĀNUS íd.,
abreviación de FRATER GERMANUS 'hermano
de padre y madre', locución en la cual GER-
MANUS tiene su sentido propio y habitual
de 'verdadero, auténtico'.

Deriv. *Hermana*, 1019. *Hermanar*, 1547. *Hermanastro*, 1720. *Hermandad*, 1185. *Cormano*, 1125, 'primo hermano', contracción de *co-hermano*.

Germanía 'hermandad de los gremios de Valencia y Mallorca a princ. S. XVI en la guerra que promovieron contra los nobles', del cat. *germania* 'hermandad' (deriv. de *germà* 'hermano'); en el sentido de 'rufianesca, hampa', 1534, parece ser empleo traslaticio del anterior originado en la ciudad de Valencia, famosa en el S. XVI por el desarrollo que tomó allí la gente de mala vida, en gran parte como rezago de estas luchas civiles; 'jerga del hampa', princ. S. XVI; de donde *germanesco* (y *germano* 'rufián', 1609; *germana* 'mujer pública', 1609).

HERMENÉUTICO, 1884. Tom. del gr. *hermēneutikós* 'relativo a la interpretación', deriv. de *hermēnéus* 'intérprete', 'explicador', 'traductor'.
Deriv. *Hermenéutica*.

HERMÉTICO, 1765-83. Del bajo lat. *hermetĭcus*, aplicado a las doctrinas y procedimientos de la Alquimia, por el nombre de Hermes Trismegistos, personaje egipcio fabuloso a quien suponían autor de estas doctrinas; de ahí *sello* o *cerramiento hermético*, el impenetrable al aire, obtenido por fusión de la materia de que está formado el vaso, y así llamado por efectuarse mediante un procedimiento químico.
Deriv. *Hermetismo*; *hermeticidad*.
Cpt. de *Hermês*, nombre griego del dios Mercurio: *Hermafrodita*, 1734 (-ito, 1438), lat. *Hermaphrodītus*, gr. *Hermaphróditos*, personaje mitológico hijo de Hermes y Afrodita o Venus, que participaba de los dos sexos; *hermafroditismo*. *Hermodátil*, gr. *hermodáktylos*, formado con *dáktylos* 'dedo'.

Hermodátil, V. *hermético*

HERMOSO, 1102. Del lat. FORMŌSUS íd., deriv. de FORMA 'hermosura'.
Deriv. *Hermosear*, 1495. *Hermosura*, 1220-50.

HERNIA, 1581. Tom. del lat. *hernĭa* íd.
Deriv. *Herniado*.

HÉROE, 1490, lat. *heros*, *herōis*. Tom. del gr. *hērōs*, *hērōos*, 'semidiós', 'jefe militar épico'
Deriv. *Heroico*, h. 1440, gr. *hērōïkós* íd.; *heroicidad*. *Heroína*, princ. S. XVII. *Heroísmo*, 1765-83.

HERPE, 1581, lat. *herpes*, *-ētis*. Tom. del gr. *hérpēs*, *hérpētos*, íd., deriv. de *hérpō* 'yo me arrastro', por ser enfermedad que se extiende a flor de piel.

Deriv. *Herpético*. *Herpetismo*.

Herpil, V. *harpillera* *Herrada, herrado, herrador, herradura, herramienta, herrar, herrería, herrerillo, herrero, herreruelo* ('pájaro, soldado'), V. *hierro* *Herreruelo* (traje), V. *ferreruelo* *Herrete, herrumbrar, herrumbre, herrumbroso*, V. *hierro*

HERVIR, 1220-50. Del lat. FERVĒRE íd.
Deriv. *Hervidero*. *Hervor*, 1220-50, lat. FERVOR, -ORIS, íd.; *fervor*, h. 1450, duplicado culto; *enfervorizar*; *fervoroso*, h. 1600; *ferviente*, h. 1440; *férvido*, fin S. XV. *Efervescente*, h. 1900, lat. *effervescens*, participio de *effervescere* 'empezar a hervir'; *efervescencia*, 1832. *Fermento*, 1732, tom. del lat. *fermĕntum* íd. (de *fervmentum*); *fermentar*, 1555; *fermentación*, *fermentativo*.

HETERO-, primer elemento de compuestos cultos, del gr. *héteros* 'otro'. *Heteróclito*, 1899, gr. *heteróklitos*, formado con *klínō* 'yo declino'. *Heterodoxo*, 1734, gr. *heteródoxos* 'que piensa de otro modo', con *dóxa* 'opinión'; *heterodoxia*. *Heterogéneo*, 1617, bajo lat. *heterogeneus*, gr. *heterogenḗs*, con gr. *génos* 'género'; *heterogeneidad*.

Hético, hetiquez, V. *enteco*

HEURÍSTICO 'relativo a la invención', 1925. Deriv. culto del gr. *heurískō* 'yo hallo, descubro'.
Deriv. *Heurística*.

Hexaedro, hexágono, hexámetro, hexasílabo, V. *seis*

HEZ, 1220-50, 'sedimento de un líquido', 'lo más vil y despreciable de algo'. Del lat. FĔX, FĔCIS (variante del clásico FAEX), 'poso, heces, impurezas'.
Deriv. cultos: *Fecal*, 1732; *defecar*, S. XIX, lat. *defaecare* 'purificar'; *defecación*. *Fécula*, 1817, lat. *faecula* 'tártaro del vino', diminutivo de *faex*; *feculento*, 1709.

HIALINO, 1884. Tom. del gr. *hyálinos* íd., deriv. de *hýalos* 'cristal'.

HIATO, h. 1800. Tom. del lat. *hiātus*, *-us*, íd., deriv. de *hiare* 'rajarse', 'separarse'.

Hibernal, V. *invierno*

HÍBRIDO, 1817. Tom. del lat. *hybrĭda* 'producto del cruce de dos animales diferentes', por conducto del fr. *hybride*, 1596; no hay relación con el gr. *hybrís* 'injuria', y en latín la mejor ortografía parece ser *ibrĭda*.
Deriv. *Hibridación*. *Hibridismo*.

Hibuero, V. *güira*   *Hidalgo, hidalguía,* V. *hijo*   *Hidátide, hidatídico, hidra,* V. *hidro-*

HIDRO-, primer elemento de cpts. cultos, del gr. *hýdōr, hýdatos,* 'agua'. *Hidroavión. Hidrocarburo,* S. XIX. *Hidrocéfalo,* 1581; *hidrocefalia. Hidrocele,* formado con gr. *kēlē* 'tumor'. *Hidrodinámico,* S. XIX. *Hidroeléctrico,* S. XX. *Hidrófilo,* S. XX. *Hidrófobo,* 1555, con gr. *phobéō* 'yo temo'; *hidrofobia,* 1765-83. *Hidrógeno,* 1843, con gr. *gennáō* 'yo engendro'; deriv. del radical de *hidrógeno: hidrato, hidratar,* S. XIX; *deshidratar. Hidrografía,* 1734; *hidrográfico,* 1734. *Hidrólisis,* con gr. *lýsis* 'disolución'. *Hidrología; hidrológico. Hidromel,* 1513, gr. *hidrómeli* íd., formado con *méli* 'miel'. *Hidrometría,* 1734; *hidrómetro; hidrométrico. Hidroplano,* S. XX, con la terminación de *aeroplano. Hidroscopia,* con gr. *skopéō* 'yo examino'. *Hidrosfera. Hidrostática,* 1709; *hidrostático. Hidrotecnia,* 1709. *Hidroterapia,* S. XIX; *hidroterápico. Hidrotórax,* S. XIX. *Hidrácido. Hidrargirio,* 1884, o *hidrargiro,* 1899, con gr. *árgyros* 'plata'. *Hidráulico,* 1734, gr. *hydraulikós,* deriv. del gr. *hydraulís* 'órgano musical movido por el agua', formado con un deriv. de gr. *aulós* 'flauta'; *hidráulica,* S. XIX. *Hidrópico,* med. S. XIII, gr. *hydrōpikós* íd., deriv. de *hýdrōps* 'hidropesía', formado con *ṓps* 'aspecto'; *hidropesía,* 1490, del bajo lat. *hydropisia* (clásico *hydropisis*) íd., que a su vez es alteración del gr. *hýdrōps* íd., según el modelo de *phthisis* 'tisis' y otros nombres de enfermedad. Deriv. del gr. *hýdōr: Hidátide,* S. XX, gr. *hydatís, -ídos,* 'especie de ampolla llena de agua'; *hidatídico. Hidra,* 1413, gr. *hýdra* íd. *Anhídrido; anhidro; anhidrosis.*

HIEDRA, h. 1295. Del lat. HĔDĔRA íd.

HIEL, 1220-50. Del lat. FĔL, FELLIS (neutro), íd.
Deriv. *Ahelear,* 1589.

HIELO, 1220-50. Del lat. GĔLŬ íd.
Deriv. *Helar,* 1220-50. *Helada,* 1220-50. *Heladero; heladera; heladería. Helado. Deshelar,* 1495; *deshielo,* 1623. *Congelar,* 1438, tom. del lat. *congelare* íd.; *congelación,* h. 1440. *Gélido,* lat. *gelidus. Jalea,* 1611; antes *jelea,* 1555; del fr. *gelée,* 1393, 'gelatina' y luego 'jalea'.
Gelatina, 1525, del it. *gelatina* (deriv. de *gelato* 'helado'); *gelatinoso;* del dalmático *galatina* 'gelatina para conservar pescado', variante fonética del anterior, procede el fr. ant. *galatine* 'jalea comestible', hoy *galantine* 'plato de carne que se sirve frío con jalea', de donde el cast. *gualatina,* 1525 (que por lo demás ha pasado a designar otro plato), o *galantina.*

HIENA, 1444, lat. *hyaena.* Tom. del gr. *hýaina* íd., alteración de *hŷs* íd. (propte. 'cerdo'), bajo el influjo de *léaina* 'leona'.

Hierático, V. *jerarquía*

HIERBA, h. 950. Del lat. HĔRBA íd. La ortografía fue *yerba* hasta la 2.ª mitad del S. XIX, desde luego en todas las acepciones; la distinción que en algunos países se practica hoy entre las dos grafías es artificiosa.
Deriv. *Hierbajo. Hierbezuela,* h. 1330. *Hierbatero* o *hierbero; hierbatear. Herbáceo,* tom. del lat. *herbaceus. Herbario. Herbazal,* 1495. *Herbero,* 1495. *Herboso,* 1438. *Herbolar,* 1220-50, o *enherbolar,* 1542, 'envenenar' (por el empleo de hierbas venenosas), deriv. del lat. HĔRBŬLA 'hierbecita'; *herbolario,* 1495. *Herborizar,* h. 1760, del fr. *herboriser,* 1534; *herborización. Deshierbar.*
Cpt. *Contrahierba,* 1590 (comp. *enherbolar*). *Hierbabuena,* 1495. *Herbívoro* (según *carnívoro*).

Hierofante, V. *jerarquía*

HIERRO, 1495 (*fierro,* 1065). Del lat. FĔRRUM íd. *Fierro,* que se prefirió en los SS. XVI-XIX en varias regiones de la periferia española, en diversos países de América sigue predominando, probablemente por influjo leonés y andaluz. *Ferro* 'ancla', 1599, es catalanismo náutico.
Deriv. *Herrar,* h. 1300. *Hierra. Herrada,* 1135 (por sus cercos de hierro). *Herrador,* 1495. *Herradura,* h. 1140. *Herraje. Herramienta,* 1251; *herramental,* 1495. *Herrero,* 937, lat. FERRARIUS íd.; *herrería,* 1495; *ferrería,* variante; *herreruelo* 'pájaro', 'soldado alemán de caballería'. *Herrón,* 1539. *Herrumbre* 'orín, oxidación', 1490, lat. vg. FERRŪMEN 'soldadura', que usurpó el sentido de FERRUGO 'herrumbre'; *herrumbroso; herrumbrar, desherrumbrar. Desherrar,* 1495. Cultismos: *Ferrugíneo, ferruginoso. Férreo,* h. 1450, lat. *fĕrrĕus* íd. *Ferrete* 'sulfato de cobre', del mozárabe *ferrêt,* SS. XI y XVI; como nombre de varios objetos de hierro, S. XIII, del fr. *ferret* (también *herrete*). *Ferretero,* S. XX, del cat. *ferreter* íd., deriv. de *ferro* 'hierro' con el sufijo catalán *-eter; ferretería,* 1869. *Férrico. Ferroso. Aferrar,* med. S. XIII, primeramente término náutico, del cat. *aferrar* 'agarrar', 'sujetar con hierros o anclas en el abordaje'.

Higa, V. *higo*

HÍGADO, 1335 (*fégado,* med. S. XIII). Del lat. vg. FĬCATUM, del lat. JECUR FĪCATUM (de JECUR 'hígado' y FICATUM 'alimentado con higos'), alterado por influjo de la denominación griega correspondiente *sykōtón* (deriv. de *sȳkon* 'higo'), imitado en latín vulgar con una pronunciación SÝCOTUM. Esta denominación se explica por la costumbre de los antiguos de alimentar con higos los animales cuyo hígado comían.

HIGIENE, 1843. Del fr. *hygiène*, 1550, tom. del gr. *hygieinón* 'salud, salubridad', neutro del adjetivo *hygieinós* 'sano'. DERIV. *Higiénico. Higienista. Higienizar.*

HIGO, h. 1140. Del lat. FĪCUS 'higo', 'higuera'. *Figo*, 1251, se aplicó por comparación a ciertos humores, especialmente los hemorróidicos. DERIV. *Higa*, h. 1140, 'acción que se ejecuta con la mano para escarnio de otra persona', por comparación con la vulva, designada en varias lenguas romances por FĪCA. *Higuera*, 1070; *higueral*, 1495. V., además, *HÍGADO* y *FIGÓN*. Cultismo: *Ficoideo*. CPT. *Sicofanta* o *sicofante*, S. XIX, gr. *sykophántēs* 'delator', 'calumniador', propte. 'denunciador de los exportadores de higos' (formado con el gr. *sȳkon* 'higo' y *pháinō* 'yo descubro').

HIGRO-, primer elemento de cpts. cultos, del gr. *hygrós* 'húmedo'. *Higrómetro*, 1734; *higrométrico. Higroscopio*, con *skopéō* 'yo miro, observo'; *higroscópico.*

Higuera, V. *higo*   *Higüera*, V. *güira*

HIJO, 1062. Del lat. FĪLĬUS íd. DERIV. *Hijastro*, 1495. *Hijuela* 'reguero pequeño', 1611, de donde 'fundo rústico que se forma por subdivisión', 1251. *Ahijar*, 1062; *ahijado*, 1196. *Prohijar*, 1607, antes *porfijar*, 1220-50, deriv. de (*tomar*) *por hijo*. Cultismos: *Afiliar*, S. XIX; *afiliación. Filiar*, 1732; *filiación*, 1455. *Filial*, h. 1440. CPT. *Hidalgo*, 1197; antes *fijo d'algo*, h. 1140; contiene la forma abreviada *hi* por *hijo* (también empleada en *hi de puta, hi de perro*, etc.); en esta expresión y en otras muchas medievales y clásicas (*hijo de caridad* 'hombre caritativo', *hijo del naipe* 'jugador habitual', *hijo de la piedra* 'expósito', *hijo de la fortuna* 'hombre afortunado') *hijo* se toma como mero elemento gramatical para expresar persona caracterizada por la idea que se expresa con el otro sustantivo, por imitación del uso que hace el árabe con *'ibn* 'hijo' (*'ibn yáumih* 'efímero' = 'hijo de su día'); y *algo*, como es corriente en la Edad Media, vale 'riqueza, bienes', de suerte que *hi d'algo* equivalía primitivamente a 'hombre de dinero', 'persona acomodada', por oposición al villano o labriego; *hidalguía*, 1495; *ahidalgado.*

Hila, hilacha, hilado, hilador, hilandero, hilar, V. *hilo*

HILARIDAD, 1855. Tom. del lat. *hilarĭtas, -atis*, 'alegría, buen humor' (deriv. de *hilăris* 'alegre'), por conducto del fr. *hilarité*, h. 1400, 'risa suscitada por algo visto u oído'. DERIV. *Hilarante*, S. XX.

HILO, S. XIII. Del lat. FĪLUM íd.; *filo* 'borde agudo de un instrumento cortante', 1490, es duplicado arcaico o extranjerizante. DERIV. *Hilas* 'hebra de lienzo usada para curar heridas', 1605; antes *esfilas*, 1403; propte. 'lienzos deshilachados' (con paso de *unas eshilas* a *unas hilas*). *Hilaza*, S. XIII, y su duplicado mozárabe *hilacha*, 1585 (y 1505 *filacha* en hispanoárabe); *deshilachar. Hilera*, 1552. *Hilar*, h. 1330, lat. tardío FĪLĀRE íd.; *hilado*, 1050; *hilador*; *hilandero*, 1490; *hilandería. Hilatura*, S. XX; antes *filatura*, 1884, del cat. *filatura. Ahilado; ahilamiento. Sobrehilar; sobrehilado*. De *filo*: *Filoso*, 1609. *Afilar* 'sacar filo', *afilarse* 'adelgazarse', med. S. XIII; *afilado; afiladera. Fila* 'hilera', 1702 (y ya 1438), del fr. *file*, S. XV; *filamento*, 1732, lat. *filamentum*; *filamentoso. Filástica*, 1696, también *filáciga*, 1607, probablemente debido a un cruce del mozárabe *filacha* (vid. *hilacha*) con *almáciga* y su variante *almástica*, por emplearse la filástica para reparar y aforrar cabos, tal como la almáciga para reparar y proteger cristales. *Filete* 'lista que forma parte de una moldura', 1580, del it. *filetto* íd.; en la acepción 'solomillo', med. S. XIX, del fr. *filet*, 1690, que antes significó 'espaldar del animal' y propte. 'médula' (por la forma ahilada de ésta). *Filón*, h. 1800, del fr. *filon* íd. *Desfilar*, 1684, del fr. *défiler*, deriv. de *file* 'fila'; *desfiladero*, 1705; *desfile*, 1843. *Enfilar* 'poner en fila', 1732, del fr. *enfiler*, S. XIII; *desenfilar. Perfil*, 1495, de oc. ant. *perfil* 'dobladillo', de donde 'contorno de un objeto', deriv. de *perfilar* 'dobladillar'; *perfilar*, 1495. *De refilón* 'de soslayo', 1843, deriv. de *filo*. CPT. *Hilvanar*, 1607, deriv. de *hilo vano*, en el sentido de 'ralo, distanciado'; *hilván*, 1607. *Filiforme. Filigrana*, 1488, del it. *filigrana*, formado con *grano*, que en it. se emplea como término de orfebrería para pequeñas partículas de metales; *afiligranar; afiligranado. Filipéndula*, 1555, con el lat. *pendŭlus* 'colgante'. *Filoseda. Retahila*, 1737: el primer componente es dudoso, quizá cultismo sacado del plural *recta fila* 'hileras rectas', a no ser que se tomara del cat. valenciano *retafila* íd., de formación paralela.

Hilván, hilvanar, V. *hilo*

HIMENEO, 1610, lat. *hymenaeus*. Tom. del gr. *hyménaios* 'canto nupcial', 'bodas', propte. 'dios del himeneo', deriv. de *Hymēn* íd. Es inseguro si el gr. *hymēn, -énos*, 'membrana' (de donde el cast. *himen* 'repliegue membranoso que cubre la vagina virginal', S. XX) es el mismo vocablo u otro independiente, relacionándose aquél con el sentido de *hýmnos* 'himno'.

CPT. *Himenóptero,* cpt. de *hymēn* 'membrana' y *pterón* 'ala'.

HIMNO, 1220-50, lat. *hymnus.* Tom. del gr. *hýmnos* íd.
DERIV. *Himnario.*

HINCAR, h. 1140 (*ficar,* fin S. X). Del lat. vg. *FĪGĬCARE, deriv. del lat. FĪGĔRE; la *n* quizá se explique por influjo del provincialismo norteño *finsar* 'poner un mojón', *finso* 'hito', que sale por vía culta del lat. FIXUS 'clavado', con el cambio de *cs* en *ns,* nada raro en los semicultismos.
DERIV. *Ahincar,* 1220-50; *ahinco,* 1438. De *fincar* en el sentido medieval de 'permanecer, quedar', como arcaísmo jurídico, viene *finca*: al sentido moderno 'propiedad inmueble', 1817, parece haberse llegado desde la idea de 'saldo que queda por pagar de una deuda o lo que queda al antiguo deudor después de pagarla toda', 1611, de donde 'suma de dinero', 'capital del que se saca una renta', 'heredad que produce rentas'; de ahí *fincarse* o *afincarse* 'adquirir fincas'; *finquero.*
CPT. *Hincapié,* 1615.

HINCHAR, 1220-50. Del lat. INFLARE 'soplar dentro de algo', 'hinchar', deriv. de FLARE 'soplar'. Variante culta: *Inflar,* 1444.
DERIV. *Hincha. Hinchazón,* 1490. *Deshinchar,* 1495. De *inflar: inflación,* 1438.

HINOJO (planta umbelífera), h. 1400 (el deriv. *Finojosa* ya 1148). Del lat. tardío FENŬCŬLUM íd. (clásico FENICULUM), diminutivo de FENUM 'heno'. La *i* se explica por la atracción y confusión que se produjo entre esta palabra y la medieval *hinojo* 'rodilla' (*inojo,* h. 1140), resultante de *yenojo,* lat. vg. GENUCULUM (lat. GENU 'rodilla'); confusión que fue causa de la desaparición de este homónimo.

HIOIDES, h. 1730. Tom. del gr. *hyoeidēs* íd., así llamado por la forma de este hueso, que recuerda la de la letra griega υ (*y*).
DERIV. *Hioideo.*
CPT. *Hiogloso,* formado con gr. *glóssa* 'lengua'.

HIPÁLAGE, 1580, tom. del gr. *hypallagē,* deriv. de *állos* 'otro', *alláttō* 'yo altero'.

HIPAR, 1490. Onomatopeya; el lat. vg. *hippitare* (o *hippacare, hippicare*) y el port.

impar son onomatopeyas paralelas; otra variante es el cast. *himplar,* 1843, y el familiar *pimplar* 'beber', 1914, resulta de una alusión festiva al ruido del bebedor que traga, con influjo en *pimplar* de *piar* 'beber', propte. 'emitir su voz las aves'.
DERIV. *Hipo,* 1495.

HIPÉRBATO(N), 1580, lat. *hyperbăton.* Tom. del gr. *hyperbatón* íd., deriv. de *hyperbáinō* 'yo paso por encima, atravieso' (y éste de *báinō* 'yo voy').
DERIV. *Hiperbático.*

HIPÉRBOLE, 1515, e **HIPÉRBOLA,** 1709, tomados del gr. *hyperbolē* 'exceso, exageración', 'curva cuyo plano excede en inclinación la de la superficie del cono cortado por él', deriv. de *hyperbállō* 'yo lanzo más allá, excedo', y éste de *bállō* 'yo lanzo'.
DERIV. *Hiperbólico. Hiperbolizar. Hiperboloide.*

Hiperbóreo, V. *bóreas   Hiperclorhidria, hiperclorhídrico,* V. *cloro   Hiperestesia, hiperestesiar,* V. *estético.*

HIPÉRICO, 1555, lat. *hyperĭcon.* Tom. del gr. *hyperéikon* íd. Vulgarmente *pericón.*

Hipertrofia, hipertrofiar, hipertrófico, V. *trófico*

HÍPICO, S. XIX. Tom del gr. *hippikós* 'perteneciente al caballo', deriv. de *hippós* 'caballo'.
DERIV. *Hipismo,* S. XX.
CPT. *Hipocampo,* 1822, gr. *hippókampos,* formado con *kámpē* 'curvatura'. *Hipocentauro,* 1734. *Hipódromo,* princ. S. XVII, gr. *hippódromos* íd., con el gr. *édramon* 'yo corrí'. *Hipogrifo,* 1605, del it. *ippogrifo,* creación del Ariosto (con *grifo*). *Hipómanes,* 1629, gr. *hippomanēs,* con gr. *máinomai* 'enloquezco'. *Hipopótamo,* 1555, griego *hippopótamos* íd., con *potamós* 'río'.

HIPNÓTICO, S. XIX, lat. *hypnotĭcus.* Tom. del gr. *hypnōtikós* 'soñoliento', 'soporífico', deriv. de *hýpnos* 'sueño'.
DERIV. *Hipnosis,* S. XX. *Hipnotismo,* S. XIX. *Hipnotizar,* S. XIX; *hipnotizador; hipnotización.*

Hipo, V. *hipar   Hipocampo, hipocentauro,* V. *hípico*

HIPOCONDRIO, 1581, 'región del cuerpo situada debajo de las costillas falsas'. Tom. del gr. *hypokhóndrion* íd., deriv. de *khóndros* 'cartílago' (con *hypo-* 'debajo').
DERIV. *Hipocondría,* 1635, enfermedad que se creía originada en los hipocondrios; *hipocondríaco,* h. 1600.

HIPOCORÍSTICO 'dicho de la forma familiar que toman ciertos nombres de pila, esp. en boca de los niños o de los adultos que imitan su lenguaje (como *Quico* por *Francisco)*', 1867. Tom. del gr. *hypokoristikós* 'acariciativo', 'diminutivo', deriv. de *hypokorízomai* 'yo hablo a la manera de los niños', 'llamo con diminutivos o expresiones cariñosas' (y éste de *kórē* 'niña').

HIPOCRÁS 'bebida hecha con una mezcla de vino y otros ingredientes', 1525. Del fr. *hypocras* íd., 1415, de *Hippocras*, nombre que se daba en la Edad Media al famoso médico griego Hipócrates (nombre mal interpretado como si fuese un deriv. del gr. *krâsis* 'mezcla').

HIPOCRESÍA, 1438. Tom. del gr. tardío *hypokrisía* íd. (clásico *hypókrisis*), propiamente 'acción de desempeñar un papel teatral', deriv. de *hypokrínomai* 'yo contesto', 'dialogo'.
DERIV. *Hipócrita*, 1438, lat. *hypocrita*, gr. *hypokritḗs* 'actor teatral'.

Hipodérmico, V. *dermatosis   Hipódromo*, V. *hípico   Hipófisis*, V. *físico   Hipogástrico, hipogastrio*, V. *gástrico   Hipogeo*, V. *geo—   Hipogrifo, hipómanes, hipopótamo*, V. *hípico   Hipóstasis, hipostático*, V. *estático   Hiposulfato, hiposulfito, hiposulfuro*, V. *azufre   Hipoteca, hipotecar, hipotecario*, V. *tesis*

HIPOTENUSA, 1633, lat. *hypotenūsa*. Tom. del gr. *hypotéinusa*, participio activo fem. de *hypotéinō* 'yo tiendo una cuerda fuertemente'.

Hipótesis, hipotético, V. *tesis*

HIPSÓMETRO, 1884. Cpt. culto del gr. *hýpsos* 'altura' y *métron* 'medida'.
DERIV. *Hipsometría. Hipsométrico*.

HIRSUTO 'dicho del pelo duro e inculto', princ. S. XVII. Tom. del lat. *hirsūtus* íd.

Hirviente, V. *hervir*

HISOPO 'mata olorosa de la familia de las labiadas', 1495; 'aspersorio', 1220-50. Tom. del lat. *hyssōpum* 'hisopo (planta)', y éste del gr. *hýssōpos* íd., que a su vez es de origen semítico. La segunda acepción se explica por la costumbre de emplear hacecillos de hisopo para hacer aspersorios.
DERIV. *Hisopillo. Hisopear*.

HÍSPIDO, S. XVIII. Tom. del lat. *hispĭdus* 'erizado', 'áspero'. La variante más popular *ríspido*, 1588 (más extendida en portugués, med. S. XVI), se debe a un cruce de *híspido* con *rígido* o con *arisco*.

HISTÉRICO, 1765-83, lat. *hysterĭcus*. Tomado del gr. *hysterikós* 'relativo a la matriz y a sus enfermedades', deriv. de *hysterá* 'matriz', por atribuirse a este órgano la causa del histerismo.
DERIV. *Histerismo*, 1884.

Histología, histólogo, V. *estático*

HISTORIA, 1220-50. Tom. del lat. *histŏria* íd., y éste del gr. *historía* 'búsqueda, averiguación', 'historia', deriv. de *histōr* 'sabio, conocedor' (del mismo radical que *óida* 'yo sé').
DERIV. *Histórico*, 1490, gr. *historikós*; *historicidad. Historieta*, 1765-83, del fr. *historiette. Historiar*, h. 1400; *historiado*; *historiador*, h. 1295. *Prehistoria*; *prehistórico*; *prehistoriador*.
CPT. *Protohistoria*, formado con gr. *prôtos* 'primero'. *Historiógrafo*, 1438; *historiografía*.

HISTRIÓN, 1613. Tom. del lat. *histrio, -ōnis*, 'comediante, actor', 'mimo'.
DERIV. *Histriónico. Histrionisa. Histrionismo*, 1884.

HITO 'mojón', 1074, 'blanco'. Antiguamente adjetivo con sentido de 'clavado, hincado' (SS. XI-XIV). Del lat. arcaico y vulgar FĪCTUS, -A, -UM, íd., participio de FIGĔRE 'clavar'.
DERIV. *Ahito*, h. 1490, lat. INFĪCTUS, participio de INFĪGĔRE 'clavar o hundir en algo'; *ahitar*, princ. S. XVI.

Hocicar, hocico, hocicudo, V. *hozar   Hogaño*, V. *año   Hogar, hogareño, hogaza, hoguera*, V. *fuego*

HOJA, 1191. Del lat. FŎLĬA, plural de FŎLĬUM íd. Variante culta: *folio*, princ. S. XVII; la antigua *foja* corre todavía en el habla curialesca, sobre todo en América.
DERIV. *Hojarasca*, princ. S. XVII. *Hojear*, h. 1600; o *trashojar. Hojoso*, 1495. *Hojuela*, 1495. *Deshojar*, 1495. *Hojaldre*, 1490, del antiguo *hojalde*, 1495, del lat. (MASSA) FOLIATĬLIS 'de hojas, hojosa'; *hojaldrado* o *ahojaldrado*, 1555. *Follaje*, h. 1600, del cat. *fullatge* (deriv. de *fulla* 'hoja'); *follajería*, 1438. *Folleto*, 1732, del it. *foglietto*; *folletista*; *folletín*; *folletinesco*. De *folio*: *Foliar*; *foliación. Foliáceo. Exfoliar*; *exfoliación. Interfoliar*.
CPT. *Hojalata*, 1884, antes *hoja de lata*, 1680; *hojalatero*, 1765-83. *Infolio*.

¡HOLA!, 1552. Voz de creación expresiva; variantes análogas a la castellana vemos en el fr. *holà*, el ingl. *halló* (o *helló*), el alem. *hallo*, etc. Comp. el cast. *hala*.

HOLANDA (lienzo fino), 1495. Del nombre de Holanda, de donde se traía.
DERIV. *Holandilla*, 1636, de donde el fr. *holandille*.

HOLGAR 'descansar, estar ocioso', h. 1140; 'divertirse, disfrutar, alegrarse', med. S. XIV. Antiguamente *folgar*, palabra común a las tres lenguas romances hispánicas, procedente del lat. tardío FŎLLĬCARE 'resollar, jadear', 'ser holgado (el calzado, etc.)', deriv. de FŎLLIS 'fuelle'. Las dos acepciones latinas coincidieron en la primera castellana, por la imagen del caminante que se detiene para tomar aliento en una cuesta, y por comparación del ocio con la holgura de las prendas de vestir.
DERIV. *Holgado*, 1220-50. *Holganza*, 1220-50. *Holgazán*, 1464, deriv. del antiguo verbo *holgazar* 'pasarlo bien', 'no querer trabajar', 1464, con la terminación de *haragán*; *holgazanear*, 1513; *holgazanería*, S. XVII. *Holgorio*, 1734: suele pronunciarse *jolgorio* en forma afectiva y aflamencada. *Holgura*, 1220-50. *Huelga*, 1513; variante andaluza *juerga*, fin S. XIX; *juerguista*; *huelguista*; *huelguístico*.

HOLO-, primer elemento de cpts. cultos, del gr. *hólos* 'entero'. *Holocausto*, hacia 1440, gr. *holókaustos* '(sacrificio) en que se abrasa la víctima por entero', formado con *káiō* 'yo quemo'. *Hológrafo*, 1765-83, lat. tardío *holográphus*, formado con el gr. *gráphō* 'yo escribo', en el sentido de 'escrito totalmente por el testador'. *Holosérico*, con gr. *sērikós* 'de seda'. *Holoturia*, 1925, gr. *holothúria*, plural de *holothúrion* íd.

HOLLAR, 1220-50, 'pisar'. Del mismo origen que el fr. *fouler* íd., oc. *folar*, retorrománico *fular*, it. anticuado *follare* 'abatanar'. Es decir, del lat. vg. FULLARE 'abatanar', emparentado con el lat. FŬLLO, -ONIS, 'batanero'.
DERIV. *Huella*, 1490. *Folla* 'lance del torneo en que batallan dos cuadrillas desordenadamente', 1552, con *f-* conservada por arcaísmo del lenguaje caballeresco; de ahí 'desconcierto, desbarajuste', 'mezcla', h. 1640; 'diversión teatral compuesta de varios pasos de comedia inconexos', h. 1730, hoy popularmente *mala ʰolla* 'poca gracia, mala pata' (comp. *follón* 'lío, desbarajuste'). *Fular*, S. XX, del fr. *foulard* íd., quizá derivado del citado *fouler*.

Hollejo, V. *fuelle*

HOLLÍN, fin S. XIII. Del lat. vg. FŬLLĪGO, -ĪGĬNIS, íd. (clásico FŪLĪGO). Figuradamente *jollín* 'jolgorio' en forma andaluza.
DERIV. *Deshollinar*; *deshollinador*. Cultismos: *Fuliginoso*; *fuliginosidad*.

HOMBRE, med. S. X. Del lat. HŎMO, -ĬNIS, íd.
DERIV. *Hombrada*. *Hombrear*. *Hombrecillo*, 1604. *Hombretón*. *Hombría*. *Hombruno*, 1605. *Superhombre*, imitado del alem. *übermensch*, 1527, poco empleado hasta Nietzsche (1883). *Homenaje*, h. 1140, del oc. ant. *omenatge* íd., deriv. de *ome* 'hombre' en el sentido de 'vasallo'; *homenajear*.
CPT. *Eccehomo*, lat. *ecce homo* 'he aquí el hombre', frase pronunciada por Pilatos al entregar a Jesús. *Homicida*, 1444, lat. *homicīda*, formado con *caedĕre* 'matar'; *homicidio*, princ. S. XVII (antes *omezillo*, 1157-S. XV, que acaba tomando el sentido de 'enemistad'), lat. *homicidium* íd.

HOMBRO, h. 1140. Del lat. ŬMĔRUS íd. De ahí también *húmero*, 2.ª mitad S. XIX, por vía culta.
DERIV. *Hombrero*. *Humeral*, 1220-50, tomado del lat. tardío *umerale* 'capa'.
CPT. *Omóplato*, princ. S. XVIII, tom. del gr. *ōmoplátē*, formado con *plátē* 'llano' y *ōmós* 'espalda' (voz afín al lat. *umerus*).

Hombruno, homecillo, homenaje, V. *hombre*   *Homeópata, homeopatía*, V. *homo-*   *Homicida, homicidio*, V. *hombre*   *Homilía*, V. *homo-*   *Hominicaco*, V. *monigote*

HOMO-, elemento prefijado de compuestos cultos, del gr. *homós* 'igual'. *Homófono*; *homofonía*. *Homogéneo*, 1709, lat. escolástico *homogeneus*, gr. *homogenḗs* íd., formado con *génos* 'linaje', 'género'; *homogeneidad*, 1734. *Homólogo*, 1734, gr. *homólogos* 'acorde', 'correspondiente' (formado con *légō* 'yo digo'); *homologar*, 1441. *Homónimo*, 1757, gr. *homṓnymos* 'que lleva el mismo nombre' (con *ónoma* 'nombre'); *homonimia*. *Homosexual*; *homosexualidad*. *Homilía*, 1584, gr. *homilía* 'reunión', 'conversación familiar', formado con *hílē* 'grupo, compañía'. Con gr. *hómoios* 'semejante' y *páthos* 'enfermedad' se formó *homeopatía*, 1884, de donde *homeopático* y *homeópata*.

HONDA, 1220-50, 'trenza de cáñamo o materia semejante para tirar piedras con violencia'. Del lat. FŬNDA íd.
DERIV. *Hondada. Hondero*, 1490.

HONDO, del antiguo *fondo*, 1220-50, y éste probablemente sacado de la antigua forma dialectal *perfondo*, 2.ª mitad S. XIII, procedente del lat. PROFŬNDUS íd. *Per-* se eliminaría por haberse tomado por un prefijo aumentativo (como lo era en los antiguos *perdañoso, perfeo, peripuesto*, etc.); comp. *perhundo* en el lenguaje pastoril del S. XV. El duplicado culto *profundo*, 1335.

DERIV. *Hondura*, 1490. *Ahondar*, 1220-50. *Fondo*, sust., 1220-50, del lat. FŬNDUS íd. (del cual es deriv. PROFUNDUS); en la Edad Media el vocablo era mucho menos usado que su deriv. *hondón*, 1084-1495, y al restablecerse en el S. XVI el empleo del primitivo bajo el influjo del latín, se le dio la forma con *f-*, que tenía la ventaja de permitir distinguirlo del adjetivo *hondo*; *hondonada*; *desfondar*; *desfonde*; *fondear*, 1520; *fondeadero*, 1526.

Fundo 'predio rústico', S. XVII, tom. del lat. *fŭndus* íd.

Funaar, 2.ª mitad S. XIV, tom. del lat. *fundare* 'poner los fundamentos'; *fundación*; *fundado*; *infundado*; *infundio*. *Fundador*. *Fundamento*, med. S. XIII; *fundamental*; *fundamentar*. De *profundo*: *profundidad*, h. 1440; *profundizar*.

Honestidad, *honesto*, V. *honor*

HONGO, h. 1400. Del lat. FŬNGUS íd. DERIV. cultos: *Fungoso*; *fungosidad*.

HONOR, med. S. X. Del lat. HONOS, -ŌRIS, íd. DERIV. *Honrar*, h. 1140, lat. HONORARE íd.; *honrado*; *honradez*; *honra*, 1140; *honrilla*; *honroso*. *Deshonrar*, h. 1140; *deshonra*, h. 1275; *deshonroso*. *Deshonor*, h. 1140. Cultismos: *Honorable*, 1433; *honorabilidad*. *Honorario*, 1220-50, tom. del lat. *honĕstus* 'honorable, honesto', del mismo radical que el lat. *honos*; *honestidad*, 1438; *cohonestar*, lat. *cohonestare* 'realzar, embellecer'. *Deshonesto*, 1444; *deshonestidad*, 1438.

CPT. *Honorífico*.

Hontanar, V. *fuente*

HOPALANDA 'vestidura talar larga y pomposa', 1412. Vocablo común a las lenguas hispánicas con las de Francia, donde se halla desde 1281. Parece ser debido a un cruce del sinónimo *hopa*, med. S. XIV, con otra palabra, quizá *balandrán*, princ. S. XV, voz de significado análogo, de la cual existen en Italia las variantes *pelanda*, *palandra*, *palandrano*, y es voz de creación expresiva. *Hopa* y su sinónimo *loba*, 1.ª mitad S. XVI, vienen probablemente del gr. *lōpē* 'vestido o manto de piel', que perdió la *l-* por confusión con la del artículo.

HOPO 'copete o mechón de pelo', 1605, también pronunciado *jopo*. Del fr. ant. *hope* 1.ª mitad S. XIV (hoy *houppe*) 'copete', 'mechón o tupé', 'borla', y éste del fr. dial. *hoppe*, *houppe* 'abubilla' (en francés común *huppe*), procedente del lat. ŬPŬPA íd.

HORA, h. 1140. Del lat. HŌRA íd., y éste del gr. *hŏra* 'rato', 'división del día', 'hora'.

DERIV. *Horario*, 1734. CPT. *Ahora*, 1335; antes *agora*, 1107, del lat. HĀC HŌRA 'en esta hora' (la pérdida de la *-g-* se debe a la pronunciación rápida y descuidada que es propia de las partículas muy usadas). *A deshora*, 1220-50; el sentido 'intempestivamente' no está comprobado hasta fin del S. XVI, y se debe al influjo del sustantivo *deshora* 'hora inoportuna', S. XVII; pero el sentido antiguo de la locución *a deshora* era 'de repente' y viene de *de soora*, donde *so-* corresponde al lat. SUB 'debajo'. *Enhorabuena*, h. 1600; *enhoramala*, 1605 (o *norabuena*, *noramala*). *Horóscopo*, princ. S. XVII, del gr. *hŏróskopos*, formado con el gr. *skopéō* 'yo miro, examino'.

HORADAR 'perforar, agujerear', h. 1140, deriv. del antiguo *horado* (o *forado*) 'agujero', SS. XII-XVI, procedente del lat. tardío FORATUS, -US, 'perforación', que a su vez es deriv. de FORARE 'horadar'. El dialectal *buraco* 'agujero' parece ser voz prerromana indoeuropea afín a este verbo latino; de un cruce con éste vienen formas intermedias como *huraco* (*furaco*).

DERIV. *Perforar*, 1843, tom. del lat. *perforare* íd., deriv. de *forare*; *perforación*; *perforador*.

Horario, V. *hora*

HORCA, 1070. Del lat. FŬRCA 'horca de labrador'. Desde este sentido pasó ya en latín clásico, por similitud de forma, a designar un 'palo hincado en el suelo y bifurcado en lo alto, empleado para ahorcar a los condenados, cuyo pescuezo se sujetaba a la bifurcación por medio de un travesaño'. Más tarde el nombre de *horca* se aplicó a otros dispositivos empleados para ejecutar por suspensión y estrangulación.

DERIV. *Horcajo*, 1495; *a horcajadas*, 1817; *ahorcajarse*. *Horcón*, princ. S. XVII. *Horqueta*, S. XIX. *Horquilla*, 1611; *ahorquillar*. *Ahorcar*, 1469; antes *enforcar*, 1202; *ahorcado*.

HORCHATA, 1734, cat. *orxata*, 1797. Del lat. HORDEATA 'hecha con cebada', derivado de HORDEUM 'cebada'. Está claro que no es palabra hereditaria en castellano, pero cabe dudar entre suponer que se tomase del it. *orzata* íd., 1570, o admitir que es mozarabismo de procedencia valenciana, según parece más verosímil, aunque no tengamos comprobación de la existencia antigua del vocablo en Valencia.

DERIV. *Horchatero*; *horchatería*.

HORDA, h. 1830. Viene del tártaro *urdu* 'campamento', prope. '(tiendas) armadas, montadas', deriv. del verbo *urmaḳ* 'hincar, clavar'. En castellano se tomó por conducto del fr. *horde*, 1559, pero no se puede determinar con seguridad el resto del camino seguido por el vocablo.

HORIZONTE, h. 1440, lat. *horizon, -ŏntis*. Tom. del gr. *horízōn, -ontos*, íd., participio activo de *horízō* 'yo delimito'. DERIV. *Horizontal*, h. 1612; *horizontalidad*. *Horópter*, cpt. culto del gr. *hóros* 'límite' (de donde el gr. *horízō*), con gr. *optèr* 'el que mira'.

Horma, V. *forma*

HORMIGA, 1328-35. Del lat. FORMĪCA íd. DERIV. *Hormiguillo*, 1611. *Hormiguear*, 1495; *hormigueo*. *Hormiguero*, 1495. Cultismos: *Formicante*. *Fórmico*, ácido que se halla en la secreción de las hormigas; de ahí *formiato* y el cpt. *formaldehído*, de cuyo radical se sacó a su vez *formol*, solución acuosa del formaldehído.

HORMIGÓN, 1495, 'mezcla compuesta de piedras menudas y mortero de cal y arena'. Deriv. de *hormigos* 'plato de repostería hecho con almendras o avellanas tostadas y machacadas con miel', 1495, por la semejanza de composición, comparando las piedras del hormigón con las almendras o avellanas de los hormigos. *Hormigos* es palabra algo anticuada que también significó 'gachas de trigo o maíz quebrantados o pan desmenuzado, cocidos con pan o leche', 1335, y 'partes más gruesas que quedan en el arnerillo al cribar la sémola o trigo quebrantado', 1734: deriva probablemente de *hormiga*, por comparación de los granitos de trigo que quedan en el arnerillo o en las gachas con las hormiguillas que bullen en el hormiguero.

Hormigos, V. *hormigón*   *Hormiguear*, *hormiguero*, V. *hormiga*

HORMÓN, 1925 o 1936, y menos correctamente *hormona*. Tom. del gr. *hormôn*, participio activo de *hormáō* 'mover', 'excitar'. DERIV. *Hormonal*.

HORNO, 1129. Del lat. FŬRNUS íd. DERIV. *Hornada*, 1495. *Hornazo*, 1490. *Hornear*, 1495. *Hornero*, 1170. *Hornija*, 1234. *Hornillo*, 1570. *Sahornarse* 'escocerse una parte del cuerpo', propte. 'escaldarse', de *so-hornarse*. *Hornaza*, 1495; antes *fornaz* o *fornace*, femeninos, princ. S. XIII: del lat. FORNAX, -ACIS, fem., 'horno de cal o de alfarero', 'hornaza' (voz emparentada en latín con FURNUS, aunque no deriv. de él); de ahí *hornaguera*, *hornaguero*, 1495; *hornaguear*, 1495; *ahornagarse*

Hornalla 'especie de horno grande', 1553, también *fornalla*, princ. S. XIV, probablemente del gall.-port. *fornalha* íd., procedente del lat. FORNACŬLA, diminutivo del citado FORNAX. *Hornacina*, 1504, lat. vg. *FORNĪCĪNA*, diminutivo de FORNIX, -ĪCIS, 'roca agujereada' (de la misma familia que FURNUS y FORNAX).

HORÓN 'serón grande y redondo', 1495. Del lat. AERO, -ŌNIS, 'especie de cesta o espuerta de mimbres, esparto, etc.'. Palabra viva en el Sur de España, donde puede proceder del dialecto mozárabe, lo cual explicaría el cambio de *e-* en *o-*.

Horópter, V. *horizonte*   *Horóscopo*, V. *hora*   *Horqueta, horquilla*, V. *horca*   *Horrendo, horrible, hórrido, horripilante, horripilar*, V. *horror*   *Horro*, V. *ahorrar*

HORROR, 1574. Tom. del lat. *horror, -ōris*, 'erizamiento', 'estremecimiento', 'pavor', deriv. de *horrēre* 'erizarse', 'temblar'. DERIV. *Horroroso*, 1702. *Horrendo*, h. 1525, lat. *horrĕndus* 'que hace erizar los cabellos', de *horrere*. *Horrible*, 1438, lat. *horrĭbĭlis* íd. *Hórrido*, 1499, lat. *horrĭdus*. CPT. *Horripilar*, 1869, lat. *horripilare* 'hacer erizar los cabellos', formado con *pilus* 'pelo'; *horripilación*; *horripilante*. *Horrísono*, h. 1580, lat. *horrisŏnus*.

Hortaliza, hortelano, hortense, hortensia, V. *huerto*

HORTERA 'escudilla o cazuela de palo', med. S. XIII, y hoy secundariamente 'mancebo de una tienda de mercader', 1765-83. Primero designó *fortera* una vasija de metal precioso, 1022. Origen incierto, probablemente del bajo lat. OFFERTŌRĬA 'especie de patena de metal', pasando por *fortoria* y *fortuera*.
Horticultor, horticultura, V. *huerto*

HOSCO, 1335 (*fosgo*, 1008). Del lat. FŬSCUS 'pardo oscuro', 'oscuro'; significado que todavía conserva *hosco* en algunas partes, pasando figuradamente a 'arisco' o 'ceñudo', princ. S. XVII. DERIV. *Ofuscar*, 1574, tom. del lat. *offuscare* 'oscurecer'; *ofuscación*.

Hospedaje, hospedar, hospedería, hospicio, hospital, hospitalario, hospitalidad, hospitalizar, hostería, V. *huésped*

HOSTIA 'oblea empleada para el sacrificio de la misa', 1220-50. Tom. del lat. *hostia* 'víctima de un sacrificio religioso', por comparación de los ritos cristianos con los del paganismo.

HOSTIGAR, 1220-50. Del lat. tardío FŪS-TĪGĀRE 'azotar con bastón', deriv. de FŪSTIS 'bastón, palo'. *Fustigar* es cultismo, 1765-83.

HOY, h. 1140. Del lat. HŎDĬE íd.

HOYA, 1220-50. Probablemente del lat. FŎVĔA 'hoyo, excavación'. DERIV. *Hoyo*, 981. *Hoyada*, 1734. *Hoyito. Hoyuelo*, 1495. *Rehoyo*, S. XV.

HOZ 'instrumento para segar', 1220-50. Del lat. FALX, FALCIS, íd. DERIV. *Hocino* 'instrumento de cortar leña', 1220-50. *Hocino* 'angostura', 1611, deriva del antiguo *foz* 'angostura de un valle', del lat. FAUX, -CIS, 'garganta', que por vía culta dio *fauces*, 1624, y su deriv. *faucal*.

HOZAR 'mover y levantar la tierra con el hocico', 1475. Del lat. vg. *FODIARE* 'cavar', deriv. del lat. FŎDĔRE. DERIV. *Hocicar*, 1490, 'hozar'; *hocico* 'boca prominente del cerdo y otros animales', 1490; *hocicudo.*

HUCHA 'alcancía', 1611, propte. 'arca grande que tienen los labradores para guardar objetos', 1734. Del fr. *huche* 'cofre para guardar harina, etc.', h. 1200, procedente de una forma HŪTĬCA, h. 800, del romance primitivo. Ésta es de origen desconocido, quizá germánico.

Huchear, ¡hucho!, V. *abuchear   Huebra,* V. *obrar   Hueca* 'muesca', V. *hueco*

HUECO 'cóncavo, vacío de en medio', 1251. El sentido primitivo parece ser el de 'mullido y esponjoso (hablando de la tierra, lana, etc.)' y 'ralo (hablando de un bosque)' (sin duda tan antiguo como el otro aunque no se compruebe hasta fecha moderna, pero V. *oquedal,* abajo). Deriva del verbo *ocar,* 1550 (o *aocar*), 'volver esponjoso', 1513, 'poner una cosa hueca y liviana', 'cavar', 'hozar', que procede del lat. ŎCCARE 'rastrillar la tierra para que quede mullida o hueca' (a su vez deriv. de OCCA 'rastrillo'). DERIV. *Oquedad* 'concavidad', 1495. *Oquedal* 'monte ralo', 1644. *Ocal,* dicho del capullo formado por dos o más gusanos juntos (por el hueco que ellos dejan entre sí), 1599, y también de ciertos frutos de gran tamaño, 1611. *Ahuecar. Hueca* 'muesca del huso', 1490, es palabra independiente de *hueco,* procedente del tipo prerromano y precéltico *ŎSCA 'muesca' (que se extiende desde Galicia hasta el Norte de Francia), alterado bajo el influjo de su sinónimo *CŎCCA (fr. *coche,* it. *cocca*), también de origen oscuro, quizá ayudando al influjo concurrente de *hueco;* de *hueca* parece derivar *oqueruela* 'lazadilla que la hebra forma por sí sola al coser',

1737, por la frecuencia con que se forman oqueruelas junto a la muesca del huso. CPT. *Huecograbado.*

HUÉLFAGO 'enfermedad de las caballerías y de las aves de caza, que las hace respirar con dificultad y deprisa', h. 1324. Origen incierto; teniendo en cuenta que el antiguo *folgar* (hoy *holgar*) es deriv. de FŎLLIS 'fuelle' y significaba antiguamente 'resollar', es muy posible que un deriv. *fuélgago* (formado con el sufijo átono *-ago*) se cambiara en *güélfago* por metátesis, en el cual la *g-* se eliminaría por creerla debida a una pronunciación vulgar, como *güevo* por *huevo.*

Huelga, huelguista, V. *holgar   Huella,* V. *hollar*

HUÉRFANO, 1170. Del lat. tardío ŎRPHĂNUS, y éste del gr. *orphanós* íd. DERIV. *Huérfana,* med. S. XIII. *Orfandad,* 1495. *Orfanato* (*orfelinato* es galicismo, derivado del fr. *orphelin*); *orfanotrofio,* cpt. con gr. *tréphō* 'yo nutro'.

HUERO '(huevo) que por no estar fecundado o por cualquier otra causa se pierde en la incubación', 1734; antes *güero* íd., 1495 (y como sustantivo, h. 1400, en el sentido de 'estado de la gallina que incuba'), en portugués *gôro.* Deriv. del port. y cast. dialectal *gorar* 'empollar, incubar', que procede de un verbo hispánico *GŌRARE íd., de origen céltico, hoy conservado en el celta insular: galés *gori* 'incubar', irl. ant. *gorim* 'calentar', irl. mod. *gor* 'incubación', bretón *gor* 'calor' (del céltico se tomó también el vasco *gori* 'ardiente'). De la idea del *huevo huero* se pasó a la de 'cosa malograda o sin sustancia, en general'; de ahí a 'hombre enfermizo, que no sale de casa por temor del tiempo', de donde el mejicano *huero* 'de tez blanca', 'rubio' y finalmente 'norteamericano'.

HUERTO, 1107. Del lat. HŎRTUS 'jardín', 'huerto'. DERIV. *Huerta,* h. 1140; *huertano. Hortaliza,* 1290. *Hortelano,* 1269; antes *ortolano,* 1232, del lat. tardío HORTŬLANUS íd., deriv. del diminutivo HORTŬLUS 'huertecillo'. *Hortense. Hortensia,* nombre dado a esta planta en honor de la dama francesa Hortense Lepaute, S. XVIII, cuyo nombre de pila procede del lat. *Hortensia,* a su vez relacionado con HORTUS. CPT. *Horticultor; horticultura.*

Huesa, V. *fosa*

HUESO, 1220-50. Del lat. vg. ŎSSUM íd. (clásico OS, ŎSSIS). En la acepción secundaria 'hueso de fruta', 1495.

Deriv. *Huesezuelo. Huesoso* u *ososo. Huesudo* u *osudo. Desosar*, 1495. *Osamenta*, 1569. *Sobrehueso. Osario*, 1335, lat. tardío *ossarium. Óseo.* Del gr. *ostéon*, hermano y sinónimo del lat. *os*: *Osteoma*; *osteítis. Periostio*; *periostitis.*

Cpt. *Sinhueso* 'lengua', S. XIX. *Osificarse*; *osificación. Osífrago, -ga*, formados con *frangere* 'quebrantar'. Del griego: *Osteolito. Osteomalacia. Osteomielitis, Osteología*; *osteólogo. Osteotomía.*

HUÉSPED, h. 1140. Del lat. hŏspes, -ĭtis, 'hospedador' y 'hospedado'.
Deriv. *Huéspeda*, 1057. *Hospedar*, h. 1140; *hospedaje*, 1490; *hospedería. Hostería*, 1517, del it. *osterìa* íd., donde deriva del anticuado *oste* 'posadero', a su vez tomado del fr. ant. *oste* (hoy *hôte*), hermano del cast. *huésped. Hotel*, 1855, del fr. *hôtel* íd., y éste del lat. hospitale 'habitación para huéspedes'; *hotelero. Hospital*, 1154, descendiente culto del mismo vocablo latino; *hospitalario*, 1917; *hospitalidad*, h. 1640; *hospitalizar. Hospicio*, h. 1310, tom. del lat. *hospĭtium* 'alojamiento'; *hospiciano. Inhóspito*; *innospitalario.*

HUESTE 'ejército', h. 1140. Del lat. hŏstis 'enemigo, especialmente el que hace la guerra', que en latín vulgar tomó el sentido colectivo de 'ejército enemigo' y después 'ejército en general', S. VI.
Deriv. *Hostil*, fin S. XVI (una vez h. 1450). tom. del lat. *hostīlis* 'enemigo, hostil'; *hostilidad*, 1631; *hostilizar*, 1734.

HUEVO. 1220-50. Del lat. ŏvum, en latín vulgar pronunciado con o abierta.
Deriv. *Hueva*, h. 1560. lat. ova, plural de ovum. *Aovar* u *ovar*, 1495; *ovado. Overa. Oval*, h. 1580.
Óvalo, 1611, del it. *òvolo* 'adorno en figura de huevo' con influjo del adjetivo *oval*; *ovalado. Óvulo*, del diminutivo latino de ovum; *ovulación. Ovario*; *ovárico*; *ovaritis. Desovar*, 1604· *desovado*, 1495: *desove. Oidio*, del gr. *ōidion*, diminutivo de *ōón* 'huevo', hermano del lat. *ovum. Oolito*, formado con esta voz griega y *líthos* 'piedra'.
Cpt. *Oviducto. Ovíparo*, formado con *parĕre* 'parir'. *Oviscapto*, con *scabĕre* 'rascar, escarbar'. *Ovoide*; *ovoideo. Ovovivíparo.*

HUGONOTE 'protestante', h. 1640. Del fr. *huguenot*, primeramente nombre de los partidarios de la unión de Ginebra con Suiza, después designó a los partidarios del protestantismo ginebrino, propagado desde la Suiza alemana, y finalmente a todos los protestantes de lengua francesa. *Huguenot* es alteración del alem. *eidgenosse* 'confederado' (compuesto de *eid* 'juramento, pacto' y *genosse* 'compañero'), por influjo del nombre de Hugues, jefe del partido suizo en Ginebra a princ. S. XVI.

HUIR, h. 1140. Del lat. fŭgĕre íd.
Deriv. *Huida*, 1490. *Huidizo*, 1495. *Ahuyentar*, med. S. XV. *Afufar* o *afufarlas*, 1517, 'huir, escaparse', forma familiar creada, con carácter expresivo, por reduplicación del antiguo *fuir* (= *huir*). *Rehuir*, 1490. Cultismos: *Fuga*, S. XVI, lat. *fŭga*; *fugar*, h. 1520. *Fugaz*, h. 1580, lat. *fugax, -acis*, íd.; *fugacidad. Fugitivo*, 1438. *Prófugo*, med. S. XVII, lat. *profŭgus* íd. *Refugio*, h. 1440, lat. *refŭgium* íd.; *refugiar*, 1683. *Subterfugio*, 1869, lat. tardío *subterfugium* íd. *Tránsfuga*, 1550, lat. *transfŭga. Desfogar* 'desahogar, expresar con pasión', 1578, del it. *sfogare* íd., princ. S. XIV, deriv. de *fóga* 'ardor impetuoso' (descendiente popular del lat. fŭga), que en cast. sufrió el influjo de *fuego* y de *desahogar*.

Huiro, V. güira

HULE I 'tela impermeabilizada con un barniz de óleo, que se emplea para cubrir mesas, embalar mercancías y otros usos', 1734. Origen incierto, probablemente del fr. *toile huilée* 'tela barnizada con aceite'; comp. el ingl. *oil-cloth* 'hule' y la forma más hispanizada *hulado* o *ahulado* que corre en partes de Méjico y América Central como nombre de la tela impermeabilizada.

HULE II 'caucho, goma', amer., 1532. Del azteca *ŭlli* íd.
Deriv. *Hulero.*

HULLA 'carbón de piedra'. 1765-83. Del fr *houille* íd., S. XIII, de origen valón, que parece procedente de un fráncico *HŬKĬLA* 'terrón', emparentado con el neerlandés *heukel* 'montón de heno'.
Deriv. *Hullero.*

HUMANO, fin S. XII. Tom. del lat. *hŭmānus* 'relativo al hombre, humano' (relacionado con el lat. *hŭmus* 'tierra' y sólo desde más lejos con *hŏmo* 'hombre').
Deriv. *Humanidad*, 1220-50; *humanitario*, 1855, del fr. *humanitaire*, deriv. de *humanité* 'humanidad'. *Humanista*, 1613, probablemente tom. del it. *umanista*, 1490; *humanismo*, S. XX, voz creada en alemán, 1808. *Humanizar. Inhumano*, h. 1440; *inhumanidad*, 1438. *Sobrehumano.*

Humareda, humear, V. humo

HÚMEDO, 1288. Tom. del lat. *ūmĭdus* íd., deriv. de *ūmēre* 'estar o ser húmedo' (la ortografía con *h-* viene de la relación que erróneamente creyeron ver algunos con *hŭmus* 'tierra').

DERIV. *Humedad,* 1490, contracción del lat. *umiditas, -atis. Humedecer,* 1490. *Humor,* 1220-50, tom. del lat. *ūmor, -ōris,* 'líquido', 'humores del cuerpo humano', desde donde pasó en la Edad Media al genio o condición de alguien, h. 1600, que se creía causado por sus jugos vitales; *humorada; bien* y *mal humorado,* 1734; *humorista,* 1914, del ingl. *humorist,* deriv. de *humo(u)r* 'humorismo', propte. 'humor'; *humorístico,* princ. S. XX; *humorismo,* 1914.

Humeral, húmero, V. *hombro*

HUMILDE, h. 1400 Alteración del antiguo *humil,* 1220-50, tom. del lat. *hŭmĭlis* íd. (que a su vez deriva de *hŭmus* 'suelo, tierra'). La alteración se debe al influjo del sinónimo antiguo *humildoso,* princ. S. XIII, deriv. de *humildad,* y al modelo del duplicado *rebel* y *rebelde* (en el cual la *d* procede de la segunda L del lat. REBELLIS). DERIV. *Humildad,* 1220-50, lat. *humilitas, -atis. Humillar,* h. 1140, tom. del lat. tardío *humiliare* íd.; *humillación,* 1490; *humillante.*

HUMITA (comida criolla hecha con maíz), amer., antes *uminta,* 1673. Del quichua *huminta* íd.

HUMO, 1088. Del lat. FŪMUS íd. DERIV. *Humareda,* 1595. *Humear,* med. S. XIII. *Humillo. Humoso,* 1490, o *fumoso. Ahumar,* h. 1530. *Sahumar,* 1495, con un prefijo procedente de *so-,* lat. SUB- 'por debajo'; *sahumerio,* h. 1300. *Fumigar,* 1817, tom. del lat. *fūmĭgare; fumigación. Fumista,* 1925, fr. *fumiste* íd.; *fumistería. Fumar,* 1732, del fr. *fumer* 'fumar', 1664, 'humear'; *fumador, fumadero. Esfumar,* 1633, del it. *sfummare,* princ. S. XV; *esfumino,* del it. *sfummino; esfuminar* (también *difumino* y *difuminar*)*. Perfumar,* 1490; *perfume,* 1495; *perfumista; perfumería.*

Humor, humorada, humorismo, humorista, humorístico, V. *húmedo*   *Humus,* V. *exhumar*

HUNDIR significó primeramente 'destruir, arruinar', 1220-50. Del lat. FŬNDĔRE 'derramar', 'fundir', 'dispersar al enemigo, ponerle en fuga', 'derribarle y matarle'. Modernamente en castellano se ha generalizado la acepción 'sumir, echar al fondo' (que sólo alguna vez se encuentra desde med. S. XIII), por influjo de *hondo* y *fondo;* pero *fundir* 'arruinar' se conserva todavía en América. DERIV. *Hundimiento.*

HURACÁN, 1510-15. Del taíno antillano *hurakán* íd., sobre cuya procedencia ulterior no existe acuerdo entre los americanistas. DERIV. *Huracanado.*

Huraco, V. *horadar*

HURAÑO, 1611. Su forma primitiva es probablemente la antigua *horaño* o *foraño,* que ya aparece con el sentido moderno, 1335, y además con el de 'forastero, extraño'. 1423, en el cual viene indudablemente del lat. FORANĔUS íd., deriv. de FORAS 'afuera'. De 'extranjero' se pasó a 'tímido, arisco', por la natural timidez del que vive fuera de su tierra; pero además el vocablo sufrió el influjo de *hurón,* animal arisco si los hay, y de ahí resultó el cambio de *horaño* en el moderno *huraño.*

HURGAR 'menear, remover', 1495. De origen incierto, probablemente de un lat. vg. *FŪRĬCARE* íd., deriv. de FŪR 'ladrón', que debió de tomar el sentido de 'hurón' (como su otro derivado FŪRO, -ONIS), de donde 'escudriñar como un hurón' y luego 'hurgar'; es palabra hermana del cat. y oc. *furgar,* it. *frugare,* fr. ant. *furgier* (hoy *fourgonner*)*. DERIV. *Hurgón,* 1611; *hurgonear. Furgón* 'carro para transportes militares, etc.', del fr. *fourgon* íd., que parece haber designado primeramente los varales del furgón, acepción procedente de la de 'hurgón, barra para atizar la lumbre'; *furgonero.*

HURÍ, 1869. Tom. del fr. *houri,* y éste del persa *ḥūrī* íd., deriv. del ár. *ḥûr,* plural de *ḥáura* 'hurí'.

Hurón, huronear, V. *hurto*

¡HURRA!, h. 1840. Tom. del ingl. *hurráh,* íd.

HURTO, 1076. Del lat. FŪRTUM 'robo', deriv. de FŪR 'ladrón'. DERIV. *Hurtar,* h. 1140; *a hurtadillas,* h. 1600. *Furtivo,* 1684, tom. del lat. *furtīvus* íd. *Hurón,* h. 1330, lat. tardío FŪRO, -ŌNIS, íd., deriv. de FUR porque arrebata los conejos; *hurona; huronear; huronero. Furúnculo,* 1765-83, tom. del lat. *furuncŭlus* íd., propte. 'bulto que forma la yema de la vid', y primero 'tallo secundario de la vid que roba la savia a los tallos principales'; variante vulgar *floronco.*

Husada, V. *huso*

HÚSAR, 1765-83. Del húngaro *huszár* íd. (pronúnciese *húsär*), tomado por conducto del alemán y el francés.

Husillero, husillo, V. *huso*

HUSMEAR 'rastrear con el olfato', 1605. Primitivamente *usmar, osmar,* fin S. X. Del mismo origen que el ír. *humer* 'husmear', 'sorber, aspirar un líquido', it. dial. *usmar* 'husmear', 'oler la pista de un animal', it. *ormare* 'seguir la pista, perseguir', rum. *urmà* 'seguir' y vasco *usma* 'olor'; a saber: del gr. *osmáomai* 'yo huelo, husmeo', deriv. de *osmĕ* 'olor'.

DERIV. *Husma,* 2.º cuarto S. XIX. *Husmo,* princ. S. XVII.

HUSO, 1220-50. Del lat. FŪSUS íd.

DERIV. *Husillo,* 1490; *husillero. Husada,* 1495. *Ahusado*; *ahusar.*
Fuselaje, tom. del fr. *fuselage* 'cuerpo del avión, de figura fusiforme' (deriv. de *fuseau* 'huso').
CPT. *Fusiforme.*

¡HUY!, h. 1840 (*yuy* 1330). Interj. con que se denota dolor físico agudo, o melindre, o asombro pueril y ridículo. Voz de creación expresiva, análoga al lat., cat. y port. *hui.*

I

IBIS, 1582-5, lat. *ibis.* Tom. del gr. *íbis* íd.

Ibón, V. *vega*

ICONO-, primer elemento de compuestos cultos, formados con el gr. *eikṓn, -ónos,* 'imagen', deriv. de *éoika* 'me he asemejado' (*icono,* empleado a veces en castellano, es mala adaptación del ruso a través del francés; debiera ser *icon, ícones*). *Iconoclasta,* S. XX, formado con *kláō* 'yo rompo'. *Iconografía,* S. XIX; *iconográfico. Iconología,* 1734. *Iconostasio,* con gr. *stásis* 'acción de poner'.

ICOR, 1581. Tom. del gr. *ikhṓr, -óros,* 'parte serosa de la sangre'.
DERIV. *Icoroso.*

Icosaedro, V. *veinte*

ICTÉRICO, 1495, lat. *ictericus.* Tom. del gr. *ikterikós* íd., deriv. de *íkteros* 'ictericia'.
DERIV. *Ictericia,* 1495 (vulgarmente *tericia,* 1570, o *tiricia,* h. 1620); *ictericiado,* 1529, más usual siempre que *ictérico.*

ICTIO-, primer elemento de compuestos cultos, formados con el gr. *ikhthýs* 'pez, pescado'. *Ictiófago,* 1765-83. *Ictiografía. Ictiología,* 1765-83; *ictiológico. Ictiosauro,* formado con gr. *sáuros* 'lagarto'.
DERIV. *Ictíneo* 'buque submarino', S. XIX.

Ida, V. *ir*

IDEA, h. 1440. Tom. del gr. *idéa* 'imagen ideal de un objeto', propte. 'apariencia' (derivado de *eídon* 'yo vi', hermano del lat. *videre* íd.).

DERIV. *Ideal,* h. 1570; *idealismo; idealista; idealizar. Idear,* S. XVII; *ideación. Ideario.*
CPT. *Ideología,* 1776; *ideólogo; ideológico. Ideográfico; ideograma.*

ÍDEM, med. S. XVII. Tom. del lat. *ídem* 'el mismo', *ídem* 'lo mismo'.
DERIV. *Identidad,* hacia 1440, lat. tardío *identĭtas, -atis,* deriv. artificial de *idem* (formado según el modelo de *entitas* 'entidad', para traducir el gr. *tautótēs*); *idéntico,* 1734. Cpt. de éste: *Identificar,* 1.ª mitad S. XVII; *identificación.*

Ideográfico, ideograma, ideología, ideológico, V. *idea*

IDILIO 'composición poética de carácter tierno, que trata de lo campestre y pastoril', med. S. XVII, lat. *idyllium.* Tom. del gr. *eidýllion* 'obrita', diminutivo de *êidos* 'obra', 'forma'; la voz grecolatina no se aplicó hasta el S. XII a las obras de Teócrito, y sólo en el Renacimiento tomó el sentido de 'obra bucólica' al extenderse a las églogas de Virgilio.
DERIV. *Idílico.*

IDIOMA, 1605. Tom. del lat. tardío *idiōma, -ătis,* 'idiotismo', y éste del gr. *idíōma* 'carácter propio de alguien', 'particularidad de estilo', deriv. de *ídios* 'propio', 'peculiar'; de 'locución de sentido peculiar' se pasó a 'lenguaje propio de una nación', sentido que ya tiene en el *Quijote.*
DERIV. *Idiomático. Idiota,* 1220-50, tom. del gr. *idiṓtēs* 'hombre privado o particular', 'profano, que no es técnico en una profesión', 'ignorante', acepción ésta que se conserva todavía en el Siglo de Oro; la moderna, 1869. *Idiotismo,* 1580, lat. *idiotis-*

mus 'locución propia de una lengua', gr. *idiōtismós* 'habla del vulgo'.

Cpt. *Idiosincrasia*, 1765-83, gr. *idiosynkrasia*, íd., de *ídios* 'propio' y *sýnkrasis* 'temperamento'.

ÍDOLO 'figura de una falsa deidad', 1220-50, lat. *idōlum*. Tom. del gr. *éidōlon* 'imagen' (de la raíz de *êidon* 'obra').

Cpt. *Idólatra*, 1438, gr. *eidōlolátrēs* íd. (formado con *latréuō* 'yo sirvo'); *idolatrar*, 1438; *idolatría*, 1438; *idolátrico*.

IDÓNEO, 1449. Tom. del lat. *idonĕus* 'adecuado, apropiado'.

Deriv. *Idoneidad*.

IGLESIA, 921. Descendiente semiculto del lat. vg. *eclesĭa*, clásico *ecclēsĭa* 'reunión del pueblo', 'asamblea de los primeros cristianos para celebrar el culto', 'lugar donde éste se celebraba', tom. a su vez del gr. *ekklēsía* 'reunión, asamblea convocada' (derivado de *ekkaléō* 'yo convoco').

Deriv. *Anteiglesia*. *Eclesiástico*, h. 1280, gr. *ekklēsiastikós* íd. *Eclesiastés*, gr. *ekklēsiastēs* 'el que dirige la palabra a la reunión del pueblo'.

Ignaro, V. *ignorar*

ÍGNEO, 1444. Tom. del lat. *ignĕus* íd., deriv. de *ignis* 'fuego'.

Deriv. *Ignición*.
Cpt. *Ignívomo*.

Ignominia, ignominioso, V. *nombre*

IGNORAR, 1438. Tom. del lat. *ignorare* 'no saber', deriv. negativo de la raíz *gnō*-de (*g*)*noscere* 'saber'.

Deriv. *Ignorante*, 1438; *ignorancia*, 1438. *Ignaro*, h. 1440, tom. del lat. *ignārus*, también de esta raíz.

Ignoto, V. *noticia*

IGUAL, S. XIII, del antiguo *egual*, 1100, y éste del lat. AEQUALIS íd., propte 'del mismo tamaño o edad', deriv. de AEQUUS 'plano, liso, uniforme, igual'.

Deriv. *Igualar*, h. 1280; *iguala*, 1219. *Igualdad*, 1220-50; *igualitario*, 1914, imitado del fr. *égalitaire*, deriv. de *égalité* 'igualdad'. *Desigual*, princ. S. XIV; *desigualdad*, 1495. *Ecuación*, 1732, deriv. culto de *aequare* 'igualar' (v éste de *aequus*); de ahí también *ecuador*, h. 1600; *ecuatorial*. *Ecuo*, lat. *aequus* 'plano, equitativo'; *equidad*, 1570, lat. *aequitas, -atis*; *equitativo*. *Adecuar*, lat. *adaequare* 'igualar'; *adecuado*, h. 1580. *Inicuo*, 1444, lat. *iniquus* 'injusto', negativo de *aequus*; *iniquidad*, 1438.

Cpt. *Equi-*, del lat. *aequus*. funciona como un verdadero prefijo. *Equidistante*, 1633;

equidistancia. *Equilátero*, h. 1440, formado con *latus, -eris*, 'lado'. *Equilibrio*, med. S. XVII, del it. *equilibrio*, S. XVI, lat. *aequilibrium* íd., formado con *libra* 'balanza'; *equilibrar*, princ. S. XVII; *desequilibrar*, *desequilibrio*; *equilibrista*. *Equinoccio*, 1499, lat. *aequinoctium* íd., con *nox* 'noche'; *equinoccial*, h. 1440. *Equiparar*, 1604, lat. *aequiparare* íd., con *parare* 'disponer'; *equiparación*, 1604. *Equivaler*, 1604; *equivalente*, 2.º cuarto S. XV; *equivalencia*, 1370. *Equívoco*, 1433, lat. tardío *aequivŏcus* íd., formado con *vocare* 'llamar'; *equivocar*, 1607; *equivocación*, 1607; *inequívoco*.

IGUANA, 1526. Del arauaco antillano *iwana* íd.

Cpt. *Iguanodonte*, con la terminación de *mastodonte*.

IJADA, 1220-50. Deriv. románico del lat. ĪLĬA, ĪLĬUM, 'bajo vientre'.

Deriv. *Ijar*, 1220-50, o *ijares*, otro derivado de ILIA. *Jadear*, princ. S. XVII, de *ijadear*, 1569, 'mover las ijadas al respirar aceleradamente por cansancio'; *jadeante*. *Ilion*, tom. del fr. *ilion*, descendiente culto del lat. *ilium*.

Ijar, ijares, V. *ijada*   *Ilación, ilativo*, V. *inferir*   *Ilegal, ilegalidad*, V. *ley*   *Ilegible*, V. *leer*   *Ilegítimo*, V. *ley*

ÍLEO, 1884, 'enfermedad que origina oclusión intestinal y cólico miserere', lat. *ilĕus*. Tom. del gr. *eileós* íd., deriv. de *eiléō* 'enrollar, retorcer', porque esta enfermedad se ha atribuido a un retorcimiento de los intestinos; de ahí viene también *íleon* o *ilión* 'colon', 1556.

Deriv. *Ilíaco*, 1495.
Cpt. *Ileocecal*.

Ileso, V. *lisiar*   *Ilíaco*, V. *íleo*   *Ilícito, ilicitud*, V. *lícito*   *Ilimitado*, V. *límite*   *Ilion*, V. *ijada*   *Ilógico*, V. *lógico*   *Iluminación, iluminar, iluminismo*, V. *lumbre*

ILUSIÓN, med. S. XVI. Tom. del lat. *illusio, -onis*, 'engaño', deriv. de *illudĕre* 'engañar', que a su vez lo es de *ludĕre* 'jugar'.

Deriv. *Ilusionarse*, 1923. *Ilusorio*. *Desilusionarse*; *desilusión*, 1923. De *ludere* deriva *ludibrium* 'burla, irrisión', cast. *ludibrio*, 1663. Otros deriv.: *Colusión*, deriv. de *colludere* 'jugar juntos, estar en combinación'. *Preludio*, princ. S. XVII, lat. *praeludium* 'lo que precede a una representación'; *preludiar*.

Ilustración, ilustrar, ilustre, V. *lustre*

IMAGEN, 1220-50. Tom. del lat. *imāgo, -ginis*, íd., propte. 'representación, retrato' (de la misma familia que *imitari* 'remedar').

DERIV. *Imaginar*, princ. S. XIV, lat. *imaginari* íd.; *imaginación*, princ. S. XIV; *imaginativo*, 1569 (f., sust., 1438); de la variante *maginar*, SS. XIV-XV, deriva el popular *magín*, 1817. *Imaginero*; *imaginería*, h. 1440. *Imaginario*, 1438, lat. *imaginarius*.

IMÁN I, 1495. Del lat. vg. *ADĬMAS, -ANTIS*, lat. ADĂMAS, -ANTIS, propiamente 'diamante' (V. *DIAMANTE*), aplicado a la piedra magnética, por su dureza; el castellano tomó el vocablo del fr. ant. *aïmant* (hoy *aiman!*).
DERIV. *Imantar* o *imanar*; *imantación*.

IMÁN II 'el que dirige la oración, entre los mahometanos', 1865-83. Tom. del ár. *'imâm* íd., propte. 'jefe'.

Imantar, V. *imán* I

IMBÉCIL 'alelado, de flaca inteligencia', 1822. Se halla desde 1524 pero hasta el S. XVIII se conservó en su forma latina, así en el sentido como en la acentuación sobre la última sílaba. Tom. del lat. *imbecillis* 'débil en grado sumo'. En francés la acepción moderna ya se encuentra en el S. XVII, y es verosímil que el castellano la tomara del francés.
DERIV. *Imbecilidad*, h. 1440.

Imberbe, V. *barba*   *Imbibición*, V. *beber*

IMBORNAL 'cada uno de los agujeros abiertos en la borda de una embarcación para dar salida al agua que se acumula sobre cubierta', 1734; antes *embornal*, 1538. Del cat. *embornal*, antes *embrunal*, S. XIII, metátesis de **ombrenal*, y éste del gr. *ombrinà trĕmata* 'agujeros para la lluvia' (del adjetivo *ombrinós* 'pluvial', deriv. de *ómbros* 'lluvia'). La forma moderna con *i-* sufriría el influjo del it. dialectal *imbrunale* (metátesis del it. *ombrinale*, del mismo origen).

IMBRICADO, 1817. Tom. del lat. *imbricatus* 'dispuesto a manera de tejas', deriv. de *imbrex, -ĭcis*, 'teja'.

IMBUIR 'infundir', 1734. Tom. del lat. *ĭmbŭĕre* 'penetrar de (algo), inculcar', propiamente 'abrevar, embeber'.

IMITAR, 1438. Tom. del lat. *ĭmĭtāri* íd., propte. 'reproducir, representar' (de la misma familia que *imago* 'imagen').
DERIV. *Imitación*, 1490. *Imitador*, 1515 *Imitativo*.
Remedar, h. 1250, viene, por vía hereditaria, del derivado lat. vg. **REĬMĬTĀRI*; *remedo*, S. XVII. Se dijo también *arrendar* 'imitar', 1553 (todavía persistente en hablas manchegas y salmantinas), síncopa de *arremedar* (hoy portugués); de aquél deriva *arrendajo*, 1611 (*rendajo*, 1495), nombre de un pájaro cuyo canto en los bosques parece imitar la voz humana.

Impaciencia, impacientar, impaciente, V. *padecer*

IMPACTO 'choque con penetración, como el de la bala en el blanco', S. XIX (como adj. y sólo como término médico, 1734). Tom. del lat. tardío *impactus, -us*, 'acción de chocar', deriv. de *impingĕre* 'empujar, lanzar'.

Impar, V. *par*   *Imparcial*, V. *parte*
Imparisílabo, V. *par*   *Impartir*, V. *parte*
Impasible, V. *padecer*   *Impávido*, V. *pavor*   *Impecable*, V. *pecar*

IMPEDIR, 1438. Tom. del lat. *ĭmpĕdīre* íd., propte. 'trabar de los pies (a alguno)', 'entorpecer, estorbar', deriv. de *pes, pedis*, 'pie'.
DERIV. *Impedido. Impedimento*, h. 1440; *impedimenta*, 1899. El anticuado *empecer*, 1241, 'estorbar, perjudicar', antes *empedecer*, 1220-50, es deriv. románico del mismo verbo. *Expedir*, med. S. XV, tom. del lat. *expedire* 'desentorpecer', 'despachar'; *expedición*, 1604; *expedicionario*; *expediente*, 1423, *expedienteo*; *expedito*, 1613; antes *espedido*, h. 1530; *expeditivo*, 1705.

IMPELER 'empujar', h. 1440. Tom. del lat. *impellĕre* íd., deriv. de *pellere* íd.
DERIV. *Impulsar*, med. S. XVII, lat. *impulsare*, frecuentativo de *impellere*. *Impulso*, 1490, lat. *impulsus, -us. Impulsión. Impulsivo*, 1490. *Impulsor. Propulsar*, 1832, lat. *propulsare* 'rechazar, apartar'; *propulsión*, 1780; *propulsor. Repeler* 'rechazar', 1438, lat. *repellĕre*, íd.; *repelente*, 1737. *Repulsa*, 1737. *Repulsión*, 1843; *repulsivo*, 1843; *repulso*, 1438.

IMPERAR, 1444. Tom. del lat. *ĭmpĕrāre* 'mandar, ordenar'.
DERIV. *Imperativo*, 1490. *Imperio*, 1220-50, lat. *ĭmpĕrĭum* 'orden', 'mando', 'soberanía', 'gobierno imperial'; *imperial*, h. 1295 *imperialismo* e *imperialista*, 1925, del ingl. *imperialism, -list*, h. 1879; *imperioso*, princ. S. XVII. *Emperador*, 1107, representante semiculto del lat. *ĭmpĕrātor, -oris*, 'el que manda', 'general', 'emperador'; *emperatriz*, 1129, lat. *imperatrix, -ĭcis*, íd.

Imperfección, imperfecto, V. *perfecto Imperial, imperialismo, imperialista, imperio, imperioso*, V. *imperar   Impertérrito*, V. *terror   Impertinencia, impertinente*, V. *tener   Impetrar*, V. *perpetrar*

ÍMPETU 'empuje', med. S. XV. Tom. del lat. *ĭmpĕtus*, *-us*, 'acción de dirigirse hacia algo', deriv. de *pĕtĕre* 'dirigirse a (un lugar)', 'aspirar a (algo)'.

DERIV. *Impetuoso*, 1438; *impetuosidad*.

Impiedad, impío, V. *pío   Implacable*, V. *aplacar   Implantación, implantar*, V. *planta   Implicación, implicar, implícito*, V. *plegar   Implorar*, V. *llorar   Implosión, implosivo*, V. *explosión   Impluvio*, V. *llover   Imponderable*, V. *ponderar   Imponer, imponible*, V. *poner   Importación, importador, importancia, importante, importar, importe*, V. *portar   Importunar, importunidad, importuno*, V. *puerto   Imposibilitar, imposible*, V. *poder   Imposición, impostor, impostura*, V. *poner   Impotencia, impotente*, V. *poder   Imprecación, imprecar*, V. *preces   Impregnar*, V. *preñada   Imprenta*, V. *imprimir   Imprescindible*, V. *escindir   Impresión, impresionar, impresionismo, impreso, impresor, imprimación, imprimar*, V. *imprimir*

IMPRIMIR, 1438. Tom. del lat. *imprĭmĕre* 'hacer presión (en algo), marcar una huella'. *Imprimátur*, del presente de subjuntivo, voz pasiva, de dicho verbo.

DERIV. *Impreso*, 1528, lat. *imprĕssus*, participio de *imprimere*. *Impresión*, 1444; *impresionar*, 1.ª mitad S. XVII; *impresionismo*. *Impresor*, 1495. *Imprenta*, 1495 ('marca de un sello', 1399), del cat. *empremta* 'impresión o huella (de un sello, de un pie, etc.)', S. XIII; 'imprenta', 1482: femenino de *empremt*, S. XIII, participio del cat. ant. *emprémer* 'imprimir, dejar una huella', lat. IMPRIMERE. *Impronta*, 1899, del it. *impronta* de igual origen, pero con influjo de *improntare* 'tomar en préstamo'. *Imprimar*, 1708, del fr. *imprimer* 'imprimir'; *imprimación*, princ. S. XVII.

Improbo, V. *probar   Impronta*, V. *imprimir*

IMPROPERIO, S. XVIII, tom. del lat. *improperium* íd.

Improvisar, improviso, V. *ver   Imprudencia, imprudente*, V. *prudente   Impudencia, impúdico, impudor*, V. *pudor   Impuesto*, V. *poner   Impugnación, impugnar*, V. *puño   Impulsar, impulsivo, impulso, impulsor*, V. *impeler*

IMPUNE, S. XVII. Tom. del lat. *ĭmpūnis* 'sin castigo', deriv. de *punire* 'castigar' (de la misma raíz que *poena* 'pena').

DERIV. *Impunidad*, S. XVII. *Punitivo* y *punible* derivan del raro *punir* 'castigar', S. XV, lat. *punire*.

Impureza, impuro, V. *puro*

IMPUTAR, h. 1440. Tom. del lat. *impŭtare* 'inscribir en cuenta', 'atribuir, imputar' (deriv. de *putare* 'contar, calcular').

DERIV. *Imputable. Imputación. Reputar*, 1438, lat. *reputare* 'calcular', 'meditar' (otro deriv. de *putare*); *reputación*, 1438. *Putativo* 'supuesto', 1438, lat. *putativus* 'que se calcula', de dicho *putare*.

IN-, IM-, IR-: se han omitido algunos de los menos usados entre los vocablos que contienen esta inicial en calidad de mero prefijo negativo (búsquese el positivo correspondiente, prescindiendo del prefijo).

Inalámbrico, V. *alambre*

INANICIÓN, 1734, 'debilidad por falta de alimento'. Tom. del lat. tardío *inanitio*, *-onis*, deriv. de *inanire* 'vaciar', 'agotar' y éste de *ĭnānis* 'vacío'. De éste se tomó el poco frecuente *inane*, 1463.

DERIV. *Inanidad*.

Inanimado, inánime, V. *alma   Inaudito*, V. *oír   Inauguración, inaugural, inaugurar*, V. *agüero   Incandescencia, incandescente*, V. *cándido   Incapacitar, incapaz*, V. *capaz*

INCAUTARSE 'tomar posesión de ciertos bienes en litigio o que responden de una obligación', 1670 (*enc-*). Tom. del b. lat. *incautare* 'fijar una pena pecuniaria' (porque la incautación se hacía con miras a esta pena), deriv. del lat. *cautum* 'disposición preventiva en las leyes' (V. COTO I).

DERIV. *Incautación*.

Incauto, V. *cauto   Incendiar, incendiario, incendio, incensar, incensario*, V. *encender*

INCENTIVO, h. 1580 (como adj., 1438). Tom. del lat. *incentĩvum* íd., neutro del adjetivo *incentivus* 'que da el tono musical', 'que invita o incita', deriv. de *canĕre* 'cantar'.

Incesante, V. *cesar*

INCESTO, 1449. Tom. del lat. *ĭncĕstus*, *-ūs*, íd., deriv. de *incestus*, *-a*, *-um*, 'impuro, mancillado', que a su vez es privativo de *castus* 'casto'.

DERIV. *Incestuoso*, 1438.

INCIDIR 'caer o incurrir (en algo)', h. 1680. Tom. del lat. *incĭdĕre* íd., deriv. de *cadere* 'caer' (en la ac. médica 'hacer una incisión' es otra palabra, procedente del lat. *incīdĕre* y deriv. de *caedere* 'cortar'). Comp. INCISO.

DERIV. *Incidente*, 1591; *incidental*; *incidencia*, imitado del ingl. *incidence*, S. XVII.

Coincidir, med. S. XVII, del lat. *coincidere* 'caer juntamente'; *coincidente*; *coincidencia*. *Reincidir*; *reincidente*; *reincidencia*.

Incienso, V. *encender*   *Incineración,* V. *incinerar*

INCINERAR, princ. S. XVIII. Tom. del lat. *incinerare* 'volver ceniza', deriv. de *cinis, -ĕris,* 'ceniza'.
DERIV. *Incineración.* Son derivados del mismo primitivo *cinéreo, cineraria, cinericio* y *subcinericio.*

INCIPIENTE 'que comienza', 1515. Tom. del lat. *incipiens, -tis,* participio de *incipere* 'emprender', 'empezar' (deriv. de *capere* 'coger').

Incisión, incisivo, V. *inciso*

INCISO, 1580. Tom. del lat. *incīsus, -a, -um,* participio pasivo de *incīdĕre* 'hacer un corte o incisión' (deriv. de *caedere* 'cortar'). Comp. *INCIDIR.*
DERIV. *Incisión,* 1555, lat. *incisio, -onis,* íd. *Incisivo,* 1555.

Incitar, V. *excitar*   *Incivil,* V. *civil*
Inclemencia, inclemente, V. *clemente*

INCLINAR, h. 1140. Descendiente semiculto del lat. *inclīnāre* 'apartar de la posición vertical', 'bajar, hacer descender', derivado de *clinare* íd.
DERIV. *Inclinación,* h. 1440. *Declinar,* 1220-50, lat. *declinare* 'apartar', 'evitar', 'disminuir', 'someter a flexión gramatical'; *declinación,* 1505, lat. *declinatio, -onis*; en el sentido gramatical era calco del gr. *klísis* (deriv. de *klínō,* hermano y sinónimo del lat. *clinare*), propte. 'desviación de la forma básica'; *declinable,* 1611; *declinatorio. Reclinar,* med. S. XV, lat. *reclinare* íd.; *reclinatorio.*
CPT. *Triclinio. Eclímetro,* formado con el gr. *métron* 'medida' y la raíz del gr. *ekklínō* 'yo desvío, aparto' (de la misma familia que el lat. *clinare*).

ÍNCLITO 'famoso', 1444. Tom. del lat. *inclĭtus* íd.

Incluir, V. *concluir*

INCLUSA 'casa de expósitos', 1734. De *La Inclusa* (ya mencionada h. 1650), nombre propio de la casa de expósitos de Madrid. Según una tradición no enteramente comprobada, este nombre alude a una imagen de la Virgen traída en el S. XVI, por un soldado español, de la ciudad de *L'Écluse* (nombre francés de la ciudad holandesa de *Sluis*; esta denominación, en ambas formas, viene del lat. EXCLUSA 'esclusa': el fr. *écluse*

'esclusa', por otra parte, dio el cast. antic. *enclusa* y el vasco *inkulusa,* con el mismo sentido).
DERIV. *Inclusero* 'expósito'.

Inclusión, inclusive, inclusivo, incluso, V. *concluir*

INCOAR, 1734, 'iniciar (un proceso)'. Tom. del lat. *incŏhāre* 'empezar, emprender (en general)'.
DERIV. *Incoación. Incoativo,* 1734.

Incógnita, incógnito, V. *conocer*   *Incoloro,* V. *color*

INCÓLUME, 1884. Tom. del lat. *incolŭmis* íd. (de la misma raíz que *calamitas* 'plaga, calamidad').

Incomodar, incomodidad, incómodo, V. *cómodo   Incompatible, incompatibilidad,* V. *padecer   Inconcuso,* V. *concusión   Inconmensurable,* V. *medir   Inconsciencia, inconsciente,* V. *ciencia   Inconsulto,* V. *consultar   Inconsútil,* V. *coser   Incontinencia, incontinente, incontinenti,* V. *tener   Inconveniente,* V. *venir*

INCORDIO, med. S. XVI, antiguamente *encordio,* fin S. XIII. Designaba un tumor desarrollado en el pecho de los caballos, lo mismo que el bajo lat. y cat. ant. *anticor,* med. S. XIII; oc. ant. *ancor,* h. 1300; port. *antecor* o *antecoração.* La forma castellana supone un bajo lat. **antecordium,* deriv. de *cor* 'corazón', por hallarse este tumor ante el corazón del caballo, de donde luego **ancordio* y *encordio.* Después, cuando se propagó la sífilis por Europa, se aplicó a las bubas sifilíticas.

Incorporación, incorporar, incorporeidad, incorpóreo, V. *cuerpo   Incrédulo,* V. *creer   Incrementar, incremento,* V. *crecer   Increpar,* V. *quebrar   Incriminar,* V. *crimen   Incrustación, incrustar,* V. *costra*

INCUBAR, med. S. XIX. Tom. del lat. *incŭbāre* 'estar acostado sobre algo', 'empollar', deriv. de *cubare* 'yacer, estar echado'.
DERIV. *Incubación,* 1843; *incubadora. Incubo* 'pesadilla', h. 1280, lat. *incŭbus* 'el que se acuesta sobre alguien'. *Súcubo,* 1734, lat. *succŭbus* 'el que se acuesta debajo', otro deriv. de *cubare.*

Inculcar, V. *calcar   Inculpar,* V. *culpa   Inculto, incultura,* V. *culto*

INCUMBIR, 1565. Tom. del lat. *incŭmbĕre* íd., propte. 'dejarse caer sobre algo', 'inclinarse a algo, dedicarse a ello' (deriv. del mismo radical que *incubar*).

DERIV. *Incumbencia. Sucumbir*, h. 1800, lat. *sŭccŭmbĕre* 'desplomarse, sucumbir', seguramente tom. por conducto del fr., donde *succomber* es ya del S. XIV.

Incunable, V. *cuna   Incurable, incuria*, V. *cura   Incurrir, incursión*, V. *correr*

INDAGAR 'investigar', 1607. Tom. del lat. *ĭndāgāre* íd., propte. 'seguir la pista de un animal'. DERIV. *Indagación. Indagatorio*; *indagatoria*.

Indecible, V. *decir   Indeciso*, V. *decidir Indefectible*, V. *defecto   Indehiscente*, V. *dehiscente*

INDELEBLE 'que no se puede borrar', med. S. XVII. Tom. del lat. *indelebilis* íd., deriv. negativo de *delēre* 'borrar'. Del imperativo de dicho verbo: *dele*, 1843.

Indemne, indemnidad, indemnizar, V. *daño   Independencia, independiente, independizar*, V. *pender   Indicación, indicar, indicativo*, V. *índice*

INDICCIÓN, 1734. Tom. del lat. *indictio*, *-ōnis*, íd., deriv. de *indicere* 'publicar, proclamar solemnemente' (deriv. de *dicere* 'decir').

ÍNDICE 'tabla de un libro', 1603, 'dedo índice', 1615 ('gnomon de un cuadrante solar', 1548). Tom. del lat. *ĭndex, -ĭcis*, 'indicador, revelador' (aplicado al dedo por ser el que sirve para señalar), 'tabla, lista'. DERIV. *Indicar*, 1693 (una vez h. 1520), lat. *ĭndĭcāre* íd.; *indicación*; *indicador*; *indicativo. Indicio*, h. 1440, lat. *indĭcĭum* 'indicación, revelación', 'signo, prueba'; *indiciar*; *indiciario*.

Indiferencia, indiferente, V. *diferir   Indígena*, V. *engendrar*

INDIGENTE 'necesitado', 1499. Tom. del lat. *indĭgens, -entis*, íd., participio activo de *indigēre* 'carecer' (cpt. de *egēre* 'carecer' e *inde* 'de allí, de ello'). DERIV. *Indigencia*, h. 1440.

Indigestarse, indigestión, indigesto, V. *digerir   Indignación, indignar, indigno*, V. *digno*

ÍNDIGO 'añil', 1555 (*índico*). Tom. del lat. *indĭcus* 'de la India', porque de allí se traía este producto; probablemente por conducto del genovés o del veneciano.

Indisponer, indisposición, indispuesto, V. *poner   Individual, individualismo, individuo, indivisible, indiviso*, V. *dividir*

ÍNDOLE 'condición propia de cada persona o cosa', 1640. Tom. del lat. *ĭndŏles* íd., propte. 'disposición natural de un individuo' (de la misma raíz que *adolescere* 'crecer').

Indolencia, indolente, V. *doler   Indomable, indómito*, V. *domar   Indubitable*, V. *dudar   Inducción, inducir, inductivo, inductor*, V. *aducir*

INDULGENTE 'benévolo, no severo', 1607. Tom. del lat. *ĭndŭlgens, -ĕntis*, íd., participio activo de *indulgēre* 'mostrarse benévolo, indulgente'. DERIV. *Indulgencia*, 1335, lat. *indulgentia* 'miramiento, complacencia'. *Indulto*, 1607, lat. tardío *indultus, -us*, 'concesión', 'perdón', deriv. de *indultus, -a, -um*, participio pasivo de *indulgere*; *indultar*, med. S. XVII.

INDUMENTARIA 'estudio histórico del traje', 1884; 'vestimenta', 1925. Deriv. culto del lat. *ĭndŭmĕntum* 'vestido', deriv. de *indŭĕre* 'poner (un vestido), vestir, revestir'. DERIV. *Exutorio* 'úlcera que se deja abierta para que supure', deriv. culto de *exŭĕre* 'deshacerse (de algo)', propte. 'desnudar, quitar el vestido' (del mismo radical que *induere*).

INDUSTRIA, 1438. Tom. del lat. *ĭndustrĭa* 'actividad, asiduidad', del adjetivo *industrius* 'laborioso, industrioso'. DERIV. *Industrial*, S. XVII; *industrializar. Industrioso*, h. 1400.

Inédito, V. *edición   Inefable*, V. *afable Inenarrable*, V. *narrar   Inepcia, ineptitud, inepto*, V. *apto   Inercia*, V. *arte   Inerme*, V. *arma   Inerte*, V. *arte   Inervación*, V. *nervio   Inestimable*, V. *estimar Inexorable*, V. *orar   Inexpugnable*, V. *puño   Inextricable*, V. *intrincar   Infamante, infamar, infame, infamia*, V. *fama*

INFANTE, h. 1140. Del lat. INFANS, -TIS, 'niño de mantillas, niño pequeño', propte. 'incapaz de hablar', deriv. de FARI 'hablar'. En la Península Ibérica el vocablo se especializó pronto como nombre del joven noble, S. XII, y luego para el hijo de rey, S. XIII. El sentido 'soldado de infantería', h. 1550, se imitó del it. *fante*, que además de 'muchacho, mozo' significaba 'servidor, criado', y de ahí pasó a los 'soldados de a pie', mirados en la Edad Media como criados de los caballeros (comp. el oc. ant. *sirvent* 'soldado de a pie', propte. 'sirviente'). DERIV. *Infanta*, 1157 (antes *infante*, fem., S. X). *Infantado*; *infantazgo. Infanzón* 'noble superior a un hidalgo e inferior a un ricohombre', 942, lat. vg. *INFANTIO, -ONIS*, aumentativo de INFANS 'joven noble', con el valor de 'joven noble ya crecido'. Cultismos: *Infancia*, med. S. XIII, lat. *infantia* 'niñez'. *Infantil*, 1515, lat. *infantīlis* íd.; *infantilismo*. *Infantería*, 1605, vid. arriba. *Fantoche*, 1923, del fr. *fantoche*, y éste del it. *fantoccio* íd. CPT. *Infanticida*; *infanticidio*.

Infartar, *infarto*, V. *harto*   *Infatuación*, *infatuar*, V. *fatuo*   *Infección*, *infeccioso*, *infectar*, V. *infecto*

INFECTO, 1.ª mitad S. XV. Tom. del lat. *infectus*, part. pasivo de *inficere* 'infectar', deriv. de *facere* 'hacer'.
DERIV. *Infectar*, 1601, lat. *infectare*; *infección*, h. 1530, lat. *infectio*; antes se decía *inficción*, de donde *inficionar*, h. 1450; *infeccioso*; *desinfectar*, *desinfectante*, *desinfección*.

Infeliz, V. *feliz*   *Inferencia*, V. *inferir*

INFERIOR, 1438. Tom. del lat. *inferior*, *-oris*, 'que se halla más abajo', comparativo de *inferus*, *-a*, *-um*, 'de abajo', 'subterráneo'. Del adverbio correspondiente *infra* se tomó el sufijo castellano *infra-* (*infrahumano*, *infrarrojo*, y otros).
DERIV. *Inferioridad*, 1594. *Ínfimo*, h. 1440, tom. del lat. *infīmus* 'lo que está más abajo de todo, lo más humilde', superlativo de *inferus*. *Infierno*, h. 1140, lat. INFĔRNUM 'estancia de los dioses subterráneos', 'Infierno', deriv. de *inferus*; *infernal*, 1220-50; *infernar*; *infernáculo*, 1734; *infernillo*, 1925, o *infiernillo*.

INFERIR 'deducir', h. 1440. Tom. del lat. *inferre* 'llevar a (una parte)', 'formular (un razonamiento, una conclusión)'.
DERIV. *Inferencia*. *Ilativo*, de *illativus*, deriv. de *illatus*, participio pasivo de *inferre*; *ilación* 'deducción', S. XVII, lat. *illatio*, *-onis*.

Infernáculo, *infernal*, *infernillo*, V. *inferior*   *Infestar*, V. *enhiesto*   *Infición*, *inficionar*, V. *infecto*   *Infidelidad*, *infiel*, V. *fe*   *Infierno*, V. *inferior*   *Infiltrar*, V. *fieltro*   *Ínfimo*, V. *inferior*   *Infinidad*, *infinitesimal*, *infinitivo*, *infinito*, V. *fin*   *Inflación*, V. *hinchar*   *Inflamar*, V. *llama* I   *Inflar*, V. *hinchar*   *Inflexible*, *inflexión*, V. *flexible*   *Infligir*, V. *afligir*   *Inflorescencia*, V. *flor*   *Influencia*, *influir*, *influjo*, *influyente*, V. *fluir*   *Infolio*, V. *hoja*   *Información*, *informal*, *informante*, *informar*, *informe*, V. *forma*   *Infortunado*, *infortunio*, V. *fortuna*   *Infra-*, V. *inferior*   *Infracción*, *infractor*, V. *fracción*   *Infraganti*, V. *flagrante*   *Infrascrito*, V. *escribir*   *Infringir*, V. *fracción*   *Infrutescencia*, V. *frútice*

ÍNFULAS 'insignia de la dignidad sacerdotal', S. XVI. Tom. del lat. *infŭlae* íd.; figuradamente 'pretensiones de ser esto o aquello', 1734.

Infundir, *infusión*, *infuso*, *infusorio*, V. *fundir*   *Ingeniar*, *ingeniero*, *ingenio*, *ingenioso*, V. *genio*   *Ingénito*, V. *engendrar*

INGENTE, 1438 (raro hasta el S. XVIII). Tom. del lat. *ingens*, *-entis*, 'grandísimo, enorme'.

INGENUO, 1640. Tom. del lat. *ingĕnŭus* 'noble, generoso' (propte. 'nacido en el país', 'nacido libre', de *gignere* 'engendrar' e *in* 'dentro'), de donde 'cándido'.
DERIV. *Ingenuidad*.

INGLE, h. 1400. Del lat. INGUEN, -ĬNIS, íd.; de **ingne* se pasó a *ingle*.
DERIV. culto: *inguinal*.

Ingratitud, *ingrato*, V. *grado* II   *Ingrediente*, *ingresar*, V. *ingreso*

INGRESO, 1444. Tom. del lat. *ingressus*, *-ūs*, 'entrada', deriv. de *ingrĕdi* 'entrar', y éste de *gradi* 'andar'.
DERIV. *Ingresar*, 1884. *Ingrediente*, 1635, tom. del lat. *ingrediens*, part. activo de dicho verbo.

ÍNGRIMO 'absolutamente solo', amer., 1892. Del port. *íngreme* 'escarpado, empinado', 'aislado', med. S. XVI, de origen incierto. En vista de las variantes portuguesas *ingréme*, *ingríme* e *ingrimado*, quizá se tomó del fr. ant. *engremi* 'enojado, irritado', 'afligido, triste', que es derivado de *graim*, y éste tomado del fráncico GRAM íd.

Inguinal, V. *ingle*   *Ingurgitar*, V. *gorja*   *Inhábil*, *inhabilitar*, *inhabitable*, V. *haber*   *Inhalar*, *inhalación*, V. *hálito*   *Inherente*, *inherencia*, V. *adherir*   *Inhibición*, *inhibir*, V. *exhibir*   *Inhospitalario*, *inhóspito*, V. *huésped*   *Inhumación*, V. *exhumar*   *Inhumano*, V. *humano*   *Inhumar*, V. *exhumar*

INICIO 'principio', S. XX. Tom. del lat. *initium* íd. (deriv. de *inire* 'empezar', propte. 'entrar [en]', y éste de *ire* 'ir').
DERIV. *Iniciar*, 1734, lat. *initiare* 'empezar', 'introducir (en una actividad o comunidad)'; *iniciación*; *inicial*, 1734; *iniciativa*, 1843.

Inicuo, *iniquidad*, V. *igual*   *Injerencia*, V. *injerirse*

INJERIR, 1490, 'introducir o incluir una cosa en otra', antes *enxerir*, h. 1295. Del lat. INSĔRĔRE 'introducir, insertar, intercalar', 'injertar'; vocablo latino en el cual se confundieron un deriv. de SĔRĔRE 'tejer, trenzar' (participio SERTUM), y otro de SĔRĔRE 'sembrar', 'plantar' (participio SATUM). El antiguo participio *ensierto*, med. S. XIII, se cambió fonéticamente en *inxierto*, y de aquí se propagó la *x* (después *j*) a todo el verbo. DERIV. *Injerto*, med. S. XIII (V. arriba), antiguo participio de *injerir*, después empleado como sustantivo y aplicado a la acción de injertar; de ahí *injertar*, 1293 (*enxertar*). Comp. INSERTAR.

INJERIRSE 'entrometerse, introducirse en algún asunto', 1734. Tom. del lat. *ingerere* 'llevar (algo a alguna parte)', 'introducir'. Distíngase de *injerir* 'introducir una cosa en otra', de otro origen. DERIV. *Injerencia*.

Injertar, injerto, V. *injerir*   *Injuria, injuriar, injurioso,* V. *jurar*   *Inmaculado,* V. *mancha*   *Inmanencia, inmanente,* V. *manido*   *Inmarcesible, inmarchitable,* V. *marchito*   *Inmediación, inmediato,* V. *medio*   *Inmemorial,* V. *remembrar*   *Inmensidad, inmenso, inmensurable,* V. *medir*   *Inmérito,* V. *merecer*   *Inmersión,* V. *somorgujo*   *Inmigración, inmigrante, inmigrar, inmigratorio,* V. *emigrar*   *Inminencia, inminente,* V. *eminente*   *Inmiscuir,* V. *mezclar*   *Inmobiliario,* V. *mover*

INMOLAR 'sacrificar', med. S. XVII. Tom. del lat. *immolare* íd., deriv. de *mola* 'harina con que se espolvoreaban las víctimas antes de sacrificarlas'. DERIV. *Inmolación.*

Inmortal, inmortalidad, inmortalizar, V. *morir*   *Inmóvil,* V. *mover*   *Inmundicia, inmundo,* V. *mondo*

INMUNE, 1597, 'exento de ciertas cargas y males'. Tom. del lat. *immūnis* 'exento de servicio', 'libre de cualquier cosa' (deriv. de *munus* 'oficio, obligación'). DERIV. *Inmunidad,* S. XVI. *Inmunizar.*

Inmutable, inmutar, V. *mudar*   *Innato,* V. *nacer*   *Innoble,* V. *noble*   *Innocuo,* V. *nocivo*   *Innovación, innovar,* V. *nuevo*   *Innumerable, innúmero,* V. *número*   *Inocencia, inocente,* V. *nocivo*   *Inoculación, inocular,* V. *ojo*   *Inodoro,* V. *oler*

INOPIA, h. 1440, 'indigencia, escasez'. Tom. del lat. *inŏpia* íd., deriv. de *inops, -ŏpis,* 'menesteroso', y éste de *ops* 'riqueza'.

Inquietante, inquietar, inquieto, inquietud, V. *quedo*

INQUILINO, h. 1580. Tom. del lat. *ĭnquĭlīnus* íd. (deriv. de la raíz de *colĕre* 'cultivar', *incolere* 'habitar'). DERIV. *Inquilinato.*

INQUINA 'aversión, mala voluntad', 1601. Palabra popular de origen incierto. Quizá relacionada con el lat. *inquinare* 'infectar', que de ahí pudo pasar a 'irritar un mal' y luego 'irritar el ánimo', comp. ENCONAR.

Inquirir, inquisición, inquisidor, inquisitivo, inquisitorial, V. *adquirir*   *Insaculación, insacular,* V. *saco*   *Insania, insano,* V. *sano*   *Inscribir, inscripción, inscrito,* V. *escribir*   *Insecticida, insecto,* V. *segar*   *Insensato, insensible,* V. *sentir*   *Inserción,* V. *insertar*

INSERTAR 'injerir, intercalar', 1644. Tomado del lat. tardío *insertare* íd., frecuentativo de *insĕrĕre* 'introducir, insertar' (derivado de *serere* 'entretejer, encadenar'). DERIV. *Inserto,* 1605, lat. *insertus,* participio de *inserere. Inserción.* Comp. INJERIR.

INSIDIA, 1438, 'trampa o engaño dispuesto para engañar o desorientar'. Tom. del lat. *ĭnsĭdĭae* 'emboscada' (deriv. de *insidēre* 'instalarse en un lugar', y éste de *sedere* 'estar sentado'). DERIV. *Insidioso,* 1596.

Insigne, insignia, V. *seña*   *Insinuación, insinuante, insinuar,* V. *seno*   *Insipidez, insípido,* V. *saber*   *Insistencia, insistente, insistir,* V. *existir*   *Insolación, insolar,* V. *sol*   *Insolencia, insolentarse, insolente, insólito,* V. *soler*   *Insoluble, insolvencia, insolvente,* V. *absolver*   *Insomne, insomnio,* V. *sueño*   *Insondable,* V. *sonda*

INSPECCIÓN, princ. S. XVII. Tom. del lat. *inspectio, -onis,* íd., deriv. de *inspĭcĕre* 'mirar adentro' (de la misma raíz que *spectare* 'mirar'). DERIV. *Inspeccionar,* 1843. *Inspector,* 1728, lat. *inspector, -oris.*

Inspiración, inspirar, V. *espirar*

INSTALAR, 1734. Del fr. *installer* 'establecer a una persona o un objeto en el lugar que le está destinado', propte. 'poner en posesión de un empleo, cargo o beneficio', 1403, tom. del bajo lat. *installare* 'poner en posesión de un beneficio eclesiástico', deriv. a su vez de *stallum* 'asiento en el coro'. Éste es latinización del fr. ant. *estal* íd., S. XII, que procede del fráncico *STALL 'lugar para estar', 'vivienda', 'establo' (comp. el alem. e ingl. *stall*). DERIV. *Instalación.*

Instancia, instantáneo, instante, V. *instar*

INSTAR, 1490, 'suplicar o urgir con ahinco'. Tom. del lat. *instare* íd., propte. 'estar encima', deriv. de *stare* 'estar de pie'. DERIV. *Instante,* 1438, lat. *instans, -tis,* 'lo presente, aquello en que estamos'; *instantáneo. Instancia,* 1325.

Instauración, instaurar, V. *restaurar*

INSTIGAR, h. 1440. Tom. del lat. *instīgāre* 'incitar, estimular'. DERIV. *Instigación,* 1438; *instigador,* 1490. *Instinto,* h. 1400, lat. *instinctus, -us,* 'instigación, impulso', deriv. de *instinguere,* variante rara de *instigare; instintivo.*

Instintivo, instinto, V. *instigar   Institución, institucional, instituir, instituto, institutriz,* V. *constituir   Instrucción, instructivo, instructor, instruir, instrumentación, instrumental, instrumentar, instrumento,* V. *construir   Insubordinación, insubordinado, insubordinar,* V. *orden   Insuflar,* V. *soplar   Ínsula, insular, insulina,* V. *isla   Insulso,* V. *sal   Insultar, insulto,* V. *saltar   Insurgente, insurrección, insurreccional, insurrecto,* V. *surgir   Intacto, intangible,* V. *tañer   Integérrimo, integración, integral, integrar, integridad, integrismo, integrista, íntegro,* V. *entero*

INTELIGENTE, 1605. Tom. del lat. *intelligens, -ēntis,* 'el que entiende', 'entendido, perito', participio activo de *intellĭgĕre* 'comprender, entender', a su vez deriv. de *lĕgĕre* 'coger', 'escoger'. DERIV. *Inteligencia,* 1438, lat. *intelligentia* íd. *Inteligible,* 1433, tom. de *intelligĭbĭlis* íd. *Intelecto,* 1438, lat. *intellectus, -us,* íd.; *intelectual,* h. 1440; *intelectivo,* h. 1440; *intelección,* 1580.

Intemperancia, intemperante, intemperie, V. *templar   Intempestivo,* V. *tiempo   Intención, intencionado, intendencia, intendente, intensidad, intensificar, intensivo, intenso, intentar, intento, intentona,* V. *tender   Inter-:* se han omitido algunos de los menos usados entre los vocablos que contienen este prefijo   *Intercadencia,* V. *caer*

INTERCALAR, v., 'colocar entre otras dos cosas', 1580. Tom. del lat. *intĕrcălare* íd. DERIV. *Intercalar,* adj., 1499, lat. *intercalaris* íd. *Intercalación.*

INTERCEDER, 1499. Tom. del lat. *intercēdĕre* 'ponerse en medio', 'intervenir', deriv. de *cedere* 'marcharse' (V. *CEDER*). DERIV. *Intercesión. Intercesor (-ora,* 1438).

INTERCEPTAR, 1734. Deriv. de *interceptus,* participio del lat. *intercipere* íd., propiamente 'sustraer' (deriv. de *capere* 'coger').

Intercesión, intercesor, V. *interceder   Intercostal,* V. *costilla   Interdicción, interdicto,* V. *decir*

INTERÉS, 1438. Sustantivación del lat. *interĕsse* 'estar interesado', 'interesar', derivado de *esse* 'ser' con *inter-* 'entre'. DERIV. *Interesar,* princ. S. XVII; *interesado; interesante. Desinterés,* S. XVII; *desinteresado,* 1607.

INTERFECTO, del lat. *interfectus, -a, -um,* part. pasivo de *interficere* 'matar', derivado de *facere* 'hacer'.

INTERFERENCIA 'acción recíproca de dos radiaciones (en física)', 1899. Del ingl. *interference* íd. 'acción de inmiscuirse, entrometerse', deriv. de *interfere,* S. XV, 'golpearse mutuamente', 'interponerse', 'estorbarse', que a su vez se tomó del fr. anticuado *s'entreférir* 'golpearse o herirse uno a otro', deriv. de *férir* 'herir, golpear'. El verbo *interferir* en cast. es feo y muy reciente anglicismo.

Interfoliar, V. *hoja   Interin, interinidad, interino, interior, interioridad,* V. *entre   Interjección,* V. *abyecto   Interlocutor, interlocutorio,* V. *locuaz   Intermediario, intermedio,* V. *medio   Intermitencia, intermitente,* V. *meter   Internacional,* V. *nacer   Internar, interno,* V. *entre   Interpelación, interpelante, interpelar,* V. *apelar*

INTERPOLAR, 1605. Tom. del lat. *interpolare* 'cambiar, alterar'. DERIV. *Interpolación, interpolador.*

Interponer, interposición, V. *poner*

INTÉRPRETE, 1490. Tom. del lat. *interpres, -ĕtis,* 'mediador', 'intérprete'. DERIV. *Interpretar,* 1438; lat. *interpretare* íd.; *interpretación,* 1438.

Interrogación, interrogante, interrogar, interrogativo, interrogatorio, V. *rogar   Interrumpir, interrupción, interruptor.* V. *romper   Intersección,* V. *segar*

INTERSTICIO, 1495, 'hendidura entre dos cuerpos'. Tom. del lat. *interstĭtĭum* 'intervalo, distancia', deriv. de *interstare* 'estar entre dos cosas' (deriv. de *stare* 'estar').

Intervalo, V. *valla   Intervención, intervenir, interventor,* V. *venir   Intestado,* V. *testigo   Intestinal, intestino, intimación, intimar, intimidad,* V. *entre   Intimidar,*

V. *temer   Íntimo*, V. *entre   Intitular*,
V. *título   Intonso*, V. *tundir   Intoxicación, intoxicar*, V. *tósigo   Intransigencia,
intransigente*, V. *transigir   Intrepidez, intrépido*, V. *trepidar   Intriga, intrigar*, V.
intrincar

INTRINCAR 'enredar, complicar', 1734;
alteración del anticuado *intricar*, 1495. Tom.
del lat. *intricare* 'enmarañar, enredar', derivado de *tricari* 'buscar rodeos, poner dificultades', y éste de *trīcae* 'bagatelas'. *Intrigar*
'hacer maquinaciones, manejos', 1765-83,
procede del it. *intrigare* 'enmarañar, embrollar' (por conducto del fr., S. XVI), que viene del mismo verbo latino.
    DERIV. *Intrincado* (*entricado*, 1427). *Inex-
tricable*, h. 1580, negativo del lat. *extricare*
'desenmarañar'. *Intriga*, 1805. *Intrigante. In-
tríngulis*, 1884, no parece ser deriv. de *intriga*, sino tom. del it. *intíngoli* 'guisotes con
salsa', 'pócimas' (deriv. de *intíngere* 'mojar
en una salsa'), con influjo de *intriga*.

    Intrínseco, V. *entre   Introducción, in-
troducir, introductor*, V. *aducir   Introito*,
V. *ir   Intromisión*, V. *meter   Introspección, introspectivo*, V. *espectáculo*

    INTRUSO, 1611. Tom. del lat. *intrūsus*,
participio de *intrūdĕre* 'introducir' (deriv.
de *trudere* 'empujar').
    DERIV. *Intrusión*, 1607. *Abstruso*, 1726,
lat. *abstrūsus* 'escondido', participio de *abs-
trudere* 'ocultar', otro derivado de *trudere*.

    INTUICIÓN, 1734, 'adivinación, com-
prensión penetrante y rápida de una idea'.
Tom. del lat. tardío *intŭĭtio, -ōnis*, 'imagen,
mirada' (deriv. de *intuēri* 'mirar'), que en
el latín escolástico tomó el sentido filosófico.
    DERIV. *Intuitivo*, 1580. *Intuir*, 1925, ex-
traído secundariamente de *intuición*.

    Inundación, inundar, V. *onda   Inusita-
do, inútil*, V. *uso*

    INVADIR, h. 1570. Tom. del lat. *invā-
dĕre* 'penetrar violentamente (en alguna parte)', deriv. de *vadĕre* 'ir'.
    DERIV. *Invasión*, h. 1440. *Invasor*, 1444.
Evadir, 1499, lat. *evadĕre* 'escapar'; *evasión*, 1444; *evasivo*, 1869, *evasiva*.

    Invaginar, V. *vaina   Invalidar, invali-
dez, inválido*, V. *valer   Invasión, invasor*,
V. *invadir   Invectiva*, V. *vehículo   Invencible*, V. *vencer   Invención, inventar,
inventario, inventiva, invento, inventor*, V.
*venir   Invernáculo, invernada, inverna-
dero, invernal, invernar*, V. *invierno   Inverosímil*, V. *verdad   Inversión, inverso,
invertido, invertir*, V. *verter   Investidura,*

V. *vestir   Investigación, investigar*, V. *vestigio   Investir*, V. *vestir   Inveterado*,
V. *viejo   Invicto*, V. *vencer*

    INVIERNO, 1335. Del antiguo y popular
ivierno, h. 1140, y éste del lat. vg. HIBĔR-
NUM íd., abreviación del lat. TEMPUS HIBER-
NUM 'estación invernal'.
    DERIV. *Invernar*, 1490, lat. HIBERNARE; *in-
vernada*, 1335; *invernadero*, 1495; *invernal*,
1495 (o *hibernal*), *invernizo*, 1330. *Invernáculo*, 1817.

    INVITAR, 1607. Tom. del lat. *invītāre*
íd. *Envidar*, 1591, es duplicado hereditario
de *invitar*.
    DERIV. *Invitación*, 1843. *Invitado. Envite*,
1570, del cat. *envit*, deriv. de *envidar. Convidar*, h. 1140, del lat. vg. *CONVĪTĀRE (alteración de INVITARE por influjo de CONVI-
VIUM 'convite'); *convidado. Convite*, S. XV
(*conbit*, 1335), del cat. *convit*.

    Invocación, invocar, V. *voz   Involucrar,
involucro*, V. *volver   Inyección, inyectar*,
V. *abyecto   Ión*, V. *ir*

    IPECACUANA, 1765-83. Del port. *ipe-
cacuanha*, 1587, y éste del tupí o lengua
general de los indios brasileños. Al castellano llegó por conducto del francés o del
latín botánico.

    IR, 1065. Del lat. ĪRE íd.
    DERIV. *Ido. Ida*, 1251. *Adir*, tom. del lat.
adire íd.; *adición* (*de la herencia*). *Circuir*,
lat. *cĭrcŭīre* íd.; *circuito*, 1433, lat. *cĭrcŭī-
tus, -us. Preterir*, 1737, lat. *praeterire* 'pasar
de largo'; *preterición; pretérito*, princ. S.
XVII. *Ión*, del gr. *iōn*, participio activo del
gr. *eîmi* 'yo voy', hermano del lat. *ire*.
    CPT. *Catión*, del anterior más el prefijo de
cátodo. Ionosfera (V. ATMÓSFERA). *Introito*, 1499, lat. *intrŏĭtus* 'entrada', formado
con *intro* 'dentro'. *Vademécum*, de la frase
lat. *vade mecum* 'anda conmigo'. *Vaivén*,
med. S. XVII, de *va + y +* una forma del
verbo *venir* (parece tomado del cat. *vaivé*,
plural *vaivens*, que ya existía en el S. XV,
y en el cual *ve* es 3.ª pers. del presente de
indic. de *venir*).

    IRA, h. 1140. Del lat. ĪRA 'cólera, enojo'.
    DERIV. *Airar*, h. 1140; *airado* 'colérico';
airar se empleó también en la Edad Media
en el sentido de 'retirar el señor su protección al vasallo' y de ahí 'desterrarlo', de
donde *airado* 'desterrado, proscrito', y luego 'malhechor', med. S. XIII, de lo cual
nació la locución *vida airada* 'vida del hampa', princ. S. XVII. Cultismos: *Irascible*,
h. 1440. *Iracundo*, h. 1440, lat. *iracundus*,
íd.; *iracundia*, 1490.

Íride, iridescente, V. *iris*

IRIS 'arco de colores formado con la refracción de la luz', h. 1280 ('íride', 1555, planta de color azul violado, después *íride,* 1822), lat. *iris, -is.* Tom. del gr. *íris, íridos,* 'arco iris'.
DERIV. *Irisar,* 1869; *irisación. Irídeo. Iridio. Iridescente. Iritis.*

IRONÍA, 1611. Tom. del lat. *īronīa* íd., y éste del gr. *eirōnéia* 'disimulo', propte. 'interrogación fingiendo ignorancia', deriv. de *éromai* 'yo pregunto'.
DERIV. *Irónico,* 1604. *Ironista. Ironizar.*

Irracional, V. *razón*   *Irradiación, irradiar,* V. *rayo   Irredento,* V. *redimir   Irrefragable,* V. *sufragar   Irrigación, irrigador, irrigar,* V. *regar   Irrisión, irrisorio,* V. *reír.*

IRRITAR 'excitar, causar ira', 1607. Tomado del lat. *ĭrrītāre* íd.
DERIV. *Irritable. Irritación,* 1607. *Irritante.*

Irrogar, V. *rogar   Irrumpir, irrupción,* V. *romper*

ISBA, 1936, 'vivienda de madera'. Tom. del ruso *izbá* 'casa rural, provista de caιefacción' (por conducto del fr. *isba* de las traducciones de novelas rusas).

ISLA, 1220-50. Del lat. ĪNSŬLA íd. *Ínsula* es variante cultista del S. XV.
DERIV. *Islario,* 1560. *Isleño,* 1548. *Isleo* 'isla pequeña', 1492, del fr. ant. *isleau* (*islel*), SS. XII-XVI. *Isleta,* 1492. *Islote,* 1526. *Aislar,* princ. S. XV; *aislamiento. Insular. Insulina,* por extractarse de las isletas de Langerhans en el páncreas.
CPT. *Península,* 1611, lat. *paeninsŭla,* formado con *paene* 'casi'; *peninsular.*

ISLILLA, princ. S. XV, 'sobaco', 'clavícula'. Alteración del antiguo *aslilla,* 1490, que a su vez resulta del más antiguo *aliella* 'sobaco', h. 1400, diminutivo del lat. ALA íd., por cruce con *asilla,* 1585, 'clavícula' y 'sobaco', que es diminutivo de *asa.*

Islote, V. *isla*

ISO-, primer elemento de compuestos cultos, formados con el gr. *ísos* 'igual'. *Isobárico,* 1899, formado con gr. *báros* 'pesadez'.

Isócrono, 1817, con gr. *khrónos* 'tiempo'; *isocronismo. Isoglosa,* con gr. *glôssa* 'lenguaje'. *Isógono,* 1734, con gr. *gōnia* 'ángulo'. *Isómero,* 1899, con gr. *méros* 'parte'; *isomería; anisómero. Isomorfo,* 1899; *isomorfismo. Isoperímetro,* 1734, con gr. *perímetros* 'contorno'. *Isósceles,* 1734, con gr. *skélos* 'pierna'. *Isotermo,* 1884, con gr. *thermós* 'caliente'.

ISTMO, 1564, lat. *isthmus.* Tom. del gr. *isthmós* íd.

Iterativo, V. *reiterar*

ITINERARIO, 1587. Tom. del lat. *itinerarium* íd., deriv. de *iter, itinĕris,* 'camino'.

ITRIA, 1899. Deriv. culto de *iterbita,* otro nombre de la gadolinita, mineral obtenido en Ytterby, Suecia.
DERIV. *Itrio,* 1899, *erbio* y *terbio,* nombres de otros tantos metales raros que se han hallado en la iterbita, con cuyo nombre se han formado.

IZAR 'hacer subir algún aparejo tirando de la cuerda de que está colgado', 1539. Parece tomado del fr. *hisser* íd., 1538, donde significaba 'azuzar' en la Edad Media (fr. ant. *hicier,* 1180, picardo *hicher*), y desde donde el vocablo debió de pasar a los idiomas germánicos y a los demás románicos. En francés es probable que sea onomatopeya puesta primero en boca del cazador que anima al perro y luego del oficial que anima a los marineros a levantar algo tirando de una cuerda.

IZQUIERDO, -A, 1142 (*exquerdo,* 1117). Vocablo común con el portugués (*esquerdo*), catalán (*esquerre*), gascón (*querr* o *esquerr*) y languedociano (*esquer, -rra*). Del mismo origen que el vasco *ezker(r)* íd. Probablemente procede de una lengua prerromana hispano-pirenaica, y es verosímil que el vocablo se extendiera desde una zona de lengua vasca en la época visigótica. En vasco el modo de formación del vocablo es inseguro; quizá de un híbrido del vasco *esku* 'mano' con el céltico KERROS 'izquierdo', propte. 'torcido' (irl. ant. *cerr*). El fenómeno del paso de una lengua a otra, que se advierte repetidamente en la historia de esta palabra, se explica por el deseo de cambiar un vocablo que en la conciencia popular tiende a envolver la idea de mal agüero.

J

JABALÍ, 1335. Del ár. *ŷabalí* íd., abreviación de *ḥinzîr ŷabalí* (*ḥinzîr* 'cerdo', *ŷabalí* 'montés', deriv. de *ŷábal* 'monte').
DERIV. *Jabato*, 1843.

JABALINA, princ. S. XVI, 'especie de venablo empleado especialmente en la caza mayor'. Del fr. *javeline* íd., deriv. de *javelot* 'pica empleada en la guerra', que a su vez lo es del céltico GABALOS 'horca', 'tridente, fisga'.

Jabato, V. *jabalí*

JÁBEGA, 1543. Del ár. *šábaka* 'red' (de la raíz *šábak* 'enredar, entrelazar').
DERIV. *Jabeque* 'cierta embarcación costanera', 1734, del ár. vg. *šebbêk*, S. XIII, 'embarcación para pescar con red' (deriv. de *šábaka*, en árabe); en la acepción 'chirlo', 1884, quizá sea aplicación figurada nacida en la frase *pintarle un jabeque a uno*.

Jabelgar, V. *albo*   *Jabeque*, V. *jábega*

JABLE 'ranura en que se encajan las tapas de los toneles', 1734. Del fr. *jable* íd., 1564, cuyo significado primitivo parece haber sido 'parte exterior de las duelas que sobresale del jable'. Parece ser lo mismo que el normando ant. y fr. dialectal *gable* 'hastial, parte superior triangular de la fachada, en la cual se apoyan las dos vertientes', procedente del lat. GABŬLUM 'horca, patíbulo' (voz de origen galo), con la cual se comparó el *gable* por el cruce de los dos maderos que forman el borde superior del hastial.

JABÓN, 1490. Del lat. tardío SAPO, -ŌNIS, íd., procedente, a su vez, del germ. *SAI-PŌN- (ingl. *soap*, alem. *seife*). La *j-* castellana quizá se explique por influjo del verbo *jabonar* o *enjabonar*, que puede corresponder fonéticamente a un derivado lat. vg. *EXSAPONARE.
DERIV. *Jabonar*, 1615, antes y todavía localmente *enjabonar*, 1495. *Jaboncillo. Jabonero*, 1495; *jabonera* (*hierba jabonera*, 1495, *saponaria*). *Jabonete. Jabonoso. Saponáceo.*
CPT. *Saponificar. Sapindáceo*, deriv. culto del lat. mod. *sapindus*, nombre de un árbol de Jamaica, del cual se extrae una especie de jabón: parece tratarse de un cpt. culto del lat. *sapo* y del nombre de las *Indias*.

JABORANDI, 1765-83. Del tupí *yaborandí*, pasando por el port. *javarandim* y el ingl. o fr. *jaborandi*.

JACA 'caballo de poca alzada', 1734, antiguamente *haca*, h. 1400 (con *h* aspirada, escrita *f*). Del fr. ant. *haque*, 1457 (¿y ya 1327?), ingl. *hack*, íd., abreviación del inglés anticuado *hakeney* íd., 1292 (de donde vienen el cast. *hacanea*, 1490; fr. *haquenée*, 1367; ingl. mod. *hackney*). *Hakeney* a su vez procedía del nombre del pueblo de Hackney, donde había renombrados pastizales y el principal mercado de caballos de la zona londinense.
DERIV. *Jaco* 'caballo pequeño y ruin', 1817.

JÁCARA 'romance o entremés breve, de tono alegre, en que suelen contarse hechos de la vida airada', 1627; 'especie de danza, con la música correspondiente, que acompañaba la representación de una jácara', 1642. Como primero significó 'lenguaje y vida del hampa', fin S. XVI, debe de ser deriv. de

jácaro 'rufián', 1613, que a su vez lo es de su sinónimo *jaque*, 1609. El nombre de éste significa propte. 'amenaza', 1555 (por la actitud de provocación y reto que el matón adopta continuamente), y es aplicación figurada del *jaque* del ajedrez (véase).
DERIV. *Jacarear*, med. S. XVII. *Jacarero. Jacarando* 'valentón', princ. S. XVII; *jacarandoso* 'donairoso, desenvuelto'; *jacarandina*, 1605; *jacarandana*, 1609; *jacarandaina*, med. S. XVII.

JACERINA 'cota de malla', abreviación de *cota* o *malla jacerina*, 1586. Probablemente adaptación del ár. *ŷazā'irî* 'argelino', deriv. de *al-Ɣazâ'ir* 'Argel', de donde parecen haberse traído estas cotas.

JACINTO, 1438, lat. *hyacinthus*. Tom. del gr. *hyákinthos*, nombre de una flor violada o azul, y de una especie de amatista. *Vaccinieo*, deriv. culto del lat. *vaccinium* 'arándano', voz emparentada con el gr. *hyákinthos*.

Jaco, V. *jaca*   *Jactancia, jactancioso, jactar*, V. *echar*

JACULATORIA 'plegaria ardorosa', h. 1580. Deriv. culto del lat. *jaculari* 'arrojar' (deriv. de *jacĕre* íd.).
DERIV. *Eyacular*, med. S. XVIII, lat. *ejaculare* íd., deriv. del lat. *jaculari*; *eyaculación*.

JADE, 1734. Del fr. *jade*, antes *ejade*, 1665, que a su vez se tomó del cast. *piedra de la ijada*, 1569, empleado en el mismo sentido por los conquistadores de América porque se aplicaba vulgarmente contra el cólico nefrítico o dolor de la ijada.

Jadeante, jadear, V. *ijada*

JAEZ 'arnés o adorno de una caballería', 1570; antes *jahez* 'atavío, aderezo (de personas, etc.)', princ. S. XV. Del ár. *ŷehêz* 'ajuar, arnés', propte. 'provisiones' (de la raíz *ŷáhaz* 'abastecer', 'preparar', 'aderezar, equipar'). El sentido secundario 'género, calidad', 1590, parece explicarse porque en las fiestas o justas los de cada cuadrilla llevaban uniformes los colores de los jaeces.
DERIV. *Enjaezar*, 1499.

JAGUA, 1515. Del arauaco antillano *šawa* íd.

Jaguar, V. *yaguar*

JAGUARZO 'arbusto de la familia de las cistíneas semejante a la jara', 1608. Se llamaba *šaqwâš*, S. XII, en el árabe de España, pero como es palabra ajena al árabe de los demás países y difícilmente puede ser voz semítica, el origen es incierto. En vista de que ciertas variedades de cisto se llaman *sargaça* en portugués y tienen hojas parecidas a las del chopo, quizá venga del lat. SALICASTRUM 'sauce borde o agreste', de donde en mozárabe *xaugaçro* y *xaguarço*, que del mozárabe pasaría al castellano. Una variante port. *sargaço* 'planta cistínea' fue aplicada por los navegantes del S. XV a un tipo de grande alga atlántica, de donde el cast. *sargazo*, 1535.

JAGÜEY, 1518, o **JAGÜEL**, S. XIX, 'cisterna o aljibe'. Del taíno de Santo Domingo.

JAHARRAR, S. XVI, 'allanar la pared con yeso, raspándola después y disponiéndola para el blanqueo'. Probablemente del ár. *ŷéyyar* 'encalar', deriv. de *ŷîr* 'cal'.
DERIV. *Jaharro*, 1611.

JAIBA 'especie de cangrejo de mar', 1526. Probablemente del arauaco de las Antillas (*šaiba*).

JAIQUE, 1884. Del ár. africano *ḥáik* 'manto largo de lana, por lo común blanco, que sirve de vestido durante el día, y de manta por la noche'.

JALAPA, 1721. Abreviación de *raíz de Xalapa*, 1615, como se dice todavía en Méjico, por haberla recogido los españoles por primera vez en esta población mejicana.

Jalar, V. *halar* y *jamar*   *Jalbegar, jalbegue*, V. *albo*

JALDE 'amarillo subido', 1288. Del fr. ant. *jalne* (hoy *jaune* 'amarillo'), que viene del lat. GALBĪNUS 'verde pálido'.
DERIV. *Jaldado*, princ. S. XV.

Jalea, V. *hielo*   *Jaleador, jalear, jaleo*, V. *hala*   *Jalifa*, V. *califa*

JALÓN, 1843. Del fr. *jalon* íd., 1613, voz de origen desconocido.
DERIV. *Jalonar*, S. XX.

JALOQUE 'dirección o viento sudeste', h. 1570. Seguramente del cat. *xaloc*, S. XIII, que es hermano de oc. ant. *eissiroc* (o *eissalot*) e it. *sirocco* (o *scirocco*), 1283 (que también ha pasado al cast. *siroco*, 1739). De origen incierto.

JAMAR, h. 1835, o **JALAR**, fin S. XIX, 'comer'. Vocablo jergal, probablemente de origen gitano y procedente de la raíz sánscrita *khā-* íd. (*khāla* 'él come') y de su variante *khāna-*, que pudo alterarse por influjo de la onomatopeya *¡ham!*, que expresa avidez.
DERIV. *Jamancia* 'comida', 'hambre', principios S. XIX.

Jamás, V. *ya*   *Jamba*, V. *gamba*   *Jamelgo*, V. *hambre*   *Jamerdar*, V. *mierda*

JAMUGAS 'silla para cabalgar a mujeriegas', 1599. Del lat. SAMBŪCA 'máquina de guerra en forma de puente levadizo', que en la Edad Media pasó a designar unas andas para el transporte de damas, y hoy todavía es nombre de las parihuelas en los Pirineos. El vocablo latino, que primitivamente significaba una arpa (con cuyas cuerdas se comparaban las entrelazadas que formaban el puente levadizo), se tomó del gr. *sambýkē*, y éste a su vez del caldeo *sabbeká* 'objeto entretejido y reticulado'. En romance el vocablo sufrió en algunas partes el influjo de *(en)jalma* y su familia, a lo cual se deberá también la *j-* castellana; pero *samugas*, 1611, se oye todavía localmente.

JAPUTA 'pez acantopterigio muy apreciado en el Mediterráneo', 1789. Del ár. *šabbūṭa* 'Uranoscopus scaber' (nombre de unidad correspondiente al colectivo *šabbūṭ*).

JAQUE, 1283. Del ár. *šāh* 'rey en el juego de ajedrez', y éste a su vez del persa *šāh* 'xah, rey de los persas'. La variante *escaque*, 1283, que luego designó el juego del ajedrez, después sus casillas y en fin una cuadrícula semejante, 1580, debió de tomarse del cat. u oc. *escac*, y éste del bajo lat. *scaccum*, S. XI, cuya inicial *sc-* se debe en parte a una mala lectura de la grafía *sc* (con que se pretendía representar el sonido š) y en parte al influjo del germ. *skāk* 'robo, botín'.
DERIV. *Jaquear*, 1734. *Jaquel*, h. 1600; *jaquelado. Escaqueado* o *escacado*, 1620. Además, vid. *JÁCARA*.

JAQUECA, h. 1500 (*axaqueca*, 1438), 'dolor de cabeza que, por lo común, ataca sólo una parte de la cabeza'. Del ár. *šaqīqa* íd., propte. 'mitad', 'lado de la cabeza' (deriv. de *šaqq* 'hender, dividir').

Jaquel, jaquelado, V. *jaque*

JÁQUIMA, 1330, 'cabezada de cordel que, en sustitución del cabestro, sirve para atar las bestias y llevarlas'. Del ár. *šakīma* 'cabestro, jáquima' (cuyo acento pudo trasladarse por influjo de *ḥákama* 'gamarra').

JARA, med. S. XIII, 'arbusto de la familia de las cistíneas'. Del ár. vg. *šáᶜra* (clásico *šaᶜrā*) 'matorral, mata', propte. 'bosque', 'bosquecillo'.
DERIV. *Jaral*, fin S. XIII. *Jarilla; jarillero; jarillal. Jaro* 'mancha de monte bajo'.

JARABE, h. 1270. Del ár. *šarâb* íd., propiamente 'bebida, poción', deriv. de *šárib* 'beber'.

Jaral, V. *jara*

JARAMAGO, 1490, 'planta crucífera muy común entre los escombros'. Probablemente del ár. *sarmaq*, h. 900, 'armuelles', y éste del persa íd. La forma más antigua sería *çaramago* (conservada en portugués y en hablas leonesas), alterada en castellano por influjo de *jara*, planta más conocida.

Jaramugo, V. *samarugo*

JARANA 'pendencia, alboroto', 'diversión bulliciosa', 1884. Parece ser pronunciación aspirada del anticuado *harana*, h. 1610, o *arana* 'embuste, trampa, estafa'; como *harana* aparece primeramente en un escritor peruano y con el sentido de 'engaño para no pagar lo perdido en el juego', vendrá probte. de un quichua anticuado *haránɑ* 'medio para impedir o atajar', derivado de la raíz quichua *har-* 'detener, estorbar, impedir' (*háray* 'abrir hoyos para detener el agua', *hárkay* 'obstaculizar, atajar'). Este vocablo nacería entre la gente de vida airada de los garitos indianos, en el Perú recién conquistado.

Jarca, V. *harca*

JARCIA, 1490, 'aparejos y cabos de un buque', 'conjunto de redes de pescar', 'carga de muchas cosas diversas, sin orden ni concierto', antiguamente *exarcia*, 1369. Del gr. bizantino *exártia*, plural de *exártion* 'aparejos de un buque', deriv. del gr. *exartízō* 'yo equipo, aparejo un navío', y éste de *ártios* 'ajustado'.

JARCHA, h. 1948, 'especie de estribillo en romance mozárabe', del ár. *ḫárǧa* íd., donde deriva de la raíz *ḫrǧ* 'salir'.

JARDÍN, 1495. Del fr. *jardin* íd., diminutivo del fr. ant. *jart* 'huerto', procedente del fráncico *GARD* 'cercado, seto', comp. el anglosajón *geard* 'cercado' (ingl. *yard* 'patio'), alto alem. ant. *gart* 'círculo, corro', escand. ant. *garðr* 'cercado (el ingl. *garden* se tomó del normando *gardin*, variante antigua del fr. *jardin*; el alem. *garten*, antiguamente *garto*, es deriv. de la misma raíz que la voz francesa, pero independiente de ésta).
DERIV. *Jardinero*, 1495; *jardinera; jardinería*, 1495.

JARETA, 1573, 'costura que se hace en la ropa dejando un hueco para meter por él una cinta o cordón, que sirve para encoger la vestidura'. Del ár. vg. *šaríṭa* 'cuerda', 'cinta' (clásico *šaríṭ* 'cuerda de fibras de palmera trenzadas').
DERIV. *Jaretón. Enjaretar*.

JARIFO, S. XV, 'rozagante, vistoso'. Del ár. *šaríf* 'noble, ilustre', 'excelente, de calidad superior'.

Jarilla, jarillal, jarillero, V. *jara*

JARRA, 1251. Del ár. *ŷárra* íd. DERIV. *Jarro,* h. 1400. *Jarrón,* 1682. *Jarrero,* 1495.

JARRETE 'corvejón', 1344. Del fr. *jarret* 'corva', 'corvejón', deriv. del fr. dialectal *jarre,* oc. *garra* 'jarrete', 'pierna'. En definitiva procede del galo *GARRA, comp. bretón, córnico y galés *gar(r),* irl. ant. *gairri* 'pierna'. La variante americana y reciente *garrete* es alteración moderna de *jarrete,* y no presenta conservación de la G- etimológica. DERIV. *Desjarretar,* h. 1270. *Jarretera,* 1490, del fr. *jarretière* íd., deriv. de *jarret;* variante *charretera.*

· *Jarro, jarrón,* V. *jarra* *Jasa, jasadura, jasar,* V. *sajar*

JASPE, med. S. XIII, lat. *iaspis.* Tom. del gr. *íaspis, iáspidos,* 'piedra preciosa semejante al ágata'. DERIV. *Jaspear; jaspeado.*

JAUJA, 1547 (*Tierra de Xauja*). Origen incierto, probablemente por alusión al rico valle de Jauja en el Perú ("este pueblo de Jauxa... está en un hermoso valle... es tierra abundosa...", 1534).

JAULA, h. 1400 (*javola,* 1251). Del fr. ant. *jaole* íd., hoy *geôle* 'calabozo', procedente del lat. CAVEOLA, diminutivo de CAVEA 'jaula'. La antigua forma autóctona española venía de este último, que dio *gavia,* fin S. XIV, restringido más tarde a ciertos tipos especiales de jaula, o al uso náutico, med. S. XV (propte. 'cofa del navío', de donde pasó a una vela inmediata). DERIV. *Enjaular,* 1590. *Gaviero. Gavión* 'cestón de mimbres lleno de tierra, que sirve para defender de los tiros enemigos', S. XVI o XVII, del it. *gabbione* íd.

JAURÍA 'conjunto de perros que cazan dirigidos por un mismo perrero', 1721. Origen incierto; quizá del ár. hispano *ḥauríya,* que parece haber significado 'especie de danza' o 'cuadrilla de bailarines', y procederá del gr. *khoréia* 'danza', 'corro de danzantes'. Pero es etimología muy incierta, entre otras razones, por la rareza y significado impreciso de la palabra árabe.

Jayán, V. *gigante*

JAZMÍN, med. S. XV. Del ár. *yāsamín,* y éste del persa. La forma castellana actual no puede venir directamente del árabe, pero quizá se tomara del cat. *gesmir* (también *gessamí,* plural *gessamins*), modificado por influjo del cast. ant. *azemín,* h. 1330, el cual sí es arabismo directo. DERIV. *Jazmíneo.*

JEFE, med. S. XVII. Del fr. *chef* íd., que a su vez procede del lat. CAPUT 'cabeza'. DERIV. *Jefa,* 1843. *Jefatura,* 1899.

JEJÉN, h. 1565 (*xixenes,* 1535), 'mosquito tropical pequeñísimo'. Probablemente del arauaco de las Antillas.

JENGIBRE, h. 1260. Del lat. ZINGĬBER, -IBĔRIS, y éste del gr. *zingíberis* íd. La forma castellana debió de tomarse de otra lengua romance, probablemente el oc. ant. *gingibre.* DERIV. culto: *Cingiberáceo.*

JEQUE, h. 1580. Del ár. *šéiḫ* 'caudillo local', propte. 'anciano'.

JERARQUÍA, 1444. Tom. del b. lat. *hierarchía* 'jerarquía eclesiástica', compuesto con el gr. *hierós* 'sagrado' y *árkhomai* 'yo mando'. DERIV. *Jerarca,* 1481. *Jerárquico,* 1703, lat. *hierarchicus* íd., fin S. VI. Otros cpts. del gr. *hierós: Jeroglífico,* 1611, lat. *hieroglyphĭcus,* del gr. *hieroglyphikós* íd., formado con gr. *glýptō* 'yo grabo': así llamados porque los sacerdotes egipcios se servían de estos caracteres. *Jirapliega,* 1605; antes *jeripliega,* 1591; gr. *hierà pikrá* 'amarga santa', así llamada porque el acíbar entraba en su composición. *Hierofante,* gr. *hierophántēs,* formado con *pháinō* 'yo muestro'. *Hieroscopia,* con gr. *skopéō* 'yo examino'. *Hierático,* gr. *hieratikós* 'sacerdotal', deriv. de *hierós.*

JERGA I, 1335, 'tela gruesa y tosca'. Del mismo origen incierto que el fr. *serge* y port. (*en*)*xerga,* que designan básicamente paños de luto. Seguramente emparentados con el cast. *sarga,* oc. *sarga,* fr. ant. *sarge,* rum. *sarică,* bajo lat. *sarica,* S. VI, que designan telas más o menos bastas, pero antiguamente se habían aplicado a tejidos más ricos, a veces de seda. Unos y otros parecen ser descendientes del lat. SERĬCA 'paños de seda', pero hay pormenores fonéticos y de sentido que hacen dudosa esta etimología. Una tercera variante *sirgo,* 1251, aplicada antiguamente a la seda y más tarde a las fibrillas que hace el gusano, procede de la pronunciación tardía del gr. *sirikós* (clásico *sērikós*). DERIV. *Jergón,* 1495. *Enjergar,* 1495. Comp. *JILGUERO* y *SIRGA.* CPT. del citado SERICA lo son *sericicultor* y *sericicultura.*

JERGA II, 1734, 'lenguaje especial, difícil de comprender, jerigonza'. Deriv. retrógrado de oc. ant. *gergon*, que a su vez se tomó del fr. ant. *jargon*, S. XII, o *gergon*, íd., dialectalmente *gargon*, primitivamente 'gorjeo de los pájaros' (de donde 'habla incomprensible'), derivado de la raíz onomatopéyica GARG-, que expresa las ideas de 'hablar confusamente', 'tragar' y otras relacionadas con la de *garganta* (véase éste). El sinónimo cast. *jerigonza*, 1492, antiguamente *girgonz*, med. S. XIII, parece ser el mismo oc. ant. *gergons* (caso recto de *gergon*, S. XIII); pero en España se confundió con otra palabra de origen y significado distintos, *girgonça* 'jacinto, piedra preciosa', 1250. Éste procede del fr. ant. *jargonce* íd., el cual resulta a su vez de la alteración que, por influjo del fr. anticuado *jargon* 'piedra preciosa de un amarillo rojizo' (del ár. *zarqôn*, vid. AZARCÓN), sufrió el fr. ant. *jagonce* 'jacinto', procedente en última instancia del gr. *hyákinthos* íd.
DERIV. *Jergal*, 1936.

Jergón, V. *jerga* I   *Jerigonza*, V. *jerga* II

JERINGA, princ. S. XVII, antiguo *siringa*, 1495. Tom. del lat. *sўrīnga* 'jeringa, lavativa', que a su vez procedía del gr. *sўrinx*, *sўringos*, 'caña', 'flauta', 'tubo'.
DERIV. *Jeringuilla. Jeringar*, 1734.

Jeroglífico, V. *jerarquía*   *Jeta, jetón, jetudo*, V. *seta*

JÍBARO, amer., 1752, 'silvestre', 'campesino'. Origen incierto, probablemente indígena americano; quizá derivado del taíno *šiba* o *siba* 'piedra', suponiendo que éste tuviese además el sentido de 'peña', 'cerro' (según podría deducirse de *sibaruco*, variante de *seboruco* 'terreno áspero y quebrado', otro antillanismo del S. XVI, y de varios nombres propios de lugar cubanos).

JIBIA, 1335. Del mozárabe *xibia*, 1106, procedente del lat. SĒPĬA, y éste a su vez del gr. *sēpía* íd. Como nombre de colorante, S. XIX, *sepia* se tomaría del italiano.
DERIV. *Jibión*.

JÍCARA, h. 1540 (*xícalo*, 1535). Probablemente del azteca *xicálli* 'vasija de calabaza, vasija de ombligo'; cpt. de *xictli* 'ombligo' y *calli* 'receptáculo'.

JIFA, 1734 (*chifa*, h. 1630; cat. ant. *guifa*, 1344), 'desperdicio que se tira en el matadero al descuartizar las reses'. Del ár. *ǧîfa* 'cadáver', 'carne mortecina'.
DERIV. *Jifero*, 1591; *jifería*.

Jifero, V. *jifa*

JILGUERO '*Acanthis carduelis*', princ. S. XVII, del antiguo *sirguero*, S. XIII. Deriv. de *sirgo* 'paño de seda' (vid. *JERGA* I), porque sus colores recuerdan los de los paños antiguos de este tejido. Variantes próximas a la antigua se conservan todavía en muchas localidades; en cuanto a la chilena y argentina *sílguero* (*ji-*) y la gallega *sílgaro* (*xi-*), es deriv. de *sirgo*, formado independientemente, con sufijo átono. El sinónimo *pintacilgo*, 1737, se explica por cruce del otro sinónimo *pintadillo*, 1737, con el citado *sirgo*, cuya variante *silgo* se emplea en partes de León como adjetivo de color.

JILMAESTRE, 1817. Del alem. *schirrmeister* íd., cpt. de *meister* 'maestro' y el radical de *geschirr* 'guarniciones, arreos' y *schirren* 'aparejar, enjaezar'.

JINDAMA 'miedo', h. 1880, también *jinda*, princ. S. XX. Deriv. del gitano *jiñar* y sus variantes *jiñdas, jinava, jendava*, 'evacuar el vientre', por alusión a las consecuencias fisiológicas del miedo.

JINETA 'especie de garduña africana y española', 1573 (en Portugal y en Cataluña, ya SS. XII y XIII). Emparentado con el ár. africano *ǧarnéiṭ* íd., S. XIX; pero la correspondencia fonética es imperfecta, y como el origen de este vocablo, a su vez, no está averiguado y no puede ser de oriundez semítica, la cuestión no está resuelta; aunque no es improbable que en las lenguas romances venga de dicha voz africana, alterada bajo el influjo de *jinete*.

JINETE, hacia 1280 (*genete*). Significó primeramente 'soldado de a caballo que peleaba con lanza y adarga, y llevaba encogidas las piernas, con estribos cortos', y procede del ár. vg. *zenêti* (clásico *zanâtî*) 'individuo de Zeneta', tribu bereber, famosa por su caballería ligera, que acudió en defensa del reino de Granada en el S. XIII.
DERIV. *Jineta*; fue primeramente adjetivo: *lanza jineta* 'la corta que blandían los Zenetes', luego abreviado en *jineta*, med. S. XIV; *silla jineta*, princ. S. XV; *cabalgar a la jineta*, 1551. *Jinetada. Jinetear*.

JIPIJAPA, 1914, v abreviado en *jipi*. Aquél es el nombre de una pequeña ciudad de la República del Ecuador, donde se fabrican esta tira vegetal y los sombreros que con ella se hacen.

Jira 'pedazo de tela', V. *jirón*.

JIRA 'banquete opíparo', h. 1535. Del fr. ant. *chiere* 'comida de calidad', extraído de la locución *faire bone chiere* 'dar bien de comer (a alguno)' (propte. 'acogerle bien, hacerle buena cara'), en la cual *chiere* significaba de por sí 'rostro, semblante', del mismo origen que el cast. *cara*. La forma castellana debe de proceder de la francesa dialectal *chire*, propia del Este y el extremo Norte de este país. En castellano *jira* designó constantemente un banquete o comida en todo el Siglo de Oro y sólo en el S. XIX empezó a tomar el sentido de 'banquete campestre', bajo el influjo del verbo *girar*; más recientemente, anticuado el vocablo en muchas partes, lo han desenterrado algunos, que relacionándolo con *girar* le dan el sentido de 'excursión', 'viaje más o menos circular' y suelen escribirlo con *g-*, ortografía sin fundamento etimológico.

JIRAFA, 1570. Tom. del ár. * zaráfa* íd., por conducto del it. *giraffa*. Antiguamente se habían empleado en castellano formas tomadas directamente del árabe (*zarafa*, 1283; *azor(r)afa*, SS. XIII-XIV; *azoraba*, h. 1300).

Jirapliega, V. *jerarquía*

JÍRIDE 'planta fétida semejante al lirio', 1555, lat. *xyris, -ĭdis*. Tom. del gr. *xyrís* íd.

JIRÓN, 1495, 'pedazo triangular que se injiere en un vestido o en un blasón', 'trozo desgarrado de una ropa'. Del fr. ant. *giron* 'pedazo de un vestido cortado en punta' (más tarde 'parte del mismo que va de la cintura a la rodilla', hoy 'regazo'), y éste del fráncico *GAIRO, comp. el alto alem. ant. *gêro* 'trozo de ropa en forma de cuña' (hoy *gehren*), ingl. *gore*, escand. ant. *geire*. De *jirón* en castellano se extrajo más tarde *jira* 'pedazo de tela', 1734.

Jisca, V. *sisca*   ¡*Jo!*, V. ¡*so!*

JOBO, amer., 'árbol terebintáceo de fruto parecido a la ciruela', antes *hobo*, 1516. Del taíno *hobo*.

Jocoserio, jocoso, V. *juego*

JOCUNDO 'plácido y alegre', 1438. Tom. del bajo lat. *jocundus*, alteración (bajo el influjo de *jocus* 'juego') del clásico *jūcundus* íd. (deriv. de *juvare* 'dar gusto'). DERIV. *Jocundidad*.

JOFAINA, 1680 (*aljufaina*, 1615). Del ár. *ỹufáina*, diminutivo de *ỹáfana* (o *ỹáfna*) 'escudilla grande, fuente honda'.

Jollín, V. *hollín*   *Jopo*, V. *hopo*

JORNADA, 1220-50. Tom. de otra lengua romance, probablemente la lengua de Oc, donde *jornada* íd. es deriv. de *jorn* 'día', procedente del lat. DIŬRNUS 'diurno, que

ocurre durante el día', adjetivo que en la baja época se sustantivó, con el sentido de 'tiempo diurno', por oposición al nocturno. DERIV. *Jornal*, h. 1400, de oc. ant. *jornal* íd., otro deriv. de *jorn*; *jornalero*, 1495.

JOROBA, 1734. La pronunciación antigua fue *horoba* con *h* aspirada (según pronuncian todavía los judíos marroquíes); más antiguamente se halla *hadruba*, h. 1400. Todo lo cual se tomó del árabe hispano *ḥudûba* (también *ḥadúbba*), variante del clásico *ḥádaba* íd. DERIV. *Jorobado*, 1734 (*fadubrado, hadubrado; (f)adrubado*, en la Edad Media, desde el S. XIII). *Jorobar* 'fastidiar, molestar', 1734.

JORRO, 1495, 'remolque', 'arrastre'. De un deriv. del ár. *ỹarr* 'arrastrar, llevar a rastras' (o de una forma verbal del mismo). DERIV. *Ajorrar* 'llevar a remolque', 1831; *ajorro*.

JOTA 'baile popular muy arraigado en Aragón y Valencia', 1765-83. No es probable que venga del arcaico *sota* 'baile', 2.ª mitad S. X, deriv. del cast. ant. *sotar* 'bailar', SS. X-XIII (todavía algo empleado en los SS. XIV-XVI), que viene del lat. SALTARE íd. Mucho más lo es que salga del árabe vulgar *šáṭḥa* 'baile' (tanto más cuanto que *danza* también parece ser de origen arábigo).

JOVEN, 1251, pero fue palabra rara o poco popular (a diferencia de *mozo*) hasta muy adelantado el S. XVII. Descendiente semiculto del lat. JŬVĔNIS íd. DERIV. *Jovenzuelo*, 1925. *Jovencito*, princ. S. XIX. *Juvenil*, hacia 1440, tom. del lat. *jŭvenīlis. Juventud*, med. S. XIII, tom. del lat. *juventus, -ūtis. Rejuvenecer*, S. XVI; *rejuvenecimiento*.

Jovial, jovialidad, V. *jueves*

JOYA, 3.er cuarto S. XIII. Del fr. ant. *joie* íd., SS. XIV-XVI, deriv. regresivo de *joiel* íd., S. XII (hoy *joyau*), que a su vez procede del lat. vg. *JOCALE íd. (documentado sólo desde el S. IX), deriv. de JOCUS 'juego' (de donde 'juguete', 'objeto placentero' y 'joya'). *Joyel*, hoy bastante anticuado y tomado de dicho primitivo francés, se halla en cast. desde 1391. DERIV. *Joyero; joyería. Joyuelo. Seda joyante* 'muy fina', 1590. *Enjoyar*, 1611; *enjoyado*.

JOYO, 1555. Del lat. LŎLĬUM íd. (de donde el arag. *lueillo*, 2.ª mitad S. XIII). Junto con el port. *joio*, la voz castellana supone una base *JOJUM, del latín vulgar, mientras que las de otras lenguas romances (cat. *jull*, etc.) corresponden a JOLIUM, ambas resultantes de la forma del latín clásico por una combinación de asimilaciones y disimilaciones.

JUANETE, 1605, 'hueso del nacimiento del dedo grueso del pie, cuando sobresale demasiado'. De *Juanete*, diminutivo o despectivo de *Juan*, empleado como nombre típico de la gente rústica, la cual suele estar muy afectada de juanetes en los pies. También se ha empleado para denominar los pómulos, y por comparación con la posición de los pómulos en la cabeza se ha llamado *juanetes* a ciertas vergas de lo alto del velamen, 1616.
DERIV. *Ajuanetado*, 1613. *Juanetudo*.

JUBILAR 'alcanzar la jubilación', 1495, propte. 'regocijarse', 1605 (por la satisfacción del que ya no ha de trabajar). Tom. del lat. *jūbīlāre* 'lanzar gritos de júbilo'.
DERIV. *Jubilación*, h. 1580. *Jubilado*, 1495. *Júbilo*, 1596, lat. tardío *jūbīlum* (derivado regresivo de *jubilare*); *jubiloso*, 2.ª mitad S. XIX. *Jubileo*, 1220-50, lat. *jubilaeus* 'solemnidad judía celebrada cada cincuenta años', es palabra independiente, del hebreo *yōbēl* 'cuerno de morueco, con que se daba la señal de esta festividad', pero influida en latín por *jubilare*.

JUBÓN, h. 1400. Deriv. del antiguo *aljuba*, 943, o *juba*, que a su vez procede del ár. *ǧúbba* 'especie de gabán con mangas' (es posible que las formas sin artículo *al*- llegaran al castellano por conducto de otra lengua romance). La variante *chupa*, 1723, debió de tomarse del fr. *jupe*; de ahí derivan *chupeta* y *chupón*, luego *chapona*, 1884.
DERIV. *Jubetero*, 1391. *Jubonero*.

Judaico, judaísmo, judaizante, judaizar, judería, judía, V. *judío*   *Judicatura, judicial, judiciario*, V. *juez*

JUDÍO, h. 1140. Del lat. JŪDAEUS íd.
DERIV. *Judía* 'habichuela', 1570 (cuya explicación semántica y aun su etimología en realidad son inciertas). *Judihuelo* íd., 1555. *Judería*, 1220-50. Cultismos: *Judaico*; *judaísmo*, 1220-50; *judaizar*, 1495; *judaizante*.

JUEGO, h. 1140. Del lat. JŎCUS 'broma, chanza', 'diversión'.
DERIV. *Jugar*, h. 1140 (*jogar* en los SS. XII-XIV), del lat. JOCARI 'bromear' (la forma con *u* reaparece en catalán desde el S. XIII y allí todavía es más difícil de explicar que en cast.). *Jugada. Jugador. Jugarreta*, 1734. *Juguete*, 1335, quizá tomado de oc. ant. *joguet*, S. XIII; *juguetero*; *juguetear*, 1734; *jugueteo*; *juguetón*, 1605. *Juglar*, 1220-50 (*joglar*, 1062), descendiente semi-

culto del adjetivo lat. JOCULARIS 'gracioso, risible' (de JOCULUS, diminutivo de JOCUS); *juglara*, 1335, o *juglaresa*, med. S. XIII; *juglaría*, 1251; *juglaresco*. Cultismos: *Jocoso*, h. 1440; *jocosidad*.
CPT. *Jocoserio*.

Juerga, juerguista, V. *holgar*

JUEVES, 1220-50. Abreviación del lat. DIES JŎVIS 'día de Júpiter'.
DERIV. del nombre del mismo dios: *Jovial*, princ. S. XVII, lat. *jovialis* 'perteneciente a Júpiter', planeta al cual los astrólogos atribuían un influjo benéfico sobre los que nacían bajo su signo; *jovialidad*, 1734.

JUEZ, descendiente semiculto del lat. JŪDEX, -ĬCIS: el acusativo JUDĬCEM pasó primero a *júdez*, 1129; *júez*, 1146, y luego *juez*.
DERIV. *Juzgar*, fin S. XIV; antes *judgar*, 1155, del lat. JŪDĬCĀRE íd.; *juzgado*, 1495. *Juicio*, h. 1140, tom. del lat. *jūdĭcium* íd.; *juicioso*, h. 1690; *enjuiciar*, 1732; *enjuiciamiento. Judicial*, h. 1440. *Judiciario. Judicatura. Adjudicar*, h. 1570, lat. *adjudicare* íd.; *adjudicación. Prejuicio*, 1884 (y ya alguna vez S. XV), lat. *praejudicium* 'juicio previo', 'decisión prematura', 'perjuicio que causa ésta al interesado': de esta acepción sale *perjuicio*, 2.º cuarto S. XV; *perjudicial*; *perjudicar*, 1438; y, en el sentido etimológico: *prejuzgar*.

Jugada, jugador, jugar, jugarreta, juglar, juglaresa, juglaresco, juglaría, V. *juego*

JUGO, S. XIV, antes *sugo*, 1220-50. Del lat. SŪCUS 'jugo o savia de los vegetales', 'jugo del cuerpo humano'. La *j*- se debe a influjo de *enjugar* y *enjuto*.
DERIV. *Jugoso. Jugosidad. Suculento*, 1832, tom. del lat. *suculĕntus* íd.

Juguete, juguetear, juguetón, V. *juego*   *Juicio*, V. *juez*

JULEPE, princ. S. XV. Del ár. *ǧullêb* íd., y éste del persa *gulâb* 'agua de rosas' (compuesto de *gul* 'rosa' y *ab* 'agua'). Figuradamente, en sentido irónico, 'reprimenda', 'sobresalto' y 'cansancio'.

JULIO I 'séptimo mes del año', 1220-50. Tom. del lat. *jūlius* íd.

JULIO II (medida eléctrica), princ. S. XX. Tom. del ingl. *joule* (pronunciado *ǧául*), formado con el nombre del físico J. P. Joule, de aquella nacionalidad.

JUMENTO 'asno', 1605. Tom. del lat. *jūmĕntum* 'bestia de carga' (está por *jug-*

mentum, de *jungere* 'uncir'); especializado en castellano como nombre de una de estas bestias, por eufemismo.

JUNCO I (vegetal), 982. Del lat. JŭNCUS íd.
DERIV. *Juncal,* S. XVII. *Junquera,* 1209. *Junquillo,* 1192. *Juncia,* 1475 (*yúncha,* h. 1100 en mozárabe), del adjetivo lat. JŭNCĕA 'semejante al junco'.

JUNCO II (embarcación china), 1521. Del port. *junco,* y éste del malayo *jung* íd.

JUNIO, 1211. Tom. del lat. *jūnĭus* íd.

JUNTO, S. XV. Del lat. JŭNCTUS, participio pasivo de JŭNGĕRE 'juntar'.
DERIV. *Junta,* 1055; *juntero. Juntura,* 1220-50, lat. JŭNCTŭRA íd. Duplicado de *junta* es *yunta* 'pareja de animales de tiro', forma rústica con tratamiento dialectal de la J-; *yuntero. A pie juntillo* 'rotundamente', 1604, posteriormente *a pie juntillas,* 1625, o *a pies juntillas,* 1609, por influjo de locuciones como *a sabiendas, en volandas,* etc. *Juntar,* 2.ª mitad S. X. *Ayuntar,* h. 1140; *ayuntamiento,* h. 1250. *Coyuntura,* med. S. XIII, deriv. románico de CONJŭNGĕRE 'juntar'; *descoyuntar,* h. 1335. Cultismos: *Adjunto,* h. 1580, lat. *adjunctus,* participio de *adjungere* 'juntar a algo'. *Conjunto,* med. S. XV; *conjunción,* 1288; *conjuntiva, conjuntivitis. Subjuntivo,* 1490, lat. *subjunctivus* íd., propte. 'perteneciente a la subordinación'. *Disyuntivo,* 1705, deriv. de *disjungere* 'separar'; *disyuntiva,* 1611.

JURAR, h. 1140. Del lat. JŭRāRE íd. (derivado de JUS, JURIS, 'derecho, ley').
DERIV. *Jura,* 1102. *Jurado,* 1220. *Jurador,* 1495. *Juramento,* 1045; *juramentar,* 1490. *Conjurar,* princ. S. XIII; *conjura; conjuración,* med. S. XV; *conjurado; conjuro.* Cultismos: *Abjurar,* h. 1569, lat. *abjurare*

'negar con juramento'; *abjuración. Perjurar,* h. 1140, lat. *perjurare* íd.; *perjuro; perjurio. Injuria,* 1335, tom. del lat. *injūrĭa* 'injusticia', 'ofensa', deriv. de *jus, juris,* 'derecho, ley'; *injuriar,* 1438; *injurioso,* 1438. *Jurista,* 1490, deriv. del mismo.
CPT. *Jurídico,* 1515, lat. *jurĭdĭcus,* formado con *jus* 'derecho' y *dicere* 'decir'. *Jurisconsulto,* h. 1450, lat. *jurisconsultus,* con *consulere* 'pedir consejo'. *Jurisdicción,* h. 1440, lat. *juris dictio* 'acto de decir el derecho'; *jurisdiccional. Jurisperito,* 1490, lat. *juris perĭtus* 'perito en derecho'. *Jurisprŭdente,* 1734, lat. *juris prudens* 'enterado en derecho'; *jurisprudencia,* fin S. XVII.

Jurásico, V. *tres* (*triásico*)

JUREL, 1505. Del mozárabe *šūrêl* o del cat. *sorell* íd., diminutivos del lat. SAURUS íd., que a su vez procede del gr. *sáuros* íd., propte. 'lagarto'.

JUSTAR 'pelear en un torneo', med. S. XIII. Probablemente del lat. vg. *JŭXTāRE 'juntar', deriv. de JUXTA 'junto a, al lado de'. Seguramente por conducto del cat. *justar* (más que del oc. ant. *jostar*), cuya *u* se debe al influjo de *juntar.*
DERIV. *Justa* 'torneo', med. S. XIII.

JUSTO, h. 1140. Del lat. JūSTUS 'justo, conforme a derecho' (deriv. de JUS 'derecho, justicia').
DERIV. *Justillo,* med. S. XVII. *Ajustar,* S. XVI; *ajuste. Injusto,* 1480; *injusticia,* 1495. *Justicia,* 1132, lat. *justĭtĭa* íd.; *ajusticiar,* h. 1600. *Justiciero,* h. 1295.
CPT. *Justificar,* 1490, lat. *justificare* íd.; *justificación; justificante. Justipreciar,* 1817, *justiprecio,* 1765-83.

Juvenil, juventud, V. *joven Juzgado, juzgar,* V. *juez*

K

KILO-, primer elemento de compuestos cultos, tom. del gr. *khílion* 'mil'. *Kilogramo,* 1869, creado junto con los dos siguientes al implantarse el sistema métrico en Francia en 1795; de uso común la abreviación *kilo*; compuesto de aquél: *kilográmetro. Kilolitro. Kilómetro,* 1869; *kilométrico. Kilovatio,* 1936.

Kirie, V. *kirieleisón*

KIRIELEISÓN, S. XVI, 'imploración a Dios, al principio de la misa'. Tom. de la frase gr. *Kýrie eléēson* 'Señor, apiádate'. Como la palabra *Kýrie* se pronuncia repetidamente en el ritual litúrgico, se ha empleado *los kiries,* junto con varios verbos, para indicar una acción repetida muchas veces: *beber los kiries,* 1613; *reír los kiries,* princ. S. XIX, etc.

L

LÁBARO 'estandarte de los emperadores romanos', h. 1600. Tom. del lat. *labărum* íd.

LABERINTO, 1444. Tom. del gr. *labÿrinthos* 'construcción llena de rodeos y encrucijadas, donde era muy difícil orientarse'.
Deriv. *Laberíntico.*

Labia, labiado, labial, V. *labio*   *Lábil,* V. *lapso*

LABIO, 1570. Tom. del lat. tardío *labĭum* íd., que en el S. XVI sustituyó el antiguo *labro,* 1220-50, o *labrio,* S. XIV, procedente del lat. LABRUM íd., por vía hereditaria.
Deriv. *Labia* 'verbosidad', h. 1470, tom. del plural lat. *labia* 'labios'. *Labiado. Labial.*
Cpt. *Labihendido. Labiodental.*

LABOR, 1030. Del lat. LABOR, -ŌRIS, 'trabajo', 'tarea', propte. 'fatiga'.
Deriv. *Laborear; laboreo. Laborioso,* 1490, tom. del lat. *laboriōsus; laboriosidad. Labrar,* h. 1140, del lat. LABORARE 'trabajar'; *labrada; labradío; labrador,* 1220-50; *labradorita,* así llamada por haberse hallado en la península del Labrador; *labrandera,* h. 1490; *labranza,* 1093; *labriego,* 1734. *Laborar,* S. XIX, tom. del lat. *laborare* 'trabajar'; *laborable; laborante,* S. XVII; *laboratorio,* 1734. *Colaborar,* 1884; *colaboración,* med. S. XIX, *colaborador,* íd. *Elaborar,* 1580, tom. del lat. *elaborare* íd.; *elaboración.*

Labrio, labro, V. *labio*

LACA, S. XIII, 'cierta sustancia resinosa procedente de la India', 'barniz que con ella se hace' Del ár. *lakk,* que a su vez procede del sánscrito *lākṣā* íd., por conducto del persa. Del mismo origen procede (por ser la laca parte importante en la composición de esta materia) *lacre,* 1572, por conducto del port. *lacre,* 1508, antes *lácar,* que a un tiempo significan 'laca' y 'lacre'.
Deriv. *Laqueado. Lacrar,* 1869.

LACAYO, princ. S. XV. Origen incierto; posiblemente del oc. ant. *lacai* íd., que vendría de *lecai* 'glotón', 'codicioso', S. XII, deriv. de *lecar* 'lamer' (de igual origen que el fr. *lécher* íd.). Pero teniendo en cuenta que los mercenarios y banderizos llamados *(a)lacayos* en ninguna parte alcanzaron tan gran arraigo en el S. XV como en tierras vàscas, lo más probable es que en todas partes proceda del vascuence, donde *alakairu, alokairu* y *alokari* conservan en los varios dialectos el sentido de 'salario, jornal, renta', y son formas tomadas a su vez del lat. LOCARIUM 'alquiler, paga' (de donde el cast. ant. *loguer,* cat. *lloguer,* fr. *loyer*); de ahí también que el vasco *lekaio* además de 'lacayo' signifique 'músico popular pagado'. El lat. LOCARIUM y el arabismo *alquilé* se influyeron mutuamente, de donde la *r* de ALQUILER, y por otra parte la *a-* de *alakairu* y la desaparición de la *r* en *lekaio* y en *lacayo.*
Deriv. *Lacayuno,* princ. S. XVII.

LACERAR 'magullar, herir', med. S. XVII. Tom. del lat. *lacerare* 'desgarrar, despedazar', 'torturar'.
Deriv. *Laceración. Laceria,* h. 1250, 'miseria', 'calamidad', del lat. vg. *LACĔRĬA; junto a *laceria* existía en cast. ant. *lazrar* o *lazdrar* con el sentido de 'sufrir', que procedía de LACERARE como voz hereditaria.

Laceria, V. *lacerar*

LACIO, 1220-50, 'flojo', 'no rizado', 'ajado'. Del lat. FLACCĬDUS 'flojo', 'caído', 'lánguido', deriv. de FLACCUS 'lacio'.

LACÓNICO 'de pocas palabras', 1612. Tom. del lat. lacōnĭcus 'propio de Laconia (Lacedemonia)', en memoria de la predilección que por el habla concisa mostraban los habitantes de esta región de Grecia. DERIV. Laconismo, 1604.

LACRA 'defecto o vicio', 1605 (la lacre), 'reliquia de una enfermedad, achaque', 1734 (y quizá en 1611). Origen incierto; quizá de lacre 'pasta para sellar, de color rojo', suponiendo que tomara el sentido de 'marca roja dejada por un golpe o una llaga', para lo cual se tiene en cuenta que aparece también, h. 1640, en el sentido de 'azote'.

Lacrar, lacre, V. laca   Lacrimal, lacrimógeno, lacrimoso, V. lágrima   Lactancia, lactante, lactato, lacteado, lácteo, lacticinio, láctico, lactosa, V. leche   Lacustre, V. lago

LACHA, 1884 'vergüenza', 'seriedad'. Del gitano lacha 'vergüenza', 'pudor', procedente del sánscr. lajjā 'empacho, vergüenza'.

Ladeado, ladear, ladera, V. lado

LADILLA, 1495. Diminutivo del lat. LATUS 'ancho', por la forma achatada de este insecto; el adjetivo lado, lada, por 'ancho, -a', estaba todavía en uso en el castellano del S. XIII; comp. el nombre rumano de la ladilla, pǎduche lat, propte. 'piojo ancho'.

LADINO. De LATĪNUS 'latino'. En la Edad Media se aplicó a la lengua romance por oposición a la arábiga, y al moro que sabía hablar aquélla, fin S. XIII. Con referencia a obras literarias designó las de lenguaje más culto y artificioso o próximo al latín, princ. S. XV. Desde ambas ideas se pasó a la de 'advertido, astuto, sagaz', 1596.

LADO, 1219. Del lat. LATUS, -ĔRIS, íd. DERIV. Ladear; ladeado, 1490. Ladera, 149.. Lateral, 1734, tom. de lateralis íd.; colateral. CPT. Unilateral.

LADRAR, 1335. Del lat. LATRARE íd. DERIV. Ladrido, 1.ª mitad. S. XIV.

LADRILLO, princ. S. XIII (ladriello). Del lat. LATER, -ĔRIS, íd.; de éste salió antiguamente *ladre, del cual es diminutivo ladrillo. DERIV. Enladrillar, 1505, antes ladrillar, 1495. Desladrillar, 1732.

LADRÓN, h. 1140. Del lat. LATRO, -ŌNIS, 'bandido, ladrón en cuadrilla', primitivamente 'guardia de corps, mercenario'. DERIV. Ladrona, 1607. Ladronera. Ladronzuelo. Latrocinio, h. 1440, tom. del lat. latrocinium íd.

Lagaña, V. legaña

LAGARTO, 1095. Corresponde al lat. LACERTUS íd.; más exactamente procede de una variante *LACARTUS, que es probablemente una forma dialectal arcaica de esta voz latina. DERIV. Lagartija, 1475, lagartixa en portugués. Lagartero; lagartera.

LAGO, 1213. Del lat. LACUS, -ŪS, 'estanque', 'lago', también 'balsa', 'depósito de líquidos'. DERIV. de esta última acepción es lagar, 1098 (de LACUS proceden el vasco lako y el val. llac, nombres del 'lagar' en estos lenguajes); lagarejo, 1611; lagarearse; lagarero. DERIV. Laguna, 1074, del lat. LACŪNA 'hoyo, agujero'; lagunajo, 1495; lagunero; lagunoso. Lacustre, formado según el modelo de palustre.

LÁGRIMA, 1220-50. Del lat. LACRĬMA íd. DERIV. Lagrimar, 1495, o lagrimear; lagrimeo. Lagrimal, 1220-50. Lagrimoso, 1495. Cultismos: lacrimoso, lacrimal, y el cpt. lacrimógeno.

Laguna, lagunajo, V. lago   Laicismo, laicizar, laico, V. lego

LAJA, med. S. XVI. Del port. lage o laja íd. (también lagem, lágea, h. 1200), que pasó al castellano (en especial el de América) como voz de marinos. En portugués viene del hispano-latino LAGĔNA íd., S. X, de origen incierto, probablemente del céltico, donde designa una lámina u hoja de metal: galés llain 'hoja metálica', 'espada', gaélico lann 'hoja de espada o cuchillo', irl. laigen 'lanza'; de ahí pasó a designar en romance una 'piedra lisa, plana y de poco grueso' o una 'piedra pizarrosa'.

LAMA, 955, 'cieno pegajoso que se halla en el fondo del mar, ríos y estanques, y en el de las vasijas que han contenido agua largo tiempo'. Del lat. LAMA 'lodo', 'charco'.

Lamelibranquio, V. lámina

LAMENTO, 1515. Tom. del lat. lamĕntum 'gemido, lamento'. DERIV. Lamentar, 1444, lat. lamentari 'gemir, lamentarse'; lamentable, h. 1530; lamentación, 1444.

LAMER, med. S. XIII. Del lat. LAMBĔRE íd.

DERIV. *Lamedura*, 1495. *Lambedero,* amer. *Relamerse,* 1495; *relamido.*

LÁMINA, 1555. Tom. del lat. *lamĭna* 'hoja o plancha de metal'.

DERIV. *Laminar; laminado. Laminar,* adj. CPT. *Lamelibranquio,* del lat. *lamella,* diminutivo de *lamina,* con *branquia.*

LAMPAR, 1884 (*alampar,* 1758), 'sentir ardor en el paladar', 'tener ansia grande por comer o beber'. Deriva en último término del gr. *lampás, -ádos,* 'antorcha' y luego 'lámpara', por la sensación como de fuego causada por los alimentos picantes, que da ganas de beber (quizá pasando por el it. *allampare* 'arder', S. XVII, hoy antiguo y dialectal en este idioma).

LÁMPARA, h. 1280, antes *lámpada,* 1220-50. Del lat. LAMPĂDA, acusativo de LAMPAS, -ADIS, íd., propte. 'antorcha'; a su vez tom. del gr. *lampás* íd., deriv. de *lámpō* 'yo resplandezco'.

DERIV. *Lamparero;* muy común el galicismo *lampista,* que en fr. deriva de *lampe* 'lámpara'; *lamparería, lampistería.*

LAMPARÓN 'escrófula', fin S. XIII. Origen incierto, probte. deriv. de *lámpara,* por la especie de resplandor blanquecino que tiene el cutis inflamado; comp. *lampiño.*

LAMPAZO 'Arctium Lappa', 'bardana'; 1475, antes *lapaz,* fin S. XIII; mozárabe *lapâşa,* fin S. X, 'cuscuta' (que, como la bardana, se adhiere a la de que se alimenta). Del lat. LAPPACEUS 'perteneciente al lampazo', deriv. de LAPPA 'lampazo'; comp. los nombres de esta planta en vasco (*lapaza*), navarro (*lapa*), catalán (*llapassa, lleparassa, repalassa*) y lengua de Oc (*lampourdo*).

LAMPIÑO, SS. XV-XVI, 'que no tiene barba, falto de pelo'. Origen incierto; parece relacionado con *lámpara* y su familia (vid. *LAMPARÓN*) por lo lustroso o brillante de las lámparas y del cutis de los lampiños, pero la historia y el modo de formación del vocablo presentan oscuridades, y de todos modos es inseguro que sea de origen gallegoportugués, pues no consta como palabra de este idioma· hasta fin S. XVIII.

Lampista, V. *lámpara*

LAMPREA 'Petromyzon marinus L.', 1335. Del lat. tardío NAUPRĔDA, alterado posteriormente en LAMPRĔDA íd., S. VI, seguramente por influjo de LAMBERE 'lamer',

a causa de la propiedad de este pez de adherirse a las peñas y naves con la boca.

LAMPUGA, pez marino, 'Coryphaena hippurus', 1423. Voz común a todo el litoral romance del Mediterráneo en cast., probte. tom. del cat. *llampuga,* 1368; de origen incierto, acaso perteneciente a la familia del gr.-lat. LAMPAS, -ADIS, 'lámpara', 'antorcha', por el color dorado de su piel.

LANA, 1219. Del lat. LANA íd. V. además *LANDA.*

DERIV. *Lanada. Lanar. Lanero,* 1386; *lanería. Lanoso. Lanudo,* 1490. *Lanuginoso,* lat. *lanuginosus,* de *lanūgo* 'sustancia lanosa', 'vello, bozo'. CPT. *Lanífero. Lanificio; lanificación.*

Lance, lanceado, lancéola, lanceolado, lancero, lanceta, V. *lanza*

LANCINANTE, 1899. Deriv. del verbo raro *lancinar,* que se tomó del lat. *lancinare* 'punzar, desgarrar', voz emparentada con *lăcerare* 'lacerar' (pero no con *lancea* 'lanza', con el cual no tiene relación).

LANCHA I 'piedra lisa, plana y de poco grueso', 1232. Palabra dialectal del Oeste y Norte de España, de origen incierto.

DERIV. *Lanchar* 'cantera de lanchas'. *Enlanchar.*

LANCHA II 'bote grande al servicio de un buque o para navegar junto a la costa', 1587. Aparece primero en portugués, h. 1540 (la variante *lânchara,* 1515), y como nombre de una embarcación pequeña y rápida empleada en los mares de Oriente; el portugués lo tomó del malayo *lánčār* 'rápido, ágil'.

DERIV. *Lanchada. Lanchero. Lanchón. Lanchaje.*

LANDA 'grande extensión de tierra llana en que sólo se crían plantas silvestres', h. 1800. Tom. (por conducto del vasco) del fr. *lande* íd., que procede a su vez del célt. *LANDA* 'lugar llano y despejado'. El alto-arag. *laña* o *lana* 'pradera llana en medio del bosque' procede de una variante *LANNA* de la misma palabra.

LANDÓ 'especie de coche', h. 1830. Del fr. *landau* íd., 1823, y éste del nombre de la ciudad alemana de *Landau,* donde se fabricaba primero este carruaje.

LANDRE 'tumor', h. 1400. Del lat. vg. GLANDO, -DĬNIS, clásico GLANS 'bellota'.

Lanero, V. *lana*

LANGOSTA, S. XIII (y *lagosta,* h. 1280). Del lat. LOCŪSTA 'saltamontes', 'langosta de mar'; variantes LACUSTA y LONGUSTA, más semejantes a la española, y quizá explicables por influjo de otros vocablos, existieron ya en la baja época latina (comp. port. *lagosta*, cat. *llagosta*, pero oc. *langousto*, de donde el fr. *langouste*).

DERIV. *Langostino* (*langostín*, 1495).

LÁNGUIDO, 1444. Tom. del lat. *languĭdus* 'debilitado, enfermizo', 'muelle, flojo, carente de energía', deriv. de *languēre* 'ser débil', 'indolente'.

DERIV. *Languidez*, 1734 (*languideza*, h. 1580). *Languidecer*, 1884.

Lanífero, lanificación, lanificio, lanoso, V. *lana*

LANSQUENETE, 1936 (desde luego, ya S. XIX, y aun antes) 'soldado alemán de los SS. XVI-XVII'. Del fr. *lansquenet*, S. XV, y éste del alem. *landsknecht* 'mercenario reclutado en las tierras del Imperio' (cpt. de *land* 'tierra' y *knecht* 'servidor'); el nombre cast. castizo fue *herreruelo*.

LANTANO, fin S. XIX. Deriv. del gr. *lanthánō* 'yo estoy oculto', nombre que se dio a este metal por su rareza.

Lanudo, lanuginoso, V. *lana*

LANZA, h. 1140. Del lat. LANCĔA íd.
DERIV. *Lanzada*, 1220-50. *Lanzón*, princ. S. XVII. *Lanzuela*, 1495. *Lancero*, 1495. *Lanceta*, 1495. *Lancear*, 1495, o *alancear*. *Lanzar* 'arrojar una lanza', 3.er cuarto S. XIII, 'arrojar con fuerza', h. 1330, lat. tardío LANCEARE 'manejar la lanza'; *lanzadera*, 1490; *lanzamiento*; *lance* 'acto de lanzar', 'lance de los dados', 1490, de donde 'accidente notable en un juego' (así *lanzo*, 1283) y 'situación crítica'. *Relance*, med. S. XVII. *Lanceolado*, deriv. del lat. *lanceola* 'lanza pequeña'.
Cpts. de *lanzar*: *Lanzacabos. Lanzallamas. Lanzatorpedos*.

Láña, V. *lañado* y *landa*

LAÑADO, 1368, 'afianzado con grapas', aplicado a un objeto resquebrajado. Origen incierto; teniendo en cuenta que en Asturias, Galicia y Portugal *lañar* y sus derivados significan 'agrietar, abrir con incisiones' (port. *eslanhado* 'hendido' ya 1318), es probable que sea descendiente del lat. LANIARE 'desgarrar'; el participio de éste, en cast., después de significar 'agrietado', se aplicaría al objeto resquebrajado pero reparado con abrazaderas.
DERIV. *Lañar*, 1570. *Laña*, 1397.

LAPA 'molusco univalvo asido a las rocas costeñas', 1734 (en portugués ya 1635). Origen incierto; parece tratarse de una aplicación figurada de un homónimo, *lapa* 'roca que sobresale' (V. *SOLAPA*), o más bien de *lapa* = *lampazo* (V. este artículo), que además de emplearse hoy en Navarra fue usual en otras partes de España, entre ellas el Sur (mozárabe *lappa* y *lapella*, éste ya S. X); se explica esta aplicación porque las lapas se agarran tan tenazmente a la roca como las escamas del lampazo a los vestidos, y así se comprende que la variante *lampa* se emplee no sólo para el lampazo, sino también, en la costa cantábrica y chilena, para el molusco.

Lapa 'telilla encima de un líquido', V. *lapachar*. *Lapa* 'roca sobresaliente', V. *solapar*

LAPACHAR 'lugar pantanoso', fin S. XVI (*lopachar*, 1513). Derivado (probablemente formado en el dialecto mozárabe) del cast. *lapa* íd. y 'telilla que se forma en la superficie de un líquido', 1495. Pertenece probablemente a una familia de vocablos extendida por muchas lenguas europeas (vasco, célt., gr., eslavo) y uraloaltaicas, de origen onomatopéyico, imitativo del ruido que se produce al chapalear por el fango.

LAPAROTOMÍA, 1925. Cpt. del gr. *lapára* 'ijadas' y *témnō* 'yo corto'.

LÁPIDA, 1220-50. Tom. del lat. *lapis, -ĭdis*, 'piedra', que en la baja época era femenino.
DERIV. *Lapidar*, med. S. XIII, lat. *lapidare* íd.; *lapidación. Lapidario*, 1490. *Lapídeo. Dilapidar*, 1413, lat. *dilapidare* 'lanzar acá y acullá como chinitas', 'malgastar'.

LAPISLÁZULI, 1555. Del it. *lapislázzuli*, cpt. del lat. *lapis* 'piedra' con una variante del persa *lāžwärd* 'lapislázuli' (vid. *AZUL*).
DERIV. *Lazulita*.

LÁPIZ, 1708, antes *lapis*, princ. S. XVII. Del it. *lapis*, 1.ª mitad S. XVI, que penetró en cast. en calidad de término pictórico, y se había tomado del lat. *lapis* 'piedra', llamándole así por la barrita de grafito y otras sustancias minerales con que se hacen lápices.
DERIV. *Lapicero*.

LAPSO, 1554, 'espacio de tiempo', 'caída en un error'. Tom. del lat. *lapsus, -ūs*, 'deslizamiento, caída', 'acto de correr o deslizarse'; deriv. de *labi* 'deslizarse, caer'.
DERIV. *Lábil*, 1925, lat. *labĭlis* 'resbaladizo', 'caduco'. *Colapso*, lat. *collapsus, -ūs*, 'caída, hundimiento', deriv. de *collābi* 'hundirse', y éste de *labi*. *Prolapso*. *Relapso*, 1595, lat. *relapsus, -a, -um*, 'que ha vuelto a caer'.

Lar, V. *llares*

LARDERO, *jueves* —, 'el que precede al Carnaval', 1335. Propte. 'jueves gordo', por el mucho cerdo que se come este día como despedida, antes del ayuno de cuaresma; deriv. del antiguo *lardo* 'tocino', lat. LARDUM íd.

DERIV. de éste: *Lardón* 'lugar que, en un trabajo tipográfico, ha quedado sin imprimir', propte. 'mancha de grasa' (que es el sentido del cat. *llardó*).

Lardo, lardón, V. *lardero*

LARGO, h. 1140. Del lat. LARGUS 'abundante, considerable', 'liberal, generoso'. Significó 'abundante', 'generoso', 'ancho', hasta el S. XV, en que aparece por primera vez el sentido moderno (antes expresado por *luengo,* lat. LONGUS).

DERIV. *Largura,* 1495. *Largueza* 'liberalidad', h. 1330. *Larguero. Larguirucho,* 1843. *Largar* 'soltar, aflojar', h. 1440 (deriv. del sentido antiguo de *largo*); de ahí el fr. *larguer,* 1609. *Alargar,* 1220-50; *alargamiento; dar alargas,* 1495, o *largas,* 1605.

LARINGE, h. 1580. Tom. del gr. *lárynx, -yngos,* 'parte superior de la tráquea'.

DERIV. *Laríngeo. Laringitis.*

CPT. *Laringoscopio; laringoscopia. Laringología* y *laringólogo,* 1939.

LARVA 'primera forma que toman los animales sujetos a metamorfosis', 1817. Tomado del lat. *larva* 'espectro, fantasma', 'máscara fantasmal': en esta acepción lo emplearon Quevedo y otros.

DERIV. *Larvado,* propte. 'disfrazado'.

LASCA, 1817, 'lonja, rebanada', 'astilla, fragmento', voz regional y antillana. Es antigua en portugués, med. S. XVI, y afín al cat. *llesca* 'rebanada', S. XIII, que a su vez enlaza con un grupo de formas dialectales mozárabes, francesas, italianas y alemanas, de origen incierto; al parecer es aplicación figurada de un antiguo nombre del carrizo, por las hojas planas y cortantes de esta planta, llamada LESCA desde la Baja Alemania hasta Italia y País Vasco, voz de etimología incierta, probte. prerromana.

LASCIVO, h. 1490, 'sensual'. Tom. del lat. *lascīvus* íd., propte. 'juguetón', 'petulante'.

DERIV. *Lascivia,* h. 1525.

LASITUD, h. 1580, 'desfallecimiento'. Tom. del lat. *lassitūdo, -ĭnis,* íd., deriv. de *lassus* 'cansado' (cast. *laso* es cultismo raro, h. 1580).

LASTAR, 1335, 'pagar o sufrir por otro'. Probte. del gót. LAISTJAN 'ejecutar, practicar (algo)'. propte. 'seguir los pasos (de alguien)', que en otras lenguas germánicas tiene el sentido de 'cumplir (una promesa, un deber)' (alem. *leisten*), y en el dialecto de los visigodos pudo ya tener este sentido y aun quizá una forma más semejante a la del cast.

LASTIMAR 'agraviar, ofender', 1490; 'herir levemente', 1490; 'causar lástima', 1335. Del lat. vg. BLASTEMARE y éste del gr. tardío *blastēméō* 'digo blasfemias', alteración del gr. *blasphēméō* 'pronuncio palabras impías', 'difamo, hablo mal (de alguien)'. En otras lenguas romances el vocablo ha conservado el sentido de 'vituperar', 'blasfemar' (fr. *blâmer,* cat. *blastomar, fla-,* it. *bestemmiare*), mientras que en cast. y portugués se pasó de 'ditamar' a 'ultrajar, agraviar' y de ahí, por una especie de eufemismo, 'herir físicamente' y, por otra parte, 'causar lástima'.

DERIV. *Lastimadura. Lástima,* S. XVI. *Lastimero,* h. 1440. *Lastimoso,* 1605.

LASTÓN 'nombre de ciertas gramíneas', h. 1817. Deriv. del vasco *lasto* 'paja' o de su antecedente prerromano.

LASTRA, 853, 'piedra plana y de poco grueso'. Voz dialectal en las tres lenguas romances peninsulares, bastante extendida sobre todo en el Noroeste, y hermana del it. *lastra,* que está arraigado en casi toda Italia y ya a principios del S. IX. De origen incierto; quizá se trata de un antiguo préstamo lingüístico de los constructores de iglesias, traído de Italia, donde sería deriv. regresivo de *lastricare* 'pavimentar', deriv. a su vez de *làstrico* 'pavimento', que en definitiva procede del gr. *ástrakon,* variante vulgar de *óstrakon* 'pavimento que se hacía con pedazos de vasijas rotas' (propte. 'cáscara', 'casco de vasija').

LASTRE 'peso que se pone en el fondo de la embarcación para que entre en el agua hasta donde convenga', 1490. De origen germánico, probte. del neerl. *last* 'peso' (por conducto del fr. antic. *last,* hoy *lest*).

DERIV. *Lastrar,* 1493. *Deslastrar,* h. 1570.

LASÚN 'cierto pez malacopterigio de río o lago', 1899. Del vasco *lasun* 'mújol'.

LATA 'vara o palo largo', S. XIII, 'lámina de hierro o acero estañada', 2.º cuarto S. XV. Del bajo lat. antiguo LATTA 'vara larga', princ. S. VIII, vocablo común con el céltico y el germánico, que se tomó de una de estas familias lingüísticas, quizá de la primera. La segunda acepción (más antigua en italiano y francés, quizá tomada de estos idiomas, pero de historia no bien estudiada) parece ser extensión de la otra, quizá pasando por 'fleje, tira de chapa de hierro'.

En el sentido de 'cos˙ fastidiosa', h. 1880, parece deriva de *dar la lata* 'golpear con un varal', de donde 'aturdir' y 'aburrir' (comp. *porrada* 'pesadez').
Deriv. *Latazo. Latero*, 1895, y su sinónimo *latoso*, 1907. *Latería*, 1922.

LATENTE 'oculto', 1869 (una vez h. 1520). Tom. del lat. *latens, -entis*, íd., participio activo de *latēre* 'estar escondido'. Es falso el sentido de 'palpitante', 'intenso', con que algunos emplean este vocablo, que nada tiene que ver con el verbo *latir*.

LÁTEX, 1936. Tom. del lat. *latex, -ĭcis*, 'líquido, licor'.
Cpt. *Laticífero*.

Latido, V. *latir*   *Latifundio, latifundista,* V *lato*

LÁTIGO 'correa empleada para asegurar las cinchas', med. S. XV, 'la empleada para azotar', 1515. Voz propia del cast. y el portugués (*látego*, en la 1.ª acepción, ya 1253), de origen incierto; probte. del gót. *LAITTUG, equivalente del anglosajón *lâttêh* 'dogal, correa para conducir' (cpt. de LAITAN 'conducir' y TIUHAN 'tirar de algo').
Deriv. *Latigazo. Latigueo. Latiguillo.*

LATIR 'ladrar el perro en tono agudo o en forma entrecortada', h. 1300, 'dar latidos el corazón o las arterias', 1490. Del lat. GLATTIRE 'lanzar ladridos agudos'.
Deriv. *Latido*, princ. S. XIV.

LATO (*sentido lato, culpa lata*) 'amplio', h. 1520. Tom. del lat. *latus, -a, -um*, 'ancho'.
Deriv. *Latitud*, 1492, propte. 'anchura' (aun en su sentido geográfico-astronómico, en que se contrapone a *longitud*); *latitudinal*; *latitudinario. Dilatar*, h. 1440, tom. del lat. *dilatare* 'ensanchar'; *dilatable*; *dilatación*, 1609; *dilatado*.
Cpt. *Latifundio*, lat. *latifundium* íd., con lat. *fundus* 'propiedad rústica'; *latifundista*.

LATÓN 'aleación de cobre y cinc', 1335 (*allaton*, 852). Del ár. *lāṭûn* íd., que parece ser voz procedente del Asia central, en cuyas lenguas turco-tártaras *altun* y sus variantes designan el oro y, en algunas partes, el cobre.
Deriv. *Latonero; latonería.*

Latoso, V. *lata*

LATRÍA, 1611, lat. *latrīa* 'adoración'. Tom. del gr. *latréia* 'servicio', 'culto'.

Latrocinio, V. *ladrón*

LAÚD (instrumento de cuerda), S. XIV; antes *alaúd*, 1335. Del ár. *ᶜûd* íd., propte.

'madera', con el artículo arábigo *al-* aglutinado.

Laudable, V. *loar*

LÁUDANO, 1495. Alteración del gr. *ládanon* (también *lĕdanon*) 'goma de la jara', deriv. de *lêdos* 'jara', que en la historia de la Medicina pasó a designar un medicamento a base de opio.

Laudatorio, V. *loar*

LAUDE, 1611, o *lauda*, 1616, 'piedra con inscripción sepulcral'. Probablemente tom. del lat. *laus, -dis*, 'alabanza', por las que allí solían hacerse del difunto.

LAUREL, 2.ª mitad S. XIII (*lorer*, med. S. XIII). De oc. ant. *laurier* íd., deriv. de *laur*, que a su vez procede del lat. LAURUS íd.; se explica este préstamo lingüístico por ser ante todo árbol mediterráneo, y por las famosas coronaciones de poetas en los Juegos Florales de Tolosa y Barcelona.
Deriv. *Lauredal*, 1495. De *lauro*, h. 1440, tomado del latín por vía culta, y empleado figuradamente: *Laurear*, 1438; *laureado*, 1438. *Lauráceo. Láureo*, h. 1440.
Cpt. *Lauroceraso*, con el lat. *cerăsus* 'cerezo'

LAURENTE 'cierto oficial de los molinos de papel', 1817. Probablemente tomado del cat. (*l)abrent* íd. (o *alabrent*), a su vez relacionado al parecer con oc. *alabreno* 'salamandra' (que es alteración del lat. SALAMANDRA), por comparación del calor que sufre el laurente con el de la salamandra, que vive en el fuego.

Láureo, lauroceraso, V. *laurel*

LAVA, 1822, 'materias en fusión que bajan de los volcanes'. Del napolitano *lave* íd., y éste del lat. LABES 'caída', deriv. de LABI 'caer', 'deslizarse' (de aquél viene también el cat. (*a)llau* 'alud').

Lavabo, lavadero, lavadientes, lavado, lavaje, V. *lavar*

LAVAJO 'charca', 1202. Parece alteración (por influjo de *lavar*) de *navajo* íd., deriv. de *nava*, que entre otros ha tenido el significado de 'lugar pantanoso', si bien cabe que saliera del lat. LAVACRUM (variante *lavaclu*) influido en algunos lugares por *NAVA*.

LAVANCO 'pato bravío', S. XIV, alteración del antiguo *navanco*, 1335, por disimilación. Deriv. de *nava* 'lugar pantanoso en despoblado', por ser los que más frecuentan esos patos, que huyen de los ríos y parajes aguanosos habitados.

LAVAR, 2.ª mitad S. X, del lat. LAVA-RE íd.

DERIV. *Lavabo*, med. S. XIX, pero ya se empleaba algo a fin S. XVIII; de la palabra latina *lavabo* 'yo lavaré', con que empieza el salmo que pronuncia el oficiante cuando se lava las manos después del ofertorio. *Lavadero*, 1495. *Lavado*. *Lavador*, 1495. *Lavadura*, 1495. *Lavaje*. *Lavandero*; *lavandera*; *lavandería*. *Lavativo*; *lavativa*, 1734. *Lavatorio*, 1438. *Lavazas*, 1495. *Deslavar*, 1220-50; *deslavazar*. *Loción*, 1817, tom. del lat. *lotio, -onis*, 'acción de lavar', deriv. de *lotus*, participio de *lavare*. CPT. *Lavadientes*. *Lavamanos*.

Laxante, laxar, laxativo, laxitud, laxo, V. *dejar*

LAYA I 'pala fuerte empleada para labrar la tierra y revolverla', 1765-83. Del vasco *laia* íd.
DERIV. *Layar. Layador.*

LAYA II 'calidad, especie', 1734. Probte. del port. *laia* íd., h. 1537, donde además significó 'lana'. Como en esta acepción es alteración dialectal del lat. LANA (port. ant. *lãa*, hoy *lã*), es probable que la otra acepción salga de ésta, y que se partiera de frases como *vestidos da mesma laia* 'vestidos de la misma lana', entendida en el sentido de 'vestidos de una misma estofa'.

Lazada, V. *lazo*

LAZARETO, 1734, del it. *lazzaretto* íd., S. XVI. Éste es alteración (bajo el influjo de *Lázaro*, aplicado a los leprosos) del nombre de *Santa María de Nazaret*, isla de Venecia donde existía un lazareto en el S. XVI; el vocablo pasó a España en ambas formas: cerca de varios puertos de la costa catalana coexisten *Nazaret* y *L(l)atzaret* como nombre de un mismo paraje.

LÁZARO 'pobre andrajoso', princ. S. XVII. Así llamado por alusión al mendigo del Evangelio curado por Jesús de su afección leprosa.
DERIV. En memoria del mismo se llama la lepra *mal de San Lázaro*, de donde *lazarista*, S. XIX. *Lazarillo* 'muchacho que guía a un ciego', h. 1690, en memoria de Lazarillo de Tormes, que desempeña este oficio en la célebre novela anónima publicada en 1554.

LAZO, 1220-50. Del lat. LAQUEUS íd.; *LACIU en latín vulgar.
DERIV. *Lazada*, 1495. *Lacero. Enlazar*, 1438; *enlazadura*, 1495; *enlace*, h. 1700; *desenlazar*, 1570; *desenlace. Entrelazar*, 1604.

Lazrar, V. *lacerar*   *Lazulita*, V. *lapis-lázuli*   *Leal, lealtad*, V. *ley*

LEBERQUISA 'pirita magnética', 1899. Del alem. *leberkies* íd., cpt. de *kies* 'grava', 'pirita', y *leber* 'hígado', por el color que es común a esta víscera y a aquel mineral.

Lebrastón, lebrato, lebrel, V. *liebre*

LEBRILLO 'vasija ancha de barro vidriado que sirve para lavar, etc.', 1335. Del mismo origen incierto que el cat. ant. *llibrell* (hoy *gibrell*), probte. de un diminutivo del lat. LABRUM 'pila', 'bañera', pero hay varias dificultades fonéticas, quizá explicables si se tomó del mozárabe *librêl* (h. 1100).

Lección, lectivo, lector, lectura, V. *leer*

LECHE, 1129. Del lat. LAC, LACTIS, íd.
DERIV. *Lechada. Lechal*, 1495. *Lechero*; *lechera*, 1495. *Lechetrezna*, 1495, cuya forma primitiva debió de ser *latrezna* (después alterada por influjo de *leche*), probablemente procedente del gr. *lathyrís, -idos*, íd. (quizá latinizada en *LATHYRIDO, -IDINIS). *Lechón*, 1099. *Lechoso*. Cultismos: *Lactante*; *lactancia. Láctico*; *lactato. Lactosa. Lácteo*, 1438; *lacteado*.
CPT. *Laserpicio*, lat. *laserpicium*, formado con *lac* y *sirpicium* 'propio de la *sirpe* (cierta planta)'. *Lacticinio*.

LECHINO 'torunda', 1581. Del lat. LICINIUM 'compresa, gasas', por conducto del dialecto mozárabe.

LECHO, 1125 (*leito*, 1000). Del lat. LÊCTUS 'cama'.
DERIV. *Lechigada*, 1625, del antiguo *lechiga* 'lecho', 1228, lat. LECTÍCA 'camilla'. *Litera*, 1600, del cat. *llitera* íd., deriv. de *llit* 'cama'. *Loquios*, del gr. *lókhios* 'referente al parto', *lókhos* 'parto', deriv. de *lékhos* 'lecho', voz hermana del lat. *lectus*.

LECHUGA, h. 1400. Del lat. LACTÜCA íd.

LECHUZA 'ave rapaz nocturna de unos 35 cm. de largo, *Strix flammea*', antiguamente *nechuza*, ambos S. XIII; probte. de *nochuza*, deriv. despectivo de *nochua*, procedente del lat. NÔCTÜA íd. (hoy *nueta*, *nuétiga*, en hablas del Norte); *nechuza* se alteró en *lechuza* por influjo de la superstición antigua de que la lechuza gustaba de echarse sobre los niños de teta como si los amamantara.
DERIV. *Lechuzo*, 1613.

LEER, h. 1140. Del lat. LÉGÉRE íd.
DERIV. *Leído* 'que lee mucho', 1495. *Leyenda*, 1220-50, pero el sentido moderno no queda fijado hasta el S. XIX; del lat.

LEGENDA 'cosas que deben leerse, que se leen'; *legendario*, h. 1700. *Lección*, 1220-50, tom. del lat. *lectio, -ōnis*, 'acción de leer'; *aleccionar*, 1628. *Lectivo. Lèctor*, 1438, lat. *lector, -ōris*; *lectorado. Lectura*, 1438. *Legible* o *leíble*, 1495; *ilegible*.

LÉGAMO 'barro pegajoso', S. XVII, también *légano*, 1513 (dialectal y toponímico). Probte. derivados de la raíz céltica LĔG- 'estar echado', 'formar una capa', con los sufijos célticos -ĀMO- y -ĀNO-; de la misma raíz derivan célt. *LĔGĪTA* 'fango, depósito fangoso' (de donde cast. dial. *lidia, liria*, bret. *lec'hid*, galés *llaid*, alto-italiano *led*(*g*)*a*, rético *glitta*, vasco *lekeda*) y, por otra parte, el célt. *LĔGA* (fr. *lie* 'heces, pósito', que pasó al cast. *lía*, 1734, y oc. *lio, ligo*).
DERIV. *Liásico*, del ingl. *lias*, que a su vez se tomó del fr. *liais* 'especie de piedra caliza', al parecer deriv. del citado *lie*.

LEGAÑA, h. 1600; la forma más extendida y antigua es *lagaña*, S. XIV. Voz común al castellano con el catalán, S. XII, y el occitano, S. XIII. Origen incierto, probablemente prerromano, quizá de la misma etimología proto-hispánica que el vasco *lakaiña*, que significa 'hebra', 'aspereza', 'nudo de árbol', 'gajo', suponiendo que el sentido primitivo fuese 'brizna' (acepción al parecer documentada en el cat. ant. *llaganya*), de donde 'broza', 'menudencia', y de ahí 'legaña'.
DERIV. *Legañoso* (*lag-*, 2.ª mitad S. XIII).

LEGAR, 1348. Tom. del lat. *legare* 'enviar, delegar', 'dejar testamentariamente', derivado de *lex, legis*, 'ley'.
DERIV. *Legado*, 1490. *Legación. Legatario. Alegar*, 1240, lat. *allegare* íd.; *alegación; alegato. Delegar*, h. 1260. lat. *delegare* íd.; *delegación*, 1495; *delegado. Relegar*, princ. S. XIX (alguna vez ya en los SS. XIII y XV), lat. *relegare* íd.; *relegación*, princ. S. XIX.

Legendario, V. *leer*

LEGIÓN 'cuerpo de tropa romana', h. 1280. Tom. del lat. *legio, -ōnis*, íd., deriv. de *egĕre* 'reclutar', propte. 'escoger'.
DERIV. *Legionario*.

Legislación, legislador, legislar, legislativo, legislatura, legisperito, legista, legítima, legitimar, legítimo, V. *ley*

LEGO, 1220-50. Del lat. LAĬCUS 'que no es clérigo', 'propio del que no lo es', y éste del gr. *laïkós* 'perteneciente al pueblo', 'profano', deriv. de *laós* 'pueblo'. De ahí además el cultismo *laico*. S. XIX.
DERIV. *Laicismo. Laicizar*.

LEGÓN, 1220-50. Del lat. LĬGO, -ŌNIS, íd.

LEGRA 'instrumento de cirugía para raer los huesos, en forma de media luna y torcido por la punta', fin S. XIII. Del lat. LĬGŬLA 'cuchara', 'lengüeta', 'espadín larguirucho', por vía semiculta. De ahí también el cultismo *lígula*, h. 1580.
DERIV. *Legrar*, 1581.

LEGUA, h. 1140. Del lat. tardío LEUGA íd., de origen céltico.

Leguleyo, V. *ley*

LEGUMBRE, h. 1280. Del lat. LEGŪMEN íd.
DERIV. culto: *Leguminoso*.

Lejanía, lejano, V. *lejos*

LEJÍA, h. 1400. Abreviación del lat. AQUA LIXĪVA 'agua de lejía', del adjetivo LIXĪVUS 'empleado en la colada de ceniza'.

LEJOS, 1236. Del lat. LAXĬUS 'más dispersamente, más separadamente', adverbio comparativo de LAXUS 'amplio', 'suelto'.
DERIV. *Lejano*, 1490; *lejanía* íd. *Alejar*, 3.er cuarto S. XIII; *alejamiento*.

LELO, 1734. Voz de creación expresiva, por repetición consonántica, como *memo, bobo*, o el fr. *gaga*; comp. los sinónimos gall. *lolo*, cat. *lero* y sardo *lella*, y el vasco *lelo* 'tontuelo', 'porfía', 'estribillo'.
DERIV. *Alelar*, 1817.

LEMA, 1724, lat. *lemma, -ătis*, 'título, epígrafe'. Tom. del gr. *lêmma* 'tema (de un epigrama)', 'premisa mayor de un silogismo', propte. 'provecho, recibo', deriv. de *lambánō* 'yo tomo'.
DERIV. *Dilema*, 1596, gr. *dílēmma* íd., formado con *di-* 'dos'.

LEMNÁCEO, 1899. Deriv. del gr. *lémna* 'lenteja de agua'.

LEMNISCO, 1869, lat. *lemniscus*. Tom. del gr. *lēmnískos* 'cinta'.

Lencería, lencero, V. *lienzo*

LENGUA, h. 1140. Del lat. LĬNGUA 'órgano humano para comer y pronunciar', 'lenguaje, manera de hablar'.
DERIV. *Lenguado* 'provisto de lengua', h. 1250; 'cierto pez', 1490. *Lenguaje*, 1220-50. *Lenguaraz*, med. S. XVII (*lenguaz*, 1604). *Lengüeta*, h. 1580; *lengüetada. Deslenguado*, 1495. Cultismos: *Lingual. Lingüístico*, 2.º cuarto S. XIX; *lingüística*, 1869; *lingüista*, fin S. XIX.

CPT. *Bilingüe*, 1589. *Trilingüe*, princ. S. XVII.

LENIDAD, h. 1580. Tom. del lat. *lenĭtas, -atis*, íd., deriv. de *lenis* 'suave, liso, templado' (*lene*, S. XIX, también se emplea algo en cast.).
DERIV. *Lenitivo*, 1605, del lat. *lenire* 'suavizar, calmar'. *Lenificar*. *Leniente*, 1734.

LENOCINIO, med. S. XVII. Tom. del lat. *lenocĭnium* 'oficio de alcahuete', cpt. de *leno* 'alcahuete'.

LENTE, 1708. Tom. del lat. *lens, lentis;* 'lenteja', por comparación de forma.

LENTEJA, 1335. Del lat. LENTĬCŬLA íd., diminutivo del sinónimo LENS, -TIS.
DERIV. *Lentejuela,* 1817. *Lenticular.*

LENTISCO, 1490. Del lat. LENTĪSCUS íd.

LENTO, med. S. XV. Tom. del lat. *lĕntus* íd.; en *fuego lento*, 1555, se relaciona con otras acepciones del vocablo en latín: 'flexible', 'viscoso', 'duradero'.
DERIV. *Lentitud*, princ. S. XVII. De la acepción latina 'viscoso' procede el anticuado *liento* 'húmedo', 1495, de donde *relentecer* 'humedecer', 1495, y de ahí *relente* 'humedad nocturna', 1737 ('cachaza', 1615).

LEÑA, 1215. Del lat. LĬGNA, plural de LĬGNUM 'madero', 'madera'. De éste procede *leño*, 1430.
DERIV. *Leñador*, h. 1400. *Leñazo*, fin S. XVI. *Leñero*. *Leñoso*, 1555. Cultismo: *Lignito*.
CPT. *Lignáloe*, 1734, formado con *alóes* 'áloe'. *Lignum crucis*, frase latina que vale 'leño de la cruz'.

LEÓN, h. 1140. Tom. del lat. *leo, -ōnis,* íd.
DERIV. *Leona*, 1490. *Leonado*, 1490. *Leonino; verso l.*, 1580, del fr. *léonin* íd., S. XII, que se cree derivado de *Leo*, nombre latino de un canónigo de París que lo inventó. *Leontina*, 1876, del fr. *léontine*, del nombre de mujer *Léontine*.
CPT. *Leopardo*, 1490, tom. del lat. *leopardus, leopardǎlis*, íd., cpt. de *leo* con el gr. *párdalis, -eōs*, 'leopardo'.

LÉPERO, amer., 1836. En Cuba 'ladino', de donde pasaría a significar, como en otros países, 'bribón', y de ahí 'pobre, miserable'. Quizá derivado del nombre de D. Pedro de Lepe, obispo de Calahorra en el S. XV y famoso popularmente por su sabiduría, según muestra la frase proverbial *saber más que Lepe.*

LEPIDÓPTERO, fin S. XIX. Cpt. del gr. *lepís, -idos*, 'escama', 'cáscara de nuez', derivado de *lépō* 'yo pelo'. Otros cpts. y derivados de este vocablo: *Leptorrino*, S. XX, de *leptós* 'pelado' con *rhis, rhinós*, 'nariz'. *Lepisma*, fin S. XIX, gr. *lépisma* 'escama levantada de la piel'. *Lepidio*, 1822, gr. *lepidion* íd., diminutivo del citado *lepís*.

LEPRA, 1220-50, lat. *lĕpra*. Tom. del gr. *lépra* íd., deriv. de *lépō* 'yo pelo'.
DERIV. *Leproso*, 1490; *leprosería*.

LERDO 'pesado, torpe', med. S. XVI; 'lento', 1619; 'bobo', 1330. Voz común con el port. y vasco *lerdo*. De origen incierto; no hay razones firmes para identificarla con el fr. *lourd* 'sucio' (y antes 'estúpido') y su familia romance, que procede del lat. LURIDUS 'amarillento, pálido'.

Lesión, lesionar, lesivo, leso, V. *lisiar*

LETAL, h. 1520. Tom. del lat. *letalis* íd., deriv. de *lētum* 'muerte'.

LETANÍA, 1495 (*ledanía*, 1220-50), lat. *lĭtanīa*. Tom. del gr. *litanéia* 'plegaria', propiamente 'súplica' (deriv. de *litĕ* 'ruego', *lítanos* 'suplicante').

LETARGO 'amodorramiento', h. 1600. Tom. del gr. *lĕthargos* 'letárgico', 'olvidadizo', 'perezoso', cpt. de *lĕthē* 'olvido' y *argós* 'inactivo'.
DERIV. *Letargia* (raro, una vez med. S. XV). *Letárgico*. *Aletargar*.

LETRA, h. 1140. Del lat. LĬTTERA íd. En la acepción 'letra de cambio', 1547, es imitado del it. *lettera* (fin S. XIV), donde viene de la de 'carta misiva', que ya existe en latín.
DERIV. *Letrado*, 1220-50; *iletrado*. *Letrero*, 1495. *Letrilla*, 1605. *Deletrear*, 1495; *deletreo*. Cultismos: *Literal. Literario*, 1615, *Literato*, 1438; *literatura*, 1490. *Aliteración*, princ. S. XIX. *Obliterar*, 1884, lat. *obliterare* 'borrar'; *obliteración*.
CPT. *Trilítero. Cuadrilítero.*

LETRINA, 1495, 'inmundicia', 'lugar destinado a las inmundicias'. Alteración semiculta del lat. *latrīna* 'retrete', propte. 'baño', contracción de *lavatrina*, deriv. de *lavare* 'lavar'.

Letuario, V. *elegir*

LEUCO-, primer elemento de cpts. cultos formados con el gr. *leukós* 'blanco'. *Leucemia*, S. XX, formado con el gr. *hâima* 'sangre'. *Leucocito*, 1899, con gr. *kýtos* 'célula', y su cpt. *leucocitemia*, con dicho *hâima*. *Leucoplaquia*, S. XX, con gr. *pláx* 'placa'. *Leucorrea*, 1899, con gr. *rhéō* 'yo fluyo'.

LEUDO 'fermentado con levadura', 1495 (*liebdo* 'agitado', 1220-50). De *LĔVĬTUS, participio vulgar del lat. LEVARE 'levantar'.
DERIV. *Leudar* 'fermentar (la masa del pan)', 1220-50.

LEVAR, 1535. Del lat. LEVARE 'levantar', propte. 'aliviar', 'librar' (deriv. de LEVIS 'leve'); primitivamente es variante de *llevar*, del cual luego se separó en las acepciones náuticas y militares, bajo el influjo del fr. *lever*.
DERIV. *Leva*, princ. S. XVI. *Levadizo*, 1490. *Levadura*, 1220-50. *Levante* 'oriente', 1495, por ser donde el sol se levanta: *levantino*, 1734. *Levantar*, med. S. X; *levantamiento*, 1490; *levantisco* 'turbulento', h. 1835, acepción que parece haber nacido de una mala comprensión del antiguo *levantisco* 'levantino', 1573, deriv. de *levante*. *Elevar*, 1490, tom. del lat. *elevare* íd.; *elevación*, 1438; *elevador*, anglicismo americano. *Sublevar*, 1683, tom. del lat. *sublevare* 'levantar'; *sublevación*.

LEVE, h. 1440. Tom. del lat. *lĕvis* 'ligero'.
DERIV. *Levedad*. *Liviano*, 1220-50, del lat. vg. *LEVIANUS, deriv. de LEVIS, comó el gall. *levián*, port. ant. *livão*; *livianos* 'bofes', 1490, por el poco peso de esta víscera; *liviandad*, h. 1250; *alivianar*, 1495. *Soliviantar*, 1884, y su sinónimo *solevantar*, 1615, propte. 'levantar', deriv. del antiguo *solevar* (lat. SUBLEVARE íd.), 1490; con influjo de *aliviar*: *soliviar*, 1495; y luego influjo de *levantar*. *Aliviar*, 1220-50, del lat. tardío. ALLEVIARE 'aligerar'; *alivio*, 1495.

LEVIRATO, 1869. Deriv. del lat. *levir*, *-īri*, 'hermano del marido'.

LEVITA 'israelita de la tribu de Leví. dedicado al servicio del templo', 1542. Tom. del lat. *levīta*, adaptación del hebr. *lewī* íd. En la acepción 'chaqueta larga de hombre con faldones cruzados por delante', 1843, se tomó del fr. *lévite* íd., 1782, nombre aplicado a esta prenda por parecerse a la que llevaban los levitas en las representaciones teatrales.
DERIV. *Levítico*.

Levógiro, V. *diestro*

LEY, 1158. Del lat. LĔX, LĔGIS, íd. Para la *ley* de los metales, V. *ALEAR*.

DERIV. *Leal*, h. 1140, del lat. LEGALIS 'legal'; de ahí además el cultismo *legal*, h. 1520; *lealtad*, 1220-50; *desleal*, h. 1250; *deslealtad*, 1251; *legalidad*; *legalista*; *legalizar*; *ilegal*, *ilegalidad*. *Legista*, 1495. *Legítimo*, 1339, tom. del lat. *legĭtimus* íd.; *legítima*, *legitimario*; *legitimidad*; *legitimista*; *legitimar*, 1438, *legitimación*; *ilegítimo*. *Leguleyo*, 1832, lat. *legulejus* íd.
CPT. *Legislador*, 1611, lat. *legislator* íd., formado con *lator* 'el que lleva', y *legis*, genitivo de *lex*; *legislación*, 1817; de los cuales se sacó regresivamente *legislar*, 1599; *legislativo*; *legislatura*. *Legisperito*.

Leyenda, V. *leer*

LEZNA, 1734, antes *alesna*, h. 1300. Del germ. occid. *ALĬSNA (deducido del alem. ant. *alansa*, hoy dialectalmente *alesne* en alemán, *alison* en inglés), derivado de ÂLA íd. (alem. *ahle*).

Lía, V. *légamo*

LIANA 'bejuco', S. XIX. Del fr. *liane* íd., 1640, deriv. de *lien* 'lazo, atadura' (lat. LIGAMEN, íd.).

Liar, V. *ligar*   *Liásico*, V. *légamo*

LIBAR, 1490, 'chupar el jugo, probar un líquido'. Tom. del lat. *libare* 'probar, catar', 'ofrecer en libación a los dioses'.
DERIV. *Libación*.

Libelar, libelista, libelo, V. libro   Libélula, V. libra   Liber, V. libro   Liberación, liberado, liberal, liberalidad, liberar, libertad, libertar, libertino, liberto, V. libre

LIBÍDINE, 1438. o **LIBIDO,** S. XX. Tomado del lat. *libīdo, -inis*, 'deseo', 'apetito desordenado, sensualidad', deriv. de *libēre* 'gustar'.
DERIV. *Libidinoso*, 1444.

LIBRA, 1219. Del lat. LĪBRA 'libra de peso'. 'balanza'.
DERIV. *Libreta*, 1495. *Libración*. h. 1640, lat. *libratio* 'balanceo'. *Libélula*. 1884. lat. científico *libellula*, diminutivo de *libella* 'balanza' (que a su vez lo es de *libra*). porque se mantiene en equilibrio en el aire.

Librar, V. *libre*

LIBRE, 1200. Del lat. *liber, -ĕra, -ĕrum*, íd.. por vía semiculta.
DERIV. *Librar*, h. 1140. lat. *liberare* 'libertar'; antiguamente significó además 'despachar', de donde 'expedir una orden de pago', 1495; *libranza*, 1495. *Liberar*, 2.ª mitad S. XIX; *liberación*. *Liberal*, h. 1280. lat. *liberalis* 'propio de quien es libre', 'noble,

honorable'; *liberalidad*, 1438; *liberalismo*; *liberalizar*. *Libertad*, h. 1250, lat. *libertas*, *-atis*, íd.; *libertario*. *Liberto*, h. 1440, lat. *libertus* íd.; *libertar*, h. 1440, *libertador*; *libertino*, 1490, en la acepción 'desenfrenado en lo moral' se tomó del francés en el S. XIX; *libertinaje*.
CPT. *Librecambio*; *librecambista*. *Librepensador*; *librepensamiento*. *Liberticida*

LIBREA, 1444. Del fr. *livrée* íd., propte. 'cosa entregada al criado', deriv. de *livrer* 'entregar' (del mismo origen que el cast. *librar*).

Librecambio, *librepensador*, V. *libre* *Librería*, *librero*, *libresco*, V. *libro* *Libreta*, V. *libra* y *libro*

LIBRO, h. 1140. Tom. del lat. *liber*, *-bri*, íd.; primitivamente significó 'parte interior de la corteza de las plantas' (que los romanos emplearon como papel), de donde el tecnicismo botánico *líber*, 1884.
DERIV. *Librero*, 1490; *librería*, 1495. *Libresco*. *Libreta* 'cuaderno', 1817; *libreto*, 1884. *Libraco*, 1843. *Libelo*, h. 1400, tom. del lat. *libellus*, diminutivo de *liber*; *libelar*, h. 1400; *libelista*.

Licantropía, *licántropo*, V. *liceo* *Licencia*, *licenciado*, *licenciar*, *licenciatura*, *licencioso*, V. *lícito*

LICEO, h. 1570, lat. *Lycēum*. Tom. del gr. *Lýkeion*, escuela donde enseñaba Aristóteles (su nombre designaba propte. el contiguo templo de Apolo, que llevaba este nombre como matador de lobos, *lýkoi* en griego).
DERIV. *Liceísta*. Otros cpts. del gr. *lýkos* 'lobo': *Licántropo*, formado con *ánthrōpos* 'hombre, persona'; *licantropía*. *Licopodio*, con gr. *pûs*, *podós*, 'pie' (propte. 'pie de lobo').

LÍCITO, 1438. Tom. del lat. *licǐtus* 'permitido', participio de *licēre* 'ser lícito'.
DERIV. *Licitud*. *Ilícito*, h. 1440; *ilicitud*. *Licencia*, 1220-50, lat. *licentia* 'libertad, facultad, licencia'; *licencioso*, 1611; *licenciar*, 1438; *licenciado*, 1495; *licenciatura*. *Licitar*, 1817, lat. *licitari* 'ofrecer en almoneda', derivado de *licere* en su acepción de 'estar en venta'; *licitación*; *licitador*; *licitante*.

Licopodio, V. *liceo*

LICOR, 1278. Tom. del lat. *liquor*, *-oris*, 'líquido', deriv. de *liquēre* 'ser líquido, manar libremente'.
DERIV. *Líquido*, 1433, lat. *liquǐdus* íd.; *liquidez*; *liquidar*, 1554; *liquidación*. *Licuar*, 1628, lat. *liquare* 'tornar líquido'. *De-*

licuescente, lat. *deliquescens*, *-tis*, participio de *deliquescere* 'volverse líquido'; *delicuescencia*.
CPT. *Licuefacción*.

LID, 1076. Del lat. LIS, LĪTIS, 'disputa', 'pleito'; la acepción castellana 'combate' se explica por la frecuencia del combate judicial en la Edad Media.
DERIV. *Lidiar*, 1074, lat. LĪTĬGARE 'disputar, pelearse con palabras'; *lidia*, med. S. XIX; *lidiador*; por vía culta: *litigar*, 1444; *litigante*, h. 1450; *litigio*, h. 1440, lat. *litigium* íd.; *litigioso*, h. 1440.

LIEBRE, 1251. Del lat. LĔPUS, -ŎRIS, íd.
DERIV. *Lebrasto*, 1822, lat. *LEPORASTER*, -TRI; *lebrastilla*, 1495; *lebrastón* 'liebre vieja', 'hombre astuto y sagaz', 1734; *alebrastarse* y *alebrestarse*, 1535, 'actuar como liebre', 'excitarse sexualmente'. *Lebrato*. *Lebrel*, 1495, del cat. *llebrer* íd. *Alebrarse*.
DERIV. culto: *Leporino*.

LIENDRE, 1490. Del lat. LENDIS, -ĬNIS, forma vulgar que sustituyó a la clásica LENS, LENDIS, íd.
DERIV. *Deslendrar*.

LIENZO, 904. Del lat. LĬNTĔUM 'tela de lino', 'lienzo'; es incierta la explicación del diptongo *ie*, si bien hay algún indicio de que una variante LĒNTEUM existía ya en latín vulgar.
DERIV. *Lencero*, 1495; *lencería*.

Liga, V. *ligar*

LIGAR, 1251. Del lat. *lǐgare* 'atar', por vía semiculta. La variante *liar*, 1605, parece tomada del fr. *lier*.
DERIV. *Liga* 'materia viscosa para coger aves', h. 1400; 'confederación', 1495; 'aleación', 1495; 'cinta para asegurar las medias y calcetines', 1599. *Ligadura*, 1490. *Ligallo*, arag., 1317. *Ligazón*. De la antigua variante *legar* 'ligar', 1220-50: *legajo*, 1626. De *liar*: *Liaza*. *Lío*, 1615; *lioso*. Cultismos: *Ligamento*; *ligamentoso*. *Coligar*, med. S. XV, lat. *colligare* íd. *Obligar*, 1221, lat. *obligare* 'atar', 'sujetar por un contrato o juicio', 'forzar'; *obligación*, 1490, *obligacionista*; *obligatorio*. *Religar*, 1444.

LIGERO, 1220-50. Del fr. *léger* 'leve, poco pesado', y éste del lat. vg. *LEVIARIUS* (de donde también el cat. *lleuger*), deriv. y sinónimo de LEVIS 'leve'.
DERIV. *Ligereza*, h. 1275. *Aligerar*, 1584.

LIGIO, med. S. XIX. Tom. del bajo lat. de Francia *ligius*, latinización del fr. *lige* 'vasallo' y a veces 'libre', voz de origen germánico, aunque no consta su etimología exacta.

Lignáloe, lignito, lignum crucis, V. *leña Lígula,* V. *legra*

LIGUSTRO, 1555, o *aligustre.* Tom. del lat. *ligustrum* íd.
DERIV. *Ligustrino. Ligustrina.*

LIJA, 1335. Del mismo origen incierto que el port. *lixa* íd.; quizá del antiguo *lijo* 'inmundicia', por las muchas escamas que cubren su cuerpo, comparables a costras y suciedad; *lijo,* 1.ª mitad S. XIII, port. *lixo* 'basura', probte. del lat. arcaico LĪXA 'agua de lejía, líquido asqueroso', si bien parece haber habido una confusión vulgar con LĪXA 'servidor de un ejército, cantinero', que en la baja época toma el sentido de 'vil', 'lujurioso'.
DERIV. *Lijar,* 1708.

LILA 'arbusto de flores moradas', 1817; 'color morado claro', 1765-83. Del fr. *lilas* íd., antes *lilac,* 1611, y éste del persa *līlak* (o *nīlak*) 'azulado', 'cárdeno', diminutivo de *nil,* de donde viene *añil.*

Liliáceo, V. *lirio   Lima* (fruto), V. *limón* I

LIMA 'herramienta de limar', 1490. Del lat. LĪMA íd.
DERIV. *Limar,* h. 1275, lat. *limare* íd.; *limadura,* h. 1330. *Limalla,* 1817. *Limatón,* 1765-83, del cat. *llimetó.*

LIMAZA, 1505. Del lat. LĪMAX, -ĀCIS, fem.
DERIV. *Lumaquela,* 1899, del it. *lumachella* íd., propte. 'caracol pequeño' (diminutivo del it. *lumaca* del mismo origen que *limaza*).

LIMBO, h. 1440 (*imbo,* ya princ. S. XV). Tom. del lat. *limbus* 'lugar apartado en el otro mundo', propte. 'orla o extremidad de un vestido'.

LIMETA 'frasco de cristal para vino', 2.º cuarto S. XVI. Diminutivo de *lima* o *nima* íd. (empleados en el dialecto mozárabe), y éstos del lat. NIMBUS 'frasco para vino', propte. 'chaparrón', 'nube cargada de lluvia'.

LIMISTE, 1486. Del mismo origen que el fr. *limestre* 'especie de paño de lana': del ingl. anticuado *lemster* íd., propte. nombre de la ciudad de Inglaterra donde se fabricaban estos paños.

LÍMITE, 1438. Tom. del lat. *limes, -itis,* 'sendero entre dos campos', 'límite, frontera'. Del mismo, por conducto popular y hereditario sale *linde,* 1074 (*limde,* 934).

DERIV. *Limitar,* 1438, lat. *limitare* 'rodear de fronteras'; *limitación,* 1515; *limitativo. Extralimitarse; extralimitación. Ilimitado.* De *linde: Lindero,* 1213. *Lindar,* 1600 (y *alindar,* 1578); *lindante. Colindar,* 1936; *colindante,* 1869. *Deslindar,* 1495 (*delimdare,* 978), lat. tardío DELIMITARE íd.; de donde se ha tomado el culto *delimitar,* por conducto del fr.; *deslinde.*
CPT. *Limítrofe,* 1765-83, tom. del lat. tardío *limitrophus* '(campo) atribuido a los soldados que guardaban las fronteras, para atender a su subsistencia', cpt. con el gr. *tréphō* 'yo alimento'.

LIMO 'lodo', h. 1280. Del lat. LĪMUS íd.
DERIV. *Limoso,* 1490.

LIMÓN I 'fruto del limonero', princ. S. XV. Del ár. *laimûn,* y éste del persa *līmū(n)* íd. En cuanto al cast. *lima* 'fruto del limero', 1490, es palabra de la misma familia, procedente del ár. *līma.* La reducción del diptongo de *laimûn* a *limón* parece ser debida al influjo de *lima.*
DERIV. *Limonada. Limonar. Limonero.* De *lima: limero.*

LIMÓN II 'cada una de las dos varas en cuyo centro se coloca una caballería, para tirar de un carruaje', 1734. Del fr. *limon* íd., S. XII, de origen incierto, tal vez cruce de las voces francesas *timon* 'timón' y *limande,* 1319, 'tabla estrecha', 'pértiga', ésta a su vez de origen incierto, quizá prerromano.
DERIV. *Limonera* 'limón', 1817. *Limonero.*

LIMOSNA, med. S. XIII (*alimosna* en varios textos de este siglo). Del lat. *eleemosyna* (pronunciado usualmente *elimosyna*), tom. del gr. *eleēmosýnē* íd., propte. 'piedad, compasión' (deriv. de *eleéō* 'me compadezco').
DERIV. *Limosnero,* 1332.

Limoso, V. *limo*

LIMPIO, h. 1140. Del lat. LĪMPĬDUS 'claro, límpido'. De ahí, por vía culta, *límpido,* med. S. XIX.
DERIV. *Limpieza,* 1335. *Limpiar,* 1490; *limpia. Limpidez.*
CPT. *Limpiabarros. Limpiabotas. Limpiachimeneas.*

Lináceo, V. *lino   Linaje, linajudo,* V. *línea   Linar, linaza,* V. *lino*

LINCE 'mamífero carnicero que se creía de vista muy penetrante', 1490, lat. *lynx, lyncis.* Tom. del gr. *lýnx, lynkós,* íd. Se cree (aunque es inseguro) que *onza* 'pantera', 1495, procede de un la+. vg. *LŬNCĔA,* deriv. de dicha voz griega, en el cual se confundiría la *l-* con el artículo.

LINCHAR, fin S. XIX. Del ingl. *lynch* íd., 1836, del nombre de *Lynch,* hacendado de Virginia que, a fines del S. XVIII, instituyó tribunales privados para juzgar sumariamente a criminales flagrantes.
DERIV. *Linchamiento,* 1923; *linchador,* íd.

Lindante, lindar, linde, lindero, V. *límite*

LINDO, significó primitivamente 'legítimo', h. 1280; 'auténtico', 1240, de donde más tarde 'puro', 1330; 'bueno', fin S. XIV, y finalmente 'bonito', h. 1400, pero en América se conserva muy viva la acepción 'bueno'. Resulta de **lidmo* por trasposición de las consonantes, en portugués *lídimo* 'legítimo', 'auténtico', antiguamente *leídemo,* 1278 (y también *liimdo,* S. XV). Descendiente semiculto del lat. *legítimus* 'legal', 'legítimo'.
DERIV. *Lindeza,* 1495; *lindura.* *Alindongarse.*

LÍNEA, 1490 (*liña,* h. 1250). Tom. del lat. *línea* 'raya', 'rasgo', propte. 'hilo de lino', 'cordel' (deriv. de *línum* 'lino').
DERIV. *Lineal. Lineam(i)ento. Alinear,* 1843; *alineación. Delinear,* 1674; *delineación,* 1623; *delineador; delineante. Entrelinea; entrelinear. Translinear.* Del anticuado *liña: Aliñar,* h. 1260, propte. 'poner en línea', y luego 'disponer, arreglar'; *aliñado; aliño,* med. S. XVI; *desaliñar,* 1495; *desaliñado* íd., *desaliño* íd. *Linaje,* 1209 (quizá ya 1107), del cat. *llinatge* íd., disimilación del cat. ant. *llinyatge,* deriv. de *llinya* 'línea' (hoy *línia*); *linajista; linajudo.*
CPT. *Linotipia,* del ingl. *linotype,* contracción de *line of type* 'línea de composición tipográfica'; *linotipista.*

LINFA 'agua' (como voz poética), h. 1440; 'humor que corre por los vasos linfáticos', 1734. Tom. del lat. *lympha* 'agua', propte. 'divinidad acuática', a su vez tom. del gr. *nýmphē* 'divinidad de las fuentes', propte. 'mujer joven'; de ahí el cast. *ninfa,* h. 1440.
DERIV. *Linfático,* princ. S. XVIII; *linfatismo. Ninfeo, ninfeáceo. Paraninfo* 'lugar donde se pronuncia el discurso solemne de principio del curso universitario', S. XIX, antes 'el profesor que lo pronuncia', 1734; 'el que anuncia una buena noticia', 1611; gr. *paránymphos* 'padrino de bodas', del gr. *nýmphē* en el sentido de 'novia'.
CPT. *Ninfomanía,* alude a esta última acepción de la palabra griega; *ninfómana.*

LINGOTE, 1765-83. Del fr. *lingot* íd., princ. S. XV, de origen incierto; éste quizá

del ingl. *ingot* 'lingote', 1560, y antes 'molde de fundir metales', h. 1386, que se cree deriv. del anglosajón *goten* 'fundido'.

Lingual, lingüista, lingüístico, V. *lengua*

LINIMENTO, 1629. Tom. del lat. *liní-mèntum* 'acto de embadurnar', deriv. de *linère* 'embadurnar, untar'.

LINO, 1112. Del lat. LÍNUM íd.
DERIV. *Lináceo. Linar,* 1060. *Linaria. Linaza,* 1495.
CPT. *Linóleo,* 1899, del ingl. *linoleum,* formado con el lat. *oleum* 'aceite', por hacerse con aceite de linaza.

Linotipia, linotipista, V. *línea*

LINTERNA, princ. S. XIV (*lenterna,* 1220-50). Tom. del lat. *lantèrna* íd., con *-i-* por influjo de *interna* (por estar la luz, en las linternas, encerrada).

Lío, lioso, V. *ligar*

LIPEMANÍA, 1899. Cpt. del gr. *lýpē* 'tristeza' y *manía* 'locura, manía'.
DERIV. *Lipemaníaco.*

LIPOMA, 1899. Deriv. del gr. *lípos* 'grasa'.
CPT. *Lipoideo,* 1936, formado con esta voz griega y *êidos* 'forma, aspecto'.

LIPOTIMIA 'pérdida pasajera del sentido', 1899. Tom. del gr. *lipothymía* íd., cpt. de *leípō* 'yo dejo' y *thymós* 'ánimo'.

LIQUEN, 1765-83, lat. *lichen, -ènis.* Tomado del gr. *leikhēn* íd., propte. 'lepra', 'herpes'.

Liquidación, liquidar, liquidez, líquido, V. *licor*

LIRA, 1438, lat. *lyra.* Tom. del gr. *lýra* íd.
DERIV. *Lírico,* 1444, gr. *lyrikós* 'relativo a la lira', 'que toca la lira, poeta lírico', por ser ésta la forma como recitaban los poetas de esta clase en la Antigüedad; *lírica. Lirismo,* 1884.

Lírica, lírico, V. *lira*

LIRIO, h. 1400, y antes *lilio,* 1220-50. Tom. del lat. *lílium* íd. Del mismo origen el fr. *lis,* que se ha empleado en cast. con referencia a Francia, princ. S. XVII.
DERIV. *Liliáceo.*

Lirismo, V. *lira*

LIRÓN 'especie de ratón que pasa el invierno adormecido', 1252. Deriv. del antiguo y dialectal *lir*, 1495, procedente del lat. GLĪS, GLĪRIS, íd.

Lirondo, V. *liso*   *Lis*, V. *lirio*

LISA 'pez de río parecido a la locha', ¿1525? Del mismo origen desconocido que el cat. *llissa* o *llissera* 'mújol', y probte. del mismo origen que oc. *liço*, *lecho*, genov. ant. *lezha*, h. 1300, it. *leccia*, serviocroato *lìca* 'Lichia amia'. La forma probte. castellana es *liza*, h. 1326; la variante actual se tomó del catalán.

LISIAR, S. XIII. Deriv. de *lisión*, 1220-50, variante antigua y vulgar de *lesión* 'herida', tom. del lat. *laesio, -ōnis*, íd., que es deriv. de *laedĕre* 'herir'. DERIV. de *lesión*: *Lesionar*. Otros deriv. de *laedere*: *Lesivo*. *Leso* 'herido', med. S. XV, en la frase *haber el juicio leso*, de donde hoy *leso* 'tonto' en Chile y Perú; *ileso*, 1438. *Elidir*, 1597, lat. *elīdĕre* 'expulsar golpeando', 'suprimir una letra'; *elisión*, 1580.

LISO, 1335. Voz común a todas las lenguas romances (salvo el fr. y el rumano), que supone una base románica *LĪSIUS, de origen incierto, probte. voz de creación expresiva, sugerida por el ruido del deslizamiento por una superficie lisa. *Lirondo*, sólo empleado en la frase *mondo y lirondo*, sale de un cruce de *liso* con *morondo* 'pelado, sin cabello', que a su vez es variante de *mondo*. DERIV. *Lisura*, 1490. *Alisar*, 1513.

LISONJA, 1335. Más antiguamente *losenja*, med. S. XIII, que se tomó de oc. ant. *lauzenja* íd., voz empleadísima en la ideología de los trovadores, que deriva probablemente del bajo lat. LAUDEMIA 'alabanza', deriv. de LAUDARE 'alabar' con la terminación de su opuesto BLASPHEMIA 'vituperio'. Los derivados *losenjar* y *losenjero* (-*injero*) pasaron por metátesis a *lisonjar* y *lisonjero*, y de ahí el cambio se propagó a *lisonja*. DERIV. *Lisonjear*, 1490; antes *lisonjar*, h. 1330 (*losenjar*, S. XIII). *Lisonjero*, h. 1300 (*losengero*, 1220-50). Del bajo lat. *laudemium* viene el cultismo *laudemio*.

LISTA 'tira de distinto color que tienen ciertas telas y otros objetos', 2.ª mitad S. XIV; 'tira de papel con un catálogo de nombres', 1734; 'este mismo catálogo', 1575. Del germ. occid. LĪSTA 'tira, franja', 'orillo', comp. el alem. *leiste* 'raya', 'orillo', 'listón', ingl. *list* 'franja', 'orillo', 'tira'. DERIV. *Listado*, 1335. *Listón* 'cinta', h. 1600; 'pedazo de tabla angosto', 1633; *listonado*; *listonería*. *Alistar* 'poner en lis-

ta', 'inscribir en la milicia', h. 1600; *alistamiento*.

LISTO, h. 1517. Origen incierto, probte. de un lat. vg. *LĒX(I)TUS, propte. participio pasivo de LĔGĔRE 'leer' y 'escoger', pasándose quizá de la idea de 'escogido' a la de 'fino' y 'pronto, avisado'. Del mismo origen son el port. *lésto*, cat. *llést*, princ. S. XV, e it. *lèsto*, h. 1500, a los cuales correspondería *liesto* en cast., luego reducido a *listo*. En catalán (S. XIII), occitano e italiano (1330) antiguos, la misma forma aparece todavía como participio pasivo del verbo procedente del lat. LEGERE, así en el sentido de 'leído', como en el de 'escogido'. DERIV. *Alistar* 'poner a punto', 1584, acepción hoy viva en la Argentina y en Galicia.

Listón, listonería, V. *lista*   *Lisura*, V. *liso*   *Litargirio*, V. *lito-*   *Litera*, V. *lecho*   *Literal, literario, literato, literatura*, V. *letra*   *Litiasis, lítico*, V. *lito-*   *Litigación, litigante, litigar, litigio, litigioso*, V. *lid*   *Litina, litio*, V. *lito-*

LITO-, primer elemento de cpts. cultos, tom. del gr. *líthos* 'piedra'. *Litófago*, formado con el gr. *éphagon* 'yo comí'. *Litogenesia*. *Litografía*, 1843, con gr. *gráphō* 'yo dibujo'; *litografiar*; *litográfico*; *litógrafo*. *Litología*. *Litosfera*, vid. ATMÓSFERA. *Litotomía*, con gr. *témnō* 'yo corto'. *Litotricia*, con lat. *tritum* 'triturado'. *Litargirio*, 1734, gr. *lithárgyros* íd., con gr. *árgyros* 'plata'. DERIV. *Litiasis*. *Lítico*. *Litina*. *Litio*.

LITORAL, 1817. Tom. del lat. *litoralis* 'costeño', deriv. de *litus, litŏris*, 'costa, litoral'.

Litosfera, V. *atmósfera* y *lito-*

LITOTE, h. 1764, lat. *litŏtes*. Tom. del gr. *litótēs* íd., deriv. de *litós* 'tenue'.

Litotomía, litotricia, V. *lito-*

LITRARIEO, 1899. Deriv. del gr. *lýthron* 'sangre sucia', por el color de las flores de estas plantas.

LITRO, med. S. XIX. Del fr. *litre* íd., formado por los inventores del sistema métrico (1795) a base del fr. *litron*, S. XVI, medida de granos usual en Francia, al parecer deriv. semiculto del gr. *lítra* 'libra'.

LITURGIA, 1600, bajo lat. *liturgĭa*. Tomado del gr. *leiturgía* 'servicio del culto', propte. 'función pública, servicio público', deriv. de *leiturgós* 'funcionario público'. DERIV. *Litúrgico*.

Liviandad, liviano, V. *leve*

LÍVIDO, 1515. Tom. del lat. *līvĭdus* 'azulado negruzco', 'de color plomizo'.
Deriv. *Lividez*, 1869. *Lividecer*, 1936.

LIZA, h. 1440, 'campo dispuesto para que lidien dos o más personas', 1607; 'combate caballeresco', 1490. Del fr. *lice* íd., S. XII, que antiguamente designó una barrera que rodeaba estos lugares o la que se empleaba como fortificación; probte. del fráncico *LÎSTJA*, voz emparentada con el anglosajón *liste* y sus congéneres en el sentido de 'listón', 'tira' (de ahí el cast. *lista*), de donde 'cosa hecha de listones o varillas'.

LIZO, h. 1400. Del lat. *LĪCIUM* 'hilo transversal con que se separan los hilos de la urdimbre para facilitar el paso de los de la trama', 'hilo de la trama', 'hilo o cordón en general'.

LOAR, h. 1250 (*laudar*, h. 1140). Del lat. *LAUDARE* 'alabar'.
Deriv. *Loa*, h. 1250. *Loable*, 1490. *Loor*, 1220-50. Cultismos: *Laudable*, 1438. *Laudar*, en el sentido de 'dictar su sentencia el árbitro'; *laudo. Laudatorio. Laude* 'alabanza', 1220-50, lat. *laus, -dis*.

Loba, lobada, V. *lobo*

LOBAGANTE '*Homarus vulgaris*, crustáceo marino semejante a la langosta', 1582-85. Probte. de un lat. vg. *LUCOPANTE*, variante de *lucuparta* que designa el lobagante en un autor latino del S. V. Se trata de una deformación del gr. *lykopánthēr* 'especie de pantera', nombre que se daría a este crustáceo por el aspecto agresivo que le dan las enormes pinzas de que está armado.

Lobanillo, lobato, V. *lobo* I

LOBELIÁCEO, 1914. Del nombre del botánico Matías de Lobel, que vivió en el S. XVI.

LOBO I, 1057. Del lat. *LŬPUS* íd.
Deriv. *Loba*, 1157. *Lobanillo*, S. XIV; deriv. explicable por comparación con el destrozo causado por un animal voraz, pues se creía que el lobanillo se propagaba alrededor y podía degenerar en cáncer (de ahí el nombre culto *lupus*, de un mal parecido); formación parecida tiene *lupia*, fin S. XIII, del lat. vg. *LŬPĔA*, por conducto del cat. *llúpia*; del fr. *loupe* íd. quizá sea aplicación figurada *loupe* 'lente de aumento', 1358, de donde cast. *lupa. Lobera. Lobezno*, 1495, lat. tardío *LUPĪCĬNUS. Lobato. Lobina* 'róbalo', 1869. *Lobuno*, 1335. *Lobada. Lupino*, 1899, del it. *lupino* (lat. *lupīnus* íd.).

LOBO II 'lóbulo', 1765-83. Tom. del gr. *lobós* 'perilla de la oreja', 'lóbulo del hígado'.
Deriv. *Lóbulo*, 1884; *lobulado. Lobulillo*.

LÓBREGO 'muy oscuro', h. 1250. Adjetivo común al cast. y el portugués, de origen incierto, probte. del lat. *LŬBRĬCUS* 'resbaladizo', que ya en la Antigüedad significaba también 'engañoso', 'peligroso' y 'pecaminoso', y de ahí parece haber pasado a 'tenebroso' y 'triste'.
Deriv. *Lobreguez*, princ. S. XVII. *Enlobreguecer*.

Lobulado, lóbulo, V. *lobo* II   *Lobuno*, V. *lobo* I

LOCACIÓN, S. XIX. Tom. del lat. *locatio, -ōnis*, 'acto de alquilar', deriv. de *locare* 'alquilar'; por conducto del francés del código civil napoleónico.
Deriv. *Locador. Locatario. Locativo*.

Local, localidad, localismo, localizar, locativo, V. *lugar*   *Loción*, V. *lavar*

LOCO, h. 1140. Palabra propia del cast. y el port. *louco*, procedente de un tipo *LAUCU* de origen incierto. Quizá del ár. *láuqa, láuq*, femenino y plural del adjetivo *'alwaq* 'tonto', 'loco'.
Deriv. *Loquear. Loquero. Locuelo. Locura*, h. 1140. *Alocado*, med. S. XVI. *Enloquecer*, S. XIII; *enloquecedor; enloquecimiento*.

Locomoción, locomotor, locomotriz, locomóvil, V. *lugar*

LOCRO 'guisado de carne con patatas, etc.', amer., 1590. De origen indígena americano, probte. del quich. *rokkhro* íd.

LOCUAZ, princ. S. XVII. Tom. del lat. *loquax, -ācis*, 'hablador', deriv. de *loqui* 'hablar'.
Deriv. de *loqui: Locuacidad*, 1515. *Locución*, 1580. *Locutorio*, h. 1580. *Alocución*, S. XIX. *Circunlocución*, 1499; *circunloquio*, h. 1530. *Coloquio*, 1444, lat. *colloquium. Elocuente*, 1438, del participio activo del lat. *eloqui* 'decir, pronunciar'; *elocuencia*, 1438; *elocución*, 1580; *eloquio*, lat. *eloquium*.
Interlocutor, principios del S. XVII, originariamente empleado sólo en plural para 'personajes que hablan en un diálogo', del lat. mod. *interlocutor*, 1513, deriv. del lat. tardío *interloqui* 'dialogar', acepción rara en este idioma y debida a un calco del gr. *dialégomai* íd.

Locura, V. *loco*   *Locutorio*, V. *locuaz*

LOCHA 'cierto pez de agua dulce', 3.ᵉʳ cuarto S. XVII. Probte. del. fr. *loche* íd., S. XIII, de origen incierto; la variante normando-picarda *loque* indica una base en -CA.

LODO, 1209. Del lat. LŬTUM íd. DERIV. *Lodazal. Lodoso*, princ. S. XV. *Enlodar*, 1495. *Lúteo*, deriv. culto.

LOFOBRANQUIO, 1899. Cpt. del gr. *lóphos* 'penacho' y *bránkhion* 'branquia'.

Logaritmo, V. *lógico   Logia*, V. *lonja* II

LÓGICO, 1438, lat. *logĭcus*. Tom. del gr. *logikós* 'relativo al razonamiento', derivado de *lógos* 'argumento, discusión', 'razón' (propte. 'palabra', deriv. de *légō* 'yo digo'). DERIV. *Lógica*, h. 1250, gr. *logikḗ*. *Ilógico. Paralogismo*, gr. *paralogismós*, formado con *para-* 'al lado de, fuera de'. *Silogismo*, 1433, gr. *syllogismós*, íd., propte. 'razonamiento'; *silogístico*, h. 1440. CPT. *Logaritmo*, 1708, de *lógos* 'razón' y *arithmós* 'número'; *logarítmico. Logogrifo*, formado con el gr. *gríphos* 'red', 'enigma'; *logográfico*.

Logogrifo, V. *lógico   Logomaquia*, V. *prólogo*

LOGRAR 'obtener', 1615, antes 'gozar del fruto (de algo)', h. 1140. Del lat. LŬCRARI 'hacer ganancias'. *Logro* 'obtención', S. XVII; en la acepción antigua 'rédito', 'usura', S. XIII, viene directamente del lat. LŬCRUM 'ganancia'; por vía culta: *lucro*, 1734, y *lucrar*, S. XIX. DERIV. *Logrero*, 1220-50. *Lucrativo*, h. 1440. CPT. *Malograrse*, 1.ª mitad S. XVII, formado con *mal* y *lograr* en el sentido de 'aprovecharse o valerse de algo', frecuente en el S. XVII; *malogrado*, S. XVII; *malogro*, S. XVII.

Loma, lomada, V. *lomo   Lombarda*, V. *bomba*

LOMBRIZ, 1220-50. Del lat. vg. LŬMBRIX, -ĬCIS, que sustituyó el clásico LUMBRĪCUS íd. (alteración debida a la gran frecuencia del plural LUMBRĪCĪ). DERIV. *Lombriguera*, 1734 (deriv. antiguo que ha conservado el timbre velar de la c latina, como *perdiguero* junto a *perdiz*).

LOMO, 969 (*lombo*, 912), 'parte inferior y central de la espalda', 'en los cuadrúpedos, todo el espinazo'. Del lat. LŬMBUS íd. DERIV. *Loma*, 1074 (*lomba*, 1011); *lomada, lometa. Lomear. Lomera, Lomillo*, 1.ª mitad S. XVII; *solomillo*, 1560. *Deslomar*, 1495; *deslomadura. Lumbago*, 1869, tom. del lat. tardío *lumbāgo, -ĭnis. Lumbar*, 1869. CPT. *Lomienhiesto*, 1605.

LONA, 1519 (*alona*, 1495), 'tela fuerte para velas de navío etc.'. Antes *olona*, S. XVII; de *Olonne*, ciudad francesa en la costa atlántica, donde se fabricaba esta tela.

Longanimidad, longánimo, V. *luengo*

LONGANIZA, h. 1400. Del lat. vg. LŪCANICIA, deriv. del lat. LUCANĬCA íd., así llamada porque se hacía en el Sur de Italia, en Lucania. En romance **luganiza* pasó a *longaniza* por un proceso fonético corriente, ayudado por el influjo de *luengo* 'largo', pero el vasco conserva una forma más cercana al latín, *lukainka*.

Longevidad, longevo, longitud, longitudinal, V. *luengo*

LONJA I 'tira de cuero, correa larga', h. 1325, 'pedazo ancho y delgado de carne y de otras cosas', ¿1335?, 1495. Del fr. *longe*, S. XII, 'correa, en especial la empleada para sujetar un animal', 'mitad de la canal de un animal sacrificado'. En la primera acepción el vocablo francés es aplicación especial del fr. ant. *longe*, femenino de *long* 'largo'; en la segunda, su origen es menos seguro, pero no es improbable que sea extensión del sentido 'témpano de cerdo u otro animal', que podría explicarse también por el adjetivo *longe* 'larga'.

LONJA II 'centro de contratación de mercaderes', 1490. Del cat. dial. *llonja*, íd. (cat. *llotja*), S. XIV, y éste del fr. ant. *loge* 'glorieta', 'gabinete, camarín', que a su vez se tomó del fráncico LAUBIA 'glorieta de follaje', 'galería', probte. deriv. de *laub* 'hoja, fronda'; del francés pasó también al it. *loggia* 'galería', etc., de donde cast. *logia*. DERIV. *Alojar*, 2.º cuarto S. XV, del cat. *allotjar* íd.; *alojamiento; desalojar*, h. 1572; *desalojo*.

Lontananza, V. *luengo   Loor*, V. *loar Loquear, loquero*, V. *loco   Loquios*, V. *lecho*

LORANTÁCEO, 1899. Cpt. del lat. *lorum* 'correa, tira de cuero' y el gr. *ánthos* 'flor', por la forma del cáliz de estas plantas.

LORDOSIS, 1925. Tom. del gr. *lórdōsis* íd., deriv. de *lordós* 'encorvado', 'jorobado'.

LORIGA, 1034, 'coraza'. Del lat. LORĪCA íd., deriv. de LORUM 'cuero', 'correa', material con que se hacían las corazas antiguas.

LORO 'papagayo', h. 1550. Del lenguaje de los Caribes de la Tierra Firme americana, que llamaban a este pájaro *roro*.
DERIV. *Lora*.

LOSA, 1210. Del vocablo prerromano *LAUSA* 'losa' o 'pizarra', que se extiende por toda la Península Ibérica, Sur y Sudeste de Francia y Piamonte; de origen incierto, pero no parece ser ibérico ni céltico; un derivado *lapides lausiae* 'piedras análogas a la losa' se encuentra ya en una inscripción lusitana.
DERIV. *Enlosar,* 1495. *Losado*, 1490. *Loseta*.

LOSANGE 'rombo en un escudo', 1734, del fr. *losange* íd., de origen incierto; no es germánico, como se había supuesto, pero tampoco está claro que venga del ár. *lauzînaỹ*, que sólo significa 'pastel de forma romboide'.

Loseta, V. *losa*

LOTE, 1869. Tom. del fr. *lot* 'parte que toca a cada uno en un reparto', y éste del fráncico *LÔT*, compárense el gót. *hlauts* 'lote', 'herencia' y alem. *los* 'parte que toca a cada uno'.
DERIV. *Lotero*, 1817. *Lotería*, 1734.

LOTO, nombre de varias plantas africanas, 1734, lat. *lotus*. Tom. del gr. *lōtós* íd.
CPT. *Lotófago*, formado con *éphagon* 'yo comí'.

LOXODROMIA, 1765-83. Cpt. del gr. *loxós* 'oblicuo' y *drómos* 'carrera, curso'.
DERIV. *Loxodrómico*, 1734.

LOZA 'vasijas de barro fino', 1495. Significó más antiguamente 'vasijas de cualquier material', como el port. *louça*, 1254. Probte. del lat. *LAUTIA* 'ajuar proporcionado a un huésped'. Éste, a su vez, se relaciona con *LAUTUS* 'suntuoso'; de ahí *loza* en el sentido etimológico de 'objetos domésticos de lujo', con el cual se halla en textos de h. 1600, y del cual es probable que derivara *LAUTIANUS*, de donde *lozano* (port. *louçāo*), princ. S. XIII, 'elegante', luego 'hermoso' y, finalmente, 'frondoso, lujuriante'.
DERIV. *Lozanía*, 1059.

Lozanía, lozano, V. *loza*

LÚA 'guante', 1051, y el port. *luva*, del gót. *LÔFA*, pronunciado *lūfa* por los visigodos; aunque en esta lengua se conoce sólo en el sentido de 'palma de la mano', el aparecer la misma palabra en escandinavo con el sentido de 'guante' indica que lo tendría también en gótico, aunque en varias lenguas germánicas esta acepción la tenga

más bien un derivado de *lōfa* (inglés *glove*, y visigodo *GALŪFA*, de donde el riojano *goluba*).

Lubina, V. *lobo*   *Lubricar,* V. *lúbrico*

LÚBRICO 'libidinoso, lujurioso', princ. S. XVII. Tom. del lat. *lŭbrĭcus* 'resbaladizo', que ya en la baja época pasó de ahí a significar 'propenso a pecar', 'lascivo'.
DERIV. *Lubricidad*, 1607. *Lubricar*, S. XIX, lat. *lubricare* 'hacer resbaloso'; también *lubrificar*, med. S. XIX; *lubricación*; *lubricador*; *lubricante*.

Lucerna, lucero, lucidez, lúcido, luciente, luciérnaga, Lucifer, lucilina, lucimiento, V. *luz*

LUCIO (pez de agua dulce), 1490. Tom. del lat. *lucius* íd.

Lucio, adj., *lucir,* V. *luz*   *Lucrar, lucrativo, lucro,* V. *lograr*   *Luctuoso,* V. *luto*

LUCHAR, 1220-50. Del lat. LUCTARI íd.
DERIV. *Lucha*, 1220-50. *Luchador*, 1490. *Reluchar*.

Ludibrio, V. *ilusión*.

LUDIR, 1591, 'frotar o estregar una cosa con otra'. Probte. del lat. LŪDĔRE 'jugar, juguetear' (quizá pasando por 'retozar amorosamente, yacer carnalmente', que también es acepción latina). Es muy corriente la pronunciación vulgar *luir* o *luyir*.

LÚE (o *lúes*), fin S. XIX, 'sífilis'. Tom. del lat. *lues* 'disolución', 'peste'.

LUEGO 'prontamente, sin dilación', med. S. X ('después' y 'por consiguiente' son acepciones secundarias, del Siglo de Oro acá, aunque aquélla también aparece a veces en la Edad Media). Del lat. vg. LŎCO íd., que es renovación del clásico ILĬCO íd. (cpt. éste de IN LOCO, propte. 'en el lugar, allí mismo').

LUENGO 'largo', ant., fin S. X. Del lat. LŎNGUS.
DERIV. *Longitud*, 1492, tom. del lat. *longĭtūdo, -dĭnis,* íd.; *longitudinal*. *Lueñe* 'lejos', adv., fin S. X, lat. LONGE íd.; de ahí el uso adjetivo *lueñas tierras,* h. 1600. *Alongar*, 934. *Elongación*. *Oblongo*, 1737, lat. *oblongus* íd. *Prolongar*, 1490, lat. *prolongare* íd.; *prolongado,* 1438; *prolongación*; *prolongamiento*, 1438. *Lontananza*, 1765-83, del italiano, donde deriva de *lontano* 'lejano', lat. vg. *LONGITANUS*.
CPT. *Longánimo; longanimidad,* formados con *ánimo*. *Longevo* 'que vive mucho', h. 1440, lat. *longaevus,* con *aevus* 'edad'; *longevidad*.

Lueñas, lueñe, V. *luengo*   *Lúes,* V. *lúe*

LUGAR, h. 1100 (*locar,* 933, y *logar,* SS. XII-XIV). Del lat. LOCALIS 'local, del lugar', deriv. de LŎCUS 'lugar' (un sustantivo *luego,* descendiente de éste, se abandonó pronto porque se confundía con el adverbio y es sumamente dudoso que de ahí se tomara el vasco *leku*).

DERIV. *Lugarejo* (comp. cat. *llogaret* 'aldea', del antiguo *llogar* íd., que algunos deforman en *llogarret*). *Lugareño.* Cultismos: *Local,* 1490, lat. *localis; localidad; localismo; localizar, localización. Locativo. Dislocar,* fin S. XVII, propte. 'sacar de su lugar'; *dislocación,* fin S. XVI; *disloque.*

CPT. *Lugarteniente,* h. 1590, bajo lat. *locum tenens* 'el que ocupa el lugar (de otro)'. Cultos: *Locomotor, -tora,* med. S. XIX, adaptación del ingl. *locomotive,* 1829, formados con el lat. *motus* 'movido'; *locomotriz; locomóvil; locomoción,* med. S. XIX.

LUGRE, 1843. Del ingl. *lugger,* quizá deriv. de *lugsail,* especie de vela característica de esta embarcación.

Lúgubre, V. *luto*

LUIS 'moneda de oro', 1765-83. Del nombre del rey francés Luis XIII, que acuñó primero estas monedas. *Hierba luisa* o *luisa,* 1843, del nombre de la reina española María Luisa, esposa de Carlos IV, a la cual fue dedicada esta planta.

LUJO, 1607. Tom. del lat. *luxus, -ūs,* 'exceso', 'libertinaje', 'lujo'.

DERIV. *Lujoso,* 1817. *Lujuria,* 1335, tom. del lat. *luxŭria* 'vida voluptuosa', propte. 'exuberancia, exceso', 'suntuosidad'; *lujurioso,* h. 1280; *lujuriar,* S. XIV; *lujuriante,* h. 1580, que conserva un sentido más próximo al etimológico.

Lumaquela, V. *limaza*   *Lumbago, lumbar,* V. *lomo*

LUMBRE, h. 1140. Del lat. LŪMEN, -ĬNIS, 'cuerpo que despide luz, lumbrera, luminar', que es la acepción dominante en la Edad Media; de ahí se pasó a 'llama' y 'fuego', 1335.

DERIV. *Lumbrera,* 1220-50. *Alumbrar,* 1220-50; *alumbrado,* 1495; *alumbramiento,* 1495. *Deslumbrar,* h. 1570; *deslumbramiento; deslumbrante. Relumbrar,* 1444; *relumbre, -bro; relumbrón. Vislumbre,* h. 1550; *vislumbrar,* 1739. Cultismos: *Luminar,* 1490; *luminaria,* S. XV. *Lumínico. Luminoso,* 1438; *luminosidad. Luminiscencia. Iluminar,* med. S. XIII, lat. *illuminare* íd.; *iluminación,* 1438; *iluminado,* 1220-50; *iluminismo.*

CPT. *Luminotecnia.*

Luminar, luminaria, lumínico, luminiscencia, luminoso, V. *lumbre*

LUNA, 2.ª mitad S. X. Del lat. LŪNA íd. DERIV. *Lunación. Lunar,* adj., 1490; 'claro de luna', ant. S. XIV, de ahí, por comparación con una luna llena, parece haber pasado a designar una mancha más o menos redonda en el cuerpo del hombre o del caballo, sobre todo la que se tiene de nacimiento, 1495 (a base del nombre los astrólogos supusieron que pudiera ser debido al influjo de la luna sobre el niño en el gremio materno, de donde luego la generalización a lunares de todas formas y colores); *lunarejo. Lunático,* h. 1250, así llamado por atribuir su dolencia a un mal influjo de la luna. *Lunes,* h. 1295, abreviación del lat. DIES LUNAE (que en vulgar se cambió en DIES LUNIS, por influjo de DIES MARTIS y demás, vid. *MARTES*). *Luneta* 'sitio del teatro donde hay las butacas, platea', 1734, así llamada por su contorno semicircular, como media luna; de ahí 'butaca de platea', h. 1800. *Interlunio.*

Lunar, lunarejo, lunático, lunes, luneta, V. *luna*   *Lupa,* V. *lobo*

LUPANAR, 1734. Tom. del lat. *lupānar, -āris,* íd. deriv. del lat. *lupa* 'cortesana', propte. 'loba'.

Lupia, lupino, V. *lobo*

LÚPULO, 1515. Tom. del lat. tardío *lupŭlus,* diminutivo del lat. *lupus* íd., de origen incierto en latín.

Lupus, V. *lobo*

LUQUETE I, 1606, 'mecha cubierta de azufre que, arrimada a una brasa, arde con llama'. Primero *aluquete,* del ár. *al-wuqáid* 'el fósforo, la cerilla', deriv. de *wáqad* 'encender'. Secundariamente pasa a significar 'ruedecita de limón o naranja para dar sabor al vino', porque incita a beber como si encendiera la sed.

LUQUETE II 'casquete esférico que cierra la bóveda vaída', 1925. Probte. del it. *lucchetto* 'candado' (a su vez tom. del fr. *loquet* 'pestillo', antes *loc,* del germ., como el ingl. *lock* 'cerradura').

LUSTRE 'brillo, esplendor', 1495. Tom. del it. *lustro* íd., princ. S. XIV, por conducto del cat. *llustre;* en italiano es deriv. de *lustrare* 'dar brillantez', que viene del lat. LŪSTRĀRE 'iluminar', propte. 'purificar' (deriv. de LUSTRUM 'sacrificio expiatorio', 'purificación'). El cultismo *lustro* 'período de cinco años', 1549, se explica porque las purificaciones rituales se cumplían cada cinco años.

DERIV. *Lustrar,* hacia 1525. *Lustroso,* h. 1490. *Lustrina. Deslustrar,* h. 1525. *Lustral,* por emplearse para la purificación. *Ilustrar*, h. 1440, lat. *illustrare* íd.; *ilustración*, 1580; *ilustrado*; *ilustrativo*. *Ilustre*, h. 1440, lat. *illustris* íd.; *perilustre*.

Lúteo, V. *lodo*

LUTO, 1335, 'duelo, aflicción', 'signos exteriores del mismo'. Tom. del lat. *luctus, -ūs*, íd., deriv. de *lūgēre* 'llorar', 'lamentarse'.
DERIV. *Luctuoso*. *Enlutar*, 1505; *enlutado*, 1495. *Lúgubre*, 1607, lat. *lugŭbris* íd., deriv. de *lugere*.

LUXACIÓN, 1884. Tom. del lat. *luxatio, -onis*, íd., deriv. de *luxare* 'dislocar (un hueso)'; los médicos emplean también *luxar* en cast.

Luyir, V. *ludir*

LUZ, 1220-50. Del lat. LŪX, LŪCIS, íd.
DERIV. *Lucero*, 1220-50. *Luciérnaga*, 1495 (*luziérnega*, 1251), deriv. del lat. LUCERNA 'candil, lámpara' (que dio el cat. *lluerna* 'lùciérnaga'). *Lucir*, 1220-50, del lat. LŪCĒRE íd.; *lucido*; *luciente*; *lucimiento*, 1495; *deslucir*, 1495, *deslucido* íd.; *enlucir*, 1495; *relucir*, 1438; *reluciente*; *traslucir*, princ. S. XIV; *trasluz*.
Lucio, h. 1330, lat. LŪCĬDUS 'brillante', 'luminoso'; por vía culta *lúcido*, 1444, *lucidez*; *dilucidar*; *translúcido*. *Elucubración*, S. XIX, y en forma más académica *lucubración*, S. XVII, deriv. del lat. *lucubrare*, *elucubrari*, 'trabajar a la luz del candil' (de ahí 'trabajo hecho a horas nocturnas').
CPT. *Contraluz*.

LL

LLAGA 'úlcera', 1490; antes 'herida', 1220-50. Del lat. PLAGA 'herida', 'golpe'.

Deriv. *Llagar*, 1220-50, lat. tardío PLAGARE 'herir', 'golpear', de donde los cultismos *plagar* 'llenar de una cosa nociva', 1737, y *plaga* 'calamidad', 1444; *plagado*.

LLAMA I 'lengua. de fuego', 1220-50. Del lat. FLAMMA íd.

Deriv. *Llamarada*, 1490. *Llamear*, h. 1250, *llameante* íd. Cultismos: *Flámeo. Flámula*, 1579-90. *Inflamar*, 1438, lat. *inflammare* íd.; *inflamable,* h. 1440; *inflamación*; *inflamatorio. Flamante*, h. 1440, del it. *fiammante*, por alusión al color brillante de las cosas nuevas. *Flamear*, 1696, del cat. *flamejar. Soflama* 'sofocación que sube al rostro', 1739, de donde 'perorata provocante', 1739, deriv. de *soflamar* 'abochornar', 1739, probablemente del cat. dial. *soflamar* 'chamuscar'.

Cpt. *Flamígero*, med. S. XV, formado con el lat. *gerere* 'producir'.

LLAMA II 'variedad doméstica del guanaco'. Del quichua *llama* íd.

LLAMAR, h. 1140. Del lat. CLAMARE 'gritar' 'clamar', 'exclamar', y a veces 'llamar'; por vía culta *clamar*, 2.º cuarto S. XV.

Deriv. *Llamada*, 1220-50. *Llamado*, sust., 1495. *Llamamiento*, 1495. *Llamativo*, 1613. Cultismos: *Clamor*, 1438, lat. *clamor, -ōris*, íd.; *clamorear*, princ. S. XVII; *clamoreo*; *clamoroso. Aclamar*, 1144, raro hasta el S. XVII, lat. *acclamare* íd.; *aclamación*, 1580. *Declamar*, princ. S. XV, lat. *declamare* íd.; *declamación*, 1570; *declamador*, 1570; *declamatorio. Exclamar*, 1438, lat. *exclamare* íd.; *exclamación*, 1438; *exclamativo*; *ex-* *clamatorio.. Proclamar*, 1607, lat. *proclamare* íd.; *proclamación*, 1607; *proclama*, 1737. *Reclamar*, 1444, lat. *reclamare* íd.; *reclamación*, S. XV; *reclamo*.

Llamarada, V. *llama* I   *Llamativo*, V. *llamar*   *Llamear*, V. *llama* I   *Llana, llanada*, V. *llano*

LLANO, 1081. Del lat. PLANUS 'llano', 'plano'; variante culta *plano*, adj., princ. S. XVII; sust. 'superficie geométrica', 1708.

Deriv. *Llana*, S. XVI (de albañil), 1734; *plana* 'cara del papel', 1611. *Llanada. Llanero. Llaneza*, h. 1570. *Llanura*, 1490. *Allanar*, 1240; *allanamiento*; *aplanar. Rellano*; *arrellanarse*, 1716. *Planazo. Planicie*, h. 1440, tom. del lat. *planities* íd. *Explanar*, 1444 (en el S. XIII, *desplanar*); *explanación*, 1438; *explanada*, h. 1530, del it. *spianata. Planear* 'descender en planeo'; *planeo*.

Cpt. *Planimetría. Planisferio*.

LLANTA 'cerco metálico de las ruedas', 1591. Probte. del fr. *jante* 'pina de rueda', y éste del célt. *CAMBĬTĀ íd. (de ahí el bretón *kammet*), deriv. de *CAMBOS 'curvo' (irl. y bret. *camm*); del fr. pasó al gascón *yante* y de ahí al castellano.

Deriv. *Enllantar*.

Llantén, V. *planta*

LLANTO, S. XIII, 'lloro'. Del lat. PLANCTUS, -ŪS, 'lamentación', propte. 'acción de golpearse', deriv. de PLANGĔRE 'golpear', 'lamentarse'. De éste viene el antiguo *plañir* 'lamentarse', 1220-50.

Deriv. *Plañido. Plañidero, -ra*, 1.ª mitad S. XVII.

Llanura, V. *llano*

LLARES 'cadenas del hogar, de las cuales cuelgan los calderos', h. 1500. Abreviación de *cadenas de los llares*; *llares* es forma leonesa por *lares* 'hogar', procedente del lat. LARES 'los dioses familiares', 'el hogar doméstico'.

LLAVE, 1220-50. Del lat. CLAVIS íd.; por vía culta *clave*, h. 1570.
DERIV. *Llavero*, 1220-50. *Llavín*. *Clavero*, 1062; *clavario*. *Clavija*, 1490, lat. *clavícŭla* 'llavecita'; en forma más culta *clavícula*, 1708, comparada con la forma de una clavija; *clavicular*, *subclavio*; *clavijero*; *enclavijar*.
CPT. *Autoclave*. *Clavicímbalo*. *Clavicordio*, con *chorda* 'cuerda musical'.

LLEGAR, h. 1140 (*aplekare*, S. X). Del lat. vg. PLĬCARE, deriv. regresivo del clásico APPLĬCARE 'arrimar', 'abordar', 'acercar'; ambas palabras latinas tomaron en la baja época significados de lugar como 'dirigirse hacia', 'arribar': de aquélla proceden el port. *chegar* 'llegar' y rumano *plecà* 'marcharse'; de ésta el valenc. y cat. ant. *aplegar* 'llegar', sardo *appillai* íd.
DERIV. *Llegada*. *Allegar*, h. 1140, lat. APPLICARE 'acercar'; *allegadizo*; *allegado*; *allegamiento*.

LLENO, h. 1140. Del lat. PLĒNUS íd.; por vía culta *pleno*, princ. S. XVII.
DERIV. *Llenar*, 1535 (antes *henchir*). *Relleno*, adj., 1495; *rellenar*, 1611; *relleno*, sust., 1490. *Plenario*, h. 1450. *Plenitud*. *Plétora*, med. S. XIX, tom. del gr. *plēthōrē* 'plenitud', 'superabundancia' (deriv. de *plēthō* 'estoy lleno', hermano del lat. *plenus*); *pletórico*.

CPT. *Pleamar*, 1.ª mitad S. XVII, del port. *prea mar* (adaptación del fr. *pleine mer* 'mar llena'). *Plenilunio*. *Plenipotenciario*, con un derivado culto de *poder*.

LLEVAR, h. 950. Del lat. LĔVĀRE 'aliviar', 'levantar', 'desembarazar'. En la Edad Media se decía *levar*, presente *lieva*: cambiado éste en *lleva*, se extendió después la *ll*- a todo el verbo.
DERIV. *Llevadero*. *Conllevar*, med. S. XIX; *conllevancia*, 1931. *Relevar*, med. S. XV, tom. del lat. *relevare* íd.; *relevante*; *relevo*; *relieve*, 1600, del it. *rilievo*, princ. S. XV. *Sobrellevar*. Compárese el artículo *leve* (lat. LEVIS, del que deriva también LEVARE).

LLORAR, h. 1140. Del lat. PLŌRĀRE íd.
DERIV. *Lloradero*. *Lloriquear*; *lloriqueo*. *Lloro*, h. 1295; *lloroso*, 1220-50. *Llorón*, princ. S. XVII; *llorona*. *Deplorar*, 1499, tom. del lat. *deplorare* íd.; *deplorable*, fin S. XVII. *Implorar*, 1438, lat. *implorare* íd.; *imploración*.

LLOVER, h. 1330. Del lat. PLUĔRE íd. (PLŎVĔRE en lat. vulgar).
DERIV. *Llovedizo*. *Lloviznar*, 1492; *llovizna*, 1607. *Lluvia*, 1220-50, lat. PLŬVĬA íd.; *lluvioso*, 1490. *Chubasco*, 1817, primero sólo voz náutica, del port. *chuvasco*, deriv. de *chuva* 'lluvia'; *chubasquero*. *Impluvio*, lat. *impluvium* 'lugar destinado a recoger la lluvia'. *Pluvial*. *Pluvioso*, 1438.
CPT. *Pluviómetro*; *pluviométrico*.

Llueca, V. *clueca*   *Lluvia, lluvioso*, V. *llover*

M

MACABRO 'que recuerda vivamente la muerte', 1914. Tom. del fr. *macabre* íd., 1876, sacado de la expresión *danse macabre* 'danza de la Muerte', S. XIX; antes *dance Macabré*, 1376, o *dance Macabé*. Ésta contiene un nombre propio de persona que se empleó bastante en estas mismas dos formas, en la Edad Media francesa. Aunque esta etimología está comprobada sin duda posible, no se ha logrado averiguar con seguridad por qué se aplicó este nombre propio a la denominación de aquel género literario, en que solía representarse una serie de personajes de todas las clases sociales que desfilaban despidiéndose de la vida; quizá por alusión a los hermanos Macabeos, que sufrieron martirio en Judea.

MACACO, med. S. XVIII. Del port. *macaco* 'especie de mono', 1555, procedente, al parecer, de una lengua de Angola.

MACANA 'cachiporra o espada de madera empleada por los indios', 1515, y de ahí 'mentira o necedad', med. S. XIX. Voz aborigen americana, tomada por los españoles en Santo Domingo y propagada por ellos al resto de América.
DERIV. *Macanazo. Macanudo* 'grueso como una porra', de donde 'grande', 'excelente'. *Macanear.*

MACAREO 'oleada impetuosa que sube río arriba en ciertas desembocaduras, al crecer la marea', 1616. Del port. *macareu* íd., h. 1500, de origen incierto; es dudoso si es palabra asiática, africana o europea, quizá esto último, tal vez por alusión a los varios personajes llamados *Makaréus* en la mitología griega, en cuyas historias se sucedían las muertes y casos trágicos, como lo eran los causados por dicho fenómeno.

MACARRÓN, 1517. Del it. *maccherone* íd., S. XIV (*maccarone* en los dialectos), de origen incierto; quizá deriv. de *macco* 'gachas' (a su vez deriv. probable de (*am*)*maccare* 'machacar').
DERIV. *Macarrónico* 'escrito en latín caricaturesco, mezclado de romance', 1600, del it. *maccheronico* íd., del it. dialectal *maccarone* 'error garrafal', propte. 'hombre débil, bobo', relacionado con el nombre de la pasta.

MACERAR 'ablandar una sustancia empapándola, estrujándola, etc.', fin S. XVII, y figuradamente 'consumir, mortificar', h. 1580. Tom. del lat. *macĕrare* íd.
DERIV. *Maceración*, 1490.

Maceta, V. *maza*   *Macilento*, V. *magro*
Macizar, macizo. V. *masa*

MACOLLA 'conjunto de espigas, vástagos o flores que nacen de un mismo pie', h. 1625, y *macollar* 'cubrirse de matas o espigas espesas', 1580-90. Origen incierto, pues no se comprueban las pistas de origen prerromano o arábigo que se creyó advertir; como en la misma obra de 1580-90 aparece también en la variante *macogollada*, puede tratarse de un cruce de las palabras *matorral* o *mata* con *cogollada* derivada de COGOLLO 'brote de árbol', 'lo más apretado de ciertas plantas', del cual está muy extendida la alteración *coollo*.
DERIV. *Amacollar.*

MACRO-, primer elemento de cpts. tom. del gr. *makrós* 'largo', 'grande'. *Macrobiótica*, fin S. XIX, con *bíos* 'vida'. *Macrocéfalo*, fin S. XIX, con *kephalé* 'cabeza'; *macrocefalia. Macrocosmo*, fin S. XIX, con *kôsmos* 'mundo'. *Macruro*, S. XX, con *urá* 'cola'.

Macuco, V. *macuquino*   *Maculado*, V. *mancha*

MACUQUINO, 1789, amer. Aplicado a la moneda cortada, de oro o plata, que corrió hasta mediados del S. XIX. De origen incierto. *Macuquino* y su regresión *macuco*, fin S. XIX, toman también el sentido de 'grande'.

MACUTO, 1836, 'especie de zurrón'. Origen incierto. No es bien seguro que sea americanismo hoy propagado a España, aunque los datos del siglo pasado parecen indicarlo así, y es dudoso si procede de una lengua africana o de un cruce entre *mochila* y el vasco *zakuto*, sinónimo de ambos.

Machacar, machacón, V. *macho* II

MACHETE, 1550. Probte. deriv. de *macho* II 'mazo grande'. El sentido primitivo parece haber sido el de 'hacha', que conserva *macheta* en las provincias leonesas. DERIV. *Machetazo. Machetero. Machetear* o *amachetear*.

Machihembrar, V. *macho* I

MACHÍN, 1605, 'Cupido'. Origen incierto; quizá del vasco *Matxin*, forma familiar diminutiva del nombre de persona *Martín*, aplicado a los mozos de herrerías, por alusión al nacimiento de Cupido en la herrería de Vulcano. DERIV. *Amachinarse*, amer., 'amancebarse'.

MACHO I, adj., 'del sexo masculino', 1251. Del lat. MASCŬLUS íd., propte. diminutivo de MAS, MARIS, de igual significado. DERIV. *Machango, machona, machota*, amer., 'virago' (y 'mamarracho, monigote', el primero, en las Canarias). *Machón*, 1734. *Machorra* 'estéril', 1495, propte. 'tan incapaz de concebir como un macho'. Cultismos: *Masculino*, 1438, lat. *masculinus*; *masculinidad*, 1734. *Emascular*, lat. *emasculare* 'castrar'; *emasculación*. CPT. *Machihembrar*, 1765-83.

MACHO II, 1490, 'mazo grande para forjar el hierro'. Origen incierto, probte. variante de *mazo*, procedente del dialecto mozárabe. DERIV. *Machar* 'machacar', 1490, de donde *a macha martillo*, 1438. *Machucar*, 1251, tuvo el mismo matiz fuerte que el actual de *machacar* hasta el Siglo de Oro, y todavía lo conserva en varias partes, sobre todo de América; *machacar*, 1605, sacado del anterior, por cambio de terminación; *machucadura*, 1495; *machucamiento*; *machaca*, 1734; *machacante*; *machacón*, 1734; *machaqueo*. *Remachar*, 1490 (*remaçar*, 1220-50); *remache*.

MACHO III 'mulo', h. 1450. Probte. del port. *macho* íd., reducción de *muacho*, med. S. XIII, que primitivamente designó un macho joven o muleto, luego el adulto: deriv. del port. ant. *muo* (hoy *mu*), que viene del lat. MŪLUS 'mulo'. DERIV. *Machuelo*, 1605.

Machona, machorra, machota, V. *macho* I

MACHUCHO 'sosegado, juicioso', 1618; 'entrado en años', 1784. Probte. del ár. *ma'ŷūŷ* 'gente del Norte', forma semítica hermana del nombre *Magog*, que designa lo mismo en la Biblia. Tomaría el sentido castellano por el carácter flemático de los septentrionales.

Machuelo, V. *macho* III

MADAPOLÁN, 1884. Del nombre de la pequeña ciudad de Madapolam, en la costa Sudeste de la India, donde se fabricaba este tejido.

MADEJA, 1335. Del lat. MATAXA 'hilo', 'seda cruda', que en todas las lenguas romances ha tomado el mismo sentido que en castellano. DERIV. *Desmadejar* 'deshacer madejas, mezclando el hilo', 1604, de donde *desmadejado* 'aflojado, deslucido', 1604; *desmadejamiento*, 1717. *Enmadejar*.

MADERA, 1220-50. Del lat. MATĔRĬA 'madera de árbol', 'madera de construcción', materiales', 'materia'. Por vía culta: *materia*, 1220-50; 'pus', 1495. DERIV. *Madero*, 1143. *Maderable. Maderamen. Maderero. Enmaderar*, 1438. *Material*, 1220-50; sust., 1633; *materialidad*; *materialismo, -ista*; *materializar*; *inmaterial*.

MADRE, 1074. Del lat. MATER, MATRIS, íd. DERIV. *Madrastra*, 1220-50. *Madrero. Madrina*, 1220-50; *madrinazgo*; *amadrinar*. *Comadre*, 1335; *comadrazgo*; *comadrear, comadreo*. *Comadreja*, 1335, nombre familiar, que quiere ser acariciativo, destinado a ganarse la simpatía o la neutralidad del feroz animalito (conocido en otros dialectos y lenguas romances con nombres no menos lisonjeros, como port. *donezinha* 'señorita'; fr. *belette*, cast. dial. *bellidilla, billería*, 'hermosa'; *bonuca* 'buena'). *Comadrona* 'partera', S. XX; *comadrón*, 1780. *Enmadrarse. Materno*, h. 1440, tom. del lat. *matĕrnus* íd.; *maternal*, h. 1440; *maternidad*. *Matrimonio*, 1335, lat. *matrimonium* íd.; *matrimonial*, 1438. *Matriz*, 1605 (*madriz*, 1490), lat. *matrix, -īcis*, íd.; *matrícula*, h. 1580, lat. *matricula* íd.; *matricular. Madriguera*, 1490, lat. MATRICARIA (de donde el cultismo botánico *matricaria*). *Matrona*, 1438, lat. *matrōna* 'dama, mujer casada'. *Metritis*, derivado del gr. *mḗtra* 'matriz', deriv. de *mḗtēr* 'madre' (hermano del lat. *mater*). Cpts. de éste: *Metrópoli*, h. 1580, gr. *mētrópolis* íd., propte. 'ciudad madre'; *metropolitano*, 1499; *metro* 'ferrocarril subterráneo', abreviación de *ferrocarril metropoli-*

tano. Metrorragia, cpt. de *mĕtra* 'matriz' y gr. *rhĕgnymi* 'yo rompo, broto'. Cpts. de *madre: Madreperla*, 1734. *Madrépora*, 1817, del it. *madrèpora*, que parece ser formado con *poro; madrepórico. Madreselva*, 982, así llamada porque con sus ramos sarmentosos abraza otras plantas. *Matricida; matricidio. Matriarcado* (comp. *patriarcado*).

MADRIGAL, 1553. Del it. *madrigale*, 1320, de origen incierto. El sentido primitivo parece haber sido 'composición sencilla y natural', porque tal era el estilo del madrigal; pero es dudoso si viene del lat. MATRĬCALIS, propte. 'de naturaleza maternal o perteneciente a la matriz', o bien de MATERIALIS, que también ha significado 'tosco', 'sencillo', en Italia.
DERIV. *Madrigalesco*.

Madriguera, madrina, V. *madre*

MADROÑO 'frutita silvestre y el arbusto que la produce, *Arbutus unedo*', h. 1330 (*matrúnyu*, fin S. X, en mozárabe). Denominación propia del cast. y el port. *medronho*, fin S. XII. Origen incierto, probte. prerromano y emparentado con el tipo *MORŎTŎNU, que designa la fresa o el arándano en leonés (*meruéndano*) y gallego (*morodo, morote*), pero también en varios lugares el madroño. Una variante *MOROTONĔU pudo fácilmente convertirse, por metátesis, en *MOTORONĔU, de donde *madroño*.
DERIV. *Madroñal*, h. 1440. *Madroncillo* 'fresa', 1843.

MADRUGAR, S. XIV, antes *madurgar*, 1220-50. Del lat. vg. *MATŪRĬCARE, deriv. de MATURARE 'hacer madurar', 'acelerar', 'darse prisa'. De esta última acepción se pasó a 'levantarse temprano'.
DERIV. *Madrugada* (*-durg-*, 1220-50). *Madrugador. Madrugón*, 1613.

MADURO, 1220-50. Del lat. MATŪRUS íd.
DERIV. *Madurez*, 1490. *Madurar*, 1335, lat. MATŪRARE íd.; *maduración*. Cultismos: *Inmaturo. Prematuro*, 1737, propte. 'que todavía no está maduro'.

Maese, V. *maestro*.

MAESTRO, 993. Del lat. MAGĬSTER, -TRI, 'maestro, el que enseña', propte. 'jefe, director'; la variante especial y antigua *maestre*, 1227, se tomó del cat. y oc. antiguos *maestre; maese*, S. XVI, procede del vocativo lat. MAGISTER.
DERIV. *Maestra*, 1220-50. *Mistral* 'viento provenzal del NO.', del oc. *mistral, mestrau*, deriv. de *mestre* 'dueño', por ser allí el

viento dominante. *Maestrazgo*, 1495. *Maestría*, 1220-50. *Amaestrar*, 2.º cuarto S. XV (*maestrar*, 1220-50), propte. 'enseñar'; *amaestramiento*, 1495. *Maestrante*, 1734; *maestranza*, íd. *Contramaestre*. Cultismos: *Magistrado*, 1490, lat. *magistratus, -ūs*, 'magistratura', 'funcionario público'; *magistratura. Magistral*, 1543, lat. *magistralis* íd. *Magisterio*, 1490, lat. *magisterium* 'función de maestro', propte. 'jefatura'; *magisterial*.
CPT. *Maestrescuela*, 1290. *Maestresala*, h. 1400.

MAGAÑA. En este vocablo se han confundido dos palabras diferentes: *magaña*, 1707, 'defecto de fundición en el alma de un cañón de artillería', tom. del it. *magagna* 'defecto', deriv. de *magagnare* 'echar a perder' (quizá de origen germánico); y el cast. ant. *madagaña, magadaña*, 1335, 'espantajo', 'fantoche', 'armadijo', cat. dial. *madoganya*, de procedencia oscura.

MAGDALENA 'especie de bizcocho', med. S. XIX. Probte. llamado así porque se emplea para mojar, y entonces gotea 'llorando como una Magdalena', alusión a la santa arrepentida. El término farmacéutico *magdaleón*, 1706, es voz independiente, tomado del gr. *magdalía* 'masa de pasta'.

Magdaleón, V. *magdalena   Magia, mágico*, V. *mago   Magín*, V. *imagen   Magisterial, magisterio, magistrado, magistral, magistratura*, V. *maestro   Magnanimidad, magnánimo, magnate*, V. *tamaño*

MAGNÉTICO, 1734, lat. *magneticus*. Tomado del gr. *magnētikós* 'relativo al imán', deriv. de *mágnēs, -ētos*, 'imán', propte. 'perteneciente a Magnesia'; por la mucha piedra imán que se encontraba en las cercanías de esta ciudad de Asia Menor.
DERIV. *Magnetismo*, 1734. *Magnetizar; magnetización; magnetizador. Magnesia*, primeramente nombre de la manganesa, así llamada por su parecido con la piedra imán; *magnesio*, por sacarse de la magnesia; *magnésico; magnesita*.
CPT. *Magneto*, abreviación de *máquina magneto-eléctrica*.

Magnificador, magnificar, magníficat, magnificencia, magnífico, magnitud, magno, V. *tamaño*

MAGNOLIA, 1765-83. Tom. del lat. científico *magnolia*, creado por Linneo en honor de Magnol, botánico francés del S. XVII.
DERIV. *Magnoliáceo*.

MAGO, 1220-50, lat. *magus*. Tom. del gr. *mágos* 'mago, hechicero'.

DERIV. *Magia*, 1615, lat. *magīa*, gr. *magéia* íd. *Mágico*, 1438, gr. *magikós*.

MAGRO, 1220-50. Del lat. MACER, -CRA, -CRUM, 'delgado'.
DERIV. *Magra* 'lonja de jamón', 1734. *Magrura*, 1914 (antes *magreza*, 1490, o *magrez*). *Magrujo*, 1615. *Enmagrecer*, 1495. Cultismos: *Demacrarse*; *demacración. Macilento* 'flaco, descolorido', 1640, lat. *macilentus* íd., de la misma raíz que *macer* y *macies* 'delgadez' (de donde *emaciación*).

MAGUER, ant., h. 1140 (*macare*, fin S. X) 'aunque', 'a pesar' (no es *magüer*). Del gr. *makárie* '¡feliz, bienaventurado!', vocativo de *makários*, adjetivo de este significado. *Maguer* primitivamente significó 'ojalá', acepción que todavía conserva en algún texto arcaico y en el it. *magari*, y de ahí pasó a tomar valor concesivo, por una especie de cortesía demostrada al interlocutor afectando desear que suceda lo que él nos objeta.

MAGUEY, 1515. Del taíno de las Grandes Antillas.

MAGUILLO 'manzano silvestre', *maguilla* 'su fruto'; antiguamente *maiella*, 1220-50 (de donde *maguiella*, como los vulgarismos *guierro*, *Guisabel*, *guisopo*). Origen incierto.

MAGUJO · 'herramienta náutica', 1680. Tom. del it. *maguglio* íd. (*maguggiu* en los dialectos), ¿S. XIV? Origen incierto, probablemente de un bajo gr. *magúlio*, diminutivo del gr. bizantino *mágulon* 'mandíbula', 'mejilla'; compárese el otro nombre it. del magujo: *becco corvino*, propte. 'pico de cuervo'.

MAGULLAR, h. 1490. Voz hermana del gall.-port. *magoar* 'acardenalar', cat. *magolar* 'magullar', it. dial. *magolare* íd. Probablemente todos ellos proceden, por vía semiculta, del lat. *maculare* 'marcar (la piel) con manchas', 'mancillar, corromper'. La forma cast. se deberá a un cruce de *magular* (h. 1520) con *abollar*.
DERIV. *Magulladura*, 1495. *Magullamiento*.

Maicena, *maicero*, V. *maíz*   *Maído*, V. *maullar*   *Maimón*, V. *mona*

MAITINES, 1343 (*matines*, h. 1140). Del cat. dial. *maitines* íd. (cat. *matines*), fem. plural de *maití* (*matí*) 'mañana', y éste del lat. MATUTINUM (TEMPUS) 'hora de la mañana'. De ahí el duplicado culto *matutino*, 2.º cuarto S. XV.

MAÍZ, 1500. De *mahís*, nombre que le daban los taínos de la isla de Haití.

DERIV. *Maizal*, 1535-50. *Maicena. Maicero. Maicillo*.

MAJADA 'lugar donde albergan de noche el ganado y los pastores', 1182. Común al cast. con el port. *malhada* y hablas pirenaicas. Probte. de un *MACULATA deriv. en el romance hispánico del lat. MACŬLA 'tejido de mallas', con el sentido de 'lugar donde pernocta el ganado, rodeado de redes' (tal como *redil* deriva de *red*).
DERIV. *Amajadar*.

Majadería, *majadero*, *majagranzas*, V. *majar*

MAJAGUA, amer., 1745. Del antiguo *damahagua*, 1535, y éste del taíno de las Grandes Antillas.

Majal, V. *manjúa*

MAJANO 'montoncillo de piedras', S. XIII. Del mismo origen desconocido que el port. ant. y dial. *malhão* 'montón'.

MAJAR 'machacar', h. 1140. Deriv. del arcaico *majo* 'mazo de hierro' (S. XIII), que procede del lat. MALLĔUS íd. *Majadero*, antes 'mano de mortero, maza para majar', 1220-50; hoy 'necio porfiado', 1591, por ser machacón como la mano de almirez, comp. el port. *maçar* 'importunar'; *majadería*, 1605. *Majadura*, 1495. *Mayal*, 1822, leonesismo. *Mallete*, del fr. *maillet* 'mazo'; *malleto*, del cat. *mallet*, derivados de MALLEUS. Cultismos: *Maleable*, 1817; *maleabilidad. Maléolo*, lat. *malleolus* 'martillito'.
CPT. *Majagranzas*, princ. S. XVII, propiamente 'el que maja granzas'.

Majestad, *majestuoso*, V. *mayor*

MAJO, MAJA, 'tipo popular español achulado, que afecta elegancia y valentía', 1734; 'ataviado, lujoso', med. S. XIX: 'lindo, hermoso', 1859. Voz popular de origen incierto. Quizá sea deriv. de *majar* 'fastidiar', por la impertinencia del chulo. Mas para ello sería preciso que nada tuviera que ver con el adjetivo *maho* (con *h* aspirada) que los judíos españoles emplean en el sentido de 'tranquilo, manso, suave, blando', y que ha de ser de origen semítico.
DERIV. *Majeza*, 1765-83. *Majura*.

MAJUELO, 1039, 'viña nueva'. Primero tuvo el sentido, hoy dialectal, de 'cepa nueva de vid'. Del lat. MALLĔŎLUS 'sarmiento de viña cortado en forma de martillo o muleta, para plantarlo', propte. diminutivo de MALLEUS 'martillo', 'mazo'.

Mal, V. *malo*   *Mala* 'correo', V. *maleta*

MALABAR, *juegos -es,* fin S. XIX. Así llamados por la destreza con que los ejecutan ciertos habitantes de la costa de Malabar, en el SO. de la India. Se empleó primero en portugués.
DERIV. *Malabarista. Malabarismo* (1918 en port.).

MALACATE 'cabrestante de mina', 1869, antiguamente 'huso', 1598, acepción hoy mejicana. Del azteca *malácatl* 'huso', cpt. de *malina* 'torcer hilo' y *ácatl* 'caña'.

Malacología, V. *molusco   Malacopterigio,* V. *muelle* I   *Malagana,* V. *malo*

MALANDRÍN 'bribón', 1605. Del it. *malandrino* 'salteador', 1280, o del cat. ant. *malandrí* 'bellaco, rufián', fin S. XIV, que parecen haber significado primitivamente 'pordiosero leproso'. Deriv. del lat. MALANDRĬA 'especie de lepra', que es alteración del gr. *melándryon* 'corazón del roble' (por el color oscuro, común a las dos cosas), ·y éste contracción de *tò mélan dryós* 'lo negro de un roble'.

Malaquita, V. *malva   Malar,* V. *mejilla Malaventurado,* V. *venir   Malbaratar,* V. *barato   Malcoraje,* V. *mercurio   Malcriado,* V. *criar   Maldad,* V. *malo   Maldecir, maldiciente, maldición, maldito,* V. *decir   Maleable,* V. *majar   Maleante, malear,* V. *malo*

MALECÓN 'murallón para defensa contra las aguas', med. S. XVII. Origen incierto. Si procede del dialecto mozárabe y está emparentado con el sardo *maragoni* 'peñasco', podría venir de un lat. vg. *MURĬCONEM,* derivado del lat. MUREX, -ICIS, 'escollo agudo', pero hay otras varias etimologías posibles, y en particular podría tratarse de un derivado meramente español de *Málaqa,* nombre árabe de la ciudad de Málaga, teniendo en cuenta que los muelles del puerto de esta ciudad constituyen una obra muy costosa y famosa, y que en 1300 pasaban por ser ya muy antiguos.

Maledicencia, V. *decir   Maléfico,* V. *malo   Maléolo,* V. *majar   Malestar,* V. *estar*

MALETA 'valija', 3.er cuarto S. XIII. Del fr. ant. *malete* íd., 1294, 'diminutivo de *malle* 'baúl', que a su vez se tomó del fráncico *MALHA* 'saco de viaje' (comp. el alto alem. ant. *malaha,* neerl. *maal*). Del fr. *malle* viene el cast. *mala* 'valija del correo', 1734. DERIV. *Maletero. Maletín.*

Malévolo, maleza, V. *malo   Malgastar,* V. *gastar   Malhadado,* V. *hado   Malhechor,* V. *hacer   Malhojo,* V. *malo*

Malhumorado, V. *húmedo   Malicia, maliciar, malicioso, malignidad, maligno, malilla,* V. *malo*

MALO, S. X. Del lat. MALUS, -A, -UM, íd. DERIV. *Mal,* h. 1140, del adverbio correspondiente MALE; sustantivado en romance, h. 1140. *Maldad,* 1220-50. *Malear,* 1495; *maleante,* 1609. *Maleza,* lat. MALĬTĬA; la acepción 'espesura de arbustos', 1495, viene de la antigua 'maldad, cosa mala', 1220-50. *Malilla* 'la carta segunda entre las de más valor', 1604, por ser menos buena que el as; 'uno de los juegos de naipes en que desempeña esta carta papel principal', 1734. Cultismos: *malicia,* h. 1250, lat. *malitia* 'maldad'; *maliciar,* 1600; *malicioso,* 1251. *Maligno,* 1220-50, lat. *malignus; malignidad,* 1490; *malignar,* 1542, *malignante.*
CPT. *Malagana,* 1610. *Malamente,* 1220-50. *Malandante,* 1335; *malandanza,* 1220-50. *Maléfico,* 1495, lat. *maleficus,* formado con *facere* 'hacer'; *maleficio,* 1220-50, lat. *maleficium. Malévolo,* 1596, lat. *malevŏlus,* con *velle* 'querer'; *malevolencia,* 1734. *Malhojo,* 1615, 'especie de roble', con el lat. FOLIUM 'hoja'. Y V. *MALVADO.*

Maloca, V. *malón   Malogrado, malograrse,* V. *lograr*

MALOJO, 1619, 'especie de muérdago', también *marojo* y *meloja.* Del ár. *mulûḥa* 'malva viscosa' y éste del gr. *molókhē* 'malva'.

MALÓN, med. S. XIX, y el antiguo *maloca,* h. 1630, amer., 'irrupción o ataque inesperado de indios'. Del araucano *malocan* 'pelear, abrir hostilidades (con alguien)'; hay también una forma araucana *malon,* más moderna, aunque acaso pueda haber sufrido influjo del castellano.

Malparado, V. *parar   Malparir, malparto,* V. *parir*

MALPIGIÁCEO, 1914. Del nombre del biólogo italiano Malpighi del S. XVII.

Malquerencia, malquistar, malquisto, V. *querer   Malsano,* V. *sano*

MALSÍN, 1307, 'delator', 'que siembra discordia'. Del hebreo *malšín* 'denunciador' (deriv. de *lašón* 'lengua', 'lenguaje'). DERIV. *Malsinar,* h. 1530, 'acusar'.

Malsonante, V. *sonar*

MALTA, 1899, 'preparado de cebada'. Del ingl. *malt* íd. (voz emparentada con ingl. *melt* 'derretir', alem. *schmelzen*). DERIV. *Maltosa. Leche malteada.*

Maltraer, maltratar, maltrecho, V. *traer*

MALVA, 1098. Del lat. MALVA íd.
DERIV. *Malváceo. Malvar,* 1495. *Malaquita,* deriv. del gr. *malákhē* 'malva' (voz hermana de ésta).
CPT. *Malvarrosa. Malvavisco,* 1490, formado con el lat. HIBĪSCUM 'malvavisco'.

MALVADO, S. XIII. Del lat. vg. MALIFATIUS 'desgraciado', cpt. de MALUS 'malo' y FATUM 'destino'; con un cambio de sentido como el sufrido por *miserable* y palabras semejantes de muchos idiomas, que se refirieron primero a la desgracia y luego a la maldad (fr. *méchant,* cat. *dolent,* it. *cattivo,* etc.). Aunque no es imposible que existiera en latín vulgar una variante *MALIFATUS, de la cual podría venir directamente la forma castellana, es más probable que ésta se tomara de oc. ant. *malvat, -ada,* que viene de MALIFATIUS, por una alteración morfológica sólo explicable en lengua de Oc (en lugar de *malvatz, -aza,* también usual allí).

Malvarrosa, V. *malva*

MALVASÍA (vino renombrado), 1517. Del nombre de *Malvasía,* forma romance del de la ciudad griega de *Monembasía,* en la costa SE. de Morea. Tom. por conducto de los catalanes, que ya lo importaban de Creta a fines de su dominación en Grecia, en 1403.

Malvavisco, V. *malva   Malversación, malversar,* V. *verter*

MALVÍS, 1765-83, 'especie de tordo'. Del fr. ant. *malvis* (hoy *mauvis*), que a su vez parece haberse tomado del bret. ant. *milhuit.*

MALLA, 1490. Del fr. *maille* íd., y éste del lat. MACŬLA 'malla de red'.
DERIV. *Enmallarse. Desmallar,* princ. S. XIV. *Tra(s)mallo* 'arte de pesca formado por tres redes', h. 1550; antes *tresmallo,* 1527, de un lat. vg. *TRĪMACŬLUM 'de tres mallas', de donde cat. *tremall, trema,* port. *tramalho,* fr. *tremail,* it. *tramaglio.*

Mallete, malleto, V. *majar*

MAMA 'madre', S. XI. Del lat. MAMMA íd. y 'teta'. En esta última acepción es término científico tom. por vía culta, ya a princ. S. XVIII. La pronunciación afrancesada *mamá* no se introdujo hasta el S. XVIII.
DERIV. *Mamita* o *mamaíta. Mamario. Mambla* 'montecillo en forma de teta', 978, lat. MAMMŬLA 'teta pequeña'. *Mamella* o *marmella* (influido por *barbilla*), 1817, 'apén-dice colgante en el cuello de las cabras', lat. MAMĪLLA 'teta'; *mamilar. Mamar,* 1220-50, lat. MAMMARE 'amamantar'; *mamadera; mamante, mamantón,* 1495; *desmamar. Mamón,* 1490; *desmamonar. Amamantar,* 1495 (*mam-,* 1220-50).
CPT. *Mamífero,* con lat. *ferre* 'llevar'. *Mamola,* med. S. XVII, probte. de *mamóla* 'se la mamó, cayó en un engaño'; alterado en *mamona,* 1605. *Mamotreto* 'libro grande en volumen y de poco provecho', 1611; 'cuaderno de notas', 1734, 'armatoste': tomado del lat. tardío y medieval *mammothreptus,* gr. *mammóthreptos,* propte. 'criado (*threptós*) por su abuela (*mámmē*)', después 'el que mama mucho tiempo', 'mamón', de donde 'gordinflón, abultado'.

MAMARRACHO, h. 1580, 'disfraz mal pergeñado', 'figura ridícula'. La forma primitiva fue *moharrache,* h. 1450, del ár. vg. *muharráy* 'bromeador', 'bufón', 'chusco', participio activo del ár. vg. *hárraý* 'bromear, bufonear'. De *moharrache* salió *momarrache,* 1611 (por influjo de *momo* 'gesto, mofa') y de ahí la forma moderna, bajo la acción de *mamar.*
DERIV. *Mamarrachada.*

Mambla, V. *mama*

MAMBRÚ 'cobertera de la chimenea de los buques, destinada a dirigir el humo según la dirección del viento', 1831. De *Mambrú,* forma que ha tomado popularmente el nombre del general inglés *Marlborough* (1650 - 1722), convertido en prototipo del guerrero gracias a una famosa canción; probte. por comparación del mambrú con un casco.

MAMELUCO 'soldado de la guardia de corps de los sultanes de Egipto', 1585; 'hombre bobo', med. S. XIX; 'mono: traje de faena, de pantalón y camisa en una pieza', amer. (primero *pantalones a lo mameluco,* h. 1840, por alusión a las bombachas de los orientales). Del ár. *mamlûk* 'esclavo, sirviente' (participio de *málak* 'poseer').

Mamella, V. *mama*

MAMEY, 1519. Del taíno de las Grandes Antillas.
DERIV. *Mameyazo. Desmameyar.*

Mamífero, mamilar, mamola, mamón, mamona, mamotreto, V. *mama   Mampara,* V. *parar   Mampelaño, mamperlán,* V. *peldaño   Mampesadilla,* V. *pesar   Mamporro, mampostear, mampostería, mampuesto,* V. *mano*

MANÁ, 1591; antes *mána,* fem., 1220-50, y todavía colombiano. Del hebreo *man* 'manjar milagroso bíblico', por conducto del gr. y lat. *mánna* íd.

Manada, V. *mano*

MANAR 'brotar (un líquido)', 1220-50. Del lat. MANARE íd.
DERIV. *Agua manante,* 1395; *manantío,* S. XIX, de donde *manantial,* primitivamente adj., 1490, pero ya sustantivado h. 1280. *Dimanar,* h. 1690, lat. *dimanare. Emanár,* 1438, lat. *emanare; emanación.*

MANATÍ (mamífero sirenio), 1515. Voz indígena antillana, probte. del caribe.

Mancar, mancarrón, V. *manco*

MANCEBO 'muchacho', 1220-50, primeramente 'esclavo', h. 1250, y 'criado', 1074. Del lat. MANCIPIUM 'esclavo' (lat. vg. MANCĪPUS, deducido de la locución HOMO MANCIPI).
DERIV. *Manceba,* 1155; 'concubina', 1335; antes 'criada', h. 1330, pasando por 'muchacha', 1220-50. *Mancebía* 'mocedad', h. 1250; 'burdel', 1400; *amancebarse,* 1495, *amancebamiento.*

MÁNCER, h. 1260, lat. *manzer.* Tom. del hebreo *mámzer* íd.

Mancera, V. *mano*

MANCILLA, 1220-50, 'mancha moral'. La forma primitiva es *maziella,* 1220-50, port. *mazela.* Origen incierto, probte. del lat. vg. MACĔLLA, diminutivo del lat. MACŬLA 'mancha'; pero influido por el verbo *mancillar,* 1220-50, que en parte procede del lat. vg. *MACELLARE* 'matar, sacrificar' (de cuyo sentido procede especialmente *mancilla* 'lástima', 3.er cuarto S. XIII, raro hasta el Siglo de Oro), que a su vez deriva de MACELLUM 'matadero', voz de origen independiente.
DERIV. *Amancillar.*

MANCO, 1220-50. Del lat. MANCUS 'manco', 'lisiado', 'incompleto'.
DERIV. *Manquear. Manquedad. Mancarrón* 'caballo malo', 1555. *Mancar* 'lisiar', 1613.

Mancomún, mancomunar, mancomunidad, V. *común*

MANCHA, h. 1280. Del lat. MACŬLA íd. En fecha antigua se propagó la nasalidad de la M resultando **mangla* (o **mancla*), que regularmente dio *mancha.*
DERIV. *Manchar,* 1.ª mitad S. XIV, lat. MACULARE; *manchado. Manchón. Desman-*

char. Cultismos: *maculado,* 1440; *inmaculado,* 1732; *maculoso,* 1438.

MANDANGA, 1936. Voz medio jergal, de origen incierto.

MANDAR, fin S. X. Del lat. MANDARE 'encargar, dar una misión', 'confiar (algo), encomendar'.
DERIV. *Manda,* 1210. *Mandadero,* h. 1140; *mandadería. Mandado,* 1123. *Mandamiento,* 1170. *Mandato; mandatario,* 1495. *Mando,* 1251. *Mandón,* 1605. *Demandar,* h. 1140, lat. DEMANDARE íd.; *demanda,* 1194; *demandante. Desmandar,* 1495. *Encomendar,* 1495, antes *comendar,* 1220-50, del lat. COMMĔNDARE 'confiar (algo)', 'recomendar'; *comendador,* 1174; *encomienda,* 1220-50; *encomendero.* Hay duplicado *comandar,* del fr. *commander; comando; comandante; comandita,* fr. *commandite; comanditario. Recomendar,* 1438; *recomendación,* 1438.

MANDARÍN, 1610. Del port. *mandarim,* íd., 1514, y éste del malayo *măntări,* que a su vez es alteración del sánscrito *mantrinaḥ* 'consejero, ministro de estado'.
DERIV. *Mandarina* 'especie de naranja', 1899, probte. de *mandarín* por alusión al color del traje de éste.

MANDARRIA, 1680, 'martillo de calafate'. Probte. alteración del it. dial. *mannara* 'hacha' (it. *mannaia*), procedente del lat. SECURIS MANUARIA 'hacha que se maneja fácilmente'. Variante *bandarria,* 1831.

Mandatario, mandato, V. *mandar Mandíbula, mandibular,* V. *manjar Mandil,* V. *mantel*

MANDINGA, h. 1565. Propte. nombre étnico de los negros de una gran región del Norte de Guinea. Al sentido de 'diablo', hoy predominante en América, quizá se llegó desde el de 'hechicero negro' (también ha significado 'brujería').

MANDIOCA, 1536. Del guaraní *mandióg* íd.

Mando, V. *mandar Mandoble,* V. *mano Mandón,* V. *mandar*

MANDRÁGORA, S. XV, lat. *mandrágŏra.* Tom. del gr. *mandragóras* íd.

MANDRIA, 2.ª mitad S. XVI. Antigua voz jergal; probte. del it. *màndria* 'rebaño', empleado ya en el idioma de origen como término despectivo, hablando de gente borreguil o bestializada. El it. *mandra* o *mandria,* princ. S. XIV, viene del gr. *mándra* 'redil', 'establo'.

MANDRIL I (especie de mono), 1843. Tom. del ingl. *mandrill* íd., 1744, cpt. de *man* 'hombre' y *drill*, 1644, que designa otra variedad de mono del Oeste africano.

MANDRIL II (pieza de tornero o de cirujano), 1884. Del fr. *mandrin*, 1690 (probablemente por conducto del ingl. *mandril*, princ. S. XVI), deriv. de oc. *mandre* 'especie de eje o manivela', S. XV, de origen incierto.

Manducar, V. *manjar* *Manea, manear, manejar, manejo*, V. *mano*

MANERA, 1152. Del lat. vg. MANUARIA íd., femenino de MANUARIUS 'manejable', de donde 'hábil, mañoso'. El femenino tomaría el sentido de 'maña', 'procedimiento hábil', y luego 'modo adecuado de hacer algo'.
DERIV. *Amanerado*, 1708, imitado del it. *manierato; amuneramiento.*
CPT. *Sobremanera.*

MANFLA 'burdel', fin S. XVI; 'concubina', 1.ª mitad S. XVII. Quizá del ár. *máḥfil* 'reunión, asamblea', 'lugar de reunión' (deriv. de *ḥáfal* 'reunirse'); tal vez es del mismo origen el it. *màffia* 'sociedad secreta de malhechores', 1819, que también ha pasado algo al cast.
DERIV. *Manflota* 'burdel', med. S. XVI.

MANGA, 1104. Del lat. MANĬCA íd., derivado de MANUS 'mano'. La acepción 'destacamento, grupo de personas', 1605, la tenía ya el lat. MANUS.
DERIV. *Manguera*, 1496. *Mangueta*, 1587, del cat. *manigueta. Manguita; manguito. Arremangar*, 1335 (rem-, 1220-50). *Mango*, h. 1330, lat. vg. *MANĬCUS, deriv. de MANICA, que en latín y en romance antiguo designó ciertas clases de mango; *mangorrillo; mangorrear*, 1607; *mangorrero*, 1495. *Desmangar. Enmangar. Maniquete*, 1884, del it. *manichetto* íd., diminutivo de *manica* 'manga'.
CPT. *Mangajarro.*

Mangana, manganear, V. *manganilla*

MANGANESA 'mineral de donde se saca el manganeso', 1765-83 (-*nese*, 1607). Del fr. *manganèse*, S. XVI, que parece ser pronunciación imperfecta de *mangnesia*, grafía frecuente en la Edad Media en lugar de *magnesia*. Éste designaba entonces la manganesa, y viene del nombre de la ciudad de Magnesia en Asia Menor, cerca de la cual se halla la piedra imán. Se le dio este nombre porque la manganesa se parece a esta piedra.
DERIV. *Manganeso*, 1869. *Permanganato.*

MANGANILLA 'treta, ardid', princ. S. XIV, antiguamente 'cierta máquina de guerra', h. 1300. Del lat. vg. *MANGANĚLLA, plural de *MANGANELLUM, y éste diminutivo del lat. MANGĂNUM 'máquina de guerra', tom. del gr. *mánganon*, que además de esta acepción tiene ya la de 'embrujo, sortilegio'.
DERIV. *Mangana*, 1899; *manganear*, 1899. *Desmanganillar*, alterado por algunos en (*d)esmangarrillar.*

MANGAR, S. XX. Del gitano *mangar* 'pedir, mendigar', de raíz sánscrita.
DERIV. *Mangante*, 1905, propte. 'mendigo'.

MANGLE 'arbusto que forma enredados bosquecillos en la América tropical', 1519. Quizá voz caribe o arauaca, pero no sólo es insegura la lengua americana a que pertenece el vocablo, sino aun su mismo carácter de indigenismo.
DERIV. *Manglar*, h. 1560.

Mango 'empuñadura', V. *manga*

MANGO (árbol tropical y su fruto), 1788 (*manga*, 1578, con referencia a la India). Del ingl. *mango*, 1673, y éste del port. *manga*, 1525, que a su vez procede de una lengua indostánica, el tamul *mānkāy*.
DERIV. *Mangal.*

MANGONEAR, princ. S. XV, 'entrometerse en negocios ajenos'. Deriv. del lat. MANGO, -ŌNIS, 'traficante', 'chalán'.

Mangorrero, V. *manga*

MANGOSTA, 1817. De una lengua indostánica, el marati *mungūs*, por conducto del port. *mangús*, 1685, y el fr. *mangouste*, S. XVIII.

MANGOSTÁN, 1765-83. Del malayo *mangistan*, por conducto del port. *mangostão*, 1613.

MANGUAL, 1643. Del lat. MANUĀLIS 'que se puede coger con la mano', deriv. de MANUS 'mano'.

Manguera, mangueta, manguito, V. *manga*

MANÍ 'cacahuete', 1535. Del taíno de Haití.
DERIV. *Manisal. Manisero.*

MANÍA, 1495. Tom. del gr. *manía* 'locura', deriv. de *máinomai* 'estoy loco'.
DERIV. *Maniático*, 1734, alteración de *maníaco*, 1490, bajo lat. *maniăcus.*
CPT. *Manicomio*, 1869, formado con el gr. *koméō* 'yo cuido'.

Manialbo, maniatar, V. *mano   Maniático, manicomio*, V. *manía   Manicura*, V. *mano*

MANIDO 'tierno, algo pasado (hablando de la carne)', 1539. Participio del antiguo *maner* 'permanecer', h. 1250, y éste del lat. MANĒRE íd.

DERIV. *Manida* 'estancia, guarida', h. 1260. *Permanecer*, 1400, del lat. PERMANĒRE íd.; *permanente*, princ. S. XVIII; *permanencia*, hacia 1440. *Inmanente*, 1734, tomado del lat. *immanens, -tis*, participio de *immanere* 'permanecer dentro'; *inmanencia*, S. XIX. *Manso*, sust., 1817, bajo lat. *mansus* 'tierra que posee un monasterio'; del cat. *mas*, que viene de ahí, derivan *masada, masadero, masía*.

Manifestación, manifestar, manifiesto, V. *mano*

MANIGUA, 1836. Probte. del taíno de las Grandes Antillas.

DERIV. *Manigüero. Enmaniguarse.*

Manija, manilargo, manilla, maniobra, maniota, manipular, manípulo, V. *mano   Maniquete*, V. *manga*

MANIQUÍ, 1708. Del fr. *mannequin* íd., 1467, y éste del neerl. *mannekijn*, diminutivo de *mann* 'hombre'.

Manirroto, V. *mano   Manisal, manisero*, V. *maní   Manivela*, V. *mano*

MANJAR, 1220-50. Del cat. arcaico u oc. *manjar* 'comer', S. XII, que ya en estos idiomas se emplea como sustantivo; procedente del lat. vg. MANDUCARE íd., vocablo popular ya frecuentemente empleado en la Antigüedad. De éste, en forma culta, la voz festiva *manducar*, princ. S. XVII.

DERIV. *Mandíbula*, 1765-83, tom. del lat. *mandībŭla* íd., deriv. de *mandere* 'masticar' (del cual deriva MANDUCARE); *mandibular*. De la misma raíz proceden el gr. *masáomai* 'masticar' y su deriv. *masētḗr* 'masticador', de donde *masetero*.

MANJÚA 'pececillo como sardina', 1836; 'banco de peces', 1884. Origen incierto, probablemente del fr. ant. *manjue* 'comida, alimento', de la misma raíz que el artículo anterior. *Majal* 'banco de peces', 1899, quizá de oc. *manjar* 'comida', también de esa raíz.

MANO, 993. Del lat. MANUS, -ŪS, íd.

DERIV. *De antemano*, S. XIX (*antemano*, adv. 1517). *Manada* 'lo que cabe en la mano (puñado de hierba o cereal)', h. 1300, de ahí 'hato de animales, conjunto de gente', 1335. *Mancera* 'manija del arado', h. 1400, de un deriv. de MANUS (quizá *MANUCIARIA,

deriv. de MANUCIUM 'mango'). *Manear* 'atar las manos a una caballería', 1495; *manea*, 1734; *maniota*, 1475. *Manejar*, 1591, del it. *maneggiare* íd.; *manejable*; *manejo*, 1611. *Manecilla*, 1495. *Manija*, 1438; *manilla*, 1490, del cat. *manilla*, S. XIII. *Manivela*, 1936, del fr. *manivelle*, S. XVI (antes *manvele*, 1297), probte. del lat. MANUALIS. *Manosear*, 1570. *Manota; manotada, manotazo; desmanotado. Trasmano. Manual*, 1490, tom. del lat. *manualis* (*manuable*, 1914, cruzado con *manejable*). *Manojo*, 1220-50, del lat. vg. MANŪCŬLUS, lat. MANIPULUS 'puñado'; por vía culta *manípulo*, 1220-50; *manipular*, 1765-83.

CPT. (en los cuales *mano-* se reduce a *man-*): *Mandoble*, 1569. *A mansalva*, 1869. *Mantener*, princ. S. XIII; *mantenedor; mantenimiento; manutención*, 1688. *Mampuesto* 'piedra que se coloca con la mano', 1611; *mampostería*, 1600; *mampostear. Mamporro*, 1734, formado con *porra. Manialbo. Maniatar*, 1607; *maniatado*, 1607. *Manicorto. Manilargo. Manirroto*, 1604. *Manicuro*, 1914; *manicura. Maniobrar*, 1765-83; *maniobra*, 1734. *Manifiesto*, 1220-50, lat. *manifĕstus* íd.; *manifestar*, 1220-50; *manifestación*, 1495. *Manubrio*, 1708, lat. *manubrium* íd. *Manufactura*, 1817 (*manifatura*, 1633); *manufacturero*, 1843; *manufacturar. Manumitir*, lat. *manumittere*, propiamente 'enviar los esclavos lejos de poder (*manus*) del dueño'; *manumisión*, 1611. *Manuscrito*, h. 1650. *Masturbar*, 1899, lat. *masturbari* íd.; *masturbación, masturbador. Amanuense*, 1706, lat. *amanuensis* 'secretario'.

MANÓMETRO, 1765-83. Cpt. del gr. *manós* 'raro, poco denso' y *métron* 'medida'.

DERIV. *Manométrico.*

MANOPLA 'pieza de la armadura antigua, con que se guarnecía la mano', 1495 (*mayopla*, 1426). Origen incierto; probte., por vía semiculta, del lat. vg. MANŪPŬLUS (clásico *manipulus*) 'haz, puñado', que en la baja época tomó el significado de 'toalla', luego 'ornamento litúrgico del antebrazo' y finalmente 'brazo de la armadura'.

Manosear, manotada, a mansalva, V. *mano   Mansedumbre*, V. *manso   Mansión*, V. *mesón   Manso* 'masada', V. *manido*

MANSO, adj. 1220-50. Del lat. vg. MANSUS, -A, íd., que se extrajo del clásico MANSUĒTUS íd., participio de MANSUESCERE 'amansarse' (propte. 'acostumbrarse a la mano o poder del dueño', de MANUS y SUESCERE).

DERIV. *Mansedumbre*, 1220-50, lat. MANSUETUDO, -DINIS, íd. *Amansar*, h. 1300. Cultismos; *Mansueto; mansuetud. Mastín*, 1335, del fr. ant. *mastin*, S. XII, íd., propte. 'criado', y éste del lat. vg. *MANSUETINUS 'doméstico', deriv. de MANSUETUS.

Mansueto, mansuetud, V. *manso* *Manta, mantear*, V. *manto*

MANTECA, 1181. Voz común al cast. con el port. *manteiga* y el cat. *mantega*; se extiende también a Cerdeña y Sur de Italia (y aun algo a Rumanía), pero en estas zonas parece ser voz importada de España. Los tres romances hispánicos suponen bases fonéticas primitivamente diversas (*MANTĔCCA el cast., *MANTĔCA el cat., *MANTEICA O -AICA el port.), que pueden corresponder a otros tantos dialectos aborígenes. *Manteca* parece haber significado 'mantequilla' primitivamente en todas partes, como hoy todavía no sólo en portugués y catalán, sino en Asturias, Argentina, etc.; en otras partes ha asumido hoy el sentido del anticuado *lardo*. Origen incierto, probte. prerromano, quizá indoeuropeo y relacionado con el eslavo *smetana* 'nata' (aunque no parece existir el sánscr. *manthaja* que se había citado).
DERIV. *Mantecada*; *mantecado*. *Mantecón*. *Mantecoso*. *Mantequera*. *Mantequilla*, 1588, nombre de la de vaca (u oveja) en el uso común de España, Colombia, Cuba, Nuevo Méjico, etc.

MANTEL, 908. Del lat. MANTĒLE 'toalla'. Cambiado en *mandil* por el árabe, pasó de éste al cast. *mandil*, 1331.
DERIV. *Mantelería*.

Mantelete, mantellina, V. *manto* *Mantener, mantenimiento*, V. *mano* *Manteo*, V. *manto* *Mantequera, mantequilla*, V. *manteca* *Mantilla*, V. *manto*

MANTISA, 1899. Tom. del lat. *mantísa* (o *mantissa*) 'añadidura', 'ganancia'.

MANTO, 923. Del lat. tardío MANTUM 'manto corto', que a su vez es de origen incierto; parece haberse extraído del lat. MANTELLUM, que quizá fuese voz antigua en latín.
DERIV. *Mantón*, fin S. XIV. *Manta*, 969: *mantear*, 1599, *manteamiento*. *Mantillo*, h. 1250; *mantilla*, 1552; *mantellina*, 1490. *Manteo*, med. S. XVII, del fr. *manteau*, lat. MANTELLUM; *mantelete*, 1725, del fr. *mantelet*; *manteleta*, h. 1800; *desmantelar*, h. 1570, del fr. *démanteler*. *Somanta* 'tunda', 1817, deriv. de *manta*, probte. en el sentido de 'zurra aplicada (a un niño llorón) por debajo de las mantas de la cama'.

Manuable, manual, manubrio, V. *mano*

MANUCODIATA 'ave del paraíso', 1620. Del malayo-javanés *manuq-devata* 'ave de los dioses'.

Manufactura, manufacturar, manufacturero, manumisión, manumitir, manuscrito, manutención, V. *mano*

MANZANA, 1335; antes *mazana*, 1112. Del lat. vg. MATTIANA, abreviación de MALA MATTIANA, nombre de una especie famosa de manzanas, así llamadas, al parecer, en memoria de Caius Matius, tratadista de agricultura que vivió en el S. I antes de J. C.
DERIV. *Manzanar*, 954. *Manzanilla*, 1490 (*massanella*, S. X), así llamada por la semejanza de su botón con una manzana. *Manzano*, 1052.

MAÑA, h. 1140. Probte. de un lat. vg. *MANIA 'habilidad manual', deriv. de MANUS 'mano'. La acepción 'costumbre, manera de ser' es también antigua, h. 1140, hoy especializada sobre todo en el sentido de 'vicio contraído (sobre todo por un animal)'.
DERIV. *Mañero*, 1495. *Mañoso*, h. 1250. *Amañar*, 1423; *amaño*. *Desmañado*.

MAÑANA, sust., h. 1140. Del lat. vg. *MANEANA, abreviación de HŌRA *MANEANA 'en hora temprana', deriv. del lat. MANE 'por la mañana'. En el sentido adverbial 'en el día siguiente al de hoy' se decía antiguamente *cras* como en latín, *cras mañana* 'mañana temprano', que luego se abrevió, S. XV (quizá ya XIV), en *mañana*.
DERIV. *Mañanero*. *Amanecer*, h. 1140, lat. vg. *ADMANESCERE O MANESCERE (S. VII), otro deriv. de MANE.

Mañoso, V. *maña*

MAPA, 1582-5, abreviación de *mapa mundi*, 1399, tom. del lat. *mappa mundi* 'mapa del mundo', donde *mappa* es 'pañuelo', 'servilleta'; por el lienzo que se empleó antiguamente para hacer mapas.

MAQUE 'especie de barniz', 1884. Del japonés *makie* 'barniz de oro o plata'.

MAQUETA, h. 1920. Del it. *macchietta* 'boceto (de un dibujo)', diminutivo de *macchia* íd., que es la forma italiana correspondiente al cast. *mancha*, y empleada normalmente con el sentido de éste; tom. por conducto del fr. *maquette*, 1752.

MAQUILA 'porción de lo molido, que corresponde al molinero', 1020. Del árabe vg. *makíla* 'medida', de la raíz *k-y-l* 'medir'.
DERIV. *Maquilar*, 1734.

MÁQUINA, 1444. Tomado del latino *machina* íd., y éste a su vez del gr. dialectal *makhaná* (ático *mēkhanê*) 'invención ingeniosa', 'máquina (de teatro, de guerra, etc.)', 'maquinación, astucia'.

DERIV. *Maquinar*, 1605, lat. *machinari* íd.; *maquinación*, h. 1650. *Maquinal*, 1869. *Maquinaria*, 1708. *Maquinista*, 1600; *maquinismo*, 1936. *Mecánico*, h. 1280, tom. del gr. *mēkhanikós* íd.; *mecánica*; *mecanicismo*; *mecanizar*. *Mecanismo*, 1822. CPT. *Mecanografía*; *mecanógrafo*.

MAR, h. 1140. Del lat. MARE íd.
DERIV. *Marea*, 1492, del fr. *marée* íd. *Marear*, 1439; *mareante*, 2.º cuarto S. XV; *mareo*, 1734. *Marejada*, 1822, del port. *marejada*, h. 1550. *Mareta*, princ. S. XVII, quizá mozarabismo, de *mareyêta = cast. *marejada*. *Marino*, 1335, lat. MARĪNUS; *marina*, h. 1250; *marinar*, 1519; *marinear*; *marinero*, 1220-50; *marinería*, 1501; *amarinar*; *submarino*, 1399, sustantivación del antiguo adj. *marisco* 'marino', h. 1326; *mariscar*, 1599. *Marisma*, 1220-50, del lat. MARĪTĬMA (ORA) 'costa del mar'; de este mismo adjetivo, por vía culta, *marítimo*, 1493. *Marola*, 1925, del port. *marola*; *marullo*, 1925, del port. *marulho*. *Enmararse*, 1587. *Amarar*; *amaraje*.
CPT. *Maremagno*, tom. del lat. *mare magnum* 'mar grande, mala mar'.

Marabú, V. *morabito*

MARACA 'calabacín lleno de piedrecitas, empleado como instrumento músico', 1745. Del caribe o arauaco *maraka*; el argentino *maracá*, de la correspondiente forma guaraní *mbaraká*.
DERIV. *Maraquero*.

MARAÑA, h. 1520. Voz peculiar del cast. y el port., de origen incierto, probte. prerromano, pero no bien precisado. Es posible que haya parentesco así con el provenzal y francoprovenzal *baragne* 'zarzal, maleza, estorbo' como con el port. *baraça* 'cordón', 'cinta', 'lazo' (de donde *embarazar*), pero ni lo uno ni lo otro es seguro.
DERIV. *Enmarañar*, 1517; *desenmarañar*, princ. S. XVII.

MARAÑÓN (árbol tropical), 1836. Voz aborigen de una lengua del Mar Caribe, emparentada con *maray* y *merey*, que designan el mismo árbol en la costa Sur de este mar; el cambio de *marayón* en *marañón* se explica por influjo de *maraña*.

MARASMO, 1817. Tom. del gr. *marasmós* 'consunción, agotamiento,, deriv. de *maráinō* 'me consumo'.

Maravedí, V. *morabito*

MARAVILLA, h. 1140. Del lat. *mīrabĭlĭa* 'cosas extrañas' (por vía semiculta), plural neutro del adjetivo *mirabilis* 'extraño, notable'.
DERIV. *Maravilloso*, h. 1140. *Maravillar*, íd.

MARBETE 'etiqueta', princ. S. XVI, antes *berbete*, 1593. Origen incierto; quizá alteración del fr. *brevet* 'título de una profesión, pensión, etc.', antiguamente 'papeleta' y 'etiqueta', deriv. de *brief* 'carta, declaración', que procede del lat. BREVIS 'corto'. Del mismo origen parece ser *membrete* 'aviso o anotación breve', 1597, 'epígrafe', med. S. XVII, aunque alterado por influjo del antiguo *membrar* 'recordar' (lat. MEMORARE).

Marca, V. *marcar*

MARCAR, 1488. De origen germánico; probte. del it. *marcare* 'señalar una persona o cosa (esp. una mercancía) para que se distinga de otras', y éste seguramente del longobardo *MARKAN, comp. el alem. ant. *merken* 'atender, anotar', anglosajón *mearcian* 'señalar con una marca, anotar'.
DERIV. *Marca* 'señal', etc., 1570; en el sentido de 'territorio fronterizo', 1495, viene del bajo latín de Francia, donde procede de otra acepción de la misma familia germánica; *comarca*, h. 1540; *comarcar*, princ. S. XIV; *comarcano*, S. XVI; *demarcar*, 1599, *demarcación*, 1611; *marqués*, h. 1340, de oc. ant. *marqués* en el sentido de 'jefe de un territorio fronterizo'; *marquesa*; *marquesado*, 1479; *marquesina*, 1869. *Marco* (moneda), 1026, es antiguo germanismo, más autóctono en España, y procedente de la acepción de 'signo', pasando por la de 'patrón ponderal de la moneda'. *Marquetería*, del fr. *marqueterie*, deriv. de *marqueté* 'taraceado'.
CPT. *Margrave*, del alem. *markgraf*, cpt. de *mark* 'frontera' y *graf* 'conde'.

MARCASITA, 1570. Del ár. *marqašīṯā*, y éste del persa *marqašīšā*.

Marcial, V. *marte*   *Marco*, V. *marcar*

MARCONIGRAMA, h. 1910. Cpt. de *Marconi*, nombre del inventor de la telegrafía sin hilos, con el gr. *grámma* 'escrito'.

Marcha, V. *marchar*

MARCHAMO, 1585. Del ár. vg. *maršám*, deriv. de *rášam* 'marcar', 'sellar'.
DERIV. *Marchamar*, 1734 (*amarjamar*, 1501).

Marchante, V. *mercar*

MARCHAR, h. 1550. Del fr. *marcher* íd., princ. S. XV, antiguamente 'pisar, pisotear', h. 1170, y éste del fráncico *MARKÔN 'dejar una huella', comp. el alem. ant. *markôn* 'poner una marca, señalar', escand. ant. *mark* 'señal'.
DERIV. *Marcha*, h. 1680; por ser algo propio de soldados tomó el sentido de 'actitud marcial', de donde *marchanas* 'valentía', *marchoso* 'engallado', 'rumboso', 'vistoso, de color encendído'. *Contramarcha.*
CPT. *Marchapié*, 1914, del fr. *marchepied* 'peldaño' (propte. '¡pisa, pie!').

MARCHITO, med. S. XV. Corresponde al cat. *marcit* íd., it. *marcito* 'podrido, consumido', que son participios del verbo romance *marcir, marcire,* 'marchitarse'. Procede todo ello del lat. MARCĒRE íd.; pero la evolución fonética de la voz castellana sólo puede explicarse admitiendo que se tomara del dialecto mozárabe, donde *-ito* corresponde al cast. *-ido,* y *-ch-* a la *-c-* castellana.
DERIV. *Marchitar*, 1495. *Inmarcesible*, alteración de **inmarcescible,* deriv. culto del lat. *marcescere* 'marchitarse'.

Marchoso, V. *marchar   Marea, mareante, marear, marejada, maremagno, mareo, mareta,* V. *mar*

MARFIL, h. 1260. Reducción del antiguo *almalfil* (también se dijo *almafil,* 892; *amarfil,* h. 1250, etc.), que procede del ár. *ᶜaẓm al-fil* íd., propte. 'hueso del elefante' (*fil* 'elefante', *ᶜaẓm* 'hueso').
DERIV. *Marfileño.*

MARFUZ 'renegado', 'traidor', 1330. Probte. del ár. *marfûḍ* 'desechado, abjurado', participio pasivo de *ráfaḍ* 'dejar', 'desechar', 'abjurar'.

MARGA I 'roca compuesta de carbonato de cal y arcilla', 1705. Tom. del lat. *marga* íd., que se cree de origen céltico.
DERIV. *Marguera. Margar. Margoso.*

MARGA II 'jerga para sacas, jergones, etc.', fin S. XIII, antes *márfaga,* 1266. Del ár. vg. *márfaqa* 'almohada', 'cojín', deriv. de *ráfaq* 'sostener'.
DERIV. *Marraguero.*

Margárico, margarina, V. *margarita*

MARGARITA (flor de centro amarillo), 1609, antes 'perla', 1220-50, lat. *margarīta.* Tom. del gr. *margaritēs* 'perla'.
DERIV. *Ácido margárico,* así llamado por el lustre perlado de las escamas de esta sustancia; de donde *margarina,* 1899.

MARGEN, 1272 (en Murcia; en Castilla, 1490). Tom. del lat. *margo, -ginis,* 'borde', 'margen'.
DERIV. *Marginar,* S. XVII. *Marginal.*

Margoso, V. *marga* I   *Margrave,* V. *marcar   Marguera,* V. *marga* I

MARÍA, nombre propio de la madre de Jesús, empleado en muchos compuestos y derivados, en parte de los cuales aparece comò símbolo de la mujer en general, por la suma frecuencia de este nombre de pila en España; en *Baño de María,* 1569, se trata de la hermana de Moisés, probte. por alusión a su hermanito, por quien ella velaba mientras anduvo a flote, dentro de su cuna, por las aguas del Nilo.
DERIV. *Marial,* 1640. *Mariano,* h. 1690. *Marica* 'hombre afeminado', 1599; *maricón* 'marica', 1517 (sentido conservado en América, que en España ha pasado a 'sodomita'); *mariquita; amaricado, amariconado.*
CPT. *Maricastaña. Marimacho,* princ. S. XVII. *Marimanta,* 1604. *Marimorena,* 1734. *Mariposa,* h. 1400, propte. 'María, pósate, descansa en el suelo'; expresión nacida en dichos y canciones infantiles, como *maría vola,* empleado en el mismo sentido en varias hablas de Cerdeña y el Centro de Francia; *amariposado; mariposear. Marisabidilla. Maritate,* amer., 'trebejo, bártulo', de una advertencia doméstica *María, tate* 'ten cuidado', invitando a respetar los bártulos. *Maritornes,* aludiendo al personaje del Quijote (I, cap. 16).

Marica, maricón, V. *María*

MARIDO, 1027. Del lat. MARĪTUS íd. (derivado de MAS, MARIS, 'macho, varón').
DERIV. *Maridaje,* princ. S. XVII. *Maridillo. Maridado,* 1220-50. *Marital,* 1444.

Marimacho, marimanta, V. *María*

MARIMBA, amer., 1936. Parece ser voz de origen africano.

Marimorena, V. *María   Marina, marinar, marinería, marinero, marino,* V. *mar Mariposa, mariposear, mariquita, marisabidilla,* V. *María*

MARISCAL, 1394. Del fr. ant. dialectal *mariscal* (hoy *maréchal*) 'herrador', 'veterinario', 'mariscal', procedente del fráncico *MARHSKALK 'caballerizo mayor', cpt. de MARH 'caballo' y SKALK 'sirviente' (alem. *schalk*).

Mariscar, marisco, marisma, V. *mar Marital,* V. *marido   Maritate,* V. *María Marítimo,* V. *mar   Maritornes,* V. *María*

MARLO 'espiga de la mazorca del maíz', amer., fin S. XIX. De *maslo* 'tronco de la cola de un animal', 1843, 'tallo de una planta'. Sustantivación (fin S. XIV) de *maslo* 'varón', S. XIII, variante de *macho*, lat. MASCULUS, que tomó primero el sentido de 'pene' y luego los demás.

MARLOTA, 1486. Del ár. *mallûṭa* 'saya', resultante de la fusión de dos voces griegas: *mallōtē* 'manto velloso' y *mēlōtē* 'vestido de piel de cabra o carnero'.

Marmella, V. *mama*

MARMITA 'olla de metal', 1607. Del fr. *marmite* 'olla', 1313, de origen incierto, quizá propte. nombre popular del gato acostado junto al hogar, cpt. de dos nombres familiares del gato, *marlou* y *mite*.
DERIV. *Marmitón*, 1646.

MÁRMOL, h. 1250. Del lat. MARMOR, -ŎRIS, íd.
DERIV. *Marmolista*. Cultismo: *Marmóreo*, h. 1440.

MARMOTA, 1734. Del fr. *marmotte* íd., que parece procedente de **mormont*, comp. el nombre rético *murmont*, alem. ant. *murmunto*. Éstos a su vez son de origen incierto, quizá del lat. MUS MONTIS 'rata de montaña', alterado en francés por influjo de *marmotter* 'mascullar, murmurar'.

MARO, 1765-83 (*almaro*, h. 1580), lat. *marum*. Tom. del gr. *mâron* íd.

Marojo, V. *malojo*   *Marola*, V. *mar*

MAROMA, S. XIII aproximadamente. Del ár. vg. *mabrûma* íd., propte. participio de *báram* 'trenzar', 'retorcer'.

Marqués, marquesado, marquesina, marquetería, V. *marcar*

MARRA 'mazo de hierro', 1490. Del lat. MARRA 'especie de azada o arpón'.

MARRAJO 'astuto disimulado', 1609; 'especie de tiburón', 1616. Quizá de un nombre familiar del gato, como *morro, morrongo*, cat. *marruixa*, fr. *marlou*: voces todas de creación expresiva.

MARRANO. En la acepción 'cristiano nuevo', princ. S. XIII, es indudablemente aplicación figurada de *marrano* 'cerdo', 965, vituperio aplicado, por sarcasmo, a los judíos y moros convertidos, a causa de la repugnancia que mostraban por la carne de este animal, prohibida por sus antiguas religiones. En el sentido de 'cerdo' es palabra propia del cast. y el port. (*marrão*), probte.

tomada del ár. *máḥram* 'cosa prohibida', que alude a dicha prohibición (pronunciado vulgarmente *maḥrán*).
DERIV. *Marrana. Marranada. Marrancho, marranchón. Marranería.*

MARRAS 'en otro tiempo', 1220-50. Del ár. *márra* 'una vez'.

Marrasquino, V. *amargo*

MARRUBIO, 1399. Del lat. MARRŬBĬUM íd.

MARRULLERO 'astuto, cauteloso', 1734. Deriv. de *marrullar* 'roncar (el gato)', usual hoy en Extremadura y otras partes, por la astucia que se atribuye comúnmente al gato; *marrullar* resulta de un cruce de *maullar* con *arrullar*.
DERIV. *Marrullería*, 1613. De la misma raíz vienen los nombres hipocorísticos del gato, *morro*, 1734, y *morrongo*.

MARSOPA 'cetáceo semejante al delfín', 1591. Del fr. anticuado *marsoupe* íd., S. IX, y éste probte. del germ. **MARISUPPA*, cpt. de MARI 'mar' y SU(P)PAN 'sorber' (alem. *saufen*, ingl. *sip*). El nombre alude al agua del mar que traga este animal y luego arroja a lo alto. Variante *marsopla*, 1817.

MARSUPIAL, 1899. Deriv. del lat. *marsupium* 'saco', 'bolsa', por la cavidad donde estos animales llevan las crías.

MARTA, 1495. De origen germánico; probte. del germ. occid. MARTHR íd., por conducto del fr. *marte*, S. XVI (*martre*, S. XI).

MARTAGÓN 'especie de lirio', 1555. Origen incierto; probte. del turco *martagān* 'especie de turbante', por comparación de forma.

MARTE, princ. S. XVII. Tom. del lat. *Mars, -tis*, nombre del dios de la guerra.
DERIV. *Martes*, 1219, del lat. DIES MARTIS 'día de Marte', por estarle consagrado. *Marzo*, h. 1140, del lat. MARTIUS íd., deriv. de MARS, por la consagración al dios de la guerra; *marcear*; *marceño*; *marzal*. *Marcial*, h. 1570, tom. del lat. *martialis* íd.; *marcialidad*.

Martelo, V. *martillo*   *Martes*, V. *marte*

MARTILLO, 1220-50. Del lat. vg. MARTĔLLUS, propte. diminutivo del lat. MARTŬLUS íd. El it. *martello* íd. tomó figuradamente el sentido de 'celos' y 'tormento amoroso', y de ahí pasó al cast. *martelo* 'pasión o capricho amoroso', 1599.

DERIV. *Martillar*, h. 1250, o *martillear*; *martilleo*. *Martillazo*. *Martillero*. *Amartillar*. *Amartelar* 'ejercer atracción amorosa', h. 1600; *amartelado*, med. S. XVI; *amartelamiento*.

MARTÍN, como denominación del martín pescador, 1611 (*martinete*, h. 1326), no se sabe por qué se le ha llamado con este nombre propio; y ni siquiera es bien seguro que sea ésta la verdadera etimología del nombre de esta ave.
DERIV. *Martina*. *Martinete* 'especie de mazo', 1734, del fr. *martinet*, 1315. *Martineta*. *Martiniega*, h. 1260.

MARTINGALA, la acepción primitiva parece ser 'fondo de una especie de calzas apropiadas para personas con súbitas necesidades fisiológicas', 1568. Parece haberse tomado del fr. *martingale* íd., 2.º cuarto S. XVI, alteración de *martigale* 'del pueblo de Martigue', en Provenza, cuya situación aislada ha sido causa de que sus habitantes tengan fama de gente rústica, y de que conservaran antiguas vestiduras y costumbres. Por alusión al ingenioso dispositivo de calzas, tomó en francés el sentido de 'artimaña' (o 'cierto lance en los juegos de azar'), princ. S. XIX, con el cual ha vuelto a tomarlo el cast., 1899.

MÁRTIR, h. 1140, lat. *martyr*, *-ўris*. Tomado del gr. *mártys*, *-yros*, 'testigo', de donde 'mártir', porque daba testimonio de la fortaleza de la fe.
DERIV. *Martirizar*, ¿S. XIV? *Martirio*, 1220-50, lat. *martyrium*.
CPT. *Martirologio*, h. 1260.

Marullo, V. *mar*   *Marzal*, *marzo*, V. *marte*   *Mas*, sust., V. *manido*; conj., V. *más*

MÁS, h. 950. Del lat. MAGIS (pasando por *maes*, 1222). Como conj. adversativa, 1107, pasó primero por el sentido de 'hay más', 'es más', ya en latín vulgar.
CPT. *Demás*, 1221; *demasía* 'exceso', 1438, de donde *demasiado*, adj., h. 1460, y adv., 1490. *Además*, h. 1250.

MASA, 1220-50. Del lat. MASSA 'masa, amontonamiento', 'pasta'.
DERIV. *Masera* 'artesa', 1181. *Masilla*, 1923; acepción militar, 1817. *Masita*. *Amasar*, princ. S. XIII; *amasadera*; *amasadura*; *amasijo*, 1569. *Macizo*, 1475, asimilación de *masizo*; *macizar*, 1495.

Masada, *masadero*, V. *manido*

MÁSCARA 'careta', 1495; 'persona disfrazada', 1603. Pioble. del ár. *másḫara* 'bufón, payaso', 'personaje risible', deriv. de *sáḫir* 'burlarse (de alguien)', probte, por conducto del catalán, 1391 (más que del it. *maschera*, 1.ª mitad S. XIV). En Europa el vocablo árabe sutrió el influjo del it. dial. y oc. *masca* 'bruja', 643, de origen germánico o céltico.
DERIV. *Mascarada*, 1817, procedente de Italia por conducto del fr. *Enmascarar*, 1539 (antes *mascarar*, 1495). *Mascareta*. *Mascarilla*, med. S. XVII. *Mascarón*, h. 1580. *Mascota*, del fr. *mascotte* 'amuleto', y éste del oc. *mascota* 'embrujo', propte. 'bruja, alcahueta', 1233, deriv. del citado *masca*.

Mascarilla, *mascarón*, *mascota*, V. *máscara*

MASCULILLO (juego de muchachos), princ. S. XVII. Alteración de **basculillo*, **basculo*, que viene del fr. *ba(s)cule* 'acción de golpear con el trasero de otro', deriv. del anticuado *baculer* 'golpear en esta forma', cpt. de *battre* 'golpear' y *cul* 'culo' (comp. *báscula*).

Masculino, V. *macho I*   *Mascullar*, V. *masticar*   *Masera*, V. *masa*   *Masetero*, V. *manjar*   *Masía*, V. *manido*   *Masicote*, V. *mazacote*   *Masilla*, *masita*, V. *masa*   *Maslo*, V. *marlo*   *Masón*, *masonería*, *masónico*, V. *franco*   *Mastelero*, V. *mástil*

MASTICAR, princ. S. XVII. Tom. del lat. *masticare* íd.; la forma hereditaria *mascar*, 1490.
DERIV. *Masticación*; *masticador*; *masticatorio*. *Mascada*, 1495; *mascadura*, 1495. *Mascullar*, 1765-83, antes *mascujar*, princ. S. XVII.

MÁSTIL, 1587. Del fr. ant. *mast* (hoy *mât*), y éste del fráncico MAST íd. (así todavía en alemán, inglés, etc.). Primero fue *maste*, h. 1260, en cast., que pasó a *mástel*, princ. S. XIV, por influjo de *árbol*, empleado como sinónimo.
DERIV. *Mastelero*, 1696; antes *masteleo*, h. 1573, del fr. ant. *mastereau*, diminutivo de *mast*; *mastelerillo*.

Mastín, V. *manso*

MASTODONTE, fin S. XIX. Cpt. del gr. *mastós* 'teta' y *odús*, *odóntos*, 'diente' (por la forma de éstos). *Mastoides*, fin S. XIX, está formado con aquella voz griega y *êidos* 'aspecto'.

Mastranzo, V. *menta*   *Mastuerzo*, V. *nastuerzo*   *Masturbación*, *masturbar*, V. *mano*

MATA 'cada una de las plantas de un arbusto o hierba', 1495; antes 'conjunto de árboles o arbustos, bosque, bosquecillo', 932 (¿ya S. VI?). Antigua voz común a las tres lenguas romances de España, la lengua de Oc y el sardo. Origen incierto, pero atendido el sentido antiguo, es probable que venga del lat. MATTA 'estera', de donde 'manchón de plantas que cubre cierta extensión del suelo'.
DERIV. *Matojo. Matorro; matorral,* h. 1600. *Matoso. Enmatarse.*

Matacabras, matacán, matacandil, V. *matar*

MATACHÍN 'danzante popular', 1559. Del it. *mattaccino* íd., princ. S. XVI, derivado despectivo-diminutivo de *matto* 'bufón', propte. 'loco' (del lat. vg. MATTUS, vid. *MATAR*).

Matadero, matador, matadura, matagallos, matahambre, V. *matar*

MATALAHUVA 'anís'. Alteración de un antiguo **batalhalúa* (cast. ant. *matahalúa,* med. S. XIV, *matafalúa,* fin S. XIII, cat. ant. *batafalua,* 1243), y éste del ár. hispánico *al-ḥábbaᵗ al-ḥulúwa* 'el grano dulce'.

Matalón, V. *matar*

MATALOTAJE 'provisión de comida', 1605, propte. 'provisiones para el mar', 1591. Deriv. del fr. *matelot,* 1323, 'marinero', propiamente 'camarada de a bordo', primero *matenot,* de origen germánico; probablemente del neerl. medio *mattennoot* 'compañero de coy', cpt. de *noot* 'compañero' y *matte* 'coy, cama de a bordo'.

MATAR, 2.ª mitad S. X. Voz típica de los tres romances hispánicos, que en la Edad Media significó también 'herir' (hoy todavía con aplicación a las caballerías, comp. *matadura*), y en los romances de Francia e Italia 'abatir, dominar, afligir'. Probte. de un verbo lat. vg. **MATTARE* 'golpear, abatir', deriv. de MATTUS 'estúpido, embrutecido', que ya se lee en textos latinos de la época imperial y que a su vez es de origen incierto (quizá antigua voz itálica o tomada del griego vulgar).
DERIV. *Matadero,* 1587. *Matador,* 1155. *Matadura,* 1495. *Matalón,* 1734 (*matalote,* 1605), por las mataduras de que suelen estar llenos; *matungo* y *matucho* 'matalón', amer.; éste se aplicó allí como injuria a los españoles, por su poca destreza hípica, en el mismo sentido *maturrango; maturranga* pasó a 'ramera' (propte. 'caballería vieja'), 'amante, querida', y por otra parte 'treta, argucia', por alusión a los males ocultos de las caballerías viejas. *Matanza,* 1074. *Matarife,* 1843. *Matón,* 1734; *matonismo,* 1923. *Rematar,* propte. 'acabar de matar', 1490; 'terminar', 1220-50; 'adjudicar la almoneda', 1480; *remate,* med. S. XVI; *rematador. Mate* 'sin brillo', 1680, del fr. *mat* íd., propiamente 'marchito' y antes 'abatido', S. XII, que viene del citado lat. vg. MATTUS.
CPT. *Matacabras. Matacán,* 1335, porque desde ahí se hostilizaba con piedras los perros enemigos. *Matacandelas. Matacandil. Matagallos. Matahambre,* pieza escogida de una res, amer. *Matalobos. Matamoros. Mataperros. Matapollo. Matarrata,* 1734. *Matasanos,* 1615. *Matasellos. Matasiete.*

MATE I 'lance final del ajedrez', fin S. XIII. Del árabe, donde procede del persa *mât* 'fuera de tino, asombrado, que no sabe qué hacer' (aplicado al rey).

MATE II 'calabaza vaciada, empleada para tomar hierba mate, etc.', amer., 1570, 'infusión de esta hierba', 1740. Del quichua *máti* 'calabacita'.
DERIV. *Matear. Matero.*

Mate, adj., V. *matar*

MATEMÁTICO, h. 1440, lat. *mathematĭcus.* Tom. del gr. *mathēmatikós* íd., propiamente 'estudioso', deriv. de *máthēma* 'conocimiento', y éste de *manthánō* 'yo aprendo'.
DERIV. *Matemática,* 1611.

Materia, material, materialismo, -ista, materializar, V. *madera   Maternal, maternidad, materno,* V. *madre   Matero,* V. *mate* II

MATIZAR 'graduar un color con delicadeza', h. 1400, 'combinar con hermosa proporción diversos colores', princ. S. XV. Vocablo propio de las tres lenguas romances de la Península, de origen incierto. Probablemente del bajo lat. *(a)matizare,* S. XII, tom. del bajo gr. *lammatízō* íd., deriv. del bajo gr. *lámma* 'matiz'. Éste había significado 'cinta' y 'franja de color diferente', y quizá esté emparentado con el gr. ant. *lônia* 'cinta'.
DERIV. *Matiz,* princ. S. XV.

Matojo, V. *mata   Matón, matonismo,* V. *matar   Matorral,* V. *mata*

MATRACA, 1570. Del ár. vg. *maṭráqa* íd., propte. 'martillo', deriv. de *ṭáraq* 'golpear'.
DERIV. *Matraquear,* 1626.

MATRAZ 'vasija de vidrio para laboratorios, rematada en un tubo largo y estrecho', 1706. Del fr. *matras*, íd., de origen incierto, probte. idéntico al fr. ant. *mat(e)ras* (por comparación de forma) 'especie de dardo terminado en una pequeña porra de hierro', deriv. del lat. MATARIS íd., de origen céltico.

MATRERO 'astuto', 1495. Origen incierto; probte. del mismo que *mohatrero* 'tramposo', deriv. de *mohatra*, 1495, 'venta fingida', 'engaño'. Éste procede del ár. *muḥáṭara* 'venta usuraria', del cual parece haberse empleado como plural *maḥáṭir*: de éste saldría en cast. **mahatra* 'engaño, trampa' y de ahí el deriv. *matrero*.
DERIV. *Matrería*.

Matriarcado, matricaria, matricida, matrícula, matricular, matrimonio, m a t r i z, matrona, V. *madre Matucho, matungo, maturranga, maturrango*, V. *matar*

MATUTE 'introducción ilegal de géneros', 1734. Voz familiar de origen incierto; probte. abreviación de *matutino*, por realizarse el contrabando de madrugada. A formar esta abreviación debió de contribuir el influjo del nombre propio *Matute*, empleado (princ. S. XVII) como deformación humorística de *Matusalén*.
DERIV. *Matutero*, 1734.

Matutino, V. *maitines*

MAULA 'engaño, triquiñuela', 1 6 2 6 ; 'hombre engañoso', 1734; 'cosa despreciable', 1734; 'propina', 1734. El significado primitivo parece haber sido 'astucia, marrullería', procedente en definitiva de *mau*, onomatopeya de la voz del gato, y de *maular*, variante dialectal de *maullar*.
DERIV. *Maulero*, princ. S. XVII. *Maulería*, 1734.

MAULLAR, h. 1400. Alteración del dialectal *maular*, deriv. de la onomatopeya *mau* de la voz del gato. La forma *maullar* se explica por influjo de *aullar*.
DERIV. *Maullador*, 2.° cuarto S. XV. *Maullido*, 1734; *maúllo*, princ. S. XVII. *Mayar*, princ. S. XVII, es otra imitación de la voz gatuna; *maído*, 1734.

MAUSOLEO, 1611, lat. *Mausolēum*. Tomado del gr. *Mausōlêion* íd., deriv. de *Máusōlos*, nombre de un rey de Caria, a quien su esposa hizo construir un monumental sepulcro. La deformación *mauseolo*, 1438.

Maxilar, V. *mejilla Máxima, máxime, máximo*, V. *mayor Maya*, V. *mayo Mayal*, V. *majar Mayar*, V. *maullar Mayestático*, V. *mayor*

MAYO, h. 1140. Del lat. MAJUS íd.
DERIV. *Maya*, 1599.

MAYÓLICA, fin S. XIX. Del it. *majòlica* íd., así denominada por alusión a la isla de Mallorca (*Majorĭca* en latín), por haber sido introducida en Italia por gente de lengua catalana.

MAYOR, h. 1140. Del lat. MAJOR, -ŌRIS, íd., comparativo de MAGNUS 'grande'.
DERIV. *Mayoral*, 1220 - 50. *Mayorazgo*, 1370; adj., 1602. *Mayoría*, 1251. *Mayorista*, 1923. Cultismos: *Mayúsculo*, 1600, lat. *majuscŭlus*, diminutivo de *major*. *Majestad*, 1220-50, lat. *majestas, -atis*; *majestuoso*, S. XVII; *majestuosidad*; *mayestático*, fin S. XIX, del alem. *majestätisch*. *Máximo*, 1490, lat. *maxĭmus*, superlativo de dicho *magnus*; *máxima*, S. XVII, propte. 'regla máxima, básica'; *máxime*, del adv. latino *maxĭme*; *máximum*.
CPT. *Mayordomo*, 1120, bajo lat. *ɪnajor domus* íd., propte. 'el mayor de la casa'; *mayordoma*; *mayordomía*, 1253.

Mayúsculo, V. *mayor*

MAZA, h. 1330 (1177 probte.). Del lat. vg. **MATTĔA*, que parece ser deriv. regresivo del lat. MATEOLA íd.
DERIV. *Mazada*, 1220-50; *mazazo*. *Macear*; *maceada*; *maceo*. *Macero*, 1495. *Mazo* 'porra', 1220-50; 'ramo de flores, porción de otras cosas juntas', 1570; de ahí probte. *maceta*, que empezaría por significar 'mazo de flores' y luego 'tiesto con sus flores', o 'tiesto en general', 1490.
DERIV. *Mazagatos* 'refriega', 1611, probte. del it. *ammazzagatti*, cpt. de *gatti* 'gatos' y *ammazzare* 'matar' (deriv. de *mazza* 'maza').

MAZACOTE 'hormigón', 1495; 'barrilla', 1843 (y al parecer, 1591). Del mismo origen incierto que el it. *marzacotto*, fin S. XIII, 'barniz para vidriar loza', y el fr. *massicot* 'óxido de plomo', 1480. Probte. del ár. *masḥaqûnyä* 'barniz para vidriar loza', que en Italia alteraría su terminación bajo el influjo de *cotto* 'cocido', por fabricarse este producto por cocción. Se propagó al fr. y al cast. desde Italia. Del fr. *massicot* el cast. *masicote*, voz reciente.
DERIV. *Amazacotado*, fin S. XIX.

Mazada, mazagatos, V. *maza*

MAZAMORRA 'especie de gachas que se preparaban con desperdicios de galleta de barco', 1535, en América aplicado a varios tipos de gachas criollas. Antigua voz común a todas las lenguas romances del Mediterráneo (cat. *massamorro*, fin S. XIV, etc.), de origen incierto. Acaso alteración del ár. *baqsamât* 'galleta de barco', que suena vulgarmente *baasamôt*, y a su vez procede del gr. *paxamádion* 'bizcocho', mas parece verosímil que sea vocablo prerromano hispánico, comp. los antiguos adjetivos insultantes *moxmordo* y *maxmordón*.

MAZAPÁN. Voz común a todos los romances de Occidente (it. *marzapane*, 1340, bajo latín levantino *marzapanus*, 1202, etc.), que además del significado actual (1525, en cast.), designó una cajita de madera (1373 en Aragón, 1202 en el Levante), empleada como estuche o capa de mercaderías, y también para exportar mazapán. Es verosímil que sea éste el significado originario, pero la etimología es incierta; quizá de origen arábigo, pero faltan testimonios de la palabra en esta lengua que sean seguros en su sentido y aun en su existencia; en todo caso el vocablo sufriría luego el influjo de las voces romances *masa* y *pan.*

Mazarrón, V. *zaharrón*

MAZMORRA, 1495. Del ár. *maṭmûra* íd., propte. participio pasivo de *ṭámar* 'enterrar, tapar con tierra'.

Mazo, V. *maza*

MAZORCA 'porción de lino o lana que se va sacando del copo y revolviendo en el huso para asparla después', 1495; 'espiga de maíz y otros frutos semejantes', 1600. Voz afín al port. *maçaroca* íd., S. XV, y al vasco *mazurka* 'canuto de lanzadera', de origen incierto. En vista del significado vasco, quizá del ár. *mâṣura* 'canuto de lanzadera' (de origen persa). La terminación se explicaría por un cruce con *horca,* que significó 'rueca', suponiendo que ambos vocablos tomaran en Castilla el sentido de 'rocada'; el port. *maçaroca* se debería a un cruce con *roca* 'rueca, rocada'.
DERIV. *Mazorquero.*

MAZORRAL 'grosero, basto', princ. S. XV. Deriv. de *mazorro* íd., conservado en portugués, *manzorro* en cast. antiguo, 1475. Teniendo en cuenta el gasc. *mounsourre* significa 'taciturno, enfurruñado', y el vasco *mantzur* 'avaro', 'huraño', es probable que venga del ár. *manzûr* 'escaso, enclenque', de la raíz *názar* 'ser pequeño, exiguo'

MAZURCA, med. S. XIX. Del polaco *mazurka* íd., propte. 'mazuriana', perteneci nte a Mazuria, región de la Prusia Oriental.

Me, V. *yo   Mea, meada, meados,* V. *mear   Meaja* (moneda), V. *medalla*

MEAJA 'galladura', 1495. Del lat. vg. MEDIALIA 'lo situado en medio', antiguo plural neutro del lat. MEDIALIS 'que está en medio de algo'.
DERIV. *Meajuela* íd., 1438. *Miajón,* amer., y en otras partes *migajón,* por confusión popular con el deriv. de *migaja.*

MEANDRO, 1899. Tom. del lat. *maeander, -dri,* íd., propte. nombre de un río de Asia Menor, de curso muy sinuoso, *Máiandros* en griego.

MEAR, h. 1400. Del lat. vg. MEJARE, en clásico MEJĔRE, íd.
DERIV. *Mea. Meada,* 1495. *Meados,* 1495. *Meón. Escomearse,* 1495. Había en latín una variante *mingĕre,* de la cual derivan *micción* y *mingitorio.*

Mecánica, mecánico, mecanismo, mecanografía, mecanógrafo, V. *máquina*

MECATE, amer., 1587. Del azteca *mécatl* 'cordel'.
CPT. *Mecapal,* amer., 1579, del azteca *mecapálli* 'cordel para llevar carga a cuestas'.

MECER 'acunar', h. 1600. Antiguamente 'agitar', 1490; 'menear, encoger (los hombros, etc.)', h. 1140, y primitivamente 'mezclar (líquidos)', 1495 (y hoy todavía en Asturias). Del lat. MĬSCĒRE 'mezclar', de donde se pasó a 'agitar (líquidos) para mezclarlos' y se especializó finalmente en el movimiento acompasado para adormecer a un niño.
DERIV. *Mecedor. Mecedero,* 1495. *Mecedora. Mecedura,* 1495. *Remecer* 'menear, sacudir', h. 1300, de donde *remezón* 'sacudida', amer.

MECONIO, 1765-83, lat. *mecōnium.* Tomado del gr. *mēkṓnion* 'jugo de adormidera, opio', deriv. de *mĕkōn, -ōnos,* 'amapola, adormidera'.

MECHA, 1220-50. Palabra común con el port., y pariente del fr. *mèche,* probte. tomada de este último en fecha antigua. En francés, a su vez es de origen incierto; pero su equivalente oc. *meca* íd. indica que la base sería *MĔCCA, de origen probte. prerromano, quizá céltico.
DERIV. *Mechar,* 1734, de la acepción secundaria *mecha* 'lonjilla de tocino para mechar'; *amechar; enmechar,* 1611. *Mechazo. Mechero* 'lugar del candil donde se pone la mecha', 1495; 'boquilla del gas, etc.'. *Mechón,* 1607, comparado con una mecha.

MECHINAL, princ. S. XVII. Del mozárabe *mechinar,* S. XIV (o XV-XVI), deriv. del lat. MACHĬNA 'andamio para construir un edificio', propte. 'máquina, invención ingeniosa'.

Mechón, V. *mecha*

MEDALLA, 1524. Del it. *medaglia* íd., princ. S. XVI, antes 'moneda de medio dinero', S. XIII. En este sentido, voz común a todas las lenguas romances occidentales (cast. ant. *meaja,* 1220-50), de origen incierto; probte. de un lat. vg. MEDALIA, disimilación de MEDIALIA, que es plural de AES MEDIALE 'moneda de cobre equivalente a la mitad de un dinero'. DERIV. *Medallón,* 1600.

MÉDANO 'duna', 1624. Del mismo origen que el port. *médão* íd., 1541. Etimología incierta, quizá emparentado con el lat. MĒTA 'mojón', 'piedra de forma cónica o piramidal' y con el irl. *methos* 'mojón de límites'; pero quizá se trata más bien de un derivado prerromano de esta raíz indo-europea que de un derivado romance de la voz latina; el sentido fundamental sería 'montón de arena'. DERIV. *Medanal. Medanoso.*

Media, mediación, mediado, medial, medianería, medianía, mediano, medianoche, mediante, mediar, mediastino, mediatizar, mediato, V. *medio Medicación, medicamento, medicar, medicina, medicinal,* V. *médico Medición,* V. *medir*

MÉDICO, 1490. Tom. del lat. *mĕdĭcus* íd., deriv. de *medēri* 'cuidar', 'curar', 'medicar'. Como adjetivo, 1555. DERIV. *Medicar. Medicamento,* 1490; *medicamentoso; medicación. Medicina,* h. 1250 (*melezina,* 1220-50), lat. *medĭcīna* 'ciencia médica', 'remedio'; *medicinal.* CPT. *Protomédico,* 1521.

Medida, V. *medir Medieval,* V. *edad*

MEDIO, h. 1140. Del lat. MĔDĬUS íd. (con influjo culto de la forma latina sobre la castellana, aceptado quizá para evitar una semejanza malsonante con el verbo *mear*). DERIV. *Media,* med. S. XVII, vid. *CALZA. Medial. Mediano,* 901; *medianero,* 1220-50, *medianería; medianía,* 1490. *Medir,* 1220-50; *mediación; mediador; mediante,* 1490; *mediato, mediatizar, inmediato, inmediación. Mitad,* 1213 (*meatad,* h. 1140), lat. MEDIETAS, -ATIS. *Mediocre,* 1515, tom. del lat. *mediŏcris* íd.; *mediocridad,* 1611. *Mesana,* 1444, del it. *mezzana,* deriv. de *mezzo* 'medio'. *Intermedio; intermediar, intermediario.* CPT. *Mediacaña. Medianoche,* 1220 - 50. *Mediastino,* lat. *mediastinus. Mediodía,* 1124. *Mediomundo. Mediterráneo,* h. 1440, lat. *mediterranĕus. Promedio,* 1832, lat. *pro medio* 'como término medio'; *promediar,* 1832.

MEDIR, 1171. Del lat. METIRI íd. DERIV. *Medida,* 1220-50. *Medición. Desmedido,* 1604. *Mesura,* 1062, lat. MENSŪRA 'medida', deriv. de MENSUS, participio de

METIRI; *mesurado,* h. 1140; *desmesurado,* 1495; *desmesura,* 1495. Variante culta: *mensura, mensurable. Conmensurar,* lat. *commensurare; conmensurable; inconmensurable. Dimensión,* h. 1570, lat. *dimensio, -onis,* íd., deriv. de *dimetiri* 'medir en todos sentidos'; *dimensional. Inmenso,* 1438, lat. *immensus* 'no medido'; *inmensidad,* 1617.

MEDITAR, h. 1580. Tom. del lat. *meditari* 'reflexionar', 'estudiar'. DERIV. *Meditación. Meditabundo. Meditador. Meditativo. Premeditar; premeditación.*

Mediterráneo, V. *medio Medra,* V. *mejor Medrana,* V. *miedo Medrar, medro,* V. *mejor Medroso,* V. *miedo Médula, medular,* V. *meollo*

MEDUSA, 1899. Tom. del gr. *Médusa,* nombre de una de las Gorgonas, a la que se representa con copiosa cabellera. DERIV. *Meduseo,* 1899.

MEFÍTICO, 1843. Tom. del lat. *mefitĭcus* íd., deriv. de *mefītis* 'exhalación pestilente'. De una variante dialectal itálica *MEFETE proceden las voces it. *mofèta* 'exhalación pestilente' y *moffetta* 'mamífero pestilente sudamericano', de donde el cast. *mofeta,* 1884.

Megáfono, megalítico, megalito, megalomanía, megalómano, megaterio, V. *tamaño*

MEJILLA, 1220-50. Del lat. MAXĬLLA 'mandíbula'. DERIV. *Maxilar. Malar,* lat. *malaris* íd., deriv. de *māla* 'mandíbula superior', 'mejilla'.

MEJILLÓN, h. 1560. Tom. del port. *mexilhão,* 1495, que viene del lat. vg. *MUSCELLIO, -ONIS,* deriv. de MUSCELLUS, que a su vez lo es de MUSCULUS 'mejillón'; en Santander se conserva la forma genuinamente castellana *mocejón,* cast. vascongado *mojojón,* andaluz *morcillón,* 1613.

MEJOR, h. 1140. Del lat. MELIOR, -ŌRIS, íd. DERIV. *Mejorar,* 1107; *mejora,* 1370; *Mejoría,* 1220-50. *Desmejorar,* 1495; *desmejora. Medrar,* 1220-50, es reducción de *mejdrar, síncopa de *mejorar; medra,* 1495; *medro; desmedrar,* 1495; *desmedro,* 1595.

MEJORANA, 1495 (*majorana*). Nombre común a los varios romances occidentales, del lat. tardío *maezurana* (S. VI), que a su vez es de origen incierto.

Mejunje, V. *menjurje Melado,* V. *miel*

MELAN-, primer elemento de cpts. y derivados cultos, procedente del gr. *mélas, mélaina, mélan*, 'negro'. *Melancolía*, 1490 (antes *malenconía*, 1251), lat. *melancholïa*, gr. *melankholía* 'mal humor', propte. 'bilis negra', formado con *kholé* 'bilis'; *melancólico*, fin S. XIV; *melancolizar*. *Melanita*. *Melanosis*. *Melanuria*, con *uréō* 'yo orino'. *Melena* (enfermedad), gr. *mélaina* 'negra'.

Melancolía, melancólico, melanita, melanosis, melanuria, V. *melan-*   *Melar, melaza, melcocha, melcochero*, V. *miel*   *Melena* (enfermedad), V. *melan-*

MELENA 'almohadilla o piel que se sujeta a los cuernos del buey para que no le lastime el yugo', 1245; de donde (por comparación con los flecos de la piel que le caen al buey sobre los ojos) 'cabello suelto que cae sobre los ojos o cuelga sobre los hombros', 1611. Sólo es seguro que el único sentido antiguo es el primero, pero el origen es dudoso, aunque ciertamente nò latino. Teniendo en cuenta que el port. *melena* íd., S. XVII, por la conservación de su *l* y su *n*, parece indicar una entrada tardía en el idioma, quizá viene del ár. *melïna* 'ablandada', participio pasivo del verbo *lân* 'ser blando', 'ablandar' (aunque también debe admitirse la posibilidad de un origen prerromano).
DERIV. *Melenera. Melenudo*, princ. S. XVI. *Desmelenar*, princ. S. XV.

Melera, melero, V. *miel*

MELIÁCEO, 1899. Deriv. del gr. *melía* 'fresno'.

Mélico, V. *melodía*   *Melificar, melifluo, meliloto*, V. *miel*

MELINDRE, nombre de varios dulces, bizcochos y frutas de sartén, 1611, que toma además el sentido de 'delicadeza rebuscada', h. 1570. Probte. deformación del fr. ant. *Melide* 'tierra de Jauja', S. XI, 'lugar o situación deliciosa', S. XIII, que a su vez se tomó del lat. *Melïta*, nombre propio de la isla de Malta, interpretado por la gente, a la luz de su aparente parentesco con el lat. MEL, como nombre de un lugar donde abundaba la miel (para la alteración fonética comp. lo ocurrido a *hoialdre*, y pudo haber además confusión parcial con *Melinde*, país africano).
DERIV. *Melindroso*, 1600.

MELINITA, S. XX. Deriv. del gr. *mélinos* 'de color de manzana', deriv. de *mêlon* 'manzana'.

MELINO, 1884. Tom. del lat. *melïnum* 'colorete de Milo', deriv. de *Mêlos*, nombre griego de esta isla del Mar Egeo.

Melisa, V. *miel*   *Melocotón*, V. *melón*

MELODÍA, h. 1440, lat. *melodïa*. Tom. del gr. *melō̄idía* íd., cpt. de *mélos* 'canto acompañado de música' (propte. 'miembro', 'miembro de una frase musical') y *aeídō* 'yo canto'.
DERIV. *Melódico. Melodioso*, h. 1440. Otros derivs. y cpts. del gr. *mélos*: *Mélico*. *Melodrama* 'pieza dramática caracterizada por incidencias sensacionales y groseros procedimientos emotivos', med. S. XIX, propte. 'pasaje ejecutado por la orquesta, que expresa los sentimientos de un personaje en escena, mientras éste habla y gesticula', y antes 'cualquier diálogo acompañado de música', 1734; *melodramático*. *Melomanía*; *melómano*. *Melopeya*, 1765-83 (*melopea*, h. 1900), del gr. *melopoiía* 'melodía, música', por conducto del fr. *mélopée*, 1578 (formado con el gr. *poiéō* 'yo hago', como *epopeya*, que influyó en el vocablo).

Meloja, V. *miel*   *Melolonta*, V. *melón*   *Melomanía, melómano*, V. *melodía*.

MELÓN, h. 1400. Del lat. tardío MELO, -ōNIS, íd., abreviación del gr. *mēlopépōn* 'especie de melón', cpt. de *pépōn* 'melón' y *mêlon* 'manzana'; el cast. ant. *melón* 'tejón' (empleado, como apodo literario ya en 1330), hermano del valenc. *melo* íd., astur. y arag. *melón*, procede de un derivado del lat. *meles*.
DERIV. *Melonar*, 1495.
CPT. *Melocotón*, ¿1513? (primero fue sólo el nombre de una variedad de durazno, que es el vocablo conservado hasta hoy en América), tom. del lat. *malum cotonium*: el lat. *malum* es 'fruto' en general (en particular 'manzana', tom. del gr. *mêlon*), y *cotonium* es el nombre del membrillo (dicha variedad de durazno se obtenía injertando esta planta en un membrillo). *Melolonta*, gr. *melolónthē*, propte. 'destructor de manzanos', de *óllymi* 'yo destruyo' y *mêlon* 'manzano'.

Melope(y)a, V. *melodía*   *Meloso*, V. *miel*

MELLAR 'hacer una mella', 1.er cuarto S. XIV, y **MELLA** 'solución de continuidad en una herramienta o en el borde de cualquier cosa', h. 1490; en portugués *melar* y *mela*, que significan lo mismo y además 'mácula o raquitismo en el trigo', etc. Origen incierto; quizá prerromano, que podría ser de afinidad vasca (me[hail] 'delgado, sutil') o más bien indoeuropea, tal vez céltica, pues el irl. med. *mell* 'pecado, defecto' supone un antiguo MELLO- (comp. irl. ant. *mellaim* 'yo engaño', lit. *mēlas* 'mentira', iranio ant. *mairya-* 'engañoso', gr. *méleos* 'vano, fallado', etc.).
DERIV. *Mellado*, 1.er cuarto S. XIV. *Melladura*, 1495. Comp. REMILGADO.

MELLIZO, 1495. Reducción de *emellizo; procedente del lat. vg. *GEMELLICIUS, deriv. a su vez de GEMELLUS íd., que primitivamente fue diminutivo de GEMÍNUS íd. De *gemellus* por vía culta: gemelo, 1590. De *geminus* análogamente: *gémino*; *geminar*, 1438, geminado; geminación. Formas algo alteradas *embelizos* y *melguizos*, ya h. 1280 y h. 1400.

Membrana, membranáceo, membranoso, V. *miembro   Membrete,* V. *marbete*

MEMBRILLO, h. 1326. Del lat. MELIMĒLUM 'especie de manzana muy dulce' (tom. del gr. *melímēlon* íd.), confundido con MĒLOMĒLI 'dulce de membrillo'. Ambos son cpts. de los gr. *méli* 'miel' y *mêlon* 'manzana'. Se dio este nombre al membrillo por las conservas que con él se hacían cociéndolo en miel, con lo que se obtenía una compota más dulce que el *melimelum*. El port. *marmelo* conserva una forma más primitiva que la cast.; la de éste parte de *MELIMĒLLUM, cambiado en *MEMIRELLU por disimilación y metátesis.

DERIV. *Membrillar*, 1600. *Membrillero. Mermelada* 'conserva de membrillos', 1570, 'íd. de otras frutas', 1884, del port. *marmelada* 'conserva de membrillos', del citado *marmelo* (la acepción ampliada, en Francia desde el S. XVII, parece ser de origen francés).

Membrudo, V. *miembro   Memento,* V. *mente*

MEMO, 1734. Voz de creación expresiva, que remeda el tartamudo *m-m-* del abobado; comp. *lelo.*
DERIV. *Memez.*

Memorable, memorándum, memorar, memoria, memorialista, V. *remembrar   Mena* 'mineral', 'grueso de un cabo', V. *mina*

MENA (pez marino), 1624, lat. *maena.* Tom. del gr. *máinē* íd.

Menaje, V. *mesnada   Mención, mencionar,* V. *mente   Mendacidad, mendaz,* V. *enmendar*

MENDIGO, 1220-50, lat. MENDĪCUS íd.
DERIV. *Mendiguez. Mendigar,* 1220-50, lat. MENDĪCARE. *Mendicidad,* cultismo.

MENDRUGO, 3.ᵉʳ cuarto S. XIV, 'pedazo de pan duro o desechado'. Origen incierto; teniendo en cuenta que significa 'holgazán', 'hombre tosco', en varios dialectos del Norte y del Oeste, quizá empezó por significar 'pordiosero', llamándose así el mendrugo por ser cosa de mendigos, pues el cat. dial. *mandró* reúne también los sentidos de 'mendrugo' y 'perezoso', 'hombre de mala vida': podría entonces estar por *mandrugo, derivado de *mandria*, alterado por influjo de *mendigo.*

MENEAR, h. 1400 (y quizá ya S. XIII o XIV). Del antiguo *manear* 'manejar', 1220-50, deriv. de *mano*; alterado bajo el influjo del cat. y oc. *menar* 'conducir', 'mover', 'menear' (que de ahí pasó al cast., y se halla en la Edad Media), procedente éste del lat. MĪNARE 'conducir el ganado' (primitivamente 'amenazarlo').
DERIV. *Meneo,* 1438. *Remeneo.*

MENESTER, h. 1140. Del lat. MĪNISTĒRĪUM 'servicio', 'empleo', 'oficio', deriv. de MINISTER, -TRI, 'servidor', 'oficial'. La apócope de la vocal final puede explicarse por el empleo proclítico en la locución *es menester (que).*
DERIV. *Menesteroso,* 1490. *Menestral,* 1130, lat. MINISTERIALIS 'funcionario imperial', de donde 'empleado, dependiente'; *menestralía. Ministril,* S. XIV, del fr. *menestriel* íd., del mismo origen que *menestral. Menestra,* 1517, del it. *minestra* íd., deriv. de *minestrare* 'servir (a la mesa)', lat. MINISTRARE íd. (deriv. de MINISTER). De éste, por vía culta: *ministro,* 1220-50. *Ministerio,* 1220-50, duplicado culto de *menester; ministerial. Administrar,* h. 1300; lat. *administrare* íd.; *administración; administrativo. Suministrar,* princ. S. XVII, lat. *subministrare* íd.; *suministro,* 1914.

Mengano, V. *zutano*

MENGUA, h. 1140. Probte. del lat. vg. *MINŪA íd., deriv. del lat. MINUĒRE 'disminuir, rebajar' (que a su vez lo es de MINUS 'menos').
DERIV. *Menguar,* h. 1140, lat. vg. MINUARE íd. *Menguado,* S. XIV. *Menguante,* 1444. *Amenguar,* 1495. *Minuendo,* lat. *minuendus* 'el que se ha de disminuir'. *Disminuir,* princ. S. XV, lat. *deminuere* íd.; *disminución,* 1570. *Diminuto,* 1611; *diminutivo,* 1505.

MENHIR, 1884. Del fr. *menhir,* 1846, y éste del bretón, donde propte. significa 'piedra (men) larga (hir)'.

MENINGE, 1765-83. Tom. del gr. *mêninx, mêningos,* íd.
DERIV. *Meningitis,* 1884.

MENISCO, 1822. Del gr. *mēnískos* 'luna pequeña, cuarto de luna', diminutivo de *mēnē* 'luna'.
CPT. *Menispermáceo,* 1899, cpt. con el gr. *spérma* 'semilla', por la forma de ésta en estas plantas.

Menispermáceo, V. *menisco*

MENJURJE, 1568. Del antiguo *menjuje,* 1590, y éste de *menzuje,* hoy conservado dialectalmente (Santo Domingo, etc.). Proviene del ár. *memzûŷ* 'mezclado, compuesto', propiamente participio de *mázaŷ* 'mezclar'. *Mejunje* (por *menjuje*) se emplea todavía en América y en partes de España.

Menopausia, V. *mes*   *Menor, menorete*, V. *menos*   *Menorragia*, V. *mes*

MENOS, fin S. X. Del lat. MĬNUS íd., neutro de MINOR, -ORIS, 'menor'. De éste viene el cast. *menor*, h. 1140.
DERIV. *Aminorar. Menorete*, 1335. *Minoría*, S. XIX (*menoría*, 1495). *Menorista. Minúsculo*, 1734, tom. del lat. *mĭnŭscŭlus*, diminutivo de *minor*, -*us. Mínimo*, 1584, lat. *mĭnĭmus*, superlativo correspondiente al comparativo *minor*; *mínima*; *minimizar*, S. XX; *semínima*, de *semi-mínima*.
CPT. *Menoscabar*, 1220-50, voz común a todos los romances galos e ibéricos, lat. vg. *MINUSCAPARE, quizá derivado de un MINUS CAPU(T) 'persona privada de los derechos civiles' (clásico MINOR CAPITE); *menoscabo*, 1220-50. *Menospreciar*, h. 1250; *menosprecio*, h. 1330. *Pormenor*, 1817; *pormenorizar*, 1923. *Mioceno*, cpt. del gr. *mêion* (de igual sentido y origen que el lat. *minus*) y *kainós* 'nuevo, reciente'.

Menostasia, V. *mes*

MENSAJE, h. 1140, antiguamente *mesaje*, 1220-50. De oc. *messatge* íd., deriv. de *mes* 'mensajero', y éste del lat. MĬSSUS íd., propte. participio de MITTERE 'enviar'.
DERIV. *Mensajero*, h. 1140; *mensajería*, 1220-50.

Menstruación, menstrual, menstruar, menstruo, mensual, V. *mes*   *Ménsula*, V. *mesa*   *Mensurable*, V. *medir*

MENTA, 1555. Tom. del lat. *mĕnta*.
DERIV. *Mentol. Mastranzo*, 1552, alteración de *mastranto*, 1495, y éste metátesis de *mentastro*, h. 1100, del lat. MENTASTRUM íd.

MENTE, 1444. Tom. del lat. *mens, mĕntis*, íd. La variante hereditaria *miente*, h. 950, estuvo en uso hasta el Siglo de Oro.
DERIV. *Mental*, 1490; *mentalidad*, S. XX. *Mentar*. 1335. *Mención*, 1309, tom. del lat. *mentio, -onis*, íd., deriv. de la misma raíz que *mens; mencionar*, 1438. *Demente*, 1732, lat. *demens. -tis; demencia*, h. 1530. *Vehemente*, 1542. lat. *vehemens, -tis* íd., propte. 'impulsivo, impetuoso' (deriv. de *mens* con el prefijo privativo *vē-*); *vehemencia*, 1542. *Mentor*, S. XIX. del gr. *Méntōr*, nombre propio del consejero de Telémaco, hijo de Ulises, nombre de carácter significativo, deriv. de la raíz indoeuropea de *mens. Memento*, h. 1580, imperativo latino de *memi-*

nisse 'acordarse', que viene de la misma raíz; de ahí también lat. *reminisci* 'acordarse', de donde deriva *reminiscencia*, 1438. *Mnemónica*, gr. *mnēmoniká* íd.; de la misma raíz salen también el gr. *amnēsía*, de donde el cast. *amnesia*, y *amnēstía* 'olvido', de donde el cast. *amnistía*, 1726 (*amnestía*, 1544).
CPT. *Mentecato*, 1570, lat. *mente captus* 'que no tiene toda la razón' (propte. 'cogido de la mente'); *mentecatería*, 1615; *mentecatez. Mnemotecnia*, cpt. culto formado con el gr. *mnēmon* 'el que se acuerda' y *tékhnē* 'arte'; *mnemotécnico*.

MENTIR, h. 1140. Del lat. MENTIRI íd.
DERIV. *Mentidero*, S. XVII. *Mentís*, propiamente 2.ª persona del plural del presente de *mentir. Desmentir*, 1220-50. *Mentira*, 2.ª mitad S. X, y *mentiroso*, med. S. VIII: voces comunes con el portugués, cuya terminación es de explicación incierta, probte. resultantes de *mentidoso*, deriv. de *mentida* (así en cat.), por una alteración debida a una disimilación de las dentales (que desde *mentiroso* se propagaría a *mentira*); *mentirijillas*.

Mentol, V. *menta*

MENTÓN 'barbilla', 1914. Tom. del fr. *menton*, deriv. del lat. MENTUM íd.

Mentor, V. *mente*   *Menudear, menudencia, menudeo, menudillos*, V. *menudo*

MENUDO, 1220-50. Del lat. MĬNŪTUS íd., propte. participio pasivo de MINUERE 'disminuir'. La locución *a menudo*, 1220-50, que parte de la idea de separación temporal pequeña entre los hechos repetidos.
DERIV. *Menudear; menudeo. Menudillos*, 1490. *Menudencia*, 1495. *Minué*, 1817, del fr. *menuet* íd., propte. 'menudito', por sus movimientos delicados. *Desmenuzar*, 1495; antes *menuzar*, 1220-50, de *menuza* 'división, partícula', 1.ª mitad S. XIII, lat. MINUTIA íd.; por vía culta *minucia*, 1611 (¿y 1343?); *minucioso*, 1832; *minuciosidad*. Otros cultismos: *Minuto*, h. 1440, lat. *minūtus* 'menudo'; *minutero; minuta. Minutisa*, 1609.

MEÑIQUE, 1495. Parece resultar de un cruce entre el tipo *menino*, propte. 'niño', que se emplea con el sentido de 'meñique' en muchas hablas portuguesas, leonesas y gasconas, y *mermellique*, S. XIII, o *margarique*, variantes de *margarite* íd., S. XIV. Éste viene del fr. ant. *margariz* 'renegado', 'traidor', por la función de delator que se atribuye al dedo meñique en canciones y fórmulas infantiles; y en francés procede en definitiva del lat. *margarita* 'perla'. *Menino*, que es normal y muy antiguo en portugués con el sentido de 'niño', es palabra de creación expresiva, del mismo radical que el it. *mìgnolo* 'meñique', fr. *mignon* 'lindo', cat. *minyó* 'muchacho'; éste tomó, por otra parte, el sentido 'individuo de una milicia local', de donde el cast. *miñón*, 1817.

MEOLLO, 1220-50. De un lat. vg. *MEDŬLLUM, sacado del lat. MEDŬLLA 'medula, meollo' (que se tomó como un plural-colectivo neutro). Por vía culta: *medula*, 1444 (mal acentuado *médula* ya en el S. XVII). DERIV. *Meollar*, 1587. *Desmeollar*, 1495. *Medular. Meduloso.*

MEQUETREFE, 1625, 'sujeto entrometido, bullicioso y de poco provecho'. Probte. palabra portuguesa, compuesta de *meco* 'hombre libertino', 'sujeto astuto y malicioso', 1547, y *trefe* 'travieso' (o *trefo*), 1495. Aquél parece ser vocablo de creación expresiva, si bien apoyado en el lat. *moechus* 'adúltero'. *Trefe*, que además significa 'delgado, flojo, tísico', viene probte. del hebr. *ṭᵉrēfā* 'carne echada a perder', propte. 'carne prohibida'.

Merca, mercachifle, mercader, mercadería, V. mercado

MERCADO 'sitio público destinado al comercio', 1495; antes 'adquisición, negocio', 1220-50. Del lat. MERCATUS, -ŪS, 'comercio, tráfico', 'mercado', deriv. de MERCARI 'comprar' (de la misma familia que *merced, comercio, mercería*). De MERCARI viene el popular *mercar* 'comprar', h. 1250. DERIV. *Mercader*, 1115, del cat. *mercader*, deriv. de *mercat* 'mercado'; *mercadear*, 1550; *mercadería*, h. 1250. *Mercante*, S. XV, probte. del it. *mercante*; *mercantil*, 1617, *mercantilismo*; *mercancía*, 1490, del it. *mercanzia. Marchante*, antes *merchante*, 1612, del fr. *marchand. Mercachifle*, 1734. *Merca.*

Mercancía, mercante, mercantil, V. mercado

MERCED, h. 1140. Tom., por vía semiculta, del lat. *merces, -ēdis*, 'paga', 'recompensa' (de la misma raíz que *mercado, comercio y mercero*). DERIV. *Mercedario. Mercenario*, 1220-50, lat. *mercenarius* íd., propte. el que guerrea o trabaja por una paga.

Mercenario, V. merced

MERCERÍA 'comercio de artículos menudos como alfileres, cintas, etc.', 1680, antes 'mercancía', fin S. XIII. Del cat. *merceria*, S. XIII o XIV, deriv. del lat. MERX, MERCIS, 'mercancía' (de la misma familia que *merced, comercio, mercado*).

DERIV. *Mercero*, 1605, cat. *mercer*, S. XIII o XIV.

MERCURIO (metal), 1555. Tom. del bajo lat. *mercurius* íd., propte. nombre del dios Mercurio; la movilidad de este metal parece haberse comparado con la del mensajero de los dioses. DERIV. *Mercurial*, 1555, lat. *mercurialis. Mercúrico. Malcoraje*, 1817, del cat. *malcoratge*, 1572, y éste de *MERCURIAGO, -ĬNIS, nombre de la misma planta empleado sin duda en latín hispánico.

Merdoso, V. mierda

MERECER, h. 1140. Del lat. vg. *MERĒSCĔRE, deriv. del lat. MERĒRE íd. DERIV. *Merecedor*, 1438. *Merecimiento*, 1438. *Desmerecer*, 1495. *Mérito*, 1220-50, tom. de *merĭtum* íd., propte. participio de *merere*; *mérito*, adj., *meritísimo, inmérito, meritorio. Meretriz*, h. 1250, lat. *merĕtrix, -īcis*, íd., propte. 'la que se gana la vida ella misma'; *meretricio*, 1734. *Demérito*, 1611. *Emérito* 'el que se ha jubilado', 1732, propiamente participio de *emereri* 'ganarse el retiro, terminar el servicio'.

Merendar, merendero, merendona, V. merienda

MERENGUE, h. 1760. Probte. del fr. *meringue*, 1739, de origen incierto. DERIV. *Leche merengada.*

Meretricio, meretriz, V. merecer   Mergánsar, V. somorgujo

MERIDIANO, h. 1525. Tom. del lat. *meridiānus* 'referente al mediodía o al Sur', deriv. de *meridies* 'mediodía', alteración de *medi-dies* por disimilación. DERIV. *Meridional*, h. 1440, lat. tardío *meridionalis*, formación imitada de *septentrionalis*.

MERIENDA, 1220-50. Del lat. MERĔNDA 'comida ligera que se toma a media tarde'. DERIV. *Merendar*, 1220-50. *Merendero. Merendona. Merendera* o *quitameriendas*: así llamada porque esta planta aparece en otoño, cuando el campesino deja de merendar, por oscurecer más temprano y anticiparse la cena.

MERINO 'especie de gobernador', h. 1030; antiguamente *mairino*, 1086. Del lat. MAJORĪNUS 'perteneciente a la especie mayor (en cualquier materia)', aplicado en la Edad Media a las autoridades. Como nombre de una raza de ovejas y de la lana fina que producen, 1442, parece ser palabra independiente, y es verosímil, aunque no seguro,

que venga del nombre de la tribu africana de los Benimerines, por la importación de ovejas berberiscas, practicada para mejorar la raza indígena española.
DERIV. *Merindad* 'distrito gobernado por un merino', 1348.

MERLUZA, 1397. Origen incierto; es posible que el vocablo naciera en Francia, donde *merlus* ya se encuentra en los SS. XIII y XIV, como nombre de un pescado de la misma familia. Sería entonces el resultado de un cruce entre el fr. *merlan* 'merluza', S. XII, y los descendientes del lat. LŪCIUS, que, aunque es el 'lucio', ha pasado a designar la merluza en fr. dial. y oc. *lus*, cat. *lluç*. Sin embargo, la incertidumbre acerca del origen de *merlan* (quizá germánico) da carácter provisional a esta etimología.

Merma, V. *mermar*

MERMAR, 1603. Del lat. vg. *MĬNĬMARE* 'disminuir, rebajar', deriv. de MINĬMUS 'mínimo, o más pequeño'; probte. tomado de oc. *mermar*, que ya se emplea en el S. XII.
DERIV. *Merma*, 1495.

Mermelada, V. *membrillo   Mermellique*, V. *meñique*

MERO I (pez muy apreciado, de gran tamaño), 1611. Origen incierto.

MERO II, adj., h. 1260. Tom. del lat. *mĕrus* 'puro, sin mezcla'. Entró como palabra de derecho y no se generalizó hasta princ. S. XVII.
DERIV., quizá ya formados en latín vulgar: *esmerado*, h. 1140, y *esmerarse*, 1335; *esmero*.

MERODEAR, 1765-83. Deriv. del anticuado *merode* 'merodeo', 1765-83. Del fr. *maraude* íd., 1679 (dialectalmente *méraude*), deriv. de *marauder* 'merodear', que a su vez lo es de *maraud* 'sujeto despreciable', S. XIV, de origen incierto.
DERIV. *Merodeo*.

Meruéndano, V. *madroño*

MES, h. 1140. Del lat. MENSIS íd.
DERIV. *Mesada*. Cultismos: *Mensual*; *mensualidad. Menstruo*, 1490, del lat. *menstrŭum* íd., neutro del adjetivo *menstruus, -ua, -uum*, 'mensual'; *menstrual*, 1490; *menstruoso*, 1490; *menstruar*, princ. S. XVIII; *menstruación*, íd.
CPT. *Sietemesino. Tremesino*, 1495. *Trimestre*, 1739, lat. *trimestris* 'trimestral', de *tri-* 'tres' + *mes-* por *mens-* 'mes'; *trimestral; semestre*, adj., princ. S. XVII; sust.

1736, lat. *semestris* 'semestral'; *semestral*, 1884 (de ahí luego *bimestre, cuadrimestre*). Del gr. *mēn* 'mes': *Menopausia*, formado con *pâusis* 'cesación'. *Menorragia*, con *rhēgnymi* 'yo broto (hablando de un líquido)'. *Menostasia*, con gr. *stásis* 'detención'. *Amenorrea*, con gr. *rhéō* 'yo fluyo' y *a-* privativa; *dismenorrea*, con *dys-* 'mal'. *Emenagogo*, cpt. de *ágō* 'yo empujo' y *émmēna* 'menstruo'.

MESA, 978. Del lat. MENSA íd.
DERIV. *Meseta*, 1765-83, antes se dijo *mesa* en este sentido (la de la escalera: 1600; topográfico: 1734). *Sobremesa*. Cultismos: *Ménsula. Comensal*, 1462, bajo lat. *commensalis* íd.
CPT. *Sobremesa*.

Mesana, V. *medio   Mesar*, V. *mies Mescolanza*, V. *mezclar   Mesentérico,. mesenterio, meseraico*, V. *meso-   Meseta*, V. *mesa   Mesmo*, V. *mismo*

MESNADA 'tropas', 1444; antes 'conjunto de hombres a sueldo de un señor y que viven en su casa', h. 1140. De *MANSIONATA*, deriv. de MANSIO, -ONIS, 'casa' (vid. *MESÓN*). Otro deriv. semejante es el fr. ant. *maisnage*, hoy *ménage* 'administración doméstica', de donde el cast. *menaje* 'conjunto de los muebles de una casa', h. 1600.

MESO-, primer elemento de cpts. cultos del gr. *mésos* 'medio'. *Mesocarpio*, 1899. *Mesocracia*, 1899, formado con el gr. *krátos* 'gobierno'; *mesocrático. Mesenterio*, princ. S. XVIII, con *énteron* 'intestino', *mesentérico*, 1822. *Meseraico*, 1822, gr. *mesaraïkós* 'relativo al mesenterio', formado con *araià gastēr* 'intestino delgado'.

Mesocarpio, mesocracia, V. *meso-*

MESÓN, 1349 (*la maisón*, 1173). Del lat. MANSIO, -ONIS, 'permanencia', 'albergue, vivienda' (es incierto si es descendiente directo o tom. del fr. *maison* 'casa'); por vía culta: *mansión*, h. 1440.
DERIV. *Mesonero*, 1495.

MESTA 'junta de pastores y dueños de ganado', S. XIV o XV, antes 'conjunto de reses de la comunidad', S. XIII (de donde se pasó a la institución que cuidaba de ellas). Del lat. MIXTA, abreviación de ANIMALIA MIXTA 'reses mezcladas'.

Mestizo, V. *mezclar   Mesura, mesurado*, V. *medir*

META 'término señalado a una carrera o mojón que lo marcaba', h. 1530. Tom. del lat. *mēta* 'mojón'.

METABOLISMO, S. XX, deriv. culto del gr. *metabolĕ* 'cambio', deriv de *metabállō* 'yo cambio', y éste de *bállō* 'yo echo'.

Metacarpo, V. *carpo   Metafísico,* V. *físico*

METÁFORA, 2.º cuarto S. XV, lat. *metaphŏra.* Tom. del gr. *metaphorá* íd., propiamente 'traslado, trasporte', deriv. de *metaphérō* 'yo trasporto, empleo figuradamente' (de *phérō* 'yo llevo').
Deriv. *Metafórico,* 1438.

METAL, h. 1250. Tom. del lat. *metallum,* íd., propte. 'mina'; probte. por conducto del cat. *metall.*
Deriv. *Metálico,* 1708. *Metalista; metalistería.*
Cpt. *Metalífero. Metaloide. Metalúrgico; metalúrgica,* 1765-83.

Metamórfosis, V. *amorfo   Metano,* V. *metilo   Metaplasmo,* V. *plástico   Metatarso,* V. *tarso   Metátesis,* V. *tesis   Meteco,* V. *economía   Metempsicosis,* V. *psico-*

METEORO, 1611. Tom. del gr. *metéōra* 'fenómenos celestes', neutro plural del adjetivo *metéōros* 'elevado' (del verbo *aéirō* 'yo levanto', con el prefijo *meta-*).
Deriv. *Meteórico. Meteorismo,* gr. *meteōrismós* 'acción de levantarse, hinchazón'; *meteorizar; meteorización. Meteorito.*
Cpt. *Meteorológico,* med. S. XVII; *meteorología; meteorologista,* 1899, del ingl. *meteorologist* (preferible *meteorólogo*).

METER, h. 1140. Del lat. MĬTTĔRE 'enviar', 'soltar', 'arrojar, lanzar'.
Deriv. *Metedor. Meterete. Cometer,* h. 1140, lat. COMMITTĔRE íd., y 'encargar', 'hacer luchar, emprender una lucha'; *cometido; acometer,* h. 1140; *acometida; acometividad. Entremeter,* 1220-50, o *entrometer,* 1732; *entrometido, entrometimiento, intromisión. Prometer,* 2.ª mitad S. X, lat. PROMITTĔRE íd.; *prometedor; prometido, -ida; promesa,* 1220-50, antiguo participio de *prometer; promisión, promisorio; comprometer,* princ. S. XVII, *comprometedor,* con los deriv. cultos *compromiso, compromisario. Remeter; remesa; remesar* 'hacer remesas'; *arremeter,* h. 1295, *arremetida. Someter,* 1220-50, lat. SUBMITTĔRE íd.; *sometimiento,* y los cultismos *sumiso* y *sumisión.*
Cultismos: *Misión,* 1220-50, lat. *missio* 'envío'; *misional; misionero,* princ. S. XVII; *misivo; misiva,* abreviación de *letra misiva* 'carta que se envía'. *Decomisar,* 1843, deriv. de la frase *dar por de comiso,* 1729, del lat. *de commĭsso (crimine)* 'sobre la falta cometida'; *decomiso.* Admitir, S. XV, lat. *admit-* *tere* íd.; *admisión, admisible. Dimitir,* 1732, lat. *dimittere* íd.; *dimisión,* 1732; *dimisorias,* 1611. *Emitir,* h. 1540, lat. *emittere* íd., *emisario,* 1636; *emisión,* S. XVII, *emisor. Intermisión; intermitente,* del lat. *intermittere* 'interrumpir, suspender'; *intermitencia. Omitir,* S. XVII, lat. *omittere* íd.; *omiso; omisión,* 1515. *Permitir,* 1438, lat. *permittere* íd.; *permiso,* S. XVII; *permisivo; permisible. Premisa,* lat. *praemĭssa,* participio de *praemittere* 'enviar por delante'. *Remitir,* 2.º cuarto S. XV, lat. *remittere; remitente; remiso; remisible, irremisible; remisión,* 1212. *Trasmitir,* 1739, lat. *transmittere* íd.; *trasmisión,* 1654; *trasmisible; trasmisor.*

Meticuloso, V. *miedo*

METILO, 1899. Cpt. del gr. *méthy* 'vino' y *hýlē* 'madera', porque forma la base del alcohol metílico o de madera.
Deriv. *Metileno,* 1884. *Metílico. Metano,* S. XX, formado con *met-,* abreviación de *metilo.*

Metódico, método, V. *episodio   Metonimia, metonímico,* V. *nombre*

MÉTOPA, 1624, lat. *metŏpa.* Tom. del gr. *metópē* íd., cpt. de *metá* 'entre' y *opḗ* 'agujero'.

METRALLA, 1734. Del fr. *mitraille* íd., propte. 'calderilla, conjunto de monedas de poco valor', 1375, con la cual se compararon los pedacitos de metal que constituyen la metralla. El fr. *mitraille,* antes *mitaille,* 1295, es deriv. de *mite* 'moneda de escaso valor', propte. 'polilla', tom. del neerl. *mîte* 'polilla', 'nadería'.
Deriv. *Ametrallar; ametralladora.*

Métrico, metrificar, V. *metro   Metritis,* V. *madre*

METRO, 1438. Tom. del lat. *metrum* 'medida, esp. la del verso', y éste del gr. *métron* 'medida'. Como medida básica del sistema métrico decimal el metro fue creado en Francia en 1791.
Deriv. *Métrico,* 1413; *métrica,* 1490. *Diámetro,* 1570; gr. *diámetros,* formado con *dia-* 'a través'; *diametral,* 1679. *Simetría,* med. S. XV, gr. *symmetría* íd., con *syn-* 'conjuntamente'; *simétrico,* princ. S. XVII; *asimetría, asimétrico; disimetría, disimétrico.*
Cpt. *Metrificar,* 1335; *metrificación. Metrología. Metrónomo,* formado con gr. *nómos* 'regla'. *Parámetro. Perímetro,* 1736, gr. *perímetros,* con *peri-* 'alrededor'.

Metro 'ferrocarril subterráneo', V. *madre   Metrología, metrónomo,* V. *metro   Metrópoli, metropolitano, metrorragia,* V. *madre*

MEZCLAR, h. 1140. Del lat. vg. *MĬSCŬ-LARE, deriv. del lat. MISCĒRE íd.
DERIV. *Mezcla,* 1220-50; *mezclilla. Mezclado. Entremezclar,* 1495. *Mezcolanza,* 1765-83, del it. *mescolanza* íd., deriv. de *mescolare* 'mezclar'. *Mixto,* 1444, tom. de *mixtus* 'mezclado', participio de *miscere; mixtión; mixtura,* 1444; *mixturar. Mestizo,* 1600, lat. tardío MĬSTĪCIUS íd., deriv. de *mixtus; mestizar; mestizaje. Mistela,* 1822, del it. *mistella. Misceláneo,* tom. del lat. *miscellanĕus* 'mezclado'; *miscelánea,* med. S. XVII, del plural neutro del mismo. *Inmiscuir,* med. S. XIX, lat. tardío *immiscuĕre,* sacado de *immiscui,* pretérito del deriv. latino *immiscere* 'inmiscuirse'. *Promiscuo,* med. S. XVI, lat. *promiscŭus* íd.; *promiscuidad; promiscuar,* S. XIX, *promiscuación.*

Mezcolanza, V. *mezclar*

MEZQUINO, h. 950. Del ár. *miskîn* 'pobre, indigente'.
DERIV. *Mezquindad. Mezquinar,* 1640.

MEZQUITA, 1098. Procedente del ár. *másŷid* 'oratorio, templo' (de la raíz *sáŷad* 'prosternarse'), probte. por conducto del armenio *mzkiṭ,* forma traída de Oriente por los Cruzados.

Mí, V. *yo*   *Mi,* V. *mío*

MIASMA, 1765-83. Tom. del gr. *míasma* 'mancha', 'mancilla', deriv. de *miáinō* 'yo mancho'

Mica, micáceo, micacita, V. *miga   Micción,* V. *mear*

MICELIO, S. XX. Deriv. del gr. *mýkē* 'hongo', con la terminación de *epitelio.*
CPT. *Micología; micólogo; micetología.*

Micer, V. *señor*

MICO 'mono de cola larga', 1565. Probablemente del caribe de Tierra Firme, lengua en que este animal se conoce por *meku* o *miko.*

Micología, V. *micelio*

MICRO-, primer elemento de cpts. del gr. *mikrós* 'pequeño'. *Microbio,* 1899, formado con gr. *bíos* 'vida'; *microbiología, microbiológico. Microcéfalo,* 1884; *microcefalía,* S. XX. *Micrococo,* 1899. *Microcosmo,* 1590, con gr. *kósmos* 'mundo'. *Micrófono,* 1899, con *phonéō* 'yo hablo'. *Micrografía. Micrómetro,* 1765-83. *Micromilímetro,* S. XX, y, en formas abreviadas, *micrón* y *micra. Microorganismo,* 1925. *Microscopio,* 1709, con gr. *skopéō* 'examino'; *mi-croscópico. Micrótomo,* 1899, con *témnō* 'yo corto'.

MIDRÍASIS, 1899, lat. *mydriãsis.* Tom. del gr. *mydríasis* íd.

MIEDO, h. 1140. Del lat. MĔTUS, -ŪS.
DERIV. *Medroso,* h. 1280 (lat. vg. *METOROSUS,* formado según PAVOROSUS). Formación análoga, port. *medorento,* que pudo existir antes en cast., de donde *amedrentar,* h. 1400. *Medrana. Miedoso,* 1843. *Meticuloso,* 1524, tom. del lat. *meticulosus* 'miedoso' (de donde la acepción popular 'escrupuloso, nimiamente esmerado'); *meticulosidad.*

MIEL, 1220-50. Del lat. MĔL, MĔLLIS, íd.
DERIV. *Melaza. Melero, -era. Meloja,* 1490. *Meloso; melosidad. Melar; melado. Enmelar. Melisa,* gr. *mélissa* 'abeja', deriv. de *méli* 'miel', hermano del lat. *mel.*
CPT. *Melcocha,* 1495, formado con el cast. ant. *cocho* 'cocido'; *melcochero. Melifluo,* h. 1440, lat. *melliflŭus,* con *fluere* 'manar'. *Meliloto,* 1555, gr. *melílōtos* íd., con *lōtós* 'loto'.

MIELGA I 'especie de alfalfa', fin S. X. Del lat. vg. MĔLĬCA, lat. MĒDĬCA íd., así llamada por ser procedente de Media, antigua región del Irán.
DERIV. *Melgar,* 972.

MIELGA II (apero de labrador), 1591. Probte. del lat. MĔRGA 'horca para levantar las mieses'; la *l* castellana se debe al influjo del sinónimo *bielda, bieldo,* de donde las formas intermedias *bielgo* y *mielgo.* Como nombre de pez, 1335, parece ser aplicación figurada de este vocablo, por comparación de los dos aguijones duros o aguzados que lo caracterizan con las púas de un bieldo.
DERIV. *Melgacho,* 1734.
CPT. *Tremielga,* h. 1540, formado con el lat. TREMERE 'temblar', por la conmoción eléctrica que comunica a quien lo toca.

MIELITIS, 1884. Deriv. culto del gr. *myelós* 'médula'.
CPT. *Poliomielitis* 'inflamación de la médula gris', formado con gr. *poliós* 'gris'.

MIEMBRO, 1219. Del lat. MĔMBRUM íd.
DERIV. *Membrudo,* 1495. *Desmembrar,* 1220-50; *desmembración,* 1611; *desmembramiento,* 1604. *Membrana,* 1444, tom. del lat. *membrana* íd.; *membranáceo,* deriv. del anterior, en la acepción de 'pergamino'; *membranoso.*
CPT. *Bimembre.*

MIENTRAS, 2.ª mitad S. X. Abreviación del antiguo *demientras* o *demientre,* más antiguamente *domientre*, S. XIII, que proceden del lat. DŪM ĬNTĚRIM. Esta combinación, usual en el latín hablado, resulta de la combinación del latín clásico DUM 'mientras' e INTERIM 'entretanto'.

MIÉRCOLES, 1113. Abreviación del lat. DIES MĚRCŬRĪ íd., propte. 'día de Mercurio'; para la -s vid. *lunes* (en *LUNA*).

MIERDA, 1495. Del lat. MĚRDA íd.
DERIV. *Merdellón*, 1734. *Merdoso*, 1495. *Jamerdar*, 1734, lat. vg. *EXEMERDARE 'quitar la inmundicia'.

MIES, 1220-50. Del lat. MĚSSIS 'conjunto de cereales cosechados o a punto de cosechar', deriv. de METĚRE 'segar'.
DERIV. *Mesar* 'arrancar las barbas o los cabellos', h. 1140, del lat. vg. MĚSSARE 'segar', frecuentativo de METERE; en dialectos norteños se aplica todavía a la hierba. *Remesar* 'mesar mucho', 1611; *remesón*, 1438.

MIGA, 1495. Del lat. MĪCA 'partícula, migaja, esp. la de pan', 'grano de sal, etc.'. Por vía culta *mica* 'mineral compuesto de partículas brillantes', 1884.
DERIV. *Migaja*, S. XIII; *migajón*, 1599; *desmigajar*. De *mica*: *micáceo*; *micacita*.

Migración, migratorio, V. *emigrar*

MIJO, 1219. Del lat. MĪLĬUM íd.

MIL, h. 1140. Del lat. MĪLLE íd.
DERIV. *Millar*, S. XV; *amillarar*; *amillaramiento. Millón*, 1448, en it. *milione*, 2.º cuarto S. XIV, probte. tomados del fr., donde *million*, 1359, es pronunciación afrancesada del it. *milium*, abreviación de *milia milium* 'miles de millares'; comp. el cat. ant. *milia millors* 'millones', h. 1400, del b. lat. *milia miliorum* íd. (en cast. ant. se empleaba *cuento* en el sentido de 'millón'); *millonada*; *millonario*, del fr. *millionaire*, 1740; *millonésimo. Milla*, 1490, tom. del lat. *milia passuum* 'miles de pasos', 'millas'; *miliario. Milenario. Milésimo*, 1600.
CPT. *Milenrama. Milhojas*, 1492. *Miligramo. Mililitro. Milímetro. Milenio*, formado según el modelo de *decenio*.

MILAGRO, 1495: antes *miraglo*, h. 1300, y *miraclo*, h. 1140. Del lat. MĪRACŬLUM 'hecho admirable' (por vía semiculta), deriv. de *mirari* 'asombrarse'.
DERIV. *Milagroso*, 1220-50. *Milagrero*, S. XVIII; *milagrería*.

MILANO, 1220-50, deriv. del lat. MĪLŬUS íd. Por extensión aplicado a un pez, 1628. La variante alterada *vilano* ('ave', S. XVII y hoy dial.) ha pasado por comparación a

'flor del cardo, cardo seco que vuela por el aire', 1735.
DERIV. *Amilanar*, h. 1580, explicable por el pánico que causan las aves de rapiña a sus víctimas. *Milocha*, 1765-83, 'cometa', propte. 'especie de milano', por comparación (también alterado en *birlocha*, 1726, por influjo de *birlo*).

MILDEU, 1925. Del ingl. *mildew* 'moho'.

Milenario, milenio, milenrama, milésimo, milhojas, miliario, V. *mil*   *Milicia, miliciano*, V. *militar*   *Miligramo, mililitro, milímetro*, V. *mil*

MILITAR, adj., h. 1440; sust., 1734. Tomado del lat. *militaris* 'perteneciente al soldado o a la guerra', deriv. de *miles, -ĭtis*, 'soldado'.
DERIV. *Militara. Militarada. Militarismo*, 1884; *militarista*, 1925. *Militarizar. Militar*, v. 1490, lat. *militare* 'practicar el ejercicio de las armas'; *militante*, h. 1440. *Milicia*, h. 1440, lat. *milĭtĭa* íd., deriv. de *miles*; *miliciano*, S. XVII. *Conmilitón*, lat. *commilito, -onis*.

Milocha, V. *milano*   *Milla, millar, millón*, V. *mil*   *Mimar*, V. *mimo*

MIMBRE, 1570, antes *vimbre*, h. 1300. Del lat. VĪMEN, -ĬNIS, íd.
DERIV. *Mimbrar. Mimbreño. Mimbrera*; *mimbreral*.

MIMO, h. 1580. Voz común al cast. con el port.; probte. de creación expresiva, aunque con ella vino a confundirse el lat. MĪMUS 'comediante', 'sainete, farsa popular'.
DERIV. *Mimar*, 1495, raro hasta el S. XVIII. *Mimoso*, 2.º cuarto S. XVI; *mimosa* 'sensitiva (planta)', 1817 (en francés, donde será de origen cast. o portugués, ya en 1619). Del cultismo *mimo* 'histrión', 1490, derivan: *mímico*, 1817; *mímica*; *mimesis*, gr. *mímēsis* 'imitación'; *mimetismo*; y los compuestos *pantomimo*, 1611 (*-tamino*, h. 1580), formado con el gr. *pâs, pantós*, 'todo'; *pantomímico*, 1817, *pantomima*, 1817.

MINA, 2.ª mitad S. XIII, raro hasta fines del XV. Del célt. *MĪNA 'mineral', comp. el irl. *méin* 'mineral, metal', 'mina', galés *mwyn* 'mineral'; probte. por conducto del fr. *mine*, h. 1196. De una variante célt. *MĒNĀ sale *mena* 'mineral', S. XVIII, y figuradamente 'especie', S. XV, en especial 'grueso de una cuerda de nave', 1587.
DERIV. *Minar*, 1495. *Trasminar*, h. 1630; *trasminante. Minero*, 1600; antes 'mina', 1387. *Minería*, S. XIX. *Mineral*, h. 1250.
CPT. *Mineralogía*.

Mingitorio, V. *mear*   *Miniar, miniatura*, V. *minio*   *Mínima, mínimo*, V. *menos*

MINIO, 1490. Tom. del lat. *minium* 'bermellón'.
DERIV. *Miniar*, 1817, del it. *miniare* 'pintar con minio'; *miniatura*, 1708, it. *miniatura* (como las miniaturas suelen ser de pequeñas dimensiones, de ahí el sentido erróneo 'objeto diminuto'); *miniaturista*.

Ministerial, ministerio, ministril, ministro, V. *menester*   *Minoría, Minucia, minucioso, minué*, V. *menudo*   *Minuendo*, V. *menguar*   *Minúsculo*, V. *menos*   *Minuta, minutero, minutisa, minuto*, V. *menudo*   *Miñón*, V. *meñique*

MÍO, 933. Del lat. MĔUS, -A, -UM, íd.

MIO-, elemento inicial de cpts., tom. del gr. *mŷs, myós*, 'músculo'. *Miocardio*, S. XIX, formado con gr. *kardía* 'corazón'; *miocarditis*. *Miodinia*, con gr. *odŷnē* 'dolor'. *Miografía. Miolema*, con gr. *lémma* 'túnica'. *Miología. Dimiario*, formado con *di-* 'dos', por los dos músculos con que cierra sus valvas. *Miosota*, gr. *myòs ōtĕ*, propte. 'oreja de ratón' (*myós*, genitivo de *mŷs* 'ratón', que es el sentido primitivo del vocablo).

Miocardio, miocarditis, V. *mio-*   *Mioceno*, V. *menos*   *Miodinia, miografía, miolema*, V. *mio-*

MIOPE, 1765-83, lat. *myops*. Tom. del gr. *myōps, -ōpos*, íd., cpt. de *myō* 'yo cierro (los ojos)' y *ōps* 'ojo'.
DERIV. *Miopía*, 1765-83. *Miosis*, deriv. de dicho verbo.
CPT. *Hipermetropía*, formado con la terminación de *miopía* y el gr. *hypérmetros* 'desmesurado'.

Miosota, V. *mio-*   *Mira, mirada, mirador*, V. *mirar*

MIRAGUANO, 1836. Voz antillana, probablemente taína, propte. nombre del árbol que produce esta materia: es cpt. de *guano* palma', 1788, y otro elemento indígena de significado desconocido.

MIRAR, h. 1140. Del lat. MĪRARI 'admirar', 'asombrarse, extrañar'. Primero significó en cast. ant. lo mismo que en latín, después 'contemplar', h. 1250; finalmente, 'mirar', S. XV.
DERIV. *Mira*, 1591; *mirilla*, 1899. *Mirada*, 1495. *Mirador*, h. 1590, del cat. *mirador*; *miranda*, 1925. *Miramiento*, h. 1580. *Mirón*. *Remirar*, h. 1280, *-ado*. *Admirar*, h. 1440, tom. del lat. *admirari* íd.; *admirable*, h.

1440; *admiración*, h. 1440; *admirador*; *admirativo*, h. 1440.
CPT. *Mirasol*, 1734 (*minosol*, 1609).

MIRÍADA, fin S. XIX, lat. *myrias*. Tomado del gr. *myriás, -ádos*, íd., deriv. de *myríoi* 'innumerables', 'diez mil'.
CPT. de este último: *Miriámetro. Miriópodo* o *miriápodo*, con *pús* 'pie'.

Mirilla, V. *mirar*

MIRIÑAQUE 'armazón que mantiene abombadas las faldas', med. S. XIX, 'objeto de poco valor, esp. si pertenece a mujeres', 1734. Origen desconocido. Aunque *me(n)driñaque*, 1609, se empleó en Filipinas para designar el tejido de abacá usado para hacer dicha armazón, no es palabra tagala y no parece ser originaria de aquellas islas.

Miriópodo, V. *miríada*

MIRLO, 1734, antiguamente *mierla*, princ. S. XV. Del lat. MĔRŬLA íd.

MIRRA, h. 1140, lat. *myrrha*. Tom. del gr. *mýrrha* íd.
DERIV. *Mirrado. Mirrino.*

MIRTO, h. 1530, lat. *mŷrtus*. Tom. del gr. *mýrtos* íd.
DERIV. *Mirtáceo. Mirsíneas*, del gr. *myrsínē*, variante de *mýrtos*.

MISA, h. 1140. Tom. del lat. *mĭssa* íd., S. IV, sacado de la fórmula final del oficio religioso: *ite* ('marchaos'), *missa est*, con la cual se despide a los fieles, y en la cual figura el verbo *mittere* 'enviar' (en su participio *missa*), probablemente con referencia a la hostia u oblación que mandamos al Señor para que se apiade de nosotros.
DERIV. *Misal*, 1220-50.

Misantropía, misántropo, V. *miso-*   *Miscelánea, -áneo*, V. *mezclar*

MÍSERO, 1438. Tom. del lat. *mĭser, -ĕra, -ĕrum*, 'desdichado'.
DERIV. *Miserable*, 1438, lat. *miserabilis* 'digno de conmiseración'. *Miserere*, 1734 lat. *miserere* 'apiádate' (imperativo de *miserari* 'apiadarse'), palabra con que empieza un salmo famoso. *Miseria*, 1220-50, lat. *miseria* 'desventura'. *Misérrimo*, 1515, lat. *misérrĭmus*, superlativo de *miser. Conmiseración*, 1499, lat. *commiseratio, -onis*, íd.
CPT. *Misericordia*, 1220-50, lat. *misericordia* íd., formado con *cor* 'corazón'; *misericordioso*, 1438.

Misión, misional, misionero, misivo, V. *meter*

MISMO, h. 1140; antiguamente son más corrientes *meísmo*, 1154, y *m(e)esmo*. Del lat. vg. *MEDĬPSĬMUS; combinación del vulgar ĬPSĬMUS, forma eniática del lat. IPSE 'el mismo' con -MET, que se agregaba a los pronombres personales para reforzar su sentido (*egomet*, *tumet*, 'yo, tú, en persona'), y tenía en el lenguaje hablado una variante -MED.

MISO-, primer elemento de cpts. cultos sacado del gr. *miséō* 'yo odio'. *Misántropo*, 1765-83, gr. *misánthrōpos* 'el que odia a la gente' (formado con *ánthrōpos* 'persona'), por conducto del fr. *misanthrope*, 1552; *misantropía*, 1765-83; *misantrópico*. *Misógino*, 1925, gr. *misogýnēs*, con *gynḗ* 'mujer'. *Misoneísta*, 1925, con gr. *neós* 'nuevo'.

MISTERIO, 1220-50, lat. *mysterium*. Tomado del gr. *mystḗrion* 'secreto', 'misterio', 'ceremonia religiosa para iniciados', deriv. de *mýō* 'yo cierro'.
DERIV. *Misterioso*. *Místico*, 1515, tom. del gr. *mystikós* íd., propte. 'relativo a los misterios religiosos', otro deriv. de *mýō*; *mística*; *misticismo*. *Mistificar* 'embaucar', tomado del fr. *mystifier*, cuya formación no está bien averiguada (no es seguro que se partiera de la idea de 'embaucar fingiendo iniciar en un secreto', desde luego no tiene relación alguna con *mixto*); *mistificación*.

Místico, V. *misterio*   *Mistral*, V. *maestro*   *Mitad*, V. *medio*   *Mítico*, V. *mito*

MITIGAR, 1438. Tom. del lat. *mītĭgare* 'suavizar, calmar', deriv. de *mitis* 'suave, tierno, tranquilo'.
DERIV. *Mitigación*. *Mitigador*. *Mitigativo*.

MITIN, 1914. Del ingl. *meeting* 'reunión'. deriv. de *meet* 'encontrarse, reunirse'.

MITO, 1884. Tom. del gr. *mýthos* 'fábula, leyenda'.
DERIV. *Mítico*, 1884.
CPT. *Mitología*, 1734, gr. *mythología* íd.; *mitológico*, 1708. *Mitógrafo*.

MITÓN, 1765-83. Del fr. *miton* íd., de origen incierto, quizá deriv. de *mite* 'minino, gato' (voz de creación expresiva), por lo velloso y aterciopelado de los mitones.

MITRA, 1220-50, lat. *mitra*. Tom. del gr. *mítra* íd., propte. 'cinta para ceñir la cabeza', 'especie de tiara o turbante de los persas'.
DERIV. *Mitrado*, 1734. *Mitral*.

Mixtión, *mixto*, *mixtura*, V. *mezclar*

MÍZCALO, 1629, o **NÍSCALO**, 1818, nombre de un sabroso hongo. Del mismo origen desconocido que el gall.-port. *míscaro* o *níscaro*.

Mnemónica, *mnemotecnia*, *mnemotécnico*, V. *mente*   *Moaré*, V. *muaré*   *Mobiliario*, *moblaje*, *moblar*, V. *mover*   *Mocarro*, V. *moco*   *Mocedad*, V. *mozo*   *Mocejón*, V. *mejillón*   *Mocetón*, V. *mozo*   *Moción*, V. *mover*

MOCO, h. 1400. Del lat. MŪCUS íd. (vulgarmente MŬCCUS).
DERIV. *Mocoso*, 1495. *Mocarro*, 1734; *santo mocarro* o *macarro*. *Moquero*. *Moquete*, med. S. XVII. *Moquillo*. *Desmocar*. Cultismos: *Mucoso*; *mucosidad*. *Mucilago*, lat. *mucilāgo*, *-aginis*, 'mucosidad'; *mucilaginoso*.

Mocheta, V. *mocho*   *Mochil*, V. *mochila*

MOCHILA, 1495. De *mochil* 'mozo de recados', 1734, por ser prenda característica del mismo. *Mochil* viene del vasco *motxil*, diminutivo de *mutil* (o *motil*) 'muchacho', 'criado', que a su vez procede del lat. MŪTĬLUS 'mutilado', 'mocho', y vulgarmente 'rapado', por la costumbre de trasquilar a los muchachuelos. Comp. *MUTILAR*.
DERIV. *Mochilero*, h. 1580, cambiado humorísticamente en *mochiller*, 1630, o *muchiller*, princ. S. XVII.

MOCHO, 1170, 'sin punta' y espte. 'sin cuernos'. Origen incierto. En vista de las muchas variantes divergentes que se hallan en otras lenguas romances y en otras varias (vasco *motz*, cat. *mus*, *esmussat*, port. *moucho* o *mocho*, fr. *émoussé*, alem. medio *mutzen*, port. y leonés *mouco*, etc.) parece ser palabra de creación expresiva.
DERIV. *Desmochar*, S. XIV; *desmochadura*, 1495; *desmoche*. *Mocheta*, S. XVIII. *Remochar*.

MOCHUELO, h. 1326. Voz hermana del cat. *mussol*, vasco *mozolo*, oc. ant. *nossol*. Origen incierto. En vista del oc. *nossol* y del port. *noitibó* íd., viene probte. de un lat. vg. *NOCTUŌLUS, diminutivo del lat. NŎCTŬA íd. (alterado en *NOCTIOLUS en cat. y oc.). En cast., cat. y vasco *NOCTUOLUS cambiaría la N- en *m*- por influjo de *mocho* 'sin cuernos', por la figura de la cabeza del mochuelo, que se distingue de la del buho gracias a las plumas en forma de orejas o cuernos que rematan la de éste.

Moda, *modal*, *modelar*, *modelo*, *moderar*, V. *modo*

MODERNO, 1433. Tom. del lat. *modernus* íd., deriv. de *modo* 'hace un momento, ahora mismo'.

Deriv. *Modernidad. Modernismo*, 1899; *modernista*, 1899. *Modernizar*, S. XX.

Modestia, modesto, módico, modificar, V. *modo* Modillón, V. *mojón·*

MODO, 1490. Tom. del lat. *mŏdus* 'manera, género', propte. 'medida para medir algo', 'moderación, límite'. Deriv. *Moda*, h. 1700, del fr. *mode*, fem., S. XV; *modista*, 1817; *modisto*, 1914. *Modal*, S. XVII; *modalidad*, h. 1900. *Módico*, med. S. XIX, lat. *modicus*; *modicidad. Modismo*, 1817. *Modoso*, med. S. XIX. *Sobremodo. Moderar*, 1444, lat. *moderari* 'reducir a medida'; *moderación*, 1490; *moderador*; *moderantismo*, h. 1900. *Modesto*, 1490, lat. *modestus* íd.; *modestia*, 1490. *Modio*, med. S. XVII, lat. *modius* 'medida de capacidad'; del mismo, por vía hereditaria: *moyo*, 962. *Módulo*, 1444, lat. *mŏdŭlus* íd., propte. diminutivo de *modus*; *modular*, h. 1450, lat. *modulari* 'someter a cadencia', propte. 'regular'; *modulación*, h. 1440. *Molde*, h. 1400, desciende de MŎDŬLUS 'medida, módulo', hereditariamente, probte. por conducto del cat. ant. *motle*; *moldear, -ado*, princ. S. XVIII; *moldura*, 1505; *amoldar*, 1464. *Modelo*, 1573, del it. *modello* íd., lat. vg. *MODELLUS*, diminutivo y sinónimo de MODULUS; *modelar*, 1765-83. Cpt. *Modificar*, h. 1440, lat. *modificare* 'arreglar'; *modificación*, 1490; *modificativo.*

MODORRO, 1490, y los derivados ya en 1220 - 50, 'abobado, necio, aturdido'. Voz arraigada y antigua en las tres lenguas romances ibéricas y en gascón; emparentada con el vasco *mutur* 'enojado, incomodado' (es voz antigua en vasco, aunque no es posible decidir si allí es palabra aborigen o tomada del lat. MUTILUS 'mutilado, trunco'). Deriv. *Modorra* 'letargo', 1495; *amodorrar*, princ. S. XVI (*amodorrido*, 1220-50).

Modoso, modulación, modular, módulo, V. *modo*

MOFAR, 1495. Voz de creación expresiva, que indica el bufido y la hinchazón despectiva de los labios. Leriv. *Mofa*, 1570.

MOFLETE 'carrillo hinchado', princ. S. XVII. Probte. de oc. *moflet*, S. XIII, 'mullido', 'mofletudo', 'regordete'. Pertenece a una familia de vocablos muy extendida en Francia, que parece ser, en último término, de creación expresiva. Deriv. *Mofletudo.*

MOGOLLÓN, *de —*, h. 1570, 'gratuitamente'. Origen incierto. Como *mogollón* significa localmente 'la miga del pan' y *comer*

de mogollón 'comer de prisa y con avidez', es posible que se trate de un **meollón* aumentativo de *meolla* 'miga' (cat. *molla*, it. *midolla*) procedente del lat. MEDŬLLA 'pulpa'. Primero habría significado en cast. 'tragarse algo de prisa como se hace con la miga', luego 'comer con avidez, como un parásito', y de ahí 'hacer cualquier cosa a costa de otro'. Deriv. *Mogrollo* 'parásito', med. S. XVII, 'sujeto tosco', 1734; en América *mogolla* 'tonto' conserva forma más primitiva.

MOGOTE 'montículo cónico aislado', 1783, 'cuerno de gamo o ciervo, de pequeño tamaño', 1634. Probte. de una lengua prerromana de España; quizá de un vasco **mokoti* 'puntiagudo', voz desaparecida en la actualidad, pero derivada normalmente de *moko* 'punta', 'pico'.

Mogrollo, V. *mogollón*

MOHINO 'melancólico, disgustado', principios S. XV, en port. *mofino* 'infeliz', h. 1500. Origen incierto; quizá del ár. *múḥim* 'malsano, echado a perder', que vulgarmente debió de pronunciarse *moḥín* y pudo tener el sentido de 'disgustado' (a juzgar por *waḥím*, de la misma raíz). Deriv. *Mohina*, 1577. *Amohinar* 'preocupar', h. 1530. *Mohín*, 1884, 'mueca graciosa', quizá tiene el mismo origen, pero más bien parece tom. del it. *moine* 'gesticulaciones' (probte. deriv. de *movere* 'mover').

MOHO, h. 1270. Del mismo origen que los sinónimos port. *môfo*, it. *muffa*, alem. *muff*, leonés *mafa*. Probte. voces de creación expresiva, que indican la vaharada de humedad y corrupción despedida por los cuerpos enmohecidos. Deriv. *Mohoso*, 1495; *amohosar. Enmohecer*, 1570.

MOJAMA 'atún salado y seco', 1591. De *mušámmac* 'secado', participio del ár. vg. *šámmac* 'secar'. Deriv. *Amojamar*, 1615.

MOJAR, 1220-50. Del lat. vg. MOLLIARE 'reblandecer', de donde 'humedecer' y 'mojar', porque la cosa mojada se reblandece. Deriv. *Mojadura*, 1495. *Moje. Mojicón* 'puñetazo', 1600, propte. 'especie de bizcocho remojado', 1734. *Mojo. Remojar*, 1495; *remojo*, 1495; *remojón.*

MOJARRA (pez de cuerpo comprimido), 1676 (*almojarra*), antes *muharra* 'punta de hierro de la lanza', 1728. Probte. del ár. *muhárrab* 'afilado', participio pasivo de *ḥárrab* 'aguzar'.

DERIV. *Mojarrilla,* 1734, 'bromista' (porque se escurre de las manos como una mojarra).

MOJIGANGA, 2.º cuarto S. XVII, antes *boxiganga,* 1603. Designó primitivamente un personaje caracterizado por unas vejigas sujetas a la punta de un palo, personaje que era típico de las mojigangas. Probte. deriv. de *voxiga,* variante fonética de *vejiga,* como lo es *bojiguero* 'farsante', h. 1790.

MOJIGATO, 1611. Cpt. de **mojo* y *gato,* palabras sinónimas; *mojo* es vivo en muchas partes como nombre familiar de este felino (mallorquín *moix,* etc.). Con esta repetición, aplicada a personas, se indica una naturaleza en apariencia humilde y mansa, y en realidad astuta y traicionera, como la del animal.
DERIV. *Mojigatería.*

MOJINETE, amer., 1769, 'frontón o remate de la fachada', 'caballete del tejado'. Origen incierto; probte. deriv. de *mohino* (véase) en el sentido de 'mulo', 1495 (propiamente 'mulo malicioso y falso'), tal como *caballete* lo es de *caballo.*

Mojojón, V. *mejillón*

MOJÓN 'señal fija de un lindero', 1057. Del lat. vg. **MŪTŪLO, -ŌNIS,* deriv. del lat. MŪTŬLUS 'modillón, cabeza sobresaliente de una viga', 'madero hincado en un muro'. DERIV. *Amojonar,* 1272; *amojonamiento. Modillón,* 1589, del it. *modiglione* íd., que procede del lat. vg. **MŪTĬLĬŌ, ŌNIS,* deriv. de MUTULUS.

Molar, V. *moler* *Molde, moldear, moldura,* V. *modo*

MOLE I, h. 1615. Tom. del lat. *mōlēs* 'masa, volumen o peso grandes'.
DERIV. *Molécula,* 1765-83 (en fr. 1678); *molecular. Molesto,* 1444, lat. *molestus,* íd.; *molestia,* 1490, lat. *molestia* íd.; *molestar,* lat. *molestare. Demoler,* 1611, lat. *demoliri* 'echar al suelo', influido en cast. por *moler; demolición,* 1679; *demoledor.*

MOLE II (manjar), 1861. Del azteca *mulli* íd.

MOLER, 1161. Del lat. MŎLĔRE íd.
DERIV. *Moledura,* h. 1250; *Molienda,* 1490. *Moliente,* 1623. *Remoler,* 1399; *remolienda. Emolumento,* 1705, lat. *emolumentum,* propte. 'ganancia del molinero'. *Molino,* h. 1140, lat. tardío MOLĪNUM íd.; *molinada; molinar,* 1210; *molinero,* 1095; *molinera,* 1097; *molinería; molinete,* 1590; *molinillo,* 1219. *Remolino,* 1495, por el tor-

bellino de las aguas sorbidas por el cárcavo; *remolinarse,* 1438, o *arrem-,* h. 1750; *remolinear. Muela,* 1065, lat. MŎLA 'la del moiino'; por comparación de forma: 'diente molar', 1335; 'cerro escarpado de cima plana', h. 1250; *molar; moleta; muelo; amolar,* h. 1300, *amolador, amoladura, amoladera; melodreña,* 1914, probte. de *moladereña.*

Molestar, molestia, molesto, V. *mole* I
Moleta, V. *moler*   *Molibdeno,* V. *plomo*
Molicie, V. *muelle* I   *Molienda,* V. *moler*
Molificar, V. *muelle* I   *Molinero, molinete, molino,* V. *moler*   *Molo,* V. *muelle* II

MOLUSCO, 1884. Tom. del lat. moderno científico *molluscus* íd., del adjetivo lat. *molluscus* 'blando' (por la consistencia del cuerpo de estos animales bajo su concha; quizás ayudando el influjo de *musculus* 'mejillón').
CPT. *Malacología,* formado con el gr. *malakós* 'blando', traducción del lat. *molluscus; malacológico.*

Mollar, V. *muelle* I

MOLLE, amer. (árbol), 1552. Del quichua *mulli* íd.

MOLLEJA, S. XIII, 'estómago muscular de las aves', 'glándula en el cuerpo de otros animales'. La forma primitiva será *moleja,* hoy dialectal (*molejo,* fin S. XIII), comp. *molilla* en el Norte de Castilla y *moela* en gallego y portugués. Origen incierto, quizá emparentado con el fr. anticuado *mule, mulette* 'molleja de las aves de cetrería', 'cuajar del ternero', que a su vez enlaza con el tipo *mula* propio del rético y de varias lenguas balcánicas (desde el esloveno hasta el albanés y el búlgaro), y procedente del gr. *mýlē* 'carnosidad a manera de feto que se desarrolla en la matriz', cuyo sentido pudieron ampliar los veterinarios grecorromanos aplicándolo a otras vísceras y glándulas internas.

Mollera, molleta, mollina, mollizna, V. *muelle* I   *Moma, momear,* V. *momo*
Momentáneo, momento, V. *mover*   *Momería,* V. *momo*

MOMIA, 1386. Del ár. *mūmiyā* íd., derivado de *mūm* 'cera', palabra de origen persa. No está averiguado por qué conducto llegó al castellano.
DERIV. *Momio* 'magro', 1734. *Momificar; momificación.*

MOMO 'comedia popular', med. S. XV, 'mueca', h. 1490. Voz de creación expresiva, paralela a *mimo.*

Deriv. *Moma. Momear. Momería*, 1.ª mitad S. XVI.

MONA, h. 1400. Origen incierto; probte. abreviación de *mamona* (conocido en italiano y bajo latín), variante de *maimón, -ona*, h. 1250, corriente en todas las lenguas romances medievales en este sentido, y procedente del ár. *maimûn* 'feliz' y vulgarmente 'mono'. Así llamado, al parecer, porque los monos procedían del Yemen o Arabia Feliz.
Deriv. *Mono* 'simio', 2.º cuarto S. XV; adj. 'lindo', 1734. *Monada. Monear. Monería. Monillo* 'jubón sin faldilla ni mangas', 1734; *mono* 'traje de faena'. *Monuelo. Enmonarse.*

Monacillo, V. *monje Monada*, V. *mona Mónada, monadología*, V. *mono- Monaguesa, monaguillo, monaquismo*, V. *monje Monarca, monarquía, monárquico*, V. *anarquía Monasterio, monástico*, V. *monje Mondadientes, mondar*, V. *mondo Mondejo*, V. *mondongo*

MONDO, med. S. X. Del lat. MŬNDUS, -A, -UM, 'limpio', 'elegante'.
Deriv. *Mondar*, fin S. X, lat. MUNDARE 'limpiar', 'purificar'; *monda*, 1734; *mondadura*, 1490. *Remondar*, 1495. *Morondo* 'pelado', 1734, cruce de *mondo* con *orondo* 'hinchado' (por la forma redondeada de la cabeza calva); *molondrón* 'poltrón', h. 1568. Cultismos: *Inmundo*, hacia 1440, lat. *immundus* 'impuro'; *inmundicia*, 1438.
Cpt. *Mondadientes*, 1495. *Mundificar*, 1399.

MONDONGO, 1599, 'intestino de las reses, esp. del cerdo', 'carne del cerdo preparada para hacer embutidos y el conjunto de éstos', origen incierto. Quizá alteración de *bondongo* íd., 1601, y éste, con trasposición de las consonantes y sufijo *-ongo*, derivado del ár. *baṭn* 'vientre' y 'tripa de cerdo rellena' (pronunciación vulgar *boṭn*); del mismo vocablo arábigo, con otros sufijos, vienen ciertamente *bandullo* 'conjunto de las tripas', 1726 (con variante *bandujo*, 1495, y port. *ventrulho*, con influjo de *ventre*), el extrem. *bandal*, el port. *bandôga* o *bandouva* 'intestinos de las reses', y nótese especialmente el antiguo *bondejo*, 1335, 'vientre del halcón', 'embutido', y *mondejo*, 1611, 'relleno de la panza del cerdo'. La etimología de estas palabras es bastante segura; la de *mondongo* lo es mucho menos.
Deriv. *Mondonga*, h. 1680. *Mondonguero, -era*, 1635; *mondonguería. Amondongado*, 1605. *Desmondongar*. Y de *bandujo*: *desmandujar*, 1846, 'destripar', alteración del dialectal (*d*)*esbandujar*.

Monear, V. *mona*

MONEDA, 1169. Del lat. MONĒTA íd., propte. 'sobrenombre que los romanos daban a la diosa Juno, junto a cuyo templo se instaló una fábrica de moneda'.
Deriv. *Monedaje. Amonedar*, 1550. *Monedero*, 1335; *monedería*. Cultos: *Monetario*, 1734; *monetizar, desmonetizar. Monises* 'dinero', 1843, plural vulgar remedado del ingl. *money* 'dinero'.

Monetario, V. *moneda Monicaco*, V. *monigote*

MONIGOTE 'muñeco', S. XIX, 'niño, muchacho', h. 1800, antes 'monaguillo o lego de convento', 1734, y 'persona insignificante', 1595. Probte. está por *monagote*, despectivo de *monaguillo. Monicaco*, fin S. XVIII, se debe a un cruce de *monigote* con *macaco*; *hominicaco*, 1605, es alteración de aquél bajo el influjo del lat. *homo, -inis*, 'hombre'.

Monipodio, V. *mono- Monises*, V. *moneda Monismo*, V. *mono- Mónita, monitor*, V. *amonestar*

MONJE, 1131. Del lat. MONĂCHUS íd., propte. 'anacoreta', y éste del gr. *monakhós* 'único, solitario' (deriv. de *mónos* 'uno', 'solo'); el cast. lo tomó de oc. ant. *monge* íd., donde resulta de la evolución normal de MONĬCUS, forma vulgar empleada en vez del lat. MONACHUS. Había existido en cast. una variante genuina *mónago*, de donde *monaguesa* 'barragana de clérigo', S. XIII, y *monaguillo*, 1611 (antes *monacillo*, S. XIII).
Deriv. *Monja*, 1200. *Monjil*, 1495. *Monjío*, 1615. Cultismos: *Monacal*, 1612. *Monacato*, S. XVII. *Monaquismo. Monasterio*, 1030, gr. *monastḗrion* íd.; *monasterial*; *monástico*, 1607.

Mono, V. *mona*

MONO-, primer elemento de cpts. procedente del gr. *mónos* 'uno', 'solo'. *Monocordio*, 1495, formado con gr. *khordḗ* 'cuerda'. *Monocotiledóneo. Monocromo*, con *khrôma* 'color'. *Monóculo*, hacia 1613, con lat. *oculus* 'ojo'. *Monodía*, con gr. *ōidḗ* 'canto'; *monódico. Monofilo*, con gr. *phýllon* 'hoja'. *Monógamo*, 1884, con gr. *gámos* 'matrimonio'; *monogamia*, 1884. *Monogenismo*, con gr. *génos* 'origen'. *Monografía*, con *gráphō* 'yo escribo'; *monográfico*; *monograma. Monoico*, con gr. *ôikos* 'casa'. *Monolito*, con gr. *líthos* 'piedra'; *monolítico. Monólogo*, 1765-83, con gr. *légō* 'yo hablo'; *monologar. Monomanía*, con gr. *manía* 'locura'; *monomaníaco. Monometalismo. Monopétalo. Monoplano*, 1925. *Monopolio*, 1498, gr. *monopṓlion* íd., con *pōléō* 'yo vendo';

se pasó al sentido de 'convenio entre mercaderes para vender a un precio determinado', de donde 'trato ilegal', en este sentido suele alterarse en *molipodio*, 1490, o *monipodio*, 1390; *monopolizar. Monorquidia*, con gr. *órkhis* 'testículo'. *Monorrimo. Monosépalo. Monosílabo*, 1734, *monosilábico. Monospastos*, 1708, con gr. *spáō* 'yo tiro de algo'. *Monoteísmo, monoteísta*, con gr. *theós* 'dios'. *Monótono*, 1765-83; *monotonía. Monotrema*, con gr. *trêma* 'agujero'. *Monóxilo*, con gr. *xýlon* 'leño'. Deriv. del gr. *mónos*: *Mónada, monadología. Monismo; monista.*

Monomio, V. *binomio*   *Monseñor*, V. *señor*

MONSERGA, fin S. XVIII, 'palabras oscuras o sin sentido', 'paparrucha'. Palabra familiar y afectiva, que no puede ser occitanismo, como se ha supuesto; siendo de creación jergal, como parece, se le pueden suponer varias etimologías, todas inciertas: como también ha tenido el valor de 'enredo, combinación grosera' y 'remedio falso', acaso sea una variante más de *MENJURJE*, como las bien conocidas *mensuje, menjurgue, mejungue* y *menjuria* (tal vez con influjo de *sergas* 'historias caballerescas').

MONSTRUO, 1607, antes *mostro*, h. 1250. Tom. del bajo lat. *monstruum*, alteración del lat. *monstrum* íd., propte. 'prodigio' (que parece ser deriv. de *monere* 'avisar', por la creencia en que los prodigios eran amonestaciones divinas). Deriv. *Monstruoso*, 1438, lat. *monstruosus; monstruosidad.*

MONTE, h. 1140. Del lat. MONS, MONTIS, 'monte', 'montaña'. La acepción secundaria 'arbolado o matorral', ya h. 1140; 'institución donde se pone el dinero a interés', 1535; *monte de piedad*, fin S. XVI. Deriv. *Montano*, 1490; *montanero*, 1256. *Montaña*, h. 1140, lat. vg. *MONTANEA*, plural neutro del adj. *MONTANEUS* 'montañoso'; *montañoso*, 1490. *Montaraz*, antiguamente 'guardabosque', 1140. *Montazgo*, 804. *Montear; montea* (como término de arquitectura, 1600, viene del fr. *montée*). *Montero*, 1335; *montera*, princ. S. XVII; *montería*, 2.º cuarto S. XIV. *Montés*, 1251. *Montón*, 1104; *montonera; amontonar*, 1495. *Desmontar* 'rozar monte', 1495; *desmonte*, 1607. *Promontorio*, 1490, lat. *promontorium* 'cabo'. *Tramontar*, h. 1530, del it. *tramontare. Tramontana*, 1502, probte. del cat. *tramuntana*, S. XIII. *Montar*, 1244, del fr. *monter* 'subir'; en la acepción 'subirse sobre un animal', 1728 (quizá ya S. XVI); *montado; montaje*, 1709; *montante*, h. 1680; *monto*, 1734; *montura*, 1734, fr. *monture; desmontar* 'apearse de una cabalgadura', 1623. *Remontar* 'ahuyentar', 1580, *-arse*,

1607, 'encumbrarse'; *remonta*, 1734; *remontuar*, S. XX, fr. *remontoir*, deriv. de *remonter* 'dar cuerda al reloj'. Cultismos: *Montículo*, 1884. *Montuoso*, 1438. CPT. *Montacargas. Montepío. Ultramontano; cismontano.*

MONUMENTO, 1140. Tom. del lat. *monumentum* 'monumento conmemorativo', derivado de *monēre* 'advertir'. Deriv. *Monumental.*

MONZÓN, 1678. Del port. *monção*, 1500, antiguamente *moução*, que primeramente significó 'estación más o menos apropiada para navegar', y procede del ár. *máusim* 'fecha o estación fijada para hacer algo', deriv. de *wásam* 'marcar', 'definir, fijar'.

Moña, V. *moño*

MOÑO, 1438. Probte. de una raíz prerromana MUNN- o MONN- 'bulto, protuberancia', que parece ser variante de la sinónima BUNN- (vid. *BOÑIGA*), cuyos representantes se hallan en todas las lenguas romances de la Península y de Francia, y reaparecen en vasco y aun en los idiomas neocélticos. Son todas antiguas las varias acepciones 'nudo de cabello', princ. S. XVII; 'copete de ciertas aves', 1734; 'lazo de cintas que adorna el cabello', S. XVII. Comp. *MUÑECA.* Deriv. *Moña* 'lazo de cintas', S. XIX. *Moñudo. Desmoñar*, princ. S. XVII.

Moquero, V. *moco*   *Mora* 'dilación', V. *morar*

MORA, 1490 (y deriv. ya 1070), 'fruto del moral, de la morera y de la zarza'. Del lat. vg. MŌRA íd., clásico MŌRUM. Deriv. *Morado*, med. S. XV. *Moretón*, 1884. *Moral* 'árbol de moras', 1070. *Morata*, adj. aplicado a una cereza de color negro; *amoratado*, princ. S. XVII. *Morera*, 1600. *Móreo.*

MORABITO 'especie de anacoreta musulmán', 1600. Del ár. *murábiṭ* 'ermitaño', participio de *rábaṭ* 'dedicarse con celo' (voz perteneciente a la familia de *REBATO*). De una pronunciación vulgar africana: fr. *marabout*, de donde el cast. *marabuto*; aplicado a una especie de cigüeña, ave sagrada para los moros, pasó también al francés, de donde el cast. *marabú*, 1884. Deriv. *Maravedí*, 1127, ár. *murābiṭî* 'relativo a los almorávides' (propte. 'ermitaños, celosos de la religión'), que acuñaron esta moneda.

Morada, V. *morar*   *Morado*, V. *mora*
Morador, V. *morar*

MORAL, adj., h. 1330. Tom. del lat. *moralis* íd., deriv. de *mos, mōris*, 'uso, costumbre', 'manera de vivir', propte. 'deseo, capricho'.

DERIV. *Moraleja*, med. S. XVII. *Morali-*
dad, 1413. *Moralista*, 1708. *Moralizar*, 1438.
Amoral; *amoralidad*. *Desmoralizar*, fin S.
XVIII.
CPT. *Morigerar* 'templar los afectos',
princ. S. XVII, lat. *morigerari* 'condescender (con alguien)', de la frase *morem gerere*
'dar gusto (a alguno)'; *morigerado*.

Moral (árbol), V. *mora*   *Moraleja, mo-*
ralidad. moralista, moralizar, V. *moral*

MORAR, h. 1140. Tom. del lat. *mŏrari*
'detener', 'entretenerse', 'quedarse, permanecer'.
DERIV. *Morada*, h. 1140. *Morador*, 1220-
50. *Moratoria. Mora* -'dilación', lat. *mŏra*;
moroso, 1515; *morosidad. Demorar*, 1220-
50; *demora*, 1587. *Rémora*, 1611, lat. *re-*
mŏra 'retraso', 'pez rémora', deriv. de *remo-*
rari 'retrasar'; *remolón* 'que huye del trabajo', 1736, probte. de **remorón*, deriv. de
un *remorar* procedente de dicho verbo latino; *remolonear*, 1736.

Moratoria, V. *morar*

MORBO, 1438. Tom. del lat. *mŏrbus* 'enfermedad'.
DERIV. *Morboso*, 1734; *morbosidad. Mór-*
bido, 1617, lat. *morbidus* 'enfermizo', que
en Italia tomó el sentido de 'blando, muelle', aplicado a las carnaciones; *morbidez*.

Morceguillo, V. *murciélago*

MORCILLA, h. 1400. Palabra típica del
cast. y el port. (*morcela*), de origen incierto. Parece haber parentesco con el cast.
morcón, 1599, que designa un embutido semejante. Si es así éste vendrá de un **MUR-*
CŌNE, y *morcilla*, de una base **MŪRCĔLLA*,
de la misma raíz. Seguramente prerromana;
y quizá emparentada con el vasco *mukurra*
'objeto abultado y disforme' (que puede
venir de **mukurna*), y con el céltico MU-
KORNO- 'muñón'.

MORCILLO 'color de caballo negro', 924.
Del lat. vg. MAURICĔLLUS íd., percibido como deriv. de MAURUS 'moro', por el color
moreno de los mauritanos (aunque es posible que en definitiva procediera del gr. *mâu-*
ros o *amaurós* 'oscuro').

Morcillón, V. *mejillón*   *Morcón*, V.
morcilla

MORDER, 1220-50. Del lat. MŎRDĒRE íd.
DERIV. *Mordedura*, 1438. *Mordiscar*, h.
1530, o *mordisquear*; *mordisco*, 1580. *Mor-*
daz, 1495, tom. del lat. *mordax, -ācis*, íd.;
mordacidad; *mordaza*, 1335, lat. vg. MOR-
DACIA íd., propte. plural neutro de dicho
adjetivo; *amordazar. Remorder*, h. 1550;
remordimiento, 1611. *Mordente*, del italia-

no. *Moscar* dial. 'hacer una muesca a las
castañas para que no estallen', del lat. vg.
*MOSSICARE (de ahí el cat. *mossegar*, sardo
mossigare 'morder'), asimilación de MORSI-
CARE 'mordiscar', que deriva de MORSUS
'mordido'; *muesca*, h. 1580.

MORENA (pez), princ. S. XV. Del lat.
MURAENA íd.

Moreno, V. *moro*   *Móreo, morera*, V.
mora   *Morería*, V. *moro*   *Moretón*,
V. *mora*

MORFEA 'especie de lepra', 1884 (cat.
morfea, S. XV; sicil. *murfía*, 1519). Tom.
del bajo lat. *morphea* íd., de un derivado
del gr. *morphé* 'forma', nombre que parece
haberle dado la Escuela Médica de Salerno
(S. XI) porque altera el color y aspecto del
atacado. Del mismo origen parece ser *mor-*
fa 'especie de hongo parásito', 1884, porque
destruye los tejidos de los árboles como la
morfea los de los animales.

Morfina, morfinómano, morfología, V.
amorfo

MORGANÁTICO, 1884. Tom. del bajo
lat. *matrimonium ad morganaticam*, es decir, boda en que el esposo sólo garantiza
a su esposa y a su descendencia la llamada
morganatica o *morgangeba* 'dádiva de la
mañana' (alem. *morgengabe*, de *morgen*
'mañana' + *gabe* 'don'), que aquél entrega
a ésta en la mañana del día de las nupcias.

Moribundo, V. *morir*   *Morigerado*, V.
moral

MORILLA 'colmenilla, especie de hongo', 1884. Del fr. *morille*, 1548, y éste probablemente del alem. ant. *morhila*. En alemán es un cpt. de *morha* (hoy *möhre*) 'zanahoria' y otra palabra que significa 'nudo
de madera, porra' (gót. *walus*, bajo alem.
med. *wal*), es decir, 'porra a modo de zanahoria', por el color amarillento oscuro del
hongo, parecido al de este tubérculo.

MORIR, fin S. X, del lat. MŎRI íd. (vulgarmente MORIRE).
DERIV. *Moribundo*, h. 1450, lat. *moribun-*
dus. Muerto, fin S. X, lat. MŎRTŬUS íd.
Mortaja, fin S. X, lat. MORTUALIA 'vestidos
de luto'; *amortajar*, 1438. *Mortuorio*, adj.,
1734 (antes sust., h. 1490). *Amortiguar*, S.
XIII. *Amortecerse*, h. 1140. *Amortizar*,
1734; *amortización. Muerte*, fin S. X, lat.
MORS, -TIS, íd. *Mortal*, h. 1200, lat. MORTA-
LIS; *mortalidad*; *mortandad*, 3.er cuarto S.
XIII; *inmortal*, 1438; *inmortalidad*, h. 1450;
inmortalizar, h. 1570. *Mortecino*, fin S. X,
lat. MORTICINUS.
CPT. *Mortífero*, h. 1440. *Mortificar*, 1438;
mortificación íd.

Morisco, morisma, morisqueta, V. *moro*

MORO, 1091. Del lat. MAURUS 'habitante del NE. de África'. Con el sentido 'de color oscuro' ya SS. XII y XIII.
DERIV. *Moreno,* 1204 (cat., ya 1002); *morenillo. Morería,* 1495. *Morillo,* 1611, por las cabezas humanas con que suelen adornarse, tiznadas por el fuego. *Morisco,* 966; *morisqueta,* 1605, propte. 'ardid propio de moros', luego 'ademán de zafarse', 'mueca'. *Morisma,* 1444 (*morismo,* 1220-50). *Morocho,* amer., 'maíz de grano duro', S. XIX, 'persona robusta', 'moreno, trigueño': parece tom. del quich. *muruch'u* 'cosa dura', 'maíz duro', 1560, pero influido por *moro* y *moreno. Moruno.*
CPT. *Hierbamora,* 1609.

Morocho, V. *moro* *Morondanga,* V. *desmoronar* *Morondo,* V. *mondo* *Moroso,* V. *morar*

MORRA (juego), princ. S. XVII. Del it. *mòra* (*morra* en varios dialectos), de origen incierto.

Morrada, morral, morralla, morrillo, morriña, morrión, V. *morro*

MORRO 'saliente que forman los labios abultados', 1734; 'monte o peñasco saliente pero de punta chata', 1591. Voz común a las tres lenguas romances de la Península y a muchos dialectos de Francia, Italia y Alemania. De origen incierto; probte. empezó designando los labios abultados del malhumorado que 'pone hocico', y fue primitivamente la onomatopeya MURR- del refunfuño; secundariamente, sobre todo en derivados, se ha extendido a otros objetos de forma abultada.
DERIV. *Morra* 'parte superior de la cabeza', princ. S. XVI; *morrada; morrillo,* 1734; *morrión* 'armadura de lo alto de la cabeza', 1605 (*murrón* h. 1570). *Morral,* 1734. *Morralla,* 1734. *Morrón* (*pimiento* —), por su forma abultada. *Morrudo. Amorrar,* 1646. *Morriña,* 1734 (del port. y gall. *morrinha*), *murria,* 1611, y *murrio,* princ. S. XVII, se explican por la idea de 'poner hocico', mostrar mal humor'.
CPT. *Cancamurria,* princ. S. XVII.

Morro 'gato', V. *marrullero* *Morrocota,* V. *morrocotudo*

MORROCOTUDO, 1859. Voz de importación americana. Significó primitivamente 'muy rico' y es deriv. de *mo(r)rocota,* que en varios países ribereños del Caribe significa 'onza de oro de a 20 pesos'. Éste a su vez parece deriv. de *morocoto* 'pez fluvial de gran tamaño y de colores brillantes',

que debe de proceder de una lengua indígena de Venezuela.

MORROCOYO 'tortuga', 1745. Del cumanagoto *morrokoy* íd.

Morrón, V. *morro* *Morrongo,* V. *marrullero*

MORSA, 1884. De una lengua de Finlandia (lapón o finlandés), por conducto del francés, 1556, o el inglés, 1475.

MORTADELA, 1925. Del it. *mortadella* íd., que viene de un diminutivo del lat. MÛRTÂTUM 'embutido sazonado con mirto', deriv. del lat. MYRTUS 'mirto' (vulgar MURTUS).

Mortaja 'sudario', V. *morir*

MORTAJA 'muesca', 1734. Probte. se llamó así porque es como la vestidura mortuoria donde queda enterrada la espiga o saliente de la otra pieza. Es posible que se tomara del fr. *mortaige,* 1498, variante de *mortaise* íd., S. XIII, que a su vez significaría también 'sudario' en su origen.

Mortal, mortalidad, mortandad, mortecino, V. *morir*

MORTERO, 1210. Del lat. MORTARIUM íd. DERIV. *Morterete,* 1586. *Morteruelo,* h. 1400.

Mortífero, mortificar, mortuorio, V. *morir* *Moruca,* V. *samarugo*

MORUECO 'macho de la oveja', S. XIII. Probte. lo primitivo es *marueco,* S. XIII, alterado junto con *amorecer* por *amarecer* 'cubrir el morueco a la oveja', por influjo de *amor. Marueco* y *amarecer* son probte. del mismo origen prerromano que el arag. *mardano,* cat. *marrà,* vasco *marro,* oc. *màrrou, màrri,* de igual significado. La -r- sencilla del castellano indica que el vocablo sufrió el influjo del lat. MAS, MARIS, 'macho' (del cual no pueden venir dichas formas).

Morujes, V. *murajes*

MOSAICO, 1611, antes *musaico,* 1435-9. Probte. del it. *mosaico* íd., h. 1325, que parece ser alteración del gr. *múseios* 'relativo a las Musas', 'artístico' (por una confusión meramente formal con *Mōsaikós* 'relativo a Moisés').

MOSCA, 1161. Del lat. MÛSCA íd. DERIV. *Moscarda,* 1495; *moscardón,* 1611. *Moscón; mosconear. Mosquear,* 1495; *mosqueado. Mosquete,* 1535, del it. *moschetto,* h. 1340, 'flecha lanzada por una ballesta', de ahí 'ballesta' y luego 'mosquete'; *mosquetero*; *mosquetón*, con cuya acepción 'anilla que se abre mediante un muelle', 1925, comp. el antiguo *mosquero* íd., 1365. *Mosquito*, h. 1400; *mosquitero*. *Amoscar*, 1540.

Moscarda, moscardón, V. *mosca Moscatel*, V. *almizcle Moscón*, V. *mosca Mosqueado, mosquear, mosquete, mosquetero, mosquetón, mosquitero, mosquito*, V. *mosca*

MOSTACHO, 1591 (*mostazo*, 1570). Del it. *mostaccio*, S. XV, variante de *mustacchio* íd. En esta lengua procede del gr. *mystákion*, diminutivo del clásico *mýstax* 'labio superior' y 'bigote'.

MOSTACHÓN, 1618. Probte. del lat. MŪSTACĔUM 'especie de pastel, hecho con laurel y vino dulce', deriv. del lat. MUSTUM 'mosto'; al parecer vino por conducto del it. *mostacciuolo*, med. S. XVI, con cambio de sufijo.

MOSTAJO 'especie de serbal silvestre', S. XIII. Probte. deriva de *mostaja*, 934, nombre de su fruto, y éste de *MUSTALIA, deriv. de MUSTUM 'vino nuevo': por el gusto a vino de ciertas variedades de serba y por la costumbre de conservarlas en vino cocido.
DERIV. *Mostellar*, 1763, forma aragonesa y leonesa en lugar de *mostallar* (*mostayal*, S. XVIII).

Mostaza, V. *mosto Mostellar*, V. *mostajo*

MOSTO, 1220-50. Del lat. MŪSTUM íd.
DERIV. *Mostaza*, h. 1400: al principio se aplicó a salsas hechas con mostaza machacada con mosto para atenuar su picazón, y de ahí pasó a la mostaza misma; *mostacera*; *mostacilla*; *amostazar*. *Remostecerse el vino*, 1495; *remostar* íd.

MOSTRAR, h. 1140. Del lat. MONSTRARE 'mostrar, indicar, advertir'.
DERIV. *Muestra*, 1288; *muestrario*. *Mostrador*, 1734 ('dedo índice' 1490). *Demostrar*, h. 1140, lat. DEMONSTRARE íd.; *demostración*, 1570; *demostrativo*, 1616.

MOSTRENCO, 1287. Antiguamente *mestengo*, 1495, o *mesteño*, 1533, del cual es alteración. Es deriv. de *mesta* y significó primero 'perteneciente a la mesta' (véase); la alteración se debe al influjo del verbo *mostrar*, por la obligación que tenía, el que encontraba animales sin dueño, de hacerlos manifestar por el pregonero o *mostrenquero*; de 'animal sin dueño' pasó a 'vagabundo', 'indómito' y 'sin valor'.

MOTA 'cerrito', 1218; 'gleba, terrón', 1899; 'broza, partícula', princ. S. XV; 'cabello enmarañado'. S. XIX. Voz común con los principales romances de Occidente, y especialmente arraigada en Francia, los Alpes y el Norte de Italia. Origen incierto, probablemente prerromano.
DERIV. *Motear* 'salpicar de motas', 1734.

Motacila, V. *mover*

MOTE, 1220-50. Tom. del oc. y fr. *mot* 'palabra', 'sentencia breve', y éstos del lat. vg. MŪTTUM, onomatopeya empleada en frases como *non muttum facere* 'no abrir la boca, no decir chus ni mus'.
DERIV. *Motejar*, 1495; *motejo*. *Motete*, 1335, de oc. ant. *motet*.

Motear, V. *mota Motejar, motejo, motete*, V. *mote Motil, motilón*, V. *mutilar* y *mochila Motín, motivar, motivo, moto, motocicleta, motolita*, V. *mover*

MOTÓN 'especie de garrucha', h. 1573. De oc. *cap de moton* íd., propte. 'cabeza de carnero'.

Motor, motorista, motriz, V. *mover*

MOVER, h. 1140. Del lat. MŎVĒRE íd.
DERIV. *Movedizo*, princ. S. XIV. *Movible*, 1438. *Movimiento*, h. 1250. *Mueble*, 1030, lat. MŌBĬLIS (el diptongo se debe al influjo de *mueve* y demás formas del verbo *mover*); *mueblista*; *amueblar* (o *moblar, mueblar*); *moblaje*, 1884; *mobiliario, inmobiliario*. *Conmover*, princ. S. XV. *Remover*, S. XV.
Motín, hacia 1580, del francés anticuado *mutin* íd., sustantivación del adjetivo *mutin* 'revoltoso', antes *meutin*, deriv. del antiguo *muete* 'rebelión', lat. MOVĬTA 'movimiento'; *amotinar*, h. 1600.
Cultismos: *Amovible*, deriv. de lat. *amovere* 'separar'; *amovilidad*; *inamovible*; *inamovilidad*. *Conmoción*.
Emoción, 1604 (no se generalizó hasta el S. XIX), del fr. *émotion*, S. XVI, deriv. de *émouvoir* 'conmover'; *emocionar*, S. XIX; *emocionante*; *emocional*; *emotivo*. *Moción* 'proposición en un cuerpo deliberante', 1869, del ingl. *motion* íd., deriv. de *move* 'proponer'. *Momento*, 1438, lat. *momĕntum* íd., propte. 'movimiento'; *momentáneo*, 1438. *Motacila*, 1611, lat. *motacilla* íd., por el movimiento incesante de su cola; *motolita*, 1611, por *motacilita*; *motolito* 'bobo', 1605. *Motivo*, 1438, lat. *motivus* 'relativo al movimiento'; *motivar*. *Motor*, S. XVII, lat. *motor, -oris*, 'que mueve, movedor'; *motorismo, motorista; motriz; motorizado, -ar*. *Móvil*, 1499, lat. *mōbĭlis* 'movible'; *movilidad; movilizar*, 1855; *movilización*:

mobiliario, 1855; *inmóvil*, 1579-90 (antes *inmoble*, h. 1565). *Promover*, h. 1640; *promotor*; *promoción*, h. 1570. *Remoto*, 1444, lat. *remōtus*, participio de *removere* 'apartar': *remoción*.
CPT. *Automóvil*, 1909, comúnmente abreviado en *auto*; *automovilista, automovilismo. Motocicleta*, comúnmente abreviado en *moto. Motonave. Semoviente*, lat. *se movens* 'que se mueve a sí mismo'.

Moyo, V. *modo*

MOYUELO 'salvado muy fino', 1604. Origen incierto.

Moza, mozalbete, V. *mozo* *Mozárabe*, V. *arabesco*

MOZO, 1182. Voz peculiar al cast. y al gall.-port., de origen incierto. Es probable que, lo mismo que *muchacho*, significara primitivamente 'rapado, pelado', por la costumbre de llevar en esta forma a los niños; luego debe de pertenecer a la familia del vasco *motz* 'rapado', gall. *esmozar* 'descabezar un árbol', fr. *mousse* 'despuntado' (y demás voces citadas a propósito de *mocho*), palabras de creación expresiva.
DERIV. *Moza*, 988. *Mozuelo*, 1335; *mocito. Mocedad*, h. 1250. *Mocetón. Remozar*, h. 1570.
CPT. *Mozalbete*, antes *mozalbillo*, h. 1500, formado con *albo* 'blanco', por la falta de bigote.

MUARÉ, 1884. Del fr. *moiré*, participio de *moirer* 'labrar un paño de manera que forme aguas', deriv. de *moire* 'muaré'; éste se tomó del ár. *muḫáyyar* 'paño de piel de cabra', propte. participio pasivo de *ḫáyyar* 'escoger, preferir'.

MUCAMA 'camarera', amer., 1869. Palabra procedente del Brasil, de origen incierto, indígena o africano.
DERIV. *Mucamo*, 1890.

MUCETA, 1592. Diminutivo de *muza*, S. XV, o *almuza* íd. En esta última forma o en variantes análogas el vocablo está extendido en todas las lenguas romances y germánicas de Occidente; bajo latín *almucia* o *almucium*. De origen incierto; tal vez resultante de un cruce de los sinónimos lat. *amictus* y *capucium*.

Mucilaginoso, mucilago, mucoso, V. *moco*

MUCHACHO, 1570; antes *mochacho*, 1251. Probte. deriv. de *mocho* en el sentido de 'esquilado, rapado', por la vieja costumbre de que los niños y jovencitos llevaran el pelo corto (comp. MOZO). De ahí la abreviación *chacho, chacha*.

DERIV. *Muchachada*, 1734. *Muchachez*, S. XVII. *Muchachuelo.*

MUCHO, med. S. X, del lat. MŬLTUS, -A, -UM, íd. La forma más antigua fue *muito*, que empleada como adverbio se apocopaba en *muit* y *muy*.
DERIV. *Muchedumbre*, h. 1250; cultismo: *multitud.*
CPT. *Multicolor. Multiforme. Multimillonario. Múltiple* y *múltiplo*, del lat. *multĭplus*; *multiplicar*, S. XV, lat. *multiplicare*; *multiplicación*, 1495; *multiplicidad.*

MUDAR, h. 1140. Del lat. MŪTĀRE 'cambiar'.
DERIV. *Muda. Mudable*, h. 1440, o *mutable; inmutable. Mudanza*, 1444. *Demudar*, 1220-50. *Remudar*, 1444. *Trasmudar*, 1438. *Transmutación. Permutar*; *permuta. Conmutar*, S. XV, tom. del lat. *commutare* íd.; *conmutación. Inmutar*, lat. *immutare. Mutación. Mutuo*, S. XVII, tom. del lat. *mutuus, -a, -um*, 'recíproco, mutuo'; *mutual*; *mutualidad.*

MUDÉJAR, 1571. Del ár. *mudéȳȳen* 'aquel a quien se ha permitido quedarse', participio pasivo de la 2.ª forma de *dáȳan* 'permanecer'.

MUDO, h. 1140. Del lat. MUTUS, -A, -UM, íd.
DERIV. *Mudez*, S. XVII. *Enmudecer*, 1495. *Mutismo*, h. 1880.

Mueblaje, mueble, mueblista, V. *mover*

MUECA, princ. S. XVI. En fr. anticuado *moque* 'burla', fr. *moquer* 'burlar', port. *moca* 'burla', it. dial. *mòcca* 'mueca'. Todos ellos proceden de una raíz romance MǪCC-, de origen incierto, probte. de creación expresiva y paralela a las de *mofa* y *momo.*

Muela, V. *moler*

MUELLE I, adj., h. 1250. Del lat. MŎLLIS 'flexible', 'blando', 'suave'. Sust. 'pieza elástica de metal', 1596.
DERIV. *Mollar*, 1611. *Molledo*, 1590. *Mollera*, 1220-50, así llamada por tratarse de un lugar blando, especialmente en los niños. *Molletas*, 1495. *Mollete*, 1495; *molleta. Mollina*, med. S. XV, o *mollizna; molliznar. Mullir*, antes *mollir*, 1251, lat. MOLLIRE; *mullida; mullido. Muletón*, del fr. *molleton* íd. Cultismos: *Emolir; emoliente. Molicie* (*mollicia*, 1495), lat. *mollĭties. Molitivo. Malacia*, gr. *malakía* 'blandura', de *malakós*, hermano y sinónimo del lat. *mollis.*
CPT. *Molificar; molificación; molificativo. Malacopterigio*, del citado gr. *malakós* y *pterýglon* 'aleta'.

MUELLE II, sust., 'dique de embarque y desembarque', 1591. Del bajo gr. *mólos* íd., S. VI, por conducto del cat. *moll*, princ. S. XIV. La palabra griega, a su vez, se tomó del lat. MOLES íd., propte. 'masa. mole'. La forma italiana *molo* pasó también al castellano localmente.

Muelle 'pieza elástica', V. *muelle* I

MUÉRDAGO 'planta que da el visco' 1505 (y *mordago* S. X), 'sustancia viscosa para coger pájaros', origen incierto: aunque se suele derivar de lat. MŎRDĬCUS 'mordiendo', que si bien casi sólo se empleó como adverbio, tardíamente aparece alguna vez como adjetivo, quizá más bien proceda de un vasco ant. *MUIR-TAKO 'para visco, planta empleada para sacar el muérdago', comp. vasco mod. *miur(a)* 'muérdago' y vasco *mihurtu* 'granar'.

MUERMO, fin S. XIII, 'enfermedad de las caballerías con flujo de la mucosa nasal'. Alteración de *muerbo*, que hoy se conserva en el Alto Aragón, comp. el cat. ant. y gascón *morb* y el fr. *morve* íd. Del lat. MŎRBUS 'enfermedad', que en la baja época se aplica especialmente al muermo. DERIV. *Mormoso*, 1495, o *muermoso*. *Amormado*, 1613.

Muerte, muerto, V. *morir   Muesca,* V. *morder   Muestra, muestrario,* V. *mostrar*

MUGA, arag., nav., 'linde', S. XIII, con variantes *buga* y *buega*. Del vasco *muga* íd.

MUGIR, 1413. Tom. del lat. *mūgīre* íd. DERIV. *Mugido*, 1628. *Mugiente.*

MUGRE, 1570 (*mudre*, 1490). Alteración del dialectal *mugor* 'suciedad', 'moho', que procede del lat. MŪCOR, -ŌRIS, 'moho', 'acto de cubrirse el vino de moho' (deriv. de MUCĒRE 'enmohecerse, echarse a perder'). Esta alteración se debe al influjo de *mugriento*, 1490, que es síncopa regular de *mugoriento*; tal vez, aunque es incierto, actuara también, como factor auxiliar, el modelo de *podre*.

MUGRÓN 'sarmiento que se entierra para que arraigue', 1335. De un derivado del lat. MERGUS íd., de donde vienen por otra parte el antiguo *murgón*, h. 1250 (hoy dialectal), y el cat. *murgó*, procedentes de un lat. vg. *MERGO, -ŌNIS. La forma castellana (reducción de *murgrón*) vendrá más bien de un *MERGORO, -ǷNIS, que arranca del lat. vg. MERGŎRA, existente junto a MERGUS. DERIV. *Amugronar*, 1490; *amugronador*, 1335.

Muguete, V. *musgo   Muharra,* V. *mojarra*

MUJER, 1113. Del lat. MŬLĬER, -ĔRIS, íd. DERIV. *Mujercilla; mujerzuela. Mujeriego,* 1490. *Mujeril,* 1490. *Mujerío,* 1884. *Mujerona; mujeruca.*

MÚJOL, 1734 (*mugle*, 1495). Del lat. MŪGIL, -ĬLIS, íd., por conducto del cat. *mújol*, 1324; *múgil*, 1628, es variante culta.

Mula, V. *mulo   Muladar,* V. *muro*

MULADÍ 'cristiano renegado', S. XIX. Del ár. *muwalladín*, plural de *muwállad* íd., propte. 'adoptado' (participio de la 2.ª forma de *wálad* 'dar a luz').

Mular, mulato, mulero, muleta, muletilla, muleto, V. *mulo   Muletón,* V. *muelle*

MULO 'macho', 1042. Del lat. MŪLUS íd. DERIV. *Mula,* h. 1140, lat. MŪLA. *Mular. Mulato,* 1525, propte. 'macho joven', por comparación de la generación híbrida del mulato con la del mulo; *mulata,* 1602; *amulatado. Mulatero,* 1490; *mulero. Muleto,* 1275; *muleta* 'cría femenina del género mular', 1495, de donde 'palo con travesaño en que se apoya el cojo', 1570: en cierto modo le lleva como la mula a su jinete; *muletilla.*

MULTA, 1495. Tom. del lat. *mŭlta* íd. DERIV. *Multar,* 1495.

Multicolor, multiforme, múltiple, multiplicar, multiplicidad, mú'tiplo, multitud, V. *mucho   Mullido, mullir,* V. *muelle* I *Mundanal, mundano, mundial,* V. *mundo Mundificar,* V. *mondo*

MUNDO, h. 1140. Del lat. *mŭndus,* por vía semiculta. DERIV. *Mundano,* 1438, o *mundanal,* 1399. *Mundial.* h. 1440, raro hasta princ. S. XX. *Mundillo.* CPT. *Mundinovi,* del it. *mondi nuovi,* propte. 'los nuevos mundos'; *mundonuevo.*

MUNICIÓN, 1490. Tom. del lat. *munitio, -ōnis,* 'trabajo de fortificación', 'refuerzo', deriv. de *munire* 'construir, fortificar' (que a su vez lo es de *moenia* 'murallas'). DERIV. *Amunicionar. Municionero.*

MUNICIPIO, 1490. Tom. del lat. *municĭpium* íd., cpt. de *munus* 'oficio, obligación, tarea' y *căpĕre* 'tomar'. DERIV. *Municipal,* 1734; *municipalidad; municipalizar.*

Munificencia, V. *remunerar*

MUÑECA 'hito, mojón', 1011: de ahí, a través de la idea de 'protuberancia', se pasó por una parte a 'articulación abultada de la mano con el brazo', fin S. XIII, y por la otra a 'lío de trapo de forma redondeada',

h. 1400 (de donde luego 'figurilla que sirve de juguete'). Palabra prerromana, hermana del port. *boneca* 'muñeca de jugar. etc.'; como antes se dijo *moñeca*. SS. XI-XIV, la base común fue *BONNĬCCA*. pero éste a su vez podría resultar, por asimilación, de *BODINICCA*, a juzgar por el antiguo nombre de lugar *Bodenecas* (SS. VI-VII), deriv. céltico de BODĬNA, de donde viene el fr. *borne* 'mojón'. No es imposible, aunque ya más inseguro, que con éste a su vez se relacione la familia de *moño* (véase), en su sentido etimológico de 'objeto abultado', evidentemente emparentada con *muñeca*.

DERIV. *Muñeco*, 1495. *Muñón*, 1611, pertenece a la misma raíz; *muñonera*.

Muradal, V. *muro*

MURAJES *'Anagallis arvensis L.'*, 1553. Del gall.-port. *muragem* íd., que procede de un tipo romance *MURAGO, -AGINIS*, relacionado con los nombres de la misma planta en portugués (*murugem, morrião*), cat. (*morrons*) y fr. (*mouron*), de origen incierto; quizá deriv. del lat. MUS, MURIS, 'ratón', teniendo en cuenta que el mismo nombre se ha aplicado a la miosota u oreja de ratón y a la *Stellaria media* o 'pamplina' (cast. provincial *morujes*).

Mural, muralla, V. *muro*

MURCIÉLAGO, 1251. Metátesis de *murciégalo*, h. 1325, que es ampliación de *mur ciego*, h. 1250, propte. 'ratón ciego'. En varias provincias se dice *murceguillo* (*morc-*). *Mur* 'ratón', del lat. MUS, MŪRIS, íd., se empleó en toda la Edad Media. De *murciélago* es abreviación el jergal *murcio* 'ladrón', 1609, a quien se le dio este nombre por actuar de noche.

DERIV. del lat. *mus*: *Múridos*.

Murcio, V. *murciélago   Murga,* V. *músico   Murgón,* V. *mugrón   Muriacita, muriato, muriático,* V. *salmuera* (artículo *sal*)   *Múridos,* V. *murciélago   Murmujear, murmullo,* V. *murmurar*

MURMURAR, 1220-50. Tom. del lat. *mŭrmŭrare* íd.

DERIV. *Murmullo*, 1335; antes *murmurio*, S. XIII, lat. *murmurium*; también se dijo *murmujo*, 1489, de ahí *murmujear*, S. XVI. *Murmuración*, h. 1440. *Murmurador*.

MURO, 1220-50. Del lat. MŪRUS 'muralla', 'pared'.

DERIV. *Mural. Muralla*, S. XV: no es palabra castiza en castellano; a su adopción pudo cooperar el it. *muraglia*, h. 1300, con el b. lat. MURALIA, propte. plural neutro del adjetivo MURALIS; *amurallar*, princ. S. XIX; *murallón. Murar. Murete. Murón*, 1381. *Antemuro; antemural. Muladar*, 1329; antes *muradal*, 1106, propte. 'lugar próximo al muro exterior de una casa o población, donde se arrojan inmundicias'.

CPT. *Extramuros* 'fuera de los muros'.

Murria, murrio, V. *morro*

MUS, *juego del —*, 1843. Del vasco *mux* (o *mus*), y éste del fr. *mouche* íd., propte. 'mosca'.

MUSA, med. S. XV. Tom. del lat. *mūsa*, y éste del gr. *mûsa* íd.

DERIV. *Musáceo. Museo*, 1611, lat. *musēum* íd., propte. 'lugar dedicado a las musas', 'biblioteca', gr. *muséion*.

MUSARAÑA, h. 1250, 'pequeño mamífero insectívoro', 1611; 'cualquier sabandija', 1627; 'nubecilla que se pone ante los ojos', 1614. Del lat. MŪS ARANĔUS 'dicho mamífero', propte. 'ratón araña', así dicho por la creencia vulgar de que su mordedura es venenosa como la de la araña. De la misma palabra parece ser deformación el otro nombre castellano *musgaño*, 1555, o *murgaño*, 1495.

Muscular, musculatura, músculo, V. *muslo*

MUSELINA, 1765-83. Del it. *mussolina* (por conducto del fr. *mousseline*, 1656), antes *mussolino*, S. XIV, que a su vez se tomó del ár. *mausilî* íd., propte. 'hecho en Mosul (ár. *Máusil*), ciudad de Mesopotamia'.

Museo, V. *musa*

MUSEROLA, 1611. Del it. *museruola* íd., deriv. de *muso* 'hocico'.

Musgaño, V. *musaraña*

MUSGO, 1591. Del lat. *muscus* íd. De una forma semejante deriva en francés *muguet*, de donde el cast. *muguete*.

MÚSICO, 1438, lat. *musĭcus*. Del gr. *musikós* íd., primitivamente 'poético', deriv. de *mûsa* 'musa'.

DERIV. *Música*, h. 1250, gr. *musikē*; de una forma semipopular de este vocablo, *musga*, saldrá *murga* 'compañía de músicos callejeros y desentonados'. 1884, 'comparsa carnavalesca', 'cosa fastidiosa'.

CPT. *Musicógrafo. Musicómano. Musicólogo.*

MUSITAR, 1616. Tom. del lat. *mussĭtāre*, deriv. de *mussare* íd.

Muslime, V. *musulmán*

MUSLO, S. XIII. Del lat. MŬSCŬLUS 'músculo', especializado para nombrar lo alto de la pierna, parte musculosa y carnosa por excelencia. En el sentido primitivo se ha tomado *músculo*, h. 1730, por vía culta.

DERIV. *Musculoso*, h. 1580. *Muscular. Musculatura. Intramuscular.*

MUSTELA, 1624. Tom. del lat. *mustēla* íd., propte. 'comadreja'.

MUSTIO, 2.° cuarto S. XIV. Probte. del lat. vg. *MŪSTĬDUS* 'viscoso, húmedo', cuyo sentido se conservó en el oc. ant. *moste*, pero evolucionó en cast. por la flojedad de las cosas mojadas.

DERIV. *Mustiarse*, 1925. *Enmustiar.*

MUSULMÁN, 1765-83. Tom. del persa *musulmân* íd., por conducto del francés. La forma persa es derivada del ár. *múslim* íd., participio activo del verbo *'áslam* 'obedecer la voluntad de Dios'. *Muslime*, 1884, préstamo directo del árabe, se empleó desde

antiguo en castellano (*mozlemo*, S. X). De la misma raíz arábiga: *Islam* y *zalema*.

DERIV. *Muslímico.*

Mutable, mutación, V. *mudar*

MUTILAR, 1553. Tom. del lat. *mŭtĭlare* íd. (deriv. de *mutĭlus* 'mutilado', propte. 'descornado'). Dialectalmente se emplea *motilar* para 'cortar el pelo', de donde *motilón* 'lego tonsurado', 1596; 'muchacho', princ. S. XVII (comp. *muchacho* y *mozo*). V., además, *MOCHILA.*

DERIV. *Mutilación*, 1553.

MUTIS, 1899 (acotación para hacer retirar a un actor). Probte. el empleo primitivo fue como exclamación para hacer callar, y se tomó del oc. *mutus* íd., que será el lat. *mutus* 'mudo', empleado humorísticamente; de ahí también el fr. *motus*, 1622 (con influjo de *mot* 'palabra').

Mutismo, V. *mudo*   *Mutual, mutualidad, mutuo* V. *mudar*   *Muy*, V. *mucho*

N

Naba, V. nabo

NABAB, 1884, 'hombre riquísimo'. Tom.
del hindustani navāb 'gobernador, virrey' (y
éste, a su vez, del ár. nūwāb, plural de
nā'ib 'lugarteniente'). Al principio era un
alto funcionario del imperio del Gran Mogol, después se aplicó a los príncipes de la
India, de fastuosa riqueza.

Nabiza, V: nabo

NABO, h. 1330. Del lat. NAPUS íd.
Deriv. Naba, 1734. Nabar. Nabina, 1611.
Nabiza.

NÁCAR, 1495. Probte. del ár. vg., donde
náqar y náqor designan varios instrumentos
músicos y en particular la 'caracola o cuerno de caza' (derivados del verbo náqar
'tocar', aplicado a varios instrumentos). En
romance desde el sentido de 'caracola' pasó
a designar los mariscos de donde se sacó
el nácar y luego esta sustancia. En catalán
nacre, además del nácar, significó un instrumento músico, princ. S. XIV, probte. el
cuerno, y todavía designa un marisco en
forma de cuerno. El mismo origen tienen
noca y anácara, nombre asturiano y gallego de la centolla, otro marisco.
Deriv. Nacarado, fin S. XVI. Nacarino.
Nacrita, del fr. nacrite.

NACER, 2.ª mitad S. X. Del lat. NASCI
íd.
Deriv. Nacimiento, h. 1280. Nacencia.
h. 1300. Nacido. Naciente. Nación, 1444,
tom. del lat. natio, -ōnis, íd., propte. 'raza'
y antes 'nacimiento'; nacional; nacionalidad; nacionalismo; nacionalista, S. XX;
nacionalizar; internacional. Renacer; rena-
cimiento; renaciente, renacentista. Natal,
1220-50, lat. natalis íd.; natalicio; natalidad. Nativo, h. 1580, lat. natīvus íd.; natividad, h. 1440, del cual es abreviación Navidad, 1220-50 (nadvidad, 1205); navideño.
Nato, lat. natus 'nacido'. Natura, h. 1140,
lat. natūra 'nacimiento', 'manera de ser'.
'lo natural, la naturaleza'; natural, h. 1140;
naturaleza, 1206; naturalidad; naturalismo,
naturalista; naturalizar; sobrenatural; naturismo, naturista; desnaturalizar, 1599;
connatural, connaturalizar.
Innato, 2.º cuarto S. XV, lat. innātus,
propte. 'que ya estaba al nacer' (part. de
innasci 'nacer en alguien'). Entenado, 1570,
alteración de antenado, 3.er cuarto S. XIII,
cpt. de ante y nado (antiguo participio de
nacer), con el sentido de 'nacido antes de
casar (con la persona en cuestión)'.

Nacrita, V. nácar   Nada, V. nadie

NADAR, 1220-50. Del lat. NATARE íd.
Deriv. Nadador, 1495. A nado, 1490. Sobrenadar, h. 1716. Natación; natatorio.

Nadería, V. nadie

NADIE, 1495, antes nadi, h. 1140. Primitivamente se empleó siempre en frases
negativas como nadi no lo hicieron, donde
procede del lat. HOMINES NATI NON FECERUNT 'personas nacidas no lo hicieron' =
'nadie lo hizo' (NATI es plural de NATUS
'nacido'); en combinaciones frecuentes como nadi ha venido se cambió en naid ha
venido, de ahí naide y, reaccionando contra
el vulgarismo, nadie. Nada, 1074, procede
paralelamente de cosa nada, S. X. lat. RES
NATA 'cosa nacida' (empleada ya en latín
con el sentido de 'el asunto en cuestión';

de REM NATAM NON FECIT, *nada no hizo* 'no hizo el asunto', de donde 'no hizo nada', proble. bajo el influjo del sentido de *nadie*).
DERIV. *Nadería,* fin S. XVI.
CPT. *Nonada,* ant., 'nadería, cosa nula', S. XV; *anonadar,* princ. S. XVII; *anonadamiento.*

NADIR 'punto opuesto al cenit', 1515. Del ár. *naẓír* 'opuesto'.

Nado, V. *nacer* y *nadar*

NAFTA, 1624, lat. *naphtha.* Tom. del gr. *náphtha* 'especie de petróleo o asfalto', voz de origen persa. Muy poco usado antes del S. XX, y hoy todavía en varios países, parece haberse generalizado en parte de América por influjo inglés.
DERIV. *Naftalina,* h. 1900.

NAIPE, h. 1400. Voz común con el portugués (donde significa 'palo del juego de cartas'), del mismo origen incierto que el cat. ant. *naíp,* 1371, y el it. ant. *naibo,* 1376, donde es nombre del juego, y cuya acentuación en la *i* parece ser la primitiva. Las etimologías arábigas que se han propuesto carecen de fundamento y ni siquiera está probado que el juego (por lo menos en forma análoga a la actual) proceda de Oriente; en Asia no hay testimonios seguros del juego hasta el S. XVII (aunque ya antes se emplearon cartas para adivinar), en África hasta el XV, mientras que en el Sur de Francia y en Cataluña abundan desde princ. S. XIV, y como la terminología asiática y africana de este juego es de origen europeo, es probable que acá se creara el nombre y aun el juego en su forma moderna (éste quizá con algún antecedente oriental).

NAIRE, 1578, 'el que cuida de un elefante'. Del port. *naire* íd., voz procedente de la India, del malayala *nāyar* 'hombre de casta militar'.

NAJARSE 'marcharse', fin S. XVIII. Del gitano *našar* íd., y éste del sánscr. *naçyati* 'č saparece, se escabulle'.

NALGA, h. 1400. Del lat. vg. NATĬCA íd., deriv. del clásico NATES íd.; la antigua forma castellana *nadga,* h. 1400, fue sustituida por la dialectal *nalga,* de origen leonés u occidental.
DERIV. *Nalgada,* 1495. *Nalgatorio. Nalguear,* 1495.

NANQUÍN, 1846. Del nombre de esta ciudad de la China, de donde se importaba este tejido.

NANSÚ, amer., 1836. Del ingl. *nainsook,* 1804, y éste de origen índico: del urdu *nainsuḫ* íd., cpt. de *nain* 'ojo' y *suḫ* 'placer'.

NARANJA, fin S. XIV. Del ár. *nāránẏa,* y éste del persa *nârang,* sánscr. *nārangáḫ,* íd.
DERIV. *Naranjo,* h. 1330. *Naranjada. Anaranjado. Naranjero. Auranciáceo,* deriv. del lat. mod. *aurantia* (latinización del fr. *orange,* del mismo origen que *naranja*).

Narceína, V. *narcótico*

NARCISO, 1490, lat. *narcissus.* Tom. del gr. *nárkissos* íd.
DERIV. *Nurcisismo,* alusivo al personaje mitológico Narciso, enamorado de sí mismo.

NARCÓTICO, 1581. Tom. del gr. *narkōtikós* íd., deriv. de *nárkē* 'adormecimiento, entumecimiento'.
DERIV. *Narcosis. Narcotina. Narcotismo. Narcotizar. Narceína.*

NARDO, 1438, lat. *nardus.* Tom. del gr. *nárdos,* íd.

NARIZ, 1171. Antiguamente designaba también cada una de las ventanas de la nariz, como todavía el cat. *nariu,* oc. *naritz,* it. *narice*; procedentes del lat. vg. NARĪCAE, de este significado, resultante de un cruce del lat. NARES íd. y 'nariz' con NASĪCA 'persona de nariz afilada y puntiaguda'.
DERIV. *Narigudo,* 1495; lat. vg. *NARĪCŪTUS; narigón; narigueta; desnarigar,* 1495, *-gado. Narizota. Nasal,* deriv. del lat. *nasus* 'nariz'; *nasalidad.*

NARRAR, 1438. Tom. del lat. *narrare* íd.
DERIV. *Narración,* h. 1440. *Narrador. Narrativo. Inenarrable,* deriv. del deriv. latino *enarrare* 'explicar'.

NARRIA 'rastra, trineo', 1495. Voz emparentada con el vasco. *nar* o *narra* 'arrastre', 'trineo', de origen perromano.

NARVAL, 1706. Tom. del danés *narhval* íd., cpt. de *hval* 'ballena' (*whale* en inglés). Otro cpt. de éste es *rorcual,* 1884, del noruego *røyrkval,* cuyo primer componente viene del escand. ant. *reyðr,* primitivo nombre de este cetáceo.

NASA 'especie de cilindro de juncos para pescar', 1490. Del lat. NASSA íd.

Nasal, nasalidad, V. *nariz*

NASTUERZO, 1385. Del lat. NASTŪRTĬUM; la variante con *m-,* que ya parece haber existido en latín vulgar, es también la propia del gallegoportugués, el sardo y hablas del Sur de Italia.

NATA, 1335. Probte. del mismo origen que el fr. *natte* 'estera', a saber: de NATTA, variante del lat. tardío MATTA íd., voz de origen semítico. En efecto, MATTA ha dado también el cat. *mató* 'requesón', 'leche cuajada', cuya parentela se extiende por varios dialectos franceses y alemanes. De la idea de 'estera' se pasó a 'cobertura' y de ahí a 'capa que cubre la leche'.
DERIV. *Natillas. Desnatar,* 1495.

Natación, V. *nadar   Natal, natalicio, natalidad,* V. *nacer   Natillas,* V. *nata Natividad, nativo, nato,* V. *nacer   Natrón,* V. *nitro   Natura, natural, naturaleza, naturalizar, naturista,* V. *nacer   Naufragar, naufragio, náufrago, naumaquia,* V. *nave*

NÁUSEA 'ansia de vomitar', 1590. Tom. del lat. *nausĕa* íd., propte. 'mareo', deriv. de *navis* 'barco'.
DERIV. *Nauseabundo. Nauseante. Nauseoso.*

Nauta, náutico, V. *nave*

NAVA, fin S. VIII, 'llanura elevada y yerma, rodeada de cerros, en la cual suele concentrarse el agua de lluvia'. Palabra arraigada en todo el territorio español de lengua castellana y vasca, de origen prerromano; como reaparece en ciertos dialectos de los Alpes orientales y en la toponimia de otras zonas romances, no parece ser de origen vasco. Quizá del indoeuropeo NAUS 'barco' (por comparación con la forma combada de las navas rodeadas de cerros, según ocurre en el alto-arag. *barcal* y *barcalada* 'hondonada' etc.), traído a España y alterado en la forma NAUA por invasores arcaicos procedentes del Centro de Europa.
DERIV. Vid. *LAVANCO* y *LAVAJO.*

NAVAJA, 1220-50. Del lat. NOVACŬLA, alterado vulgarmente en NAVACULA, de donde vienen también port. *navalha,* vasco *nabala, laba(i)na,* cat. dial. *navalla,* pero *novalla* en el Alto Aragón.
DERIV. *Navajada. Navajazo. Navajero.*

Naval, V. *nave*

NAVE, h. 1140, 'barco'. Del lat. NAVIS íd. El hoy anticuado *nao,* h. 1260, se tomó del cat. *nau* (de donde también el port. mod. *nau*).
DERIV. *Naval,* h. 1440. *Navecilla. Navegar,* 1438, lat. NAVIGARE íd.; *navegable,* h. 1580; *navegación,* h. 1440; *navegante,* h. 1490; *circunnavegación,* formado con el lat. *circum* 'alrededor'. *Naveta,* 1490, antes 'navecilla', h 1300. *Navichuela. Navío,* h. 1275, lat. *navĭgium* íd.; *naviero. Nauta,* 1438, lat. *nauta* 'marinero', 'navegante'; *náutico,* princ. S. XVII; *náutica.*
CPT. *Náufrago,* 1444, tomado del latino *naufrăgus* íd., compuesto de *navis* con *frangĕre* 'romper', por contracción; *naufragar,* 1526, lat. *naufragare; naufragio,* 1438, lat. *naufragium. Naumaquia,* cpt. del gr. *nâus* 'nave' y *mákhomai* 'yo peleo'.

Navidad, navideño, V. *nacer   Naviero, navío,* V. *nave*

NÁYADE, 1438, lat. *naias, -ădis.* Tom. del gr. *naiás, -ádos,* íd.

NÉBEDA, 1495. Del lat. NĔPĒTA íd.; en castellano es forma tomada del mozárabe, 1106, o del gallegoportugués.

NEBLÍ, h. 1325, 'especie de halcón'. Probablemente alteración de **niblo,* palabra hermana del it. *nibbio* 'milano' y procedente del lat. vg. NIBŬLUS, que parece resultar de **MĪLVŬLUS,* diminutivo de MĪLVUS íd. En la España musulmana el vocablo se alteró por habérsele relacionado popularmente con el nombre de la villa de Niebla.

Neblina, nebulosa, nebuloso, V. *niebla Necedad,* V. *necio*

NECESIDAD, 1220-50. Tom. del lat. *necessĭtas, -ātis,* 'fatalidad', 'necesidad', deriv. de *necesse* 'inevitable', 'necesario'.
DERIV. *Necesario,* 1220-50, lat. *necessarius* íd.; *necesaria,* sust. fem., 1490. *Neceser,* 1855, del fr. *nécessaire* íd., propte. 'necesario'. *Necesitar,* S. XVII; *necesitado.*

NECIO, 1220-50. Tom. del lat. *nescĭus* íd., deriv. negativo de *scire* 'saber'.
DERIV. *Necedad,* 1330 (*nesciedad,* 1220-50).

Necrófago, V. *necrología*

NECROLOGÍA, 1843. Compuesto del gr. *nekrós* 'muerto' y *lógos* 'discurso'.
DERIV. *Necrológico,* 1843. De *nekrós* derivan *necrosis* y los compuestos siguientes: *Necrófago. Necrópolis,* 1914. *Nigromancia,* h. 1250, del gr. *nekromantéia* 'adivinación por medio de los muertos' (formado con *mantéia* 'adivinación'), alterado por influjo del lat. *niger* 'negro', a causa de la *magia negra; nigromante,* 1604 (*-mantesa,* 1444); *nigromántico,* 1495.

Necrópolis, necrosis, V. *necrología*

NÉCTAR, h. 1530, lat. *nectar.* Tom. del gr. *néktar, -aros,* íd.
DERIV. *Nectáreo. Nectarino. Nectario.*

NEFANDO 'torpe e indigno de que se hable de ello', 1438. Tom. del lat. *nefandus* íd., deriv. de *fari* 'hablar'.

Nefario, V. *fasto*   *Nefas*, V. *fas* (*por*)
Nefasto, V. *fasto*   *Nefelismo*, V. *niebla*

NEFRITIS, 1765-83, lat. *nephrītis*. Tom. del gr. *nephrítis*, íd., deriv. de *nephrós* 'riñón'.
DERIV. *Nefrítico*, 1581.

NEGAR, 1044. Del lat. NĔGARE íd.
DERIV. *Negación*, 1490. *Negativo*, h. 1440; *negativa*, sust., 1490. *Denegar*, 1220-50; *denegación*, 1604. *Renegar*, 1438; *renegado*, 1220-50; *reniego*, 1495. *Abnegar*, 1583, tomado del lat. *abnegare* íd.; *abnegación*, 1569, abreviación del lat. *abnegatio sui*, propiamente 'negación de sí mismo'; *abnegado*.

Negligencia, *negligente*, V. *diligente*

NEGOCIO, 1220-50. Tom. del lat. *negōtium* 'ocupación, quehacer', deriv. negativo de *otium* 'reposo'.
DERIV. *Negociar*, 1490, lat. *negotiari* 'hacer negocios, comerciar'; *negociable*; *negociación*, 1490; *negociado*; *negociador*; *negociante*, 1490.

NEGRO, h. 1140. Del lat. NĬGER, NĬGRA, NĬGRUM, íd.
DERIV. *Negrear*, princ. S. XVII. *Negrero*, 1836 (pero el fr. *négrier*, quizá tomado del cast., ya se halla en 1752). *Negrete. Negrillo; negrilla. Negrura*, 1490, o *negror*, 1490. *Negruzco*, 1734. *Ennegrecer*, 1495. *Denegrido*, h. 1200. *Renegrido.*
Denigrar, siglo XV, tomado del lat. *denigrare* íd.; *denigrante*. *Neguilla*, fin S. XIII, del lat. NĬGĔLLA, íd., propte. femenino de NIGELLUS, diminutivo de NIGER. *Neguijón*, 1495, lat. vg. *NIGELLIO, -ONIS*, derivado de NIGELLUS. *Niel*, h. 1610, probte. del cat. *niell* íd., S. XV, que viene de dicho NIGÉLLUS; *nielar*, princ. S. XVII.

Neguijón, *neguilla*, V. *negro*

NEMOROSO 'lleno de bosque', princ. S. XVII. Tom. del lat. *nemorōsus* íd., deriv. de *nemus, -ŏris*, 'bosque'.

Nene, V. *niño*

NENÚFAR, 1251. Tom. del ár. *nainûfar*, afín al persa *nīlūfar* íd. y quizá procedente de éste.

NEO-, primer elemento de cpts., tom. del gr. *néos* 'nuevo'. *Neocatólico* (abreviado en *neo*), *neocatolicismo*. *Neoclásico*, S. XX, *neoclasicismo*. *Neófito*, 1521, gr. *neóphytos*, formado con *phýo* 'yo llego a ser'. *Neolítico*, con *líthos* 'piedra'. *Neologismo*, 1765-83, con el gr. *lógos* 'lenguaje'; *neológico*. *Neoplasia*, con el gr. *plássō* 'yo modelo, amaso'. De este prefijo se ha extraído además el término de química *neo* o *neón*.

Nepotismo, V. *nieta*

NERVIO, 1251. Del lat. vg. NERVIUM íd. (clásico NERVUS).
DERIV. *Nervioso*, 1495; *nerviosidad*, 1495. *Nervudo*, 1605. *Nervadura*, del it. *nervatura*; *nervura*, del fr. *nervure*. *Enervar*, 1607, lat. *enervare* íd.; *enervación, enervamiento*; *enervante*. *Inervación*. Del gr. *nêuron*, hermano y sinónimo del lat. *nervium*: *Neuritis. Neuroma. Neurona. Neurosis; neurótico. Aponeurosis; aponeurótico.*
CPT. *Neuralgia*, 1884, formado con el gr. *álgos* 'dolor'; *neurálgico. Neurastenia*, fin S. XIX, con gr. *asthéneia* 'debilidad'; *neurasténico. Neuroesqueleto. Neurología*, 1765-83; *neurólogo. Neurópata*, con gr. *épathon* 'he sufrido'. *Neuróptero*, con gr. *pterón* 'ala'. *Neurótomo*, con gr. *témnō* 'yo corto'.

NESGA 'pieza de tela triangular que se agrega', h. 1600. Origen incierto. Aunque modernamente el verbo *nesgar* se ha empleado mucho menos que *nesga*, el hecho es que *saya nesgada* ya aparece a fines del S. XV. Luego quizá *nesga* sea deriv. de *nesgado*, y éste podría venir de un lat. vg. *NEXICATUS* 'enlazado', deriv. de NEXUS 'enlace'. La etimología arábiga que ha solido aceptarse tropieza con importantes dificultades fonéticas.
DERIV. *Nesgar* h. 1900.

Neto, V. *nítido*

NEUMA (signo musical), 1884. Tom. del gr. *pnêuma, -atos*, 'soplo, aliento, respiración', deriv. de *pnéō* 'yo soplo, respiro'.
DERIV. *Neumático*, 1709, propte. 'relativo al aire o respiración'. *Neumonía*, 1884, gr. *pneumonía* íd., deriv. de *pnéumōn* 'pulmón'; *neumónico. Apnea*, gr. *ápnoia* íd., otro derivado de *pnéō. Disnea*, 1606, gr. *dýspnoia* íd., formado con *dys-*, que indica dificultad; *disneico.*
CPT. *Neumogástrico. Neumoconiosis*, 1939, formado con gr. *kónis* 'polvo'.

Neuralgia, *neurálgico*, *neurastenia*, *neurasténico*, *neuritis*, *neurología*, *neuroma*, *neurona*, *neuróptero*, *neurosis*, *neurótico*, *neurótomo*, V. *nervio*

NEUTRO, h. 1440. Tom. del lat. *neŭter, -tra, -trum*, íd., propte. 'ni el uno ni el otro', deriv. de *uter* 'cuál de los dos'.
DERIV. *Neutral*, 1490, lat. *neutralis* íd.; *neutralidad*, h. 1640; *neutralizar. Neutrón*, con la terminación de *electrón, ión.*

Nevada, nevar, nevatilla, nevazón, neve-
ra, nevería, nevisca, neviscar, nevoso, V.
nieve   Nexo, V. *anejo   Ni,* V. *no*

NICOTINA, 1884. Del fr. *nicotine,* derivado de *nicotiane,* nombre culto del tabaco,
llamado así en memoria de Nicot, embajador francés en Lisboa, que envió por primera vez tabaco a Francia en 1560.

Nictálope, nictalopía, V. *noche*

NICHO, 1570. Del it. anticuado *nicchio*
íd., S. XIV (hoy más bien *nicchia*), propte.
'nido', deriv. de *nicchiare* 'lloriquear', 'mostrarse indeciso', *annicchiare* 'agacharse, hacerse un ovillo', propte. 'hacer como los pa-
jarillos en el nido', probtè. procedentes de
un verbo lat. vg. *NIDICULARE* 'anidar', derivado de NIDUS 'nido'.

NIDO, 1251. Del lat. NĪDUS íd.
DERIV. *Nidada. Nidal,* 1495. *Anidar,* 1495.

NIEBLA, 1220-50. Del lat. NĒBŬLA íd.
DERIV. *Neblina,* 1220-50. *Aneblar* o *anie-*
blar. Cultismos: *Nebuloso,* 2.º cuarto S.
XV; *nebulosa; nebulosidad. Nefelismo,* derivado del gr. *nephélē* 'nube' (hermano del
lat. *nebula*).

Niel, nielar, V. *negro*

NIETA, 1124. Del lat. vg. NĔPTA (lat.
NEPTIS) 'nieta' y 'sobrina'.
DERIV. *Nieto,* 1062, forma propia de las
lenguas romances hispánicas, extraída del
femenino (el masculino latino era *nepos,*
-ōtis, del cual, en el sentido de 'sobrino de
un dignatario eclesiástico, favorecido por
éste', deriva *nepotismo*).
CPT. *Biznieta, -to,* h. 1260, lat. BIS NĔPTA
'dos veces nieta'.

NIEVE, 1220-50. Del lat. NIX, NĬVIS, íd.
El cast., junto con el port., cat., oc. y muchos dialectos del it., hacen suponer que
en latín vulgar existió una pronunciación
NĔVE, debida quizá al influjo del lat. NĔ-
BŬLA 'niebla', otra característica del invierno, que en latín vulgar se pronunciaba
NĔVŬLA y debió de percibirse como un diminutivo de *NĔVE 'nieve'.
DERIV. *Nevar,* h. 1330, lat. vg. NIVARE
íd.; *nevada; nevadilla. Nevasca,* 1734, o
nevisca, 1734; *neviscar. Nevatilla* 'aguzanieves', 1734, así llamada por su costumbre
de andar por la nieve. *Nevazón. Nevero* 'el
que vende hielo', 1646, nombre explicable
porque antiguamente se empleaba nieve,
guardada en pozos, para refrescar (por esta
razón se llama *nieve* al hielo artificial en
parte de América); *nevería; nevera,* S.
XVII. *Nevoso. Níveo,* deriv. culto.

Nigromancia, nigromante, nigromántico,
V. *necrología*

NIGUA, 1526. Del arauaco de las Antillas.

Nihilismo, nihilista, V. *no*

NILÓN, h. 1946. Del ingl. *nylon.*

NIMBO, S. XIX. Tom. del lat. *nimbus*
'nube cargada de agua, nubarrón', de donde 'nube que rodea a los dioses, aureola'.
DERIV. *Nimbar.*

NIMIO, h. 1690. Tom. del lat. *nĭmĭus*
'excesivo, demasiado'; el sentido hoy predominante 'insignificante, minucioso' nació
por una mala inteligencia de frases como
cuidado nimio.
DERIV. *Nimiedad,* h. 1690.

Ninfa, V. *linfa   Ningún, ninguno,* V.
no

NIÑO, h. 1140. Voz común al cast. con
el cat. (*nin*) y muchas hablas occitanas e
italianas; procedente de un tipo romance
antiguo *NĬNNUS, de creación expresiva. Variante del mismo es *nene,* 1734 (cat. *nen,*
gall. *neno*).
DERIV. *Niña; nena. Niñada. Niñear. Ni-
ñero,* 1495; *niñera; niñería,* h. 1450. *Niñez,*
1220-50. *Aniñado. Niña del ojo (niñilla d. o.,*
1438) se debe a una metáfora internacional,
que ya se daba en griego antiguo (*kórē*
'muchacha' y 'pupila') y egipcio arcaico, y
se halla extendida por lenguas de las más
varias familias en todo el mundo: se explica por la imagen nuestra, que vemos refle-
jada en la pupila del interlocutor.

NIOBIO, h. 1900. Deriv. del nombre de
Niobe, hija de Tántalo: se le llamó así
porque suele hallarse en los minerales de
tantalio.

NÍQUEL, 1884. Del alem. *nickel* íd. Propiamente abreviación familiar del nombre
de pila *Nikolaus* 'Nicolás', apodo que al
parecer le pusieron despectivamente los mineros al hallar su mineral y notar que no
les proporcionaba el cobre que buscaban.
DERIV. *Niquelado. Niquelar. Niquelina.*

NIRVANA, h. 1900. Del sánscr. *nirvāṇa*
'destrucción, extinción'.

Níscalo, V. *mízcalo*

NÍSPERO, 1570, antes *niéspero,* 1106.
Del lat. vg. *NĔSPĬRUM,* en latín clásico
MĔSPĬLUM (a su vez tom. del gr. *méspilos*),
junto al cual ya se hallan en escritos las
variantes NESPILA y MESPIRA.

NÍTIDO, 1444. Tom. del lat. *nĭtĭdus* 'brillante', 'reluciente, grasiento'. *Neto*, 2.º cuarto S. XV, del fr. o cat. *net* 'limpio', del mismo origen.
Deriv. *Nitidez*.

NITRO, 1555, lat. *nĭtrum*. Tom. del gr. *nítron* íd. (de origen egipcio). *Natrón* tiene el mismo origen, por conducto del ár. *naṭrûn*.
Deriv. *Nitrato. Nítrico*.
Cpt. *Nitrógeno*, formado con gr. *gennáō* 'yo engendro', por entrar en la composición del nitro; *nitrogenado. Nitroglicerina.*

NIVEL, med. S. XV. Del lat. vg. **LĪBĚLLUM*, en latín clásico LĪBĚLLA íd., diminutivo de LIBRA 'balanza'; recibido por conducto de otra lengua romance, probte. el cat. *nivell* (*livell* en la Edad Media).
Deriv. *Nivelar*, 1495. *Nivelación. Desnivel*, 1719; *desnivelar*, S. XIX.

Níveo, V. *nieve*

NO, h. 950. Del lat. NŌN íd. *Nones* 'impares', 1611, es abreviación de *non pares*, 1276. De la misma raíz viene en latín NEC (abreviación de NE-QUE 'y no'), de donde el cast. *ni*, h. 1140.
Cpt. *Nomeolvides. Ninguno* y su variante *ningún*, h. 1140, antes *niguno*, fin S. X, o *nenguno*: de NEC ŪNUS 'ni uno'. *Nulo*, h. 1550, tom. del lat. *nūllus* íd., propte. 'ninguno' (de *ne-un(u)lus*, diminutivo negativo de *unus*); *nulidad*; *anular*, 1438; *anulación. Nunca*, h. 1140, lat. NŪMQUAM íd., cpt. de NE 'no' y UMQUAM 'alguna vez'. Otro cpt. de NE es el lat. arcaico *ne-hilum*, posteriormente *nihil* 'nada', de donde *nihilismo* y *nihilista*.

NOBLE, 1184. Tom. del lat. *nobĭlis* 'conocido', 'ilustre', 'noble', deriv. de *noscere* 'conocer'.
Deriv. *Nobleza*, 1220-50. *Noblote. Ennoblecer*, h. 1250; *ennoblecimiento*, 1607. *Innoble. Nobilísimo. Nobiliario*.

Noca, V. *nácar*

NOCIÓN, 1734. Tom. del lat. *notio, -onis*, 'conocimiento', deriv. de *noscěre* 'conocer'.

NOCIVO 'perjudicial', h. 1440. Tom. del lat. *nocīvus* íd., deriv. de *nocēre* 'perjudicar'.
Otros deriv. de éste: *Inocente*, 1220-50, lat. *innŏcens, -ěntis*, 'el que no perjudica'; *inocencia*, h. 1440; *inocentada*; *inocentón. Innocuo*, 1843, lat. *ihnocuus* íd. *Noxa*, 1451, lat. *noxa* 'perjuicio'.

NOCHE, h. 1140. Del lat. NOX, NŎCTIS, íd.

Deriv. *Anochecer*, h. 1140. *Trasnochar*, h. 1140; *trasnochado*; *trasnochador. Nocturno*, 1438, tom. del lat. *noctŭrnus* íd.; *nocturnidad. Pernoctar*, 1502, lat. *pernoctare. Nictagíneo*, deriv. del lat. científico *nyctago*, nombre de una planta, deriv. del gr. *nýx, nyktós*, equivalente del lat. *nox*.
Cpt. *Nochebuena. Anoche*, princ. S. XIV; *anteanoche*, 1535, o *antenoche*, princ. S. XIV. *Noctámbulo*, h. 1900, formado con *ambulare* 'andar'. *Noctiluca*, con *lucere* 'lucir'. *Nictálope*, gr. *nyktálōps, -ōpos*, cpt. del citado *nýx* con *ŏps* 'vista'; *nictalopía*.

Nodriza, V. *nutrir*   *Nódulo*, V. *nudo*
Nogal, V. *nuez*   *Nolición, noluntad*, V. *voluntad*

NÓMADA, 1843, lat. *nomas, -ădis*. Tom. del gr. *nomás, -ádos*, 'que se traslada habitualmente, en razón de los pastos', propte. 'apacentador', deriv. de *némō* 'yo apaciento', propte. 'distribuyo, reparto los pastos'.
Deriv. *Nomadismo. Noma*, gr. *nómē* 'úlcera devorante', propte. 'acción de pacer o devorar'.

NOMBRE, h. 1140. Del lat. NŌMEN, -MĬNIS, íd.
Deriv. *Nombrar*, h. 1140, lat. NOMĬNARE; *nombrado, nombradía*, 1220-50; *nombramiento. Pronombre*, 1490, lat. *pronomen; pronominal. Renombre*, 1495; *renombrar. Sobrenombre*, h. 1275. Cultismos: *Nómina*, h. 1300, propte. 'lista de nombres', lat. *nomĭna*, plural de *nomen. Nominal; nominalismo. Nominativo*, propte. 'el caso que sirve para nombrar a alguno'. *Denominar*, 1549, lat. *denominare; denominación*, h. 1440; *denominador*, 1705; *denominativo. Ignominia*, 1499, lat. *ĭgnomĭnĭa* íd., deriv. con el prefijo negativo *in-*, propte. 'mal nombre'; *ignominioso*, 1438. *Innominado*. Del gr. *ónoma*, equivalente del lat. *nomen: Onomástico*, 1737, gr. *onomastikós. Antonomasia*, gr. *antonomasía*, formado con *antí* 'en lugar de', porque consiste en emplear el apelativo en vez del nombre propio. *Paronomasia. Metonimia*, h. 1580, gr. *metōnymía* íd., con *metá* que expresa cambio; *metonímico. Epónimo* 'la persona cuyo nombre sirve para llamar un lugar', gr. *epṓnymos. Anónimo*, princ. S. XVII, con *an-* privativo. *Sinónimo*, 1611, gr. *synŏnymos*, con *syn-*, que expresa comunidad; y su contrapuesto *antónimo; parónimo*, con *pará* 'junto a'; *sinonimia*, 1580, y *antón-, paron-*.
Cpt. *Nomenclátor*, 1884, lat. *nomenclātor, -tōris*, con la raíz del lat. arcaico *calare* 'llamar'; *nomenclatura*, fin S. XVII. Del griego: *Onomatopeya*, 1611, *onomatopoiía*, con *poiéō* 'yo hago, creo'; *onomatopéyico*.

Nomeolvides, V. *no* *Nómina, nominal, nominalismo, nominativo,* V. *nombre Nona,* V. *nueve* *Nonada,* V. *nadie* *Nonagenario, nonagésimo,* V. *nueve*

NONIO, 1876. De *Nonius,* forma latinizada del apellido de Pedro Nunes, matemático portugués que lo inventó (1492-1577).

Nono, V. *nueve*

NOPAL, h. 1740. Del azteca *nopálli* íd. (al parecer cpt. de *nochtli* 'tuna' y *palli* 'cosa ancha, plana', como la penca del nopal).

NOQUE, 1535. Del cat. *noc,* S. XV, 'noque de curtidor', propte. 'especie de artesa', 'cárcavo de molino', el cual procede del lat. vg. NAUCUS íd., sacado de NAUCULA y NAUCELLA, que en el latín imperial se empleaban como diminutivos de NAVIS 'barco'.

Norabuena, noramala, V. *hora*

NORAY 'estaca del muelle en que se amarra una embarcación', 1831. Del cat. *norai* íd., S. XVI, de orgien incierto.

Nordeste, nórdico, V. *norte*

NORIA, h. 1280 (*annoria*); antes *nora* o *annora,* 1148. Éste viene del ár. *nācūra* íd., deriv. de *nācar* 'gruñir'. La *i* se agregó por influjo de *acenia* (variante de *aceña*) y de *acequia.*

NORMA, 1616. Tom. del lat. *norma* íd. DERIV. *Normal,* 1555; *normalidad; normalizar. Normativo. Enorme,* 1438, lat. *enormis* íd., *enormidad,* 1604.

NORTE, 1490. Del anglosajón *north* íd., probablemente por conducto del fr. *nord.* DERIV. *Nortada. Nortear,* 1626. *Norteño,* 1884. *Nortino. Nórdico,* del alem. *nordisch* íd. CPT. *Nordeste,* 1492; *nordestear. Noroeste,* S. XVII (*norueste,* 1492), del fr. anticuado *norouest* (hoy *nordouest*). *Nornordeste,* h. 1495. *Nornoroeste* íd. (*-ueste,* h. 1495).

NOS, h. 950. Del lat. NŌS 'nosotros'. DERIV. *Nuestro,* h. 950, lat. NŌSTER, NŌSTRA, NŌSTRUM, íd. CPT. *Nosotros,* 1251.

NOSO-, primer elemento de cpts., tom. del gr. *nósos* 'enfermedad'. *Nosocomio,* h. 1900, formado con gr. *koméō* 'yo cuido'. *Nosología,* h. 1764.

Nosotros, V. *nos*

NOSTALGIA, med. S. XIX, propte. 'deseo doloroso de regresar'. Voz internacional, creada por Johannes Hofer en 1688 con el gr. *nóstos* 'regreso' y *álgos* 'dolor'. DERIV. *Nostálgico,* 1884.

NOTA, med. S. XIII. Tom. del lat. *nŏta* íd., propte. 'mancha', 'signo'. DERIV. *Notar,* h. 1140, lat. *notare* 'señalar', 'escribir', 'anotar'; *notable,* 1438, *notabilidad; notación,* 1495. *Notario,* 1220-50, lat. *notarius* 'secretario'; *notaría,* S. XV; *notariado; notarial. Anotar,* 1605; *anotación. Connotar,* 1817, del ingl. *connote; connotación. Denotar,* h. 1440. CPT. *Protonotario.*

NOTICIA, 1220-50. Tom. del lat. *notĭtĭa* 'conocimiento', 'noticia', deriv. de *notus,* participio pasivo de *noscere* 'conocer'. DERIV. *Noticiero. Noticioso. Notorio,* 1438, lat. *notorius* íd., otro deriv. de dicho *notus; notoriedad.* CPT. *Notificar,* 1495, formado con dicho *notus; notificación. Ignoto,* 1438, lat. *ignōtus,* negativo de *notus.*

Notificar, V. *noticia*

NOTOCORDIO, h. 1900. Cpt. de las voces gr. *nôtos* 'espalda' y *khordé* 'cuerda'.

Notorio, V. *noticia*

NOÚMENO, 1884. Tom. del gr. *noúmenon,* participio pasivo de *noéō* 'me doy cuenta (de algo), lo comprendo', deriv. de *nûs* 'mente'.

Novación, noval, novato, V. *nuevo* *Novecientos,* V. *nueve* *Novedad, novedoso, novel, novela, novelar, novelero, novelesco, novelista,* V. *nuevo* *Novena, novenario, noventa,* V. *nueve* *Noviazgo, noviciado, novicio,* V. *nuevo* *Noviembre,* V. *nueve* *Novilunio, novillada, novillo, novio,* V. *nuevo* *Noxa,* V. *nocivo*

NUBE, 1220-50. Del lat. NŪBES íd. DERIV. *Nubada,* 1220-50. *Nubarrón. Nuboso. Nublo,* 1335, lat. NŪBĬLUS 'nublado'; *nublar,* 1615, o *anublar,* princ. S. XV, *anublo* (con sus variantes *añublar* y *añublo*); *nublado,* 1492. CPT. *Nubífero,* 1444.

Nublado, nublar, nublo, V. *nube*

NUCA, 1495. Tom. del b. lat. *nucha* 'médula espinal', y éste del ár. *nuḫāʿ* íd. Introdujeron el vocablo los médicos italianos medievales y su sentido se alteró probte. por confusión con el ár. *núqra* 'cogote', propiamente 'hoyo', que también se empleó en la terminología médica europea. DERIV. *Desnucar,* 1732.

NÚCLEO, 1490. Tom. del lat. *nŭclĕus* íd., propte. 'parte comestible de la nuez o la almendra', 'hueso de fruta', deriv. de *nux* 'nuez'.

DERIV. *Nuclear*, med. S. XX. *Nucléolo*.

NUDO, 1251. Del lat. NŌDUS íd. La sustitución de la ŏ por *u* en este vocablo, producida también en catalán y en gascón, es irregular y no está bien explicada.

DERIV. *Nudillo. Nudoso*, 1438. *Anudar*, 1490, lat. ANNODARE; *desanudar*, 1495. *Reanudar*, 1855, imitado del fr. *renouer*, S. XII; *reanudación*. Cultismos: *Nódulo. Internodio*.

Nuégado, V. nuez

NUERA, 979. Del lat. vg. NŎRA, que sustituyó el clásico NŬRUS, -ŪS, íd.

Nuestro, V. nos

NUEVE, h. 1140. Del lat. NŎVEM íd.

DERIV. *Noveno*, 1220-50; *novena*, 1076; *novenario. Noviembre*, 1220-50, lat. NOVĚMBER, -BRIS, así llamado por ser el mes noveno del año (antes de agregarse julio y agosto al calendario romano). *Nono*, 1220-50, tom. del lat. *nōnus* íd.; *nona*.

CPT. *Novecientos. Noventa*, 1251, alteración del lat. NONAGĪNTA por influjo de NOVEM; *noventón*. Cultismos: *Nonagenario*, deriv. del lat. *nonageni* 'de noventa en noventa'; *nonagésimo*, lat. *nonagesimus*. Con el gr. *enneá*, equivalente del lat. *novem*, se componen *eneágono, eneasílabo*.

NUEVO, 1044. Del lat. NŎVUS íd.

DERIV. *Nueva* 'noticia', h. 1140. *Novato*, 1611; *novatada. Novedad*, 1444; *novedoso*, amer. *Novillo, -a*, 1220-50; *novillada*; *novillero. Novio, -a*, 1220-50, lat. vg. NŎVĬUS, primero significó sólo 'casado nuevo o que está casándose' (como todavía el cat. *nuvi* y oc. *novi*); *noviazgo. Renovar*, 1220-50; *renovación*, 1495; *renuevo*, 1495; *renovero*. Cultismos: *Noval*, 1490, lat. *novalis. Novación. Novicio, -a*, 1220-50, lat. *novicius*; *noviciado. Innovar*, 1599; *innovación. Novel*, 1220-50, del cat. *novell* 'nuevo', 'novel'; *novelero*, 1490. *Novela*, h. 1400, del it. *novella* 'relato novelesco algo corto', propte. 'noticia'; *novelar*, med. S. XV; *novelesco*, 1843; *novelista*, 1884; *novelístico*; *novelón*.

CPT. *Novilunio* 'luna nueva'.

NUEZ, 1220-50. Del lat. NUX, NŬCIS, íd. En cast., port., cat. y oc. el vocablo ha de proceder de una variante ya antigua *NŎCE, que quizá se explique por el influjo del céltico KNŎVA íd. (de' donde el cat. *clŏva* 'cáscara de nuez').

DERIV. *Noceda; nocedal. Nogal*, 1086, supone un deriv. ya antiguo NŬCALIS. *Nuéga-*

do, 1423. *Nochizo*, h. 1530, deriv. de origen mozárabe.

NUEZA, 1495. Del lat. NŎDĬA íd., deriv. de NŌDUS 'nudo', por los que forma la nueza sobre las plantas a cuyo alrededor trepa.

Nulo, V. no   Numen, V. anuente

NÚMERO, 1433. Tom. del lat. *nŭmĕrus* íd.

DERIV. *Numeral*, 1734. *Numerario*, 1734. *Numérico*, 1734. *Numeroso*, 1495. *Numerar*, 1438, lat. *numerare* íd.; *numeración*; *numerador. Enumerar*, S. XIX, lat. *enumerare* íd.; *enumeración. Innúmero*, h. 1525; *innumerable*, 1438.

CPT. *Sinnúmero*.

NUMISMÁTICO 'relativo a las monedas', 1817. Deriv. del lat. *numisma* 'moneda', tom. del gr. *nómisma* 'moneda usual', propte. 'usanza', deriv. de *némō* 'yo distribuyo'; en latín sufrió el influjo de *nummus* 'moneda'. De éste viene *numulita*, cpt. con el gr. *lithos* 'piedra'.

Numulita, V. numismático   Nunca, V. no

NUNCIO, 1499. Tom. del lat. *nŭntĭus* 'emisario', 'anunciador'.

DERIV. *Anunciar*, 1240, lat. *annuntiare* íd.; *anunciación*, S. XVI; *anunciante*; *anuncio*, 1438. *Denunciar*, 1251, lat. *denuntiare* íd.; *denuncia*, antes *denunciación*, 1495. *Enunciar*, 1732, lat. *enuntiare* íd.; *enunciación*, 1490; *enunciado*; *enunciativo. Pronunciar*, 1220-50, lat. *pronuntiare*, íd.; *pronunciación*, 1433; *pronunciamiento*, 1817. *Renunciar*, 1220-50, lat. *renuntiare* íd.; *renuncia*; *renunciamiento*.

NUPCIAS, princ. S. XVII. Tom. del lat. *nŭptiae* íd., deriv. de *nūbĕre* 'casarse'.

DERIV. *Nupcial*, 1515; *nupcialidad. Núbil*, S. XIX, lat. *nubilis* 'que ya se puede casar'. *Connubio*, lat. *connubium* íd.

Nutación, V. anuente

NUTRIA, 1268. De un lat. vg. *NUTRIA, que existiría como forma intermedia entre el lat. LŬTRA y su equivalente gr. *énydris, -drios*, íd. (del cual procede la palabra latina); la conservación irregular de la -T- obliga a suponer que el castellano tomaría el vocablo de una habla mozárabe o del Sur de Italia.

NUTRIR, 1623. Tom. del lat. *nŭtrire* íd.

DERIV. *Nutricio*, princ. S. XVII. *Nutrición*, 1220-50 (*nudrición*). *Nutritivo*, 1438. *Nodriza*, med. S. XIII, del lat. NŬTRIX, -ĪCIS, 'alimentadora, nodriza'.

Ñ

ÑAME, 1492. Nombre de una planta cuyas principales variedades se llevaron a América desde el África Occidental. El nombre también parece proceder del África, pero es incierto si es palabra hereditaria africana o expresión creada en los primeros contactos entre portugueses y bantus, a base de *ñam*, onomatopeya de la acción de comer.

ÑANDÚ 'avestruz', 1745. Del guaraní *ñandú* íd.

DERIV. *Ñanduseras* 'boleadora para cazar avestruces', 1939.

ÑOÑO, 1734. Voz de creación expresiva. Al parecer significó primero 'chocho, caduco', y debió de salir del lat. vg. NONNUS, NONNA, 'anciano cuidador de niños', 'abuelo, -a', de donde 'viejo decrépito'.

DERIV. *Ñoñería. Ñoñez*, princ. S. XVII.

O

O, conjunción, h. 950. Del lat. AUT íd.

OASIS, 1884, lat. *oăsis*. Tom. del gr. *óasis* íd.

Obcecación, obcecar, V. *ciego*

OBEDECER, princ. S. XIII. Tom. del lat. *oboedire* íd. (que en latín es deriv. de *audire* 'oír').
DERIV. *Obediente*, 1220-50, lat. *oboediens; obediencia*, 1220-50. *Desobedecer*, 1495; *desobediente*, 1495, *desobediencia*, 1570.

OBELO, h. 1600, 'señal que se pone al margen de los libros'. Tom. del gr. *obelós* 'asador' (por comparación de forma).
. DERIV. *Obelisco*, 1624, del gr. *obelískos* íd., propte. diminutivo de *obelós* (por comparación con un asador).

OBENQUE, h. 1573, 'cabo grueso que se ata a la cabeza de un mástil para reforzarlo'. Del fr. ant. *hobent* (también *hobenc*), y éste del escand. ant. *höfudbendur* (plural de *höfudbenda* íd.), cpt. de *benda* 'cuerda' y *höfud* 'cabeza'.
DERIV. *Obencadura*, 1587.

Obertura, V. *abrir*

OBESO 'gordo en exceso', 1737. Tom. del lat. *obēsus* íd., propiamente 'el que ha comido mucho' (participio de *obedere* 'comer', 'roer', deriv. de *edere* 'comer').
DERIV. *Obesidad.*

Óbice, V. *abyecto*

OBISPO, h. 1140. Tom., por vía semiculta, del lat. *epĭscŏpus*, y éste del gr. *epísko-*

pos íd., propte. 'guardián, protector, vigilante', 'jefe eclesiástico en general', deriv. de *episképtomai* 'yo examino, inspecciono' (y éste de *sképtomai* 'yo miro').
DERIV. *Obispado*, h. 1140. *Obispal*, 1220-50, más tarde el cultismo *episcopal. Obispado*, antes *obispalía*, 1220-50. *Obispillo* 'rabadilla de las aves', h. 1330, por su semejanza con una mitra de obispo; 'morcilla grande', 1495. *Arzobispo*, h. 1260, lat. *archiepiscopus* íd., con el prefijo gr. *arkhi-* (de *árkhomai* 'yo mando'); *arzobispado; arquiepiscopal.*
CPT. *Episcopologio.*

ÓBITO, 1843. Tom. del lat. *obĭtus, -us,* íd., deriv. de *obīre* 'fallecer' (y éste de *ire* 'ir').
DERIV. *Obituario.*

Objeción, objetar, objetivo, objeto, V. *abyecto   Oblación, oblada, oblata, oblato, oblea,* V. *ofrecer*

OBLICUO, 1490, 'inclinado al sesgo'. Tom. del lat. *oblīquus* íd.
DERIV. *Oblicuar*, 1548. *Oblicuidad*, 1624.

Obligación, obligar, obligatorio, V. *ligar   Obliterar,* V. *letra   Oblongo,* V. *luengo*

OBOE, h. 1764. Del fr. *hautbois* íd. (pronunciado antiguamente *oboé*), compuesto de *haut* 'alto' y *bois* 'madera'.

ÓBOLO, 1490. Tom. del gr. *obolós* 'moneda griega de escaso valor'.

OBRAR, h. 1140. Del lat. ŏPĔRARI 'trabajar', deriv. de OPUS, -ĔRIS, 'obra, trabajo'.
DERIV. *Obrada*, 1220-50. *Obraje*, 1528, del cat. *obratge; obrajero. Reobrar* 'reac-

cionar', h. 1900. *Obra*, h. 1250; antes *huebra*, h. 1140 (especialmente en la ac. 'cantidad de trabajo que se hace en un día', y hoy todavía 'medida de lo que puede labrarse con esta cantidad'), lat. ŏpĕra 'trabajo, labor'; *ópera*, 1737, del it. *òpera* íd., propte. 'obra'; *opereta*. *Obrero*, 1056, lat. opĕrarius íd. (*operario*, princ. S. XVII, cultismo); *obrería*; *obrerismo*, *obrerista*. Cultismos: *Operar*, 1737; *operación*, 1433; *operador*; *operante*; *operativo*. *Cooperar*, princ. S. XVII, lat. *cooperare* íd.; *cooperación*; *cooperativo*; *cooperativa*; *cooperante*, 1515; *cooperador*. *Opúsculo*, h. 1600, lat. *opŭscŭlum*, diminutivo del citado *opus*.

Obrero, V. *obrar*

OBSCENO, 1490, 'indecente'. Tom. del lat. *obscēnus* íd.
Deriv. *Obscenidad*.

Obscuro, V. *oscuro* — *Obsecuente, obsequiar, obsequio, obsequioso*, V. *seguir* — *Observación, observancia, observante, observar, observatorio*, V. *conservar*

OBSESIÓN, 1737, 'idea fija'. Tom. del lat. *obsessio, -ōnis*, 'bloqueo', deriv. de *obsĭdēre* 'asediar, bloquear', propte. 'sentarse enfrente', y éste de *sĕdēre* 'estar sentado'.
Deriv. *Obsesionar*, princ. S. XX. *Obseso*, princ. S. XVII, 'obsesionado', lat. *obsessus*, participio de *obsidere*; *obsesivo*. Comp. ASEDIO.

OBSIDIANA, princ. S. XVII. Tom. del lat. *obsidianus lapis*, lectura errónea (en ciertos manuscritos de Plinio), en lugar de *obsianus lapis* 'piedra de Obsius', nombre de un romano que descubrió esta piedra en Etiopía.

Obsidional, V. *asedio* — *Obstáculo, obstante*, V. *obstar*

OBSTAR, 1606, 'oponerse'. Tom. del lat. *obstare* íd., propte. 'ponerse enfrente, cerrar el paso'.
Deriv. *Obstante*, 1444. *Obstáculo*, 1607, lat. *obstacŭlum* íd. *Obstetricia*, 1884, deriv. de *obstĕtrix, -īcis*, 'comadrona', propte. 'la que se pone enfrente'.

Obstetricia, V. *obstar*

OBSTINADO 'terco', 1438. Tom. del lat. *obstinatus* íd. (de la misma raíz que *destinare* 'fijar, sujetar').
Deriv. *Obstinarse*, S. XVII. *Obstinación*, h. 1525.

Obstrucción, obstruccionismo, -ista, obstructor, obstruir, V. *construir* — *Obtempe-*

rar, V. *templar* — *Obtención, obtener*, V. *tener*

OBTURAR, 1884. Tom. del lat. *obtūrāre* 'tapar', 'cerrar estrechamente'.
Deriv. *Obturación*. *Obturador*, 1765-83.

OBTUSO, 1444, 'no agudo'. Tom. del lat. *obtūsus* íd., propte. participio pasivo de *obtundĕre* 'achatar, achatar golpeando' (deriv. de *tundere* 'golpear').
Cpt. *Obtusángulo*.

OBÚS 'especie de mortero o cañón', 1765-83. Tom. del fr. *obus* y éste del alem. *haubitze* íd., que a su vez se tomó del checo *houfnice* 'máquina de lanzar piedras'; la acepción 'bomba de cañón', que en francés no aparece hasta fin S. XVIII, es secundaria, aunque algunos la han empleado recientemente en castellano.

Obvención, obvencional, V. *venir* — *Obviar, obvio*, V. *vía*

OCA I, nombre provincial del ganso, princ. S. XVII, y empleado en el nombre del *juego de la oca*. Del lat. vg. aucca íd., deriv. de avis 'ave'.
Deriv. *Ocarina*, 1914, nombre ideado por el inventor italiano (1867), derivándolo del it. *oca* 'ganso', por alusión a las flautas de los pastores.

OCA II, h. 1554, 'planta americana de tubérculos comestibles'. Del quichua *okka* íd.

Ocal, V. *hueco* — *Ocarina*, V. *oca* I

OCASIÓN, h. 1140. Tom. del lat. *occasĭo, -ōnis*, íd., deriv. de *occĭdĕre* 'caer', 'perderse, caer muerto', que a su vez lo es de su sinónimo *cadere*; pero el sentido de *occasio* se relaciona más bien con el de otro deriv. del mismo verbo, *accĭdĕre* 'suceder' (en la Edad Media *ocasión* vale 'accidente', 'daño grave', en relación con el sentido latino de *occidere*).
Deriv. *Ocasionar*, 1220-50. *Ocasional*.

Ocaso, V. *occidente*

OCCIDENTE, 1438. Tom. del lat. *occĭdens, -tis*, íd., participio activo de *occidĕre* 'caer', 'ponerse (el sol)'.
Deriv. *Occidental*, h. 1440. *Ocaso*, med. S. XVI, lat. *occāsus, -ūs*, íd., de *occassus, -a, -um*, participio de *occidere*.

Occipital, V. *occipucio*

OCCIPUCIO, S. XIX. De una mezcla de las dos formas lat. *occĭput* y *occipitium* íd., deriv. de *caput* 'cabeza'.

421   OCÉANO-OFICIO

Deriv. *Occipital*, h. 1580.

OCÉANO, 1444, lat. *oceănus*. Tom. del
gr. *ōkeanós* íd.
Deriv. *Oceánico. Oceánidas.*
Cpt. *Oceanografía.*

Ocelado, ocelo, V. *ojo*

OCELOTE, h. 1900, 'leopardo mejicano'.
Del azteca *océlotl* 'tigre'.

Ocena, V. *oler*

OCIO 'inacción', 1433. Tom. del lat.
otium 'ocio', 'reposo'.
Deriv. *Ocioso,* 1438; *ociosidad,* 1438.

OCLOCRACIA 'gobierno del populacho',
h. 1900. Tom. del gr. *okhlokratía* íd., cpt.
de *ókhlos* 'muchedumbre', 'plebe', y *kratéō*
'yo domino'.

Ocluir, oclusión, oclusivo, V. *concluir*

OCRE, 1680. Tom. del gr. *ōkhra* íd. (de
ōkhrós 'amarillo'), por conducto del fr.
ocre, 1307.

*Octacordio, octaedro, octágono, octante,
octava, octavar, octavario, octavilla, octavo,
octogenario, octogésimo, octógono, octópo-
do, octosílabo, octóstilo, octubre, óctuplo,*
V. *ocho*   *Ocular, oculista,* V. *ojo*

OCULTO, 1438. Tom. del lat. *occŭltus*
íd., participio de *occŭlĕre* 'esconder, disimular'.
Deriv. *Ocultismo. Ocultar,* h. 1440, lat.
occultare íd.; *ocultación,* 1737.

OCUPAR, 1438. Tom. del lat. *occŭpare*
íd., deriv. del radical de *capere* 'coger'.
Deriv. *Ocupación,* h. 1440. *Ocupante.
Desocupar; desocupación, desocupado. Preocupar,* S. XVII, del lat. *praeoccupare* 'ocupar antes que otro'; *preocupación; des-
preocupado,* 1923, *despreocuparse.*

Ocurrencia, ocurrente, ocurrir, V. *correr
Ochavo,* V. *ocho*

OCHO, 1220-50. Del lat. ŏctō íd.
Deriv. *Ochavo,* 1215, antes 'octavo' (así
llamado por pesar la octava parte de una
onza), del lat. octavus íd.; *ochavar; ocha-
vario,* med. S. XIII. Cultismos: *octavo,*
1438; *octava; octavar; octavario; octavilla. Octante. Octubre,* 1234, de una variante
del lat. octōber, -bris, íd. (lat. vg. octŏ-
brius u osco ohtúfri), así llamado por ser
el octavo mes del año cuando no se habían
agregado todavía los meses de julio y agosto al calendario romano.

Cpt. *Ochenta,* 1219, lat. vg. octaginta
(clásico octoginta); *ochentón. Ochocientos.*
Cultismos: *Octacordio. Octaedro,* formado
con el gr. *hedra* 'superficie', propte. 'asiento'; *octaédrico. Octogenario,* derivado del
lat. *octogeni* 'de 80 en 80'; *octogésimo,*
lat. *octogesimus* íd. *Octógono* u *octágono,*
con el gr. *gōnía* 'ángulo'; *octogonal. Octó-
podo,* con el gr. *pús, podós,* 'pie'. *Octosílabo; octosilábico. Octóstilo,* con el gr.
stỹlos 'columna'. *Óctuple* u *óctuplo.*

ODA, 1490. Tom. del lat. *oda* (u *ode*)
íd., y éste del gr. *ōidē* 'canto', deriv. de
aéidō 'yo canto'.
Deriv. *Epodo,* gr. *epōidós. Parodia,* 1765-
83, gr. *parōidía* 'imitación burlesca de una
obra literaria', de *paraéidō* 'yo canto con
arreglo a (otra cosa)'; *parodiar; paródico;
parodista. Prosodia,* 1611, gr. *prosōidía* íd.;
prosódico.
Cpt. *Rapsodia,* 1843, gr. *rhapsōidía* íd.,
deriv. de *rhapsōidós* 'el que junta o ajusta
poemas' (de donde *rapsoda*), cpt. de dicho
verbo griego con *rháptō* 'yo zurzo, junto';
rapsódico.

ODALISCA, h. 1870. Tom. del fr. *oda-
lisque,* 1676; antes *odalique,* med. S. XVII,
y éste del turco *ōdaliq* íd., deriv. de *ōda*
'cuarto, habitación'.

ODIO, 1220-50. Tom. del lat. *odium*
'odio', 'conducta odiosa'.
Deriv. *Odioso,* 1438, lat. *odiosus; odio-
sidad. Odiar,* 1607.

Odontalgia, odontología, odontólogo, V.
*diente   Odorante, odorato, odorífero, odo-
rífico,* V. *oler*

ODRE, 1399. Del lat. ŭter, ŭtris, íd.
Deriv. *Odrecillo,* 1335. *Odrero,* 1535;
odrería. Odrezuelo. Odrina, 1495.

OESTE 'occidente', 1567 (*oüeste,* 1492).
Del anglosajón *west* íd., probablemente por
conducto del fr. *ouest.*

OFENDER, 1438. Tom. del lat. *offĕn-
dĕre* 'chocar', 'atacar' (deriv. del mismo primitivo que *defendere* 'defender').
Deriv. *Ofensa,* h. 1450, del lat. *offensa*
'choque', 'ofensa'. *Ofensivo,* h. 1440; *ofensiva. Ofensor.*

Ofensa, ofensiva, ofensivo, ofensor, V.
ofender   Oferta, ofertorio, V. *ofrecer
Oficina,* V. *oficio*

OFICIO, 1220-50. Tom. del lat. *officium*
'servicio, función', contracción de *opificium,*
deriv. de *opifex, -ficis,* 'artesano' (y éste,
cpt. de *opus* 'obra' y *facĕre* 'hacer').

DERIV. *Oficial*, 1438. *Oficiar*, 1335. *Oficioso*, 1444; *oficiosidad*. *Oficina*, h. 1600, lat. *officĭna* 'taller', 'fábrica'.

OFIDIO, 2.ª mitad S. XIX, deriv. diminutivo del gr. *óphis* 'culebra'.

OFRECER, h. 1140, antes *ofrir*. Del lat. OFFERRE íd.' (vulgarmente *OFFERIRE), deriv. de FERRE 'llevar'.
DERIV. *Ofrecimiento*, 1495. *Ofrenda*, h. 1140, lat. *offerĕnda* 'cosas que se deben ofrecer'; *ofrendar*, h. 1580. *Oférta*, 1114, del lat. vg. *OFFĔRĬTA, antiguo participio de OFFERRE (voz comercial y litúrgica, recibida por conducto del cat. u occitano). *Ofertorio*, 1611. *Oblada*, 1220-50, lat. OBLĀTA 'cosas ofrecidas', participio de OFFERRE; en forma culta *oblata*, *oblato*; y en forma afrancesada *oblea*, 1495, del fr. *oblée*, propte. 'hoja de pasta para hostias, ofrecidas al Señor'. *Oblación*.

Ofrenda, *ofrendar*, V. *ofrecer* *Oftalmía*, *oftálmico*, *oftalmología*, *oftalmólogo*, *oftalmoscopia*, V. *óptico* *Ofuscación*, *ofuscar*, V. *hosco* *Ogaño*, V. *año*

OGRO, 1765-82. Del fr. *ogre* 'monstruo humano devorador', 1527; como en el S. XII aparece como nombre de un pueblo exótico, es probable que venga de *Ogur*, nombre antiguo de los húngaros, que sembraron el terror al invadir Europa en la Alta Edad Media.

¡OH!, 1335. Voz de creación expresiva.

OHMIO u **OHM**; h. 1900. Del nombre de Georg S. Ohm, físico alemán del S. XIX, que encontró una ley básica de la corriente eléctrica.
DERIV. *Óhmico*.

OÍR, h. 1140. Del lat. AUDIRE íd.
DERIV. *Oído*, 1220 - 50. *Oyente*, 1438. *Oidor*, 1212; *oidoría*. *Desoír*, S. XVII. Cultismos: *Audible*. *Audición*. *Audiencia*, princ. S. XIV. *Auditivo*. *Auditor*, h. 1440; *auditoría*; *auditorio*. *Inaudito*, h. 1440.
CPT. *Oíslo* 'persona a quien se trata familiarmente' y en particular 'la esposa', 1605, a quien se dirige frecuentemente la palabra con esta locución ('¿lo oís?').

Ojal, V. *ojo*

OJALÁ, 1495. Del ár. *wa šā lláh* 'y quiera Dios...' (pronunciado vulgarmente *wošallāh*).

OJARANZO 'especie de rododendro', 1765-83. Origen incierto; quizá (a no ser palabra prerromana) alteración del lat. RHODODENDRON (gr. *rhodódendron*) 'adelfa'. Como este nombre sufrió muchas deformaciones en latín vulgar y en romance, entre las cuales son conocidas LORANDĔUM y OLEANDRUM, es posible que *ojaranzo* venga de una forma *OLEARANDĔUM, intermedia entre aquellas dos.

Ojeada, V. *ojo* *Ojeador*, V. *ojear* *Ojear* 'mirar', V. *ojo*

OJEAR, h. 1490, 'espantar la caza'. Derivado de la interjección *¡ox!* (pronúnciese *osh*), empleada para ahuyentar animales.
DERIV. *Ojeo*, 1495. *Ojeador*. La interjección *¡ox!*, 1611; otra semejante es *¡oxte!*, 1335 (u *oste*).

OJÉN 'especie de aguardiente', 1889. Del nombre de Ojén, villa de la provincia de Málaga, donde se elabora.

Ojeo, V. *ojear* *Ojera*, *ojeriza*, *ojeroso*, *ojete*, *ojialegre*, *ojigarzo*, *ojinegro*, *ojituerto*, V. *ojo*

OJIVA 'arco', 1884 (*algiva*, 1546). Del fr. *ogive* íd., sacado de *croix* o *croisée d'augive* 'ventana ojival', SS. XIII-XV, y éste tomado probablemente del cast. *bóveda de aljibe*, 1661, 'aquella cuyos dos cañones cilíndricos se cortan el uno al otro'; *aljibe* 'cisterna' se empleó, además, en árabe y en cast., 1495, en el sentido de 'mazmorra'.
DERIV. *Ojival*.

OJO, h. 1140. Del lat. ŏCŬLUS íd. La expresión *ojo de agua*, h. 1280, 'punto de afloramiento de un manantial', resulta de una metáfora extendida por todo el mundo, en idiomas de las más varias familias, y se explica por ser el lugar donde el agua subterránea "ve la luz".
DERIV. *Ojal*, 1611. *Ojear*, 1495, 'echar ojeadas'; *ojeada*, h. 1600; *ojeo* 'mal de ojo'. *Ojera*, 1220-50; *ojeroso*. *Ojeriza* 'rencor', 1588; para el sentido comp. frases como *traer entre ojos* o *sobre ojo*, *mirar con malos ojos* o *de mal ojo*, de sentido semejante. *Ojete*, 1517. De *ojito*. *Anteojo*, 1495; *anteojera*. *Antojarse*, h. 1260, propte. 'ponérsele a uno una idea ante los ojos'; *antojadizo*; *antojo*, h. 1260. *Aojar* 'dar mal de ojo', h. 1330; *aojamiento*; *aojo*. *Desojar*. De *reojo*, 1817, del cat. *de reüll* (o *a reüll*, S. XIV), contracción de *rere-ull* (*rere* 'detrás' y *ull* 'ojo'). Cultismos: *Ocular*. *Oculista*. *Ocelo*, lat. *ocellus*, dimin. de *oculus*; *ocelado*. *Inocular*, lat. *inoculare* 'injertar' (por comparación de la forma del injerto con un ojo); *inoculación*.
CPT. *Ojialegre*. *Ojigarzo*. *Ojinegro*. *Ojituerto*.

OJOTA, amer., 'especie de sandalia' 1551. Del quichua dialectal *ušúta* íd.

OLA, 1403. Voz emparentada con el port. *fola* 'oleaje', asturiano *fola* 'ola', fr. *houle* 'oleaje', bretón *houl* 'olas'. Como en Francia aparece siglo y medio más tarde que en la Península, es probable que se tomara del ár. *háyla* 'remolino', *háyl* 'agitación del mar, tormenta', y pasase luego del castellano al francés.

Deriv. *Olear,* 1607; *oleada,* 1737; *oleaje,* 1526.

¡OLE!, h. 1780. Probte. es lo mismo que la interjección americana *hole,* empleada para llamar, variante de *hola* y *hala,* todas ellas de creación expresiva.

Oleáceo, V. *olivo*   *Oleada,* V. *ola*
Oleaginoso, V. *olivo*   *Oleaje,* V. *ola*
Oleastro, oleicultura, oleina, óleo, oleografía, oleómetro, oleorresina, oleoso, V. *olivo*

OLER, 1220-50. Del lat. ŏLĒRE íd.
Deriv. *Oliscar,* h. 1580; *olisquear. Olor,* 1220-50, del lat. vg. OLOR, -ŌRIS, alteración del clásico ODOR por influjo de OLERE; *oloroso,* 1490. Cultismos: *Odorante. Odorato. Inodoro. Ocena,* del gr. *ózaina* 'hedor', derivado de *ózō* 'yo huelo', voz hermana del lat. OLERE; otro deriv. es *ozono. Osmio,* deriv. del gr. *osmë* 'olor'.
Cpt. *Olfato,* 1616, tom. del lat. *olfactus, -ūs,* íd., deriv. de *olfacere* 'percibir olores' (formado con *facere* 'hacer'); *olfatear,* S. XIX; *olfativo. Odorífero,* 1438. *Odorífico.*

Oligarca, oligarquía, V. *anarquía*

OLIGOCENO, compuesto del gr. *olígo* 'pocos' con *kainós* 'reciente'.

Oliscar, V. *oler*

OLIVO, 1147. Del lat. vg. ŭLĪVUS íd., deriv. del clásico OLĪVA 'olivo' y 'aceituna'.
Deriv. *Oliva,* antiguo nombre de la aceituna, hoy provincial, 1220-50. *Olivar,* 1374; *olivarero. Olivarda,* h. 1100, así llamada por la agalla en forma de aceituna que cierto parásito engendra en esta planta. *Olivillo. Óleo,* princ. S. XVII; antes *olio* 'aceite', 1220-50, tom. del lat. *olĕum* íd. (que lo mismo que *oliva* se tomó del gr. *élai[w]on* íd.); *olear. Oleáceo. Oleaginoso. Oleastro. Oleina. Oleoso.*
Cpt. *Oleicultura. Oleífero. Oleómetro. Oleorresina. Olivicultura. Oleografía. Elayómetro,* del citado gr. *élaion.*

OLMO, 935. Del lat. ŭLMUS íd.
Deriv. *Olmedo. Ulmáceo. Ulmaria.*

Ológrafo, V. *holo-*   *Olor, oloroso,* V. *oler*

OLVIDAR, h. 1140. Del lat. vg. *OBLĪTARE,* deriv. de OBLĪTUS, que es el participio del lat. clásico OBLIVISCI íd.
Deriv. *Olvidadizo,* 1399. *Olvido,* 1220-50.

OLLA, 1220-50. Del lat. ŏLLA íd.
Deriv. *Ollar. Ollero,* h. 1295; *ollería.*

OMBLIGO, 1335. Del lat. ŬMBILĪCUS íd.
Deriv. *Ombliguero,* 1737. *Umbilical,* 1737.

OMBÚ, amer., h. 1805. Del guaraní *umbú* íd.; en portugués ya en 1590.
Deriv. *Ombusal.*

Omecillo, V. *hombre*

OMINOSO, S. XVII. Tom. del lat. *omĭnōsus* 'de mal agüero', deriv. de *omen, -ĭnis,* 'presagio'.

Omisión, omiso, omitir, V. *meter*

OMNI-, primer elemento de cpts., tomado del lat. *omnis* 'todo, cada uno'. *Omnimodo,* 1648, lat. *omnimŏdus,* formado con *modus* 'manera'. *Omnipotente,* 1220-50, lat. *omnipotens, -tis,* íd., con *posse* 'poder'; *omnipotencia,* 1499. *Omnipresencia,* h. 1900; *omnipresente,* 1947. *Omnisciente,* formado con *scire* 'saber'; *omnisciencia. Omnívoro,* con *vorare* 'comer'. *Ómnibus,* h. 1860, es el dativo plural de *omnis,* propte. '(carruaje) para todos'; *autobús,* h. 1920, del fr. *autobus,* h. 1907, cpt. de *auto* 'automóvil' y del ingl. *bus* 'autobús', abreviación de *omnibus.*

Omóplato, V. *hombro*

ONANISMO, h. 1860. Del nombre de Onán, personaje bíblico que, según la ley hebraica, hubo de casar con la viuda de su hermano, y se negaba a cohabitar normalmente, para no tener hijos a los que se consideraría ajenos.

Once, V. *uno*

ONCOLOGÍA, princ. S. XX. Cpt. culto del gr. *ónkos* 'tumor' y *lógos* 'tratado'.

ONDA, 1220-50. Del lat. ŬNDA 'ola', 'onda, remolino'.
Deriv. *Ondear,* 1490; *ondeante. Ondina,* h. 1830, del fr. *ondine. Ondular,* princ. S. XIX, del fr. *onduler,* 1798, deriv. del lat. *ŭndŭla* 'ola pequeña'; *ondulación,* 1817; *ondulado; ondulante. Abundar,* 1220-50, lat. *abundare* íd., propte. 'salirse las ondas, rebosar'; *abundamiento,* h. 1250; *abundante,* princ. S. XV; *abundancia,* 2.ª mitad S. XIII; *abundancial; sobreabundar; superabundar. Inundar,* h. 1580, lat. *inundare* íd.; *inundación. Redundar,* 1438, lat.

redúndare 'desbordarse', 'abundar sumamente', 'caer de rechazo sobre alguno'; *redundante*; *redundancia.*.

Ondeante, ondear, ondina, ondulación, ondulado, ondulante, ondular, V. *onda*

ONEROSO, 1595. Tom. del lat. *onerōsus* 'que tiene mucho peso', 'gravoso', deriv. de *onus, onĕris,* 'carga'.
DERIV. *Onerario. Exonerar,* 1705, lat. *exonerare,* propte. 'descargar de un peso'; *exoneración.*

Ónice, V. *uña*

ONÍRICO 'semejante a un sueño o propio de él', h. 1930. Deriv. del gr. *óneiros* 'sueño'.
CPT. *Oniromancía,* h. 1900, formado con *manteía* 'adivinación'.

Ónix, V. *uña   Onomástico, onomatopeya,* V. *nombre*

ONOSMA, 1555. Tom. del gr. *ónosma* íd., compuesto de *ónos* 'asno' y *osmē* 'olor'.

ONTINA, h. 1780. Origen incierto, quizá prerromano y deriv. del vasco antiguo *ONTO 'cepa' (hoy *ondo* 'planta de árbol', 'tronco', 'raíz').

Ontogenia, ontología, V. *ser*

ONZA, h. 1250. Del lat. ŪNCĬA 'duodécima parte de la libra y de otras medidas'.
DERIV. *Desonzar* 'descontar una o más onzas por libra', y luego 'injuriar', 1843; *desonce.* *Uncial,* deriv. de *uncia* en el sentido de 'duodécima parte de un pie (pulgada)', por el tamaño de esta clase de letra.

Onza 'especie de pantera', V. *lince   Onzavo,* V. *uno   Oolito,* V. *huevo*

OPACO, 1515. Tom. del lat. *opācus* 'sombrío, cubierto de sombra', 'oscuro, tenebroso'.
DERIV. *Opacidad,* h. 1570.

OPADO 'vano, hinchado'. 1846; 'grueso, abundante', 1587. Voz americana y dialectal de origen incierto; parece derivada del gall. *òpár* 'levantar', 'esponjar', y éste de *opa,* variante de la interjección *upa,* y de *aupar* 'levantar': de 'levantado' se pasaría a 'hinchado'. El americano *opa* 'idiota' es palabra independiente, del quichua *upa* 'bobo', 'sordo', 'mudo'.

ÓPALO, fin S. XVII. Tom. del lat. *ŏpălus* íd., voz de origen oriental.
DERIV. *Opalino. Opalescente; opalescencia.*

Opción, V. *optar   Ópera, operación, operador, operar, operario,* V. *obrar*

OPÉRCULO, S. XIX. Tom. del lat. *opĕrcŭlum* 'tapadera', deriv. de *operire* 'tapar' (de donde viene *cooperire* 'cubrir').

Opereta, V. *obrar   Opiáceo, opiado, opiata,* V. *opio   Opilación, opilar,* V. *pila I*

OPIMO 'fértil, abundante', h. 1600. Tomado del lat. *opīmus* 'fecundo, fértil', 'gordo, pingüe'. Se acentúa en la *i* y no tiene relación alguna con *óptimo.*

OPINIÓN, h. 1250. Tom. del lat. *opinio, -ōnis,* íd., deriv. de *opinari* 'conjeturar', 'dar un parecer'.
DERIV. *Opinar,* 1495, lat. *opinari; opinable; opinante; inopinado,* 1438.

OPIO, 1555, lat. *opium.* Tom. del gr. *ópion,* deriv. de *opós* 'zumo', aplicado en particular al de la adormidera.
DERIV. *Opiáceo. Opiado. Opiata. Opiato.*
CPT. del gr. *opós* 'zumo': *Opobálsamo,* 1590. *Opopónaco,* 1555, del gr. *opopánax,* formado con *pánax, -akos,* 'especie de zanahoria'. *Opoterapia; opoterápico.*

OPÍPARO, fin S. XVII, 'abundante, espléndido'. Tom. del lat. *opĭpărus* íd., cpt. de *ops* 'riqueza' y *parare* 'proporcionar'.

OPLOTECA 'museo de armas', 1884. Tomado del gr. *hoplothēkē* íd., cpt. de *hóplon* 'arma' y *thēkē* 'depósito'. Cpt. de *hóplon*: *Anopluro,* formado con gr. *urá* 'cola' y *an-* privativo. *Panoplia,* 1765-83, gr. *panoplía,* con *pân* 'todo'.

Opobálsamo, V. *opio   Oponer,* V. *poner   Opopónaco,* V. *opio   Oportunidad, oportunista, oportuno,* V. *puerto   Oposición, opositor,* V. *poner   Opoterapia,* V. *opio   Opresión, opresivo, opresor,* V. *oprimir*

OPRIMIR, 1444 *(apremir,* med. S. XIII). Tom. del lat. *opprimere* íd., deriv. de *premere* 'apretar'.
DERIV. *Opresión. Opresivo. Opresor. Reprimir,* h. 1440, lat. *reprimere* íd.; *reprimenda,* 1737; *represión; represivo.*

OPROBIO, h. 1440, 'vergüenza, deshonor'. Tom. del lat. *opprŏbrĭum* íd., deriv. de *probrum* 'torpeza, infamia'.
DERIV. *Oprobioso,* h. 1440.

OPTAR 'escoger', 1595. Tom. del lat. *optare* íd. y 'desear'.
DERIV. *Optante. Optativo,* 1490, lat. *optativus* 'perteneciente al deseo'. *Opción,*

425 ÓPTICO-ORDEÑAR

1737, lat. *optio, -onis,* 'elección'. *Adoptar,* med. S. XV, lat. *adoptare* íd.; *adoptivo; adopción, adopcionismo, -onista.*

ÓPTICO, 1611. Tom. del gr. *optikós* íd., deriv. de *óps* 'vista'.
DERIV. *Óptica,* 1832. *Catóptrico; catoptroscopia. Dioptría; dióptrico, -ca; catadióptrico. Panóptico,* 1884. *Sinopsis,* 1832, gr. *sýnopsis* 'resumen. que se abarca de una ojeada'; *sinóptico,* 1884. *Oftalmía,* 1832, y *oftálmico,* 1832, deriv. del gr. *ophthalmós* 'ojo', deriv. de *óps* 'vista'; *exoftalmia.*
CPT. *Optómetro. Oftalmólogo; oftalmología. Oftalmoscopia.*

ÓPTIMO, 2.º cuarto S. XV. Tom. del lat. *optimus* 'el mejor', 'excelente'.
DERIV. *Optimate,* lat. *optimas, -atis. Optimismo; optimista.*

Optómetro, V. *óptico   Opuesto,* V. *poner   Opugnar,* V. *puño*

OPULENTO, S. XVII. Tom. del lat. *opulentus* 'rico, poderoso', deriv. de *ops* 'poder, riqueza'.
DERIV. *Opulencia.*

Opúsculo, V. *obrar   Oquedad, oqueruela,* V. *hueco   Oración, oráculo, orador,* V. *orar*

ORAL 'que se expresa de palabra', S. XIX. Tom. del lat. *oralis* íd., deriv. de *os, oris,* 'boca'. De ahí el compuesto *orificio,* 1616, lat. *orificium* 'boca, abertura' (formado con *facere* 'hacer').

ORANGUTÁN, 1843. Del malayo *órang útan,* propte. 'hombre salvaje', de *órang* 'hombre' y *hútan* 'selva'.

ORAR 'rezar', 1220-50. Tom. del lat. *orare* 'rogar, solicitar', propte. 'hablar', 'hacer un discurso'.
DERIV. *Oración* 'plegaria', h. 1140; 'parte del discurso', 1490; 'parte del día en que se da el toque de oración'. *Oráculo,* h. 1440, lat. *oraculum* íd., propte. 'santuario' (donde se pronunciaban los oráculos). *Orador,* 1220-50, lat. *orator, -oris,* propte. 'el que habla'. *Oratorio,* 1515, lat. *oratōrius* íd.; *oratoria. Adorar,* h. 1140, lat. *adorare* íd.; *adorable; adoración; adorador; adoratriz. Exorar,* 1607, lat. *exorare* 'lograr algo con súplica'; *exorable; inexorable,* h. 1525. *Perorar,* 1685, lat. *perorare* íd.; *peroración; perorata.*

ORATE, 1425, 'loco'. Del cat. *orat, -ada,* íd., S. XIII. Éste es equivalente del oc. *aurat* íd., del mozárabe *aurâto* 'silvestre'

(aplicado a las plantas) y del port. *ourado* 'mareado, que siente vértigo'. Deriv. del lat. AURA 'aire, viento', en el sentido de 'aura malsana' y en el de 'ligereza, inconstancia'. En tierras catalanas las casas de orates o manicomios ya existían a fin S. XIV, institución propagada desde ahí a Aragón (1425) y más tarde a Castilla, junto con el nombre.

Oratoria, oratorio, V. *orar*

ORBE 'mundo', 1438. Tom. del lat. *orbis* 'círculo', 'disco', 'ruedo', que es la forma en que los antiguos se imaginaban la Tierra.
DERIV. *Órbita,* 1737, lat. *orbīta* 'carril, huella de un carro' (deriva del sentido de 'rueda', que parece ser el primitivo de *orbis); orbitario. Exorbitante,* 1570. *Desorbitado.*

Órbita, V. *orbe*

ORCA, 1624. Tom. del lat. *orca* íd., y éste del gr. *óryx, -ygos,* íd.

ORCANETA, 1733. Tom. del fr. *orcanette,* S. XVI, antiguamente *arquenet,* S. XIV, deriv. del antiguo *arcanne* o *alchanne.* Éste se tomó a su vez del b. lat. *alchanna,* que procede del ár. *ḥinnâ'* 'alheña'.

ÓRDAGO, h. 1890, 'envite del resto, en el juego del mus'. Del vasco *or dago* 'ahí está', frase empleada a modo de intimación en dicho juego de cartas. La locución familiar *de órdago* 'excelente' se formó por alusión a la audacia e importancia del envite en cuestión.

ORDALÍAS, 1884. Tom. del b. lat. *ordalia,* plural de *ordalium,* que es latinización del anglosajón *ordâl* 'juicio' (hoy inglés *ordeal).*

ORDEN, h. 1140. Del lat. *ōrdo, -inis,* por vía semiculta.
DERIV. *Ordenar,* 1220-50, lat. *ordinare* íd.; *ordenación,* 1490; *ordenamiento,* 1220-50. *Ordenanza,* h. 1295; *ordenancista. Ordenando. Desordenar,* 1438; *desorden,* 1495. Cultismos: *Ordinario,* 1335. *Coordinar,* lat. tardío *coordinare; coordinación; coordinante; coordenada. Extraordinario,* 1433. *Subordinar,* 1736, b. lat. *subordinare; subordinado,* h. 1440; *subordinación,* h. 1700; *insubordinar, insubordinación.*

ORDEÑAR, 1490. Del lat. vg. *ORDINIARE* 'arreglar' (deriv. de ORDO 'orden'). En otras lenguas romances el vocablo conserva su antiguo sentido general: port. ant. *ordinhar* 'disponer', 'conferir una jerarquía eclesiástica', S. XIV, sardo *ordinzare* 'arreglar, dejar listo', it. *ordigno* 'aparato'. La especialización de sentido castellana viene del lenguaje de los pastores, para quienes dejar los animales ordeñados es la operación o 'arreglo' más importante de todos. Con el sentido de 'ordeñar' se emplean en varios dialectos franceses las palabras correspondientes a las españolas *ajustar* y *arrear*.

OREAR, 1495. Deriv. de una palabra preliteraria *ora* 'aire', procedente del lat. AURA íd.

Deriv. *Oreo*.

ORÉGANO, 1490. Del lat. ORIGĂNUM, y éste del gr. *oríganos* íd.

OREJA, 1120. Del lat. AURĬCŬLA, diminutivo de AURIS 'oreja', que ya en la época del Imperio aparece reemplazado por su diminutivo.

Deriv. *Orejera. Orejón* 'pedazo de fruta seca', comparación de forma. *Orejudo*, 1495. *Desorejado. Auricular*, deriv. culto.

Cpt. *Pestorejo*, h. 1250, 'la parte posterior del pescuezo', disimilación de *postorejo*, formado con el lat. POST 'detrás'.

OREJANO, 2.º cuarto S. XVI, 'arisco, agreste, cimarrón', 'mostrenco, que no está marcado (hablando del ganado)'. Contra las apariencias, no es vocablo derivado de *oreja*, pues la marca en cuestión se aplica con frecuencia a otros lugares, y orejano es precisamente el que no tiene marca en ninguna parte. Parece tratarse de una alteración del antiguo *orellano* 'lateral, apartado', S. XIII, deriv. de *orilla*, con referencia a los animales que andan por lugares solitarios y remotos, de donde 'animal cimarrón'; se alteró luego por influjo de *oreja*, porque algunas veces al animal que no es orejano se le marca en la oreja.

Orejón, orejudo, V. *oreja*   *Oreo*, V. *orear   Orfanato, orfandad, orfanotrofio*, V. *huérfano   Orfebre, orfebrería*, V. *oro   Orfelinato*, V. *huérfano*

ORFEÓN, h. 1900. Tom. del fr. *orphéon* íd., formado con el nombre de Orfeo, célebre músico de la mitología griega. La terminación se debe a una imitación del fr. *odéon* 'edificio destinado a ensayos musicales', tom. del gr. *o¹dêion*.

Deriv. *Orfeonista*.

ORFO, princ. S. XVII, lat. *ŏrphus*. Tom. del gr. *órphos* íd.

ORGANDÍ, h. 1900. Tom. del fr. *organdi*, 1723, de origen desconocido.

ÓRGANO, 1220-50, lat. *ŏrgănum* 'herramienta', 'instrumento musical en general', 'órgano (instrumento)'. Tom. del gr. *órganon* 'herramienta', 'instrumento', 'órgano fisiológico' (deriv. de *érgon* 'acción, obra, trabajo').

Deriv. *Organear*, med. S. XIII. *Organillo. Orgánico*, 1490. *Organismo*, 1884, tom. del ingl. *organism*, 1664. *Organista*, 1220-50. *Organizar*, princ. S. XV; *organización*.

ORGASMO, 1765-83. Deriv. culto del gr. *orgáō* 'yo deseo ardientemente', y éste de *orgḗ* 'agitación', 'irritación'.

ORGÍA, h. 1830 (una vez h. 1525). Del fr. *orgie* 'juerga', S. XVIII, antes 'ceremonia religiosa de carácter báquico', tom. del gr. *órgia*, plural de *órgion*, 'misterio o cerémonia religiosa'. El cambio de sentido se explica por los excesos de las sacerdotisas de Baco.

Deriv. *Orgiástico*.

ORGULLO, h. 1270. Del cat. *orgull* íd., S. XIII, y éste del fráncico *ÚRGŌLI* 'excelencia', deriv. de la familia del alem. ant. *urguol* 'insigne, excelente'. La *ll* y el cambio de *o* abierta en *u* sólo pueden explicarse por la fonética catalana.

Deriv. *Orgulloso*, h. 1140. *Enorgullecer*, med. S. XIX.

ORIENTE, h. 1140. Tom. del lat. *oriens, -tis*, 'que está saliendo' (aplicado al sol), 'levante'.

Deriv. *Oriental*, 1438; *orientalista. Orientar*, S. XIX; *orientación*.

ORIGEN, 1495. Tom. del lat. *orīgo, -ĭnis*, íd., deriv. de *oriri* 'salir (los astros)', 'ser oriundo'.

Deriv. *Original*, h. 1330, lat. *originalis; originalidad. Originar*, S. XVII. *Originario*, S. XVII. *Aborigen*, lat. *aborigines* íd., propiamente 'los que están desde el origen'. Otro deriv. de *oriri* es *oriundus*, de donde el cast. *oriundo*, S. XIX; *oriundez*.

ORILLA, 1220-50. Diminutivo del lat. ŌRA 'borde, 'orilla', 'costa'.

Deriv. *Orillar*, 1611. *Orillo*, 1495. *Orillero* 'lateral, apartado', h. 1250, hoy 'suburbano', de donde 'arrabalero, plebeyo' y luego 'inmoral', amer.

Orillero, orillo, V. *orilla*

ORÍN 'herrumbre', 1256-76. Del lat. vg. AURĪGO, -ĬGĬNIS, íd., 'roya de los cereales', 'ictericia', que sustituyó el lat. AERŪGO, -UGINIS, 'orín' y 'roya de los cereales'. Éste era derivado de AES, AERIS, 'cobre, bronce', vocablo que desapareció en latín vulgar, y al caer en desuso, su derivado se alteró en AURIGO bajo el influjo de AURUM, a causa del color amarillento que es común a esas tres cosas.

ORINA, 1490. Del lat. ŪRĪNA íd.
DERIV. *Orinar*, h. 1580; *orín*, y comúnmente *orines* 'meados', S. XIX. *Orinal*, h. 1400. Cultismo: *Urinario*. Del gr. *ûron* 'orina' derivan los siguientes: *Úrico*; *urato*. *Anuria*. *Disúrico*, *disuria*, formados con el gr. *dys-* 'mal, defectuosamente'. *Diuresis*; *diurético*, formados con *diá* 'a través (sin obstáculo)'. *Urea*. *Uraco* o *uracho*, gr. *urakhós* 'uréter'. *Uréter*. *Uretra*; *uretral*; *uretritis*.
CPT. *Poliuria*. *Uroscopia*. *Uremia*, formado con el gr. *hâima* 'sangre'.

ORINQUE, 1519 (*oringa* en un fuero gallego o ast. de fin S. XIV) 'cabo que sujeta una boya a una ancla fondeada' (ya *oringa* fin S. XIV). Tom. del fr. *orin* íd., 1483 ó 1542, emparentado, a su vez, con el cat. ant. *orri* íd., S. XIII, de origen incierto.

Oriundo, V. *origen*

ORLA, 1490. Probte. de un lat. vulgar *ŌRŬLA*, diminutivo de ORA (V. *ORILLA*).
Deriv. *Orlar*, 1495; *orlado*, h. 1250. *Orladura*, 1495.

ORLO 'oboe alpino', 1559 (en portugués, h. 1540). Quizá del alem. *horn* 'cuerno', pero no está bien explicado el cambio de *-n-* en *-l-*.

ORMESÍ 'tela fuerte de seda', 1680. Voz oriental de origen incierto; quizá del nombre de Ormuz, isla y puerto del Golfo Pérsico, gran factoría de los árabes y los portugueses en su comercio con el Océano Índico.

ORMINO, 1607, lat. *hormīnum*. Tom. del gr. *hórminon* íd.

ORNAR, 1438. Tom. del lat. *ornare* 'adornar', 'preparar, aderezar'.
DERIV. *Ornamento*, h. 1440; *ornamental*; *ornamentar*, h. 1580, *ornamentación*. *Ornato*, med. S. XV. *Adornar*, med. S. XV, lat. *adornare* íd.; *adorno*, h. 1600. *Exornar*, 1706. *Sobornar*, 1495, lat. *subornare* íd., propte. 'proveer', 'preparar secretamente'; *soborno*, 1495.

ORNITO-, primer elemento de compuestos, tom. del gr. *órnis*, *-ithos*, 'ave'. *Ornitodelfo*, formado con gr. *delphýs* 'matriz'. *Ornitología*, 1765-83; *ornitológico*; *ornitólogo*.

ORO, 1030. Del lat. AURUM íd.
DERIV. *Dorado*, h. 1140; *dorar*, 1495, del lat. DEAURARE íd.; *dorada*, 1490, lat. AURATA, con influjo de *dorar*; *doradillo*; *dorador*, 1495; *doral*, princ. S. XVII, así llama-

do por su color rojizo. *Desdorar*, h. 1580; *desdoro*, S. XVI; *desdoroso*.
Sobredorar. *Áureo*, 1212, tomado del lat. *aurĕus* íd.; *aureola*, 2.° cuarto S. XV, lat. *aureŏla*, femenino del adjetivo *aureolus* 'dorado'; *aureolar*.
CPT. *Orfebre*, h. 1900, del fr. *orfèvre*, y éste del lat. AURI FABER 'metalúrgico de oro'; *orfebrería*, S. XIX. *Oriflama*, del fr. *oriflamme*, antes *orieflamme*, y éste del bajo lat. *aurea flamma* 'bandera dorada'. *Orifrés* (*orfrés*, S. XIII), de oc. ant. *aurfrés*, fr. ant. *orfreis*, cuyo segundo elemento es incierto, quizá el mismo que *friso*. *Oropel*, h. 1400, del fr. ant. *oripel*, antes *oriepel*, S. XII, del lat. AUREA PELLIS 'piel de oro'. *Oropéndola*, 1495, con *péndola* 'pluma', por el plumaje dorado de esta ave. *Aurífero*.

ORO-, primer elemento de cpts., tom. del gr. *óros*, *órus*, 'montaña'. *Orogenia*; *orogénico*. *Orografía*, h. 1900; *orográfico*.

Orobanca, *orobancáceo*, V. *yero*

ORONDO, fin S. XVI. Palabra afectiva de significados varios y origen incierto. La idea central parece ser la de 'ancho, abultado, hinchado', y variantes como la americana y canaria *jorondo*, *jurondo*, la andaluza y americana *fróndi(g)o*, y la portuguesa *fronho*, muestran que la palabra básica debía empezar por F- o por aspiración.

Oropel, *oropéndola*, V. *oro*

OROYA, 1653. Del quichua *urúya* íd.

OROZUZ, 1475, 'regaliz'. Del ár. *c̨urûq sûs* 'raíces de regaliz' (del plural de *c̨irq* 'raíz' y *sûs*, nombre de dicha planta).

ORQUESTA, 1568, lat. *orchestra*. Tom. del gr. *orkhḗstra* 'estrado donde evolucionaba el coro o tocaban los músicos, situado entre el escenario y los espectadores', deriv. de *orkhéomai* 'yo danzo'.
DERIV. *Orquestar*; *orquestación*. *Orquestral*.

ORQUÍDEA, 1884. Tom. del gr. *orkhídion* 'planta con dos tubérculos elipsoidales y simétricos', diminutivo de *órkhis* 'testículo', y 'orquídea', así llamada por la forma de los tubérculos. *Orquitis* es deriv. de *órkhis* en su sentido propio.

ORTEGA 'gallinácea semejante a la avutarda', 1644. Parece ser alteración popular del lat. *ortyx*, *-ȳgis* (gr. *órtyx*, *-ygos*) 'codorniz'.

ORTIGA, 1220-50. Del lat. ŪRTĪCA íd.
DERIV. *Ortigar* 'picar con ortigas', h. 1400. Cultismos: *Urticante*; *urticaria*; *urticáceo*.

ORTO-, primer elemento de compuestos, tom. del gr. *orthós* 'recto', 'derecho', 'justo'. *Ortodoxo*, fin S. XVI, lat. tardío *ortodoxus*, formado con gr. *dóxa* 'opinión, creencia'; *ortodoxia*. *Ortodromia, ortodrómico*, con gr. *édramon* 'yo corrí'. *Ortogonal*, con gr. *gōnía* 'ángulo'. *Ortografía*, princ. S. XV, gr. *orthographía* íd., con *gráphō* 'yo escribo'; *ortográfico*. *Ortología*; *ortológico*; *ortólogo*. *Ortopedia*, S. XIX, con gr. *paidéia* 'educación' (deriv. de *pâis* 'niño'); *ortopédico*; *ortopedista*. *Ortóptero*, con gr. *pterón* 'ala'. Deriv. de *orthós* es *epanorthéomai* 'yo corrijo, restauro', de donde *epanortosis*.

ORUGA, h. 1400. Del lat. ERŪCA 'oruga (larva y planta)', vulgarmente URŪCA.

ORUJO 'hollejo de la uva después de exprimida', h. 1400, 'residuo de la aceituna molida', 1495, antigua y dialectalmente *borujo*, h. 1300. Del lat. vg. VOLŪCLUM, clásico INVOLŪCRUM 'envoltorio' (deriv. de VOLVĔRE 'dar vuelta'). Variante leonesa o mozárabe es *gorullo, gurullo*, 1607, que ha conservado los sentidos de 'bultillo que se forma en la lana, la masa, etc.', 'grumo', 'la parte de un líquido que se coagula', y en Asturias todavía es 'bulto, atado en general'. DERIV. *Burujón*, 1525, en Asturias 'envoltorio del niño en mantillas'. *Emburujar* 'mezclar confusamente con otras cosas', 1600, en América y Asturias 'arrebujar, envolver', que es el sentido primitivo (= port. *emburulhar*); *reburujar* 'tapar, cubrir haciendo un burujón', 1737, de donde *rebujar* o *arrebujar*, 1494.

ORVALLE 'Salvia Horminum L.', 1832. Tom. del fr. *orvale* íd., S. XIV, alteración del b. lat. *auris galli* 'oreja del gallo', por una etimología popular que refundió la palabra en *aurum valet* 'vale oro', por las virtudes medicinales de esta planta. A su vez *auris galli* era traducción aproximada de otro nombre de la misma planta, gr. *alektorólophos*, propte. 'cresta de gallo'.

ORZA I 'vasija de barro', 1335, del antiguo *orço*, 1112. Éste viene del lat. ŪRCĔUS 'jarro', 'olla'. DERIV. *Orzuela*, h. 1500.

ORZA II, 2.º cuarto S. XV, 'cuerda que sirve para orzar'. Voz náutica mediterránea de origen incierto. Quizá del verbo *orzar* 'acercar la proa al viento', 1696, y éste de un lat. vg. *ORTIARE 'levantar', deriv. del lat. ORIRI íd.

ORGAZA '*Atriplex Halimus L.*', 1765-83. Probte. del ár. hispánico *cuššáqa* 'hledo morisco', 'hierba mora' (ár. *cášaqa*).

Orzar, V. *orza* II

ORZOYO, h. 1900. Del it. *orsoio* íd., que es deriv. del lat. ORDIRI 'urdir', participio ORSUS, con el sufijo -ORIUS.

Orzuela, V. *orza* I

ORZUELO I, h. 1400, 'divieso que nace en los párpados'. Del lat. HORDEŎLUS íd., propte. 'granito de cebada', diminutivo de HORDEUM 'cebada'.

ORZUELO II 'trampa para coger perdices', 1640. Alteración de *uzuelo*, diminutivo del antiguo *uzo* 'puerta', 1092, que viene del lat. OSTIUM íd. El port. *ichó* y el gascón *ichð*, que significan lo mismo que *orzuelo*, suponen claramente la misma base OSTIOLUM, diminutiva de OSTIUM; pero en castellano el vocablo se alteró por confusión con *ORZUELO* I.

Os, V. *vos*   *Osa*, V. *oso*   *Osadía*, V. *osar*   *Osamenta*, V. *hueso*

OSAR, fin S. X. Del lat. vg. AUSARE, deriv. del clásico AUDĒRE íd. DERIV. *Osado*, h. 1140; *osadía*, 1220-50.

Osario, V. *hueso*

OSCILAR, 1765-83. Tom. del lat. tardío *oscillare* íd., deriv. de *oscillum* 'columpio'. DERIV. *Oscilación*, 1709. *Oscilante. Oscilatorio.*

ÓSCULO, princ. S. XIX. Tom. del lat. *oscŭlum* 'beso'.

OSCURO, 1184. Del lat. OBSCŪRUS íd. DERIV. *A oscuras*, h. 1490. *Oscurecer*, h. 1290; *oscurecimiento*, S. XV; *obscurantismo, obscurantista. Oscuridad*, 1220-50.

Óseo, V. *hueso*   *Osera, osezno*, V. *oso*   *Osificación, osificarse, osífraga, -go*, V. *hueso*   *Osmio*, V. *oler*

OSMOSIS, fin S. XIX. Deriv. culto del gr. *ōsmós* 'acción de empujar', deriv. de *ōthéō* 'yo empujo'. DERIV. *Endosmosis*, formado con gr. *éndon* 'dentro'. *Exosmosis.* CPT. *Endosmómetro.*

OSO, 1032. Del lat. ŪRSUS íd. DERIV. *Osa*, h. 1250. *Osera. Osezno*, S. XIV.

OSTA 'cabo para mover una verga a derecha o izquierda', 2.º cuarto S. XV. Del cat. *osta* íd., princ. S. XIV; ésta es voz de origen incierto, probte. deriv. del lat. OB STARE 'oponerse', 'retener (algo)', porque las ostas retienen también las antenas y vergas en su posición, contra el esfuerzo del viento. *Ostaga* 'cabo para izar o arriar una verga', 1817; antes *ustaga*, h. 1620, del fr. ant. *utague*, S. XII (hoy *itague*), procedente del escand. ant. *uptaug*, cpt. de *taug* 'cable' y el adverbio *upp* 'hacia arriba'; luego es palabra independiente de *osta*, aunque en cast. sufrió el influjo fonético de éste.

Ostaga, V. *osta*   *Oste*, V. *ojear*   *Osteítis*, V. *hueso*   *Ostensible, ostensivo, ostentación, ostentar, ostentoso*, V. *tender*   *Osteolito, osteología, osteoma, osteotomía*, V. *hueso*   *Ostión*, V. *ostra*

OSTRA, 1591. Del port. *ostra*, que viene del lat. ŌSTRĔA íd. La forma propte. castellana es la antigua *ostria*, S. XV, u *ostia*, 1335, y todavía se dice *ostión* en Andalucía y muchos países americanos. La reducción de *ostria* a *ostia* parece debida a un juego de palabras sacrílego, y el deseo de rehuir este mismo juego sería luego la causa de la generalización de la forma portuguesa.
DERIV. *Ostrera. Ostrero. Ostión. Ostracismo*, tom. del gr. *ostrakismós*, deriv. de *óstrakon* 'concha' (deriv. de la misma raíz que *óstreon* 'ostra'), por el tejuelo en forma de concha en que los atenienses escribían el nombre de los desterrados.
CPT. *Ostrícola. Ostricultura. Ostrífero.*

Osudo, V. *hueso*   *Otalgia*, V. *parótida*

OTEAR, 1251, 'mirar desde lo alto', 'acechar', 'escudriñar', deriv. del cast. arcaico *oto*, variante de *alto*. Desde la idea de 'mirar desde lo alto' se pasó a 'mirar desde lejos' y desde ahí a 'acechar, escudriñar'.
DERIV. *Oteadora. Oteo.*

OTERO 'colina', 929 (*autero*, 909). Deriv. de *oto*, que es la forma que el adjetivo *alto* tomó en la lengua arcaica de los SS. XI y XII (hoy todavía *Montoto, Colloto, Ribota*, etc., en la toponimia); el cat. dial. *alteró* 'otero' (val., Ebro) conserva una forma más próxima a la etimología.

Otitis, otología, otólogo, V. *parótida*

OTOMANA, h. 1900. Del fr. *ottomane* íd., 1780, y éste del nombre de los turcos otomanos, por ser apropiada para descansar en ella a la manera oriental.

OTOÑO, h. 1275. Del lat. AUTŬMNUS íd.
DERIV. *Otoñal*, 1765-83. *Otoñar*, 1495. *Otoñada*, 1464.

OTORGAR, 1034. Del lat. vg. *AUCTORICARE íd., deriv. del lat. AUCTOR en el sentido de 'garante', 'vendedor'.
DERIV. *Otorgamiento. Otorgante.*

Otorrinolaringología, otoscopia, V. *parótida*

OTRO, h. 1140. Del lat. ALTER, -ĔRA, -ĔRUM, 'el otro entre dos'.
DERIV. *Alterar*, princ. S. XV, lat. *alterare* íd.; *alterable; alteración. Alterno*, princ. S. XV; lat. *altĕrnus* íd.; *alternar*, princ. S. XV, lat. *alternare* íd.; *alternador; alternativo, alternativa; alternante; alternancia. Subalterno*, lat. *subalternus* íd., término de lógica.
CPT. *Otrora*, 1913, amer., del port. *outrora* íd. *Otrosí*, h. 1140, 'también', formado con *sí* 'así' (lat. SĪC).

OVA, h. 1400, 'planta de la familia de las algas'. Del lat. ŬLVA 'alga que crece en fuentes y estanques'.

OVACIÓN, h. 1580. Tom. del lat. *ovatio, -ōnis*, 'triunfo menor, que concedían los romanos a un jefe o general, por una victoria de no mucha consideración'; deriv. de *ovare* 'hacer una entrada triunfal', 'manifestar júbilo'.

Ovado, oval, ovalado, óvalo, ovárico, ovario, ovaritis, V. *huevo*

OVEJA, 1090. Del lat. tardío OVĪCŬLA, propte. diminutivo de OVIS 'oveja'.
DERIV. *Ovejero*, 1335. *Ovejuno*, 1224. Cultismos deriv. de *ovis: Óvidos. Ovino.*

Overa, V. *huevo*

OVERO, 1737, 'de color de melocotón', 1495, 'remendado, manchado', 1569. Antiguamente *hobero*, 1495, y en portugués *fouveiro*, h. 1500, origen incierto. Ha de haber relación con el lat. vg. FALVUS, voz de origen germánico (alem. ant. *falo*, escand. ant. *fǫlr*, etc.), de donde procede el fr. *fauve* 'de color de melocotón'. Pero así no se explican la terminación ni la segunda acepción castellana. Ésta se expresaba en latín por VARIUS, cast. *vero*, med. S. XIII; luego *overo* ha de ser contracción de *hovo vero* (procediendo *hovo* de FALVUS y *vero* de VARIUS).

Óvidos, V. *oveja*   *Oviducto*, V. *huevo*

OVILLO, h. 1330. Del antiguo *luviello*, 1331, *lovelo*, 1209, hispanolatino *lobellum*, princ. S. VII. Éste procede del lat. GLOBELLUM, diminutivo de GLOBUS 'bola', 'amontonamiento', 'grupo de gente' (que en vulgar se confundió con GLOMUS 'ovillo', 'bola').
DERIV. *Aovillarse. Desovillar.*

Ovino, V. *oveja*   *Ovíparo, oviscapto, ovoide, ovoideo, ovovivíparo, ovulación,*

óvulo, V. huevo   ¡Ox!, V. ojear   Oxalato, oxálico, V. oxi-

OXI-, elemento de compuestos cultos, tomado del gr. *oxýs* 'agudo', 'ácido'. *Oxígeno*,
1817, formado con el gr. *gennáō* 'yo engendro'; *oxigenar, oxigenado; desoxigenar;
óxido*, 1843; *oxidar*, 1884; *oxidado, oxidación; desoxidar; peróxido, protóxido. Oxi-
pétalo. Oxítono; paroxítono; proparoxí-
tono.*

DERIV. del mismo radical griego: gr. *oxa-
lís* 'acedera', de donde *oxálico, oxalato,
oxalídeo. Paroxismo*, 1490, tom. del gr. *pa-
roxysmós* 'irritación, paroxismo', deriv. de
paroxýnō 'yo exacerbo', y éste de *oxýs;
paroxismal, paroxístico.*

*Oxiacanta, oxidar, óxido, oxigenar, oxí-
geno*, V. *oxi-   Oyente*, V. *oír   Ozono*,
V. *oler*

P

PABELLÓN, antiguamente 'tienda de campaña', 1490, de donde 'glorieta, emparrado', 1641, y luego 'edificio aislado'. Del fr. ant. *paveillon* 'tienda de campaña' (hoy *pavillon*), que vino del lat. PAPĪLĬO, -ŌNIS, 'mariposa', y más tarde 'tienda de campaña', por comparación de las alas del insecto con las de la tienda agitadas por el viento. Desde 'tienda' se pasó también a 'dosel que cubre una cama, un trono', 1495, y de ahí a 'bandera con las armas de la Corona', 1737.

DERIV. culto de *papilio*: *papilionáceo*. *Papillote*, h. 1900, del fr. *papillote* 'trozo de papel al cual se sujeta el cabello para rizarlo', probte. alteración de *papillon* 'mariposa' (procedente de PAPILIO en su sentido propio), luego alterado por cambio de sufijo y comparación de forma.

PABILO 'mecha de vela o antorcha', h. 1400, 'parte carbonizada de la misma'. Del lat. PAPȲRUS (vulgarmente PAPĪLUS) 'papiro, planta', cuyas hojas se empleaban como mecha (y éste del gr. *pápȳros* íd.). La única acentuación antigua en castellano es *pabílo*, todavía viva regionalmente y en buena parte de América, y general hasta el S. XVII; *pábilo* está comprobado sólo desde 1737.

DERIV. *Despabilar* 'sacar la pavesa, avivando así la llama', 1495; 'avivar la inteligencia', 1603; *despabiladeras*, 1604.

Pábulo, V. *pacer*

PACA 'fardo', 1607. Del fr. anticuado *pacque*, 1500, y éste probte. del neerl. medio *packe* íd., h. 1200.

DERIV. *Paquete*, 1737, 'fardo pequeño', 'mazo de cartas', del fr. *paquet* íd.; secundariamente 'hombre ceñido y enfajado como un paquete, petimetre', 1842 (en la acepción 'paquebote', 1842, es adaptación oral del ingl. *packboat* íd., compuesto de *pack* 'paquete' y *boat* 'barco', de donde viene también cast. *paquebote*, 1832); *empaquetar*, 1705; *paquetero*; *paquetería*. *Pacotilla*, h. 1800; parece haberse formado en fr. (*pacotille*, 1723), quizás a base de una pronunciación afrancesada del it. *pacco* 'paquete'; *pacotillero*. *Empacar* 'embalar', 1680; *empaque* 'acción de empacar', 1817; 'aspecto de una persona, según el cual nos gusta o disgusta', 1884, 'gravedad, aire majestuoso'.

Pacato, V. *paz*

PACAY (árbol americano), h. 1590. Del quichua *pácay* íd.

Paccionar, V. *pacto*

PACER, fin S. X. Del lat. PASCĔRE 'apacentar', 'pacer'.

DERIV. *Apacentar*, 1438; *apacentamiento*, 1495. *Pasto*, 1209, lat. PASTUS, -US, íd.; *pastar* 'pacer', h. 1590; *pastizal*, 2.ª mitad S. XIX; *empastar*, amer., 'empradizar', *empaste*.

Pastor, h. 1140, lat. PASTOR, -ŌRIS, íd.; *pastora*, 1220-50; *pastoral*, h. 1580; *pastorear*. h. 1600; *pastoreo*, 1737; *pastoril*, 1495; *pastorela*, 1737, del fr. *pastourelle*, y éste de oc. ant. *pastorela*, propte. 'pastorcilla' (a una de ellas se dedicaban estas canciones). *Pasterizar*, del fr. *pasteuriser*, derivado del nombre de Pasteur, biólogo que inventó este procedimiento. *Pastura*, 1201, lat. tardío PASTŪRA 'acción de pacer'. *Pábulo*, 1737, lat. *pabŭlum* 'pasto', 'alimento', de la misma raíz que *pascere*.

Paciencia, paciente, V. *padecer   Pacificación, pacificar, pacífico, pacifismo, -ista,* V. *paz   Paco* (animal), V. *alpaca*

PACO, 1914, 'moro rebelde que tira escondido contra los españoles'. Al parecer de *Paco,* forma popular de *Francisco,* aplicado humorísticamente al tirador moro por los soldados españoles.
DERIV. *Paquear; paqueo.*

Pacotillero, V. *paca*

PACTO, 1220-50, 'convenio'. Del lat. *pactum* íd., propte. participio de *pacisci* 'firmar un tratado', de la misma raíz que *paz.*
DERIV. *Pactar,* 1516; un lat. vg. *PACTARE, especializado en el sentido de 'convenir en el pago de un tributo', dio el cast. ant. *pechar* 'pagar un tributo', 1044, de donde *pecho* 'tributo', 1090, y *pechero* 'contribuyente', 1219; *pechazo,* amer., 'sablazo'. *Pacción,* S. XVIII, lat. *pactio, -onis; paccionar, -ado,* S. XVIII.

Pachón, V. *pachorra*

PACHORRA 'flema', princ. S. XVII, y **PACHÓN** 'flemático', 1260. Pertenecen a una raíz común a muchos idiomas romances y a otros, que expresa la idea de gordura y pesadez, probte. de creación expresiva; port. *pachorra, pachola,* cat. *patxoca* 'bulto, buena presencia', it. dial. *paciòto, pachione,* alem. *patschig* 'rechoncho', vasco (navarro) *patzor* 'cachaza', etc.
DERIV. *Pachorrudo. Pachacho, pachango,* amer., 'rechoncho'. *Pachucho* 'flojo', 'pasado, demasiado maduro'. De una raíz paralela: *Pocho* 'de color quebrado', 1817 (propte. 'linfático'), amer., 'rechoncho', 'torpe', 'de habla incorrecta'. Comp. *PONCHO.*

Pachotada, V. *patochada   Pachucho,* V. *pachorra*

PACHULÍ, h. 1900. Del fr. *patchouli,* 1834, palabra de origen indostánico. Probablemente el fr. lo tomó del ingl. anticuado *patch-leaf,* adaptación del bengalí *pāčapât,* denominación formada con *pât* 'hoja' (traducido por el ingl. *leaf*) y *pâča,* nombre de la planta.

PADECER, 1220-50, antiguamente *padir,* princ. S. XIII. Del lat. PATI 'sufrir, soportar'.
DERIV. *Padecimiento,* 1495. *Compadecer,* med. S. XV, lat. COMPATI, íd.; *compasión, compasivo; compatible; incompatible, incompatibilidad.*
Cultismos: *Paciente,* h. 1440, del lat. *patiens, -tis,* propte. 'el que soporta (males)';

paciencia, 1220-50; *impaciente,* 1495; *impaciencia,* 1495; *impacientar. Pasión,* 1220-50, lat. *passio, -onis,* íd.; *pasional; pasionario,* 1112, *pasionaria. Apasionado,* 1444; *apasionarse. Pasivo,* h. 1440, lat. *passivus* íd., propiamente 'que soporta'; *pasividad. Impasible,* 1438. *Patíbulo,* princ. S. XVII, lat. *patibulum* íd.; *patibulario.*
CPT. *Pasiflora; pasiflóreo.*

PADRE, 1132. Del lat. PATER, PATRIS, íd.
DERIV. *Padrastro,* 1335, lat. vg. PATRASTER, -TRI. *Padrazo. Padrear,* 1737. *Padrino,* h. 1140, lat. vg. *PATRINUS; *padrinazgo; apadrinar. Padrón,* 1156; lat. PATRONUS 'patrono, protector, defensor', acepción antigua en cast., 1220-50, de donde 'modelo, patrón', 1570, y 'nómina, lista, censo', 1495 (cultismos: *patrón,* 1490, y *patrono,* 1444); *padronazgo; empadronar,* 1322; *empadronamiento.* 1495; *patrona, patronal, patronato. Compadre,* S. XIV, lat. COMPATER, -TRIS, íd.; *compadrazgo,* 1495; *compadrería; compadrito, compadrada; compadrón.* Cultismos: *Paterno,* 1343, lat. *paternus* íd.; *paternal,* 1438; *paternidad,* 1490. *Patrio,* h. 1530, lat. *patrius* 'relativo al padre'; *patria,* 2.º cuarto S. XV, propte. 'tierra de los padres'; *expatriarse, expatriación; repatriar,* 1438, *-ado, -ación. Patriota,* h. 1800, del gr. *patriōtēs* 'compatriota' (el sentido moderno lo tomó el fr. *patriote* durante la Revolución, y de ahí el cast.), deriv. de *patriá* 'raza', 'casta', hermano de la voz latina; *patriótico; patriotismo; patriotero; compatriota,* 1611. *Patricio,* h. 1440, lat. *patricius* íd., propte. 'propio de los *patres* (o padres, nombre honorífico de los senadores)'; *patriciado; compatricio. Patrimonio,* 1300, lat. *patrimonium,* propte. 'bienes heredados de los padres'; *patrimonial. Patrístico; patrística.*
CPT. *Padrenuestro. Patrocinio,* h. 1570, lat. *patrocinium* 'protección, patronato' (de *patronus*); *patrocinar. Patrología. Patronímico,* 1611, formado con gr. *ónoma* 'nombre'. *Patriarca,* 1220-50, gr. *patriárkhēs* 'jefe de familia', formado con *árkhō* 'yo gobierno' y *patriá* 'tribu, linaje'; *patriarcado; patriarcal,* 1220-50.

Paella, V. *paila   Paflón,* V. *plafón   Paga, pagadero, pagador,* V. *pagar   Paganismo, pagano,* V. *pago*

PAGAR 'abonar una cantidad', h. 1140, primitivamente 'contentar, satisfacer', hacia 1140 y 'satisfacer al acreedor'. Del lat. PACARE 'apaciguar', propte. 'pacificar', derivado de PAX, -CIS, 'paz'.
DERIV. *Paga,* 1220-50; *sobrepaga. Pagable. Pagadero,* h. 1330. *Pagador; pagaduría. Pagaré, Pago* 'acción de pagar', 1495; adj. 'pagado', 1335.

PAGAYA 'especie de remo', 1884. Del malayo *pangáyong*, por conducto del holandés y del fr. *pagaye*, 1686.

Pagel, V. *pargo*

PÁGINA, 1490. Tom. del lat. *pagina* íd., propte. 'cuatro hileras de vides unidas en forma de rectángulo' (deriv. de *pangere* 'clavar, hincar').
DERIV. *Paginar*; *paginación. Compaginar*, S. XIX; *compaginación*.
CPT. *Paguro*, gr. *páguros* íd., formado con *urá* 'cola' y *pĕgnymi*, del mismo sentido y origen que *pangere*; del mismo verbo griego: *pectina, pectosa*.

PAGO 'distrito agrícola', 1095. Del lat. PAGUS 'pueblo, aldea', 'distrito'. Sigue vivo en el cast. clásico y hasta más tarde en Andalucía, León y parte de América.
DERIV. *Pagano*, 1220-50, tom. del lat. *paganus* 'campesino' y en el lenguaje eclesiástico 'gentil, no cristiano', por la resistencia que el elemento rural ofreció a la cristianización; *paganismo; paganizar. Payés* 'campesino catalán', fin S. XIX, del cat. *pagès* 'campesino', y éste del lat. PAGENSIS 'el que vive en el campo'. De éste procede también el fr. *pays*, sustantivo en el sentido de 'territorio rural', después 'comarca' y, en fin, 'país': de ahí el cast. *país*, 1597; *paisaje*, 1708, fr. *paysage; paisajista; paisano*, princ. S. XVII, del fr. *paysan* 'campesino', acepción conservada hoy dialectalmente en cast. (el ejército en campaña comúnmente no encontraba otro elemento civil que los campesinos); *paisanaje; apaisado*, por ser el formato adecuado para pintar paisajes.

Pago 'pagado', 'acción de pagar', V. *pagar*

PAGODA, 1765-83. Del port. *pagode* íd., propte. 'ídolo oriental', 1516, y éste del dravídico *pagôdi* —propte. nombre de Kali, esposa del dios índico Çiva—, alteración a su vez del sánscr. *bhagavatī* 'bienaventurada'.

Pagró, V. *pargo*　　　*Paguro*, V. *página*
Paidología, paidológicc, V. *pedagogo*

PAILA, 2.º cuarto S. XVI, 'vasija grande de metal, redonda y poco profunda'. Tom. del fr. ant. *paele* íd. (hoy *poêle* 'sartén'), que viene del lat. PATELLA 'especie de fuente o plato grande de metal'. También se tomó del fr. el cat. *paella* 'sartén', fin S. XIV, de donde el cast. *paella*, h. 1900, 'arroz a la valenciana', así llamado por hacerse en una sartén.
DERIV. *Pailero. Pailón*, med. S. XVI. El lat. *patella* es diminutivo de *patina* 'fuente,

cacerola', de ahí cast. *pátina* 'capa que forma la humedad sobre los objetos de bronce viejos', 1817. Otro latinismo deriv. de la misma raíz es *pátera*.

Pailebote, V. *piloto*　　*Pailero, pailón*, V. *paila*　　*Painel*, V. *paño*

PAIRAR 'estar quieta la nave', 1587. Tomado de oc. ant. *pairar* 'soportar, aguantar, tener paciencia', que viene probte. del lat. PARIARE 'ser igual', de donde se pasaría a 'ser ecuánime, mostrar ánimo constante' y luego 'estar quieto'; del occitano se tomó también el vasco *pairatu* 'sufrir, soportar'.
DERIV. *Pairo*, 1765-83.

País, paisaje, paisajista, paisanaje, paisano, V. *pago*

PAJA, 1210. Del lat. PALĔA 'cascabillo de los cereales' y de ahí 'paja desmenuzada'.
DERIV. *Pajar*, 1101. *Pajazo; pajaza. Pajizo. Pajón; pajonal*, h. 1600. *Pajoso*, 1490. *Pajuela*, h. 1250; *payuelas*, 1884, 'viruelas locas', parece ser variante mozárabe del mismo. *Empajar. Pallete*, del fr. *paillet* íd., propte. 'estera de paja', empleada como pallete.

PÁJARO, S. XIV, antes *pássaro*, S. XIII. Del lat. PASSER, -ĔRIS, 'gorrión, pardillo', vulgarmente PASSAR 'pájaro'.
DERIV. *Pajarero; pajarera. Pajaril*, h. 1573, antes *passarín*, S. XVII, de un it. *passarino*, diminutivo de *pàssaro* 'pajaril', por el golpeteo y como aleteo de la punta de la vela cuando no está bien sujeta. *Pajarilla* 'bazo', esp. el de cerdo, guisado, 1611, explicable porque se aderezaen pedacitos pequeños, como pájaros guisados; de ahí pasó al bazo humano, de donde la frase *alegrarse las pajarillas*. *Pajarraco*, 1737, de *pajararraco*.

PAJE, h. 1400. Del fr. ant. *page*, 1223, 'criado, aprendiz, grumete' y 'paje', de origen incierto. Son inverosímiles o difíciles todas las etimologías propuestas hasta ahora.

Pajizo, pajón, pajonal, V. *paja*

PALA, 1335. Del lat. PALA íd. y 'azada' (en el sentido de 'encubridor', h. 1600, quizá sea palabra diferente, de origen gitano índico).
DERIV. *Paleta*, 1525; *paletilla*, fin S. XVI; *paleto* 'gamo' (por sus astas anchas), y de ahí 'rústico, zafio', 1737. *Palada. Palear. Palero; palería. Traspalar*, 1495.

PALABRA, h. 1140, antiguamente *parabla*, h. 1250. Del lat. PARABŎLA 'comparación, símil', que a su vez vino del gr. *para-

bolĕ 'comparación, alegoría' (deriv. de *parabállō* 'yo comparo, pongo al lado', *bállō* 'yo echo'). En romance se pasó de 'comparación' a 'trase', acepción muy corriente en los SS. XII-XIV, y de ahí a 'vocablo'. Por vía culta: *Parábola*, med. S. XV. DERIV. *Parabólico*, 1413; *paraboloide*. *Paiabreo. Palabrero*, 1495; *palabrería. Palabrota. Apalabrar*, 1613. *Parlar*, 1335, tom. del oc. *parlar* 'hablar', que procede del lat. vg. PARABOLARI 'hacer comparaciones, frases': el sentido peyorativo tomado en cast. se explica por el desprecio que ·inspira al vulgo el palabreo incomprensible del extranjero (comp. el castellanismo francés *hâbler* 'parlar'). *Parlamento*, h. 1520, probablemente del fr. *parlement; parlamentar; parlamentario, parlamentarismo; parlanchín*, 1843; *parlante; parlero*, 1220-50; *parlotear*, S. XVII, *parloteo*.

PALACIO, 970. Tom. del lat. *palatium* íd., primitivamente 'Monte Palatino de Roma', 'palacio de los Césares sobre este monte'. DERIV. *Palaciano*, 1220-50. *Palaciego*, h. 1540. *Paladín*, 1611, del it. *paladino*, y éste del b. lat. galicano *palatinus* 'palaciego', de donde 'cada uno de los Doce Pares'; cultismo: *palatino*.

Palada, V. *pala·*

PALADAR, 1220-50. De un lat. vg. *PALATARE*, deriv. del lat. PALĀTUM íd. Dicha forma vulgar prevaleció en el romance de toda la Península Ibérica y en ciertos dialectos de Francia y de Italia. DERIV. *Paladear*, 1495. *Paladial* o *palatal*; *palatalizar*.

Paladín, V. *palacio*

PALADIO, h. 1900. Deriv. culto del gr. *Pallás, -ádos*, nombre de Minerva y de un asteroide, dado a este metal por haber coincidido en 1803 su descubrimiento con el de dicho asteroide.

PALAFRÉN 'caballo manso', h. 1250, antes *palafré*, h. 1140. Tom. del cat. *palafré* (plural *palafrens*), y éste del fr. ant. *palefrei* (hoy *palefroi*). Éste a su vez procede del lat. tardío PARAVERĒDUS (alterado por influjo de *frein* 'freno'); en latín significaba 'caballo de posta', lo mismo que VERĒDUS, voz de origen céltico, de la cual deriva aquélla.

PALANCA, h. 1260. Del lat. PALANGA, vulgarmente *PALANCA, y éste del gr. *phálanx, -angos*, 'rodillo', 'garrote'. El mismo origen tiene el fr. *planche* 'tabla', 'plancha de hierro', de donde el cast. *plancha*, 1490.

DERIV. *Palanquero*, 1495. *Palanqueta. Palanquear; palanqueo. Apalancar. Sopalancar*, 1495. *Planchar*, 1721 (*aplanchar*, amer.); *planchador, -ora; plancheta; planchón*.

PALANGANA 'jofaina', 1680. Voz común a las tres lenguas romances hispánicas, de origen incierto. Quizá de un lat. hispánico *PALAGANA, nombre de las artesillas o bateas empleadas por los buscadores de oro, deriv. del ibérico PALAGA 'pepita de oro'. Etimología dudosa por la fecha tardía en que aparece el vocablo castellano. DERIV. *Palanganero*, S. XIX.

PALANGRE, 1793, 'cordel de pesca con muchos anzuelos'. Del cat. *palangre*, 1416, y éste del it. meridional *palàngrisi, palàncastro* (y otras formas), que viene del gr. *polyánkistron* íd., cpt. de *polýs* 'mucho' y *ánkistron* 'anzuelo'.

Palanqueta, V. *palanca*

PALANQUÍN 'andas empleadas en Oriente', S. XIX. Del port. *palanquim*, y éste del hindostánico *pālakī* íd., que viene del sánscr. *paryańkaḥ* 'cama'.

Palatal, V. *paladar*   *Palatino*, V. *palacio*   *Palco*, V. *balcón*   *Palear*, V. *pala* *Palenque*, V. ·*palo*

PALEO-, primer elemento de cpts., tom. del gr. *palaiós* 'antiguo'. *Paleografía*, 1765-83; *paleográfico*, 1843; *paleógrafo*, 1765-83, formado con *gráphō* 'yo escribo'. *Paleolítico*, con gr. *líthos* 'piedra'. *Paleontología*, con gr. *ǒn, óntos*, 'ente, ser', y *lógos* 'tratado'; *paleontológico. Paleozoico*, con *zō⁰on* 'animal'.

PALESTRA, 1438, lat. *palaestra*. Tom. del gr. *paláistra* 'lugar donde se lucha', y éste de *paláiō* 'yo lucho'.

Paleta, paletilla, paleto, V. *pala*

PALETÓ, h. 1870. Tom. del fr. *paletot*, S. XV, antiguamente *paltoke*, 1370, y éste probte. del ingl. medio *paltock* íd., 1350, de origen incierto.

Paliar, paliativo, V. *palio*

PÁLIDO, h. 1580. Tom. del lat. *pallĭdus* íd., deriv. de *pallēre* 'estar o ser pálido'; 'palidecer'. DERIV. *Paliducho. Palidez*, fin S. XVII. *Palidecer*, 1884.

Palillero, palillo, V. *palo*

PALIN-, primer elemento de cpts, tom del gr. *pálin* 'de nuevo, otra vez'. *Palimpses-*

to, formado con *psáo* 'yo rasco'. *Palingenesia*, 1874, con gr. *génesis* 'acción de engendrar'. *Palinodia*, princ. S. XVII, gr. *palinoídía* 'acción de cantar de nuevo', con *aéidō* 'yo canto'.

PALIO, 1220-50, 'especie de manto', 'especie de dosel'. Tom. del lat. *pallĭum* íd., deriv. de *palla* 'manto de mujer'.
Deriv. *Paliar*, 1600, lat. *palliare* 'tapar'; *paliativo*, 1737. *Peplo*, gr. *péplon* íd., de la misma raíz que *pallium*.

Palique, V. *palo*

PALISANDRO 'árbol de madera dura y compacta', h. 1900. Del neerl. *palissander* (por conducto del fr. *palissandre*, 1723), antiguamente *palissanten*, 1658. A su vez éste es corrupción del cast. *palo santo*, propte. nombre del *Guayacum officinale*, 1526, otro árbol americano de madera dura y compacta.

Palitroque, paliza, palizada, V. *palo*

PALMA, 1220-50. Del lat. PALMA 'palma de la mano', 'palmito, palma enana'.
Deriv. *Palmada*, 1335. *Palmar*, 1495. *Palmatoria* 'azote para castigar, empleado en las escuelas', ant. S. XIV, deriv. del lat. *palmare* 'golpear' (propte. castigar con la palma de la mano'); la acepción 'especie de candelero', 1737, no se explica claramente, quizá por el mango largo de las antiguas palmatorias de altar, comparado con el de la palmatoria de castigo; deriv. regresivo: *palmeta*, princ. S. XVII. *Palmera*, 1737, del cat. íd., S. XV; *palmeral*. *Palmicha*, S. XVI, o *palmiche*, h. 1900, derivados mozárabes. *Palmito*, 1490. *Palmotear*, 1737; *palmoteo*. *Palmo*, 1159, lat. PALMUS íd., deriv. de PALMA de la mano; *palmar* 'de a palmo', 1495, 'enorme', h. 1250, 'patente, manifiesto', 1737, lo cual también se dice *palmario*, princ. S. XVII; *palmito* 'cara de mujer'.
Cpt. *Palmípedo*.

Palmada, palmar, palmario, V. *palma*

PALMEJAR 'tablón que liga las cuadernas', 1587. Del cat. *palomejar*, variante de *paramitjal*, S. XIII. Éste del lat. vg. *PARAMEDIALIS*, adaptación del gr. *parámesos* (*sanís*) '(tabla) puesta junto a la mitad (del navío)'.

Palmito, palmo, palmotear, V. *palma*

PALO, h. 1140. Del lat. PALUS, -I, 'poste'; de ahí los sentidos secundarios 'bastonazo, golpe', 1220-50; 'madera', 1591; 'madera de un árbol', de donde 'árbol'.

Deriv. *Palenque*, h. 1260, del cat. u oc. *palenc*, h. 1200. *Palillo*, 1490; *palillero*. *Palique* 'conversación sin importancia', 1817, modificación de *palillo*, que se aplicó a una conversación de sobremesa, S. XVII (por ser el momento en que los comensales se mondan los dientes con un palillo). *Palito*; *palitoque*, 1737, hoy *palitroque*. *Paliza*, 1605. *Palizada*, 1475; *empalizada*, 1611. *Palote*; *palotear*. *Apalear*, med. S. XV. *Empalar*, 1599.
Cpt. *Palafito*, h. 1900, del fr. *palafitte*, 1865, y éste del it. *palafitta*, propte. *pala fitta* 'palos hincados', antiguo plural en *-a*.

PALOMA, 1220-50. Del lat. PALŬMBES 'paloma torcaz', vulgarmente PALŬMBA.
Deriv. *Palomo*, h. 1400; *palomino*, 1290. *Palomar*, sust., 1144; *palomero*; *palomera*. *Palomilla* 'especie de mariposa', 1737; 'parte anterior de la grupa', 1737.

PALOMETA (pez), 1526. Es alteración del gr. *pēlamýs*, -*ýdos*, 'bonito'; formas más primitivas conservan el cat. *palamida* o *palomida* y el it. *palamita*.

Palomino, palomo, V. *paloma* *Palote, palotear*, V. *palo*

PALPAR, 1220-50. Del lat. *palpare* 'tocar levemente', 'acariciar', 'tentar', por vía semiculta.
Deriv. *Palpable*, 1438. *Palpo* 'tentáculo', 1843. *Palpitar*, h. 1450, tom. del lat. *palpĭtare* 'agitarse', 'palpitar'; *palpitación*, 1490; *palpitante*; *pálpito*, amer., 'presentimiento, corazonada' y *palpitar* 'presentir', amer., voces dialectales o tom. del port. *palpitar* íd.

Palpitar, pálpito, palpo, V. *palpar*.

PALQUI o **PALQUE** 'arbusto medicinal', med. S. XVII. Del araucano *palki* íd.

PALTA 'aguacate', h. 1554. Del quichua *pálta*, íd.
Deriv. *Palto*, h. 1590.

Palúdico, paludismo, V. *palustre*

PALURDO, 1737, 'tosco, aldeano'. Probablemente del fr. *balourd*, S. XVI, 'torpe, lerdo, atontado', alterado por influjo de los sinónimos castellanos *paleto*, *payo* y *patán*. En francés el vocablo fue anteriormente *beslourd*, S. XV, y parece ser deriv. de *lourd* (de igual significado antiguamente, hoy 'pesado', V. LERDO), con el prefijo *bes-* de sentido desfavorable.

PALUSTRE 'perteneciente a pantanos', 1555. Tom. del lat. *palustris* íd., deriv. de *palus*, -*ūdis*, 'pantano, estanque'. Otros derivados de éste: *palúdico*; *paludismo*.

Palla, pallada, pallador, V. *pallar*

PALLAR, amer., 'improvisar coplas en controversia con otro cantor', 1855, primitivamente 'entresacar la parte más rica de los minerales', 1637. Del quichua *pállai* 'recoger del suelo, cosechar'. El cambio de significado se explica porque el pallador elige las palabras más apropiadas para su réplica, como el minero escoge la parte mejor del mineral. La grafía *payar,* empleada en la Argentina, históricamente es incorrecta y está en desacuerdo con la pronunciación de las zonas que distinguen *ll* de *y.*
Deriv. *Palla* 'controversia del tipo descrito'. *Pallada* íd. *Pallador* (*pay-*).

Pallete, V. *paja*

PAMELA, h. 1900, 'sombrero de paja ancho de alas usado por las mujeres en el verano'. Así llamado en memoria de la heroína de la novela de este nombre, obra del inglés Samuel Richardson (1689-1761).

Pamema, V. *pamplina*

PAMPA, 1644. Del quichua *pámpa* 'llanura'.
Deriv. *Empamparse. Pampeano. Pampero.*

PÁMPANO, h. 1400. Del lat. PAMPĬNUS 'hoja de vid', 'sarmiento tierno'.
Deriv. *Pámpana,* 1490. *Pampanilla* 'taparrabo', 1519. *Pampanoso,* 1495. *Despampanar,* 1495, 'desconcertar', S. XIX (quizá ya 1720), propte. 'quitar a uno la pampanilla dejándole desconcertado'; *despampanante,* 1923.

Pampeano, pampero, V. *pampa*

PAMPLINA (planta), 1581, antiguamente *poplina,* h. 1106. Teniendo en cuenta que en italiano es *paperina* y oc. *paparudo,* probablemente contracción de **papaverina,* derivado semiculto del lat. *papáver, -ĕris,* 'amapola, adormidera'. Como esta planta es comida de canarios, se empleó luego en el sentido de 'cosa sin importancia', 1737, 'melindre'. De un cruce de *pamplina* con *memo* ha salido *pamema* 'cosa fútil', 1832.
Deriv. *Pamplinero,* 1923. *Pamplinoso.*

PAN, 1090. Del lat. PANIS íd.
Deriv. *Panadero,* 1335. *Panal,* S. XIII, deriv. de *pan* en el sentido de 'masa de varias materias', en particular *pan de cera,* 1495; *panalero,* 1923. *Panar,* princ. S. XVII. *Panecillo. Panera,* 1567; *panero. Paniaguado,* 1570, alteración del antiguo y dialectal *apaniguado,* S. XII, participio de *apaniguar* 'dar pan a alguno, alimentarle', del

lat. PANIFICARE 'hacer pan para alguno', comp. los vascos *ogipeko* 'sirviente, criado', *ogituko* 'empleado, criado' derivados también del vasco *ogi* 'pan'. *Paniego. Panudo. Empanada,* 1495. *Panatela* 'especie de bizcocho', S. XIX, o *panetela,* S. XVI, del it. *panatella* 'rebozadura de pan'; la ac. castellana 'cigarro puro largo y delgado' es por comparación irónica con el bizcocho. *Panática,* del cat. ant. *panàtica,* S. XIII.
Cpt. *Panoli,* h. 1900, del valenciano *panoli* íd., propte. 'pastel, buñuelo', contracción de *pa en oli* 'pan con aceite'. *Pamporcino. Panificar; panificación.*

PANA 'terciopelo basto', 1817. Del fr. *panne* íd., propte. 'piel', del lat. PĬNNA 'plumaje de un animal'.

PANACEA, 1737, lat. *panacēa.* Tom. del gr. *panákeia* 'planta a la cual se atribuía la virtud de curar todos los males', deriv. de *pánax* 'especie de zanahoria'.

Panadero, V. *pan*

PANADIZO, 1545, alteración del antiguo *panarizo,* h. 1335, todavía dialectal. Del lat. tardío PANARICIUM, que a su vez es alteración del gr. *parōnýkhion* íd., cpt. de *parà* 'junto a' y *ónyx* 'uña'; el port. *panariz,* fr. *panaris,* it. *panereccio* permanecen más cerca del latín.

Panarra, panatela, panática, V. *pan   Pancarta,* V. *carta   Pancera, panceta,* V. *panza   Panclastita,* V. *cladodio*

PÁNCREAS, h. 1560. Tom. del gr. *pánkreas* íd., propte. 'todo (*pân*) carne (*kréas*)'.
Deriv. *Pancreático.*

Pancho, panchuflo, V. *panza   Pandear,* V. *pando   Pandemia,* V. *democracia   Pandemónium,* V. *demonio*

PANDERO, 1335. Probte. del lat. tardío PANDORIUM, variante de PANDŪRA, tomados del gr. *pandúrion, pandûra,* 'especie de laúd de tres cuerdas', que también se aplicó a otros instrumentos musicales; PANDORIUS pasó a **panduero* y *pandero,* tal como TONSORIAS a *tisueras* y *tijeras.*
Deriv. *Pandereta,* 1884. *Panderetear. Panderetero,* 1495.

PANDILLA 'unión que se forma entre varios con malos fines', 1592, 'cualquiera reunión de gente'. Primero fue el nombre de una trampa o fullería consistente en hacer que se juntaran varios naipes, 1591, con lo cual se comparó la unión fraudulenta de varias personas. Como el fullero, con aquel objeto, suele torcer las cartas en cuestión, es probte. deriv. de *pando* 'curvo, torcido'.
Deriv. *Pandillaje. Apandillar,* 1609. *Empandillar.*

PANDO 'encorvado, alabeado', 959. Del lat. PANDUS 'arqueado, alabeado', 'bombado', 'cóncavo'.
DERIV. *Pandear* 'alabearse', 1737. *Empandar.*

PANDORGA, princ. S. XVII, 'serenata ruidosa y desconcertada'. Parece deriv. de un verbo **pandorgar* 'dar una serenata', pro-' cedente de un lat. vg. **PANDORICARE*, deriv. de PANDORIUM 'bandurria', 'pandero', vid. *PANDERO*; el oc. ant. *mandurgar* 'tocar la bandurria' es continuación de una variante del mismo verbo latino. De 'serenata' se pasó a 'instrumento para darla', princ. S. XVII, y en especial 'zambomba', y de ahí, por comparación de forma, a 'mujer ventruda', princ. S. XVII, y 'panza'.

PANEGÍRICO, h. 1640. Tom. del gr. *panēgyrikós* 'discurso solemne en una reunión pública', derivado de *panēgyris* 'reunión de todo el pueblo', compuesto de *pân* 'todo' y la raíz de *agorá* 'reunión'.
DERIV. *Panegirista. Panegirizar.*

Panel, V. *paño   Panera, panero, panetela, paniaguado*, V. *pan*

PÁNICO 'miedo grande', med. S. XVII. Tom. del gr. *panikón* íd., abreviación de *dôima panikón* 'terror causado por Pan', divinidad silvestre a quien se atribuían los ruidos de causa ignota oídos por montes y valles.

Paniego, panificar, V. *pan*

PANIZO, 1495. Del lat. tardío PANICIUM íd., deriv. de su sinónimo el clásico PANICUM.

Panocha, V. *panoja*

PANOJA, 1495. Del lat. vg. PANUCULA 'cabellera de una mazorca', 'mazorca' (clásico PANICULA), diminutivo de PANUS 'mazorca de hilo', 'panoja'. La variante regional *panocha*, 1737, no está explicada con seguridad. *Panícula* es duplicado culto de *panoja*.

Panoli, V. *pan   Panoplia*, V. *oploteca*

PANORAMA, 1884. Cpt. del gr. *pân* 'todo' y *hórama* 'lo que se ve'.
DERIV. *Panorámico*. Otros cpts. de la misma palabra griega: *diorama* (con *dià* 'a través'); *neorama* (con *neós* 'nuevo'). De ahí se extrajo la terminación de *cinerama*, h. 1952.

PANTAGRUÉLICO, S. XX. Del fr. *pantagruélique*, deriv. de *Pantagruel*, nombre del héroe de Rabelais.

PANTALÓN, h. 1800. Del fr. *pantalon* íd., formado con el nombre de *Pantalone*, personaje de la Comedia italiana, caracterizado por un pantalón largo a la venecia-

na, y bautizado con el nombre de San Pantaleón, muy común en la plebe de Venecia, entre la cual disfruta de gran veneración.
DERIV. *Pantalonera.*

PANTALLA, 1615, 'umbráculo de lámpara'; y en la Argentina 'abanico'. Palabra tardía de origen forastero, sin duda procedente en última instancia del cat. *ventall(a)* 'abanico', 'visera de soldado' (y en Menorca 'pantalla de lámpara') o de su equivalente francés *ventaille*; en cuanto a la *p-* del cast. y del cat. mod. *pantalla* 'la de lámpara' se deberá al influjo de otro vocablo, sea el cat. *pàmpol* 'pantalla' (propiamente 'hoja de parra, pámpano') o el alem. *panzer-teile* 'partes de la coraza', comp. a. alem. medio *panteile* 'visera de la armadura, que entonces habría actuado de intermediario entre el francés y el castellano durante las guerras de Flandes, pero está por aclarar la historia de los sentidos del vocablo.

PANTANO, h. 1590. Del it. *pantano* íd., 748, voz antigua en el Centro y Sur de Italia, de origen incierto. Probte. prerromana e idéntica a PANTANUS, nombre de un lago pantanoso de Apulia en la época romana.
DERIV. *Pantanoso*, 1490. *Empantanar*, 1604.

Panteísmo, panteón, V. *teo-*

PANTERA, 1570, lat. *panthera*. Tom. del gr. *pánthēra* íd., cpt. de *thēr* 'fiera' y *pân* 'enteramente'.

Pantomima, pantomímico, pantomimo, V. *mimo*

PANTOQUE, 1817. Probte. del gascón *pantòc* íd., deriv. de la misma raíz que *pantorrilla.*

PANTORRILLA, 1490 (*pantorilla*). Probablemente deriv. del lat. PANTEX, -ICIS, 'barriga'. Pero es difícil de explicar el cambio de terminación, si no admitimos que ya en el latín vulgar hispánico se produjo un cruce entre PANTEX y PANDORIUM 'bandurria', instrumento ventrudo. Lo cual parece confirmado por el astur. *pantorria* 'pantorrilla', *bandorria* 'vientre', port. *panturra* 'barriga', *empanturrar* 'empachar, obstruir', vasco dial. *pantorr* 'especie de embutido hecho con la bolsa del estómago'; los cuales están más próximos a PANDORIUM que la voz castellana.

PANTUFLA, 1519, o **PANTUFLO**, 1535. Del fr. *pantoufle*, 1465, de origen incierto. Quizá la forma primitiva sea la hoy dialectal *patoufle*, de la misma familia que *patín, pata* y *patullar.*

PANZA, 1475. Del lat. PANTEX, -ICIS, 'tripa', 'barriga'. *Pancho*, 1613, variante del mismo vocablo, es forma dialectal de origen mozárabe.

DERIV. *Panzada*, S. XVII. *Panzudo*, 1495; *panzón*, S. XIX. *Panceta*, amer., del it. dial. *panzetta*. *Pancera*. *Panchuflo*. *Despanzurrar*, 1737. *Repantigarse*, 1517, de un lat. vg. *REPANTICARE, deriv. de PANTEX. *Empanzarse*.

PAÑO, h. 1140. Del lat. PANNUS 'pedazo de paño', 'trapo, harapo'.

DERIV. *Pañal*, h. 1400. *Pañero*; *pañería*. *Pañete*, h. 1600. *Pañuelo*, 1570 (antes *pañizuelo*, h. 1335); *pañolero*, *pañolería*; *pañoleta*; *pañolón*. *Empañar*, 1581, propte. 'cubrir de una tela o película'. *Entrepaño*, 1706. *Panel*, 1611, del fr. ant. *panel* (hoy *panneau*), propte. diminutivo de *pan* 'lienzo de pared' (lat. PANNUS); la variante *painel* es trasposición de la dialectal fr. *paniel*; *apainelado*. *Panela*, S. XVII, propte. voz heráldica, del fr. ant. *panele*. *Panículo* 'capa subcutánea de un tejido', deriv. culto de PANNUS.

PAÑOL, 1539, 'compartimiento en el buque para guardar víveres, municiones, etc.'. Del cat. *pallol* íd., propte. 'entarimado del fondo de la nave o del pañol'. El sentido primitivo parece ser 'yacija, cama'; conservado en muchas hablas romances; probte. del lat. PALLIŎLUM, diminutivo de PALLIUM 'manta de cama'.

Pañolería, pañolero, pañoleta, pañuelo, V. *paño*

PAPA I 'Pontífice', 1220-50. Tom. del lat. *papas* íd. y 'obispo', y éste del gr. *páppas*, término de respeto dirigido a los eclesiásticos, propte. 'papá'. El cast. *papa* en este sentido viene del lat. PAPA íd., por vía hereditaria, voz de creación expresiva, paralela a la del citado vocablo griego. La variante *papá* es forma afrancesada introducida en Madrid por la corte borbónica en el S. XVIII. *Pope*, del ruso *pop* 'sacerdote', es variante del mismo.

DERIV. *Papado*, h. 1280. *Papal*, S. XV; *papalina*, 1737, del it. *papalina* 'birrete de cura'; figuradamente 'borrachera'. *Papisa*. *Papista*. *Antipapa*.

PAPA II 'patata', h. 1540. Del quichua *pápa* íd. De un cruce de éste con *batata* resulta *patata*, 1606, entonces empleado en el sentido de 'batata', y desde el S. XVIII en el moderno, pero en América y localmente en España se dice todavía *papa*.

DERIV. *Papal* 'campo de patatas'. *Papero*. *Patatal*; *patatero*.

PAPA III, 1495, 'comida en general', 'sopa blanda'. Voz infantil y familiar, del lat. PAPPA 'comida'.

DERIV. *Paparrucha*, 1843. *Papilla*, h. 1400. *Empapar*, 1490, propte. 'dar a algo una consistencia como de sopas'. *Papar* 'comer',

1570, lat. vg. PAPPARE íd.; *papandujo*, princ. S. XVII. *Arrepápalo*.

Papo, hacia 1400, por ser el lugar donde las aves reciben la comida; *papada*; *papera*, 1490; *papudo*, 1495; *empapujar*; *sopapo*, 1601: por darse bajo la papada; *sopapear*. Las voces vascas *papo, papar*, 'pecho', *paparo* 'buche', tienen un origen paralelo, pero no son punto de partida de las castellanas.

De la misma raíz infantil y expresiva PAPP- en otros significados: *Papila*, tom. del lat. *papilla* 'pezón de teta'; *papilar*; *papiloma*. *Pápula*, lat. *papŭla* íd.; *papuloso*.

CPT. *Papafigo* (ave), med. S. XVI, aragonesismo, propte. 'come-higos'; *papahigo* 'vela de tormenta', 1430, probte. por comparación del aleteo de esta vela con el aleteo o el parloteo del ave; 'gorro que cubre el cuello', 1495. *Papamoscas*. *Papanatas*.

Papá, V. *papa* I

PAPAGAYO, 1251. De origen incierto. Parece tomado del ár. *babbaġā'* íd., palabra antigua en el árabe de Oriente, por más que su etimología dentro de este idioma no esté bien averiguada. En castellano entró por conducto de otro idioma, probte. el oc. *papagai*, cuya forma alterada se explica por el influjo de palabras de esta lengua (*gai* 'alegre' y *papa* o *papar*).

Papahigo, V. *papa* III *Papaína,* V. *papaya* *Papal, papalina,* V. *papa* I *Papamoscas, papanatas, papandujo, papar, paparrucha,* V. *papa* III *Papaveráceo,* V. *amapola*

PAPAYA, 1535. Voz indígena americana, de un idioma de la zona ribereña del Mar Caribe.

DERIV. *Papayo*. *Papayáceo*. *Papaína*.

PAPEL, 1335. Del cat. *paper* íd., 1249, y éste, por vía semiculta, del lat. *papȳrus* 'papiro' (que a su vez viene del gr. *pápyros*). La fabricación del papel fue introducida en Europa por los árabes en el S X a través de Cataluña e Italia. *Papiro*, 1555, es duplicado culto.

DERIV. *Papelear*. *Papelero*, 1737; *papelera*, 1708. *Papeleta*, 1737. *Papelón*, 1605; amer. 'papel ridículo'. *Papelucho*. *Empapelar*, 1604. *Traspapelarse*.

Papelina 'tela', V. *popelina* *Papelón, papelucho,* V. *papel* *Papera, papila, papilar,* V. *papa* III *Papilionáceo,* V. *pabellón* *Papiro,* V. *papel* *Papirotazo,* V. *papirote*

PAPIROTE 'papirotazo', princ. S. XVII, antes *paperote*, 1495. Deriv. de *papo*, como *sopapo*, por el lugar donde puede darse el papirotazo; la *i* se debe al influjo de *capi-*

rotazo y *capirote* empleados en el mismo sentido, por influjo de *capón* 'golpe en la frente', y como si se tratara de un golpe dado con un capirote.
Deriv. *Papirotazo, papirotada*, 1737.

Papisa, papista, V. *papa* I   *Papo, papudo, pápula, papuloso*, V. *papa* III   *Paquear*, V. *paco*   *Paquebote*, V. *paca* · *Paqueo*, V. *paco*   *Paquete, paquetería, paquetero*, V. *paca*

PAQUIDERMO, 2.ª mitad S. XIX. Tomado del gr. *pakhýdermos* 'de piel gruesa', cpt. de *pakhýs* 'grueso' y *dérma* 'piel'.

PAR, 1220-50. Del lat. PAR, PARJS, 'igual', 'semejante', 'par, conjunto de dos personas o cosas'. *A la par de* 'junto a', 1599, antiguamente *a par de*, propte. 'al mismo nivel'. *Las pares* 'la placenta', 1495, por aplicarse conjuntamente a ésta y a las membranas que se expelen después del parto.
Deriv. *Parear*, S. XVI; *pareado. Paridad*, 1515; *paritario*, h. 1925, deriv culto del lat. *paritas* 'paridad'. *Aparear. Parejo*, 1220-50, propte. 'igual en toda su extensión'; *pareja*, h. 1140; *parejero*; *emparejar*, 1241; *aparejar*, h. 1140, propte. 'disponer con uniformidad y justeza', *aparejo*, h. 1300; *aparejador* 'auxiliar de arquitecto', h. 1600. *Dispar*, 1444; *disparidad*, 1623. *Impar*, h. 1440.
Cpt. *Parisílabo, parisilábico; imparisílabo*.

PARA, h. 1250. Probte. alteración del antiguo *pora*, h. 1140, compuesto de *por* y *a*. Alteración facilitada por el influjo de la antigua preposición *par*, que se empleaba en aseveraciones y juramentos, procedente de la lat. PER.
Cpt. *Pardiez*, deformación intencionada de *par Dios* 'por Dios'. *Parabién*, 1461. *Parapoco*, med. S. XIV, propte. 'bueno para poco'.

Parábola, parabólico, paraboloide, V. *palabra*   *Paracaídas, parada, paradero*, V. *parar*

PARADIGMA 1611. Tom. del gr. *parádeigma, -atos*, 'modelo, ejemplo', deriv. de *déiknymi* 'yo muestro'.

Paradisíaco, V. *paraíso*   *Parado*, V. *parar*

PARADOJA, 1611. Tom. del gr. *parádoxa* íd., plural neutro de *parádoxos* 'contrario a la opinión común', deriv. de *dóxa* 'opinión' con *parà* 'al lado de, fuera de'.
Deriv. *Paradójico*.

Parador, V. *parar*   *Parafango*, V. *fango*

PARAFERNALES, 1611. Cpt. culto del gr. *parà* 'junto a, aparte de' y *phernê* 'dote'.

Parafina, V. *fin*   *Parafrasear, paráfrasis, parafrástico*, V. *frase*

PARAGOGE, h. 1580. Tom. del gr. *paragōgē* 'derivación gramatical', de *parágō* 'yo conduzco hacia', y éste de *ágō* 'conduzco'.
Deriv. *Paragógico*.

Paraguas, paragüero, V. *parar*

PARAÍSO, h. 1140. Tom. del lat. *paradīsus* íd. por vía semiculta. Éste del gr. *parádeisos* 'Paraíso terrenal', propte. 'parque', voz de origen iránico. Como nombre de planta, es abreviación de *árbol del Paraíso*.
Deriv. *Paradisíaco*, lat. *paradisiăcus*.

Paraje, V. *parar*

PARAL, fin S. XVI. Probte. deriv. del lat. PALUS 'madero'. La voz castellana se tomaría del cat. *parat*, y éste del genovés antiguo, dialecto donde la -L- latina se cambia en -r-, y donde se hallan con ese sentido las formas *parati* y *palate*.

PARALAJE, princ. S. XVII. Tom. del gr. *parállaxis* íd., propte. 'cambio', deriv. de *paralláttō* 'cambio, me vuelvo diferente' (éste de *állos* 'otro').

PARALELO, h. 1570, lat. *parallēlus*. Tomado del gr. *parállēlos* íd., cpt. de *parà* 'junto a, cerca de' y *allēlus* 'los unos a los otros', que a su vez lo es de *állos* 'otro'.
Deriv. *Paralela. Paralelismo*.
Cpt. *Paralelepípedo*, formado con gr. *epípedon* 'plano'. *Paralelogramo*, 1633, con *grammē* 'línea'.

PARÁLISIS, fin S. XIII. Tom. del gr. *parálysis* 'relajación', 'parálisis', deriv. de *paralýein* 'desatar', 'aflojar'.
Deriv. *Paralítico*, 1.ª mitad S. XIII. *Paralizar*, 1884, imitado del fr. *paralyser* (S. XVI).

Paralítico, paralizar, V. *parálisis*   *Paralogismo*, V. *lógico*   *Paramento*, V. *parar*

PÁRAMO, 1142, 'meseta desierta'. Del lat. hispánico PARĂMUS íd., documentado desde la Antigüedad en la mitad occidental del Norte de la Península, de donde sería autóctono el vocablo. De origen prerromano, aunque no vasco, y probablemente tampoco ibérico ni céltico, pero quizá proceda de otra lengua indoeuropea de España (compárese el sánscr. *paramáḥ* 'el más alto, el más lejano', 'enorme'). En el sentido de 'llovizna' se debe a la frecuencia de la lluvia menuda en las altiplanicies sudamericanas.

DERIV. *Paramera. Paramero*, h. 1855. *Emparamarse*, 1755. *Paramar* 'lloviznar'. *Paramillo*.

PARANGONAR, 1607, 'comparar'. Del it. *paragonare* íd., propte. 'someter el oro a la prueba de la piedra de toque', y éste del gr. *parakonáō* 'yo aguzo, afilo (frotando con algo)', deriv. de *akónē* 'piedra de afilar, piedra pómez'.
DERIV. *Parangón*, 1517, del it. *paragone*, deriv. de *paragonare*.

Paraninfo, V. *linfa*

PARANOYA, S. XX, gr. *paránoia* 'locura', cpt. de *nûs* 'mente' con *parà* 'fuera de'.

Parapeto, V. *parar*   *Paraplejía* V. *apoplejía*   *Parapoco*, V. *para*

PARAR, h. 950. Del lat. PARARE 'preparar', 'disponer', 'proporcionar'. De 'disponer' se pasó en cast. ant. a 'poner en tal o cual estado o posición' (*pararse colorado, pararse ante una persona*), de ahí 'situar', *pararse* 'colocarse', de donde 'detenerse' (1335); de *parar* 'detenerse' se pasó a 'ir a dar en un lugar, tener allí posada'; la acepción medieval 'poner en (cualquier) posición' se aplicaba, entre otros, al caso de *se paró de pie* o *en pie* (1251), expresión que en las hablas americanas y algunas más (asturianas, sefardíes) se ha abreviado en *pararse* 'ponerse de pie', 1554. El sentido 'detener o desviar un golpe', apareció en cast. como término de esgrima, 1765-83, y se tomó del francés, donde procede del latino 'prepararse'.
DERIV. *Parada*, 929. *Paradero*, h. 1575, del sentido antiguo de *pararse* 'situarse'. *Parador*, 1734. *Paraje*, fin S. XV, vid. *paradero*. *Paramento* 'adorno', 1490, lat. *paraméntum*. *Paro*, h. 1900. *Pelaire*, antes *peraire*, 1417, del cat. *paraire*, 1413, de *parar*, con el sentido latino de 'preparar'. *Amparar*, h. 1140, del lat. vg. *ANTEPARARE* 'prevenir de antemano', 'disponer un parapeto delante de algo'; *amparo*, 1490; *desamparar*, 1438; *desamparo*, 1545. *Antipara*, 1335, o *antiparra*, 1535, procedente de *antepara*. S. XIV. *Aparar* 'acudir a recibir algo', S. XVII; antes 'preparar', S. XIII; *aparador*, 1495. *Aparato*, S. XV, tom. del lat. *apparatus, -us*, íd.; *aparatero; aparatoso. Deparar*, 1604. tom. del lat. *deparare* íd. *Disparar*, h. 1400. lat. DISPARARE negativo de PARARE 'preparar': *disparar la ballesta* era lo opuesto a *pararla*, o sea 'prepararla o tenderla para el tiro'; de ahí *disparar a* 'echar, romper a hacer algo', esp. *disparar a correr*, 1615, abreviado en *disparar* 'echar a correr', fin S. XVI; *disparada; disparadero; disparador; disparo. Mampara*, princ. S. XVII, primitivamente 'amparo', S. XV, del cast. ant. *mamparar* 'amparar', 1246. *Preparar*, 1611, tom. del lat. *praeparare* íd.; *preparación; preparado; preparativo*, 1490; *preparatorio. Reparar*, 1335, lat. *reparare*, propte. 'preparar o disponer de nuevo'; *reparación*, 1433; *reparo*, 1220-50: la acepción 'advertencia, observación' (de donde 'objeción') sale del verbo en el sentido de 'poner atención en algo', propte. 'detenerse a considerarlo'; *reparador; reparable; irreparable*, 1438.
CPT. *Parabrisa*, 1923. *Paracaídas; paracaidista*, 1925, generalizado h. 1940. *Paraguas*, 1817; *paragüero*, 1923. *Parapeto*, 1557, del it. *parapetto*, S. XIV, de *parare* 'parar golpes, defender' y *petto* 'pecho'; *parapetarse. Pararrayos*, h. 1800. *Parasol. Malparado*.

PARASCEVE, 1737, lat. *parascĕve* 'víspera del sábado'. Tom. del gr. *paraskeuē* 'preparativo'.

Paraselene, V. *selenita*   *Parasintético*, V. *tesis*

PARÁSITO, 1611, lat. *parasītus*. Tom. del gr. *parásitos* íd., propte. 'comensal' (derivado de *sitéō* 'yo alimento', *sîtos* 'trigo', 'alimento').
DERIV. *Parasitario. Parasitismo*.

Parasol, V. *parar*   *Paratífico, paratifoidea*, V. *tifus*   *Paratiroides*, V. *tiroides*   *Parcela, parcelación, parcelar, parcelario, parcial, parcialidad*, V. *parte*

PARCO 'moderado en el uso de las cosas', h. 1440. Tom. del lat. *parcus* íd., derivado de *parcĕre* 'ahorrar', 'tener miramientos'.
DERIV. *Parquedad*, 1.ª mitad S. XVII. *Parsimonia*, h. 1640, lat. *parsimonia* 'economía, sobriedad'; *parsimonioso*.

PARCHE, 1607. Del fr. ant. *parche* 'badana, cuero', y éste del lat. PARTHĬCA PELLIS 'cuero del país de los Partos', 'tafilete, cuero fino'.

Pardiez, V. *para*   *Pardillo*, V. *pardo*

PARDO, S. X, 'de color terroso oscuro'. Extraído del lat. PARDUS, gr. *párdos* 'leopardo'. Empleado más tarde en forma compuesta *leo pardus* (en combinación con *leo* 'león') se creyó que *pardus* era un adjetivo referente a las manchas de color negruzco que distinguían el leopardo del león, y se extendió su empleo al caballo (así S. X), a otros animales y, finalmente, a cualquier cosa. Por otra parte es probable que contribuyera a la creación de este adjetivo el cast. ant. y port. *pardal* 'gorrión' (del gr.

párdalos), otro animal de color pardo, y que ya en griego parece ser deriv. de la misma raíz que *párdos* 'leopardo'. DERIV. *Pardillo*, h. 1625, antes adjetivo 'pardo', S. XV. *Pardusco*, h. 1600.

Pareado, parear, V. *par*

PARECER, h. 950. Del lat. vg. *PARĒSCĔRE,* deriv. de PARĒRE 'aparecer', 'parecer', que expresaba especialmente el comienzo de esta acción. Sustantivado, h. 1575. DERIV. *Aparecer,* h. 1140; *aparecido. Aparente*, princ. S. XV, tom. del lat. *apparens, -entis*, íd., participio de *apparēre* 'aparecer': *apariencia*, 1560, antes *aparencia*, S. XV, lat. *apparentia; aparentar; aparición*, 1495, lat. *apparitio; desaparecer*, S. XIII, *desaparición. Comparecer*, h. 1600; *comparecencia, compareciente, comparendo*, lat. *comparĕndus* 'el que debe comparecer'; *comparsa*, 1737, del it. *comparsa* 'acción de comparecer', de donde 'grupo de gente que se presenta disfrazada', después singularizado. *Tra(n)sparente*, 1444; *tra(n)sparencia*; *tra(n)sparentarse.*

PARED, 1043. Del lat. PARĬES, -ĔTIS, íd. DERIV. *Paredón. Emparedado,* 1220-50; *emparedar,* 1570. Cultismos: *Parietal. Parietaria.*

Pareja, parejero, parejo, V. *par*

PAREMIOLOGÍA, S. XIX. Cpt. del gr. *paroimía* 'proverbio' (alguna vez empleado en cast. *paremia*, S. XX) con el gr. *lógos* 'tratado'. DERIV. *Paremiólogo; paremiológico.*

Parénquima, V. *quimo*   *Parentela, parentesco,* V. *parir*

PARESIA, S. XX. Tom. del gr. *páresis* 'aflojamiento', deriv. de *paríēmi* 'yo suelto' (y éste de *íēmi* 'yo lanzo').

PARGO, 1613, pez de la familia de los sargos y doradas. Del lat. PAGER, PAGRI, y éste del gr. *phágros* íd. DERIV. *Pagel,* 1525, del cat. *pagell,* y éste de lat. vg. *PAGELLUS,* diminutivo de PAGER.

Parhelio, V. *sol*

PARIA, 1765-83. Del tamul *pareiyan* 'tocador de bombo', por ser ésta una función habitual de los miembros de esta casta de la India. Por conducto del port. *pariá,* 1607, y luego el ingl. *pariah,* 1613.

Parición, parida, V. *parir*   *Paridad,* V. *par*   *Paridera, pariente,* V. *parir*   *Parietal, parietaria,* V. *pared*

PARIHUELA, 1765-83. Del mismo origen incierto que el port. *padiola,* 1715, o *paviola,* h. 1610, andaluz *paviola.* Parece ser palabra de procedencia mozárabe, quizá disimilación de **paliola,* procedente del lat. PALLIOLA 'mantas de cama' (vid. *PAÑOL* y *FERRERUELO*), aplicado a la camilla para llevar enfermos, cuyos maderos deben cubrirse con mantas; luego se extendería a otras clases de parihuela.

PARIR, fin S. X. Del lat. PARĒRE 'dar a luz', 'producir, proporcionar'. DERIV. *Parición,* 1220-50. *Parida,* 1495. *Paridera,* S. XVII. *Parto,* 1220-50, lat. PARTUS, -US, íd.; *partear; parteador, -ora; partera,* h. 1250; *partero; partería,* 1495; *sobreparto. Parturienta,* tom. del lat. *parturiens, -tis,* íd. *Pariente,* h. 1140: del lat. *parentes* 'padre y madre' (propte. participio de *parere* 'dar a luz, engendrar'), más tarde 'parientes'; *parentesco,* h. 1275; *parentela,* 1490, lat. *parentēla; emparentar,* 1142. CPT. *Malparir. Malparto.*

Parisilábico, parisílabo, paritario, V. *par* *Parlador, parlamentar, parlamentario, parlamento, parlanchín, parlante, parlar, parlero, parlotear,* V. *palabra*

PARNÉ 'dinero' (caló), fin S. XVIII. Del gitano *parné* íd., forma flexiva de *parnó* 'blanco', y éste del sánscr. *pāṇḍu* 'pálido'; se aplicó primero a las monedas de plata (comp. *blanca* 'dinero' en *no tengo blanca*).

PARO (pájaro), h. 1625. Tom. del lat. *parus* 'herreruelo'.

Paro 'acción de parar', V. *parar*   *Parodia, paródico,* V. *oda*

PÁROLI (jugada del juego del monte), 1737. Del it. *pàroli* 'los paro, los apuesto (los dineros)', de *parare* 'arriesgar dinero a un juego'.

Paronimia, parónimo, paronomasia, V. *nombre*

PARÓTIDA, princ. S. XIX, lat. *parotis.* Tom. del gr. *parōtís, -ídos,* deriv. del gr. *ûs, ōtós,* 'oreja, oído', con *para-* 'junto a'. DERIV. y CPT. del gr. *ûs: Otitis. Otalgia,* con gr. *álgos* 'dolor'. *Otología; otólogo. Otorrinolaringología,* S. XX, formado con gr. *rhís, rhinós,* 'nariz', y *lárynx* 'laringe'. *Otoscopio; otoscopia:* con *skopéō* 'yo examino'.

Paroxismo, paroxítono, V. *oxi-*

PÁRPADO, h. 1400. Del lat. vg. **PALPĔTRUM,* variante del clásico PALPĔBRA (junto al cual existieron otras variantes PALPĒTRA y PALPĒBRUM). Aunque la explicación de los pormenores fonéticos no es bien segura, es probable que pasara primero a *párpadro*, de donde la forma moderna, por disimilación. DERIV. *Parpadear*, 1495; *parpadeo*.

PARQUE, 1607. Del fr. *parc* 'majada de ganado', 'sitio cercado destinado a conservar en él animales salvajes', 'terreno, cercado y con plantas, para recreo'. Éste procede de una palabra PARRĪCUS documentada en bajo latín desde el S. VIII y común a todas las hablas de Francia y lenguas germánicas de Occidente, de origen incierto, seguramente deriv. de la familia de *PARRA*. DERIV. *Aparcar*, 1936; *parquear*, 1923 amer.: anglicismos (*to park*), por *estacionar*.

Parquedad, V. *parco*

PARRA, 2.ª mitad S. XIII, 'vid levantada artificialmente'. Voz propia de las tres lenguas romances de la Península, de origen incierto. Como en lengua de Oc *parran* es 'cercado', 'huerto', *parral* valía lo mismo en aragonés, 1204, y el gallego-asturiano *parreiro* es 'granero', es probable que el sentido inicial de *parra* fuese 'glorieta,' 'emparrado', 'enrejado' (de ahí *parrilla* 'rejilla'), y que el vocablo esté emparentado con el tipo PARRĪCUS 'granero', 'cercado, majada', mencionado en el artículo *parque*. La procedencia última de esta familia, común al romance y al germánico, es incierta; sin embargo, la forma del femenino occitano *parran* sólo puede explicarse por un gót. *PARRA, -ANS, 'cercado, enrejado, glorieta', y es probable que de esta misma palabra venga nuestro *parra*.
DERIV. *Parral*, 1204. *Esparrancarse*, h. 1560, 'abrirse de piernas', por comparación con la forma como se extienden las ramas de la parra. *Parrilla* 'utensilio culinario en figura de rejilla', 1495, comparable con la forma de enrejado de las glorietas o emparrados; *emparrillar*; *emparrillado*. *Parriza* 'labrusca', h. 1600. *Emparrado*, 1611; *emparrar*. *Aparrarse*, h. 1580. *Aparragarse*, amer.

PÁRRAFO, 1433, lat. *paragrăphus*. Tom. del gr. *parágraphos* 'señal para distinguir las varias partes de un tratado', deriv. de *paragráphō* 'yo escribo al margen' (y éste de *gráphō* 'escribo'). Designando al principio signos como §, pasó luego a significar el período entre dos de estos signos. Probablemente se tomó del fr. *paraphe*, 1390 (antes 'signo de párrafo', hoy 'rúbrica que se pone al margen como señal'), donde se comprende mejor la alteración fonética (comp. cat. ant. *parraf*, fin S. XIV).
DERIV. *Parrafada*.

Parranda, V. *farra*

PARRICIDA, h. 1490, 'el que mata a su padre o madre'. Tom. del lat. *parricīda* (antes *paricīda*) 'el que mata a un pariente y en particular al padre o madre'; cpt. de *caedĕre* 'matar' con una palabra desusada en latín, que popularmente se relacionó con *pater* o *parentes* 'padre y madre', aunque en realidad era independiente de éstos.
DERIV. *Parricidio*, 1569.

Parrilla, parriza, V. *parra*   *Párroco*, V. *parroquia*

PARROQUIA, 1490; sin duda ya S. XIII (V. *parroquiano*). Tom. del lat. tardío *parochia*, íd., y éste del gr. *paroikía* 'avecindamiento', deriv. de *pároikos* 'vecino' (de *oikéō* 'yo resido'). En tierras latinas el vocablo se confundió con el gr. *párokhos* 'abastecedor', 'dueño de casa, anfitrión' (derivado de *parékhō* 'yo proporciono'), que en la baja época tomó el sentido de 'párroco'.
DERIV. *Parroquial*, 1220-50. *Parroquiano*, 1220-50. *Aparroquiar*. *Párroco*, 1611, del gr. *párokhos*, V. arriba.

Parsimonia, parsimonioso, V. *parco*

PARTE, h. 950. Del lat. PARS, -TIS, íd.
DERIV. *Partesana*, fin S. XVI, del it. *partigiana* íd., S. XIV, que probte. fue primero arma de una milicia de partido o de una tropa ligera de guerrilleros: del it. *partigiano* 'partidario'. *Partícula*, 1433, tom. del lat. *partĭcŭla*, diminutivo de *pars*; *particular*, 1433; *particularidad*, h. 1490; *particularizar*. *Parcela*, 1884, del fr. *parcelle* 'partícula' y éste del lat. vg. *PARTICELLA, diminutivo de PARS; *parcelar*, *parcelación*; *parcelario*. *Parcial*, 1478, tom. del lat. *partialis* íd.; *parcialidad*, 1433; *imparcial, imparcialidad*. *Departamento*, 1817, del fr. *département*. *Partir*, h. 1140, del lat. PARTĪRI 'dividir, repartir'; la acepción 'ponerse en camino' es aplicación especial de la de 'separar'. *Partición*, h. 1140; *partido*, 1495; *partida*, 1220-50; *partidario*, S. XVII; *partidista*, 1923; *partidura*, 1490, y en forma italiana *partitura*; *partitivo. Compartir*, S. XIII; *compartimiento. Departir*, h. 1140, antes 'partir, dividir', 1220-50, de donde 'explicar menudamente', 1220-50, y luego 'conversar', h. 1140; *departimiento. Despartir*, med. S. XIV. *Impartir*, 1525, tom. de *impartiri* 'repartir' y luego 'conceder'. *Repartir*, 1490; *repartición*; *repartimiento*, 1438; *repartidor*; *reparto*, S. XIX.
CPT. *Partícipe* 'el que toma parte', 1569, tom. del lat. *particeps, -ĭpis*, formado con *capere* 'tomar'; *participar* 'tomar parte', y luego 'dar parte de una noticia'; *participio*.

Tripartito. Aparte, h. 1140; *apartar,* propte. 'poner a una parte'; *apartadizo; apartado; apartamiento.*

Partear,. V. *parir*

PARTENOGÉNESIS, h. 1900. Cpt. del gr. *parthénos* 'doncella, virgen' y *génesis* 'generación'.

Partera, V. *parir* *Parterre,* V. *tierra Partesana, partición, participar, partícipe, participio, partícula, particular, particularidad, partida, partidario, partido, partir, partitivo, partitura,* V. *parte* *Parto, parturienta,* V. *parir*

PARVA 'conjunto de mieses tendidas en la era antes de separar el grano', h. 1250. Origen incierto; quizá del lat. PARVA 'cosas pequeñas', suponiendo que significara primero 'conjunto del cascabillo y demás residuos del grano', pero como no hay prueba de que tal sea el significado primitivo, tal vez se trate de una reliquia prerromana con el sentido de 'montón o porción de cosecha', acaso de origen indoeuropeo y emparentada con el sánscr. e iranio *párvatas* 'montaña, peñasco' y su primitivo *parvā* o *parvan-* 'nudo, bulto', 'porción, sección' (hermano del gr. *péirar, péirata,* 'nudo, extremo, mojón').
DERIV. *Aparvar,* 1605. *Emparvar.*

PÁRVULO, h. 1640. Tom. del lat. *parvŭlus,* diminutivo del lat. *parvus* 'pequeño'.

PASA, h. 1400. Abreviación del lat. UVA PASSA íd., del participio PASSUS del verbo PANDĔRE 'tender, desplegar', y especialmente 'tender al aire las uvas para que se sequen'. Del mismo PASSUS, aplicado a todo lo seco, caído o lacio, vino el adverbio antiguo *paso* 'despacio' y 'en voz baja' (propte. 'con flojedad'), 1251; *pasito* íd., 1605.

Pasacalle, pasada, pasadera, pasadizo, pasado, pasaje, pasajero, pasamanería, pasamanero, pasamano, pasante, pasantía, pasaporte, pasatiempo, pasavolante, V. *paso*

PASCUA, 1090. Del lat. PASCHA, que por conducto del griego, procede de una variante del hebreo PESACH íd., propte. 'paso, tránsito', fiesta con que los judíos conmemoraban la salida de Egipto. En castellano el vocablo se alteró por influjo del lat. PASCUA, plural de PASCUUM 'alimento de los animales' (confusión sugerida por la terminación de los ayunos en Pascua).
DERIV. *Pascual,* 1220-50.

Pase, pasear, paseo, V. *paso* *Pasiflora,* V. *padecer* *Pasillo,* V. *paso* *Pasión,* *pasionaria,* V. *padecer* *Pasito,* V. *pasa* *Pasivo,* V. *padecer*

PASMO 'parálisis pasajera causada por un enfriamiento', 1490. Del lat. vg. PASMUS (clásico SPASMUS) y éste del gr. *spasmós* 'espasmo, convulsión', deriv. de *spáō* 'yo arranco, tironeo'; *espasmo,* 1555, es cultismo.
DERIV. *Pasmar,* h. 1400: en este deriv. (no en *pasmo*) la desaparición de la s- inicial latina ocurre también en fr., milanés y griego moderno, lo que sugiere que la causa de esta desaparición se halla en el verbo, comunicándose luego al sustantivo; como en latín vulgar *spasmare* se pronunciaba *espasmare,* debió de tomarse la sílaba *es-* por un prefijo y se suprimió; *pasmado. Pasmarota,* 1737. *Pasmoso,* 1737. *Espasmódico,* del gr. *spasmŏdēs* íd. Otros deriv. de *spáō: Espástico. Epispástico,* del gr. *epispáō* 'yo atraigo'. *Polispasto,* gr. *polýspastos* 'máquina de varias poleas para levantar pesos tirando de ellos'. *Antispasto.*

PASO, 1220-50. Del lat. PASSUS, -US, 'movimiento del pie cuando se va de una parte a otra', deriv. de PANDĔRE 'extender'.
DERIV. *Pasear,* 1444; *paseo,* 1605. *Pasillo,* 1737. *Pasar,* h. 1140; *paso,* 1335, 'acción de pasar', 'lugar de paso'. *Pasada,* 1220-50. *Pasadera. Pasadizo. Pasaje,* 1309; *pasajero,* 1495. *Pasamiento,* 1220-50. *Pasante; pasantía. Pase,* 1737. *Antepasado. Compasar,* 1220-50, 'medir con pasos', 'medir'; *compás,* 1490, 'instrumento para medir desde un punto', 'medida, ritmo'; *acompasar; descompasar,* 1495. *Propasarse,* 1737. *Repasar,* 1607; *repaso,* 1737. *Sobrepasar,* del fr. *surpasser. Traspasar,* h. 1140; *traspaso,* 1335.
CPT. *Pasacalle. Pasagonzalo. Pasamano* 'baranda', 1505; en el sentido 'especie de galón', S. XVII, es tomado del fr. *passement,* S. XIII, de donde *pasamanero, pasamanería. Pasaporte,* 1611, del fr. *passeport,* h. 1520, propte. 'pasa-puerto'. *Pasatiempo,* 1490. *Pasavolante. Pasitrote.*

Paso, adv., V. *pasa*

PASQUÍN, 1570. Del it. anticuado *pasquino* íd. (hoy *pasquinata*), deriv. de *Pasquino,* nombre de una estatua de gladiador en Roma, en la cual solían fijarse libelos y sátiras.

PASTA, 1220-50. Del lat. tardío PASTA, y éste del gr. *pástē* 'harina mezclada con salsa', deriv. de *pássō* 'yo derramo, esparzo'.
DERIV. *Pastel,* 1490, del fr. ant. *pastel* íd.; *pastelear, pasteleo; pastelero, pastelería; empastelar. Pastilla,* h. 1535. *Pastoso; pastosidad. Empastar; empaste.*

PASTECA 'especie de polea de barco', h. 1573. Probte. del cat. *pasteca* íd., 1467, propte. 'sandía', por comparación con la forma oval y el gran tamaño de este fruto; éste procede del ár. *baṭṭíḫa* íd. (la *s* tendrá origen análogo al de la de *hasta*).

Pastel, pastelería, pastelero, V. *pasta*
Pasterizar, V. *pacer* *Pastilla,* V. *pasta*
Pastizal, pasto, pastor, pastoral, pastorear, pastorela, pastoreo, pastoril, V. *pacer* *Pastoso,* V. *pasta* *Pastura,* V. *pacer*

PATA, 1495 (y ya en 982 en mozárabe). Voz propia del cast., el port. y el fr., de origen incierto. Probte. onomatopeya del piafar y patear.
DERIV. *Patada,* 1335. *Patalear,* 1737; *pataleo; pataleta,* med. S. XVII. *Patán,* 2.° cuarto S. XVI, por el andar pesado y torpe del rústico, comparado al de un animal; comp. *patoso. Patear,* 1495. *Pateta,* princ. S. XVII: se representa al demonio con patas bestiales, llamándosele también *patas. Patilla* (sentido náutico, med. S. XVI; porción de pelo, 1817). *Patín,* 1737, probte. del fr. *patin* 'chapín' y luego 'patín'; *patinar,* S. XIX; *patinazo,* 1923.
Patojo, 1737, quizá princ. S. XVI. *Patudo. Patoso,* S. XIX, comp. *patán. Patulear* 'pisar recio, meter ruido'; *patulea* 'multitud ruidosa, canalla': probte. de origen portugués. *Patullar* 'pisar con fuerza, esp. en el fango', 'andar con afán y fatiga', 1737, fr. ant. *patouiller* 'patullar en el fango', 1213, después *patrouiller* íd. S. XV, 'patrullar', de donde el cast. *patrullar,* 1728, y *patrulla. Despatarrar.*
CPT. *Patidifuso,* S. XIX. *Patihendido,* 1495. *Patitieso,* 1737. *Patizambo,* 1737.

Pata, V. *empatar* y *pato*

PATACHE, 1591, 'aviso, buque de guerra ligero'. Forma afrancesada del cast. anticuado *pataxe,* 1526, de origen incierto. Probte. del ár. *baṭáš* 'nave de dos mástiles', que parece ser variante de *baṭṭáš* 'rápido, activo, pronto', 'fuerte, valiente'.

Patada, V. *pata* *Patalear, pataleta, patán,* V. *pata*

PATARATA, princ. S. XVII, 'cosa ridícula y despreciable'; en Aragón conserva el sentido etimológico de 'boñiga, excremento de vaca'. Palabra de origen incierto, de la misma familia que el bearnés *patère,* cat. dial. *patanada, palterada* 'boñiga', quizá prerromana.
DERIV. *Pataratero,* med. S. XVII.

Patata, V. *papa*

PATATÚS, 1765-83, 'accidente que le da a una persona', onomatopeya del ruido del que se cae desmayado.

Patear, V. *pata*

PATENA, 1220-50, 'platillo de metal en el cual se pone la hostia'. Tom. del lat. *patēna* íd., propte. 'pesebre', y éste del gr. *phátnē* 'pesebre'.

PATENTE 'manifiesto', princ. S. XVII. Tom. del lat. *patens, -tis,* 'que está abierto', propte. participio de *patēre* 'extenderse, estar abierto'. En el sentido de 'documento público' es abreviación de *carta* o *letra patente,* tomado en el sentido de 'documento abierto para todo el mundo'.
DERIV. *Patentar. Patentizar.*

Pátera, V. *paila* *Paternal,· paterno,* V. *padre* *Pateta,* V. *pata*

PATÉTICO, fin S. XVII. Tom. del gr. *pathētikós* íd., deriv. de *épathon* 'sufrí, experimenté un sentimiento' (del mismo origen que el lat. *pati,* de donde *padecer*).
DERIV. *Patetismo. Simpatía,* 1611, gr. *sympátheia* 'acto de sentir igual que otro'; *simpático,* princ. S. XVIII; *simpatizar. Antipatía,* 1611, gr. *antipátheia* íd.; *antipático. Apatía,* med. S. XIX, gr. *apátheia* 'falta de sentimiento'; *apático.* Cpt. del gr. *páthos* 'padecimiento, enfermedad': *Patogenia; patogénico; patógeno,* formados con *gennáomai* 'yo engendro'. *Patología; patológico. Homeopatía,* con gr. *hómoios* 'semejante', propte. 'de remedios análogos al mal'; *homeopático; homeópata;* y su opuesto *alopatía* (gr. *állos* 'otro, diferente').

Patetismo, patibulario, patíbulo, V. *patético* *Patidifuso, patilla, patín,* V. *pata* *Pátina,* V. *paila* *Patinar,* V. *pata*

PATIO, 1495. Probte. del oc. *pàtu,* 1140, *pàti,* 'lugar de pasto comunal', 'terreno baldío', y éste tom. del lat. *pactus, -us,* 'convenio', 'arriendo', que tomó el sentido de 'pastizal arrendado', pasándose de ahí a 'terreno baldío' y luego 'espacio sin edificar detrás o en el interior de un edificio'; el sentido de 'solar sin edificar', 'terreno baldío', es también propio del cat. *pati,* S. XIII, 'patio', que debió de servir de intermediario hacia el castellano, donde es vocablo mucho más tardío (en Castilla se decía entonces *corral* con este sentido).

Patitieso, patizambo, V. *pata*

PATO, 1495. Voz común a varios idiomas de familias diversas (port. *pato,* ár. *baṭṭ,* búlgaro y esloveno *patka* íd., albanés *pate* 'ganso', etc.). De la misma onomatopeya que ha dado *pata,* por alusión al andar pesado de este animal.

Deriv. *Pata* 'pato hembra', 1495.

PATOCHADA, 1607, 'dicho necio y grosero'. Voz de creación expresiva, y aunque su forma primitiva no es segura, probte. se relaciona con *patán, patoso* y otros deriv. de *pata.*

Patogénico, patógeno, V. *padecer   Patojo,* V. *pata   Patología, patológico,* V. *padecer   Patoso,* V. *pata*

PATRAÑA 'noticia fabulosa', 1517. Alteración del antiguo *pastraña,* 1335, bajo el influjo de *patarata. Pastraña* y su antiguo sinónimo *pastrija,* 1220-50, deben de ser dos derivados del lat. PASTOR —a saber, *PASTORANĔA y *PASTORILĬA, respectivamente— en el sentido de 'consejas de pastores'.

Patria, patriarca, patriarcal, patricio, patrimonial, patrimonio, patrio, patriota, patriotero, patriótico, patriotismo, patrístico, patrocinar, patrocinio, patrología, patrón, patrona, patronal, patronato, patronímico, patrono, V. *padre   Patrulla, patrullar, patudo, patulea, patullar,* V. *pata   Palatino,* V. *poco   Paulina,* V. *polilla   Pauperismo, paupérrimo,* V. *pobre   Pausa, pausado,* V. *posar*

PAUTA, 1611, 'dispositivo que ayuda a dar dirección horizontal a los renglones de un escrito'. Tom. del lat. *pacta,* plural de *pactum* 'convenio', que en la Edad Media tomó el sentido de 'ley, texto legal'. De donde, figuradamente, 'norma' y el sentido material básico.

Deriv. *Pautar,* 1611.

Pava, pavada, V. *pavo*

PAVANA (danza antigua), 1531. Del it. *pavana* íd., 1508, femenino de *pavano,* forma vulgar de *padovano* 'perteneciente a Padua'.

Pavero, V. *pavo*

PAVÉS, 2.º cuarto S. XV, 'escudo de gran tamaño', palabra común a todas las lenguas romances y europeas. Del it. *pavese* íd., 1290, de origen incierto. Al parecer, idéntico a *Pavese* 'perteneciente a Pavía', la ciudad italiana donde se supone se fabricaron primero los paveses.

Deriv. *Pavesada,* S. XV. *Empavesar* 'tapar con paveses colgados la cubierta de un navío de guerra para protegerla', h. 1530; 'adornar un navío con banderas y lienzos a la manera de dicha protección', 1817; *em-*pavesada, 1611; *empavesado,* S. XV. *Pavía,* 1817, 'especie de melocotón', otra voz que parece procedente del nombre de *Pavía.*

PAVESA, 1475, 'partícula inflamada'. Probte. del antiguo leonés y asturiano *povisa,* h. 1280 (variante **povesa*), 'cenizas que vuelan' y 'polvo que se desprende del trigo', alterado por influjo de *pabilo.* La forma ant. resultará de un lat. vg. *PŬLVĬSĬA, deriv. del lat. PŬLVIS 'polvo' o de su equivalente en una lengua indoeuropea de la España prerromana.

Deriv. *Despavesar,* 1495; *despavesaderas,* 1570.

Pávido, pavimentar, pavimento, V. *pavor   Paviola,* V. *parihuela   Paviota,* V. *pavo*

PAVO, h. 1300. Del lat. PAVUS 'pavo real'. Éste fue el significado único de *pavo* hasta el Siglo de Oro, pasando entonces a aplicarse al *Meleagris gallopavo,* ave oriunda de América del Norte, mientras la otra se distinguía desde entonces con el epíteto de *pavo real,* 1737, o sea 'pavo verdadero, auténtico'.

Deriv. *Pava* 'hembra del pavo', 1495, 'tetera para mate, etc.', por comparación de su forma ventruda con la de una pava empollando huevos. *Pavada. Pavero. Paviota,* 1335, con la terminación de *gaviota. Pavón* 'pavo' ant., 1220-50, 'color azul oscuro', 1884, it. *paonazzo* 'violáceo' (de donde el cast. *pavonazo,* 1708), fr. *ponceau* 'rojo subido' (de *paonceau,* dimin. de *paon*), del cual se tomó el amer. *punzó; empavonar; pavonear,* 1604.

Cpt. *Pavitonto.*

PAVOR, h. 1140, 'miedo'. Del lat. PAVOR, -ŌRIS, íd.

Deriv. *Pavoroso,* h. 950. *Despavorir, -orido,* h. 1580. Cultismos: *Pávido* 'miedoso', lat. *pavĭdus; impávido* 'sin miedo a nada', med. S. XVII; *impavidez. Pavimento,* 1495, tom. del lat. *pavimĕntum* íd., deriv. de *pavire* 'golpear el suelo', 'aplanar' (de la misma raíz que *pavor*); *pavimentar, pavimentación.*

Pavorde, V. *poner   Pavoroso, pavura,* V. *pavor   Paya, payada, payador,* V. *pallar   Payama,* V. *pijama   Payar,* V. *pallar*

PAYASO, princ. S. XIX. Del it. *pagliaccio* íd., S. XVIII, propte. 'saco de paja', con el cual se comparó al payaso informe y torpemente vestido; tom. por conducto del fr. *paillasse.*

Deriv. *Payasada.*

Payés, V. *pago*

PAYO, fin S. XVI, 'aldeano, pastor', origen incierto. Probte. del nombre propio de persona gallego *Payo,* equivalente del cast. *Pelayo,* y tomado como nombre típico de los rústicos.

Payuelas, V. *paja*

PAZ, h. 1140. Del lat. PAX, -CIS, íd. DERIV. *Pacato* 'pacífico, quieto de natural', 1737; 'pusilánime', h. 1800, tom. del lat. *pacatus.* CPT. *Pacificar,* 1490, tom. del lat. *pacificare* íd.; *pacificación,* 1495; *pacífico,* 1220-50, lat. *pacificus; pacifismo.* Del propio *pacificare* en forma más popular: *apaciguar,* fin S. XIII; más lo era aún el antiguo *apazguar, apazguado,* 'el que ha firmado paces con su enemigo', S. XV; cruzado con *pacato: pazguato* 'simple, imbécil', princ. S. XVII.

PAZOTE (planta maloliente oriunda de Méjico), 1836. Del azteca *epázotl* íd., propiamente 'sudor de mofeta', cpt. de *épatl* 'mofeta' y *tzotl* 'sudor'.

Pazpuerca, -co, V. *puerco*

PCHE o **PCHS**, h. 1900. Voz de creación expresiva.

Peaje, peal, V. *pie*   *Pealar,* V. *apea Peana, peatón,* V. *pie.*

PEBETE 'pasta que encendida exhala un humo oloroso', 1575. Del cat. *pevet* 'pebetero, incensario', y 'pebete', antiguamente *peuet,* 1440. Deriv. del cat. *peu* 'pie', por el que sostiene el pebetero. Irónicamente se empleó en el sentido de 'objeto maloliente', 1612, de donde 'niño de mantillas', amer. y luego 'niño algo mayor', amer. DERIV. *Pebetero,* S. XVII. Del port. *pivete* 'niño, mocoso' (propte. 'pebete de olor'), se extrajo el argentino *pibe* 'niño'.

PEBRE (salsa en que entra pimienta), 1555; antes 'pimienta', S. XIII. Esta voz, siempre poco castiza, se tomó del cat. *pebre* 'pimienta', que viene del lat. PĪPER, -ĔRIS, íd. Cultismos: *Piperáceo. Piperina.* DERIV. *Pebrada,* 1495.

PECA 'mancha pequeña del cutis', 1490, y ya sin duda en el S. IX (en que consta *pecoso*). Probte. emparentado con el arag. *picueta* 'viruela', *picatoso, pecatoso,* 'pecoso', cat. *piga* 'lunar', *pigallat* 'salpicado de manchas', *pic* 'mancha minúscula', ingl. *peck* íd. Palabras que parecen ser de la misma familia que el verbo *picar* 'herir levemente', 'causar un principio de caries', *picado de viruelas,* ingl. *to pick* y *to peck* íd. Proce-

dentes todas ellas de una onomatopeya que expresó primero la idea de 'golpear', luego la de la mancha que así se produce y, en fin, la de otras manchas comparables. DERIV. *Pecoso,* S. IX.

PECAR, 1220-50. Tom. del lat. *peccare* íd., propte. 'faltar, fallar'. DERIV. *Pecado,* 1220-50; *empecatado. Pecador,* 1220-50. *Impecable. Pecaminoso,* derivado del b. lat. *peccamen* 'pecado'.

Pécari, V. *báquira*   *Peceño, pecera,* V. *pez*   *Pecio,* V. *pieza*   *Peciolado, pecíolo,* V. *pezón*   *Pécora, pecorea,* V. *pecuario*   *Pecoso,* V. *peca*   *Pectina,* V. *página*   *Pectiniforme,* V. *peine*   *Pectoral,* V. *pecho*   *Pectosa,* V. *página*

PECUARIO, 1843. Tom. del lat. *pecuarius,* deriv. de *pecu* 'ganado', 'rebaño'. DERIV. *Pécora,* 1438 (raro hasta el S. XVIII), del it. *pècora* 'oveja', lat. PĔCŎRA, plural de PECUS, -ŎRIS, 'ganado, rebaño' (del mismo origen que PECU); *pecorear* 'andar los soldados saqueando', 1706; *pecorea* 'saqueo', S. XVII. *Peculio,* h. 1550, tom. del lat. *pecūlium* 'ahorros, pequeña fortuna personal', deriv. explicable porque el ganado constituía el principal de los bienes; *peculiar,* h. 1550, lat. *peculiaris,* propte. 'relativo a la fortuna particular'; *peculiaridad. Peculado,* lat. *peculatus, -us,* íd. *Pecunia,* 1241, tom. del lat. *pecunĭa* 'dinero'; *pecuniario,* S. XVII.

Peculado, peculiar, peculiaridad, peculio, pecunia, pecuniario, V. *pecuario*   *Pechar* 'pagar', V. *pacto;* 'empujar', V. *pecho Pechera,* V. *pacto*   *Pechero,* V. *pecho* y *pacto*   *Pechicolorado, pechigonga,* V. *pecho*

PECHINA, 1527, 'concha de peregrino'. Origen incierto, seguramente mozárabe; igual procedencia tiene el cat. *petxina* 'concha en general', 1418, que por su mayor popularidad y antigüedad no puede haberse tomado del castellano, y es mucho menos empleado en las hablas norteñas del catalán que en sus hablas del Mediodía.

PECHO, h. 1140. Del lat. PĔCTUS, -ŎRIS, íd. DERIV. *Pechada,* amer., 'empellón dado con el pecho del caballo', 'empellón cualquiera'; *pechar* 'empujar', amer.; *pechazo* 'golpe con el pecho'. *Pechera; pechero. Apechugar,* 1607 (*pechugar,* 1495), quizá de **apechiugar* (de donde *apechiguar* 'empujar con el pecho del caballo la montura de otro jinete', S. XIII); de ahí podría haberse extraído *pechugada,* h. 1250; *pechuga,* 1495;

pechuguera, 1495; *pechugona*, fin S. XIX; de éste quizá *pechigonga*, 1737; *despechugar*, 1495. *Antepecho*, S. XVI. *Repecho*. *Petral* 'correa que se pone ante el pecho del caballo', med. S. XV; *pretal*, h. 1600: del lat. PECTORALE 'que cubre el pecho'. *Pretil* 'barandilla, antepecho', h. 1625, del etimológico *petril*, de formación paralela a la de *petral*. *Pretina* 'correa que ceñía el pecho o la cintura', h. 1600; de *petrina*, princ. S. XIII, formado análogamente a los anteriores. *Peto*, h. 1580, del it. *petto* 'pecho'. *Pectoral*, tom. del lat. *pectoralis* íd. Otros cultismos: *Expectorar*; *expectoración*.

CPT. *Pechicolorado*. *Pechirrojo*, 1843, o *petirrojo*, h. 1900, del cat. *pit-roig*, equivalente de aquél.

Pecho 'tributo', V. *pacto*   *Pechuga, pechugona, pechuguera*, V. *pecho*

PEDAGOGO, 1490, lat. *paedagōgus* 'ayo, preceptor', propte. 'acompañante de niños'. Tom. del gr. *paidagōgós* íd., cpt. de *pâis, paidós*, 'niño', y *ágō* 'yo conduzco'. *Pedante*, 1535, del it. *pedante*, íd., S. XV, 'maestro de escuela', 'pedante', es deformación cometida en Italia con el cultismo *pedagogo*, por identificación popular jocosa con la voz vulgar italiana preexistente *pedante* 'soldado de a pie', 'peatón', aludiendo al hecho de que el acompañante de niños es peatón constante.

DERIV. *Pedantería*, 1616; *pedantesco*. *Pedagogía*, h. 1600; *pedagógico*.

Otros cpts. del gr. *pâis*: *Pediatría*, con *iatrós* 'médico'; *pediatra*. *Pederasta*, S. XIX, gr. *paiderastḗs* íd., con *erastḗs* 'amante'; *pederastia*. *Paidología*; *paidológico*.

Pedal, pedalear, pedáneo, V. *pie*   *Pedante, pedantería, pedantesco*, V. *pedagogo*

PEDAZO, 1063. Del lat. PITTACIUM (vulgarmente PITACCIUM) 'trozo de cuero', 'colgajo o añadidura de la túnica', 'escrito en un trozo de papel': y éste del gr. *pittákion* íd. Del plural de éste, *pittákia*, en el sentido de 'emplasto', por conducto del it. *petecchia* 'mancha de sarampión', quizá viene el ast. *petequia*, 1765-83.

DERIV. *Despedazar*, 1444. *Petequial*.

Pederasta, pederastia, V. *pedagogo*   *Pedernal*, V. *piedra*   *Pedestal, pedestre*, V. *pie*   *Pediatría*, V. *pedagogo*   *Pedicular*, V. *piojo*   *Pedicuro*, V. *pie*

PEDIR, h. 1140. Del lat. PĔTĔRE íd., propiamente 'dirigirse hacia un lugar', 'aspirar a algo'.

DERIV. *Pedido*, h. 1250, lat. tardío PETITUS, -US. *Pedigüeño*, 1490. *Pedimento*.

Cultismos: *Petición*, 2.º cuarto S. XV; *peticionario*; *petitorio*. *Apetecer*, h. 1580, lat. *appetere*; *apetecible*, princ. S. XVII; *apetencia*; *apetito*, S. XIII, lat. *appetītus, -us*; *apetitoso*. *Competir*, med. S. XV, y *competer*, 1495: son duplicados, tom. ambos del lat. *compĕtĕre* 'ir al encuentro una cosa de otra', 'corresponder, ser adecuado, pertenecer', 'pedir en competencia'; *competente*, princ. S. XV; *competencia*, fin S. XVI; *competidor*, 1495.

Pedo, pedorrero, pedorro, V. *peer*   *Pedrada, pedrea, pedregal, pedregoso, pedregullo, pedrería, pedrisco, pedrusco*, V. *piedra*   *Pedúnculo*, V. *pie*

PEER, h. 1440. Del lat. PĒDĔRE íd.

DERIV. *Pedo*, h. 1400, lat. PĒDĬTUM íd.; secundariamente 'borrachera', por alusión al mal olor del ebrio. *Pedorro*, 1495; *pedorrero*; *pedorrera*; *pedorreta*. *Petardo*, S. XVII, del fr. *pétard* íd., deriv. de *péter* 'peer', 'estallar'; *petardista*.

Pega, V. *pegar* y *picaza*   *Pegadizo, pegajoso*, V. *pegar*

PEGAR, 1220-50, 'adherir, unir'. Del lat. PĬCARE 'embadurnar o pegar con pez', derivado de PIX, PĬCIS, 'la pez'. Secundariamente, partiendo de 'arrimar íntimamente', viene *pegar con alguien* 'arremeterle', S. XV, y luego *pegar golpes*, 1605, o, absolutamente, *pegar a alguno* 'golpearle', 1616.

DERIV. *Pega*, 1495, 'acción de pegar', 'baño de pez'. *Pegadizo*. *Pegajoso*, 1490. *Pegote*. *Apegar*, med. S. XIV; *apego*, princ. S. XVII; *apegadizo*; *desapegar*, h. 1250; *desapego*, S. XVIII. *Despegar*, 1220-50; *despego*, 1611; *despegue*.

Pegmatita, V. *pelmazo*   *Pegote*, V. *pegar*   *Pegual, pehual*, V. *apea*

PEINE, 1335. Del lat. PĔCTEN, -ĬNIS, íd.

DERIV. *Peina* o *peineta*, fin S. XVIII. *Peinazo*. *Peinero*; *peinería*. *Peinar*, h. 1335, lat. PECTĬNARE íd.; *peinado*; *despeinar*, 1495. *Pendejo* 'pelo del pubis', h. 1400, lat. vg. *PECTĬNĬCŬLUS íd. (de donde también port. *pentelho*, cat. *pentenill*, fr. *pénil* íd.), diminutivo de PECTEN (que en varios textos de baja época se encuentra en el mismo sentido y que ha dado el cast. *empeine* íd., y 'bajo vientre' 1490).

Cultismos: *Pectíneo*. *Pectiniforme*.

Peje, pejegallo, pejemuller, pejepalo, pejerrey, V. *pez I*

PEGIGUERA 'duraznillo', 1607. Del bajo lat. PERSICARIA íd., deriv. de PERSICUM 'melocotón' (de hojas semejantes a las del duraznillo). La acepción 'embarazo, dificultad' se explica por el sabor picante de esta planta.

Pela, peladilla, pelado, pelafustán, pelagatos, V. pelo   Pelagra, V. piel   Pelaire, V. parar   Pelaje, pelambre, pelamesa, pelandusca, pelar, pelazga, V. pelo

PELDAÑO, 1765-83. Palabra tardía, de origen incierto. No parece tratarse de un derivado de PES, PEDIS, 'pie'. Es más probable que haya relación con el sinónimo más antiguo pirlán, mampelaño, mampernal (cuya variante mamperlán ya se lee en 1734). Como éste puede ser variante o derivado de pernal 'estaca larga que se pone a los bordes del carro', peldaño podría venir también de *pernaño cambiado en *perdaño por disimilación.

PELEAR, 1131. Voz común al castellano con el port. (pelejar) y la lengua de Oc (íd.), derivada de pelo. El sentido primero hubo de ser 'venir a las manos, reñir', y anteriormente 'agarrarse por el pelo'.
DERIV. Peleador, 1495. Peleante; peleón. Pelea, 1220-50.

Pelechar, V. pelo

PELELE, h. 1800. Voz tardía de origen incierto. Parece de creación expresiva; o bien cruce de lelo con otro vocablo.

Pelendengue, V. perendengue   Peletería, peletero, V. piel   Peliagudo, V. pelo

PELÍCANO, 1490, lat. pelicānus. Tom. del gr. pelekán, -kânos, íd.

Película, V. piel

PELIGRO, 1220-50, antiguamente periglo íd. Descendiente semiculto del lat. perīcŭlum íd., propte. 'ensayo, prueba' (deriv. del mismo radical que perītus 'experimentado' y experiri 'practicar experiencias').
DERIV. Peligroso, 1220-50 (perigloso). Peligrar, 1220-50.

Pelirrojo, V. pelo   Pelitre, V. piro-
Pelma, V. pelmazo

PELMAZO, 1220-50, 'objeto compacto o pesado'. Probte. deriv. del gr. pêgma, pêgmatos, 'materia congelada o coagulada' (derivado de pêgnymi 'yo clavo, fijo, coagulo'). Parece procedente de pēgmátion, diminutivo griego de aquella palabra.
DERIV. Apelmazar, princ. S. XV. Pelma, 1737, extraído de pelmazo. Pegmatita, cultismo.

PELO, h. 1140. Del lat. PĬLUS íd.

DERIV. Pelaje, S. XIX. Pelambre, 1555; pelambrero, -era. Pelaza, 1220-50, o pelazga (para el sentido, vid. PELEAR). Pelillo. Pelona. Peloso, 1438. Peludo. Pelusa, 1609; pelusilla. A contrapelo. Espeluznar, fin S. XIII; espeluznante; espeluzno. Pelar, 1335, lat. PĬLARE 'sacar el pelo' (de donde luego 'sacar la piel, desollar'); pela; pelado; peladera; peladilla; pelandusca. Repelar, h. 1550; repelón, h. 1500; repelo.
Cultismos: Piloso. Depilar; depilación; depilatorio.
CPT. Pelechar, 1495, propte. 'echar pelo'. Peliagudo, 1611, creado según el modelo de puntiagudo. Pelicano. Pelinegro. Pelirrojo. Pelirrubio. De pelar: Pelafustán (por la baratura del fustán para vestidos). Pelagallos. Pelagatos. Pelamesa, formado con el verbo mesar.

PELOTA, 1490 (pellota, med. S. XIII). Del fr. ant. pelote íd., que a su vez es derivado romance del lat. PĬLA. En la Edad Media se empleaba en el sentido de 'pelota de juego' la voz castiza pella, del lat. PĬLŬLA, diminutivo del anterior. Éste se ha conservado después en sentidos secundarios: 'suma ahorrada', 1604; 'copo', princ. S. XVII; 'manteca de cerdo'. De pillŭla (variante del citado pilŭla) se tomó píldora, 1495 (quizá ya S. XIV), por vía semiculta.
DERIV. Pelotari, del vasco. Pelotera, princ. S. XVII. Pelotilla. Pelotón, 1737, del fr. peloton 'grupo de personas', propte. 'ovillo pequeño' (pelote es también 'ovillo' en fr.); apelotonar. De pella: Pellada. Repellar 'arrojar pelladas de yeso a la pared que se está construyendo'.

Pelotera, pelotón, V. pelota

PELUCA, 1721 (perruca, 1607). Probte. del fr. perruque íd., fin S. XV, alterado por influjo de pelo. Palabra común al francés con el italiano y otros romances; de origen incierto. Probte. extraída del fr. ant. perruquet, S. XV, voz con la cual se apodaba a los funcionarios de justicia, caracterizados por sus grandes pelucas. Perruquet significaba propte. 'loro', con el cual se comparó al juez provisto de peluca, por la locuacidad de esta ave y las plumas de su copete y cabeza; esta palabra (hoy perroquet) es deformación del cast. periquito íd., propte. nombre propio de persona. También se ha empleado en cast. perico 'peluca', h. 1640.
DERIV. Pelucón, 1737. Peluquero, 1737; peluquería íd.

Pelusa, V. pelo

PELVIS, 1765-83. Tom. del lat. pelvis 'caldero, bacineta de metal'.

Pella, pellada, V. *pelota. Pelleja, pellejero, péllejo, pellico, pelliza,* V. *piel*

PELLIZCAR, h. 1400. Resulta del cruce de dos sinónimos: 1.º, *pizcar* 'pellizcar', 1737, voz de creación expresiva, cuyas variantes se emplean en varios lenguajes (cat. *pessigar,* cast. dial. *pecigar,* it. *pizzicare,* rumano *piţigà, pişcà*); 2.º, **vellegar,* procedente del lat. VELLĬCARE íd., de donde port. *beliscar* íd., it. *vellicare* 'hacer cosquillas', cat. dial. *esvellegar* 'rasgar, desgarrar'. DERIV. *Pellizco (pelcigo,* 1220-50; *pecilgo,* 1495). *Pizco* 'pellizco', princ. S. XVII; *pizca* 'porción mínima de algo', 1611. *Repizcar; repizco.*
Piscolabis, 1884 (*miscolavis,* 1765-83), formación burlesca seudo-latina, probte. deriv. de *pizca;* sentido: 'comerás un pedacito de algo'; a imitación de futuros como *cibabis, refocilabis, saturabis.* Del dialectal y cat. *pecigar* derivan el valenc. *pessiganya* y, con reduplicación, su sinónimo cast. *pizpicigaña* (Cuba), comúnmente cambiado en *pizpirigaña,* princ. S. XVII.

Pellón, V. *piel*

PENA, h. 950. Del lat. POENA íd., y éste del gr. *poiné* 'multa'. DERIV. *Penal,* 1495; *penalidad. Penar,* h. 1200; *penado. Penoso,* 1220-50. *Apenar. Despenar* 'rematar', 1605, propte. 'terminarle los sufrimientos a uno'. CPT. *Apenas,* 1220-50.

PENACHO, med. S. XVI, del it. *pennacchio* íd., deriv. de *penna* 'pluma'. DERIV. *Empenachar.*

Penado, penal, penalidad, penar, V. *pena*

PENCA, 1386. Palabra común a las tres lenguas romances peninsulares, de origen incierto. Quizá fue primitivamente un adjetivo *hoja pe(d)enca (foja penca* en 1386), derĭv. del lat. PES, PEDIS, 'pie', por arrancar las pencas directamente del pie o tallo de la planta. DERIV. *Pencar* 'azotar (el verdugo)', 1609; *apencar* 'apechugar', fin S. XIX; *pencazo. Penco* 'penca de hortaliza', de donde 'persona despreciable', 'jamelgo', 1836.

Pendanga, V. *pender   Pendejo,* V. *peine*

PENDENCIA 'riña', h. 1590, anteriormente 'situación apurada, alarma, mal paso', 2.ª mitad S. XV. Procede del lat. PAENITENTIA 'pesar', deriv. de PAENITĒRE 'tener pesar de algo, arrepentirse'. Es verosímil que se tomara del port. *pendência,* S. XIV, 'desavenencia, conflicto, intriga', que tuvo antiguamente el sentido de 'penitencia' y corresponde al verbo *repender-se* o *arrepender-se* 'arrepentirse'. DERIV. *Pendenciero,* S. XVII.

PENDER, fin S. X. Del lat. PĒNDĒRE 'estar colgado'. DERIV. *Pendanga,* 1737; *pindonga,* 1843, *pindonguear. Pendiente. Péndola* 'péndulo', 1737, y su variante *péndulo:* del lat. *pendŭlus* 'pendiente, que pende'; *pendular. Peneque,* 1836, del gasc. *penèc* 'pendiente, que cuelga'. *Pingar* 'colgar', del lat. PENDICARE íd.; de ahí 'gotear, chorrear'; *pingajo* 'colgajo', 1737; *pinganillo* 'calamoco', 1605; *pingo* 'colgajo' y luego 'caballo', amer. (primero término despectivo). *Pensil,* med. S. XVII, lat. *pensĭlis* 'jardín suspenso'. *Antipendio,* b. lat. *antependium* 'lo que cuelga delante'. *Apéndice,* 1609, lat. *appendix, -ĭcis; apendicitis; apendicular.*
Depender, princ. S. XV, lat. *dependĕre* íd.; *dependiente,* h. 1580; *dependencia,* S. XV; *independiente; independencia; independizar,* 1893. *Perpendículo; perpendicular,* h. 1440. *Propender,* S. XIX, lat. *propendĕre* 'inclinarse adelante'; *propenso,* S. XVII; *propensión,* princ. S. XVII. *Suspender,* 2.ª mitad S. XVI, lat. *suspendĕre* íd.; *suspensión; suspenso,* h. 1440; *suspensorio; suspensivo.*

Péndola, V. *pender* y *péñola   Pendolista,* V. *péñola*

PENDÓN, h. 1140. Del fr. ant. *penon* íd., deriv. del lat. PĬNNA 'pluma', por comparación del pendón de la lanza con el penacho del casco. El vocablo sufrió el influjo de *pender,* por estar el pendón colgante. DERIV. *Pendonista.*

Pendular, péndulo, V. *pender   Pene,* V. *pincel   Peneque,* V. *pender*

PENETRAR, 2.º cuarto S. XV. Tom. del lat. *penetrare* 'hacer entrar', 'penetrar'. DERIV. *Penetrable,* 1515. *Penetración. Penetrante,* h. 1440. *Penetrativo,* h. 1440. *Compenetrarse; compenetración.*

PÉNFIGO, 1884. Tom. del gr. *pémphix, -ĭgos,* 'ampolla'.

Península, V. *isla*

PENIQUE, 1765-83. Tom. del anglosajón *pennig* íd. (hoy ingl. *penny*).

Penitencia, penitencial, penitenciaría, penitenciario, penitente, V. *arrepentirse*

PENOL, h. 1573, 'extremo de las vergas'. Probte. del cat. *penó,* diminutivo de *pena* 'parte más delgada de la entena', y éste del lat. PĬNNA 'ala, pluma', por comparación de la entena y su vela con una ala de ave. CPT. *Apagapenol.*

Penoso, V. *pena*

PENSAR, h. 1140. Del lat. PENSARE 'pesar' (intensivo de PENDĔRE íd.), por vía semiculta: se partió de la idea de pesar cuidadosamente el pro y el contra. DERIV. *Pensador. Pensamiento,* 1220-50. *Pensativo,* 1438. *Pienso,* fin S. XVĬ, de *pensar* en el sentido figurado de 'cuidar de alguien' y de ahí 'dar de comer a un animal', S. XIV. CPT. *Penseque,* princ. S. XVII, de la frase *pensé que...*

Pensil, V. *pender*

PENSIÓN, S. XVII. Tom. del lat. *pensio, -onis,* 'pago', propte. 'pesada de una mercancía que se da a alguno' (deriv. de *pendĕre* 'pesar'). DERIV. *Pensionar. Pensionado. Pensionario. Pensionista.*

PENTA-, elemento prefijado de compuestos cultos, del gr. *pénte* 'cinco': *Pentágono,* formado con *gōnía* 'ángulo'; *pentagonal. Pentagrama,* con *grámma* 'escritura'. *Pentateuco,* con *téukhos* 'volumen'. *Diapente,* 1495, de la frase griega *dià pénte khordôn* 'a través de cinco cuerdas'.

Penúltimo, V. *último*   *Penumbra,* V. *sombra*

PENURIA, h. 1590. Tom. del lat. *paenuriă* íd., del mismo radical que *paenitere* 'arrepentirse' y *paene* 'casi' (propte. 'apenas').

PEÑA, 945. Del lat. PĬNNA 'almena': las rocas que erizan la cresta de un monte peñascoso se compararon a las almenas de una fortaleza. DERIV. *Peñasco,* h. 1575; *peñascal; peñascoso. Peñón,* 1596 (*peñol,* h. 1560); *peñolería. Piñón* 'ruedecilla engranada', 1817, del fr. *pignon,* propte. 'rueda almenada', y éste de un lat. vg. PINNIO, -ONIS, deriv. de PINNA. *Despeñar,* 1076; *despeñadero,* 1570; *despeño,* 1717. *Pináculo,* h. 1600, tom. del lat. *pinnacŭlum* íd.

PÉÑOLA 'pluma de escribir', antes 'pluma de ave en general', h. 1250. Del lat. PĬNNŬLA, diminutivo de PĬNNA 'pluma'. Variante *péndola* 'pluma', 1335. DERIV. *Pendolista* 'calígrafo'.

Peón, peonaje, V. *pie*

PEONÍA, 1490, lat. *paeonĭa.* Tom. del gr. *paiōnía* íd. (de *paiōnios* 'salutífero, curativo').

Peonza, V. *pie*

PEOR, h. 1140. Del lat. PEJOR, -ŌRIS, íd. DERIV. *Empeorar,* 1220-50; *empeoramiento,* 1495. Cultismos: *Peyorativo. Pésimo,* 1515, lat. *pessĭmus,* superlativo correspondiente al comparativo *pejor; pesimismo; pesimista.*

PEPINO, h. 1400. Extraído del antiguo *pepón* 'melón', 1495, que se tomó por un aumentativo, al cual correspondería el diminutivo *pepino. Pepón* era tomado del lat. *pepo, -ōnis,* y éste del gr. *pépōn, -onos,* íd., propte. 'maduro' (deriv. de *péssō* 'yo hago madurar').

PEPITA, 1330, 'enfermedad de las gallinas'. Del lat. PĪTUĪTA (vulgarmente *PĬPPĪTA) 'moco, humor pituitario', 'pepita de las aves'. En el sentido de 'semilla del melón' es probable que sea la misma palabra latina, que se aplicara primero al jugo espeso en que se hallan las pepitas, comparable a una mucosidad. *Pituita,* 3.er cuarto S. XVI, es cultismo. DERIV. *Despepitar,* 1495. *Pituitario; pituitaria; pituitoso.*

PEPITORIA 'guisado que se hace con despojos de ave', 1591. Alteración de *petitoria,* 1613, y éste del fr. anticuado *petite-oie* íd., propte. 'ganso pequeño', así llamado por haberse hecho con los menudillos de esta ave.

Peplo, V. *palio*   *Pepón,* V. *pepino Pepsina, peptona,* V. *dispepsia*

PEQUEÑO, h. 1140. Voz de creación expresiva, lo mismo que el port. *pequeno* y el sardo ant. *pikinnu.* Pertenece a la vasta colección de expresiones romances de la idea de pequeñez (it. *pìccolo, piccìno,* fr. *petit,* sardo *pithinnu,* gascón *pounìnn,* etc.) constituidas todas ellas por una *p* inicial, seguida, por lo común, de vocal aguda, otra oclusiva sorda y la terminación -INNU. En latín vulgar se encuentra ya PITINNUS, y en las formas hispánicas esta variante se presenta combinada con la consonante interna del tipo *piccolo.* DERIV. *Pequeñez,* 1490. *Empequeñecer,* princ. S. XVII.

PERA, 1049. Del lat. PĬRA, plural de PĬRUM 'pera'. DERIV. *Peral,* 1114; *peraleda. Pereda. Perilla. Pero,* 1555. *Peruétano,* 2.º cuarto S. XVI.

CPT. *Piriforme.*

Peraltar, peralte, V. *alto I   Perborato,* V. *bórax*

PERCA, 1843. Del lat. PĔRCA, y éste del gr. *pérkē* íd., por conducto del portugués.

PERCAL, 1843. Del fr. *percale,* 1701, procedente de la India; de origen incierto: allí quizá se tomó del persa *pärgâlä.*

PERCANCE 'perjuicio, desgracia', 1843, primitivamente empleado en la locución *percances del oficio* 'gajes del oficio, lo que el oficio trae consigo de bueno o de malo', y antes *percance* 'provecho, salario', h. 1500 (más antiguamente *percalzo,* 1220-50). Derivado del antiguo verbo *percanzar* 'alcanzar, obtener', fin S. XV, y anteriormente *porcazar,* 1220-50, o *percazar,* alterado por influjo de *alcanzar;* es palabra hermana del cat. *percaçar* y fr. *pourchasser* 'perseguir, anhelar, procurar'. Deriv. de *cazar.*

PERCATARSE 'darse cuenta', y antes 'pensar (en algo), atender', 1613. Deriv. del antiguo *catar* 'mirar' (véase), que también se empleó como reflexivo en el sentido de 'poner atención'.

PERCEBE, 1884; *porcebe,* 1765-83, que puede salir de **polcébe(de).* Probte. del b. lat. POLLICĬPES, -CĬPĔDIS, íd., cpt. del lat. *pollex* 'pulgar' y *pes* 'pie'. Así llamado por su forma semejante a un dedo, adherido con un pedúnculo a las rocas.

Percepción, perceptible, perceptivo, perceptor, V. *percibir*

PERCIBIR, fin S. XII. Del lat. PERCĬPĔRE 'percibir, sentir', propte. 'apoderarse (de algo)' (deriv. de CAPERE 'coger'). DERIV. *Percepción,* princ. S. XVII, tom. del lat. *perceptio, -onis,* íd. *Perceptible. Apercibir,* 1220-50, 'preparar' (seguramente pasando por la idea de 'avisar'), y hoy 'observar, caer en la cuenta' (por influjo del fr. *apercevoir); apercibimiento; apercibido; desapercibido,* 1444. *Perceptivo. Perceptor.*

Percudir, V. *cundir   Percusión,* V. *percutir*

PERCUTIR 'golpear', princ. S. XVI (*percudir,* S. XIII). Tom. del lat. *percŭtĕre* 'penetrar golpeando', 'perforar', 'herir' (deriv. de *quătĕre* 'sacudir'). DERIV. *Percusión. Percutor,* del fr. *percuteur* íd. (deriv. de *percuter* 'percutir'). *Repercutir,* 1515; *repercusión,* h. 1570; *repercusivo.*

Percha, perchar, perchel, V. *pértiga*

PERDER, h. 1140. Del lat. PĔRDĔRE íd. (deriv. de DĀRE 'dar'; con el sentido primitivo de 'dar totalmente'). DERIV. *Perdición,* 1220-50. *Pérdida,* h. 1140, lat. *pĕrdĭta,* por vía semiculta; *perdidoso,* h. 1250. *Perdido. Perdis,* h. 1900. *Perdulario,* fin S. XVI. *Desperdicio,* 1505, tom. del nominativo del b. lat. *disperditio, -onis,* 'acción de perderse', deriv. del lat. *disperdere* 'perder del todo', *desperdiciar,* 1490.

PERDIZ, h. 1330. Del lat. PERDIX, -ĪCIS, íd. DERIV. *Perdigón,* 1490; *perdigonada. Perdiguero,* 1495. *Desperdigar,* h. 1600, por alusión al vuelo de perdices que se esparce al llegar el cazador.

Perdón, perdonar, perdonavidas, V. *donar Perdulario,* V. *perder   Perdurable, perduración, perdurar,* V. *durar*

PERECER, 'sucumbir', 1220-50, deriv. del antiguo *perir* íd. Del lat. PERIRE íd., deriv. peyorativo de IRE 'ir', propte. 'ir mal, fatalmente'. DERIV. *Perecedero.*

Pereda, V. *pera*

PEREGRINO, 1.ª mitad S. XIII. Tom. del lat. *peregrīnus* 'extranjero', deriv. de *pĕrĕgre* 'en el extranjero', y éste de *ager* 'campo, país'. DERIV. *Peregrina. Peregrinación,* 1495. *Peregrinar,* med. S. XV; *peregrinante,* 1438.

Perejil, V. *piedra   Perencejo,* V. *zutano*

PERENDENGUE 'adorno mujeril', 1674. Término popular y afectivo, de formación incierta, aunque de todos modos relacionado con *pendientes* y con *dengue.* Probte. metátesis de **penderengue* (comp. el gall. *pendrengue*), deriv. de *pender,* que se alteraría en parte por influjo de *dengue.* También se dice *pelendengue,* fin S. XVIII.

Perengano, V. *zutano   Perenne, perennidad,* V. *año*

PERENTORIO 'que no admite dilación', h. 1570. Tom. del lat. *peremptōrius* 'definitivo', propte. 'que mata', deriv. de *perĭmĕre* 'aniquilar', 'matar' (y éste peyorativo de *emere* 'coger'). DERIV. *Perentoriedad.*

PEREZA, 1220-50. Del lat. PĬGRĬTĬA íd., deriv. de PĬGER, -GRA, -GRUM, 'perezoso'. *Pigro,* 1435, o *pigre,* 1737, se han empleado también, por cultismo. DERIV. *(D)esperezarse,* h. 1335; *desperezo,* h. 1490. *Pigricia.*

Perfección, perfeccionar, V. *perfecto*

PERFECTO, 1.ª mitad S. XI'I. Tom. del lat. *perfectus, -a, -um,* part. pasivo de *perficere* 'perfeccionar', deriv. de *facere* 'hacer'. DERIV. *Desperfecto,* 1843. *Imperfecto,* 1490. *Perfectivo; perfectible; perfección,* 1.ª mitad S. XIII, lat. *perfectio; perfeccionar; imperfección.*

Perfidia, pérfido, V. *fe   Perfil, perfilar,* V. *hilo   Perforación, perforar,* V. *horadar   Perfumar, perfume, perfumería,* V. *humo*

PERGAMINO, 1220-50. Del lat. PERGAMĒNA (en la baja época PERGAMĪNUM), y éste del gr. *pergamēné* íd., propte. femenino del gentilicio *pergamēnos* 'perteneciente a Pérgamo', ciudad de Asia Menor donde se preparaban estas pieles para escribir. DERIV. *Apergaminarse, -nado.*

Pergeñar, pergeño, V. *genio*

PÉRGOLA, 1925. Tom. del it. *pèrgola* íd., que viene del lat. PĔRGŬLA 'pabellón', 'galería', 'glorieta', 'emparrado'.

Pericardio, pericarditis, V. *cardíaco   Pericarpio,* V. *carpo   Pericia, pericial,* V. *experiencia*

PERICO 'especie de papagayo', 1670 (*periquito,* h. 1565). Del nombre propio de persona *Perico,* diminutivo de *Pero* (por *Pedro*), con el cual se llamaba al papagayo, por su charlar casi humano. Para la acepción 'peluca', V. este vocablo.
Otros deriv. y cpts. del mismo nombre propio: *Pericón* 'especie de abanico muy grande', 1737, probte. por los colores chillones de este abanico comparados a los del loro; de ahí 'baile rioplatense', h. 1870, probte. por el abanico necesario para ciertas figuras. *Periquete.*
CPT. *Perantón* 'grande abanico', 1676; 'persona muy alta'. *Perillán* 'pícaro', 1737, de *Pero Illán* (= *Julián*). *Perogrullo, verdades de* —, 1605: *Pero Grullo,* 1551, y *Pero Grillo,* S. XV, se citan ya antes como personajes populares (*Grullo,* quizá de *grulla,* por la lentitud de movimientos de esta ave, de donde 'hombre de comprensión tarda, necio'); *perogrullada,* princ. S. XVII.

Pericón (planta), V. *hipérico;* (abanico y baile), V. *perico*

PERICOTE 'rata grande del campo', amer., 1642. Origen incierto; quizá del quichua *pirícutic* 'comparable a un francolín, grande como una pequeña perdiz'.

Pericráneo, V. *cráneo   Pericueto,* V. *vericueto*

PERIDOTO, 1705. Tom. del fr. *péridot,* S. XIII, de origen desconocido.

PERIFERIA, 1709. Tom. del gr. *periphéreia* 'circunferencia', deriv. de *phérō* 'yo llevo', y *perì* 'entorno'. DERIV. *Periférico.*

PERIFOLLO (planta semejante al perejil), 1737. Del antiguo *cerifolio,* 1674, o *cerfollo,* 1490, alterado por influjo de *perejil. Cerifolio* se tomó del lat. *caerefŏlĭum* íd., que a su vez es adaptación del gr. *khairéphyllon* íd., cpt. de *phýllon* 'hoja' y *kháirō* 'me complazco'. Como estas plantas se emplean no sólo para condimento, sino también para adornar los guisados, tomó además el sentido de 'adorno mujeril', 1737. DERIV. *Emperifollarse,* 1923, como *emperejilarse.*

Perifrasear, perifrasis, perifrástico, V. *frase   Perigallo,* V. *piel   Perigeo,* V. *geo-   Perihelio,* V. *sol   Perilustre,* V. *lustre   Perilla,* V. *pera   Perillán,* V. *perico   Perímetro,* V. *metro   Perínclito,* V. *ínclito*

PERINEO, 1765-83. Tom. del gr. *períneos* íd. DERIV. *Perineal.*

PERINOLA 'peonza', 1626, forma primitiva *pirinola.* Voz de creación expresiva, comparable al aragonés *pirulo* íd., y al it. dialectal *pirlo, birlo,* íd. (de la misma raíz que *brillare,* V. *BRILLAR*). A la misma raíz pertenece también el fr. *pirouette,* 1510, 'perinola' y después 'cabriola', de donde el cast. *pirueta,* fin S. XVIII. DERIV. *Piruetear.*

Periódico, periodista, periodístico, período, V. *episodio   Periostio, periostitis,* V. *hueso*

PERIPECIA, 1832. Tom. del gr. *peripéteia* 'mudanza súbita', deriv. de *peripetés* 'consistente en una vuelta brusca', que a su vez lo es de *píptō* 'yo caigo' con el prefijo *peri-* 'entorno'.

Peripuesto, V. *poner   Periquete, periquito,* V. *perico y peluca   Perir,* V. *perecer   Periscopio,* V. *tele-   Peristáltico,* V. *diástole   Peristilo,* V. *estilita   Perístole,* V. *diástole   Peritación, perito,* V. *experiencia*

PERITONEO, 1832. Tom. del gr. *peritónaion* íd., propte. 'tendido alrededor del

vientre', deriv. de *téinō* 'yo tiendo', con *peri-* 'entorno'.
DERIV. *Peritoneal. Peritonitis.*

Perjudicar, perjudicial, perjuicio, V. *juez Perjurar, perjurio, perjuro,* V. *jurar*

PERLA, h. 1440. Probte. del lat. vulgar *PĔRNŬLA,* propte. diminutivo del lat. PERNA 'especie de ostra'. La forma castellana se tomó de otro romance (catalán, francés o italiano, en todos los cuales ya se halla en el S. XIII).
DERIV. *Perlado. Perlería,* h. 1440. *Perlino. Perlita.*

Permanecer, permanencia, permanente, V. *manido Permanganato,* V. *manganesa*

PERMEABLE, 1899. Deriv. culto del lat. *permeare* 'pasar a través', deriv. de *meare* 'ir, pasar'.
DERIV. *Permeabilidad. Impermeable,* med. S. XIX; *impermeabilidad; impermeabilizar.* De *meare: Meato,* 1817, lat. *meatus, -ūs,* 'camino, paso'.

Permisible, permiso, permitir, V. *meter Permuta, permutar,* V. *mudar Pernada,* V. *pierna Pernal,* V. *pierna* y *peldaño Pernear,* V. *pierna*

PERNICIOSO 'muy dañoso', 1611. Tom. del lat. *pernĭcĭōsus* íd., deriv. de *pernicies* 'ruina, desgracia' (deriv. de la raíz de *necare* 'matar').

Pernil, V. *pierna Pernio,* V. *perno Perniquebrar,* V. *pierna*

PERNO, S. XV. Del cat. *pern* íd., 2.º cuarto S. XV, y éste probte. del gr. *perónē* 'clavija', que en calidad de voz náutica pasaría al latín vulgar en la forma PĔRŎNE O PĔRŎNU; del mismo origen es el it. *pernio* (sacado del plural *perni,* de la variante it. *perno*), que de ahí pasó al cast. *pernio,* 1611.
DERIV. *Empernar.*

Pernoctar, V. *noche Pero,* sust., V. *pera*

PERO, conj., 1220-50. Del lat. tardío PER HOC 'por esto', 'por lo tanto', que, empleado de preferencia en frases negativas, tomó el sentido de 'sin embargo', conservado hasta el S. XIV, y más tarde atenuado hasta hacerse equivalente de *mas.*
CPT. *Empero,* med. S. XIII, con *en(de),* con el valor primitivo 'sin embargo de ello'.

Perogrullada, perogrullo, V. *perico*

PEROL, h. 1600. Del cat. *perol* íd., S. XIII, diminutivo del cat. dial. *pér,* que pro-

cede del galo *PARION* (equivalente del galés *pair* y del irl. *coire* íd.).
DERIV. *Perulero,* 1737.

PERONÉ, 1724. Tom. del fr. *péroné,* y éste del gr. *perónē,* íd., propte. 'clavija' (derivado de *péirō* 'yo agujereo').

Peroración, perorar, perorata, V. *orar Peróxido,* V. *oxi- Perpendicular, perpendiculo,* V. *pender*

PERPETRAR, S. XIV, 'cometer (un delito)'. Tom. del lat. *perpĕtrare* íd., deriv. de *pătrare* 'ejecutar, cumplir' (que primitivamente sólo se decía de los *patres* o ciudadanos romanos en el ejercicio solemne de sus funciones civiles).
DERIV. *Perpetración. Impetrar,* 1438, 'implorar, obtener una gracia', lat. *impetrare* 'lograr', otro deriv. de *patrare; impetración.*

PERPETUO 'perdurable', 1323. Tom. del lat. *perpĕtŭus* íd., propte. 'continuo, sin interrupción', deriv. de *petĕre* 'dirigirse', con el matiz intensivo del prefijo *per-.*
DERIV. *Perpetuar,* h. 1450; *perpetuación. Perpetuidad.*

PERPIAÑO, 1506. Emparentado con el fr. *parpaing* íd., de origen incierto. En vista del cat. ant. *perpeany,* 1435 (hoy *perpany*), y del port. *propianho,* parece tratarse de un lat. vg. *PERPEDANEUM* (deriv. de PES, PEDIS, 'pie') en el sentido de 'piedra de la base del muro (PEDANEUM), que pasa de parte a parte (PER-)'.

PERPLEJO, 1444. Tom. del lat. *perplexus* 'embrollado', propte. 'entrelazado, sinuoso' (de la misma raíz que *complejo*).
DERIV. *Perplejidad,* h. 1490.

Perpunte, V. *punto Perrengue, perrería,* V. *perro*

PERRO, 1136. Vocablo exclusivo del castellano, que en la Edad Media sólo se emplea como término peyorativo y popular, frente a *can,* vocablo noble y tradicional. Origen incierto. Probte. palabra de creación expresiva, quizá fundada en la voz *prrr, brrr,* con que los pastores incitan al perro, empleándola especialmente para que haga mover el ganado y para que éste obedezca al perro. Compárese el gallego *apurrar* 'azuzar los perros'. Son imposibles las etimologías ibéricas y célticas que se han propuesto.
DERIV. *Perra. Perrada. Perrengue,* princ. S. XVII. *Perrera; perrería. Perreta. Perrezno,* S. XIII. *Perrillo,* h. 1275. *Perruno,* 1475. *Aperrear; aperreado. Emperrarse,* 1611; *emperrado,* 1570.

Persecución, persecutorio, perseguir, V. *seguir   Perseverancia, perseverar,* V. *severo*

PERSIANA, 1737. Probte. del fr. *persienne* íd., 1752, aplicación especial de *persien* 'persa, propio de Persia'.

Persignar, V. *seña   Persistencia, persistente, persistir,* V. *existir*

PERSONA, 1220-50. Tom. del lat. *persōna* íd., propte. 'máscara de actor', 'personaje teatral', voz de origen etrusco (ahí *phersu*).
DERIV. *Personaje,* S. XIII. *Personal,* 1495; como sust., med. S. XIX; *personalidad; personalismo; personalizar. Personarse,* S. XIX; *apersonado,* princ. S. XIV. *Personero,* S. XIII.
CPT. *Unipersonal.*

PERSPECTIVA, 1438. Tom. del lat. tardío *perspectivus* 'relativo a lo que se mira', deriv. de *perspicere* 'mirar atentamente o a través de algo'.
Otros deriv. de este verbo son: *Perspicaz,* 1737, lat. *perspĭcax, -ācis,* 'de vista penetrante'; *perspicacia,* fin S. XVII. *Perspicuo,* 1580, lat. *perspicuus* íd.; *perspicuidad,* 1580.

Perspicacia, perspicaz, perspicuo, V. *perspectiva*

PERSUADIR, 1490. Tom. del lat. *persŭadēre* íd., deriv. de *sŭadēre* 'dar a entender'.
DERIV. *Persuasión,* S. XV. *Persuasivo,* S. XVII. Otros deriv. de *suadere: Suasorio. Disuadir,* 1515, lat. *dissuadēre* íd.; *disuasión,* h. 1440.

Pertenecer, pertenencia, V. *tener*

PÉRTIGA, 1220-50 (*piértega*). Del lat. *pĕrtĭca* íd., por vía semiculta. La variante *percha,* S. XIV, se tomó del francés o del catalán.
DERIV. *Pértigo,* 1737. *Pertiguero,* 1285. *Perchado,* 1725. *Perchar,* 1599; *perchón,* 1737. *Perchel,* S. XIX.

Pertinacia, pertinaz, pertinencia, pertinente, V. *tener*

PERTRECHO, 1490. Probte. de PROTRACTUM 'producto', propte. participio de PROTRAHERE 'hacer salir, revelar, producir' (derivado de TRAHERE 'tirar de algo').
DERIV. *Pertrechar.*

Perturbación, perturbar, V. *turbar   Peruétano,* V. *peru   Perulero,* V. *perol   Perversión, perverso, pervertir,* V. *verter*

PESAR, h. 1140. Del lat. PENSARE íd., intensivo de PENDĔRE 'pesar'. Sustantivado, h. 1140.
DERIV. *Pesada. Pesado,* h. 1140; *pesadez; pesadilla,* princ. S. XVII (o *mampesadilla,* cpt. con *mano*). *Pesadumbre,* 1220-50; *apesadumbrar. Pesaroso,* 1605. *Apesarar. Peso,* 962, lat. PENSUM 'peso de lana por hilar' (y vulgarmente 'peso' en general); *pesa,* 1490. *Peseta,* 1737, de *peso* en el sentido de unidad monetaria; *pesetero; pesetear. Contrapeso,* 1495; *contrapesar,* 1495. *Repesar; repeso. Sopesar. Apesgar,* 1220-50, lat. vg. *PENSICARE.
CPT. *Pesacartas. Pésame,* princ. S. XVII. *Pésete,* 1605.

PESARIO, 1765-83, lat. *pessarium* íd. Tomado del gr. tardío *pessárion,* diminutivo de *pessós* íd.

Pesaroso, V. *pesar   Pesca, pescada, pescadería, pescadero, pescadilla, pescado, pescador, pescante, pescar,* V. *pez I   Pescozada, pescozón, pescozudo,* V. *pescuezo*

PESCUEZO, S. XIII. De *poscuezo,* derivado de *cuezo* (que se ha empleado con el mismo sentido, 1565), formado con el prefijo lat. POST 'detrás'. *Cuezo* es probte. la misma palabra (de origen incierto) que ha dado el moderno *cuezo* 'tina, artesa, cacharro', S. XIII, aplicada por comparación a la forma cóncava del cogote, como *colodrillo* es deriv. de *colodra.* Cuando todavía se pronunciaba *poscozo* pasaría a *pescozo,* por disimilación, y luego *pescuezo.*
DERIV. *Pescozada. Pescozón. Pescozudo.*

PESEBRE, 1220-50. Del lat. PRAESĒPE íd. y 'establo'.

Peseta, V. *pesar   Pesimismo, pesimista, pésimo,* V. *peor   Peso,* V. *pesar   Pespunte, pespuntear,* V. *punto   Pesquera, pesquería, pesquis,* V. *pez I*

PESQUISA 'investigación', 1155. Propte. participio del antiguo verbo *pesquerir* 'investigar', 1223, disimilación de *perquirir,* del lat. PERQUĪRĔRE íd. (deriv. de QUAERERE 'buscar').
DERIV. *Pesquisidor,* 1399, o *pesquiridor,* fin S. XIV. *Pesquisar,* 1251. *Perquisición* o *pesquisición,* 1295.

PESTAÑA, h. 1275. Voz común a los tres romances hispánicos y al gascón. De origen incierto, seguramente prerromano. El port. *pestana* y el gascón *pestane* demuestran que en su origen hubo de tener la forma *PĬSTANNA,* probte. emparentada con el vasco *pizta* 'legaña', *piztule* 'pestaña', y

quizá con el vasco *pitar* 'legaña', cast. *pitarra, pitaña*, íd.
DERIV. *Pestañear*, 1495; *pestañeo. Despestañarse*, 1923. *Pitarroso*.

PESTE, h. 1520. Tom. del lat. *pĕstis* 'ruina, destrucción', 'azote', 'epidemia'.
DERIV. *Pestilente*, 1438, lat. *pestilens, -tis*; *pestilencia*, 1335; *pestilencial*, 1438. *Apestar*, princ. S. XVII; *apestoso*, S. XIX.
CPT. *Pestífero*, h. 1440.

PESTILLO, 1220-50. Del lat. vg. PESTĔLLUS, diminutivo de PESTULUS, que es alteración del lat. PESSŬLUS 'cerrojo'.
DERIV. *Apestillar*, princ. S. XX.

Pestiño, V. *pisto*   *Pestorejo*, V. *oreja*
Pesuña, pesuño, V. *pie*

PETACA 'cigarrera', 1843, antes 'especie de caja que se hace de cañas', h. 1530, y hoy en América 'maleta', 'baúl de cuero', etc. Del azteca *petlacálli* 'caja de estera o de juncos', cpt. de *pétlatl* 'estera' y *cálli* 'casa'. Del citado *pétlatl* viene el americanismo *petate* 'estera', 1531, que en la marina ha tomado el sentido de 'estera para dormir', y luego 'equipaje de navegante' (de ahí el más general *liar el petate* 'marcharse').

PÉTALO, S. XIX. Tom. del gr. *pétalon* 'hoja'. *Sépalo* palabra creada artificialmente en el S. XVIII, de formación incierta, pues no es seguro que resulte de una combinación de *pétalo* con el lat. *separ* 'separado'.
CPT. *Polipétalo. Apétala. Polisépalo. Disépalo. Asépalo*.

PETENERA 'aire popular andaluz parecido a la malagueña', 1879 (y *pertenera*, 1847). Origen incierto, probte. alteración de *paternera* 'perteneciente a Paterna', pueblo de Andalucía.

Petequia, petequial, V. *pedazo*   *Petición*, V. *pedir*   *Petifoque*, V. *foque*

PETIMETRE, 1737. Del fr. *petit-maître* íd., propte. 'maestro chico .

Petirrojo, peto, petral, V. *pecho*

PETREL (ave marina), h. 1900. Voz documentada primeramente en inglés (1676) y en francés (1699), de origen incierto; quizá del fr. dial. *péterel* 'pedorrero', por la especie de crepitación que deja oír esta ave.

Pétreo, petrificar, V. *piedra*   *Petrina*, V. *pecho*   *Petrografía, petróleo, petrolero, petrolífero*, V. *piedra*

PETULANTE, princ. S. XVII. Tom. del lat. *petŭlans, -tis*, 'travieso', 'insolente', propiamente 'impetuoso', deriv. de *petĕre* 'dirigirse a, ir hacia un lugar'.

DERIV. *Petulancia*, 1737.

PETUNIA, h. 1900. Deriv. culto del fr. anticuado *petun* 'tabaco', 1600, tom. del tupí *petyn* íd.

PEUCÉDANO, h. 1760, lat. *peucedănum*. Tom. del gr. *peukédanos* íd.

Peyorativo, V. *peor*

PEZ I, masc., 1220-50. Del lat. PĬSCIS íd. La variante *peje*, todavía usual en América, y muy frecuente en cronistas de Indias del S. XVI, es de origen leonés y mozárabe.
DERIV. *Pecera. Piscina*, h. 1490. *Pejín, pejino* (santanderino). *Pescar*, 1148, lat. PĬSCARE íd.; *pesca*, h. 1400, *pesquero, -era, pesquería; pescado*, 1220-50; *pescada; pescadilla; pescadero*, 1495; *pescadería*, 1285; *pescador*, h. 1250. *Pescante*, 1737. *Piscatorio. Pesquis*, 1847, probte. deriv. popular del mismo verbo con el sentido que tiene en frases como *no saber uno lo que se pesca*.
CPT. *Pejegallo. Pejemuller*, propte. 'pez mujer', del port. *pexe mulher. Pejepalo* o *pezpalo. Pejerrey. Pejesapo. Piscicultor; piscicultura. Pisciforme. Piscívoro*.

PEZ II, fem., h. 1250. Del lat. PĬX, PĬCIS, íd.
DERIV. *Peceño. Pecina*, 1495, 'cieno negruzco'; *pizmiento* 'negro, triste', 1605, de *peciniento*, disimilado en *pecimiento*, 1220-50; *empecinado* 'pizmiento', 1535; *empecinarse* 'obstinarse', 1826, propte. 'quedarse pegado a algo, como la pez', *empecinamiento*.
Cultismos: *Píceo. Picea*.

PEZÓN 'rabillo que sostiene hojas y cosas análogas', S. XV; 'botoncito de la teta', 1495. Resulta, por cambio de sufijo, del lat. vg. PECCIŎLUS 'piececito' (escrito *petiŏlus* por algunos), contracción de PEDICIOLUS, diminutivo del lat. PES, PEDIS, 'pie'. De PECCIOLUS directamente sale *pezuelo* 'principio del lienzo', 1374; por vía culta, *pecíolo*.
DERIV. *Pezonera. Apezonado. Peciolado*.

Pezpita, pezpítalo, V. *pizpireta*   *Pezuelo*, V. *pezón*   *Pezuña*, V. *pie*   *Piadoso*, V. *pío*

PIAFAR, 1884. Del fr. *piaffer* íd., 1584, y 'contonearse', fin S. XVI, de origen incierto, probte. onomatopéyico.

Piamáter, V. *pío*

PIANO, 1817. Abreviación de *pianoforte* (*fortepiano*, h. 1800), nombre italiano de una especie de clavicordio que puede tocar ora suave (*piano*, adv., 'suavemente', 'en voz baja'), ora fuertemente (*forte*); *piano* es adverbio it. derivado del adj. *piano* 'llano' (lat. PLANUS).

DERIV. *Pianista*, fin S. XIX. *Pianola*, S. XX.

PIAR, 1490. Onomatopeya de la voz de los pájaros.

DERIV. *Pío* 'voz del polluelo', princ. S. XVII. *Pipiolo*, 1884, parece ser voz dialectal italiana (comp. el cat. *pipioli* íd.), en relación con el lat. *pipiare* 'piar', el it. familiar *pipi* 'niño', el anticuado *pipione* 'pichón' y 'necio' y el dialectal *pipìu* 'pene de niño'.

PIARA, princ. S. XV, 'rebaño, esp. el de cerdos'. Origen incierto. Teniendo en cuenta la variante *peada*, y la aplicación preferente a cerdos y equinos, animales que en la vieja fraseología popular tienen *pies* y no *patas*, quizá sea una especie de colectivo de *pie*, con el sufijo leonés femenino *-ar*: una **piar* y después una *piara*.

Piba, pibe, V. *pebete* *Picacho, picada, picadero, picadillo, picado, picador, picadura, picaflor, picana, picante*, V. *picar* *Picaño*, V. *pícaro*

PICAR, h. 1140. Voz común a todas las lenguas romances de Occidente; de creación expresiva; primero significó 'golpear con algo puntiagudo', de donde 'comer a picotazos', 'golpear', 'desmenuzar', etc.

DERIV. *Pica* 'especie de lanza', h. 1090; *piquero, -era*; *piqueta*. *Pico* (apero), 3.er cuarto S. XVI; 'cúspide de montaña', 1085, procedente de la idea de 'objeto punzante', 'punta' y sin relación directa con *pico de ave* (para el cual V. artículo aparte), como lo prueba el hecho de que *pic* está arraigado con aquel sentido en francés y catalán, donde lo otro se llama *bec*; *picacho*. *Piquete*, h. 1495. *Pico* 'pájaro carpintero', S. XIV, del lat. PĪCUS íd., procedente de la misma onomatopeya que *picar*. *Picada*. *Picadillo*. *Picadero*, S. XVII. *Picador*, S. XVII. *Picadura*, S. XVI. *Picana*, amer., voz híbrida formada con el verbo *picar* y el sufijo instrumental quichua *-na; picanear*. *Picante*, 1611. *Picazón*, S. XVII. *Picón* 'chasco', princ. S. XVII. *Picor*, 1737, del cat. *picor*, alteración de *pic(a)ó*, equivalente del cast. *picazón*. *Picoso*, 1609. *Pique* 'resentimiento', 1737; en *irse a pique una nave*, 1621, y *echar a pique*, 1527, es extensión de *estar a pique el áncora* 'estar en posición vertical debajo del navío', princ. S. XVI, tom. del fr. *être à pic le bateau* 'hallarse encima del ancla', extensión de *côte à pic* 'costa cortada a pico', que contiene *pic*, nombre de herramienta. *Piqué*,

fin S. XIX, del fr. *piqué* íd., propte. participio de *piquer* 'hacer un pequeño agujero'. *Despicar; despique*. *Empicarse*. *Repicar*, 2.ª mitad S. XIII; *repique; repiquetear; repiqueteo*.

CPT. *Picaflor*. *Picapleitos*, S. XIX, del cat. *picaplets*, S. XIV. *Picaporte*, 1680, extraído del cat. *picaportes* (que contiene *portes*, plural de *porta* 'puerta'). *Picatoste*, 1560, formado con *tostar*.

Picaraza, V. *picaza*

PÍCARO 'sujeto ruin y de mala vida', h. 1545. Origen incierto. Es probable que *pícaro* y su antiguo sinónimo *picaño*, 1335, sean voces más o menos jergales, en sus orígenes, y deriv. del verbo *picar*, por los varios menesteres expresados por este verbo, que solían desempeñar los pícaros (pinche de cocina, picador de toros, etc.); lo cual se confirma por el hecho de que en el sentido de pinche de cocina *pícaro* ya aparece en 1525. Hubo influjo posterior del fr. *picard*, que dio lugar a la creación del abstracto *picardía*, por alusión a esta provincia francesa, pero no hay pruebas convincentes de que este influjo determinara la creación del vocablo.

DERIV. *Picaresco*, 1599; *picaresca*, 1613. *Picaril*, 1601. *Picarón; picaronazo*. *Apicarar; apicarado*. *Picardía*, 1554, formado a base de *pícaro*, por floreo verbal alusivo al nombre de esta provincia francesa, tal como se dice *estar en Babia* por *estar embabiecado*.

Picatoste, V. *picar*

PICAZA 'urraca', 1335. Junto con sus variantes *pica*, *pega*, 1495, y *pegaza*, h. 1330, está en relación con el lat. PĪCA íd. Pero el tratamiento fonético de las voces romances prueba que no son descendientes de esta palabra latina, sino nuevas creaciones a base del radical onomatopéyico PIC(c)-, que indicaba la idea de 'golpe', y de ahí la de 'señal' (dejada o no por un golpe), aludiendo en este caso a las manchas y colores varios de la urraca.

DERIV. *Picaraza* 'mancha, señal de viruela', 1379; *picarazado*. *Picazo*, 1475, 'equino de colores mezclados'. Igual sentido ha tomado el fr. *pie*, propte. 'urraca', de donde el cast. *pío*, 1817, como nombre de color de caballo.

Picazo, V. *picaza* *Picazón*, V. *picar* *Picea, píceo*, V. *pez II*

PICO 'boca del ave', h. 1330. Según muestran el port. y el ast. *bico* y las formas análogas de muchos dialectos franceses, réticos y sardos, no se trata de un deriv. del verbo *picar*, sino del celta BECCUS íd. (do donde vienen el fr. y cat. *bec*, it. *becco*), que en muchas partes sufrió el influjo creciente de aquel verbo, pasando primero a *bico*, y luego a *pico*.

DERIV. *Picotazo. Picotear. Piquera*, 1513. *Picudo. Embicar*, amer., 1722, 'embestir a tierra con una embarcación', del port. *embicar*, deriv. de *bico* 'pico'.

Pico (ave), *picón, picor*, V. *picar   Picorota*, V. *empingorotado   Picoso*, V. *picar*

PICOTA, h. 1400. Probte. deriv. de *pico* (a su vez deriv. de *picar*) en el sentido de 'punta', porque las cabezas de los ajusticiados se clavaban en la punta de la picota.

Picotazo, picotear, V. *pico*

PÍCRICO, S. XIX. Deriv. del gr. *pikrós* 'amargo'.
DERIV. *Picrato*.

Pictografía, pictográfico, pictórico, V. *pintar   Picudo*, V. *pico*

PICHANA, 1854, amer., 'escoba', 'planta muy ramosa'. Del quichua *pichana* 'escoba', 'cepillo', deriv. de *picha(n)i* 'barrer', 'limpiar'.

PICHÓN, 1604. Del it. *piccione* íd., que procede del lat. tardío PĪPIO, -ŌNIS, íd., derivado de PIPIARE 'piar'. En Italia era vocablo dialectal del Sur, lo cual explica la evolución fonética, aunque hoy se ha propagado a todo el país, tomando el sentido de 'palomo'.

PIE, h. 1140. Del lat. PĒS, PĔDIS, íd.
DERIV. *Peaje*, fin S. XIII, del cat. *peatge. Peal*, 1490. *Peana*, h. 1600. *Peatón*, 1884, adaptado del fr. *piéton*, h. 1300. *Pecezuelo*, princ. S. XVII. *Peón*, 1074, lat. vg. PEDO, -ONIS; *peonada; peonaje. Peonza*, h. 1475, probte. sacado de *peoncillo*, diminutivo de *peón*, que tiene el mismo sentido, princ. S. XVII, por comparación con el movimiento de un soldado de a pie. *Apearse*, 1495; *apear* 'reconocer una finca deslindándola', 1233, porque se hacía contando los pasos pie ante pie; *apeador; apeadero; apeo. Despearse*, 1495; *despeo. Traspié*, 1495.
Cultismos: *Pedestre. Pedúnculo; pedunculado. Supeditar*, h. 1440, lat. *suppeditare* 'proporcionar' (propte. 'enviar tropas de refuerzo', deriv. de *pedites* 'infantería', y éste de *pes* 'pie'), que en cast. cambió de sentido por interpretarse como sinónimo de 'poner bajo los pies'; *supeditación. Pedal; pedalear. Pedáneo*.
CPT. *Pedestal*, 1539, del it. *piedistallo* (a través del fr. *piédestal*), formado con *stallo* 'soporte'. *Pedicuro. Pezuña*, 1591, lat. PEDIS UNGULA 'uña del pie' (también *pesuña* y *pesuño*); *apezuñar*.

Piedad, V. *pío*

PIEDRA, 1042. Del lat. vg. PĔTRA 'roca', y éste del gr. *pétra* íd.
DERIV. *Pedrada*, 1220-50. *Pedregal*, 1242; *pedregoso*, 972; *pedregullo*, amer., del port. *pedregulho. Pedreñal*, 1615, del cat. *pedrenyal*, S. XVI, deriv. de *pedreny* 'pedernal'. *Pedrisco*, S. XV. *Pedrusco*, fin S. XIX. *Pedernal*, S. XV, del antiguo *pedrenal*, h. 1500, deriv. del lat. PETRĪNUS, gr. *pétrinos* 'pétreo'; de la misma raíz: *empedernido*, 1495, *empedernir*, 1611. *Apedrear*, 1495; *apedrea*, comúnmente reducido a *pedrea. Empedrar*, h. 1410; *empedrado; desempedrar. Pedrería*.
Cultismo: *Pétreo*.
CPT. *Petróleo*, 1765-83, formado con lat. *oleum* 'aceite'; *petrolero; petrolífero*, 1923. *Petrografía. Petrificar; petrificación. Perejil*, fin S. XIII, de oc. *pe(i)ressil*, que viene del gr. *petrosélinon* 'especie de perejil' (propiamente *sélinon* 'perejil' *de roca*), alterado en PETROSĪLÉNON, y de ahí *PETRISILNU y *PETRISILLU; *emperejilar*.

PIEL, h. 1140 (*pielle*, 939). Del lat. PĔLLIS íd.
DERIV. *Pelleja*, 1220-50; *pellejo*, 1220-50; *pellejero*, 1611; *despellejar. Pellica*, 1680; *pellico*, 1611. *Pelliza*, h. 1280; *sobrepelliz*, 1616, antes *sobrepelliza*, h. 1140. *Pellón*, 1374; *pellote*, 1505. *Perigallo* 'pellejo pendiente', S. XVI, del port. *perigalho*, 1715, alteración de *pelegalho* (deriv. de *pele* 'piel'); *pipirigallo*, 1832, de *perigallo*, interpretado 'carúncula del gallo', a la que recuerda algo la flor de esta planta, y así el vocablo sufrió el influjo de la onomatopeya *quiquiriquí. Peletero*, 1680, del fr. *pelletier; peletería. Película*, lat. *pellícula* 'pielecita', *peliculero*.
CPT. *Pelagra*, h. 1900, del it. *pellagra*, S. X, con la terminación de *podagra*.

PIÉLAGO 'mar, alta mar', S. XIII. Del lat. PĔLĂGUS íd., y éste del gr. *pélagos* íd.
DERIV. *Archipiélago*, 1522, del it. *arcipèlago*, primitivamente nombre propio del Mar Egeo (calificado así de 'mar principal') y de sus islas.

Pienso, V. *pensar*

PIERNA, 1220-50. Del lat. PĔRNA 'muslo y pierna juntos, en un animal', 'muslo del cerdo', 'zanca, en el hombre', 'rama de árbol'. Sentido éste conservado en los dos derivados siguientes.
DERIV. *Pernada*, 1611. *Pernal*, comp. PELDAÑO. *Pernear*, h. 1580. *Pernera. Pernil*, ant. 'jamón', h. 1490.
CPT. *Perniquebrado, -brar*.

Pietismo, pietista, V. *pío*

PIEZA, 973. Del célt. *PĚTTĬA 'pedazo', comp. el bretón *pez* 'trozo', galés *peth*, irl. ant. *cuit* 'parte', 'trozo de terreno'.

DERIV. *Pecio*, h. 1260, tom. del b. lat. *pecium* 'pedazo', deriv. del fr. ant. *pecier* 'hacer pedazos', que a su vez lo es de *pièce* 'pieza, pedazo'.

PIEZÓMETRO, S. XX. Cpt. del gr. *piézō* 'yo comprimo, presiono' con *métron* 'medida'.

PÍFANO, h. 1600, antes *pífaro*, 1517. Del alem. ant. *pfifer* íd., deriv. de *pfifen* 'silbar' (hoy *pfeifen*); por conducto del it. *pìffero*. De *pfifen* quizá procede *pifiar* 'hacer que se oiga demasiado el soplo del que toca la flauta', 1817; 'dar un golpe en falso', teniendo en cuenta el jergal *pifar* 'picar el caballo para que camine', 1609.

DERIV. *Pifia*.

PIGARGO, 1621, lat. *pygargus*. Tom. del gr. *pýgargos* 'especie de águila', 'especie de cabra montés', cpt. de *pygē* 'nalga' y *argós* 'blanco'.

Pigmentario, pigmento, V. *pintar*

PIGMEO, 1832, lat. *pygmaeus*. Tom. del gr. *pygmâios*, propte. 'grande como el puño' (*pygmē* en gr.), de la misma raíz que el lat. *pugnus* 'puño'.

Pignoración, pignorar, V. *prenda   Pigre, pigricia*, V. *pereza   Pihuela*, V. *apea*

PIJAMA, h. 1920. Tom. del ingl. británico *pyjamas* (pronunciado *paiyámas*), y éste del hindustani *pāeyāma* 'pantalón bombacho de los mahometanos', cpt. de *pāe* 'pierna' y *yāma* 'vestido'; la forma *payama*, 1920, empleada en América, se tomó del ingl. americano *pajamas*.

PILA I, princ. S. XIII, 'cavidad de piedra donde se echa agua'. Del lat. PĪLA 'mortero', 'tina de batán' (deriv. de PINSĔRE 'majar').

DERIV. *Pileta* 'pila pequeña', 1513, 'fuente de la cocina', 'piscina de baño'. *Pilón* 'receptáculo de piedra', 1490; 'especie de mortero', princ. S. XVII. *Opilar*, tom. del lat. *oppilare* 'obturar', deriv. de *pilare* 'apretar', y éste de *pila* 'mortero'; *opilación*.

PILA II, fin S. XVI (en Aragón), 1737 (Castilla), 'montón, rimero'. Del lat. PĪLA 'pilar, columna', por conducto del catalán (princ. S. XIV), como término mercantil.

DERIV. *Pilar* 'pilastra, mojón', 1251, del lat. vg. *PĪLARE íd. *Pilastrón*, 1541, del it. *pilastrone*, aumentativo de *pilastro* 'pilastra'; *pilastra*, 1589. *Pilón* 'pesa de la romana', 1709; 'contrapeso de molino', 1737; 'pan de azúcar', 1611: del cat. *piló* íd., 1410.

Pilote, S. XIX, del fr. anticuado *pilot* (hoy sólo el deriv. *pilotis*). *Apilar*, 1611, del cat. *apilar* íd.

Píldora, V. *pelota   Pileta*, V. *pila* I   *Pilón*, V. *pila* I y II

PILONGO, deriv. de *pila* I. Probte. el sentido primitivo fue 'perteneciente a la parroquia o pila', 1817, 'mantenido por la parroquia', aplicado particularmente a los expósitos, y de ahí 'flaco, macilento', h. 1625, además 'castaña seca y curada', 1737.

PÍLORO, 1765-83, lat. *pylōrus*. Tom. del gr. *pylōrós* íd., propte. 'portero', cpt. de *pýlē* 'puerta' y *óra* 'vigilancia'.

Piloso, V. *pelo   Pilotaje, pilotar*, V. *piloto   Pilote*, V. *pila* II

PILOTO, 2.º cuarto S. XV. Probte. del it. *piloto* íd., 1282, más comúnmente *pilota*, y éste del b. gr. *pēdṓtēs 'timonel', deriv. del gr. *pēdón* 'timón'; en la Edad Media se decía también *pedotto* o *pedotta*, S. XIII, en Italia.

DERIV. *Pilotaje*, 1508. *Pilotar* o *pilotear*. CPT. *Pailebot* o *pailebote*, 1884, del ingl. *pilot's boat* 'barco del piloto'.

PILTRAFA, 1596, 'residuos menudos de viandas', 'colgajo de carne, etc.'. Como el testimonio más antiguo tiene la forma *peltraza*, princ. S. XV, probte. es deriv. de un verbo *pertrazar, lat. vg. *PERTRACTIARE 'tironear', 'descuartizar' (deriv. intensivo de TRAHERE, TRACTUS, de igual significado). El moderno *piltrafa* y sus variantes *piltraca* y *peltraba* se deberán a cambios de sufijo o a un cruce con otras palabras (en particular *pelfa, filfa*).

PILLAR, palabra de historia oscura; en la acepción popular 'coger', 1604, y en la de 'hurtar, robar', 1609, parece haberse tomado del it. *pigliare* 'coger'. Voz ésta de origen incierto, probte. de un lat. vg. *PĪLIARE, sacado de la raíz del lat. COMPĪLARE 'despojar, saquear' (también EXPILARE y PILARE íd., más raros). La acepción 'saquear', S. XVII, es poco viva en el verbo en cast., aunque arraigada en el deriv. *pillaje*: en este sentido el vocablo se tomó del fr. *piller* íd., S. XIII, dialectalmente *peiller*, que tuvo el sentido primitivo 'maltratar, desgarrar'. Parece ser voz independiente de la italiana (aunque pudo haber influencias recíprocas) y deriv. del fr. ant. y dial. *peille* (*pille*) 'pedazo', 'trapo', del lat. PĪLLĔUM 'gorro de lana'.

DERIV. *Pillaje*, 1570. *Pillo*, 1765-83, probablemente extraído de *pillastre*, 1843, alteración del antiguo *pillarte*, princ. S. XV, 'saqueador', del fr. *pillard* íd.; *pillería*; *pillete*; *pillín*; *pilluelo*.

PIMIENTA, S. XIII. Del lat. PĪGMĔNTA, plural de PIGMENTUM 'colorante, color de pintura' (para cuyo origen V. *PINTAR*), que ya en latín tenía además el sentido de 'droga, ingrediente' y más tarde 'condimento'.

DERIV. *Pimiento*, 1495, en América aplicado a un árbol que da una fruta roja. *Pimentón*.

PIMPIDO, 1737, 'pez semejante a la mielga, pero de mejor gusto', en port. *pimpim*. Origen incierto; quizá de la misma raíz de creación expresiva que el fr. *pimper*, port. *pimpar* 'figurar, hacer ostentación', 'engatusar'.

PIMPINELA (planta), 1515. Tom. del lat. tardío *pimpinella* íd., de origen incierto; probte. alteración de *pepĭnĕlla*, deriv. del lat. vg. *pepo, -ĭnis*, 'melón', 'pepino', que a su vez se tomó del gr. *pépōn, -onos*, 'especie de melón'. Se daría este nombre a la pimpinela porque se hace ensalada con sus hojas, como con el pepino.

Pimplar, V. *hipar*　　*Pimpollar, pimpollo*, V. *pino*

PINA, 1611, 'cada uno de los trozos de madera curvos que forman las ruedas de un carro antiguo', 1680. El sentido primitivo parece ser 'cuña', 'clavo o clavija de madera', conservado en leonés (*pino*, 1514), y en el port. *pino*. El origen es incierto, quizá prerromano; pero más bien parecen procedentes del germ. PINNA —anglosajón *pinn*, islandés *pinni* 'clavija', ingl. *pin* 'alfiler', bajo alem. ant. *pin(ne)* 'palito, clavija'— puesto que ahora se creen genuinas estas palabras germánicas y no latinismos como se había supuesto.

DERIV. *Pino* 'palito, cuña', 1514.

Pinabete, V. *pino*

PINACOTECA, 1884, lat. *pinacotheca*. Tom. del gr. *pinakothēkē* íd., cpt. de *pínax* 'tabla', 'cuadro pintado' y *thēkē* 'depósito'.

Pináculo, V. *peña*　　*Pinar, pinatar*, V. *pino*

PINCEL, 1220-50 Del lat. PENICĬLLUS íd., diminutivo de PENIS íd., propte. 'pene, rabo', 'hopo'; por conducto del cat. *pinzell*. El cultismo *pene*, 1765-83.

DERIV. *Pincelada. Pincelar. Penicilio*, formado con aquella palabra latina, por la forma de esos hongos diminutos; *penicilina*.

PINCHAR, 1737. Probte. debido a un cruce de *punchar*, 1438 (variante de *punzar*), con *picar*. Probte. no hay relación con el port. *pinchar* 'hacer saltar, hacer caer', 'empujar', med. S. XVI, de origen incierto.

DERIV. *Pinche* 'aprendiz de cocinero', 1817 (comp. *pícaro*, íd., de *picar*); *compin-che*, 1615, formado según *cómplice*. *Pincho* 'bravucón', h. 1800. *Pinchazo*, h. 1800.

Pindonga, pindonguear, V. *pender*　　*Pineal, pineda*, V. *pino*　　*Pingajo, pinganillo, pinganitos, pingar*. V. *pender*　　*Pingar*, V. *pringar*　　*Pingo*, V. *pender*　　*Pingorote, pingorotudo*, V. *empingorotado*　　*Pingüe*, V. *pringar*

PINGÜINO, 1619 (pingüina). Se halla por primera vez en inglés (*penguin*, 1578); en castellano las denominaciones antiguas y populares son otras (*pájaro, niño, p. bobo*) y ésta se tomó de relaciones de viajeros y naturalistas, en particular ingleses y holandeses. Es muy incierto que se derivara del lat. *pinguis* 'gordo', como nombre creado por observadores cultos, pero es más inverosímil que proceda de una lengua céltica (galés o bretón *pen gwyn* o *p. gwenn* 'cabeza blanca') no sólo por ser negra su cabeza, sino por el escaso papel desempeñado por los navegantes galeses.

Pinífero, V. *pino*　　*Pinitos*, V. *empinar*

PINO, 2.ª mitad S. XII. Del lat. PĪNUS íd. DERIV. *Pinar*, h. 1140; *pinariego*, 1495. *Pinastro. Pinaza*, 1220-50. *Pineda*, 1210. *Pinillo*, 1495. *Pinato*; *pinatar. Pinocha*, 1843. *Piña*, 1335, lat. PĪNEA íd.; 'ananá', 1519; deriv. culto: *pineal*, por la forma de esta glándula; *piñón* 'semilla del pino', h. 1330 (V. además *PEÑA*), *piñonate*, 1680; *piño* 'diente', 1936, quizá por comparación de forma con el piñón. *Piño*, dialectalmente 'racimo' y amer. 'porción de ganado', de *piña* en el sentido figurado de 'agregado' (*hacer la piña*, etc.); de ahí: *apiñar, apiñado. Piñata*, 1517, del it. *pignatta* 'olla', nombre explicable por la semejanza de las ollas antiguas con una piña, de donde *domingo de piñata*, en que se rompe una olla llena de dulces.

CPT. *Pimpollo*, 2.º cuarto S. XV, antes 'pino nuevo' (así port. ant. *pinpolo*, 1188), formado con *pollo*, lat. PULLUS, en el sentido de 'animal o vegetal joven', empleado en este último sentido en el S. XVI, y aragonés *pollizo*; *pimpollar. Pinabete*, del cat. *pinavet*, formado con *avet* 'abeto'. *Pincarrasco. Pinífero. Pinsapo*, 1495, 'árbol semejante al abeto', con el prerromano *SAPPUS*, de donde procede el fr. ant. *sap* 'abeto' (de ahí lat. SAPPINUS, fr. *sapin*, íd.).

Pino 'cuña', V. *pina*　　*Pino*, adj., V. *empinar*　　*Pinocha*, V. *pino*

PINREL (caló) 'pie', 1866. Del gitano *pinré* íd., de origen índico.

Pinsapo, V. *pino*　　*Pinta* 'mancha', V. *pintar*

PINTA (medida de líquidos), 1607. Probablemente del fr. *pinte* íd., S. XIII, de origen incierto.

Pintacilgo, V. *jilguero*

PINTAR, 1220-50. Del lat. vg. *PĬNCTA-RE, deriv. de *PINCTUS, participio vulgar del lat. PĬNGĔRE íd. Figuradamente 'tomar color la fruta', 1642, y luego 'tener buen o mal aspecto', h. 1600.

DERIV. *Pinto* 'pintado, manchado', med. S. XV. *Pinta* 'mancha, mota', 1374; 'aspecto de una persona o cosa', 1599. *Pintado* 'lleno de pintas', 1374. *Pintarrajear, pintorrear. Pintón* 'que toma color'. *Pintor,* 1251, lat. vg. *PINCTOR, -ORIS (clásico PICTOR); *pintoresco,* 1708, del it. *pittoresco. Pintura,* 1220-50, de *PINCTURA por PICTURA; *pinturero,* princ. S. XIX. *Pictórico. Despintar,* 1587. *Repintar. Pigmento,* tom. del lat. *pigmĕntum* 'colorante, color de pintar'; *pigmentario.*

CPT. *Pintamonas. Pintarrojo. Pinto y parado* (V. arriba), S. XV, *pintiparado,* 1535. *Pictografía; pictográfico.*

PINZAS, h. 1475. Del fr. *pinces* íd., y 'tenazas', 1369, deriv. de *pincer* 'coger con tenazas', propte. 'pellizcar'; probte. voz de creación expresiva, emparentada con el it. *pizzicare,* cast. *pizcar,* y otros que deben verse en *PELLIZCAR.*

PINZÓN (pájaro), 1737 (*pinchón,* 1607). Voz común a muchas lenguas romances (fr. *pinson,* it. *pincione,* etc.), célticas, germánicas, eslavas y otras. Tendría en latín vulgar la forma *PĬNCIO, -ŌNIS, y hubo de formarse con la onomatopeya *pink,* imitativa del canto de este pájaro.

• *Piña, piñata, piño,* V. *pino* *Piñón,* V. *pino y peña* *Piñonate,* V. *pino* *Pío,* sust., V. *piar*

PÍO, adj. 1444. Tom. del lat. *pĭus* 'piadoso', 'afecto a los padres, a la patria'.

DERIV. *Piedad,* h. 1140, lat. PIETAS, -ATIS, íd.; muy frecuente en toda la Edad Media la variante *piadad,* de donde *piadoso,* 1220-50; *apiadar,* 1251; *despiadado,* 1617. *Pitanza,* 1131, contracción de *pietança* (así en cat. del S. XIII), propte. 'piedad' y de ahí 'comida que se da por piedad'. *Impío,* 1444; *impiedad. Expiar,* h. 1550, lat. *expiare* íd.; *expiación; expiatorio. Pietista,* del alem. *pietist,* S. XVII; *pietismo.*

CPT. *Piamáter.*

Pío (color de caballo), V. *picaza* *Piogenia,* V. *pus*

PIOJO, 1251. Del lat. vg. PEDŬCŬLUS (clásico PEDICULUS, diminutivo de PĒDIS íd.).

DERIV. *Piojento* o *piojoso,* 1490. *Hierba piojera. Despiojar,* 1495. *Pedicular.*

Piola, piolín, V. *apea*

PIORNO (especie de retama), 1737 (en portugués, 1647). Origen incierto; quizá del lat. VĪBŬRNUM, planta semejante al mimbre, cambiándose la *v-* en *p-* por influjo de otra palabra (probablemente *pino,* pues el piorno tiene algún parecido con una mata de pino); *piorno* ha designado también la misma planta que VIBURNUM, y el nombre *gayomba* es común a las dos

Piorrea, V. *pus*

PIPA (utensilio para fumar), 1646; 'tonel', 1490. El sentido primitivo fue 'flautita', h. 1280, de donde los otros dos por comparación. De un lat. vg. *PĪPA 'flautita' (deriv. de PĪPARE 'piar'), de donde vienen el fr. *pipe* íd., it. dial. *piva,* alem. *pfeife,* ingl. *pipe* 'gaita'. A causa del carácter onomatopéyico no ha evolucionado en romance la consonante central del vocablo.

DERIV. *Pipar,* 1737. *Pipería. Pipeta. Pipitaña* o *pipiritaña* 'flautita', S. XIX. *Pipón. Pipote,* 1535. *Piporro,* 1843. *Apiparse* 'hartarse'.

Piperáceo, V. *pebre* *Pipería, pipeta,* V. *pipa* *Pipiolo,* V. *piar* *Pipirigallo,* V. *piel*

PIPIRIPAO 'convite espléndido', 1737. Origen incierto; probte. voz de creación expresiva.

Pipiritaña, V. *pipa* *Pipita,* V. *pizpireta* *Pipitaña, piporro, pipote,* V. *pipa* *Pique, piqué, piquera, piquero, piqueta, piquete,* V. *picar* *Pira,* V. *piro-*

PIRA, h. 1900, 'huida', 'huelga', deriv. de *pirar* 'huir', 1896, tom. del gitano *pirar* 'ir', 'andar', 'correr', 'pasear' (que procede del índico *pīr-* 'pasear').

DERIV. *Pirantón* y *pirandón* proceden de otra raíz gitana e índica si bien influida por la de *pirar.*

PIRAGUA, 1535. De la lengua caribe.

PIRÁMIDE, 1438, lat. *pyrămis, -ĭdis.* Tomado del gr. *pyramís, -ídos,* íd.

DERIV. *Piramidal,* 1438.

Pirandón, pirantón, pirar, V. *pira*

PIRATA, h. 1525, lat. *pirāta.* Tom. del gr. *peiratḗs* 'bandido', 'pirata', deriv. de *peiráō* 'yo intento, me aventuro'.

DERIV. *Piratear. Piratería. Pirático.*

PIRCA, amer., 1875. Del quichua *pirca* 'muro, pared'.

Piriforme, V. *pera* *Pirinola,* V. *perinola. Pirita,* V. *piro-* *Pirlán,* V. *peldaño*

PIRO-, primer elemento de compuestos, tom. del gr. *pŷr, pyrós,* 'fuego'. *Piromancia,*

1399, gr. *pyromantéia*, formado con *mantéia* 'adivinación'; *piromántico*, 1640. *Pirómetro. Piropo* 'cierta piedra preciosa', h. 1440; 'requiebro', 1843, y quizá ya princ. S. XVII: trasladó su sentido por emplearse con frecuencia en tratados y poesías retóricas como símbolo de lo brillante, y luego se empleó como comparación lisonjera para una mujer bonita: del lat. *pyrŏpus* 'aleación de cobre y oro, de color rojo brillante', y éste del gr. *pyrôpos*, adj., 'semejante al fuego', 'de color encendido' (formado con *ŏps* 'aspecto'); *piropear*, h. 1900. *Piroscopio. Pirosfera. Pirotecnia*, 1737; *pirotécnico. Piroxena*, h. 1900, con gr. *xenós* 'forastero', por hallarse accidentalmente entre productos volcánicos. *Piroxilina*, con gr. *xýlina* 'hilos de algodón'; *piróxilo. Antipirético*, de gr. *pyretós* 'fiebre'; *antipirina. Apirético. Apirexia. Pelitre*, fin S. XIII, de oc. ant. *pelitre*, y éste del gr. *pýrethron* íd. *Pira*, med. S. XVI, del gr. *pyrá* íd. *Pirita.*

Empíreo, 1515, gr. *empýrios*, porque la Antigüedad colocaba en esta parte del cielo el fuego puro y eterno. *Empireuma*, del gr. *empyréuō* 'yo pongo a asar'; *empireumático.*

Pirrarse, V. purrela

PÍRRICO, 1884, aplicado a una danza. Del gr. *pyrrhikhē* íd. *Victoria pírrica* contiene otra palabra, gr. *pyrrhikós*, alusiva a Pirro, rey de Epiro, vencido por los romanos.

DERIV. *Pirriquio* 'pie métrico propio de la danza pírrica'.

Pirueta, pirulo, V. perinola

PISAR, 1220-50. Del lat. vg. PĪNSARE, variante del clásico PINSĔRE 'majar, machacar'. DERIV. *Pisa*, S. XVII. *Pisada*, 1220-50. *Piso*, 1765-83. *Pisón*, 1495; *apisonar; apisonadora. Pisotear*, S. XVII; *pisoteo; pisotón. Repisa*, 1737.

CPT. *Pisapapeles*, h. 1900. *Pisaverde*, 1570-80, porque anda de puntillas, como el que atraviesa los cuadros de un jardín.

Piscatorio, piscicultura, pisciforme, piscina, V. pez I   Piscolabis, V. pellizcar Pisiforme, V. guisante   Piso, pisón, pisotear, pisotón, V. pisar   Pista, V. pisto

PISTACHO 'alfóncigo', 1611. Del gr. *pistákion* íd., por conducto del it. *pistacchio* y quizá el fr. *pistache*. Del francés, en todo caso, procede el cast. *pistache*, h. 1900, dulce en el cual se han empleado pistachos.

Pistilo, V. pisto

PISTO 'jugo de carne de ave', princ. S. XVII. Del lat. PĪSTUM, participio de PINSĔ-RE 'machacar'; pero no es seguro si el castellano lo tomó del dialecto mozárabe, o lo derivó del raro verbo *pistar* 'machacar algo para sacarle el jugo', 1629, que a su vez hubo de tomarse del it. dial. *pistare*, it. *pestare* 'machacar', procedente del lat. vg. PĪSTARE, intensivo de PINSERE (comp. *ALPISTE*).

DERIV. *Pista*, 1737, del it. *pista*, forma dialectal de *pesta*, íd., propte. 'huellas'; *despistar*, 1925. *Pistón*, 1843, del it. *pistone* íd., variante de *pestone* 'mano de almirez'. *Prestiño* 'especie de buñuelo', 1550 (hoy *pestiño*, S. XIX, por influjo de *pisto*), de oc. ant. *prestinh* 'panadería, cuarto donde se hacen el pan y los pasteles', lat. vg. *PĪSTRĪNIUM, deriv. de PISTRĪNUM 'oficio de pastelero' (éste a su vez lo es de PISTOR 'panadero', que viene de PINSERE 'machacar, moler'). *Pistilo*, tom. del lat. *pistillum* 'mano de almirez', por comparación de forma.

PISTOLA, 1603. Del alem. *pistole*, y éste del checo *pišťal* 'arma de fuego corta', propiamente 'chifla, caramillo' (onomatopeya del silbato).

DERIV. *Pistolete*, 1591, del fr. *pistolet; pistoletazo. Pistolero*, 1920.

Pistón, V. pisto

PITA, 1561, 'hilo que se hace con las hojas del maguey'. Origen incierto; si es de procedencia americana (lo cual no puede asegurarse) es más probable que venga de las Antillas que de Méjico o del Perú.

Pita 'silba', *pitada, V. pito   Pitanza, V. pío   Pitar, V. pito   Pitarra, pitarroso, V. pestaña   Pitillera, pitillo, V. pito   Pítima, V. bizma*

PITO, 1490, onomatopeya del silbido. De 'silbato', h. 1600, se pasó a 'canuto', h. 1575, y otras acepciones derivadas de ésta ('palito', 'cigarrillo', 'pipa', etc.).

DERIV. *Pitar* 'tocar el pito', princ. S. XVII, 'fumar'; *pita* 'silba', *pitada. Pitillo* 'cigarrillo'; *pitillera. Pitón* 'pitorro', 'cuerno que empieza a salir', 1604; *apitonar*, 1495. *Pitorro; pitorrearse*, propte. 'silbar, hacer rechifla'. *Pitoflero* 'burlón entrometido', 1335.

Pitoflero, pitón, pitorrearse, pitorro, V. pito   Pituita, pituitario, V. pepita

PIZARRA, 1475. Palabra de origen vasco, aunque su etimología exacta no es bien segura. Probte. del vasco *lapitz-arri* 'piedra de pizarra', cpt. de *arri* 'piedra' y *lapitz*, que ya significa 'pizarra', y viene probte. del lat. LAPĬDĔUS 'de piedra', 'pétreo' (o de su primitivo LAPIS); al pasar al cast. la sílaba *la-* se tomó por el artículo y se prescindió de ella.

DERIV. *Pizarral*, 1640. *Pizarrín. Pizarroso.*

Pizca, pizcar, V. *pellizcar   Pizmiento,*
V. *pez* II   *Pizpicigaña,* V. *pellizcar*

PIZPIRETA 'vivaracha', 1737, y *pizpita*
'aguzanieves', 1495, son voces de creación
expresiva, que con la combinación consonántica *psp* indican la vivacidad del movimiento (típica de las muchachitas y de este
pájaro).
DERIV. *Pezpita. Pezpítalo.*

Pizpirigaña, V. *pellizcar   Pizpita,* V.
pizpireta

PLACA 'insignia de una orden', 1817;
'chapa', 'plancha', S. XIX. Del fr. *plaque*
íd., S. XVII, deriv. de *plaquer* 'revestir de
una plancha o chapa', S. XIII, que se tomó
del neerl. ant. *placken* 'poner un remiendo',
'pegar'.
DERIV. *Plaqué,* del fr. *plaqué* íd. *Plaque-
ta,* 1939, fr. *plaquette.*

Placel, V. *plaza   Pláceme,* V. *placer*

PLACENTA, h. 1725. Tom. del lat. *placenta* 'torta'.
DERIV. *Placentario.*

Placentero, V. *placer   Placer* 'banco en
el mar', V. *plaza*

PLACER, v., 'gustar', h. 1140 (y ya también entonces sustantivado). Del lat. PLĂ-
CĒRE íd.
DERIV. *Placentero,* 1220-50. *Complacer,*
1438, lat. COMPLACĒRE 'gustar a varios a la
vez'; *complaciente; complacencia. Apacible,* 1545, del antiguo *aplacible,* 1438, deriv.
de *aplacer* 'agradar' (muy empleado en la
Edad Media); primero significó 'agradable',
luego 'manso', h. 1540, sufriendo el influjo
de *paz, pacífico; desapacible,* 1570. *Displicente,* 1765-83, lat. *displĭcens, -tis,* participio de *displicēre* 'desagradar'; *displicencia,*
1732. *Plácido,* 1515, lat. *placĭdus* íd.; *placidez.*
CPT. *Pláceme*

Placeta, V. *plaza   Placidez, plácido,* V.
placer

PLAFÓN, 1817, o **PAFLÓN,** 1708. Del
fr. *plafond* íd., cpt. de *plat* 'achatado, plano'
y *fond* 'fondo'.

Plaga, plagado, plagar, V. *llaga*

PLAGIO, 1882, 'apropiación de conceptos ajenos'. Tom. del lat. *plagium* íd., propiamente 'apropiación de esclavos ajenos',
y éste del gr. *plágios* 'trapacero, engañoso',
propte. 'oblicuo' (deriv. de *plázō* 'yo golpeo,
descarrío').
DERIV. *Plagiar,* S. XIX, lat. *plagiare* íd.
Plagiario, 1822, lat. *plagiarius.*
CPT. *Plagióstomo,* de gr. *plágios* 'oblicuo'
y *stóma* 'boca'.

Plan, V. *planta   Plana,* V. *llano*
Plancha, planchador, planchar, plancheta,
V. *palanca   Planear,* V. *planta* y *llano*

PLANETA, h. 1250. Tom. del lat. *planē-
ta* íd., y éste del gr. *planētēs* 'vagabundo',
deriv. de *planáō* 'yo vagabundeo', así llamado por contraste con las estrellas, que
parecían fijas.
DERIV. *Planetario.*

Planicie, planimetría, planisferio, plano
'llano', 'superficie geométrica', V. *llano*
Plano 'planta, diseño', V. *planta*

PLANTA 'parte inferior del pie', 1251.
Tom. del lat. *planta* íd., por vía semiculta.
En el sentido de 'vegetal', h. 1250, es deriv.
del verbo *plantar,* 1148, del lat. *plantare,*
íd., propte. 'plantar clavando con la planta
del pie'. *Planta* es también 'espacio que
ocupa la base de un edificio' (comparable
con la planta del pie respecto de una persona), de ahí luego 'diseño de un edificio',
1600, y generalizando 'representación gráfica de cualquier lugar'; este sentido tiene
en francés el masculino *plant,* med. S. XVI,
luego escrito *plan,* 1569, de donde en castellano: *plano,* 1737, y *plan* 'escrito en que
se apuntan las grandes líneas de una cosa',
1737, y luego 'proyecto', h. 1800.
DERIV. *Plantear* 'trazar la planta o plan
de algo', 1737, 'proponer un problema';
planteamiento; replantear. Plantel, 1611, del
cat. *planter* íd. *Plantilla,* 1633. *Plantío,*
1548. *Plantón,* 1513; *desplantar* 'perder la
buena postura'; *desplante. Plantación. Plan-
tador. Plante,* h. 1900. *Implantar,* S. XIX,
del fr. *implanter,* 1541. *Suplantar,* 1481, raro hasta el S. XVIII, lat. *supplantare* 'reemplazar subrepticiamente', propte. 'dar zancadilla, poner la pierna bajo el tobillo o
pie de otro'; *suplantación. Trasplantar,*
1569; *trasplante.*
Planear; planeamiento.
Llantén, 1495, lat. PLANTĀGO, -AGĬNIS, íd.,
deriv. de PLANTA 'planta del pie', probte.
por los cinco nervios de las hojas del llantén, que se compararon con los cinco dedos
y nervaturas del pie.
CPT. *Plantificar,* 1737. *Plantígrado,* formado con el lat. *grădi* 'caminar'.

*Plantear, plantel, plantificar, plantígrado,
plantilla, plantío, plantón,* V. *planta   Plañidero, plañir,* V. *llanto   Plaqué, plaque-
ta,* V. *placa   Plasma, plasmar,* V. *plástico*

PLÁSTICO, 1765-83. Tom. del gr. *plasti-
kós* 'relativo a modelar o amasar', deriv. de
plássō 'yo modelo, amaso'. Sust., h. 1950.
DERIV. *Plástica. Plasticidad. Plasma,* h.
1900, gr. *plásma* 'figura', 'acto de modelar',

'materia modelable'; *plasmar*, med. S. XVI,
lat. *plasmare*. *Cataplasma*, 1537, gr. *katáplasma* 'emplasto'. *Metaplasmo*, gr. *metaplasmós* 'trasformación'.
Cpt. *Citoplasma. Protoplasma.*

PLATA, 1112. Del femenino del adjetivo
lat. *PLATTUS (vid. *PLATO* y *CHATO*), que
en bajo latín aparece sustantivado, S. X,
con el sentido de 'lámina, por lo general·
metálica', y en la Península Ibérica se especializó todavía más designando el metal
llamado en latín *argentum*; la acepción secundaria 'dinero', hoy americana, se empleó
antes en España, princ. S. XVII (y, al parecer, ya en los SS. XIV y XV).
Deriv. *Platal*, amer. *Platear. Platero*,
1438; *platería; plateresco*, princ. S. XVIII.
Platilla, 1737. *Platino*, 1817, del fr. *platine*,
m., h. 1780 (antes f., 1752), a su vez tomado del cast. *platina* íd., 1748; *platinado*.

PLATAFORMA, 1595. Término de fortificación tomado del fr. *plate-forme*, S. XV,
cpt. de *plat* 'plano' y *forme* 'forma'. En la
acepción electoral, 1922, se tomó del inglés.

PLÁTANO 'árbol de la familia de las
platáneas', 1438, aplicado en América y
África al 'banano', 1554. Del gr. *plátanos*
(lat. *platănus*) 'árbol platáneo'.
Deriv. *Platanal. Platáneo. Platanero.
Aplatanarse* 'adaptarse un extranjero al modo de ser de los países tropicales', *aplatanamiento.*

PLATEA 'patio en los teatros', 1765-83.
Origen incierto; quizá del fr. *platée* 'masa
compacta de piedra que forma los cimientos de un edificio', deriv. de *plat* 'plano,
achatado'.

Plateresco, platería, V. *plata   Plática,
platicar*, V. *práctica*

PLATIJA, 1705. Del lat. PLATISSA íd.

Platillo, V. *plato   Platino*, V. *plata*

PLATIRRINO, S. XX. Cpt. del gr. *platýs*
'plano, achatado' con *rhís, rhinós*, 'nariz'.

PLATO, h. 1400. Del lat. vg. *PLATTUS
'plano', 'chato, aplastado', y éste del gr.
platýs 'ancho', 'plano'; el vocablo aparece
sustantivado, con sentido igual o muy parecido, en las demás lenguas romances.
Deriv. *Platillo. Platina.* Comp. *PLATA.*.

Plausible, V. *aplaudir*

PLAYA, med. S. XIV. Del lat. tardío
PLAGIA íd. (fin S. VI), y éste probte. del
gr. *plágia* 'lados, costados' (plural de *plágios* 'oblicuo', 'transversal'). De 'lados' se
pasó a 'ladera' y luego 'costa marítima'.

Deriv. *Playo*, amer., 'plano'. *Desplayado*,
amer., 'descampado'. *Playero; playera.*

PLAZA, h. 1140. Del lat. PLATĔA (vulgarmente *PLATTĔA) 'calle ancha', 'plaza', y
éste del gr. *platéia* 'calle ancha', probte. femenino de *platýs* 'ancho', 'plano'.
Deriv. *Placer*, sust., 1564, o *placel*, 1580
(port. *parcel*, 1541), del cat. *placer* 'llanura
submarina', 'lugar de poca hondura en el
fondo del mar' (palabra comprobada en el
uso de los pescadores de toda Mallorca,
en el Continente por lo menos desde Castellón hasta la Costa Brava, y seguramente
usual en todo territorio), de donde en cast.
'paraje marino abundante en pesca', y luego
'arenal donde la corriente de las aguas
depositó partículas de oro'; aunque la palabra catalana no esté documentada antes
del S. XIX por no haber literatura náutica
anterior, la terminación revela inequívocamente el origen catalán. *Plazuela; plazoleta; placeta. Desplazar*, fin S. XIX, del fr.
déplacer, deriv. de *p.ace* 'lugar'. *Reemplazar*, 1737, del fr. *remplacer* íd.; *reemplazo.
Emplazar* 'colocar los sabuesos en el monte de caza', S. XVII, 'situar', S. XX, del
fr. *emplacer* íd.; *emplazamiento.*

PLAZO, 1055. Del arcaico *pluzdo*, h.
1125, y éste del lat. tardío PLACĬTUS, abreviación de DIES PLACITUS 'día (de plazo)
aprobado (por la autoridad, etc.)', participio
de PLACĒRE 'gustar', 'parecer bien'.
Deriv. *Aplazar*, 1220-50; *aplazamiento;
aplazo. Emplazar* 'fijar un plazo, citar', med.
S. XIII; *emplazado*, 1312; *emplazamiento.*

Pleamar, V. *lleno*

PLEBE, princ. S. XVII. Tom. del lat.
plebs, plebis, 'pueblo', 'populacho'.
Deriv. *Plebeyo*, 1463, lat. *plebeius* íd.
Cpt. *Plebiscito*, S. XVI, lat. *plebiscītum*,
formado con *scire* 'saber'.

PLECTRO, hacia 1580, 'palillo para tocar instrumentos de cuerda', 'inspiración, estilo'. Tom. del gr. *pléktron*, deriv. de *plḗssō*
'yo golpeo'.
Cpt. *Plesímetro*, formado con éste y *métron* 'medida'.

PLEGAR, h. 1250. Del lat. *plĭcare* 'doblar, plegar', por vía semiculta.
Deriv. *Plegable*, 1495. *Plegadizo. Pliego*,
1611; *pliegue*, 1490. *Desplegar*, 1438; *despliegue. Replegar; repliegue.*
Cultismos: *Plica*, 1843. *Aplicar*, 1438, lat.
applĭcare íd.; *aplicación*, 1438. *Complicar*,
1555, lat. *complĭcare* íd.; *complicación.
Cómplice*, princ. S. XVII, lat. *complex,
-icis*, íd., propte. 'unido, complicado'; *complicidad. Explicar*, 1438, lat. *explĭcare* íd.,
propte. 'desplegar, desenredar'; *explicación*,

1607; *explicaderas*, 1737; *explicativo*; *explícito*, 1737, lat. *explicĭtus* íd.

Implicar, h. 1440, lat. *implicare* 'envolver en pliegues'; *implicación*; *implícito*, med. S. XVII, lat. *implicĭtus* 'implicado'. *Replicar*, princ. S. XVII, lat. *replicare* íd., propte. 'desplegar, desarrollar'; *réplica*, h. 1570. *Suplicar*, 1335, lat. *supplicare*, íd., deriv. de *supplex, -icis*, 'el que se dobla prosternándose', que lo es a su vez de *plicare*; *súplica*, 1611; *suplicante, suplicatorio; suplicio*, 1605, lat. *supplĭcium* 'sacrificio' (de donde 'castigo', 'tormento'), propte. 'súplica para apaciguar un dios'. *Plexo*, S. XIX, lat. *plexus* íd., de la familia de *plicare*.

Plegaria, V. *preces*   *Pleistoceno*, V. *pleonasmo*

PLEITA, princ. S. XVII. Del lat. vg. PLĔCTA 'etrelazamiento, entretejedura', tom. del gr. *plektḗ* 'cuerda entretejida', 'enroscamiento' (deriv. de *plékō* 'yo tejo'); por conducto del dialecto mozárabe; también *empleita*.

Pleitear, pleités, pleitesía, V. *pleito*

PLEITO, 1054. Del fr. ant. *plait* íd., procedente del lat. tardío PLACĬTUM 'voluntad regia' (de PLACĒRE 'agradar', 'parecer bien'), de donde 'decreto', 'acuerdo, convenio', 'discusión' y de ahí 'proceso'.
DERIV. *Pleitear*, 1220-50. *Pleitista*, 1495. *Pleitesía* 'homenaje', 1220-50, deriv. del antiguo *pleités* 'representante, apoderado' y éste de *pleito*, en el sentido antiguo de 'homenaje, reconocimiento', procedente del de 'convenio'.

Plenario, plenilunio, plenipotenciario, plenitud, V. *lleno*

PLEONASMO, 1604, lat. *pleonasmus*. Tom. del gr. *pleonasmós* íd., propte. 'superabundancia', 'exageración', deriv. de *pléōn*. 'más numeroso'.
DERIV. *Pleonástico*.
CPT. *Plioceno*, formado con *pléion* 'más' y *kainós* 'nuevo'. *Pleistoceno*, con este adjetivo y *pléiston* 'lo más' (superlativo de *pléion*).

PLEPA, med. S. XIX. Origen incierto. Como es palabra viva, sobre todo, en el Noroeste, quizá se extrajera del asturiano **plepayo* o *plipayu* (y del verbo deriv. *aplipayarse* 'rodearse de cuidados por efecto de los achaques'), que es variante de *perpiaño* (V.), pasando del sentido de 'piedra' a 'objeto inútil', o de 'apuntalarse' a 'tratarse como persona achacosa'.

Plesiosauro, V. *saurio*   *Plétora, pletórico*, V. *lleno*

PLEURA, 1556. Tom. del gr. *pleurá* 'costilla', 'costado'.
DERIV. *Pleural. Pleuritis. Pleuresía*, h. 1730. tom. por conducto del fr. *pleurésie,* S. XIII.
CPT. *Pleuronecto*, formado con *nēktós* 'que nada, natante'.

Plexo, V. *plegar*

PLÉYADE 'grupo de literatos que florece por el mismo tiempo' h. 1900, del gr. *Pleiás, -ádos*, aplicado a un cenáculo de siete poetas alejandrinos, propte. nombre de la constelación de las Siete Cabrillas; como nombre de ésta *las Pléyades* se empleaba en castellano ya en el S. XVII y antes, pero en su aplicación literaria se debe en gran parte al influjo de la *Pléiade* francesa, encabezada por Ronsard (1556).

Plica, pliego, pliegue, V. *plegar*

PLINTO, 1611, lat. *plinthus*. Tom. del gr. *plínthos* íd., propte. 'ladrillo'.

Plioceno, V. *pleonasmo*   *Plipayo*, V. *plepa*   *Plomada*, V. *plomo*   *Plomazón*, V. *pluma*   *Plombagina*, V. *plomo*

PLOMO, 1243. Del lat. PLŬMBUM íd.
DERIV. *Plomada*, 1490. *Dado plomado*, 1335. *Plomero. Plomizo. Aplomar*, h. 1530; *aplomo*, S. XIX. *Desplomar*, h. 1600; *desplome. Plombagina*, h. 1900, del fr. *plombagine*, y éste del lat. *plumbago, -agĭnis; plumbagíneo*.
Cultismos: *Plúmbeo*; *plúmbico. Molibdeno*, del gr. *molýbdaina*, deriv. de *mólybdos*, equivalente del lat. *plumbum*.

PLUMA, 1195. Del lat. PLŪMA íd. Del antiguo uso de una pluma de ave afilada, para escribir, ha salido el nombre moderno de las plumas metálicas.
DERIV. *Plumada. Plumado. Plumaje*, 1490. *Plomazón* 'almohadilla de dorador', 1737, deriv. del antiguo *plomazo* 'colchón', 1214, comp. el cat. *ploma* 'pluma'. *Plumero; plumerillo. Plumilla. Plumón*, 1611. *Desplumar*, 1495. *Emplumar*, 1495. *Implume. Plúmeo*.

Plumbagina, plumbagíneo, plúmbeo, plúmbico, V. *plomo*   *Plúmeo, plumerillo, plumero, plumilla, plumón*, V. *pluma*

PLURAL, 1220-50. Tom. del lat. *plūrālis* íd., propte. 'que consta de muchos', deriv. de *plus, pluris*, 'más numeroso', 'más'.
DERIV. *Pluralidad*, 1599. *Pluralizar. Plus.*
CPT. *Pluscuamperfecto*, med. S. XIX, lat. *plus quam perfectum* 'más que perfecto'. *Plus valía*, 1915.

Plus, pluscuamperfecto, V. *plural*

PLUTO-, en compuestos y derivados cultos, tom. del gr. *plûtos* 'riqueza'. *Plutocracia*, h. 1900, formado con *kratéō* 'yo domino'; *plutócrata*, h. 1900; *plutocrático*. *Plutoniano*, *plutónico*, *plutonismo*, h. 1900. deriv. de *Plútōn*, dios subterráneo, de los Infiernos, al que se dio este nombre por su riqueza, a causa de los muchos tesoros que se hallan enterrados.

Pluvial, pluviométrico, pluviómetro, pluvioso, V. *llover*   ¡Po!, V. ¡fo!

POA, 1696, 'cabo en que se afirma la bolina'. Origen incierto, quizá del fr. ant. *poe* 'pata', de origen afín al de su equivalente castellano.

Población, poblado, poblador, poblar, V. *pueblo*

POBRE, 1200. Del lat. PAUPER, -ĔRIS, íd. DERIV. *Pobrete*, S. XVII. *Pobreza*, 1220-50. *Empobrecer*, 1495; *empobrecimiento*, 1607. *Depauperar*, deriv. culto; *depauperación*. *Pauperismo*, 1855, del ingl. *pauperism*. *Paupérrimo*, del superlativo lat. *pauperrimus*.

Pocero, V. *pozo*   *Pocilga,* V. *puerco*

POCILLO 'jícara', amer. y and., 1765-83, del lat. POCILLUM íd., diminutivo de POCULUM 'copa'; en Cuba *pozuelo*, 1765-83.

PÓCIMA, 1611; antes *apócima*, 1513, lat. *apŏžĕma*. Tom. del gr. *apózema* 'cocimiento' (deriv. de *zéō* 'yo hiervo' y *apozéō* 'hago hervir').

POCIÓN, hacia 1580, tom. del lat. *potio*, *-onis*, 'acción de beber', deriv. de *potāre* 'beber'.
DERIV. *Potable*, del lat. *potabilis* íd., otro deriv. del mismo verbo; *potabilidad*.

POCO, fin S. X. Del lat. PAUCUS, -A, -UM, 'poco numeroso'.
DERIV. *Poquedad*, 1495. *Poquito. Poquillo*, 1220-50. *Apocar*, 1240; *apocado*; *apocamiento*.
Paulatino, 1817, deriv. culto del lat. *paulatim* 'poco a poco', deriv. de *paulus* 'poco considerable', de la misma raíz que *paucus*.
CPT. *Parapoco,* S. XVII.

Pocho, V. *pachorra*   *Poda, podadera, podador,* V. *podar*

PODAGRA, 1220-50. 'gota que ataca los pies'. Tom. del gr. *podágra* íd., propte. 'trampa que coge por el pie', cpt. de *pús, podós*, 'pie', y *agréō* 'yo agarro'.
Otros cpts. de *pús*: *Podómetro. Antípodas*, med. S. XV, gr. *antípodes*. *Ápodo. Po-*

lipodio, 1555, gr. *polypódion* íd., de *polýpus* 'de muchos pies'; *polipodiáceas. Trípode.*

PODAR, 1235. Del lat. PŬTARE íd., propiamente 'limpiar'.
DERIV. *Podador*, 1213. *Poda*, 1513. *Podadera*, 1495, antes *hoz podadera*, h. 1250. *Podón*, h. 1600. *Chapodar*, 1543, lat. SŬPPŬTARE 'podar ligeramente'. *Amputar*, 1817, tom. del lat. *ampŭtare* 'cortar', propte. 'podar por los dos lados'; *amputación*.

PODENCO, 1064. Origen incierto. Si no es palabra prerromana, quizá podría venir de un gót. *PŬDINGS*, emparentado con el alem. *pudel* 'perro de aguas' (abreviación de *pudelhund*, propte. 'perro de charco', de *pudel* 'charco', *pudeln* 'chapalear'): el podenco y el perro de aguas son dos castas muy parecidas. Pero así la etimología germánica como la prerromana (vasco antiguo *potinko* 'podenco', comp. *potin* y *potingo* 'diminuto, regordete', *potoka, potolo* 'gordinflón') presentan serias dificultades.

PODER, h. 1140 (y ya sustantivado en la misma fecha). Del lat. POSSE íd., vulgarmente *PŎTĒRE*.
DERIV. *Poderío*, h. 1280. *Poderoso*, 1200. *Pudiente. Apoderar*, 1220-50; *apoderado*; *desapoderudo*, 1438.
Cultismos: *Posible*, 1495, lat. *possĭbĭlis*; *posibilidad*, h. 1440; *imposible*, 1438; *imposibilidad*, h. 1440; *posibilitar*; *imposibilitar. Potente*, 1220-50, lat. *potens*, *-tis*, 'el que puede'; *potentado*, fin S. XVI; *potentila*, h. 1900, comp. el it. *potentilla*; *potencia*, 1220-50, lat. *potĕntĭa*; *potencial*, 1580; *potencialidad*; *impotente*, 1495, *impotencia*, 1438. *Prepotente*, 1444; *prepotencia. Potestad*, 1220-50, lat. *potestas*, *-atis*, 'poder'; *potestativo*.
CPT. *Poderdante. Poderhabiente.*

Podio, V. *poyo*   *Podómetro,* V. *podagra*
Podón, V. *podar*   *Podre, podredumbre, podrido, podrid,* V. *pudrir.*

POETA, h. 1335, lat. *poēta*. Tom. del gr. *poiētēs* íd., y, en general, 'autor literario', propte. 'hacedor, creador', deriv. de *poiéō* 'yo hago'.
DERIV. *Poetar; poetizar*, h. 1440; *poetización. Poetastro. Poético*, 1438, lat. *poētĭcus; poética*, princ. S. XVII, lat. *poētĭca. Poetisa*, 1737. *Poesía*, 1438, lat. *poēsis*, del gr. *poíēsis* 'creación', 'poesía'. *Poema*, h. 1450, lat. *poēma*, gr. *póiēma*, *-ēmatos; poemático*, princ. S. XX.

POLACRA, 1709. Término náutico mediterráneo que en cast. se tomó del cat. *polacra* (más comúnmente *pollacra* y *pollaca*, 1642). Origen incierto; quizá deriv. del lat.

PŬLLUS 'animal joven', con la terminación de *carraca*; para esta aplicación de un nombre de animal, comp. *FALÚA, GALERA, TARTANA*.

POLAINA, h. 1400. Del fr. ant. *polaine,* que designó la punta larga del calzado que estuvo a la moda en los SS. XII a XV, y también una bota provista de esta punta, pasando luego a designar la pieza de cuero o paño que cubre la pierna en combinación con esa bota. En francés era propte. el femenino del étnico *polain* 'polaco', que se aplicó a una clase de piel (SS. XIV-XV) empleada para hacer dicho calzado.

Polar, polaridad, polarímetro, polarizar, V. *polea*

POLCA, 1884. De origen eslavo, probte. del checo *pulka* 'medio', por los pasos cortos que deben dar los que la bailan; la polca se bailó primero en Praga en 1835, luego en Viena en 1839, donde el vocablo se confundió con *polka* 'mujer polaca'.

POLEA, 1434. Probte. de un lat. vg. *POLĬDĬA, plural del gr. *polídion,* diminutivo de *pólos* 'eje'; en todo caso hay relación indudable con el gr. *poléō* 'yo doy vueltas' y *empolízō* 'hago girar entorno a un eje o quicio', deriv. de dicha palabra *pólos*. De este último, con cambio de sentido (por formar los polos las puntas del eje a cuyo alrededor gira la tierra), se tomó nuestro *polo,* 1438; de donde los deriv.: *polar,* 1596; *polaridad* (por ser los polos donde se concentran la electricidad y el magnetismo), y de ahí *polarizar, polarización.* CPT. *Polarímetro.*

POLEADAS 'gachas', S. XIII. Origen incierto. Teniendo en cuenta la variante *pullada,* h. 1400, y *poliada,* S. XIII, así como la forma mozárabe y marroquí *pulyât* (SS. XIII, XVI, XVII, XIX), quizá venga del árabe hispánico, donde *pulyât* sería plural de *púlya,* procedente del lat. POLLIS 'harina', 'flor de la harina'.

POLÉMICA, 1709 (en el sentido de 'arte militar'; acepción moderna, 1832). Femenino del adjetivo *polémico,* tom. del gr. *polemikós* 'referente a la guerra', deriv. de *pólemos* 'guerra'. El sentido primitivo se emplea en el término de fortificación *zona polémica* 'espacio de una zona fortificada donde no se puede construir, etc.'. DERIV. *Polemista. Polemizar,* 1925.

POLEN, 1832. Tom. del lat. *pollen, -ĭnis,* 'flor de la harina', por comparación de ésta con el polvo finísimo así llamado. DERIV. *Polinización.* A la misma raíz pertenece el lat. *polĕnta* 'especie de gachas' (propte. 'harina'), de donde el cultismo *polenta,* 1555 (el argentino *pulenta* se tomó del napolitano).

Polenta, V. *polen*

POLEO, 1490. Del lat. PULĒJUM íd.

Poliandria, V. *andro-* *Policía, policíaco,* V. *político* *Policlínica,* V. *clínico* *Policromía, polícromo,* V. *cromo*

POLIEDRO, S. XIX. Cpt. del gr. *hédra* 'asiento', 'base' y *polýs* 'mucho'. DERIV. *Poliédrico.*

Poligamia, polígamo, V. *bígamo* *Políglota,* V. *glosa*

POLÍGONO, 1708. Cpt. del gr. *polýs* 'mucho' y *gōnía* 'ángulo'. DERIV. *Poligonal.*

Polígrafo, V. *gráfico*

POLILLA, S. XIII. Origen incierto. En mozárabe *paulilla,* S. XI, sin duda emparentado con el andaluz *apaularse* y *apaulillarse,* 1589, 'estar los cereales comidos de polilla o tizón' (sentido que tiene *polilla* ya en los SS. XIII y XV). *Apaularse* tal vez procede del lat. PABULARI 'comer (hablando de animales)', de donde *paulilla* 'insecto o parásito vegetal que se come algo', aunque en la terminación de *paulilla* pudo intervenir el influjo de un sinónimo procedente del lat. PAPILIO 'mariposa'; en Castilla parece ser mozarabismo. DERIV. *Apolillar,* 1495.

Polimorfismo, polimorfo, V. *amorfo*

POLÍN, 1817. Del fr. *poulain* 'carrito sin ruedas para trasportar objetos pesados', 'puntal que sostiene un barco en construcción', propte. 'potro', deriv. de PŬLLUS 'animal joven'.

Polinización, V. *polen* *Polinomio,* V. *binomio* *Poliorcética,* V. *político* *Polipero, pólipo,* V. *pulpo* *Polipodiáceas, polipodio,* V. *podraga* *Polisílabo,* V. *epilepsia* *Polisíndeton,* V. *asíndeton* *Polisón,* V. *polizón* *Polispasto,* V. *pasmo* *Politécnico,* V. *técnico* *Politeísmo, politeísta,* V. *teo-*

POLÍTICO, 2.º cuarto S. XV, lat. *politĭcus.* Tom. del gr. *politikós* 'perteneciente al gobierno', propte. 'relativo a la ciudad' (deriv. de *pólis* 'ciudad'). En la Grecia antigua, donde las ciudades eran independientes, se confundían los conceptos de 'ciudad' y 'Estado'. En el sentido de '(pariente) por afinidad', 1806.

DERIV. *Política*, 1597. *Politicastro. Politiquear*, 2.ª mitad S. XIX. *Politiquero*, 1923; *politiquería. Apolítico. Policía*, princ. S. XIX (antes y ya 1399 en los sentidos 'política' y 'buena crianza', comp. *jefe político* 'jefe de policía', usual aún en la Argentina), lat. *politía*, tom. del gr. *politéia* 'organización política, gobierno'; *policíaco*, h. 1900, o *policial; polizonte.*

CPT. del gr. *pólis* 'ciudad': *Poliorcética*, del gr. *poliorkéō* 'yo asedio' (formado con gr. *hérkos* 'recinto'). *Propóleos*, gr. *propóleōs*, genitivo de *própolis* 'cera con que las abejas tapan la entrada de una colmena', propte. 'entrada de una ciudad' (el genitivo se explica por ser el caso en que solían ponerse los ingredientes de recetas farmacéuticas).

Poliuria, V. *orina*   *Polivalente*, V. *valer*

PÓLIZA, 1540. Del it. *pòlizza*, S. XIII, b. lat. *apodixa*, íd., que se tomó del gr. *apódeixis* 'demostración, prueba' (deriv. de *apodéiknymi* 'yo muestro, demuestro').

POLIZÓN, 1737. Del fr. *polisson* 'el que se introduce sin autorización en algún lugar', propte. 'niño travieso', 'persona impertinente', antiguamente 'especie de ladronzuelo', 1616, dcriv. del argot *polir* 'robar', propte. 'pulir'. *Polisón* 'armazón para abultar los vestidos mujeriles por detrás', 1787, parece ser el mismo vocablo, en el sentido de 'vestido inmodesto, travieso, liviano'.

Polizonte, V. *político*   *Polo* 'extremo N. y S. de la Tierra', V. *polea*

POLO (juego), h. 1900. Del inglés, y en éste de un dialecto tibetano de Cachemira, donde *polo* significa 'pelota'.
DERIV. *Polista.*
CPT. *Water-polo*, h. 1915, en inglés 'polo de agua'.

Poltrón, poltronería, V. *potro*

POLUCIÓN 'acción de manchar o ensuciar', h. 1550. Deriv. del lat. *polluĕre* 'manchar, mancillar', cuyo participio *poluto*, 1438 (e *impoluto*) también se ha empleado en castellano.

POLVO, 1220-50. Del lat. vg. **PŬLVUS*, clásico PULVIS, PULVĔRIS, íd. *Pólvora*, h. 1350, especialización de sentido del cat. *pólvora* íd., propte. 'polvos', 'polvo de tierra', S. XIII, que viene del lat. PŬLVĔRA, plural de PULVIS.
DERIV. *Espolvorear*, 1717 (*despolv-*, 1570). *Polvorón*, fin S. XIX. *Polvoroso*, S. XIV. *Polvorín*, princ. S. XVII. *Polvoriento*, h. 1250. *Polvorilla. Polvareda*, 1596, lat. vg.

*PULVERĒTA, colectivo de PULVIS, PULVERIS. *Empolvar*, 1599; *desempolvar.*
Cultismos: *Pulverulento. Pulverizar*, S. XIX; *pulverización.*

POLLO, 1251. Del lat. PŬLLUS 'pollo de gallina', propte. 'cría de un animal cualquiera'.
DERIV. *Polla*, 1495. *Pollero*, 1495; *pollera*, antes 'especie de cesto para criar pollos', 1362, 'enser de mimbre acampanado para que los niños aprendan a andar', 1737; 'falda acampanada que se ponían las mujeres debajo de la saya', princ. S. XVII, 'talda externa del vestido femenino', 1765 - 83, amer. y andaluz; *pollería. Pollino*, 1275, de PULLUS en su sentido general. *Pollito. Polluelo*, h. 1625. *Empollar*, 1495; *empolladura*, 1604. *Repollo* 'especie de col cuyas hojas forman a manera de retoño o cabeza', principio S. XVII, antes 'retoño de col', 1495, o 'de otras plantas', h. 1400, de PULLUS 'cría', comp. *pimpollo; repolludo. Pulular* 'aparecer en abundancia', 1832, propte. 'empezar a echar vástagos', princ. S. XVII, tomado del lat. *pŭllŭlare* íd. *Pulchinela* o *polichinela*, S. XIX, del it. *pulcinella* (en Nápoles *polecenella*) 'personaje de la comedia napolitana', deriv. del it. *pulcino* 'polluelo', lat. PULLICĒNUS íd.

Pomáceo, pomada, pomar, V. *pomo*

POMELO, 'toronja', amer., 1940. Del inglés *pómmelo*, que parece ser deformación del neerl. *pompelmoes* íd., y éste contracción del neerl. *pompel* 'grande' y *limoes*, tomado del port. *limões* 'limones'.

PÓMEZ, 1490. Del lat. PŪMEX, -ĬCIS, íd. (vulgarmente POMĬCE).

POMO, h. 1440. Tom. del lat. *pōmum* 'fruto comestible de árbol', de donde las demás acepciones, por comparación. *Pomo de espada*, 1607, probte. del cat. *pom*, S. XIV. *Pomo de esencias*, 1596.
DERIV. *Pomáceo. Pomada*, 1680, del fr. *pommade*, S. XVI. *Pomar*, 904. *Pómulo*, med. S. XIX, tom. del lat. *pomŭlum* 'fruto pequeño', que modernamente se ha empleado con el sentido del fr. *pommette* 'pómulo' (de *pomme* 'manzana' por comparación).
CPT. *Pomífero.*

POMPA, 1438, lat. *pŏmpa*. Tom. del gr. *pompē* íd., propte. 'escolta', 'procesión', y primero 'envío' (de *pémpō* 'yo envío').
DERIV. *Pomposo*, 1438.

POMPÓN, algo antes de 1840. Del fr. *pompon* íd., 1722, quizá voz de creación expresiva.

Pomposo, V. *pompa*   *Pómulo*, V. *pomo*

PONCIL, 1569. En catalán *poncem*, 1445, o *ponsí(r)*, S. XIV, oc. *ponsiri*, princ. S. XV; el cast. lo tomaría del cat. *ponsir*. Origen incierto; *poncem*, por ser uná de las formas más antiguas, hace dudar de las etimologías lat. POMUM CITREUM 'fruto cítrico' y POMUM SYRIUM 'fruto de Siria'. La última sería la más aceptable, admitiendo que *poncem* se deba a una alteración, por influjo del cat. *sem* 'imperfecto, fallado' (lat. SĒMUS), con alusión al gusto agrio de este fruto.

PONCHE, 1737. Del ingl. *punch* íd., 1632; las menciones más antiguas se refieren a la India o a la China, pero la etimología es incierta.
DERIV. *Ponchera*.

PONCHO 'especie de capote sin mangas', 1530. Es palabra que aparece mucho en Chile y con referencia a los indios, pero en vista de su fecha no puede venir del araucano ni de otra lengua de estos parajes. Quizá del adjetivo castellano *poncho* (1737, *ponchón* 1596), variante de *pocho* 'descolorido' (V. *PACHORRA*), por designar una manta sin colorines, de un solo color y sin dibujos. Hay variante reciente, *pontro*, la cual es realmente debida a la pronunciación araucana.
DERIV. *Ponchada* 'gran cantidad', amer.

Poncho, adj., V. *pocho* y *poncho*

PONDERAR, h. 1590. Tom. del lat. *ponderare* 'evaluar', propte. 'pesar', deriv. de *pondus, -ĕris*, 'peso'.
DERIV. *Ponderable*; *imponderable*. *Ponderación*, princ. S. XVII. *Ponderativo*. *Preponderar*, propte. 'pesar más', h. 1450: *preponderante*. *Ponderoso*, h. 1570. *Ponderal*, como el anterior, deriv. lat. directo de *pondus*.

PONER, fin S. X. Del lat. PŌNĔRE 'colocar'.
DERIV. *Ponedero. Ponedor. Ponente*, 1737; *ponencia. Poniente*, h. 1275; *ponentino. Puesto*, participio, fin S. X; 'lugar señalado', 1595; *puesto que*, antes 'aunque', 1335; 'pues que, ya que', 1605. *Puesta* 'ocaso', 1607; 'tajada de carne', 1220-50, hoy anticuado o sustituido por la forma aportuguesada *posta*, h. 1400; *despostar* 'dividir una res en postas'.
Posta 'conjunto de caballerías para el servicio de correo y trasporte', hacia 1530, 'correo': del it. *posta* íd., primero 'lugar del caballo en el establo' (*a posta* 'de intento', med. S. XVI, tom. del it. *a posta* íd.); *postal*, med. S. XIX; *postillón*, 1552, del it. *postiglione. Postizo*, 1490, antes *apostizo*, h. 1330, lat. vg. APPOSITICIUS, deriv. de APPONERE 'añadir'. *Postor*, 1737. *Postura*,

1200. *Posición*, 1433, lat. *positio, -onis. Positivo*, 1438, lat. *positīvus* 'convencional', 'positivo en gramática'; *positivismo*, med. S. XIX, del fr. *positivisme*, 1842; *positivista. Diapositiva*, con el elemento inicial de *diáfano. Pósito*, princ. S. XVII, lat. *positus, -us*, 'colocación'.

Anteponer, 1251. *Aposición*, 1580; *apositivo*; *apósito*, 1580; *apuesto*, h. 1140, propiamente 'apropiado', luego 'elegante, bonito'; *apuesta*, 1490, probte. alteración de *puesta*, íd., h. 1250; *apostar* 'hacer una apuesta', h. 1570; 'poner una persona en un lugar', princ. S. XIX; *apostura*, 1240.

Componer, 1220-50; *componedor*, 1495; *componenda*; *componente*; *composición*, 1237; *compositor*; *compuesto*; *compostura*, 1219. *Compota*, 1817, del fr. *compote* íd., propte. 'compuesta'; *compotera*; *descomponer*, 1220-50; *descompostura*, 1495; *descompuesto*; *descomposición*, 1604; *recomponer*, 1438; *recomposición*, 1495. *Contraponer*, 1495; *contraposición*, 1495. *Deponer*, princ. S. XV, lat. *deponĕre*; *deponente*, 1611; *deposición*, 1495; *depósito*, 1495; *depositar*, 1495; *depositario*, 1495; *depositaría. Disponer*, princ. S. XIV, lat. *disponĕre* íd., propte. 'poner por separado'; *disposición*, S. XIV; *disponible*; *dispositivo, dispuesto*, 1495; *indisponer, indisposición, indispuesto*, S. XVIII; *predisponer, predisposición. Exponer*, 1220-50, lat. *exponĕre* íd.; *exponente*; *exposición*, 1427; *expositivo*; *expósito*, princ. S. XVII, de la idea de 'exponer a la caridad pública'; *expositor*, 1620. *Imponer*, 1220-50, lat. *imponĕre* íd., propte. 'poner encima'; *imponente*; *impuesto*, S. XVIII; *imponible*; *imposición*, h. 1440; *impostor*, princ. S. XVII, lat. *impostor* íd., de *imponere*, en el sentido de 'engañar', antes 'infligir (una pena)', etc.; *impostura*, princ. S. XVII; *imposta*, 1589, quizá del it. *imposta*.

Interponer, fin S. XVI (*entreponer*, 1335), lat. *interponere*; *interposición*, h. 1490. *Oponer*, 1251, lat. *opponere* íd.; *oposición*, 1288; *opositor*, 1604. *Peripuesto*, 1884. *Posponer*, 1438; *posposición*; *pospositivo*.

Preponer, 1463, lat. *praeponĕre*; *preposición*, 1490; *prepositivo*; *prepósito*, lat. *praepŏsĭtus* 'jefe', propte. 'puesto al frente'; variantes de éste: *preboste*, 1490, del cat. *prebost*, S. XIII; *pavorde*, 1611, del cat. *paborde*, antiguamente *preborde*, 1283, de *prebosde* (conservado así en lengua de Oc); *pavordía. Proponer*, princ. S. XIV, lat. *proponĕre*; *proponente*; *proposición*, 1438; *propuesta*, princ. S. XVII; *propósito*, princ. S. XIV; *despropósito*, 1604; *despropositado*, 1604. *Reponer*, 1737; *repuesto*, 1495; *repostero*, 1495, lat. *REPOSITARIUS* 'oficial que guarda el servicio de mesa' (REPONERE 'guardar, ocultar'), 'el que hace bebidas y dulces', 1525; *repostería*, S. XVII; *reposición*.

Sobreponer, h. 1295; *superposición*, S. XIX. *Suponer*, 1607, lat. *sŭppončre* íd., propte. 'poner debajo'; *suposición*, 1607; *supuesto*, princ. S. XVII; *supositicio*; *supositorio*, 1739; *presuponer*, h. 1450; *presupuesto*, 1543; *presupuestar*, 1923; *presupuestario*; *presuposición*, 1433. *Trasponer*, 1251; *trasposición*.

Pontazgo, pontazguero, pontederiáceo, pontificado, pontifical, pontificar, pontífice, pontificio, pontón, pontonero, V. *puente*

PONZOÑA 'veneno', 1335. Antiguamente *pozón*, fem., h. 1250, procedente del lat. POTIO, -ONIS, 'brebaje, bebida', 'brebaje venenoso'. La forma moderna se deberá a influjo del verbo *ponzoñar*, h. 1330, o *emponzoñar*, h. 1280 (*enpozoñar*), el cual puede explicarse por un derivado lat. vg. *POTIONIARE. La *-n-* se debe a la propagación de la otra nasal.
DERIV. *Ponzoñoso*, 1438 (*pozoñoso*, h. 1475).

POPA, 1490. Del lat. PŬPPIS íd.
DERIV. *Popel* 'oficial de popa', formado según *proel*. *Popés*, 1587.

Pope, V. *papa*   *Popel,* V. *popa*

POPELINA, S. XX. Del fr. *popeline* íd., que al parecer procede del nombre de la ciudad flamenca de *Poperinghen*, si bien adaptado a la forma del fr. anticuado *papeline* 'tela de seda fina', 1667, oc. *papalino*, femenino de *papalin* 'perteneciente al Papa o a Aviñón', por fabricarse primitivamente en esta ciudad, que fue residencia de los Papas.

Popés, V. *popa*

POPLÍTEO, med. S. XIX. Deriv. del lat. *poples, -ĭtis*, 'pantorrilla', 'rodilla'.

Populachero, populacho, popular, popularidad, popularizar, populoso, V. *pueblo* *Popurrí, -purri,* V. *bote* II   *Poquedad,* V. *poco*

POR, 938. Del lat. PRO 'por', 'para', vulgarmente POR.
CPT. *Porque. Por qué,* interrog., luego sustantivado *porqué* 'motivo', S. XV; 'cantidad, porción', 1605.

Pora, V. *para*   *Porcebe,* V. *percebe*

PORCELANA, 1539. Del it. *porcellana* íd., S. XIV, propte. 'cauri, molusco de concha blanca y brillante', S. XIV, aplicado a la porcelana por el parecido y por haberse creído que se hacía con esta concha, pulverizada. Como *porcellana* significa además

'verdolaga' en it. y en cat. (S. XVI), es probable que en sus varias acepciones venga del lat. vg. PORCELLAGĬNE, deformación del lat. PORTULĀCA (pronunciado vulgarmente PORCLACA, y luego PORCILLACA), nombre latino de la verdolaga. Éste es derivado de PORTŬLA 'puertecilla', por la abertura característica de la verdolaga y del cauri.

Porcentaje, V. *ciento*   *Porcino,* V. *puerco*

PORCIÓN, 1555. Tom. del lat. *portio, -ōnis,* 'parte, porción'.
DERIV. *Porciúncula,* lat. *portiuncula,* diminutivo.
CPT. *Proporción,* 1444, lat. *proportio, -onis,* íd., contracción de *pro portione* 'según la parte'; *proporcional,* 1555, *proporcionalidad; proporcionar,* S. XVII; *proporcionado,* 1438; *desproporción, desproporcionado.*

Porciúncula, V. *porción*   *Porcuno,* V. *puerco*   *Porche,* V. *puerta*   *Pordiosear, pordiosero,* V. *dios*

PORFÍA 'obstinación', S. XIII, antes *porfidia,* 1220-50. Del lat. *perfĭdia* 'mala fe' (deriv. de *perfĭdus* 'el que jura en falso', 'engañador', y éste de *fides* 'fe'), que en los Padres de la Iglesia, S. IV, tomó el sentido de 'herejía', de donde luego 'contumacia' (sin la cual hay error pero no herejía, de acuerdo con la definición católica). Tom. por vía semiculta.
DERIV. *Porfiar,* h. 1200. *Porfiado,* 1335. *Porfioso,* 1444.

PÓRFIDO, h. 1440. Alteración semiculta del gr. *pórphyros* 'de color de púrpura' (deriv. de *porphýrē* 'púrpura').
CPT. *Meláfido,* formado con la terminación de *pórfido* y el gr. *mélas* 'negro'.

Porfolio, V. *portar*   *Pormenor, pormenorizar,* V. *menos*

PORNOGRAFÍA, h. 1880. Deriv. del gr. *pornográphos* 'el que describe la prostitución', cpt. de *pórnē* 'ramera' y *gráphō* 'yo describo'.
DERIV. *Pornográfico.*

PORO, h. 1440, lat. *pŏrus.* Tom. del gr. *póros* íd., propte. 'paso, vía de comunicación'.
DERIV. *Poroso,* 1513; *porosidad.*

POROTO, amer., 'habichuela', 1586. Del quichua *purutú* íd.
DERIV. *Porotero. Aporotarse.*

Porque, porqué, V. *por*   *Porquería, porqueriza, porquerizo, porquero, porquerón,* V. *puerco*

PORRA, S. XII. Voz común al cast. con el port. (1136) y el cat. De origen incierto. Quizá del lat. PŎRRUM 'puerro', por comparación del bastón de cabo grueso con la hortaliza de tallo largo y bulbo a un extremo. Sin embargo, teniendo en cuenta el languedociano, provenzal y francoprovenzal *borra*, íd., podría venir del célt. BORRO- 'grueso'. Ambas etimologías tropiezan con una grave dificultad fonética (la ó en aquélla, la *p*- en ésta), que acaso pudiera eliminarse suponiendo que en España hubo un cruce de los dos vocablos.

DERIV. *Porrada*, 1220-50. *Porrazo*, princ. S. XVII. *Porretada*. *A porrillo*, 1832. *Porrudo*. *Aporrear*, 1495; *aporreo*; *paporrear*, h. 1900, cruce de aquél con *pegar* o *apalear*. *Aporrillarse*. *Porrón*, 1607, cat. *porró*, 1460, mozárabe *purrûn*, S. XIII: ha designado vasijas diversas, todas de vientre abultado, y así debe derivar de *puerro* o más bien de *porra*.

Porráceo, V. *puerro*   *Porrada, porrazo, porretada, porrillo*, V. *porra*   *Porrino, porro*, V. *puerro*   *Porrón, porrudo*, V. *porra*   *Portacartas*, V. *portar*   *Portachuelo*, V. *puerto*   *Portada*, V. *puerta*   *Portadera, portador, portafusil*, V. *portar*   *Portal*, V. *puerta*   *Portalápiz, portalibros*, V. *portar*   *Portalón*, V. *puerta*   *Portamantas, portante*, V. *portar*   *Portañuela*, V. *puerta*

PORTAR, 1220-50. Voz advenediza, tomada en varias épocas del latín y de otras lenguas romances (cat., fr., it.), en las cuales viene del lat. PŎRTĀRE 'portear', 'trasportar'. *Portarse* 'conducirse (bien o mal)', princ. S. XVII.

DERIV. *Portadera*. *Portador*, princ. S. XVII. *Portante*, 1490, primero *paso de portante*, aludiendo a la caballería que lleva jinete sin cansarle: del it. (donde sale h. 1300); *portantillo*. *Portátil*, princ. S. XVII. *Porte*, 1490; *portear*; *porteador*. *Aportar*, h. 1400, del fr. *apporter* (comp. *PUERTO*); *aportación*; *aporte*, amer. *Comportar*, hoy viejo en el sentido 'sufrir, tolerar', 1348; *comportarse* 'conducirse', 1817, del fr. *se comporter*; *comportamiento*, med. S. XIX; *comporta*. *Exportar*, 1817, tom. del lat. *exportare* 'sacar afuera'; *exportador*; *exportación*. *Importar*, 1490 (la acepción 'introducir mercancías', med. S. XIX), lat. *impŏrtāre* 'introducir, llevar adentro', de donde 'afectar', 'interesar'; *importador*; *importación*; *importante*, h. 1570; *importancia*, 1438; *importe*, 1817. *Reportar*, h. 1440; *reportaje*, 1923, del fr. *reportage*, 1907, deriv. del anglicismo *reporter* (de donde el cast. *reportero*, h. 1925), deriv. de *report* 'dar una noticia'. *Soportar*, S. XV, lat. *sŭpportare* 'llevar de abajo arriba', luego 'soportar'; *soportable, insoportable*; *so-*

porte. Tra(n)sportar, 1490, lat. *transportare* íd.; *tra(n)sporte*, 1817.

CPT. *Portacartas*, 1495. *Portamanteo*, 1604, del fr. *portemanteau. Portafusil. Portalápiz. Portaplumas. Portavoz. Portamantas. Portaaviones*, h. 1930. *Portalibros. Porfolio*, 1936, adaptación del fr. *porte-feuille* 'cartera'.

Portazgo, V. *puerto*   *Porte, portear*, V. *portar*   *Portento, portentoso*, V. *tender*   *Portería, portero, portezuela*, V. *puerta*   *Portezuelo*, V. *puerto*   *Pórtico, portier, portillo, portón*, V. *puerta*   *Portulano*, V. *puerto*   *Porvenir*, V. *venir*   *Porvida*, V. *vivo*

POSAR, 1129. Del lat. tardío PAUSARE 'cesar', 'pararse', que, junto con el lat. PAUSA 'parada, detención', se tomó del gr. *páuō* 'yo detengo, hago parar' o de un deriv. del mismo.

DERIV. *Posada*, h. 1140; *posadero*, 1309. *Poso*, 1737. *Aposentar*, princ. S. XV; *aposentamiento, aposentador*, 1490; *aposento*, S. XV. *Reposar*, h. 1440; *reposo*, 1438; *reposado*.

Cultismos: *Pausa*, 1433; *pausado; pausar*.

Posdata, V. *dar*

POSEER, 1274. Del lat. POSSĬDĒRE íd. (deriv. de SĔDĒRE 'estar sentado').

DERIV. *Poseedor*, 1495, o *posesor*, 1495. *Poseso*, 1737, tom. de *possĕssus* 'poseído'. *Posesorio. Posesión*, 1220-50; *(a)posesionar; posesivo*, 1495. *Desposeer*.

Posibilidad, posibilitar, posible, V. *poder*   *Posición, positivismo, positivo, pósito*, V. *poner*

POSMA 'persona pesada, lenta', fin S. XVIII, 'pesadez, flema', 1832. Voz familiar, probte. resultante de una alteración de *pasmo* o de sus derivados (*pasmado, pasmarote*), en el sentido de 'pasmado'. Quizá se trate de una deformación intencionada de *pasmo*, de carácter jergal, con trasposición de las dos vocales.

Poso, V. *posar*

POSOLOGÍA, S. XX. Compuesto del gr. *póson* 'cuánto' con *légō* 'yo digo'.

Posponer, posposición, pospositivo, pospuesto, posta, postal, V. *poner*

POSTE, h. 1400. Tom. del lat. *pŏstis* 'jamba o montante de una puerta'; en la Edad Media tiene el sentido de 'puntal, pilar' más cercano al latino.

POSTEMA 'absceso supurado', 1335; antes *apostema*, h. 1490, lat. *apostēma*. Tom.

del gr. *apóstēma*, *-ēmatos*, 'absceso', propte. 'alejamiento' (por el levantamiento de la piel), deriv. de *aphístēmi* 'yo aparto, alejo'.
DERIV. *Postemero*, 1737. *Apostemar*, fin S. XIV; *apostemación*, princ. S. XV; *apostemoso*.

POSTERGAR, 1737. Tom. del bajo lat. *postergare* 'dejar atrás', 'descuidar, despreciar', deriv. de la locución lat. *post tergum* 'detrás de la espalda'.
DERIV. *Postergación*.

Posteridad, posterior, posterioridad, V. *postrimero*

POSTIGO, 1144, 'puerta trasera', 1490; 'puerta chica abierta en otra mayor', S. XV, de donde hoy 'cada una de las puertecillas que hay en las ventanas'. Del lat. POSTĪCUM 'puerta trasera', deriv. de POST 'detrás'.

Postilla, V. *pústula   Postillón,* V. *poner*

POSTÍN, 1897. Del gitano *postín* 'piel, pellejo', y éste del hindustani *pōstīn* 'piel de aforro o de abrigo' (deriv. de *pōst* 'piel'); probte. tomando las pieles como símbolo de la elegancia.
DERIV. *Postinero*.

Postizo, V. *poner   Postónico,* V. *tono*
Postor, V. *poner*

POSTRAR, 1438, 'poner de rodillas', 'derribar', 'enflaquecer', antiguamente *prostrar*, 1220-50. Tom. del lat. tardío *prostrare*, que sustituyó al clásico *prosternĕre* 'prosternar', 'derribar', 'arruinar' (partiendo de *prostratum, prostravi, prostrasse*, formas clásicas de la conjugación de este verbo).
DERIV. *Postración*.

POSTRIMERO, h. 1335, antes *postremero*, 1220-50. Deriv. de *postremo*, lat. POSTRĒMUS 'último'; la terminación se agregó por influjo de *trasero* y de los sinónimos antiguos *cabero* y *derradero*; la *i* se debe a influjo de *primero*. *Postrero*, 1490, será debido a un cruce de estos vocablos con *postremo*.
DERIV. de *postrero: postre* 'final', 1490; de ahí *fruta de postre*, 1535, y luego *la postre* o *los postres* 'fruta o golosina que remata una comida', 1561.
Cultismos de la misma familia: *Posterior*, fin S. XVII, lat. *posterior, -oris*, comparativo correspondiente al superlativo *postremus*; *posterioridad*, h. 1440. *Posteridad*, 1515, lat. *posteritas, -atis*, íd., deriv. de *posterus, -a, -um*, 'posterior'. *Póstumo*, fin S. XVII, lat. *postŭmus* 'el último', 'hijo nacido después de muerto el padre', otro superlativo correspondiente a *posterus*.

POSTULAR, h. 1260. Tom. del lat. *postŭlare* 'pedir', 'solicitar', 'pretender'.

DERIV. *Postulación*, 1490. *Postulado*, sust., 1709. *Postulante; postulanta.*

Póstumo, V. *postrimero   Postura,* V. *poner   Potabilidad, potable,* V. *poción*

POTAJE, 1444, del fr. *potage* 'puchero, cocido', y antes 'sopa', deriv. de *pot* 'puchero' (vid. BOTE II).

POTASA, 1843, del alem. *pottasche* íd., propte. 'ceniza (*asche*) de pucheros', cuyo primer elemento es afín al cast. *bote* II.
DERIV. *Potasio. Potásico.*

Pote, V. *bote* II   *Potencia, potencial, potentado, potente, potentila,* V. *poder*

POTERNA, 1832. Término de fortificación, del fr. *poterne* 'puerta trasera', antes *posterle*, S. XII, y éste del lat. POSTĔRŬLA, diminutivo de POSTERUS, -A, -UM, 'trasero'.

Potestad, potestativo, V. *poder*

POTINGUE, 1843, del langued. *poutingo* 'medicamento' (1535, tomado por el francés), deriv. de *poutingaire*, variante de *apoutecaire* 'boticario' (del mismo origen que esta palabra castellana); por conducto del cat. *potingues*, plural de *potinga* 'potingue'.

Potra 'yegua', V. *potro*

POTRA 'hernia', h. 1400. Teniendo en cuenta que ha designado también varias clases de tumores y ampollas, que *potro* ha significado asimismo 'testículo' y 'bubón sifilítico', y que esto último se dice *mula* en portugués, y en francés *poulain*, es probable que sea una aplicación figurada de *potra* 'yegua joven'. Quizá por el movimiento que sufren estos varios tumores, sobre todo los blandos, al andar o correr o cabalgar el potroso, movimiento comparado con el trote juguetón de un potro.
DERIV. *Potroso* 'herniado', 1251. *Potrero* 'sacapotras'.

Potrada, potranca, potrear, potrero, V. *potro*

POTRO, 939, palabra de origen incierto; en las demás lenguas romances hay variantes distintas: it. *polédro*, port. *pôdro*, fr. y oc. *poutre*, cat. *poldre* (y aun cast. ant. *poltro*, 924) que al parecer vienen de un lat. vg. *PULLĪTER, -TRĪ (documentado en bajo latín desde el S. VII), pero no está claro que sea un derivado del lat. PULLUS, denominación de varios animales jóvenes, ni que todas las formas romances procedan de esa derivación.
DERIV. *Potra*; comúnmente *potranca*, 1361 (de donde el dialectal *potranco*). *Potrada. Potrear. Apotrar* 'correr, saltar', S. XV. *Potrero*, 1204; 'prado', amer., de *prado potre-*

ro; *potrerizo*. *Empotrar*, 1737, quizá de un fr. anticuado o dial. **empoutrer*, deriv. de *poutre* 'viga' (que es aplicación figurada de *poutre* 'potro'). *Poltrón*, 1517, del it. *poltrone*, íd., deriv. de *poltro* 'cama', propiamente 'potro'; *poltronería*, 1599; *poltrona*, abreviación de *silla poltrona*, por ser propia para estar muellemente sentado; *apoltronarse*.

Potroso, V. *potra* *Povisa*, V. *pavesa*

POYO, h. 1140, 'banco de piedra'. Del lat. PŎDĬUM 'repisa', 'muro grueso que formaba una plataforma alrededor del anfiteatro', y éste del gr. *pódion*, propte. diminutivo de *pús, podós*, 'pie'. Culto: *podio*.
DERIV. *Poya*, 1737. *Poyata*, princ. S. XVII. *Poyete*.

POZO, 938. Del lat. PŬTĔUS 'hoyo', 'pozo'. DERIV. *Poza*, 947. *Pozal*, S. XIV. *Pozanco*; *pozancón*. *Pozuelo*. *Pocero*. *Empozar*, 1220-50. Para *pocillo* (y su sinónimo *pozuelo*), V. artículo aparte.

PRÁCTICA, h. 1280, lat. *practice*. Tom. del gr. *praktikē* 'ciencia práctica', propte. femenino de *praktikós* 'activo', 'que obra', deriv. de *prássō* 'yo obro, cumplo, estoy atareado'. Del sentido primitivo se pasó a 'trato con la gente', y de ahí 'conversación, razonamiento', 1438 (*prática*), sentido en el que se prefirió la variante *plática*, 1498 (también empleada en el sentido de 'práctica', SS. XV-XVII). Como adjetivo, *práctico*, 1490.
DERIV. *Practicar*, h. 1330; 'tratar, frecuentar a uno', 1438, y *platicar* 'hablar, discurrir', med. S. XV. *Practicable*. *Practicante*. *Practicón*. *Pragmático*, 1817, tom. del gr. *pragmatikós* 'perteneciente a los negocios políticos', 'experto en derecho', deriv. de *prâgma* 'asunto, negocio' (que a su vez lo es de dicho *prássō*); *pragmática*, 1501; *pragmatismo*, h. 1900, del ingl. *pragmatism*, 1683.

PRADO, 938. Del lat. PRATUM íd.
DERIV. *Pradera*, 1607. *Empradizar*.
Cultismo: *Pratense*.

Pragmática, pragmático, pragmatismo, V. *práctica* *Prasio, prasma*, V. *puerro* *Pratense*, V. *prado* *Pravedad*, V. *depravado* *Pre*, V. *prestar* *Preámbulo*, V. *ambular*

PREBENDA, 1335, 'beneficio eclesiástico'. Tom. del lat. tardío *praebĕnda* íd., propte. participio de obligación de *praebēre* 'proporcionar', propte. 'presentar, mostrar'.
DERIV. *Prebendado*, princ. S. XVII.

Preboste, V. *poner* *Precario*, V. *preces* *Precaución, precaver, precavido*, V. *cauto* *Precedencia, precedente, preceder*, V. *ceder*

PRECEPTO 'mandato', 1.ª mitad S. XIV. Tom. del lat. *praeceptus, -ūs*, íd., deriv. de *praecipere* 'dar instrucciones, recomendar' (propte. 'tomar primero', 'prever', deriv. de *capere* 'coger').
DERIV. *Preceptista*. *Preceptivo*. *Preceptor*. *Preceptuar*.

PRECES 'súplicas (esp. eclesiásticas)', 1220-50. Tom. del lat. *preces* 'ruegos en general'.
DERIV. *Plegaria*, princ. S. XV, antes *pregarias*, 1220-50, del b. lat. *precaria* íd. *Precario*, 1677 (término jurídico), 1843 ('de poca estabilidad'): lat. *precarius* 'que se obtiene por ruegos, por complacencia', 'que se posee sin título'; *precarista*. *Deprecar*, med. S. XVII, lat. *deprecari* 'interceder por alguien', 'suplicar con instancia'; *deprecación*; *deprecativo*, h. 1550; *deprecatorio*, 1580. *Imprecar*, S. XIX, lat. *imprecari* 'desear' (por lo común en mala parte); *imprecación*, princ. S. XVII. *Procaz*, 1737, lat. *procax, -ācis*, 'que pide desvergonzadamente', 'desvergonzado' (de la misma raíz que *preces*); *procacidad*, 1737.

Precesión, V. *ceder* *Preciar*, V. *precio* *Precintar*, V. *precinto*

PRECINTO, S. XIX. Tom. del lat. *praecinctus, -ūs*, 'acción de ceñir', deriv. de *cingĕre* 'ceñir'.
DERIV. *Precintar*.

PRECIO, fin S. X. Del lat. *prĕtĭum* íd., tom. por vía semiculta. *Prez*, h. 1140, viene del oc. ant. *pretz*, masc., 'valor', propte. 'precio', del mismo origen que éste.
DERIV. *Precioso*, 977; *preciosidad*; *preciosura*, 1923. *Preciar*, h. 1140; *preciado*. *Apreciar*, h. 1140, lat. *appretiare*; *apreciación*; *aprecio*, princ. S. XVII; *apreciable*; *apreciativo*. *Despreciar*, 1240; *despreciable*, 1705; *desprecio*, 1490. *Depreciación*, 1855, del fr. *dépréciation*; *depreciar*. *Sobreprecio*.

Precipicio, V. *precipitar*

PRECIPITAR, h. 1570. Tom. del lat. *praecipitare* 'despeñar', 'apresurar', deriv. de *praeceps, -ĭpĭtis*, 'con la cabeza por delante', 'despeñado', deriv. de *caput, -ĭtis*, 'cabeza'.
DERIV. *Precipitación*, 1515. *Precipicio*, h. 1520, del lat. *praecipitium* íd.

Precisar, precisión, V. *preciso*

PRECISO, 1574. Tom. del lat. *praecīsus* 'cortado, recortado', 'abreviado', participio de *praecidere* 'cortar bruscamente'.
DERIV. *Precisión*. *Precisar*, med. S. XVII.

Preclaro, V. *claro   Precocidad,* V. *precoz   Preconcebir,* V. *concebir   Preconizar,* V. *pregón*

PRECOZ, princ. S. XVII. Tom. del lat. *praecox, -ŏcis,* íd., deriv. de *coqui* 'madurar', con el prefijo *prae-* 'antes'.
DERIV. *Precocidad.*

Precursor, V. *correr   Predecir,* V. *decir*

PREDECESOR, 1438. Tom. del lat. *praedecessor, -ōris,* íd., propte. 'el que murió antes', 'antepasado', deriv. de *decedere* 'fallecer', propte. 'retirarse', deriv., a su vez, de *cedere* íd.

Predestinación, predestinado, predestinar, V. *destinar*

PREDICAR, S. X. Tom. del lat. *praedĭcare* íd., deriv. de *dicare* 'proclamar solemnemente' (de la raíz de *dicere* 'decir').
DERIV. *Predicación,* 1220-50. *Predicador,* 1220-50. *Predicado. Predicamento. Predicante. Prédica,* 1737.

Predicción, predicho, V. *decir   Predilección, predilecto,* V. *diligente*

PREDIO, 1612. Tom. del lat. *praedĭum* 'finca rústica'.

Predisponer, predisposición, V. *poner   Predominar, predominio,* V. *dueño   Preeminente,* V. *eminente*

PREFACIO, h. 1450. Tom. del lat. *praefatio, -onis,* íd., deriv. de *fari* 'hablar', con el sentido propio de 'lo que se dice al principio'.

PREFECTO, 1490. Tom. del lat. *praefectus,* part. pasivo de *praeficere* 'poner como jefe', deriv. de *facere* 'hacer'.
DERIV. *Prefectura.*

PREFERIR, 1490. Tom. del lat. *praeférre* íd., propte. 'llevar delante', deriv. de *ferre* 'llevar'.
DERIV. *Preferente; preferencia,* fin S. XVII. *Preferible. Aferente,* lat. *afferens, -tis,* participio de *afferre* 'traer' (otro deriv. de *ferre*).

Prefigurar, V. *figura   Prefijar, prefijo,* V. *fijo*

PREGÓN, h. 1140. Del lat. PRAECO, -ONIS, 'pregonero'.
DERIV. *Pregonero,* 1155. *Pregonar,* h. 1140, lat. tardío PRAECONARI, íd. *Preconizar,* 1737, lat. tardío *praeconizare; preconización,* 1737.

PREGUNTAR, h. 1140. Del lat. PERCONTARI 'someter a interrogatorio', propte. 'tantear, sondear, buscar el fondo del mar o río' (deriv. de CONTUS 'bichero, percha'), alterado vulgarmente en *PRAECUNCTARE (por influjo de CUNCTARI 'dudar, vacilar').
DERIV. *Pregunta,* 1220 - 50. *Preguntón,* 1737.

Prehistoria, prehistórico, V. *historia   Prejuicio, prejuzgar,* V. *juez   Prelación,* V. *prelado*

PRELADO 'jerarca eclesiástico', 1220-50. Tom. del lat. *praelātus,* participio de *praeferre* 'poner al frente, poner delante', derivado de *ferre* 'llevar'.
DERIV. *Prelatura. Prelación,* S. XIV, lat. *praelatio, -onis,* 'acción de poner antes'. *Elación,* 1636, lat. *elatio, -onis,* 'elevación, ampliación', de *efferre* 'elevar', otro deriv. de *ferre; elativo.*

Prelatura, V. *prelado   Preliminar,* V. *eliminar   Preludiar, preludio,* V. *ilusión   Prematuro,* V. *maduro   Premeditación, premeditar,* V. *meditar*

PREMIO, h. 1440. Tom. del lat. *praemium* 'recompensa', propte. 'botín, despojo' El latinismo inglés *premium* (pronunciado *prímiam*) ha dado *prima* 'pago ventajoso', med. S. XIX, pasando por el fr. *prime,* 1669.
DERIV. *Premiar,* h. 1440, lat. tardío *praemiare.*

Premisa, V. *meter   Premonitorio,* V. *amonestar   Premura,* V. *apremiar*

PRENDA, 1220-50, 'objeto que se da en garantía'. Del antiguo *peñdra,* 1209, primitivamente *péñora,* 1104, y éste del lat. PĬGNŎRA, plural de PĬGNUS, -ŏRIS, íd.
DERIV. *Prendero,* 1737; *prendería,* 1737. *Prendar,* 1074; antes *pendrar,* 1155, y *peñdrar,* lat. PIGNORARI 'tomar en prenda'; por vía culta: *pignorar,* S. XIX; *pignoración; pignoraticio.* Comp. EMPEÑAR.

PRENDER, fin S. X. Del lat. PREHĔNDĔRE 'coger', 'atrapar', 'sorprender', vulgarmente PRĒNDĔRE.
DERIV. *Prendedero,* 1335. *Prendedura. Prendido. Prendimiento,* 1495. *Preso,* primeramente participio pasivo de *prender. Presa,* 943 (en el sentido de 'cosa robada o saqueada' y 'víctima de una fiera', 1495, se tomó del cat. *presa,* procedente del lat. PRAEDA, como voz de derecho mercantil); *presilla,* 1490; *apresar,* S. XVI; *represa* 'toma de agua', 1259; *represar,* 1251. *Prisión,* 3.er cuarto S. XIII, lat. PREHENSIO, -ONIS, 'acción de coger', por vía semiculta; *prisionero,* h. 1570; *aprisionar,* fin S. XIII.

Aprender, h. 1200, lat. APPREHENDĔRE 'apoderarse'; *aprensión,* fin S. XVI (en el sentido de 'temor', S. XVII, resulta de una innovación medieval en el sentido de 'coger miedo'); en forma culta *aprehender, aprehensión;* *aprensivo,* 1515; *aprendiz,* 1535; antes *aprentiz,* fin S. XIII, del fr. ant. *aprentiz* (hoy *aprenti*); *aprendizaje,* h. 1800. *Comprender,* h. 1200, lat. COMPREHENDĔRE 'concebir (una idea)', propte. 'abarcar', 'coger'; *comprensible,* h. 1580, *incomprensible,* 1438; *comprensivo,* 1596; *comprensión. Desprender,* 1607; *desprendimiento. Emprender,* 2.º cuarto del S. XV (y quizá ya hacia 1340); *emprendedor,* 1599; *empresa,* 1444; *empresario.*

Reprender, mediados S. XIII, lat. REPRENDĔRE íd., propte. 'coger, retener'; *reprensible,* 1438; *reprensión,* 1438. *Represalia,* 1405, en cat. ya en el S. XIII o princ. del XIV. *Sorprender,* 1737, adaptación del fr. *surprendre,* S. XII; *sorprendente; sorpresa,* 1643.

Cultismos: *Prensil. Prensión.*

Prendería, prendero, V. *prenda   Prendido, prendimiento,* V. *prender*

PRENSA, 1495, 'máquina de comprimir'. Del cat. *premsa,* íd., 1460, propte. femenino de *prems* 'apretado', S. XII (participio de *prémer* 'apretar', lat. PRĔMĔRE íd.). Figuradamente 'imprenta', S. XVII, y de ahí 'conjunto de las publicaciones periódicas', 1855.

DERIV. *Prensar,* 1611; *aprensar.*

Prensil, prensión, V. *prender*

PREÑADA, 1220-50. Del lat. PRAEGNAS, -ĀTIS, íd., vulgarmente PRAEGNATA.

DERIV. *Preñado,* adj., S. XVII. *Preñado,* sust., h. 1600, lat. PRAEGNATUS, -US. *Preñez,* S. XV, deriv. de un arcaico *preñe* 'preñada' (conservado en port.). *Empreñar* 'hacer concebir', 1251.

Cultismos figurados: *impregnar,* 1734; *impregnación,* 1734.

Preocupación, preocupar, V. *ocupar Preparación, preparado, preparar, preparativo, preparatorio,* V. *parar   Preponderación, preponderante, preponderar,* V. *ponderar   Preposición, prepositivo, prepósito,* V. *poner   Prepotencia, prepotente,* V. *poder*

PREPUCIO, 1581. Tom. del lat. *praeputium,* íd.

Prerrogativa, V. *rogar   Presa,* V. *prender*

PRESAGIO, 1444. Tom. del lat. *praesagium* íd. y 'presentimiento'.

DERIV. *Presagiar,* 1737.

PRESBÍTERO, 1490, 'sacerdote'. Tomado del lat. *presbўter, -ĕri,* íd., y éste del gr. *presbýteros* 'más viejo', comparativo de *présbys* 'viejo, anciano', por serlo más que el diácono. Variante es el antiguo *preste,* 1220-50, del fr. ant. *prestre.*

DERIV. *Presbiterio,* h. 1600, lat. *presbyterium* 'función del presbítero'; *presbiteriano. Presbiterado. Présbita,* med. S. XIX, del fr. *presbyte,* 1690, y éste del gr. *présbys, -ytos,* 'viejo', por ser imperfección que suele venir con la edad.

CPT. *Arcipreste,* h. 1260 (también *archipreste*), del fr. ant. *arciprestre* (hoy *archiprêtre*), lat. *archipresbyter; arciprestazgo,* 1362; *arciprestal.*

Prescindible, prescindir, V. *escindir   Prescribir, prescripción,* V. *escribir*

PRESEA, 1029, 'alhaja, objeto precioso', antiguamente 'ajuar, moblaje'. Del lat. PRAESĬDĬA, plural de PRAESIDIUM 'protección', 'guarda, escolta', 'garantía', que en bajo latín tomó el sentido de 'bien puesto por el señor bajo la custodia de un vasallo'.

Presencia, presencial, presenciar, presentación, presentar, presente, V. *ser   Presentimiento, presentir,* V. *sentir   Preservación, preservar, preservativo,* V. *conservar   Presidencia, presidente, presidiario, presidio,* V. *presidir*

PRESIDIR, 1607. Tom. del lat. *praesĭdēre* 'estar sentado al frente', 'proteger', deriv. de *sĕdēre* 'estar sentado'.

DERIV. *Presidente,* 1495; *presidenta; presidencia,* 1495; *presidencial, presidencialismo. Presidio* 'guarnición que se pone a una plaza', ant., 1570, esp. hablando de las de Marruecos, y como a éstas se enviaban los castigados, 'establecimiento penitenciario', 1817: del lat. *praesidium* 'guarnición, puesto militar', propte. 'protección'; *presidiario,* 1737.

Presilla, V. *prender*

PRESIÓN, 1737. Tom. del lat. *pressio, -onis,* íd., deriv. de *premĕre* 'apretar'.

DERIV. *Presionar,* S. XX.

Preso, V. *prender*

PRESTAR, h. 1140. Del lat. PRAESTARE 'proporcionar', también 'salir garante, responder (de algo)', propte. 'estar al frente, distinguirse, sobresalir' (deriv. de STARE 'estar' con PRAE- 'delante').

DERIV. *Prestación,* 1843. *Préstamo,* h. 1430; *prestamista. Prestante; prestancia,* propte. 'distinción'. *Prestatario. Pre,* 1717, o *prest,* del fr. *prêt,* propte. 'préstamo'. *Em-*

prestar, h. 1260; *empréstito*, 1737 (forma influida por el it.; antes *empresto*, S. XIII, *empréstido*, 1495); *emprestillar*, 1597. *Presto*, adj., hacia 1140, tom. del lat. tardío *praestus, -a, -um*, 'pronto, dispuesto', propte. 'presente, que está a mano'; *presteza*, 1490; *aprestar*, 1633; *apresto*.

Preste, V. *presbítero*   *Presteza*, V. *prestar*   *Prestidigitación, prestidigitador*, V. *prestigio*

PRESTIGIO 'ascendiente, influencia', 1843; antes 'juegos de manos', 1651; 'fascinación o ilusión con que se impresiona a alguno', de donde el sentido actual. Tom. del lat. tardío *praestigium* 'fantasmagoría, juegos de manos' (clásico *praestigiae*).
Deriv. *Prestigioso*, S. XIX, antes 'prestidigitador', S. XVII; *desprestigiado*, 1923. El lat. *praestigiator* 'el que hace juegos de manos' fue alterado en francés en *prestidigitateur*, 1829 (por una falsa etimología que relacionó con el lat. *digitus* 'dedo' y *praestus* 'pronto'), de ahí cast. *prestidigitador*, 1855; *prestidigitación*. *Prestigiar* 'dar prestigio', h. 1930 (sin relación con el uso con significado latino en 1444).

Prestiño, V. *pisto*   *Presto*, V. *prestar*
Presumible, presumido, presumir, presunción, presuntivo, presunto, presuntuoso, V. *sumir*   *Presuponer, presuposición, presupuesto*, V. *poner*   *Presuroso*, V. *prisa*
Pretender, pretendiente, pretensión, V. *tender*   *Preterición, preterir, pretérito*, V. *ir*
Pretextar, pretexto, V. *tejer*   *Pretil, pretina*, V. *pecho*

PRETOR, h. 1580. Tom. del lat. *praetor, -oris*, íd., deriv. de *praeīre* 'ir a la cabeza' (y éste de *ire* 'ir').
Deriv. *Pretorial. Pretoriano; pretorianismo. Pretorio. Pretura.*

Pretoriano, pretorio, pretura, V. *pretor*
Prevalecer, prevalente, V. *valer*

PREVARICAR, 1444. Tom. del lat. *praevaricari* 'entrar en colusión con la parte adversa el abogado', propte. 'hacer guiñadas el arado', 'andar mal', deriv. de *varus* 'patizambo'.
Deriv. *Prevaricación*, h. 1440. *Prevaricador. Prevaricato.*

Prevención, prevenir, preventivo, V. *venir*   *Prever*, V. *ver*   *Previo,* V. *vía*
Previsión, previsor, V. *ver*   *Prez*, V. *precio*

PRIAPISMO, 1495. Tom. del gr. *priapismós* íd., deriv. de *Príapos* 'dios de la fecundación', muchas veces empleado en el sentido de 'miembro viril'.

Priesa, V. *prisa*   *Prieto*, V. *apretar*
Prima 'cantidad', V. *premio*   *Primacía, primado, primario, primate*, V. *primo*   *Primavera, primaveral*, V. *verano*

PRIMO, h. 1140, antiguamente 'primero', 'primoroso', del lat. PRĪMUS 'primero', y de ahí figuradamente 'de primera calidad'. En el sentido 'hijo del tío o de la tía', h. 1140, es abreviación del lat. CONSOBRINUS PRIMUS 'primo hermano' (literalmente 'primo primero'), por oposición al primo segundo, tercero, etc.; a éstos el vocablo se extendió sólo posteriormente. Del sentido antiguo 'sutil, primoroso', viene probte., con carácter irónico, el sentido de 'sencillo, rústico', hoy cubano, de donde 'el que paga por otro, la víctima de un engaño'. Comp. *SOBRINO*.
Deriv. *Primero*, h. 1140, lat. PRĪMARIUS 'de primera fila' (*primario*, h. 1640, por cultismo); *primeriza*, 1220-50, *primerizo*, 1605. *Prima* 'primera cuerda de un instrumento', 1495. *Primado*, 1490, lat. PRIMATUS, -US, 'primacía'; *-ado, -ada*, adj., 1220-50. *Primar*, amer., feo galicismo, fin S. XIX. *Primate*, h. 1900, lat. *primas, -atis*; *primacía*, h. 1295. *Primicia*, h. 1200, lat. *primĭtia. Primitivo*, h. 1440, lat. *primitivus. Primor*, 1590, lat. *primores* 'cosas de primer orden'; *primoroso*, 1632. *Prímula; primuláceo. Prior*, 1174, lat. *prior, -us*, 'primero entre dos', 'anterior', 'superior', de la misma raíz que *primus*; *priorato*, 1220-50; *prioridad*, h. 1440.
Cpt. *Primigenio. Primípara*, cpt. con el lat. *parere* 'parir'.

Primogénito, primogenitura, V. *engendrar*
Primor, V. *primo*   *Primordial*, V. *urdir*
Primoroso, prímula, primuláceo, V. *primo*
Princesa, principado, principal, V. *príncipe*

PRÍNCIPE, 1220-50. Tom. del lat. *princeps, -cĭpis*, 'el primero', 'jefe', 'principal', 'soberano', cpt. de *primus* 'primero' y *caput* 'cabeza'.
Deriv. *Principado*, 1490. *Principal*, 1220-50. *Principesco*, fin S. XIX, del it. *principesco* íd. *Princesa*, 1495, del fr. *princesse*, deriv. de *prince* 'príncipe'. *Principio*, h. 1335, lat. *principĭum* 'comienzo', 'origen'; *principiar*, h. 1580; *principiante*.

Principiar, principio, V. *príncipe*

PRINGAR, 1420, 'echar gotas de grasa', 'untar con grasa'. En port. *pingar* 'gotear' y 'pringar', fin S. XV, leon. *pingar* 'colgar, estar pendiente'. Probte. es éste el sentido primitivo (de donde 'estar la gota al caer' y luego 'gotear') y vendrá del lat. vg. *PENDICARE, deriv. de PENDĒRE 'colgar'. Junto a *pringar* existe en leonés y portugués *pingue* y *pingo* 'gota de grasa', procedente del lat. PINGUE 'grasa', pero en castellano se cruzaron las dos palabras, combinando sus significados. En cuanto a la *r*, su explicación no es segura, pero es probable que *pingue* se cambiara primero en **pingre* por analogía del sinónimo *mugre*, y luego aquél pasó a *pringue*, 1495, por metátesis. DERIV. *Pringoso*, 1832. *Empringar*, 1599. De *pinguis* 'gordo', por vía culta: *pingüe*, princ. S. XVII.

Prior, priorato, prioridad, V. *primo*

PRISA, S. XIV, del anticuado y dialectal *priessa*, h. 1140. Antes significaba 'tropel agitado de gente', 'rebato, alarma', y viene del lat. PRĔSSA, propte. 'aprieto', 'apretada', participio de PRĔMĔRE 'apretar'. DERIV. Del antiguo *presura* 'aprieto, congoja', SS. XIII-XV (lat. PRESSŪRA 'acción de apretar'), derivan: *Presuroso*, 1220-50; *apresurar*, med. S. XIII, *apresuramiento*. CPT. *Aprisa*, h. 1140. *De prisa*, 1335.

PRISCO, 1335, 'especie de melocotón'. Antes *priesco*, hoy dialectal (*presco*, h. 1400), y éste del lat. PĔRSĬCUM íd., abreviación de PERSICUM MĀLUM 'fruta de Persia'. DERIV. *Presquilla*. *Prisquero*, 1293.

Prisión, prisionero, V. *prender*

PRISMA, 1737, lat. *prisma*. Tom. del gr. *prîsma, prísmatos*, íd. (también 'serrín de madera'), deriv. de *príô* 'yo asierro'. DERIV. *Prismático*. CPT. *Prionodonte*, amer., 'especie de armadillo', formado con gr. *príōn, príonos*, 'sierra', y *odús, odóntos*, 'diente'.

PRÍSTINO, 1483, 'primitivo'. Tom. del lat. *pristĭnus* íd., 'de otros tiempos' (de la misma raíz de *primus* 'primero').

PRIVAR, 1251. Del lat. PRĪVĀRE 'privar, despojar', propte. 'apartar (de algo)'. DERIV. *Privación*. *Privada* 'retrete', 2.ª mitad S. XIII. *Privado*, 1220-50, propte. 'apartado'. *Privanza*, 1220-50. *Privativo*, fin S. XVI. CPT. *Privilegio*, 1220-50, lat. *privilegium*, formado con *lex* en el sentido de 'ley privada'; *privilegiar*, 1495; *privilegiado*, 1495.

PRO 'provecho', h. 1140. Del lat. vg. PRŌDE íd., extraído de las palabras del latín clásico PRŌDEST 'es útil', PRŌFĬCIT íd., interpretadas vulgarmente como unos compuestos PRODE EST, PRODE FACIT (aunque en realidad se trataba ahí del prefijo PRO-). DERIV. *Proeza*, h. 1250. CPT. *Prohombre*, 1220-50.

PROA, h. 1260. De una antigua forma romance PRODA (hoy conservada en Italia), resultante de una disimilación del lat. PRŌRA íd. (tomado éste del gr. *prôra*).

DERIV. *Proejar*, 1607, del cat. *proejar*. *Proel*, fin S. XVI, antes *proer*, h. 1260, del cat. *proer* íd. *Proís*, 1430, del cat. *proís*, S. XIII; palabra hermana del it. *prodeggio* (o *prodese*), ambas procedentes de un lat. vg. **PRODESIUM*, adaptación del gr. *prymnēsion*, íd., deriv. de *prýmna* 'proa'. *Aproar*, 1642.

PROBAR, h. 1140. Del lat. PRŎBARE 'probar, ensayar', 'aprobar', 'comprobar'. DERIV. *Probable*, 1495, propte. 'digno de aprobación'; *probabilidad*. *Probanza*, 1490. *Probatorio*. *Probeta*, med. S. XIX. *Prueba*, 1219. *Aprobar*, 1251, lat. APPROBARE; *aprobación*, 1495; *aprobatorio*. *Comprobar*, h. 1600, lat. *comprobare*; *comprobación*; *comprobante*. *Reprobar*, 1444, lat. *reprobare* íd.; *reprobación*, 1438. *Probo*, med. S. XIX, lat. *prŏbus* 'bueno, virtuoso' (del cual deriva *probare*); *probidad*, 1817; *improbo*, lat. *imprŏbus* 'malo', 'malvado', 'extraordinario, muy fuerte'; *réprobo*, 1438, lat. *reprŏbus* 'malvado'.

PROBLEMA, 1611, lat. *problēma*. Tom. del gr. *próblēma, -ēmatos*, 'tarea', 'cuestión propuesta, problema', deriv. de *probállō* 'yo propongo' (y éste de *bállō* 'yo lanzo'). DERIV. *Problemático*.

Probo, V. *probar*

PROBOSCIDIO, h. 1900. Deriv. del lat. *proboscis*, gr. *proboskís, -ídos*, 'hocico', 'trompa de elefante' (deriv. de *bóskō* 'yo apaciento, alimento'). También se emplea *probóscide* 'trompa" en castellano.

Procacidad, procaz, V. *preces Procedencia, procedente*, V. *proceder*

PROCEDER, 1438. Tom. del lat. *procedĕre* 'adelantar, ir adelante', de donde 'pasar a otra cosa'. DERIV. *Procedente; procedencia. Procedimiento. Proceso*, 1220-50, lat. *processus, -ūs*, 'progresión', por las etapas sucesivas de que consta; *procesar*, 1438; sentido jurídico, S. XVII; *procesado; procesal; procesamiento. Procesión*, 1220-50, lat. *processio, -onis*, 'acción de adelantarse', 'salida solemne'; *procesional*.

PROCELOSO, 1569, 'tempestuoso'. Tom. del lat. *procellōsus* íd., deriv. de *procella* 'tormenta, borrasca'.

PRÓCER 'ilustre', h. 1450. Tom. del lat. *procer, -ĕris*, íd.

Procesal, procesar, procesión, proceso, V. *proceder Proclamar*, V. *llamar Proclisis, proclítico*, V. *enclítico Proclividad,*

V. *declive* Procreación, procrear, V. *criar*
Procuración, procurador, procurar, V. *cura*
Prodigalidad, prodigar, V. *pródigo*

PRODIGIO, 1490. Tom. del lat. *prodĭgium* 'milagro, prodigio'.
DERIV. *Prodigioso*, 1220-50, lat. *prodigiōsus* íd.

PRÓDIGO, h. 1330. Tom. del lat. *prodĭgus* íd., deriv. de *prodigĕre* 'gastar profusamente', propte. 'empujar por delante' (derivado de *agĕre* 'empujar').
DERIV. *Prodigar*, 1220-50. *Prodigalidad*, h. 1440.

Pródromo, V. *dromedario* Producción, producir, productivo, producto, productor, V. *aducir* Proejar, proel, V. *proa*

PROEMIO, 2.º cuarto S. XV. Tom. del gr. *proóimion* 'preámbulo', deriv. de *ôimos* 'camino', 'marcha' (deriv. de *êimi* 'yo voy'). DERIV. *Proemial.*

Profanación, profanar, profano, V. *fanático* Profecía, V. *profeta*

PROFERIR, 1438, 'pronunciar, articular'. Tom. del lat. *proferre* íd., propte. 'echar afuera de la boca', deriv. de *ferre* 'llevar'.

PROFESAR 'declarar o enseñar en público', h. 1570. Deriv. culto del lat. *profiteri* (participio *profĕssus*) 'declarar abiertamente', 'hacer profesión', deriv. de *fateri* 'confesar'.
DERIV. *Profesante. Profeso*, de dicho lat. *professus. Profesión*, 1220-50, lat. *professio, -onis*, 'declaración pública', 'oficio'; *profesional. Profesor*, 1490, lat. *professor, -oris*, 'el que hace profesión de algo', 'profesor, maestro'; *profesorado.*

Profesión, profesional, profeso, profesor, V. *profesar*

PROFETA, 1220-50, lat. *prophēta.* Tom. del gr. *prophḗtēs* íd., deriv. de *próphēmi* 'yo predigo, pronostico' (deriv. de *phēmí* 'yo digo').
DERIV. *Profetizar*, h. 1280. *Profético*, 1438. *Profetisa*, 1444. *Profecía*, h. 1200, gr. *prophētéia.*

Proficuo, V. *provecho*

PROFILAXIS, 1884. Deriv. culto del gr. *prophyláttō* 'yo tomo precauciones, prevengo' (deriv. de *phyláttō* 'yo guardo').
DERIV. *Profiláctico. Anafilaxis*, deriv. de este último verbo griego, con prefijo *ana-* 'de nuevo'. *Filacteria* 'amuleto judío', 1611, gr. *phylaktḗrion* íd., propte. 'salvaguardia, preservativo'; de ahí popularmente *filatería*,

2.º cuarto S. XVI, 'palabrería engañosa' (de donde *filatero*, 1732).

Profundidad, profundo, V. *hondo* Profusión, profuso, V. *fundir* Progenie, progenitor, progenitura, V. *engendrar*

PROGNATO, h. 1900. Cpt. del gr. *prò* 'hacia adelante' y *gnáthos* 'mandíbula'.
DERIV. *Prognatismo*, h. 1900.

Programa, V. *gramático*

PROGRESO, h. 1570. Tom. de *progressus, -ūs*, íd., deriv. de *progrĕdi* 'caminar adelante', y éste de *gradi* 'andar'.
DERIV. *Progresivo*, 1726. *Progresar*, 1884. *Progresión*, 1580, lat. *progressio* 'progreso', 'gradación'.

PROHIBIR, 1515. Tom. del lat. *prohĭbēre* íd., propte. 'apartar, mantener lejos', 'impedir', deriv. de *hăbēre* 'tener' con *prō* 'lejos' (comp. *cohibir, exhibir*).
DERIV. *Prohibición*, h. 1440. *Prohibitivo*, h. 1440.

Prohijar, V. *hijo* Prohombre, V. *pro* Proindivisión, pro indiviso, V. *dividir* Proís, V. *proa* Prójimo, V. *próximo* Prolapso, V. *lapso*

PROLE 'descendencia', 1607. Tom. del lat. *prōles* íd.
DERIV. *Proletario*, 1499 (muy raro hasta el S. XIX), tom. del lat. *proletarius* íd., propiamente 'que sólo le importa al Estado como procreador de hijos'; *proletariado*, h. 1900.
CPT. *Prolífico*, h. 1700. *Prolífero; proliferante*, 1936; *proliferación*, 1936.

Prolegómenos, V. *prólogo* Proletariado, proletario, proliferación, prolífico, V. *prole*

PROLIJO 'largo con exceso', 1438. Tom. del lat. *prolixus* 'largo, profuso', propte. 'fluyente' (de la raíz de *liquĕre* 'ser líquido'); tomó antiguamente la acepción 'lento', 1604, de donde 'cuidadoso en exceso', 1737, y en América del Sur 'esmerado', 1644.
DERIV. *Prolijidad*, 1438.

PRÓLOGO, 1438. Tom. del gr. *prólogos* íd., cpt. de *légō* 'yo digo, hablo' con *pro-* 'antes'.
DERIV. *Prologar. Prologuista. Prolegómenos*, gr. *prolegómena* 'cosas dichas primero', neutro plural del participio pasivo. *Epílogo*, 1580, gr. *epílogos* íd., de *epilégō* 'añadir (algo) a lo dicho'; *epilogar*, 1611.
CPT. *Logomaquia*, gr. *logomakhía*, formado con *lógos* 'palabra' y *mákhomai* 'yo peleo'.

Prolongación, prolongar, V. *luengo Pro-mediar, promedio,* V. *medio Promesa, prometer, prometido,* V. *meter Prominencia, prominente,* V. *eminente Promiscuación, promiscuar, promiscuidad, promiscuo,* V. *mezclar Promisión, promisorio,* V. *meter Promoción,* V. *mover Promontorio,* V. *monte Promotor, promover,* V. *mover*

PROMULGAR, 1549. Tom. del lat. *promulgare* 'publicar una ley o proyecto de ley'.
DERIV. *Promulgación,* 1438.

PRONO, h. 1540. Tom. del lat. *prōnus* 'inclinado hacia adelante, propenso'.
DERIV. *Pronación.*

Pronombre, pronominal, V. *nombre*

PRONÓSTICO, 1495 (*prenóstica,* med. S. XV), lat. *prognosticum.* Tom. del gr. *prognōstikón* íd., deriv. de *progignōskō* 'yo conozco de antemano' (y éste de *gignṓskō* 'yo conozco', pariente del lat. *cognoscere* 'conocer').
DERIV. *Pronosticar,* 1438. *Prognosis,* gr. *prógnōsis.*

PRONTO, adj., 1490. Tom. del lat. *prōmptus, -a, -um,* 'pronto, disponible', 'resuelto', propte. 'visible, manifiesto', participio de *prōmĕre* 'sacar', 'publicar, revelar' (deriv. de *emere* 'tomar'). Como adv., h. 1800.
DERIV. *Prontitud,* 1515. *Prontuario,* 1611. *Aprontar,* 1726.

Pronunciación, pronunciamiento, pronunciar, V. *nuncio*

PROPAGAR, 1614. Tom. del lat. *propagare* íd., propte. 'amugronar vides', deriv. del radical de *pangere* 'clavar, establecer'.
DERIV. *Propagación. Propagador. Propaganda,* 1843, sacado de la locución lat. *de propaganda fide* 'sobre la propagación de la fe', título de una congregación del Vaticano. *Provena* 'mugrón de vid', 1495, lat. PROPĀGO, -AGĬNIS, íd.; *aprovenar,* 1293.

PROPALAR, 1684. Tom. del lat. tardío *propālāre* íd., deriv. de *propālam* y *palam* 'en público, en forma patente'.

PROPAO, 1765-83, antes *perpao,* 1587. Del port. *prepau* (o *perpau*) íd., h. 1540, y éste del cat. *perpal,* 1447, 'palanca de madera o de hierro', que es deriv. o cpt. de *pal* 'palo'.

PROPICIO, 1220-50. Tom. del lat. *propitius* 'favorable, benévolo'.
DERIV. *Propiciar,* med. S. XVII, lat. *propitiare* íd.; *propiciatorio.*

Propiedad, V. *propio*

PROPIENDA, 1737. Voz técnica, probte. tomada del francés. Al parecer se trata de un deriv. del fr. ant. *porprendre* 'rodear'.

Propietario, V. *propio Propina,* V. *propinar*

PROPINAR 'dar de beber', h. 1423, tom. del lat. *propinare,* y éste del gr. *propínō* 'bebo antes que alguien', 'bebo a su salud y luego le doy el resto de la copa', 'doy de beber', 'doy, regalo' (deriv. de *pínō* 'bebo').
DERIV. *Propina,* 1495, tom. del b. lat. *propina* 'dádiva', 'convite', deriv. de dicho verbo grecolatino.

Propincuidad, propincuo, V. *próximo*

PROPIO, S. X. Tom. del lat. *prŏprĭus* 'propio, perteneciente a alguno o alguna cosa'.
DERIV. *Propiedad,* h. 1250. *Propietario,* 1495. *Apropiar,* med. S. XIII; *apropiación. Expropiar; expropiación. Impropio,* 1438; *impropiedad.*

Propóleos, V. *político Proponer,* V. *poner Proporción, proporcional, proporcionar,* V. *porción Proposición, propósito, propuesta,* V. *poner Propugnar,* V. *puño Propulsar, propulsión, propulsor,* V. *impeler Prorrata, prorratear,* V. *razón Prórroga, prorrogar,* V. *rogar Prorrumpir,* V. *romper*

PROSA, 1220-50. Tom. del lat. *prōsa* íd., propte. femenino del adj. *prōrsus* o *prōsus, -a, -um,* 'que anda en línea recta'.
DERIV. *Prosaico,* 1438; *prosaísmo,* med. S. XIX. *Prosista,* 1604.
CPT. *Prosificar,* 1896; *prosificación,* 1896.

PROSAPIA, h. 1440. Tom. del lat. *prosapia* 'abolengo, linaje'.

Proscenio, V. *escena Proscribir, proscripción, proscrito,* V. *escribir Prosecución, proseguir,* V. *seguir*

PROSÉLITO, 1611, lat. *proselўtus.* Tom. del gr. *prosélytos* 'convertido a una religión', propte. 'el que acude a un país para establecerse', deriv. de *proseléusomai* 'iré a (un lugar)'.
DERIV. *Proselitismo.*

Prosificación, prosificar, prosista, V. *prosa Prosodia, prosódico,* V. *oda*

PROSOPOPEYA, 1580. Tomado del gr. *prosōpopoiía* íd., compuesto de *prósōpon* 'aspecto de una persona', 'personaje' y *poiéō* 'yo hago'.

PROSPECTO, 1843. Tom. del lat. *prospectus, -us*, 'acción de considerar algo', derivado de *prospicere* 'mirar hacia adelante, examinar, considerar' (de la misma raíz que *spectare* 'mirar').

PRÓSPERO, 1444. Tom. del lat. *prospĕrus, -a, -um*, 'feliz, afortunado', 'próspero'. DERIV. *Prosperidad*, 1438. *Prosperar*, 1438, lat. *prosperare*.

Próstata, V. *estático*

PROSTERNARSE, 1607 (raro hasta el S. XIX). Tom. del lat. *prosternĕre* íd. 'echar al suelo' (deriv. de *sternere* 'tender por el suelo'), por conducto del fr. *prosterner*, S. XV.

Próstesis, prostético, V. *tesis* *Prostíbulo, prostitución*, V. *prostituir*

PROSTITUIR, h. 1700, 'entregar una mujer a la pública deshonra a cambio de un precio'. Tom. del lat. *prostituĕre* 'exponer en público', 'poner en venta', deriv. de *statuere* 'colocar' (con prefijo *pro-*, que envuelve idea de hacer algo en público) (vid. *CONSTITUIR*).
DERIV. *Prostituta*, 1490, lat. *prostitūta*, participio pasivo de dicho verbo. *Prostitución*. *Prostíbulo* 'lugar de prostitución', lat. *prostibŭlum* íd., deriv. de *prostare*, de la misma raíz y sentido que *prostituere*.

Prostituta, V. *prostituir* *Protagonista*, V. *agonía* *Protección, protector, protectorado, proteger*, V. *techo*

PROTEICO I 'cambiante', h. 1900. Derivado de *Proteo*, gr. *Prōtéus*, dios marino a quien se creía capaz de asumir formas diversas.

PROTEICO II 'albuminoideo', princ. S. XX. Deriv. culto del gr. *prôtos* 'primero', por ser materia primaria de los seres vivos.
DERIV. *Proteína*, h. 1920. *Protón*, del gr. *prôton*, con cuya terminación neutra confluye la de *ión, electrón*, etc.

Proteína, V. *proteico* II

PROTERVO, 2.º cuarto S. XV. Tom. del lat. *protervus* 'violento, vehemente', 'audaz, desvergonzado'.
DERIV. *Protervia*, 2.º cuarto S. XVI. *Protervidad*, 1616.

Prótesis, V. *tesis* *Protesta, protestante, protestar, protesto*, V. *testigo* *Protético*, V. *tesis*

PROTOCOLO 'serie de documentos notariales', 1611; 'actas de una conferencia',
'ceremonial', lat. *protocollum*. Tom. del gr. tardío *prōtókollon* 'hoja que se pegaba a un documento para darle autenticidad, propiamente 'lo pegado en primer lugar', cpto. de *prôtos* 'primero' y *kólla* 'cola, goma'.
DERIV. *Protocolizar. Protocolar. Protocolario.*

Protohistoria, V. *historia* *Protón*, V. *proteico* II *Protonotario*, V. *nota* *Protoplasma*, V. *plástico* *Prototipo*, V. *tipo* *Protozoario, protozoo*, V. *zoo-* *Protuberancia*, V. *trufa* *Provecto*, V. *vehículo*

PROVECHO, 1184. Del lat. PROFĔCTUS, -US, 'provecho, utilidad', propte. 'adelanto, progreso', deriv. de PROFĬCĔRE 'adelantar, prosperar', 'ser útil'.
DERIV. *Provechoso*, h. 1140. *Aprovechar*, 1200; *aprovechamiento; desaprovechar*, 1570. Cultismo: *Proficuo*, 1737, lat. *proficŭus* íd.

Proveedor, proveer, V. *ver* *Provena*, V. *propagar* *Provenir*, V. *venir* *Proverbial, proverbio*, V. *verbo* *Providencia, providencial, providente, próvido*, V. *ver*

PROVINCIA, 1220-50. Tom. del lat. *provincĭa* íd.
DERIV. *Provincial*, 1220-50; *provincialismo. Provinciano*, 1765-83.

Provisión, provisional, provisor, provisto, V. *ver* *Provocación, provocador, provocante, provocar, provocativo*, V. *voz* *Proxeneta, proxenético*, V. *xenofobia*

PRÓXIMO, 1220-50, y **PRÓJIMO**. Variantes de una misma palabra, tom. del lat. *proxĭmus* 'el más cercano', 'muy cercano', adjetivo superlativo correspondiente a *prope* 'cerca'.
DERIV. *Prójima*, S. XIX. *Proximidad*, 1607. *Aproximar*, 1770; *aproximación*, 1770. Otro deriv. de *prope* era *propinquus* 'cercano', de donde *propincuo*, h. 1260; *propincuidad; apropincuar*, 1438.

Proyección, proyectar, proyectil, proyecto, V. *abyecto*

PRUDENTE, 1220-50. Tom. del lat. *prūdens, -ĕntis*, íd., propte. 'previsor', 'competente'.
DERIV. *Prudencia*, 1438; *prudencial; imprudente, imprudencia*, h. 1440.

Prueba, V. *probar*

PRURITO, 1817. Tom. del lat. *prūrītus, -us*, 'comezón', deriv. de *prurire* 'sentir picor'.

PRÚSICO, *ácido* —, h. 1900. Así llamado por hacerse con él el azul de Prusia, al cual se dio este nombre porque lo halló un fabricante de colores de Berlín.
DERIV. *Prusiato*.

Pseudo-, V. *seudo-*

PSICO-, primer elemento de cpts., tom. del gr. *psykhé* 'alma'.
Psicología, 1765-83; *psicólogo*, 1884; *psicológico*, 1884. *Psicopatía*, 1936, formado con gr. *épathon* 'yo padecí'; *psicópata*. *Psicoterapia*, 1936. *Psicoanálisis. Psiquiatría*, princ. S. XX, con gr. *iatréia* 'curación'; *psiquiatra*, h. 1925, con gr. *iatrós* 'médico'. *Psíquico*, h. 1860. *Psicosis. Psique*, de dicho gr. *psykhé. Metapsíquico. Metempsicosis*, gr. *metempsýkhōsis*, de *metempsykhóō* 'hago pasar una alma a otro cuerpo'.

PSICRÓMETRO, 1765-83. Cpt. del gr. *psykhrós* 'frío' y *métron* 'medida'.

Psique, psiquiatra, psiquiatría, psíquico, V. *psico-*

PSITACISMO, h. 1900. Deriv. del gr. *psittakós* 'papagayo'. Otro deriv. del mismo: *psitacosis*.

Pterodáctilo, V. *áptero*

PÚA, 1490. Palabra común a los tres romances ibéricos y la lengua de Oc, y extendida hasta dialectos del Centro de Francia y de gran parte de Italia. De origen incierto. La base común parece ser *PŪGA, y es posible que se trate de una voz dialectal itálica, o indoeuropea precéltica, emparentada con PŪNGĔRE 'punzar' y PŪGĬO 'puñal'. Hay variante *puya*, de la cual deriva *puyazo*, med. S. XIX.

PUBIS, h. 1730. Tom. del lat. tardío *pūbis* (clásico *pubes, -is*) 'vello viril', 'bajo vientre'.
DERIV. *Pubescente. Púber*, h. 1860, lat. *puber, -ĕris*, íd.; *pubertad*, 1737, lat. *pubertas, -atis*.

PÚBLICO, 954. Tom. del lat. *pūblĭcus* 'oficial, público'.
DERIV. *Publicano*, lat. *publicanus. Publicidad*, h. 1570. *Publicista. Publicar*, 1335, lat. *publicare* íd.; *publicación*, med. S. XV.

Pucha, V. *puta*

PUCHES 'gachas', 1495. Del lat. PŪLTES, plural de PULS, -TIS, íd.
DERIV. *Puchero*, 1495, lat. PULTARIUS íd., propte. 'olla para puches'; *puchera*, h. 1250; *pucherazo*.

PUCHO, 1591, 'colilla', 'cantidad insignificante'. Del quichua *púchu* 'sobras o reliquias'.

PUDELAR, h. 1900. Tomado del ingl. *puddle* íd., propte. 'revolver el fango'.

Pudendo, pudibundo, púdico, V. *pudor*
Pudiente, V. *poder*   *Pudinga*, V. *budín*

PUDOR, 1607. Tom. del lat. *pŭdor, -ōris*; 'timidez', 'pudor', 'vergüenza', deriv. de *pŭdēre* 'causar vergüenza'.
DERIV. *Impudor. Pudoroso*, h. 1900. *Púdico*, 1438, lat. *pudĭcus; impúdico. Impudente; impudencia. Pudibundo*, h. 1900, lat. *pudibundus* íd.; *pudibundez. Pudendo*, h. 1600, lat. *pudendus* 'lo que debe causar pudor'.

PUDRIR o **PODRIR**, 1220-50. Del lat. PŪTRĒRE 'pudrirse'.
DERIV. *Pudridero*, 1513. *Pudrimiento*, 1495. *Podredumbre*, 1490. *Podre*, h. 1335, lat. PŪTER, -TRIS, 'podrido'.
Cultismos: *Pútrido; putridez*.
CPT. *Putrefacción*, 1737; *putrefacto*.

PUEBLO, h. 1140. Del lat. PŎPŬLUS 'pueblo, conjunto de los ciudadanos'.
DERIV. *Populacho*, 1737, del it. *popolaccio*, despectivo de *pòpolo* 'pueblo'; *populachero. Poblado. Poblar*, 1120; *puebla*, 1223; *población*, 1055; *poblado*, h. 1140; *poblador*, 1155; *despoblar*, S. XIII, *despoblación*, 1495, *despoblado*, 1495.
Cultismos: *Popular*, 1490, lat. *popularis; popularidad; popularizar. Populoso*.

PUENTE, 1043. Del lat. PONS, PŎNTIS, íd.
DERIV. *Pontazgo*, 1380; *pontazguero. Pontón*, 1146, lat. PONTO, -ONIS, 'barca de paso empleada donde no hay puente', 'barca gala de trasporte'; *pontonero*.
CPT. *Pontífice*, med. S. XV, lat. *pontifex, -icis*, 'alto funcionario romano que en sus orígenes cuidaba del puente del Tíber', 'Papa'; *pontifical*, 1220-50; *pontificado; pontificar*, 1737; *pontificio. Pontederiáceo*, deriv. del nombre del botánico italiano *Pontedera*.

PUERCO 'cerdo', 1044. Del lat. PŎRCUS íd.
DERIV. *Porcino*, S. XVII, lat. PORCINUS. *Porcuno. Porcuna*, h. 1625. *Porquero*, 1438; *porquerizo*, h. 1575; *porqueriza; porquería; porquerón* 'corchete', 1555. *Emporcar. Pocilga*, 1495, antes *porcilga*, 1490; derivado de formación incierta, quizá de un *PORCĬCŬLA, resultante de un cruce de los sinónimos PORCĬLE y CORTĬCŬLA; comp. cat. *porcigola*, gasc. *pourcinglo*, íd. *Puerca* 'lomo

entre surco y surco', ant., 1490, no viene del femenino de PORCUS, sino de una palabra independiente PŎRCA íd.; de ahí *aporcar*, 1513.

CPT. *Pazpuerca*, 1615, *-co*, quizá asimilación de *faz-puerca*.

PUERIL, 1438. Tom. del lat. *puerīlis* íd., deriv. de *puer*, *-i*, 'niño, muchachito'.

DERIV. *Puerilidad*, princ. S. XVII.

CPT. *Puericultura*. *Puérpera*, S. XIX, lat. *puerpĕra* íd., cpt. con *părĕre* 'parir'; *puerperal*; *puerperio*.

PUERRO, 1220-50. Del lat. PŎRRUM íd. La variante *porro*, h. 1850 (empleada sobre todo en *ajo porro*), quizá se tomara del cat. *porro*.

DERIV. *Porráceo*. *Porreta* 'hojas verdes del puerro', 1495, 'las primeras que brotan en los cereales antes de formarse la caña', 1490: de ahí *en porreta* 'desnudo', princ. S. XVII. *Porrino*, 1513. Del gr. *práson* 'puerro' (afín a la voz latina): *prasio*, gr. *prásios* 'de color verde'; *prasma*.

PUERTA, h. 1140. Del lat. PŎRTA 'portón, puerta grande'.

DERIV. *Portada*, 1495; *portadilla*. *Portal*, 1220-50; *portalada*, 1490; *portalón*, 1587. *Portañuela*, 1587. *Portazo*. *Portero*, 1074; *portera*; *portería*. *Portezuela*, h. 1280. *Pórtico*, 1600, tom. del lat. *pŏrtĭcus* íd.; *porche*, 1843, tom. del cat. *porxe*. *Portier*, h. 1900, del fr. *portière*. *Portillo*, 942; *desportillar*, 1604; *desportilladura*. *Aportillado*. *Portón*. *Compuerta*, 1495. *Soportal*, 1540.

PUERTO, 1073. Del lat. PŎRTUS, -ŪS, 'entrada de un puerto', 'puerto'. De una acepción latina generalizada 'abertura, paso' quizá venga el cast. *puerto*, 1069, cat. y oc. *port*, vasco *bortu*, en el sentido de 'collado de la sierra', y luego 'territorio serrano', pero es extraño que esta generalización sea sólo hispánica (aunque también se halle en textos franceses y árabes hablando de España), que en latín tenga carácter hipotético, y que la base semántica de la misma se halle, en cambio, en las demás familias indoeuropeas: avéstico *pərətuš* 'pasaje, entrada, portillo' (p. ej. *pərətuš činvato* 'el puente de la ultratumba zoroástrica donde se separan los bienaventurados de los condenados eternos'), gr. *póros* 'pasaje', sánscr. *píparti* y *pārayati* 'conduce al otro lado', escand. ant. *fjördr* 'paso de mar entre montañas', alto alem. ant. *furt* 'vado', anglosajón *ford* íd., célt. *ritu*. Como equivalente del avéstico *pərətuš*, del germ. *ford* y del célt. *ritu*, acaso existió un sorotáptico *PŎRTUS 'pasaje', de donde salieran las formas hispano-pirenaicas. Comp. *PÁRAMO*.

DERIV. *Portachuelo*, h. 1900; *portezuelo*, 1843. *Portazgo*, 804; *portazguero*. *Portulano*, S. XV, del cat. *portolà*, S. XIV. *Apor-*

tar 'llegar a un puerto', h. 1260, 'llegar', princ. S. XVI. *Oportuno*, h. 1440, tom. del lat. *opportūnus* 'bien situado', 'cómodo, oportuno', propte. '(viento) que conduce al puerto'; *oportunidad*, 1438; *oportunismo, oportunista*; *importuno*, 2.º cuarto S. XV, lat. *importunus*; *importunidad*, 2.º cuarto S. XV; *importunar*, h. 1490.

PUES, h. 1140. Del lat. PŎST 'después', 'detrás', que en la baja época tomó el valor de POSTQUAM 'después que', 'puesto que'.

CPT. *Después*, h. 1140; parece ser alteración del antiguo *depués*, SS. XI-XIII (por influjo de *desque*, empleado con el mismo valor), procedente del lat. vg. DE PŎST íd. *Empós*, fin S. XII, en lo antiguo solía emplearse como mera preposición (*empós él*) y se pronunciaba sin acento, lo que explica que la ŏ no se desdoblara en diptongo.

Puesta, puesto, V. *poner*   *Púgil, pugilato, pugna, pugnacidad, pugnar*, V. *puño*   *Puja, pujamen*, V. *empujar*

PUJANTE 'poderoso', 2.º cuarto S. XV. Del fr. *puissant* íd., procedente del lat. vg. POSSIENS, -TIS, íd. (lat. POTENS).

DERIV. *Pujanza*, med. S. XV, fr. *puissance*.

Pujanza, V. *pujante*   *Pujar, pujavante, pujo*, V. *empujar*

PULCRO, princ. S. XV. Tom. del lat. *pulcher, pulchra, pulchrum*, 'hermoso'.

DERIV. *Pulcritud*, 1737, lat. *pulchritūdo* 'hermosura'. *Pulquérrimo*, med. S. XIX, lat. *pulcherrimus*, superlativo de *pulcher*.

Pulchinela, V. *pollo*   *Pulenta*, V. *polén*

PULGA, 1251. Del lat. PŪLEX, -ĬCIS, íd. Puede suponerse en latín vulgar la existencia de una variante *PŪLĬCA (de donde la forma cast.), debida al género femenino que el vocablo tomó en la mayor parte de las lenguas romances.

DERIV. *Pulgón*, 1495. *Pulguera*, 1490. *Espulgar*, 1335; *espulgo*.

PULGAR, 1219. Del lat. POLLĬCARIS 'de la longitud de un pulgar', deriv. de POLLEX, -ĬCIS, 'pulgar'; la *u* se explica por el influjo de *pulga*, insecto que se mata con este dedo.

DERIV. *Pulgarada*. *Pulgada*, h. 1140, lat. vg. *POLLĬCATA. *Empulgar* 'armar la ballesta o el arco', 1495, por la importante intervención del pulgar en ésta y otras operaciones manuales; *empulgadura*, 1495; *desempulgar*, 1251. *Repulgar* 'coser el borde de una tela formando un dobladillo', 1505, porque hay que empujar la aguja con el pulgar para que pase en dos lugares la tela y el dobladillo; *repulgo*, 1505; *repulgado* 'adornado con dobladillo', 1613, 'que frunce los labios', 1737, 'afectado'.

Pulgón, pulguera, V. *pulga*

PULICÁN, 1817. Del fr. anticuado *polican* íd., S. XV (hoy *pélican*), de origen incierto.

PULIR, 1605, antes *polir,* 1490. Del lat. POLIRE 'alisar', 'pulir'.
DERIV. *Pulido,* 1490 (*po-*); *pulidez* (*polideza,* 1495). *Pulimento,* 1635 (*-miento,* 1611), del it. *pulimento*; *pulimentar,* S. XIX. *Repulir; repulido.*

PULMÓN, h. 1250. Tom. del lat. *pŭlmo, -ōnis,* íd.
DERIV. *Pulmonar. Pulmonía,* 1737.

PULPA, h. 1400. Tom. del lat. *pŭlpa* 'carne', 'pulpa de los frutos', por vía semiculta.
DERIV. *Pulpejo,* 1495. *Pulpeta*; *pulpetón. Pulposo. Pulpero,* amer., 'tendero de comestibles', 1586, así llamado porque en la economía elemental de la Colonia las pulpas de frutos tropicales eran el principal artículo que podían expender; *pulpería,* 1627 (la confusión con *pulquero* y *pulquería* la cometen sobre todo los no americanos).

Pulpeta, pulpetón, V. *pulpa*

PÚLPITO, 1220-50. Tom. del lat. *pŭlpĭtum* 'tarima', 'tablado'. De ahí, con cambio de sentido, el fr. *pupitre,* S. XIV, tom. por el cast. h. 1830.

PULPO, 1335. Del lat. POLȲPUS, y éste del gr. *polýpus* íd., propte. 'animal de muchos (gr. *pollói*) pies (*pódes*)'; la *u* se debe probte. a un fenómeno dialectal de las hablas del Cantábrico. Con otro sentido y por vía culta, *pólipo,* 1555.
DERIV. *Polipero.*

Pulposo, V. *pulpa*

PULQUE 'bebida alcohólica mejicana de jugo de maguey fermentado', 1524. Origen incierto; quizá del azteca *puliuhqui* 'descompuesto, echado a perder', por la rapidez con que se descompone esta bebida, que hartas veces se consume ya un tanto maleada.
DERIV. *Pulquería. Pulquero.*

Pulquérrimo, V. *pulcro* **Pulsación, pulsar, pulsátil, pulsatila, pulsera,** V. *pulso*

PULSO, 1220-50. Tom. del lat. *pŭlsus, -us,* 'impulso', 'choque', deriv. de *pellere* 'empujar'.

DERIV. *Pulsar,* 1581, lat. *pulsare*; *pulsación; pulsátil; pulsatila,* 1899, lat. científico *pulsatilla. Pulsera.*
CPT. *Pulsímetro.*

Pululante, pulular, V. *pollo* **Pulverizar, pulverulento,** V. *polvo*

PULLA, 1495. Palabra común al cast. con el port. y el fr. (*pouille*), de origen incierto; en estas lenguas aparece más tarde que en cast. y podría ser castellanismo. Quizá sea alteración de *puya* por *púa,* en el sentido de 'dicho punzante o agudo'; alteración debida a un cruce con el antiguo verbo *repullar* 'replicar satíricamente', y su deriv. *repullón* 'pulla', princ. S. XV, que al parecer proceden del lat. REPELLERE 'rechazar' (participio *repulsus*).

PUMA 'león americano', 1847. Tom. del quichua *púma* íd.

PUNA 'páramo sudamericano', 1586, 'mal de montaña que el viajero sufre en estos lugares', S. XIX. Del quichua *púna* 'tierras altas de la Cordillera'.
DERIV. *Apunarse* 'sufrir puna', 1875; *apunamiento* 'dicho mal'.

Punción, V. *punto* **Punchar,** V. *punto* y *pinchar* **Pundonor, pundonoroso, pungente,** V. *punto* **Punible, punitivo,** V. *impune*

PUNTA 'extremo agudo de una cosa', h. 1400 (antes 'punzada', h. 1100), del lat. tardío PŪNCTA 'estocada', propte. participio de PŪNGĔRE 'punzar'.
DERIV. *Puntal,* h. 1570; *apuntalar,* h. 1665. *Puntilla,* h. 1620; *de puntillas,* 1737. *Apuntar,* h. 1140; *apuntación; apuntador; apuntamiento; apunte;* de ahí *traspunte. Despuntar,* S. XIV; *despunte.*
CPT. *Puntapié,* 1626, contracción de *punta de pie* (*punta* en el sentido etimológico de 'punzada, puntada'). *Puntiagudo,* h. 1575, aunque hoy tiene forma de compuesto, parece ser alteración de *puntegudo (deriv. de *punta* como *pedregoso* de *piedra*), comp. el cat. *puntegut* o *punxegut* íd. *Puntiseco.*

Puntada, puntear, puntera, puntero, puntillo, puntilloso, puntizón, V. *punto*

PUNTO, h. 1140. Del lat. PŪNCTUM 'punto, señal minúscula', propte. 'punzada, herida de punta', deriv. de PŪNGĔRE 'punzar'. La locución *a punto* 'pronto, dispuesto', 1570, procede de *poner a punto* o *en punto de hacer algo.*
DERIV. *Puntar,* 1335. *Puntada,* 1220-50 *Puntear,* 1707. *Puntero,* 1490, antes adj.

'certero', 1220-50, de donde *puntería,* 1570. *Puntera. Puntel,* del cat. *puntill* íd. *Puntillo,* 1607 (y ya S. XVI: de ahí tom. el it. *puntiglio,* 1526); *puntilloso,* quizá ya S. XVII, si el fr. *pointilleux,* 1616, se tomó formado del cast. y no se formó en francés con el castellanismo *pointille,* 1574. *Puntizón,* med. S. XIX. *Puntoso* 'puntilloso', 1490. *Puntura,* 1490, lat. PŬNCTURA. *Contrapunto,* princ. S. XVII; *contrapuntear,* 1605; *contrapuntar,* S. XV. *Perpunte,* h. 1250, del cat. *perpunt,* y éste del lat. PERPŬNCTUS, participio de PERPUNGĔRE 'perforar de un lado a otro'. *Pespuntar,* 1607, disimilación de **pospuntar* 'dar puntos hacia atrás', formado con el lat. POST- 'detrás'; *pespunte,* h. 1600; *pespuntear,* 1600. *Repuntarse,* 1335; *repunta,* 1444; *repunte. Traspuntín,* 1572 (o *-pontín),* del it. *strapuntino,* diminutivo de *strapunto* 'colchoncillo embastado'. *Punzón,* 1220-50, lat. PUNCTIO, -ŌNIS, 'acción de punzar'; de ahí *punzar,* princ. S. XV (con variante *punchar,* 1438, hoy regional); *punzada; punzante,* 1438.

Cultismos: *Puntuar,* 1737; *puntuación. Puntual,* h. 1575; *puntualidad; puntualizar. Punción,* lat. *punctio* 'acción de punzar'. *Pungente. Compungir,* fin S. XVI, lat. *compŭngĕre* 'atravesar de parte a parte'; *compunción; compungido.*

CPT. *Pundonor,* 1517, del cat. *punt d'honor* íd., S. XV; *pundonoroso,* h. 1580.

Punzada, punzante, punzar, V. *punto Punzó,* V. *pavo Punzón,* V. *punto Puñal, puñetazo,* V. *puño*

PUÑO, 1064. Del lat. PŬGNUS íd. Significó también 'muñeca', de donde hoy *puño de la camisa, del vestido.*

DERIV. *Puñada,* 1495. *Puñado,* 1495. *Puñal,* antes adj. ('grande como el puño', h. 1250); como sust., h. 1400, es abreviación de *cuchillo puñal; puñalada,* 1495; *apuñalar. Puñetazo,* 1817 (antes *puñete,* íd., 1599). *Apuñar. Empuñar,* 1495; *empuñadura,* 1495. Deriv. de PUGNUS era el lat. PŬGNARE 'pelear', de donde el cultismo *pugnar,* 1605 (antes *punar* o *puñar,* ambos 1220-50); *pugna; pugnaz* (raro), *pugnacidad. Expugnar,* med. S. XV, lat. *expugnare; expugnable,* med. S. XV; *inexpugnable,* h. 1440. *Impugnar,* 2.º cuarto S. XV, lat. *impugnare* 'atacar'; *impugnación,* 1515; *impugnador. Opugnar,* lat. *oppugnare* íd. *Propugnar,* S. XIX, lat. *propugnare; propugnáculo. Repugnar,* med. S. XV, lat. *repugnare* 'luchar contra algo'; *repugnante,* h. 1440; *repugnancia,* med. S. XVII. *Púgil,* princ. S. XVII, lat. *pŭgil, -ĭlis,* íd., de la misma raíz que *pugnus; pugilismo; pugilato,* S. XIX.

PUPILO, h. 1260. Tom. del lat. *pupillus* 'pupilo, menor'.

DERIV. *Pupila* 'huérfana menor', 'niña del ojo', 1490, acepción que ya es latina (V. NIÑA). *Pupilaje,* 1590. *Pupilar.*

Pupitre, V. *púlpito   Puré, pureza, purga, purgación, purgante, purgar, purgatorio,* V. *puro*

PURO, 1220-50. Del lat. PŪRUS íd.

DERIV. *Pureza,* 1438. *Purísima. Purista,* 1765-83, copia del fr. *puriste,* 1625; *purismo,* 1765-83. *Puritano,* 1765-83, del ingl. *puritan; puritanismo. Impuro; impureza. Puridad. Apurar* 'purificar', med. S. XIII, de donde 'extremar, llevar hasta el cabo' y de ahí por una parte 'beber del todo', princ. S. XVII, y por la otra 'poner en aprieto', 3.ᵉʳ cuarto S. XIII, de donde 'apresurar', amer.; *apurado,* fin S. XVI ('puro', 1438); *apuro* 'aprieto', 1629, 'prisa', amer. *Depurar,* h. 1580; *depuración; depurador; depurativo. Puré,* med. S. XIX, del fr. *purée* íd., deriv. del antiguo *purer* 'purificar', y luego 'sacar la pulpa pasando por un colador'. *Purgar,* 1220-50, tom. de lat. *pŭrgāre* íd., propte. 'purificar' (probablemente antiguo deriv. de *purus); purga,* 1495; *purgación,* 1490; *purgante; purgativo,* 1495; *purgatorio,* 1220-50; *expurgar,* fin S. XVI, *expurgador, expurgo.*

CPT. *Purificar,* 1438, lat. *purificare; purificación.*

PÚRPURA, 1220-50. Tom. del lat. *pŭrpŭra,* y éste del gr. *porphýra* íd.

DERIV. *Purpurado,* h. 1440. *Purpurar,* h. 1440. *Purpúreo,* 1438. *Purpurino. Empurpurado.*

PURRELA, 1737, o **PURRIELA,** 1817, 'cosa despreciable, de mala calidad'. Voz de creación expresiva, quizá tomada del gallego. Origen semejante tiene *pirrarse,* 1897.

Purulencia, purulento, V. *pus*

PUS, h. 1730. Tom. del lat. *pŭs, pŭris,* íd.

DERIV. *Purulento,* 1737, lat. *pŭrŭlēntus; purulencia. Supurar,* 1640, lat. *sŭppŭrāre; supuración; supurante.* Del gr. *pýon,* equivalente de *pus: empiema; piogenia; piorrea,* formado con *rhêi* 'corre (un líquido)'.

Pusilánime, pusilanimidad, V. *alma*

PÚSTULA, h. 1625. Tom. del lat. *pustŭla* 'ampolla', 'pústula'. De un diminutivo vulgar PŬSTĔLLA viene *postilla,* 1220-50, hoy algo anticuado o provincial.

DERIV. *Apostillarse.*

PUTA, S. XIII. Etimología incierta. Probablemente del mismo origen que el it. anticuado *putto, putta,* 'muchacho, -a'; a saber, del lat. PUTUS 'niño, -a', vulgarmente *PŪTTUS, -A. Variante eufemística: *pucha,* h. 1500.

DERIV. *Puto* 'sodomita'. med. S. XV. anticuado sólo en España. *Putero*; *putería. Putesco,* 1613.

Putativo, V. *disputar   Putería, putesco, puto,* V. *puta   Putrefacción, putrefacto, putridez, pútrido,* V. *pudrir   Puya,* V. *púa* y *pulla   Puyazo,* V. *púa*

PUZOL, 1737. Forma españolizada del nombre del pueblo de Pozzuoli en la Campania.

DERIV. *Puzolana,* 1817.

Q

QUE, h. 950, pronombre relativo y conjunción. Partícula romance en la cual han venido a confundirse varias formas del relativo latino y otras partículas relativas de este idioma. Como conjunción copulativa o encabezadora procede del interrogativo neutro latino QUĬD, que heredó en latín vulgar las funciones del relativo clásico QUOD 'que' y recibió la aportación de ciertos usos vulgares de QUIA (en clásico 'porque'). Como relativo es el acusativo masculino QUEM. En su función de conjunción comparativa procede de una confusión del *que* relativo y encabezador con la conjunción comparativa latina QUAM.

QUÉ, interrog. y admirativo, h. 1140. Del lat. QUĬD, pronombre interrog. neutro.
Otras palabras procedentes del relativo-interrogativo latino: *Quien*, h. 950, del acusativo QUĔM de dicho pronombre; el plural *quienes* no se creó hasta princ. S. XVI y no se generaliza hasta el XVII. *Cuyo*, 1220-50, lat. CUJUS, -A, -UM, íd. *Quid*, cultismo filosófico, del neutro lat. *quid* '¿qué?', S. XIX; *quid pro quo*, S. XVII, aludiendo a una falta de gramática corriente en bajo latín. *Quórum*, tom. del lat. *quorum* 'de quienes', empleado en inglés desde el S. XVII, por lo menos, como inicio de la fórmula latina legal que indicaba el número necesario para que una asamblea fuese válida.
CPT. *Quienquier*, 1335, o *quienquiera*, 1495. *Quídam*, lat. *quidam* 'cierto, uno determinado'. *Cuodlibeto*, lat. *quodlibet* 'lo que se quiera'. *Cumquibus*, lat. *cum quibus* 'con los cuales...'.

Quebracho, quebradizo, quebrado, quebrantar, V. *quebrar*

QUEBRAR 'romper', 1335; antes 'estallar', 'reventar', h. 1140. Del lat. CRĔPARE 'crujir, chasquear, estallar', y en la baja época 'reventar'.
DERIV. *Quebrada* 'abertura entre peñas' 1495; 'valle', amer., med. S. XVI. *Quebradero*, 1646. *Quebradizo. Quebrado*, 1495. *Quebradura*, 1495. *Quiebra*, 1554. *Quiebro*, S. XVII. *Quebrantar*, 1102; *quebrantado*; *quebrantamiento*, 1495; *quebranto*, 1220-50. *Requebrado*, ant. 'deshecho por el amor, apasionado', h. 1500, '(enamorado) que habla con quiebros de voz', med. S. XVI, de donde *requebrarse* 'hablar así', 1611; *requebrar* 'galantear', 1570; *requiebro*, 1535. *Resquebrar*, med. S. XIV; *resquebrajar*, S. XIII; *resquebrajadura*, 1495.
Cultismos: *Crepitar*, S. XIX, lat. *crepitare* íd.; *crepitación*; *crepitante*. *Increpar*, h. 1440, lat. *increpare* íd.; *increpación*, h. 1440.
CPT. *Quiebrahacha*, contraído en *quebracha*, 1722, y de ahí *quebracho*, 1869; por la suma dureza de la madera de este árbol. *Quebrantahuesos*, h. 1330.

QUECHE, 1765-83. Tom. del fr. *caiche*, 1670, y éste del ingl. *ketch* íd., antes *cache* y *catch*, S. XV, que parece ser deriv. de *catch* 'perseguir' (hoy 'coger', del fr. normando *cachier*, fr. *chasser*, 'perseguir').
CPT. *Quechemarín*, 1843, del fr. *caiche marine*.

Queda, quedar, V. *quedo*

QUEDO, h. 1140. Del lat. QUIĒTUS, -A, -UM, 'quieto, apacible, tranquilo', propte. participio de QUIESCERE 'descansar', 'estarse quieto'. Por vía culta: *quieto*, 1438.
DERIV. *Quedar*, h. 1140, lat. QUIETARE 'aquietar, hacer callar' (de donde *quedarse*

'estarse quieto' y luego *quedar* 'permanecer'); *queda*, 1155; *aquedar*.

Cultismos: *Aquietar*, h. 1580. *Inquieto*, med. S. XVI; *inquietar*, 1438; *inquietud*, 1515. *Quietud*, 1515. *Aquiescencia*, h. 1800, deriv. del lat. *acquiescere* 'entregarse al reposo', 'consentir calladamente'. *Quietismo*.

Quehacer, V. *hacer*

QUEJAR, h. 1140. En los SS. XII-XIV significa 'afligir, aquejar' como verbo transitivo, y aunque *quejarse* 'lamentarse' aparece ya alguna vez a fines del XIII, hasta el XV no se hace frecuente este uso. Del lat. vg. *QUASSIARE, deriv. de QUASSARE 'golpear violentamente', 'quebrantar'.

DERIV. *Queja*, 1220-50. *Quejido*, fin S. XVI. *Quejoso*, h. 1250, acepción moderna, S. XV. *Quejumbre*, h. 1250, voz leonesa; *quejumbroso*, 1.ª mitad S. XVII. *Aquejar*, h. 1270; *aquejamiento*; *aquejoso*.

QUEJIGO (especie de roble), 1328, antes *caxigo*, 1210. Probte. de la misma raíz CAX- que ha dado el fr. *chêne* 'roble'; éste de *CAXĂNOS, y el español, de *CAXĬCOS. Raíz prerromana perteneciente a una lengua incierta; sin ser propte. voz céltica es verosímil que fuese adoptada, modificada y trasmitida al romance por los dialectos célticos de Hispania y Galia.

Quejoso, quejumbroso, V. *quejar*

QUELONIO, h. 1900. Deriv. del gr. *khelónē* 'tortuga'.

QUEMAR, fin S. X, en portugués *queimar*. A pesar del arag. y cat. *cremar* íd., hay obstáculos fonéticos que impiden derivarlo del lat. CRĔMĀRE íd. Pero es probable que se trate de una modificación de este vocablo latino en *CAIMARE, por influjo del gr. tardío *kâima* 'quemadura, calor ardiente' (de *káiō* 'yo quemo'). empleado por los médicos griegos de Occidente hablando de cauterios.

DERIV. *Quema*, 1490, es la palabra, procedente de dicho gr. *kâima*, que influiría en *cremar* cambiándolo en *quemar*. *Quemadura*, 1495. *Quemante*, 1220-50. *Quemazón*, 1490. *Requemar*, 1737; *requemado*, princ. S. XVII. *Resquemar*, S. XIX; *resquemo*; *resquemor*.

QUENA, amer., 'flauta india', 1887. Del quichua *kéna* íd., que a su vez parece tomado del aimara, donde vale 'agujereado'.

QUEPIS. h. 1900. Del fr. *képi*, 1809, y éste del suizo alemán *käppi*, diminutivo de *kappe* 'gorra'.

QUERELLA, 1220-50, 'queja, lamento'. Del lat. imperial QUERĒLLA (clásico QUERĒLA) íd. y 'reclamación', deriv. de QUĔRI 'quejarse'. En el sentido 'pelea, disputa' es grosero galicismo-anglicismo, no arraigado.

DERIV. *Querelloso*, 1220-50. *Querellarse*, 1220-50; *querellante*.

QUERER, fin S. X. Del lat. QUAERĔRE 'buscar', 'inquirir', 'pedir'. El paso a la expresión de la idea de voluntad resulta de un cambio muy antiguo, que ya apunta en latín vulgar y no es del todo ajeno a otras lenguas romances en su etapa medieval, aunque hoy ha quedado limitado al cast. y gall.-port. El sentido de 'amar' parte del anterior, por una evolución más moderna, aunque ya consumada en el S. XII, y debida probte. al deseo de evitar una expresión demasiado solemne y enfática de un sentimiento íntimo.

DERIV. *Querencia*, antes 'cariño', 1220-50, luego 'inclinación a volver al lugar donde uno ha sido criado', 1555, y 'ese lugar', 1599; *aquerenciarse*, amer. *Querendón*. *Querido, -ida*, S. XIX, eufemismo; *querindango*, 1923. *Quisto* es el antiguo participio de *querer*, S. XIV, después sólo empleado en *bien quisto* y *mal quisto*; *malquistarse*, fin S. XVII, *bienquistarse*.

CPT. *Malquerencia*, h. 1250. *Siquier*, ant., h. 1140, luego cambiado en *siquiera*, princ. S. XVII (bajo el modelo de *cualquiera* y análogos junto a *cualquier*), pasó de 'si se quiere' a 'o bien' y a 'incluso'.

Querindango, V. *querer*   *Quermes*, V. *carmesí*

QUERUBÍN, 1438. Tom. del lat. *cherubim*, y éste del hebreo *kerubim*, plural de *kerub* íd. También se ha empleado *querube*.

QUESO, 980. Del lat. CASĔUS íd.

DERIV. *Quesada*, ant., *quesadilla*, 1490. *Quesero*, 1737; *quesera*, 1737; *quesería*. 1627. *Quesillo*. *Requesón*, 1525.

Cultismos. *Caseico. Caseína. Caseoso*.

CPT. *Caseificar*.

QUEVEDOS, med. S. XIX. Así llamados porque con ellos está retratado Quevedo.

¡Quia!, V. *¡ca!*

QUICIO, h. 1405. Parece haberse sacado secundariamente de *resquicio* 'abertura que hay entre el quicio y la puerta', S. XIV, que antiguamente era *rescrieço*, h. 1280. Éste significaba 'grieta', 'rendija', y deriva de un verbo *EXCREPITIARE 'resquebrajarse' (deriv. a su vez de CREPĬTUS, participio de CREPARE 'estallar, reventar'). Como *desquiciar* aparece ya en el S. XIII, es posible que este verbo también descienda directamente de *EX-CREPITIARE con el sentido de 'abrir una hendidura entre la puerta y la pared', de donde 'descuajarla, desquiciarla', y que *quicio* se extrajera de *desquiciar*. El grupo -*cri*- se redujo a -*qui*- por disimilación .en *rescrieço*, y de ahí se propagaría esta reducción a *desquiciar*.

DERIV. *Quicial*, h. 1400, en Navarra se conserva la forma etimológica *crizal* (y *recliza* 'rendija, resquicio', de *recriza*); *quicialera. Desquiciamiento.*

Quid, quidam, V. *qué   Quiebra, quiebrahacha,* V. *quebrar   Quien, quienquiera,* V. *qué   Quietismo, quieto, quietud,* V. *quedo*

QUIJADA 'mandíbula', h. 1400, y su sinónimo *quijar,* h. 1400, fueron antiguamente *quexada,* h. 1250, y *quexar,* 1335. Son deriv. de un primitivo perdido en castellano, pero conservado por el port. *queixo,* cat. *queix* y oc. *cais* 'quijada'. Éste procede del lat. vg. *CAPSĔUM* 'semejante a una caja'; que derivaba del lat. CAPSA 'caja' y CAPSUS 'armazón'.

DERIV. *Desquijarar,* 1570.

Quijar, V. *quijada*

QUIJONES (hierba), 1505. Origen incierto. Aparece ya en la forma *guixones* o *aquixones* en botánicos mozárabes de los SS. X y XII, pero desde luego no es palabra árabe ni relacionada con *aguijón*.

QUIJOTE 'pieza del arnés destinada a cubrir el muslo', 1335. Del antiguo *cuxot,* 1350, y éste del cat. *cuixot* íd., 1280, deriv. de *cuixa* 'muslo' (lat. CŎXA íd.), influido en cast. por *quijada*. Cervantes pensó en el nombre de esta prenda caballeresca al achacar a su héroe Quijano la idea de tomar el nombre de guerra *Quijote*.

DERIV. del nombre del héroe cervantesco: *Quijotada,* 1615. *Quijotesco,* 1832. *Quijotismo,* med. S. XIX

QUILATE, 1495 (*alquilate,* moneda, h. 1290). Del ár. *qīrāṭ,* nombre de cierta unidad de peso de uso común y de cierta moneda; tom. a su vez del gr. *kerátion* 'unidad de peso' (propte. 'cuernecito', 'vaina de algarrobo', dimin. de *héras* 'cuerno').

DERIV. *Aquilatar,* princ. S. XVII.

QUILMA 'costal', 1220-50. Voz emparentada con el ár. *qirba* 'odre'. Pero este vocablo en África era anterior a la invasión árabe, pues ya se hallan *kírba* y *girba* 'zurrón', 'mortero', en Mauritania y en el Sur de Italia durante el Bajo Imperio, y hoy *čirma, čelma,* 'saquito', en esta región. Como además ni el sentido ni la forma de

quilma coinciden con los de la voz arábiga, es probable que en España también fuese anterior a la conquista musulmana; parece ser palabra de origen africano (camítico o púnico).

QUILO 'jugo digestivo'. Tom. del gr. *khylós* 'jugo'.

DERIV. *Diaquilón,* fin S. XIV, formado con el prefijo gr. *dia-* 'mediante', por prepararse con jugo de plantas.

CPT. *Quilífero.*

QUILOMBO, amer., 'choza campestre', 'andurriales', 'burdel', 1890. Del brasileño *quilombo* 'refugio de esclavos africanos evadidos en el interior del Brasil', S. XVIII, que se cree de procedencia africana.

QUILLA, 1504. Del fr. *quille,* 1382, y éste del germánico. La fuente precisa de la voz francesa parece hallarse en el escand. ant. *kilir,* plural de *kjǫlr* íd.

Quimera, quimérico, quimerista, V. *cimera   Química, químico,* V. *alquimia*

QUIMO, 1884. Tom. del gr. *khymós* 'jugo'. Deriv. de dicha voz griega: *Equimosis,* 1606, gr. *ekkhýmōsis,* deriv. de *ekkhymoûtai* 'se extravasa (la sangre)'. *Parénquima,* gr. *parénkhyma* 'sustancia orgánica'; *parenquimatoso.*

QUIMONO, h. 1910. Del japonés *kimono* 'túnica que vestían tradicionalmente los japoneses'.

QUINA (medicamento), 1737 (y 1653 en francés). Voz propagada desde el Perú, junto con este medicamento vegetal americano, que se dio a conocer en 1638. Pero el nombre es dudoso. que sea de origen quichua. Quizá se sacara de *quina* 'gálbano' (del ár. *qinna*), med. S. XIV, que según es frecuente pudo aplicarse en el Nuevo Mundo a otra sustancia, por ser ambas curativas.

DERIV. *Quino,* fin S. XIX. *Quinina. Quinado.*

CPT. *Quinquina,* de *quinaquina* 1737, especie de plural indígena.

QUINCALLA, 1817. Del fr. anticuado *quincaille* íd., 1360, variante de *clincaille,* onomatopeya del ruido del metal.

DERIV. *Quincallero* o *quinquillero,* 1737; *quincallería* o *quinquillería,* h. 1600.

Quince, quincena, quincenal, quincenario, quincuagenario, quincuagésima, quincuagésimo, V. *cinco*

QUINCHA, amer., 'tejido que se hace con ciertos vegetales', h. 1613. Probte. del quichua *kíncha* íd.

QUINGOS, amer., 'revueltas de un camino', med. S. XIX. Del quichua *'kenkku* 'torcido', 'camino serpenteante'.

Quinientos, V. *cinco* *Quinina,* quino, V. *quina*

QUINQUÉ, med. S. XIX. Del fr. *quinquet* íd., 1789, propte. nombre de la persona que primero fabricó esta clase de lámparas.

Quinquenal, quinquenio, V. *cinco* *Quinquillería, -ero,* V. *quincalla* *Quinquina,* V. *quina* *Quinta, quintaesencia,* V. *cinco*

QUINTAL, 1220-50. Del ár. *qinṭâr* íd., que a su vez parece haberse tomado del lat. CENTENARIUM íd., propte. 'que tiene cien (libras)'.
DERIV. *Quintalada.*

Quintar, quintero, quinteto, quinto, quintuplicar, quíntuplo, V. *cinco*

QUINUA (planta), amer., 1551. Del quichua *quinua* íd.

Quiñón, V. *cinco*

QUIOSCO, 2.ª mitad S. XIX. Se tomó, por conducto del fr. (1654), del turco *kyösk* (también *küšk*) 'casita de recreo, pabellón', de origen persa.

Quiragra, V. *quiro-*

QUIRO-, primer elemento de cpts., tom. del gr. *khéir* 'mano'. *Quirógrafo,* fin S. XVI. *Quiromancía,* 1537, formado con gr. *mantéia* 'adivinación'; *quiromántico. Quiróptero,* med. S. XIX, con *pterón* 'ala'. *Quiragra,* 1737, lat. *chiragra,* formado con la terminación de *podagra.*
DERIV. de *khéir: Enquiridión,* del gr. *enkheirídion* 'libro manuable'. *Epiquerema,* gr. *epikhéirēma,* propte. 'empresa', 'argumentación breve', de *epikheiréō* 'yo emprendo'.

Quirófano, V. *cirugía* *Quirógrafo, quiromancía, quiromántico, quiróptero,* V. *quiro-*

QUIRQUINCHO, amer., 1644. Del quichua *quirquinchu* íd.

Quirúrgico, V. *cirugía*

QUISCA, amer., 1875, 'espina', 'cerda, cabello erizado'. Del quichua *kíska* 'espina, púa'.
DERIV. *Quisco,* fin S. XVIII, 'cualquier planta cactácea'. *Quiscudo.*

QUISICOSA, h. 1630. Contracción de la frase antigua *¿qué es cosa y cosa?,* 1495, con que empezaban tradicionalmente las adivinanzas y enigmas populares.

Quisquilla, V. *quisquilloso*

QUISQUILLOSO, h. 1800. Probte. de *cosquilloso* íd., h. 1600 (deriv. de *cosquillas*), alterado por influjo del lat. *quisquĭliae* 'menudencias' y del regional *quisquilla* 'camarón' (que parece ser alteración del lat. SQUILLA íd.). El latinismo *quisquilla* 'menudencia' se ha empleado muy raramente en castellano.

QUISTE, med. S. XIX. Tom. del gr. *kýstis, -eōs,* 'vejiga'.
DERIV. *Enquistarse.* Con castellanización fonética: *cístico; cistitis.*
CPT. *Cisticerco,* formado con gr. *kérkos* 'cola'; *cisticercosis. Cistotomía.*

Quisto, V. *querer*

QUITAR, h. 1140, y **QUITO** 'libre o exento de una deuda u obligación', h. 1140. Proceden por vía semiculta del lat. *quiētus* 'tranquilo, libre de guerras'. *Quitar* significó primero 'eximir de una obligación o gravamen', h. 1140, luego 'libertar a alguno de manos de su opresor', h. 1140, y, finalmente, 'arrebatar a uno', 1220-50. No es seguro si *quitar* sale del verbo latino tardío *quietare* 'apaciguar, tranquilizar' (deriv. de *quietus*), con contracción de las dos vocales inacentuadas en una sola —y entonces *quito* sería deriv. romance de *quitar*— o si *quito* sale de *quiētus* con una evolución algo anómala de sus vocales.
DERIV. *Quitanza,* 1611. *Quite,* S. XVII. *Desquitar,* 1505; *desquite,* 1607.
CPT. *Quitaipón. Quitamanchas. Quitameriendas. Quitasol,* 1605.

QUIZÁ, S. XIII. Reducción del antiguo *quiçab,* h. 1140, y *quiçabe,* S. XIII, que es alteración de *qui sabe* 'quién sabe'.

Quórum, V. *qué*

R

RABA, 1765-83. Del fr. dial. *rabes, raves,* íd., que parece ser variante del sinónimo *rogue.* Éste es voz de origen germánico, emparentada con el escand. ant. *hrogn* y el alem. ant. *rogo,* íd. *Rabes* parece ser forma del dialecto gascón, donde un antiguo **roves* tenía que cambiarse regularmente en *rabes* y de éste parece resultar el vasco *arbi.*

Rabada, V. *rabo*

RABADÁN 'zagal del pastor', h. 1250. Del ár. *rabb aḍ-ḍa'n* 'el de los carneros', cpt. del plural de *ḍa'in* 'carnero' y *rabb,* que propte. significa 'señor' pero se emplea con el valor de 'el hombre de...'.

Rabadilla, V. *rabo*

RÁBANO, 1490 (y sin duda, ya 1148). Del lat. RAPHĂNUS, y éste del gr. *rháphanos,* que designaron varias hortalizas semejantes, entre ellas el rábano silvestre y el nabo redondo.
DERIV. *Rabanal,* 981. *Rabanillo. Rabaniza,* 1737.

Rabear, V. *rabo*

RABEL, 1135. Del ár. *rabêb* 'especie de violín'.

Rabeo, rabera, V. *rabo*

RABIA, 1220-50. Del lat. RABIES íd., vulgarmente RABĬA.
DERIV. *Rabiar,* 1220-50. *Rabieta,* 1737. *Rabioso,* 1220-50. *Rabisca; rabisco. Rábico; antirrábico. Enrabiar,* 1617.

Rabicano, V. *rabo*   *Rábida,* V. *rebato*
Rabihorcado, rabil, rabilargo, rabillo, V. *rabo*

RABINO, 1330 (*rabí*). Del hebr. *rabbī* 'maestro mío'.

Rabión, V. *rápido*   *Rabioso,* V. *rabia*
Rabisalsera, V. *rabo*   *Rabisca, -o,* V. *rabia*

RABO, 1220-50. Del lat. RAPUM 'nabo', por comparación de este tubérculo provisto de follaje en la punta con una cola peluda en su extremo; denominaciones parecidas de la cola existen en latín, germánico, eslavo y en el propio castellano (*nabo* 'tronco de la cola', *hopo* 'cola peluda'). De acuerdo con esta comparación se distingue entre *rabo,* parte carnosa de la cola del caballo, etc. (comparable al nabo, a distinción de su follaje), y *cola,* parte peluda de la misma; y de ahí luego que se hable del *rabo* de animales que lo tienen gordo, como el perro, frente a la *cola* de la lagartija, etc.
DERIV. *Rabada,* S. XIX; *rabadilla,* 1495. *Rabear,* h. 1400; *rabeo. Rabera,* 1640. *Rabil; rabilar. Rabillo. Rabón,* 1611; *hacer la rabona* (propte. 'volverle la cola a la escuela'). *Raboso,* 1737. *Rabote. Rabudo,* 1737. *Derrabar,* 1495.
CPT. *Rabicano,* 1737, por las cerdas blancas que tiene en la cola. *Rabiatar. Rabicorto. Rabihorcado,* 1492. *Rabilargo. Rabisalsera,* 1737.

RÁBULA, med. S. XIX. Tom. del lat. *rabŭla* íd.

RACAMENTO, h. 1573. Del fr. anticuado *racquement,* deriv. de *racque* íd., 1382. Éste es de origen germánico, probte. del escand. ant. *rakki* 'el anillo por medio del cual las vergas se mueven alrededor de los mástiles'.

RACIMO, S. XIII. Del lat. RACĒMUS íd., vulgarmente RACĬMUS.

Deriv. *Racimoso. Arracimarse,* 1513; *arracimado,* 1555.

Raciocinar, raciocinio, ración, racional, racionalismo, racionar, racionero, V. *razón*

RACHA, 1831. Voz hermana del port. *rajada,* princ. S. XVII íd., y del cat. *ratxada* y *ratxa.* De origen incierto. Probte. del ár. *ráŷŷa* 'sacudida', 'agitación', 'estruendo', 'tormenta'.

Rachar, V. *rajar*

RADA, 1737. Del fr. *rade* íd., 1483, y éste del anglosajón *râd* íd., y también 'camino, carretera' y 'expedición, cabalgata', deriv. de *rîdan* 'ir montado (en caballo o en carruaje)', 'moverse a un lado y otro', por ser la rada un lugar donde las embarcaciones están oscilando, aunque sin navegar.

RADAR, h. 1945. Del inglés, donde se formó con las iniciales de la locución *radio detecting and ranging* 'descubrimiento y localización por medio de la radio'.

Radiación, radiactivo, radial, radiante, radiar, V. *rayo   Radical, radicalismo, radicar, radícula,* V. *raíz   Radio, radio-, rádium,* V. *rayo*

RAER 'quitar el pelo, el vello', h. 1140. Del lat. RADĔRE 'afeitar', 'pulir, raspar, pasar el cepillo de carpintero'.
Deriv. *Raído,* h. 1250. *Raedera,* 1495. *Raedizo,* 1495. *Raso,* 1335, lat. RASUS, propiamente 'afeitado', participio de RADĔRE; del cual contienen una variante fonética la locución *a ras de* y análogas, princ. S. XV. *Rasa. Rasar,* 1495; *rasante,* 1737. *Rasero,* 1490, pasando por **rasuero,* del lat. vg. RASŌRIUM (de donde el fr. *rasoir,* cat. *raor* 'navaja de afeitar', etc.). *Rasura,* 1490; *rasurar,* 1737. *Arrasar,* 1490; *arrasamiento. Enrasar.*

RÁFAGA, med. S. XVII, *ráfiga,* 1607. Voz de origen incierto; en cat. *ràfega,* it. *ràffica,* 1614, fr. *rafale,* fin S. XVII (debido a una alteración de *raf(l)e* bajo el influjo de *affaler* 'halar', *raffaler* 'arruinar'). Teniendo en cuenta que con el mismo valor en el S. XVI se decía *refriega,* en portugués se dice *refêga,* 1541, y *refrêga,* h. 1540, cat. dial. *refrèga, refèga, rufagada,* gascón *arruhèque,* es posible que la forma primitiva fuese *refriega* 'estregón violento' (de donde 'ráfaga'), deriv. del verbo *refregar,* y que, en la época de los Descubrimientos, de España se trasmitiera el vocablo a Francia e Italia, donde es de fecha más moderna. Quizá se partió de una pronunciación catalana *rafagar* (= *refregar*), de donde se sacaría *ráfaga* como *tráfago* de *trafagar.*

RAGUA 'remate superior de la caña de azúcar', 1601. Del ár. *rágwa* 'espuma', 'esponja', por lo esponjoso del tejido de esta caña. En el sentido de 'calcinación del mineral de hierro antes de echarlo en la fragua', 1765-83, es palabra diferente, del vasco *arrago(a),* 1580, que parece resultar de una adaptación del cast. *fragua* a la fonética de este idioma.

Rahez, V. *soez   Raido,* V. *raer   Raigambre, raigón,* V. *raíz   Raíl,* V. *riel*

RAÍZ, 1207. Del lat. RADIX, -ĪCIS, íd.
Deriv. *Enraizar,* 1923. *Arraigar,* 1399, antes *raigar,* h. 1240, lat. RADĪCĀRĪ íd.; *arraigamiento; arraigo,* 1737; *desarraigar,* princ. S. XV; *desarraigo. Raigambre,* 1737. *Raigón,* 1611.
Cultismos: *Radical,* 1515, propte. 'que toma las cosas desde la raíz', lat. *radicalis; radicalismo. Radicar,* h. 1440, propte. 'tener raíces en algún lugar', lat. *radicari. Radícula. Erradicar,* propte. 'desarraigar'.
Del gr. *rhíza,* equivalente del lat. *radix: Rizoma.*
Cpt. *Rizófago. Rizópodo.*

RAJAR, princ. S. XV. De origen incierto. *Rajar* y *raja* son voces tardías, que sustituyen al antiguo y dialectal *racha* 'raja', h. 1250, gall.-port. *racha* íd., *rachar* 'rajar'. Éstos probte. vienen de *re-acha,* deriv. de *acha* 'raja, astilla', procedente del lat. ASSŬLA íd., vulgarmente ASCLA. Es muy posible que *rajar* resulte de un cruce de *rachar* con su sinónimo *ajar,* que también significó 'rajar'.
Deriv. *Raja,* S. XV.
Cpt. *A rajatabla.*

RALEA, 1325, en portugués *relé,* med. S. XIV. Origen incierto; significó primeramente 'presa de una ave de rapiña', 1325, luego 'raza de aves preferida por cada ave de caza', S. XV, y finalmente 'clase en general', 1505; hay buenas razones para creer en una etimología árabe o en una procedencia francesa, que se excluyen mutuamente y no están demostradas una ni otra.

Ralear, ralo, V. *raro   Rallador, rallar,* V. *rallo*

RALLO 'rallador', h. 1400. Del lat. RALLUM íd., deriv. de RADĔRE 'raer, raspar'.
Deriv. *Rallar,* h. 1400; *rallador,* S. XIX.

Rama, ramaje, ramal, ramalazo, ramazón, V. *ramo*

RAMBLA, 1286, 'lecho natural de las aguas pluviales'. Del ár. *rámla* 'arenal'. Deriv. *Ramblazo. Ramblizo,* 1600. *Ramblón,* amer. *Arramblar* 'dejar el suelo cubierto de arena las avenidas', h. 1580; 'arrastrarlo todo', 1652; *arramplar,* variante influida por *ramplón* y derivados.

Rameado, rámeo, ramera, ramificación, ramificar, ramillete, V. *ramo*

RÁMNEO, med. S. XIX. Deriv. del gr. *rhámnos* 'espino'.

RAMO, fin S. X. Del lat. RAMUS 'rama'. Deriv. *Rama,* 1064, lat. vg. RAMA, que inicialmente tuvo sentido colectivo, luego aumentativo. En la accpción 'marco que ciñe el molde de imprimir' viene del alem. *rahmen* 'marco'. *Ramaje,* 1832, del cat. *ramatge. Ramal,* 1490; *ramalazo,* 1737; *ramalear. Ramazón,* S. XVIII. *Rámeo; rameal. Ramera,* 1490: empezó siendo una prostituta disimulada que, fingiendo tener taberna, ponía ramo en su puerta. *Ramilla,* 1335; *ramillo,* 1490; *ramillete,* 1601, del cat. *ramellet,* diminutivo de *ramell* íd.; *ramilletero. Ramojo,* S. XIX. *Ramón,* 1611; *ramonear,* 1253. *Ramoso,* 1495. *Ramuja. Ramulla,* h. 1900. *Enramar,* 1495; *enramada,* 1607; ant. y amer.: *ramada,* 1495. *Rameado.* Cpt. *Ramificar,* 1438; *ramificación.*

Rampa, rampante, rampar, V. *ramplón*

RAMPLÓN, 1621, 'pieza de hierro con las extremidades vueltas', antes *rampón,* 1591. Probte. del it. *rampone* 'gancho', princ. S. XVI, aumentativo de *rampa* 'zarpa, garra' y de *rampo* 'gancho'. Éste es voz de origen germánico, emparentada con el alem. anticuado *rampf,* neerl. ant. *ramp* 'calambre' (de donde 'encogimiento, miembro encogido' y 'zarpa', 'gancho'), deriv. del verbo *hrimpan* 'encoger, arrugar'. Como los ramplones sirven para herraduras, el vocablo se aplicó después a los zapatos toscos, y acabó por hacerse adjetivo, con el sentido de 'burdo, grosero', S. XIX. Deriv. *Rampa* 'plano inclinado', h. 1800, del fr. *rampe* íd., deriv. del fr. ant. *ramper* 'trepar', procedente de la misma familia germánica: *rampar, rampante,* h. 1580. *Zarramplín,* 1884, quizá de un cruce de *ramplón* con *zarrapastroso* o *zarracatín.*

Ramuja, ramulla, V. *ramo*

RANA, h. 1250. Del lat. RANA íd. Deriv. *Reineta,* del fr. *reinette* íd., S. XVI, deriv. del fr. ant. *raine* 'rana', por la piel rugosa de estas manzanas. *Ranilla,* 1517, como el lat. RANŬLA (de donde el cultismo *ránula*) y el gr. *bátrakhos* íd., propte. 'rana', así llamada probte. por ser rugosa.

Renacuajo, 1535, antes *ranacuajo,* h. 1400, y primero **ranuecajo,* deriv. de *ranueco,* hoy dialectal, y antiguo en cat. (*ranoc,* S. XIV) y mozárabe (*naroca,* h. 1150, de *ranoca*). Cultismos: *Ranúnculo,* lat. *ranunculus,* propte. 'ranita'; *ranunculáceo.*

RANCIO, 1490. Del lat. RANCĬDUS íd. Deriv. *Rancidez. Enranciarse,* 1495. *Rencor,* 1335, alteración de *rancor,* 1495, lat. RANCOR, -ŌRIS, íd., propte. 'rancidez', de la misma raíz que RANCĬDUS; *rencoroso.*

RANCHO, h. 1535, 'vivienda rústica americana', designaba al principio cualquier lugar donde se acomodan provisionalmente, en especial soldados, marinos y gente que vive fuera de poblado. Quizá deriv. del verbo *rancharse* o *ranchearse,* princ. S. XVI, 'alojarse'; término soldadesco, tomado del fr. *se ranger* 'instalarse en un lugar', propte. 'arreglarse' (deriv. de *rang* 'hilera', del fráncico HRING). Tomó también en el habla de los soldados el sentido general de 'sitio, espacio', luego 'ruedo que forman los soldados al comer juntos', 1737, y, finalmente, 'comida de los soldados y marinos', 1761. Deriv. *Ranchero,* 1737. *Ranchería,* 1565. *Arrancharse,* S. XVIII.

RANDA 'encaje', 1495. Voz más antigua y arraigada en catalán, 1390. Probte. emparentada con el oc. *randar* 'adornar', 'hacer una orla', deriv. de *randa* 'extremo, fin', 'cercado', S. XII. De origen incierto, probte. del célt. RANDA 'límite', y de ahí 'borde'. Al parecer pasó de la lengua de Oc, por el cat., al cast. y de ahí al portugués (donde *renda* es tardío y de forma alterada).

Rangífero, V. *reno*   *Rango,* V. *ringlera* *Ranilla, ránula, ranunculáceo, ranúnculo,* V. *rana*

RANURA, 1633. Del fr. *rainure* íd., antiguamente *roisneüre,* 1410. deriv. de *roisne* (hoy *rouanne* 'taladro'). Éste procede del lat. vg. **RŬCĬNA* 'cepillo de carpintero' (RUNCĬNA en la lengua clásica), tom. a su vez del gr. *rhykánē.*

RAÑO (pez marino), 1832. Del lat. ARANĔUS, que designaba un pez semejante, el peje araña; ambos recibieron este nombre por sus aguijones, de donde la comparación con las arañas que pican.

Rapacidad, V. *rapiña*   *Rapador,* V. *rapar*   *Rapagón,* V. *rapaz*

RAPAR, S. XIII. Del gót. **HRAPÔN* 'arrebatar, arrancar, tirar del cabello', comp. el alem. *raffen,* ingl. *rap,* escand. ant. *hrapa.* Deriv. *Rapador. Rape,* 1817. *Rapista.*

Cpt. *Rapabarbas. Rapapolvo. Barbirrapado,* S. XIII.

Rapaz 'inclinado al robo', V. *rapiña*

RAPAZ 'muchacho de corta edad', 1605. En la Edad Media y aun el S. XVI significaba normalmente 'lacayo, criado, escuderillo', h. 1140, con sentido fuertemente despectivo. Luego es probable que sea lo mismo que el adjetivo semiculto *rapaz* (lat. *rapax, -acis*), por alusión a la rapacidad de los lacayos y de los sirvientes de ejército. Deriv. *Rapazuelo. Rapacejo* 'fleco liso', S. XVII, por el flequillo que suelen llevar los niños. *Rapagón* 'joven de pocos años', med. S. XVII, antes 'mozo de caballos, criado', S. XIII.

Rape, V. *rapar   Rapé,* V. *raspar*

RÁPIDO, h. 1490. Tom. del lat. *rapĭdus* íd., propte. 'arrebatado', deriv. de *rapére* 'arrebatar'. El poético *raudo* íd., 1495, antes *rabdo,* h. 1290, es otra palabra de la misma familia; teniendo en cuenta el equivalente it. *ratto,* procedente de RAPTUS 'arrebatado', y atendidas las leyes fonéticas castellanas, *raudo* ha de proceder de un *RAPĬTUS resultante de un cruce de los sinónimos RAPTUS y RAPIDUS. Deriv. *Raudal,* S. XIV. *Rapidez,* S. XIX. *Rabión.*

RAPIÑA, 1438, antes *rapina,* 1220-50. Tom. del lat. *rapina* íd., deriv. de *rapére* 'arrebatar', 'raptar'. La ñ moderna se debe al verbo *rapiñar,* que se adaptó a los numerosos verbos derivados en *-iñar (arrebatiñar, garfiñar, escudriñar,* etc.). Deriv. *Rapiñar,* 1737; *rapinar,* fin S. X, lat. *rapinare.* De la misma raíz latina: *Rapaz* adj. 2.º cuarto S. XVI; *rapacidad,* 1438. *Rapto,* fin S. XVI, lat. *raptus, -us,* íd.; *raptor,* 1737, lat. *raptor, -ōris; raptar,* princ. S. XX: *Subrepticio,* h. 1440, lat. *subrepticius* íd., de *subrĭpĕre* o *surripere* 'sustraer'.

Rapista, V. *rapar*

RAPÓNCHIGO 'Campanula Rapunculus', h. 1780, antiguamente *ruponce,* 1505, o *ruiponce,* 1555. Origen incierto. Probte. del it. *raponzo* (también *rap(er)ónzolo,* S. XIV), que parece ser diminutivo-despectivo de *rapa* 'nabo redondo' (lat. RAPA), por ser la raíz del rapónchigo comestible y semejante a la del nabo. Las formas castellanas sufrieron el influjo de *ruipóntigo,* 1495, especie de ruibarbo (procedente del lat. *rheu ponticum*).

RAPOSA 'zorra', 1251, variante del antiguo y dialectal *rabosa,* S. XIII. Éste es probablemente deriv. de *rabo,* por lo gordo y característico de esta parte del cuerpo en este animal. La *-p-* será alteración debida al influjo de *rapiega,* nombre del zorro en Asturias, y demás voces de la familia de *rapiña,* por los instintos rapaces de la raposa. Deriv. *Raposear. Raposo,* h. 1280. *Raposuno,* 1495.

Rapsoda, rapsodia, V. *oda   Raptar, rapto, raptor,* V. *rapiña*

RAQUE 'acto de recoger objetos perdidos en la costa', 1836. Origen incierto; quizá germánico, del ingl. *to rake,* neerl. *raken,* islandés *raka* 'recoger con rastrillo', o de otra forma afín. Pero la falta de un intermediario francés hace dudar mucho de esta etimología. Deriv. *Raquear* 'hurtar', 1884. *Raquero,* 'merodeador de playa', 1884.

RAQUETA, h. 1570. Del fr. *raquette* íd., antiguamente 'palma de la mano', y éste del ár. *râḥa,* que tiene este último sentido.

RAQUIS, med. S. XIX. Tom. del gr. *rhákhis, -ios,* 'espina dorsal'. Deriv. *Raquídeo. Raquitis* 'enfermedad de la columna vertebral que padecen los niños débiles', 1765-83; *raquítico,* 1765-83, por alusión a esta debilidad; *raquitismo,* med. S. XIX. Cpt. *Raquialgia,* con gr. *álgos* 'dolor'. *Raquítomo,* con gr. *témnō* 'yo corto'.

RARA (ave fringilídea), amer., 1776. Onomatopeya, quizá tomada del araucano (donde *raran* es 'hacer ruido el mar, la gente, etc.').

RARO, 1495. Tom. del lat. *rarus* 'ralo', 'poco numeroso', 'poco frecuente'. *Ralo,* 1335, es la antigua forma popular del mismo vocablo, cuyo matiz sólo se ha distinguido del de *raro* desde el Siglo de Oro. Deriv. *Rareza* y *raleza,* 1495. *Ralear,* h. 1250; *raleo. Enrarecer,* 1623; *enrarecimiento.* Cpt. *Rarificar. Rarefacción.*

Ras, rasa, rasante, rasar, V. *raer   Rasca, rascabuche, rascacielos,* V. *rascar   Rascañar,* V. *rasgar*

RASCAR, 1220-50. Del lat. vg. *RASICARE, deriv. de RADĔRE 'afeitar, raer', 'rascar'. Deriv. *Rasca. Rascador,* 1335. *Rascadura,* 1495. *Rascazón,* 1490. *Rascle,* h. 1900, del cat. *rascle* 'red de arrastre', deriv. de *rasclar* 'rastrillar', voz afín a *rascar. Rascón* 'rey de codornices', 1737, por el ruido como de rascadura que emite esta ave. *Rasqueta,* 1696.

CPT. *Rascabuche. Rascacielos,* 1923, calcado del ingl. *skyscraper (sky* 'cielo', *to scrape* 'rascar').

Rascuñar, V. *rasgar*   *Rasero,* V. *raer*

RASGAR, h. 1400, probte. alteración del antiguo *resgar* íd., 1335, que viene regularmente del lat. RĔSĔCARE 'cortar', 'recortar'. Esta alteración es debida a una confusión parcial con *rascar.*
DERIV. *Rasgado,* 1605. *Rasgo,* 1611. *Rasgón. Rasguear,* princ. S. XVII; *rasgueo; rasguido. Rasguñar,* h. 1580, no es deriv. ni cpt. de *rasgar,* sino alteración, por influjo de este verbo, del antiguo *rascuñar,* med. S. XV, que a su vez lo es de *rascañar,* h. 1300, deriv. de *rascar,* pero alterado por influjo de *uña; rasguño* (h. 1490, *rascuño*).

Rasgo, rasguear, rasguñar, rasguño, V. *rasgar   Rasilla,* V. *raso*

RASO, sust., 'tela de seda lustrosa', 1570. Probte. del antiguo *paño de Ras,* med. S. XV, y éste de *Arrás,* ciudad del Norte de Francia famosa por sus tapices: *raso* y sus variantes designaron también tapices, bancales y cortinajes en Aragón, Cataluña e Italia en los SS. XIII-XVI. La variante con *-o* es debida a una falsa identificación con el adjetivo *raso,* de *raer.*
DERIV. *Rasete. Rasilla,* 1680.
CPT. *Rasoliso.*

Raso, adj., V. *raer   Raspa(h)ilar,* V. *raspar*

RASPAR, 1495. Voz común a las principales lenguas romances; probte. de un germ. occidental *HRASPÔN, comp. los alem. ant. *raspón* 'acumular residuos' y *hrĕspan* 'arrancar, desplumar'.
DERIV. *Raspa* 'arista de la espiga', 1495; 'espina de pescado', princ. S. XVII (de donde localmente 'espina dorsal'); 'escobajo de la uva', 1737; *raspajo; raspilla. Raspado. Raspadura,* 1513. *Raspear. Raspón; rasponazo. Rapé,* S. XIX, del fr. *râpé,* propte. 'tabaco raspado'.
CPT. *Respailar* 'moverse rápida y atropelladamente', princ. S. XVII; antes *raspahilar,* h. 1600 (todavía con *h* aspirada en Cuba), cruce de *salir raspando* y *salir rehilando* 'moviéndose rápidamente'.

Rastra, V. *rastro*

RASTRO, h. 1140. Del lat. RASTRUM 'rastrillo de labrador', de donde se pasó a la huella que éste deja y de ahí a 'huella o pista, en general'.
DERIV. *Rastra* 'trineo', 1495, 'cosa que arrastra', etc. *Rastrear,* 1490; *rastreador. Rastrero,* 1490. *Rastrillo,* 1495, o antes *ras-*

tillo, lat. RASTELLUM; *rastrillar,* 1495; *rastrillada. Arrastrar,* h. 1250; *arrastradero; arrastrado; arrastre.*
CPT. *Arrastrapiés. Arrastracuero* 'persona despreciable', propte. 'el que se arrastra desnudo', de donde el fr. *rastacouère,* 1885, 'enriquecido, rico ostentoso' (del francés volvió al cast. de la Argentina y Chile *rastacuero*).

RASTROJO, S. XIV, 'campo después de segada la mies', 'residuo de las cañas de la mies, que queda en el campo después de segar', alteración del antiguo *restrojo,* h. 1200, y de *restojo,* S. XIII. Ésta es la forma primitiva (alterada por influjo de *rastro*), conservada en el port. *restolho,* cat. *restoll, rostoll,* oc. *restolh.* Procede de un lat. vg. *RESTŪCŪLU, resultante, por cambio de sufijo, de *RESTŪPŪLU, forma que perdura en el oc. y cat. dial. *restoble,* it. dial. *restucciu.* Este sustantivo deriva de un verbo *RESTUPULARE 'arrancar el rastrojo', sacado a su vez del lat. STIPULA 'rastrojo', vulgarmente STUPULA (de donde el fr. *éteule,* it. *stoppia*).
DERIV. *Rastrojal. Rastrojera,* 1737. *Rastrojar.*

Rasura, rasurar, V. *raer   Rata parte,* V. *razón*

RATA, h. 1106. Voz común a las principales lenguas romances con las germánicas y célticas, que debió de extenderse por todas ellas desde antes del S. VIII. Origen incierto. Quizá onomatopeya del ruido de la rata al roer o al arrastrar objetos a su agujero.
DERIV. *Ratero* 'rastrero, que se arrastra', h. 1590; 'despreciable', 1613; 'ladrón que hurta cosas de poco valor, ladrón de bolsillos', 1605; *ratería, ratear. Ratón,* S. XIV, *ratonar,* 1490; *ratonero; ratonera,* h. 1400. *Desratizar,* 1923.

RATAFÍA, 1737. Del fr. *ratafia* íd., 1675, voz criolla de las Antillas francesas. De origen incierto. Quizá de la fórmula latina *rata fiat* 'confírmese', pronunciada al cerrar un trato, bebiendo ratafía a la salud de los contratantes.

Ratear, ratería, ratero, V. *rata   Ratificación, ratificar, matrimonio rato,* V. *razón*

RATO, 1220-50. Significó primero 'instante, duración momentánea', acepción todavía general en América del Sur, y sólo más tarde (1495, quizá ya algo antes) pasó a significar 'espacio largo de tiempo', por una especie de abuso de lenguaje eufemístico, hoy generalizado en España. Probte. del lat. RAPTUS, -US, 'arrebatamiento, rapto', de donde 'tirón, arranque', y figuradamente 'instante'.

Ratón, ratonar, ratonera, V. *rata* *Rau-* *dal, raudo,* V. *rápido*

RAYA I 'línea', 1288. Voz común al castellano con el port. (*raia*) y el fr. (*raie*). Probte. deriv. del lat. RADIUS 'rayo de carro', 'rayo de luz', por la forma rectilínea que tienen estos objetos.
DERIV. *Rayado. Rayuela* 'infernáculo'. *Rayar,* 1495; *rayado; rayadillo. Subrayar,* med. S. XIX; *subrayado.*

RAYA II (pez). Del lat. RAJA íd.

Rayadillo, rayano, rayar, V. *raya* I

RAYO, 1220-50. Del lat. RADIUS 'varita', 'rayo de carro', 'rayo de luz'. En la acepción 'chispa eléctrica procedente de una nube' se halla también desde el S. XIII, y se debe a una innovación semántica del cast. y el port., por comparación con un rayo de luz súbito, innovación a la que ya se acerca RADIUS en algunos autores clásicos. Por vía culta *radio,* princ. S. XVIII; *rádium* o *radio* como nombre del metal alude a las radiaciones que desprende.
DERIV. *Rayar* 'brillar' (*rayar el alba*), h. 1140. *Enrayar. Rayón* 'seda artificial', h. 1931, del ingl. *rayon,* 1924.
Cultismos: *Radiar,* S. XIX (una vez h. 1520); *radiación; radiador; radiante,* med. S. XV; *radial; radioso,* 1438. *Irradiar,* h. 1570; *irradiación.*
CPT. *Radiactivo* o *radioactivo; radiactividad. Radiodifusión, radiotelefonía, radiorreceptor,* de los cuales es abreviación *la radio* (*el radio,* amer.); de ahí *radioescucha, radioyente. Radioeléctrico. Radiografía, Radiograma* o abreviado *un radio. Radiólogo, -logía. Radiotelegrafía. Radioterapia.*

Rayuela, V. *raya* I

RAZA 'casta, grupo racial', 1438, raro hasta fin S. XVI. Probte. forma semiculta del lat. *ratio* ('cálculo, cuenta') partiendo de su sentido ya clásico de 'índole, modalidad, especie', de donde se pasó a 'naturaleza y calidad de la gente' y 'raza'. En castellano debió de tomarse de otras lenguas romances, donde es más antiguo (cat., h. 1400; oc., h. 1200; it., S. XIV), y al entrar vino a confundirse con el viejo y castizo *raça* 'raleza o defecto en el paño', 'defecto, culpa', 1335, de otra etimología (*RADIA, colectivo de RADIUS 'rayo, raya'): de ahí que en su sentido racial el vocablo tome en castellano en el S. XVI casi siempre un matiz desfavorable.
DERIV. *Racial,* 1925, tom. del ingl. *racial.*

RAZÓN, h. 1140. Del lat. RATIO, -ŌNIS, 'razonamiento, razón', propte. 'cálculo, cuen-

ta'. Por vía culta *ración,* h. 1140, que de 'cuenta' pasó a 'porción'.
DERIV. *Razonar,* h. 1140; *razonable,* fin S. XIV; *razonador; razonamiento,* h. 1335.
Cultismos: *Racional,* 1438, *racionalidad; racionalismo,* 1843, *racionalista. Racionar; racionamiento; racionero,* 1257. *Irracional,* 1438. Del verbo *reri* 'pensar, calcular', deriva, además de *ratio,* el participio *ratus* 'decidido, regulado, constante': de ahí *matrimonio rato* 'válido', S. XIV; *rata* (*parte*), h. 1250, comúnmente en la locución *pro rata,* después *a prorrata; prorratear,* 1737; *prorrateo,* 1737. Negativo de este *ratus* es *irritus* 'no válido', de donde los tecnicismos jurídicos *írrito,* 1494, e *irritar* 'anular' (diferente de *irritar* 'causar irritación').
CPT. *Sinrazón,* S. XVI. *Raciocinar,* lat. *ratiocinari* íd.; *raciocinio,* lat. *ratiocinium. Ratificar,* 1604, b. lat. *ratificare; ratificación.*

RAZZIA, 1936. Tom. del fr. *razzia,* 1841, y éste del ár. *ġâziya* 'incursión militar, golpe de mano'.

Reacción, reaccionar, reaccionario, V. *acto*

REACIO, 1611; antes *rehazio,* 1438, y primeramente *refazio,* 1220-50; siendo generales estas formas en la Edad Media es imposible que venga del b. lat. *reactio* 'reacción'. Origen incierto; teniendo en cuenta que entonces significa 'airado, díscolo', quizá proceda de *REFRACIDUS, deriv. de FRACIDUS 'rancio, podrido', pasando por 'rencoroso' (comp. *pudrirse de impaciencia,* etc.).

Reactivo, V. *acto*

REAL, 1607, 'que tiene existencia efectiva'. Tom. del b. lat. *realis* íd., deriv. de *res* 'cosa', en plural 'las cosas, la realidad, la naturaleza'.
DERIV. *Realidad,* 1607, b. lat. *realitas, -atis. Realismo; realista* 'que quiere atenerse a la realidad', 2.ª mitad S. XIX. *Realizar,* 1765-83, del fr. *réaliser,* 1495; *realizable; realización.*
CPT. del lat. *res* 'cosa': *Reivindicación,* 1737, lat. *rei vindicatio* 'vindicación de una cosa'; *reivindicar,* 1737; *reivindicatorio. República,* h. 1530, lat. *res publica* 'la cosa pública, el Estado', aplicado por antonomasia al tipo de gobierno que rigió a Roma en el Siglo de Oro de su literatura; *republicano,* 1737.

Real 'perteneciente al rey', V. *rey* *Real-* *ce,* V. *alzar* *Realengo, realeza,* V. *rey* *Realidad, realismo, realista* 'que se atiene a la realidad', V. *real* *Realista* 'monárquico', V. *rey* *Realizar,* V. *real* *Realzar,* V. *alzar* *Reanudar,* V. *nudo* *Reasumir,* V. *sumir* *Reata, reatar,* V. *atar*

Reato, V. *reo* II   *Rebaba*, V. *baba*
Rebaja, *rebajamiento*, *rebajar*, *rebajo*, V.
bajar   *Rebalsar*, *rebalse*, V. *balsa* I

REBANAR, h. 1490, y **REBANADA**, h.
1280. Son probte. alteraciones de *rabanar* y
rabanada, conservados hoy en dialectos antillanos, en portugués y en valenciano, y
derivados de *rábano*, por los cortes que se
dan a este vegetal para comerlo.

REBAÑO, 1495, voz peculiar al cast. y
el portugués. Origen incierto; la forma antigua es *rabaño*, h. 1400, que sigue siendo
corriente hasta el S. XVII y hoy en dialectos. Como en Andalucía *rebaño* significa
'vara verde y algo gruesa', quizá en el sentido normal proceda también de **ramaño*
(por disimilación de nasales), teniendo en
cuenta que *vara* ha tomado el sentido de
'rebaño de cerdos', y que *ramat*, *ramado*,
nombre catalán y aragonés del rebaño, es
también deriv. de *rama*.
DERIV. *Rebañar*, 1495, o *arrebañar*, S.
XIII, quizá deriv. de *rebaño* con el sentido
de 'congregar como un rebaño', de donde
'recoger muchas cosas sin dejar nada', 'recoger residuos comestibles de una vasija'.

Rebasar, V. *balsa* I   *Rebatiña*, V. *rebato*   *Rebatir*, V. *batir*

REBATO, med. S. XIII. Del ár. *ribâṭ*
'ataque contra los infieles', deriv. de *rábaṭ*
'dedicarse con celo a un asunto', 'amenazar
las fronteras enemigas'. Los ataques de los
moros se caracterizaban por su brusquedad,
de ahí las varias acepciones 'novedad repentina', 'apuro', 'susto' y 'llamada a las
armas'.
DERIV. *Arrebatar*, h. 1250, 'obrar arreba-
tadamente', 'quitar con violencia'; *arrebatamiento*, h. 1260; *arrebatador*; *arrebatiña*
(-*ina*, 1495, *reb-*); *arrebato*, 1600. *Rábida*
(*rábita*, h. 1600; *rápita*, princ. S. XVII), ár.
râbiṭa 'mezquita fortificada donde vivían
los guerreros encargados de defender las
fronteras musulmanas', de la misma raíz
que *ribâṭ*. Para otros deriv. árabes de ésta,
V. *RONDA* y *MORABITO*.

REBECO 'gamuza, especie de cabra montés', 1765-83; variantes *rebezo*, 1475, y *robezo*, 1434. Palabra prerromana extendida
por todo el Norte de España, desde Cataluña hasta Galicia, aunque el cat. *rebec* y
el gall. *rebeco* sólo tienen el sentido figurado de 'arisco', 'terco y rebelde'. *Rebeco*
supone un tipo **RĪBĪCCU*, que podría ser
metátesis de **(I)BICIRRU* —de donde vienen
el cast. *becerro* 'toro joven' y el dialectal
bicerra 'gamuza'—, el cual a su vez será
deriv. del ibero-latino IBEX, -ĬCIS, 'gamuza';
rebezo corresponde a una forma derivada
*RĪBĪCCĔU.

Rebelarse, V. *rebelde*

REBELDE, fin S. XIII (*rebele*, 1241), tomado del lat. *rebellis* íd., deriv. de *bellum*
'guerra', con desarrollo semiculto del grupo
ll en *ld*.
DERIV. *Rebeldía*, fin S. XIII. *Rebelarse*,
1220-50. *Rebelión*, h. 1440, lat. *rebellio*,
-*onis*, íd.

REBENQUE, 1587, en portugués *rebém*,
S. XVII. Del fr. *raban* 'envergue, cabo que
afirma la vela a la verga', 1573. Voz de
origen germánico (neerl. *raband*, etc.), compuesta de *ra* 'verga' y *band* 'lazo, atadura'.
Rebenque designó antiguamente varios cabos de cuerda náuticos semejantes al envergue; pasó luego a un azote empleado en
las galeras, por utilizarse con este objeto
aquellas cuerdas; y finalmente, sólo en
América, se aplicó a un látigo recio de
jinete.
DERIV. *Rebencazo*, 1607.

Rebezo, V. *rebeco*   *Reblandecer*, *reblandecimiento*, V. *blando*   *Robocillo*, *-iño*,
V. *bozo*

REBOLLO, h. 1400. Origen incierto.
Probte. de un deriv. del lat. PŬLLUS 'retoño', seguramente un lat. vg. **REPŬLLUS* íd.
Aunque por lo común el cast. *rebollo* es un
arbolito de la familia de la encina, el sentido, que puede suponerse primitivo, de
'retoño en general', se conserva en las provincias del Norte, así como en sardo, catalán y gallegoportugués.
DERIV. *Rebollar* 'sitio poblado de rebo-
llos', 1098. *Rebolledo*. *Rebolludo*.

Reborde, V. *borde* I

REBOSAR 'derramarse un líquido por
no caber en un recipiente', 1490. Origen
incierto. Lo más probable es que, pasando
por **rovessar* (forma existente en portugués e italiano), venga del antiguo *revessar*,
h. 1490, 'derramar, rebosar, vomitar', conservado en portugués, vasco, judeoespañol
y rumano. Éste sale del lat. REVERSARE 'volver lo de dentro afuera', deriv. de VERTĔRE
'volver del revés', 'verter'. Entonces las formas antiguas *bossar*, SS. XV-XVI, y *bolsar*
'vomitar', se habrían sacado secundariamente de *rebosar* y de su variante *reborsar*.
DERIV. *Rebosadero*, 1490. *Rebosadura*,
1495. *Rebosante*.

Rebotar, V. *botar* y *boto*   *Rebozo*, V.
bozo   *Rebrotar*, *rebrote*, V. *brote*   *Re-
bujado*, *rebujar*, V. *orujo*   *Rebullicio*, *rebullir*, V. *bullir*   *Rebusca*, *rebuscar*, *rebusco*, V. *buscar*

REBUZNAR, 'emitir el asno su voz', 1335. Probte. deriv. del lat. BŪCĪNARE 'tocar la trompeta', con el prefijo re-.
DERIV.. *Rebuzno*, 1490.

Recabar, V. *cabo* *Recadero, recado,* V. *recaudar* *Recaer, recaída,* V. *caer Recalada, recalar,* V. *calar* *Recalcar,* V. *calcar* *Recalcitrante, recalcitrar,* V. *coz Recalentar,* V. *caliente* *Recalmón,* V. *calma* *Recalvastro,* V. *calvo* *Recalzar,* V. *calzar*

RECAMAR, 1570 (*riquamar,* 1496). Del it. *ricamare* íd., princ. S. XV, y éste del ár. *ráqam* 'tejer rayas en un paño', 'bordar'.
DERIV. *Recamo,* 1612. *Recamado,* sust., 1708.

Recámara, V. *cámara* *Recambio,* V. *cambiar* *Recamo,* V. *recamar*

RECANCANILLA 'tergiversación en lo que se habla' o 'tonillo afectado en el hablar', princ. S. XVII; 'modo de andar de los muchachos, como cojeando', 1737. Lo mismo que *cancanilla* 'engaño o trampa', 1594; 'especie de armadijo', 1611, y que el amer. y and. *cancanear* 'tartajear, tartamudear', 'vagabundear', probte. de una onomatopeya del tartamudeo, tambaleo o vacilación *kan-kan.* Deriv. regresivo de *cancanilla* 'armadijo, trampa' es al parecer *cáncana* 'banquillo en que el maestro hacía sentar a los muchachos para exponerlos a la vergüenza', 1693.

Recapacitar, V. *capaz* *Recapitular,* V. *capítulo* *Recargar, recargo,* V. *cargar*

RECATADO 'honesto, modesto', 1605. Participio del verbo *recatarse,* hoy algo anticuado, 'recelar (en la ejecución de algo)', 1495, deriv. del antiguo *catar* 'mirar' (véase).
DERIV. *Recato,* S. XVI.

RECAUDAR, 1495, 'cobrar', 1495, primitivamente 'conseguir', 1220-50, y 'disponer, arreglar, custodiar', h. 1140. Viene en última instancia del lat. clásico RECEPTARE, más tarde RECAPTARE, 'recibir, acoger', 'recuperar'. Pero la forma romance sale de una variante RECAPITARE, debida al influjo de CAPITALIS 'caudal, bienes'. Lo más corriente en lo antiguo es *recabdar,* h. 1140, pero hubo otra reducción castellana *recadar,* S. XIV, de donde *recado,* S. XIV, 'comisión, mensaje' (de *recabdar* en el sentido de 'despachar'), 'conjunto de objetos necesarios para un fin' (*recado de escribir, de montar:* de *recabdar* 'disponer').
DERIV. *Recaudación,* 1504, *Recaudador,* 1495. *Recaudo,* h. 1140. *Recadero,* 1737.

Recelar, recelo, receloso, V. *celar* *Recentadura, recentar,* V. *reciente* *Recepción, receptáculo, receptivo, receptor, receta, recetar,* V. *recibir* *Recial,* V. *recio* *Reciario,* V. *red*

RECIBIR, 1100. Del lat. RECĬPĔRE 'tomar, coger', 'recibir' (deriv. de CAPERE 'coger').
DERIV. *Recibidor. Recibimiento. Recibo,* 1604. *Recipiente,* 1737, tom. de *recipiens, -tis,* 'el que recibe o contiene', participio activo de *recipere. Recipiendario,* deriv. de *recipiendus* 'el que ha de ser recibido'. *Recepción,* 1737, lat. *receptio, -onis. Receptáculo,* h. 1440, lat. *receptaculum* íd. *Receptivo. Receptor,* SS. XIII-XIV, lat. *receptor* 'el que recibe'. *Receta,* 1605, lat. *recepta* 'cosas tomadas (para hacer un medicamento)'; *recetar,* med. S. XV.

Recibo, V. *recibir*

RECIENTE, 1220-50. Del lat. RECENS, -ĒNTIS, íd., propte. 'nuevo, fresco'. *Recién,* 1220-50, es apócope de *reciente.*
DERIV. *Recentar,* 1220-50, lat. vg. RECENTARE; *recentadura. Recental,* 1495.

RECINTO, 1643. Probte. tom. del it. *recinto* íd., deriv. de *recìngere* (o *ricìngere*) 'rodear', y éste de *cìngere* del mismo sentido y origen que nuestro *ceñir.*

RECIO, h. 1250, 'robusto, grueso, áspero, duro'. Origen incierto. Por el sentido corresponde exactamente al port. *rijo* y cat. ant. *règeu,* que pueden venir sin dificultad del lat. RĬGĬDUS, pero habría un obstáculo fonético para sacar de ahí el cast. *recio.* Sin embargo, como las demás etimologías propuestas no son aceptables, es posible que RIGIDUS diera primero *régeo,* como forma semiculta (así en gallego antiguo), y que éste se cambiara en *recio* por influjo del antiguo *refacio* 'airado, amenazador' (V. REACIO). El cultismo *rígido,* med. S. XV.
DERIV. *Recial* S. XIX. *Reciedumbre,* h. 1570. *Arreciar,* h. 1140. *Rigidez. Rigor.* 1433, tom. del lat. *rigor, -ōris,* íd., propte. 'rigidez, inflexibilidad', de la misma raíz que *rigidus; rigorismo, rigorista, riguroso,* 1438, formado según *caluroso* junto a *calor.*

Recipiendario, recipiente, V. *recibir*

RECÍPROCO, h. 1530. Tom. del lat. *recĭprŏcus* íd., propte. 'que vuelve atrás, que refluye, que repercute'.
DERIV. *Reciprocar,* princ. S. XVIII; *reciprocación,* 1596. *Reciprocidad.*

RECITAR, 1220-50. Tom. del lat. *recitare* 'leer en alta voz', 'citar', 'pronunciar

de memoria', deriv. de *citare* 'poner en movimiento', 'hacer acudir' (frecuentativo de *ciēre* íd.).
DERIV. *Recitación. Recitado, Recitante. Recitativo.*

Reclamación, reclamar, V. *llamar   Reclinar, reclinatorio,* V. *inclinar   Recliza,* V. *quicio   Recluir, reclusión, recluso,* V. *concluir   Recluta,* V. *reclutar*

RECLUTAR, 1690. Del fr. *recruter* íd., deriv. de *recrue* 'recluta', 1550 (bajo el influjo del antic. *recluter* 'remendar', de origen germánico); *recrue* es propiamente participio de *recroître* 'volver a crecer, a brotar' (porque los reclutas renuevan las fuerzas del ejército), deriv. de *croître*, del mismo origen y sentido que nuestro *crecer*.

RECOBRAR, 1220-50. Del lat. RECŬPĔRARE íd., deriv. de la raíz de CĂPĔRE 'coger'. Por vía culta: *Recuperar*, 1607.
DERIV. *Recobramiento. Recobro,* 1737. *Recuperación,* 1626; *recuperable.* De *recobrar* se extrajo *cobrar,* h. 1140; *cobrador; cobramiento; cobranza; cobro,* h. 1275.

Recocer, V. *cocer   Recodo,* V. *codo   Recoger, recogida, recogimiento,* V. *coger   Recolección, recolectar, recoleto,* V. *colección   Recomendación, recomendar,* V. *mandar   Recompensa, recompensar,* V. *compensar   Reconcentrar,* V. *centro   Reconciliación, reconciliar,* V. *concejo   Reconcomerse, reconcomio,* V. *comer   Recóndito,* V. *esconder   Reconfortar,* V. *fuerte   Reconocer, reconocimiento,* V. *conocer   Reconquista, reconquistar,* V. *conquista   Reconsiderar,* V. *considerar   Reconstituir, reconstituyente,* V. *constituir   Reconvención, reconvenir,* V. *venir*

RECOPILAR, 1573, 'juntar leyes y otros textos'. Deriv. del lat. *compīlare* 'saquear', 'plagiar', que en la baja época tomó ya el sentido de 'recopilar'. *Compilar,* 1632, es también usual en cast.
DERIV. *Recopilación,* 1567. *Compilación.*

RECORDAR 'tener recuerdo de algo', 1220-50. Del lat. RECŎRDĀRĪ íd. (deriv. de COR 'corazón'). De este verbo derivó además el castellano su *acordarse* 'tener memoria de algo', 1240, ajeno a las demás lenguas romances. Para *recordar* 'despertar', V. *ACORDAR* II.
DERIV. *Recordación,* 1438. *Recordatorio. Recuerdo,* h. 1250. *Trascordarse,* h. 1280.

Recorrer, recorrido, V. *correr   Recortar, recorte,* V. *corto   Recoser,* V. *coser   Recostar,* V. *costilla   Recova,* V. *recua   Recoveco,* V. *cueva   Recovero,* V. *recua   Recreación, recrear, recreativo, recreo, re-*

cría, recriar, V. *criar   Recriminación, recriminar,* V. *crimen   Recriza,* V. *quicio   Recrudecer, recrudecimiento, recrudescencia,* V. *crudo   Rectángulo, rectificar, rectilíneo, rectitud,* V. *recto*

RECTO, 1444. Tom. del lat. *rectus* íd. (deriv. de *regere* 'dirigir').
DERIV. *Rectitud,* h. 1440.
CPT. *Rectángulo; rectangular. Rectificar,* h. 1440; *rectificación. Rectilíneo.*

Rector, rectorado, rectoría, V. *regir*

RECUA, 1247. De un deriv. de la raíz ár. *rákab* 'montar (a caballo)'. Probte. se trata del ár. *rékba* 'cabalgata', 'caravana', 'cortejo', perteneciente a esta raíz.
DERIV. *Recuero,* S. XIII. *Recovero* 'el que compra por los lugares comestibles para revender', 1737, y *recova* 'compra de esta naturaleza', 1737 (de donde 'mercado de comestibles', 'pórtico donde éste se celebraba', amer.), están en estrecha relación con el port. *recoveiro* 'arriero, recuero' y *recova* 'trasporte de mercancías', pero no es seguro si hay que partir de una variante romance de *recuero* (entonces *recova* sería deriv. de *recovero*) o del ár. *rekûba* 'caballería', 'caravana', perteneciente a la misma raíz.

Recuadro, V. *cuadro   Recubrir,* V. *cubrir   Recuento,* V. *contar   Recuerdo,* V. *recordar   Recuero,* V. *recua   Recuesta,* V. *adquirir   Recuesto,* V. *cuesta   Recular,* V. *culo   Recuperación, recuperar,* V. *recobrar   Recurrir, recurso,* V. *correr   Recusar,* V. *acusar*

RECHAZAR, 1430. Tom. del fr. ant. *rechacier* íd., deriv. de *chacier* (hoy *chasser*) 'perseguir, dar caza', hermano de nuestro *cazar*
DERIV. *Rechazo.*

Rechazo, V. *rechazar   Rechifla,* V. *silbar*

RECHINAR, 1495. Onomatopeya; como lo son sus sinónimos portugueses *chiar* y *rechinar.*
DERIV. *Rechinante,* 1605.

RECHONCHO 'regordete', 1765-83. Voz familiar de origen incierto. Quizá derivado de un adjetivo *choncho,* de significado análogo y de creación expresiva, relacionado acaso con *chocho* 'legumbre en remojo', que parece designar básicamente algo blando y carnoso. Pero no está claro si existe alguna relación con el aragonés *redoncho* 'rodaja' y por lo tanto con el cat. *rodanxó* 'rechoncho', deriv. de *rodanxa* 'rodaja'.

De rechupete, V. *chupar*

RED, 1074. Del lat. RĒTE íd.
DERIV. *Redada,* 1737. *Redaño,* 1495. *Redecilla,* 1490. *Redil,* 1607, 'aprisco', deriv. explicable por la costumbre de encerrar el ganado durante la noche en cercados de red. *Enredar,* 1220-50, propte. 'envolver en redes'; *enredadera,* 1611 (aplicado a una mujer); *enredo,* 1604; *enredijo*; *enredoso.*
Cultismos: *Retículo*; *reticular. Retina,* 1817, por el tejido de fibras reticuladas que la constituyen. *Reciario,* lat. *retiarius.*

REDACCIÓN, 1843. Tom. del lat. *redactio, -onis,* nombre de acción de *redĭgĕre* 'reducir (a cierto estado)'.
DERIV. *Redactar,* 1843, deriv. culto de *redactus,* participio de *redigere. Redactor.*

Redada, redaño, redecilla, V. *red   Rededor,* V. *alrededor   Redención, redentor,* V. *redimir   Redhibitorio,* V. *exhibir   Redicho,* V. *decir   Redil,* V. *red*

REDIMIR, 1155. Tom. del lat. *redĭmĕre* 'rescatar', 'redimir', propte. 'volver a comprar', deriv. de *ĕmĕre* 'coger', 'comprar'.
DERIV. *Redención,* 1184, lat. *redemptio, -onis. Redentor,* 1220-50, lat. *redemptor, -oris*; *redentorista. Irredento,* del it. *irredento* 'no-redimido'.

RÉDITO, h. 1440. Tom. del lat. *rĕdĭtus, -us,* 'regreso, vuelta', 'renta', deriv. de *redire* 'regresar', 'dar rentas, intereses' (y éste de *ire* 'ir').
DERIV. *Reditual. Redituar.*

Reditual, redituar, V. *rédito   Redivivo,* V. *vivo   Redoblante, redoblar, redoble,* V. *dos*

REDOMA 'botellita de fondo ancho', 1112 (*arrotoma,* 942). Voz patrimonial del castellano y el portugués. De origen incierto. Quizá del árabe, donde *raḍûma* se encuentra hoy en las hablas africanas, aunque es inseguro que sea antiguo y genuinamente arábigo.

Redomado, V. *domar   Redoncho,* V. *rechoncho*

REDONDO, 1020. Del lat. ROTŪNDUS íd. Por vía culta y con sentido figurado, *rotundo,* 1580.
DERIV. *Redonda. Redondear,* 1607. *Redondel,* 1369, del fr. ant. *reondel* (deriv. de *reont* 'redondo'), hoy *rondeau,* de donde, en otro sentido, el cast. *rondó,* 1832. *Redondez,* h. 1250. *Redondilla,* 1611. *Rotonda,* S. XIX, del it. *rotonda,* propte. 'redonda'. *Rotundidad,* 1737.

Redor, V. *alrededor   Redrojo,* V. *arredro   Reducción, reducir, reductible, reducto,* V. *aducir   Redundancia, redundante, redundar,* V. *onda   Reduplicar,* V. *dos   Reemplazar, reemplazo,* V. *plaza   Reenganchar, reenganche,* V. *gancho   Refacción,* V. *refección   Refacio,* V. *reacio   Refajo,* V. *faja*

REFECCIÓN o **REFACCIÓN,** 1494. Tomado del lat. *refectio, -onis,* deriv. de *reficere* 'rehacer', y éste de *facere* 'hacer'.
DERIV. *Refeccionar* o *refaccionar. Refectorio,* 1884, lat. *refectorius* 'que rehace'; antes se dijo *refitor* (vid. *REFITOLERO*).

Refectorio, V. *refección   Referencia, referéndum, referente,* V. *referir*

REFERIR, h. 1440, 'relatar'. Tom. del lat. *refĕrre* íd., y 'hacer referencia', propte. 'volver a llevar', deriv. de *ferre* 'llevar'.
DERIV. *Referente,* 1737; *referencia,* S. XIX. *Referéndum,* propte. '(decreto) que ha de llevarse de nuevo (a aprobación del pueblo)'; de ahí *refrendar,* 1490, de *referendar,* 1478; *refrendo.*
Relación, h. 1440, lat. *relatio, -onis,* propte. 'lo que hace referencia', de *relatum,* supino de *referre*; *relacionar,* 1438; *relacionero*; *relatar,* 1438 (quizá ya 1322); *relato,* 1843; *relator,* 2.° cuarto S. XV; *relatoría*; *relativo,* 1490, propte. 'que hace referencia', *relatividad, relativismo*; *correlación, correlativo, correlato.*

Refinado, refinamiento, refinar, refinería, refino, V. *fino   Refirmar,* V. *firme   Refistolero,* V. *refitolero*

REFITOLERO 'entrometido', 1836, propiamente 'el fraile que cuida del refectorio y de los víveres de un monasterio', 1591. Alteración de **refitorero,* deriv. del antiguo *refitor,* SS. XIII-XV, 'refectorio'. La *-s-* de la variante *refistolero* se debe al influjo de *facistol* 'jactancioso', propte. 'atril de iglesia'.
DERIV. *Refitolear, refist-,* 'entrometerse'.

Refitor, V. *refitolero   Reflector, reflejar, reflejo, reflexión, reflexionar, reflexivo,* V. *flexible   Refluir, reflujo,* V. *fluir*

REFOCILAR 'recrear, reconfortar', 1605. Tom. del lat. *refocilare* 'recalentar', 'reconfortar', deriv. de *fŏcŭlum* 'calentador' (y éste de *fovēre* 'calentar', 'animar').
DERIV. *Refocilo.*

Reforma, reformar, reformatorio, V. *forma   Reforzado, reforzar,* V. *fuerte   Refracción, refractar, refractario,* V. *fracción*

REFRÁN, med. S. XV. Significó primitivamente 'estribillo' (S. XIII al parecer), de donde 'proverbio' por el empleo de éstos en el estribillo de muchas canciones. De oc. ant. *refranh* 'estribillo', deriv. de *refránher* 'reprimir' y 'modular', y éste de *fránher* 'romper', lat. FRANGĔRE.

DERIV. *Refranero*.

Refrangible, V. *fracción*   *Refregar, refregón*, V. *fregar*   *Refrenar*, V. *freno* *Refrendar, refrendo*, V. *referir*   *Refrescar, refresco*, V. *fresco*   *Refriega*, V. *fregar*   *Refrigeración, refrigerante, refrigerar, refrigerio*, V. *frío*   *Refringente*, V. *fracción*   *Refrito*, V. *freír*   *Refuerzo*, V. *fuerte*   *Refugiar, refugio*, V. *huir* *Refulgente*, V. *fulgor*   *Refundición, refundir*, V. *fundir*

REFUNFUÑAR, 1570, 'rezongar'. Onomatopeya de los sonidos confusos y nasales que emite el que refunfuña.

DERIV. *Refunfuño*, 1605.

REFUTAR, 1490. Tom. del lat. *refūtare* 'rechazar', 'refutar'.

DERIV. *Refutación*, fin S. XVII.

Regadera, regadío, regajo, V. *regar*

REGALAR 'agasajar', 1495, 'hacer un presente', 1737. Probte. del fr. *régaler* 'agasajar', S. XVI (atestiguado indirectamente en los SS. XIV y XV), y éste deriv. de *galer* 'divertirse, festejar', de origen seguramente germánico (V. *GALA*). Diferente de esta palabra es el antiguo y hoy catalán *regalar* 'derretir', 'gotear', S. XII, que tiene otra etimología.

DERIV. *Regalado. Regalo* 'agasajo', 1495, 'presente', 1737. *Regalón*, S. XVI.

Regalía, regalismo, regalista, V. *rey*

REGALIZ, fin S. XIII, primitivamente *regaliza*. Éste viene, por metátesis, del lat. tardío LĬQUĬRĬTĬA, que es deformación del gr. *glykýrrhiza* íd., cpt. de *glykýs* 'dulce' y *rhíza* 'raíz'. *Regaliza* se cambió en *regaliz* por influjo de su sinónimo *orozuz* (véase).

Regalo, regalón, V. *regalar*   *Regante*, V. *regar*

REGAÑAR, 1220-50, y **REGAÑO**, h. 1400. Del mismo origen incierto que el port. *arreganhar* (*arreganho*), cat. *reganyar* (*regany*), oc. *reganhar* (*reganh*) e it. dial. *regagnar*. Parece emparentado con el lat. GANNIRE 'regañar, refunfuñar'. Probte. de este verbo latino se derivó en vulgar un sustantivo *REGANNIUM, de donde *regaño*, y de este sustantivo derivó el verbo *REGANNIARE. El fr. *rechigner* (dialectalmente *recagner*) puede venir del mismo *REGANNIARE

alterado bajo el influjo de CANIS 'perro', por ser propio de este animal el gañir y enseñar los dientes.

DERIV. *Regañón*, 1495.

REGAR, 1161. Del lat. RĬGĀRE 'regar, mojar'.

DERIV. *Regadera*, 1680. *Regadío*, 1495. *Regadizo*, 1495. *Regador. Regante. Riego*, 1490. *Sorregar*, 1737; *sorriego*, 1737. *Irrigar*, h. 1900, tom. del lat. *irrigare*; *irrigación*; *irrigador. Reguera*, 1490; *reguero*, S. XV; *regacho*, h. 1300; *regajo*, 1737; *regato*, 1222, y *regata* 'reguera pequeña', 1611, al parecer derivan del antiguo y dialectal *riego* 'arroyo', S. XIII, palabra independiente, de probable origen prerromano (=vasco *erreka*, port. *rego*, cat. *rec*).

Regata 'reguera', V. *regar*   *Regata* 'carrera de lanchas', V. *regatear*

REGATEAR, 1570. Pertenece a la misma familia que el antiguo *regatero* 'revendedor', 1252, cat. ant. *regater*, it. *rigattiere*, fr. *regrattier* íd. De origen incierto. Es verosímil que las formas más antiguas sean *recatero* 'revendedor', S. XIII, y *recatar* 'revender' (también medieval, por lo menos en Italia), y que todo junto venga de un lat. vg. *RECAPTARE 'volver a comprar', derivado del lat. ACCAPTARE 'adquirir, comprar'.

DERIV. *Regateo*, S. XIX. *Regatón* 'revendedor', S. XIII. *Regate*, 1737, 'movimiento pronto hurtando el cuerpo' (propte. 'regateándolo'). *Regata* 'carrera de lanchas', med. S. XIX, del it. *regata* íd., propte. 'disputa', del veneciano *ragatar* 'pelearse', afín a *regatear*.

Regato, V. *regar*

REGATÓN, 1505, 'cuento de lanza, de bastón, etc.', antes *recatón*, 1495. Origen incierto.

Regatón 'revendedor', V. *regatear*

REGAZO 'concavidad de la falda, donde se recoge algo', 1220-50. Deriv. de *regazar* 'remangar las faldas', S. XIII; en portugués *regaço* y *arregaçar*. Probte. de un lat. vg. *RECAPTIARE 'recoger', deriv. de CAPTARE 'coger, tratar de coger'. Pero no está averiguado si existe relación con el cat. y oc. (*ar*)*regussar* 'remangar', que al parecer ha de tener otro origen.

DERIV. *Arregazar*, med. S. XIV.

Regencia, V. *regir*   *Regeneración, regenerar*, V. *engendrar*   *Regenta, regentar, regente*, V. *regir*   *Regicida, regicidio*, V. *rey*   *Regidor, régimen, regimentar, regi-*

miento, V. *regir*   Regio, V. *rey*   Región,
regional, regionalismo, V. *regir*

REGIR, h. 1350. Tom. del lat. *rĕgĕre*
'gobernar', de la misma raíz que *rex* 'rey'.
DERIV. *Regente*, 1611, del participio activo de dicho verbo; *regenta*; *regentar*, fin
S. XVII; *regencia*, 1611. *Regidor*, 1490;
regiduría. *Regimiento* 'manera de regir',
1438 (en el sentido de unidad militar, 1737,
se imitó del extranjero, en alem. 1546, en
fr. 1553); *regimentar*. *Régimen*, 1737, lat.
regĭmen, -ĭnis, íd. *Rector*, 1444, lat. *rector*,
-ōris, 'el que rige'; *rectorado*; *rectoral*;
rectoría. *Región*, 1220-50, lat. *regio, -ōnis*,
íd., de la misma raíz; *regional*, 1817; *regionalismo, regionalista*, h. 1900.

REGISTRO, 1335. Tom. del lat. tardío
regesta, -orum, íd., deriv. de *regerere* 'transcribir'.
DERIV. *Registrar*, med. S. XV.

REGLA, 967. Tom. del lat. *rēgŭla* 'regla,
barra de metal o madera'.
DERIV. *Reglamento*, 1737; *reglamentar*,
S. XIX, *reglamentación*; *reglamentario*. *Regleta*, S. XIX; *regletear*. *Regular*, adj.,
1490, lat. *regularis* 'conforme a una regla';
regularidad; *regularizar*. *Regular*, verbo,
princ. S. XVII, lat. *regulare*; *regulación*;
regulador. *Irregular*, 1440; *irregularidad*.
Arreglar, 1726; *arreglo*, S. XVIII; *desarreglar, desarreglo*.

*Reglamentar, reglamentario, reglamento,
regleta, regletear*, V. *regla*   Reglón, V.
renglón   Regnícola, V. *rey*   Regocijado,
regocijar, regocijo, V. *gozo*

REGODEARSE, 1605. Fue primeramente
palabra jergal, deriv. de *godo* 'rico, persona
principal', con el sentido de 'vivir como un
rico, divirtiéndose y sin trabajar'. *Godos*
llamaban los rufianes a los nobles y los
ricos, por alusión a la frase *hacerse de los
godos* 'pretender que uno desciende de la
gente de esta raza'.
DERIV. *Regodeo*, 1605. Díjose también
godeo y *godearse*, S. XVI, de donde el jergal *godería* 'convite de gorra, borrachera',
1609, que, bajo el influjo de *gaudeamus*,
produjo a su vez el rioplatense y port. *gauderio* 'hombre de mala vida', 1773.

REGOLDAR 'eructar', h. 1400. Origen
incierto. Quizá del lat. vg. *REGŬRGĬTARE*
'volver a la boca el olor a comida', 'vomitar', deriv. del lat. GURGES, -ITIS, 'garganta'.
Regurgitare se encuentra en bajo latín (cast.
regurgitar, cultismo, S. XVIII) y puede suponerse que ya existiera en la Antigüedad,
puesto que entonces se hallan INGURGITARE
'hartar', EGURGITARE 'vomitar' y aun GURGI
TARE (V. además *GORJA*).

DERIV. *Regüeldo*, h. 1250.

Regolfar, V. *golfo* I   Regordete, V.
gordo   Regresar, regresión, regresivo, V.
regreso

REGRESO, 1726 (en derecho canónico,
1537). Tom. del lat. *regressus, -ūs*, 'retorno',
deriv. de *regrĕdi* 'volver atrás', y éste de
gradi 'andar'.
DERIV. *Regresar*, 1884 (1537, en derecho
canónico). *Regresivo*. *Regresión*, 1580, lat.
regressio, -ionis.

Regüeldo, V. *regoldar*   Reguera, re
guero, V. *regar*   Regulación, regulador,
regular, regularidad, regularizar, V. *regla*
Régulo, V. *rey*   Regurgitar, V. *gorja* y
regoldar   Rehabilitación, rehabilitar, V.
haber   Rehacer, V. *hacer*   Rehala, V.
rey

REHÉN 'persona que queda prisionera
en garantía de un pacto', S. XIII. Del ár.
vulgar *rehén* 'prenda' (árabe clásico *rahn*).

Rehez, V. *soez*

REHILAR, med. S. XV, 'temblar', 'moverse rápidamente y como temblando'. Origen incierto. Si, contra las apariencias, fuese el moderno *rilar* la forma primitiva, podría creerse que viene del gót. REIRAN 'temblar' (pronúnciese *riran*). *Rielar*, 1580, 'brillar con luz trémula', es metátesis de *rehilar*.
DERIV. *Rehilandera* 'molinete', 1599. *Rehilero*, princ. S. XVII. *Rehilete*. *Rehilo*.

Rehogar, V. *ahogar*   Rehoyo, V. *hoya*
Rehuir, V. *huir*

REHUSAR, 1220-50. Del lat. vg. *REFŪ
SĀRE* íd., deriv. de REFŪSUS, participio de
REFUNDERE 'rechazar' (propte. 'derramar',
deriv. de FUNDERE íd.).

Reina, reinado, V. *rey*

REINAL 'cuerdecita fuerte de cáñamo',
princ. S. XX. Probte. es lo mismo que el
adjetivo *reinal* (aplicado a otros objetos:
frutos, enfermedades) en el sentido de 'cosa
producida en el país, en el reino'.

Reinar, V. *rey*   Reincidencia, reinciden
te, reincidir, V. *incidir*   Reineta, V. *rana*
Reino, V. *rey*   Reintegrar, reintegro, V.
entero

REÍR, 1220-50. Del lat. RĪDĒRE íd.
DERIV. *Reidero*, 1843. *Riente*, h. 1580.
Sonreír, princ. S. XIV, lat. SŬBRĪDĒRE íd.;
sonriente; *sonrisa*, 1739. *Risa*, S. XV; antes *riso*, 1220-50, lat. RĪSUS, -US, íd.; *risada*;
risible, 1737; *risotada*. *Risueño*, 1607.

Cultismos: *Ridículo*, 1570; lat. *ridĭcŭlus* íd.; *ridiculez*, 1737; *ridiculizar*, S. XIX. *Irrisión*, fin S. XVI, lat. *irrisio, -onis*, íd., de *irridēre* 'burlarse de'; *irrisorio*, 1734.

REITERAR 'repetir', 1605. Tom. del lat. *reitĕrare* íd., deriv. de *iterare* íd.
Deriv. *Reiteración*. *Reiterativo*. Del simple *iterare* deriva *iterativo*.

REITRE 'soldado alemán de caballería', 1765-83. Del alem. *reiter* 'jinete', deriv. de *reiten* 'montar a caballo'.

Reivindicación, reivindicar, V. *real*

REJA I (parte del arado), 1216 (*rella*, 974), en port. *relha*, cat. *rella*. Del lat. RĒGŬLA 'barra de metal o de madera'.
Deriv. *Rejada* o *arrejada* 'aguijada', 1369. *Rejo* 'aguijón (de la hebilla, etc.)', 1737; 'hebilla', 1495; 'hierro puntiagudo', 1611; figuradamente 'robustez, fortaleza', med. S. XV; de 'hebilla del cinto' pasó a 'cinto de cuero', 1517, y luego 'tira de cuero', 'azote'. *Rejón*, 1475, 'barra cortante y puntiaguda', 'especie de lanza para herir el toro'; *rejonazo*; *rejoncillo*; *rejonear*, 1737; *rejoneador*.

REJA II, 1475, 'red de barras de hierro que se pone en las ventanas', en port. y cat. *reixa*, S. XIII. Probte. hay parentesco con el oc. *reja*, íd., fin S. XIII, it. ant. y dialectal *regge*, *rezza*, 'puerta de la iglesia', 'verja que separa a los fieles del altar', procedentes del b. lat. *regia*, S. VI, o *porta regia* 'puerta de la casa del Señor'. Pero todas las formas hispánicas presentan una -*x*- antigua, incompatible con esta etimología. Como en portugués y catalán antiguos *reixa* designaba cada uno de los barrotes de una reja, parece claro que en la Península Ibérica hubo fusión del b. lat. *regia* con el ár. *rîša* 'pluma', que vulgarmente tomó el sentido de 'rayo de rueda', 'paleta de rueda' y otros objetos en forma de bastoncito. Comp. RIJA.
Deriv. *Rejado*. *Rejero*; *rejería*. *Rejilla*. *Rejuela*. *Enrejar*, 1495; *enrejado*, 1495.

Rejada, V. *reja* I   *Rejado*, V. *reja* II

REJALGAR, 1243. Del ár. *rehŷ al-ġár* íd., propte. 'polvos de caverna', porque se extraía de las minas de plata.

Rejilla, V. *reja* II   *Rejo, rejón, rejonazo, rejonear*, V. *reja* I   *Rejuela*, V. *reja* II   *Rejuvenecer*, V. *joven   Relación, relacionar, relacionero*, V. *referir   Relajación, relajamiento, relajar, relajo*, V. *dejar   Relamer, relamido*, V. *lamer*

RELÁMPAGO, 1251, en portugués *relâmpago*. Pertenecientes a la familia del cat.

llampec, oc. *lampec* 'relámpago', cat. y oc. (*l*)*lamp* 'rayo', it. *lampo* 'relámpago', *lampeggiare* 'relampaguear'. En último término todos ellos proceden del gr. *lámpō* 'yo brillo', lat. tardío LAMPARE íd., y su familia; probte. se trata de derivados directos de este verbo, provistos de sufijos varios. *Relámpago* puede ser derivado del verbo antiguo *relampagar*, SS. XIII-XIV, que procedería de un lat. vg. *LAMPĬCARE, lo mismo que el cat. *llampegar* 'relampaguear'.
Deriv. *Relampaguear*, h. 1400. *Lampo*, 1817, 'resplandor como el del relámpago' = cat. *llamp*, 'rayo'; de *el lampo* se pasó a *el ampo*, princ. S. XVII, aplicado especialmente a la blancura de la nieve.

Relance, V. *lanza   Relapso*, V. *lapso   Relatar, relativo, relato, relator*, V. *referir   Relegación, relegar*, V. *legar   Relente*, V. *lento   Relevante, relevar, relevo*, V. *llevar   Relicario*, V. *reliquia   Relieve*, V. *llevar   Religar*, V. *ligar*

RELIGIÓN, 1220-50. Tom. del lat. *relĭgĭo, -ōnis*, íd., propte. 'escrúpulo, delicadeza', y de ahí 'sentimiento religioso'.
Deriv. *Correligionario*, S. XIX. *Religioso*, 1220-50; 'monje', 1335, lat. *religiosus* íd.; *religiosidad*, fin S. XVII.

RELINCHAR, h. 1400, del antiguo *reninchar*, S. XIII, por disimilación. Éste a su vez deriva de un *eninchar*, procedente del lat. vg. *HINNĬCLARE, anteriormente *HINNITULARE, deriv. de HINNITARE, intensivo vulgar del lat. HINNIRE 'relinchar'. De *HINNICLARE proceden también el cat. ant. *enillar* (hoy *renillar*), oc. ant. *enilhar*, it. *nicchiare*.
Deriv. *Relincho*, de *renincho*, h. 1300.

RELINGA, 1567; antes *ralinga*, 1493. Del fr. *ralingue* íd., S. XII, y éste del neerl. ant. *rálik* (hoy *raalijk*) 'relinga de la parte de la verga', cpt. de *râ* 'verga', y *lik* 'relinga'.
Deriv. *Relingar*, med. S. XV.

RELIQUIA, S. X. Tom. del lat. *reliquiae, -arum*, 'restos', 'residuos', deriv. de *reliquus* 'restante' (y éste de *relinquere* 'dejar').
Deriv. *Relicario*, 1574, simplificación de *reliquiario*, S. XIII.

RELOJ, h. 1400. Del cat. ant. y dial. *relotge*, 1362 (hoy *rellotge*), antes *orollotge*, 1386, y éste tom. del lat. *horologium* 'reloj de sol o de arena', gr. *hōrológion*, cpt. de *hṓra* 'tiempo', y *légō* 'yo cuento'. *Relotge* se adaptó en *reloje*, plural *relojes*, del cual se extrajo el singular analógico *reloj*.
Deriv. *Relojero*, 1607; *relojería*, S. XIX.

Reluciente, relucir, V. *luz   Relumbrar, relumbro, relumbrón*, V. *lumbre   Rellano*,

V. *llano* Rellenar, relleno, V. *lleno* Remachar, remache, V. *macho* II Remador, V. *remo* Remanente, remaner, V. *remanso* Remangar, V. *manga* Remansarse, V. *remanso*

REMANSO 'lugar donde se detiene la corriente', 1490. Del antiguo *remanso*, participio de *remaner* 'permanecer', h. 1140, lat. REMANĒRE íd.
DERIV. *Remansarse*. De *remaner*: *remanente*, 1599.

Remar, V. *remo* Rematar, remate, V. *matar* Remecer, V. *mecer* Remedar, V. *imitar*

REMEDIO, 1220-50. Tom. del lat. *remedium* íd., deriv. de *medēri* 'curar' (de donde *médico*).
DERIV. *Remediar*, 1495.

Remedo, V. *imitar*

REMEMBRAR 'recordar', 1220-50. Derivado del antiguo *membrar* íd., h. 1140, que viene del lat. MĔMŎRARE 'recordar (algo a alguno)', deriv. de MEMOR 'el que se acuerda de algo'.
DERIV. *Membrado* 'prudente, entendido', h. 1140. *Remembranza*, 1220-50. Por vía culta: *Rememorar*. *Memoria*, 1220-50, lat. *memoria* íd.; *memorial*, 1490, *memorialesco*, *memorialista*; *desmemoriado*, 1495; *inmemorial*. *Memorable*, 1444; *memorar*, 1490; *memorándum*. Conmemorar, 1438, lat. *commemorare*; *conmemoración*, 1438, *conmemorativo*.

Rememorar, V. *remembrar* Remendado, remendar, remendón, V. *enmendar* Remeneo, V. *menear* Remero, V. *remo* Remesa, V. *meter* Remesar, V. *mesar* y *meter* Remezón, V. *mecer* Remiendo, V. *enmendar*

REMILGADO y **REMILGARSE** 'hacer gestos afectados con el rostro, las mujeres' 2.ª mitad S. XVII. Lo primitivo es *remelgarse* (presente *remielga*, reducido a *remilga*), como se dice todavía en port., gallego y asturiano, con el sentido 'abrir los ojos desmesuradamente', propte. 'tener los párpados mellados (con vacíos en las pestañas)', lo cual se ha dicho también *remellado*, 1220-50, o *resmellado*, 1605. Es probable que así *remelgado* (RE-MELL-ICATUS) como *remellado* sean derivados directos o indirectos de *mellar*.
DERIV. *Remilgo*, 1737.

Remilgo, V. *remilgado* Reminiscencia, V. *mente* Remirado, V. *mirar* Remisible, remisión, remiso, remitente, remitir, V. *meter*

REMO, 1335 (*rimo*, h. 1250). Del lat. RĒMUS íd.
DERIV. *Remero*, 1493. *Remar*, 1492 (*rimar*, h. 1250); *remador*. *Remolar* 'operario que hace remos', h. 1600, del cat. *remolar* íd., 1357.
CPT. *Remiche* 'espacio entre banco y banco', 1604, del cat. *remig* íd., y éste del lat. REMĬGĬUM 'hilera de remos' (cpt. con *ăgĕre* 'empujar, mover').

Remoción, V. *mover* Remochar, V. *mocho* Remojar, remojo, remojón, V. *mojar*

REMOLACHA, 1737. Probte. del it. *ramolaccio* 'rabaniza, rábano silvestre', procedente del lat. ARMORACIUM íd.

Remolar, V. *remo*

REMOLCAR, 1528 (*remolgar*, 1475). Del lat. tardío REMŬLCARE íd., deriv. de REMŬLCUM 'cable de remolcar', a su vez tom. del gr. *rhymulkéō* 'yo remolco', cpt. de *rhŷma* 'cable de remolcar' y *hólkos* 'acción de tirar de algo', al cast. parece que llegó por el cat., donde es ya del S. XIII.
DERIV. *Remolcador*. *Remolque*, med. S. XVII.

Remoler, remolienda, remolinear, remolino, V. *moler* Remolón, remolonear, V. *morar* Remolque, V. *remolcar* Remonta, remontado, remontar, remontuar, V. *monte* Remoque, remoquete, V. *arrumaco* Rémora, V. *morar* Remorder, remordimiento, V. *morder* Remoto, remover, V. *mover* Remozar, V. *mozo*

REMUNERAR 'gratificar, pagar', h. 1440. Tom. del lat. *remunerari* íd., deriv. de *munus, -ĕris*, 'regalo'.
DERIV. *Remuneración*, 1438. *Remunerador*. *Remunerativo*. *Munificencia*, 1692, derivado latino de *munifĭcus* 'liberal', formado con *munus* y *facĕre* 'hacer'.

Renacer, renacimiento, V. *nacer* Renacuajo, V. *rana* Renal, V. *riñón* Rencilla, rencilloso, V. *reñir*

RENCO 'que arrastra una pierna', 1570. En cat. y oc. *ranc*, it. *ranco* íd. (usuales ya en la Edad Media, desde el S. XII). Procedentes probte. de un deriv. del germ. WRANKJAN 'torcer' (comp. alem. ant. *wrenken*, anglosajón *wrencan*, ingl. *wrench*). La historia y procedencia exacta de la palabra romance no están bien averiguadas, mas parece tratarse de un adjetivo gótico *WRANKS, deriv. de aquella voz germánica. En castellano el vocablo presenta forma alterada, por influjo del verbo *derrengar*, de otro origen: de ahí la *e* de *renco*, y la *-g-* de la variante dialectal y americana *rengo* 'cojo'.
DERIV. *Renquear*.

Rencor, rencoroso, V. *rancio*   *Rendibú,*
rendición, rendido, V. *rendir*   *Rendija*, V.
hender

RENDIR, h. 1325; antes, *render*, h. 1140.
Del lat. RĔDDĔRE 'devolver', 'entregar', alterado vulgarmente en *RĔNDĔRE bajo el influjo del contrapuesto PRENDĔRE 'coger'.
DERIV. *Rendición*, 1737. *Rendido*, 1220-
50. *Rendimiento*, h. 1580. *Renta*, 1215 (antes *renda*, 1131), lat. vg. *RĔNDĬTA, lat. RED-
DITA, participio neutro plural de REDDERE
(*renta* dada la falta de diptongo debió de
tomarse del francés); *rentar*, 1490; *rentero*,
1539; *rentista, rentístico*; del antiguo *renda*
deriva *arrendar* 'alquilar', h. 1240; *arrendador*, 1605; *arrendatario*; *arrendamiento*,
1605; *arriendo*, h. 1600.
CPT. *Rendibú*, h. 1900, del fr. *rendez-
vous* 'cita que se da a alguno'. *Rentoy*,
1599, probte. del fr. *rends-toi* 'acude' o 'en-
trégate'.

Renegado, renegador, renegar, V. *negar*
Renegrido, V. *negro*   *Renglera*, V. *rin-*
glera

RENGLÓN 'línea de escritura', 1386;
antes *reglón*, 1289, alterado fonéticamente
y por influjo de *ringlera*. *Reglón* es aumentativo de *regla*, propte. 'varita para trazar
líneas', que se empleó antiguamente en el
sentido de 'renglón', SS. XIII y XIV.

Rengo, V. *renco*   *Reniego*, V. *negar*

RENO, 1765-83. Del fr. *renne*, 1552, que
procede en definitiva de una palabra fino-
lapona (hoy anticuada), por conducto del
escandinavo y el alemán. De la forma is-
landesa *hreindêjri* parece haberse tomado
el fr. ant. *rangier*, S. XIII, latinizado luego
en *rangifer*, de donde se tomó el cast. *rangífero*, 1629.

Renombrar, -ado. renombre, V. *nombre*
Renovación, renovcr, renovero, V. *nuevo*
Renquear, V. *renco*   *Renta, rentar, rente-
ro, rentista, rentoy*, V. *rendir*   *Renueco,*
V. *rana*   *Renuevo*, V. *nuevo*   *Renuncia,*
renunciar, V. *nuncio*

RENVALSAR 'hacer un rebajo en las
hojas de puertas y ventanas, para que en-
cajen', 1832. Origen incierto; quizá deriv.
del fr. *évaser* 'ensanchar gradualmente un
objeto hacia su abertura o extremidad' (derivado de *vase* 'vaso').
DERIV. *Renvalso*, 1765-83.

REÑIR, 1220-50. Del lat. RĬNGĪ 'gruñir
mostrando los dientes', 'estar furioso'. Existió una variante fonética *rencir* (hoy *rancer*
en Asturias). de la cual deriva *rencilla* 'riña
mezquina', 1335.

DERIV. *Rencilloso*, 1335. *Reñido. Reñi-
dero. Riña*, 1591.

REO I 'especie de trucha marina', 1611.
Origen desconocido.

REO II 'culpable', 1480. Tom. del lat.
rĕus 'el que es parte en un proceso', 'acu-
sado, reo'.
DERIV. *Reato.*

REO-, primer componente de cultismos,
tom. del gr. *rhéos* 'corriente' (deriv. de
rhéō 'yo fluyo, mano'): *Reóforo*, 1899 (formado con *phérō* 'yo llevo'); *reómetro*,
1899 (con *métron* 'medida'), *reóstato*, 1899
(con *hístēmi* 'yo fijo, detengo').

Reóforo, V. *reo-*   *Repantigarse*, V.
panza   *Reparable, reparación, reparador,*
reparar, reparo, V. *parar*   *Repartición,*
repartidor, repartimiento, repartir, reparto,
V. *parte*   *Repasar, repaso*, V. *paso*   *Re-
patriado, repatriar*, V. *padre*   *Repecho,*
V. *pecho*   *Repelar*, V. *pelo*   *Repelente,*
repeler, V. *impeler*   *Repelo, repelón*, V.
pelo   *Repellar*, V. *pelota*

REPENTE, *de —*, 1570. Tom. del lat. *re-
pĕnte* íd., propte. ablativo de *repens, -tis,*
'súbito, imprevisto'.
DERIV. *Repentino*, 1570, lat. *repentīnus* íd.

Repercusión, repercusivo, repercutir, V.
percutir

REPERTORIO, 1495. Tom. del lat. *re-
pertorium* íd., deriv. de *reperiri* 'encontrar'.

Repesar, repeso, V. *pesar*

REPETIR, 1444. Tom. del lat. *repetĕre*
íd., propte. 'volver a dirigirse a, o volver
a traer algo', 'volver a pedir'.
DERIV. *Repetición. Repetidor.*

Repicar, repique, requiquetear, V. *picar*
Repisa, V. *pisar*   *Repizcar, -izco*, V. *pellizcar*   *Replegar*, V. *plegar*

REPLETO, 1737. Tom. del lat. *replētus*
íd., participio de *replēre* 'rellenar' (de la
misma raíz que *lleno* y *cumplir*).

Réplica, replicar, repliegue, V. *plegar*
Repollo, repolludo, V. *pollo*   *Reponer,*
V. *poner*   *Reportar, reportero*, V. *portar*
Reposado, reposar, V. *posar*   *Reposición,*
V. *poner*   *Reposo*, V. *posar*   *Repostería, repostero*, V. *poner*   *Reprender,*
reprensible, reprensión, represa, represalia,
represar, V. *prender*   *Representación, representante, representar, representativo*, V.
ser   *Represión, represivo, reprimenda, reprimir*, V. *oprimir*   *Reprobación, reprobar, reprobatorio, réprobo*, V. *probar*

REPROCHE, h. 1460. Del fr. *reproche* íd. Éste responde a una base *REPROPIUM, que es probte. una variante de los sinónimos lat. OPPROBRIUM y REPROBATIO por influjo del otro sinónimo IMPROPERIUM.
DERIV. *Reprochar,* h. 1460, del fr. *reprocher* íd.

Reproducción, reproducir, reproductivo, V. *aducir*

REPS, fin S. XIX. Del fr. *reps* íd., voz de origen incierto; quizá del ingl. *ribs* 'costillas' por alusión a las listas características del reps.

REPTIL, h. 1440. Tom. del lat. *reptĭle* íd., deriv. de *repĕre* 'andar arrastrándose'.
DERIV. *Reptar,* 1936, del lat. *reptare* íd., deriv. de *repere*; *reptación*; *reptante.*

República, republicano, V. *real*

REPUDIAR, 1370. Tom. del lat. *repŭdiare* íd.
DERIV. *Repudiación,* S. XVII. *Repudio,* 1490.

Repuesto, V. *poner   Repugnancia, repugnante, repugnar,* V. *puño   Repujado, repujar,* V. *empujar   Repulgado, repulgar, repulgo,* V. *pulgar   Repulido,* V. *pulir   Repulsa, repulsión, repulsivo,* V. *impeler   Repullar, repullón,* V. *pulla   Repuntar,* V. *punto   Repuso,* pretérito de *responder,* V. *responder   Reputación, reputar,* V. *imputar   Requebrar,* V. *quebrar   Requemar,* V. *quemar   Requerimiento, requerir,* V. *adquirir   Requesón,* V. *queso*

REQUETÉ, 1844-8, 'organización radical del partido carlista', parece haber sido primero el nombre popular del Tercer Batallón de Navarra en la primera guerra carlista (1833-40). Quizá abreviación de una expresión intensiva *el requete-valiente* o *el requete-beato* o *el que pelea requete-bien.*

Requiebro, V. *quebrar   Requilorio,* V. *adquirir   Requintar,* V. *cinco   Requisa, requisar, requisito, requisitoria,* V. *adquirir*

RES 'cabeza de ganado', h. 1200. Probablemente del lat. RĒS 'cosa', por una concreción de sentido semejante a la sufrida por *ganado,* que propte. significaba 'bienes adquiridos'. Por razones fonéticas no es posible que venga del ár. *rá's* 'cabeza', 'cabeza de ganado'.
DERIV. *Resero.*

Resabiar, resabio, V. *saber   Resaca,* V. *sacar   Resaltar, resalto,* V. *saltar   Resarcimiento, resarcir,* V. *zurcir*

RESBALAR, h. 1340. Alteración de *resvarar,* todavía usual en aragonés. Variantes, con prefijo diferente, del antiguo *desvarar* íd., h. 1290. De origen incierto; probte. deriv. del lat. VARUS 'patizambo', por ser forma frecuente de resbalar la del que se le va un pie y queda abierto de piernas. De *desvarar* viene *desbarrar* 'resbalar', princ. S. XVI, de donde 'caer en error, hablar disparatadamente', 1611.
DERIV. *Resbaladero,* 1495. *Resbaladizo. Resbalón,* 1737. *Resbaloso,* 1490.

RESCACIO, 1867: *rascasio,* 1789. Del oc. *rascasso* íd., propte. femenino del adj. *rascàs* 'tiñoso', 'rudo, rugoso', probte. por las manchas que lo cubren (o por las muchas espinas que tiene en la cabeza). *Rascàs* es deriv. de *rasco* 'tiña', y éste de *rascà,* del mismo origen y significado que nuestro *rascar.*

Rescaldo, V. *rescoldo*

RESCATAR, 1495. Deriv. del lat. CAPTARE 'tratar de coger', frecuentativo de CAPERE 'coger'. La fecha tardía de la voz castellana (en la Edad Media se decía *redemir*) sugiere la probabilidad de que se tomara del cat. *rescatar,* S. XIII, o quizá más bien del it. *riscattare,* S. XIV, donde corresponde a *accattare* 'tomar prestado', antiguamente y en los dialectos 'proporcionarse, comprar'.
DERIV. *Rescate,* 1444.

Rescate, V. *rescatar   Rescindible, rescindir, rescisión,* V. *escindir*

RESCOLDO 'cenizas todavía ardientes', 1599, está por *rescaldo,* 1525, cruzado con una variante más popular *rescodo (tal como coexistieron *saltar* y *sotar, alto* y *oto*); deriv. del antiguo adjetivo *caldo* 'caliente';

Rescriezo, V. *quicio   Rescripto,* V. *escribir   Resecar,* V. *seco   Resección,* V. *segar   Reseco,* V. *seco*

RESEDA, 1765-83. Tom. del lat. *resēda* íd.
DERIV. *Resedáceo.*

Reseguir, V. *seguir   Resentimiento, resentirse,* V. *sentir   Reseña, reseñar,* V. *seña   Reserva, reservado, reservar, reservista,* V. *conservar   Resfriado, resfriar, resfrío,* V. *frío   Resgar,* V. *rasgar   Resguardar, resguardo,* V. *guardar*

RESIDIR, 1495. Tom. del lat. *resĭdēre* 'permanecer', 'quedar', deriv. de *sĕdēre* 'estar sentado'

Deriv. *Residente*, 1490. *Residencia*, 1495; *residencial*; *residenciar*. *Residuo*, 1495, lat. *residuus, -a, -um*, adj., 'que queda, que resta'; *residual*.

Residuo, V. *residir*   *Resignación, resignar*, V. *seña*

RESINA, h. 1400. Del lat. RESĪNA íd. Deriv. *Resinoso*, 1600. Cpt. *Resinífero*.

Resistencia, resistente, V. *resistir*   *Resistero*, V. *siesta*

RESISTIR, 1438. Tom. del lat. *resistĕre* íd., deriv. de *sistĕre* 'colocar', 'tenerse'. Deriv. *Resistente*; *resistencia*, h. 1525. *Irresistible*.

RESMA, 1475. Del ár. *rízma* íd., propte. 'paquete, haz', 'bala de paños', deriv. de *rázam* 'ató en forma de paquete'.

Resol, resolana, V. *sol*   *Resolución, resoluto, resolutorio, resolver*, V. *absolver*   *Resollar*, V. *soplar*   *Resonancia, resonar* V. *sonar*   *Resoplar, resoplido*, V. *soplar*   *Resorte*, V. *surtir*   *Respailar*, V. *raspar*   *Respaldar, respaldo*, V. *espalda*   *Respectar, respectivo, respecto*, V. *respeto*

RESPETO, 1438. Tom. del lat. *respectus, -us*, 'consideración, miramiento', propte. 'acción de mirar atrás', deriv. de *respicĕre* 'mirar atrás' (de la misma raíz que *spectare* 'mirar'). Deriv. *Respetar*, 1570; *respetable, respetabilidad. Respetuoso. Respectivo.*

Respigar, V. *respingar y espiga*

RESPINGAR, 1517. De un cruce del antiguo *respendar* 'echar coces', h. 1250 (lat. *REPEDINARE*, deriv. de PES, PEDIS, 'pie'), con el asturiano *respigar* 'erizarse' (deriv. de *ríspido, rispio*, 'erizado, áspero', del lat. *hispidus* íd.). Deriv. *Respingo*, h. 1505.

Respingo, V. *respingar*   *Respiración, respiradero, respirar, respiratorio, respiro*, V. *espirar*   *Resplandecer, resplandeciente, resplandor*, V. *esplender*

RESPONDER, 1022. Del lat. RESPŎNDĒRE íd. El pretérito antiguo fue *respuso*, h. 1250, luego cambiado en *repuso*, todavía usual. Deriv. *Respondón*, h. 1580. *Respuesta*, 1220-50. *Corresponder*, 1559; *correspondiente*, 1438; *correspondencia*, 1438; *corresponsal. Responso* 'respuesta', h. 1250; 'palabra o verso que se repite muchas veces', 1490; 'el que se dice por los difuntos', h. 1600; tom. del lat. *responsus* 'respuesta'. *Responsable*, 1737; *responsabilidad*, S. XIX.

Resquebrajar, resquebrar, V. *quebrar*   *Resquemar, resquemo, resquemor*, V. *quemar*   *Resquicio*, V. *quicio*   *Resta*, V. *restar*   *Restablecer, restablecimiento*, V. *estar*   *Restallar*, V. *estallar*   *Restante*, V. *restar*

RESTAÑAR, 1495, 'detener el curso de un líquido'. Deriv. del lat. STAGNARE 'hacer que algo quede estancado, inmovilizar', derivado de STAGNUM 'agua estancada, estanque'.

RESTAR, 1490. Tom. del lat. *restare* 'detenerse', 'resistir', 'restar' (de *stare* 'estar firme'). Deriv. *Restante*, 1490. *Resta*, 1737. *Resto*, 1574. *Arrestar*, 1400 (*restar* en este sentido, h. 1300); *arresto. Contrarrestar*, 1843.

RESTAURAR, 1220-50. Tom. del lat. *restaurare* 'reparar', 'renovar', 'restaurar'. Deriv. *Restauración*, h. 1575. *Restaurador. Restaurante* o *restorán*, fin S. XIX, del fr. *restaurant* íd. *Instaurar*, 1555, lat. *instaurare* íd., de la misma raíz; *instauración*.

RESTINGA, 1492, 'arrecife', 'banco de arena', de donde luego se pasa a 'lengua de tierra que separa del mar libre una bahía o albufera', 1660. Hay variante *restringa*, h. 1573. Origen incierto. Quizá del ingl. *rock string* 'cordón de rocas'. Deriv. *Restingar* 'sondear', 1637.

Restitución, restituir, V. *constituir*   *Resto*, V. *restar*   *Restojo*, V. *rastrojo*   *Restrallar*, V. *estallar*   *Restregar, restregón*, V. *estregar*   *Restribar*, V. *estribo*   *Restricción, restrictivo*, V. *estreñir*   *Restringa*, V. *restinga*   *Restringir*, V. *estreñir*   *Resucitar*, V. *excitar*   *Resudar*, V. *sudar*   *Resuelto*, V. *absolver*   *Resuello*, V. *soplar*

RESULTAR, 1570. Tom. del lat. *resŭltare* 'resurtir, rebotar', deriv. de *saltare* 'saltar'. Deriv. *Resulta*, 1607. *Resultado*, 1607. *Resultante*; *resultancia*, S. XVII.

Resumen, resumir, V. *sumir*   *Resurgimiento, resurgir, resurrección*, V. *surgir*   *Resurtir*, V. *surtir*   *Retablo*, V. *tabla*   *Retaco*, V. *taco*   *Retaguardia*, V. *guardar*   *Retahila*, V. *hilo*   *Retajar, retajo*, *retal*, V. *tajar*

RETAMA, med. S. XIV. Del ár. *rátam*, vulgarmente *ratáma*. Deriv. *Retamal. Retamo*, fin S. XVIII; *retamillo*.

RETAR, S. XVI. Del antiguo *reptar* 'acusar', h. 1140, y éste del lat. RĒPŬTĀRE 'calcu-

lar', 'considerar', 'reflexionar', que en bajo latín tomó el sentido de 'hacer un reproche'. A juzgar por la evolución fonética, el castellano debió de tomarlo del oc.-cat. *reptar* o del bajo latín de Francia. Del sentido antiguo 'culpar, acusar', vino por una parte 'desafiar' y por la otra 'echar una reprimenda' (hoy americano, pero también catalán, etc.).
DERIV. *Retador. Reto*, h. 1140 (*riebto*).

Retardar, retardatario, retardo, V. *tardo Retartalilla,* V. *tartamudo Retazar, retazo,* V. *atarazar Retejar,* V. *techo Retemblar,* V. *temblar Retén, retención, retener, retentivo,* V. *tener Retesar,* V. *tender Reticencia, reticente,* V. *tácito Reticular, retículo, retina,* V. *red Retintín,* V. *retiñir Retinto,* V. *teñir*

RETIÑIR, h. 1300, 'sonar prolongadamente y como una campanilla'. Del lat. RETINNIRE 'volver a retiñir', 'resonar', derivado de TINNIRE 'retiñir'.
DERIV. *Retintín,* 1737, del antiguo *retinto* íd., 1490, propte. participio de *retiñir. Tintinear* o *tintinar,* S. XIX, del lat. *tintinnare* íd., del mismo origen onomatopéyico que *tinnire.*

Retir, V. *derretir Retirada, retirar, retiro,* V. *tirar Reto,* V. *retar Retobado, retobar, retobo,* V. *boto Retocar,* V. *tocar*

RETOÑAR 'volver a echar vástagos lo que ya había brotado por primera vez', 1596. Deriv. de *toñar* por *otoñar* 'volver a brotar la hierba en otoño' (en Asturias *toñada* u *otoñada* 'la segunda cría de hierba verde que dan los prados, la cual se pasta de noviembre a enero', en Castilla del Norte *entoñar,* 1601, 'plantar').
DERIV. *Retoñecer,* 1495. *Retoño,* 1495.

Retoque, V. *tocar Retorcer, retorcido, retorcijón,* V. *torcer*

RETÓRICO, fin S. XII, lat. *rhetorĭcus.* Tom. del gr. *rhētorikós* 'referente a la retórica', 'maestro de retórica', deriv. de *rhḗtōr, -oros,* 'orador', 'maestro de retórica', de la misma raíz que *rhêma* 'palabra, discurso' y *rhētós* 'dicho, expresado'.
DERIV. *Retórica,* h. 1250. *Retoricadamente. Retoricar.*

Retornar, retorno, V. *torno Retorta, retortero, retortijón, retortuño,* V. *torcer Retostado,* V. *tostar*

RETOZAR, 1335, 'saltar y brincar', 'travesear', en portugués *retouçar.* Deriv. del cast. ant. *tozo,* 1220-50, voz rara que significa 'burla'; de origen incierto, aunque desde luego ha de partir de una base *TAUTIUM. Es posible que ésta derive del prerromano *TAUTIA 'mata, tronco de árbol' (V. *ATOCHA*), quizá a base de la idea de 'ramita, objeto despreciable', de donde *retozar* 'burlarse'; o bien a base de la noción de 'retoñar, ser frondoso, lujuriante', de donde 'ser juguetón'. La evolución del sentido no está bien aclarada.
DERIV. *Retozo,* 1495. *Retozón,* 1495.

Retractación, retractar, retráctil, retracto, retraer, retraído, retraimiento, V. *traer*

RETRANCA, 1403, 'garrote o arco de madera sujetos a la albarda que, puestos tras las trancas de la caballería, servían para impedir que el aparejo se corriera hacia adelante', 'correa ancha que hace un oficio semejante'. Abreviación de *redro-tranca,* cpt. de *tranca* y *redro-* 'detrás' (del lat. RETRO íd.).
DERIV. *Arritranca,* 1587, o *arritranco,* 1842, 'racamento de la verga de cebadera'. *Retranquear. Retranquero.*

Retrasar, retraso, V. *tras Retratar, retratista, retrato,* V. *traer*

RETRECHERO 'disimulado', 1832, 'traidor', 'seductor': deriv. del antiguo *retrecha* 'vituperio, falta', S. XIII, antiguo participio de *retraer* 'echar en cara', deriv. a su vez de *traer.*
DERIV. *Retrechería. Retrechar,* 1544, otro deriv. de *retrecha.*

Retreta, retrete, V. *traer Retribución, retribuir, retributivo,* V. *atribuir Retroacción, retroactivo,* V. *acto Retroceder, retroceso,* V. *ceder Retrogradar, retrógrado,* V. *grado I Retrospectivo,* V. *espectáculo Retrotraer,* V. *traer Retroventa,* V. *vender Retrucar, retruco,* V. *trocar*

RETRUÉCANO 'juego de palabras', 1737; antes 'estribillo', 1490. Quizá del it. anticuado *rintrònico,* S. XIII, nombre de una composición poética, más tarde empleado figuradamente en el sentido de 'réplica malhumorada'. En castellano el vocablo sufriría el influjo de *trocar* y *retrucar* 'replicar', de donde la alteración fonética y la evolución del sentido. Pero la etimología de *rintrònico* a su vez no está bien aclarada; quizá alteración del oc. *retroencha,* S. XII, fr. *rotrouenge,* nombre de composición poética, aunque pudo influir *retrónica,* variante vulgar de *retórica.*

RETUMBAR 'resonar con estruendo', 1495. Voz hermana del fr. ant. *tombir* y *retombir*, port. ant. *tombar* y *retombar* (hoy *retumbar*) íd. De origen onomatopéyico: de una voz imitativa ¡TUMB!, que ha expresado el ruido resonante y el de un objeto que cae dando tumbos.

DERIV. *Retumbante. Retumbo.*

REUMA, 1555, lat. *rheuma.* Tom. del gr. *rhêuma, -atos,* íd., propiamente 'flujo' y después 'catarro', deriv. de *rhéō* 'yo mano, fluyo'.

DERIV. *Reumático,* 1737. *Reumatismo,* 1737. *Romadizo* 'resfriado', h. 1400, deriv. de *romadizarse* 'resfriarse', h. 1400, semicultismo, tom. del lat. *rheumatizare* íd.; *arromadizar.*

Reumático, reumatismo, V. *reuma Reunión, reunir,* V. *uno Reválida, revalidar,* V. *valer Revancha,* V. *vengar Revelación, revelador, revelar,* V. *velo*

REVELLÍN, término de fortificación, fin S. XVI (*rebelín,* 1572). Existe en francés (*revelin,* 1450), oc. (*revelin,* S. XV) e it. (*rivellino,* h. 1460). De origen incierto. Quizá deriv. del lat. REBELLIS 'rebelde', de donde procede el oc. ant. *revel* 'resistencia'. El punto de partida del término de fortificación es dudoso, quizá la lengua de Oc. El castellano de todos modos lo tomó de otro romance, proble. el francés.

Revendedor, revender, V. *vender Revenimiento, revenirse,* V. *venir Reventa,* V. *vender*

REVENTAR, fin S. XIV (quizá ya S. XIII). Voz común al cast. con el port. y cat. *rebentar.* De origen incierto. Teniendo en cuenta que el vocablo tiene *-b-* antigua (y no *-v-*) en los tres idiomas, y que el significado antiguo parece ser 'aparecer bruscamente, salir con ímpetu y de pronto' (de ahí luego *reventar la sangre* y finalmente 'estallar'), está claro que no puede derivar de *viento,* pero es probable que venga de un lat. vg. *REPENTARE 'salir de pronto', deriv. del lat. REPENTE 'repentinamente'.

DERIV. *Reventón* 'subida brusca', h. 1530, viene directamente del sentido de REPENTE.

Rever, V. *ver*

REVERBERAR, h. 1450. Tom. del lat. *reverberare* 'rebotar', 'reflejar (los rayos)', deriv. de *verberare* 'azotar'.

DERIV. *Reverberación,* 1640; *reverbero,* S. XIX. *Transverberar* 'herir de parte a parte', término de ascética, es otro deriv. de *verberare; transverberación.*

Reverbero, V. *reverberar Reverdecer,* V. *verde Reverencia, reverenciar, reverendo, reverente,* V. *vergüenza Reversible, reversión, reverso, reverter, revés, revesado, revesar,* V. *verter Revesar,* V. *rebosar Revesino,* V. *verter Revestido, revestir,* V. *vestir Revirar,* V. *virar Revisar, revisión, revista,* V. *ver Revivir,* V. *vivo Revocable, revocación, revocar,* V. *voz Revolar,* V. *volar Revolcadero, revolcar, revolcón,* V. *volcar Revolear, revolotear,* V. *volar Revoltijo, revoltillo, revoltón, revoltoso, revolución, revolucionario, revólver, revolver,* V. *volver Revuelco,* V. *volcar Revuelo,* V. *volar Revuelta, revuelto,* V. *volver Revulsión,* V. *convulsión*

REY, 983. Del lat. RĒX, RĒGIS, íd.

DERIV. *Reyezuelo,* 1607. *Reyuno* 'moneda con el sello del rey de España', 'caballo que pertenece al rey o al Estado, mostrenco'. *Real,* 1188, 'perteneciente al rey', lat. REGALIS; sust., 1495, para una moneda acuñada por el rey; *real* 'campamento', h. 1140, también 'cabaña', 'predio rústico', es palabra diferente, variante de *rehala* 'campamento de pastores', 'rebaño de varios dueños', S. XIII, procedentes de los ár. *raḥál* y *riḥâla* 'lugar donde se hace alto', 'campamento', 'majada', 'rebaño'. De *real* 'regio: *realengo,* h. 1300; *realeza,* 1399; *realista* 'partidario del rey', 1817.

Cultismos: *Regalía,* 1640; *regalista, regalismo. Regio,* h. 1440, lat. *regius* 'perteneciente al rey'. *Régulo,* S. XVIII, lat. *regŭlus,* diminutivo de *rex.*

Reina, 1475; antes *reína,* h. 1140, lat. REGĪNA íd. *Reino,* h. 1140, tom. del lat. *regnum* íd.; *reinar,* 3.er cuarto S. XIII, de *regnar,* 1220-50, lat. *regnare; reinado,* h. 1140.

CPT. *Regicida,* S. XIX, lat. *regicīda,* formado con *caedere* 'matar'; *regicidio. Regnícola,* con lat. *colere* 'habitar'. *Virrey,* 1495, lat. *vice regis* 'en lugar del rey'; *virreina,* 1552; *virreinato,* 1739; *virreinal.*

REYERTA, 1737, 'pelea, refriega'; antes *rehierta,* 1220-50, y más antiguamente *referta,* 1131. Significó primero 'vituperio', 'reproche'. Es deriv. del antiguo *refertar* 'censurar', 'zaherir, echar en cara'. Proble. del lat. vg. *REFERĪTARE,* deriv. de REFERRE 'replicar', 'rechazar'.

Reyuno, V. *rey Rezaga, rezagar, -ado, rezago,* V. *zaga*

REZAR, h. 1140. Hoy 'orar', antiguamente 'recitar, pronunciar en voz alta', hasta el S. XVI (y aun hoy en frases como *reza el libro*). Del lat. RECĪTARE íd.

DERIV. *Rezo,* 1737.

REZNO 'especie de garrapata', 1495. Del lat. RĪCĬNUS íd. y 'ricino'. De ahí *ricino,* 1765-83, por vía culta.

Rezo, V. *rezar*

REZONGAR 'refunfuñar', 1475. Como dialectalmente significa 'zumbar los insectos', y hay variantes diversas del tipo de *rezingar* (portuguesa), *reguingar, refungar, jungar*, etc., lo más probable es que sea voz onomatopéyica, derivada de una raíz TSONG (TSING, FUNG, etc.), imitativa de un ruido confuso.
DERIV. *Rezongador*, h. 1490. *Rezongo*, 1438. *Rezongón*, S. XVI.

Rezumadero, rezumar, V. *zumo   Ría, riacho, riachuelo, riada*, V. *río*

RIBA, ant., 942, 'ribera', 'ribazo'. Del lat. RĪPA 'margen de un río', 'orilla, ribera'.
DERIV. *Ribazo*, h. 1250. *Ribera*, 1064; *riberano*; *ribereño*, 1737. *Arribar*, h. 1140; *arribada*; *arribaje*; *arribazón*; *arribo*, h. 1800.
CPT. *Arriba*, S. X; *arribeño*, amer.

Ribazo, ribera, ribereño, V. *riba*

RIBESIÁCEO, h. 1900. De *ribes*, nombre culto de la grosella, y éste tom. del ár. *rībês* 'ruibarbo', empleado por los farmacéuticos europeos del Renacimiento como nombre de la grosella, por emplearse como sucedáneo del ruibarbo.

RIBETE, 1588 (*rivet*, 1402). Palabra común a las tres lenguas romances de la Península. Origen incierto. Quizá del ár. *ribâṭ* 'lazo, atadura', 'tira o faja de tela', o de otra palabra de la misma raíz arábiga *rábaṭ* 'atar'.
DERIV. *Ribetear*, 1607.

Ricacho, ricachón, ricahembra, V. *rico
Ricino*, V. *rezno*

RICO, h. 1140. Del gót. REIKS 'poderoso' (pronúnciese *rīks*).
DERIV. *Ricacho*, 1599; *ricachón. Riqueza*, h. 1140. *Enriquecer*, h. 1250.
CPT. *Ricohombre*, h. 1140. *Ricahembra*.

Ridiculez, ridículo, V. *reír   Riego*, V. *regar*

RIEL, 1475. Del cat. *riell* 'barra estrecha y larga de metal fundido', 1417. De origen incierto. Quizá diminutivo de *riu* 'arroyo', por la forma del metal derretido cuando se arroja en el molde. En la acepción 'carril del tren', med. S. XIX, se adoptó convencionalmente para sustituir el ingl. *rail*, de forma parecida pero de etimología diferente (fr. ant. *reille* 'barra', de REGŪLA), que se había empleado en España pronunciándolo *raíl*.

Rielar 'brillar con luz trémula', V. *rehilar*

RIENDA, h. 1140. Del lat. vg. *RĔTĬNA íd.*, deriv. de RETĬNĒRE 'retener' (como lo es el clásico RETINACULUM 'rienda').
DERIV. *Arrendar* 'atar por las riendas una caballería', h. 1140.

RIESGO 'peligro', 1570. Palabra hermana del cat. ant. *reec*, S. XIII, y oc. ant. *resegue*, S. XIII íd., y en forma más diferente, it. *rìsico*, 1193, o *rischio*, h. 1260; port. *risco*; cat. *risc*, S. XIII o XIV. De origen incierto. Es probable que tengan el mismo origen que el cast. *risco* 'peñasco escarpado', antiguamente *riesco*, 1222, por el peligro que corre el que transita por estos lugares o el navegante que se acerca a un escollo. Debe tenerse en cuenta que *riesgo* y *riesco* suponen como vocal primitiva una Ĕ, y que *riesgo* aparece en la Edad Media con el sentido de 'lucha, contradicción', h. 1300. Luego es posible que todo este grupo de palabras proceda del lat. RĔSĔCARE 'cortar', de donde 'dividir', 'sembrar discordia', y por otra parte 'lugar cortado y fragoso', y de ahí, finalmente, 'peligro'. En apariencia, en castellano actual, *arriesgar* tiene el aspecto de derivado de *riesgo*, cuando, según esta etimología, debiera ser lo contrario; detalle que deja cierta duda, pero que tal vez se explique por una modificación secundaria.
DERIV. *Arriesgar*, 1604; antes *arriscar*, S. XV, de donde *arriscado* 'valiente'. *Riscal* 'conjunto de riscos', ¿1239? *Derriscar* 'derribar', h. 1560. *Enriscar*, 1495. *Riscoso*.

RIFA 'lotería', fin S. XVI, antiguamente 'juego de tahures', 1283, y *rifar* 'sortear', 1591. Son la misma palabra que *rifar* 'reñir, andar a la greña', S. XIV, voz extendida por todas las lenguas romances de Occidente, con radical *rif-* o *raf-*, y con el sentido de 'pelear', 'saquear', 'arrebatar, arrancar', de donde se pasó a 'jugarse algo a los dados tumultuosamente, como hacen los tahures' y luego 'sortear'. Probte. creación expresiva.
DERIV. *Rifle*, h. 1900, del ingl. *rifle* 'fusil con estrías', deriv. de *rifle* 'estriar', del ír. ant. *rifler* 'desollar', perteneciente a la misma familia; *riflero*.

Rifle, riflero, V. *rifa   Rigidez, rígido*, V. *recio*

RIGODÓN, 1765-83. Del fr. *rigodon* íd., 1696. De origen incierto, quizá de un estribillo *rigodon-rigodaine*, que se cantaría al bailar esta danza.

Rigor, rigorismo, rigorista, riguroso, V. *recio*

RIJA 'fístula en el ojo', 1611. Del ár. *rîša* íd., propte. 'pluma', 'rayo de rueda' y otros objetos en forma de bastoncito (comp. el lat. *fistula* que propte. significa 'caña', 'lezna', etc.). Comp. *REJA* II.

RIJOSO 'pendenciero, propenso a reñir', 1490; 'dicho del caballo que se alborota en presencia de la hembra', 1605; 'lujurioso', 1615. Probte. tom. por vía semiculta del lat. *rīxōsus* 'pendenciero', deriv. de *rixa* 'pelea'.
DERIV. *Rijo* 'propensión a lo sensual', 1737.

Rilar, V. rehilar

RIMA ha significado tradicionalmente 'verso', 1220-50. Se tomó del oc. ant. *rima*, deriv. de *rim* íd., S. XII, que procede del lat. RHYTHMUS 'ritmo'. En la Edad Media tomó éste el sentido de 'verso de tipo romance, contado por acentos y por el número de sílabas, y comúnmente rimado', a distinción de METRUS, nombre del verso latino, que se regulaba sólo por la duración de las sílabas o cantidad. El sentido de 'terminación asonante o consonante' no se extendió en Francia hasta el S. XVI, y desde ahí se propagó al castellano en el XVIII. De *rhythmus* viene el cultismo *ritmo*, 1490. Comp. *ARRIMAR*.
DERIV. *Rimar*, h. 1250, antiguamente 'versificar'. De *ritmo*: *Rítmico*, princ. S. XV; *rítmica*, sust., 1490.
CPT. *Euritmia*; *eurítmico*; con el gr. *eu* 'bien'.

Rima 'rimero', V. *arrimar*   *Rimbombante, V. bomba*   *Rimero, V. arrimar*   *Rinanto, V. rino-*

RINCÓN, h. 1330. Forma alterada en lugar de los antiguos *recón* y *rencón* (ambos desde 1220-50), hermanos del cat. *racó*, S. XIV. Proceden del árabe vulgar *rukún* íd. (árabe clásico *rukn*).
DERIV. *Rinconada* (*renconada*, 1220-50). *Rinconera. Rinconero. Arrinconar* (*ranconar*, h. 1250).

RINGLERA 'hilera', 1607; antes *renglera*, 1535. En catalán, *renglera*, alteración de *renguera* por influjo de *regla* 'renglón' (V. *RENGLÓN*). *Renguera* es deriv. del cat. *reng* 'hilera', S. XIII, que a su vez procede del fráncico HRING 'corro de personas', propiamente 'círculo'. El vocablo en sus formas más antiguas hubo de tomarse del catalán, pues en castellano es desusado un primitivo equivalente a *reng*. Éste en francés ha tomado la forma *rang*, de donde el cast. *rango*, 1855.

RINGORRANGO, 1737. Onomatopeya del chirrido de la pluma.

RINO-, elemento inicial de varios tecnicismos, tom. del gr. *rhís, rhinós*, 'nariz'.
DERIV. *Rinitis*, h. 1900.
CPT. *Rinoceronte*, 1611, gr. *rhinokérōs, -ōtos*, formado con *kéras* 'cuerno'. *Rinología*, 1936; *rinólogo. Rinoplastia*, h. 1900. *Rinoscopia*, med. S. XIX, con gr. *skopéō* 'yo examino'. *Rinanto*, con gr. *ánthos* 'flor'.

Riña, V. reñir

RIÑÓN, h. 1400. Del lat. vg. *RENIO, -ŌNIS* (deriv. del clásico REN, RENTIS, íd.), del cual proceden casi todas las formas romances. A juzgar por el fr. *rognon* (frente a *rein*) y distinciones análogas en otras lenguas hermanas, *RENIO* debió de crearse para nombrar los riñones comestibles de ciertos animales, pero aunque el castellano conservó *renes* en toda la Edad Media, pronto hubo tendencia a generalizar el uso de *riñón*.
DERIV. *Riñonada*, 1490.
Cultismos: *Renal*; *suprarrenal*; *adrenalina*, derivado del lat. *glandulae adrenales* 'glándulas junto al riñón', por haberse extraído de las glándulas suprarrenales.

RÍO, 912. Del lat. RĪVUS 'arroyo', 'canal'.
DERIV. *Ría*, 1495. *Riacho*, 1490; *riachuelo*, 1548. *Riada*, S. XIX. *Enriar*.
Cultismos: *Rival*, 1610, lat. *rīvālis* 'competidor', propte. 'ribereño de un arroyo respecto del propietario del otro lado'; *rivalidad*, S. XIX; *rivalizar*.

RIPIA, 1269, 'tabla delgada', 'costero tosco de un madero'. Probte. del gótico *RIBJŌ* 'costilla', comp. el alem. ant. *rippa*, anglosajón *ribb* íd.; probte. los visigodos pronunciarían *RIBBJŌ* y la BB poco sonora de los idiomas germánicos se reprodujo en castellano como *p*.
DERIV. *Ripiar*, propte. 'dividir algo en partes más largas que anchas, como ripias'.

RIPIO 'cascajo empleado para rellenar huecos en albañilería', 1589, de donde 'relleno de un verso', 1599, y en América 'grava, guijo'. Origen incierto. Es poco probable que venga del gr. *eréipion* 'escombros', voz que no ha dejado huellas en latín ni en otras lenguas romances. Más bien se tratará de una forma mozárabe afín al mozár. *ripel* 'cascajo', cat. *reble* 'ripio', port. *rebo* 'guijarro', que proceden del lat. RĒPLUM, deriv. de REPLĒRE 'rellenar'.
DERIV. *Enripiar. Ripioso.*

Riqueza, V. rico   Risa, V. reír   Riscal, risco, riscoso, V. riesgo   Risible, risotada, V. reír

RISTRA, 1570, antiguamente *riestra*, h. 1300. Del lat. RĔSTIS, fem., 'cuerda' y en particular 'trenza que une una serie de ajos o cebollas'. *Ristre* 'hierro en el cual se afianzaba el cabo de la lanza', 1499, es independiente de *ristra* etimológicamente: es adaptación castellana del cat. *rest* 'ristre de la lanza', h. 1470, derivado de *restar* 'quedar, permanecer', lat. RĒSTĀRE; coincidiendo en catalán *rest* 'ristre' con *rest* 'ristra' (de RESTIS), al pasar al castellano se dio a este catalanismo una forma semejante a *ristra*, pero masculina como el cat. *rest*.

DERIV. *Enristrar la lanza*, 1604. *Enristrar* 'poner en ristra', 1500. *Enristre*.

Ristre, V. *ristra* *Risueño*, V. *reír* *Rítmico, ritmo*, V. *rima*

RITO 'ceremonia', h. 1450. Tom. del lat. *rĭtus, -us*, 'costumbre', 'ceremonia religiosa, rito'.

DERIV. *Ritual*, 1737, lat. *ritualis* íd.; *ritualista*.

Rival, rivalidad, rivalizar, V. *río*

RIZAR, 1599. Alteración de *erizar* 'encrespar' (deriv. de *erizo*). La variante *enrizar*, 1570, reúne los sentidos de 'erizar' y 'ensortijar el pelo'. En castellano el vocablo debió de imitarse del it. *arricciare* 'rizar', princ. S. XVI, que en sentido propio significa 'erizar' y es derivado de *riccio* 'erizo'.

DERIV. *Rizo* 'pelo ensortijado', h. 1580, adj., 1570 (y *riza*, 1517). En el sentido de 'pedazo de cuerda para recoger una vela' es palabra diferente: del fr. *ris*, S. XII, antiguo plural tom. del escand. ant. *rif* íd.; *arrizar* 'coger rizos de vela', S. XIX, 'atar, como término náutico', 'colgar, ahorcar', 1604.

Rizófago, rizoma, rizópodo, V. *raíz*

ROANO, 1570 (*ruano*), 'color de caballo mezclado de bayo, blanco y gris', antiguamente y todavía en muchas partes 'rojizo'; antes *roán*, 1156, y en forma arcaica *raudano*, 979. Probte. del gót. RAUDAN, acusativo de RAUDA 'rojo', de donde vienen asimismo (por conducto mozárabe) los valencianos *rodeno* y *rodana*, aplicados a terrenos rojizos y por lo general arcillosos.

RÓBALO, h. 1880, antiguamente pronunciado *robálo*, 1607, como hoy todavía en América, Galicia y Portugal. Es metátesis de **lobarro* (cat. *llobarro*), deriv. de *lobo*, que como el lat. LŬPUS 'lobo' se aplicó metafóricamente a este pez. Comp. el sinónimo *lobina*, también deriv. de *lobo*.

DERIV. *Robaliza*, 1817.

ROBAR, h. 1140. Palabra común a las principales lenguas romances, del germ. RAUBÔN 'saquear', 'arrebatar', 'robar con

violencia' (comp. el alem. *rauben* y el ingl. *bereave*).

DERIV. *Robador*, 1220-50. *Robo*, 1220-50. *Arrobarse* 'quedar fuera de sí', fin S. XVI, propte. 'arrebatarse hasta fuera de este mundo'; *arrobamiento*, fin S. XVI (*robamiento*, S. XV); *arrobo*, h. 1600. *Ropa*, 1080 (*raupa*, 917), voz hermana del port. *roupa* íd., cat. *roba* 'ropa' y antes 'mercancía', S. XIII, oc. ant. *rauba* 'ropa', 'despojo', 'robo', fr. *robe* 'prenda de vestir', it. *roba* 'ropa', 'ajuar', 'mercancía': todos ellos derivan del verbo germánico de donde sale *robar*, con el sentido primitivo de 'despojos, botín', y luego 'mercancías' y 'ropa', pero en cast. y portugués hay que partir de una variante **RAUPA* 'botín', debida al influjo que sobre aquel verbo ejerció otra voz germánica RAUPJAN 'pelar, arrancar' (alem. *raufen*); *ropaje*, S. XVII; *ropero*, S. XV; *ropería*, 1611; *ropilla*, 1220-50; *ropón*, 1589; *arropar*, med. S. XIII.

CPT. *Ropavejero*, h. 1550.

Robezo, V. *rebeco* *Robla, roblar*, V. *roble*

ROBLE, fin S. XIV, antes *robre*, h. 1325 (y el derivado *robredo*, 929). Del lat. RŌBUR, RŌBŎRIS, 'roble' y figuradamente 'fuerza, robustez'.

DERIV. *Robledo*, 929 (*robredo*); *robledal*, 1495. *Roblizo* 'robusto', 1495. *Roblar*, ant. 'confirmar una escritura' (*robrar*, 1100), del citado sentido figurado; *robla* 'convite con que se festeja una venta o su confirmación', 1185 (*robra*).

Cultismos: *Corroborar*, 2.º cuarto S. XV, lat. *corroborare*, de dicho sentido fig.; *corroboración*. *Robusto*, h. 1280, lat. *robŭstus* íd., deriv. de *robus*, forma arcaica de *robur*, en dicho sentido fig.; *robustez*, fin S. XVII; *robustecer*, S. XIX; *robustecimiento*.

Robo, V. *robar* *Robustecer, robustez, robusto*, V. *roble*

ROCA, 1438 (acaso ya S. XIV, pero es muy dudoso). Voz tardía en castellano y portugués, sin duda tomada del cat. o el oc. Tiene viejo arraigo en estas dos lenguas romances y en las demás de Italia y Francia, donde ya se ha señalado en 767. De origen incierto, seguramente prerromano, tal vez céltico (aunque es esencialmente ajeno a las lenguas modernas de esta familia); comp. *BERRUECO*.

DERIV. *Rocalla*, 1737, del fr. *rocaille*; *rocalloso*. *Roquedo*, S. XV; *roquedal*. *Roqueño*, S. XIX. *Rocoso*, 1923. *Derrocar*, h. 1140, tom. del cat.-oc. *derrocar* 'derribar', propte. 'despeñar, echar de una roca abajo', formado como estos dos sinónimos castellanos. *Rococó*, h. 1900, del fr. *rococo* íd., 1829, deriv. de *rocaille* 'rocalla', según un tipo de derivación propio del francés popular.

Rocada, rocadero, V. rueca   Rocalla, rocalloso, V. roca   Roce, V. rozar   Rocegar, V. rozagante

ROCIAR, S. XIV (ruciar, 1220-50). Hermano del cat. ruixar 'rociar', 'regar', y el port. rociar íd. Del lat. vg. *ROSCĬDĀRE; deriv. de RŌSCĬDUS 'lleno de rocío', 'húmedo', 'mojado'. Rocío, 1335, es deriv. castellano de rociar.
DERIV. Rociada, 1220-50 (ruc-). Rucio, S. XI, adj., '(animal) de pelo entrecano', de dicho lat. RŌSCĬDUS por comparación de la cabeza cana con una superficie cubierta de gotas de rocío o granos de escarcha; rucio, además de aplicarse también a las personas antiguamente, se halla entonces asimismo como sinónimo de rocío.

ROCÍN, 1170 (rocino, 1156) 'caballo malo'. Vocablo común a las principales lenguas romances. Probte. deriv. de otra palabra románica, representada por el cat. y oc. ròssa, fr. rosse, it. rozza, 'caballo malo', 'carroña de caballo'. Éste a su vez es de origen incierto: quizá de un germ. occid. *RŌTJA 'carroña', deriv. de RŌTJAN 'pudrirse' (comp. ingl. rotten 'podrido', alem. verrotten, rösten).
DERIV. Rocinante, formado por Cervantes, 1605, como nombre del famoso caballo arrocinado de Don Quijote. Arrocinar, arrocinado, 1495. Comp. ROZAGANTE.

Rocío, V. rociar   Rococó, rocoso, V. roca

ROCHO 'ave fabulosa de inmenso tamaño', h. 1490. Alteración del ár. rúḫ íd. Parece tratarse de una transcripción culta roch de dicha palabra arábiga, mal pronunciada.

Roda 'parte de la proa', V. rueda

RODABALLO, 1495, port. rodovalho, S. XIII o XIV De origen incierto. Probte. del céltico *ROTŌBALLOS 'el de cuerpo redondo', cpt. de las voces célticas ROTĀ 'rueda' y BALLOS 'miembro'.

Rodado, rodaja, rodaje, rodajuela, rodal, rodar, rodear, rodela, rodera, rodete, rodezno, rodezuela, rodilla, rodillera, rodillo, V. rueda   Rodio, V. rosa   Rodo, V. rueda   Rododafne, rododendro, V. rosa

RODRIGÓN 'vara para sostener los tallos y ramos de una planta', 1490, y **RODRIGAR** 'poner rodrigón a una planta', 1495.

Probte. de un lat. vg. *RŪDĬCA, resultante de un cruce entre las voces latinas RĪDĬCA 'rodrigón' y RŪDĬCŬLA 'varita', 'espátula'; estos vocablos tuvieron primitivamente la forma *rodigón, *rodigar, conservada dialectalmente en Portugal y en el mozárabe ráudaca 'percha', 'vara grande', forma luego alterada por influjo del nombre propio Rodrigo.
DERIV. Rodrigazón, 1495. Arrodrigar, h. 1580. Enrodrigonar, 1513, enrodrigar.

Roedor, V. roer

ROER, 1220-50. Del lat. RŌDĔRE íd.
DERIV. Roedor, 1737. Roedura, 1495. Corroer, 1555, tom. del lat. corrodĕre íd.; corrosión, 1555; corrosivo, 1555. Erosión, lat. erosio, -onis, deriv. de erodĕre 'sacar algo como royéndolo, corroer'.

ROGAR, h. 1140. Del lat. RŎGĀRE 'rogar' y 'preguntar'.
DERIV. Rogación. Rogador, h. 1140. Rogativa, S. XVI. Ruego, h. 1140.
Cultismos: Abrogar, 1431, lat. abrogare 'abrogar una ley', 'despojar a uno de sus funciones'; abrogación, S. XV. Arrogarse, h. 1600, lat. arrogare 'apropiarse'; arrogante, S. XV, propte. 'el que se arroga atribuciones'; arrogancia, 1438. Derogar, princ. S. XV, lat. derogare 'anular en parte una ley'; derogación, 1616; derogatorio. Erogación, de erogar, S. XVII, lat. erogare 'sacar para pagar'; supererogatorio. Interrogar, med. S. XV, lat. interrogare íd.; interrogación, med. S. XV; interrogante, 1605; interrogativo, 1490; interrogatorio, 1611. Irrogar, S. XIX, lat. irrogare 'proponer al pueblo algo contra alguno', 'imponer, infligir (castigo, etc.)'. Prerrogativa, 2.ª mitad S. XV, lat. praerogativa 'privilegio', 'elección previa', deriv. de praerogare 'pedir de antemano'. Prorrogar, h. 1440, lat. prorogare íd.; prorrogación, h. 1575, más común prórroga, 1737; prorrogable. Subrogar, 1737, lat. subrogare 'elegir a uno en reemplazo de otro'.

ROJO, S. XV. Del lat. RŬSSĔUS 'rojo subido'. Pariente del it. rosso íd. y el port. roxo, pero no del fr. rouge y el cat. roig (de RUBEUS). Es vocablo poco común en la Edad Media, y que antes significaba un color rojizo (como su pariente el fr. roux), frente a bermejo, colorado y encarnado, que son las denominaciones tradicionales del color de la sangre.
DERIV. Rojear, 1513. Rojez, S. XIX. Rojizo, S. XIX. Enrojecer, princ. S. XVII. Sonrojar, 1589; sonrojo.

Rol, Roldana, V. rueda   Rollete, rollizo, rollo, V. rueda   Romadizarse, romadizo, V. reuma

ROMANA (instrumento para pesar), 1397. Origen incierto. Es muy dudoso que sea genuina en árabe la palabra *rummána* íd., S. XII, de la cual se la suele derivar, palabra de uso poco generalizado en aquel idioma. También es incierto, aunque muy posible, que en árabe y en romance sea abreviación de *balanza romana*; lo que sí consta es que este aparato ya era conocido en la Roma antigua.

Romance, romancero, V. *romano*

ROMANO, adj., 1220-50. Del lat. ROMA-NUS 'perteneciente a Roma'.
DERIV. *Romanizar*, h. 1900; *romanización. Romance*, h. 1140, lat. ROMANĪCĒ, adverbio aplicado al habla de los romanos, y posteriormente al lenguaje hablado por las naciones romanizadas o neolatinas, de donde *hablar romance* (equivalente de 'hablar latinamente') y luego sustantivado *romance* como nombre de la lengua; luego se aplicó a los escritos en esta lengua, en particular los en verso narrativo, acepción concretada finalmente al género breve en que se fragmentaron en el S. XV los antiguos poemas épicos (la acepción 'novela', 'asunto romántico', amer., es grosero anglicismo); *romanzar* o *arromanzar* 'verter al romance o castellano', S. XIII; *romancero*, S. XVI. *Romántico*, med. S. XIX, del fr. *romantique*, primero 'novelesco', 1694, probte. tom. del ingl. *romantic*, princ. S. XVII, deriv. del fr. de Inglaterra *romant*, variante del fr. *roman* 'novela', 'historia novelesca en verso', que es la forma tomada en francés por el lat. ROMANICE; del inglés pasó al alem. *romantisch*, aplicado en el S. XVIII a ciertas tendencias literarias opuestas a las clásicas, del alem. se trasmitió esta acepción al francés, 1810, y de ahí al castellano; *romanticismo. Románico*, fin S. XIX, tom. del lat. *romanīcus* 'romano', con trasfusión de los sentidos arquitectónicos y filológicos que había tomado el fr. *roman* en el S. XIX. *Romanza*, med. S. XIX, del it. *romanza*, deriv. de *romanzo*, del mismo origen y sentido parecido al de *romance*.

ROMAZA, fin S. XIII. Resulta de un cruce de los dos nombres latinos de esta planta: RŪMEX, -ĬCIS, y LAPATHĬUM, plural LAPATHIA, de donde *RUMATHIA.

Rombal, V. *rombo*

ROMBO, 1737 (como término mágico, 1615), lat. *rhombus*. Tom. del gr. *rhómbos* íd., que propte. designa todo objeto de forma aproximadamente circular.
DERIV. *Rombal*.
CPT. *Romboide*, formado con gr. *êidos* 'figura'; *romboidal. Romboedro*, con *hédra* 'lado'.

Romeral, V. *romero* II   *Romería*, V. *romero* I

ROMERO I 'peregrino', h. 1295, antes *romeo*, 1155. Tom., por vía semiculta, del b. lat. *romaeus*, y éste del gr. *rōmâios*, propiamente 'romano', adoptado en el latín del Sur de Italia y luego aplicado a los peregrinos que se dirigían a Roma, de donde se hizo luego extensivo a otros.
DERIV. *Romería*, h. 1200.

ROMERO II, h. 1325, 'Rosmarinus officinalis L.'. Relacionado con el nombre de la misma planta en las lenguas hermanas (port. *rosmaninho*, cat. *romaní*, fr. *romarin*, it. *ramerino*), procedente del lat. ROS MARĪNUS íd., al que se aplicó el epíteto de 'marino' para distinguirlo del zumaque, también llamado *ros* en latín. Pero el cast. *romero*, procedente de una base *ROMARIUS, más bien parece resultar de un cambio de terminación de ROS MARIS, propte. 'ros de mar' (contraído en *ROMARIS).
DERIV. *Romerillo. Romeral.*

ROMO 'obtuso', 'de nariz chata', 1438, en port. *rombo*. Origen incierto. Es inseguro que pueda venir del lat. RHOMBUS 'rombo', por alusión a los dos ángulos obtusos de esta figura geométrica.

ROMPER, h. 1140. Del lat. RŬMPĔRE íd.
DERIV. *Rompedor. Rompido; rompida. Rompiente*, S. XIX. *Rompimiento*, 1495. *Roto* 'sujeto mal vestido', princ. S. XVII, 'sujeto de malas costumbres', 1603; *rotoso*, amer. *Rotura*, h. 1250; en forma culta, *ruptura*, 1555; *roturar*, S. XIX; *roturación; roturador. Corromper*, 1220-50, lat. CORRŬMPĔRE íd.; *corrompible; corrompido*, y cultamente *corrupto*, 1240; *corrupción*, 1438; *corruptela; corruptible*, 1444, *incorruptible. Ruta*, 1737, del fr. *route*, propte. 'rota', es decir 'camino abierto cortando el bosque'; *rutina*, 1817, del fr. *routine*, S. XVI, propte. 'marcha por un camino conocido'; *rutinario*.
Cultismos: *Abrupto*, 1560, lat. *abrŭptus* íd., participio de *abrumpĕre* 'cortar violentamente'. *Erupción*, S. XIX, lat. *eruptio, -onis*, deriv. de *erumpere* 'precipitarse afuera'; *eruptivo. Interrumpir*, 1515, lat. *interrumpĕre* íd.; *interrupción*, S. XVI; *interruptor. Irrumpir*, S. XIX, lat. *irrumpere* íd.; *irrupción*, med. S. XVII. *Prorrumpir*, 1444, lat. *prorumpere* íd.
CPT. *Rompecabezas*, h. 1900. *Rompehielos. Rompenueces. Rompeolas*, hacia 1900. Comp. *DERROTA*.

RON, h. 1770. Del ingl. *rum* íd., 1654. De origen incierto. Probte. abreviación de *rumbullion*, 1651, que aparece anteriormente con el mismo sentido, y que parece ser aplicación figurada del ingl. dial. *rumbullion* 'tumulto', por las refriegas que ocasionaba el consumo de este licor.

RONCAR, h. 1400. Del lat. RHONCHARE íd., deriv. de RHONCHUS 'ronquido', de origen griego. El adjetivo *ronco*, 1220-50, es el lat. RAUCUS íd., modificado por influjo de *roncar* (comp. el port. *rouco*, que conserva la forma primitiva, sin esta influencia).
DERIV. *Roncador*, 1495. *Ronquido*, 1495. *Roncón. Ronquera*, antes *ronquedud*, 1495. *Enronquecerse*, 1495, o *enronquecer*.

Ronce, roncear, V. *roncero*

RONCERO, h. 1400, y **RONCEAR**, S. XV. Origen incierto. El significado antiguo fue 'hipócrita, engañoso, halagador'. Probablemente deriv. del antiguo *ronce*, h. 1480, 'halago engañoso', y éste del ár. *ramz* o *rumz* 'guiño', 'expresión figurada, alegoría' (en árabe vulgar éste sonaba *romz*, y el otro, con una *a* tirando algo hacia *o*).
DERIV. *Ronceria*, 1399.

Ronco, roncón, V. *roncar*

RONCHA, h. 1400. Origen incierto. El sentido primitivo parece ser 'cardenal', 'mancha colorada que sale en la piel', de donde, 1599, 'bulto que sale en la piel'; la forma primitiva pudo ser *ronja*, hoy pronunciado *ronža* por los judíos sefardíes.

RONDA, h. 1260, 'patrulla', 'camino de la patrulla', 'grupo de personas que andan haciendo la ronda'. Antes *arroba*, h. 1140, o *robda*, h. 1260. Del ár. *rubṭ*, plural de *rábiṭa* 'patrulla de jinetes guerreros' (la misma palabra que dio *rábida*, V. REBATO).
DERIV. *Rondar*, h. 1300, antes *robdar*, h. 1140, propte. 'hacer su curso la ronda o patrulla'. *Rondalla* 'grupo de mozos que ronda por el pueblo', 'grupo de danzantes aragoneses', 1832. *Rondín*.

Rondalla, rondar, rondín, V. *ronda*

RONDIZ, 1721 (variantes *rondís* y *redondiz*) 'línea que sirve para medir el diámetro de las piedras preciosas'. Parece tomado del fr. *rondies* 'cilindros para dar forma redonda a las planchas de plomo', deriv. de *rond* 'redondo'.

Rondó, V. *redondo*

RONDÓN, *de* —, 1335, 'impetuosamente', 'sin permiso'. Del fr. ant. *de randon* 'corriendo, rápidamente', S. XII, deriv. de *randir* 'galopar, correr impetuosamente'. Éste

a su vez parece deriv. de un fráncico *RAND 'corrida, carrera' (alem. dial. *rant* íd.), procedente del germ. RINNAN 'correr' (alem. *rennen*, ingl. *run* íd.).

Ronquedad, ronquera, ronquido, V. *roncar*

RONZAL, princ. S. XVII. Era *ransal* en el S. XV y hoy todavía en Aragón. Del ár. *rasan* íd., vulgarmente también pronunciado *rásán* (casi *rosán*); de ahí *ronzán*, cambiado en *ronzal*, por disimilación ayudada por el influjo del sinónimo *ramal*.

ROÑA, 1464, 'sarna'. Voz común a todas las lenguas romances de Occidente. Hay relación indudable con el lat. tardío ARANĚA 'sarna', que se ha conservado casi intácto en el gallego *raña* y el rum. *rîie* íd. (*răñă* en el rumano de Meglen). Las demás lenguas romances presentan una alteración de la A acentuada en *o*, no bien explicada, quizá debida al influjo de otro vocablo (RŬBEA 'roya' o ROBIGO 'herrumbre' tal vez).
DERIV. *Roñoso*, 1404. *Roñería*, 1737.

Ropa, ropavejero, ropero, ropilla, ropón, V. *robar*

ROQUE 'torre del ajedrez'. Del ár. *ruḫḫ* íd., propte. 'carro'.
DERIV. *Enrocar; enroque*.

Roquedal, roquedo, roqueño, V. *roca*

ROQUETE 'sobrepelliz eclesiástica', 1469 (*roquet*). Del cat. u oc. *roquet* 'sobrepelliz', h. 1200, diminutivo de *roc*, también nombre de vestido. Éste se tomó del fráncico *ROK 'chaqueta' (comp. el alem. *rock* íd.). En el sentido de 'hierro de la lanza de torneo', S. XV, cat. *roquet* íd., parece ser el mismo vocablo, en el sentido de 'lo que cubre la lanza'.

Rorcual, V. *narval*   *Rorro*, V. *arrullar*

ROS, h. 1855. Del nombre del general Ros de Olano, que introdujo esta prenda de uniforme cuando era Director de Infantería.

ROSA, 1220-50. Tom. del lat. *rŏsa* íd., con carácter primitivamente semiculto.
DERIV. *Rosáceo*, S. XIX. *Rosado*, S. XIII. *Rosal*, h. 1325; *rosaleda*, S. XIX. *Rosario* 'conjunto de oraciones dedicado a la Virgen, donde se la compara muchas veces con una rosa', 1591; 'sarta de cuentas para rezarlo', 1595, de donde 'espinazo', 1737, por comparación de éstas con las vértebras. *Róseo*, 1737; *roséola. Roseta*, 1335; *rose-*

tón, 1737. *Sonrosar*, 1739 (*sonrosear*, h. 1580).

Cpt. Del gr. *rhódon*, equivalente de *rosa*; *rododendro*, formado con el gr. *déndron* 'árbol'; *rododafne*, con *dáphnē* 'laurel'; y el deriv. *rodio*.

Rosario, V. *rosa*

ROSBIF, 1884. Del ingl. *roast beef*, propiamente 'carne de vaca asada'.

ROSCA, h. 1300. Voz peculiar de las tres lenguas romances de la Península. De origen incierto, quizá prerromano; acaso de un *RŌSCĀ* 'ruedecita', propio de una lengua indoeuropea de España (equivalente del tema ROTHSKO-, 'que corre, rápido', conservado en germánico y deriv. de ROTHĀ 'rueda', RETHŌ 'yo corro'). Las acepciones que se hallan desde más antiguo son las que entrañan la idea de 'objeto de forma circular', particularmente 'bollo o pan de esta forma', h. 1300, 'espirales en que se dobla una culebra', 1495; 'círculos en que plegamos una cuerda'; la acepción técnica 'máquina compuesta de tornillo y tuerca', parece ser más moderna.

Deriv. *Rosco*, 1525. *Roscón*, 1721. *Rosquilla*, 1495; *rosquillero. Enroscar*, 1495; *rosquear* 'enroscarse', S. XVI. *Trasroscar*.

Rosco, V. *rosca   Róseo, roséola, roseta, rosetón*, V. *rosa*.

ROSICLER 'plata roja, mineral combinado de rejalgar con plata' 1513 (*rochicler*), 'color rojo brillante' 1562, del cat. *rogicler* 'plata roja' 1412, y éste del ár. *rǎhǧ al-ǧár* 'rejalgar' alterado por el romance en *roig i cler* como si significara 'rojo y claro' (*cler* es pronunciación arabizante o francesa del adjetivo *claro*).

ROSILLO, 939 (*rosello*). De un lat. vg. *ROSĒLLUS*, formado con la raíz de ROSĒUS íd. (aplicado a color de caballo en el S. VII), deriv. de ROSA 'rosa'.

ROSOLI, 1721 (*rosolís*, 1705). Probte. tomado del lat. moderno *ros solis* 'rocío del sol', nombre que parece haberse dado a este licor por emplearse en su preparación la planta droserácea *rocío del sol*.

Rosquear, rosquilla, rosquillero, V. *rosca*

ROSTRO 'cara', S. XV; antes 'pico u hocico puntiagudo de un animal', h. 1140; 'jeta humana de aspecto bestial', h. 1280; 'parte prominente de la faz humana', S. XIII. Del lat. RŌSTRUM 'pico', 'hocico' (derivado de RODĔRE 'roer').

Deriv. *Arrostrar*, h. 1580. *Derrostrarse*, 1539. *Enrostrar*, S. XX. *Sorrostrada*, 1220-50.

Rota 'derrota', V. *derrota*; 'tribunal romano', V. *rueda   Rotación, rotatorio*, V. *rueda   Roto*, V. *romper   Rotonda*, V. *redondo   Rótula, rotular, rótulo*, V. *rueda   Rotundo*, V. *redondo   Rotura, roturar*, V. *romper   Roya, royo*, V. *rubio   Roza, rozadura*, V. *rozar*

ROZAGANTE 'vistoso, gallardo', med. S. XVII, antes sólo 'lujoso', aplicado a trajes, S. XVII; primitivamente designaba una ropa que arrastraba por el suelo, 1603. Del cat. *rossegant* 'que arrastra', participio de *rossegar* 'arrastrar' (pronúnciase igual que *rossagar*), S. XIII, aplicado primero a la pena de muerte por arrastre, también oc. *rossegar*, hoy *roussà*. Probte. deriv. del cat.-oc. *ròssa* (V. *ROCÍN*), por practicarse esta operación haciendo arrastrar al reo por caballos malos, de carga. El catalanismo *rocegar* 'arrastrar' se empleó también en castellano en el S. XV.

ROZAR. Significó primeramente 'roturar, arar un campo por primera vez', 1282; 'limpiar de matas y hierbas', 1490; después 'pacer la hierba de un prado', 1596; 'raer y desgastar la superficie de un objeto', 1383, y, en fin, 'pasar tocando ligeramente', 1601. Del lat. vg. *RŪPTIARE*, deriv. de RŪMPĔRE 'romper' (participio RUPTUS).

Deriv. *Roza* 'tierra roturada', 980. *Rozadura. Rozamiento*, 1843. *Rozo* 'acción de roturar', 1627; 'tarugo de leña menuda', 1605; 'comida', fin S. XV. *Rozón. Roce*, S. XIX.

Rozo, rozón, V. *rozar   Rúa*, V. *ruana*

RUANA 'manta raída de que se sirven los pobres', princ. S. XVII, 'especie de capote o poncho de la gente del pueblo', amer. Parece deriv. del cast. ant. *ruano* 'hombre de guerra que no era hidalgo, caballero ni escudero', h. 1300, de donde 'plebeyo, ordinario'. Éste debe de ser deriv. del antiguo *rúa* 'calle', SS. XII-XVI, procedente (como el fr. *rue*, port. *rua*) del lat. RŪGA 'arruga' y vulgarmente 'calle'.

Ruano, V. *ruana   Rubefacción, rubéola, rubescente, rubí, rubiáceo, rubial, rubicundez, rubicundo*, V. *rubio*

RUBIO, 950. Del lat. RŬBĔUS 'rojizo'. En Aragón el mismo vocablo latino se convirtió en *royo* 'rojizo'.

Deriv. *Rubia* (planta), 1495, femenino sustantivado que conservó el sentido etimológico de 'rojizo'; *rubiáceo. Rubial* 'terreno rojizo', S. XIII. *Roya* 'honguillo parásito', 1737 ('ictericia' mozár., S. XIII). *Rubión*, 1605. *Rubí*, 1402, del cat. *robí*, S. XV (*rubinus* en bajo latín, *rubino* en italiano, oc. *rubi(n)*, de cuyo nominativo *rubís* viene el fr. *rubis*).

Cultismos: *Rubéola. Rubescente*, participio del lat. *rubescere* 'enrojecer'; *erubescente*, de *erubescere* íd.; *erubescencia. Rubicundo*, 1444, lat. *rŭbĭcŭndus* 'rojizo, colorado'. *Rubidio*, h. 1900, deriv. del lat. *rubĭdus* 'rojo pardusco'. *Rubor*, 1438; del lat. *rŭbor, -ōris*, íd.; *ruborizar*, med. S. XIX; *ruboroso*, 1817. De *rubor*, por vía semiculta, derivó *arruborar*, disimilado en *arrebolar*, 1591, de donde *arrebol*, 1438. *Rubro*, adj., h. 1435, lat. *rŭber, -bra, -brum*, 'rojo'; sustantivado, amer. *Rúbrica*, h. 1490, lat. *rŭbrīca* 'tierra roja', 'título escrito en rojo'; *rubricar. Rufo*, 1737, lat. *rūfus* 'rojizo, rojo', voz afín a *rubeus*.

Cpt. *Rubefacción.*

Rubor, ruborizar, ruboroso, rúbrica, rubricar, rubro, V. *rubio   Ruciar, rucio*, V. *rociar*

RUDA, 1399 (planta). Del lat. RŪTA íd. Deriv. *Rutáceo.*

RUDO, adj., 1335. Tom. del lat. *rŭdis* 'grosero, burdo', propte. 'que está en bruto, no trabajado'.

Deriv. *Rudeza*, 1335. *Rudimento*, fin S. XVII, lat. *rudimĕntum* 'aprendizaje'; *rudimentario*, S. XIX. *Erudito*, 1591, lat. *erŭdītus*, participio de *erudire* 'enseñar', propte. 'quitar la rudeza', 'desbastar'; *erudición*, h. 1580.

RUECA, h. 1400. Voz de origen germánico; probte. del germ. común *RŎKKO íd. (comp. el alem. *rocken* íd.), introducido en el latín vulgar desde fecha muy antigua (quizá por el mayor desarrollo de la hilandería entre los bárbaros que entre los romanos), y convertido en un femenino *RŎCCA según el modelo de los nombres latinos de la rueca (COLUS, COLUCULA), que eran femeninos.
Deriv. *Rocada. Rocadero*, 1555.

RUEDA, 1220-50. Del lat. RŎTA íd. *Roda*, h. 1573, propte. 'madero arqueado que forma la proa', del cat. *roda* íd., propte. 'rueda'. *Tribunal de la Rota*, latinismo, por alusión a la forma rotativa o turnada de sus procedimientos.
Deriv. *Ruedo*, 1490. *Rodar*, 1335, lat. RŎTĀRE íd.; 'caer rodando', princ. S. XVII; *rodada*; *rodadizo*; *rodado* 'rotatorio', '(caballo) que tiene manchas redondas más oscuras que el resto de su pelo', 1085. *Rodaja* 'pieza circular', 1495; 'estrellita de la espuela', princ. S. XVII; *rodajuela. Rodaje. Rodal*, S. XIX. *Rodear*, 1335; *rodeo*, 1220-50; *arrodearse* and. 'ponerse (algo) entorno'. *Rodera*, 1925. *Rodete*, S. XVI. *Rodezuela*, 1490. *Rodela*, 1517, adaptación del it. *rotella*, íd., propte. 'escudo circular pequeño'; *arrodelar. Rodillo*, 1611.

Rodezno, 1065, en portugués *rodízio*, rético *rudéischen*, lat. vg. *ROTĬCĬNUS*, con sufijo diminutivo como el de *lobezno, osezno, torrezno*.

Rodilla, 1220-50, tuvo primero el significado de 'rótula' (sentido que conservan el portugués antiguo *rodela* y sus afines occitanos, réticos, sardos e italianos dialectales), nombre alusivo a la forma de este hueso, y luego pasó a emplearse con el sentido de 'rodilla' con objeto de evitar el antiguo nombre de ésta *hinojo* (lat. vg. GENŬCŬLUS, clásico GENU), que se confundía con el nombre de planta en castellano; significa además dialectalmente 'almohadilla circular que se pone sobre la cabeza para soportar un peso', de donde luego 'trapo para limpiar', 1335; *rodillera*, S. XIX; *arrodillar*, h. 1300.

Rodo, en *traer a rodo* 'traer al retortero, poner en marcha', 1335, *a rodo* 'a porrillo', h. 1600, deriv. de *rodar. Roldana* 'polea', h. 1573, del cat. ant. *rotlana* (hoy *rotllana*) 'roldana', 'rodaja', 'corro', deriv. de *rotle* 'rollo', lat. RŎTŬLUS 'ruedecita'. De éste, por vía semiculta o por conducto del portugués, *rollo*, 1405; *rollizo*, 1570; *rollete*; *rollón*; *arrollar*, 1591; *arrollamiento*; *desarrollar*, 1732; *desarrollo*; *enrollar*, S. XIX. *Rol*, fin S. XIV, del fr. *rôle*, semicultismo, del citado lat. *rotulus*; *roleo*, 1708, del fr. *rouleau*; *enrolar. Rular* 'rodar', ant. 1737, del fr. *rouler* íd., lat. ROTULARE; *rulo* 'rizo del cabello', amer., antes 'bola', 1737; 'cilindro', princ. S. XIX; *ruleta*, 1811, del fr. *roulette* íd. *Rótulo*, 1611, tom. del citado *rŏtŭlus* en el sentido de 'rollo de papel desdoblado'; *rotular*, 1737 (*retular*, 1607). *Rotación*, h. 1700; *rotatorio*, S. XIX; *rotativo*, de donde *rotativa*, sust. *Rótula*, 1737, V. arriba *rodilla*.

RUFIÁN, S. XIV o XV. Vocablo común a las principales lenguas romances, muy antiguo en Italia (*ruffiano*, S. XIII) y Sur de Francia (1243), y quizá nacido en el primero de estos países. De origen incierto. Tal vez procedente del lat. RUFUS 'pelirrojo', sea por la prevención vulgar que existe contra la gente de este color, o por la costumbre de las meretrices romanas de adornarse con pelucas rubias. Como *rufián* propte. es el hombre que vive de las prostitutas, un *RŪFŪLANUS (que habría dado normalmente *ruffiano* en Italia), deriv. de RŪFŬLA 'rubiecita', y luego 'meretriz', es posible, aunque doblemente hipotético, y cabe imaginar otros modos de formación.
Deriv. *Rufianear*, 1495. *Rufianería*, 1495. *Rufianesca*; *rufianesco. Arrufianado*, h. 1530. *Rufo* 'rufián', h. 1500.

Rufo 'rufián', V. *rufián*; 'bermejo', V. *rubio   Rugido, rugir*, V. *ruido   Rugosidad, rugoso*, V. *arruga*

RUIBARBO, 1495. Alteración semiculta del lat. *rheu barbărum,* y éste del gr. *rhêon* o *rhâ*; en Roma se llamó 'bárbaro' a una especie traída de las orillas del Volga y de la China, a diferencia del *rheu ponticum* (V. *RAPÓNCHIGO*), que se traía del Ponto o Mar Negro.

RUIDO, h. 1140 (*roído*). Del lat. RŬGĬTUS, -US, 'rugido', que vulgarmente tomó ya el sentido de 'estruendo'. El verbo correspondiente RUGIRE se conservó en el cast. ant. y judeoespañol *ruir* 'susurrar', asturiano *ruxir* 'hacer ruido'. Por vía culta *rugir* 'bramar el león', 1570.
DERIV. *Rugido,* 1570. *Ruidoso,* fin S. XVII. De la misma raíz latina deriva *rūmor, -ōris,* 'ruido', 'rumor', de donde el cultismo *rumor,* h. 1440; *rumoroso*; *rumorearse.*

Ruin, V. ruina

RUINA, 1220-50. Del lat. RŬĪNA 'derrumbe, desmoronamiento', 'ruina'.
DERIV. *Arruinar,* 1547. *Ruinoso,* 1554. *Ruin,* 1335 (*roín*), hermano del port. *ruim* y cat. *roí* o *roín*; lo primitivo sería **ruino* 'ruinoso, echado a perder' (deriv. de *ruina*), que pasaría a *ruin* en apócope proclítica (*ruin camino,* etc.) y de ahí se generalizaría esta forma en el masculino y en el femenino; *ruindad,* h. 1400.

Ruiponce, V. rapónchigo   Ruir, V. ruido

RUISEÑOR, 1220-50. Del oc. ant. *rossinhol,* procedente del lat. vg. *LŬSCĬNĬŎLUS, diminutivo de LUSCINIA o LUSCINIUS íd. En romance la primera L se cambió en *r* por disimilación, y en castellano este vocablo extranjero se alteró en virtud de una etimología popular, que lo interpretó como si fuese *Ruy señor* 'señor Rodrigo'.

Rular, V. rueda

RULÉ 'trasero', h. 1905. Palabra jergal tomada del gitano.

Ruleta, rulo, V. rueda   Rumba, rumbantela, rumbear, rumbero, V. rumbo

RUMBO, 1494. Designó primitivamente cada uno de los 32 espacios en que se divide la rosa de los vientos y en que se considera dividido el horizonte, de donde luego (1535) 'dirección que se toma para encaminarse a un lugar, esp. tratándose de buques'. Procede básicamente del lat. *rhombus* (gr. *rhómbos*) 'rombo', por estar representada esta figura en dichos espacios de la brújula, denominación consolidada por la creencia vulgar de los marineros que atribuían a los astrólogos y brujos el rombo como signo mágico, y que al principio creyeron que el piloto al tomar la altura de los astros actuaba por astrología y arte mágica. El cultismo *rombo* se cambió luego en *rumbo* en boca de los marinos por influjo del término náutico *rumo* 'espacio o sitio en un navío', procedente del germ. *rûm* de igual significado. *Rumbo* en el sentido de 'pompa, ostentación', princ. S. XVII, antes 'fama, prestigio', h. 1600, viene del rombo como signo mágico, con sentido propio de 'embrujo o encanto'; de ahí 'prestigio', 'pompa', luego 'ostentación rufianesca o rameril', princ. S. XVII, 'alboroto', princ. S. XVII, y finalmente 'juerga, parranda', que es lo que propte. significa *rumba* en Cuba, luego 'baile provocante', propagado desde este país a todo el mundo (en Italia ya en 1931). Comp. *ARRIMAR.*
DERIV. *Rumbantela* 'parranda', amer., sin duda de origen gallego o portugués, diminutivo de un *rumbante* 'el que corre parrandas'. *Rumboso,* 1737. *Rumbero. Rumbear* o *arrumbarse,* princ. S. XVII, 'tomar cierto rumbo'.

RUMIAR, 1335. Del lat. RŪMĬGĀRE íd., deriv. de RUMA 'primer estómago de los rumiantes'.
DERIV. *Rumia. Rumiante,* 1555.

Rumor, rumorearse, rumoroso, V. ruido

RUNFLA 'serie de varias cosas de una misma especie', 1737, propte. 'serie de cartas de un mismo palo', fin S. XVI. Del cat. *runfla* de este último sentido, fin S. XIV. Voz de origen incierto, probte. deriv. contracto del cat. dial. *reunflar* 'rehenchir', 'entumecerse, llenarse', deriv. de *inflar* 'hinchar' (*unflar* en los dialectos), lat. INFLARE íd.

RUPESTRE 'que se encuentra en las rocas y cavernas (dicho de las pinturas prehistóricas, etc.)', S. XX. Tom. del lat. *rupestris* íd., deriv. de *rupes* 'roca', 'ribazo'.

RUPIA (enfermedad de la piel), 1884. Tom. del ingl. *rupia* íd., formado por Bateman en 1815 con el gr. *rhýpos* 'suciedad'.

Ruptura, V. romper   Rural, V. rústico

RÚSTICO, 1213. Tom. del lat. *rustĭcus* 'del campo, campesino', deriv. de *rūs* 'el campo'.
DERIV. *Rustiquez,* princ. S. XVII (*-queza,* h. 1580). *Rusticidad,* med. S. XVI. *Rural,* 1737, lat. *ruralis* íd., otro deriv. de *rus.*

Ruta, V. *romper*   *Rutáceo,* V. *ruda*

RUTENIO, h. 1900 (se descubrió en 1845). Deriv. culto del bajo lat. *Ruthenia* 'Rusia', por haberse encontrado su mineral en los Urales.

RUTILANTE, h. 1440. Tom. del lat. *rŭtĭlans, -tis,* participio del lat. *rutilare* 'brillar como el oro' (de donde el poco frecuente *rutilar,* h. 1580).

Rutina, rutinario, V. *romper*

S

SÁBADO, 1124. Del lat. SABBĂTUM, y éste del hebreo *šabbāth* 'descanso semanal de los judíos', deriv. de *šābath* 'descansar'.
DERIV. cultos: *Sabático*, 1739. *Sabatina*, 1690; *sabatino*, 1739. *Sabatismo*, princ. S. XVII. *Sabatizar*.

SÁBALO, h. 1330 (*savalus*, 961). En portugués, *sável*, 1223; en catalán y aragonés, *savoga*, 1335, *saboca*. Parecen ser nombres de origen céltico, deriv. de SAMOS 'verano', porque en mayo y junio es cuando este pez aparece en los ríos. Como base de aquéllos puede suponerse un céltico *SABŎLOS, y como base de éstos *SABAUCA (documentado en la forma SAMAUCA), con el cambio de -M- en -B- que es típico de varios idiomas célticos, y que en este caso podría indicar que los dos vocablos emigraron en fecha medieval antigua desde la Gran Bretaña al Continente.
DERIV. *Sabalar. Sabalera.*

SÁBANA, h. 1140. Del lat. SABĂNA, plural de SABĂNUM, y éste del gr. *sábanon* 'toalla de baño', a su vez de origen semítico.
DERIV. *Sabanilla*, 1495. *Ensabanar.*

SABANA 'llanura sin árboles', S. XVIII. Del taíno de Haití. Antiguamente se encuentra siempre escrito y pronunciado *çavána*, 1515. Es palabra sin relación alguna con *sábana*.
DERIV. *Sabanear, Sabanero.*

SABANDIJA, princ. S. XV. Probte. voz prerromana, emparentada con el nombre vasco de la lagartija (*sagundilea*, 1562, *sugandilla*, *suangilla*, *sanguandilla*), pues *sabandija* todavía es el nombre especial de este animalito en Castilla la Vieja y en otros dialectos españoles. Una forma protohispánica *SEUANDILIA pudo dar conjuntamente la forma castellana, las formas vascas y la portuguesa *sevandilha*. Que esta palabra resulte de una combinación vasca antigua *SEGUANDELEA, metátesis de SUGE-ANDERE-A 'la muchacha de la culebra', aunque no enteramente seguro, es probable, sobre todo en vista de las formas dialectales vascas *suge-kandera*, *-kandela*, 'lagartija'.

Sabanear, sabanero, V. *sabana*   *Sabanilla*. V. *sábana*.

SABAÑÓN, 3.er cuarto S. XVI. Origen incierto. Parece ser primitivamente el nombre de algún gusano o insecto, cuyo sentido cambió en virtud de la creencia vulgar de que los sabañones y otras enfermedades cutáneas son causados por gusanitos. Así puede deducirse del cat. *saballó*, aragonés *sagallón*, gascón *saualhoun* 'huevo que dejan las moscas en la carne', 'larva de la carne descompuesta', gascón *sauarro* 'mosca de carne'. Pero se ignora la etimología de esta otra palabra, probte. prerromana.

Sabático, sabatino, sabatizar, V. *sábado*

SABER, fin S. X. Del lat. SAPĔRE 'tener inteligencia, ser entendido', propte. 'tener gusto, ejercer el sentido del gusto', 'tener tal o cual sabor'.
DERIV. *Sabido*, 1335. *Sabedor*, 1817, alterado en *sabidor* 'sabio', 1055, por influjo del sinónimo *sabido*; *sabiduría*, 1220-50. *Sabiondo*, 1512 (formado con el mismo sufijo que *hediondo*, *verriondo*, etc.). *Sabio*, 1220-50, del lat. SAPĬDUS 'prudente, juicioso' en la baja época (antes 'sabroso'). *Sabor*, h. 1140, lat. SAPOR, -ŌRIS, íd.; *saborear*,

1599; *sabroso*, 1220-50, contracción de *saboroso*; *desabrido*, 1240, contracción de *des-saborido*; *desabrimiento*, 1343. *Consabido*, S. XIX.

Resabio, h. 1440, propte. 'sabor que vuelve a sentirse, que se siente luego'; *resabiarse*, S. XV, 'tomar mal gusto', de donde 'tomar una mala costumbre'.

Cultismos: *Sápido*; *sapidez*; *insípido*, h. 1530, la. *insĭpĭdus* íd., negativo de *sapidus*; *insipidez. Sapiente*, lat. *sapiens, -tis*, 'el que sabe'; *sapiencia*, h. 1280, lat. *sapientia*; *sapiencial*.

CPT. *Bienmesabe. Sabelotodo. Sepancuantos. Sinsabor*, 1539.

SABINA, h. 1325. Del lat. SABĪNA íd.
DERIV. *Sabinar. Sabino* 'rosillo', 984.

Sabio, sabiondo, V. *saber*

SABLE, 1728. Tom. por conducto del francés, 1598, del alemán anticuado *sabel* (hoy *säbel*, 1428), que a su vez se tomó de una lengua del Este de Europa, probte. el húngaro *száblya* íd. (pronúnciese *sábla*), comp. el húngaro *szabni* 'cortar'.
DERIV. *Sablazo*, 1817; *sablear*; *sablista*.

Saboga, V. *sábalo*   *Sabor, saborear*,
V. *saber*   *Sabotaje, sabotear*, V. *zapato*
Sabroso, V. *saber*

SABUESO, S. XIII. Del b. lat. antiguo SEGŪSĬUS íd., SS. VI-VIII, que parece ser derivado del nombre céltico de un lugar de la Galia, de donde procedería esta raza de perros.

Saburra, saburroso, V. *zahorra*   *Saca*,
sacabalas, sacabuche, sacacorchos, sacaliña,
sacamuelas, V. *sacar*

SACAR, 947. Voz exclusiva del castellano y el portugués, y ajena a las demás lenguas romances, salvo el fr. ant. y dial. *sachier* 'arrebatar', 'tironear', S. XII. En la época primitiva *sacar* aparece sobre todo en textos legales, con el sentido de 'obtener judicialmente', 947, y otras veces 'desposeer, eximir', S. XI. Luego es probable que venga del gótico SAKAN 'pleitear'. De las citadas acepciones jurídicas se pasó a 'proporcionarse' y a 'extraer, quitar', ya corrientes en el S. XII.
DERIV. *Saca* 'derecho de retracto', S. XIII, 'multa judicial', 'acción de sacar': del gót. *SAKA 'causa legal, pleito' (comp. el alem. *sache* 'causa', 'cosa', ingl. *sake* 'causa'). *Saca* y *resaca*, 1492, se aplicaron al flujo y reflujo del mar, cuando éste saca y vuelve a chupar los objetos que están junto a la orilla, de donde *resaca* 'retroceso de las olas'; *resaquero. Saque*, 1739. *Entresacar*, 1495. *Sonsacar*, fin S. XVI, antes *sosacar*,

1220-50, propte. 'sacar furtivamente, por debajo', 'sacar con cautela'. *Asacar*, fin S. XIII.

CPT. *Sacabalas. Sacabuche*, 1470, del fr. *saqueboute* 'lanza armada de un hierro ganchudo que se empleaba para sacar del arzón a los jinetes enemigos, tironeando y empujando alternativamente', cpt. de *saquer* (variante del *sachier* aludido arriba) 'tironear' y *bouter* 'arrojar'; en los SS. XV-XVI pasó a aplicarse al sacabuche o trombón, por los movimientos de alargamiento y acortamiento que caracterizan este instrumento musical; en castellano se cambió la terminación extranjera *-boute* en *-buche*, pensando en el buche o carrillo hinchado del músico. *Sacacorchos*, S. XIX. *Sacaliña*, 1435, y después *socaliña*, princ. S. XVII (por influjo de *sonsacar*, sinónimo de *socaliñar*); primero significó 'zancadilla', 1438 —formado con *liña* 'línea', porque consiste en sacar de la línea vertical—, de donde 'ardid con que se saca lo que uno no está obligado a dar', 'el pago que así se saca', 1604 (de 'zancadilla' a 'garrocha', 1495, quizá pasando por 'lanza ganchuda para derribar al enemigo'); *socaliñar*, 1605. *Sacamanchas. Sacamuelas. Sacapotras. Sacatrapos* 'tirabuzón para sacar tacos y trapos del cuerpo de una arma de fuego', princ. S. XVII, y de ahí 'sacacorchos'.

SACO, 1220-50. Del lat. SACCUS 'saco de trigo, de dinero, etc.', 'vestido grosero', y éste del fenicio por conducto del gr. *sákkos* 'saco' y 'arpillera'. Como nombre de una prenda de vestir, 1351, acepción hoy americana, viene de la segunda acepción latina.
DERIV. *Saca* 'saco grande', 1495. *Ensacar. Aguja saquera. Saquete. Insacular*, S. XIX, b. lat. *insacculare*, de *sacculus* 'saquito'; *insaculación*.
CPT. *Sacomano* 'saqueo', ant., 1438, del it. *saccomanno* 'saqueador', med. S. XIV, y éste del alem. *sackmann* 'mozo de bagajes de un ejército' (formado con *mann* 'hombre' y *sack* 'saco', por el que llevaban), 'encargado de las requisas', 'saqueador'; de ahí se extrajo el it. *sacco* 'saqueo', med. S. XIV, de donde el cast. *saco*, íd., 1527; del it. *saccheggiare*, S. XIV, el cast. *saquear* íd., 1539; *saqueador*, 1570; *saqueo*, 1739.

Sacramental, sacramentar, sacramento, sacratísimo, V. *sagrado*

SACRE (ave de rapiña), 1252 (de donde 'ladrón', 1613). Voz común a las varias lenguas romances y al árabe (*saqr*, S. X, quizá ya S. VII). Origen e historia inciertos; es voz antigua en árabe, pero como allí no pertenece a una raíz conocida, es verosímil que el árabe lo tomara del lat. SACER 'sagrado', que los autores clásicos aplicaban como epíteto al azor y al halcón. Las formas romances pudieron tomarse del árabe o, como cultismos, del bajo latín. En castellano la fonética del vocablo revela que no es un arabismo puro ni un puro latinismo.

Sacrificar, sacrificio, sacrilegio, sacrílego, sacristán, sacristía, sacro, sacrosanto, V. *sagrado*

SACUDIR, 1220-50. Del lat. sŭccŭtĕre íd.; *socodir* pasó a *sacodir* por disimilación, y de ahí *sacudir*.
Deriv. *Sacudida*, 1739. *Sacudimiento*, 1495. *Sacudón*.

Sachaguasca, V. *guasca*

SAETA 'flecha', 1220-50. Del lat. sagĭtta íd.
Deriv. *Saetazo*; *saetada*, 1444. *Saetear*, 1490, o *asaetear*, 1438. *Saetero*, princ. S. XVII; *saetera*, 1495. *Saetín* 'saeta pequeña', 'clavito delgado', 1739, 'canal angosta en los molinos', 1739.
Cultismos: *Sagita. Sagital. Sagitario*; *sagitaria*.

Saetín, V. *saeta*

SAFENA, 1542-51. Tom. por vía culta del ár. *safin* íd.

Sagacidad, V. *sagaz*   *Sagallón*, V. *sabañón*

SAGAPENO, 1555, lat. *sagapēnum*. Tom. del gr. *sagápēnon* íd.

SAGAZ 'dotado de intuición', h. 1440. Tom. del lat. *sagax, -acis*, 'que tiene buen olfato', 'sagaz', deriv. de *sagire* 'oler la pista'.
Deriv. *Sagacidad*, 1444.

Sagita, sagital, sagitario, V. *saeta*   *Sago*, V. *saya*

SAGRADO, 1220-50. Del lat. sacratus 'sagrado, consagrado', deriv. de sacrare 'consagrar', y éste de sacer, sacra, sacrum, 'santo, augusto'.
Deriv. *Sagrario*, 1220-50. *Consagrar*, 1220-50, lat. consecrare, en la baja época consacrare; *consagración*.
Cultismos: *Sacramento*, 1220-50; *sacramental*; *sacramentar, sacramentación. Sacratísimo. Sacro*, h. 1440, del lat. *sacer, -cra, -crum*. *Sacristán*, 1177, del b. lat. *sacrista*, formado con el sufijo grecolatino *-ista*, pero declinado *sacrista, -anem*, en la Edad Media, como si fuese germánico; *sacristía*, 1490.
Cpt. *Sacrificar*, 1220-50, lat. *sacrificare* íd.; *sacrificio*, 1220-50, lat. *sacrificium* íd.

Sacrílego, h. 1490, lat. *sacrĭlĕgus* íd., propiamente 'ladrón de objetos sagrados', formado con *legĕre* 'recoger'; *sacrilegio*, 1220-50, lat. *sacrilegium. Sacrosanto*, 1438. *Sacerdote*, 1209, lat. *sacerdos, -otis*, íd. (formado con el indoeuropeo *dhē-* 'hacer'); *sacerdotal*, 1220-50; *sacerdotisa*; *sacerdocio*, h. 1440.

SAGÚ, 1843. Del malayo *sāgū* íd.

Sahornarse, V. *horno*   *Sahumar, sahumerio*, V. *humo*

SAÍN, fin S. XIII. Del lat. vg. *sagīnum*, clásico sagīna, 'engorde de animales', 'gordura, calidad de gordo'.
Deriv. *Sainete* 'bocadito gordo con que se ceba a las aves', 1385, de donde 'bocadito gustoso al paladar', 'salsa para dar buen sabor' y luego 'pieza jocosa para acompañar la representación principal', princ. S. XVII; *sainetero*; *sainetesco*; *sainetista. Ensaimada*, del cat. *ensaïmada*, deriv. de *saïm*, variante mallorquina de *sagí* 'saín'. Para *saína*, V. ZAHINA.

Saína, V. *zahina*

SAJAR, 1475; antiguamente *jassar*, S. XIII, y *sarjar*, 1555, 'hacer cortaduras, escarificar'. Probte. del fr. ant. *jarser* íd., de origen incierto. Parece tratarse de un deriv. de *jarse* 'sangría', 'lanceta', S. XII, que vendría del gr. *kháraxis* 'incisión', deriv. de *kharássō* 'yo desuello, escarifico'. *Kháraxis* se latinizaría en *gáraxa, de donde el fr. *jarse*. Por razones fonéticas las formas castellanas no pueden venir directamente del griego ni del latín vulgar, sino a través del francés. *Jarser* se cambió en *jasar*, y éste en *sajar* por una metátesis favorecida por el influjo de *sangrar*.
Deriv. *Sajadura*, 1495 (*jassadura*). *Jasa*.

SAL, 1220-50. Del lat. sal, salis, íd.
Deriv. *Salar*, 1495; *salado*, h. 1140; *saladura*, 1495. *Salazón*, 1817. *Salero*, 1490. *Salina*, 1161, lat. salīna íd.; *salinero*, 1495; *salino*, adj., princ. S. XVIII; *salinidad. Salobre*, 1176; hermano del port. *salôbro*, med. S. XVI, cat. *salobre*, 1371; *salabrós*, S. XVI, prov. *salabrous* íd.; palabra de formación incierta, por no existir un sufijo *-obre*; quizá empezó significando otra cosa y no es deriv. real de *sal*, pero sufrió posteriormente el influjo de esta palabra; *salobreño*, S. XVI; *salobral*, 1219. *Salón. Salsa*, antes 'lugar o cosa lleno de sal', 929, luego 'composición líquida y condimentada, para aderezar la comida', h. 1400, del lat. salsus, -a, -um, 'salado'; *tomillo salsero*, h. 1500; *salsera*, 1495. *Salsoláceo. Desalar*, 1611. *Ensalada*, 1495; *ensaladera*; *ensaladilla*.

Cultismos: *Salario*, S. XV, lat. *salarium* 'suma que se daba a los soldados para que se compraran sal', y luego 'sueldo'; *asalariar*. *Insulso*, 1555, lat. *insŭlsus* íd., negativo de *salsus* 'salado, que tiene sal'; *insulsez*, S. XIX.

Cpt. *Salicor*, princ. S. XIX (¿y 1513?), del cat. *salicorn*, y éste del b. lat. *salicŏrnĕum* íd., formado con *cornu* 'cuerno', probte. por la dureza de ciertas variedades. *Salitre*, 1490, del cat. *salnitre*, 1371, formado con lat. *nitrum* 'salitre'; *salitroso*, 1495; *salitral*, 1495; *salitrero*; *salitrería*. *Salmuera*, h. 1250 (el simple *moyra*, 987), formado con MŬRĬA íd. (de éste, los tecnicismos *muriato*, *muriático*, *muriacita*); *salmorejo*, 1495. *Salpimentar*, 1560; *salpimienta*. *Salpreso* 'salado', 1220-50, b. lat. *salspersus* (formado con *sparsus* 'esparcido'); *salpresar*, S. XVII.

SALA, 1102. Del germ. SAL 'edificio que consta solamente de una gran sala de recepción'. En romance se hizo femenino volviéndose *SALA, por influjo del género de los sinónimos románico CORTE y germ. HALLA. Es inseguro si el vocablo llegó al cast. por conducto del catalán o el galorrománico, o bien procede directamente del gótico; parece que hubo confluencia de las dos corrientes.

DERIV. *Salón*, princ. S. XVII; en el sentido de 'reunión, tertulia' se imitó del fr. en el S. XIX. *Antesala*.

SALABARDO 'red en forma de manga atada a un aro, para sacar pescado', h. 1900. Voz de origen incierto, extendida en variantes diversas en catalán (*salabre*, *salabret*), lengua de Oc (*salabre*, *sarrabet*), fr. (*sabre*, *saure*) y dialectos italianos (*salabro*, S. XVI, *salaio*, *scalafru*). Quizá del ár. *sarâwil* 'calzones anchos' por comparación de forma, de donde *sarable* y *salabre*. La forma primitiva en castellano parece ser *salabar*, conservada en Andalucía y Cuba, y alterada por el vasco en *salabardo*.

Salacidad, V. *saltar*

SALACOT, 1868. Voz filipina, tomada del tagalo *salakót* íd., de una raíz que significa 'partir', 'objeto hecho con tiras de caña rajada'.

Saladero, *salado*, V. *sal*

SALAMANCA, S. XIX, 'cueva de hechiceros', 'hechicería', 'cueva'. Nombre que alude a la creencia popular de que en esta famosa Universidad se enseñaban las artes mágicas; V. el siguiente.

SALAMANDRA, 1555 (*šalamandria*, 1219). Del lat. SALAMANDRA, y éste del gr. *salamándra* íd. Se aplicó también a un sau-

rio algo más pequeño que la salamandra. Como resultado de la creencia en que la salamandra, como espíritu del fuego, desempeñaba un gran papel en la alquimia y la magia medievales, la palabra sufrió alteraciones tendientes a relacionarla con el nombre de la Universidad de Salamanca (*Salmantica* en latín), que el vulgo miraba como centro de la enseñanza mágica (V. artículo anterior), de donde muchas alteraciones dialectales de *salamandra*, tales como *sal(a)mántiga*, *-tica*, *salamanquita*, etc., y en castellano *salamanquesa*, h. 1400.

Salamanquesa, *salamántiga*, V. *salamandra*

SALAMUNDA (planta), 1742 (*salamonda*). Alteración de *sanamunda*, 1575, nombre de esta planta en el latín moderno de los botánicos, h. 1300, seguramente cpt. de *sanare* 'curar' y *mundare* 'purificar', por el empleo de la misma como purgante.

Salario, V. *sal*   *Salaz*, V. *saltar*   *Salazón*, V. *sal*

SALBANDA, h. 1900, 'capa que separa el filón de la roca estéril'. Del alem. *salband* íd., propte. 'orillo, orla de una tela' (alteración del anticuado *selb-ende* 'extremidad propia', o sea tejida con los mismos hilos, y no añadida de otra tela).

SALCHICHA, 1539 (*salciza*, 1490). Del it. *salciccia* (SS. XVI-XVII), alteración del más común *salsiccia*, S. XIV. Éste probte. procede del lat. tardío SALSĪCIA íd., propte. 'salados', abreviación de FARTA SALSICIA 'embutidos salados', que a su vez deriva de SALSUS 'salado'; el cambio en *salciccia* se debe al influjo de *ciccia* 'carne', palabra infantil, también existente en castellano (*chicha*).

DERIV. *Salchichero*. *Salchichón*, h. 1630.

SALDAR, 1817. Del it. *saldare* íd., propiamente 'soldar', 'consolidar', deriv. de *saldo* 'entero', 'intacto', 'firme', 'recio', que es alteración fonética de *soldo* íd., procedente del lat. SŎLĬDUS 'sólido'.

DERIV. *Saldo*, h. 1800. *Saldista*.

Saldo, V. *saldar*   *Salero*, V. *sal*   *Salicaria*, *salicilato*, *salicílico*, *salicíneo*, V. *sauce*   *Salicor*, V. *sal*   *Salida*, *saliente*, V. *salir*   *Salina*, *salinidad*, *salino*, V. *sal*   *Salipirina*, V. *sauce*

SALIR, h. 1140. Del lat. SALĪRE 'saltar', significado que se conservó en castellano hasta el S. XIII, pasando de ahí a 'saltar hacia fuera' (todavía usual en el S. XV) y luego 'salir', que ya es corriente en el XII.

DERIV. *Salida*, h. 1140. *Salidizo* o *sale-dizo*. *Salido*. *Saliente*. *Sobresalir*, 1607; *sobresaliente*, 1575.

Salitral, *salitre*, *salitrero*, *salitroso*, V. sal

SALIVA, 1220-50. Del lat. SALĪVA íd. DERIV. *Salivar*, 1739; *salivación*. *Salivazo*, S. XIX. *Salival*. *Salivera*. *Insalivación*. Del gr. *síalon* 'saliva' (o de su variante *ptýalon*) derivan los cultismos *sialismo* o *tialismo* y *tialina*.

Salmear, V. *salmo*

SALMO, 1220-50, lat. *psalmus* íd. y 'canto con acompañamiento de salterio'. Tom. del gr. *psalmós* íd., propte. 'melodía tocada en una lira, o sin acompañamiento de canto', deriv. de *psállō* 'yo toco las cuerdas de un instrumento músico', propte. 'yo arranco pelos'. DERIV. *Salmear*, 1611. *Salmista*, 1220-50. *Ensalmar*, 1495; *ensalmo*, 1495. *Salterio*, 1220-50, tom. del gr. *psaltḗrion* 'especie de cítara', deriv. de *psállō*. CPT. *Salmodia*, 1220-50, gr. *psalmōídía*, formado con gr. *aéidō* 'yo canto'; *salmodiar*, 1739.

SALMÓN, 1325. Del lat. SALMO, -ŌNIS, íd. DERIV. *Salmonado*, S. XVII. *Salmónidos*.

SALMONETE, 1555. Del fr. *surmulet* íd., cpt. de *mulet* 'especie de salmonete', diminutivo del lat. *mŭllus* 'salmonete'; teniendo en cuenta la forma antigua *sormulet*, S. XIII, parece que el primer componente será un antiguo *sor*, procedente del lat. SAURUS 'jurel' (de donde genovés *so*, siciliano *sauru* íd.). En castellano *sormulet* se cambió en *salmonete* por influjo de *salmón*, facilitado por la disimilación.

Salmuera, *salobral*, *salobre*, *salobreño*, V. sal   *Salol*, V. sauce   *Salón*, V. sala

SALPA, 1611. Del lat. SALPA íd., probte. por conducto del catalán.

SALPICAR, 1570. Origen incierto. *Salpicado* puede ser compuesto de *sal* y *picado*, por comparación con los pequeños grumos de sal que quedan adheridos a una superficie espolvoreada con esta sustancia; pero el cat. ant. (val.) *salbuscar* 'refrescar con aspersiones de agua', h. 1400, sugiere la posibilidad de que ambos sean derivados del gót. *salbôn* 'untar', con influjo de *picar* en castellano. En cat. *salpicar*, fin S. XIV, y dialectalmente *salpiscar* (acaso de un verbo deriv. gót. *salbiskôn*, alterado diversamente: en esta forma, o en *salbuscar*, o en *salpicar*).

DERIV. *Salpicadura*, 1570. *Salpicón*, princ. S. XVII.

Salpimentar, *salpimienta*, *salpresar*, *salpreso*, V. sal   *Salpullido*, V. *sarpullido*   *Salsa*, V. sal   *Salsafrás*, V. *saxifraga*   *Salsera*, *salsero*, V. sal   *Salsifí*, V. *saxifraga*   *Salsoláceo*, V. sal   *Saltabanco*, *saltabardales*, *saltadero*, *saltado*, *saltamontes*, V. *saltar*

SALTAR, 1220-50. Del lat. SALTARE 'bailar', a veces 'dar saltitos, brincar, retozar', intensivo de SALIRE 'saltar'. DERIV. *Saltante*. *Saltarín*, 1739. *Saltón*, 1739. *Salto*, h. 1140, lat. SALTUS, -US, 'salto'; *saltear*, 1335, propte. 'dar salto', expresión que también se empleaba con el mismo sentido; *salteador*, 1490; *salteamiento*. *Asalto*, 1570, del it. *assalto* íd., deriv. de *assalire* 'asaltar', lat. tardío ASSALIRE 'atacar' (clásico ASSILIRE, deriv. de SALIRE 'saltar'); *asaltar*, 1605; *asaltante*. *Resaltar*, 1444; *resalte*, 1737; *resalto*, 1737. *Sobresaltar*, princ. S. XV; *sobresalto*, 1490.

Cultismos: *Insultar*, h. 1490, tom. del lat. *insŭltare* íd., propte. 'saltar contra alguno'; *insultante*; *insulto*, 2.º cuarto S. XV, lat. *insultus*, -us, íd. *Exultar*, 1604, lat. *exsultare*, íd.; *exultación*, 1604. *Salaz* 'obsceno', S. XIX, lat. *salax*, -ācis, 'que está en celo', deriv. de *salire* 'saltar' en el sentido de 'cubrir a la hembra'; *salacidad*.

CPT. *Saltabardales*, 1627. *Saltamontes*, med. S. XIX. *Saltatrás* o *saltoatrás*, 1923. *Saltimbanqui* (*saltaembanco*, 1599; *salta-in-banqui*, S. XVII; *saltabanco*), del it. *saltimbanco*, propte. 'el que salta en un banco'.

Salterio, V. *salmo*   *Saltimbanqui*, *salto*, *saltón*, V. *saltar*   *Salubérrimo*, *salubre*, *salubridad*, V. salud

SALUD, h. 1140. Del lat. SALUS, -ŪTIS, 'salud, buen estado físico', 'salvación, conservación', 'saludo', de la misma raíz que SALVUS (V. *SALVO*). DERIV. *Saludable*, 1220-50. *Saludar*, h. 1140, lat. SALŪTARE íd.; *salutación*, 1490; *saludador*; *saludo* 'salva para saludar', 1739; acepción moderna, med. S. XIX. *Salubre*, 1587, tom. del lat. *salūber*, -ūbris, -ūbre, íd.; *salubridad*; *salubérrimo*, superlativo latino. CPT. *Salutífero*, 1521.

Saludar, *saludo*, *salutación*, *salutífero*, V. salud   *Salva*, *salvación*, *salvadera*, *salvado*, *salvaguardia*, V. *salvo*   *Salvajada*, *salvaje*, *salvajería*, *salvajez*, *salvajina*, *salvajismo*, V. *selva*   *Salve*, *salvia*, V. *salvo*

SALVO, med. S. X. Del lat. SALVUS 'sano', 'salvo', de la misma raíz que SALUS (V. *SALUD*). Como adverbio, 1335.

Deriv. *Salvedad* 'seguridad', 1175; sentido moderno, 1843. *Salvar*, h. 1140, lat. tardío SALVARE íd.; *salva*, 1335; en la acepción disparo de armas de fuego en una solemnidad, 1595, deriva del antiguo *salvar* 'saludar', SS. XIII-XV; *salvilla*, 1599; *salvación*, 1220-50. *Salvado*, 1335, etimología dudosa, si es deriv. de *salvar* será porque se salva o evita por medio del cedazo (de la acepción que tenemos en *salvar un inconveniente, un obstáculo*, h. 1570); *salvadera*, 1591, así llamada por el empleo del salvado para enjugar lo recién escrito. *Salvador*, 1220-50. *Salvamento*, 1212. *Salve*, S. XVII, tom. del lat. *salve*, imperativo de *salvēre* 'estar en buena salud'. *Salvia*, 1399, lat. SALVĬA íd., que parece ser deriv. de SALVUS por las propiedades beneficiosas de esta hierba.

Cpt. *Salvoconducto*, 1495. *Salvohonor*, 1495, porque al nombrarlo se decía cortésmente "salvo vuestro honor". *Salvaguardia*, 1728, probte. adaptación del fr. *sauvegarde*, 1233, deriv. de *sauvegarder* 'proteger'; de éste el galicismo *salvaguardar*. *Salvavidas*, 1884.

SÁMARA, h. 1900. Tom. del lat. *samăra* 'simiente del olmo'.

SAMARUGO, 1859, o **JARAMUGO**, 1739, 'pececillo', 'renacuajo'. Voz común al cast. con el port. *saramugo*, 1608, cat. *samaruc* y las hablas del Sur de Italia (*ciammaruca*). De origen incierto. Parece haber relación con el cast. dial. *moruca* 'lombriz', it. meridional *maruca* 'caracol', ya documentado en el S. VIII. Pero el origen de este vocablo, quizá prerromano, a su vez es inseguro, y es difícil precisar la relación que exista entre los dos tipos.

Samba, V. *zamacueca*   *Sambenito*, V. *santo*   *Samuga*, V. *jamugas*   *San*, V. *santo*   *Sanable, sanalotodo*, V. *sano*   *Sanamunda*, V. *salamunda*   *Sanar, sanativo, sanatorio*, V. *sano*   *Sanción, sancionar*, V. *santo*

SANCOCHAR 'cocer rápidamente', 1423. Deriv. de *sancocho* 'vianda cocida a medias', primitivamente *soncocho*, deriv. del antiguo *cocho* 'cocido' (V. *COCHURA*), con el prefijo *son-*, lat. SUB-, de sentido atenuador.

Sanctasanctórum, V. *santo*   *Sancho*, V. *chancho*

SANDALIA, h. 1250. Tomado del latino *sandalĭa*, plural de *sandalĭum*, y éste tom. del gr. *sandálion*, diminutivo de *sándalon* 'sandalia'.

SÁNDALO, 1251. Tom. del gr. *sántalon*, pronunciado *sándalo* en griego medieval y moderno.
Deriv. *Sandalino. Santaláceo.*

SANDÁRACA, 1555, lat. *sandaraca*. Tomado del gr. *sandárakē* o *sandarákhē*, 'rejalgar', 'sandáraca', de origen oriental, probablemente del sánscr. *čandrarāgaḥ* 'de una rojez brillante, de color brillante', cpt. de *rāga* 'color, esp. el rojizo' y *čandra* 'resplandeciente'.

Sandez, V. *sandio*

SANDÍA, 1495. Del ár. *baṭîḫa sindîya* 'badea del país de Sind, en la India'.
Deriv. *Sandiar* o *sandial. Sandieja.*

SANDIO, h. 1630, 'necio'. Es deformación del antiguo *sandío*, 1220-50, todavía acentuado así en el S. XVI y princ. del XVII. En portugués *sandêu*. En ambos idiomas significaba 'idiota', 'loco'. Origen incierto; probte. de la frase SANCTE DĔUS 'santo Dios', que pronunciada al principio como exclamación de piedad ante el pobre imbécil, acabó por aplicarse a este mismo. En castellano conservó la acentuación latina y arcaica del nombre de Dios (*Díos*), hasta que quedó anticuado en el S. XVI; después, al restaurarlo Cervantes en la jerga caballeresca del *Quijote*, fue mal pronunciado *sándio* (según el modelo de los adjetivos relacionados *necio, zafio* y *sabio*).
Deriv. *Sandez*, 1251, deriva de la forma arcaica *sandéo*, de donde *sandeez, sandez. Ensandecer* 'enloquecer', 1399.

SANDUNGA, 1836. Voz familiar y casi jergal, de origen incierto. Quizá se extrajo de *sandunguero*, contracción de **zangandunguero*, deriv. de *zangandungo* 'hombre ocioso' (V. *ZÁNGANO*), teniendo en cuenta que en América *sandunga* es 'jolgorio, parranda'.
Deriv. *Sandunguero*, 1857. *Sandunguear*, 1923.

Saneamiento, sanear, V. *sano*

SANGRE, h. 1140. Del lat. SANGUIS, -ĬNIS, íd.; éste pasó primero a *sangne*, 1155, de donde *sangre*.
Deriv. *Sangrar*, 1335; *sangrador*, 1495; *sangradura. Sangría*, 1335, quizá imitado del fr. ant. *saignie*, variante de *saignée* íd. *Sangriento*, h. 1140, lat. vg. SANGUINĔNTUS, *ensangrentar*, 1495. *Sangrón. Desangrar*, 1604. *Sanguíneo*, 1438, tom. del lat. *sanguĭnĕus*; también *sanguino*, 1438. *Sanguinario*, 1499, lat. *sanguinarius. Sanguinolento*, h. 1525, lat. *sanguinolentus. Sanguinoso*, h. 1440. *Consanguíneo*, princ. S. XVII, lat. *consanguineus; consanguinidad*, 1502. *Exan-*

güe, 1606, lat. *exsanguis*, propte. 'sin sangre'. *Sanguijuela*, S. XVI; antes *sanguijuela*, princ. S. XIV, o *sanguisuela*, 1148; del lat. *SANGUISUGIOLA, diminutivo de SANGUISŪGIA, variante vulgar del clásico SANGUISŪGA; pronunciado vulgarmente *SANGUISUIOLA, pasó a *sanguisyuela, y de ahí *sanguijuela*.

SANGRÍA I 'sangradura', V. *SANGRE*.

SANGRÍA II 'bebida refrescante de agua y vino, con azúcar, limón y especias' 1832 (no en 1780). Es improbable que sea acepción figurada de *SANGRÍA* I, sobre todo porque el ingl. *sangaree* ya se lee en 1736 (y port. *sangria*, 1813); del inglés pasó por estos mismos años al menorquín en la forma *sèngri* —lo que prueba que el vocablo no se empleaba entonces en castellano ni catalán— y en el cast. de América es palabra de muy poco arraigo. Es probable que proceda de la India, de una voz derivada del sánscr. *çarkarā* 'azúcar', que en pali es *sakkarā*, hindi *çakkar*, urdu *šakr* (tal vez un femenino *sakkarī* o *sankarī aplicado al vino azucarado).

Sangriento, sangrón, sanguijuela, sanguinario, sanguíneo, sanguino, sanguinolento, V. *sangre*   *Sanidad*, V. *sano*

SANIDINA, 1925. Deriv. del gr. *sanís*, *-ídos*, 'tabla'.

Sanitario, V. *sano*   *Sanmiguelada*, V. *santo*

SANO, med. S. X. Del lat. SANUS 'sano', 'sensato, que está en su juicio'. DERIV. *Sanar*, h. 1140, lat. SANARE íd.; *sanable*, 1495; *sanativo*; *sanatorio*, h. 1900. *Sanear*, h. 1400; *saneado*; *saneamiento*, 1495. *Sanidad*, 1220-50; *sanitario*, S. XIX, deriv. culto del lat. *sanitas, -atis*, 'sanidad'. *Sobresanar*. Cultismos: *Insano*, h. 1440, lat. *insanus*; *insania*, princ. S. XVII. *Subsanar*, 1739. *Vesania*, S. XIX, tom. del lat. *vesanía* íd., deriv. de *vesanus* 'loco furioso'; *vesánico*. CPT. *Malsano. Sanalotodo*.

Santabárbara, V. *santo*   *Santaláceo*, V. *sándalo*   *Santero, en un santiamén, santidad, santificación, santificar, santiguar*, V. *santo*

SANTO, med. S. X. Del lat. SANCTUS 'sagrado', 'santo', propte. participio de SANCIRE 'consagrar, sancionar'. DERIV. *Santero*, h. 1520. *Santidad*, h. 1140. *Santón*, 1607. *Santoral*, h. 1575. *Santuario*, 1220-50. *Santurrón*, 1739 (*santulón*, h. 1630), del fr. anticuado *santoron* 'beato, hipócrita' (S. XVI, Rabelais, etc.), pronunciación francesa del lat. *sanctorum*, genitivo

plural de *sanctus*, empleado como palabra característica del mojigato que siempre masculla latín; *santurronería. Sanción*, 1549, tom. del lat. *sanctio, -onis*, íd., deriv. de *sancire* 'consagrar'; *sancionar*. CPT. *Santabárbara. En un santiamén*, 1611, de *santo y amén. Santificar*, 1220-50, lat. *sanctificare*; del mismo por vía semiculta viene *santiguar*, h. 1140; *santificación*, 1495. *Sanmiguelada* 'otoño'. *Sambenito* 'escapulario de benedictino', 'servilleta', 1434; 'escapulario que se ponía a los condenados por la Inquisición', fin S. XV, y luego 'signo de infamia'; *ensambenitar*, 1717. *Sanctasanctórum*.

SANTÓNICO, 1871. Tom. del lat. *santonĭcus* 'perteneciente al Saintonge, región de Francia', deriv. de *Santŏnes*, nombre de la tribu gala que la poblaba. DERIV. *Santonina*.

Santoral, santuario, santulón, santurrón, V. *santo*

SAÑA 'ira, furor', h. 1140. En portugués *sanha*, 1202. Origen incierto; probte. de INSANĬA 'locura furiosa'. Es verosímil que el verbo *ensañar*, 1220-50, proceda del lat. vg. INSANIARE 'enfurecer' (deriv. de INSANIA), y que de *ensañar* se extrajera después *saña*. DERIV. *Sañudo*, 1251. *Ensañamiento*, S. XIX.

Sapiencia, sapiencial, V. *saber*   *Sapindáceo*, V. *jabón*

SAPO, h. 1335. Voz peculiar al portugués, 1318, el castellano y el vasco. De origen incierto, quizá prerromana. Pero es posible que en el fondo se trate de una formación onomatopéyica muy antigua, que imitaría el ruido del animal al caer de vientre en tierra mojada, comp. *zaparrada* y leonés *sapada, zapada*, 'caída de bruces' (V. además *ZAPATO*). Hay variante vasca y cast. dial. y antigua *zapo*, h. 1400, de la cual derivará el nombre de pez *zapa*, por lo granudo de su piel y lo rugoso de la del sapo. DERIV. *Sapillo* 'aftas', S. XVII.

Saponáceo, saponaria, saponificar, V. *jabón*   *Sapotáceo*, V. *zapote*   *Saprófito*, V. *seta*   *Saque*, V. *sacar*   *Saquear, saqueo, saquero, saquete*, V. *saco*

SARAMPIÓN, S. XV. Del lat. hispánico SĪRĬMPIO, -ŌNIS, 'pápula de sarampión', documentado a princ. S. VII. Del mismo origen son el port. *sarampão* (luego cambiado en *sarampelo*), el cat. *sa(r)rampió* o *xarampió* y el oc. *sarampioun* o *sarampí(n)*, que significan lo mismo, así como el vasco *zurrumpi(ño)* 'grano de sarampión'. Teniendo en cuenta la variante de Provenza y Rouer-

gue *senepioun, sinipieu*, y la auvernesa *cha-
lapi* —así como *sarapico* y formas análogas
en dialectos de Asturias y de las Alpuja-
rras (tal vez procedentes de **sarapigón*)—
es posible que el hispánico SIRIMPIONEM
fuese alteración de un **SINAPIONEM*, derivado de SINAPI 'mostaza', que habría designado primero el enrojecimiento y ampollas
levantados por los sinapismos y pasaría
luego a aplicarse a las pápulas del sarampión, sentido conservado por el cast. antiguo (SS. XV-XVII) y el vasco.

SARAO 'baile nocturno', 1537. Del gall.
serao 'anochecer', equivalente del port. ant.
serão y el leonés *serano* íd., deriv. del lat.
SERO 'tarde', adv.; para la evolución del
sentido comp. el fr. *soirée* 'fiesta nocturna,
por lo común con baile', propte. 'entrada
de la noche'.
DERIV. *Saragüete*, med. S. XVII.

Sarasa, V. *zarazas*   *Sarcasmo, sarcástico*,
V. *sarco-*

SARCO-, elemento componente de cultismos, tom. del gr. *sárx, sarkós*, 'carne'.
Sarcoma, h. 1900. *Anasarca. Sarcasmo*,
1757, 'burla mordaz, sangrienta', lat. *sarcas-
mus*, tom. del gr. *sarkasmós* íd., deriv. de
sarkázō 'desollar, sacar el pellejo'; *sarcástico*, med. S. XIX.
CPT. *Sarcocarpio. Sarcocele*, formado con
kēlē 'tumor'. *Sarcocola*, 1555, gr. *sarkokólla*,
con *kólla* 'goma'. *Sarcófago*, princ. S. XVII,
lat. *sareŏphăgus*, del gr. *sarkophágos*, propiamente 'el que devora la carne'. *Sarcole-
ma*, con gr. *lémma* 'corteza'. *Polisarcia*.

SARDANA, 1616 (*çardana*), antiguamente *cerdana*, 1573. Del cat. *sardana*, 1552,
más correctamente escrito *cerdana* en los
SS. XVI-XVII. Probte. se trata del étnico
cerdana 'típica de Cerdaña', por haber sufrido entonces alguna modificación coreo-
gráfica en esta comarca del Norte de Cataluña o en sus proximidades.

SARDINA, 1335. Del lat. SARDĪNA íd.
DERIV. *Sardinal. Sardinel*, 1817, 'obra de
ladrillos puestos de canto', del cat. *sardinell*
íd., esp. 'bordillo de la acera', al parecer
por comparación con la colocación de las
sardinas prensadas o en conserva; *asardi-
nado. Sardinero. Sarda* 'especie de caballa
pequeña', 1629.

Sardinal, sardinel, sardinero, V. *sardina*
Sardonia, V. *sardónico*

SARDÓNICE, 1611 (*sardónica*), lat. *sar-
dŏnyx*. Tom. del gr. *sardónyx, -ónykhos*,
cpt. de *sárdion* 'especie de cornalina' y
ónyx 'ónix' (propte. 'uña').

SARDÓNICO, 1739 (*risa sardonia*, 1555).
Tom. del gr. *sardonikós* '(risa) convulsiva',
deriv. de *sardónion* 'sardonia, especie de ranúnculo, cuyo jugo produce en la cara una
contracción que imita la risa', deriv. a su
vez del gr. *sardónios* 'perteneciente a Cerdeña'. *Sardonia*, 1555, se ha empleado también como nombre de dicho ranúnculo.

Sarga, V. *sauce*   *Sargazo*, V. *jaguarzo*
Sargento, V. *siervo*

SARGO, 1495. Tom. del lat. *sargus* íd.

Sarjar, V. *sajar*   *Sarmentoso*, V. *sarmiento*

SARMIENTO, 1220-50. Del lat. SARMĔN-
TUM íd., deriv. de SARPĔRE 'podar la vid'.
DERIV. *Sarmentar*, h. 1530; *ensarmentar.
Sarmentera*, 1611, 'toca de red', 1572. *Sar-
menticio. Sarmentoso*, 1817.

SARNA, 1251. Palabra peculiar a las lenguas románicas de la Península, procedente
del lat. tardío SARNA íd., S. VII. Éste es
de origen incierto, probte. hispánico prerromano, y emparentado con el vasco *sarra*
'escoria'. Se extendía por otras zonas me-
diterráneas de substrato afín al ibérico, y
aparece en autores africanos y suditalianos
desde el S. IV en la variante ZERNA 'empeine', de donde el sardo *therra* íd.
DERIV. *Sarnazo. Sarnoso*, 1220-50; *sar-
niento*, amer., princ. S. XIX. *Ensarnecer*,
1251.

Sarpillera, V. *harpillera*

SARPULLIDO, 1593. Deriv. de *sarpullo*,
conservado dialectalmente, voz de procedencia leonesa o gallego-portuguesa; comp. el
port. anticuado *sarapulha*, 1536, gall. *sara-
bullo*, íd., vasco *zarpuillo*. Probte. procede
del lat. vg. **SERPŬCŬLUS*, deriv. del lat. SER-
PĔRE 'cundir, propagarse', por la extensión
paulatina de estas enfermedades cutáneas;
una variante *serpusculus* 'especie de herpe
o empeine', se encuentra en el S. V.
DERIV. *Sarpullir*, 1608.

SARRACINA 'pelea confusa y tumultuo-
sa', 1739. Del anticuado *sarracino* 'moro,
sarraceno', por la gritería con que éstos solían pelear. *Trigo sarraceno*, 1849, es adaptación del fr. *blé sarrasin*.
DERIV. *Sarracinesca* 'rastrillo en la puerta
de fortificación', 1536, del it. *saracinesca* íd.

SARRILLO 'estertor del moribundo', 1581.
Probte. onomatopeya, emparentada con el
port. *sarrido*, vasco *zarra*, oc. *sargalh*, íd.

SARRIO 'gamuza, especie de cabra montés pirenaica', h. 1625. Voz prerromana, afín

al aragonés *ixarzo, chizardo*, cat., gascón y languedociano *isard*, S. XIV. Es incierto cuál sea su etimología, aunque debe tratarse de una palabra ibérica o proto-vasca; carecemos de indicios sólidos para buscarle otro significado más primitivo o para asegurar que resulte de un diminutivo *etxarr* del vasco *akarr, akerr*, 'macho cabrío'. En castellano debió de tomarse del bearnés *sarri* íd.

SARRO, h. 1500. Voz peculiar al casf. y el portugués. Seguramente de origen prerromano y emparentado con el vasco *sarra* 'escoria' y con el cast. *SARNA*.
DERIV. *Sarroso*, 1513.

SARTA, 946. Del lat. SERTA 'guirnalda, corona', propte. participio de SERERE 'trenzar, entrelazar'. En latín vulgar SERTA aparece cambiado en SARTA por confusión con SARTA 'remendada', participio de SARCIRE. En latín coincidía el participio de los derivados de SERERE con el de los derivados de SARCIRE; *exsertus* correspondía tanto a *exsercire* como a *exserere*, y luego se cambió en *exsartus*, cuando *impertire, confertus* y análogos pasaron a *impartire, confartus* en latín vulgar. De este flujo y reflujo resultó en la baja época el paso de SERTA a SARTA, de donde viene la forma española.
DERIV. *Sartal*, h. 1300. *Ensartar*, 1495.

SARTÉN, h. 1200. Del lat. SARTĀGO, -AGĬNIS, íd.

Sasafrás, V. *saxífraga*

SASTRE, 1302. Del lat. SARTOR, nominativo de SARTOR, -ŌRIS, 'sastre remendón', deriv. de SARCIRE 'remendar, zurcir'. El castellano debió de tomarlo del cat. *sastre*, S. XIV, antes *sartre*, S. XIII, según revela la evolución fonética. La vieja denominación castiza fue *alfayate*, de origen arábigo, todavía vigente en portugués.
DERIV. *Sastra. Sastrería*. Cultismo: *Sartorio*.

SATÉLITE, princ. S. XVIII. Tom. del lat. *satelles, -ĭtis*, 'guardia de corps', 'miembro de una escolta', 'sirviente' (en estos sentidos se empleó ya algunas veces en castellano del S. XV).

SATÉN, h. 1890. Del fr. *satin*, y éste del ár. vg. *zaitûni* (ár *zaitūnî*) 'aceituní', deriv. del nombre de la ciudad china de Tseuthung (en ár. *Zaitûn*), donde se fabricaba este tejido; del propio vocablo árabe, y con carácter independiente, se tomó el cast. antic. *aceituní*.
DERIV. *Satinado, satinar*, 1884, tomados del fr. *satiner* íd.

Satinado, satinar, V. *satén*   *Sátira*, V. *asaz*   *Satiríasis*, V. *sátiro*   *Satírico*, V. *asaz*   *Satirión*, V. *sátiro*   *Satirizar*, V. *asaz*

SÁTIRO, 2.° cuarto S. XV, lat. *satȳrus*. Tom. del gr. *sátyros* íd.
DERIV. *Satiríasis. Satirión*, 1495, del gr. *satýrion*; nombre de planta, así llamada por sus dos tubérculos parejos y aovados.

Satisfacción, satisfacer, satisfactorio, satisfecho, V. *asaz*   *Sativo*, V. *sembrar*   *Saturación, saturar*, V. *asaz*   *Saturnal, saturnino, saturnio, saturnismo*, V. *saturno*

SATURNO 'taciturno, melancólico', variantes *soturno*, 1889, y *saturnino*, h. 1440. Se tomaron del nombre del planeta Saturno, por la creencia en el influjo que este astro producía en las personas nacidas bajo su signo.
Otros deriv. del mismo nombre: *Saturnal*, princ. S. XVII. *Saturnio. Saturnismo*.

SAUCE, 1335, antes *salce*, 949. Del lat. SALIX, -ĬCIS, íd.
DERIV. *Sauceda* o *salceda*, 1739; *saucedal*, 1495.
Cultismos: *Salicaria. Salicina; salicíneo. Sarga* 'especie de mimbre', 1765-83, es palabra de la misma familia que el lat. SALIX; probte. de un vasco arcaico *SARIKA (hoy *zarika* 'sauce'), adaptación del céltico SALĬCOS (de donde el cat. *sàlic* 'especie de mimbrera'), hermano de la palabra latina.
CPT. *Sauzgatillo*, fin S. XVI (*sauze gatillo*, 1495; variante mozárabe ya h. 1100), formado con un deriv. de *gato*, nombre que se dio a las flores por su forma blanda y vellosa, comp. el cat. *gatell* y el fr. *gattilier* 'sauzgatillo'. *Salicílico*, formado con el gr. *hýlē* 'madera', por obtenerse este ácido de la salicina, que se extrae de la corteza del sauce; *salicilato*; *salol* y *salipirina*, formados con la raíz de *salicílico*, el único en combinación con la terminación de *antipirina*.

SAÚCO, fin S. XIII, antes *sabuco*, 1242. Del lat. SABŪCUS, que en cast. y en otros idiomas hermanos sufrió el influjo del sufijo -UCCUS.
DERIV. *Sauquillo*.

SAURIO, h. 1900. Deriv. culto del gr. *sâuros* 'lagarto'.
CPT. *Plesiosauro*, con gr. *plēsíos* 'próximo'.

Sauzgatillo, V. *sauce*

SAVIA, 1765-83. Del lat. SAPA 'vino cocido', 'mosto', por comparación de éste con el zumo de los árboles. Es palabra popular y bien arraigada, con el mismo sentido, en otras lenguas (cat. *saba*, fr. *sève*, ingl. *sap*, alem. *saft*), pero en castellano lo castizo y tradicional es *zumo* o *jugo*. Hubo de tomarse del cat. *saba*, o quizá más bien del fr. *sève*, por conducto del gall-port. *seiva*, *sálvia*, que es también palabra de fecha moderna en este idioma, y debida a una adaptación de la voz francesa bajo la influencia del port. *saiva* 'saliva'. Este complicado proceso migratorio explica la *i* castellana, que de otro modo sería incomprensible.

SAXÍFRAGA, fin S. XIII. Tom. del lat. *saxífrăga* íd., del adjetivo *saxifragus* 'que quiebra las piedras', cpt. de *saxum* 'piedra' y *frangĕre* 'romper'. Así llamada por haberse empleado en infusión contra los cálculos de los riñones. Se dijo también *saxifragua* y *salsifrasia*, 16'1. *Sasafrás*, 1577 (o *salsafrás*), planta de la Florida y trópicos, parece ser de procedencia andaluza o mozárabe, pues en este dialecto aparece *šaḥšafrâŷa* en los SS. X-XIII, como nombre de la saxífraga; en América fue aplicado a una planta indígena comparable.

DERIV. *Saxifragáceo*. *Salsifí*, med. S. XIX, del fr. *salsifis*, 1600, y éste del italiano, donde, a juzgar por la variante *sassifrica*, S. XVI, parece tratarse de una alteración de *saxifraga*.

SAXÓFONO, h. 1900, o *saxofón*. Del ingl. *saxophone*, 1851, formado con el gr. *phōnê* 'sonido' y el nombre de Adolphe Sax, inventor del instrumento.

SAYA, 941. Del lat. vg. *SAGĬA*, deriv. del lat. SAGUM 'especie de manto', 'casaca militar' (de origen galo). No es seguro si se trata de un diminutivo gr. *sagíon* o de un adjetivo lat. *SAGĔA*, que indicaría primero la tela de que se hacía el SAGUM (de ahí el cultismo *sago*).

DERIV. *Sayal*, S. XIII; *sayalero*, 1495. *Sayo*, h. 1400.

SAYÓN 'ministro inferior de la justicia', 964. Procedente de un vocablo gótico *SAGJIS íd., deriv. del germ. SAGJAN 'notificar, intimar' (propte. 'decir', comp. el alem. *sagen*, ingl. *say*). En el Este de España y en Italia el vocablo gótico fue latinizado en *SAGIUS (escrito SAJUS en latín del S. VI), dando regularmente el cat. *saig* 'sayón', S. XIII. Mientras que en el resto de la Península, bajo la influencia del sinónimo latino PRAECO, -ŌNIS, se convirtió en SAGIO, -ONIS, S. VII, de donde el port. *saião* y el cast. *sayón*.

SAZÓN, h. 1140, 'ocasión oportuna, tiempo', 'estado de perfección de las cosas' (de donde 'buen gusto'). Del lat. SATIO, -ŌNIS, 'tiempo de sembrar', propte. 'sembradura, siembra', deriv. de SERĔRE 'sembrar' (participio SATUS).

DERIV. *Sazonar*, 1438; *sazonado*, 1490. *Desazonar*, 1679; *desazonado*, 1539; *desazón*, med. S. XVII.

Se, V. *sí* I   *Sebáceo*, *sebillo*, V. *sebo*

SEBO, med. S. XIII. Del lat. SĒBUM íd.
DERIV. *Sebáceo*. *Sebillo*, 1599. *Seboso*, 1495. *Ensebar*, 1495.
CPT. *Seborrea*.

Seborrea, *seboso*, V. *sebo*   *Seca*, *secadal*, *secadero*, *secano*, V. *seco*   *Secansa*, V. *seguir*   *Secante*, V. *seco* y *segar*   *Sección*, *seccionar*, V. *segar*

SECESIÓN, 1490. Tom. del lat. *secessio*, *-onis*, íd., deriv. de *secedĕre* 'separarse', y éste de *cedere* 'marcharse' (V. *CEDER*).
DERIV. *Secesionista*.

SECO, 1220-50. Del lat. SĬCCUS íd.
DERIV. *Seca* 'sequía', 1220-50, 'infarto', princ. S. XVII. *Sequedal* y *secadal*, 1739. *Secano*, h. 1570. *Secar*, 1220-50, lat. SĬCCARE; *secadero*; *secante*. *Sequedad*, 1251. *Sequero*, 1220-50. *Sequía*, 1599. *Desecar*, 1220-50; *desecación*. *Resecar*. *Reseco*.

SECOYA, 1925. Del ingl. *sequoia*, 1866, y éste de *Sequoiah*, nombre de un indio cheroquí.

Secreción, *secreta*, *secretar*, *secretario*, *secretear*, V. *secreto*

SECRETO, 1220-50. Tom. del lat. *secrētus* 'separado, aislado, remoto', 'secreto', participio de *secernĕre* 'separar, aislar', derivado de *cernere* 'distinguir, cerner'.
DERIV. *Secreta*. *Secretear*. *Secretario*, med. S. XV; *secretaría*. *Secreción*, princ. S. XVIII, lat. *secretio*, *-onis*, 'separación'; *secretar*; *secretor*.

Secretor, V. *secreto*   *Secta*, *sectario*, *sectarismo*, V. *seguir*   *Sector*, V. *segar*   *Secuaz*, *secuela*, *secuencia*, V. *seguir*

SECUESTRAR, princ. S. XVII (*secrestar*, 1495). Tom. del lat. *sequestrare* 'depositar judicialmente en poder de un mediador', deriv. de *sequester* 'depositario mediador'.
DERIV. *Secuestración*, 1495. *Secuestrador*. *Secuestro*, 1495, lat. *sequestrum*.

Secular, *secularizar*, V. *siglo*   *Secundar*, *secundario*, *secundinas*, V. *seguir*

SED, 1220-50. Del lat. SĬTIS íd.
DERIV. *Sediento*, 1220-50.

SEDA, 1220-50. Origen incierto. Quizá del lat. SAETA 'cerda de puerco, de caballo, etc.', 'sedal de pescar', que en la Edad

Media debió de aplicarse al hilo de seda, porque entonces este género se importaba en hilo; de ahí pasaría al tejido de seda. Así parece deducirse de la unanimidad de las lenguas romances, que suponen como nombre de la seda una base SĒTA; desde ahí, ya en los SS. VIII-IX, pasó el vocablo a varias lenguas germánicas y célticas. DERIV. *Sedal*, 1495. *Sedeño*, 1490. *Sedero*; *sedería*. *Sedoso*, med. S. XIX.

Sedal, V. *seda*   *Sedante, sedar, sedativo*, *sede, sedentario*, V. *sentar*   *Sedeño, sedería, sedero*, V. *seda*

SEDICIÓN, 1515. Tom. del lat. *seditio, -onis*, 'discordia', 'rebelión', deriv. de *itio* 'acción de ir' con *sed-* que expresa apartamiento.
DERIV. *Sedicioso*, 1569, lat. *seditiosus* íd.

Sediento, V. *sed*   *Sedimentar, sedimento*, V. *sentar*   *Sedoso*, V. *seda*   *Seducción, seducir, seductor*, V. *aducir*

SEGAR, 972. Del lat. SĔCĀRE 'cortar'.
DERIV. *Segador*, 1490. *Siega*, fin S. XVI. *Segueta*, med. S. XIX, del it. *seghetta*, diminutivo de *sega* 'sierra' (que deriva de SECARE).
Cultismos: *Sección*, princ. S. XVIII, lat. *sectio, -onis*, 'cortadura'; *seccionar*. *Sector*, 1739, lat. *sector, -oris*, 'cortador, el que corta'. *Secante*, S. XIX, propte. 'línea que corta'; *bisecar*; *bisectriz*, formados con *bi-*'dos'. *Disecar*, princ. S. XVIII, lat. *dissecare* íd.; *disección*, 1570. *Insecto*, fin S. XVII, b. lat. *insectus* íd., propte. participio de *insecare* 'cortar, hacer una incisión', por las ceñiduras que se marcan en el cuerpo de estos animales. *Intersección*; *intersecarse*. *Resección*. *Segmento*, princ. S. XVIII, lat. *segmentum* íd., deriv. de *secare* 'cortar'.
CPT. *Insecticida*.

Seglar, V. *siglo*   *Segmento*, V. *segar*   *Segregar*, V. *agregar*

SEGRÍ 'especie de seda gruesa', 1739. Origen incierto. Quizá del it. *sagrì* 'piel de zapa', 1701, tom. del turco *šáġrý*, pero no está explicado el cambio de sentido.

Segueta, V. *segar*

SEGUIR, 1220-50. Del lat. SĔQUĪ íd.
DERIV. *Seguida* 'vida rufianesca', h. 1510; *seguidilla*, 1599. *Seguidor*, 1495. *Seguimiento*, 1495. *Siguiente*, 1444. *Conseguir*, h. 1140, lat. CONSEQUI 'seguir', 'perseguir', 'alcanzar'; *consiguiente*, 1495. *Perseguir*, 1220-50, lat. PERSEQUI íd.; *perseguimiento*. *Proseguir*, 1438, tom. del lat. *prosequi* íd. *Reseguir*. *Subseguir*; *subsiguiente* (-*secuente*, 1438). *Segundo*, 1220-50, del lat. SECŬNDUS íd., propte. 'el siguiente', por vía semiculta;

segundar, princ. S. XVII; *segundón*; *según*, 1220-50, del lat. SECŬNDUM 'según', en forma apocopada por el uso enclítico.
Cultismos: *Secansa*, 1843, del fr. *séquence*, tom. del lat. *sequentia* 'secuencia'. *Secta*, S. XIII, lat. *secta* 'línea de conducta que se sigue', 'partido, bando', 'escuela filosófica'; *sectario*, S. XVII, *sectarismo*. *Secuaz*, h. 1440, lat. *sequax, -ācis*, 'que sigue fácilmente, dócil'. *Secuela*, h. 1440, lat. *sequēla* 'séquito', 'consecuencia'. *Secuencia*, 1632, lat. *sequentia* 'serie', propte. neutro plural del participio de *sequi*. *Secundar*, 1855, lat. *secundare* 'ser favorable', deriv. de *secundus* 'propicio', propte. 'el que sigue'. *Secundario*, S. XVIII, lat *secundarius* 'que va en segundo lugar'. *Secundinas*, 1716, lat. *secundīna* íd. *Séquito*, princ. S. XVII, latinización del it. *sèguito* íd., deriv. de *seguitare* 'seguir'. *Asequible*, h. 1800, deriv. del lat. *assĕqui* 'alcanzar'. *Consecuente*, h. 1590, lat. *consĕquens*, participio de *consequi* 'seguir'; *consecuencia*, 1438; *consecución*; *consecutivo*. *Obsequio*, fin S. XVII, lat. *obsequium* 'complacencia, deferencia', deriv. de *obsequi* 'ceder a la voluntad de alguno, condescender' (por cruce con *exequias* se dijo *obsequias* en los SS. XV y XVI); *obsequioso*, 1737; *obsequiar*, 1737. *Obsecuente*, med. S. XVII, del participio de dicho *obsequi*. *Persecución*, h. 1280; *persecutorio*. *Prosecución*.
CPT. *Segundogénito*.

Según, segundo, V. *seguir*

SEGUR 'hacha', 1050. Del lat. SECŬRIS íd., deriv. de SECARE 'cortar'.

SEGURO, 1206. Del lat. SECŪRUS 'tranquilo, sin cuidado', 'sin peligro' (deriv. privativo de CURA 'cuidado').
DERIV. *Seguridad*, 1220-50. *Asegurar*, med. S. XIII; *seguro*, sust., h. 1570; acepción comercial, 1739.

SEIS, h. 1140. Del lat. SĔX íd.
DERIV. *Seisavo*. *Sexto*, 1220-50, tom. del lat. *sĕxtus* íd.; *sextante*, princ. S. XVIII, lat. *sextans, -tis*, 'sexta parte'; *sexteto*; *sextina*, h. 1580; *sextilla*. *Senario*, 1739, tom. del lat. *senarius*, deriv. de *seni* 'de seis en seis', que a su vez lo es de *sex*.
CPT. *Seiscientos*. *Sesenta*, 1219 (*sessaenta*, h. 1140), lat. SEXAGĬNTA íd.; *sesentón*.
Cultismos: *Sexagésimo*, 1739; lat. *sexagĕsimus*, deriv. de *sexaginta*; *sexagesimal*; *sexagenario*, 1739, lat. *sexagenarius*, deriv. de *sexagēni* 'de 60 en 60'. *Sexcentésimo*. *Sexenio*, 1739, lat. *sexennium* íd., cpt. con *annus* 'año'. *Sextuplicar*. *Séxtuplo*, lat. *sextŭplus* íd.
Formados con el gr. *héx* 'seis' (hermano del lat. *sex*): *Hexacordo*, 1708. *Hexaedro*, 1739. *Hexágono*, 1705, formado con gr. *gō*

nía 'ángulo'; *hexagonal. Hexámetro*, 1611. *Hexasílabo.*

SELACIO, h. 1900. Tom. del gr. *selákhios* íd., deriv. de *sélakhos* 'pez de piel cartilaginosa'.

Selección, seleccionar, selectivo, selecto, V. *elegir*

SELENITA, med. S. XIX. Del gr. *selenítēs* 'perteneciente a la luna', deriv. de *selēnē* 'la luna'. Otros deriv. de *selēnē*: *Selenio; seleniuro. Selenosis. Paraselene*, según el modelo de *parhelio*. CPT. *Selenógrafo; selenografía.*

SELVA, h. 1275. Del lat. SĬLVA 'bosque'. El cultismo *silva* como nombre de una miscelánea, 1541; de cierta composición métrica, 1739. DERIV. *Selvoso*, S. XVII. *Salvaje*, 1335, del oc. y cat. *salvatge* íd., y éste del lat. SĬLVATĬCUS 'propio del bosque'; del italiano se tomó *selvático*, 1438; *salvajada; salvajería*, 1739; *salvajina*, 1335; *salvajismo; selvatiquez*. Cultismos: *Silvano*, h. 1530. *Silvestre*, h. 1440. *Silvoso*. CPT. *Silvicultor; silvicultura.*

SELLO, 1220-50. Del lat. SĬGĬLLUM íd., proptе. 'signo, marca', 'estatuita', 'impronta de un sello', diminutivo de SĬGNUM 'signo'. El cultismo *sigilo*, antiguamente 'sello', principios S. XVII, se tomó en el sentido figurado de 'secreto en que se guarda un asunto', S. XVII, como si fuese bajo sello. DERIV. *Sellar*, h. 1140, lat. SĬGĬLLARE 'marcar con un signo o sello'. *Sigiloso* 'secreto', 1739, que muchos por influjo de *silencio* emplean bárbaramente con el valor de 'silencioso'. CPT. *Sigilografía.*

SEMÁFORO, med. S. XIX. Cpt. culto del gr. *sêma, sêmatos*, 'signo' y *phérō* 'yo llevo'. DERIV. *Semafórico*. Otros derivs. y cpts. de *sêma: Semántica*, 1925, del fr. *sémantique*, creado por Bréal (1897), según el gr. *sēmantikós* 'que significa, significativo', derivado de *sēmáinō* 'yo significo', propte 'yo señalo'; *semántico*, 1925. CPT. *Semasiología*, 1925, creado antes en Alemania, 1839, con el gr. *sēmasía* 'significado'; *semasiológico. Semiología*, 1925, del gr. *sēmêion* 'signo'; también *semiótica. Semiotecnia.*

Semana, semanal, semanario, V. *siete Semántica, semántico, semasiología, semasiológico*, V. *semáforo Semblante, semblanza*, V. *semejar*

SEMBRAR, 1074. Del lat. SĒMĬNĀRE íd., deriv. de SĒMEN 'semilla'.

DERIV. *Sembradío. Sembrado*, 1765-83. *Sembrador. Sembradura*, 1206. *Siembra*, 1611.

Cultismos: *Semen*, 1739, lat. *semen, -inis*, 'semilla'; *seminal*, med. S. XVII; *seminario*, 1595, 'semillero', en bajo latín con el sentido figurado de 'seminario'; *seminarista. Diseminar*, 1739, lat. *disseminare* 'sembrar al vuelo, esparcir'; *diseminación; diseminador. Sativo*, lat. *satīvus* 'que puede sembrarse', deriv. de *satus* 'sembrado', voz de la misma raíz que *semen*. CPT. *Semencontra*, abreviación de la frase lat. *semen contra vermes* 'semilla contra las lombrices'. *Seminífero*.

SEMEJAR, h. 1140. Del lat. vg. *SĬMĬLIARE* íd., deriv. de SĬMĬLIS 'semejante'. *Semblante* 'rostro, aspecto de la cara', 1444, propte. 'apariencia de algo', med. S. XIII, del cat. *semblant* 'semejante', 'rostro', S. XIII, participio de *semblar* 'parecer', procedente del lat. tardío SIMILARE íd., que es variante de dicho SIMILIARE. DERIV. *Semblanza*, med. S. XV, del cat. *semblança* 'parecido'. *Semejante*, 1220-50; *semejanza*, 1220-50. *Asemejar*, h. 1260. *Desemejar*, 1495. Cultismos: *Símil*, h. 1520, lat. *simĭlis* 'semejante'; *similar*, 1817 (una vez h. 1520), extranjerismo incorrecto imitado del ingl. *similar*, 1611, 'semejante', y fr. *similaire*, 1555; *similitud*, h. 1440, lat. *similĭtūdo* íd. *Asimilar*, princ. S. XVII, lat. *assimilare* íd.; *asimilación; asimilista. Disímil*, princ. S. XVII, lat. *dissimilis* íd.; *disimilitud*, 1884; *disimilar*, verbo, S. XX; *disimilación*, S. XX. *Simular*, S. XV, lat. *simŭlare* íd.; *simulación*, 2.º cuarto S. XV. *Simulacro*, h. 1580 (-*acra*, 1444), lat. *simulacrum* íd. *Disimular*, fin S. XIV, lat. *dissimulare* íd.; *disimulación*, 2.ª mitad S. XV; *disimulo*, 1604. CPT. *Similor*, 1817, del fr. *similor*, cpt. del lat. *similis* y el fr. *or* 'oro'. *Similicadencia*, 1692.

Semen, semencontra, V. *sembrar   Semental, sementera*, V. *semilla*

SEMI-, prefijo culto tom. del lat. *semi-* 'medio'. *Semitono*, 1495 (-*tón*, h. 1250). *Semipedal*, 1490, de *pedalis* 'que tiene un pie de largo'. Para otros más tardíos, V. el segundo componente. Equivalente griego de *semi-* es *hēmi-*, que entra en la formación de los siguientes: *Hemiplejía*, deriv. del gr. *hēmiplēgēs* 'medio herido', formado con *plēssō* 'yo hiero'; *hemipléjico. Hemíptero*, con gr. *pterón* 'ala'. *Hemisferio*, 1438, gr. *hēmispháirion* (con *spháira* 'bola'); *hemisférico. Hemistiquio*, princ. S. XVII, gr. *hēmistíkhion* (con gr. *stíkhos* 'verso'). *Hemiciclo. Hemina*, 1495, gr. *hēmína* íd. *Sesquipedal*, h. 1580, 'de un pie y medio', 'enorme', formado con el prefijo lat. *sesqui-* 'uno y medio', emparentado con *semi*.

Semicircular, semicírculo, V. *cerco Semicircunferencia,* V. *circunferencia Semidiós, semidiosa,* V. *dios*

SEMILLA, 1595. Palabra tardía, que no sustituye a *simiente* hasta el S. XVII. El único ejemplo medieval se encuentra en la zona de Badajoz, *semilias,* S. XIII. Teniendo en cuenta lo cual y el hecho de que *xeminio,* h. 1100, se empleaba en el dialecto mozárabe, es probable que se tomara de este dialecto. Ahí procede normalmente del lat. SEMINIA, plural de SEMINIUM 'semilla', con cambio de la N en *l* por disimilación.
DERIV. *Semillero,* 1817. *Simiente,* 1192, 'semilla', todavía usual en algunas partes y además literario, del lat. SEMENTIS 'siembra'. *Sementar,* S. XV. *Sementero,* 1734; *sementera,* 1490. *Semental,* S. XV.

Semillero, V. *semilla Seminal, seminario, seminarista, seminífero,* V. *sembrar Semínima,* V. *menos Semiología, semiotecnia, semiótica,* V. *semáforo Semipedal, semitono,* V. *semi-*

SÉMOLA, 1490. Del lat. SIMILA 'flor de la harina'. El castellano recibió este vocablo del catalán (1489) o del italiano, lo que explica su evolución fonética.

Semoviente, V. *mover Sempiterno,* V. *siempre*

SEN, 1518. Tom. del lat. farmacéutico *sene,* y éste del ár. *senê'* íd.

Senado, senador, senaduría, V. *senil Senario,* V. *seis Senatorial,* V. *senil*

SENCILLO, h. 1250. Del lat. vg. *SINGELLUS, diminutivo del lat. SINGULUS 'uno cada vez', 'uno solo'. Aquél es voz hipotética, pero de una variante SINGILLUS derivan el clásico SINGILLATIM 'una vez, aisladamente' y el lat. tardío SINGILLARIUS 'único'. Del primitivo SINGULOS, en el sentido de 'uno cada uno', viene el cast. *sendos* íd., 1219.
DERIV. *Sencillez,* 1490. *Señero* 'solitario', h. 1140, lat. tardío SINGULARIUS. Cultismos: *Singular,* 1220-50, lat. *singularis* 'único, solitario'; *singularidad,* S. XVII; *singularizar,* S. XVII. *Single,* S. XX, del ingl. *single* 'solo'.

SENDA, 1207. Del lat. SEMITA íd.
DERIV. *Sendero,* 1059, antes *semdero,* 912; *semitero,* 1063; lat. SEMITARIUS, adj. aplicado a la persona que iba por sendas o callejones; *sendero* será abreviación de CAMINUS SEMITARIUS 'camino a modo de con-

da'; el primitivo valor adjetivo lo conserva el port. *sendeiro,* aplicado a la caballería vieja y ruin (por ser la traída y llevada por sendas y no por carretera), sentido que habría existido en cast., pues de ahí deriva *asendereado* 'agobiado de trabajos', 1605 (antes 'práctico, experto', h. 1530, propte. 'que conoce las sendas').

Sendos, V. *sencillo Senectud,* V. *senil*

SENIL 'propio de la vejez', med. S. XVII, tom. del lat. *senilis* íd., deriv. de *senex, senis,* 'viejo'.
DERIV. *Senilidad,* S. XX. *Senectud,* 1438, lat. *senectus, -ūtis,* 'vejez'. *Senado,* h. 1280, lat. *senatus, -us,* íd., propte. 'Consejo de los Ancianos'; *senador,* 1220-50, lat. *senator, -oris; senaduría; senatorial.*

SENO, S. XI. Del lat. SINUS, -US, íd., propte. 'sinuosidad, concavidad', y de ahí 'el pliegue de la toga'.
DERIV. *Ensenar* 'poner en el seno', 1495; *ensenada,* 1502, deriv. de *seno* en el sentido de 'concavidad', 'ensenada', que ya tiene el lat. SINUS. *Coseno.*
Cultismos: *Sinuoso,* princ. S. XVII, lat. *sinuōsus* íd.; *sinuosidad. Sinusitis. Insinuar,* 1607, lat. *insinuare* 'introducir en el interior'; *insinuación; insinuante.*

Sensación, sensacional, sensatez, sensato, sensibilidad, sensibilizar, sensible, sensiblero, sensitiva, sensitivo, sensorio, sensual, sensualidad, V. *sentir*

SENTAR, S. XIV, raro hasta el S. XVI. Lo único antiguo es el transitivo *asentar,* h. 1140, que procede del lat. vg. *ADSEDENTARE,* deriv. del lat. SEDERE 'estar sentado' (participio activo SEDENS, -ENTIS). *Assentar* es voz común al castellano con el port., cat. y dialectos réticos y del Norte de Italia.
DERIV. *Sentado,* S. XVI. *Asentada. Asentaderas,* princ. S. XVII. *Asentamiento,* fin S. XIII. *Asiento,* med. S. XV; *asentista.* Otros deriv. de SEDERE: *Sobreseer,* 1490, lat. SUPERSEDERE 'sentarse ante algo', 'abstenerse de ello'; *sobreseimiento.*
Cultismos: *Sede,* 1595, del lat. *sēdes* 'residencia'; de éste, por vía popular, sale el cat. *seu* íd., y 'sede episcopal', de donde 'Catedral', y de éste el cast. *seo,* med. S. XVII. *Sedar,* 1817, lat. *sēdāre* íd., propte. 'hacer sentar o posar'; *sedativo,* 1817; *sedante. Sedente* o *sediente,* participio de *sedere; sedentario,* 1739. *Sedimento,* S. XIX, lat. *sedimēntum* íd.; *sedimentar; sedimentación; sedimentario. Sesión,* 1629, lat. *sessio, -onis,* íd.

Sentencia, sentenciar, setencioso, sentimental, sentimiento, V. *sentir*

SENTINA, 2.º cuarto S. XV. Del lat. sentīna 'sentina de nave', 'poso, desecho'.

SENTIR, 2.ª mitad S. X. Del lat. sĕntīre 'percibir por los sentidos', 'darse cuenta', 'pensar, opinar'.
Deriv. *Sentido*, sust., 1220-50. *Sentimiento*, h. 1250; *sentimental; sentimentalismo*. *Consentir*, 2.ª mitad S. X, lat. consentire 'estar de acuerdo', 'decidir de común acuerdo'. *Contrasentido*, 1855, adaptación del fr. *contre-sens*. *Resentirse*, 1605; *resentimiento*, h. 1625.
Cultismos: *Sentencia*, 1220-50, lat. sentĕntia 'opinión', 'consejo', 'voto'; *sentencioso*, 1607; *sentenciar*, 1438. *Sensato*, 1817, lat. tardío *sensatus* íd., deriv. de *sensa* 'pensamientos', propte. participio plural neutro de *sentire; sensatez; insensato*, h. 1610; *insensatez. Sensación*, h. 1730, b. lat. *sensatio, -onis*, íd.; *sensacional*, h. 1900; *sensacionalismo, -ista*, S. XX. *Sensible*, h. 1440, lat. sensĭbĭlis íd.; *sensibilidad*, h. 1440; *sensibilizar; sensiblero, sensiblería; insensible*, h. 1440, *insensibilidad*, 1515. *Sensitivo*, h. 1440; *sensitiva*, 1884. *Sensorio*, 1843; *sensorial*, S. XX, imitado del fr. y el inglés. *Sensual*, 1515, lat. *sensualis; sensualidad*, h. 1440; *sensualismo. Asentir*, princ. S. XVII, lat. *assentire* íd., *asentimiento*, 1580; *asenso. Consenso*, S. XIX, lat *consensus, -us*, íd.; *consensual. Disentir*, 1600, lat. *dissentire* íd.; *disentimiento; disenso; disensión*, h. 1490, lat. *dissensio, -onis*, íd. *Presentir*, h. 1580, lat. *praesentire* íd.; *presentimiento*, 1737.

SEÑA, h. 1140. Del lat. sīgna, plural de sīgnum 'señal, marca', 'insignia, bandera'.
Deriv. *Señal*, h. 950; *señalero; señalar*, h. 1250, *señalado*, 1220-50; *señalamiento*, 1739. *Señuelo* 'figura de ave empleada para atraer el halcón remontado', 1335, 'cualquier cosa que sirve para atraer otras aves', 'incentivo', 1599. *Contraseña*, h. 1570. *Diseñar*, 1535, del it. *disegnare* 'dibujar', y éste del lat. designare íd., propte. 'marcar', 'designar'; *diseño*, 1580. *Enseñar*, h. 1140, lat. vg. insignare 'marcar', 'designar'; *enseñanza*, 1495. *Enseña*, h. 1440. *Entreseña*, 1817. *Reseña*, S. XVI; *reseñar*, 1832.
Cultismos: *Signo*, 1220-50, lat. sĭgnum 'señal'; de la acepción 'constelación' (propte. 'señal celeste'), se tomó por vía semiculta *sino*, antes 'constelación', 1220-50; 'la misma en cuanto predestina la vida humana', 1335, y luego 'destino del hombre', h. 1490. *Signar*, 1251; *signatario; signatura. Asignar*, 1220-50, lat. *assignare* íd.; *asignación; asignatario; asignatura*, S. XIX. *Consignar*, h. 1575, lat. *consignare* íd.; *consigna*, S. XIX; *consignación*, 1729; *consignatario*, 1680. *Designar*, med. S. XIV, lat. *designare* íd.; *designación*, 1705; *designio*, 1569, b. lat. *designium. Insigne*, 1444, lat. *insignis* 'señala-

do'; *insignia*, 1444, del plural neutro de dicho adj. *Persignar*, 1605, lat. *persignare. Resignar*, 1495, lat. *resignare* 'anular', propiamente 'romper el sello que cierra algo'; *resignación*.
Cpt. *Significar*, 1220-50, lat. *significare* íd.; *significación*, 1220-50; *significado*, 1418; *significativo*, princ. S. XVII.

Señero, V. *sencillo*

SEÑOR, 1077. Del lat. senior, -ōris, 'más viejo' (comparativo de senex 'viejo'). En plural, seniōres se empleó en el Bajo Imperio para designar a los viejos más respetables, sea los miembros del senado romano, sea los dirigentes de las comunidades hebreas y cristianas. Posteriormente se empleó senior como tratamiento de respeto a todo superior y acabó por hacerse sinónimo de dominus 'dueño', a principios de la Edad Media. En el lenguaje hablado del Siglo de Oro se empleaba *señor* contraído en *seor, sor, so*, y éste acabó por emparejarse con palabras insultantes para intensificar su sentido (*so cochino, so majadero*).
Deriv. *Señora*, 1220-50 (pero hasta el S. XIV persistió el empleo de *señor* como femenino). *Señorear*, h. 1275. *Señoría*, 1115; *señorial*, S. XIX, copiado del fr. *seigneurial*, S. XV. *Señorío*, h. 1140. *Señoril*, S. XV. *Señorito*, h. 1650; *señorita. Señorón. Enseñorearse*, 1438.
Cpt. *Monseñor*, 2.º cuarto S. XV, del fr. *monseigneur*, propte. 'mi señor'; cuyo caso sujeto *messire* pasó al it. *messer* y de ahí, por conducto del cat. *misser*, al cast. *micer*, S. XV.

Señuelo, V. *seña*　　*Seo*, V. *sentar*　　*Seor*, V. *señor*　　*Sépalo*, V. *pétalo*

SEPARAR, 1515. Tom. del lat. *separare* íd., deriv. de *parare* 'disponer' con prefijo *se-* 'aparte'.
Deriv. *Separable. Separación*, 1438. *Separatista*, 1884; *separatismo*, S. XX. *Separativo. Separable; inseparable*, h. 1440.

Sepelio, V. *sepultar*　　*Sepia*, V. *jibia Septenario, septentrión, septentrional, septeto*, V. *siete*　　*Septicemia, séptico*, V. *seta Septiembre, séptimo, septingentésimo, septuagenario, septuagésima, septuagésimo, septuplicar, séptuplo*, V. *siete*

SEPULTAR, 1490. Tom. del lat. tardío sepŭltāre, deriv. de *sepelire* íd. (participio *sepultus*).
Deriv. *Sepulto*, S. XIX, de este participio; *insepulto. Sepelio*, med. S. XIX, deriv. culto de *sepelire. Sepultura*, 1220-50, *sepŭltūra* íd.; *sepulturero. Sepulcro*, 1220-50, lat. *sepŭlcrum* íd.; *sepulcral*, 1739.

Sequedad, sequero, sequía, V. *seco*　　*Séquito*, V. *seguir*

SER, S. X. Las formas de este verbo castellano resultan de una fusión de las de dos verbos latinos. La mayor parte proceden del lat. ĕsse íd.; pero las demás, incluyendo el futuro, el condicional, los presentes de subjuntivo e imperativo, y las formas impersonales, vienen del lat. sĕdēre 'estar sentado', que debilitó en cast. y port. su sentido hasta convertirse en sinónimo de 'estar' y luego 'ser'. Sustantivado ya se emplea en el S. XVI.

Deriv., todos cultos: *Esencia*, 1438, lat. *essĕntĭa* íd.; *esencial*, 2.° cuarto S. XV; *esenciero. Futuro*, 1438, lat. *futūrus*, participio de futuro de *esse. Presente*, adj., 1220-50, lat. *praesens, -entis*, participio de *praeesse* 'estar presente'; *presentar* 'poner delante, mostrar', h. 1240; 'ofrecer un don', h. 1140; de ahí *presente*, sust., 'don', h. 1140; *presencia*, 1444; *presenciar; presencial; presentación; representar*, 1220-50, *representación, representante, representativo. Ente*, h. 1630, lat. tardío *ens, entis*, íd., adaptación del gr. *ŏn, óntos*, participio de *eimí* 'yo soy'; *entidad*, princ. S. XVII; *entitativo.*

Cpt. *Ontología*, 1843, de esta palabra griega con gr. *lógos* 'tratado'; *ontológico. Ontogenia*, con gr. *génos* 'origen'; *ontogénico. Enseres*, 1817, resulta de sustantivar la locución *estar en ser* o *tener en ser*, 'en existencia, en su ser', 'íntegro, no tocado', que solía emplearse en inventarios para distinguir los objetos que fueron encontrados de hecho al hacer el inventario, de los que hubieran debido estar y no se encontraron (por venta, consunción, pérdida, etc.): de ahí el llamar *enseres* a los objetos que solían figurar en inventarios.

SERA, 1495. Hermano del port. *seira*, árabe hispánico y africano *šáira*, cat. dial. *sàrria*, cat., arag. y oc. *sàrria*. La base común es sa(r)rɪa; voz de origen incierto, aunque de todos modos europea. Es dudoso si se trata de una voz prerromana o germánica.

Deriv. *Serón*, 1209; *seronero. Enserar.*

SERAFÍN, 1490. Tom. del lat. bíblico *seraphim* 'serafines' (también *seraphin*), y éste del plural hebreo *sᵉrāphīm* íd. Deriv. *Serafina*, 1739. *Seráfico*, 1438, deriv. del singular hebr. *sᵉrāph.*

Serano, V. *sarao*

SERBA, 1220-50. Alteración del lat. sorba, plural de sorbum íd. Pero la vocal acentuada de la palabra latina no corresponde bien a la del castellano, y menos a la del cat. *serva*, S. XV, gall. *serba*, languedociano *sèrbo*. En estas tierras sorba debió de cruzarse con otra palabra, que pudo ser la representada por otro nombre del mismo

fruto, a saber, provenzal *esperbo*, sardo *superva*, alem. ant. *sperwa* (hoy *sperberbaum*), cuya etimología es incierta, pero que en todo caso hubo de tener *é* antigua.

Deriv. *Serbal*, 1495.

SERENO, 1335. Del lat. serēnus 'sereno, sin nubes', 'apacible'. *Poner algo al sereno* significó 'ponerlo de noche a la intemperie', 1495, lo cual sólo se hace cuando no hay amenaza de lluvia, y de ahí pasó *sereno*, 1611, a designar la humedad que cae sobre lo que está al sereno.

Deriv. *Serenar*, 1495. *Serenata*, 1717, del it. *serenata*, así dicha porque no puede darse cuando está por llover. *Serenidad*, 1433.

Seriar, V. *serie*   *Sericicultor, sericicultura*, V. *jerga* I

SERIE, 1499. Tom. del lat. *series* íd., deriv. de serĕre 'entretejer, encadenar'.

Deriv. *Seriar.*

Seriedad, V. *serio*

SERIO, 1626. Tom. del lat. *sērĭus* íd.

Deriv. *Seriedad*, h. 1570. *Enseriarse.*

SERMÓN, 1112. Tom. del lat. *sermo, -ōnis*, 'conversación', 'diálogo', 'lenguaje coloquial', 'lengua, estilo'.

Deriv. *Sermonar*, h. 1300; *sermonear. Sermonario*, h. 1250.

SERNA, 902, 'campo de tierra de sembradura' y más especialmente el que se reservaba el señor y tenía que ser cultivado por sus vasallos. Fue *sénera*, 831, o *senra*, en la documentación más antigua, hasta el S. XI, y hoy todavía en dialectos leoneses. Emparentado con el leonés *senára*, port. y gall. *seára*, íd. Voces prerromanas, de origen incierto. Probte. céltico, de un *senārā 'campo que se labra por separado' cpt. del céltico ar- 'arar', y sen-, prefijo que indica separación. En el Oeste de la Península el vocablo se acentuaría en el segundo elemento del compuesto, mientras que en el Centro de España se convertiría en *sénĕra por adaptación a la fonética latina.

Serología, V. *suero*   *Serón*, V. *sera* *Serondo*, V. *zarandajas*   *Serosidad, seroso, seroterapia*, V. *suero*   *Serpentaria, serpentario, serpentear, serpentín, serpentina*, V. *serpiente*

SERPIENTE, 1220-50. Del lat. sĕrpens, -ĕntis, íd., deriv. de serpĕre 'arrastrarse'.

Deriv. *Serpentear*, S. XIX. *Serpentario; serpentaria. Serpentín*, S. XVII; *serpentino*, princ. S. XV; *serpentina*, 1490. *Serpol*, 1495, del cat. *serpoll* íd., lat. serpŭllum íd., deriv. de SERPERE; en forma más castellana y con otro sentido, *serpollo,* med. S. XIX.

Serpol, serpollo, V. *serpiente*

SERRALLO, 1615, 'lugar donde los mahometanos encierran sus mujeres y concubinas'. Del it. *serraglio* íd., y éste del turco *serāī* 'alojamiento, residencia, palacio', a su vez de origen persa. En italiano se confundió con la antigua palabra castiza *serraglio* 'jaula de fieras', deriv. de *serrare* 'encerrar'.

Serrana, serranía, serranilla, serrano, serreta, serrín, serrucho, V. *sierra   Serventesio, servicial, servicio, servidor, servidumbre, servil, servilleta,* V. *siervo*

SERVIOLA, 1587, 'palo grueso que sale diagonalmente hacia fuera desde el castillo de proa'. Antiguamente *cerviola,* h. 1620. Probte. de origen catalán, donde es diminutivo del cat. ant. *cérvia* 'cierva', por alusión a los cuernos de este animal.

Servir, V. *siervo*

SÉSAMO, 1251 (*sínsamo*), lat. *sēsămum.* Tom. del gr. *sēsamon* íd.
CPT. *Sesamoide.*

Sesear, V. *cecear   Sesenta, sesentón,* V. *seis   Seseo,* V. *cecear   Sesera,* V. *seso*

SESGO, 1.º 'sosegado, tranquilo, calmoso', ant., S. XIII; 2.º, 'oblicuo', S. XVI. En la 1.ª acepción viene indudablemente del antiguo *sesgar,* S. XVI, variante de *sosegar,* y éste del lat. *SESSICARE* 'asentar', 'hacer reposar' (deriv. de SEDĒRE 'estar sentado'). En la 2.ª acepción, que es de fecha más moderna, y menos frecuente que aquélla en los clásicos, difícilmente se puede dudar de que sea la misma palabra, aunque no es bien clara la explicación del cambio de sentido. Quizá porque los ríos de corriente sosegada forman meandros y se apartan de la línea recta. Sustantivado *sesgo* 'oblicuidad' ya aparece h. 1570, y figuradamente 'expediente a que se recurre para cortar o resolver una situación dudosa' en 1542, de donde finalmente 'curso que toma un negocio'.
DERIV. *Sesgado,* fin S. XVI. *Sesguear,* 1607. *Sesgadura.*

Sesión, V. *sentar*

SESO 'prudencia, discreción', h. 1140, 'cerebro, masa encefálica', 1495. Del lat. SENSUS, -US, 'acción de percibir', 'sentido, facultad de percibir', 'inteligencia', deriv. de SENTIRE 'sentir', 'pensar, opinar'.
DERIV. *Sesudo,* med. S. XIII; *sesudez. Sesera. Sesada. Asesar.*

Sesquipedal, V. *semita   Sestear,* V. *siesta   Sesudo,* V. *seso*

SETA, princ. S. XVII, antes *xeta,* 1423 (pero es antigua la forma con *s-,* V. abajo *setura*). Origen incierto; quizá del gr. *sēptá* 'cosas podridas' (plural neutro de *sēptós* 'podrido'), de donde 'moho, verdín', y luego 'hongo de poca estimación' y 'hongo en general'; la semejanza con el vasco *ziza* (y dialectalmente *zuza, xixa*) es algo vaga y puede ser casual. La variante antigua *xeta,* hoy *jeta,* ha tomado el sentido 'boca saliente de labios abultados', 1514, y luego 'cara bestial', por comparación con el aspecto abultado de la superficie superior del hongo, provista de un hoyito en medio; también se dice *seta* 'hocico', en los dialectos, y viceversa, *jeta* es todavía 'hongo yesquero' en Andalucía.
DERIV. *Cardo setero. Setura* 'setal, lugar donde abundan las setas', 1210. De *jeta: jetazo, jetudo, jetón.*
Cultismos deriv. del gr. *sēptós* 'podrido': *Séptico. Asepsia, aséptico. Antisepsia, antiséptico.*
CPT. *Septicemia,* con el gr. *hâima* 'sangre'. *Saprófito* es cpt. del gr. *saprós* (del mismo sentido y de la misma raíz que *sēptós*) y *phytón* 'planta'.

Setecientos, setenta, setentón, V. *siete   Setero,* V. *seta*

SETO, 1490. Del lat. SAEPTUM íd. y 'barrera', 'recinto', propte. participio pasivo de SAEPIRE 'cercar', que a su vez deriva de SAEPES 'seto'.

Setura, V. *seta*

SEUDO-, tom. del gr. *pseudo-,* elemento prefijado de cpts., sacado del adjetivo *pseudēs* 'mentiroso, falso'. *Pseudo Profeta,* 1584. *Seudónimo,* 1765-83, formado con gr. *ónoma* 'nombre'. *Seudópodo.* Etc.

SEVERO, 1490. Tom. del lat. *sevērus* íd.
DERIV. *Severidad,* 1490. *Aseverar,* princ. S. XVII, lat. *asseverare* íd., propte. 'hablar seriamente'; *aseveración; aseverativo. Perseverar,* 1438, lat. *perseverare,* propte. 'persistir en la seriedad'; *perseverante,* h. 1440; *perseverancia,* h. 1490.

SEVICIA, med. S. XVII. Tom. del lat. *saevĭtĭa* 'violencia', 'crueldad', deriv. de *saevus* 'cruel', 'inhumano'.

Sexagenario, sexagésimo, sexcentésimo, sexenio, V. *seis*

SEXO, h. 1440. Tom. del lat. *sexus, -us,* íd.
DERIV. *Sexual,* fin S. XVIII, lat. *sexualis* 'femenino'; *sexualidad; asexual; sexuado.*

Sextante, sexteto, sextilla, sextina, sexto, sextuplicar, séxtuplo, V. *seis   Sexual,* V. *sexo*

Sí I, pronombre, h. 1140. Del lat. sĭbĭ, dativo del pronombre reflexivo de 3.ª persona. En romance SIBI fue sustituido por *sĭ según el modelo de MĬ (clásico MIHI), forma correspondiente del pronombre de 1.ª persona. *Se*, h. 950, procede del antiguo acusativo SĒ. *Suyo*, h. 1140, antes *súo*, S. XI, del lat. sŭus íd.; de ahí *su*, h. 1140, forma inacentuada del mismo.

CPT. *Consigo*, fin S. X, formado con *sigo* (que se empleaba con el mismo valor en gallego y portugués antiguos), procedente del lat. sēcum íd., alterado por influjo de *sí: consigo*, por lo tanto, contiene la preposición lat. CUM 'con' dos veces. *Ensimismarse*, med. S. XIX, deriv. de *sí mismo; ensimismamiento. Suicidio*, h. 1800, imitado del ingl. *suicide*, 1651, que se formó con la terminación de *homicidio; suicida*, 1843; *suicidarse*, h. 1800. *Aseidad*, deriv. del lat. *a se* 'de por sí'.

Sí II, afirmativo. V. *ASÍ*.

SI III, conjunción, h. 1140. Del lat. sĭ, de función análoga.

CPT. *Sino* 'salvo, a excepción de', h. 1140 (abreviación de *si no es...*), y de ahí luego conjunción adversativa, h. 1140.

Sialismo, V. *saliva*

SIBARITA, med. S. XIX, lat. *sybarīta*. Tom. del gr. *sybarítēs* 'habitante de Síbaris, ciudad del Sur de Italia, cuyos pobladores tenían fama de ser dados al lujo y a la molicie'.

DERIV. *Sibarítico. Sibaritismo*.

SIBILA, 1444, lat. *sibylla*. Tom. del gr. *síbylla* 'profetisa'.

DERIV. *Sibilino*, princ. S. XVII. *Sibilítico*.

Sibilante, V. *silbar*   *Sibilino, sibilítico*, V. *sibila*

SICALÍPTICO 'obsceno', 1902. Creado para anunciar una obra pornográfica; probablemente pensando en un cpt. del gr. *sýkon* 'vulva' y *aleiptikós* 'lo que sirve para frotar o excitar'.

DERIV. *Sicalipsis*, formado con el abstracto correspondiente *áleipsis*.

SICARIO, med. S. XIX. Tom. del lat. *sicarius*, deriv. de *sica* 'puñal'.

SICIGIA, 1708. Tom. del gr. *syzygía* 'unión', formado con *syn-* 'juntamente' y *zygós* 'yugo'. Deriv. de la misma raíz griega es *zéuema* 'enlace', de donde cast. *zeugma*, h. 1580.

Sicofanta, V. *higo*

SICOTE 'suciedad que se forma en los pies', 1836. Palabra antillana de origen in-

cierto. Quizá, a pesar de que hoy no se emplea en Méjico, viene del azteca *tzocuítlatl* 'suciedad del cuerpo'.

SIDERAL, med. S. XIX. Tom. del lat. *sideralis* íd., deriv. de *sidus, -ěris*, 'constelación', 'estrella'. Otro deriv. de éste es *sidéreo*, princ. S. XVII, lat. *siderěus*.

SIDERITA (planta), 1555 (*siderítis*), lat. *siderītis*. Tom. del gr. *siderítis, -idos*, íd., deriv. de *sidéros* 'hierro', así llamada porque se empleaba para cicatrizar heridas hechas con armas. Como nombre de mineral, 1739 (*-itis*), también llamado *siderosa*, viene de otro deriv. de esta palabra, gr. *siderítēs*. Otro deriv. del mismo: *Siderosis*.

CPT. *Siderurgia*, med. S. XIX, formado con gr. *érgon* 'obra'; *siderúrgico*.

SIDRA, h. 1260. De *sizdra*, antes *sizra*, 1220-50, procedente del lat. sicěra 'bebida embriagante de los hebreos', 'cualquier bebida alcohólica que se hacía con frutas o cereales', tomado a su vez del hebreo; el vasco *zizar*, más cercano al original, revela la antigüedad de este vocablo en España.

DERIV. *Sidrería*.

Siega, V. *segar*   *Siembra*, V. *sembrar*

SIEMPRE, 1220-50. Del lat. sěmper íd. DERIV. *Sempiterno*, 1438, tom. del lat. *sempitěrnus* íd.

CPT. *Siempreviva*, 1495.

SIEN, princ. S. XV. Origen incierto. Probte. alteración del antiguo *sen* 'sentido, juicio, inteligencia', h. 1230, conforme a la creencia popular de que la inteligencia reside en las sienes. Éste procede del germ. occidental sĭnn íd., tomado seguramente por conducto de Francia. Al popularizarse este viejo extranjerismo en castellano, sería interpretado como un deriv. del verbo *sentir*, de donde luego el diptongo de *sien*.

SIENITA, h. 1900. Deriv. del nombre de la ciudad de Siena en Toscana.

SIERRA 'aparato para aserrar', 1490, pero sin duda empleado desde los orígenes. Del lat. sĕrra íd. En el sentido de 'línea de montañas', S. X, se trata de una comparación con el aspecto dentado del perfil de las cordilleras, denominación arraigada en toda la Península Ibérica, Sur de Francia y Norte de Italia hasta el rumano de Macedonia.

DERIV. *Serrano*, S. XII; *serrana; serranilla*, 1220-50; *serranía*, 1335. *Serrezuela. Serreta*, 1817. *Serrón. Serrucho*, 1817; *aserruchar. Aserrar*, 1251, lat. SERRARE; *serrín*, princ. S. XVIII o *aserrín*, antes *aserraduras*, 1495; *aserradero*.

SIERVO, 1219. Del lat. SĔRVUS 'esclavo'. DERIV. *Servicio*, h. 950, tom. del lat. *servĭtĭum* íd.; *servicial*, principios S. XVII (sust., 1220-50). *Servidumbre*, 1220-50, del lat. tardío SERVĬTŪDO, -ĬNIS (clásico SERVĬTUS, -ŪTIS). *Servil*, 1490, tom. del lat. *servilis* íd.; *servilismo. Servilleta*, 1570, probte. del fr. *serviette* íd., 1393, alterado por influjo del cast. ant. *servilla* 'zapatilla', y de *salvilla* 'bandeja'; *servilletero. Servir*, h. 950, lat. SERVIRE íd., propte. 'ser esclavo', 'hacer de esclavo', deriv. de SERVUS; *servidor*, 1220-50; *sirviente*, 1220-50; *sirvienta*, h. 1295; *serventesio*, tom. de oc. ant. *sirventes(c)*, así llamado porque solía escribirlo un trovador a sueldo de un príncipe o señor. *Sargento*, 1611, del fr. *sergeant* íd., propiamente 'sirviente', y éste del lat. SERVIENS, -ENTIS, 'sirviente'; *sargentear*, h. 1570. CPT. *Servomotor.*

SIESTA, 1220-50. Abreviación del lat. HORA SĔXTA 'la hora sexta del día, que correspondía a las 12', de donde 'hora del máximo calor' y 'sueño que se toma después de comer'. DERIV. *Sestear*, 1495. *Resistero*, 1607, alteración de **resiestero*, antes *resestero*, 1589.

SIETE, 1132. Del lat. SĔPTEM íd. DERIV. *Setiembre*, 1251 (grafía *septiembre* sólo desde 1739), lat. SEPTĔMBER, -BRIS, íd., así llamado por haber sido el séptimo mes del calendario romano antes de la introducción de julio y agosto. *Séptimo*, 1220-50, tom. del lat. *sĕptĭmus* íd. *Semana*, h. 1140, lat. SEPTĬMĀNA íd.; *semanal; semanario. Septenario*, h. 1250. *Septeto*. Del gr. *hébdomos*, equivalente de *sĕptĭmus*, deriva gr. *hebdomás, -ádos*, 'semana', de donde *hebdomadario*. CPT. *Setenta*, 1209 (*setaenta*), lat. SEPTUAGĬNTA íd.; *setentón; septuagésimo*, lat. *septuagĕsĭmus; septuagésima; septuagenario. Setecientos*, 1495; *septingentésimo*, lat. *septingentesimus. Sietecolores. Sietecuchillos. Sieteenrama*, 1495. *Septenio*, lat. *septennium. Septentrión*, h. 1275, lat. *septentriōnes* 'las siete estrellas de la Osa Menor', propte. 'los siete bueyes', formado con el arcaico *trio, -onis*, 'buey de labrar'; *septentrional*, h. 1440. *Septuplicar; séptuplo. Entresemana*, 1600. Del gr. *heptá*, equivalente del lat. *septem*: *Heptacordo. Heptágono*, 1705, con gr. *gōnía* 'ángulo'; *heptagonal. Heptarquía. Heptasílabo. Heptateuco.*

SÍFILIS, med. S. XIX. Tom. del lat. moderno *Syphĭlis*, título de un poema compuesto por el italiano Girolamo Fracastoro en 1530, cuyo protagonista *Syphilus* contrae este mal; más tarde se cree imitado del de un personaje de Ovidio. El propio Fracastoro empleó más tarde el vocablo en un tratado médico en latín, pero hasta el S. XVIII no se extendió el vocablo a Francia e Inglaterra. DERIV. *Sifílide. Sifilítico*, princ. S. XIX. CPT. *Sifilografía.*

SIFÓN, 1765-83, lat. *sipho, -ōnis*. Tom. del gr. *síphōn, -ōnos*, íd., propte. 'tubo, cañería'.

Sigilo, sigilografía, sigiloso, V. *sello*

SIGLA, 1765-83. Tom. del lat. tardío *sigla, -orum*, íd., palabra empleada sólo como plural.

SIGLO, S. XIV, antes *sieglo*, h. 1140. Del lat. SAECŬLUM íd., propte. 'generación, duración de una generación', 'época'. DERIV. *Seglar*, 1212, deriv. de *sieglo* en el sentido de 'vida terrenal', 'mundo', muy corriente en la Edad Media; *aseglarar*. En forma culta: *secular*, 1490; *secularizar, secularización.*

SIGMA, nombre de la letra griega *s* (Σ). DERIV. *Sigmático*, S. XIX. CPT. *Sigmoideo*, aplicado a la que tiene su forma, antes *sigmatoides*, princ. S. XVIII.

Signar, signatario, signatura, significado, significar, significativo, signo, V. *seña* *Siguiente*, V. *seguir* *Sílaba, silabario, silabear, silabeo, silábico*, V. *epilepsia*

SILBAR, 1335. Del lat. SĪBĬLARE íd. De una variante popular, lat. SĪFĬLARE, sale el antiguo *chiflar* 'silbar', SS. XV-XVII, todavía usual en América, de donde figuradamente 'mofar', 1589, y *chiflarse* 'volverse loco', S. XIX; dialectalmente *chuflar*. DERIV. *Silba*, med. S. XIX. *Silbante. Silbato*, 1611. *Silbido*, 1607; *silbo*, 1495 (*sivlo*, h. 1295). *Chifla; chifladura; chiflete. Rechiflar; rechifla.* Cultismos: *Sibilante. Asibilar; asibilación.*

SILENCIO, 1220-50. Tom. del lat. *sĭlĕntĭum* íd., deriv. de *silēre* 'callar', 'estar callado'. DERIV. *Silencioso*, S. XVII. *Silenciar* 1923.

Silepsis, V. *epilepsia*

SILFO, 1765-83. Tom. del fr. *sylphe* o del lat. mod. *sylphus*, S. XVI, resultante probte. del galo (*matribus*) *Sule(u)is*, leído erróneamente como *sylfis* por influjo de los sinónimos *nymphis* y *sylvanis*. DERIV. *Sílfide*, h. 1835, del fr. *sylphide*, 1670.

Silguero o *sílguero*, V. *jilguero*

SÍLICE, med. S. XIX. Tom. del lat. *sĭlex, -ĭcis*, íd., propte. 'guijarro'. DERIV. *Silicato. Silíceo. Silícico. Silicio. Silicosis.*

SILICUA, 1555. Tom. del lat. *sĭlĭqua* 'vaina de legumbre', 'legumbre'.
DERIV. *Silícula.*

SILO, h. 1050. Voz peculiar del castella-no. Es palabra prerromana, de procedencia incierta. Probte. del céltico SĪLON 'semilla', también empleado con valor colectivo, de donde 'masa de semillas' y luego 'depósito de grano'. Como el silo era siempre subterráneo, es posible que de ahí salga también el vasco *zilo, zulo,* 'agujero'.
DERIV. *Ensilar,* 1495.

Silogismo, silogístico, V. *lógico*

SILUETA, h. 1860. Del fr. *silhouette* íd., 1798, abreviación de *portrait à la Silhouette,* dibujo que tomó nombre de Étienne de Silhouette, Intendente General del Tesoro francés en 1759; parece tratarse de una aplicación especial de la locución *faire quelque chose à la silhouette,* dicha de cualquier cosa que se hiciera rápidamente, aludiendo al paso efímero de dicho personaje por su cargo.

SILÚRICO, h. 1900, ingl. *silurian,* 1835. Del nombre de los Silures, que habitaban el Sudeste del País de Gales en la época romana.

SILURO, 1555, lat. *silūrus.* Tom. del gr. *síluros* íd.

Silva, silvano, silvestre, silvicultor, silvicultura, silvoso, V. *selva*

SILLA, 1220-50 (*siella,* 962). Del lat. SĔLLA íd. (de SED-LA, deriv. de SEDERE 'estar sentado').
DERIV. *Sillero; sillería,* S. XVII. *Silleta,* 1490; *silletero. Sillín,* S. XIX. *Sillón,* 1605. *Ensillar,* 1495. *Sillar,* 1495, así llamado por formarse con él la base en que *asienta* el edificio; *sillarería,* h. 1600, simplificado en *sillería* 'construcción en sillares', h. 1600.

Sillar, sillería, sillero, silleta, sillín, sillón, V. *silla*

SIMA, 1350-69. Voz peculiar del castellano, de origen desconocido, probte. prerromana; si su sentido primitivo fue 'grieta longitudinal en el suelo' podría ser indoeuropeo, pariente de los sánscr. *sīmā* 'frontera' y *sīmán-* 'crencha o raya del cabello', anglosajón *sīma* y escand. ant. *síme* 'cordel' (de la familia del gr. *himás* 'correa' y del sánscr. *syati* 'él ata'); pero ello es tanto más dudoso cuanto que en los Pirineos *sima* es 'sumidero natural' y *simarse* vale por 'sumirse una corriente de agua'. Cf. *SUMIR.*

SIMARRUBA, 1765-83. Del fr. *simarouba,* y éste del caribe *simaruba* íd., empleado en la Guayana francesa.

Simbiosis, V. *bio-* *Simbólico, simbolismo, simbolizar,* V. *símbolo*

SÍMBOLO, 1611, lat. *symbŏlum.* Tom. del gr. *sýmbolon* íd., deriv. de *symbállō* 'yo junto, hago coincidir' (y éste de *bállō* 'yo lanzo').
DERIV. *Simbólico,* S. XVII. *Simbolismo; simbolista. Simbolizar.*

Simetría, simétrico, V. *metro* *Simiente,* V. *semilla* *Simiesco,* V. *simio* *Símil, similar, similicadencia, similitud, similor,* V. *semejar*

SIMIO, h. 1250. Tom. del lat. *sīmĭus* 'mono'. Antiguamente existió en castellano una forma *ximio,* 1335, heredada del latín con carácter popular.
DERIV. *Simia,* 1495 (*ximia*). *Simiesco,* h. 1900.

SIMÓN, 1817. Abreviatura de *coche de don Simón,* 1765-83, nombre que hace referencia a un alquilador de coches madrileño.
DERIV. *Simonía,* fin S. XIV, tom. del bajo lat. *simonia,* deriv. del nombre de Simón el Mago, por alusión a su oferta de dinero a los Apóstoles con intento de recibir el don de conferir el Espíritu Santo; *simoníaco,* 1495.

Simpatía, simpático, simpatizar, V. *patético*

SIMPLE, 1220-50. Tom. del b. lat. *sĭmplus* íd.
DERIV. *Simpleza,* h. 1280. *Simplicidad,* 1220-50. *Simplicísimo. Simplismo; simplista. Simplón.*

Simulación, simulacro, simular, V. *semejar*

SIMULTÁNEO, 1739. Deriv. culto, común a los varios idiomas de Occidente, del lat. *simultas, -ātis,* 'competencia, rivalidad', con influjo del sentido de *simul* 'juntamente'.
DERIV. *Simultaneidad,* 1739. *Simultanear.*

SIMÚN, h. 1900. Tom. del fr. *simoun,* y éste del ár. *semūm* 'viento ardiente del desierto', de la raíz *samm* 'envenenar', 'quemar, ser ardiente'.

SIN, h. 1140. Del lat. SĬNE íd.

SINAGOGA, h. 1280 (en la Edad Media es más usual *sinoga*). Tom. del lat. *synagō-ga,* íd., gr. *synagōgḗ,* propiamente 'reunión,

lugar de reunión', deriv. de *synágō* 'yo junto', y éste de *ágō* 'conduzco'.

SINALAGMÁTICO, h. 1868. Deriv. del
gr. *synállagma* 'contrato' y éste de *synallás-
sō* 'me pongo en relación con otro' (deriv.
de *állos* 'otro').

SINALEFA, 1433. Tom. del lat. *synaloe-
pha*, y éste del gr. *synaloiphḗ* íd., deriv. de
synaléiphō 'confundo, mezclo', y éste de
aléiphō 'yo unto' y *áleipha* 'grasa'.

SINAPISMO, 1822, lat. *sinapismus*. Tom.
del gr. *sinapismós* 'aplicación de un sinapismo', deriv. de *sínāpi* 'mostaza'.

Sinartrosis, V. *artrítico*

SINCERO, 1220-50. Tom. del lat. *sĭncē-
rus* íd., propte. 'intacto, natural, no corrompido'.
    DERIV. *Sinceridad*, 1607. *Sincerar*, 1677.

SÍNCOPE, princ. S. XVIII, en su acepción médica es la misma palabra que el
término gramatical *síncopa*, 1490 (forma
que también se empleó con el otro sentido,
1607), lat. *syncŏpe* y *syncŏpa*, con ambos
sentidos. Tom. del gr. *synkópē* 'acortamiento', 'síncopa', 'colisión', 'desvanecimiento',
deriv. de *synkóptō* 'yo acorto' (y éste de
kóptō 'yo corto').
    DERIV. *Sincopar*, 1490; *sincopado*. Otro
deriv. de *kóptō* es *apócope*, 1490 (*-opa*),
gr. *apakópē* íd., propte. 'amputación', de
apokóptō 'yo corto, recorto'; *apocopar*,
1780.

SINCRETISMO, 1765-83. Tom. del gr.
synkrētismós 'coalición de dos adversarios
contra un tercero', deriv. de *krētízō* 'yo
obro como astuto o impostor', propte. 'me
porto como un cretense'.
    DERIV. *Sincrético*.

Sincrónico, sincronismo, V. *crónica*

SINDÉRESIS, med. S. XVII. Tom. del
gr. *syntḗrēsis*, deriv. de *syntēréō* 'yo observo, estoy atento', y éste de *tēréō* 'yo velo,
guardo'.

SÍNDICO, 1607, lat. *syndĭcus* 'abogado
y representante de una ciudad'. Tom. del
gr. *sýndikos* 'defensor', 'miembro de un tribunal administrativo', deriv. de *dikē* 'justicia' con el prefijo *syn-* que expresa colaboración.
    DERIV. *Sindicato*, h. 1900; *sindicatura.
Sindical*, h. 1900; *sindicalismo* y *sindicalis-
ta*, h. 1900. *Sindicar*, 1607, primero 'acusar',
1739, de donde 'clasificar como poseedor
de tal o cual cualidad', amer.

Síndrome, V. *dromedario*

SINÉCDOQUE, 1580, lat. *synecdŏche*.
Tom. del gr. *synekdókhē* íd., deriv. de *syn-
ekdékhomai* 'yo abarco juntamente'.

Sinecura, V. *cura*

SINÉRESIS, 1490. Tom. del gr. *synáiresis*
'contracción', deriv. de *synairéō* 'yo junto',
'contraigo', y éste de *hairéō* 'yo cojo'.

Sinfín, V. *fin*   *Sinfonía, sinfónico*, V.
fonético

SINGLAR, princ. S. XIV. Del fr. *cin-
gler*, antiguamente *sigler*, h. 1100, o *singler*,
fin S. XIV, y éste del escand. ant. *sigla*
'navegar', deriv. de *segl* 'vela'.
    DERIV. *Singladura*, 1494.

Single, singular, singularidad, singularizar,
V. *sencillo*   *Singulto*, V. *sollozo*   *Sinhueso*, V. *hueso*

SINIESTRO 'izquierdo', h. 1140, de donde luego 'funesto, infeliz' por el mal agüero que el pueblo sacaba de la aparición
de aves a mano izquierda. Del lat. SĬNISTER
-TRA, -TRUM, alterado vulgarmente en *SĬ-
NÉXTER por influjo del opuesto DĔXTER 'derecho'.

Sinnúmero, V. *número*   *Sino* 'destino',
V. *seña*   *Sino*, conj., V. *si*   *Sínodo*, V.
episodio   *Sinonimia, sinónimo*, V. *nombre*   *Sinopsis, sinóptico*, V. *óptico*

SINOVIA, 1765-83. Del lat. moderno *sy-
novia* íd., formado por Paracelso a princ.
S. XVI; quizá arbitrariamente o acaso resultante de una mala lectura del gr. *sy-
nou*[s]*ía* 'unión, acoplamiento'.
    DERIV. *Sinovial. Sinovitis*.

Sinrazón, V. *razón*   *Sinsabor*, V. *saber*

SINSONTE, 1641. Del azteca *zenzóntli*
íd., propte. 'cuatrocientos', abreviación de
zenzontlatółli 'cuatrocientas lenguas', porque este pájaro imita todos los ruidos que
llegan a sus oídos.

Sinsustancia, V. *sustancia*   *Sintáctico,
sintaxis*, V. *táctica*   *Síntesis, sintético, sintetizar*, V. *tesis*

SÍNTOMA, 1607, lat. *symptóma*. Tom.
del gr. *sýmptōma* íd., propte. 'coincidencia',
deriv. de *sympíptō* 'yo coincido', propte.
'caigo juntamente' (de *píptō* 'caigo').
    DERIV. *Sintomático*, princ. S. XVIII. *To-
maína*, deriv. de gr. *ptôma* 'cadáver', propiamente 'ruina, desecho', que viene de
píptō.

Sintonía, sintonizar, V. *tono Sinuosidad, sinuoso, sinusitis,* V. *seno Sinvergüenza,* V. *vergüenza Siquier, siquiera,* V. *querer*

SIRENA, 1490 (*serena,* princ. S. XV), lat. tardío *sīrēna,* clásico *siren, -ēnis.* Tom. del gr. *seirēn, -ēnos,* íd. Deriv. *Sirenio.*

SIRGA 'maroma para tirar de una embarcación desde tierra', 1463. Voz propia de las tres lenguas romances de la Península. De origen incierto; quizá del antiguo *sirga* 'seda' (V. *JERGA* I), por haberse empleado cuerdecitas de seda con aquel propósito, por su poco peso y gran resistencia. Deriv. *Sirgar,* 1739; *sirgador.*

Sirgo, V. *jerga* I y *jilguero Sirguero,* V. *jilguero*

SIRLE, 1765-83, **SIRRIA,** 1621, y **CHIRLE,** princ. S. XVII, 'excremento del ganado lanar y cabrío'; el último, empleado en la combinación *agua-chirle,* referente a la mezcla de agua y excrementos en las charcas de los lugares de pastoreo (de ahí luego, como adjetivo, *poetas chirles,* princ. S. XVII, para los insustanciales). En catalán lo mismo se dice *xerri,* dialectalmente *sirro, serri,* en Aragón *sirlia, sirle, jirle,* etc. Voz prerromana, representada actualmente por el vasco *zirri* íd., y su diminutivo *txirri.* Cpt. *Aguachirle* o *aguarriche,* and. (de *aguachirre).

Siroco, V. *jaloque Sirria,* V. *sirle Sirventés, sirviente,* V. *siervo*

SISA. Del fr. ant. *assise* 'tributo que se imponía al pueblo', deriv. de *asseoir* 'poner', propte. 'asentar, colocar'. En castellano se especializó en la acepción 'impuesto que se cobraba sobre géneros comestibles, acortando las medidas', 1331; desde este sentido antiguo se pasó al actual de 'parte que se defrauda al dueño al hacer una compra por cuenta de éste', 1554, y por otra parte a 'corte que se hace a la tela para que ajuste mejor una prenda de vestir', 1739 (quizá ya med. S. XVII). Deriv. *Sisar,* 1554.

Sisar, V. *sisa*

SISCA, 1739, o **JISCA,** 1739, 'carrizo'. En cat. dial. *sisca,* 1460, o *xisca,* en gascón y languedociano *sesca,* S. XIII. Procede del célt. SESCA íd. No está aclarado si la variante hispánica con *i* viene de una variante céltica o se debe a la pronunciación del dialecto mozárabe.

SISIMBRIO, 1555, lat. *sisymbrium.* Tomado del gr. *sisýmbrion* íd. Tal vez de aquí viene también el arag. *chisembra,* aunque es sólo hierba de la alta montaña.

SÍSMICO, h. 1900. Deriv. culto del gr. *seismós* 'temblor de tierra', propte. 'sacudida, conmoción', deriv. de *séiō* 'yo sacudo'. Cpt. *Sismógrafo. Sismología. Sismómetro.*

SISÓN, h. 1335. Probte. del cat. *sisó* íd., 1369, propte. 'pieza de moneda de seis dineros', porque el sisón se vendía a este precio (deriv. de *sis* 'seis').

Sistema, sistemático, V. *estático Sístole,* V. *diástole Sitiar,* V. *sitio*

SITIO, 1331. Origen incierto. La fecha tardía del vocablo, la antigua variante *sito,* h. 1250, y el empleo de *sitio* con matices jurídicos y abstractos, todo parece indicar que es alteración semiculta del lat. *situs, -us,* íd. La terminación *-io* podría ser debida al influjo de *asedio* (del lat. *obsidium*) o el verbo *sitiar.* Éste, que también significó 'sentar' (en cat. y oc.), se explica como adaptación occitana del bajo lat. *situare* 'situar'. Deriv. *Sitial,* 1607, del cat. *setial* o *sitial,* S. XV. *Sitiar,* 1611 (*asitiar,* h. 1300); en cuyo sentido y aun en su misma formación colaboró desde luego el influjo del sinónimo *asediar; sitio* 'asedio', 1495, es deriv. postverbal; *sitiador.* Cultismos puros: *Sito,* S. XIX, del lat. *situs, -a, -um,* íd. *Situar,* 1433, b. lat. *situare* íd.; *situación,* med. S. XVII.

SLOGAN, h. 1940, del ingl. *slogan* íd. y éste del gaél. *sluagh-ghairm* 'grito de guerra'.

SNOB, S. XIX, del ingl. *snob* íd., de origen incierto. Deriv. *Snobismo,* del fr. *snobisme,* formado en esta lengua con aquella palabra inglesa. El gran obstáculo para el empleo en castellano de estas dos palabras y de la anterior está en que nadie se atreve a escribirlas con *e-,* pero con esta forma suele emplearlas la lengua hablada, donde han logrado difusión muy grande.

SO, prep. 'debajo de', 998. Del lat. SŬB íd. *Sota* es equivalente de esta preposición en catalán, procedente de una variante latina *SŬBTA, vulgar en vez de SUBTUS y SUBTER 'debajo'; en cat. empleada también como prefijo, de donde pasaron algunas palabras que lo contienen al castellano: *sotacómitre,* med. S. XVI, del cat. *sotacòmit,* S. XIV; *sotavento,* 1430 (*-viento*), del cat. *sotavent; sotabanco,* 1739; en otros casos en parte habrá creación castellana según estos modelos (*sotacochero*, 1680; *sotaministro*, princ. S. XVII; *sotasacristán*, h. 1600, etc.). Varias expresiones de éstas se abreviaban diciendo *el sota*, 1739; de ahí 'carta inferior al rey y al caballo', med. S. XV.

DERIV. *Sotana*, 1605, del it. *sottana* íd., y 'falda bajera de mujer', deriv. de *sotto* 'debajo'.

So (en insultos), V. *señor*

¡SO!, interjección para que se detengan las caballerías, antes *¡xo!*, med. S. XV. Voz de creación expresiva.

Soasar, V. *asar*   *Soba*, V. *sobar*

SOBACO, 1251. Palabra peculiar al cast., el port. y el gascón. De origen incierto. Quizá debida a un cruce de las dos voces latinas SŪBĀLA y SŬBHĪRCUS, que significan lo mismo que *sobaco*.

DERIV. *Sobaquera. Sobaquina*, 1495.

Sobado, sobadura, V. *sobar*   *Sobaquera, sobaquina*, V. *sobaco*

SOBAR, h. 1050. Voz peculiar al cast. y al port. *sovar*. De origen incierto. Quizá contracción del lat. vg. SŪBĀGĔRE, que reemplazó el clásico SŬBĬGĔRE 'amasar, sobar', propte. 'someter', 'apretar'.

DERIV. *Sobado. Soba*, 1609. *Sobadura*, 1495. *Sobón*, 1739. *Resobar.*

Sobarcar, V. *abarcar*

SOBEO, h. 1050, 'correa fuerte con que se ata al yugo la lanza del carro o el timón del arado'. Probte. de un lat. vg. *SŬBĬGĬUM* en vez del clásico SŬBJŬGĬUM íd., alteración debida en parte a razones fonéticas (de acuerdo con el vocalismo del latín arcaico) y en parte al influjo de SŬBĬGĔRE 'someter, subyugar'.

Soberanía, soberano, V. *sobre*

SOBERBIA, 1220-50. Del lat. SŬPĔRBĬA íd., deriv. de SŬPĔRBUS 'soberbio'. De éste viene *soberbio*, 1220-50, con la terminación modificada según *soberbia*.

DERIV. *Ensoberbecer*, 1495.

Sobón, V. *sobar*   *Sobra, sobrado, sobrante, sobrar*, V. *sobre*

SOBRE, 1030. Del lat. SŬPER íd.

DERIV. *Sobrar*, 1220-50, del lat. SŬPĔRĀRE 'ser superior, abundar', 'sobrepujar, vencer'; esta última acepción pasó también al cast., 1218, hasta el Siglo de Oro, y hoy sobre-

vive en la Argentina (de donde 'tratar a otro con conciencia de superioridad', 'humillar'); *sobra*, 1220-50; *sobrado*, adj. *Sobrante. Soberano*, 1220-50, del lat. vg. *SUPERIANUS*, deriv. de SUPERIUS 'más arriba' (de ahí también oc. *sobeiran*, cat. *sobirà*); *soberanía*, 1490. *Soprano*, princ. S. XIX (*suprano*, ya 1553), del it. *soprano* íd., antiguamente 'superior, soberano', equivalente de esta palabra española. *Superchería*, 1613, del it. dial. *superchierìa* 'abuso de fuerza', deriv. del it. *soperchio, soverchio*, 'excesivo', lat. vg. *SŬPĔRCŬLUS.*

Cultismos: *Superar*, princ. S. XVII, lat. *superare* íd.; *superación; superávit*, 1739, del pretérito, 3.ª persona, del lat. *superare*, propte. 'ha sobrado'. *Superior*, 2.º cuarto S. XV, lat. *superior, -oris*, 'más alto', comparativo de *supĕrus* 'elevado'; *superioridad*, 1438. *Supremo*, h. 1530, lat. *sŭprēmus* íd., superlativo correspondiente a *superus*; *supremacía*, 1843, del ingl. *supremacy*, S. XVI, deriv. de *supreme* según el modelo de *primacy* 'primacía'.

CPT. *Sobrado* sust. 'desván', h. 1490; antes 'piso alto de una casa', 1242 (*superatum*, 955), probte. del lat. SŬPERADDĬTUM 'añadido encima', de SUPER 'sobre' y ADDERE 'añadir'.

Sobrecaña, V. *caña*   *Sobrecarga, sobrecargar, sobrecargo*, V. *cargar*   *Sobrecoger*, V. *coger*   *Sobredicho*, V. *decir*   *Sobredorar*, V. *oro*   *Sobreexcitar*, V. *excitar*   *Sobrehilar, sobrehilado*, V. *hilo*   *Sobrehueso*, V. *hueso*   *Sobrehumano*, V. *humano*   *Sobrellevar*, V. *llevar*   *Sobremanera*, V. *manera*   *Sobremesa*, V. *mesa*   *Sobrenadar*, V. *nadar*   *Sobrenatural*, V. *nacer*   *Sobrenombre*, V. *nombre*   *Sobrentender*, V. *tender*   *Sobreparto*, V. *parir*   *Sobrepasar*, V. *paso*   *Sobrepelliz*, V. *piel*   *Sobrepujar*, V. *empujar*   *Sobresaliente, sobresalir*, V. *salir*   *Sobresaltar, sobresalto*, V. *saltar*   *Sobresanar*, V. *sano*   *Sobrescrito*, V. *escribir*   *Sobreseer, sobreseimiento*, V. *sentar*   *Sobrestante*, V. *estar*   *Sobretodo*, V. *todo*   *Sobrevenir*, V. *venir*   *Sobriedad*, V. *sobrio*

SOBRINO, 921. Del lat. SOBRĪNUS, que designaba en la Antigüedad al hijo del primo y a los primos segundos y más lejanos. 'Primo hermano' se decía entonces CONSOBRĪNUS, pero luego se aplicó también a los primos más alejados. Para huir de confusiones se introdujo CONSOBRINUS PRIMUS para el 'primo hermano', después abreviado en PRIMUS (cast. *primo*), y entonces se empleó SOBRINUS para toda la parentela colateral más lejana, especialmente los sobrinos de segundo y tercer grado. El sobrino de primer grado era en latín clásico NEPOS, palabra que desapareció pronto del romance del Centro y Oeste de la Península, ampliándose entonces el uso de SOBRINUS hasta reemplazarlo.

SOBRIO, med. S. XVI, 'que no ha bebido', 'que come y bebe moderadamente'. Tom. del lat. *sobrius* íd. (deriv. negativo de *ebrius* 'borracho').
DERIV. *Sobriedad*, 1490.

SOCAIRE 'paraje a cubierto del viento', 1739. Término náutico peculiar del cast. y el port. (*socairo*). Antiguamente se aplicaba a los que cuidaban del madero en que se enrollaba un cabo cuando lo halaban, 1587. Del cat. *socaire* 'el que azoca o atesa una cuerda', deriv. del cat. *socar*, en cast. *azocar*, 1842 (que a su vez es deriv. del cat. *soc* 'zoquete, tarugo'). Por tratarse de una faena de poco esfuerzo en comparación de la de tirar del cabo, se dijo después *estar o ponerse al socaire* 'esquivar un marinero las tareas pesadas' y luego 'ponerse a cubierto del viento'.

Socaliña, socaliñar, V. *sacar*   *Socapa*, V. *capa*   *Socarrar*, V. *socarrón*

SOCARREÑA, 1535, **SOCARRENA**, 1220-50, o **SOCARRÉN**, 1495, 'parte del alero del tejado que sobresale de la pared', 1611. Probte. del lat. SŬGGRŬNDĬA íd., vulgarmente SUGGURUNDIA. Pasó luego a designar el 'desván', 1220-50 y, finalmente, un 'escondrijo, agujero o cueva', 1535. SŬGGŬRUNDIA dio primero *socorueña*, *socoreña*, sufriendo luego el influjo de *socarrar* 'chamuscar', por lo ahumado del desván, parte de la casa por donde sale la chimenea (comp. *BUHARDILLA*).

SOCARRÓN, 1588, 'el que se burla disimuladamente', propte. 'el que emplea palabras en apariencia inofensivas, en realidad cáusticas o quemantes' (en *La Ilustre Fregona*: "aunque conoció que antes lo había dicho de *socarrón* que de inocente, con todo eso le agradeció su buen ánimo"). Derivado de *socarrar* 'quemar', 'chamuscar', 1220-50, palabra clásica, aunque hoy anticuada o regional, que también se empleó en el sentido de 'mofarse', S. XVI; procedente del vasco ant. y dial. *sukarr(a)* 'llamas de fuego, incendio' (hoy 'fiebre'), cpt. de *su* 'fuego' y *karr(a)* 'llama'. Existió de este verbo una variante *chocarrar*, hoy navarra, para 'chamuscar' y 'mofarse' en el S. XVI, de donde *chocarrero*, 1547, 'chusco, el que hace reír'. De otra variante *chuscarrar* (hoy de Andalucía y Murcia), deriva *chusco* (véase) y, cambiada en *churrascar* (leonés, andaluz y americano), dio el rioplatense *churrasco* 'pedazo de carne a la brasa', en Chile *churrasca* 'hojuela de masa frita', *churrasquearse* 'agotarse, secarse'.

DERIV. *Socarronería*, 1605. *Chocarrería*, 2.º cuarto S. XVI.

Socavar, socavón, V. *cavar*   *Socaz*, V. *cauce*

SOCIO, h. 1440. Tom. del lat. *sŏcĭus* 'compañero'.
DERIV. *Sociedad*, 1220-50, lat. *sŏcĭĕtas*, *-ātis*, íd., propte. 'compañía'; *societario*. *Social*, 1817, lat. *socialis* íd., propte. 'sociable' y 'aliado'; *socialismo* y *socialista*, med. S. XIX, voces que en su sentido actual se forman en las varias lenguas europeas, h. 1830; *socializar*, 1925. *Sociable*, 1515, lat. *sociabilis*; *sociabilidad*. *Asociar*, 1726, lat. *associare*; *asociado*; *asociación*, 1726; *asociativo*; *asocio*, amer. *Disociar*, fin S. XVIII, lat. *dissociare*; *disociativo*; *disociación*.
CPT. *Sociología*; *sociólogo*.

SOCONUSCO, h. 1900 (¿y h. 1800?). Así llamado según la región mejicana del mismo nombre.

Socorrer, socorrido, socorro, V. *correr*

SOCUCHO, 1831, 'rincón, chiribitil'. Voz americana y náutica. Origen incierto. Parece tomada del vasco *zokotxo*, diminutivo de *zoko* 'rincón'; de éste viene *soco* 'abrigo contra el viento o la lluvia', empleado en Canarias.

Sochantre, V. *chantre*   *Soda, sódico, sodio*, V. *sosa*

SODOMITA, 1495. Tom. del lat. *sodomīta* 'habitante de Sodoma', voz que en la Edad Media tomó el significado actual, por alusión a los vicios de que se acusaba a los pobladores de esta ciudad bíblica.
DERIV. *Sodomía*, 1490. *Sodomítico*, 1490.

SOEZ 'de baja estofa', 'vil, grosero', 1437. Teniendo en cuenta que la grafía antigua es *sohez* y que es palabra tardía, quizá sea una modificación del antiguo sinónimo *rehez* (variante de *rahez*, SS. XIII-XV; procedente del ár. *raḫiṣ* 'barato'). Interpretado éste popularmente como un intensivo de *la hez* 'lo más vil, la inmundicia', se formaría *sohez* para expresar un mayor grado de abyección. Anticuado ya en el S. XVI, como propio del estilo de los libros de caballerías, *soez* volvió a entrar en circulación gracias al *Quijote*, en calidad de palabra literaria, que algunos, sólo desde el siglo pasado, han empleado incorrectamente con el sentido de 'sucio' u 'obsceno'.

SOFÁ, 1765-83. Del fr. *sofa* íd., y éste del ár. *ṣuffa* 'almohadón', 'sofá', probte. por conducto del turco.

Sofión, V. *soplar*

SOFISMA, princ. S. XV (*sofismo*, 1220-50), lat. *sophisma*. Tom. del gr. *sophisma* íd., propiamente 'habilidad', 'expediente, artificio', deriv. de *sophízō* 'me manejo con habilidad', y éste de *sophós* 'hábil', 'sabio'. DERIV. *Sofista*, 1438, gr. *sophistēs* íd.; *sofístico*, princ. S. XV; *sofisticar*, h. 1570. *Sofistería*, 1599.

Soflama, soflamar, V. *llama* —— *Sofocación, sofocante, sofocar, sofoco, sofocón*, V. *ahogar*

SÓFORA, med. S. XIX. Del lat. moderno *Sophora*, nombre formado por Linneo, en 1737, con elementos inciertos, probte. inspirándose en el ár. *ṣufaịrā'*, nombre de una especie de fustete oriental (quizá apoyándolo en nombres bíblicos y clásicos como *Sephora, Sophocles, Sophonisba*). DERIV. *Soforáceo*.

Sofreír, V. *freír*   *Sofrenar*, V. *freno*
Sofrito, V. *freír*

SOGA, 980. Palabra romance representada en todos los idiomas de la familia (salvo el rumano). Del lat. tardío *sōca* íd., S. VI. Éste es de origen incierto, quizá tomado de una lengua prerromana del norte de Europa; el vasco *soka* hubo de tomarse directamente de ésta o del latín vulgar. DERIV. *Soguero*; *soguería. Soguilla. Ensogar*, 1720.

SOJA, 1925. Del japonés *soy*, probte. por conducto del holandés *soja*.

Sojuzgar, V. *yugo*

SOL, h. 1140. Del lat. sōL, sōlis, íd. DERIV. *Solano*, 1073. *Solana*, 1043; *resolana*, 1633. *Solanáceo*, deriv. culto del lat. *solanum* 'hierba mora'. *Solar*, adj., h. 1440, tom. del lat. *solaris* íd.; *circunsolar. Solear* o *asolear. Insolar; insolación. Resol.* Del gr. *hḗlios*, equivalente del lat. *sol*, vienen el nombre de metal *helio*, y además: *afelio* (formado con el gr. *apò* 'desde, alejándose de', según el modelo de *apogeo*), *parhelio* (con *parà* 'junto a'), *perihelio* (*perì* 'alrededor'); *efélide*, gr. *éphēlis, -idos*, con *epì* 'sobre'. CPT. *Heliocéntrico. Heliograbado. Heliógrafo. Helioscopio. Heliotelegrafía. Helioterapia. Heliotropo* o *-tropio*, con *trépō* 'doy vueltas'. *Solsticio*, 1444, lat. *solstĭtium* íd., con *stare* 'estar detenido'.

Solana, solanáceo, solano, V. *sol*   *Solapa, solapado*, V. *solapar*

SOLAPAR, h. 1400, 'cubrir con algo sobrepuesto'. Deriv. de *lapa*, h. 1510, 'roca que sobresale cubriendo un lugar', 'cueva', voz dialectal del Oestɛ, común con el portugués, donde ya se documenta en 907 (de ahí los port. *láparo* y *lapouço* 'gazapo', por alusión a su madriguera, así como el fr. *lapin* 'conejo', que es de procedencia hispánica); una raíz semejante se halla en germánico (ingl. *lap, overlap*, 'sobresalir', b. alem. med. *lappe* 'trozo de paño colgante'), en dialectos italianos, y aun en lenguas distantes como el quichua; el origen es incierto: quizá se trate de una creación expresiva LAP-LAP- 'golpear algo tapándolo', 'tapar'. DERIV. *Solapado*, S. XIV. *Solapo*, 1605. *Solapa* 'la parte del vestido que se pone encima de otra', 1739. *Traslapar* 'sobreponer', 1640; *traslapo*.

Solapo, V. *solapar*   *Solar*, adj., V. *sol*
Solar, sust. y verbo, *solariego*, V. *suelo*

SOLAZ 'placer', h. 1140. De oc. ant. *solatz* íd. Éste procede del lat. SOLACIUM 'consuelo', deriv. de SŌLĀRĪ 'reconfortar', 'consolar', 'aliviar'. DERIV. *Solazar*, 1220-50.

Soldada, soldadesca, soldado, soldadura, soldar, V. *sueldo*   *Solear*, V. *sol*

SOLECISMO, 1438, lat. *soloecismus*. Tomado del gr. *soloikismós* 'falta contra las reglas del idioma', deriv. de *sóloikos* 'que habla incorrectamente', y éste de *Sóloi*, nombre de una colonia ateniense en Cilicia, donde se hablaba un griego corrompido.

Soledad, soledoso, V. *solo*

SOLEMNE, 1399. Tom. del lat. *sollemnis* 'consagrado, que se celebra en fechas fijas', aplicado a las fiestas y demás costumbres. DERIV. *Solemnidad*, 1490. *Solemnizar*, h. 1440.

SOLENOIDE, fin S. XIX. Cpt. del gr. *sōlḗn, -ênos*, 'tubo, conducto', y *êidos* 'forma'.

SOLER, h. 1140. Del lat. SŎLĒRE 'acostumbrar, tener costumbre'. DERIV. cultos: *Sólito*, 1613, lat. *solĭtus*, participio de *solēre; insólito*, h. 1570. *Insolente*, 1435, lat. *insŏlens, -tis*, íd., propte. 'desacostumbrado', de donde 'desmesurado, excesivo'; *insolencia*, 1535; *insolentarse. Obsoleto*, princ. S. XVII, lat. *obsolētus* íd., participio de *obsolescĕre* 'caer en desuso'.

Solera, solero, soleta, V. *suelo*   *Solevantar, solevar*, V. *leve*

SOLFA, princ. S. XVII. Combinación del nombre de las dos notas *sol* y *fa*, usual en

Europa desde la Edad Media, en el Sur de Francia desde el S. XIII.

DERIV. *Solfear*, S. XV; *solfeo*, 1817, imitado del it. *solfeggio*, S. XVII. *Solfista*.

Solfear, V. *solfa*

SOLFERINO, h. 1900. Del nombre de la batalla de Solferino, ganada por Napoleón III en 1859; así llamado por haberse descubierto este colorante poco después.

Solicitante, solicitar, V. *solícito*

SOLÍCITO, 1220-50. Tom. del lat. *sollĭcĭtus* íd., cpt. de *sollus* 'entero' y *citus* 'movido', participio pasivo de *ciēre* 'poner en movimiento'.

DERIV. *Solicitar,* 1490, lat. *sollicitare* íd.; *solicitación*; *solicitante. Solicitud,* 1438, lat. *sollicitūdo* 'cualidad de solícito'; la acepción 'memorial en que se solicita algo' es reciente y sólo castellana (S. XIX).

Solicitud, V. *solícito   Solidaridad, solidario, solidarizar,* V. *sueldo   Solideo,* V. *solo   Solidez, solidificar, sólido,* V. *sueldo   Soliloquio,* V. *solo   Solimán,* V. *sublime*

SOLIO, princ. S. XVII. Tom. del lat. *sŏlĭum* 'trono'.

Solípedo, V. *sueldo   Solista, solitaria, solitario,* V. *solo   Sólito,* V. *soler   Soliviantado, soliviantar,* V. *leve*

SOLO, 1040. Del lat. *SŌLUS, -A, -UM,* íd. Como adverbio, *sólo,* 1220-50.

DERIV. *Soledad,* 1490; en la acepción 'añoranza', 2.ª mitad S. XVI (el port. *saudade,* del mismo origen, también se ha empleado en cast.); *soledoso* 'que siente añoranza', 1876. *Solista. Solitario,* 1220-50, tomado del lat. *solitarius* íd.; *solitaria,* sust., 1817.

CPT. *Soliloquio,* 1515, lat. *soliloquium* íd., formado con *loqui* 'hablar'. *Solideo,* S. XVIII, del dativo lat. *soli Deo* 'a Dios solo', porque se lo quitan solamente ante el sagrario.

Solomillo, V. *lomo   Solsticio,* V. *sol   Soltería, soltero, solterón, soltura, soluble, solución, solucionar, solvencia, solventar, solvente,* V. *absolver   Sollado,* V. *suelo   Sollar,* V. *soplar*

SOLLASTRE 'pinche de cocina', 1599. De oc. *solhart* íd., 1331, deriv. de *solhar* 'manchar, ensuciar' (equivalente del fr. *souiller,* cat. *sollar*); *solhart* se cambió en **sollarte, *sollartre,* y éste en *sollastre* (comp. lo ocurrido con *sastre*).

SOLLO (pez), 1495. En port. *solho,* h. 1250; mozárabe *xuli,* 961; aragonés ant. *sollo,* 1119. Origen incierto. Quizá del lat. *sŭcŭlus* 'cerdito', por la forma del hocico de este pez. El cast. hubo de tomarlo de uno de los tres lenguajes citados.

SOLLOZO, h. 1400. Del lat. vg. *sŭgGLŭttĭum,* alteración del clásico *sĭngŭltus* íd., debida a que se interpretó como si fuese deriv. de *glŭttīre* 'tragar'.

DERIV. *Sollozar,* h. 1400, lat. vg. *sugGLUTTIARE,* clás. *singultare.* De un cruce de *zollozar,* variante de *sollozar,* con *hipar* sale *zollipar* 'sollozar con hipo', 1739; *zollipo,* princ. S. XVII.

Cultismo: *Singulto,* 1444.

Somanta, V. *manto   Somatén, somatenista,* V. *sonar*

SOMÁTICO, h. 1900. Tom. del gr. *sōmatikós* 'corporal', deriv. de *sôma, -atos,* 'cuerpo'.

CPT. *Somatología,* h. 1900.

SOMBRA, 1220-50. Alteración del lat. *ŬMBRA* íd., conservado en las lenguas hermanas, y en el deriv. *umbría,* 1739; *umbrío,* 1513. La *s-,* agregada sólo en portugués y castellano, es probable que se deba al influjo de *sol* y sus derivados, por ser *sol* y *sombra, solano* y *sombrío, solear* y *sombrear,* conceptos correlativos, opuestos y acoplados constantemente. La variante *solombra,* corriente desde antiguo, h. 1250, en los dialectos leoneses, judeoespañoles, portugueses y occitanos, comprueba la certeza de esta explicación.

DERIV. *Sombrajo,* 1495, o *sombraje,* 1739, lat. *ŬMBRACŬLUM* íd. *Sombrear,* 1739. *Sombrío,* 1490. *Sombrilla,* 1817, adaptación del fr. *ombrelle,* 1588, que a su vez lo es del it. *ombrello. Sombrero,* h. 1140, se aplicaría primero al de alas muy anchas, comparado a un parasol; también significó 'parasol', 1495; *sombrerero, -era; sombrerería. Asombrarse,* fin S. XIV, primero 'espantarse las caballerías por la aparición de una sombra' (comp. el fr. *ombrageux* 'animal alborotadizo, repropio'), de donde 'espantarse', 'sorprenderse'; el transitivo *asombrar* es secundario, S. XV; *asombradizo; asombramiento; asombro, asombroso. Ensombrecer.*

Cultismos: *Umbráculo. Umbrátil. Umbela,* lat. *umbella* 'sòmbrilla'.

CPT. *Umbelífero. Penumbra,* 1708, lat. *paene umbra* 'casi sombra'.

SOMERO, 1220-50, 'superficial, no profundo'. Deriv. del antiguo *somo,* 922 (hasta hoy cat. *som* 'somero'), que en cast. sólo se conservó antiguamente y como adverbio (*en somo* 'encima, en lo alto'), procedente del lat. *sŬMMUS* 'el más alto'.

Deriv. de *somo*: *Asomar*, h. 1140: primero 'aparecer en lo alto de un camino, de un cerro, etc.' (así princ. S. XV), de donde 'aparecer a lo lejos', h. 1140, 'empezar a mostrarse', 'mostrar sólo la cabeza'; *asomada* 1335; *asomante*, 853; *asomo*.

Cultismos: *Sumo*, 1438, de dicho lat. *summus*; *summum*. *Suma*, 1220-50, lat. *summa* 'lo más alto', 'el total'; *sumar*, 1495; *sumando*. *Sumario*, 1438; *sumaria*; *sumarial*; *sumariar*; *sumarísimo*. *Sumidad*, 1438. *Consumar*, 1611, lat. *consummare*; *consumado*, 1607; *consumación*, 1570.

Somo, V. *somero*

SOMORGUJO, 1591; antes *somurgujón*, SS. XIII y XIV. De un deriv. del lat. MERGUS íd., deriv. a su vez de MERGĔRE 'zambullirse, sumergirse'. Probte. se trata de un lat. vg. *MERGULIO, -ONIS, de donde *morgujón*, que luego sufrió el influjo del verbo SUBMERGERE 'sumergir'; comp. *mergulus* y *mergunculus* en latín de la baja época, y hoy todavía port. *mergulhão*, leonés *mergollón* íd., hisp.-amer. *margullirse* 'zambullirse', andaluz y cubano *zaramagullón* (de *somergullón*) 'somorgujo'. Más reciente es la variante *somormujo*, 1739, resultante de una asimilación.

Deriv. cultos de *mergere*: *Sumergir*, 2.ª mitad S. XV, de *submergĕre* íd.; *sumergible*; *sumersión*. *Emerger*, S. XIX, lat. *emergere* 'salir a la superficie'; *emergente*, h. 1575; *emergencia* en el sentido de 'alarma', 'caso urgente' (*de emergencia* 'de socorro') es reciente, inútil y grosero anglicismo. *Inmersión*, deriv. del lat. *immergere* 'meter en el agua'.

Cpt. *Mergánsar*, formado con *mergus* y *ansar* 'ánade silvestre'.

Somormujo, V. *somorgujo*. *Son, sonado, sonaja, sonajero*, V. *sonar*. *Sonámbulo*, V. *sueño*

SONAR, h. 1140. Del lat. SŎNARE íd. *Sonarse* para 'limpiarse los mocos con pañuelo', 1495.

Deriv. *Sonadero*, 1495. *Sonador*. *Sonaja*, 1335; *sonajeras*, 1495; *sonajero*, 1680. *Sonante*, 1433.

Resonar, 1438, lat. RESONARE íd.; *resonante*, 1490; *resonancia*. *Sonido*, 1220-50, del lat. *sŏnĭtus, -us*, 'ruido', 'estruendo', por vía semiculta y adaptado a la terminación de *ruido, chirrido, tronido*, etc. *Son*, 1220-50, probte. de oc. ant. *son* (lat. SŎNUS) como término de la música trovadoresca; *sonecillo*; *soneto*, 2.º cuarto S. XV, del it. *sonetto* íd., propte. diminutivo de *suono* 'sonido' y luego 'música que se pone a una canción'; *sonetear*; *sonetista*. *Sonata*, 1739, del it. *sonata* íd.; *sonatina*.

Cultismos: *Sonoro*, 1444, lat. *sonōrus* íd.; *sonoroso*, h. 1440; *sonoridad*; *sonorizar*. *Asonar*, princ. S. XV, lat. *assŏnare* 'responder al eco con un son' (no debe confundirse con el *asonar* de donde *asonada*, V. éste); *asonante*, 1495; *asonantar*, princ. S. XVII; *asonancia*, 1625. *Consonar*, 2.º cuarto S. XV, lat. *consonare* 'sonar juntamente'; *consonante* (rima y letra, h. 1435); *consonancia*, 1433; *aconsonantar*. *Disonar*, princ. S. XV, lat. *dissonare* íd.; *disonante*, 1433; *disonancia*, 1570. *Supersónico* 'más veloz que el sonido'.

Cpt. *Somatén*, 1817, del cat. *sometent*, adv., luego sust. 'somatén', empleado al principio en frases como *eixiren so metent* 'salieron metiendo ruido, tocando a rebato' (*so* 'son'); *somatenista*. *Sonsonete*, 1604, de *son son* repetido. *Unísono*, h. 1440. *Malsonante*.

SONDA, 2.º cuarto S. XV. Del fr. *sonde* íd., h. 1200. Éste viene probte. de una abreviación del anglosajón *sundgyrd* o *sundlīne*, ambos 'sonda', cpts. de *sund* 'brazo de mar' y *gyrd* 'vara' (o *līne* 'sedal, cordón').

Deriv. *Sondar*, 1492, y *sondear*, 1492, del fr. *sonder*, 1382; *sondeo*. *Insondable*.

Sonetear, soneto, sonido, sonoridad, sonorizar, sonoro, sonoroso, V. *sonar*. *Sonreír, sonriente, sonrisa*, V. *reír*. *Sonrojar, sonrojo*, V. *rojo*. *Sonrosado, -sar*, V. *rosa*. *Sonsacar*, V. *sacar*. *Sonso*, V. *zonzo*. *Sonsonete*, V. *sonar*. *Soñación, soñar, soñoliento*, V. *sueño*

SOPA, h. 1400. Del germ. SŬPPA, S. VI, 'pedazo de pan empapado en un líquido', perteneciente a la familia del escand. ant. *sûpan*, alem. ant. *sûfan* 'sorber', 'comer con cuchara'. También en cast. empezó significando lo que el germ. SUPPA, de donde luego *sopas* 'sopa de pan' y, en fin, singularizado, *sopa* 'plato líquido o semilíquido de cualquier tipo'.

Deriv. *Sopear*, 1220-50, 'empapar', sentido etimológico, 1495; en ese sentido se emplea en América todavía *sopar* o *ensopar*. *Sopero*; *sopera*, 942. *Sopista*. *Sopaipa* 'masa enmelada a modo de hojuela' (fin S. XVI, *xopaipa*), del ár. hispano *šupáipa*, diminutivo del mozárabe *šúppa* 'pedazo de pan mojado en aceite'; *sopaipilla*, amer.

Sopaipa, sopaipilla, V. *sopa*. *Sopapo*, V. *papa* III. *Sopar, sopear, sopera, sopero*, V. *sopa*. *Sopesar*, V. *pesar*. *Sopetón*, V. *súbito*. *Sopipitando*, V. *soponcio*

SOPLAR, h. 1250. Del lat. SŬFFLARE íd. (deriv. de FLARE íd.), vulgarmente *SŬPPLARE*. De este último vienen las formas del cast., el port. y varios dialectos italianos (*sopiar*, etc., en Lombardía, Véneto, Emilia y Cerdeña). Esta alteración reaparece en otros derivados de FLARE (*umblá, unchiari*, en los Abruzos y Sicilia, de *IMPLARE 'inflar'; *acchiare* de *APPLARE en Tarento y la Pulla) y repercute en una vacilación general entre SUFFL- y SUPPL- en varias voces de otros romances (it. *sòffice* blando', port. *sôfrego*, rumano *sùfrec*; gr. moderno *sufrōnō* 'yo doblo'; procedentes del lat. SUPPLEX). El punto de partida de estas alteraciones se halla en una mezcla que en latín vulgar se produjo entre los derivados de PLERE 'llenar' y los de FLARE 'soplar, hinchar'.

DERIV. *Soplador. Soplete*, 1832, calco del fr. *soufflet* íd. *Soplido*, 1490; *soplillo. Soplón. Resoplar*; *resoplo*, 1399, *resoplido*. La variante clásica SUFFLARE persistió también en Castilla en el antiguo *sollar* 'soplar', SS. XIII-XV, de donde *resollar*, fin S. XIII; *resuello*, S. XVII; antes *resollo*, h. 1280. *Insuflar*, 1444, tom. del lat. *insufflare* 'soplar adentro'. *Sofión*, 1817, del it. *soffione* 'soplete', 'hombre hinchado y orgulloso' (de donde 'respuesta desabrida').
CPT. *Soplamocos*, S. XVII.

SOPONCIO 'vahído', 'congoja, disgusto', 1739. Origen incierto. Probte. debido al cruce de dos palabras, de las cuales una puede ser *sopetón* 'golpe brusco' y la otra el salmantino *arreponcio* 'accidente, ataque de un mal', que parece ser un cultismo médico, de *una responsio*, lat. *responsio*, propte. 'respuesta del cuerpo a una causa morbosa'. De *súpito*, análogo de *sopetón*, viene el andaluz *sopitipando* 'desmayo', con un sufijo popular procedente de *pando* 'grande, voluminoso' (propte. 'hinchado, encorvado', véase).

SOPOR, 1739. Tom. del lat. *sopor, -ōris*, íd., propte. 'sueño profundo', deriv. de *sopire* 'adormecer, amodorrar'.
CPT. *Soporífero*.

Soportal, V. *puerta*   *Soportar, soporte*, V. *portar*   *Soprano*, V. *sobre*

SOR, 1611. Del cat. ant. *sor* 'hermana carnal', SS. XIII-XV, luego 'sor', procedente del lat. SŎROR íd.

SORBER, h. 1400. Del lat. SORBĒRE íd.
DERIV. *Sorbo*, 1490. *Absorber*, 1438, lat. *absorbēre* íd.; *absorbente*; *absorbimiento*; *absorto*, h. 1580, lat. *absorptus*, participio del mismo; *absorción*.

SORBETE, med. S. XVII. Tom. del it. *sorbetto*, h. 1550, y éste del turco *šerbét*, íd., 1540, que a su vez se tomó del ár. *šárbâl*, propte. plural de *šárba* 'sorbo, bebida' (de la misma raíz que *jarabe*).

Sordera, sordez, V. *sordo*

SÓRDIDO, 1435. Tom. del lat. *sordĭdus* 'ínfimo, despreciable, innoble', propte. 'sucio, cazcarriento', deriv. de *sordes* 'cazcarria, inmundicia'.
DERIV. *Sordidez*, S. XVII.

SORDO, 1188. Del lat. SŬRDUS íd.
DERIV. *Sorda* 'agachadiza'. *Sordera*, 1674; antes *sordez*, 1599. *Sordina*, 1613, probte. del it. *sordina* (de donde fr. *sourdine*, 1596). *Ensordar*, 1495. *Ensordecer*, 1495. *Absurdo*, h. 1440, tom. del lat. *absŭrdus* íd.; *absurdidad*, h. 1440.
CPT. *Sordomudo*; *sordomudez*.

SORGO, 1849. Del it. *sorgo* íd., y éste probte. del lat. SŶRĬCUM, vulgarmente SURICUM, 'procedente de Siria'.

SORNA 'disimulo socarrón con que se hace o dice algo', 1603, primitivamente 'noche, oscuridad' con el carácter de palabra jergal, princ. S. XVI (de 'oscuridad' se pasó a 'disimulo'). Debió de tomarse del oc. ant. *sorn*, fin S. XIII, 'oscuro' y 'melancólico, retraído', palabra cuyo origen se desconoce.

SOROCHE 'mal de montaña', 1835; antes 'mineral', 1637. Del quichua *surúchi*, que designa ciertos minerales de azufre y también la angustia producida por la rarefacción del aire a grandes alturas, angustia que el vulgo atribuía a la presencia de dichos minerales.
DERIV. *Asorocharse*.

Sorprender, sorpresa, V. *prender*   *Sorregar, sorriego*, V. *regar*   *Sorrostrada*, V. *rostro*   *Sortear, sorteo, sortija, sortilegio*, V. *suerte*

SOSA, 1611 (quizá ya 1513). Del cat. *sosa*, 1249. Éste es evolución fonética regular y antigua del ár. vg. *sáuda*, que significaría lo mismo, y que propiamente es adjetivo con el sentido de 'negra', por el color de una variedad de barrilla, la planta que da la sosa. De la misma palabra, por conducto del italiano (h. 1400), procede la variante *soda*, 1555. Hoy en árabe se emplea con este sentido *suwáida*, diminutivo de dicho adjetivo *sáuda*.
DERIV. *Sodio. Sódico*.

SOSEGAR, S. XIII (forma rara entonces) y XIV; antes *sessegar*, h. 1250, que es la forma primitiva, alterada por influjo de los numerosos verbos que empiezan por *so-*. Procede del lat. vg. *SESSĬCARE* 'asentar', 'hacer descansar', deriv. de SEDĒRE 'estar sentado' (participio SESSUS). Comp. *SESGO*.

DERIV. *Asosegar*, ant.; *desasosegar*, 1539; *desasosiego*, 1604. *Sosegado. Sosiego*, princ. S. XIV (*asos-*; 1295, *assessego*).

Sosería, V. *soso*   *Sosiego*, V. *sosegar*

SOSLAYO, *de* —, med. S. XV, antiguamente *en deslayo*, h. 1300, y *deslayar* 'salir por la tangente', h. 1250. Es alteración del fr. ant. y oc. ant. *d'eslais* 'impetuosamente, a gran velocidad', deriv. de *s'eslaissier* 'lanzarse con ímpetu', y éste de *laissier* 'dejar'. Antiguamente se aplicaba sobre todo a los golpes dados con una lanza por un jinete al galope, situación en que es frecuente que el golpe soslaye; de ahí el cambio de sentido.
DERIV. *Soslayar*, S. XV.

SOSO, 1475. En portugués *ensôsso*. Del lat. ĬNSŬLSUS íd. El vocablo debió de perder su primera sílaba sólo en castellano, en combinaciones como *manjar ensoso*, donde se tomó *en* por una preposición. Por razones fonéticas es dudoso si hay que partir de la forma del latín clásico INSULSUS o de la vulgar INSALSUS.
DERIV. *Sosaina. Sosería*; *sosera*.

Sospecha, V. *sospechar*

SOSPECHAR, 1220-50. Del lat. imperial SUSPECTARE íd. (lat. clásico *suspicari*).
DERIV. *Sospecha*, h. 1140; *sospechoso*, 1335. Cultismos: *Suspecto*, S. XIX, lat. *suspectus. Suspicaz*, S. XIX, lat. *suspicax, -acis*; *suspicacia*.

Sospechoso, V. *sospechar*   *Sostén, sostener, sostenido*, V. *tener*   *Sota, sotabanco, sotana*, V. *so*

SÓTANO, 1607, antes *sótalo*, 955. Del lat. vg. *SŬBTŬLUM, deriv. del lat. SUBTUS 'debajo'; del cual proceden oc. ant. *sotol*, cat. *sòtil* o *sòtul*, port. *sótão*, gall. *sótoo*, mozárabe *šûṭar*.

Sotavento, V. *so*   *Soterrar*, V. *tierra*   *Sotil, sotileza*, V. *sutil*

SOTO, 929. Del lat. SALTUS, -US, 'pastizales', 'pastizales con bosque', 'desfiladero, quebrada'.
DERIV. *Sotillo. Ensotar.*

Soturno, V. *saturno*

SOVIET, 1917. Del ruso *soviét* íd., propiamente 'consejo que se da a alguno', 'consejo que celebran varias personas'.
DERIV. *Soviético*; *sovietizar*.

Sovoz, V. *voz*   *Su*, pron., V. *sí* I   *Suasorio*, V. *persuadir*

SUAVE, 1220-50. Tom. del lat. *suavis* íd., propte. 'dulce'.
DERIV. *Suavidad*, 1251, lat. *suavitas. Suavizar*, fin S. XVII.

Subalterno, V. *otro*   *Subasta, subastar*, V. *asta*   *Subcinericio*, V. *incinerar*   *Subconsciencia, subconsciente*, V. *ciencia*

SÚBDITO, 1335. Tom. del lat. *sŭbdĭtus, -a, -um*, propte. participio de *subdĕre* 'someter, sujetar', propte. 'poner debajo'.

Subdividir, subdivisión, V. *dividir*

SUBIR, h. 1140. Del lat. SŬBĪRE 'irse acercando a un lugar alto desde abajo', propte. 'ponerse o venir debajo de algo', cpt. de SUB 'debajo' e IRE 'ir'; SUBIRE, con el sentido castellano, se encuentra ya en un texto escrito probte. en España a princ. S. VI.
DERIV. *Subida*, 1220-50. *Subido.*

SÚBITO, 1403 (*súpitamente*). Tom. del lat. *sŭbĭtus, -a, -um*, íd., propte. participio de *subire* 'penetrar furtivamente', 'acercarse desde abajo' (V. *SUBIR*). La variante *súpito*, debida a una asimilación de sordez, es bastante general en los SS. XV-XVI (aunque *súbito* aparece desde 1490), todavía empleada literariamente en el XVII y hoy vulgar en muchas partes. *Sopetón*, 1620, sólo secundariamente se ha relacionado con *súpito*: en todo el S. XVII aparece con el sentido de 'golpe', y debe de ser aplicación figurada de *sopetón* 'pedazo de pan empapado en aceite', 1739, deriv. de *sopa* (comp. *mojicón*, de *mojar*); la locución *de sopetón* 'de súbito', que no aparece hasta 1739, es equivalente literal de la locución *de golpe*.
DERIV. *Subitáneo*, 1611, lat. *subitanĕus*, antes *supitaño* íd., SS. XIII-XVII.

Subjetivo, V. *abyecto*   *Subjuntivo*, V. *junto*   *Sublevación, sublevar*, V. *levar*

SUBLIME 'elevado, alto', 1438; el sentido moderno no queda precisado hasta el S. XVIII. Tom. del lat. *sublīmis* 'muy alto'.
DERIV. *Sublimidad*, 1438. *Sublimar* 'elevar a lo alto', 1438. *Sublimado*, acepción química, S. XVI, es innovación del bajo latín; el antiguo duplicado *solimán*, 1495, es alteración del antiguo *solimad*, 1438, probte. variante de origen mozárabe. *Sublimación*, S. XVI.

Submarino, V. *mar*   *Subordinación, Subordinar*, V. *orden*   *Subrayar*, V. *raya* I   *Subrepticio*, V. *rapiña*   *Subrogar*, V. *rogar*   *Subsanar*, V. *sano*   *Su(b)scribir*, V. *escribir*   *Subseguir*, V. *seguir*

SUBSIDIO, 1438. Tom. del lat. *subsĭdĭum* 'reserva de tropas', 'refuerzo', deriv. de *subsidēre* 'ponerse al acecho, disponerse como tropas de reserva' (y éste de *sedere* 'estar sentado').
DERIV. *Subsidiario,* 1739.

Subsiguiente, V. *seguir   Subsistencia, subsistir,* V. *existir   Substancia, substantivo,* V. *sustancia   Substituir,* V. *constituir   Substracción, substraer,* V. *traer   Substrato,* V. *estrado   Subsuelo,* V. *suelo   Subterfugio,* V. *huir   Subterráneo,* V. *tierra   Suburbano, suburbio,* V. *urbe   Subvención, subvencionar, subvenir,* V. *venir   Subversión, subversivo, subvertir,* V. *verter   Subyacente,* V. *yacer   Subyugar,* V. *yugo*

SUCCINO, 1555. Tom. del lat. *sūcĭnum* íd.

SUCCIÓN, 1615. Tom. del lat. *suctĭo, -ōnis,* íd., deriv. de *sugĕre* 'chupar'.

Sucedáneo, V. *suceder*

SUCEDER, 1444. Tom. del lat. *succedĕre* 'venir después de alguien o de algo', deriv. de *cedere* 'retirarse' (V. *CEDER*).
DERIV. *Sucedido. Sucesión,* 1433, lat. *successio, -onis,* íd. *Sucesible. Sucesivo. Suceso,* 1490, lat. *successus, -ūs,* 'secuencia, sucesión', 'éxito'. *Sucesor,* 1220-50, lat. *successor, -oris. Sucesorio. Sucedáneo,* lat. *succedaneus* 'que reemplaza'.

Sucesión, sucesivo, suceso, sucesor, V. *suceder   Suciedad,* V. *sucio*

SUCINTO, 1580. Tom. del lat. *succinctus* 'apretado, achaparrado', participio de *succingere* 'arremangar', deriv. de *cingere* 'ceñir'.

SUCIO, h. 1140. Del lat. *sūcĭdus* 'húmedo, jugoso', deriv. de *sūcus* 'jugo', 'savia'; se aplicaba especialmente a la lana recién cortada y no limpiada todavía, que, por trasquilarse las ovejas a principio del verano, solía estar llena de sudor y, por lo tanto, húmeda: de ahí el cambio de sentido.
DERIV. *Suciedad,* 1220-50. *Ensuciar,* med. S. XIII.

SUCOTRINO, 1817, antes *cecotrí,* 1385. Del ár. *suquṭrí* 'perteneciente a Socotra o Socótora, isla del Océano Índico', de donde se importaba esta clase de acíbar.

Súcubo, V. *incubar   Suculento,* V. *jugo   Sucumbir,* V. *incumbir   Sucursal,* V. *correr   Sud,* V. *sur*

SUDAR, 1220-50. Del lat. SŪDĀRE íd.
DERIV. *Sudadero,* 1495. *Sudario,* 1490, tom. del lat. *sudarium* íd., propte. 'pañuelo (de sonarse o enjugarse el sudor)'. *Sudor,* 1220-50; *sudoroso,* S. XIX. *Resudar. Trasudar; trasudor. Exudar,* tom. del lat. *exsudare* íd.; *exudación.*
CPT. *Sudorífico. Sudorífero.*

Sudeste, sudoeste, V. *sur   Sudor, sudorífero, sudorífico, sudoroso,* V. *sudar   Sueco, hacerse el —,* V. *zueco*

SUEGRA, 1156. Del lat. vg. SŎCRA íd., que sustituyó el clásico SOCRUS, -US. En cuanto a *suegro,* S. XII, en lugar de proceder directamente del lat. SOCER, -ERĪ, se derivó en romance del femenino *suegra,* empleado con mayor frecuencia que *suegro.*
DERIV. *Consuegra, -o,* 1495, del lat. CONSŎCRUS 'consuegra'.

Suela, V. *suelo*

SUELDO, 1129. Del lat. tardío SŎLĬDUS 'cierta moneda de oro, ducado', propte. 'moneda sólida, consolidada' (a diferencia de las demás, de valor escaso o variable), del adjetivo SOLIDUS, sustantivado. En la Edad Media *sueldo* sigue siendo nombre de una moneda, con cuyo valor coincidía la paga de un soldado, de ahí 'paga de soldado', 1490, luego 'paga de criado', 1739, y 'salario en general'. Como adjetivo, el cultismo *sólido,* 1490.
DERIV. *Soldada,* h. 1140. *Soldado,* primero 'guerrero mercenario', 1463; después 'hombre de guerra en general', fin S. XVI, imitado del it. *soldato,* S. XIV; *soldadesco,* princ. S. XVII; *soldadesca,* 1596. *Asoldar; asoldadar. Soldar,* 1490, lat. SOLIDARE íd., en la baja época, 'consolidar, endurecer' en los clásicos; *soldadura,* 1490.
Cultismos: *Solidez,* S. XVII. *Solidario,* med. S. XIX; *solidaridad,* med. S. XIX; *solidarizar. Consolidar,* fin S. XV, lat. *consolidare* íd.; *consolidación*
CPT. *Solidificar. Solípedo,* contracción del lat. *solidipes, -ĕdis,* propte. 'el de pies macizos'.

SUELO, h. 1140. Del lat. SŎLUM íd., propiamente 'base', 'fondo', 'tierra en que se vive'.
DERIV. *Solar,* verbo, 1490. *Solar,* sust., 1056; *solariego,* 1239. *Solera,* 1633. *Solero,* 1739. *Suela,* 1335, del lat. vg. *SŎLA,* que sustituyó el clásico SŎLĔA íd.; *solar* 'echar suelas al zapato'; *soleta,* 1599. *Entresuelo,* 1570 (1490 ?). *Subsuelo. Sollado,* 1739, del port. *solhado* 'piso, suelo', contracción de *soalhado,* que deriva de *soalho* íd., a su vez

deriv. de SOLUM con sufijo -*alho*. *Asolar*, h. 1250, lat. tardío ASSŎLĀRE 'devastar', propte. 'derribar, echar al suelo'; *asolación*; *asolamiento*.

Suelta, suelto, V. *absolver*

SUEÑO, h. 1140. Del lat. SŎMNUS 'acto de dormir', con el cual vino a confundirse en cast. el lat. SŎMNĬUM 'representación de sucesos imaginados durmiendo'.
DERIV. *Soñar*, h. 1140; *soñación*; *soñador*; *sueñera*. *Soñoliento*, 1490; *soñolencia* o *somnolencia*, S. XVI. *Ensueño*, 1580, imitación del lat. INSOMNIUM íd., que a su vez es imitación culta del gr. *enýpnion* íd.; *ensoñar*, palabra rara, SS. XIII y XVI-XVII. Cultismos: *Insomnio. Insomne.* Del gr. *hýpnos*, equivalente del lat. *somnum*: *Hipnosis*; *hipnótico*; *hipnotismo*; *hipnotizar*.
CPT. *Sonámbulo*, S. XIX; *sonambulismo*, *Somnífero*.

SUERO, 1251. En port. *soro*, sardo *soru*, cat. dial. *sorigot* (cat. *xerigot*). De una vieja palabra hispánica emparentada con el lat. SĔRUM, el gr. *orós*, íd., etc. Es dudoso el origen de aquella forma. Quizá antigua variante latina o itálica, conservada por el latín hispánico y perdida sin huellas en Italia; o quizá más bien de otra lengua indoeuropea prerromana, verosímilmente la de los antiguos invasores indoeuropeos de España, enterrados en campos de urnas.
DERIV. cultos del lat. *serum*: *Seroso*; *serosidad*.
CPT. *Serología. Seroterapia.*

SUERTE, fin S. X. Del lat. SORS, SŎRTIS, íd. La acepción 'campo de tierra de labor', 1212.
DERIV. *Sortear*, h. 1140; *sorteador*; *sorteamiento*, 1495; *sorteo. Sortija* 'anillo que se pone en el dedo', 1220-50, de donde 'bucle de cabellos', 1605: del lat. vg. hispánico SORTICULA 'objeto empleado para echar la suerte', probte. porque también se han empleado con este objeto sortijas (además de dados, guijarros, etc.); o llamada así por el juego caballeresco de la sortija, en que un jinete lanzado a toda velocidad tenía que acertar a ensartar en un arito colgante la punta de su lanza, suerte notable; *ensortijar*, 1581; *desortijado* 'dislocado', h. 1600 (aludiendo a articulaciones de forma anular). *Consorte*, S. XVI, tom. del lat. *consors, -tis*, 'el que tiene el mismo lote, la misma suerte'; *consorcio*, 1444, lat. *consortium* íd.
CPT. *Sortilegio*, 1607, deriv. del lat. *sortilĕgus* 'adivino', formado con *legere* 'recoger'.

Suficiencia, V. *suficiente*

SUFICIENTE, h. 1440. Tom. del lat. *sufficiens, -tis*, part. activo de *sufficere* 'bastar', deriv. de *facere* 'hacer'.
DERIV. *Suficiencia*, 1490.

Sufijo, V. *fijo*

SUFRA, h. 1900, 'correón que sostiene las varas, apoyado en el sillín de una caballería de tiro'; en Aragón, Murcia y Salamanca *azofra*, 1859, o *zufra, zofra*; cat. *sofra*, oc. *sufra, sofra*. Origen incierto. Quizá del ár. *súfur*, plural de *sifâr* 'brida del camello'.

Sufragáneo, V. *sufragar*

SUFRAGAR, 1739. Tom. del lat. *sŭffragari* 'votar por alguien', 'apoyarle, favorecerle'.
DERIV. *Sufragio*, 1490, lat. *suffragium* 'voto que se da a alguno', 'derecho de sufragio', 'aprobación'; *sufragista. Sufragáneo*, 2.º cuarto S. XV (-*ano*), del b. lat. *suffraganĕus*, S. VIII. *Irrefragable*, princ. S. XVII, lat. *irrefragabilis* íd., deriv. de *refragari* 'oponerse a alguno', propte. 'votar contra él', de la misma raíz que *suffragari*.

Sufragio, sufragista, V. *sufragar*

SUFRIR, h. 1140. Del lat. SŬFFĔRRE 'soportar', 'tolerar', 'aguantar'.
DERIV. *Sufrible*, 1495; *insufrible. Sufrido. Sufrimiento*, 1495.

SUGERIR, 1685. Tom. del lat. *suggĕrĕre* 'llevar por debajo' (y éste de *gerĕre* 'llevar', vid. *GESTO*).
DERIV. *Sugerente*; *sugerencia*, amer. *Sugestión*, h. 1440, lat. *suggestio, -onis*, íd.; *sugestionar*; *sugestivo*.

Sugestión, sugestionar, sugestivo, V. *sugerir Suicida, suicidarse, suicidio*, V. *sí I Sujeción, sujetar, sujeto*, V. *abyecto Sulfamida, sulfatar, sulfato, sulfhídrico, sulfito, sulfurar, sulfúrico, sulfuro, sulfuroso*, V. *azufre*

SULTÁN, 1586 (antes *soldán*, med. S. XIV). Del ár. *sulṭân* 'rey'.
DERIV. *Sultana*, 1739. *Sultanía*; *sultanato*.

SULLA (planta forrajera), 1607 (y ya en un documento de los SS. XIII-XVI); también *zulla*, 1739. Del lat. tardío SYLLA íd., S. IV, de origen desconocido.

Suma, V. *somero*

SUMACA, med. S. XIX. Del neerl. *smak* íd., S. XVI. Éste es de origen incierto, pero de todos modos germánico.

Sumando, sumar, sumariar, sumario, sumarísimo, V. *somero   Sumergible, sumergir,* V. *somorgujo   Sumidad,* V. *somero Sumidero,* V. *sumir   Suministrar, suministro,* V. *menester*

SUMIR 'hundir', 'sumergir'. Del lat. SŪMĚRE 'tomar', que con frecuencia se aplicaba a los alimentos (valor conservado en cast. sólo como verbo de uso eclesiástico, para 'consumir la hostia sagrada', 1220-50). El sentido de 'tomar (un alimento cualquiera)' pudo evolucionar en latín vulgar hacia el de 'tragar (comidas y bebidas)' h. 1280, hoy anticuado, y de ahí a 'hundir bajo tierra o bajo el agua', 1220-50. Es posible, sin embargo, que más que de SUMERE venga de' su deriv. ABSŪMĚRE, que ya significaba 'tragar, devorar' y 'aniquilar' en latín, y que se confundiera esta voz latina con el grupo formado por *simarse,* que en los Pirineos vale por 'sumirse una corriente' (inseparable de *SIMA,* que allí mismo significa 'sumidero, grieta donde se sume una corriente') y asimismo por el val. *sumar* 'rezumar', *sumador* 'goteadero, peña que rezuma', cat. *xumar, ximar* 'beber chupando', cat. or. (SE.) *sumoi* 'goteadero', que al menos en parte serán de creación expresiva y relacionadas con *REZUMAR.* Con todo, cf. *SIMA.*
    DERIV. *Sumidero,* 1490.
    Cultismos: *Suntuoso,* 1438, lat. *sumptuosus* íd., deriv. de *sumptus, -us,* 'gasto', propiamente 'lo que hay que tomar para obtener algo'; *suntuosidad; suntuario. Asumir,* 1528, lat. *assuměre* íd.; *asunción,* princ. S. XV, lat. *assumptio, -onis,* 'acto de asumir', esp. a la Virgen en el Cielo; *asuncionista; asunto,* 1605, propte. 'lo asumido, lo tomado en consideración'; *reasumir. Presumir,* 1438, lat. *praesumere* 'tomar de antemano', de donde 'imaginar de antemano, presumir' y luego 'atreverse, mostrarse orgulloso'; *presunción,* 1438; *presunto; presuntivo; presuntuoso,* 1438; *presumible. Resumir,* h. 1570, lat. *resumere,* propte. 'tomar de nuevo, repasar'; *resumen,* 1739, alteración de *resume por una reacción exagerada contra las formas gallegoportuguesas y leonesas como *volume* por *volumen* (vulgarmente se dice también *perfumen* por *perfume*).

Sumisión, sumiso, V. *meter   Summum, sumo,* V. *somero   Suntuario, suntuoso,* V. *sumir   Supeditación, supeditar,* V. *pie Superabundante,* V. *onda   Superación, superar, superávit, superchería,* V. *sobre Supererogatorio,* V. *rogar   Superferolítico,* V. *firuletes   Superfetación,* V. *fecundo Superficial, superficie,* V. *faz   Superfluidad, superfluo,* V. *fluir   Superhombre,*

V. *hombre   Superior, superioridad,* V. *sobre*

SUPERLATIVO, 1438, 'de grado sumo'. Tom. del lat. *superlatīvus* íd., deriv. de *superferre* 'levantar por encima, hacer rebasar', deriv. de *ferre* 'llevar'.

Superponer, superposición, V. *poner*

SUPERSTICIÓN 'creencia extraña a la fe religiosa y contraria a la razón', h. 1440. Tom. del lat. *superstitio, -onis,* íd., propte. 'supervivencia', deriv. de *superstare* 'sobrevivir'.
    DERIV. *Supersticioso,* 1569. *Supérstite,* lat. *superstes, -ĭtis,* 'superviviente'.

Supérstite, V. *superstición   Supervacáneo,* V. *vagar   Superviviente,* V. *vivo*

SUPINO, 1490. Tom. del lat. *sŭpīnus* 'tendido sobre el dorso', 'perezoso'.

Supitaño, súpito, V. *súbito   Suplantar,* V. *planta   Suplefaltas, suplementario, suplemento, suplente, supletorio,* V. *suplir Súplica, suplicante, suplicar, suplicatorio, suplicio,* V. *plegar*

SUPLIR, 1574. Tom. del lat. *supplēre* 'suplementar', deriv. de *plere* 'llenar' (de donde también *LLENO, CUMPLIR, REPLETO*).
    DERIV. *Suplente. Suplemento,* med. S. XVII, lat. *supplementum; suplementario; suplementar. Supletorio.* De otro deriv. de dicho *plere,* lat. *explere* 'rellenar', viene *expletivo.*
    CPT. *Suplefaltas.*

Suponer, suposición, supositorio, V. *poner Suprarrenal,* V. *riñón   Supremacía, supremo,* V. *sobre   Supresión,* V. *suprimir*

SUPRIMIR, 1490. Tom. del lat. *supprimere* íd., propte. 'hundir', 'ahogar', deriv. de *premere* 'apretar'.
    DERIV. *Supresión,* 1674.

Supuesto, V. *poner   Supurar,* V. *pus*

SUR, 1492. Del anglosajón *sûth,* probablemente por conducto del fr. anticuado *su* (hoy *sud*), alterado por influjo del compuesto *surouest* (hoy *sudouest*), donde la -r- se debe a la acción del anticuado *norouest* 'noroeste'.
    DERIV. *Sureño. Surero.*
    CPT. *Sudeste,* 1843 (antes *sueste,* h. 1495, que hoy ha quedado como nombre del sombrero impermeable, especialmente útil en las tormentas causadas por este viento). *Sudoeste,* 1843 (*sudueste,* h. 1495), o *suroeste.*

SURÁ, fin S. XIX. Del ingl. *surah*, 1881, o quizá del fr. *surah*, fin S. XIX, que en ambos idiomas designa un tejido de seda procedente de la India. Es incierto si procede del nombre de *Surát*, puerto manufacturero indostánico.

SURAL, S. XIX. Deriv. del lat. *sura* 'pantorrilla'.

SURCO, 1124. Del lat. sŭlcus íd.
Deriv. *Surcar*, 1495 (*sulcar*).

SÚRCULO, 1817. Tom. del lat. *surcŭlus* íd.
Deriv. *Surculado. Surculoso.*

Sureño, surero, sureste, V. *sur*

SURGIR, 1438 (raro hasta el S. XVIII), 'alzarse, aparecer'. Tom. del lat. *sŭrgĕre* íd. En el sentido de 'estar fondeada' o 'dar fondo', hablando de una nave, princ. S. XV, se tomó del cat. *sorgir* íd., S. XIII. Éste viene probte. del lat. sŭrgĕre 'levantarse', en frases como navis surgit in portu 'la nave aparece, se levanta en el puerto', de donde 'está quieta allí, está fondeada', tal como stare 'estar de pie' pasó a 'estar detenido en un lugar'.
Deriv. *Surgidero* 'fondeadero', 1492. *Surto* 'fondeado', 1535.
Cultismos: *Insurgente*, S. XIX, deriv. de *insurgĕre* 'levantarse contra alguno'; *insurrecto*, S. XIX, lat. *insurrectus*, participio pasado del mismo; *insurrección, insurreccional. Resurgir*, S. XIV, lat. *resurgere*; *resurgimiento*; *resurrección*, 1220-50, lat. *resurrectio, -onis.*

SURIPANTA 'mujer corista en un teatro', 1866, de donde 'mujer despreciable', 'tunanta'. Se empleó primeramente en la letra de un coro teatral madrileño, aunque no es seguro que fuese vocablo inventado caprichosamente en esta ocasión.

SURTIR, S. XV y quizá ya XIII, 'brotar, saltar (agua, etc.)', 1490; 'proveer de algo', 1590; 'producir (efecto)', 1486. Voz emparentada con el fr., oc. y cat. *sortir*, que significan o han significado lo mismo, desde los SS. XII-XV, y además 'salir', desde el XVI. Seguramente tomada de estos idiomas. En ellos es palabra de origen incierto. Antiguamente significó en francés 'echar en suerte', 'predecir la suerte', y es probable que venga sobre todo del lat. sortiri íd., tomado en sentidos como 'salir por suerte de una situación'. Sin embargo, es difícil que todas las acepciones del vocablo y de su familia se expliquen de esta manera, y es verosímil que en algunas (en particular la de 'brotar, saltar') provenga de otra palabra, deriv. del participio cat. *surt*, cast.

surto, it. *sorto*, pertenecientes al verbo *surgir*, participio que también debió de existir en el francés primitivo.
Deriv. *Surtido*, sust., fin S. XVI. *Surtidor*, h. 1600. *Resurtir*, 1495; *resorte*, med. S. XVIII, del fr. *ressort* íd.

Surto, V. *surgir* y *surtir*   *¡Sus!*, V. *susodicho*

SUSCEPTIBLE, 1843 (y ya h. 1440). Derivado culto de *suscipĕre* 'tomar, asumir' (deriv. de *capere* 'coger'). La acepción 'irritable, quisquilloso' se imitó recientemente del francés, donde el vocablo ya se halla en el S. XIV.
Deriv. *Susceptibilidad. Suscepción*; *intususcepción* (cpt. con *intus* 'adentro').

Suscitar, V. *excitar*   *Suso*, V. *susodicho*

SUSODICHO, 1438. Cpt. de *dicho* con el cast. ant. *suso* 'arriba', SS. XI-XV, procedente del lat. sŭrsum 'hacia arriba'. No es seguro que sea reducción de esta misma palabra *¡sus!* '¡ea!', h. 1490, que entonces debiera haberse tomado del cat. o del fr.; pues también podría estar relacionada con *azuzar*.

Suspecto, V. *sospechar*   *Suspender, suspensión, suspensivo, suspenso, suspensorio*, V. *pender   Suspicacia, suspicaz*, V. *sospechar   Suspirar, suspiro*, V. *espirar*

SUSTANCIA, 1220-50. Tom. del lat. *substantia* íd., deriv. de *substare* 'estar debajo' (*substantia* es calco del gr. *hypóstasis*, vid. *ESTÁTICO*).
Deriv. *Sustancial. Sustanciar; sustanciación. Sustancioso. Sustantivo*, h. 1440, lat. tardío *substantivus* íd., propte. 'sustancial' (calco del gr. *hyparktikón*); *sustantividad; sustantivar. Consu(b)stancial. Transu(b)stanciar; transu(b)stanciación.*
Cpt. *Sinsustancia.*

Sustantivar, sustantivo, V. *sustancia   Sustentación, sustentáculo, sustentamiento, sustentar, sustento*, V. *tener   Sustitución, sustituir, sustituto*, V. *constituir*

SUSTO, 1604. Voz tardía, peculiar al castellano y el portugués. Origen incierto. Quizá creación expresiva, de *¡sst!*, que expresa el movimiento repentino del asustado o sobresaltado. Del mismo origen serán el mallorquín *sustar* 'sollozar' y el it. dial. del Norte y del Sur *susto* 'suspiro', 'angustia', 'preocupación'.
Deriv. *Asustar*, 1607; *asustadizo.*

SUSURRAR 'producir un murmullo', 1490. Tom. del lat. *sŭsŭrrare* 'zumbar', 'murmurar'.

Deriv. *Susurrante*, princ. S. XVII. *Susurro*, 1607.

SUTÁS, h. 1900. Del fr. *soutache*, 1845, y éste del húngaro *sujtás* (pronúnciese *šúitāš*).

SUTIL, 1220-50. Del lat. sŭBTĪLIS íd., propte. 'fino, delgado', 'penetrante'. *Sotil* es la forma predominante hasta el S. XVI y en muchos dialectos.

Deriv. *Sutileza*, 1220-50. *Sutilizar*, h. 1280.

Sutura, V. *coser*   *Suyo*, V. *sí* I   *Suzón*, V. *zuzón*

T

¡Ta!, V. *¡tate!*

TABA, h. 1530, 'juego de la taba', 'astrágalo de carnero con que se juega a la taba'. Origen incierto. Quizá del ár. *ṭâb*, nombre de un juego que se juega echando unos palos y ganando o perdiendo según la cara en que caigan estos palos; juego que en España pudo confundirse con el ár. *káᶜba*, que en árabe es el nombre del astrágalo y del juego de la taba.

TABACO, 1535. La planta y la costumbre de fumar sus hojas (ya observada por Colón en 1492) son oriundas de América, pero el origen de la palabra es incierto. Consta que *tabacco*, *atabaca* y formas análogas (procedentes del ár. *ṭabbâq* o *ṭubbâq*, S. IX) se emplearon en España y en Italia, desde h. 1410, mucho antes del descubrimiento del Nuevo Mundo, como nombre de la olivarda, del eupatorio y de otras hierbas medicinales, entre ellas algunas que mareaban o adormecían. Es verosímil que los españoles trasmitieran a la planta americana este nombre europeo, porque con aquélla se emborrachaban los indígenas antillanos. Aunque ya cronistas de Indias del S. XVI afirman que es palabra aborigen de Haití, no es éste el único caso en que incurren en tales confusiones.
DERIV. *Tabacal; tabacalero. Tabaquero*, 1739; *tabaquera*, 1739; *tabaquería*, 1739. *Atabacado. Tabaquismo.*

TÁBANO, h. 1250. Del lat. TABANUS íd., palabra ya antigua (S. I antes de J. C.), pero tomada en préstamo por el latín a un idioma no indoeuropeo. Con esta circunstancia puede estar relacionada la doble acentuación romance TÁBANUS y TABÁNUS: asegurada ésta por otras lenguas romances (it., port.), pero la acentuación castellana debe de ser antigua, pues reaparece en el cat. *tàvec* íd. (o *tave*) y en el oc. y francoprovenzal *tauna* 'avispa', que difícilmente podrían explicarse en calidad de alteraciones o de palabras independientes. En latín clásico no hay testimonios de la acentuación ni de la cantidad de la vocal penúltima.
DERIV. *Tabanera. Tabarro*, fin S. XIV, variante de *tábano*, que reaparece en el Sur de Francia; de ahí *tabarra* 'lata', S. XIX; *tabarrera* 'ruido, estruendo', S. XVIII, 'cosa molesta'.

TABAQUE, 1331, 'cestito'. Del ár. *ṭabaq* 'fuente, bandeja' y 'canastillo'.

Tabaquera, tabaquería, tabaquero, tabaquismo, V. *tabaco*

TABARDO, S. XIII. Voz común a las varias lenguas romances y propagada desde el francés a otras lenguas vecinas. Etimología incierta. El punto de partida parece hallarse en el fr. ant. *tabart*, 1264, quizá de origen germánico, pero no comprobado en esta familia lingüística.
DERIV. *Tabardillo*, 1570, 'especie de tifus', así llamado por la erupción de manchitas que cubre todo el cuerpo como un tabardo. *Tabardina*, 1397, comp. *GABARDINA*.

Tabarra, tabarrera, tabarro, V. *tábano*

TABERNA, 1228. Tom. del lat. *tabĕrna* 'tienda, almacén de venta al público', 'mesón, posada', propte. 'cabaña, choza'.
DERIV. *Tabernáculo*, 1490, lat. *tabernacŭlum*, propte. 'tienda de campaña', *Taberne-*

ro, h. 1250; *tabernera*; *tabernario*. *Contubernio*, 1435, lat. *contŭbĕrnĭum* íd., deriv. de *taberna* en el sentido de 'vida en una misma choza'; *contubernal*.

TABES, med. S. XIX. Tom. del lat. *tabes* 'putrefacción, consunción'.
Deriv. *Tábido*, 1444. *Tabescente*.
Cpt. *Tabífico*.

TABÍ, 1604. Del it. *tabì*, princ. S. XVI, y éste del ár. *ᶜattābī* íd., así llamado por fabricarse en *Al-ᶜAttābiya*, suburbio de Bagdad.

Tabicar, V. *tabique*   *Tábido*, *tabífico*, V. *tabes*

TABIQUE, 1570, antes *taxbique*, princ. S. XV. Del ár. *tašbīk* 'pared de ladrillos', propte. 'labor de trenzado o entretejedura', nombre de acción del verbo *šábbak* 'enrejar, entrelazar'.
Deriv. *Tabiquero*. *Tabicar*, princ. S. XVII.

TABLA, 1112. Del lat. TABŬLA 'tabla, pieza de madera plana, más larga que ancha, y poco gruesa', 'tablero de juego', 'tableta de escribir'.
Deriv. *Tablado*, hacia 1140; *tablada*, 1215. *Tablazón*, 1490. *Tablear*, 1739. *Tablero*, 1220-50. *Tableta*, 1335; *tabletear*. *Tablilla*, 1490; *entablillar*. *Tablón*, 1555. *Trabanca*, S. XX, probte. de **tabranca*, de *tabra* por *tabla*. *Entablar*, 1220-50; *entablado*, 1570; *entablamento*, 1495. *Retablo*, h. 1440, adaptación del cat. *retaule*, más antiguamente *reataula*, sust. masc., 1432, y antes latinizado en *retrotabulum*, 1305; se formó con el prefijo RETRO- 'detrás de', que da *rere-* en catalán (de donde *re-*), por ser una pintura que adorna la parte posterior de un altar, y de ahí pasó en cast. a la colección de figuras del titiritero.
Cultismo: *Tabular*.

TABOR, h. 1900. Del ár. *ţābŭr* 'legión', 'escuadrón', de origen turco.

TABÚ, h. 1900. Del ingl. *taboo* íd., 1785, y éste de la lengua del archipiélago de Tonga (Polinesia), donde suena *tábu* y significa 'prohibido'.

TABUCO 'cuarto muy pequeño', h. 1575. Origen incierto. Quizá del ár. vg. *ţabāq* 'calabozo', alterado por influjo del sufijo diminutivo *-uco*.

Tabular, V. *tabla*   *Taburete*, V. *tambor*   *Taca* 'alacena', V. *taquilla*

TACA (placa de forja), med. S. XIX. Del fr. *taque* 'placa de hierro colado', 1812, y éste del bajo alem. *tâk*, S. XVI.

TACAMACA, 1577. Se cree de origen azteca.

TACANA 'mineral explotado', amer., 1884. Del quichua *tacána* 'mazo para golpear', 'cosa que necesita golpe', deriv. de *tácay* 'golpear', 'clavar', 'llamar a la puerta'.
Deriv. *Tacanear*.

TACAÑO, S. XIV. Voz antigua en las tres lenguas romances de la Península, desde donde pasó a Francia, 1442, y a Italia, h. 1540. El sentido antiguo es 'persona despreciable o de clase baja', 'bribón, pícaro', general hasta el Siglo de Oro; desde éste se pasó al de 'mezquino, avariento', 1607, como ocurrió con *ruin*. Origen incierto; probte. del hebreo *taqanáh* 'ordenación', 'reglamento', 'convenio', que se aplicaba a los arreglos financieros negociados por las aljamas españolas en la Edad Media, y que parece haber sido empleado por los cristianos en un sentido malévolo; de ahí la acepción de 'chanchullo, trapacería', luego personalizada.
Deriv. *Tacañería*, med. S. XV.

TÁCITO, hacia 1440, 'callado'. Tom. del lat. *tacĭtus* íd., propte. participio de *tăcēre* 'callar'.
Deriv. *Taciturno*, 1607, lat. *tacĭtŭrnus* íd.; *taciturnidad*, h. 1440. *Reticencia*, princ. S. XVII, lat. *retĭcĕntia* íd., deriv. de *retĭcēre* 'callar (alguna cosa)'; *reticente*, S. XIX.

TACO, 1607. Esta palabra, con sus deriv., es común a las principales lenguas romances y germánicas de Occidente. De origen incierto. No hay razones firmes para asegurar si pasó del germánico al romance o viceversa, o si se creó paralelamente en ambos grupos lingüísticos. Quizá imitación del ruido del tarugo al ser clavado en la pared.
Deriv. *Taquera*. *Retaco* 'escopeta corta', 'taco de billar corto', de donde 'hombre rechoncho', 1737. *Tacón*, 1604; *taconear*, *taconeo*. *Tacada*.

Tacón, V. *taco*

TÁCTICA, 1708. Tom. del gr. *taktiké* 'arte de disponer y maniobrar las tropas', femenino del adj. *taktikós* 'relativo al arreglo de cualquier cosa, a la disposición de las tropas', deriv. de *tássō* 'yo dispongo, arreglo'. El adjetivo *táctico*, S. XIX. *Ataxia*, gr. *ataxía* íd., de la misma raíz, con *a-* negativo. *Sintaxis*, 1739, gr. *sýntaxis* 'acción de disponer juntamente'; *sintáctico*.
Cpt. del gr. *táxis* 'arreglo, ordenación': *Taxidermia* (con gr. *dérma* 'piel'). *Taxonomía* (con gr. *nómos* 'ley, norma'); *taxonómico*.

Táctil, *tacto*, V. *tañer*

TACHA 'falta, defecto', h. 1140. Del fr. *tache* íd., propte. 'mancha'. Éste y el it. *tacca*, cat. y oc. *taca* 'mancha', vienen de un lat. vg. *TACCA, que parece ser latinización del germ. TAIKN 'señal', comp. el gót. *taikns*, ingl. *token*, alem. *zeichen* íd. DERIV. *Tachar*, h. 1250; *tachable*; *intachable*. *Tachón*.

Tacha, 'clavo', V. *tachón*   *Tachar*, V. *tacha*

TACHO, 1836, 'vasija de metal', amer. Probte. del port. *tacho* íd., de origen incierto. Al parecer metátesis de *chato*, porque el tacho portugués es vasija más ancha que honda; comp. *TACHÓN*. DERIV. *Tachero.*

TACHÓN, 1362, 'botón, chapa o clavo grande de cabeza ancha'. Metátesis del antiguo *chatón* íd., 1438 (y *platón*, 1356), deriv. de *chato*, lat. vg. *PLATTUS. La alteración se produjo bajo la influencia de *tacha*, 1535, y *tachuela*, 1531, 'clavito corto de cabeza gruesa', palabra de otro origen, tom. del oc. ant. *tacha* íd., S. XII, de etimología incierta. DERIV. *Tachonado* y *tachonar*, h. 1580.

Tachuela, V. *tachón*

TAFETÁN, 1348. Del persa *tāftah* 'paño de seda', 'vestido de hilo'; probte. por conducto del cat. *tafetà* (plural *tafetans*, 1397).

TAFILETE, 1591. Del nombre del reino de Tafilete en Berbería, donde se preparaban estos cueros.

Tagarnina, V. *carlina*

TAHALÍ, med. S. XV (*taheli*), la forma primitiva es *tahelil*, h. 1570. Designó primero un estuche de cuero en que los moros guardaban amuletos, trozos del Corán y otros escritos de carácter religioso, princ. S. XVI, luego se aplicó a la correa de donde colgaba ese estuche y finalmente a la bandolera que se emplea para suspender la espada, 1527. Viene del ár. *tahlíl*, que propte. significaba 'acto de pronunciar una fórmula religiosa', de donde pasó al estuche bendito.

TAHONA 'molino de tracción animal', 1256; 'panadería', 1739. Del ár. *taḥúna* 'muela de molino' y 'molino', que en el árabe de España se aplicó especialmente al movido con caballería. DERIV. *Tahonero*, 1739.

TAHUR, S. XIV, antiguamente *tafur*, 1260. Voz común a todas las lenguas romances de la Península y de Francia. De origen incierto. Designó primero a los componentes de una tropa auxiliar de los Cruzados, que se dedicaba al saqueo y al merodeo, fin S. XI, de donde 'persona de mala vida' y 'jugador vicioso', 1335. Probte. del armenio *thaphúr* 'abandonado', 'desnudo', 'vagabundo', nombre que les aplicarían los auxiliares armenios de los Cruzados durante el sitio de Antioquía. DERIV. *Tahurería*, 1294.

TAIFA 'pequeño reino independiente', 'bando, grupo de gente anárquica', med. S. XIX. Tom. del ár. *tá'ifa* 'nación, población', 'bandada de gente', 'secta'.

TAIMADO 'astuto, disimulado', 1539. Significó y en parte de América todavía significa 'obstinado', med. S. XVI. Tomóse del port. *taimado* 'astuto, malicioso', que es variante dialectal de *teimado* 'obstinado', deriv. de *teima* 'obstinación', del mismo origen que el cast. *tema*. De 'obstinado' se pasó a 'enfurruñado, que se obstina en no hablar', y de ahí 'taimado'. DERIV. *Taima*, princ. S. XVII. *Taimería*, h. 1600.

TAJAR 'cortar', fin S. X. Del lat. vg. TALEARE 'cortar, rajar', deriv. del lat. TALĔA 'retoño, tallito que se raja y trasplanta'. DERIV. *Tajada*, 1495. *Tajante. Tajo*, 1495. *Tallar*, 1570, probte. del it. *tagliare* íd., propiamente 'cortar' (procedente de dicha palabra latina); *tallador*. *Tallarín*, S. XVI, del it. *taglierino*. *Talla*, 1495, del cat. *talla*, 1351; en la ac. 'estatura', 1817, del fr. *taille* íd.; *tallista*; *entretallar*, 1438. *Talle* 'disposición o proporción del cuerpo humano', 1251, del fr. *taille*, fem., íd. *Taller* 'angarillas', 1646, del fr. *tailloir* íd. (antes pronunciado *talluér*). *Atajar*, h. 1300; *atajo*, h. 1300, propte. 'paso para acortar camino' (comp. *HATO*). *Destajo*, 1495, del antiguo *destajar*, 1200, 'determinar', aplicado a las condiciones en que se ha de hacer un trabajo; *destajero*, h. 1600. *Detallar*, 1817, del fr. *détailler* íd.; *detalle*, 1817; *al detall* 'al pormenor', 1817; *detallista*; *detallado*. *Entallar*, h. 1440, del cat. *entallar*, h. 1400; *entalle*, 1444; *entalladura*, 1495. *Retajar*, 1495; *retajo* o *manada de retajo*, amer., med. S. XIX; *retal*, 1737, del cat. *retall* 'recorte'. CPT. *Tajamar* 'tablón que sirve para hender el agua cuando el buque marcha', princ. S. XVII; 'malecón', amer.

Tajo, V. *tajar*   *Tajugo*, V. *tejón*

TAL, h. 950. Del lat. TALIS íd. CPT. *Tal vez* 'quizá', antes 'a veces, alguna vez', 1613.

Tala 'acción de talar', V. *talar*

TALA, 1739, 'palito con que juegan los muchachos haciéndolo saltar a golpes'. Origen incierto. Quizá del port. *tala*, S. XVI, que además de esto expresa las tablillas de entablillar un miembro enfermo y otras piezas de madera. Éste es también de origen incierto; probte. de *lata* (véase), por metátesis.

Tala 'árbol', V. *tara* II

TALABARTE 'cinturón de cuero del cual cuelga la espada o sable', princ. S. XV. Del oc. ant. *talabart*, S. XIV íd., fr. ant. *talevart*, med. S. XIII, 'pavés, escudo grande (con frecuencia de cuero) que cubre todo el cuerpo'. Éste es el sentido primitivo, de donde se pasó a un ancho tahalí que cubría gran parte del pecho, y después a otros tipos de talabarte. *Talevart* es variante del más común *talevas* íd., S. XII, de origen incierto. Teniendo en cuenta que hay otra variante antigua *taulache, talauche, taloche*, debe de ser un viejo préstamo del it. *tavolaccio* íd., deriv. de *tàvola* 'tabla': *tavolaccio* sería afrancesado en **tavelas*, de donde *talevas*, y luego *talevart*, por un cambio de terminación nada difícil en francés medieval.

Deriv. *Talabartero*, med. S. XIX; *talabartería* íd.

TALADRO, h. 1400. Del lat. tardío TARATRUM íd., S. VII, voz de origen céltico, comp. el irl. ant. *tarathar* íd.

Deriv. *Taladrar*, 1490. Los cultismos *terebrante* y *terebrátula* son derivados del lat. *terebrare* 'taladrar', que pertenece a la misma raíz indoeuropea.

TÁLAMO, 1220-50, lat. *thalǎmus*. Tom. del gr. *thálamos* 'lecho nupcial', 'bodas', propte. 'cuarto', 'cuarto de dormir'.

Deriv. *Epitalamio*, h. 1525, gr. *epithalámion* íd., propte. 'relativo a las nupcias'; *epitalámico*.

Cpt. *Talamiflora*.

Talanquera, V. *tranca*   *Talante*, V. *talento*   *Talar*, adj., V. *talón* I

TALAR 'devastar', 972. Voz común al cast. con el cat. y la lengua de Oc. Probte. del germ. **TĀLŌN*, cuya existencia puede deducirse del alem. ant. *zâlôn* 'robar, arrebatar' y del b. lat. *talare* íd., documentado en las leyes germánicas de la alta Edad Media.

Deriv. *Tala* 'acción y efecto de talar', h. 1260.

TALASOTERAPIA, h. 1900. Cpt. del gr. *thálassa* 'mar' y *therapéia* 'tratamiento'. De aquél con *kratéō* 'yo gobierno', es cpt. *talasocracia* 'potencia marítima'.

TALCO, 1495 (*talque*). Del ár. *ṭalq*, que ha designado el amianto, la mica, el yeso y otros minerales semejantes al talco.

Deriv. *Talquita*.

TALEGA, 1202. Del ár. *taʿlíqa* 'saco, bolsa, zurrón', deriv. de *ʿáliq* 'colgar, estar pendiente de algo'.

Deriv. *Talegón*, 1251; *talego*, princ. S. XVII. *Entalegar*.

TALENTO, 1155 (forma rara hasta el S. XVI) 'capacidad, dotes naturales', y **TALANTE** 'voluntad', S. XIII, proceden del gr. *tálanton*, aquél por intermedio del lat. *talĕntum*. Estas palabras latina y griega designaban cierta moneda de oro (primitivamente 'balanza', luego 'cierto peso de oro' y la moneda). Es probable que los dos sentidos de las dos palabras castellanas se deban a la parábola evangélica de los servidores que sacaron fruto de los talentos o suma de dinero confiados por su amo, mientras otro sirviente enterró sin provecho su tesoro: de aquí el tránsito a 'dotes naturales que deben aprovecharse' y luego 'disposición, propensión' y 'voluntad'. En la Edad Media debió de generalizarse esta última acepción, por la tendencia eclesiástica a considerar más importante la buena voluntad que la inteligencia, y se empleó con la forma *talante*, tomada directamente del griego por el latín vulgar (quizá trasmitida a España desde Francia). El sentido 'dotes naturales, aptitud' en la Edad Media quedó confinado al bajo latín, y desde éste pasó a las lenguas vulgares en el Renacimiento al intensificarse la prédica religiosa por la Reforma y la Contra-Reforma, y así se le atribuyó la forma semiculta *talento*, tomada del latín clásico.

Deriv. *Talentoso*.

Talio, V. *tallo*

TALIÓN 'castigo consistente en sufrir el mismo daño que uno causó', 1335. Tom. del lat. *talio, -onis*, íd.

TALISMÁN, 1739. Tom., por conducto del francés (1637), del persa *ṭilismât*, plural de *ṭilism* íd. Éste a su vez se tomó del gr. bizantino *télesma* íd., propte. 'ceremonia religiosa', deriv. del gr. *teléō* 'hago un sacrificio', propte. 'yo cumplo'.

TALÓN I 'parte posterior del pie'. Del lat. vg. TALO, -ŌNIS, deriv. del lat. TALUS 'talón' y 'tobillo'.

Deriv. *Talonario. Talonear. Talar* 'que llega hasta los talones', princ. S. XVII, tom. del lat. *talaris* íd., deriv. de *talus*.

TALÓN II 'patrón monetario', h. 1900. Del fr. *étalon* 'marco o tipo legal de pesos y medidas', propte. 'ripia', 'clavija'. Probte. es la misma palabra que el fr. ant. *estelon* 'estaca, palo', que viene del lat. STOLO, -ŌNIS, 'retoño', 'estaca'.

Talonario, talonear, V. *talón I   Talpa, talparia,* V. *topo   Talquita,* V. *talco*

TALUD 'inclinación de un muro o de un terreno', 1765-83. Del fr. *talus* íd., S. XII, de origen incierto; probte. de un galo *TALŪTON, deriv. de *TALOS 'frente', por alusión al ribazo o talud en que suelen terminar los campos.

TALVINA, 1335 (*atalvina*), 'gachas que se hacen con leche'. Del ár. *talbína* íd., derivado de *lában* 'leche'.

Talla, tallador, tallar, tallarín, V. *tajar Taller* 'obrador', V. *astillero   Taller* 'angarillas', *tallista,* V. *tajar*

TALLO, h. 1400. Del lat. THALLUS 'tallo con sus hojas', y éste del gr. *thallós* 'rama', 'rama tierna o verde', 'retoño'. DERIV. *Talludo,* 1495. *Entallecer,* 1495. *Talio,* deriv. culto del gr. *thallós,* por el color verde de la llama de la solución de sales de talio en alcohol.

TAMAL 'especie de empanada', 1552, amer. Del azteca *tamálli* íd.

TAMANDUÁ 'oso hormiguero', 1629. Del tupí *tamanduá* íd.

TAMAÑO, 1071. Del lat. TAM MAGNUS 'tan grande'. Primero fue sólo adjetivo con el mismo valor que en latín (luego 'muy grande', h. 1600); como sustantivo en el sentido de 'dimensiones de algo' no aparece hasta 1633 y tarda todavía siglo y medio en generalizarse. Cultismos procedentes del lat. *magnus* 'grande': *Magno,* h. 1440. *Magnate,* S. XVII, lat. *magnātes* íd. (sólo en plural). *Magnitud.* princ. S. XVII, lat. *magnitūdo.* CPT. *Magnánimo,* 1438, lat. *magnanĭmus,* formado con *animus* 'ánimo'; *magnanimidad,* S. XVII. *Magnífico,* h. 1440, lat. *magnĭficus,* con *facere* 'hacer'; *magnificencia,* 1220-50; *magnificar,* 1220-50, lat. *magnificare; magníficat,* de la 3.ª persona del presente de este verbo, con que empieza dicho canto. Del gr. *mégas, megálē, méga,* equivalente del lat. *magnus: Megáfono. Megalito,* con gr. *líthos* 'piedra'; *megalítico. Megalomanía, megalómano. Megaterio,* con gr. *thēríon* 'animal'.

TÁMARA, 1609, 'dátil', 'palmera de dátiles'. Voz portuguesa y regional de Cana-rias, del ár. *támra* íd. Distíngase de *támara* 'leña', V. *TAMO* DERIV. *Tamaral,* 1553. CPT. *Tamarindo,* 1555, nombre de un fruto semejante a un dátil (y luego del árbol), del ár. vg. *támar hindí,* propte. 'dátil de la India'.

Tamarindo, V. *támara*

TAMARISCO, 1555 (en mozárabe ya h. 1100). Del lat. TAMARĪSCUS íd. DERIV. *Tamariscíneo.*

TAMBALEAR 'vacilar, andar sin estabilidad', 1607, resulta de un cruce de *bambalear* 'oscilar' (véase) con *temblar* o *temblequear.* DERIV. *Tambaleante.*

Tambero, V. *tambo   También,* V. *tanto*

TAMBO, 1541. Del quichua *támpu* 'posada, mesón junto a un camino'. La acepción 'corral de vacas donde se expende leche' se explica por los grandes establos adyacentes a los paradores del Inca. DERIV. *Tambero.*

TAMBOR, 1251 (*atambor*), h. 1140 (*atamor*). Del persa *tabîr* íd., S. X, pasando por el árabe, donde debió de confundirse con *ṭanbûr,* S. XI, 'especie de lira o bandurria hecha con una piel tendida sobre un cuerpo hueco', palabra de origen diferente pero también persa. DERIV. *Tambora,* S. XIX. *Tamborear. Tamborete,* S. XIII. *Tamborino,* S. XV, o *tamborín,* 1591, luego disimilado en *tamboril,* 1609; *tamborilear; tamborilero. Taburete,* princ. S. XVII, del fr. *tabouret* íd., deriv. del fr. ant. *tabour* 'tambor', por comparación de forma.

TAMIZ, 1488, raro hasta fin S. XVII. Del fr. *tamis,* S. XII, 'cedazo'. De origen incierto, aunque parece que la fuente inmediata de la palabra francesa es el fráncico *TAMISI íd., palabra documentada en germánico desde el S. X y arraigada desde mucho antes en todos los idiomas occidentales de esta familia (anglosajón *tęmes,* neerl. *teems,* alem. ant. *zemisa*). Como el vocablo no tiene en germánico etimología conocida, no puede asegurarse si es realmente de cepa germánica o si el germánico lo heredó de una lengua anterior (céltica o más bien pre-céltica) y en ese caso no podría descartarse del todo la posibilidad de que el francés lo recibiera directamente de esta lengua. De todos modos en castellano y en las demás lenguas romances es galicismo técnico y muy moderno. DERIV. *Tamizar,* med. S. XIX.

TAMO 'paja menuda', 1335. Origen incierto, probte. prerromano; pero se ignora a qué familia lingüística perteneciera y si hay alguna relación con la posible base pregermánica de *tamiz*. Tampoco es seguro, aunque probable, que haya relación con *támara* 'leña pequeña' (1571, y ya en glosario anterior al S. X), desde luego prerromano; ni con *tamujo*, 1582, arbusto euforbiáceo; el parentesco que se ha señalado con ciertas palabras italianas y balcánicas es ya muy problemático o improbable.

Tampoco, V. *tanto*   *Tamujo*, V. *tamo*
Tan, adv., V. *tanto*

TANAGRA, h. 1900. Aplicado a estatuitas de barro cocido, del tipo de las que se encontraron junto a la ciudad de Tánagra, en Grecia (Beocia).

TANDA, 1553 (en América), 1535 (en Castilla), 1414 (en Aragón). Voz peculiar del castellano y el catalán. Como en Cataluña ya aparece en el S. XIII y en Aragón en el XV, es imposible que sea voz de etimología quichua, como creyeron algunos. Probte. del ár. *tanzîm* 'disposición en orden, en serie', 'arreglo, regulación', que en el árabe vulgar de España se pronunció *tánden*; por lo demás el árabe vulgar *tándis* (clásico *tandîs*) 'acción de desviar, de profanar' debió de emplearse también para la de 'desviar (quizá fraudulentamente) un riego', y los repobladores de Valencia tomando *tandes* como un plural de *tánden* confundirían las dos palabras; del catalán pasó luego al castellano.

TÁNGANO 'palito, sobre todo el empleado en ciertos juegos', 1739. Deriv. del sinónimo *tango*, 1817, y éste probte. del antiguo *tañer* 'tocar un objeto' (cuyo presente era *yo tango, que yo tanga*); así llamado porque en el juego del tángano gana el que lo toca.
DERIV. *Tanganillo*, 1739. *En tanganillas*, 1739, por la posición insegura del *tángano*. *En tenguerengue*, vendrá de **en tanganengue*.

Tangencia, tangente, tangible, V. *tañer*
Tango 'palito', V *tángano*

TANGO (baile argentino), 1836. Aparece primeramente fuera de la Argentina como nombre de una danza de la isla de Hierro y, en otras partes de América, en el sentido de 'reunión de negros para bailar al son de un tambor', y como nombre de este tambor mismo. Éste y otros análogos constituirán el sentido primitivo; es probable que se trate de una voz onomatopévica. *Tangue* 'cierta danza', fem., que aparece en Normandía en el S. XVI, y el alem. *tingeltangel* 'café-concierto', 1872, serán de formación paralela, aunque sin duda independiente.
DERIV. *Tanguear*.

TANGÓN, med. S. XIX. Del fr. *tangon* íd., y éste de *tanguer* 'cabecear (el buque)', porque estando los tangones en la punta de proa cabecean más que el resto del buque. El origen de *tanguer*, 1611, es incierto.

Tánico, tanino, V. *tenería*   *Tanque*, V. *estancar*

TANTALIO, S. XX. Por alusión a Tántalo, personaje mítico, condenado a estar sumergido en agua hasta la barba, pero sin poder beber de ella: se dio este nombre a este metal por lo mucho que le cuesta absorber los ácidos en que se le baña. De ahí también *tántalo*, 1490, nombre de una ave acuática.

TANTÁN, med. S. XIX. Onomatopeya. Análogamente *tantarantán*, 1739, o *tantarán*.

TANTO, h. 1140. Del lat. TANTUS, -A, -UM, 'tan grande'. *Tan*, h. 1140, aunque es posible que venga del lat. TAM íd., quizá más bien resulte de la apócope de TANTUM en proclisis.
DERIV. *Tantear* 'calcular, estimar, evaluar', 1490, de donde 'examinar con cuidado un asunto, explorarlo', y luego 'tentar, palpar', acepción hoy americana aunque ya documentada una vez en 1220-50, pero que parece haber sido rara en castellano medieval y clásico, y a la que pudo contribuir el influjo del verbo *tentar*, comp. el port. *tentear*, S. XVI, 'tantear' v 'tentar'; *tanteador*; *tanteo*, fin S. XVI, sólo americano en el sentido 'acción de tentar'.
CPT. *Entretanto*, h. 1290. *También*. 1200 (port. *também*, cat. *també*, oc. *ta(m)bé(n)*, ya medievales). *Tampoco*, princ. S. XIII (cat. *tampoc*, oc. mod. *tapauc*).

TAÑER, h. 1140. Del lat. TANGĚRE 'tocar, ejercer el sentido del tacto', acepción conservada en castellano en toda la Edad Media, aunque desde el principio aparece también especializado en el toque de campanas y demás instrumentos sonoros.
DERIV. *Tañedor*, S. XV. *Tañido*, sust., 1739. *Atañer*, 1218.
Cultismos: *Tangente*. 1817, del participio activo de *tangere*: *tangencia*. *Tangible*, princ. S. XVII; *intangible*. *Tacto*, 1444, lat. *tactus, -us*, íd.; *táctil*. *Contacto*, h. 1520, lat. *contactus, -us*, íd., deriv. de *contingere* 'llegar hasta tocar algo' (participio *contactus*), y éste de *tangere*. *Intacto*, h. 1438, negativo de *tactus, -a, -um*, participio pasivo de *tangere*.

TAPA, h. 1400. Probte. del germánico, de un gót. **TAPPA*, equivalente del alem.

zapfen (antiguo *zapho*) 'tapón', 'tarugo, clavija', 'espita', ingl. *tap* 'tapón', 'espita'.
Deriv. *Tapar*, 1570 (antes *atapar*, h. 1290), comp. port., cat., oc. *tapar*, it. *tappare*; *tapada*; *tapadera*, 1739. *Tapón*, h. 1400, probablemente del fr. *tapon*, que viene del fráncico *TAPPO, hermano del citado alem. ant. *zapho*; también fr. *tampon*, que ha pasado al cast. recientemente; *taponar*, fin S. XIX; *taponamiento*; *taponero. Tapujarse*, 1739; *tapujo*, 1739. *Destapar*, 1570.
Cpt. *Tapaboca. Taparrabo.*

Tapar, taparrabo, V. tapa   Tapete, V. tapiz

TAPIA, princ. S. XIII, 'trozo de pared que se hace con tierra amasada y apisonada en una horma', 'pared formada de tapias'. Vieja palabra común a las tres lenguas romances peninsulares y a la lengua de Oc, y propagada desde España al árabe y hasta el turco; en catalán se halla desde 1169 y en mozárabe desde el S. X. Hay que suponer una antigua base hispánica *TAPIA, para nombrar este objeto, que ya era típico de la Hispania romana; probte. formado con ¡TAP!, onomatopeya del apisonamiento, comp. el cat. y oc. *tap, tapàs*, 'arcilla', y *atap(e)ir* 'aplastar o apisonar con los pies', 'tupir', y V. *TUPIR*.
Deriv. *Tapial*, 1247. *Tapiar*, 1220-50.

Tapicería, tapicero, V. tapiz

TAPIOCA, med. S. XIX. Del tupí *tipïok* íd., propte. 'residuo', 'coágulo'; probte. por conducto del portugués, 1587.

TAPIR, h. 1800. Del tupí *tapira* íd., por conducto del portugués o del francés.

TAPIZ, h. 1545. Del fr. ant. *tapiz* íd., propte. 'tapete', 'alfombra' (hoy *tapis* 'alfombra'), y éste del gr. bizantino *tapíti*, diminutivo del gr. *tápēs, -ētos*, íd. En cast. *tapete*, 1112, se tomó del lat. *tapēte*, que a su vez viene de esta palabra griega.
Deriv. *Tapizar*, h. 1530. *Tapicero*, 1607; *tapicería*, 1570. De *tapete*: *Entapetar*.

Tapón, taponamiento, taponar, taponero, V. *tapa*

TAPSIA, 1555, lat. *thapsïa*. Tom. del gr. *thapsía* íd.

Tapujarse, tapujo, V. *tapa*

TAQUI-, elemento inicial de cpts., tom. del gr. *takhýs* 'rápido'. *Taquigrafía*, 1765-83, *taquígrafo*, 1817; *taquigráfico*, 1817; *taquigrafiar*, h. 1900; formados con gr. *gráphō* 'yo escribo'; *taquimecanógrafa*, o abreviado en *taquimeca. Taquicardia*, h.

1900, con gr. *kardía* 'corazón'. *Taquimetría, taquimetro, taquimétrico*, h. 1900, con gr. *métron* 'medida'.

TAQUILLA, med. S. XIX. Diminutivo de *taca* 'alacena pequeña', 1601, palabra más rara y regional, tom. probte. del ár. *ṭâqa* 'ventana'.
Deriv. *Taquillero.*

Taquimetría, V. *taqui-*

TARA I 'parte de peso que se rebaja', 1505 (*atara*, princ. S. XV). Del árabe; probablemente de *ṭárah*, forma vulgar en vez de *ṭarḥ* 'deducción, sustracción, descuento'.

TARA II, nombre de varios árboles de la especie *Celtis* en Chile y Perú, *tala*, h. 1860, en la Argentina. Proceden probte. del quichua *tára*, que designa un árbol de la misma familia que la tara chilena.
Deriv. *Talar* 'plantación de talas' (deriv. del cual pudo partir la *-l-*, por disimilación).

TARABILLA 'cítola de molino', 1335; 'zoquetillo de madera giratorio que sirve para cerrar puertas y ventanas', 1739. En portugués, *t(a)ramela*, 1587, en ambos sentidos; en lengua de Oc *taravel(o)*. Origen incierto. Quizá de *trabilla*, y éste diminutivo de *traba*, porque la tarabilla de la puerta impide que se abra, y la del molino va golpeando la muela y por lo tanto entorpece en cierto modo su movimiento. Por influjo de *tramojo* (*trambolho* en portugués) se explica la *-m-* del port. *taramela* y de la forma dialectal *trambelo*; en Álava, Guadalajara y Teruel *tarambana* 'tramojo', 'tarabilla grande de puerta' y 'cítola'; de ahí quizá el cast. y cat. *tarambana* 'persona alocada', 1803 (pero comp. el cat. dial. *trambanejar* 'tambalear', que sugeriría más bien, para *tarambana*, un origen onomatopéyico).

TARACEA, 1553 (*ataracea*). Del ár. *tarṣíᶜ* íd., que para nuestro oído suena casi *tarṣea*; es nombre de acción del verbo *ráṣṣaᶜ* 'taracear'.
Deriv. *Taracear*, 1615.

Taragontía, V. *dragón   Tarahe,* V. *taray   Tarambana,* V. *tarabilla*

TARÁNTULA, 1495. Del it. *taràntola* íd., S. XIV, deriv. de *Tàranto* 'Tarento', por abundar esta especie de araña en la Pulla y en los alrededores de esta ciudad italiana.
Deriv. *Tarantela*, 1739, del it. *tarantella. Tarantismo*, h. 1870. *Atarantar*, 1573, del it. *attarantare*, princ. S. XVI, íd., propte. 'morder (la tarántula) causando trastornos nerviosos'.

TARAREAR, med. S. XIX. De las sílabas *ta-ra-ra*, que suelen formar la letra del tarareo.

DERIV. *Tarareo. Tarara,* med. S. XVII o *tarará* 'toque de trompeta'. *Tararira* 'bulla', princ. S. XVII, 'persona bulliciosa', 'pez que suele estar en movimiento constante', 'mujer fea y seca'; el sentido primitivo puede ser 'persona frívola que anda siempre tarareando'.

Tararira, V. *tararear*

TARASCA 'figura de monstruo que se exhibe en ciertas solemnidades', 1591. En Provenza se aplicaba (ya h. 1260) a un dragón legendario que habría frecuentado un bosque junto a Tarascón, y luego a su representación mítica, 1721. Derivará, pues, del nombre de esta ciudad, y del provenzal lo tomaría el cast., arraigando aquí fácilmente gracias a la existencia del verbo *tarascar* 'morder y herir con los dientes', princ. S. XVII, que puede resultar de un cruce de los dos sinónimos (*a*)*tarazar* y *mordiscar.*

TARAY, 1555, 'especie de árbol', antes *tarahe,* 1495. Del ár. vg. *ṭaráf* íd., clásico *ṭarfá'.* Éste dio la variante cast. *atarfe,* 1495.

TARDAR, h. 950. Del lat. TARDARE 'retrasar, entretener', 'tardar', deriv. de TARDUS 'lento'.

DERIV. De éste se tomó el cast. *tardo,* med. S. XV. *Tarde,* adv., h. 1140, de TARDĒ, adv. correspondiente al adj. TARDUS; sustantivado ya 1220-50; *tardecita* 'el anochecer', S. XVI. *Atardecer,* S. XIX. *Tardío,* 1220-50. *Tardanza,* 1220-50. *Retardar,* 1490; *retardatario*; *retardo,* S. XIX. *Detardar.*

TAREA, 1495. Del ár. vg. *ṭaríḥa* 'cantidad de trabajo que se impone a alguno', deriv. del ár. *ṭáraḥ* 'lanzar, arrojar', 'imponer la adquisición de una mercancía a un precio determinado'.

DERIV. *Atarear,* med. S. XVI.

TARIFA, 1680. Del ár. *taᶜrîfa,* íd., deriv. de ᶜ*árraf* 'informar, dar a conocer'. Por conducto del cat. *tarifa,* 1315.

DERIV. *Tarifar,* S. XIX.

TARIMA, 1607. Del ár. hispánico *ṭaríma,* árabe *ṭárima* 'estrado, tarima', 'pórtico', 'dosel', voz oriental de origen extranjero en árabe.

DERIV. *Tarimón,* 1739. *Entarimar*; *entarimado.*

Tarja, V. *tarjeta*

TARJETA 'cartulina para visita, etc.', 1817; antes 'escudo pequeño en que va pintada la divisa', 1577 y 1402 (*tarcheta*). Del fr. ant. *targette* 'escudo pequeño', diminutivo de *targe* 'escudo', y éste probte. del germ. TARGA íd. (anglosajón y escand. *targa* íd., alem. *zarge* 'borde de un cedazo'). El fr. *targe* pasó también al cast. ant. *tarja* 'escudo', S. XV, 'cierta moneda', S. XVI; en la acepción 'palo en que se hacen muescas para comprobación de una cuenta', 1739, resulta de una fusión de *tarja* 'escudo' con el antiguo *taja,* 1604, que es el que tenía dicho significado, deriv. de *tajar,* por los tajos o muescas que se le hacen.

DERIV. *Tarjar,* princ. S. XVII. *Tarjetero. Tarjeteo.*

TARLATANA, 1765-83. Del fr. *tarlatane* íd., 1701, de origen incierto. Es posible que sea alteración del fr. *tiretaine,* 1245 (de donde el cast. *tiritaña,* fin S. XIII), que antiguamente designó una tela rica. El origen de *tiretaine* a su vez es incierto; quizá deriv. del fr. ant. *tiret,* S. XI, a su vez deriv. de *tire,* S. XII, ambos denominación de paños finos, de seda. Derivan del nombre de la ciudad de Tiro en Siria, de donde se importaban la púrpura y otras telas preciosas.

TARQUÍN 'cieno de las aguas estancadas', 1611. Origen incierto, probte. arábigo. Teniendo en cuenta el valenciano *tarquim* íd., 1460, es verosímil que se trate de un ár. hispánico **tarkîm* 'amontonamiento de lodo', deriv. del ár. *rákam* 'amontonar'.

DERIV. *Entarquinar*; *desentarquinar,* 1923.

TARQUINA, *vela —,* 'vela trapezoidal', 1831. En it. *tarchia,* 1798, o *vela a tarchia,* en provenzal *tarco* y *tarquié,* 1797. De origen incierto; quizá del fr. *voile étarque,* 1834, 'vela izada y tesada', porque la vela tarquina se iza y la latina se baja de la verga. El fr. *étarque* deriva de *étarquer* 'tesar una vela izándola al máximo que se puede', S. XII, el cual a su vez parece ser de origen germánico (del neerl. o b. alem. *strecken,* frisón *strekka* 'tender, estirar'). En castellano el vocablo se adaptó a la terminación del opuesto *vela latina.*

Tarra, V. *ataharre*   *Tarrazo,* V. *tarro*
Tarre, V. *ataharre*

TARRO, S. XV y quizá ya XIII. Voz peculiar del castellano y el port. *tarro,* 1547. Origen incierto; probte. extraído del antiguo sinónimo *tarrazo,* 1318, que se creyó era un aumentativo. *Tarrazo* es variante de *terrazo* íd., h. 1260, y procede de un lat. vg. **TERRACĔUM* 'hecho de tierra', deriv. de TERRA.

TARSO, 1765-83. Tom. del gr. *tarsós* 'la hilera de huesos de los dedos del pie', propiamente 'cañizo', 'entretejedura'.

DERIV. *Metatarso,* formado con el griego *meta-* 'después de'.

Tarta, V. *torta   Tártago,* V. *tártaro Tartajear, tartajoso, tartalear,* V. *tartamudo*

TARTAMUDO, h. 1280. Es cpt. de *mudo* con el radical onomatopéyico de *tartajoso,* S. XIII, *tartalear,* 1251, y voces afines. DERIV. *Tartamudear,* 1495; *tartamudeo; tartamudez.* De dicho radical: *Tartajear,* 1739; *tartajeo. Retartalilla,* 1517.

TARTANA 'embarcación menor, de vela latina', 1607, de donde 'cierto carruaje de dos ruedas', 1817. De oc. *tartano,* nombre de dicha embarcación, 1622, oc. ant. *tartana* 'cernícalo', h. 1225, que es el sentido propio del vocablo. Probte. de origen onomatopéyico, por la voz de esta ave. DERIV. *Tartanero.*

TÁRTARO 'tartrato que se forma en las paredes de los toneles', 1739 (en mozárabe ya h. 1100). Del lat. tardío TARTĂRUS íd.; S. V, al parecer sacado del lat. TARTĂRUS 'infierno', por las propiedades abrasadoras de esta sustancia. El cast. *tártago* 'euforbia purgante', h. 1325 (en morárabe ya en el S. X, y como nombre del tártaro en el S. XIII), es probte. alteración popular de la misma palabra, aplicada a esta planta a causa de las virtudes laxantes del crémor tártaro y de otros productos tartáricos. DERIV. *Tartárico. Tartarizar. Tártrico* y *tartrato* son formas tomadas del francés, donde derivan normalmente del fr. *tartre* 'tártaro'.

Tartera, V. *torta   Tartrato, tártrico,* V. *tártaro*

TARUGO, 1386, 'clavija de madera'. También port. *tarugo,* 1715. Origen incierto. Probte. prerromano y emparentado con el galo TARĪNCA 'perno o clavija' (de donde irl. ant. *tairnge,* fr. *taranche,* Rouergue *tarenco,* y V. aquí *TRANCA*). También con el célt. TARATRUM, de donde nuestro *taladro.* Es posible que venga de una base *TARŪCON ya formada en el céltico de España con el sentido de 'clavija', 'tarugo'. Modernamente se aplicó especialmente a un cartucho de perdigones que un estafador hacía pasar por oro, de donde 'timo', h. 1905. DERIV. *Taruguista. Atarugar,* 1665. *Entarugar.*

Tarumba, V. *turulato   Tasa, tasación, tasador,* V. *tasar*

TASAJO 'pedazo de carne seca y salada', 1521; antes 'pedazo de carne cualquiera', 1475 hasta princ. S. XVII, que parece ser el sentido primitivo. En portugués *tassalho* 'pedazo de carne', med. S. XVI, y *atassa-* *lhar* 'cortar, despedazar', S. XVI, en valenciano *tassall* 'pedazo de carne', 1460. Origen incierto. De todos modos hay que partir de un TASS- que envuelva la idea de 'pedazo' o 'cortar', y no de TAXEA 'tocino', por lo demás voz rara en latín, que no podía dar *tasajo* como resultado fonético.

TASAR, 1490. Tom. del lat. *taxare* 'estimar, evaluar', y éste del gr. *tássō* 'yo dispongo, arreglo' (aoristo *étaxa*). DERIV. *Tasa,* med. S. XV. *Tasación,* 1495. *Tasador,* 1495. *Taxativo,* 1739. CPT. *Taxímetro,* comúnmente abreviado en *taxi,* del fr. *taximètre* (ingl. *taximeter,* 1898), formado con el fr. *taxe* 'tasa, tarifa' y *-mètre* 'medida'; *taxista.*

TASCAR 'espadar el lino', 1739 (acepción que ya existiría en el S. XV, V. abajo *tasco);* 'quebrantar la hierba con los dientes', 1490; 'morder el bocado del freno con los dientes', 1490. Voz propia del cast. y el port. Origen incierto; probte. deriva de *tasca* 'espadilla para el lino', conservado en gallego (también *tascón* íd.). Éste a su vez saldrá del céltico *taskós,* S. IV, 'estaca, clavija, clavo', de donde proceden también el cat. *tascó,* 1434, y oc. *tascoun,* S. XIV, 'cuña'. DERIV. *Tasco,* 1495. *Tasquera* 'pendencia, riña', 1626, por comparación con los golpes de espadar lino; y luego 'taberna', 1609, hoy en este sentido *tasca. Tasquil,* 1817. *Atascar,* h. 1570, es de origen algo incierto, pero es verosímil que pertenezca a la misma raíz partiendo de un *tasco* 'bloque de arcilla o barro' (comparable con una cuña), relacionado con el aragonés y gascón *tasca* 'terrón cubierto de césped', Ariège *tàscous* 'mazos de hierba dura con que se atarugan los huecos del techo de las chozas', gascón pirenaico *tascà* 'apisonar, apretar' y el celtibérico *tasconium* 'arcilla blanca refractaria'; *atascadero,* 1739; *atascado; atascamiento, atasco.*

Tasco, tasquera, tasquil, V. *tascar   Ta-* *sugo,* V. *tejón   Tatarabuelo,* V. *tatara- nieto*

TATARANIETO, 1591. Deriva del antiguo *trasnieto* 'biznieto', S. XIII, propte. 'más allá del nieto', formado con el lat. TRANS 'más allá de'. De ahí *tranieto* y *tra- tranieto* 'hijo del biznieto', disimilado en *tatranieto* y *tataranieto;* también, con trasposición de la primera *-r-, tartaranieto,* 1611, hoy vulgar en América y en gall. y port. *tartaraneto.* Partiendo de *tataranieto* se creó *tatarabuelo,* 1615 (antiguamente se había dicho *trasabuelo* por 'bisabuelo', SS. XIII-XV).

¡TATE!, S. XVI. Voz de creación expresiva, reduplicación de su equivalente *¡ta!*, S. XVI (o *¡ta, ta!*). No hay relación directa pero sí paralelismo con las interjecciones gr. *attatâi* y lat. *attatae, attát, tat* y *tatae*, que expresaban extrañeza.

TATUAR, h. 1900. Del ingl. *tattoo* íd., 1769, y éste del polinesio *tátau* 'tatuaje'. DERIV. *Tatuaje*, del fr. *tatouage* íd., derivado de *tatouer* 'tatuar'.

TAUMATURGO, princ. S. XVII. Tom. del gr. *thaumaturgós* 'que hace juegos de manos', 'que obra prodigios', cpt. de *thâuma, -atos*, 'maravilla', y *érgon* 'obra'. DERIV. *Taumaturgia*, S. XIX. *Taumatúrgico*, S. XIX.

Taurino, tauromaquia, V. *toro* *Tautología, tautológico*, V. *auto-* *Taxativo, taxi*, V. *tasar* *Taxidermia*, V. *táctica* *Taxímetro*, V. *tasar* *Taxonomía, taxonómico*, V. *táctica*

TAZA, 1272. Del ár. *ṭássa* 'escudilla', 'tazón', 'caldero'. DERIV. *Tazón*, 1739.

Te, V. *tú*

TÉ, 1739. Del chino dialectal *t'e* íd. (en lengua mandarina *č'a*, de donde el port. y eslavo *cha*). DERIV. *Tetera*, 1817. *Teína*.

TEA, h. 1280. Del lat. TĒDĂ, variante del lat. clásico TAEDA íd., propte. 'rama resinosa de pino', 'antorcha'.

TEATRO, h. 1275, lat. *theātrum*. Tom. del gr. *théatron* íd., deriv. de *theáomai* 'yo miro, contemplo'. DERIV. *Teatral*, med. S. XVI; *teatralidad*. *Anfiteatro*, 1490, gr. *amphithéatron* íd., formado con *amphi-* 'alrededor'. De la misma raíz que *theáomai* es el gr. *theōréō* 'yo contemplo, examino, estudio', de donde *theōría* 'contemplación', 'meditación', 'especulación teórica': de éste se tomó el cast. *teoría*, h. 1580; *teórico*, 1495 (*teórica* 'teoría', 1399); *teorizar*; *teorizante*. *Teorema*, princ. S. XVII, gr. *theōrēma* 'meditación', 'investigación'.

TECLA 'cada uno de los listoncitos que forman el teclado del piano, etc.', 1557. Origen incierto. Al principio significó 'teclado', con sentido colectivo, 1529, y hasta princ. S. XVII, y otras veces parece haber designado el clavicordio mismo. Teniendo esto en cuenta, es probable que se tomara del ár. vg. *têqra* 'caja de boj o de madera' (1505, 'vasija', S. XIII), que desde la caja de esos instrumentos pasó al conjunto de teclas encerrado en la misma y luego a cada una de ellas. DERIV. *Teclado*, princ. S. XVII. *Teclear*, princ. S. XVII; *tecleado* íd.; *tecleo*

TECLE 'especie de aparejo con un solo motón', h. 1900. Del ingl. *tackle* íd.

Teclear, V. *tecla*

TÉCNICO, 1765-83, lat. *technĭcus*. Tom. del gr. *tekhnikós* 'relativo a una arte', 'técnico', deriv. de *tékhnē* 'arte', 'industria', 'habilidad', 'expediente'. DERIV. *Técnica*, h. 1900. *Tecnicismo*, med. S. XIX. CPT. *Tecnología*, 1765-83; *tecnológico*. *Politécnico*.

Tectónico, V. *arquitecto*

TECHO, 1205. Del lat. TĒCTUM íd., deriv. de TĒGĔRE 'cubrir', 'ocultar', 'proteger'. DERIV. *Techar*, 1490; *techado*; *destechar*. *Techumbre*, 1490. *Teja*, 1219, del lat. TĒGŬLA íd., deriv. de la misma raíz que TEGERE; *tejado*, 1399; *tejar*, sust., 1495; *tejar*, verbo, S. XVII; *retejar*; *trastejar*. *Tejero*, 1495; *tejera*, 1214; *tejería*. *Tejo*, 1495. *Tejuela*, 1495; *tejuelo*, 1680. Cultismos: *Tegumento*, 1843, lat. *tegumentum* 'lo que cubre o envuelve'. *Detector*, S. XX, del ingl. *detector*, deriv. de *detect* 'descubrir', tom. del lat. *detegere* íd.; *detective*, princ. S. XX, ingl. *detective*. *Proteger*, 1607, lat. *protegĕre* íd.; *protección*, 1427, *proteccionismo, -ista*; *protector*, 1490; *protectorado*; *protegido*. CPT. *Tejavana*, princ. S. XVII.

TEDIO, 1635. Tom. del lat. *taedĭum* 'fastidio', 'aversión', deriv. de *taedēre* 'tener asco o fastidio'.

Tegumento, V. *techo* *Teína*, V. *té* *Teísmo, teísta*, V. *teo-* *Teja, tejado, tejar, tejavana*, V. *techo*

TEJER, 1220-50. Del lat. TĔXĔRE íd. DERIV. *Tejedor*, 1495. *Tejedura*, 1495; *tesitura*, S. XX, del it. *tessitura*, propte. 'tejedura', de ahí 'altura propia de cada voz o instrumento' y luego 'disposición de ánimo'. *Tejido*, 1495. *Entretejer*, 1490. *Tisú*, 1739, del fr. *tissu*, propte. 'tejido'. Cultismos: *Texto*, 1335, lat. *tĕxtum* íd., propte. 'tejido'; *textual*; *contexto*. *Textorio*. *Textura. Textil*, med. S. XIX, lat. *textĭlis*. *Contexto*, 1617. *Contextura. Pretexto*, princ. S. XVII, lat. *praetextus, -us*, íd., deriv. de *praetexere* 'poner como bordado o tejido delante de algo', 'pretextar'; *pretextar*; *pretexta*, lat. *praetexta* 'toga adornada con una faja de púrpura'. CPT. *Tejemaneje*, S. XIX.

Tejo 'pedazo de teja', V. *techo*

TEJO (árbol conífero), h. 1325. Del lat.
TAXUS íd.

TEJÓN, 1251. Del lat. tardío TAXO, -ŌNIS,
íd., y éste del germánico, comp. alem.
dachs, b. alem. ant. *thahs*, danés *toks*. A
éstos correspondería en gótico *THAHSUS,
de cuyo diminutivo *THAHSUKS vienen probablemente el cast. *tasugo*, ¿1251? (*tessugo*,
h. 1325; *taxugo* y *texugo*, h. 1400), y el
port. *teixugo*.

Tejuela, tejuelo, V. *techo*   *Tejugo*, V.
tejón

TELA, h. 1140. Del lat. TĒLA íd. (reduc-
ción de *TEXLA, deriv. de TEXĔRE 'tejer').
DERIV. *Telar*, princ. S. XIV. *Teleta. Te-
lilla. Telón*, 1765-83. *Entelar. Entretela.*
CPT. *Telaraña*, h. 1400, lat. vg. TELA
ARANĔA (en clásico ARANEA 'telaraña').

Tela 'empalizada', V. *telera*   *Telar, telaraña*, V. *tela*

TELE-, elemento inicial de cpts., tom. del
gr. *tēle* 'lejos'. *Telecomunicación. Telefio*,
1555, gr. *tēléphion* íd. deriv. de *Tēlephos*,
rey de Media, en la formación de cuyo
nombre entra dicho adv. griego. *Teléfono*,
1884, aparato perfeccionado por Bell en
1876, formado con gr. *phōnéō* 'yo hablo';
telefonear, princ. S. XX; *telefonema*; *tele-
fonía*; *telefónico*; *telefonista. Telégrafo*,
1817, voz creada en Francia en 1794, con
gr. *gráphō* 'yo escribo'; *telegrafía*, med. S.
XIX; *telegrafiar*, med. S. XIX; *telegráfico*;
telegrafista; *telegrama*, med. S. XIX. *Telé-
metro*; *telemetría*; *telemétrico. Telepatía*,
S. XX, con gr. *épathon* 'experimenté una
sensación'; *telepático. Telescopio*, 1739, con
gr. *skopéō* 'yo miro, observo'; según el
modelo de *telescopio* se crearon modernamente *periscopio* (gr. *perì* 'entorno'), *endos-
copio* (gr. *éndon* 'adentro'); *telescópico. Teletipo*, h. 1930. *Televisión*, 1925, raro hasta
h. 1945; *televisor, televisar*.

TELEOLOGÍA, med. S. XIX. Cpt. del
gr. *télos, -eos*, 'fin', y *lógos* 'doctrina'.
DERIV. *Teleológico. Entelequia*, med. S.
XIX, gr. *entelékhia*, cpt. de gr. *entelḗs*
'acabado, perfecto' (deriv. de *télos*) y *ékhō*
'yo tengo'. *Telonio*, gr. *telṓnion*, deriv. de
télos en su sentido secundario de 'impuesto'.

Telepatía, telepático, V. *tele-*

TELERA, 1633. Voz que designa varios
objetos en forma de palo o de barra de
hierro. Probte. deriv. del lat. TĒLUM 'dardo'.
Parece ser un deriv. de *tela* en el sentido de
'empalizada' o 'liza', princ. S. XV, todavía
empleado por los clásicos (hoy conservado
sólo en la frase *poner en tela de juicio*).
Este vocablo procederá del lat. TĒLA, plural
de TĒLUM, con el valor de 'conjunto de pies
derechos, comparables a dardos'. De esta
palabra *tela* deriva. *telera* como nombre de
un palo o barra análogo a los empleados
en estas empalizadas.
DERIV. *Telerón.*

Telescópico, telescopio, V. *tele-*   *Teleta*,
V. *tela*   *Teletipo, televisión*, V. *tele-*

TELINA, 1525. Tom. del gr. *tellínē* 'especie de molusco'; también se ha empleado
en la forma *tellina.*

Telón, V. *tela*   *Telonio*, V. *teleología*

TELÚRICO, med. S. XIX. Deriv. culto
del lat. *tellus, -ūris*, 'tierra, globo terráqueo',
'tierra, terruño'. Otro deriv.: *Telurio.*

TELLIZ, 1607, o **TERLIZ**, h. 1250. Del
lat. TRĬLIX, -ĪCIS. 'de tres lizos', 'tela labrada con tres lizos'; la primera variante presenta una alteración debida a haber pasado
por el ár. *tillís.*
DERIV. *Telliza*, 1739, del ár. *tillisa.*

Tema, temático, V. *tesis*

TEMBLAR, 1220-50 (*tembrar*, h. 1140).
Del lat. vg. TRĚMŬLĀRE íd., deriv. del lat.
TRĚMŬLUS 'tembloroso', y éste de TRĚMĔRE
'temblar'. La pérdida de la primera R se
explica por una disimilación en la forma
antigua y dialectal *trembrar, tembrar*. De
origen italiano es la variante *tremolar*, h.
1580, con el sentido de 'ondear' (propte.
'hacer temblar').
DERIV. *Tembladera. Tembleque*, 1739;
temblequear, 1739. *Temblón*, 1646. *Temblor*, 1220-50; *tembloroso*, med. S. XIX.
Retemblar. Tremolante; *tremolina*, h. 1700.
Trémolo, S. XIX, del it. *trèmolo* propiamente 'tembloroso'. *Tremedal*, ¿1251? (¿o
S. XV?), antes *tremendal*, 1399, que puede
ser la forma originaria, deriv. del lat. TRE-
MERE (alterada por influjo de *loredal, robledal*, etc.). *Estremecerse*, h. 1430 (antes
estremecer, intrans., h. 1300); *estremecimiento.*
Cultismos: *Trémulo*, 1444, lat. *trĕmŭlus*
íd. *Tremebundo*, h. 1600. *Tremendo*, h.
1570, lat. *tremĕndus* 'a quien se debe temer'.

TEMER, h. 1140. Del lat. TĬMĒRE íd.
DERIV. *Temible*, 1739. *Temor*, 1220-50,
lat. TĬMOR, -ŌRIS, íd.; *atemorizar*, 1.ª mitad
S. XV. *Temeroso*, h. 950, de *temoroso.

Cultismos: *Tímido*, h. 1490, lat. *tĭmĭdus* 'temeroso'; *timidez*, 1739; *intimidar*, *intimidación*. *Timorato*, S. XVII.

TEMERARIO 'muy imprudente', h. 1440. Tom. del lat. *temerarius* 'irreflexivo, que se hace a la ligera', deriv. de *temĕre* 'al azar, a la ventura', 'irreflexivamente, a la ligera'. Deriv. *Temeridad*, 1490, lat. *temerĭtas*, *-ātis*, 'irreflexión', 'carácter inconsiderado'.

Temoso, V. *tesis*

TÉMPANO 'tapa de madera o corcho que cubre una colmena, una cuba, etc.', 1344, de donde 'pedazo de hielo o de cualquier cosa dura, extendida y plana', 1739, y 'hoja de tocino', 1611. Del lat. TЎMPĂNUM 'pandero', y éste del gr. *týmpanon* 'tambor', 'pandero'. De 'pandero' se pasó a 'la piel que lo cubre', y de ahí a otros objetos comparables en forma de superficie plana. Por vía culta: *tímpano*, hacia 1450, y el fr. *timbre*, antiguamente 'especie de tambor', 'campana que se toca con un martillo', y en especial estos objetos representados en armas heráldicas, de donde luego 'sello' y 'aparato eléctrico de llamada': del cual se tomó el cast. *timbre*, 1607, donde desde el sentido heráldico se pasó a 'acción gloriosa', 1739, y 'cimera', h. 1540. Deriv. *Timbrar. Tempanillo. Timpánico. Timpanillo. Timpanitis. Timpanizarse. Tambanillo*, 1708, y *tambarillo*, 1611, de un cruce de *tímpano* con *tambor*.

Temperado, temperamento, temperancia, temperante, temperar, temperatura, tempero, V. *templar* *Tempestad, tempestear, tempestuoso*, V. *tiempo* *Templa*, V. *templar*

TEMPLAR, S. XIV, antiguamente *temprar*, 1220-50, y usual hasta h. 1500. Del lat. TĔMPĔRĀRE 'combinar adecuadamente', 'moderar, templar'. Deriv. *Templa. Templado*, 1220-50. *Templadura*, 1220-50. *Templanza*, 1438 (*temper-*). *Temple*, 1490. *Atemperar. Destemplar*, 1220-50; en la acepción 'desleír', med. S. XVI; *destemplado*; *destemplamiento*, h. 1250; *destemplanza*, 1444 (*-peranza*). *Tempero*, 1220-50, lat. vg. *TEMPĔRĬUM (que debió de reemplazar los clásicos TEMPERIES 'temperatura' e INTEMPERIES 'mal tiempo'). Cultismos: *Temperar*; *temperado*; *temperamento*, 1444 (*-miento*, h. 1260), propte. 'combinación de los varios humores y sistemas orgánicos en la constitución del individuo', *temperamental*, S. XX; *temperancia*; *temperante*; *temperatura*, h. 1580, abreviación del lat. *temperatura caeli*, propte. 'composición del cielo', de donde 'clima' y 'gra-

do de calor'. *Atemperar*, princ. S. XVIII. *Contemperar. Intemperie*, 1739, lat. *intemperies*, propte. 'destemplación atmosférica', de donde 'mal tiempo' y 'rigor atmostérico'. *Intemperante*; *intemperancia. Obtemperar*, 1497, lat. *obtemperare*, propte. 'moderarse'.

Templario, V. *templo* *Temple*, V. *templar* *Templén, templete*, V. *templo*

TEMPLO, 1220-50. Tom. del lat. *tĕmplum* íd. Del fr. *temple* se tomó *temple* 'Orden del Templo de Jerusalén'. Deriv. *Templario* 'perteneciente a esta Orden', también *templero*, ant., S. XIV. *Templete*, 1817. *Templén*, h. 1900, del lat. TEMPLUM en el sentido de 'especie de viga'.

Témpora, temporada, temporal 'perteneciente al tiempo', 'tempestad', V. *tiempo*

TEMPORAL, adj., 'perteneciente a las sienes', h. 1730. Tom. del lat. *temporalis*, íd., deriv. de *tempus, -ŏris*, 'sien'.

Temporal, temporalidad, temporario, temporero, temprano, V. *tiempo* *Temprar*, V. *templar* *Tenacidad, tenaz, tenazas*, V. *tener*

TENCA (pez de agua dulce), h. 1330. Del lat. tardío TĬNCA íd. Como nombre de un pájaro cantor, amer., parece ser voz independiente, de origen araucano.

TENDER, h. 1140. Del lat. TĔNDĔRE 'tender, desplegar'. Deriv. *Tendedero. Tendencia*, 1739; *tendencioso. Tendente. Ténder*, med. S. XIX, del ingl. *tender* íd., deriv. de *tend* 'atender, estar de servicio'. *Tenderete*, princ. S. XVII. *Tendido*; *tendida*, med. S. XIX. *Tendón*, fin S. XVI, tom. del lat. moderno *tendo, -inis*, íd., quizá latinización del fr. *tendon*, S. XIV, que puede ser alteración de *tendron* 'ternilla, cartílago', bajo el influjo del lat. *tendere*; *tendinoso. Tienda*, 982, del b. lat. antiguo TĔNDA íd., S. VII, deriv. de TENDERE; *tendal*, h. 1140, *tendalero, tendalera*; *tendejón*; *tendel*, princ. S. XVII; *tendero*, 1495; *tendilla* y *tendillo*, 1488; *tenducha*, *-ucho*; *trastienda. Tieso*, 1570, antes *teso*, S. XIV, del lat. TENSUS (lat. vg. TĒSUS), 'tendido', part. de TENDERE (con *ie* de *tiende*); *tesura* o *tiesura*; *tesar* o *atesar* 'poner tirante'; *retesar*, 1495. *Tesón*, h. 1535, propiamente 'cosa tensa'. *Toesa*, 1739, del fr. *toise* íd., y éste de TENSA en el sentido de 'extensión'. *Atender*, h. 1140, lat. ATTĔNDĔRE íd., propte. 'tender (el oído hacia algo)', 'poner atento (el ánimo)': *atención*, h. 1300, tom. del lat. *attentio, -onis*, 'acción de atender'; *atento*, 1438, lat. *attentus. Contender*, 1220-50, lat. CONTĔNDĔRE 'esforzarse, luchar'; *contendiente*; *contendedor*, 1495, de donde *contendor*, 1155; *contienda*, 1220-50; *contencioso*, 1495, tom. del lat. *contentiōsus* íd. *Entender*, h. 1140, lat. INTĚNDĚRE 'extender, dirigir hacia algo', esp. aplicado a la mente (*intendere animum in aliquid* 'prestar atención', de ahí 'oír' y 'comprender'; *intendere animo aliquid* o *intendere aliquid* 'proponerse algo'); *entendederas*; *entendido*, 1251; *entendimiento*, h. 1250; *desentenderse*; *malentendido*, copia del fr. *malentendu*, usual desde hace más de un siglo, y sigue siéndolo, y necesario, pese a todas las prohibiciones; *sobrentender*. *Extender*, 1220-50, lat. EXTĚNDĚRE íd.; *extenso*, 1438, antiguo participio de este verbo; *extensión*; *extensivo*; *extensor*. *Distender*, 1607; *distensión*, 1607.

Cultismos: *Intención*, 1335, lat. *intentio*, *-ōnis*, íd.; *intencionado*; *intencional*, 1923. *Intento*, 1433, lat. *intentus*, *-us*, 'acción de tender hacia'; *intentona*, fin S. XVII; *intentar*, med. S. XV, lat. *intentare*. *Intendente*, 1737, del fr. *intendant*, 1568; *intendencia*; *superintendente*, S. XVII, del fr. anticuado *superintendant*, fin S. XIV; *superintendencia*, principios S. XVII. *Intenso*, hacia 1440, lat. *intensus* íd.; *intensidad*; *intensivo*; *intensificar*, princ. S. XVII, lat. *ostentare* intensivo de *ostendere* 'mostrar, exhibir'; *ostentación*, h. 1580; *ostentoso*; *ostensible*, 1737. *Pretender*, 1570, lat. *praetěnděre* 'tender por delante', de donde 'dar como excusa'; *pretendiente*, 1605; *pretensión*, 1570; *pretencioso*, 1855, del fr. *prétentieux*. *Portento*, 1584, lat. *portěntum* 'presagio', 'monstruo, prodigio', derivado de *portendere* 'presagiar, predecir'; *portentoso*, h. 1580. *Tenso*, S. XIX, lat. *tensus*, participio de *tendere*; *tensión*, 1629; *tensor*.

Tenebroso, V. *tiniebla*

TENER, med. S. X. Del lat. TĚNĒRE 'tener asido u ocupado', 'mantener', 'retener'. En cast. empieza ya a sustituir a *haber* en el sentido de 'tener' desde el S. XII, pero no se generaliza con este valor hasta el S. XVI.

DERIV. *Tenedor*, 1206 (en la acepción 'enser para coger la comida', 1596); *teneduría*. *Teniente*, h. 1570, abreviación de *lugarteniente*; *tenencia*, 1239. *Tenaz*, 1515, tom. del lat. *tenax*, *-ācis*, íd.; *tenacidad*; *tenazas*, 1220-50, más antiguamente *las tenaces*, S. VIII, del adj. *tenaz*; *atenazar*. *Tenor*, h. 1440, lat. *tenor*, *-ōris*, 'curso ininterrumpido', 'tenor, texto de una ley, etc.'; en la acepción música, 1553, se tomó del it. *tenore*; *voz atenorada*. *Tenuta*, 1595, del it. *tenuta* 'acción de tener'; *tenutario*, S. XVII. *Tenis*, h. 1900, del ingl. *tennis* íd., que probte. viene del fr. ant. *tenez* 'tened', imperativo dirigido a su adversario por el que juega. *Abstener*, 2.º cuarto S. XV, lat. *abstĭnēre*; *abstención*; *abstinente*, princ. S. XV; *abstinencia*, 1444. *Atener*, 1218; *atinente*. *Contener*, 1240, lat. CONTĬNĒRE íd.; *contenido*; *continente*, adj., S. XV, del participio activo de *continere*; *continente*, sust., med. S. XIII; *continental*; *continencia*, h. 1250; *incontinenti*, lat. *in continenti*, propte. 'en continuo'; *incontinente*, 1495, con *in-* negativo; *incontinencia*, 1495; *incontenible*, 1930; *contención*.

Detener, hacia 1140, del lat. DETĬNĒRE íd.; *detención*; *detenimiento*, 1495. *Detentar*, 1706, lat. *detentare*; *detentor*, S. XIX, lat. *detentor*.

Entretener, 1605; *entretenimiento*; *entretención*, amer.

Obtener, hacia 1440, lat. *obtĭnēre* 'poseer plenamente', 'conservar, mantener'; *obtención*, 1737. *Pertenecer*, h. 1140, deriv. de PERTĬNĒRE íd.; *pertenencia*, 1200; *perteneciente*, 1495; *pertinente*, med. S. XVI; *pertinencia*, S. XIX; *impertinente*, *impertinencia*. *Pertinaz*, h. 1440, lat. *pertĭnax*, *-ācis*, íd., intensivo de *tenax* 'tenaz'; *pertinacia*, h. 1440. *Retener*, h. 1140, lat. RETĬNĒRE íd.; *retén*, fin S. XVII; *retención*, 1495; *retentivo*, *-iva*, 1625. *Sostener*, 1218, lat. SUSTĬNĒRE íd.; *sostén*, 1696, quizá de oc. ant. *sostenh* íd.; *sostenedor*; *sostenido*; *sostenimiento*, 1220-50. *Sustentar*, h. 1440, lat. *sŭstěntāre* 'soportar, sostener, sustentar', intensivo de *sustinere*; *sustentación*, S. XV; *sustentáculo*, princ. S. XVII; *sustentamiento*, 1499; *sustento*, 1570.

CPT. *Ten con ten*, 1739. *Tentemozo. Tentempié. Detente. Detienebuey*.

TENERÍA, 1236 (*tanaría*, 1181). Del fr. *tannerie* íd., deriv. de *tan* 'corteza de roble y otros árboles empleada para la curtición'. Éste procede de una base TANN- de origen incierto, probte. del célt. TANNOS 'roble'.

DERIV. *Tanino*, h. 1900, del fr. *tanin*, 1806; *tánico*.

TENESMO, fin S. XVI. Tom. del gr. *ténesmós* 'sensación dolorosa en los intestinos'.

En tenguerengue, V. *tángano*

TENIA, med. S. XIX. Tom. del gr. *tainía* íd., propte. 'cinta'.
CPT. *Tenífugo*.

Teniente, V. *tener*   *Tenífugo*, V. *tenia*   *Tenis*, *tenor*, V. *tener*   *Tensión*, *tenso*, *tensor*, V. *tender*

TENTAR. S. XI. Del lat. TĚMPTĀRE 'palpar, tentar', 'probar a hacer algo, intentar', 'causar tentación'.

Deriv. *Tentación*, 1220-50. *Tentáculo*, S. XIX, deriv. culto. *Tentador*, 1495. *Tentativa*, 1611. *Tienta*, 1596. *Tiento*, 1220-50; *desatentado*, 1625; *desatentar*, h. 1400. *Atentar*, 1251, lat. ATTEMPTARE íd.; *atentatorio*, 1765-83; *atentado*.

Tentemozo, tentempié, V. *tener*

TENUE, 1595. Tom. del lat. *těnǔis* 'delgado, fino', 'mezquino, menguado'. Deriv. *Tenuidad. Atenuar*, 1433; *atenuación; atenuante; atenuativo. Extenuar*, princ. S. XVII; *extenuación*, 1580.

Tenuta, tenutario, V. *tener*

TEÑIR, fin S. X. Del lat. TĬNGĔRE íd., propte. 'mojar, empapar'. Deriv. *Tinto*, med. S. XIII, propte. participio pasivo de *teñir*, lat. TĬNCTUS; *tinte*, 1495 (quizá ya 1214), duplicado del anterior, tom. del cat. o del mozárabe. *Tinta*, med. S. XIII, lat. tardío TĬNCTA, propte. fem. del participio de TINGERE; *tintero*, h. 1400. *Tintar. Tintorero*, 1490, alteración de un *tinturero* (bajo el influjo del antiguo *tintor* íd., 1219), deriv. de *tintura*, h. 1250; *tintorera; tintorería. Tintóreo. Entintar. Retinto*, 1490.

TEO-, forma prefijada del gr. *theós* 'Dios', 'dios'. *Teobroma*, formado con *brôma* 'alimento'; *teobromina. Teodicea*, creado por Leibniz con el gr. *dikē* 'justicia'. *Teogonía*, con *gígnomai* 'yo vengo a ser, soy engendrado'; *teogónico. Teología*, h. 1330, gr. *theología* íd., con *lógos* 'tratado'; *teológico*, princ. S. XVII; *teólogo*, 1251; *teologal. Teosofía*, S. XVII, con *sophós* 'sabio'; *teósofo; teosófico. Teocracia; teocrático. Teúrgo*, con *érgon* 'obra'; *teúrgia. Panteísmo*, tom. del ingl. *pantheism*, cpt. con el gr. *theós* y *pân* 'todo'; *panteísta; panenteísmo*, del gr. *pân en Theôi* 'todo en Dios'. *Panteón*, 1611, del lat. *pantheon*, gr. *pántheion* 'templo de todos los dioses'; aplicado en Roma a un gran templo de forma redonda, imitada modernamente por las grandes construcciones tumbales. *Politeísmo*, 1843, con el gr. *polýs* 'mucho'; *politeísta*. Son vocablos derivados de la misma palabra griega: *Ateo*, 1611, gr. *átheos* íd., formado con la partícula privativa *a-*; *ateísmo*, 2.ª mitad S. XVI en las principales lenguas europeas; *teísmo. Apoteosis*, 1580 (raro hasta el S. XIX), gr. *apothéōsis* 'endiosamiento'; *apoteósico* o *apoteótico*.

Teobroma, teobromina, teocracia, teocrático, teodicea, V. *teo-*

TEODOLITO, S. XIX. Palabra internacional, de formación oscura, documentada en otros idiomas europeos desde el S. XVI. Quizá cpt. formado arbitrariamente con el gr. *theáō* 'yo miro', *hodós* 'camino', y la parte central de la palabra *alidada*, instrumento que constituía la parte esencial del teodolito antiguo.

Teogonía, teologal, teología, teólogo, V. *teo- Teorema, teoría, teórico, teorizar*, V. *teatro Teosofía, teosófico, teósofo*, V. *teo- Tepe*, V. *tupido*

TERAPÉUTICA, 1555. Tom. del lat. tardío *therapeutica, -ōrum*, 'tratados de medicina', y éste del adj. gr. *therapeutikós*, propiamente 'servicial, que cuida de algo o alguien', deriv. de *therapéuō* 'yo cuido', esp. hablando de enfermos y del médico. Deriv. *Terapéutico*, 1765-83. *Terapeuta*, gr. *therapeutḗs* 'servidor'.

TERATOLOGÍA, h. 1900. Cpt. del gr. *téras, -atos*, 'prodigio, monstruo' y *lógos* 'tratado'. Deriv. *Teratológico*.

Terbio, V. *itria Tercer, tercera, tercería, tercero, tercerol, tercerola, terceto, tercia, terciado, terciana, terciar, terciario, tercio, terciopelo*, V. *tres*

TERCO 'obstinado', fin S. XVI, antes 'duro, fuerte', 1438, acepción que persiste hasta el S. XVII. Voz hermana del cat. *enterc* 'yerto, rígido', 1428 (también *terc* y el verbo *entercar*, S. XIV), gascón *terc* 'cruel', 'porfiado', S. XVI, it. *tìrchio, térchio*, 'avaro', 'grosero', fin S. XIV; quizá relacionada además con el genovés antiguo *terca* 'margen seco de una acequia'. El origen de este grupo de palabras romances es incierto; probte. del célt. *TERCOS, comp. el irl. ant. *terc* 'raro, escaso', gaélico *tearc* íd., y, por otra parte, del lat. arcaico *tescum* (de *terscum) 'lugar agreste y desierto'. Deriv. *Terquear*, 1607. *Terquedad*, 1596. *Terquería*, 1588.

TEREBINTO, 1739, lat. *terebinthus*. Tomado del gr. *terébinthos* íd. Deriv. *Terebintáceo. Terebintina*, 1555, comúnmente alterado en *trementina*, 1495; de cuyo equivalente ingl. *terpentine*, se extrajeron *terpina, terpinol* y *terpeno*.

Terebrante, terebrátula, V. *taladro*

TERGIVERSAR 'torcer el sentido de la realidad', propte. 'buscar razones para no hacer algo', 1607. Tom. del lat. *tergiversari* 'desentenderse de algo, buscar escapatorias', propte. 'volver la espalda', cpt. de *tergum* 'espalda' y *vertere* 'dar vuelta'. Deriv. *Tergiversado, tergiversación*, ambos en el sentido etimológico, 1438.

Teriaca, V. *triaca*   *Tericia*, V. *ictérico*
Terliz, V. *telliz*   *Termal, termas*, V. *termo-*

TERMES, 1936. Tom. del lat. *termes,*
-ĭtis, 'insecto masticador de la madera'.
También se ha empleado el galicismo *termita.*

Térmico, V. *termo-*

TÉRMINO, 1220-50. Tom. del lat. *tĕrmĭnus* 'mojón', 'linde'.
DERIV. *Terminacho. Terminal. Terminar,*
1220-50, lat. *tĕrmĭnāre* 'limitar', 'acabar';
terminación; terminante. Determinar, 1220-50, lat. *determinare; determinado* 'audaz',
h. 1560; *determinación*, princ. S. XV; *determinante; determinativo; determinismo.*
Exterminar, 1499, lat. *exterminare* íd.; *exterminio,* 1732.
CPT. *Terminología.*

Termita, V. *termes* y *termo-*

TERMO-, elemento inicial de cpts., tom.
del gr. *thermós* 'caliente'. *Termocauterio.*
Termodinámica. Termoeléctrico. Termómetro, 1739; *termométrico. Termosifón.*
DERIV. de dicho adj.: *Termos,* h. 1900.
Termas, S. XVI, lat. *thermae,* gr. *thermá*
íd., propte. neutro plural de *thermós; termal. Térmico. Termita. Atérmano. Diatérmico; diatermia; diatérmano.*
CPT. *Termonuclear.*

Terna, ternario, V. *tres*

TERNE, h. 1840, 'fuerte, robusto', 'valiente'. Del gitano *terno* 'joven'.
DERIV. *Ternejal.*

Ternero, terneza, ternilla, V. *tierno*   *Terno*, V. *tres*   *Ternura*, V. *tierno*

TERO, h. 1570, o **TERUTERU**, fin S.
XVIII (*terotero*). Imitación del grito de esta ave.

Terpeno, terpina, terpinol, V. *terebinto*
Terquedad, terquería, V. *terco*   *Terracota,*
terraguero, V. *tierra*

TERRAJA, 1765-83. Origen incierto. Probablemente del ár. *ṭarrāḥa* 'lo que se echa
encima de algo' (también 'funda', 'colchón',
'especie de velo'), deriv. de *ṭáraḥ* 'echar encima', porque la terraja se echa encima del
yeso o del tornillo.

Terral, terraplén, terraplenar, terráqueo,
terrateniente, terraza, terrazgo, terrazuela,
terrear, terremoto, terrenal, terreno, térreo,
terrero, terrestre, V. *tierra*   *Terrible*, V.
terror   *Territorial, territorio, terrón*, V.
tierra

TERROR, h. 1440. Tom. del lat. *terror,*
-ōris, íd., deriv. de *terrēre* 'espantar, aterrar'.
DERIV. *Terrorismo,* 1884; *terrorista,* 1884.
Aterrorizar, 1723. *Terrible,* h. 1400, lat. *terrĭbĭlis* íd. *Impertérrito,* fin S. XVII, lat.
imperterrĭtus, negativo de *perterritus,* propiamente participio de *perterrere* 'aterrar'.
CPT. *Terrífico,* fin S. XVI, por lo común
sustituido por *terrorífico.*

Terroso, terruño, V. *tierra*

TERSO, 1438. Tom. dei lat. *tĕrsus* íd.,
propte. participio pasivo de *tergēre* 'enjugar', 'limpiar', 'bruñir, pulir'.
DERIV. *Tersura,* 1580. *Detergente; detersivo. Abstergente; abstersión.*

TERTULIA 'cierta parte del teatro', h.
1630, 'reunión de gente para discutir o conversar', 1739. Origen incierto. Es verosímil
que se diera el nombre de *tertulianos,* med.
S. XVII, a los espectadores más cultos, por
las alusiones que se hacían a Tertuliano en
los sermones y cenáculos del S. XVII, y
que de ahí se extrajera *tertulia* como nombre de la parte del teatro donde se sentaban
estos espectadores, o como nombre de los
cenáculos más o menos eruditos. Esta aplicación del nombre de dicho Padre de la
Iglesia se hacía en parte por su fama propia, pero también parece haber contribuido
mucho a ello la interpretación de su nombre como *ter Tullius* 'el que vale tres veces
como Tulio' (o sea Cicerón), interpretación
fundada en la corrupción de un pasaje famoso de San Agustín (donde *philosophaster*
Tullius se convirtió en *philosophus ter*
Tullius).
DERIV. *Tertulio,* 1695. y más tarde *contertulio* o *tertuliante,* 1759. *Tertuliar,* amer.

Teruteru, V. *tero*   *Tesar,* V. *tender*
Tesaurizar, V. *tesoro*

TESIS 'conclusión mantenida por razonamientos', med. S. XVII, lat. *thĕsis.* Tom
del gr. *thésis* íd., propte. 'acción de poner'.
deriv. de *títhēmi* 'yo pongo'.
Otros deriv. de este verbo: *Tema,* 1433,
gr. *théma, -atos,* íd.; de la idea de 'tema
de conversación' se pasó a 'idea fija, manía',
h. 1630, 'obstinación, empeño', princ. S.
XVII, 'oposición a alguno, ojeriza', 1599
(cat. *tema* 'empeño', ya 1460; V. *TAIMADO*); *temar,* amer.; *temoso,* princ. S. XVII;
temático.
Antítesis, 1495, gr. *antíthesis* íd.; *antitético,* gr. *antithetikós. Diátesis,* gr. *diáthesis*
íd. *Epéntesis,* 1580, gr. *epénthesis* 'acción de
agregar enmedio'; *epentético. Epíteto,* 1515,
gr. *epítheton,* propte. 'puesto de más, añadido'. *Hipótesis,* 1580, gr. *hypóthesis* 'supo-

sición', propte. 'lo que se pone a la base de algo'; *hipotético*, princ. S. XVII. *Hipoteca*, 1495, gr. *hypothēkē* 'prenda', propte. 'fundamento'; *hipotecario*, 1495; *hipotecar*, 1495. *Metátesis*, 1580, gr. *metáthesis* 'trasposición'; *metatizar*; *metatético. Paréntesis*, 1535, gr. *parénthesis* íd., propte. 'acción de intercalar'; *parentético. Próstesis*, gr. *prósthesis* 'acción de añadir'; *prostético. Prótesis*, 1580, gr. *próthesis* 'anteposición'; *protético. Síntesis*, 1580, gr. *sýnthesis* íd.; *sintético; sintetizar; parasintético; polisintético.*

Tesitura, V. *tejer*   *Teso, tesón*, V. *tender*

TESORO, 1220-50. Del lat. THESAURUS, y éste del gr. *thēsaurós*, íd.
DERIV. *Tesorero*, 1223. *Atesorar. Tesaurizar.*

Testa, testáceo, V. *tiesto   Testador*, V. *testigo   Testaferro*, V. *tiesto   Testamentaría, testamentario, testamento, testar*, V. *testigo   Testarazo, testarudo, testera, testero*, V. *tiesto   Testículo*, V. *testigo*

TESTIGO, 1148. Deriv. del antiguo *testiguar* 'atestiguar', SS. XIII-XV, que viene del lat. *testíficare* íd. por vía semiculta. Éste es cpt. de *testis* 'testigo' y *fácēre* 'hacer'.
DERIV. *Atestiguar*, h. 1580. V. lo dicho de *testiguar*. Cultismos puros: *Testificar*, 1438; *testificación; testifical*. Diminutivo de *testis: testículo*, 1490, lat. *testiculus*, propiamente 'testigo de la virilidad'; *testicular. Testimonio*, fin S. X, lat. *testĭmonĭum* íd.; *testimonial; testimoniar*, 1220-50. *Testar*, 1155, lat. *testari* 'atestiguar', acepción anticuada, de donde 'confiscar', S. XIII, y luego 'tachar, borrar', 1444, hoy amer., 'hacer testamento'. h. 1530; *testador*, 1490; *testamento*, 1220-50, lat. *testamĕntum* íd.; *testamentario, testamentaría: intestado. Atestar* 'testificar', princ. S. XVI: *atestación; atestado. Detestar*, fin S. XVI, lat. *detestari* 'alejar con imprecaciones, tomando a los dioses como testigos'; *detestable: detestación. Protestar*, 1490, lat. *protestari* 'declarar en voz alta, afirmar'; *protestación*, 1438; *protesta*, 1737; *protestante*, princ. S. XVII; *protestantismo; protesto*, 1569.
CPT. *Ab intestato.*

Testuz, V. *tiesto   Tesugo*, V. *tejón.*

TETA, 1220-50. Voz común al cast. y al port. con el francés, y conocida dialectalmente en otras lenguas romances. Primitivamente vocablo infantil, de creación expresiva. Aunque palabras semejantes existen en griego, en céltico y en ciertas lenguas germánicas, se trata de creaciones paralelas en todos estos idiomas, y no hay razón para creer que se tomara de ninguno de ellos.
DERIV. *Tetilla*, 1495. *Tetona*, 1611. *Tetuda*, 1495. *Destetar*, S. XV; *destete. Atetado.*

TÉTANO(S), 1832. Tom. del gr. *tétanos* íd., propte. 'tensión', 'rigidez', deriv. de *téinō* 'yo tiendo, pongo tirante'.
DERIV. *Tetánico. Tetania.*

Tetera, V. *té*

TETIGONIA, h. 1900, lat. *tettigonĭa*. Tomado del gr. *tettigónion* íd., cpt. de *téttix* 'cigarra' y *génos* 'raza'.

Tetilla, tetona, V. *teta*

TETRA-, forma prefijada del numeral griego *téttares* 'cuatro': *Tetraedro*, 1739. *Tetrágono*, 1482. *Tetralogía*, med. S. XVI, formado con gr. *árkhō* 'yo mando, gobierno'; *tetrarquía* íd. *Tetrasílabo. Tetrástico*, con gr. *stíkhos* 'verso'. *Tetrástrofo.*

TÉTRICO, 1565. Tom. del lat. *taetrĭcus* íd.

Tetuda, V. *teta*

TEUCRIO, 1555. Tom. del gr. *téukrion* íd.

Teúrgia, teúrgo, V. *teo-   Textil, texto, textual, textura*, V. *tejer*

TEZ, 1470, 'color y lisura de la superficie de las cosas, y principalmente de la epidermis del rostro humano'. Voz peculiar al cast. y el portugués. Probte. reducción de *atez* por *aptez* 'perfección, robustez', derivado del lat. APTUS 'perfecto', 'apropiado', y luego 'robusto, sano'.
DERIV. *Estezar* 'curtir las pieles'. *Atezado*, princ. S. XVII, y *atezar*, 1475, parten del sentido de 'robustez del rostro'.

Ti, V. *tú   Tía*, V. *tío   Tialina, tialismo*, V. *saliva*

TIARA, h. 1250, lat. *tiăra*. Tom. del gr. *tiára* íd.

TIBIA, 1832. Tom. del lat. *tibĭa*, que significaba 'tibia' y 'flauta'. *Tija*, 1843, se tomó del fr. *tige*, que viene del lat. TIBIA por vía popular.

TIBIO, h. 1250. Del lat. TĔPĬDUS íd. La primera *i* es resultado fonético de la Ĕ bajo el influjo de la semiconsonante *i* de la sílaba siguiente.
DERIV. *Tibieza*, 1490. *Entibiar*, 1495.

TIBURÓN, 1519. En portugués *tubarão*, 1500, en catalán *tauró*. Origen incierto.

Probablemente tomado, por conducto del portugués, del tupí *uperú* (o *iperú*), con aglutinación de una *t-* que en este idioma funciona a modo de artículo.

TIC, h. 1900. Del fr. *tic*, probte. voz de creación expresiva.

TIEMPO, 1155. Del lat. TĔMPUS, TĔMPORIS, íd., en acusativo TĔMPUS.

DERIV. *Temprano*, h. 1140, en port. *temporão*, del lat. vg. TEMPORANUS 'que se hace a tiempo', S. IV; *tempranero. A destiempo*, princ. S. XVII. *Entretiempo*, 1732. *Contratiempo*, 1684.

Cultismos: *Tempestad*, 1220-50, lat. *tempestas, -atis,* 'clase de tiempo que hace', esp. 'mal tiempo'; *tempestear; tempestuoso,* med. S. XV. *Tempestivo,* 1739, lat. *tempestivus* íd.; *intempestivo. Témpora,* princ. S. XVII, lat. *tĕmpŏra,* plural de *tempus. Temporada,* princ. S. XVII. *Temporal,* adj., 1220-50; sust., 'época del año con referencia al tiempo que hace', h. 1260, de donde 'tempestad', 1220-50; *temporalidad. Temporario. Temporero. Contemporáneo. Contemporizar (temporizar,* 1438). *Extemporáneo.*

Tienda, V. *tender*   *Tienta, tiento,* V. *tentar*

TIERNO, h. 1300. Del lat. TĔNER, -ĔRA, -ĔRUM, íd.

DERIV. *Ternera,* 1335, y *ternero,* 1119. *Terneza. Ternura. Ternilla,* 1220-50; *ternilloso,* 1495; *desternillarse,* 1517, propiamente 'romperse las ternillas por el esfuerzo'. *Enternecer,* 1495; *enternecimiento.*

TIERRA, 2.ª mitad S. X.

DERIV. *Terrado,* 2.ª mitad S. XIII. *Terraguero. Terral. Terrazgo,* S. XIII. *Terrazo,* h. 1260; *terrazuela,* 1335. *Terrear. Terregoso,* 1495. *Terreno,* 1220-50, lat. TERRĒNUS 'terrenal'; *terrenal,* h. 1250. *Térreo,* tom. del lat. *tĕrrĕus. Terrero,* 1124. *Terrestre,* h. 1440, lat. *terrĕstris,* íd. *Territorio,* 1220-50, lat. *territōrium* íd.; *territorial. Terrón,* 1335; *desterronar. Terroso. Terruño,* 1495. *Terraza,* 1611.

Aterrar, 1220-50, primero tuvo la acepción 'derribar', luego 'abatir, consternar', y sólo desde h. 1570 'aterrorizar' por influjo tardío de *terror; aterrador. Conterráneo,* h. 1490, o *coterráneo. Desterrar.* 1220-50; *destierro,* 1495. *Enterrar,* 1220-50; *enterrador,* 1495; *entierro,* 1605 (antes *enterramiento,* 1220-50); *desenterrar,* 1495. *Soterrar,* 1220-50. *Subterráneo. Aterrizar,* del fr. *aterrir* íd. (conjugado *aterrissons, aterrissait,* etc.); *aterrizaje.*

CPT. *Terracota.* S. XIX, del it. *terra cotta,* propte. 'tierra cocida'. *Terraplén.* 1739, del fr. *terre-plein.* 1561 (antes *terrapleno,* S. XVI, del italiano); *terraplenar,* princ. S.

XVII. *terráqueo,* 1739, lat. *terraquĕus,* cpt. con *aqua* 'agua'. *Terrateniente,* 1817, del cat. *terratinent,* 1460. *Terremoto,* h. 1440, del it. *terremoto,* y éste del lat. TERRAE MŌTUS 'movimiento de la tierra'. *Parterre,* S. XX, del fr. *parterre,* íd., propte. 'por tierra'.

Tieso, V. *tender*

TIESTO, 1220-50. Del lat. TĔSTU 'tapadera de barro' y 'vasija de barro'.

DERIV. *Tiesta* ant. 'cabeza', h. 1140 - S. XIV, luego 'canto de las tablas que sirven de fondos a los toneles', 1843; *testa,* h. 1535, se tomó del it. *testa* 'cabeza'; del lat. TĔSTA 'pedazo de cacharro', de donde figuradamente 'cabeza' y dialectalmente 'frente'; *testero,* 1633, o *testera,* h. 1580; *testerada,* hoy *testarada* o *testarazo; testarudo,* 1615; *testarudez. Tostón* (moneda), princ. S. XVII, antes *testón,* por la cabeza allí representada. *Testuz,* S. XV (antes *testuço,* h. 1385), derivado de origen mozárabe. *Testáceo. Testudo,* tom. del lat. *testudo* íd., propte. 'tortuga'.

CPT. *Testaferro,* med. S. XIX, del port. *testa de ferro* íd.

TIFÁCEO, h. 1900. Deriv. del lat. *typhe,* gr. *týphē* 'espadaña'.

Tífico, tifo, tifón, V. *tifus*

TIFUS o **TIFO,** S. XIX. Tom. del gr. *týphos* 'estupor', propte. 'vapor'.

DERIV. *Tífico. Tifoideo. Paratifus; paratífico; paratifoideo. Tifón,* del gr. *typhôn* 'torbellino', deriv. de *týphos* 'vapor'.

TIGRE, h. 1250, lat. *tigris.* Tom. del gr. *tígris* íd.

DERIV. *Tigrero. Atigrado.*

Tija, V. *tibia*

TIJERAS, h. 1140, primitivamente *tiseras,* 1220-50, todavía dialectal. Del lat. TONSŌRIAS, propte. FORFICES TONSORIAS 'tijeras de esquilar', deriv. de TONDĔRE 'esquilar'; de ahí port. *tesoiras,* oc. *tosoiras;* la *-i-* irregular del cast. y del cat. *tisores* se deberá al influjo de un tipo sinónimo conservado por el fr. *ciseaux,* procedente de CĪSORIUM (que a su vez es cruce de CAESORIUM. deriv. de CAEDERE 'cortar' con INCĪSUS 'cortado'). DERIV. *Tijereta,* 1495; *tijeretazo; tijeretear.*

Til, tila, V. *tilo*

TÍLBURI, h. 1830. Tom. del ingl. *tilbury* íd., 1796, así llamado según el nombre del inventor.

Tildar, tilde, V. *título*   *Tiliáceo,* V. *tilo*

TILÍN, med. S. XIX. Onomatopeya. Formación análoga: *Tilingo* 'bobo', amer., 1900.
DERIV. *Tilinguería.*

Tilingo, V. *tilín*

TILO, 1739. Procede en definitiva del lat. *tĭlĭa*, pero no directamente. Probte. por conducto del fr. ant. *til*, S. XII (hoy *tilleul*); la variante *til* corrió también en cast. y hoy vive en Canarias.
DERIV. *Tila*, 1765-83. *Tiliáceo.*

TILLA, 1495, 'entablado que cubre una parte de las embarcaciones menores'. Del fr. *tille*, tom. del escand. ant. *thilja* 'tabla que forma el suelo de un navío'.
DERIV. *Tillado*, 2.º cuarto S. XV. *Tillar*, h. 1900.

Timador, V. *timar*

TÍMALO, h. 1625, lat. *thymallus*. Tom. del gr. *thýmallos* íd.

TIMAR, 1896, 'quitar o hurtar con engaño'. Voz familiar y casi jergal, de origen incierto. Quizá del cast. ant. y portugués *atemar*, S. XIV; *atimar*, S. XVI, 'acabar', 'cumplir'; que viene del ár. *temm* íd., cambio de sentido que se explica porque a los ojos del hampón quitar algo es un éxito y una proeza (comp. cat. jergal *treballar* 'hurtar', propte. 'trabajar').
DERIV. *Timador. Timo*, 1896.

Timbal, timbalero, V. *atabal* *Timbrar, timbre*, V. *tímpano* *Timeleácea, timiama*, V. *tomillo* *Timidez, tímido*, V. *temer* *Timo*, V. *timar* *Timo* (glándula), *timol*, V. *tomillo*

TIMÓN, med. S. XIII. Del lat. TĒMO, -ŌNIS, 'timón de carro o de arado' (de donde en romance pasó, por comparación, al del navío, h. 1260). Casi todas las formas romances suponen una variante mal explicada *TĪMO, -ŌNIS, que debe de ser antigua y ya probte. existente en latín vulgar.
DERIV. *Timonel*, 1527, del cat. *timoner. Timonera*, 1696.

Timorato, V. *temer*

TIMPA, med. S. XIX. Del fr. *tympe* íd., y éste del alem. *tümpelstein* 'piedra que forma la pared del crisol junto con la timpa', cpt. de *tümpel* 'interior del crisol' y *stein* 'piedra'.

Timpánico, timpanitis, timpanizarse, tímpano, V. *tímpano*

TINA, 1159. Del lat. TĪNA 'especie de botella de vino, de cuello largo, con tapadera'.
DERIV. *Tinaja*, 1235.

Tinaja, V. *tina*

TINCAR, 1880, 'golpear una bola para despedirla con fuerza', amer. Del quichua *tincáni* íd. Secundariamente viene a significar 'tener un presentimiento'.
DERIV. *Tincada.*

TINGLADO, h. 1800, 'cobertizo armado a la ligera, en que una tabla va puesta sobre la otra'. Deriv. de *tinglar* (hoy conservado en Chile) 'cubrir parcialmente una tabla a otra', tom. del fr. ant. *tingler* 'tapar con piezas de madera los huecos de un maderamen' 1332. Éste derivaba de *tingle*, 1328 (hoy *tringle*), 'pieza de madera empleada con este fin', el cual procedía de un deriv. del escand. ant. *tengja* 'unir, atar'.
DERIV. *Tingle* 'cubierta que se hace tinglando' en Chile, 1941.

Tinglar, tingle, V. *tinglado*

TINIEBLA, princ. S. XIV, antes *tiniebra*, 1220-50. Del lat. TENĒBRA, íd.; en el cambio de *r* en *l* influyó *niebla*, fenómeno que produce tinieblas.
DERIV. cultos: *Tenebroso*, 1220-50. *Tenebrario. Entenebrecer.*

TINO I 'puntería', 2.º cuarto S. XV; 'hábito de acertar a tientas con las cosas que se buscan', 1490; 'cordura en la conducción de los negocios', 1545. Voz peculiar del cast. y el port. (*tino*, h. 1530). De origen incierto. Pudo extraerse del verbo *atinar*, 1464, que significó primitivamente 'apuntar a un blanco'. Éste probte. se sacó del lat. *destĭnare* íd., cuya sílaba *des*- fue cambiada en *a*- por haberse percibido como contradictoria del significado de acierto que entrañaba el verbo.
DERIV. *Desatinar*, med. S. XV; *desatinado*; *desatino*, h. 1490.

TINO II (arbusto), h. 1900. Tom. del lat. *tinus* íd.

Tinta, tinte, tintero, V. *teñir* *Tinto, tintóreo, tintorera, tintorería, tintorero, tintura*, V. *teñir*

TIÑA, 1335. Del lat. TĬNĔA, que designa la polilla, el piojo y varias lombrices y gusanos, y que en romance se trasmitió a la tiña, enfermedad atribuida a la acción de ciertos bichos.
DERIV. *Tiñoso*, 1607.

TÍO y **TÍA**, 2.ª mitad S. X. Del lat. tardío THĪUS, THĪA, 563, y éstos del gr. *thêios, théia* íd.
CPT. *Tiovivo*, fin S. XIX, aludirá a la viveza del "tío" que tuvo la idea de explotar este aparato en una feria.

TIORBA, 1607. Del it. *tiórba* íd., instrumento inventado en Italia. Origen incierto; será aplicación traslaticia del it. dial. *tiorbo* 'miope, cegato', por ser propio de músicos callejeros medio ciegos. Éste, a su vez, quizá venga de *tórbio*, procedente de *TŬRBŬLUS 'turbio, de vista turbia'.

Tiovivo, V. *tío*

TIPA 'especie de cesto', S. XIX, 'árbol de la familia de las leguminosas', 1642, amer. En la 1.ª acepción, del quichua *itípa* 'canastillo'. En la 2.ª parece ser también de origen quichua, quizá del mismo vocablo, por la forma de la copa de este árbol.

Típico, V. *tipo*

TIPLE 'la más aguda de las voces humanas', med. S. XV. Origen incierto. Probte. del antiguo *triple*, que se empleó con igual sentido, 2.º cuarto S. XV (corriente hasta el XVI). Se dio este nombre a esta cualidad de voz por la clasificación tripartita de las voces humanas en contras, tenores y tiples, de suerte que éstas se consideraban de triple agudeza que las de los contras. Comp. el ingl. *treble* 'agudo', S. XV, propte. 'triple'.
DERIV. *Atiplar*; *atiplado*, princ. S. XVII.

TIPO, 1615, lat. *tȳpus*. Tom. del gr. *týpos* 'tipo, modelo', propte. 'carácter grabado', 'imagen' y primero 'golpe', 'huella de un golpe'.
DERIV. *Típico*, 1765-83. *Tipismo. Atípico.*
CPT. *Tipógrafo*, 1611; *tipografía*; *tipográfico. Prototipo*, princ. S. XVII.

TÍPULA, med. S. XIX. Tom. del lat. *tipŭla* íd.

Tiquismiquis, V. *tú* *Tira, tirabala, tirabeque, tirabrasas, tirabuzón, tirada, tirador, tiragomas, tiralíneas*, V. *tirar*

TIRANO, 3.ᵉʳ cuarto S. XIII, lat. *tyrannus*. Tom. del gr. *týrannos* íd., propte. 'reyezuelo, soberano local'.
DERIV. *Tirana. Tiranía*, h. 1440. *Tiránico*, 1515. *Tiranizar*, 1444. *Tiranuelo.*
CPT. *Tiranicida*; *tiranicidio.*

Tirante, tirantez, V. *tirar*

TIRAR, h. 1140. Voz común a todas las lenguas romances salvo el rumano, y antiquísima en todas ellas. De origen incierto. No es improbable que se formara en la jerga militar latina con el nombre de la flecha en el lenguaje de los partos, los famosos arqueros, enemigos seculares del ejército romano; nombre que hubo de ser *tir-*, como en todos los dialectos iranios (pelví, persa moderno y curdo *tir*, avéstico

y medo *tigris*, desde donde se propagó también *firīh* al sánscrito tardío; de la raíz indoeuropea (s)TIG- 'agudo, punzante'). Comp. *CARCAJ* y el fr. *frapper* 'herir, golpear' que parece ser otro iranismo de la jerga soldadesca de los romanos.
DERIV. *Tiro*, 1490. *Tirada*, h. 1295. *Tirador*, S. XV. *Tirante*, S. XVI; *tirantez*; *atirantar. Tirón*, 1596; *tironear*, S. XX. *Tirotear*, 1817; *tiroteo*, 1817. *Estirar*, 1570; *estirado*; *estiramiento*; *estirón. Retirar*, 1570; *retirada*, 1615; *retiro*, 1607. *Tira*, 1541, probablemente no es deriv. de *tirar* (aunque incorporado a la familia de este verbo)? sino tom. del cat. *tira*, S. XIV, 'pedazo largo y estrecho de papel, tela, etc.', 'hilera' (equivalente de oc. *tieira* 'serie', 'hilera'), que procede del fráncico TÊRI (alem. ant. *ziari*, neerl. *têr* 'adorno'); *tirilla.*
CPT. *Tirabala. Tirabeque*, med. S. XIX, del cat. *tirabec* íd., formado con *bec* 'pico', por su forma grande y alada. *Tirabrasas. Tirabuzón*, 1739, del fr. *tire-bouchon*, con *bouchon* 'tapón'. *Tiragomas. Tiralíneas. Tiramollar*, 1696, del cat. *tira-amolla*, de *amollar* 'soltar, aflojar'. *Tirapié*, 1739.

Tiricia, V. *ictérico* *Tiritaña*, V. *tarlatana*

TIRITAR, 1609. Onomatopeya del temblequeo del que tirita. Onomatopeyas análogas: *Titilar*, med. S. XIX; *titilante. Titubear*, 1607, tom. del lat. *tĭtŭbare* íd., propiamente 'oscilar, trastabillar' (voz de creación expresiva; argent. *tutubiar*, valenc. *tatubejar*); *titubeo*, S. XIX.

Tiro, V. *tirar*

TIROIDES, S. XX. Tom. del gr. *thyroeidḗs* 'semejante a una puerta', cpt. de *thýra* 'puerta' y *êidos* 'forma'.
DERIV. *Tiroideo. Paratiroides.*

Tirón, tirotear, tiroteo, V. *tirar*

TIRRIA, 1517. Probte. de una especie de interjección *trr*, que expresa el despecho.

TISANA, 1555. Tom. del gr. *ptisánē* 'bebida de cebada machacada', deriv. de *ptíssō* 'yo machaco'.

TÍSICO, fin S. XIII, lat. *phthisĭcus*. Tomado del gr. *phthisikós* íd., deriv. de *phthísis* íd., propte. 'extinción, decadencia', que a su vez lo es de *phthíō* 'yo perezco, me consumo'. *Tisis*, 1490, del gr. *phthísis*.
CPT. *Tisuria*, cpt. de *phthísis* y gr. *ûron* 'orina'.

Tisú, V. *tejer* *Tisuria*, V. *tísico*

TITÁN, 1765-83 (como nombre propio, 1438), lat. *Titan*. Tom. del gr. *Titán* íd.

Deriv. *Titánico*, med. S. XIX. *Titanio*, h. 1900, denominado *Titanium* por su descubridor Klaproth en 1795, según el nombre de los Titanes, hijos de Urano, cuyo nombre había dado al uranio, descubierto anteriormente por él mismo.

TÍTERE, h. 1560. Origen incierto. En vista de los sinónimos cat. *titella* y provenzal *titè* o *titì*, es probable que se trate de una imitación de la voz aguda *ti-ti* que con su lengüeta presta el titerero a sus muñecos.
Deriv. *Titerero*, med. S. XVII, o *titiritero*, h. 1600.

TITÍ, 1739. Onomatopeya de la voz del animal. Aunque *titi* se halla como voz aimara ya en 1612, el castellano no la tomó de éste, pero es onomatopeya paralela en los dos idiomas.

Titilar, V. *tiritar*   *Titirimundi*, V. *todo*
Titiritero, V. *títere*   *Titubear, titubeo*, V. *tiritar*

TÍTULO, 1220-50. Tom. del lat. *titŭlus* 'inscripción', 'título de un libro', 'rótulo, anuncio, etiqueta', 'título de honor'. El mismo vocablo, por vía semiculta, y por conducto del cat. o la lengua de Oc, dio *tilde*, 1433.
Deriv. *Titular*, adj. *Titular*, verbo, h. 1250; *titulillo. Intitular*, 1438. De *tilde*: *Tildar*, princ. S. XVII; *atildar*, med. S. XV, *atildamiento*.

TIZA, 1765-83. Del azteca *tíçatl* 'greda, especie de tierra blanca'. Las variantes *tízar* y *tizate*, empleadas en Méjico, comprueban la certeza de esta etimología.
Deriv. *Entizar*.

Tiznajo, tiznar, tizne, V. *tizón*

TIZÓN, 1220-50. Del lat. TĪTIO, -ŌNIS, íd.
Deriv. *Tizona*, princ. S. XVII, alusivo a *Tizón*, nombre propio de una espada del Cid. *Tizoncillo. Tizonear*; antes se había dicho **tizonar* (cuya existencia se comprueba por la de *tizonador*, 1335), que se contrajo en *tiznar*, 1335; de ahí: *Tizna*, 1646; *tiznado; tiznajo*, med. S. XIX; *tizne*, 1495; *Atizar*, 1220-50, parte de un lat. vg. **ATTĪTIARE*, deriv. común a todas las lenguas romances, propte. 'hacer como se hace con los tizones'.

Toa, V. *toar*

TOALLA, 1570. Del germ. THWAHLJŌ íd., comp. el alem. ant. *dwahila*, alem. dial. *zwehle*, anglosajón *twehlæ*. La forma antigua y castiza en castellano fue *toaja*, h. 1250, la moderna hubo de tomarse del italiano o del catalán.

Deriv. *Toallero*, S. XVI. *Toalleta*, h. 1535.

TOAR, S. XIX, o **ATOAR**, h. 1573, 'remolcar una nave'. Del fr. ant. *toer* (hoy *touer*), y éste del escand. ant. TOGA 'tirar de algo'.
Deriv. *Toa*, fin S. XVI. *Toaje*, fin S. XIV.

TOBA (piedra caliza y porosa), 1570. De un lat. vg. **TŌFA*, clásico TŌFUS, íd. Como nombre de una especie de cardo de caña hueca, S. XI, no es más que una acepción secundaria de la misma palabra, por comparación con lo hueco y poroso de la toba. *Tufo*, nombre de la misma piedra, med. S. XIX, se tomó del fr. *tuf*, que procede de una variante lat. TŪFUS.
Deriv. *Tobar. Toboso*.

TOBILLO, 1220-50. Probte. de un lat. vg. **TŪBĚLLUM*, diminutivo de TŪBER 'bulto', 'nudo', 'criadilla', aplicado primeramente al hueso del tobillo. Esta etimología viene confirmada por el nombre del tobillo en catalán-occitano, vasco y portugués (*turmel(l), txurmillo, tornozelo*), formado de manera análoga como derivado de *turma* 'criadilla'.
Deriv. *Tobillera*.

TOCA, 1081, 'prenda con que se cubría la cabeza'. Palabra antigua en cast., port. (*touca*) y vasco (*tauka, taika*), y desde la Península Ibérica propagada por Francia, Italia e Inglaterra. Viene de una base TAUCA, muy antigua en tierras hispánicas, aunque no puede descartarse la posibilidad de que ésta a su vez proceda del persa *ţāq* 'velo, pañuelo, chal', trasmitido en fecha temprana por el árabe.
Deriv. *Toquilla*, h. 1490. *Toquero*; *toquería. Tocar*, 1220-50, 'cubrir con toca, etc.', 'peinar'; *tocado*, 1490; *tocador*, S. XVII. *Destocar*.

Tocado, sust., *tocador*, V. *toca*

TOCAR, 1220-50, 'establecer contacto', 'pertenecer, tener turno'. Expresa imitativamente el son de las campanas y demás objetos golpeados y tocados, *toc toc*. Es onomatopeya común a todas las lenguas romances y sin duda ya heredada del latín vulgar.
Deriv. *Tocado* 'medio loco'. *Tocante*, 1495. *Tocata*, fin S. XIX, del it. *toccata. Toque*, 1495. *Toquetear. Retocar*, S. XVII; *retoque*.

Tocar 'peinar, cubrir', V. *toca*   *Tocata*, V. *tocar*

TOCAYO, 1739. Origen incierto. Probablemente empezarían llamándose *tocayo* y *tocaya* las parejas que llevaban un mismo nombre, por alusión a la frase ritual del Derecho romano *Ubi tu Cajus, ibi ego Caja* (donde tú seas llamado *Cayo*, a mí me llamarán *Caya*), que la esposa dirigía al novio al llegar a su casa la comitiva nupcial; empleada esta alusión por estudiantes que trataban de iniciar un galanteo con chicas del mismo nombre, el pueblo, sin entender la alusión, se apropiaría el vocablo, con aplicación generalizada. Como la documentación más antigua procede de España, no es probable que venga del náhuatl, donde, por lo demás, no hay palabra exactamente comparable, pues *tocaytl* sólo significa 'nombre'.

TOCINO 'témpano de carne de cerdo', 1081; 'carne gorda de cerdo, salada para conservarla', 1513; 'manteca de cerdo', 1599 (hoy amer.). Voz peculiar al cast. y el port. (*toucinho*). Probte. deriv. del lat. provincial TŬCCA, al parecer de origen céltico. TUCCA significaba 'jugo mantecoso' y de ahí viene el deriv. más conocido TŬCCĒTUM 'carne de cerdo conservada en salmuera', S. I d. J. C.; las palabras hispánicas vienen de otro deriv. *TŬCCĪNUM LARDUM, que se formaría ya en el latín vulgar hispánico.
DERIV. *Tocinero*; *tocinería*.

TOCOLOGÍA, med. S. XIX. Cpt. del gr. *tókos* 'parto' y *lógos* 'tratado'.
DERIV. *Tocólogo*, med. S. XIX. *Distocia*, *distócico*, formados con el mismo sustantivo y el prefijo *dys-* 'mal'.

TOCÓN 'base del tronco de un árbol cortado', 1335; 'muñón de un miembro', h. 1250. Voz hermana del port. *tôco* íd., de origen incierto. El carácter céltico del sufijo de su deriv. *tocorno* 'tocón', 'roble de poca altura', 1139 (y todavía usual en el País Vasco), conduce a la sospecha de que sea prerromano. Quizá deriv. del célt. *THŬKK-, de cuya variante *TSŬCCĀ salen el fr. *souche* y el cat. *soca* 'tocón'.

Tocorno, V. *tocón*

TOCUYO, 1748, amer., 'tela ordinaria de algodón'. Probte. del nombre de la ciudad y puerto de Venezuela *Tocuyo*, donde se fabricaban paños.

TOCHO 'tosco, necio', h. 1500, 'bastón, garrote', S. XIII. Origen incierto: hay varias etimologías posibles, de las cuales ninguna se impone. De todos modos es probable que, como en el caso de *porra*, se pasara de la idea de 'bastón grueso' a la de 'persona grosera'.
DERIV. *Tochedad*.

TODO, h. 950. Del lat. TŌTUS 'todo entero'.
DERIV. *Total*, h. 1440, tom. del lat. *totalis* íd.; *totalidad*, h. 1570; *totalitario*. *Tute*, med. S. XIX, del it. *tutti* 'todos', porque gana el juego quien reúne todos los reyes o caballos.
CPT. *Todabuena*, 1832. *Todavía* 'aún', 1615; primeramente 'siempre, constantemente', 1220-50, y general hasta el S. XVI; de la idea de 'por todos los caminos o vías' se pasó a 'en todo tiempo' y de la de 'antes y ahora también' a la de 'ahora todavía' (*toujours* toma este mismo sentido en el francés actual). *Todopoderoso*, 1490. *Sobre todo*, adv., h. 1640; *sobretodo*, sust., 1739. *Titirimundi*, 1899, alteración (bajo el influjo de *títere*) de *tutilimundi*, y éste del it. dialectal *tutti li mundi* 'todo el mundo', palabras atribuidas al titerero extranjero al hacer propaganda de su espectáculo. *A tutiplén*, cat. *a tutiplè*, que parece ser grafía imperfecta de *a tot i ple* (= a todo y lleno).

TOGA, h. 1440. Tom. del lat. *tŏga* íd., voz de la familia de *tegĕre* 'cubrir'.
DERIV. *Togado*, h. 1440.

Toisón, V. *tundir*   *Tojal*, V. *tojo*

TOJINO, 1817, antiguamente *tohino*, 1587. Parece estar por *tufino*, diminutivo de *tufo* 'mechón', 'penacho' (véase), que en portugués significa además 'objeto saliente' (de donde 'montículo') y más especialmente 'tarugo que se introduce en un agujero'

TOJO, 1475, 'especie de aliaga'. Voz regional del Noroeste, común con el port. *tojo*, 1099, y el gascón *touju*. Hay que suponer una base *TOJU, seguramente prerromana. A juzgar por el sufijo del derivado arag. *toyaga* y Ariège *toujaco*, el vocablo debió de pertenecer al complejo prerromano ibero-vasco.
DERIV. *Tojal*, 1258.

TOLA (planta sudamericana), 1869. Probablemente del aimara *ttola*.
DERIV. *Tolar*, 1940.

TOLANO, princ. S. XV (tumorcillo). Derivado romance del lat. TŌLES 'hinchazón de las amígdalas'. La acepción castellana 'pelillos cortos que nacen en el cogote', 1739, puede venir de una comparación pintoresca entre el descuidado que se deja crecer el pelo en el pescuezo y el animal abandonado, lleno de tolanos.

TOLDO, 1585, y **TOLDA**, med. S. XV. Probte. de una forma germánica afín al neerl. ant. *telt*, alem. ant. *zĕlt*, escand. ant. *tjald* 'tienda'. Lo más verosímil es que se trate de una voz primitivamente náutica (que es el carácter con que aparece siempre en los SS. XV-XVI), tomada del germánico por conducto del fr. ant. y dial. *tialt, taud* 'tolda de barco' S. XII. Cuando éste todavía se pronunciaba *tóʉt* con diptongo, sería castellanizado según el modelo de voces como fr. *réchaud* = cast. *rescoldo*, fr. *coup* = cast. *golpe*, fr. *goufre* = cast. *golfo*, que se pronunciaban todavía con diptongo en aquel tiempo.

DERIV. *Toldillo*; *toldilla*. *Toldar*, S. XVI; *entoldar*, h. 1440; *entoldado*. *Toldería*, 1870.

TOLERAR, 1438. Tom. del lat. *tolĕrare* 'soportar, aguantar' (de la raíz de *tollere* 'levantar').

DERIV. *Tolerable*, 1515; *intolerable*, h. 1400. *Tolerante*. *Tolerancia*.

TOLETE, 1587. Del fr. *tolet* íd., que lo tomó de una lengua germánica agregando el sufijo *-et* francés, probte. del escand. ant. *thollr*.

TOLONDRO, 1553, y **TOLONDRÓN**, 1551, 'chichón'. Alteración de la forma antigua *torondo*, S. XIII. Éste viene, partiendo de la idea de 'bulto', del lat. tardío TŬRŬNDUS, variante del lat. TŬRŬNDA 'bollo', 'buñuelo', 'bulto de hilas que se coloca dentro de una herida para facilitar la supuración'. De éste, por vía culta, *torunda*.

TOLVA 'caja en forma de cono invertido y abierto por abajo, a través de la cual pasa el grano a la muela del molino', 1570. Probte. del lat. TŬBŬLA (diminutivo de TŬBA 'trompeta'), por comparación de forma; más próxima al origen ha permanecido la forma santanderina *tólvola* (que puede resultar de un antiguo *tóvola*); el vasco *tobera* 'toiva' y 'fuelle de fragua' viene de TUBULA o deriva de TUBA; comp. también el sardo *tuvulu* y el gr. moderno *tûvlo* 'teja'.

Tolvanera, V. *turbar*   *Tólvola*, V. *tolva*
Tolla, *tolladar*, V. *tollo* II

TOLLINA 'zurra', 1892, andaluz y salmantino *tolina*: disimilación de *tonina* (o *toñina*), nombre del atún en varios dialectos españoles (del lat. vg. *THŬNNĬNA*, deriv. de THUNNUS 'atún'), aludiendo a los golpes con que hay que rematar a este pescado al cogerlo; comp. cat. *tonyina* 'atún' y 'zurra'.

TOLLO I 'especie de cazón', 1335. *Toulh* en gascón, *touil* en francés dialectal del Oeste, *toil* en vasco. Origen incierto. Quizá venga de *tollo* II, por los lugares cenagosos donde habita este pez.

TOLLO II 'atolladero', 1739; 'hoyo', 1739 y ya existente en los SS. X y XI (V. los derivados). Voz regional del Nordeste y el Noroeste, hermana del cat. *toll* 'poza en un río o estanque', 'balsa', junto al cual existe el verbo del castellano común *atollar* y el port. *atolar* 'atascar'. Es probable que el verbo derive del sustantivo, como indica el catalán, donde el verbo no existe y *toll* es de uso general. Origen incierto. Probte. del céltico *TŬLLON, cuya existencia se deduce del irl. ant. y mod. *toll* 'hoyo, agujero', 'hueco', galés *twll* y bretón *toull* 'agujero'.

DERIV. *Tolla* 'atolladero', 996. *Tollar*, sust., 'conjunto de tollos', 1096. *Tolladar* 'atolladero', 1843; *atolladal*, 1495; *atolladar*, S. XVI; procedentes de *tolledar*, *tolledal*. *Atollar*, v., 1495; *atolladero*, h. 1530.

Toma, *tomadura*, V. *tomar*   *Tomaína*, V. *síntoma*

TOMAR, 1074. Voz peculiar al castellano y el portugués. De origen incierto. En la época arcaica es frecuente y aun predominante verlo empleado en la fraseología legal, con el valor de 'apoderarse de algo', 'quitarlo'. Teniendo esto en cuenta, es verosímil que venga del lat. AUTŬMARE 'afirmar', en el sentido de 'proclamar el derecho de uno a un objeto'. En lugar de AUTUMARE se diría *TŬMARE en el latín hispánico, tal como FERRE y FUGERE coexistían con AUFERRE y AUFUGERE.

DERIV. *Toma*, 1490. *Tomada*, S. XVI. *Tomadura*. 1739. *Retomar*, amer.

TOMATE, 1532. Del azteca *tómatl* íd.
DERIV. *Tomatada*. *Tomatal*. *Tomatero*. *Tomatera*. *Tomatillo*. *Tomaticán*, sud-amer.

Tomento, *tomentoso*, V. *tundir*

TOMILLO, h. 1325. Diminutivo del arcaico *tomo*, cuya existencia se comprueba en el dialecto mozárabe, h. 1106. Éste procede del lat. THȲMUM, vulgarmente TŬMUM, que a su vez se tomó del gr. *thýmon*, íd. De 'flor del tomillo' se pasó a 'excrecencia carnosa', de donde el cultismo *timo* como nombre de una glándula.

DERIV. *Timol*, deriv. culto de *thymum*. *Epítimo*, 1555, gr. *epíthymon* íd., deriv. explicable porque esta planta parásita nace sobre el tomillo. *Timiama*, 1555, gr. *thymíama*, deriv. de *thymiáō* 'yo quemo como incienso', y éste de *thýō* 'ofrezco en sacrificio' (voz afín a *thýmon*).

CPT. *Timeleácea*, deriv. del lat. *thymelaea*, gr. *thymeláia* 'especie de adelfa', formado con *élaion* 'olivo'.

TOMO I, h. 1535, lat. *tŏmus*. Tom. del gr. *tómos* 'tomo, fascículo', propte. 'pedazo cortado', deriv. de *témnō* 'yo corto'.

DERIV. *Epítome*, fin S. XVI, gr. *epitomḗ* 'corte', 'resumen', otro deriv. de *témnō*; *epitomar.*

TOMO II 'bulto, importancia', 1539. Origen incierto; probte. significó primero 'montón, amontonamiento' y será el mismo vocablo que el leon. *tumbo* 'conjunto de documentos', 'cartulario', 1580, port. *tombo* 'archivo de documentos'; esta voz reaparece en hablas romances de los Alpes y de los Balcanes con el sentido de 'montón de tierra, colina' y procederá del celta TŪMBOS de igual sentido (galés *tom* 'montón de tierra o estiércol', irl. medio *tomm* 'altozano', 'matorral', gr. *týmbos* 'montón de tierra, túmulo', sánscr. *túngaḥ* 'monte', 'altozano').

Ton, tonada, tonadilla, tonadillero, tonalidad, V. *tono* — *Tonante,* V. *tronar*

TONEL, med. S. XIV. Del fr. ant. *tonel* íd. (hoy *tonneau*), diminutivo de *tonne* 'tonel grande'. Éste viene del lat. tardío TŪNNA íd., y éste del célt. TUNNA 'piel', de donde 'odre' y después 'cuba'. De la misma palabra francesa procede el ingl. *tunnel* 'tonel', que desde ahí pasó a significar 'caño subterráneo', 'túnel': del ingl. lo tomó el cast. *túnel,* med. S. XIX.
DERIV. *Tonelada,* 1494, primero 'espacio necesario para acomodar en un buque dos toneles grandes'; *tonelaje,* h. 1900. *Tonelero,* 1495; *tonelería. Tonelete,* princ. S. XVII.

Tonelada, tonelero, tonelete, V. *tonel* — *Tonético,* V. *tono* — *Tonga, tongada,* V. *túnica* — *Tonicidad, tónico,* V. *tono* — *Tonidro,* V. *tronar y atolondrar* — *Tonificar, tonillo,* V. *tono* — *Tonina,* V. *atún*

TONO, 1490, lat. *tŏnus.* Tom. del gr. *tónos* 'tono', 'acento', propte. 'tensión de una cuerda', deriv. de *téinō* 'yo tiendo, pongo tirante' (la variante *ton,* princ. S. XVII, bajo el influjo de *son*).
DERIV. *Tonada,* 1611; *tonadilla,* 1614; *tonadillero. Tonalidad,* S. XIX. *Tonética,* h. 1940 (según *fonética*); *tonético. Tónico,* 1832; *tonicidad; tonificar. Tonillo. Átono,* con *a-* privativo; *atonía. Diatónico,* con *dia-* 'a través'. *Entonar,* 1495; *entonación; desentonar,* 1495. *Protónico o pretónico; postónico. Semitono,* h. 1250 (*semitón*). *Sintonía; sintonizar.*

Tonsura, tonsurado, tonsurar, V. *tundir*

TONTO, 1570. Probte. voz de creación expresiva, cuyos equivalentes se encuentran en muchos idiomas: port. e it. *tonto,* rum. *tont, tînt,* húngaro *tandi* íd., alem. dial. *tunte* 'persona lenta, puntillosa', además del hispanoamer. *dundo,* el valenc. *atotinat* y el común *tuntún.* La propia repetición de la consonante y la vocal sugiere ya la idea de insistencia necia y floja (comp. los casos parecidos de *chocho, bobo, leio, soso, fofo, memo,* y en particular *zonzo*).
DERIV. *Tontear,* 1611. *Tontera. Tontería,* h. 1570. *Tontón, tontonazo,* med. S. XVII. *Tontucio. Tontuelo. Tontuna. Atontar,* princ. S. XVII; *atontamiento. Tontina,* med. S. XVII, del it. *tontina,* que alude al banquero napolitano Lorenzo Tonti, S. XVII, cuyo apellido puede derivar del adjetivo. *Entontecer.*

Topa, V. *tope*

TOPACIO, 1490 (*estopacio,* h. 1250), lat. *topazion.* Tom. del gr. *topázion* íd.

TOPAR, h. 1330. De la onomatopeya ¡TOP!, que expresa un choque brusco. El sentido primitivo es 'chocar', que encontramos en 1490, pero que debió de ser más antiguo que el otro, 'encontrar, hallar', procedente de la idea de 'dar con alguien inadvertidamente hasta casi chocar'.
DERIV. *Topada,* 1739. *Tope* 'encontronazo', 1554; 'tropiezo, impedimento', med. S. XVII; 'pieza que se pone en algunos instrumentos para que no vayan más allá', 1739; *hasta el tope* 'enteramente', 1739. *Topetar,* 1495; *topetazo. Topino,* h. 1900.

TOPE 'extremo superior de un palo o mastelero', 1587 (*topo,* 1492); 'cumbre', amer., S. XX. Del fr. ant. *top* 'cumbre', 'copete', S. XII, que viene del fráncico TOP íd. (comp. el ingl. *top* íd., alem. *zopf* 'copete').
DERIV. *Topa,* 1539, garrucha que se ponía en el tope de los mástiles. *Tupé,* 1739, del fr. *toupet,* diminutivo de dicho *top* 'copete'.

Topera, V. *topo* — *Topetar, topetazo,* V. *topar* — *Tópico,* V. *topo-* — *Topinambur,* V. *tupinambo* — *Topino,* V. *topar*

TOPO, h. 1275. Del lat. TALPA íd., en España vulgarmente *TALPUS (cat. *talp,* it. *topo*).
DERIV. *Topera.*
Cultismo: *Talparia.*

TOPO-, elemento inicial de cpts., tom. del gr. *tópos* 'lugar'. *Topografía,* h. 1575, formado con gr. *gráphō* 'yo describo'; *topógrafo,* princ. S. XVII; *topográfico,* 1739. *Toponimia,* h. 1900, con gr. *ónoma* 'nombre'; *toponímico; topónimo; toponomástica, toponomástico. Utopía,* med. S. XIX, del lat. moderno *Utopia* inventado por Tomás Moro en 1516, para designar un lugar que no existe, como título de uno de sus libros: formado con gr. *u* 'no'; *utópico; utopista.*

DERIV. del gr. *tópos*: *Tópico*, princ. S. XVII, del gr. *Topiká*, título de un tratado de Aristóteles sobre los *tópoi* 'lugares comunes' (plural de *tópos*); en cast. significa 'lugar común', en América ha tomado el valor de 'tema, asunto' por influjo inglés. *Ectopia*, con gr. *ek-* 'fuera de'.

Toque, V. *tocar*   *Toquería, toquero*, V. *toca*   *Toquetear*, V. *tocar*   *Toquilla*, V. *toca*

TORA, *hierba* —. Con este nombre se han conocido en España dos plantas muy diferentes, el acónito en el Este y en el Sur, 982 (*tuera*; h. 1100, *tora*), y la orobanca en el Centro y el Oeste, 1555. El nombre de aquél procede del lat. tardío PHTHŎRA (y éste del gr. *phthorá* 'destrucción'), por los efectos mortales de esta planta. El nombre de la orobanca se relaciona con el nombre del toro por la creencia de que esta planta tiene efectos afrodisíacos sobre la vaca. Sin embargo, es posible que en el fondo el nombre de esta planta tenga el mismo origen que el de la otra, por los efectos desastrosos de la orobanca sobre las plantas a que se adhiere como parásito: entonces la creencia en sus efectos sobre la vaca pudo derivar precisamente del parecido de su nombre con el del toro; faltan averiguaciones sobre el nombre de la orobanca que permitan asegurarlo.

Torácico, V. *tórax*   *Torada*, V. *toro*   *Toral*, V. *tuero*

TÓRAX, med. S. XIX, lat. *thorax*. Tom. del gr. *thórax*, *-akos*, íd.
DERIV. *Torácico. Metatórax.*

Torbellino, V. *turbar*   *Torcado*, V. *torcaz*

TORCAZ, 1611; antes *paloma torcaza*, *palomo torcazo*, 1220-50 (general hasta h. 1600 y todavía aragonés, cubano, etc.). Del lat. vg. *TORQUACĔUS*, deriv. del lat. TŎRQUES 'collar', por el círculo blanco que tienen alrededor del cuello estas palomas de color gris o verdoso. En latín se encuentra con el mismo sentido otro deriv., PALUMBUS TORQUATUS, de donde el cast. ant. y dial. *palomo torcado*, S. XIII.

Torcazo, V. *torcaz*

TORCER, 1220-50. Del lat. TŎRQUĔRE íd., vulgarmente *TŎRCĔRE*.
DERIV. *Torcedero. Torcedor. Torcedura. Torcida*, 1335. *Torcido. Torcijón*, 1220-5. *Torcimiento*, 1495. *Torzal*, 1495, deriv. dudoso por no explicarse bien la aplicación del sufijo a este radical. *Torzón*, 1220-50, o *torozón*, S. XVI; del lat. TŎRTĬO, -ONIS, 'torsión',

torzonado, 1495; *atorozonar. Retorcer*, 1495; *retor*, h. 1900, del fr. *retors* 'retorcido'; *retorcijón*; *retorcijar. Tuerto*, antes 'torcido', 1220-50, y 'bizco', h. 1280, propiamente 'de vista torcida'; de donde luego 'que sólo tiene un ojo', 1335, por una confusión popular, muy común, entre las dos ideas; *entortar*, 1495; de *tuerto* 'torcido' se pasó a 'injusto', h. 1250, y sustantivado, 'injusticia', h. 1140, más tarde *entuerto* en los libros de caballerías del S. XVI. *Tortera. Tortero. Tortor*, 1696, lat. TORTOR, -ŌRIS, 'torcedor'; *atortorar. Tortura*, h. 1250, tom. del lat. *tortūra* íd.; *torturar. Tortuoso*, 1611, lat. *tortuosus. Retorta*, 1706, del fr. *retorte*, S. XVI. *Retortero*, 1611, lat. vg. *RETORTŌRIUM* (*al retortoriu* en Asturias). *Retortijón. Retortuño*, amer.
Cultismos: *Torsión*, S. XIX, lat. *torsio*, *-onis; contorsión, contorsionarse, distorsión; extorsión*, S. XVII, lat. *extorsio*, *-onis*, íd., deriv. de *extorquere* 'sacar algo por la fuerza, arrancándolo'. *Tormento*, 1220-50, lat. *tormĕntum* íd. (de *torq-mentum*); *atormentar*, h. 1300. *Tormenta*, h. 1260, lat. TORMĔNTA 'tormentos', plural neutro, que aparece ya con el valor de singular en escritos del S. III; el sentido primitivo se conservó en fr. ant. *tormente* (de donde luego figuradamente 'temporal' y en Aragón 'desgracia', S. XIII), y de ahí lo tomó el cast., según muestra la falta de diptongo *ie; tormentín; tormentoso*.
CPT. *Torticoli* o *tortícolis*, med. S. XIX, del fr. *torticolis*, probte. tomado del it. *torti colli* 'cuellos torcidos'.

Tordancha, V. *tordo*   *Tórdega*, V. *túrdiga*   *Tordillo*, V. *tordo*

TORDO, h. 1325. Del lat. TŬRDUS íd.
DERIV. *Tordancha*, antes *tordencha*, 1495, con terminación imitada de la de *cardencha. Tordillo*, 1570, así llamado por ser su pelaje semejante al plumaje del tordo.

Toreador, torear, toreo, torero, toril, V. *toro*

TORIO, h. 1900. Deriv. del nombre de la deidad escandinava *Thor*, formado por su descubridor Berzelius en 1828.

Torionda, V. *toro*   *Tormenta*, V. *torcer*   *Tormentila*, V. *tundir*   *Tormentín, tormento, tormentoso*, V. *torcer*

TORMO 'peñasco suelto', S. XV (*tormillos*, 1075); 'terrón', 1859. Origen incierto: probte. prerromano, quizá de un *TŬRMO- de la raíz indoeuropea TUR- 'masa, bulto, hinchazón', trasmitido por los centroeuropeos precélticos de España. El mismo origen puede tener *turma* 'trufa, criadilla de tierra', h. 1400 (en mozárabe, S. XI); 'testículo', 1490 (en cat., 1460), que parece corresponder a una base *TŪRMA, cuya ū se debería a una variante prerromana, o más bien a influjo del sinónimo lat. *tūber*. Cᴘᴛ. *Aguaturma*, 1817.

Tornaboda, tornada, tornadizo, V. *torno Tornado*, V. *tronar Tornapunta, tornar, tornasol, tornasolado, tornavirón, tornavoz, tornear, torneo, tornera, tornería, tornero, tornillo*, V. *torno*

TORNIQUETE, 1843. Del fr. *tourniquet* íd., propte. 'viga erizada de púas para estorbar el paso del enemigo', y antes 'cota de armas', alteración (bajo el influjo de *tourner* 'dar vuelta') del fr. ant. *tunicle*, tom. del lat. *tŭnĭcŭla* 'pequeña túnica'.

TORNO, 1220-50. Del lat. ᴛᴏʀɴᴜs, y éste del gr. *tórnos* 'torno, instrumento de torneador o tornero' (deriv. de *téirō* 'yo perforo'). Dᴇʀɪᴠ., casi todos relacionados con la idea de 'dar vueltas (como un torno)': *Tornear*, 1335; *torneador*, 1604; *torneo*, 1220-50. *Tornero*, 1490, *-era*; *tornería. Tornillo*, 1490; *atornillar*; *destornillar. Torniscón*, 1603. *Turnio*, 1545, probte. lat. vg. *ᴛᴏʀɴᴇᴜs. *Tornar*, h. 950, lat. ᴛᴏʀɴᴀʀᴇ 'tornear, labrar al torno', 'dar vueltas (a un objeto, p. ej., la barba)'; del fr. *tourner* 'dar vueltas' y luego 'alternar, turnar': cast. *turnar*, 1739, de donde *turno*, princ. S. XVII; del correspondiente fr. *tour* 'vuelta, paseo', viene el ingl. *tour* 'viaje', del cual derivan *tourism, tourist*, y de éstos se tomaron *turismo, turista. Tornada*, h. 1140. *Tornadizo*, 947. *Contorno*, 1490, del it. *contorno*, princ. S. XV, deriv. de *contornare* 'circundar'; *contornar*, 1438; *contornear. Entornar*, 1505, cuyo sentido primero pudo ser el de 'inclinar a un lado' (de ahí en las hablas del Norte 'volcar'), luego 'inclinar la puerta hacia donde se cierra'. *Retornar*, h. 1300; *retorno*, 1444. *Trastornar*, 1495; *trastorno*, med. S. XVII. Cᴘᴛ. *Tornaboda. Tornapunta*, 1832. *Tornasol*, 1438, quizá tomado del it. *tornasole*, S. XIV, así llamado por dar vueltas con el sol; *tornasolar*; *tornasolado. Tornavirón*, 1739, del fr., donde *tournevirer* era antiguo con el sentido de 'dar vueltas en redondo' (cpt. con *virer* 'dar vuelta'). *Tornavoz*, 1899, adaptación del cat. *tornaveu* íd., 1805.

TORO, 1102. Del lat. ᴛᴀᴜʀᴜs íd. Dᴇʀɪᴠ. *Torada. Torear*, 1554; *toreador*, h. 1550; *toreo*, 1651 (la *lidia* de toros se menciona con este nombre h. 1280). *Torero*, 1534, lat. ᴛᴀᴜʀᴀʀɪᴜs 'gladiador que lidiaba toros', S. I d. J. C. *Torete*, 1739. *Toril*, 1616; *entorilar. Torionda*, 1495 (igual

sufijo que en *verriondo, cachonda, hediondo).* Cultismo: *Taurino*, 1444. Cᴘᴛ. *Tauromaquia*, S. XIX, cpt. del gr. *tâuros* y *mákhomai* 'yo peleo'; *tauromáquico*.

Toro 'bocel', V. *tuero Torondo*, V. *tolondro*

TORONJA 'fruto europeo parecido a la naranja y el limón', 1335, hoy en América aplicado al pomelo o *grape-fruit*. Del ár. *turúnŷa*, extranjerismo de origen oriental en árabe. Dᴇʀɪᴠ. *Toronjo*, 1495. *Toronjil*, 1495, del ár. granadino *turunŷin*.

Torozón, V. *torcer*

TORPE, h. 1140. Del lat. ᴛᴜʀᴘɪs 'feo, deforme', 'innoble, ruin, infame'. La acepción 'desmañado' se debe a una innovación ya antigua en cast., 1220-50. Dᴇʀɪᴠ. *Torpeza*, 1490. *Entorpecer*, 1495; *entorpecimiento*, 1495. Cultismos: *Turpitud. Deturpar.*

TORPEDO, h. 1545. Tom. del lat. *torpēdo, -ĭnis*, íd., deriv. de *torpēre* 'estar aterido, paralizado', por la parálisis que causa su contacto. Propte. es nombre de un pez; la acepción bélica es figurada, princ. S. XX. Dᴇʀɪᴠ. *Torpedear*, 1915; *torpedeo. Torpedero.* Otros deriv. de *torpēre*: *torpor, tórpido.*

Torpeza, V. *torpe Tórpido, torpor*, V. *torpedo Torrar*, V. *tostar* y *atorrante*

TORRE, 929. Del lat. ᴛᴜʀʀɪs íd. Dᴇʀɪᴠ. *Torrejón*, ant., 1220-50; *torreón*, h. 1570, quizá de *torreyón*, variante dialectal del anterior. *Torrero.*

Torrefacción, torrefacto, V. *tostar Torrencial*, V. *torrente*

TORRENTE, 1490. Tom. del lat. *torrens, -ĕntis*, íd., deriv. del lat. *torrēre* 'secarse' (V. *TOSTAR*). Dᴇʀɪᴠ. *Torrentera. Torrencial.*

Torreón, torrero, V. *torre Torrezno, tórrido*, V. *tostar Torsión*, V. *torcer*

TORSO, 1843. Del it. *torso* 'busto del cuerpo humano', propte. 'tallo, troncho', y éste del lat. ᴛʜʏ́ʀsᴜs, a su vez tomado del gr. *thýrsos* 'tallo de las plantas'.

TORTA, S. XIII. Palabra común a todas las lenguas romances y ya documentada en el latín tardío, S. IV, TŎRTA, cuya ŏ separa irreconciliablemente esta palabra de TŎRTA participio de TORQUERE 'torcer'. Probte. sacada por el latín vulgar del gr. *tŏrtídion*, contracción de *tò artídion* 'el panecillo', diminutivo de *ártos* 'pan', 'un pan', 'una turta'. De una contracción diferente de las mismas palabras parece resultar el fr. *tarte* 'especie de torta', S. XIII, de donde el cast. *tarta*, 1420.

DERIV. *Tortada*, princ. S. XVII. *Tortazo. Tortero. Tortela*, 1490. *Tortilla*, princ. S. XVII. *Tortita. Tartera*

Tortera, V. *torcer*   *Tortero*, V. *torcer* y *torta*   *Tortícolis*, V. *torcer*   *Tortilla, tortita*, V. *torta*

TÓRTOLA, h. 1325; antes *tórtora*, 1220-50. Del lat. TŬRTUR, -ŬRIS, íd.
DERIV. *Tórtolo*, S. XVII. *Tortolilla*, 1335.

Tortor, V. *torcer*

TORTUGA, 1495, antes *tartuga*, 1490. En italiano y en cat. antiguo (S. XIII) *tartaruga*. Probte. del femenino del lat. tardío TARTARŬCHUS 'demonio', y éste del gr. *tartarûkhos* íd., cpt. de *tártaros* 'infierno' y *ékhō* 'yo habito'. Los orientales y los antiguos cristianos tomaron la tortuga, por habitar en el lodo, como personificación del mal y de la herejía.

Tortuoso, tortura, torturar, V. *torcer Torunda*, V. *tolondro*

TORVISCO, S. X. Del lat. hispánico TŬRBĬSCUS, S. IV, deriv. de *TŬRBĬSCĀRE 'envenenar el agua de los ríos con bayas de torvisco para emborrachar los peces y pescarlos', y éste del lat. TŬRBĀRE 'perturbar', 'enturbiar'.

TORVO 'de aspecto fiero, amenazador', h. 1570. Tom. del lat. *tŏrvus* íd.

Torzal, torzón, torzonado, V. *torcer*

TOS, 1335. Del lat. TŬSSIS íd.
DERIV. *Toser*, h. 1400, del lat. TŬSSĪRE íd.

TOSCO 'grosero, inculto', princ. S. XV. Voz común a las tres lenguas romances peninsulares y no del todo ajena a las de Francia. Probte. procedente del lat. vg. TŬSCUS 'disoluto, desvergonzado', 'vil', por alusión a la gente baja o libertina que vivía en el *Vicus Tuscus* o barrio etrusco de Roma (lat. clás. *tuscus* 'etrusco, toscano').
DERIV. *Tosquedad*, 1495. *Tosca* 'toba, depósito calizo que dejan las aguas', h. 1900, vivo regionalmente en el Este de Es-

paña y parte austral de América, más en cat. (1371) y port. (1661).

Toser, V. *tos*

TÓSIGO 'veneno', 1251. Tom. del lat. *tŏxĭcum* íd., y éste del gr. *toxikòn phármakon* 'veneno para flechas', deriv. de *tóxon* 'arco de tirar'. Variante culta *tóxico*, h. 1580, rara hasta el S. XIX.
DERIV. *Atosigar*, h. 1440, o *entosigar. Toxicidad. Toxina*, h. 1900. *Intoxicar*, S. XIX (*ent-*, h. 1300); *intoxicación*.
CPT. *Toxicología; toxicológico. Toxicomanía; toxicómano.*

Tosquedad, V. *tosco*   *Tosquilar*, V. *esquilar*

TOSTAR, 1220-50. Del lat. vg. TŎSTĀRE, intensivo de TORRĒRE íd. De éste viene el regional *torrar* o *turrar*.
DERIV. *Tostada*, h. 1490. *Tostado. Retostado. Tostón. Tueste. Torrija*, princ. S. XVII, o *torreja*, h. 1500. *Torrezno*, 1495.
Cultismo: *Tórrido.*
CPT. *Torrefacto; torrefacción.*

Tostón, V. *tostar* y *tiesto*   *Total, totalidad, totalitario*, V. *todo*

TOTEM, 1936. En inglés, h. 1770. De una lengua norteamericana, de la familia algonquina.
DERIV. *Totemismo*, 1925. *Totémico.*

TOTORA, amer., h. 1590. Del quichua *totóra* 'especie de espadaña'.
DERIV. *Totoral.*

TOTOVÍA, 1739. Onomatopeya.

TOTUMA, amer., h. 1565. Del caribe *tutum* 'calabaza'.
DERIV. *Totumo*, h. 1740.

Toxicidad, tóxico, toxicología, toxicomanía, toxicómano, toxina, V. *tósigo To-yaga*, V. *tojo*   *Toza*, V. *tozuelo*   *Tozo*, V. *retozar* y *tozuelo*   *Tozudo*, V. *tozuelo*

TOZUELO 'pescuezo grueso de un animal', 1607. Diminutivo del provincial *tozo* íd., y éste sacado de *toza* 'cepa de un árbol', 1535 (hoy sobre todo aragonés), en el sentido de 'objeto voluminoso'. *Toza* es antigua voz común a las tres lenguas romances peninsulares. De origen incierto, probte. de un prerromano *TAUTIA 'mata, cepa de árbol' (V. *ATOCHA* y *RETOZAR*), de la cual será afín *TAUTA, de donde los port. *touta* y *toutiço*, h. 1500, 'cogote'.
DERIV. *Tozolón* y *tozolada*, 1739. *Tozudo*, 1780, cat. *tossut* 'terco', deriv. del citado *tozo*, cat. *tòs* 'cerviz', princ. S. XV; *tozudez*.

Traba, trabacuenta, trabado, V. *trabar*

TRABAJAR 'sufrir', 'esforzarse, procurar por', 1220-50, de donde más tarde 'laborar, obrar', S. XIV. Del lat. vg. *TRĪPALĬARE 'torturar', deriv. de TRĪPALĬUM 'especie de cepo o instrumento de tortura', S. VI. Éste es cpt. de TRES y PALUS, por los tres maderos cruzados que formaban dicho instrumento, al cual era sujetado el reo. Dè *trabajar* deriva el sustantivo *trabajo*, 1212, que conserva en la Edad Media y aun hoy en día el sentido etimológico de 'sufrimiento, dolor'. La forma primitiva fue *trebajar*, que luego sufrió asimilación de las vocales, pero con *tre-* se pronuncia todavía en el Alto Aragón y en cat. y oc.
DERIV. *Trabajador*, h. 1570. De *trabajo*: *Trabajoso*, 1438.

Trabalenguas, V. *trabar*   *Trabanca*, V. *tabla y trabar*

TRABAR, 1155. Probte. deriv. del lat. TRABS, -BIS, 'viga', 'madero', por los palos con que suele trabarse a los animales y carruajes. Al cast. *traba*, 1220-50, corresponde en portugués *trave* íd., cuya terminación corresponde bien a la del lat. TRABS. Luego es verosímil que *traba* venga de *trabe, modificado a causa de su género femenino, y que de este sustantivo derive en romance el verbo *trabar*.
DERIV. *Trabilla*; *trabón*. Trabanco y el ant. *trabanca* 'viga', S. XIV, de donde *atrabancar*. *Trabazón*, 1490. *Destrabar*. *Trastrabarse (la lengua)*, S. XIX, *caballo trastrabado*, h. 1640; de donde *trastabado*, S. XIV, y *trastabar* 'dar traspiés', amer., y de ahí *trastabillar* 'dar traspiés', h. 1500 (ant. y hoy en algunas partes *trastrabillar*, h. 1510).
CPT. *Arquitrabe*, 1570, tom. del lat. *trabs* 'viga', con el prefijo gr. *arkhi-* 'principal'. *Trabalenguas*. *Trabacuenta*.

Trabilla, trabón, V. *trabar*

TRABUCAR, S. XV y ya XIV, 'trastornar, trastocar'. Del cat. u oc. *trabucar*, SS. XII y XIII, 'volver lo de arriba abajo', 'caer, tropezar', deriv. de *buc* 'vientre', 'capacidad interior de algo' (para cuyo origen V. *BUQUE*).
DERIV. *Trabuca* 1739. *Trabucador*, S. XIV. *Trabuco*, ant. 'astucia', 1220-50; 'especie de catapulta', 1444, de donde luego 'especie de escopeta': del cat. *trabuc*.; *trabucaire*, S. XIX, del cat. íd.; *trabucazo*; *trabuquete*.

Traca 'fuego artificial', V. *traque*

TRACA 'hilada de tablas en un buque', med. S. XVIII. Probte. del ingl. anticuado *strake* íd., por conducto del fr. anticuado *estraque*, S. XVII (pronunciado *étraque*).

Trácala, tracalada, tracamundana, V. *traque*   *Tracción*, V. *traer*   *Tracista*, V. *trazar*   *Tracoma*, V. *tráquea*   *Tractor*, V. *traer*

TRADICIÓN, med. S. XVII. Tom. del lat. *traditio, -onis*, 'entrega', 'trasmisión', deriv. de *tradĕre* 'trasmitir', 'entregar'.
DERIV. *Tradicional*; *tradicionalismo, tradicionalista. Tradicionista.*

Tradicional, tradicionalista, V. *tradición*   *Traducción, traducir, traductor*, V. *aducir*

TRAER, h. 1140. Del lat. TRAHĔRE 'tirar de algo', propte. 'arrastrar'.
DERIV. *Tracción*, tom. del lat. *tractio, -onis*, íd.; *tractor. Atraer*, med. S. XV, lat. *attrahĕre* íd.; *atrayente*; *atracción*; *atractivo*, h. 1440. *Abstraer*, h. 1500, lat. *abstrahĕre*; *abstracción*; *abstracto*, 1499. *Contraer*, 1490, lat. *contrahere* íd.; *contrayente*; *contracción*; *contráctil*; *contrato*, 1490, lat. *contractus, -us*; *contratista*; *contratar*, 1438; *contrata*, 1729; *contratación*, 1495; *contratante*; *contractual*.
Detraer, princ. S. XV, lat. *detrahere* 'quitar mérito'; *detractar*, 1438; *detractor. Distraer*, 2.ª mitad S. XV, lat. *distrahĕre* íd.; *distracción*, 1580; *distraído*, 1603. *Extraer*, princ. S. XVIII, lat. *extrahĕre* íd.; *extracción*; *extracto*, h. 1590; *extractar*, 1817. *Retraer* 'echar hacia atrás', h. 1300; *retraimiento*, 1495; *retráctil*; *retracto*, 1737; *retractar*, 2.º cuarto S. XV, lat. *retractare* 'retocar, revisar, rectificar'; *retractación. Retrato*, 1570, del it. *ritratto* íd., deriv. de *ritrarre* 'retraer' y 'retratar'; *retratista*; *retratar*, 1570, it. *ritrattare*.
Del catalán *retret*, propiamente participio correspondiente a *retraído*, y luego 'cuarto pequeño e íntimo', se tomó el cast. *retrete* íd., 1438, 'letrina, excusado', 1832. Del fr. *retraite* 'retirada', el cast. *retreta*, 1737. *Sustraer* o *subs-*, princ. S. XVII, lat. *substrahĕre* íd.; *sustracción*; *sustraendo. Tratar*, 1220-50, lat. *tractare* íd., propte. 'toquetear, tocar', 'manejar', 'administrar'; *trata*, S. XIX; *tratado*, 1220-50, *tratadista*; *tratamiento*, 1495; *tratante*, 1438; *trato*, 1495.
CPT. *Retrotraer*, fin S. XVII, lat. *retro trahere* 'echar hacia atrás'. *Tractocarril. Maltrecho*, 1220-50, que en el S. XIII era todavía mero participio pasivo del ant. *maltraer* 'maltratar', 'reprender', 1220-50, hoy sólo conservado en la locución *traer* o *llevar alguno a maltraer. Maltratar*, h. 1275.

Trafagar, tráfago, V. *trasegar*

TRAFALMEJO, 1614, o **TRAFALMEJAS**, h. 1900, 'persona audaz y de poco seso', antes *trafalnejas*, 1587. Probte. del ár. *'aṭrâf alnês* 'hombres de baja condición', alterado por la interpretación popular, que vio en el vocablo el nombre de un infeliz que vivía de atrapar almejas (de ahí la variante americana *trapalmejas* 'infeliz, parapoco').

Traficante, traficar, tráfico, V. *trasegar Tragacanto,* V. *tragedia*

TRAGACETE 'especie de dardo', h. 1290. Origen incierto. Voz exclusiva y común al cast. y el vasco, donde además *tragaza* y *tragatz* valen 'cuchilla para desmenuzar árgoma', y *tragas* 'arado de varias rejas'. Sin embargo, no se puede descartar del todo la idea de que en vasco estos vocablos procedan del castellano antiguo (y aun si fuesen más viejos no pueden ser allí aborígenes); ni, por lo tanto, la sospecha de que el vocablo proceda de una fuente marroquí o arábiga, por lo demás hasta aquí hipotética; de todos modos, no se habla de tragacetes en relación con los moros hasta fecha tardía y sólo en fuentes cristianas.

TRAGAR, 1220-50. Voz propia del cast. y el port., en catalán *dragar.* Origen incierto. Probte. se sacó del lat. DRACO, -ŌNIS, 'monstruo devorador', del cual existe una antigua variante TRACO, princ. S. VII (también aplicada a un sumidero que se traga las aguas de la tierra, acepción en la cual tuvo curso en la Edad Media en varios países de lengua latina). Para el cambio de *dr-* en *tr-,* V. *TRAPO, TRAGONTÍA, TROMPICAR.* De 'devorar' se pasó a 'deglutir'.
Deriv. *Tragadero,* 1490; *tragaderas. Tragador. Tragante*; *tragantada*; *tragantón,* 1490; *tragantona*; *atragantar,* princ. S. XVII. *Trago,* 1438. *Tragón,* h. 1280; *tragonería*; *tragonear.*
Cpt. *Trágala. Tragaldabas,* 1739. *Tragaleguas,* 1739. *Tragaluz,* 1739.

TRAGEDIA, 1438, lat. *tragoedĭa.* Tom. del gr. tragōĭdía íd., propte. 'canto o drama heroico', cpt. de *trágos* 'macho cabrío' y *aéidō* 'yo canto', por el papel que se hacía desempeñar a este animal en las fiestas griegas donde se cantaban tragedias.
Deriv. *Trágico,* 1444, gr. tragikós íd., derivado de *trágos.* De éste, el cast. *trago,* que ya tomó este sentido en griego, por el pelo que suele cubrirlo.
Cpt. *Antitrago. Tragicomedia,* 1502, de *trágico-comedia*; *tragicómico. Tragacanta,* 1555, o *tragacanto*: gr. tragákantha, propiamente 'espina de macho cabrío'; de éste es deformación el fr. *adragant,* S. XVI, de donde cast. *adragante,* 1817, o *adraganto.*

Trago, V. *tragar*; 'prominencia de la oreja', V. *tragedia Tragón, tragonear,* V. *tragar*

TRAICIÓN, h. 1140. Tom. del lat. *traditio, -ōnis,* 'entrega', deriv. de *tradĕre* 'entregar'.
Deriv. *Traicionar,* 1855. *Traicionero,* 1641. *Traidor,* h. 1140, tom. del lat. *traditor, -oris,* 'entregador', 'traidor', que deriva igualmente de *tradere.*

Traidor, V. *traición*

TRAÍLLA 'especie de rastrillo para igualar el terreno', 1739; 'cuerda con que se lleva atado el perro', 1335. Del lat. vg. *TRAGĔLLA,* diminutivo de TRAGŬLA, que designa un rastrillo para igualar y otros objetos que se llevan arrastrando, como la traílla del perro; deriv. de TRAHERE 'arrastrar'. De TRAGULA, en este sentido de 'cuerda que se lleva arrastrando', el cat. *tralla* 'cuerdecita de la punta del látigo', 'látigo', de donde el cast. *tralla,* 1832.
Deriv. *Tralleta,* 1832. *Atraillar,* 1495.

Traína, traíña, V. *trajinar*

TRAJE 'vestido', princ. S. XVII, antes 'manera de vestir', 1495. Del port. *traje* íd., deriv. del port. ant. y dial. *trager* (hoy *trazer*), en particular 'llevar un vestido o adorno', y en general del mismo significado y origen que nuestro *traer.*
Deriv. *Trajear.*

TRAJINAR, 1607. Del cat. *traginar,* 1176, íd., y en general 'acarrear'. Éste viene del lat. vg. *TRAGĪNĀRE* íd., voz común a todas las demás lenguas romances y deriv. del lat. TRAHĔRE 'arrastrar' (participio TRACTUS, lat. vg. *TRAGĔRE*).
Deriv. *Trajín,* 1607, del cat. *tragí* íd. Del mismo origen el cast. genuino *traína,* 1.ª mitad S. XV y su variante gallega *traíña,* 1832. Del fr. *train* 'arrastre', de igual origen: *tren,* med. S. XVII, y del fr. *traîner,* pasado al ingl. *to train*: cast. *entrenar,* h. 1915; *entrenamiento, entreno. Trineo,* princ. S. XVII, del fr. *traîneau* íd.
Cpt. *Avantrén,* del fr. *avant-train.*

Tralla, tralleta, V. *traílla*

TRAMA, 1335, 'hilos que cruzados con la urdimbre forman la tela', 'contextura, artificio'. Del lat. TRAMA íd.
Deriv. *Tramar,* h. 950; *entramar, -ado. Tramo,* 1611: las acepciones primitivas parecen ser las hoy conservadas dialectalmente por el cat. *tram* 'unión de varias almadías de troncos', 'hilera de plantas sembradas en un huerto', de donde 'tramo de escalera', etc.

Tramallo, V. *malla Tramitación, tramitar,* V. *trámite*

TRÁMITE, 1438. Tom. del lat. *trames,* *-ĭtis,* 'senda', de donde 'vía legal que debe seguir una gestión' (deriv. de *meare,* vid. *PERMEABLE*).

Deriv. *Tramitar,* S. XIX; *tramitación,* S. XIX.

Tramo, V. *trama*

TRAMOJO 'atadura para sujetar un preso, para atar los haces de la siega', h. 1290; 'palo que se pone a los animales para trabarlos', fin S. XVI. En portugués *trambolho.* Origen incierto. Quizá *TRAMŬCŬLUM, del lat. TRAMA 'encadenamiento del tejido', aplicado a un hilo gordo de cáñamo. Suponiendo que en port., *tramolho,* hoy conservado en gallego, se alterara en *trambolho* por haberse producido una mezcla entre las formas de esta palabra y las de *taravela* 'tarabilla', 'aldaba', 'tramojo', mezcla en cuya virtud ésta se cambió en *taramela* y *trambelho,* aunque es palabra derivada de *traba.*

Tramontana, tramontar, V. *monte*

TRAMOYA, 1617. En las provincias del Norte designa todavía la tolva del molino, y luego una palanca destinada a parar la marcha del mismo, de donde pasó a designar una máquina teatral, 1617, y luego 'ardid, maña', 1626. En el sentido primitivo, 'tolva', es voz hermana del port. dial. *tremoia* (port. *tremonha*), cat. *tremuja,* fr. *trémie,* it. *tramoggia* 'tolva'. El origen de éste no está bien aclarado, pero es probable que sea un cpt. de MŎDĬUM 'fanega de grano' con TRĔMĔRE 'temblar', por alusión al movimiento continuo de la tolva: TREMEMODIA 'fanegas que tiemblan o se zarandean', luego contraído en *TREMŎDĬA (comp. *tremielga, mariposa,* etc.). Deriv. *Tramoyista.*

TRAMPA, 1505, 'tabla que se abre en el suelo al pisarla', de donde 'artificio, cosa que engaña', 'ardid engañoso', 1505; de la situación falsa del que se pone sobre una trampa se pasó a la de 'deuda', princ. S. XVII. Voz común a las tres lenguas romances de la Península, y afín a la forma *trapa,* que tiene el mismo sentido en port., asturiano, catalán y en las lenguas de Francia e Italia. Ambas variantes forman parte de una familia de palabras de raíz TRAPP- o TRAMP- que con el sentido general de 'pisar' se encuentra en las lenguas germánicas y romances, y que es antigua en aquéllas (alem. *treppe* 'peldaño, escalera', neerl. *trappen,* alem. *trampeln* 'patalear', 'pisar', etc.), pero es poco probable que el romance la tomara del germánico. El origen en definitiva es onomatopéyico, de la voz ¡TRAP!

o ¡TRAMP!, que imita el ruido de un cuerpo pesado en marcha. Comp. *TREPAR.*

Deriv. *Trampal* 'atolladero', h. 1570, propiamente 'lugar donde se pisa con pesadez'. *Trampazo,* 1739, comparado con la caída de la trampa sobre el animal. *Trampear,* h. 1540. *Trampero,* S. XIX. *Trampilla,* 1554. *Trampista,* 1612. *Tramposo,* 1490. *Trampolín,* med. S. XIX, del it. *trampolino,* 1585. *Entrampar,* 1539. De la variante *trapa,* viene probte.: *Trápala* 'estruendo', propiamente el causado por el pisoteo de una multitud, 1495, de donde 'hombre muy hablador', 1817, 'engaño', med. S. XIX; *trapalear,* 1817; *trapalón,* 1817. Del port. *trapa* 'armadijo' deriva port. *trapaça,* S. XV, de donde cast. *trapaza,* 1475; *trapacear,* S. XVII; *trapacero, trapacería; trapacista,* princ. S. XVII; *entrapazar.*

Cpt. *Trapatiesta,* h. 1900, formado con el antiguo participio *tiesto* 'tendido'. *Trampantojo,* 1588, de *trampa ante ojo* (los judíos lo emplean todavía para 'perturbación de la vista').

Trampal, trampantojo, trampazo, trampear, trampolín, tramposo, V. *trampa*

TRANCA, h. 1335 (y ya S. XIII). Voz patrimonial del cast. y el portugués. Al parecer, prerromana, de origen incierto. Probablemente célt. *TRANCĀ (o *TARANCĀ), afín al galo *tarinca* 'espetón, barra de hierro', gaélico *tarrang* 'clavija, tarugo'; de la raíz indoeuropea TER-, TR-, 'perforar', que luego se aplica a muchos enseres de hierro o madera más o menos puntiagudos o contundentes; comp. *TARUGO.*

Deriv. *Trancazo* 'golpe de tranca', de donde 'gripe'. *Tranco,* 1495: la evolución de sentido parece haber sido de 'barra' a 'peldaño' (con el cual ya aparece *tranc* en Ribagorza, h. 1260), a 'paso que da el que baja escalones' y de ahí 'paso largo o saltado' y 'golpe que se recibe al darlo'; *tranquillo; tranquillón,* 1765-83. *Tranquear. Tranquera* 'empalizada de trancas', h. 1570, cuya variante antigua *taranquera,* h. 1400 (con *a* quizá conservada desde el céltico) se cambió en *talanquera,* h. 1400. *Atrancar,* 1290; *atranco, atranque. T(a)rangallo,* h. 1900, o *taragallo,* h. 1800, voz dialectal de origen aragonés o leonés.

Trancazo, V. *tranca*

TRANCE 'momento crítico, esp. el de la muerte', h. 1400. Deriv. del antiguo *tranzar* 'destruir', 'cortar, tronchar', SS. XIII-XVI. Éste es de origen incierto, mas es probable que se relacione con el fr. ant. *trenchier* (hoy *trancher*), oc. y cat. *trencar* 'cortar', que a su vez son de origen oscuro. Probte. vienen de un céltico *TRENCŌ 'yo corto, yo termino', de cuya raíz vienen el galés *trengu* 'morir', *tranc* 'fin', 'muerte', *trŵch* 'cortado, mutilado', 'corte, incisión', bretón *trouc'ha* 'cortar', irl. ant. *trécud* 'abandonar', lituano *trìnka* 'tajo de cortar'. El cast. *tranzar* puede venir de una variante céltica *TRANCIŎ, con la vocal del galés *tranc*. Del fr. ant. *trenchier* se tomó el cast. *trinchar*, fin S. XVI.

Deriv. *Trincha*, med. S. XIX, porque ciñe y como que parte el cuerpo en dos. *Trinchante*, 1570. *Trinchera*, 1607; antes *trinchea*, h. 1570, del fr. *tranchée* íd.; *atrinchar*, *atrincheramiento*. *Trinchete*, med. S. XVI. *Trancha*, S. XIX, del fr. *tranche*.

Tranco, V. *tranca*   *Trancha*, V. *trance*

TRANCHO, 1817. Voz gallega de origen incierto.

Trangallo, V. *tranca*   *Tranque*, V. *estancar*   *Tranquear*, *tranquera*, V. *tranca*

TRANQUILO, h. 1440. Tom. del lat. *tranquillus* íd.
Deriv. *Tranquilidad*, h. 1440. *Tranquilizar*, 1737.

Tranquillo, *tranquillón*, V. *tranca*   *Transacción*, V. *transigir*   *Tra(n)sbordar*, *tra(n)sbordo*, V. *borde*   *Tra(n)scender*, V. *descender*   *Transcribir*, *transcripción*, *transcrito*, V. *escribir*   *Transcurrir*, *transcurso*, V. *correr*   *Transeúnte*, V. *transido*   *Transferencia*, V. *transferir*

TRANSFERIR, 1490, 'trasladar, trasmitir'. Tom. del lat. *transferre* íd., y 'trasportar', deriv. de *ferre* 'llevar'.
Deriv. *Transferencia*. *Transferible*. *Traslado*, 1335, lat. *translātus*, *-us*, 'acción de trasportar', de *translatum*, supino de *transferre*; *trasladar*, 1220-50. *Traslación*, 1220-50. *Traslaticio*.

Transfigurar, V. *figura*   *Transformar*, V. *forma*   *Tránsfuga*, V. *huir*   *Transfundir*, *transfusión*, V. *fundir*

TRANSGREDIR, 1571. Tom. del lat. *transgrĕdi* 'pasar a través'.
Deriv. *Transgresión*, 1580, lat. *transgressio*. *Transgresor*, S. XVII.

Transgresión, *transgresor*, V. *transgredir*   *Transición*, V. *transido*

TRANSIDO 'consumido de alguna penalidad o angustia', med. S. XIII. Al principio se empleaba sólo *transido de frío, de hambre, de dolor* y análogos, como uso figurado del participio del antiguo *transir* 'morir', princ. S. XIII, tom. del lat. *transīre* 'pasar más allá, traspasar'.
Deriv. *Transición*, lat. *transitio*, *-onis*, 'acción de pasar más allá'. *Tránsito*, 1220-50,

lat. *transitus*, *-us*, íd. *Transitar*, 1702; *transitivo*, 1739. *Transitorio*, 1438. *Transeúnte*, 1739, lat. *transiens*, *-eúntis*, participio activo de *transire*.

Transigencia, *transigente*, V. *transigir*

TRANSIGIR, 1739. Tom. del lat. *transĭgĕre* íd., propte. 'hacer pasar a través (de algo)', 'concluir (un negocio)'.
Deriv. *Transigente*; *transigencia*; *intransigente*, 1873, *intransigencia*. *Transacción*, 1597, lat. *transactio*, *-onis*, íd., deriv. de *transactus*, participio de *transigere*; de la pronunciación vulgar *transación* se ha sacado en América un verbo *transar* 'transigir'.

Transitar, *transitivo*, *tránsito*, *transitorio*, V. *transido*   *Tra(n)slaticio*, V. *transferir*   *Translúcido*, V. *luz*   *Transmigración*, V. *emigrar*   *Tra(n)smisión*, *transmitir*, V. *meter*   *Transmutación*, V. *mudar*   *Transparencia*, *transparente*, V. *parecer*   *Transpiración*, *transpirar*, V. *espirar*   *Tra(n)sponer*, V. *poner*   *Transportar*, *transporte*, V. *portar*   *Tra(n)sposición*, V. *poner*   *Transubstanciación*, *transu(b)stanciar*, V. *sustancia*   *Transvasar*, V. *vaso*   *Transverberación*, V. *reverberar*   *Transversal*, *transverso*, V. *verter*

TRANVÍA, 1869. Adaptación del inglés *tramway* 'línea de carriles para tranvía', cpt. de *tram* 'barra de madera o de hierro', 'carril, riel', y *way* 'vía, camino'. El sentido de 'coche o tren de tranvía' lo tomó *tramway* en Francia, de donde se importó el vocablo castellano.
Deriv. *Tranviario*.

Tranzar, V. *trance*   *Trapacear*, *trapacería*, *trapacero*, *trapacista*, V. *trampa*   *Trapajo*, *trapajoso*, V. *trapo*   *Trápala*, *trapalear*, *trapalón*, *trapatiesta*, *trapaza*, V. *trampa*

TRAPECIO 'cuadrilátero irregular', 1630. Tom. del gr. *trapézion*, propiamente diminutivo de *trápeza* 'mesa'; la acepción gimnástica, 1884, se explica porque el trapecio acrobático a menudo tiene la barra en dirección no horizontal y, por lo tanto, no forma cuadrilátero con los dos brazos de cuerda.
Deriv. *Trapecial*. *Trapezoide*.

Trapería, *trapero*, V. *trapo*   *Trapezoide*, V. *trapecio*

TRAPICHE 'molino de aceite', 1535; 'molino de azúcar', h. 1600: 'molino de pulverizar metales', S. XVII. Del dialecto mozárabe, donde es alteración normal del lat. TRAPĒTUS 'molino de aceite' (palabra de origen griego).

Deriv. *Trapichero*. *Trapichear*, med. S. XIX; *trapicheo*.

Trapillo, *trapío*, V. *trapo*

TRAPISONDA 'bulla y riña', 1739, 'embrollo, enredo', med. S. XIX. Del nombre del Imperio de Trapisonda (ciudad de Asia Menor), muy sonado en los libros de Caballerías y el *Quijote*, que gracias al ambiente de esos libros y por su aparente relación con *trápala* y *trapaza*, tomó sus acepciones actuales.

Deriv. *Trapisondear*, S. XIX. *Trapisondista*, S. XIX.

TRAPO, 1081. Del lat. tardío DRAPPUS íd., SS. V-VI. Voz de origen extranjero en latín, pero indoeuropea, probte. céltica o pre-céltica. La D-, conservada en las demás lenguas romances, se cambió en T- en cast. y en port. porque no existían palabras propiamente latinas que empezaran por DR-.

Deriv. *Trapajo*, S. XVII; *trapajoso*, 1739; *entrapajar*. *Trapero*, S. XIII; *trapería*. *Trapillo*. *Trapío*, med. S. XIX. *Entrapar*.

TRAQUE, 1490. Onomatopeya del estallido.

Deriv. *Traquear*, 1490. *Traquetear*, med. S. XIX; *traqueteo*. *Traquido* 'estampido', S. XV. *Traca*, h. 1900, del cat. *traca*.

Otras palabras expresivas u onomatopéyicas de base semejante: *Tracaleo*. *Trácala*. *Tracalada*, 1612. *Triquiñuela*, 1843.

Cpt. *Triquitraque*, 1739. *Tracamundana*, fin S. XVI. *Traquebarraque*, 1625.

TRÁQUEA, 1615. Abreviación del gr. *trakhêia artëría*, propte. 'conducto áspero, rudo, ronco'.

Deriv. *Traqueal*. Otros deriv. del adj. gr. *trakhýs* (masculino de *trakhêia*): *Tracoma*. *Traquita*.

Cpt. *Traqueotomía*. *Traquearteria*.

Traquear, V. *traque*   *Traquearteria*, V. *tráquea*   *Traquebarraque*, V. *traque*   *Traqueotomía*, V. *tráquea*   *Traquetear, traqueteo, traquido*, V. *traque*   *Traquita*, V. *tráquea*

TRAS, prep., 928. Del lat. TRANS 'más allá de'.

Deriv. *Trasero*, 1490; *trasera*. *Atrasar*, 1607; *atrasado*; *atraso*. *Retrasar*, 1607; *retraso*.

Cpt. *Atrás*, h. 1200. *Detrás*, 1163.

Trasabuelo, V. *tataranieto*   *Trasañejo*, V. *año*

TRASCA, 1739, 'anillo de correa o madera para sujetar el timón al yugo', 'correa curtida empleada para varios menesteres de labranza'. Cat. *tràsega* o *traiga*, oc. *tresega*,

piamontés *trasja*. Probte. de un lat. vg. *TRANSĬCA, deriv. de TRANSJĬCĔRE 'hacer pasar (por alguna parte)': porque el timón se introduce en la trasca.

Trascendencia, trascendental, trascendente, trascender, V. *descender*   *Trascolar*, V. *colar*   *Trasconejarse*, V. *conejo*   *Trascordarse*, V. *recordar*   *Trascorral*, V. *corral*   *Trasdós*, V. *dorso*

TRASEGAR, 1495, antiguamente *trasfagar*, 1399. En portugués *trasfegar*, cat. y oc. *trafegar*, it. *trafficare*. De origen incierto. Quizá de un lat. vg. *TRANSFRĬCARE (deriv. de FRICARE 'fregar'), de donde el cast. ant. *trasfregar* 'rozar prolongadamente, manosear', h. 1580, cuya segunda r se eliminaría por disimilación, pasando *trasfegar* a *tras(h)egar*, y yéndose de la idea de 'manosear' a la de 'llevar de acá para allá'. Del it. *trafficare*, princ. S. XIV, vino el cast. *traficar*, 1739; del cat. *trafegar* y de su deriv. *tràfec*, S. XIII, el cast. ant. *trafagar*, 1495, y *tráfago*, h. 1280.

Deriv. *Trasiego*, 1607. *Tráfico*, med. S. XVII; *traficante*, 1739.

Trasero, V. *tras*   *Trasfagar*, V. *trasegar*

TRASGO 'duende', 1495. Origen incierto. Probte. del antiguo verbo *trasgreer*, med. S. XV, o *trasgueer*, princ. S. XV, 'hacer travesuras', del lat. TRANSGRĔDI 'cometer infracciones', propte. 'cruzar', 'exceder' (deriv. de GRĂDI 'andar'). *Trasgueer* se cambió pronto en *trasguear* 'hacer el trasgo', SS. XVI-XVII, y de éste se extrajo *trasgo*.

Trasgreer, trasguear, trasgueer, V. *trasgo*   *Trashoguero*, V. *fuego*   *Trashumante, trashumar*, V. *exhumar*   *Trasiego*, V. *trasegar*   *Traslación, trasladar, traslado, traslaticio*, V. *transferir*   *Traslúcido, traslucirse, trasluz*, V. *luz*   *Trasmallo*, V. *malla*   *Trasmano*, V. *mano*   *Trasminante, trasminar*, V. *mina*   *Trasnieto*, V. *tataranieto*   *Trasnochar*, V. *noche*   *Traspalar*, V. *pala*   *Traspapelarse*, V. *papel*   *Traspasar, traspaso*, V. *paso*   *Traspié*, V. *pie*   *Trasplantar, trasplante*, V. *planta*   *Traspontín*, V. *punto*   *Trasquilar, trasquilón*, V. *esquilar*   *Trastabar, trastabillar*, V. *trabar*   *Trastada, traste, trastear*, V. *trasto*   *Trastejar*, V. *techo*

TRASTO, 1607, y **TRASTE**, med. S. XV. Del lat. TRANSTRUM 'banco de remero', que luego se aplicaría a cualquier mueble viejo, o a cada uno de los trastes de la guitarra, por comparación con la serie de bancos de una galera. La forma *traste* hubo de tomarse del cat. *trast*, princ. S. XIV, 'banco de remero', 'banco', 'trasto', 'lugar asignado a una persona', 'solar', 'trecho, trayecto', 'tras-

te de guitarra', y es probable que *trasto* también sea catalanismo, en vista de la fecha de aparición en ambos idiomas.
DERIV. *Trastada. Trastazo. Trastear,* 2.ª mitad S. XVI.

Trastocar, V. *trocar Trastornar, trastorno,* V. *torno Trastrabado, trastrabillar,* V. *trabar Trastrigo,* V. *trigo Trastrocar, trastrueque,* V. *trocar Trasudar, trasudor,* V. *sudar Trasuntar,* V. *trasunto*

TRASUNTO 'copia, reproducción', 1739; 'representación, símbolo de algo', h. 1570. Tom. del lat. *transsumptus, -us,* 'uso figurado de una locución', y en la Edad Media 'copia', deriv. de *transsumĕre* 'trasportar', y éste de *sumere* 'tomar'.
DERIV. *Trasuntar* 'copiar', 'compendiar', 1739, hoy en América 'expresar, revelar', 'trasparentar'.

Trata, tratado, tratamiento, tratante, tratar, trato, V. *traer*

TRAUMÁTICO, h. 1900. Tom. del gr. *traumatikós* íd., deriv. de *trâuma* 'herida'.
DERIV. *Traumatismo.*

Traumatismo, V. *traumático Través, travesaño, travesear, travesía, travesura, traviesa, travieso,* V. *verter Trayecto, trayectoria,* V. *abyecto Traza, trazado,* V. *trazar*

TRAZAR, 1495. Del lat. vg. **TRACTIARE* 'tirar una línea', voz común a todas las lenguas romances salvo el rumano, deriv. de TRAHĔRE 'tirar' (participio TRACTUS).
DERIV. *Traza,* fin S. XVI, *tracista. Trazado,* 1855. *Trazo,* 1495.

Trazo, V. *trazar*

TRÉBEDES, 984, con sus variantes *estrebes, estreudes.* Del lat. TRĬPĔDES, plural del adjetivo TRIPES, -EDIS, 'de tres pies', cpt. de TRES y PES, PEDIS, 'pie'.

TREBEJO 'objeto para jugar', S. XIII, 'juego', h. 1200, ant., hoy 'enser, trasto'. En portugués *trebelho,* S. XIII. Origen incierto. Quizá diminutivo de *trebe* 'trípode' (variante de *trébede*), que en varias lenguas romances se aplicó a diversos enseres, y pudo extenderse a todo objeto de juego.
DERIV. *Trebejar,* ant., 'jugar, juguetear', 1220-50.

TRÉBOL, 1390. Del cat. *trèvol,* tomado en calidad de término heráldico y suntuario; el cat., junto con el fr. *trèfle,* procede del gr. *triphyllon* íd., propte. 'de tres hojas', cpt. de *tri-* 'tres' y *phýllon* 'hoja'.
DERIV. *Al tresbolillo* 'en triángulo', 1817, forma de plantación que se opone a la

plantación en cuadro, alteración de *trebolillo* por influjo de *tres.*

Trece, V. *tres*

TRECHO 'distancia a que puede tirarse un proyectil', princ. S. XIV, 'espacio de camino', 1495. Del lat. TRACTUS, -US, íd., derivado de TRAHERE 'tirar'.
DERIV. *Trechear. Treta,* 1596, del fr. *traite,* término de esgrima, propte. 'tirada'.

TREGUA, 1155, 'armisticio, interrupción de las hostilidades'. Del gót. TRĬGGWA 'tratado'.
DERIV. *Atreguar.*

Treinta, treintena, V. *tres Tremebundo, tremedal, tremendo,* V. *temblar Trementina,* V. *terebinto Tremesino,* V. *mes Tremielga,* V. *mielga* II *Tremolante, tremolar, tremolina, trémolo, trémulo,* V. *temblar Tren,* V. *trajinar Trena, trencilla,* V. *trenza*

TRENZA, 1.ª mitad S. XIV. Resulta de un cruce de los dos sinónimos antiguos *treça,* 1280, y *trena,* 1338. Éste tiene el mismo origen que el cat. y oc. *trena* íd. y el it. *trina* 'trencilla'; a saber, el lat. TRĪNA 'triple', por los tres ramales que se entretejen en las trenzas; en latín vulgar el vocablo se cambiaría en **TRĒNA* por influjo de TRĒS y de los demás numerales distributivos (*sēnī* 'de seis en seis', *septēnī* 'de siete en siete', etc.). En cuanto a *treça,* hubo de tomarse del fr. ant. *trece* íd., S. XII (hoy *tresse*), hermano del it. *treccia* y oc. *tressa,* de origen incierto; quizá deriv. de *trecier,* S. XII, 'trenzar', y éste del lat. TERTIARE 'hacer algo por tercera vez', y de ahí 'triplicar', 'hacer una trenza de tres' (la trasposición de la R se debe al influjo de TRES y del sinónimo *trena*).
DERIV. *Trencilla,* 1605; *trencellín. Trenzar,* 1220-50 (*treç-*); *trenzado.*

TREO 'vela para navegar en popa, con viento fuerte', 1492. Del cat. *treu* íd., fin S. XIV, que parece tomado del fr. ant. *tref,* S. XII, 'vela', 'treo', propte. 'tienda de campaña'. Éste a su vez es de origen incierto, aunque emparentado desde luego con oc. ant. *trap* 'tienda de campaña'; quizá del lat. TRABS 'poste', de donde 'poste de tienda' y luego 'tienda'.

TRÉPANO, 1581. Del gr. *trýpănon* íd., y 'taladro'; quizá por conducto del fr. *trépan,* 1490, o del bajo lat. *trepanum.*
DERIV. *Trepanar,* 1581. *Trepanación.*

TREPAR 'subir a un lugar escarpado valiéndose de pies y manos', 1607; anteriormente, y ya a princ. S. XV, 'pasar la maro-

ma', 'hacer acrobacia', 'voltear por el aire como saltimbanqui'. Del mismo origen que el cat. ant. y oc. *trepar* 'pisar', 'patalear', 'retozar', 'danzar', S. XII, fr. ant. y dial. *tréper*. *triper* 'patear', 'saltar', 'danzar', S. XII. Todos ellos, de la onomatopeya TRIP o TREP, imitativa del ruido de pisar. Como la misma raíz está muy extendida en las lenguas germánicas de Occidente, no es seguro si se tomó del germánico o es creación onomatopéyica paralela en ambas familias lingüísticas, aunque esto último es más probable. Comp. *TRAMPA*.
DERIV. *Trepa*, 1495. *Trepador*, 1495.

TREPIDAR, fin S. XIX. Tom. del lat. *trepidāre* 'agitarse, temblar', deriv. de *trepĭdus* 'inquieto', 'trepidante'.
DERIV. *Trepidación*, 1617. *Trepidante*, 1817. *Intrépido*, 1584; *intrepidez*.

Treponema, V. *tropo*

TRES, h. 1140. Del lat. TRĒS íd.
DERIV. *Tresillo*, 1832. *Tercio*, 1155, tom. del lat. *tĕrtĭus* 'tercero'; sust. 'regimiento de infantería', 1570, probte. por ser el tercio de una unidad mayor; *terciar*, 1495; *terciado*; *tercia*. *Terceto*, 1515, del it. *terzetto*. *Terciana*, 1495. *Tercero*, h. 950, lat. TERTIARIUS; *terciario*; *tercera*; *tercerear*; *tercería*, 1495; *tercerilla*; *tercerol*, 1604, del cat. *tercerol* íd.; *tercerola*, 1739, del it. *terzaruola* -olo. *Trechel* 'trigo tremesino', 1513, del mozárabe **tercher*, equivalente del cast. *tercero*. *Terno*, 1495, lat. *tĕrnus* 'triple', 'tres cada uno'; *terna*, 1288; *ternario*. *Trino*, adj., 1438; lat. *trīnus* 'triple'; *trinidad*, 1220-50, lat. *trinitas, -atis*, íd.; *trinitario*. *Trío*, 1832, del it. *trio* íd., deriv. de *tria*, neutro del lat. *tres*. *Triásico*, deriv. del gr. *triás* 'conjunto de tres', con lo cual se combinó la terminación de *jurásico*, del fr. *jurassique*, deriv. de *Jura, jurassien*, por hallarse en este sistema montañoso.
CPT. *Tresalbo*, h. 1900. *Tresañal*, 1495. *Trescientos*, 1219, lat. TRECENTI. *Tremesino*, 1513. *Trece*, h. 1200, lat. TRĒDĔCIM íd. *Treinta*, h. 1140, lat. TRĪGĬNTA, vulgarmente **TRĪGĬNTA*: dio primero *treínta* (hoy todavía asturiano); *treintena, treintenario*; ordinal culto: *trigésimo* (*tricésimo*, 1438). *Triplo*, 1615, o *triple*, 1607, lat. *trĭplus*; *tríplice*, lat. *triplex, -icis*; *triplicidad*; *triplicar, tríplica*. *Terciopelo*, 1495, por ser tejido con dos urdimbres y una trama: *aterciopelar*. *Trocar*, 1832, del fr. *trocart* íd., alteración de *trois carres*, propte. 'tres ángulos cuadrados o esquinas'. Del griego: *Triedro*, con *hédra* 'base'. *Tricotomía*, cpt. de *tríkha* 'en tres' y *témnō* 'yo corto'.

Tresalbo, tresañal, V. *tres*   *Tresbolillo*, V. *trébol*   *Trescientos, tresillo*, V. *tres*   *Tresmallo*, V. *malla*   *Treta*, V. *trecho*   *Treza*, V. *trenza*

TRIACA, S. XVI (*atriaca*, 1251), lat. *theriaca*. Tom. del gr. *thēriakḗ* 'remedio contra el veneno de los animales', deriv. de *thēríon* 'animal'.
DERIV. *Triacal. Triaquero*.

Triangulación, triangular, triángulo, V. *ángulo*   *Triaquero*, V. *triaca*   *Triásico*, V. *tres*

TRIBU, 1490 (y ya alguna vēz en el S. XIII). Tom. del lat. *tribus* 'cada una de las divisiones tradicionales del pueblo romano'.
DERIV. *Tribuno*, h. 1275, lat. *trĭbūnus* 'magistrado de tribu'; *tribuna*, h. 1440, del b. lat. *tribuna* íd., propte. 'púlpito del tribuno'; *tribunal*, 1495, lat. *tribunal*; *tribunicio*, 1444.

Tribulación, V. *atribular*   *Tribuna, tribunal, tribunicio, tribuno*, V. *tribu*   *Tributación, tributar, tributario, tributo*, V. *atribuir*   *Tríceps*, V. *bíceps*   *Triclinio*, V. *inclinar*   *Tricolor*, V. *color*   *Tricornio*, V. *cuerno*   *Tricotomía*, V. *tres*   *Tricromía*, V. *cromo*   *Tricúspide*, V. *cúspide*

TRIDACIO, med. S. XIX. Deriv. del gr. *thrídax, -akos*, 'lechuga', de la cual se extrae este medicamento.

Tridente, V. *diente*   *Triduano, triduo*, V. *día*   *Triedro*, V. *tres*   *Trienal, trienio*, V. *año*   *Trifásico*, V. *fase*

TRIFORIO, S. XX. Cpt. culto del lat. *tres* 'tres' con *fores* 'puerta exterior' (aplicado a una ventana).

TRIFULCA 'desorden y camorra entre varias personas', 1836. Voz popular del mismo origen incierto que el cat. *trifulga* 'situación angustiosa'. Relacionada con el gall. *trafugar*, cast. dial. *trafulcar* 'trastornar, mezclar', y los asturianos *trebolga* 'bullicio' y *trebolgar* 'hervir con mucha fuerza'. Estos últimos proceden de un lat. vg. **TRANSBŬLLĬCARE* 'bullir, burbujear', derivado de BULLIRE 'bullir, hervir'. Los demás resultan probte. de cruces y alteraciones de este vocablo por influjo de *trafagar* y *trabucar*.

Trigal, V. *trigo*   *Trigésimo*, V. *tres*   *Triglifo*, V. *glíptica*

TRIGO, 964. Del lat. TRĪTĬCUM íd.
DERIV. *Trigal. Trigueño*, princ. S. XVII, propte. 'del color del trigo: entre rubio y moreno', luego 'moreno'. *Triguera*, h. 1100; *triguero*, 1076.
Cultismo: *tritíceo*.
CPT. *Trastrigo, buscar pan de —*, antiguamente *buscar mejor que pan de trigo*.

TRIGONOMETRÍA, 1727. Cpt. del gr. *métron* 'medida' con *trígōnos* 'triángulo' (a su vez cpt. de *trêis* 'tres' y *gōnía* 'ángulo'). DERIV. *Trigonométrico.*

Trigueño, triguero, V. *trigo   Trilingüe,* V. *lengua   Trilítero,* V. *letra*

TRILOGÍA, S. XIX. Tom. del gr. *trilogía* íd., cpt. de *tri-* 'tres' y *lógos* 'tratado'. *Tetralogía* íd., íd., formado con *tetra-* 'cuatro'.

TRILLO, 1222. Del lat. TRĪBŬLUM íd.
DERIV. *Trillar,* 1074, lat. TRĪBŬLĀRE íd., y figuradamente 'marcar huellas en un camino a fuerza de frecuentarlo', S. XVI; *trilla,* h. 1580.

Trillón, V. *billón   Trimestral, trimestre,* V. *mes*

TRINAR 'gorjear las aves', princ. S. XVII, y figuradamente 'rabiar, impacientarse', h. 1800. Probte. onomatopeya; lo son también, con forma algo distinta, sus sinónimos it. *trillare,* alem. *trillern,* ingl. *trill,* gr. *teretízō.*
DERIV. *Trino.*

Trinca, trincadura, V. *trincar*

TRINCAR, 1587, 'atar fuertemente', náutico. Común a las tres lenguas romances peninsulares y al italiano. Origen incierto. Quizá alteración del fr. ant. *tringler, tingler,* 'unir las tablas de un buque', que viene del escand. ant. *tengja* 'unir', 'atar'. Puede suponerse que *trincar* empezó significando 'unir con piezas de madera', de donde *trancanil* (abajo); *tringler* se cambiaría en *trincar* en portugués y castellano por una alteración de fonética vulgar ayudada por el influjo del port. *trincar* 'romper' (tom. del oc. *trencar,* V. *TRANCE*): del cast. quizá pasó al italiano, donde no hay noticias del mismo antes de fin S. XVI.
DERIV. *Trinca* 'ligadura', h. 1550, de donde 'grupo de tres cartas', 1628 (en cat., 1460), por influjo de *tres* y *trinidad,* y luego 'grupo de tres cosas cualesquiera'; *contrincante,* 1817. *Trincadura,* 1848. *Trinquete* 'cama de cordeles', 1573. *Trancanil,* 1587, metátesis de *trancalín,* h. 1620, it. *trincarino,* 1330.

Trincha, trinchante, trinchar, trinchera, trinchete, V. *trance   Trineo,* V. *trajinar   Trinidad, trinitario,* V. *tres   Trino,* V. *trinar   Trinomio,* V. *binomio*

TRINQUETE, 1492; antes *triquete,* h. 1440 (forma que persiste hasta el S. XVIII). Origen incierto. Probte. del fr. ant. *triquet* (hoy *trinquet*), y éste diminutivo de *trique*

'bastón', por ser el más pequeño de los tres mástiles principales. La forma moderna (que en francés parece ser de influjo español) se debe al influjo de *trinca* y *trincar.* El fr. *trique,* 1385, es variante de *estrique,* 1429, que se cree de origen germánico (quizá neerl. *striker*).

Trinquete, 'garfio', 'cama', V. *trincar   Trío,* V. *tres*

TRIPA, 1202. Voz común a todas las lenguas romances (salvo el rumano). Origen incierto. Se nota desde antiguo su aplicación especial a los intestinos de un hombre o un animal despanzurrados, más que a los del cuerpo vivo. Luego, quizá se extrajera del verbo *(d)estripar,* S. XIV, que procedería del lat. *exstirpare* 'arrancar' en el sentido de 'desgarrar, abrir el vientre'; también se halla *destirpar* 'arrancar, desgarrar', 1450, 1490.
DERIV. *Tripero,* 1335; *tripería. Tripón. Triposo. Tripudo. Entripado. Destripar; destripador.*
CPT. *Destripaterrones. Tripicallos; tripicallero.*

Tripartito, V. *parte   Tripería, tripero, tripicallero,* V. *tripa   Triple, tríplica, triplicar, triplo,* V. *tres   Trípode,* V. *podagra*

TRÍPTICO, h. 1900. Tom. del gr. *tríptykhos* 'triple', cpt. de *trís* 'tres veces' y *ptýkhē* 'pliegue'. Otro cpt. de éste: *díptico.*

Triptongo, V. *diptongo   Tripudo,* V. *tripa*

TRIPULAR, 1604. Significó primero 'sustituir una persona o cosa por otra', 'desechar, despedir'; por otra parte, 'mezclar, confundir varias cosas', de donde 'completar el personal de una embarcación mezclando los tripulantes viejos con los nuevos', y modernamente 'dotar de personal una embarcación', fin S. XVII. Tom. del lat. *interpŏlāre* 'hacer reformas o retoques en algo', 'falsificar, alterar', cambiado popularmente en **intrepolar* (*entre-* en Segovia) y luego *entripular* (salm.), *tripular*; debió de tomarse del portugués, donde ya aparece a fines del S. XV.
DERIV. *Tripulante,* S. XIX. *Tripulación,* 1739.

Triquete, V. *trinquete*

TRIQUINA, med. S. XIX. Tom. del gr. *trikhínē,* femenino del adj. *tríkhinos* 'semejante a un pelo', deriv. de *thríx, trikhós,* 'pelo'.
DERIV. *Triquinosis.*

Triquiñuela, triquitraque, V. *traque*

TRISCAR, 1220-50. Del gót. THRISKAN 'trillar', de donde se pasó a 'patear', 'brincar, retozar'.
DERIV. *Trisca,* h. 1250.

Trisílabo, trisilábico, V. *epilepsia*

TRISMO, h. 1900. Tom. del gr. *trismós* 'chillido'.

Trispasto, V. *pasmo*

TRISTE, 1220-50. Del lat. TRĪSTIS íd. DERIV. *Tristeza,* h. 1250. *Tristura,* 1335. *Entristecer,* 1251. *Contristar.*

Tritíceo, V. *trigo*

TRITURAR, 1739. Tom. del lat. *triturare* íd., deriv. de *tritūra* 'acción de machacar', y éste de *terĕre* 'machacar', 'desgastar'. DERIV. *Trituración,* 1581. *Triturador. Contrito,* 1438, tom. del lat. *contrītus* 'machacado', 'abrumado', participio de *conterĕre*; *contrición,* 1438. *Atrición,* lat. *attritio,* de *atterĕre* 'desgastar', 'debilitar'.

TRIUNFO, h. 1440. Tom. del lat. *triŭmphus* íd.
DERIV. *Triunfal,* 1444, lat. *triumphalis* íd. *Triunfar,* 2.º cuarto S. XV, lat. *triumphare* íd.; *triunfador; triunfante,* h. 1440.

Triunvirato, triunviro, V. *viril I   Trivial, trivialidad,* V. *vía   Triza,* V. *driza y trizar*

TRIZAR, voz provincial y americana, 'desmenuzar, hacer trizas', 1627; 'resquebrajar', 1916. Probte. del lat. vg. *TRĪTIĀRE,* deriv. de TRĪTUS, participio de TĚRĔRE 'desgastar', 'machacar'.
DERIV. *Triza, hacerse trizas,* 1739.

Trocado, V. *trocar   Trocaico, trocánter,* V. *troqueo   Trocar,* sust., V. *tres*

TROCAR, v., 1335. Voz esencialmente propia del cast. y el port., aunque también existe desde antiguo en francés, inglés y gascón. De origen incierto. Probte. es la misma palabra, con sentido más primitivo, el cat. y oc. *trucar* 'golpear, chocar', por el choque o apretón de manos simbólico en el momento de concluir un trato o trueque. El trueque en la sociedad rural y primitiva, en efecto, es el contrato por excelencia. *Trucar* es verosímil que sea palabra onomatopéyica, más bien que germánica, como creen otros.
DERIV. *A la trocada; a la trocadilla. Trocado. Trueco,* 1335 (*troco*). *Trueque,* 1495. *Trastrocar,* h. 1540, de donde *trastocar,* S. XIX; *trastrueco* o *trastrueque,* h. 1600. *Truque* (juego de naipes), 1739, del cat. *truc* íd., 1443, deriv. del citado *trucar* 'golpear',

de donde 'golpear en el truque'. *Truco* (juego), 1611, del it. *trucco,* 1598 (por los golpes de las bolas); *retruco,* 1739; *retrucar,* 1739; luego 'replicar', S. XVI.
CPT. *Trocatinte,* 1495. *Truquiflor,* de *truque* y *flor.*

TROCHA 'atajo', 1444. Origen incierto, probte. prerromano. Podría estar emparentado indirectamente con el tipo TROGIO-, que significa lo mismo en los Alpes centrales y orientales. Pero la palabra castellana supone una base *TROCTA (quizá de TROGTA), con otra terminación. Es incierto, pero nada inverosímil, que haya relación con la raíz céltica e indoeuropea TROGH-, TREGH-, que significa 'correr' y 'pie'.
DERIV. *Trochuela. Atrochar.*

A troche y moche, V. *trozo   Trochuela,* V. *trocha   Trofeo,* V. *tropo*

TRÓFICO, h. 1900. DERIV. culto del gr. *trophós* 'alimenticio', que a su vez deriva de *tréphō* 'yo alimento'.
DERIV. *Atrofia,* 1555, gr. *atrophía* 'desnutrición'; *atrofiar,* S. XIX. *Distrofia,* con gr. *dys-* 'malamente'. *Hipertrofia,* formado con gr. *hyper-* 'excesivamente'; *hipertrofiar; hipertrófico.*

TROGLODITA, S. XVIII (y una vez 1444). Tom. del gr. *trōglodýtēs* 'que vive en una cueva', cpt. de *trṓglē* 'agujero' y *dýnō* 'me zambullo, me meto'.
DERIV. *Troglodítico.*

TROJ, f. (o *troja*), 'granero pequeño', antes *trox(e),* 1190. Voz peculiar al castellano. De origen incierto. Probte. del gót. *THRAÚHS* 'arca' (pronúnciese *zròjs*), cuya existencia puede deducirse del escand. ant. *thró,* anglosajón *thrúh,* alem. ant. *truha*; *THRAÚHS* había de latinizarse en *TRŌX,* de donde salen normalmente la forma castellana y la aragonesa *truejo, truecho.* No tiene relación con el antiguo verbo *trojar* 'cargar, enfardar', emparentado con el fr. *trousser,* cuyo significado y etimología se apartan netamente de *troj.*
DERIV. *Trojero. Entrojar,* 1475.

Troja, V. *troj*

TROLA 'embuste', 1883, dialectalmente *drola.* Probte. del fr. *drôle* 'bribonzuelo', 'gracioso', y éste probte. del neerl. ant. *drol* 'hombrecillo', 'duende'. Para la *t-,* V. *TRAPO.*
DERIV. *Trolero.*

TROLE, 1925. Abreviación del ingl. *trolleypole* íd., cpt. de *pole* 'palo, pértiga', y *trolley* 'polea del trole'.
CPT. *Trolebús.*

Tromba, trombón, V. *trompa*

TROMPA 'trompeta grande', h. 1295, de donde 'prolongación de la nariz del elefante', 1495, y otras acepciones. Palabra común a las varias lenguas romances, germánicas y eslavas. Onomatopeya TRRRUMP, que imita el son del instrumento. En el sentido de 'peonza grande', h. 1500, es también voz imitativa del zumbido trepidante del trompo, propia del cast. y el francés dialectal. De la variante it. *tromba* 'trompeta', figuradamente 'manga de agua', se tomó el cast. *tromba,* h. 1900.

DERIV. *Trompada,* 1739, y *trompazo,* 1739, primero 'encontrón que de narices se dan dos personas', luego 'golpe violento'. *Trompillón,* med. S. XIX, del fr. *trompillon* íd. *Trompeta,* h. 1400, del fr. *trompette,* 1339, o cat. *trompeta,* S. XIV; *trompetazo; trompetear; trompetero,* 1495; *trompetilla. Trompo,* 1490, V. arriba *trompa* 'peonza'. *Trombón,* S. XIX, del it. *trombone.*

TROMPICAR 'tropezar violentamente', princ. S. XV. En portugués *tropicar.* Ésta es la forma primitiva, alterada por influjo de *trompazo;* comp. el vulgarismo *trompezar* por *tropezar. Tropicar* es deriv. de *trópico,* variante del port. *trôpego, trôpigo,* 1615, 'que anda con dificultad', que a su vez es alteración del lat. *hydropïcus* 'el que sufre de hidropesía'. Para la *t-,* V. *TRAPO. Tropezar* influyó mucho en el sentido de *trompicar,* pero es palabra de origen diferente.

DERIV. *Trompicón,* S. XVII.

Trompillón, trompo, V. *trompa*

TRONAR, 1490, y ya S. XIII (*tronido*). Del lat. TŎNĀRE íd. La *r* se debe a influjo del antiguo y vulgar *tronido* 'trueno', antes *tonidro,* h. 1250, del lat. TŎNĬTRUS íd.

DERIV. *Tronada,* 1739; en muchos lugares es sinónimo de 'tormenta', de donde el ingl. *tornado,* 1556, que luego pasó al sentido de 'huracán'. *Tronado,* adj., med. S. XIX, 'arruinado', 'tronera'. *Trueno,* med. S. XIV, en que ya aparece con el sentido figurado de 'detonación de arma de fuego'; de ahí *tronera* 'abertura para disparar', 1495, y luego 'persona de vida desordenada', 1739. *Atronar,* 1495. Del lat. *tonare,* por vía culta: *tonante; detonar,* S. XIX; *detonación,* 1817, *detonante*

TRONCO, 1101. Del lat. TRŬNCUS íd., propte. adjetivo con el sentido 'talado, sin ramas', 'mutilado, sin miembros'; por vía culta: *.trunco,* fin S. XVII.

DERIV. *Tronca. Troncal,* 1739; *troncalidad. Troncón,* S. XVI. *Destroncar. Entroncar,* 1686, *entronque. Truncar,* h. 1435, lat. *trŭncare* íd.; *truncado; truncamiento. Tron-* cho, 1385, lat. TRŬNCŬLUS 'trozo de tronco'; *tronchar,* h. 1580; *tronchado.*

Tronchar, troncho, V. *tronco*   *Tronera, tronido,* V. *tronar*

TRONO, 1220-50, lat. *thrŏnus.* Tom. del gr. *thrónos* 'sillón alto', 'trono'.

DERIV. *Destronar,* h. 1800, probte. del fr. *détrôner,* 1602, *destronamiento. Entronizar.*

TROPA, 1605. Del fr. *troupe* íd., propte. 'bandada de animales o de gente', fin S. XII, que parece ser deriv. regresivo de *troupeau,* fr. ant. *tropel* 'rebaño', S. XII. El fr. ant. *tropel* es diminutivo de *trop,* S. XII, primitivamente 'rebaño' (luego empleado adverbialmente en el sentido de 'mucho' y 'demasiado'). Éste a su vez es de origen incierto, pero probte. viene del fráncico *THROP* 'asamblea', afín al anglosajón *throp,* alem. ant. y mod. *dorf,* escand. ant. *thorp:* aunque estas palabras significan 'pueblo, aldea', en algunos dialectos alemanes y escandinavos toman el sentido de 'reunión de la gente de un pueblo' y 'multitud', y algo así hubo de ocurrir ya en la lengua de los francos. Del fr. ant. *tropel* se tomó el cast. *tropel,* princ. S. XIV, cuya vocal *o* influyó en la *o* del cast. *tropa.*

DERIV. *Atropellar,* h. 1539, cuyo sentido evoca la marcha impetuosa del rebaño (*tropel* en oc. y fr. ant.): probte. tomado de oc. ant. *s'atropelar* 'reunirse en masa'; *atropellado; atropellamiento; atropello,* S. XIX. *Tropilla,* S. XVII. *Tropero.*

TROPELÍA, antes 'juegos de manos, magia, engaño', 1604; 'burla, juegos de palabras', 1611. Primitivamente *eutropelia,* forma que se halla también a princ. S. XVII. Más tarde 'abuso, atropello', med. S. XVII, por influjo de *tropel* y *atropellar.* Pero *tropelía* es palabra independiente de éstas, tom. del gr. *eutrapelia* 'chiste, gracia, urbanidad', propte. 'agilidad, flexibilidad' y 'bufonería'. De éste, por vía más culta, *eutrapelia,* h. 1630.

DERIV. *Tropelista* 'prestidigitador', 1604. *Eutrapélico.*

TROPEZAR, 1535; antes *entropeçar,* 1220-50 (*estropeçar,* h. 1140), pero la forma primitiva es *entrepeçar,* muy corriente en todo el S. XIII, y en portugués hasta el XV. Viene del lat. vg. *INTERPĔDĬARE,* variante de INTERPEDIRE, que con el sentido del lat. clásico IMPEDIRE ('impedir', pero también 'enredar', 'entorpecer, trabar') se encuentra en autores postclásicos. Con el sentido primitivo de 'enredar' aparece *tropezar* en la Edad Media y Siglo de Oro, con bastante frecuencia, y hoy todavía dialectalmente; pero pronto se pasó de 'enredarse' a 'dar tropezones'.

DERIV. *Tropezón,* princ. S. XVII. *Tropiezo,* 1495.

Tropical, V. *tropo*   *Tropicar,* V. *trompicar*   *Trópico,* V. *tropo*   *Trópico* 'cojo', V. *trompicar*   *Tropiezo,* V. *tropezar*   *Tropilla,* V. *tropa*

TROPO, 1580, 'uso figurado de las palabras', lat. *trŏpus.* Tom. del gr. *trópos* íd., propte. 'vuelta', 'manera', 'melodía', 'estilo', deriv. de *trépō* 'doy vuelta, dirijo'. Otros deriv. de *trépō*: *Trópico,* 1438, gr. *tropikós* íd. (porque rodea la tierra); *tropical,* S. XIX. *Trofeo,* 1438, del bajo lat. *trophaeum* (lat. *tropaeum*), y éste del gr. *trópaion* 'monumento elevado con los despojos del enemigo en el lugar donde empezó la derrota de éste', deriv. de *tropḗ* 'acto de hacer volver la espalda', 'derrota'.
CPT. *Treponema,* formado con gr. *nêma* 'hilo'. *Tropeoleo,* deriv. de *tropaeolum,* diminutivo del lat. *tropaeum* 'trofeo', por la forma de sus hojas. *Alotropía,* con gr. *állos* 'otro, diferente'; *alotrópico*; *alótropo.*

TROQUEL 'molde para acuñar monedas', h. 1800. Origen incierto. Quizá debido a un cruce del cat. ant. *trossell* íd., 1459, con el cast. *tórculo,* 1739, 'prensa para estampar grabados en metal', tom. del lat. *torculum* 'prensa'. El cat. *trossell* resultó al parecer de un empleo figurado de *trossell* 'fardo' (de la familia del fr. *trousse* 'carga'), por comparar el troquel, interpuesto entre el metal y el mazo con que se le golpea, con una almohadilla que amortigua el golpe.
DERIV. *Troquelar,* h. 1900.

TROQUEO, 1490, lat. *trochaeus.* Tom. del gr. *trokhâios* íd., propte. 'que corre' (por la idea de aceleración que sugiere la sílaba breve siguiendo a la larga); deriv. del gr. *trékhō* 'yo corro'.
DERIV. *Trocaico.* De la misma raíz: *Troquilo,* gr. *trokhílos* íd. *Troquisco,* 1495, o *trocisco,* princ. S. XVII, gr. *trokhískos* 'píldora', propte. 'ruedecita'. *Trocánter,* gr. *trokhantḗr* íd., propte. 'adecuado para correr'.

TROTAR, 1335. Del alto alem. ant. *trottôn* íd., intensivo de *trĕtan* 'andar', 'caminar'. En cast. el vocablo ha de ser de procedencia italiana, por conducto del francés o el catalán, en los cuales ya es corriente en los SS. XII y XIII.
DERIV. *Trote,* 1495. *Trotero,* 1220-50. *Trotón.*
CPT. *Trotaconventos,* 1335. *Trotamundos.*

TROVAR, h. 1200. Del oc. ant. *trobar* íd., propte. 'hallar', voz hermana del fr. *trouver,* it. *trovare,* cat. *trobar* íd. Éstos probte. proceden de un lat. vg. **TRŎPĀRE,* variante del lat. tardío CONTRŎPĀRE 'hablar figuradamente', 'hacer comparaciones', derivado del gr. *trópos* 'tropo, figura retórica'. Desde 'hablar figuradamente' se pasó a 'inventar' y 'hallar'.
DERIV. *Trova,* 1335. *Trovador,* 1196; *trovadoresco,* h. 1900. *Trovero,* h. 1870, del fr. *trouvère. Trovista. Trovo,* h. 1900.

TROZA 'cuerdas para unir la verga al mástil', h. 1573. Origen incierto, probte. del it. *trozza,* 1268, procedente de Venecia, donde *troza* es 'mugrón de vid', variante local del it. *tralcio* 'sarmiento'. Éste viene del lat. TRADUX, -ŬCIS, 'mugrón de vid'.

TROZO, voz tardía en castellano, 1490. Probte. tomada del cat. o del oc. *trós* 'pedazo', S. XII. Éste es de origen incierto, pues hay dificultad fonética en identificarlo con el fr. ant. *trous* 'trozo de lanza' y propiamente 'troncho de planta', que procederá del lat. THŶRSUS 'tallo'. En cuanto a *destrozar,* cat. *destrossar,* 'despedazar', antes 'desbaratar, destruir', fin S. XV, parece resultar de una evolución del sentido del oc. y cat. ant. *destrossar* 'desvalijar, saquear', S. XIV (hermano del fr. *détrousser* íd., negativo de *trousser* 'cargar'). Siendo así desaparecen las irregularidades fonéticas del oc. y cat. *tros* como descendientes de THŶRSUS, pues se explican por el influjo de *destrossar,* mientras que la evolución del sentido de éste se debe, recíprocamente, al influjo de *tros.*
DERIV. *Trozar,* princ. S. XVII. *Destrozar,* 1444, V. arriba; *destrozo,* 1495; *destrozón.*
CPT. *A troche y moche,* 1611, parece ser asimilación de *a *troce y moche;* derivados, respectivamente, de *trozar* y *mochar.*

Trucar, truco, V. *trocar*

TRUCULENTO, 1615. Tom. del lat. *trŭcŭlĕntus* 'fiero', 'amenazador', deriv. de *trux, trucis,* 'fiero', 'silvestre'.
DERIV. *Truculencia.*

TRUCHA, 1220-50. Del lat. tardío TRUCTA íd., fin S. IV, voz de origen forastero, probablemente céltico. Las varias lenguas romances indican que existieron en latín tres variantes distintas: TRŪCTA, TRŬCTA y **TRŎCTA.*

TRUCHIMÁN 'intérprete', h. 1800, antes *trujamán,* h. 1300. Éste vino directamente del ár. *turǧumân* íd., deriv. de *tárǧam* 'traducir'; la otra variante, por conducto del fr. *trucheman,* S. XIV.
DERIV. *Trujamanear,* 1495. *Trujamanía,* 1335.

Trueco, V. *trocar*   *Truecho, truejo,* V. *troj*   *Trueno,* V. *tronar*   *Trueque,* V. *trocar*

TRUFA 'criadilla de tierra', 1766, y figuradamente 'friolera', de donde 'patraña, chanza', S. XV (y ya S. XIII). Del oc. ant. *trufa* íd., y éste del lat. TŪBER 'especie de trufa', vulgarmente TŪFĔRA.

DERIV. *Trufar* 'bromear', 1607; *trufador*, 1220 50. *Trufaldín*, 1739, del it. *truffaldino*. Del clásico *tuber*, por vía culta: *Tubérculo*, S. XIX, lat. *tubercŭlum* íd., diminutivo de *tuber*; *tuberculoso*; *tuberculosis*; *tuberculina*. *Tuberoso*; *tuberosidad. Protuberancia*, S. XIX, deriv. del lat. *protuberare* 'ser prominente', propte. 'hacer bulto, como la trufa'.

TRUHÁN, 1220-50. Del fr. *truand* 'bribón', h. 1100. Palabra de origen céltico, relacionada con el irl. ant. *trŏg* 'desgraciado', britónico *tru* 'débil, calamitoso', a los cuales correspondería *TRŪGOS en galo. El fr. *truand* viene, sin duda, de un deriv. galo *TRŪGANTOS, quizá diminutivo.

DERIV. *Truhanear,* 1495. *Truhanesco*, S. XIX. *Truhanería*, 1335.

Trujal, V. *estrujar   Trujamán,* V. *truchimán*

TRULLA I 'bulla y ruido de gente', 1588. No es posible decidir entre dos etimologías posibles. Del lat. TŬRBŬLA 'pequeña multitud', 'pequeño tumulto'. O del cat. *trull* 'batahola', propte. 'prensa de aceitunas' (lat. TŏRCŭLUM íd.), por el alboroto que mueve este aparato al funcionar.

TRULLA II 'llana de albañil', 1739. Del lat. TRULLA íd.

DERIV. *Trullo* 'especie de pato', h. 1640, así llamado por su buche prominente (también podría venir del lat. TRUO, -ONIS, ave parecida, cuyo nombre deriva, por lo demás, del lat. TRUA, variante de TRULLA).

Trullo, V. *trulla* II   *Truncado, truncar, trunco,* V. *tronco*

TRUPIAL, S. XIX; antes *turpial*, 1745. Origen incierto. Quizá de una lengua indígena de Venezuela o las Guayanas.

Truque, truquiflor, V. *trocar*

TÚ, h. 950. Del lat. TŪ íd. *Te*, del acus. lat. TĒ. *Ti*, del dativo TĪBĪ, vulgarmente TĪ por influjo de MI. *Contigo*, del arcaico *tigo*, procedente del lat. TĒCUM 'contigo'.

DERIV. *Tutear,* 1739, imitado del fr. *tutoyer*, 1394; *tuteo*. De la misma raíz: *Tuyo* y el posesivo *tu* vienen ambos del lat. TŬUS, -A, -UM, íd.

CPT. *Tiquismiquis*, med. S. XVII, del lat. macarrónico *tichi michi* 'para ti, para mí', en discusiones conventuales: alteración vulgar del lat. *tibi, michi* (clásico *mihi*).

Tuba, V. *tubo   Tuberculina, tubérculo, tuberculosis, tuberculoso,* V. *trufa   Tubería,* V. *tubo   Tuberosidad, tuberoso,* V. *trufa*

TUBO, 1607. Tom. del lat. *tŭbus* 'caño', 'conducto'.

DERIV. *Tubería,* h. 1900. *Tubular, tubuloso*, deriv. del diminutivo lat. *tŭbŭlus. Intubación. Tuba,* 1936, lat. *tŭba* 'trompeta'.

TUCÁN, med. S. XIX, antes *tucá*, 1745, o *tulcán,* h. 1740. Del tupí-guaraní *tukã, tukána,* íd.

Tudel, V. *tuétano   Tuera,* V. *tora*

TUERCA, 1611. Orígen incierto. Probte. alteración del más antiguo *puerca*, 1570, port. *porca* íd., por influjo de la *t-* del contrapuesto *tornillo*. El nombre antiguo *puerca* se explica por una comparación fálica u obscena del tornillo y la tuerca con el puerco y su hembra.

TUERO, 1335, 'palo seco cortado para encender'. Del lat. TŏRUS 'hinchazón en una planta', 'bulto o protuberancia en el terreno, en un madero, una cuerda, un músculo, etc.': de la idea de 'objeto abultado' se pasó a la de segmento de tronco cortado en redondo; por vía culta, el término arquitectónico *toro*.

DERIV. *Toral,* 1563, b. lat. *toralis. Torillo*, fin S. XVI. *Toroso. Atorar* 'obstruir', h. 1500, podría ser deriv. de *tuero* por los pedazos de madera que obstruyen un caño, pero es más probable que lo primitivo sea *aturar* 'tapar, obstruir', princ. S. XVII, que como el cat. *aturar* 'detener' y el port. *aturar* 'soportar', 'prolongar', vendrá del lat. OBTŪRARE 'obstruir', de suerte que sólo la *o* se deberá al influjo de *tuero*.

Tuerto, V. *torcer   Tueste,* V. *tostar*

TUÉTANO, 1423. Variante de *tútano*, 1438, hoy dialectal y muy común en los SS. XV-XVI. Voz afín al oc. *tutel* v *tudel* 'tubo', fr. *tuyau* íd., cat. y languedociano *tòt* 'pitorro del botijo o de una botella', vasco *tuta,* bearn. *tute* 'cuerno de caza'. Éstas y otras voces romances, junto con el alem. *tuten* 'tocar la corneta', proceden de la onomatopeya TUT-, imitación del sonido de un instrumento de viento. De 'corneta' se pasó a 'tubo', luego 'agujero interior del hueso', y, finalmente, el contenido de éste. Junto a TUT- (de donde *tútano,* etc.) la onomatopeya tuvo también la forma TOT-, de donde el cat. *tòt* y el cast. *tuétano*. Del oc. *tudel* se tomó cast. *tudel*, 1611.

TUFO 'olor fuerte', 1513; 'soberbia, entonamiento', 1739. Del lat. TYPHUS, vulgarmente TŪFUS, y éste del gr. *týphos* 'humo, vapor', 'soberbia'. La acepción 'porción de pelo que cae delante de la oreja', 1611, es otra palabra, procedente del fr. *touffe* 'mechón de pelo', 'copete de plumas', 'espesor de hierba o plantas', de origen incierto, quizá germánico (comp. el lat. bárbaro TUFA penacho').
DERIV. *Tufarada*, 1739. *Tufillas*, h. 1800. *Atufar*, princ. S. XV.

Tufo 'piedra porosa'. V. *toba*

TUGURIO, princ. S. XVII. Tom. del lat. *tŭgŭrium* 'choza', voz de la familia de *tĕgĕre* 'cubrir'.

TUL, med. S. XIX. Del fr. *tulle* íd., 1765, debido al nombre de la ciudad de Tulle en el Lemosín, donde se fabricó primeramente este tejido.

Tulipa, tulipán, V. *turbante*

TULLIDO, 1535, del antiguo *tollido*, 1220-50 íd. Éste es propte. el participio del antiguo verbo *toller* 'quitar', SS. X-XIV, que a veces se empleaba absolutamente con el valor de *toller la fuerza* 'paralizar'. *Toller* viene del lat. TŎLLĔRE 'quitar' y 'levantar'. De *tullido* se extrajo más tarde un infinitivo *tullir*, princ. S. XVII.
DERIV. *Tullidura. Tullimiento. Tole,* o *tolle tolle*, 1739, tom. del lat. *tolle*, propte. 'quita de ahí.

Tullir, V. *tullido*

TUMBA 'sepulcro', 1220-50. Tom. del lat. tardío *tŭmba* íd., y éste del gr. *týmbos* íd., propte. 'túmulo, montón de tierra'.
DERIV. *Tumbal. Tumbilla,* porque se parece a dos camillas o parihuelas superpuestas. *Tumbón. Tumbo,* ant., 'sepulcro', h. 1600.

Tumba 'voltereta', *tumbadillo,* V. *tumbar*

TUMBAGA, 1739; *tambaca,* en 1675. Del malayo *tambâga* 'cobre', que en Europa pasó a designar una aleación de este metal con otros, luego las sortijas hechas con esta aleación y, en fin, cualquier sortija, med. S. XIX. No se conoce bien el camino de trasmisión de esta voz, existente en árabe y en varias lenguas europeas.

Tumbal, V. *tumba*

TUMBAR, 1739, y *tumbarse,* h. 1600, antes *tumbar* 'caer dando tumbos', h. 1490. De la voz imitativa ¡TUMB!, que expresa el ruido de un objeto que cae en esta forma.

DERIV. *Tumbo,* 1251; *tumbo de olla* 'lo que queda en ella en habiéndola tumbado para sacar la carne', 1739, de donde *tumba* 'zoquete de carne'. *Tumbado; tumbadillo. Tumbadero.*
CPT. *Tumbaollas.*

Tumbo, V. *tumbar, tumba* y *tomo* II
Tumefacción, tumefacto, túmido, V. *tumor*

TUMOR, 1611. Tom. del lat. *tŭmor, -ōris,* íd., propte. 'hinchazón', 'orgullo, efervescencia', deriv. de *tŭmēre* 'estar hinchado'. Otros deriv. de esta raíz: *Túmido,* 1521, lat. *tumidus. Túmulo,* 1220-50, lat. *tŭmŭlus* 'colina, eminencia del terreno', 'amontonamiento de tierra que señala una tumba', 'tumba'. *Entumecer* 'hinchar', h. 1545; 'entorpecer la acción de algún miembro', 1615; 'dejar un miembro sin sensibilidad', del lat. *ĭntŭmescĕre* 'hincharse'; *entumecimiento. Intumescencia.*
CPT. *Tumefacto. Tumefacción.*

Túmulo, V. *tumor*

TUMULTO, h. 1440. Tom. del lat. *tŭmŭltus, -us,* íd.
DERIV. *Tumultuoso,* h. 1570; *tumultuaio,* princ. S. XVII. *Tumultuar.*

TUNA I 'higo chumbo', 1526. Del taíno de Haití.
DERIV. *Tunal. Tunera. Tuno* 'higuera chumba'.

TUNA II 'vida holgazana y vagabunda', 1739, de donde 'estudiantina'. Del antiguo argot francés *tune* 'hospicio de los mendigos', 'limosna', 1628, propte. 'la mendicidad'. Éste deriva del nombre del *Roi de Thunes*, 1628, o jefe de los vagabundos franceses, a quien se dio este nombre de 'Rey de Túnez', por alusión al de 'Duque del Bajo Egipto' que se hacía dar el jefe de los gitanos, cuando sus bandas llegaron por primera vez a París en 1427.
DERIV. *Tunar* 'vagabundear', 1739; *tunante,* 1646; *tunantería; tunantuelo. Tuno,* 1765-83; *tunear.*

Tunal, V. *tuna* I   *Tunante, tunar,* V. *tuna* II   *Tunda, tundición, tundidor,* V. *tundir*

TUNDIR 'cortar el pelo de los paños', 1495; antes 'cortar el pelo', 'trasquilar', h. 1250. Del lat. TONDĒRE 'esquilar', 'cortar el pelo', 'podar'.
DERIV. *Tundición,* 1616. *Tundidor,* 1495. *Tundizno,* 1511.
Tuso, antiguo part. pasivo de *tundir* (lat. TONSUS); *tusa; tusar* 'esquilar', 1539; *atusar,* propte. íd., med. S. XVI; *tusona* 'ra-

mera', princ. S. XVII (comp. *pelona* íd.). *Toisón*, 1739, del fr. *toison* 'vellón cortado de un animal' (del lat. TONSIO, -ONIS, 'trasquiladura'), 'Orden de Caballería en memoria del vellocino rescatado por Jasón'; *tusón* 'vellón', 1611, viene del cat. *tusó* = fr. *toison. Tonsura*, 1490, tom. del lat. *tonsūra* íd., deriv. de *tonsus* 'esquilado'; *tonsurar*, 1739; *tonsurado. Intonso. Tomento*, 1739, tom. del lat. *tomĕntum* 'borra de rellenar' (de *tondmentum*); *tomentoso*; *tormentila*, 1680, del b. lat. *tormentilla*, que es alteración de *tomentilia. Tunda*, 1596, quizá derive de *tundir* figuradamente, aunque aparente por el sentido más bien ser deriv. del lat. *tŭndĕre* 'golpear' (derivación improbable dado que este vocablo no ha dejado descendencia popular en castellano, aunque habría influjo culto de este verbo en la época renacentista).

Tunear, V. *tuna* II   *Túnel*, V. *tonel*
Tunera, V. *tuna* I

TUNGSTENO, hacia 1900. Del sueco *tungsten* íd., cpt. de *tung* 'pesado' y *sten* 'piedra'. Este metal se descubrió en Suecia, en el S. XVIII.

TÚNICA, med. S. XV. Tom. del lat. *tŭnĭca* 'vestido interior de los romanos'. Por vía popular dio el antiguo *tonga* 'túnica', 1553, y de ahí 'capa, estrato de cosas apiladas', 1817.
DERIV. *Tongada*, 1765-83, 'capa, estrato'. *Entongar. Tunicado. Tunicela*, princ. S. XVII, lat. *tunicella.*

Tuno, V. *tuna* II

AL TUNTÚN, 1896. Voz de creación expresiva, *tun... tun...*, sugiriendo una acción ejecutada de golpe.

Tupé, V. *tope*

TUPIDO, 1607, participio del verbo menos empleado *tupir*, 1490 (*topir*). Éste deriva probte. de ¡TUP!, onomatopeya del apisonamiento. Paralelamente el antiguo sinónimo *tapido*, h. 1600, cat. *atapeir*, oc. (*a*)*tapir* 'tupir', oc. *tap*, cat. *tapàs* 'arcilla', y el cast. *tapia* (véase), proceden de la onomatopeya semejante ¡TAP!; y el cast. *tepe* 'gleba de césped', 1708, o 'bloque de piedra' tiene otro origen semejante, como se ve por el asturiano *tapín* 'gleba de césped'.
DERIV. *Tupa* 'hartazgo', 1739.

TUPINAMBO 'aguaturma', h. 1900. Del fr. *topinambour*, nombre dado a esta planta procedente de la América del Norte porque su importación en Francia coincidió con la visita que hicieron a este país los indios tupinambá del Brasil.

Tupir, V. *tupido*

TURBA (combustible), 1595. Del francés *tourbe*, 1200, y éste del fráncico *TURBA, cuya existencia se deduce del alem. ant. *zurba*, anglosajón e inglés *turf* 'pedazo de césped' y 'turba', escand. ant. *torf.*
DERIV. *Turbera*, h. 1900.

Turba 'muchedumbre', *turbación, turbamulta*, V. *turbar*

TURBANTE, 1588. Del it. *turbante*, 1487, y éste del turco *tülbant* o *tülbent* íd. (de origen persa). Hay variante turca *tulipant*, de la cual viene *tulipán*, 1648, por comparación de forma: de ahí fr. *tulipe*, que dio el cast. *tulipa*, 1739.

TURBAR, 1220-50. Tom. del lat. *tŭrbare* 'perturbar', propte. 'enturbiar, agitar'.
DERIV. *Estorbar*, 1495; antes *destorvar*, h. 1250, lat. DĪSTŬRBARE íd.; *estorbo*, h. 1250. *Turbio*, 1220-50, del lat. TŬRBĬDUS 'confuso, agitado, violento, perturbado'; *enturbiar*, med. S. XIII. *Torbellino*, princ. S. XV, antes *torbelino*, S. XIII, disimilación de *torbenino*, h. 1400, que es diminutivo del lat. TŬRBO, -ĬNIS íd. (de ahí también el cat. *terbolí*, pasando por *torbelí). De TUR-BO, -INIS, pasando por *torvenera, deriva también *tolvanera*, 1739. De ahí por vía culta el fr. *turbine*, 1845, de donde *turbina*, med. S. XIX. En parte TURBO fue declinado vulgarmente TURBONE, de donde el cast. ant. y dialectal *turbón* 'tormenta repentina', S. XIV, de donde *turbonada*, S. XVI; también pasó a *turbión*, h. 1580, por influjo de *turbio*.
Cultismos: *Turbulento*, 1444, lat. *tŭrbŭlĕntus* íd.; *turbulencia. Turba*, 1444, lat. *tŭrba* 'muchedumbre confusa', 'populacho'. *Conturbar*, 1490. *Turbación*, med. S. XV. *Perturbar*, 1438; *perturbación*, 1490, *perturbador. Disturbio*, S. XVII.
CPT. *Turbamulta*, 1578, lat. *tŭrba mŭlta* 'mucha confusión'.

Turbera, V. *turba*   *Turbina, turbio, turbión, turbón, turbonada, turbulencia, turbulento*, V. *turbar*   *Turca*, V. *turquesa* II

TÚRDIGA, 1413, 'tira de pellejo de buey'; antes *tuórtega*, S. XIII; *tuérdiga*, S. XIII, y *tórdega*, h. 1050. Parece ser derivado de TŎRTUS 'torcido', porque esas tiras se emplean para trenzar, arrollar y torcer en otras formas. No está bien explicado el cambio de la segunda -T- en -d-, pero a juzgar por el gall. y port. dial. *estordegar* 'torcer', 'retorcer' (equivalente del port. *es-*

tortegar), se tratará de un fenómeno fonético de disimilación.

TURGENTE, fin S. XVI. Tom. del lat. *turgens, -èntis*, participio activo de *turgēre* 'estar hinchado'. DERIV. *Turgencia. Túrgido*, 1843, lat. *turgidus* íd.

Turíbulo, turiferario, turífero, V. *tuya*

TURIÓN, h. 1900. Tom. del lat. *tŭrĭo, -ōnis*, 'retoño de la vid'.

Turismo, turista, V. *torno* **Turma**, V. *tormo*

TURMALINA, med. S. XIX. Del fr. *tourmaline*, 1758, de origen incierto. Parece ser palabra de Ceilán, del singalés *tōramalli* 'cornalina'.

Turnar, turnio, turno, V. *torno*

TURÓN, h. 1330. En portugués *tourão*. Probte. deriv. de *toro* (port. *touro*), por la furia característica de este pequeño mamífero. La *u* castellana se debe al influjo de *hurón*, animal muy parecido.

Turpial, V. *truptal*

TURQUESA I 'molde de hacer bodoques o balas', 1596. Origen incierto. Quizá del fr. ant. *turcais*, S. XII, del mismo significado y origen que *carcaj*, por comparación del molde. de hacer proyectiles para ballesta con la aljaba donde están las flechas.

TURQUESA II, 1478. Piedra bautizada con el nombre de los turcos por la procedencia asiática de la misma. DERIV. *Turquesado*, 1495, o *turquí*, 1739, lo de color de turquesa. Al vino puro se le dio en jerga el nombre de *vino turco*, 1609, por no estar "bautizado"; y a lo que se coge bebiendo este vino se le llama *turca* 'borrachera', 1832; otros lo modifican festivamente diciendo *una curda*.

Turquí, V. *turquesa* II **Turrar**, V. *tostar*

TURRÓN 'dulce de miel, con masa de almendras y otros ingredientes, tostados', 1423, poco usado hasta el S. XVII. Probablemente tomado del cat. *torró*, fin S. XIV, y *terró*, fin S. XIV (muy frecuentes ambos, aunque aquél parece haber predominado en general, por lo menos desde el S. XVI, pero

éste es más usual todavía en varias zonas del Rosellón y del País Valenciano, y como catalanismo en Nápoles); de origen incierto, pues no se pueden oponer objeciones decisivas ni a la derivación de *TURRAR* (cat. *torrar*), ni a la de *TIERRA* (con el significado primitivo de 'terrón' por su aspecto de conglomerado): de todos modos es muy corriente (y general en parte del dominio) en todas las hablas catalanas la asimilación de la *e* a la *ó*, mientras que en ambos idiomas es muy raro que un sustantivo concreto en *-on* (cat. *-ó*) derive de un verbo. DERIV. *Turronero*, 1739; *turronería*.

TURULATO, h. 1850. Voz de creación expresiva. Lo mismo que el hispanoamericano *tuturuto*, el gallego *turuleque*, el cat. *tarallirot*, los cast. *tarumba, tararira, lelo*, etc., pertenece a un grupo de nombres del hombre falto de juicio que evocan las voces sin significado con que tarareamos las canciones. Con lo cual se sugiere la frivolidad y la falta de sentido. *Tarumba*, 1765-83, tiene variante *turumba* (hoy americana), que será la primitiva, y que lo acerca más a *turulato* y *tuturuto*. *Aturrullado* y *aturrullar* 'aturdir', 1726, se relacionan con todo esto, aunque de más lejos: la variante primitiva *aturullar* (hoy americana y murciana) deriva de *turullo* 'cuerno de pastor para llamar el ganado', fin S. XIX, que es imitación directa del *tu-ru-ru* del cuerno: de ahí *aturullar* 'atronar con el ruido del cuerno' y 'aturdir'.

Turumba, V. *turulato* *Tusa, tuso, tusón, tusona*, V. *tundir* *Tútano*, V. *tuétano* *Tute*, V. *todo* *Tutear*, V. *tú* *Tutela, tutelar*, V. *tutor* *Tuteo*, V. *tú* *Tutilimundi, tutiplén*, V. *todo*

TUTOR 'el que cuida y protege a un menor o a otra persona desvalida', 2.º cuarto S. XV. Tom. del lat. *tutor, -ōris*, 'protector', deriv. de *tueri* 'proteger'. DERIV. *Tutoría*, 2.º cuarto S. XV. *Tutela*, 1495, lat. *tutēla* 'protección'; *tutelar*.

Tuturuto, V. *turulato* *Tutuvía*, V. *totovía*

TUYA, 1884. Tom. del gr. *thýia* 'planta odorífera africana', deriv. del gr. *thýō* 'yo quemo incienso'. De éste deriva también el gr. *thýos* 'incienso', latinizado en *tus, turis*, de donde en cast. *turíbulo*, h. 1520. *Turífero*; *turiferario*, 1739.

Tuyo, V. *tú*

U

U, V. o *Ubérrimo*, V. *ubre* *Ubicación*, *ubicar*, *ubicuidad*, *ubicuo*, V. *donde*

UBRE, 1495. Del lat. ŪBER, -ĔRIS, 'teta'. DERIV. *Ubrera*, 1607. Del lat. *uber* en la acepción figurada 'fecundidad', y como adjetivo 'abundante, fecundo', derivan los cultismos: *Ubérrimo*, 1611, del lat. *uberrĭmus*, superlativo de *uber*. *Exuberar*, S. XIX; *exuberante*, h. 1580; *exuberancia*, fin S. XVI.

UCASE, h. 1900. Tomado, por conducto del fr. *ukase*, del ruso *ukáz* 'edicto imperial', deriv. de *ukazát* 'indicar'.

UFANO, S. XIV, extraído del antiguo *ufanía* 'ufanía', h. 1290. Oc. *ufana*, S. XII, 'jactancia, vanidad', 'pompa, ostentación'; cat. *ufana*, S. XIII, íd. y 'lozanía, frondosidad'. Origen incierto; probte. germánico y relacionado con el gót. UFJŌ, fem., 'abundancia, exceso' (acusativo UFJŌN). Lo probable es que existiera en gótico un abstracto femenino *UFAINS 'ufana', de la misma raíz que UFJO, y de aquél vendría *ufana* regularmente. En castellano, donde el vocablo es mucho menos popular y frecuente, es probable que se tomara de la lengua de Oc, donde sólo existe el abstracto *ufana* y muchos derivados suyos; el adjetivo *ufano*, sin modelo en aquella lengua, debió de crearse en cast. según el modelo del más arraigado *lozano*. DERIV. *Ufanarse*, h. 1580. *Ufanía*, 1220-50, creado en cast. según el modelo de *lozanía*.

UJIER, h. 1580. Del fr. *huissier*, íd., deriv. de *huis* 'puerta', que viene del lat. OSTIUM íd.

ÚLCERA, 1490. Tom. del lat. *ŭlcĕra*, plural de *ulcus*, -*eris*, íd. DERIV. *Ulceroso*, 1607. *Ulcerar*, 1607; *ulcerante*. *Exulcerar*.

Ulmáceo, V. *olmo*   *Ulterior*, V. *último*

ÚLTIMO, h. 1440. Tom. del lat. *ŭltĭmus* íd. DERIV. *Ultimar*, princ. S. XVII; *ultimátum*, 1843. De la misma raíz: *Ulterior*, h. 1520, lat. *ulterior*, -ōris, comparativo que corresponde al superlativo *ultimus*. *Ultra*, 1438, lat. *ŭltra* 'más allá'; *ultraje*, 1570, del cat. *ultratge*; *ultrajar*, 1605; *ultrajante*; *ultrajoso*, h. 1530. *A ultranza*, h. 1900, del fr. *à outrance*. CPT. *Penúltimo*, 2.º cuarto S. XV, lat. *paenultimus*, cpt. con *paene* 'casi'; *antepenúltimo*. *Ultramar*, 1220-50; *ultramarino*, h. 1440. *Ultramontano*, princ. S. XVII. *Ultratumba*, fin S. XIX, del fr. *outretombe*, princ. S. XIX. *Ultravioleta*.

Ultrajar, *ultraje*, *ultramar*, V. *último* *Ulular*, V. *aullar*

ULLUCO, amer., 1613. Del quichua *ullúcu* íd.

Umbela, *umbelífero*, V. *sombra* *Umbilical*, V. *ombligo* *Umbráculo*, V. *sombra*

UMBRAL 'parte inferior de la puerta de una casa', h. 1400, antes *lumbral*, 1495, y primitivamente *limbrar*, fin S. XIII, y *limnar*, fin S. X. Procedente del lat. LĪMĪNĀRIS, deriv. de LIMEN 'umbral'. De LIMINARIS salió regularmente *limbrar*, alterado en *lumbral*, en parte por influjo del cast. ant. *lumbre* 'luz': la *l* inicial desapareció por confusión con el artículo.

Umbrátil, umbría, umbrío, V. *sombra*
Un, V. *uno*   *Unánime*, V. *alma*   *Uncial*, V. *onza*   *Unción*, V. *untar*

UNCIR, 1240. Del lat. JŬNGĔRE, íd., propiamente 'juntar', 'reunir'.
DERIV. *Desuncir*.

Undécimo, V. *uno*   *Ungir, ungüento*, V. *untar*   *Unguis, ungular*, V. *uña*   *Unicidad, único*, V. *uno*   *Unicornio*, V. *cuerno*   *Uniformar, uniforme*, V. *forma*   *Unigénito*, V. *engendrar*   *Unilateral*, V. *lado*   *Unión*, V. *uno*   *Unipersonal*, V. *persona*   *Unir*, V. *uno*   *Unísono*, V. *sonar*   *Unitario*, V. *uno*   *Univalvo*, V. *valva*   *Universal, universidad, universitario, universo*, V. *verter*   *Unívoco*, V. *voz*

UNO, fin S. X. Del lat. ŪNUS 'uno', 'uno solo', 'único'. El mismo origen tiene el artículo indefinido *un*, que primero no fue más que una forma apocopada del numeral.
DERIV. *Único*, 1490, tom. del lat. *ūnĭcus* íd.; *unicidad. Unidad*, h. 1250, lat. *unitas, -atis; unitario*, S. XIX, *unitarismo. Unión*, 1220-50, lat. *unio, -onis. Unir*, med. S. XVI, lat. *unire* íd.; *unitivo; desunir, desunión; reunir*, 1735; *reunión*, 1735. *Aunar*, 1555, lat. ADŪNĀRE. *Coadunar*.
CPT. *Unificar*, princ. S. XVII; *unificación. Once*, 1220-50, lat. ŬNDĔCIM íd.; *onceno; onzavo; undécimo*.

UNTAR, h. 1140. Del lat. vg. ŬNCTĀRE, deriv. del lat. ŬNGĔRE 'untar', 'ungir'. De éste, por vía culta: *ungir*, 1220-50.
DERIV. *Untura*, 1490, lat. ŬNCTŪRA. *Unto*, 1490, lat. ŬNCTUM. *Untuoso*, 1555; *untuosidad. Ungüento*, 1220-50, tom. del lat. *ungŭentum. Unción*, 1220-50, lat. *unctio, -onis.*

UÑA, 1112. Del lat. ŬNGŬLA íd., diminutivo de UNGUIS íd. (de donde el cultismo *unguis*).
DERIV. *Uñada*, princ. S. XVII, o *uñarada*, S. XVII. *Uñate*, 1739. *Uñero*, 1495. *Ungular. Ónice*, 1629 (u *ónix*), tom. del gr. *ónyx, -ykhos*, íd., propte. 'uña' (del mismo origen que la voz latina), por el parecido en el color.

¡UPA!, h. 1800. Voz de creación expresiva, *uuup*, que sugiere la idea de levantarse. El americanismo *¡epa!* es otra creación parecida.
DERIV. *Aupar*, med. S. XVIII.

Uraco, V. *orina*

URANIO, 1765-83. Tom. del gr. *uránios* 'celeste', deriv. de *uranós* 'el cielo'.
CPT. *Uranografía*, 1765-83.

Urato, V. *orina*

URBE, fin S. XIX. Tom. del lat. *urbs, ŭrbis*, 'ciudad'.
DERIV. *Urbano*, 2.º cuarto S. XV; *urbanizar*, fin S. XIX, *urbanización; urbanismo. Urbanidad*, 2.º cuarto S. XV. *Suburbio*, 1612, lat. *sŭbŭrbĭum* íd.; *suburbano*, 1739.

URCA, 2.º cuarto S. XV. Del fr. *hourque*, S. XV, de origen germánico. Probte. del neerl. ant. *hulke*.

URCHILLA, 1490 (*orchilla*), mozárabe *orchêlla*, 982. Tomado del mozárabe, donde es palabra del mismo origen incierto que el port. *orcela* o *urzela*, mozárabe catalán *orxella*, cat. *orcella* (de donde el fr. *orseille*) e it. *oricello*; correspondientes a una base como *ORICELLA.

URDIR, 1220-50. Del lat. ORDIRI íd.
DERIV. *Urdidura*, 1495. *Urdimbre*, 1739, o *urdiembre*, 1495. *Exordio*, 1438, tom. del lat. *exordium* íd., deriv. de *exordiri* 'empezar a urdir una tela'.
CPT. *Primordial*, S. XVII, lat. *primordialis* íd., deriv. de *primordium* 'el principio de las cosas', formado con *primus* 'primero'.

Urea, uremia, V. *orina*

URENTE, med. S. XIX. Tom. del lat. *urens, -ēntis*, participio activo de *urēre* 'quemar'.
DERIV. *Ustión. Adusto*, 1438, lat. *adustus*, propte. participio pasivo de *adurere* 'chamuscar', que de 'requemado, tostado', pasó a designar lo 'de aspecto duro, sombrío'; *adustez. Comburente*, participio de *comburere* 'quemar'; *combustible*, princ. S. XVII; *combustión*, S. XIX.

Uréter, uretra, uretral, V. *orina*

URGIR, 1739. Tom. del lat. *ŭrgēre* 'apretar', 'apurar', 'dar prisa', 'instar'.
DERIV. *Urgente*, 1590; *urgencia*, fin S. XVII.

Úrico, urinario, V. *orina*

URNA, h. 1520. Tom. del lat. *ŭrna* íd., propte. 'cubo de pozo', 'medida de capacidad'.

URO, h. 1580. Tom. del lat. *urus*, a su vez tom. del germánico, comp. el alem. *auer*.
CPT. *Urogallo*, 1817.

Uroscopia, V. *orina*

URRACA. med. S. XVI. Igual que muchas denominaciones de este pájaro, tales como el cast. *marica*, lat. *gaja*, fr. *margot*, ingl. *mag*, se trata en el caso de *urraca* de un antiguo nombre propio femenino, *Urraca* (de origen ibérico). Tales nombres se aplican a esta ave por su conocida propiedad de parlotear volublemente como si fuese una mujer.

Urticáceo, urticante, urticaria, V. *ortiga*
Usado, usanza, usar, V. *uso*   *Usía,* V. *vos*

USO, 1220-50. Del lat. ūsus, -us, íd., deriv. de ūrī 'usar'.
DERIV. *Usual,* 1495, tom. del lat. *usualis* íd. *Usuario,* 1739. *Usura,* 1220-50, lat. *ūsūra* 'intereses que se pagan por un capital prestado', propte. 'disfrute de un capital u otra cosa'; *usurario,* 1495; *usurero,* 1490. *Usar,* h. 1200; *usanza,* 1490; *desusado,* 1495; *desuso,* 1495. *Abuso,* med. S. XVI, lat. *abūsus, -us; abusar,* princ. S. XV; *abusivo,* h. 1440. *Utensilio,* 1607, tom. del lat. *utensilia, -ium,* 'utensilios', plural neutro del adj. *utensĭlis* 'útil'. De *ute(n)silia,* con metátesis vulgar *USFTILIA, salió el fr. ant. *ostil,* hoy *outil* 'herramienta', que ha pasado al cast. bajo la forma del sustantivo *útil* íd., 1872; de ahí fr. *outillage,* de donde *utillaje. Útil,* adj., 1438, tom. del lat. *utĭlis* íd.; *utilidad,* 1438; *utilitario,* S. XIX; *utilizar,* fin S. XVII; *inútil,* 1515; *inutilizar. Inusitado,* 1438, deriv. del lat. *usitare* 'emplear con frecuencia'.

CPT. *Usufructo,* 1490, lat. *usus fructus* 'uso del fruto'; *usufructuar,* 1739; *usufructuario,* princ. S. XVII. *Usurpar,* 1438, lat. *usurpare* íd.; *usurpación; usurpador,* 1438.

Usted, V. *vos*   *Ustión,* V. *urente*
Usual, usuario, usufructo, usufructuar, usura, usurario, usurero, usurpar, *utensilio,* V. *uso*

ÚTERO, 2.° cuarto S. XV. Tom. del lat. *ŭtĕrus* íd.
DERIV. *Uterino,* 1438.

Útil, utilidad, utilitario, utilizar, V. *uso*
Utopía, utópico, V. *topo-*

UVA, 1191. Del lat. ūVA 'uva', 'racimo'.
DERIV. *Úvula,* med. S. XIX, tom. del bajo lat. *uvŭla* íd., propte. 'uvita'; *uvular.*

UVE, 1605. Nombre de la letra *v*: de la combinación *u ve,* propte. '*u* que tiene el oficio de *v*', en memoria del tiempo en que se empleaba aquella letra con el oficio de ésta.

Úvula, V. *uva*

UXORICIDA, h. 1900. Cpt. del lat. *ŭxor, -ōris,* 'esposa', y *caedĕre* 'matar'.
DERIV. *Uxoricidio.*

V

VACA, 931. Del lat. VACCA íd.
DERIV. *Vacuno*, 1224; *vacuna*, sust., 1817; *vacunar*, 1817; *vacunación*. *Vaquero*, 1335; *vaquería*; *vaquerizo*, 1335; *vaqueriza*, 972. *Vaqueta*, 1611. *Vaquilla*, 1490; *vaquillona*, amer.

Vacación, vacante, V. *vagar*   *Vaccinieo*, V. *jacinto*   *Vaciadero, vaciar, vaciedad*, V. *vacío*

VACILAR, 2.ª mitad S. XV. Tom. del lat. *vacīllāre* 'menearse de un lado a otro, bambolearse, oscilar'.
DERIV. *Vacilación*, 1607. *Vacilante*. h. 1570.

VACÍO, h. 1140. Del lat. vg. VACĪVŬS íd., que sustituye el clásico VACUUS.
DERIV. *Vaciedad*. *Vaciar*, h. 1300 (y ya existente indudablemente en el S. XII); *.vaciadero*.

Vacuidad, V. *vagar*   *Vacuna, vacunación, vacunar, vacuno*, V. *vaca*   *Vacuo*, V. *vagar*   *Vadear*, V. *vado*   *Vademécum*, V. *ir*

VADO, 967. Del lat. VADUM íd.
DERIV. *Vadear*, 1490; *vadeable*. *Vadoso*, 1438.

Vagabundear, vagabundo, vagamundo, vagancia, vagante, V. *vago*

VAGAR 'tener tiempo', 'estar ocioso', ant., h. 1140. Del lat. VACARE 'estar ocioso', propte. 'estar vacío', 'estar libre'. Se empleó sobre todo sustantivado en locuciones como *de vagar* 'con calma', 1220-50 (hoy casi sólo portugués), *no tener vagar*, etc. La forma culta *vacar*, 1229.

DERIV. *Vagaroso* 'desocupado', 1220-50, después (bajo el influjo de *vagabundo*) 'vagabundo', 1561. *Vago*, ant., 'vacío', 1251, del lat. VACŬUS íd., hoy sólo en *golpe en vago*, 1739 (en los clásicos *hacer algo en vago* 'en vano', 'sin firmeza', 1561); por vía culta: *vacuo*, h. 1440, o *vaco*, antic., princ. S. XVII; *vacuidad*; *evacuar*, 1555, lat. *evacuare* íd.; *evacuación. Vacación*, 1495; *vacante*, 1438. *Supervacáneo*.

Vagar 'errar', V. *vago*

VAGIDO, 1691. Tom. del lat. *vagītus, -us*, íd., deriv. de *vagire* 'lanzar un vagido', 'gritar'.

Vagina, vaginal, vaginitis, V. *vaina*

VAGO 'errante', 1490, 'indefinido, indeterminado', S. XVII. Tom. del lat. *vagus* 'vagabundo', 'inconstante', 'indefinido'. Sustantivado, 1817, resulta de un compromiso entre el adjetivo *vago, vagancia* y *vagamundo*.
DERIV. *Vagar* 'andar vagando', h. 1440, tom. del lat. *vagari* íd.; *vagante*; *vagancia*, 1817. *Vaguedad*, med. S. XVII. *Vagabundo*, 1387, lat. *vagabŭndus*; interpretado como combinación de *vagar por el mundo*: *vagamundo*, SS. XV-XVIII, y todavía popular; *vagamundear*, 1739, o *vagabundear*, 1884; *vagabundeo. Divagar*, 1817, lat. *divagari*; *divagación. Extravagante*, 1539, participio del b. lat. *extravagari*; *extravagancia*, S. XVII.

VAGÓN, med. S. XIX. Tom. del ingl. *waggon* 'carro', por conducto del fr. *wagon* 'vagón', 1780.
DERIV. *Vagoneta*, med. S. XV.

VAGUADA 'línea que marca la paite más honda de un valle', 1869. Origen incierto. Parece haber significado. inicialmente 'hondonada' y ser alteración de un *vacuada, deriv. semiculto de vacuo 'vacío, hueco'.

Vaguedad, V. vago *Váguido,* V. vahido *Vaharada, vaharera, vahear,* V. vaho

VAHIDO 'desvanecimiento, mareo', 1780, antes *váido,* princ. S. XVII, pero la forma predominante fue hasta el S. XVIII *váguido,* 1490. En portugués, *vágado* o *váguedo.* Probte. deriv. de *vago* 'vacío', tal como *desvanecimiento* lo es de *vano. Vago* viene del lat. VACŬUS 'vacío' provisto de un sufijo átono *-ado* o *-ido* en romance.

VAHO, 1495 (*baho*), y antes *bafo,* h. 1290. La grafía con *v-* es muy reciente, 1739, y antihistórica. Lo primitivo es *bafo,* conservado en asturiano, judeoespañol y portugués, y en el cat. *baf.* De la onomatopeya BAF, que expresa el soplo o aliento del vapor.
DERIV. *Vaharada,* princ. S. XVII. *Vaharera,* 1739. *Vaharina,* 1739. *Vahear* 'echar vaho', 1495, de donde *bajear* 'echar olor de descomposición', 'envenenar con el aliento'; *bahorrina* 'conjunto de gente soez', princ. S. XVII; *bahuno* 'soez y ruin', h. 1610, que muchos escriben *bajuno,* aunque no se relaciona con *bajo. Avahar.*

VAINA, princ. S. XVII, antiguamente *vaína,* h. 1155, hasta 1500. Del lat. VAGĪNA íd. Por vía culta y con sentido anatómico figurado, *vagina,* 1817.
DERIV. *Vainica,* princ. S. XVII. *Vainilla* 'vaina pequeña de legumbre', 1555; 'planta aromática americána de vaina semejante a la de la judía', S. XVII (en que el vocablo había pasado ya al fr., it., port. e inglés, 1662). *Envainar,* 1475; *desenvainar,* h. 1575. *Invaginar. Vaginal. Vaginitis.*

Vaivén, V. ir *Vajilla,* V. vaso

VALER, 1097. Del lat. VALĒRE íd., propiamente 'ser fuerte, vigoroso, potente', 'estar sano'.
DERIV. *Vale* 'adiós', propte. imperativo latino de *valere* 'estar bueno'. *Vale* (documento), fin S. XVII. *Valedero,* med. S. XIV. *Valedor,* h. 1250. *Valencia,* S. XX. *Valeroso,* 1444, probte. disimilación de *valoroso,* deriv. de *valor* (it. *valoroso*). *Valetudinario,* tom. del lat. *valetudinarius* íd., deriv. de *valetudo* 'estado de salud', y luego 'mala salud'. *Valía.* h. 1140; *valioso. Valuar,* princ. S. XVII; *evaluar,* S. XIX, o *avaluar,* 1817, probte. del fr. *évaluer,* 1366; *avaluación,* S. XVII, *avalúo,* S. XVII. *Válido,*

princ. S. XVII, lat. *valĭdus* 'fuerte, vigoroso'; *validez; inválido,* h. 1600, *invalidar,* 1735; *revalidar,* fin S. XVII; *revalidación,* 1737; *reválida,* S. XIX; *convalidar,* S. XIX. *Válido,* princ. S. XVII. *Valiente* 'que vale', 984, 'estorzado', h. 1140; *valentía,* 1251; *valentón; envalentonarse. Valimiento. Valor,* h. 1140, lat. tardío VALOR, -ORIS; *valoración; valorar,* 1739; *avalorar,* h. 1580, *desvalorizar. Convalecer,* h. 1440, lat. CONVALĒSCĔRE íd. (de VALERE 'estar sano'); *convaleciente,* fin S. XVI; *convalecencia,* 1495. *Desvalido. Prevalecer,* 1444, lat. *praevalēre* íd.; *prevalente.*
CPT. *Polivalente.*

VALERIANA, 1555. Probte. deriv. de *Valeria,* provincia de la Panonia romana.
DERIV. *Valerianáceo. Valeriánico. Valerianato.*

Valeroso, V. valer

VALÍ, 1884. Tom. del ár. *wâli* 'gobernador', participio activo del verbo *wấlî* 'gobernar', 'administrar'.
DERIV. *Valiato.*

Valía, V. valer *Valiato,* V. valí *Validez, válido, valido, valiente,* V. valer

VALIJA, 1.ª mitad S. XVI. Del it. *valìgia* íd., 1265. El vocablo parece ser oriundo del Norte de Italia, con forma antigua *valìge,* fem., que podría corresponder a una base *VALĪCE, de origen incierto, probte. prerromano, acaso relacionado con el célt. VĀLON 'cercado, redil, valla', con la acepción inicial 'envoltorio'. Del italiano se tomaron, asimismo, el fr. *valise,* 1559, el alem. *felleisen,* S. XV (o XIV), etc.
DERIV. *Valijero. Valijón,* 1.ª mitad S. XVI. *Desvalijar,* 1609.

Valimiento, valioso, V. valer *Valona,* V. valones

VALONES 'especie de calzón corto', 1611. Propte. 'valones, procedentes de Valonia', por haber sido introducidos en España por los cortesanos de esta procedencia, que acompañaron a Carlos V. La *valona,* 1611, fue también prenda introducida por ellos.

Valor, valoración, valorar, V. valer

VALQUIRIA, 1884. Tom. del escand. ant. *valkyrja* íd., cpt. de *val* 'selección' y *kør* 'acción de escoger'.

VALS, 1843. Del alem. *walz* íd., deriv. de *walzen* 'hacer rodar'. De éste el verbo *valsar,* 1843.

Valuación, valuar, V. *valer*

VALVA, 1832. Tom. del lat. *valva* 'hoja de puerta'.
DERIV. *Válvula,* 1832; *valvular.*
CPT. *Univalvo. Bivalvo.*

Válvula, valvular, V. *valva*

VALLA, 1611. Del lat. VALLA, plural de VALLUM 'empalizada', 'muralla de tierra o de piedra'.
DERIV. *Vallado,* 1490, lat. VALLATUS, participio de VALLARE 'cerrar con empalizada'; *valladar,* 942. *Circunvalar,* 1684, tom. del lat. *cĭrcŭmvallāre* íd.; *circunvalación,* S. XVII. *Intervalo,* 1495 (*entrevalo*), lat. *intervallum* íd.

VALLE, 912. Del lat. VALLIS íd.
DERIV. *Vallejo,* 945.

VAMPIRO, 1843. Del húngaro *vampir* íd., palabra común a este idioma con el serviocroato, del cual pudo, asimismo, pasar a las lenguas de Occidente.

VANADIO, 1884. Del lat. moderno *vanadium,* formado en 1830 por el sueco Sefström, en memoria de *Vanadîs,* nombre de una diosa del antiguo panteón escandinavo.

Vanagloria, vanagloriarse, vanaglorioso, V. *vano*

VANDALISMO, 1843. Del fr. *vandalisme,* creado en 1794 por el obispo republicano Grégoire para vituperio de los destructores de tesoros religiosos, y en memoria del pueblo germánico de los Vándalos que saqueó a Roma en 455 y asoló España y otros países romanos.
DERIV. *Vandálico,* 1884. *Bandalaje,* amer., h. 1860, debido a un cruce con *bandidaje.*

Vanguardia, V. *guardar*

VANO, 1220-50. Del lat. VANUS íd., propiamente 'vacío, hueco'.
DERIV. *Vanidad,* h. 1140; *vanidoso,* 1739. *Vanistorio,* 1817. *Devanear,* 1335; *devaneo,* 1220-50. *Desvanecer,* 1495, lat. EVANESCERE 'desaparecer'; *desvanecimiento; evanescente. Envanecer,* h. 1580; *envanecimiento.*
CPT. *Vanagloria,* 1220-50; *vanagloriarse,* 1495; *vanaglorioso,* 1438.

VAPOR, h. 1440. Tom. del lat. *vapor, -ōris,* íd.; secundariamente 'barco de vapor', 1884.
DERIV. *Vaporizar. Vaporoso,* 1569. *Evaporar,* h. 1440, lat. *evaporare; evaporación,* h. 1440.

VAPULEAR, S. XIX. Del anticuado *vapular,* 1605 (influido por *apalear*), y éste tom. del lat. *vapulare* 'recibir golpes, ser azotado'.
DERIV. *Vapuleamiento. Vapuleo.*

Vaquería, vaqueriza, vaquerizo, vaquero, vaqueta, vaquillona, V. *vaca*

VARA, h. 1250. Del lat. VARA 'travesaño en forma de puente', 'horcón para sostener algo', 'caballete para aserrar madera', propiamente femenino del adj. VARUS, -A, -UM, 'estevado', 'patizambo'.
DERIV. *Varazo. Varal,* 1490. *Varear,* h. 1580; *varea; vareo; vareador. Varejón,* 1739. *Vareta,* 1604; *varetazo, varetear. Varilla,* 1495; *varillaje. Varita. Envararse,* 1495; *envarado,* 1495; *envaramiento,* 1495.
CPT. *Varapalo,* princ. S. XVII. *Varaseto,* 1495. *Varilarguero.*

Varada, varadero, varadura, V. *varar*
Varal, varapalo, V. *vara*

VARAR 'poner en seco una embarcación', 'encallarla', 1591; antes 'botar una nave', h. 1520. Con la acepción del cast. moderno dice *varar* el portugués, S. XV, mientras que el cat. y oc. *varar,* S. XII, y el it. *varare,* 1246, valen lo mismo que en cast. antiguo, aunque en fecha arcaica se emplearon también algunas veces con la otra. Origen incierto. En portugués vale también 'trasponer, cruzar, atravesar', 1541, y no es inverosímil que éste sea el sentido primitivo, de donde el de trasponer el límite entre el mar y la tierra, en cualquiera de los dos sentidos. Entonces *varar* procederá del lat. tardío VARARE 'hacer una medición de terrenos a través de un río u otro obstáculo', que propte. parece haber significado 'pasar de un tranco al otro lado de algo': esto mismo significaba el lat. clásico VARICARE, palabra de la misma raíz (deriv. de VARUS 'patizambo').
DERIV. *Varada. Varadero,* 1696. *Varadura.*

Varaseto, varazo, varea, vareador, varear, varejón, V. *vara*

VARENGA, 1696. Del fr. *varangue* íd., 1382, de origen germánico, probte. del escand. arcaico VRANG 'cuaderna', comp. el escand. ant. *rong,* sueco dial. *vrang,* noruego dial. *vraang.*

VARGA, palabra arcaica y dialectal del Norte de España, de sentidos diversos: 1 'choza' 1505 (y quizá ya 853), 2 'prado cercado con una empalizada, que se inunda en invierno' 1171, 3 'cuesta, pendiente' 1083 (acepción ésta bien probada ahora, aunque se había dudado de ella, y viva localmente desde el Sur de Asturias hasta el Oeste de Navarra). En los significados 1 y 3 se trata de dos vocablos básicamente distintos, ambos de etimología prerromana, tal vez céltica, del mismo origen éste que el fr. *berge* (antes *barge*) 'margen', y extendido aquél por muchas hablas occitanas, francesas, réticas, alemanas y bereberes. El significado 2 quizá corresponda a una tercera palabra diferente, pero es más probable que derive de 1 pasando de 'choza de maderos' a 'armazón de varas o zarzos' (acepción dialectal de la Montaña) y luego 'empalizada o cercado de estacas'.

DERIV. *Várgano* 'estaca'. *Bárcena* 'campo inundable y cultivado', de un antiguo *BARGĬNA, deriv. en fecha prerromana.

Variable, variación, variado, variante, variar, V. *vario*

VARICE, 1581 (*variz*). Tom. del lat. *varix, -ĭcis,* íd.

DERIV. *Varicoso,* 1490, lat. *varicōsus* íd. *Varicela,* 1884 (ingl. *varicella,* 1771): parece debido a una mala inteligencia del lat. moderno *varicella* 'varice pequeña', que se tomó por diminutivo de *variola* 'viruela'.

CPT. *Varicocele.*

Variedad, V. *vario*   *Varilla, varillaje,* V. *vara*

VARIO, h. 1440. Tom. del lat. *varĭus* 'de colores variados', 'variado, diverso', 'inconstante'.

DERIV. *Variedad,* 1490. *Variar,* 1335, lat. *variare* íd.; *variable,* 1438; *variabilidad; variación,* 2.° cuarto S. XV; *variado,* 1438; *variante. Desvariar,* h. 1260; *desvariado,* 1438; *desvarío,* 1438. *Viruela,* 1570, antes *veruela,* del lat. vg. VARĬŎLA íd., por la variedad de color de la piel del varioloso; *virolento,* princ. S. XVII (*veruliento,* 1490); cultos: *varioloso, varioloide. Entreverar,* fin S. XVI —*tocino entreverado,* 1525—, de *entre-variar; entrevero,* amer., 'mezcla', y de ahí 'lucha cuerpo a cuerpo'.

Varita, V. *vara*   *Varón, varonil,* V. *barón*   *Varraco,* V. *verraco*   *Vasa, vasadura,* V. *vaso*

VASALLO, fin S. X. Del célt. *VASSALLOS 'semejante a un criado', deriv. de VASSOS 'servidor'.

DERIV. *Vasallaje,* 1220-50. *Avasallar,* h. 1530; *avasallador; avasallamiento.*

Vasar, vascular, vasculoso, V. *vaso*

VASELINA, h. 1900. Del inglés *vaseline,* nombre inventado en 1872 por Chesebrough, fabricante norteamericano de este producto, y creado irregularmente a base del alem. *wasser* 'agua' y el gr. *élaion* 'aceite'.

Vasija, V. *vaso*

VASO, 1220-50. Del lat. VAS, -IS, 'vasija', vulgarmente VASUM.

DERIV. *Vasa. Vasar,* 1495. *Vasadura. Vasera,* h. 1580. *Vasija* 'recipiente', 1490, antes colectivo 'conjunto de vasijas', 992, del b. lat. *vasīlia,* formado con la terminación del sinónimo *utensilia. Vasillo. Desvasar. Envasar,* 1550; *envase. Extravasar, extravasación. Transvasar. Vajilla,* 1490, del cat. *vaixella,* 1112, y éste del lat. vg. VASCĔLLA, plural de VASCELLUM 'vasija pequeña'. *Vascular, vasculoso,* deriv. cultos del diminutivo clásico *vascŭlum.*

VÁSTAGO, h. 1280 (*bástago*). Probte. deriv. del lat. tardío BASTUM 'palo', de donde procede *bastón.* Es de notar que *bastón, bástiga* y *bestugo* se han empleado también con el sentido de 'vástago'.

Vastedad, V. *gastar*   *Vástiga,* V. *vástago* ·   *Vasto,* V. *gastar*

VATE, h. 1440. Tom. del lat. *vates* 'adivino, profeta', 'poeta inspirado (por una divinidad)'.

CPT. *Vaticinio,* 1616, lat. *vaticĭnĭum* íd., formado con *cănĕre* 'cantar'; *vaticinar,* 1438, lat. *vaticinari* íd.

Vaticinar, vaticinio, V. *vate*

VATIO, h. 1900. Deriv. culto del nombre de Watt, físico escocés que vivió hasta 1819. También *watt* o *vat.*

VAYA 'burla, mofa', sendas veces en 1220-50 y 1330, pero fue voz sumamente rara hasta princ. S. XVII, popularizada entonces por influjo del it. *baia* íd., S. XV, deriv. de *abbaiare* o *baiare* 'ladrar', que también significó 'abuchear', voz onomatopéyica, aunque no puede ser un mero italianismo, sino palabra de formación paralela.

Vecera, vecería, vecero, V. *vez*

VECINO, fin S. X. Del lat. VĪCĪNUS íd., deriv. de VĪCUS 'barrio', 'pueblo, villorrio'.

DERIV. *Vecinal.* S. XIX. *Vecindad.* h. 1140. lat. VĪCĪNĬTAS, -ĀTIS: *vecindario,* 1728; *avecindar,* h. 1575. *Avecinar,* med. S. XVI, del it. *avvicinare* 'acercar', deriv. de *vicino* 'cerca'. *Circunvecino.*

Vector, vectorial, V. *vehículo*   *Veda.* V. *vedar*

VEDAR, fin S. X. Del lat. VĔTĀRE 'prohibir, vedar'.

Deriv. *Veda*, 1739. *Vedado. Veto*, S. XIX, lat. *veto*, primera pers. del presente indicativo.

VEDEGAMBRE 'heléboro', 1495, antiguamente 'cualquier sustancia venenosa', 1240. Del lat. MEDĬCĀMEN, -ĬNIS, 'medicamento, droga'. Primero fue *medegambre (*megambre*, 1240), cambiado en *vedegambre*, h. 1250, por disimilación.

Vedija, vedijoso, vedijudo, vedijuela, veduño, V. *vid*   *Veedor*, V. *ver*

VEGA 'huerta, tierra baja, llana y fértil', 919. Antigua voz común al cast. con el portugués (*veiga*, 757) y el sardo (*bega*, h. 1115). Procede probte. de una palabra prerromana BAIKA 'terreno regable y a veces inundado', deriv. de IBAI 'río', hasta hoy conservado en vasco; con otra formación el alto-arag. *ibón* 'lago'. Se trata seguramente de un deriv. formado por medio del sufijo vasco -*ko*, -*ka*, que indica pertenencia. Deriv. *Envegarse. Vegoso. Veguero*.

VEGETAL, h. 1440. Deriv. culto de las palabras latinas *vegetare* 'animar, vivificar' y *vĕgĕtus* 'vivo, vivaz, vivaracho'. Deriv. *Vegetar*, h. 1580, lat. *vegetare*; *vegetación*, 1490. *Vegetariano*, h. 1900, del fr. *végétarien*; *vegetarianismo. Vegetativo*, 2.º cuarto S. XV.

Vegoso, V. *vega*   *Veguer, vegueria, veguerío*, V. *vez*   *Veguero*, V. *vega*   *Vehemencia, vehemente*, V. *mente.*

VEHÍCULO, 1490. Tom. del lat. *vehĭcŭlum* íd., deriv. de *vĕhĕre* 'llevar a cuestas', 'llevar en carro', 'trasportar'. Deriv. *Vector*, lat. *vector, -ōris*, 'el que lleva a cuestas o conduce'; *vectorial. Invectiva*, princ. S. XVII, lat. *oratio invectiva* 'catilinaria', deriv. de *invĕhi* 'lanzarse contra alguno', 'atacarle'. *Provecto*, princ. S. XVII, del participio de *provehere* 'llevar adelante, avanzar'.

VEINTE, h. 1140, antiguamente *veínte*. Del lat. VĪGĬNTĪ íd. Deriv. *Veintena*, S. XVI. Cultismos: *Vigésimo*, lat. *vigesĭmus*; *vigesimal.* Cpt. *Veintiuno*, princ. S. XIII. *Veintidós*, etc. *Icosaedro*, cpt. con el gr. *hédra* 'costado' y *éikosi*, equivalente del lat. *viginti*.

Vejación, vejamen, V. *vejar*

VEJAR, 1531, y quizá ya 1220-50. Tom. del lat. *vexare* íd., propte. 'sacudir violentamente', 'maltratar'. Deriv. *Vejación*, h. 1440. *Vejamen*, 1739, lat. *vexamen, -inis. Vejatorio.*

Vejestorio, vejete, vejez, V. *viejo*

VEJIGA, h. 1400 (*vexiga*). Del lat. VESĪCA íd., vulgarmente VESSĪCA. Deriv. *Vejigatorio. Vejigoso.* Cultismos: *Vesical. Vesicante. Vesícula, vesicular.*

Vela, V. *velar* y *velo*   *Velación, velacho*, V. *velo*   *Velada*, V. *velar*   *Velado*, V. *velo*   *Velador*, V. *velar*   *Velamen*, V. *velo*

VELAR, h. 1140, 'estar sin dormir'. Del lat. VĬGĬLĀRE íd. y 'estar atento, vigilar'. Por vía culta, *vigilar*, 1739; por conducto del portugués, *vigiar*, S. XIX, y en la Argentina *vichar* 'espiar', h. 1870. Deriv. *Velada*, 1495. *Velador*, 1220-50. *Vela* 'acción o tiempo de velar', 1490; 'candela' (empleada con este objeto), 1495; *velón*, princ. S. XVII. *Velorio*, 1836; *velatorio*, h. 1900. *Desvelar*, h. 1325, lat. EVIGILARE 'despertarse', 'velar'; *desvelo*, princ. S. XVII. Del citado *vigiar: vigía*, 1817, port. *vigia* 'vela', 'vigía', princ. S. XVI. *Vichadero. Vigilante*, h. 1580; *vigilancia*, 2.º cuarto S. XV. *Vigilia*, h. 1140, lat. vĭgĭlĭa 'vela', 'vigilia'.

Velar, verbo y adj., V. *velo*   *Velatorio*, V. *velar*   *Veleidad, veleidoso*, V. *voluntad*   *Velero, veleta*, V. *velo*

VELO, h. 950. Del lat. VĒLUM 'velo', 'tela, cortina', 'vela de nave'. De VĒLA, plural del mismo, h. 1250. Deriv. *Velar* 'cubrir con velo', h. 1140; *velación*. 1611. *Velar*, adj. *Velacho. Velamen*, 1526, primero *velame, del cat. *velam* íd. *Velero*, 1492. *Veleta* 'banderola de lanza', h. 1480; 'banderita de metal que indica la dirección del viento', 1570; 'plumilla que se pone sobre el corcho de la caña de pescar para notar cuándo pica el pez', 1495: más que de un derivado de *vela* parece tratarse del adjetivo árabe *beléṭa* 'movediza, traviesa, endiablada' derivado del verbo *bállaṭ* 'menearse de un lado a otro, agitarse'; consta que *beléṭa* y *beléṭ* se han aplicado a varias clases de trapos y paños en Argelia. *Revelar*, 1438, tom. del lat. *revēlāre* 'quitar el velo, revelar'; *revelación*, 1438; *revelador. Develar*, arg. del fr. *dévoiler* 'descubrir, revelar', deriv. de *voile* 'velo', feo galicismo.

Velocidad, velocípedo, velódromo, V. *veloz*   *Velón, velorio*, V. *velar*

VELOZ, h. 1440. Tom. del lat. *velox, -ōcis*, 'rápido, presto, veloz'. Deriv. *Velocidad*, 1490. Cpt. *Velocípedo, velocipédico*; *velocipedista. Velódromo*, del fr. *vélodrome*, cpt. de *vélo* 'velocípedo' (forma familiar abreviada de esta palabra) y la terminación de *hippodrome*.

VELLO, 1490. Del lat. vĬllus 'pelo de los animales o de los paños'.
Deriv. *Vellado* 'velloso', 1220-50. *Velloso*, h. 1250; *vellosilla*, 1739; *vellosidad*. *Velludo* 'que tiene mucho vello', S. XV; sustantivado 'especie de terciopelo', fin S. XVI, antes *vellud*, med. S. XV, se tomó del cat. *vellut* 'terciopelo', fin S. XIV, abreviación del antiguo *drap vellut*, 1307; *velludillo* o *veludillo*; *vellorí*, 1601, o *vellorín*, 1599, probte. del cat. **velludi* (más tarde *vellutí*). *Vellocino*, 1220-50, lat. vg. **VELLŪSCĪNUM*, diminutivo del lat. VELLUS, -ĔRIS, 'toda la lana junta de una res una vez esquilada', palabra afín a VILLUS; de *vellocino* se sacó el aumentativo *vellón*, 1495.

Vellón (de lana), V. *vello*

VELLÓN (de moneda), 1611, antes *billon*, 1495, del fr. *billon* íd., antes 'lingote', 'aleación de un metal precioso', deriv. de *bille* 'tronco desbastado' (vid. *BILLAR*).

Vellorí, V. *vello*

VELLORITA 'Bellis Perennis L.', o 'Primula Officinalis Jacq', 1496, y 'Colchicum montanum L.', 1576. Origen incierto. No consta a cuál de estas tres plantas, muy diferentes entre sí, se aplicó el nombre primitivamente. Es muy dudoso que proceda de *bellis*, nombre latino de la primera de estas plantas.

Velloso, velludillo, velludo, V. *vello*

VENA, 3.er cuarto S. XIII. Del lat. vēna íd.
Deriv. *Venaje*, 1495. *Venático*, 1739. *Venero*, 905, o *venera*, S. XIV. *Venoso*. *Avenar*; *avenado*, 1495. *Revenar*; *reveno*.

Venablo, venación, V. *venado*

VENADO 'ciervo', 1611, antes 'cualquier animal objeto de caza', 1220-50. Del lat. vēnātus, -ūs, 'caza, acción de cazar', 'producto de la caza', deriv. de venari 'cazar, ir de caza'.
Deriv. *Venatorio*. *Venablo*, 1490, lat. vēnabŭlum íd. *Venación*.

Venaje, V. *vena*   *Venal, venalidad*, V. *vender*   *Venático*, V. *vena*   *Venatorio*, V. *venado*   *Vencedor*, V. *vencer*

VENCEJO I 'ligadura de mies', 1220-50. Deriv. del lat. vĬncĭre 'atar, encadenar, sujetar'. En it. *vinciglio*, cat. *vencill*, port. *vin-*

cilho. Todos ellos suponen probte. un lat. vg. **VĬNCĬCŬLUM*, que vendría del lat. vĬncŭlum 'atadura', modificado bajo el influjo de aquel verbo.
Deriv. *Desvencijar*, 1607.

VENCEJO II (ave primaveral) 'Cypselus apus', fin S. XIV. Alteración del antiguo *oncejo* íd., h. 1330, por confusión con *vencejo* I. *Oncejo* está relacionado, por una parte, con el cast. ant. *onceja* 'uña', 1220-50, que viene del lat. vg. **UNCĬCŬLA*, deriv. del lat. UNCUS 'ganchudo' y 'gancho'. Por otra parte, se relaciona con el cat. y aragonés *falcilla*, fr. dial. *faucille*, languedociano *faucil* 'Cypselus apus', deriv. de FALX 'hoz', por la figura arqueada del vencejo. Es incierto cuál de estas dos es la etimología verdadera, y cuál es una mera aproximación secundaria. Probte. la verdadera es la segunda: la forma del castellano arcaico sería **hocejo* (deriv. de *hoz*, como el cat. y arag. *falcilla* derivan de *falç* 'hoz'), alterado en *oncejo* por influjo de *onceja*; de ahí más tarde *vencejo*.

VENCER, h. 1140. Del lat. vĬncĕre íd.
Deriv. *Vencedor*, 1220-50. *Vencimiento*, h. 1280. *Victoria*, 1220-50, tom. del lat. vĬctōrĭa íd., deriv. de *victor* 'vencedor'; en la acepción 'coche abierto de dos asientos', h. 1900, alude a la reina Victoria de Inglaterra, que solía usarlo; *victorioso*, h. 1440. *Vítor*, hacia 1520, lat. *victor* 'vencedor', empleado en su forma latina para aclamar; *vitorear*, S. XVII. *Invicto*, 1499, lat. *invictus* 'no vencido'; *invencible*, h. 1440. *Convencer*, h. 1325, lat. convĬncĕre íd.; *convencimiento*; *convincente*; *convicción*; *convicto*. *Evicción*, lat. *evictio, -onis*, íd., deriv. de *evincere* 'sacar de la posesión jurídicamente'.

VENDA, h. 1400. Del germ. bĬnda, comp. el alem. ant. *binta*, alem. *binde* 'faja, tira, venda', gót. *gabinda* 'atadura'.
Deriv. *Vendar*, 1220-50. *Vendaje*, S. XIX.

Vendaje, vendar, V. *venda*   *Vendaval*, V. *viento*

VENDER, fin S. X. Del lat. vēndĕre íd.
Deriv. *Vendedor*, 1187. *Vendeja*, 1599. *Vendible*. *Venta*, 1206, del lat. vēndĬta, participio fem. de VENDERE, que en lat. vg. tomó el sentido de 'venta'; *ventero*, 1495, *venteril*; *ventorro* y *ventorrillo*, 1739. *Revender*; *revendedor*; *reventa*. *Retrovender*; *retroventa*. *Venal*, 1444, tom. del lat. *venalis* 'vendible'; *venalidad*.

Vendimia, vendimiar, V. *vino*   *Venencia*, V. *venir*

VENENO, 1582 (y creo ya h. 1490); antes *venino*, 1220-50. Del lat. VENĒNUM íd., propte. 'droga en general'.
DERIV. *Venenoso*, 1399 (*venin-*). *Envenenar*, princ. S. XVII (*-nin-*, fin S. XIV); *envenenado; envenenamiento. Contraveneno.*

Venenoso, V. *veneno*   *Venera*, V. *viernes*

VENERAR, 1438. Tom. del lat. *venerari* íd.
DERIV. *Venerable*, h. 1440. *Veneración*, h. 1440. *Venerando.*

Venéreo, V. *viernes*   *Venero*, V. *vena*

VENGAR, h. 1140. Del lat. VĬNDĬCĀRE íd., propte. 'reivindicar, reclamar', 'librar'. Por vía culta: *vindicar*, 1739 (y ya 1433).
DERIV. *Vengador*, 1495. *Venganza*, 1220-50. *Vengativo*, h. 1530. *Vindicación; vindicativo*, S. XV; *vindicta*, 1499, lat. *vĭndĭcta* 'venganza'. *Revancha*, 1855, del fr. *revanche.*
CPT. *Devengar*, 1495, nació de la fórmula de la prerrogativa de los hidalgos: "hijos dalgo notorios, *de vengar* quinientos sueldos", donde *vengar* tenía el sentido del lat. VINDICARE 'reivindicar, reclamar'; *devengo.*

VENIA 'permiso', 1220-50. Tom. del lat. *venia* íd., propte. 'favor', 'gracia', 'perdón'.
DERIV. *Venial*, 1335, propte. 'perdonable'; *venialidad.*

VENIR, h. 1140. Del lat. VĔNĪRE 'ir', 'venir'.
DERIV. *Venida*, 1220-50. *Venidero*, 1212. *Ventura* 'suerte buena o mala', h. 1140, esp. 'buena suerte', h. 1140, lat. VENTŪRA 'lo por venir', plural neutro de VENTŪRUS 'el que ha de venir'; *venturero*, 1495; *venturoso*, 1.ª mitad S. XIII; *desventura*, med. S. XIII; *desventurado*, 1480 (*desav-*). *Avenir*, h. 1140; *avenencia*, 1206: en la acepción 'especie de cucharón', S. XV, se ha reducido hoy a *venencia; advenedizo; advenimiento; adviento*, 2.º cuarto S. XV, tom. del lat. *adventus, -us*, 'llegada'; *adventicio; desavenir; avenida. Aventura*, 1206; *aventurar*, 1220-50; *aventurado; aventurero*, princ. S. XV. *Contravenir*, 1240; *contraventor*, 1729; *contravención*, h. 1600. *Convenir*, 1206, lat. CONVENIRE 'ir a un mismo lugar, juntarse'; *convenio*, S. XVIII: el b. lat. *convenium* sólo una vez en 1180, en la Corona de Aragón (palabra ajena a los demás romances, salvo el cat. *conveni*); *conveniente*, 1220-50; *conveniencia*, 1206; *inconveniente*, 1444; *reconvenir*, 1737; *reconvención*, 1737; *convención*, 1495, lat. *conventio, -onis*, 'reunión'; *convencional, convencionalismo. Convento*, 1220-50, lat. *convĕntus, -us*, 'reunión de gente'; *conventillo; con-*

ventual, conventículo, 1611. *Devenir*, S. XIX, del fr. *devenir.*
Eventual, S. XIX, deriv. del lat. *eventus, -us*, 'resultado, acontecimiento'; *eventualidad. Intervenir*, 1438 (*entrev-*, h. 1250), lat. *intervenire; intervención*, S. XVII; *interventor*, S. XIX. *Inventar*, h. 1490, deriv. culto del lat. *inventum* 'invención', deriv. de *invenire* 'hallar'; de *inventum: invento*, S. XVII; *invención*, 1433; *inventivo*, 1438; *inventiva*, med. S. XVII; *inventario*, 1495, lat. *inventarium* 'lista de lo hallado'; *inventor*, h. 1440. *Obvención*, lat. *obventio*, deriv. de *obvenire* 'tocar como parte'; *obvencional.*
Prevenir, 1444, lat. *praevenire* íd.; *prevenido, desprevenido; prevención; preventivo. Provenir*, 2.ª mitad S. XVI, lat. *provenire* 'aparecer, nacer, producirse', propte. 'adelantarse'; *proveniente. Revenirse* 'encogerse, consumirse', 1611; 'ceder', 1737; 'escupir una cosa la humedad que tiene', S. XIX; 'inundarse', amer., en lo cual puede haber influjo de *revenar*, deriv. de *vena; revenimiento. Sobrevenir*, 1220-50. *Subvenir*, S. XIX, lat. *sŭbvĕnire; subvención*, 1427; *subvencionar.*
CPT. *Bienvenido*, S. XV; *bienvenida*, med. S. XVI. *Bienaventurado*, 1220-50; *bienaventuranza*, 1490. *Malaventurado*, h. 1280; *malaventura*, S. XIX. *Porvenir*, princ. S. XIX, calco del fr. *avenir*, pero no sin antecedentes castizos (*las cosas, las edades, por venir*, 1444).

Venoso, V. *vena*   *Venta*, V. *vender*
Ventada, V. *viento*   *Ventaja, ventajoso*,
V. *avanzar*

VENTANA 'abertura grande en una pared', h. 1400; antes sólo 'respiradero' (de una nave, de la tienda, de la loriga), h. 1250; 'orificio de la nariz por donde se respira', h. 1325, única acepción conservada por el port. *venta* (procedente del port. ant. *ventãa*, que alguna vez ha sido también 'respiradero'). Éstos son los sentidos primitivos, lo cual explica que *ventana* sea deriv. de *viento*. El paso del sentido estrecho al sentido amplio moderno es debido a la desaparición de la antigua palabra que significaba 'ventana', *hiniestra*, SS. XIII-XVI (lat. FĔNĔSTRA), que tenía el inconveniente de confundirse con *iniest(r)a* 'retama' (lat. GENĒSTA) (de ahí que éste también fuese reemplazado por otro vocablo, *retama*, préstamo del árabe).
DERIV. *Ventanaje. Ventanal. Ventanear; ventaneo. Ventanero. Ventanilla. Ventano.*

Ventanal, ventanear, ventanero, ventanilla, V. *ventana*   *Ventar, ventarrón, ventear*, V. *viento*   *Venteril, ventero*, V. *vender*   *Ventilación, ventilador, ventilar, ventisca, ventisquear, ventisquero, ventola*, *ventolera, ventolina*, V. *viento* *Vento-rrillo*, V. *vender* *Ventosa, ventosear, ventosidad, ventoso*, V. *viento* *Ventregada, ventricular, ventrículo, ventrílocuo, ventrudo*, V. *vientre* *Ventura, venturero, venturoso*, V. *venir*

VER, h. 1140. Del lat. vĭDĒRE íd.
DERIV. *Veedor*, 1212. *Vidente*, S. XIX, por vía culta, de *videns*, participio. *Vista*, h. 1140; *vistazo*; *vistoso*, 1490, *vistosidad*; *avistar*, princ. S. XVII. *Viso*, antes 'sentido de la vista', SS. XIII-XV; hoy 'matiz de la superficie de las cosas', princ. S. XVII; 'pretexto', princ. S. XVII; del lat. vIsus, -ŪS, 'acción de ver', 'sentido de la vista', 'aspecto'; *visillo*; *visaje* 'rostro', 1490; 'mueca', 1495, del fr. *visage* 'rostro'; *visar*, 1843, del fr. *viser*; *visera*, 1605; *visible*, 1438, lat. *visibilis, visibilidad*; *visión* 'sentido de la vista', 1220-50; 'aparición', h. 1250; 'ensueño', 1495, lat. *visio, -onis*; *visionario*; *visor*; *visual*, 1580, *visualidad*; *visura*, 1843. *Visitar*, 1220-50, lat. vĭsĭtāre 'ver con frecuencia', 'ir a ver'; *visita*, 1611; antes *visitación*, 1220-50; *visitador*, 1495; *visitante*; *visiteo*; *visitero*. *Entrever*, 1817, del fr. *entrevoir*, h. 1100; *entrevista*, 1817, del fr. *entrevue*, 1498; *entrevistarse*.
Evidente, 1438, lat. *evidens, -entis*; *evidencia*, princ. S. XV; *evidenciar*, 1732. *Prever*, 1607, adaptación del lat. *praevidere* íd.; *previsión*; *previsor*. *Proveer*, 1220-50; *proveedor*; *providente*; *providencia*, 1220-50, *providencial*, *próvido*, S. XVIII, lat. *provĭdus* íd.; *provisión*, h. 1440; *provisional*; *desproveer, desprovisto*; *provisor*, S. XIII; *de improviso*, 1570, lat. *de improviso*; *improvisar*, S. XIX, del fr. *improviser*, 1642; *improvisador, improvisación*. *Rever*, 1607; *revista*, 1607; *revistar*, 1765-83. *Revisión*, 1737; *revisor*, 1737; *revisar*, S. XIX (una vez h. 1525).

VERA 'orilla', 1491. La grafía correcta sería *bera*. Probte. tom. del port. *beira* íd., 1228 (salvo en las hablas leonesas y andaluzas, donde puede ser autóctono), voz más viva en portugués. De origen incierto, probte. prerromano. La *Vera de Plasencia* y las tres poblaciones principales llamadas *Vera* (Almería, Zaragoza, Navarra) coinciden en hallarse a orillas de un río, y se llamaban BARĬA, BARĔA O BÁREIA en la época romana, que será la forma primitiva de este vocablo, acaso de origen céltico.
DERIV. *Veril*, S. XIX.

Veracidad, V. *verdad*

VERANO, 1032. Abreviación del lat. vg. VERĀNUM TEMPUS 'tiempo primaveral', derivado de VĔR, VĔRIS, 'primavera'. Hasta el Siglo de Oro se distinguió entre *verano*,

que entonces designaba el fin de la primavera y principio del verano; *estío*, aplicado al resto de esa estación, y *primavera*, que significaba solamente comienzo de la estación conocida ahora con este nombre. De acuerdo con este valor, *primavera*, 1490, viene del lat. vg. PRĪMA VĔRA, clásico PRIMO VERE 'al principio de la primavera'.
DERIV. *Veranear*, 1604; *veraneo*, 1739; *veraneante*. *Veraniego*, 1495. *Veranillo de San Martín*, 1495. *Primaveral*, S. XIX.

Veras, verascopio, V. *verdad* *Verbal, verbalismo*, V. *verbo*

VERBASCO, 1495 (*barvasco*). Del lat. VERBASCUM íd.

VERBENA, 1399 (*berbena*). Del lat. VERBĒNA 'cada uno de los ramos de verbena, laurel, olivo o mirto que llevaban ritualmente los sacerdotes paganos en sus sacrificios'. La frase *coger la verbena* 'madrugar mucho', 1739, hace referencia al empleo de la verbena en medicina popular, cogida en estas horas del día; de ahí *verbena* 'velada de San Juan y San Pedro', S. XIX, que alude a la prolongación de las mismas hasta la madrugada.
DERIV. *Verbenáceo. Verbenero.*

VERBO, 1220-50; la especialización como nombre de una parte de la oración, 1490. Tom. del lat. vĕrbum 'palabra', 'verbo, parte de la oración'.
DERIV. *Verbal*, 1495; *verbalismo. Verboso*, 1584; *verbosidad*, h. 1640. *Adverbio*, h. 1490, lat. *adverbium* íd.; *adverbial. Proverbio*, 1220-50, lat. *proverbium* íd.; *proverbial. Deverbal. Postverbal.*
CPT. *Verbigracia*, lat. *verbi gratĭā* 'por causa de una palabra'.

VERDAD, h. 1140. Del lat. vĕRĬTAS, -ĀTIS, íd., deriv. de vĔRUS 'verdadero'. De éste el cast. ant. *vero*, SS. XII-XIII, que no ha dejado más huellas que el clásico *veras* 'seriedad, verdad', 1495, y la locución *de veras*, 1605.
DERIV. *Verdadero*, 1029. *Veraz*, 1444, tomado del lat. *verax, -ācis* íd.; *veracidad*, med. S. XVII. *Adverar. Verismo.*
CPT. *Averiguar*, 1240, lat. tardío vĕRĭfĭcāre 'presentar como verdad'; *averiguación*; cultismo puro es *verificar*, 1578; *verificación. Verídico*, S. XVII, lat. *veridicus*, formado con *dicere* 'decir'. *Veredicto*, S. XIX, latinización del ingl. *verdict*, 1297, que es el fr. normando *veir dit*, propte. 'dicho verdadero'. *Verosímil*, 1607, alteración de *verisímil*, h. 1440, bajo el influjo de *vero*: tom. del lat. *veri similis* íd.; *verosimilitud*, 1616; *inverosímil. Verascopio.*

VERDE, 1019. Del lat. vĭrĭdis íd. y 'vigoroso, vivo, joven'.

Deriv. *Verdal,* 1739. *Verdasca,* 1525, o *vardasca,* 1612. *Verdear,* 1843; *verdeo. Verdeguear,* 1495. *Verderón,* princ. S. XVII (pájaro); *verderol,* princ. S. XVII, o *verderón* (marisco). *Verdín,* 1739. *Verdón,* 1609. *Verdor,* 1490. *Verdoso,* 1609. *Verdugo* 'vara que se corta verde', 1215; 'renuevo o vástago de árbol', 1739; 'azote de mimbre, etc.', 1832; 'alguacil que ejecuta la pena de azotes', h. 1400; 'el que ejecuta el tormento o la pena de muerte', 1611; *verdugado* 'vestidura que las mujeres usaban debajo de las basquiñas para ahuecarlas', 1605, así llamado por el verdugo o varita con que se formaron. *Verdura,* 1220-50; *verdulero, -a,* princ. S. XVII, de *verdurero; verdulería. Verdusco. Reverdecer,* 1490. *Vergel,* h. 1140, de oc. ant. *vergier,* que viene del lat. vg. viridiarium, clásico viridarium 'arboleda'.

Cpt. *Verdegay,* S. XVII, del fr. *vert gai* 'verde alegre'. *Verdemar,* 1739. *Verdinegro,* S. XVII.

VERDOLAGA, 1490. Del mozárabe **berdolaca,* variante de *berdilaca,* h. 1100, y *berdocala,* que se encuentran en los textos de este lenguaje. Éstos a su vez proceden del lat. portŭlāca íd., deriv. de portŭla 'puertecita'; por el opérculo de la semilla de esta planta, en forma de puerta. Comp. *PORCELANA.*

Verdón, verdor, verdoso, verdugado, verdugo, verdulera, verdulería, verdura, verdusco, V. *verde   Verecundia, verecundo,* V. *vergüenza*

VEREDA 'camino viejo y angosto', 1335; primeramente 'orden que se despacha a un número determinado de lugares que están en un mismo camino', 1170 (y quizá 1095), 'vía tradicional de los ganados trashumantes', 757. Del bajo lat. verēda íd., que es deriv. del lat. verēdus 'caballo de posta' y de veredarius 'correo o mensajero del Estado'. Del mismo origen el port. ant. *verea* 'vereda, camino', 1258, cat. *vereda* 'orden, etc.', y con este sentido primitivo pasó el vocablo a América, pues hoy en Colombia designa cada uno de esos lugares cuando están lejos de la cabeza de distrito. La acepción 'acera de la calle', es sólo de la América austral y se explica partiendo de la idea de 'sendero', por las calles cenagosas de los pueblos de la Pampa colonial, donde sólo quedaba estrecho paso junto a las casas.

Veredicto, V. *verdad*

VERGA, 1220-50. Del lat. vĭrga 'vara', 'rama, retoño'. La misma palabra dio el

fr. *verge,* de donde parece haberse tomado el cast. *verja,* 1591, que en tiempo de Cervantes designaba cada una de las barras de una verja.

Deriv. *Envergar. Vergajo,* 1490. *Vergé* o *papel vergé,* del fr. *papier vergé,* deriv. de *verge* 'varita'; *papel verjurado,* deriv. del fr. *vergeure* 'rayas marcadas a lo largo de un papel'.

Cultismos: *Vírgula,* lat. *vĭrgŭla,* diminutivo de *virga; virgulilla.*

Vergel, V. *verde   Vergonzante, vergonzoso,* V. *vergüenza*

VERGÜENZA, h. 1140. Del lat. verecŭndĭa íd., propte. 'reserva', 'pudor, respeto'.

Deriv. *Vergonzante,* 1496. *Vergonzoso,* 1220-50. *Avergonzar,* h. 1250. *Desvergonzado,* h. 1250; *desvergonzarse,* 1495; *desvergüenza,* 1251.

Cultismos: *Verecundia y verecundo,* S. XIX; *inverecundo. Reverencia,* 1220-50, lat. *reverentĭa* íd., deriv. de *reverērī* 'reverenciar' y éste de *vereri* 'ser modesto, tener respeto' (de donde deriva *verecundia); reverenciar,* h. 1575; *reverente,* h. 1440; *reverendo,* 1438.

Cpt. *Sinvergüenza.*

VERICUETO 'lugar áspero y quebrado', 1611; 'senda que lleva por país quebrado', S. XIX. Lo primitivo fue *pericueto* 'cerro áspero' (como se dice todavía en Asturias, Galicia, Aragón y Andalucía), deriv. del regional *cueto* 'cerro', 943 (voz muy antigua, de origen desconocido), con el prefijo popular ponderativo *peri-* (que aparece en *perifollo, perigallo, peripuesto); pericueto* se convirtió en *vericueto* por influjo de *vereda.*

Verídico, verificación, verificar, V. *verdad   Verija,* V. *viril I   Verisímil, verismo,* V. *verdad   Verja, verjurado,* V. *verga*

VERMICULAR, 1832. Deriv. del lat. *vermĭcŭlus,* deriv. de *vermis* 'gusano', 'lombriz'.

Deriv. *Verminoso,* 1832.

Cpt. *Vermicida,* formado con lat. *caedere* 'matar'. *Vermiforme. Vermífugo.*

VERMUT, h. 1900. Del alem. *wermut* 'ajenjo', por el que entra en la composición de esta bebida.

VERNÁCULO, med. S. XIX. Tom. del lat. *vernacŭlus* 'indígena', 'nacional', deriv. de *verna* 'esclavo nacido en casa de su dueño', 'nacido en el país', indígena'.

Verosímil, verosimilitud, V. *verdad*

VERRACO, fin S. XIII. Deriv. del lat. VERRES íd. Ya es antigua y está muy extendida la variante *varraco*, S. XIV. DERIV. *Verraquear*, 1739. *Verriondo*, 1631.

Verrojo, V. *cerrojo*

VERRUGA, h. 1400. Del lat. VERRŪCA íd. DERIV. *Verrugoso*, 1495. *Verrugo*, S. XIX. Culto: *Verrucaria*, 1555.

Versación, versado, versal, versalita, versar, versátil, versatilidad, versete, versículo, versificador, versificar, versión, verso, vértebra, vertebral, vertedero, V. *verter*

VERTER, h. 950. Del lat. VĔRTĔRE 'girar, hacer girar, dar vuelta', 'derribar', 'cambiar, convertir'. DERIV. *Vertedero*, 1739. *Vertedor*, 1573. *Vertiente* 'ladera por donde corren las aguas', 1616; 'agua que corre por una ladera', 1674, de donde 'manantial', 1607, hoy amer. *Vértebra*, 1739, tom. del lat. *vertĕbra* íd., propte. 'articulación entorno a la cual gira un hueso'; *vertebrado*; *vertebral*. *Vértice*, 1739, lat. *vertex, -ĭcis*, 'polo entorno al cual gira el cielo', 'cumbre' (y su variante arcaica *vórtice*); *verticilo*, lat. *verticillus*; *verticilado*; *vertical*, 1633, lat. tardío *verticalis* íd., propte. 'que va a la cumbre'; *verticalidad*. *Vértigo*, 1739, lat. *vertīgo, -ĭnis*, íd., propte. 'movimiento de rotación'; *vertiginoso*, 1739. *Verso*, 1335, tom. del lat. *vĕrsus, -us*, íd., propte. 'surco que da la vuelta', 'hilera', 'línea de escritura'; *versal*, S. XIX, o *versalita*, así llamada por emplearse en principio de verso; *versete*, h. 1400; *versículo*, fin S. XVII. *Versar*, 1490, tom. del lat. *versari* 'encontrarse habitualmente en un lugar', 'ocuparse en algo' (primero 'dar vueltas entorno'); *versación*; *versado*; *versátil*, 1739, lat. *versatĭlis* íd.; *versatilidad*. *Versión*, princ. S. XVII. *Advertir*, principio S. XV, lat. *advertĕre* 'dirigir hacia', 'notar, advertir'; *advertencia*, h. 1575; *inadvertido*; *inadvertencia*, h. 1440. *Adverso*, princ. S. XV; lat. *advĕrsus* íd.; *adversidad*; *adversario*, 1240; *adversativo*. *Anverso*, 1817, del fr. *envers* 'envés', 'reverso', h. 1100, y éste del lat. ĪNVĔRSUS 'invertido'; de éste quizá directamente el cast. *envés*, 1530. *Aversión*, med. S. XV, lat. *aversio, -onis*, íd., deriv. de *avertere* 'apartar'. *Controvertido*, princ. S. XVII, *controvertir*, 1739, del lat. *controvertere*; *controvertible*; *controversia*, 1220-50, lat. *controvĕrsia*; *controversista*, princ. S. XVII. *Convertir*, 1220-50, lat. *convertĕre* íd.; *converso*, 1495; *conversión*, 1495. *Conversar*, 1495, lat. *conversari* 'vivir en compañía'; *conversación*, 1438. *Divertir*, h. 1525,

lat. *divertĕre* 'apartarse', de ahí 'distraerse'; *diversión*, S. XVII; *diverso*, 1220-50, lat. *diversus*; *diversidad*, 1220-50; *diversificar*. *Divorcio*, med. S. XVI, lat. *divortium* íd.; *divorciar*, princ. S. XVII. *Introversión*, de ahí el neologismo médico *introvertido*, del ingl. *introvert(ed)*, S. XVII; de ahí luego *extrovertido* y *extroversión*, ingl. *extrovert*, S. XVII (por lo demás no es seguro que en inglés deriven de *vertere*). *Invertir*, S. XVI, lat. *invertere* íd.; *inverso*, fin S. XVII; *inversión*, 1580. *Pervertir*, S. XV, lat. *pervertere* 'trastornar'; *perverso*, 1438; *perversidad*; *perversión*. *Reverter*, h. 1250; *revertir*; *reverso*, h. 1575; de REVERSUS 'vuelto del revés': cast. *revés*, h. 1330; *revesado*, 1495, o *enrevesado*, S. XIX; *revesino*, med. S. XVIII; *reversión*; *reversible*. *Subvertir*, 1444, lat. *subvertere* 'volver cabeza abajo', 'destruir'; *subversión*, 1739; *subversivo*. *Travieso*, 1220 - 50, lat. TRANSVĔRSUS 'transversal'; *traviesa*; *travesura*, 1220-50; *travesear*, S. XVII; *travesaño*, S. XIII; *travesía*, h. 1250. *Través*, 1490, lat. TRANSVERSUS. *Atravesar*, h. 1140, lat. tardío TRANSVERSARE. Cultos: *Transverso*; *transversal*, 1515. CPT. *Versificar*, 1220-50; *versificación*. *Universo*, 1438, lat. *universum* 'conjunto de todas las cosas'; *universal*, 1427; *universidad*, 1490; *universidad de estudio*, 1505, del lat. *universĭtas, -atis*, en la acepción 'totalidad', 'compañía de gente, comunidad'; *universitario*, S. XIX. *Malversar*; *malversación*.

Vertical, vértice, verticilado, verticilo, vertiente, vertiginoso, vértigo, V. *verter* *Vesania, vesánico,* V. *sano* *Vesicante, vesícula, vesicular,* V. *vejiga* *Vespertino,* V. *víspera*

VESTÍBULO, 1765-83. Tom. del lat. *vestĭbŭlum* íd.

Vestido, vestidura, V. *vestir*

VESTIGIO, h. 1440. Tom. del lat. *vestīgium* íd., propte. 'planta del pie', 'suela', 'huella'. DERIV. *Investigar*, h. 1440, lat. *vestīgāre* íd., propte. 'seguir la pista o las huellas'; *investigador*; *investigación*, 1433.

Vestiglo, V. *bestia*

VESTIR, 1080. Del lat. VĔSTĪRE íd. DERIV. *Vestido*, 1050, lat. VESTĪTUS, -US, íd. *Vestidura*, h. 1140. *Vestimenta*, 1220-50; *vestimento*, 1444. *Vestuario*, 1495. *Desvestir*. *Investir*, 1608, lat. *investire* 'revestir'; *investidura*, princ. S. XVII. *Revestir*, 1220-50.

Vestugo, V. *vástago*

VETA, 1390. Del lat. vĭTTA 'cinta', 'ínfula de sacerdote'. En cast. es palabra sólo empleada en sentidos figurados o regional, que probte. se tomó del cat. *veta* 'cinta'.
DERIV. *Veteado, vetear,* S. XIX.

Veterano, veterinario, V. *viejo   Veto,* V. *vedar   Vetustez, vetusto,* V. *viejo*

VEZ, h. 950. Del lat. vĭCIS 'turno, alternativa', 'turno de uno en el ejercicio de una función', 'función, lugar, puesto que uno ocupa'.
DERIV. *Vecero; vecera; vecería.*
Cultos: *Vicario,* 1220-50, tom. del lat. vĭcārius 'el que hace las veces de otro'; *vicaría,* 1220-50; *vicariato.* Por vía popular, de VICARIUS: cat. *veguer,* y de ahí cast. *veguer,* S. XIX; *veguería, veguerío. Vice-,* prefijo formado con el lat. vĭce, ablativo de *vicis,* 'que hace veces de'. *Vicisitud,* med. S. XVII, lat. *vicissitudo.*
CPT. *Viceversa,* lat. *vice versā,* propte. 'en alternativa inversa'.

VÍA, h. 1140. Del lat. vĭA 'camino', 'carretera', 'calle', 'viaje'.
DERIV. *Viada,* med. S. XVII. *Viadera,* 1739. *Viaje,* 1335, poco corriente hasta el S. XVI; del cat. *viatge* íd., y éste del lat. vĭATĭCUM 'provisiones para·el viaje', 'dinero para el viaje'; *viajero,* 1817; *viajar,* 1739; *viajante,* 1739. De dicho *viaticum,* por vía culta: *viático,* princ. S. XVII; *viaticar,* S. XIX. *Vial,* 1739; *vialidad,* amer., fin S. XIX. *Aviar,* h. 1580; *aviamiento,* med. S. XV; *avío,* S. XVI. *Desviar,* h. 1200, lat. DEVIARE; *desviación; desviado,* 1220-50; *desvío,* 1495. *Enviar,* h. 1140, lat. tardío INVĭARE 'recorrer (un camino)', de donde 'enviar a alguno por un camino'; *enviado; envío,* S. XIX; *envión,* ¿1613?, 1832. *Extraviado,* princ. S. XVIII; *extraviar,* 1732; *extravío,* 1732. *Uviar,* 1102, ant., 'llegar', lat. ŎBVĭARE 'salir al encuentro'; *antuviarse* 'adelantarse', 'anticiparse' (con prefijo *ante-),* S. XVI; *antuvión* 'ataque repentino', princ. S. XVII. *Obviar,* med. S. XVI, cultismo de dicho *obviare; obvio,* fin S. XVII, lat. *obvius* 'que sale al paso, que ocurre a todo el mundo'. *Previo,* S. XVIII, lat. *praevius* íd.
CPT. *Viandante,* 1495 (¿S. XIII?). *Viaducto,* S. XIX, del ingl. *viaduct,* 1816. *Viaje* 'acueducto subterráneo', palabra madrileña procedente del mozárabe, donde probte. venía del lat. VIA AQUAE 'camino del agua'. *Trivio,* lat. *trivium* 'encrucijada de tres caminos'; *trivial,* S. XVIII, lat. *trivialis,* propiamente 'que se halla por las encrucijadas'; *trivialidad,* S. XVIII; *cuadrivio,* lat. *quadrivium* 'cruce de cuatro caminos'.

Viabilidad, viable, V. *vivo   Viada, viadera, viaducto, viajante, viajar, viajero, vial,*

vialidad, V. *vía   Vianda,* V. *vivo   Viandante,* V. *vía*

VIARAZA 'acción inconsiderada y repentina', 1611, y hoy amer., 'flujo de vientre en las caballerías', 1739. En lo antiguo, princ. S. XV, y sobre todo en portugués (*viaraz,* S. XIII) designó una ave agorera pequeña y flaca, de donde vendrán las acepciones modernas, por el derrengamiento que deja el flujo de vientre y por la fama de aturdidas que tienen estas aves, comp. el sentido de 'aturdido' que tienen el fr. *butor* 'alcaraván' y los cast. *alcaraván* y *abejaruco.* El origen del vocablo es incierto; probte. deriv. de *vía* 'camino', por ser donde se observa la aparición de las aves agoreras.

Viaticar, viático, V. *vía*

VÍBORA, 1251. Del lat. vīPĕRA íd.
DERIV. *Viborezno,* 1495.
Cultismos: *Viperino. Vipéreo,* 1444.

VIBRAR, 1599 (una vez 1438). Tom. del lat. vĭbrāre 'blandir', 'sacudir', 'lanzar', 'vibrar'.
DERIV. *Vibración,* 1739. *Vibrante. Vibrátil. Vibratorio. Vibrión.*

Viburno, V. *piorno   Vicaría, vicariato, vicario, vice-, viceversa,* V. *vez   Viciar, vicio, vicioso,* V. *avezar   Vicisitud,* V. *vez*

VÍCTIMA, 1490. Tom. del lat. *victima* 'persona o animal destinado a un sacrificio religioso'.
DERIV. *Victimario.*

Víctor, victorear, victoria, victorioso, V. *vencer*

VICUÑA, 1554. Del quichua *wikúña* íd.

Vichar, V. *velar*

VID, 1143. Del lat. vītis 'vid (la cepa o la especie)', 'varita'.
DERIV. *Vidarra,* h. 1900. *Viduño,* 1575 (*veduño,* 1396; *vidueño,* 1490). *Virgaza,* S. XIX, de **vidgaza,* lat. vg. **VITICACĔA,* sacado del lat. VITICELLA por cambio del sufijo diminutivo en el aumentativo. *Vedija* 'mata de pelo ensortijado', 1438; 'porción pequeña de lana', 1605, lat. vĭTĭCŭLA 'tallo de una planta', luego 'zarcillo de vid', y de ahí 'pelo o vello rizados'; *vedijoso; vedijudo,* h. 1400; *vedijado; vedijuela; envedijar.*
CPT. cultos: *Vitícola,* formado con *colere* 'cultivar'; *viticultor; viticultura; vitivinícola; vitivinicultura.*

Vida, vidala, vidalita, V. *vivo   Vidarra*,
V. *vid   Vidente*, V. *ver   Vidorria*, V.
vivo

VIDRIO, 1220-50. Del lat. vǏTRĔUM 'objeto de vidrio', deriv. de vǏTRUM 'vidrio'.
Deriv. *Vidriar*; *vidriado*, 1490. *Vidriero*,
1495; *vidriera*, h. 1280 ('especie de retama',
mozár., h. 1106); *vidriería*. *Vidrioso*, princ.
S. XVII.
Cultismos: *Vítreo. Vitrina*, h. 1900, del
fr. *vitrine. Vitriolo*, 1640 (*vidriol*, 1495, del
cat.), bajo lat. *vitriolum*, S. VIII; *vitriólico*.
Cpt. *Vitrificar*; *vitrificación*.

Vidrioso, V. *vidrio   Vidual*, V. *viuda
Vidueño, Viduño*, V. *vid*

VIEJO, 1068. Del lat. vĔTŬLUS 'de cierta
edad, algo viejo', 'viejecito', que en latín
vulgar sustituyó el clásico vĔTUS, -ĔRIS,
'viejo', del que aquél era diminutivo.
Deriv. *Viejarrón* o *vejarrón. Vejezuelo*,
h. 1280. *Vejancón*, 1739, o *vejanco*, amer.
Vejecito o *viejecito. Vejestorio*, 1739. *Vejete*, princ. S. XVII; *vejeta. Vejerano*, 1923,
o *vejarano*, cruce de *vejete* y *veterano*.
Vejez, S. XIV. *Vejote. Avejentar*, S. XIX;
aviejar. Envejecer, 1438; *envejecido*; *e.;vejecimiento*.
Cultismos, del clásico *vetus*: *Veterano*,
S. XVII, lat. *veteranus* íd. *Veterinario*, S.
XIX, lat. *veterinarius* íd., deriv. de *veterīnae* 'bestias de carga' (propte. 'animales
viejos, impropios para montar', los cuales
necesitan más del veterinario que los demás); *veterinaria. Inveterado. Vetusto*, S.
XIX, lat. *vetustus* íd.; *vetustez*.

VIENTO, fin S. X. Del lat. vĔNTUS íd.
Deriv. *Ventada. Ventalla*, 1708, del fr.
ventaille; *ventalle*, 1490, del cat. *ventall.
Ventarrón. Ventear*, 1604 (*ventar*, h. 1140).
Ventilar, 1490, tom. del lat. *ventǐlāre* íd.;
ventilación; *ventilador. Ventiscar*, S. XIV,
o *-isquear*; *ventisca*, 1220-50; *ventisquero*
'sitio alto donde se conserva la nieve', S.
XVII; 'glaciar', amer. ('ventolera', S. XV);
ventolera, S. XVII; *ventolina*, S. XIX; *ventola. Ventor* 'perro de caza', fin S. XVI.
Ventorrero, S. XIX. *Ventoso*, 1495; *ventosa*, 1495; *ventosear*; *ventosidad. Aventar*,
h. 1250; *aventadero*; *aventamiento*.
Cpt. *Vendaval* 'viento fuerte del Sur inclinado al Oeste', 1519 (de donde luego
'cualquier viento fuerte'), del fr. *vent d'aval*
'viento de alta mar, viento Oeste', propte.
'viento de abajo' (por oposición al *vent
d'amont* 'viento del Este'; porque en Francia las tierras altas están a Oriente y las
bajas al Poniente).

VIENTRE, 1220-50. Del lat. vĔNTĔR,
-TRIS, íd.

Deriv. *Ventral. Ventregada*, 1611. *Ventrera. Ventrículo*, 1580, tom. del lat. *ventrǐcŭlus*; *ventricular. Ventril*, h. 1250. *Ventrudo*, 1739.
Cpt. *Ventrílocuo*, con el lat. *loqui* 'hablar'.

VIERNES, 1219. Abreviación del latín
DIES VĔNĔRIS, propte. 'día de Venus'.
Otros deriv. de VENUS, -ĔRIS, 'Venus':
Venera 'concha de peregrino', 1220-50, del
lat. VENĔRĬA 'especie de concha', así llamada por la concha en que pintan a Venus
al salir de las aguas; *veneruela. Venéreo*,
h. 1440, lat. *venerius* 'perteneciente a Venus'.

VIGA, h. 1140. En portugués *viga*, cat.
biga, 1226; oc. *biga*, 1242. Origen incierto.
Probte. del lat. BĪGA 'tronco de dos caballerías que tiran de un carro', 'carro tirado
por ese tronco', suponiendo que tomara
más tarde el sentido 'timón de carreta', de
donde 'madero largo, viga'. El albanés *vik,
vigu*, que al parecer viene de la misma voz
latina, significa, en efecto, 'timón del arado',
alb. *bigę* y rumano de Macedonia *bigă*
'rama', rético *bigl* 'mayal de trillar', y en
occitano medieval *biga* parece haber tenido
a veces el significado de 'yugo' o 'timón de
carreta'.
Deriv. *Envigar. Vigueta. Viguería*.

Vigencia, vigente, V. *vigor   Vigesimal,
vigésimo*, V. *veinte   Vigía, vigiar, vigilancia, vigilante, vigilar, vigilia*, V. *velar*

VIGOR, h. 1140. Tom. del lat. vǐgor,
-ōris, íd., deriv. de vǐgēre 'estar en vigor'.
Deriv. *Vigoroso*, 2.º cuarto S. XV. *Vigorizar*, S. XIX. *Vigente*, 1832, lat. *vigens,
-ĕntis*, participio de dicho *vigere*; *vigencia*,
fin S. XIX.

Vigorizar, vigoroso, V. *vigor   Vigota*,
V. *bigota   Viguería, vigueta*, V. *viga*

VIHUELA, h. 1250. Voz común a todas
las lenguas romances. De origen incierto.
Quizá onomatopéyico. Es probable que en
todas partes se tomara del oc. ant. *viula*,
S. XII (otras veces *viola*, de donde la forma cast.), deriv. de *viular*, S. XII, 'tocar la
vihuela o un instrumento de viento', cuyo
valor imitativo es claro. El germ. *fiðula*
'violín' (alem. *fiedel*, ingl. *fiddle*) parece
ser onomatopeya independiente de la romance. Con el oc. *viular* pueden compararse otras onomatopeyas, como cat. dial.
fiular 'silbar', cat. *piular* 'piar', *viula* 'pedo
suave', S. XIV, ingl. *whew* 'silbar', it. dial.
viulà 'retozar', francoprovenzal *vionnar* 'tocar desafinando'. *Viola*, 1739, se tomó del
it. *viola* íd.

DERIV. *Vihuelista. Violero*, 1220-50. *Violín*, 1611, del it. *violino*; *violinista. Violón*, 1611, del it. *violone*; *violoncelo* o *violonchelo*, 1843, del it. *violoncello*; *violonc(h)elista*.

VIL, 1220-50. Del lat. vĪLIS íd., propte. 'barato', 'sin valor'. DERIV. *Vileza*, h. 1250. *Envilecer*, 1495; *envilecimiento. En vilo*, 1739, 'levantado en el aire', cuyo sentido primitivo sería 'sin firmeza, sin estabilidad' (*paredes en vilo* 'a punto de caer'), de *en vil*, con *-o* añadida por influjo de *en vago*. CPT. De *vil trotera* deriva *viltrotear*, 1765-83. *Vilipendio*, 1444, tom. del b. lat. *vilipendium* 'desprecio', cpt. con *pendĕre* 'pagar'; *vilipendiar*, med. S. XVII.

Vilano, V. *milano*   *Vileza, vilipendiar, vilipendio, en vilo*, V. *vil*

VILORTA, 1611, o **VILORTO**, 1611, 'aro hecho con una vara de madera flexible'. Antiguamente *velorta*, h. 1300 (*veluerto*, 1220-50), gallego *biorto*. Origen incierto; probte. prerromano. Quizá de un vasco arcaico *BILURTU 'torcido', 'vilorta', hoy vasco *bilur* 'vilorta', *biurtu* 'torcer', seguramente compuesto del vasco *bildu* 'reunir' y *ur* 'avellana', que antes tendría el sentido de 'ramas de avellano', las más empleadas como madera flexible (de ahí *bil-ur* 'ramas para unir' y *bilurtu*).

Viltrotear, viltrotera, V. *vil*

VILLA, h. 1140. Del lat. vĪLLA 'casa de campo, granja', 'residencia en las afueras de Roma en la que se recibía a los embajadores'. Empezó designando una aldea, pero en los SS. XII y XIII ya es nombre de una población algo mayor. DERIV. *Villar*, 1739, y en la toponimia, S. X, bajo lat. vĪLLĀRIS. *Villorrio*, 1739. *Villano*, 1074, lat. vg. *vĪLLĀNUS 'habitante de una casa de campo, labriego', y luego 'el no hidalgo, el hombre bajo'; *villanaje*, princ. S. XVII; *villanesco*, 1739; *villanía*, 1220-50; *villanada*; *villanote*; *villancico*, 1605, designó primero al labriego mismo, abreviándose luego el nombre *copla de villancico* hasta designar la copla; *villanchón*. 1335.

Villanada, villanaje, villancico, villanchón, villanesco, villanía, villano, villar, villorrio, V. *villa*   *Vinagre, vinagrera, vinagreta, vinagroso, vinajera, vinatero, vinaza*, V. *vino*

VINCAPERVINCA, 1765-83. Tom. del lat. vĬnca pervĬnca íd., propte. acumulación de dos nombres sinónimos de la misma

planta, ambos deriv. en definitiva de vĭncīre 'atar' (por los tallos rastreros de la planta, enredados entre sí).

VÍNCULO, med. S. XIV. Tom. del lat. vĭncŭlum 'atadura' (deriv. de vĭncīre 'atar'). DERIV. *Vincular*, 1.ª mitad S. XV. *Vinculación*.

VINCHA, amer., 1553, 'cinta con que los indios y gauchos sujetan el cabello rodeando la cabeza'. Del quichua *uincha* íd.

VINCHUCA, amer., 1789, 'especie de chinche de gran tamaño'. Del quichua; probte. de *uihchúcucc* 'que cae arrojado', adjetivo verbal de *uihchúcui* 'precipitarse, arrojarse', porque así se lanza desde el techo sobre los durmientes.

Vindicación, vindicar, vindicativo, vindicatorio, vindicta, V. *vengar*   *Vínico, vinícola, vinicultor, vinicultura*, V. *vino*

VINIEBLA, 1553, 'Cynoglossum officinale'. También llamada *bizniega*, SS. XVII-XVIII, en Aragón *barlenda*, en catalán *besneula*, 1569. Procedentes todos ellos del bajo lat. *bislingua* o de una variante suya *BĬSLĬGŬLA, compuestos del lat. LINGUA 'lengua' o de su diminutivo LIGULA. Nombres comparables a los otros nombres romances de la misma planta: *dos lenguas, double langue*, que aluden a la forma de las hojas de la planta. *BISLIGULA pasaría, por disimilación, a *besnégula, de donde el cat. *besneula* y en castellano *bisnegla, de donde *bizniega* o *biniebla*. Sin embargo, no es seguro que el elemento BIS-, en apariencia 'dos veces', no sea alteración de otra palabra, quizá OVIS LIGULA 'lengüecita de oveja'.

VINO, 1048. Del lat. vĪNUM íd. DERIV. *Vinajera*, 1275, del fr. ant. *vinagière* íd., deriv. de *vinage* 'bebida alcohólica'. *Vinatero*, 1607; *vinatera*, h. 1900; *vinatería. Vinaza*, 1843. *Vínico. Vinillo. Vinolento*, 1555, lat. *vinolĕntus. Vinoso*, 1555. *Viña*, 980, lat. vĪNĔA íd.; *viñadero*, 1335. *Viñador*, h. 1400. *Viñedo*, 1495. *Viñeta*, 1843, fr. *vignette* 'adorno en figura de sarmientos que se pone en las primeras páginas de un libro'. *Viñuela*. CPT. *Vinagre*, 1220-50, quizá ya h. 1100; del cat. *vinagre* (formado con *agre* 'agrio'), que pronto sustituyó el castizo *acedo*, por la abundante elaboración de vinagres en el Bajo Ebro; *vinagrera*, 1495; *vinagreta*, h. 1900, del cat. *vinagreta*; *vinagroso*; *avinagrar. Vinífero. Vinificación. Vinícola*, con el lat. *colĕre* 'cultivar'; *vinicultor*; *vinicultura. Vendimia*, 1490, lat. vĪNDĒMĬA íd., formado con DEMĔRE 'quitar, coger un fruto'; *vendimiar*, 1335, lat. VINDEMIARE; *ven-*

dimiador, 1495; *vendimiario.* Formados con el gr. *ôinos,* equivalente del lat. *vinum:* Enólogo; enología; enológico. Enotecnia; enotécnico.

Viña, viñadero, viñador, viñedo, viñeta, viñuela, V. *vino* *Viola* 'instrumento', V. *vihuela* *Violáceo,* V. *violeta* *Violación,* V. *violento* *Violado,* V. *violeta* *Violador, violencia,* V. *violento*

VIOLENTO, 1220-50. Tom. del lat. *violĕntus* íd., deriv. de *vis* 'fuerza', 'poder', 'violencia'.
DERIV. *Violentar,* princ. S. XVII. *Violencia,* 1220-50, lat. *violĕntĭa* íd. *Violar,* 1220-50, lat. *violare* íd.; *violación; violador.* El primitivo *vis* se ha tomado recientemente en la frase *vis cómica.*

VIOLETA, h. 1325. Del fr. *violette,* S. XII, deriv. del fr. ant. *viole,* y éste tom. del lat. *vĭŏla* íd.
DERIV. *Violetero. Violado,* 1490. *Violar,* sust. 1495. *Violáceo.* Del gr. *ion,* equivalente del lat. *viola,* deriva *iŏdēs* 'violado', del cual se tomó el cast. *yodo,* med. S. XIX (por conducto del fr. *iode,* 1812); *yodado; yoduro, yodurar.*
CPT. *Yodoformo.*

Violín, violinista, violón, violoncelista, violoncelo, V. *vihuela* *Vipéreo, viperino,* V. *víbora*

VIRA 'saeta de ballesta', 1335, de donde 'tira para reforzar el zapato, cosida entre la suela y la pala', med. S. XVI (por comparación de la forma delgada de la saeta con lo poco que se ve de la vira del zapato). Origen incierto. Probte. del fr. ant. *vire* íd., S. XIII, que procederá de un lat. vg. **VĒRĬA,* clásico *VĒRŬA,* plural de VERU 'dardo'.
DERIV. *Viratón,* fin S. XIV, del fr. ant. *vireton. Virote,* h. 1330, probte. sacado de *virotón,* variante de *viratón; virotero,* 1646.

Virada, V. *virar* *Virago,* V. *viril* I

VIRAR, h. 1570. Probte. del céltico **VĪRŌ* 'yo me desvío, me inclino', comp. el galés *gwvro* 'desviarse, inclinarse a un lado', 'encorvarse', bretón *goara* 'encorvar'. En castellano no parece ser voz antigua, sino término náutico debido. al influjo coincidente del fr. *virer,* h. 1100, y el port. *virar,* h. 1500, los cuales sí proceden directamente del celta.
DERIV. *Virada,* S. XIX. *Viraje,* 1925. *Virazón* 'cambio de viento', 1492, del port. *viração* íd. *Revirar.*

Viratón, V. *vira*

VIRAVIRA, amer., 1750. Del quichua *uirauira* íd., propte. 'muy gordo', de *uira* 'gordura', 'gordo', aludiendo a las grandes hojas de esta planta.

Virgaza, V. *vid*

VIRGEN, 1220-50. Tom. del lat. *vĭrgo, -ĭnis,* 'muchacha', 'doncella, virgen'. Latinismo puro es *virgo* 'virginidad', 1495.
DERIV. *Virginal,* 1438, lat. *virginalis. Virgíneo,* 1444. *Virginia, virginiano,* aluden al estado americano de Virginia, denominado en honor de la reina Elisabet de Inglaterra. *Virginidad,* 1220-50. *Desvirgar,* 1495; *desvirgamiento.*

Vírgula, virgulilla, V. *verga*

VIRIL I, adj. 'varonil', h. 1440. Tom. del lat. *vĭrīlis* 'masculino', 'propio del hombre adulto', 'vigoroso', deriv. de *vir, viri,* 'varón'.
DERIV. *Virilidad,* h. 1440. *Virago,* 1544, tom. del lat. *virāgo, -ĭnis,* 'mujer robusta', 'guerrera'. *Verijas* 'los testículos', 1513; 'la vulva', princ. S. XV; 'los ijares, la ingle', del lat. *vĭrīlĭa,* neutro plural, 'partes viriles'.
Virtud, 1090, del lat. *vĭrtus, -ūtis,* íd., propte. 'fortaleza de carácter', por vía semiculta; *virtuoso,* princ. S. XIV, lat. *virtuōsus; virtual,* 1739, b. lat. *virtualis,* S. XV; *virtualidad; desvirtuado,* 1611; *desvirtuar,* 1717 (cultismo sólo de las lenguas hispánicas).
CPT. *Triunviro; triunvirato. Duunviro. Viripotente* 'casadera'.

VIRIL II 'hoja de vidrio que cubre sin taparla una custodia o un relicario', 1611, del antiguo *beril* 'berilo', 1.ª mitad S. XV, por comparación con lo traslúcido de esta piedra preciosa.

Viripotente, V. *viril* I

VIROLA, 1726. Del fr. *virole,* S. XIII, tom. del lat. *vĭrĭŏla,* diminutivo de *viria* 'aro'. voz de origen céltico.

Virolento, V. *vario* *Virote,* V. *vira* *Virreina, virreinal, virreinato, virrey,* V. *rey* *Virtual, virtualidad, virtud, virtuoso,* V. *viril* I *Viruela,* V. *vario* *Virulencia, virulento,* V. *virus*

VIRUS, 1817. Tom. del lat. *vīrus, -i,* 'zumo', 'ponzoña'.
DERIV. *Virulento,* h. 1435. tom. del lat. *virulĕntus* íd.; *virulencia,* 1739.

VIRUTA, 1607. Origen incierto. Probte. de un deriv. del oo. *virúutá* 'enrollar', compuesto de los sinónimos *virà* 'virar' y *vóutà* 'dar rodeos' (del mismo origen que el castellano *vuelta*).

Vis, V. *violento*   *Visagra*, V. *bisagra*
Visaje, *visar*, V. *ver*

VÍSCERA, h. 1730. Tom. del lat. *viscĕra*, plural del poco usado *viscus*, *-ĕris*, íd.
DERIV. *Visceral*.

VISCO, 1490. Tom. del lat. *vĭscum* 'muérdago'.
DERIV. *Viscoso*, 1490, lat. *viscōsus*; *viscosidad*, 1490. *Enviscar.*

Viscoso, V. *visco*   *Visera*, *visible*, *visillo*, *visión*, *visionario*, V. *ver*

VISIR, princ. S. XVII. Del turco *vezir*, y éste del ár. *wazir* 'ministro', deriv. de *wázar* 'llevar una carga'.
DERIV. *Visirato*; *visirazgo*, 1926.

Visita, *visitador*, *visitante*, *visitar*, *visiteo*, V. *ver*   *Vislumbrar*, *vislumbre*, V. *lumbre*   *Viso*, V. *ver*

VISÓN, 1925. Del fr. *vison*, 2.ª mitad S. XVIII, de origen desconocido.

Visor, V. *ver*

VÍSPERA, 1220-50. Del antiguo *viéspera*, y éste del lat. vĕspĕra 'la tarde y el anochecer'.
DERIV. *Vesperal. Vespertino*, 1739, lat. *vespertinus.*

Vista, *vistazo*, *visto*, *vistoso*, *visual*, *visualidad*, *visura*, V. *ver*   *Vital*, *vitalicio*, *vitalidad*, *vitalismo*, *vitamina*, V. *vivo*   *Vitando*, V. *evitar*

VITELA, med. S. XVII. Del it. *vitella* íd., propte. 'ternera', y éste del lat. vĭtĕlla, femenino de vɪtellus, y éste diminutivo de vɪtulus 'ternero'.
DERIV. *Avitelado. Vitelina*, 1739, deriv. de *vitellus* en la acepción figurada 'yema de huevo'.

Vitícola, *viticultor*, *viticultura*, *vitivinícola*, V. *vid*

VITOLA, 1831. En portugués *bitola*, 1552. Dada la diferencia de fechas es probable que se tomara del portugués. Origen incierto.

Vítor, *vitorear*, V. *vencer*

VITRE, h. 1900. Probte. de *Vitré*, ciudad de la Alta Bretaña, conocida por la fabricación de telas.

Vítreo, *vitrificación*, *vitrificar*, *vitrina*, *vitriólico*, *vitriolo*, V. *vidrio*

VITUALLA, 1495. Tom. del lat. tardío *victualĭa* íd., deriv. del lat. *victus*, *-us*, 'subsistencia', 'víveres' (que a su vez lo es de *vivere* 'vivir').
DERIV. *Avituallar*, princ. S. XVI; *avituallamiento.*

VITUPERAR, 1438. Tom. del lat. *vituperare* íd.
DERIV. *Vituperable. Vituperación*, 1490. *Vituperio*, S. XV, lat. *vituperium*, íd.; también alterado en *gutiperio* o *gatuperio*, h. 1640.

Vituperio, V. *vituperar*

VIUDA, h. 1140, y **VIUDO,** 1495. De los lat. vĭdŭa y vĭdŭus íd.
DERIV. *Viudal* o *vidual. Viudedad*, med. S. XVII. *Viudez*, 1495. *Enviudar*, h. 1400.

Vivac, V. *vivaque*   *Vivacidad*, V. *vivo*

VIVAQUE, 1739. Del fr. anticuado *bivac*, 2.ª mitad S. XVII (hoy *bivouac*), y éste del alem. dial. *biwacht* o *biwache*, cpt. de *bi* 'junto a' (alem. *bei*) y *wache* 'vela, guardia', deriv. de *wachen* 'velar'.
DERIV. *Vivaquear.*

Vivar, *vivaracho*, *vivaz*, *víveres*, *vivero*, *viveza*, *vividor*, *vivienda*, *viviente*, *vivificar*, *vivíparo*, *vivir*, V. *vivo*

VIVO, fin S. X. Del lat. vīvus, -A, -UM, íd.
DERIV. *Vivar*, 1495 (topónimo, 1074), lat. vg. *vīvāre*, extraído del plural vɪvaria del clásico vīvarium íd.; de éste viene *vivero*, 1739. *Vivaracho*, 1739. *Viveza*, princ. S. XVII. *Vivito*, adv. *Avivar*, 1220-50. *Vivir*, fin S. X, lat. vīvĕre íd.; *víveres*, 1684, tom. del fr. *vivres* íd., S. XII, o del it. *viveri*, princ. S. XVI; *vividor*; *viviente*, 1495. *Vivaz*, 1515, tom. del lat. *vivax. -acis*, íd.; *vivacidad*, h. 1440. *Vivienda*, 1495, lat. vg. *vīvĕnda* 'cosas en que o de que se ha de vivir'; de donde viene también el fr. *viande*, ant., 'alimentos' (hoy sólo 'carne'), de donde se tomó el cast. *vianda*, h. 1140; *vivandero*, 1646, del fr. *vivandier. Convivir*, S. XIX; *convivencia. Revivir*, 1495. *Sobrevivir*, 1607; *superviviente*, S. XIX; *supervivencia*, S. XIX. *Vida*, 1085, lat. vīta; *vidorria. Vidala*, amer., híbrido formado con el sufijo acariciativo quichua *-la* (*vidala* '¡oh vida, vidita!'), *vidalita*; *víday, viditay, vidalitay*, todos ellos en canciones populares, con el sufijo posesivo *-y* 'mío', del quichua. *Viable*, 1855, del fr. *viable* 'que tiene condiciones de vida', deriv. de *vie* 'vida'; *viabilidad. Vital*, h. 1440, lat. *vitalis* íd.;

vitalicio, princ. S. XVIII; *vitalidad; vitalismo.*

Cpt. *Vitamina,* 1925, voz internacional creada en 1912 por C. Funk con el radical de *amoníaco,* por haberse creído que estas sustancias eran compuestos de este gas; *vitamínico. Porvida. Vivificar,* 1438, lat. *vivificare* íd.; *vivificante. Vivíparo,* formado con el lat. *parěre* 'parir'. *Redivivo,* S. XIX, lat. *redivívus* 'renovado, refeccionado', que popularmente se percibía como formado con *vivus* (aunque en realidad parece derivado de *reduvia* 'piel de culebra que muda', 'panadizo').

VIZCACHA, amer. (roedor semejante a la liebre), 1559. Del quichua *ųiscácha* íd. Deriv. *Vizcachera,* med. S. XIX. *Vizcachón* 'huraño', 1940.

Vizcondado, vizconde, V. *conde Voacé,* V. *vos Vocablo, vocabulario, vocación, vocal, vocálico, vocalismo, vocalizar, vocativo, vocear, vocería, vocero, vociferación, vociferar, vocinglero,* V. *voz*

VOLAR, 1220-50. Del lat. vŏlāre íd. Deriv. *Volada,* h. 1250. *Voladizo. Volado. Volador,* 1220-50. *Voladura,* S. XIX. *En volandas,* 1721; *volandero,* 1739; *volandera,* 1611. *Volante,* S. XIV; *volanta; volantín,* S. XIX, del cat. *volantí,* 1398. *Volatería,* 1525, probte. del cat. *volateria* 'conjunto de las aves', 1275, que parece ser alteración semiculta del lat. *volatília* íd. *Volátil,* h. 1450, lat. *volatílis* íd.; *volatilidad; volatilizar. Volavérunt,* de la 3.ª persona plural del pretérito del lat. *volare. Volear,* 1613; *voleo,* 1490; *volea. Vuelo,* h. 1335. *Circunvolar. Convolar. Revolar,* 1495; *revolear,* h. 1580; *revolotear,* 1737, *revoloteo; revuelo.* Cpt. *Vuelapié.*

VOLATÍN 'acróbata', ant., 1611; hoy *volatines* 'ejercicios de acrobacia', S. XIX. Del antiguo *buratín* 'acróbata', 1596, alterado por influjo de su sinónimo *volteador,* h. 1600. *Buratín* se tomó del it. *burattino* 'títere', med. S. XVII, cuyo sentido primitivo parece haber sido 'comediante popular', S. XVI. El origen de éste es incierto. Deriv. *Volatinero,* med. S. XIX.

Volavérunt, V. *volar*

VOLCÁN, 1524 (y ya S. XIII, pero no con carácter apelativo). Del lat. *Vŭlcānus* 'dios del fuego' (y figuradamente 'incendio'), que ya en la Antigüedad, y sobre todo en la Edad Media, se aplicó a los tres grandes volcanes de Italia, pero sólo con carácter de nombre propio o epíteto. Fueron los castellanos y portugueses los que propaga-

ron el uso del vocablo con carácter de nombre común, aplicándolo al gran número de montes ignívomos que veían en sus descubrimientos de las Azores y del África y la América tropicales; desde estas lenguas se extendió por todo el mundo; pero en Sicilia debió de circular bastante como nombre común ya en la Edad Media, pues a Sicilia se refiere el empleo del árabe *burkân,* que es ya usual como nombre común en los SS. X-XII y que influyó en la terminación de la forma castellana. Deriv. *Volcánico.* De *Vulcanus* 'dios del fuego', directamente: *Vulcanio. Vulcanismo. Vulcanita. Vulcanizar; vulcanización.*

VOLCAR, 1611. Probte. extraído de *revolcar,* 1490 (único existente en portugués). Éste, del lat. vg. *REVŎLVĬCARE* íd., deriv. de REVŎLVI 'caer de nuevo' (y éste de VŎL-VĔRE 'hacer rodar'). Deriv. *Revolcadero,* 1495. *Revuelco,* 1495. *Revolcón. Volquete,* S. XIX, del cat. *bolquet* ·íd. (deriv. de *bolcar* 'volcar'). *Vuelco,* 1495, raro hasta el S. XVII.

Volea, volear, voleo, V. *volar*

VOLFRAMIO, h. 1900. Deriv. del alem. *wolfram* 'mineral de tungstato de hierro y manganeso', del cual se extrae aquel metal. El alem. *wolfram* parece ser cpt. del alem. anticuado *râm* 'suciedad, hollín' y *wolf* 'lobo', denominación despectiva que le dieron los mineros al encontrarlo mientras iban en busca de estaño.

Volición, volitivo, V. *voluntad Volquete,* V. *volcar Volt, voltaico, voltaje, voltario, voltear, voltereta, voltio, voluble, volumen, volumétrico, voluminoso,* V. *volver*

VOLUNTAD, fin S. X. Tom. del lat. *volŭntas, -ātis,* deriv. del verbo *velle* 'querer'. Deriv. *Voluntario,* 1438, lat. *voluntarius; voluntariado; voluntariedad; voluntarioso,* h. 1440. De la raíz de *velle* derivan: *Volición,* 1739. lat. escolástico *volitio, -onis; volitivo,* 1739. *Veleidad,* S. XVII, lat. escolástico *veleitas, -atis; veleidoso,* S. XIX. *Noluntad* y *nolición,* formados con el cpt. lat. *nolle* 'no querer'.

VOLUPTUOSO, h. 1440. Tom. del lat. *voluptuōsus* íd., deriv. de *voluptas, -ātis,* 'placer'. Deriv. *Voluptuosidad,* fin S. XIX.

Voluta, V. *volver*

VOLVER, h. 1140. Del lat. vŏlvĕre 'hacer rodar', 'hacer ir y venir', 'enrollar', 'desarrollar'.

Deriv. *Vuelto. Vuelta,* 1074; *voltear,* h. 1580; *volteador,* 1615. *Voltario,* 1611. *Voltereta,* 1739. *Volt* o *voltio,* deriv. del nombre del físico italiano *Volta* († 1827); *voltaico; voltaje; voltámetro. Voluble,* h. 1440, lat. *volubĭlis; volubilidad,* 1490. *Volumen,* 1438, lat. *volūmen* íd., propte. 'enrolladura', 'rollo de manuscrito'; *voluminoso; volumétrico. Circunvolución,* deriv. del lat. *circumvolvĕre* 'enrollar entorno de algo'. *Convólvulo,* lat. *convolvŭlus* íd.; *convolvulácea, -o. Devolver,* 1612, tom. del lat. *devolvĕre* 'rodar tumbando', 'desenrollar'; *devolución,* S. XVII; *devolutivo,* 1612. *Envolver,* h. 1140, lat. ĬNVŎLVĔRE; *envolvente; envolvimiento; envoltorio,* 1495; *envoltura; desenvolver,* 1495; *desenvolvimiento; desenvuelto,* 1495; *desenvoltura,* 1444. *Revolver,* 1220-50; *revólver,* 1884, del ingl. *revolver* íd., 1835, deriv. de *revolve* 'hacer dar vueltas entorno a una órbita', por el cilindro giratorio de esta arma; *revuelto,* 1220-50; *revuelta,* h. 1280; *revoltoso,* 1335; *revoltillo,* 1599, o *revoltijo; revoltón,* 1495; *revolución,* 1438, tom. del lat. *revolutio, -onis,* 'revolución, regreso'; *revolucionario,* S. XIX, del fr. *révolutionnaire; revolucionar.* Otros cultismos: *Involucro,* S. XIX, tom. del lat. *involūcrum* 'envoltura', deriv. de *involvere* 'envolver'; *involucrar,* S. XIX. *Evolución,* 1817, tom. del fr. *évolution,* 1536, íd., y éste del lat. *evolutio, -onis,* 'acción de desenrollar, desenvolver, desplegar'; *evolucionar; evolucionismo; evolutivo.*

VÓMER, med. S. XIX. Tom. del lat. *vomer, -ĕris,* 'reja de arado', por la forma de este hueso.

VOMITAR, h. 1450. Tom. del lat. *vomĭtāre,* intensivo de *vomĕre* íd.
Deriv. *Vómito,* fin S. XIV, lat. *vomĭtus, -us,* íd. *Vomitivo. Vomitorio.*

VORAZ, med. S. XV. Tom. del lat. *vorax, -ācis,* íd., deriv. de *vorare* 'devorar', 'tragar'.
Deriv. *Voracidad,* h. 1590. *Devorar,* 1438, lat. *devorare* íd.; *devorador,* 1605; *devorante. Vorágine,* h. 1600, lat. *vorāgo, -ĭnis,* 'remolino impetuoso en el agua'.

Vórtice, V. *verter*

VOS, h. 1140. Del lat. vōs 'vosotros'. En los SS. XII-XIV conserva el valor de plural que tenía en latín, pero desde los orígenes aparece también como pronombre singular reverente: desde fines de la Edad Media y en el Siglo de Oro se había extendido tanto su empleo, que ya no implicaba respeto alguno y sólo servía para indicar la falta de la familiaridad propia de iguales, indicando falta de respeto en boca de un no-

ble; de ahí que se evitara su empleo, salvo en las zonas únicamente rurales en aquel tiempo: de ahí su supervivencia con el valor de 'tú', en las partes de América que tenían este carácter en aquel entonces. Con el valor de plural se empleó desde el principio el cpt. *vosotros,* 1251, que al principio tenía carácter enfático ('vosotros sí, no yo'), pero ya en el S. XIV, para evitar la ambigüedad de *vos,* se generaliza *vosotros* como pronombre plural.
Deriv. *Vosear,* princ. S. XVII; *voseo. Vuestro,* h. 1140, lat. vg. VŎSTER, -TRA, -TRUM (clásico VESTER).
Cpt. *Usted,* 1620, contracción de *vuestra merced,* princ. S. XV, inventado para sustituir a *vos,* desgastado como pron. de respeto: formas intermedias son *vuasted,* 1617; *vuested,* 1635; *vusted,* 1619, etc. (también corrieron *voacé* y otras). *Vuecelencia, vuecencia* (por *vuestra excelencia*), *vusiría* y *usía* (por *vuestra señoría*), presentan contracciones análogas.

VOTO, 1220-50. Tom. del lat. vōtum 'promesa que se hace a los dioses', 'ruego ardiente', 'deseo', deriv. de vŏvēre 'prometer', 'formular un ruego'.
Deriv. *Votivo,* S. XVII. *Votar,* 1399; *votación,* S. XIX; *votante,* S. XIX. *Devoto,* 1220-50, lat. *devōtus* 'lleno de celo, sumiso', participio de *devovere* 'consagrar, abnegar'; *devoción,* 1220-50; *devocionario.*
Cpt. *Exvoto,* de la frase latina *ex voto* 'a consecuencia del voto'.

VOZ, h. 1140. Del lat. vōx, vōcis, 'sonido producido por el aire expelido por los pulmones al hacer vibrar las cuerdas vocales'. En la acepción 'grito' ya 1220-50.
Deriv. *Vozarrón,* S. XIX. *Vocear,* 1220-50. *Vocero,* 1127; *vocería,* 1220-50; *vocerío. Vocinglero,* 1495, antes *vocimbrero,* 2.ª mitad S. XV; deriv. de formación incierta, quizá fue primeramente **vocibrero,* del lat. vg. VOCIFERARIUS íd., alterado progresivamente por influjo del antiguo sinónimo *jinglero; vocinglería. Vocal,* h. 1250, tom. del lat. *vōcālis,* propte. 'hecho con vibración de las cuerdas vocales', 'con la voz'; *vocálico; vocalismo; vocalista,* h. 1945, del ingl. *vocalist* 'cantor, músico vocal', 1834; *vocalizar; vocalización; semivocal,* 1580.
Deriv. cultos de vŏcāre 'llamar' (de la misma raíz que vōx): *Vocablo,* 1427, lat. *vocabŭlum* 'denominación', 'palabra'; *vocabulario,* 1495. *Vocación,* h. 1140, lat. *vocatio, -onis,* 'acción de llamar', 'vocación divina'. *Vocativo,* 1490, lat. *vocativus. Convocar,* h. 1435, lat. *convocare* 'llamar a junta'; *convocación; convocatoria. Evocar,* 1614, lat. *evocare* 'hacer salir llamando'; *evocación,* h. 1580; *evocativo. Invocar,* 1438, lat. *invocare* 'llamar a un lugar'; *in-*

vocación, 1438. *Provocar*, h. 1440, lat. *provocare* 'llamar para que salga afuera', 'excitar'; *provocación*, 1495; *provocativo*; *provocador*; *provocante*. *Revocar*, 1220-50, 'enlucir las paredes', propte. 'revocarlas a su primer estado de brillantez'; *revocable*; *revocación*; *revocatorio*; *revoque*, 1737.

CPT. *Sovoz*. *Unívoco*, lat. *univŏcus*. *Vociferar*, 1739, lat. *vociferari* íd.; *vociferación*; *vociferante*.

Vuecencia, V. *vos*   *Vuelapié*, V. *volar*
Vuelco, V. *volcar*   *Vuelo*, V. *volar*   *Vuelta, vuelto*, V. *volver*   *Vuestro*, V. *vos*

VULGO, 2.º cuarto S. XV. Tom. del lat. *vŭlgus, -i*, 'la muchedumbre, el vulgo'.

DERIV. *Vulgacho*, 1739. *Vulgado*, 1499. *Vulgar*, adj., 1438, lat. *vulgaris* íd.; *vulgaridad*, fin S. XVII; *vulgarismo*, h. 1900; *vulgarizar*, 1438. *Vulgata*, S. XVII, lat. *vulgata* 'divulgada'. *Divulgar*, S. XIV, lat. *divulgare* íd.; *divulgación*, h. 1440.

VULNERAR, h. 1580. Tom. del lat. *vŭlnĕnāre* 'herir', deriv. de *vulnus, -ĕris*, 'herida'.

DERIV. *Vulneración*, 1739. *Vulnerario*, princ. S. XVIII. *Invulnerable*, princ. S. XVII; *vulnerable*, 1855, *vulnerabilidad*.

VULVA, 1739. Tom. del lat. *vŭlva* 'matriz', 'vulva'.

W

Wat, V. *vatio*

X

XENOFOBIA, h. 1900. Cpt. del gr. *xénos* 'extranjero' con *phóbos* 'miedo'.
DERIV. *Xenófobo. Proxeneta,* h. 1900, tomado del lat. *proxenēta* 'intermediario, corredor', deriv. del gr. *proxenéō* 'hago de patrono o protector', 'sirvo de mediador', y éste de *próxenos* 'patrono, especie de cónsul que protegía a sus connacionales en una ciudad extranjera', a su vez deriv. de *xénos*; *proxenético; proxenetismo.*

XEROFTALMIA, h. 1900. Cpt. del gr. *xērós* 'seco' y *ophthalmós* 'ojo'.

XIFOIDES, med. S. XIX. Tom. del gr. *xiphoeidḗs* 'semejante a una espada', cpt. de *xíphos* 'espada' y *éidos* 'forma'.
DERIV. *Xifoideo. Jifia,* 1817, tom. del gr. *xiphías* íd.

XILO-, elemento inicial de cpts., tom. del gr. *xýlon* 'madera'. *Xilografía,* med. S. XIX; *xilográfico* íd. *Xilórgano* íd.

Y

Y, conj., h. 1140, antes *e*, med. S. X, que predomina en toda la Edad Media. Del lat. ĔT 'yo', propte. 'también, aun'. Desde fin S. XV el uso de *y* y *e* tiende a quedar fijado en la forma moderna, aunque hasta el S. XVII hay bastantes escritores que emplean *y* aun ante otra *i-*.

YA, 1101. Del lat. JAM íd.
CPT. *Jamás*, h. 1140, probte. del oc. ant. *ja mais*, lat. JAM MAGIS 'ya más'; primitivamente no era palabra negativa en sí: *no le veré jamás* era lo mismo que 'no le veré ya más'.

YACER, h. 1140. Del lat. JACĒRE 'estar echado'; muy poco empleado desde el S. XV.
DERIV. *Yacente*, 1739, tom. del lat. *jacens, -ĕntis*, participio de dicho verbo. *Yacimiento*, h. 1900. *Yacija*, 1495, lat. vg. *JACĪLĬA, plural de *JACĪLE 'lecho'. *Adyacente*, 1595, tom. del lat. *adjacens, -entis*, íd., participio de *adjacēre* 'estar echado al lado'. *Subyacente*.

YAGUA, h. 1560. Del taíno de Santo Domingo.

YAGUAR, 1879, o más comúnmente **JAGUAR**, 1899. Del tupí-guaraní *yaguará*. El vocablo llegó al castellano por conducto del portugués, o quizá del francés, lo cual explica la forma con *j-*.
CPT. *Yaguareté*, h. 1800, guaraní *yaguar(a) eté* 'yaguar verdadero'. que se aplicó al tigre sudamericano cuando los indios extendieron el nombre de *yaguará* al perro (desconocido en la América aborigen).

YAMBO, 1739. Tom. del lat. *iambus*, y éste del gr. *íambos* íd.

DERIV. *Yámbico*, 1739. *Diyambo. Pariambo*, gr. *paríambos* íd., formado con *parè* 'junto a'.

YAPA, amer., 'añadidura', 1803. Del quichua *yápa* íd. En la parte norteña de Hispanoamérica se dice *ñapa*.
DERIV. *Yapar*, del quichua *yapáni* 'añadir'.

YARAVÍ, 1883 (*araví*, 1653). Del quichua *yaráui* íd., antiguamente *haráui*.
DERIV. *Aravico*, del quichua *harauicu* 'cantor'.

YARDA, med. S. XIX. Tom. del ingl *yard* íd.

YATE, med. S. XIX. Del ingl. *yacht* íd., 1557, que a su vez se tomó del neerl. *jacht* 'barco corsario ligero', deriv. de *jagen* 'cazar'.

YEGUA, 1170. Del lat. ĔQUA íd., fem. de EQUUS 'caballo'.
DERIV. *Yeguada*, 1490. *Yegüerizo*, 1490, o *yeguarizo*, 1335. *Yegüero*, 1739.
Cultismos deriv. de *equus*: *Ecuestre*, h. 1520, lat. *equester, -tris. Équido. Equino*, 2.º cuarto S. XV. *Equitación*, S. XIX, lat. *equitatio, -onis*, íd.
CPT. *Equisetáceo*, deriv. de *equisaetum* 'cola de caballo, planta', cpt. con *saeta* 'cerda de la cola'.

YELMO, h. 950. Del germ. occidental HĚLM íd., tomado ya en préstamo por el latín vulgar.
DERIV. *Almete*, S. XV, del diminutivo cat. *elmet*.

YEMA (de huevo, h. 1400) (de planta, 1490). Del lat. GĔMMA 'botón de vegetal', 'piedra preciosa'. La aplicación al huevo se explica por el germen que ésta contiene, comparado al botón o retoño del árbol. Por vía culta *gema,* h. 1440.

Yerba, V. *hierba*

YERMO, h. 1140. Del lat. tardío ĔREMUS 'desierto' y éste del gr. *érēmos* 'desierto, solitario'.
DERIV. *Ermar,* h. 1140, *yermar. Ermita* 'ermitaño', ant., h. 1290; 'santuario rural', 1335, tom. del lat. *eremīta* 'ermitaño'; del bajo lat. *eremitānem,* acusativo de la misma palabra, salió primero *ermitán,* 1220-50; luego *ermitano,* 1220-50; en fin, *ermitaño,* h. 1250.
Cultismos puros: *Eremita; eremítico; ermitorio.*

YERNO, 1015. Del lat. GĔNER, -ĔRI, íd.

YERO, 1246. Del lat. ĔRVUM íd., vulgarmente ĔRUM. Del gr. *órobos,* equivalente de *ervum,* es cpt. *orobánkhē* (formado con gr. *ánkhō* 'yo ahogo', por tratarse de un parásito dañino de aquella planta), del cual se tomó el cast. *orobanca.*
DERIV. *Orobancáceo.*

Yerro, V. *errar*   *Yerto,* V. *erguir*

YESCA, h. 1280. Del lat. ESCA 'alimento', que en la baja época toma el sentido de 'yesca', S. IV, propte. 'alimento del fuego'.
DERIV. *Yesquero* 'bolsa para llevar la yesca de encender', 1495 (*esquero*), de donde 'bolsa de dinero', 1495.

YESO, 1490. Del lat. GŸPSUM íd., y éste del gr. *gýpsos* 'yeso', 'cal viva'.
DERIV. *Enyesar. Yesero,* 1611; *yesera; yesería,* 1611. *Yesal,* 1611. *Yesón. Yesoso.*

YEZGO, 1495 (*yedgo,* fin S. XIII). Del lat. tardío ĔDŬCUS, voz de origen céltico, variante del galo ŎDŎCOS íd. No es seguro si la variante en cuestión existió ya en el celta hispánico o se debe a un cruce de ODOCOS con su sinónimo latino ĔBŬLUM, pero aquello es más probable.

YO, h. 950. Del lat. ĔGO, vulgarmente EO, S. VI. Las formas flexivas *me* y *mí,* h. 1140, proceden respectivamente del acusativo lat. MĒ y del dativo MIHI, vulgarmente MĪ.
DERIV. *Egoísmo,* 1817, tom. del francés *égoïsme,* 1755; *egoísta,* 1817; *egotismo* se tomó del ingl. *egotism,* 1714.
CPT. *Egolatría,* formado con gr. *latréia* 'adoración'; *egolátrico; ególatra. Egocentrismo,* 1939; *egocéntrico.*

Yodado, yodo, yodoformo, yodurar, yoduro, V. *violeta*

YOLA, h. 1900 (*yole,* 1831). Del fr. *yole,* 1722, voz de origen germánico, comp. el bajo alem. ant. *jolle,* neerl. *jol,* ingl. *yawl.*

YUBARTA, h. 1900. Del ingl. *jubarte,* 1616, y éste del fr. *gibbar* íd., 1611 (que debiera escribirse *gibard*), deriv. del gascón *gibe* 'joroba', procedente a su vez del lat. GIBBUS íd.; lo de joroba alude a la gran aleta dorsal de esta variedad de ballena.

YUCA, h. 1495 (planta euforbiácea, especie de mandioca). Del taíno de Santo Domingo. Como nombre de una liliácea, h. 1643, es palabra diferente, probte. procedente de una lengua indígena de las partes centrales del continente americano.
DERIV. *Yucal,* fin S. XVI. *Yuquilla,* 1836.

YUGO, 1227. Del lat. JŬGUM íd. La conservación de la U puede explicarse por una pronunciación vulgar antigua JŬU, comp. la forma *iuvo* de 1214.
DERIV. *Yugada,* 1207. *Yuguero,* h. 1210. *Enyugar. Sojuzgar,* 3.er cuarto S. XIII, del lat. SŬBJŬGARE íd., con -z- por influjo de *juzgar* (que antiguamente tuvo una variante *jugar,* fin S. XII); variante culta *subyugar,* S. XIX.
Cultismos: *Yugular,* lat. *jugularis,* deriv. de *jŭgŭlum* 'garganta' (que a su vez lo es de *jugum*). *Conjugar,* fin S. XVI, lat. *conjugare* 'unir'; *conjugación,* 1495, de donde se sacó luego *conjugar* en el sentido gramatical. *Cónyuge,* S. XIX, lat. *conjux, -ŭgis,* íd., propte. 'el que lleva el mismo yugo'; *conyugal,* S. XIX (*conjugal,* 1438).

YUNQUE, 3.er cuarto S. XIII. Del antiguo *íncue,* S. XIII (¿o XIV?), cambiado por metátesis en *iunque* y luego *yúnque. Íncue* viene probte. de un lat. vg. *ĬNCŪDE, que sustituiría al clásico ĬNCUS, -ŪDIS, íd. La otra variante *ayunque* no aparece hasta 1604 y se debe a aglutinación de la *a* del artículo femenino, que es el género que predominó hasta el S. XVII (el masculino aparece primero en 1591). La forma antigua persiste hoy en la variante *incle, incre, incla* del Occidente de Asturias y Oriente de Galicia.

Yunta, yuntero, V. *junto*   *Yuquilla,* V. *yuca*

YUSIÓN, 1442. Tom. del lat. *jussio, -onis,* 'mandamiento', deriv. de *jubēre* 'ordenar'.

YUTE, med. S. XIX. Del ingl. *jute,* 1746, y éste del bengalí *jhuto,* de origen sánscrito.

Yuxtalineal, V. *yuxtaponer*

YUXTAPONER, S. XIX, cpt. de *poner* con el lat. *juxta* 'junto a'.
DERIV. *Yuxtaposición,* 1739. Otro cpt. de *juxta: yuxtalineal.*

Yuxtaposición, V. *yuxtaponer*

YUYO, amer., 'hortaliza', 1586; 'hierba silvestre, inútil', S. XIX. Del quichua *yúyu* 'hortaliza, hierbas de comer'.
DERIV. *Yuyal Yuyenco* 'licor de yuyos de Córdoba (Arg.)'.

Z

ZÁBILA, 1490. Del ár. occidental ṣabbā-ra íd., pronunciado vulgarmente ṣábbira en España. Deriv. de ṣábir 'acíbar' (V. éste).

Zabordar, V. borde I   Zaborra, V. za-horra   Zabullir, V. zambullir   Zaca, V. zaque

ZACATE, amer., 1575. Del azteca çácatl 'especie de gramínea'.
DERIV. Zacatal, 1770. Zacatón.

ZAFAR 'desembarazar, quitar los estorbos', 1587; zafarse 'escaparse, librarse, marcharse', 1539. En gallego antiguo çafar 'irse, desaparecer', S. XIII, sentido desde el cual se pasaría al de zafarse y luego al transitivo de zafar. Probte. del ár. záḥ 'desapareció', 'se alejó'. En castellano sólo ha sido término náutico, quizá tomado del port. safar (çafar), aunque el cast. de América ha ampliado después su aplicación.
DERIV. Zafada, 1739. Zafado, amer. Zafo, h. 1575. Zafera 'lugar profundo en el mar', h. 1500. Zafante, amer.
CPT. Zafarrancho, 1765-83, propte. 'acción de zafar el rancho o espacio libre de la cubierta antes de empezar el combate', de donde 'pendencia', 'confusión'.

Zafarrancho, zafera, V. zafar

ZAFIO, 1495, 'rústico, grosero'. Probte. debido a una confusión de dos palabras arábigas: safíh 'necio, ignorante', 'bribón', 'desvergonzado', y ṣáfí 'puro', 'franco' (que de ahí quizá pasara a 'ingenuo'). Del propio safíh pudo salir el nombre de pez zafío, 1495, especie de congrio de carne negra y menos estimado (propte. 'manjar grosero').
DERIV. Zafiedad, 1739,

Zafío, V. zafio

ZAFIRO, princ. S. XVII, antiguamente çafir, 1335 (o çafil, h. 1290, çafí, h. 1250). Parece haberse tomado del ár. ṣafir íd. Aunque posteriormente sufrió el influjo del lat. sapphīrus, tom. del gr. sáppheiros íd., que a su vez parece ser voz de origen oriental, emparentada con dicha palabra arábiga. Zafre 'óxido de cobalto empleado para dar color azul como el del zafiro', 1817, del fr. safre íd., h. 1200, que en último término vendrá también del gr. sáppheiros.
DERIV. Zafirino, S. XVII; zafirina. Zafíreo.

Zafo, V. zafar

ZAFRA 'cosecha de la caña de azúcar', 1836. Del port. safra 'cosecha de cualquier planta', h. 1575. Éste es de origen incierto, probte. arábigo. Quizá del ár. vg. sáfra 'turno de riego', 1245 (propte. 'vez' y en ár. clásico 'viaje'), confundido con el ár. sáifa 'cosecha'.

Zafre, V. zafiro

ZAGA 'retaguardia', h. 1140, de donde 'parte trasera de cualquier cosa', 1220-50, a zaga, h. 1200, o en zaga 'atrás'. Del ár. sâqa 'retaguardia de un ejército' (de la raíz sâq 'rebaño', 'conducir o empujar un rebaño').
DERIV. Zaguero 'último', 1268. Rezaga 'retaguardia', h. 1300; rezagar, h. 1600; rezago 'residuo', 'resabio', S. XVII.

ZAGAL, med. S. XV, 'muchacho, esp. el mozo aldeano o pastor'. Del ár. vg. zagáll 'valiente, fuerte', que a veces toma el sentido de 'muchacho robusto', med. S. XII, 'mozo de mesón', S. XIV, y que al parecer pertenece a la misma raíz arábiga que el clásico *zuǵlúl* 'ligero, ágil', 'niño' (hoy 'mozo de fonda') y *zóǵla* 'valentía'.

DERIV. *Zagala*, 1607. *Zagalejo* 'refajo que usan las zagalas', 1739.

Zagarrón, V. *zaharrón*

ZAGUÁN 'vestíbulo', 1570, antes *azaguán*, 1535. Del ár. *'osṭowân* íd., propte. 'pórtico', S. XIII. Voz tomada por el árabe de una lengua indoeuropea de Oriente (¿persa?, ¿griego?). El cambio de *st* en *z* es normal en las palabras de origen arábigo.

Zaguero, V. *zaga*

ZAHAREÑO 'arisco, desdeñoso', h. 1490. En portugués, *sáfaro* íd. Éste y el cast. ant. *çahareño*, 1385, se aplicaron primitivamente a las aves bravías que se domestican difícilmente. Es probable que venga del ár. *ṣaḫrî* (*ṣáḫri* en pronunciación vulgar), aplicado a las aves que se crían en las peñas, deriv. de *ṣáḫra* 'roca'.

ZAHARRÓN 'persona disfrazada ridículamente', h. 1250. Probte. de un deriv. del ár. *saḫr* 'acción de burlarse o escarnecer (quizás ár. vg. **saḫḫâr* 'burlador, mamarracho'). Hoy se corrompe dialectalmente *zaharrón* en *zamarrón, mazarrón, zagarrón*.

Zaherir, V. *herir*

ZAHINA 'especie de gramínea forrajera, sorgo', 1817; la forma correcta es *saína*, fin S. XIII (y en mozárabe, SS. XI y XII). Del mismo origen que el it. *saggina* íd., a saber, del lat. SAGĪNA 'engorde de animales'. *Zahina* es mala grafía debida a la confusión que hizo la Academia entre esta palabra y la andaluza *zahinas* 'gachas', 1495 (del ár. *saḫina* íd.).

ZAHÓN 'calzón ancho de cuero que se sujeta encima de los muslos para resguardar el traje', h. 1400. Lo primitivo será *zagón*, hoy propio del Alto Aragón, Norte de Castilla y leonés occidental. En vasco *zagon*, mozárabe *siqán*, S. XV. Origen incierto. Probte. prerromano y emparentado con las palabras vascas *zagiki* y *zagita* 'pedazo de cuero', y *zagi* 'odre'.

DERIV. *Zahonado*, 1739.

ZAHORÍ, 1611, 'persona que se cree puede ver lo oculto y aun lo soterrado', 'buscador de fuentes'. Del ár. *zuharî* íd., propte. 'geomántico, adivino que opera con los cuerpos terrestres, líneas trazadas en la tierra, etc.'. En árabe es deriv. de *zúhara* 'el planeta Venus', por la semejanza de procedimientos entre los zahoríes y los astrólogos. A su vez *zúhara* deriva de *záhar* 'brillar'.

ZAHORRA 'lastre', 1652. Del cat. ant. *saorra* íd., 1318 (hoy *sorra* 'lastre' y 'arena'), y éste del lat. SABŬRRA íd. Es castizo *zaborra* 'piedra pequeña, guijo, grava', hoy regional del País Vasco, Aragón, Murcia y Oriente andaluz. Y cultismo médico, *saburra*.

DERIV. *Saburroso*.

ZAHURDA 'pocilga', 1495. En portugués *chafurda* 'cenagal', 'revolcadero de cerdos'. Origen incierto. Probte. deriv. del verbo antiguo *çahordar* (*-urdar*), 1475, port. *chafurdar* 'revolcarse en el lodo'. Éste resultará de un cruce entre **zahurgar* 'hurgar la tierra (el cerdo)' (deriv. de *hurgar*) y *zahondar* (port. *chafundar*) 'ahondar la tierra', deriv. de *hondo*. La existencia de **zahurgar*, port. **chafurgar*, se deduce del port. dial. *chafurgo* 'agujero profundo'.

ZAIDA 'zancuda parecida a la grulla', 1591. Del ár. *sâ'ida* 'pescadora', deriv. de *ṣâd* 'cazar', 'pescar'.

ZAINO 'de color castaño oscuro', 1601; 'falso, traidor', aplicado a las caballerías y también a la gente, 1601. Voz que pasó del castellano al italiano, 1573, y al portugués, 1693. Origen incierto. Quizá del ár. *ṣâ'in* 'el que guarda secretos', de donde se pasaría a 'disimulado, traicionero'. Pero como en 1601 todavía se pronunciaba *zaíno*, quizá más bien se trate de una metátesis del cast. ant. *hazino* 'mísero, ruin' (del ár. *ḥazîn* 'triste, desdichado'), h. 1400, que de ahí pasaría a 'miserable' y luego 'traidor'. Los caballos de color zaino tienen fama de ser falsos.

ZALAGARDA 'emboscada para coger descuidado al enemigo', 1335; 'astucia con que se procura engañar', S. XVI; 'alboroto repentino para espantar', 1611; 'pendencia, bulla', princ. S. XVII. Origen incierto. Quizá del fr. ant. *eschargarde*, princ. S. XIV, variante (por influjo de *garde* 'guardia'), de *eschargaite* 'patrulla que monta la guardia', h. 1100; 'emboscada, asechanza', S. XIII. De este último o de su variante *eschirgaite*, podrían venir el cast. *zaragata*, med. S. XIX, y asturiano *xirigata* 'algazara', port. *sirigaita* 'persona bulliciosa'; pero éstos es probable que tengan que ver con el ár. vg. *zalǵaṭa* 'grito agudo de alegría que lanzan las mujeres' (de cuya variante *zaǵrúṭa* o *zalǵûṭa* podría salir el cast. *chirigota*). Lo más verosímil es que la palabra arábiga y la francesa se cruzaran en España, resultando de ahí las anomalías fonéticas que presentan las dos. El fr. ant. *eschargaite* procede del fráncico *SKARWAHTA íd., cpt. de SKARA 'destacamento', y WAHTA 'guardia'. DERIV. *Zaragatero. Zaragate.*

Zalamería, zalamero, V. *zalema*

ZALEA 'cuero de oveja curtido', 1601. Del ár. vg. *salîḫa* íd., deriv. de *sálaḫ* 'desollar, sacar la piel'. DERIV. *Zalear,* h. 1600; *zaleo,* 1739.

ZALEMA, 1591. Del ár. *salêm* 'paz', 'conservación', 'salvación', muy empleado en frases de saludo y cortesía. De la misma raíz que *'Islâm* 'la religión salvadora' y *múslim* 'muslime, musulmán'. DERIV. *Zalamero,* fin S. XVII; *zalamería,* 1739.

Zaleo, V. *zalea*

ZALLAR 'hacer resbalar los cañones y otros objetos hacia la parte exterior del barco', 1587. Probte. del oc. *salhà* 'izar', variante del oc. ant. *salhir* 'sacar afuera', propte. 'saltar, brotar, salir', procedente del lat. SALIRE 'saltar'.

ZAMACUECA, h. 1870, o **CUECA**, 1900, 'baile popular de Chile, danza nacional de este país'. Nombre emparentado con el del antiguo *zambapalo,* 1539, danza grotesca que se bailaba en América en los SS. XVI y XVII. El nombre de este último parece venir de *zampapalo* 'hombre estúpido', princ. S. XVII (Quevedo emplea *zambapalo* en este último sentido). *Zampapalo* es propiamente 'hombre capaz de zamparse un palo', y la *b* se debería a una alteración fonética y a influjo de *zambo.* En cuanto a la forma *zamacueca,* que también se dijo *zambacueca,* su formación es incierta; quizá alteración de *zambapalo* por cruce con *zamacuco* 'tonto', 1739, del ár. *ṣamakûk* 'duro', 'necio, malicioso'. De *zambacueca* se sacaría posteriormente *cueca,* por haberse tomado *zamba-* por el epíteto *zambo,* de sentido inadecuado al caso. Es de creer que la cueca sería al principio un baile grotesco como el zambapalo, más tarde dignificado por el genio popular. *Zamba,* extraído de *zambacueca,* se ha convertido en el nombre de otro baile americano, h. 1920, recientemente propagado desde el Brasil en la forma *samba.*

ZAMARRA, 1335. Probte. del vasco *zamar* (con artículo *zamarra*) íd., propte. 'vellón del ganado lanar', o de la palabra ibérica correspondiente.

DERIV. *Zamarro* 'zamarra', fin S. XIV; 'hombre tosco', 1739. *Zamarrico. Zamarrear* 'sacudir su presa el perro o una fiera asiéndola con los dientes', h. 1600, propte. 'cogerla por la piel'; *zamarreo; zamarreón* 'sacudida'. *Zamarrón,* S. XIII. *Enzamarrar.*

Zamarrear, zamarreo, zamarreón, zamarrico, zamarro, V. *zamarra*   *Zamarrón,* V. *zamarra* y *zaharrón*   *Zamba, zambacueca,* V. *zamacueca*   *Zambaigo,* V. *zambo*   *Zambapalo,* V. *zamacueca*

ZAMBO 'el que tiene juntas las rodillas y separadas las piernas hacia afuera', 1611. Origen incierto, probte. alteración del lat. vg. STRAMBUS, clásico STRABUS, 'bizco', 'de forma irregular', que en italiano y en otras lenguas hermanas ha tomado el sentido de 'zambo' o 'estevado'. La alteración del grupo de consonantes iniciales quizá se deba a la pronunciación mozárabe *eçrambo, de donde la forma *zambro,* princ. S. XVI, con metátesis; comp. *engazar* y *engarzar* de INCASTRARE. El sentido etimológico lo ha conservado el port. dial. *zambaio* 'bizco'. El sentido 'mestizo de indio y negro', S. XIX (y ya S. XVI a juzgar por *zambaigo*), se explica por el distinto desarrollo de las piernas del negro, de pantorrillas más flacas.
DERIV. *Zámbigo,* 1739. *Zamborotudo,* 1739.
CPT. *Zambaigo,* antes *zambahígo.* h. 1560 (forma general en los SS. XVI-XVII) o *zambo higo,* h. 1600. parece ser pronunciación negra o aindiada de *zambo hijo.*

Zambomba, zambombo, V. *zampoña*   *Zamborotudo,* V. *zambo*

ZAMBRA 'orquesta morisca', 1600; 'baile de moros', h. 1600; 'fiesta morisca con música y algazara', 1586. Del ár. *zamr* 'instrumentos musicales'.

ZAMBULLIR. h. 1630. antes y hoy todavía *çabullir,* S. XIII. Parece ser alteración del antiguo *sobollir.* princ. S. XIII, 'sepultar', cat. ant. *sebollir* íd., S. XIII, cuya forma primitiva es la cast. y cat. ant. *sebellir,* h. 1250. Resulta de una alteración del lat. SEPELIRE íd. en *SEPULIRE bajo la acción del participio SEPULTUS. El cast. ant. *çabullir* significa todavía 'cubrir (el agua)' o 'sumergir' pero sin idea de brusquedad, que se desarrolla más tarde; la sílaba *za-* se debe al influjo de los sinónimos *zapuzar* y *zahondar.*
DERIV. *Zambullida,* 1604 (*zab-*). *Zambullo,* 1836, 'barril para el trasporte de excremento', así dicho porque ahí se zambulle todo.

Zambullo, V. *zambullir*

ZAMPAR, 1601. Origen incierto. Probte. afín al cat. *enxampar* (o *xampar*) 'coger por sorpresa', 'coger al vuelo', y al port. *chimpar* (o *champar*) 'meter', 'zambullir', cuyo origen es también incierto. Quizá voces de creación expresiva. Aunque no se puede descartar la posibilidad de que *zampar* se extrajera de *zampuzar*, 1599, variante de *chapuzar* (véase).

DERIV. *Zampa*, h. 1900; *zampeado*, 1817. *Zampón.*

CPT. *Zampabodigos*, 1739. *Zampabollos. Zampapalo*, V. *ZAMACUECA. Zampatortas*, 1739.

ZAMPOÑA, 1335. En italiano *zampogna*, S. XV. Ambos proceden de un lat.*sŭMPŎNĬA, forma vulgar en vez de la clásica SYMPHONĬA, gr. *symphōnía* 'concierto', que en la baja época (SS. IV-VII) aparece como nombre de un instrumento músico análogo a la zampoña; etimología confirmada por la *f* del asturiano y gall. *zanfoña*, port. *sanfonha*, languedociano *sanfònio* 'zampoña'. Algunas zampoñas tienen varias flautas, lo que explica se les diera el nombre de 'concierto'. De un cruce de *zampoña* con *bombo* o *bomba* salió el nombre del abultado instrumento llamado *zambomba*, h. 1670, cat. *simbomba.*

DERIV. *Zambombo*, 1739, 'grosero', por lo desapacible del sonido de la zambomba. *Zambombazo.*

Zampuzar, V. *zampar*

ZAMURO, amer., 1765-83. Parece ser palabra indígena de Venezuela.

ZANAHORIA, 1475, antiguamente *çahanoria*, 1335. En el español de los judíos y en cat. dial. *safanòria*, mallorquín *safannària*. Del ár. vg. *safunâriya* íd., que en diversas variantes corre en todo el Norte de África y ya era usual en el S. XIII. Pero éste ha de ser a su vez extranjerismo, de procedencia incierta (acaso del gr. *staphylínē agría* 'zanahoria silvestre', pasando por *çafulnágria).

ZANCA, 1335 (pero ya usual en los SS. X-XIII, a juzgar por el nombre de lugar *Zancos* y los derivados *zancajada* y *zancudo*). Voz común al cast. con el port., el cat., el oc. y el it., como nombre de la zanca, o del zanco de palo para andar por el agua y, en algunas partes, de un zueco. Procede del lat. tardío ZANCA, TZANGA, nombre de una especie de calzado, S. III, en particular unas polainas o botas muy altas. Probte. tomado del persa ant. *zanga* 'pierna'.

DERIV. *Zancada*, 1739; *zancadilla*, 1335. *Zancajo*, fin S. XVI; *zancajada* 'zancada', 1220-50; *zancajoso*, 1495. *Zancarrón*, h.

1600, propte. 'huesos de la pierna de Mahoma', de donde 'restos mortales de Mahoma y su sepulcro suspendido'. *Zanco*, S. XIV. *Zancón, zancudo*, S. XII. *Zanquear*, 1495. Además V. *CHANCLO.*

CPT. *Zanquilargo*, 1739. *Zanquituerto*, h. 1435. *Zanquivano*, 1587.

Zánd(a)ra, V. *zaranda*   *Zanfoña*, V. *zampoña*   *Zangandongo*, V. *zángano*

ZÁNGANO 'macho de la abeja', 1495. En portugués *zângão* 'abejorro', 1609. Probablemente de ZANG, onomatopeya del zumbido del abejorro y el zángano. Comp. el rumano dial. *zínginar* y albanés *dzungar* 'abejorro melolonta', y V. el cast. *REZONGAR.*

Los DERIV., además de la noción de la holgazanería e inepcia propias de este insecto, expresan la visión de sus piernas largas y bamboleantes: *Zanganear. Zanguango* 'indolente, embrutecido', 1817, y *zanguanga* 'ficción de alguna enfermedad o impedimento para trabajar', 1739; tomados del gall. *zanguango*, íd., deriv. de *zangonango*, con pérdida de la -*n*-, regular en gallego (comp. *zangón* 'muchacho ocioso' y gall. *zangonear* 'andar ocioso'); del gallego también *zanguayo*, 1739. *Zangandongo*, 1739 (variantes *zangandullo*, 1739, y *zangandungo*), alteración de *zanganongo. Otros derivados de la raíz ZANG-: *Zangarilleja*, 1739, *zangarullón*, 1739. *Zangarriana*, 1739. *Niño zangolotino* 'muchacho piernilargo que quiere pasar por niño', fin S. XIX; *zangolotear* 'moverse flojamente' (como las piernas del zángano), 1739. *Zangarrear*, 1739, onomatopeya de un ruido desconcertado.

Zangarilleja, zangarrear, zangarriana, zangarullón, zangolotear, zangolotino, zangón, zanguanga, zanguango, zanguayo, V. *zángano*

ZANJA 'excavación alargada', 1595. Port. *sanja* 'cortadura para que se escurran las aguas', med. S. XVII. Origen incierto. Esto también se dice *sarjeta* en portugués y *sanja* en Salamanca, y *sanjar* vale 'sajar, cortar la carne' en esta misma provincia. Luego quizá el verbo *zanjar* 'echar zanjas', 1604, sea variante de *sajar* (véase), que en portugués es *sarjar*. La *n* se debería a influjo del sinónimo *sangrar*, comp. el port. *sangradouro* 'zanja'. Entonces la acepción antigua de *zanja* 'cimientos de un edificio', 1571, habría de resultar de una evolución secundaria de *zanja* 'foso (para desagüe, etc.)'.

DERIV. *Zanjón*, 1739.

Zanquear, zanquilargo, zanquivano, V. *zanca*

ZAPA 'pala de zapador', 1594. Término, militar tomado del it. *zappa* 'azada', princ. S. XIV. Éste deriva de *zappo*, que en los dialectos del Centro de Italia designa el chivo, por comparación de las dos puntas de la antigua azada empleada en Italia con los dos cuernos de este animal. Este nombre del chivo, muy extendido en los idiomas eslavos y balcánicos, es de origen incierto, pero es probable que proceda del grito ¡*tsap!*, empleado en muchas partes para hacer acudir al chivo y la cabra.
DERIV. *Zapar*, 1604; *zapador*, 1607.
CPT. *Zapapico*, med. S. XIX.

Zapa 'lija', 'su piel', V. *sapo*   *Zapada*, V. *sapo* y *zapato*   *Zapador*, V. *zapa*

ZAPALLO, amer., 1583. Del quichua *sa-pállu* 'calabaza'.
DERIV. *Zapallar*. *Zapallito*.

Zapapico, *zapar*, V. *zapa*   *Zaparrastroso*, V. *zarpa*   *Zapatazo*, *zapatear*, *zapatero*, *zapateta*, V. *zapato*

ZAPATO, h. 1140 (y *çapatones*, SS. X y XI). De origen incierto, el mismo que el port. *sapato*, cat. y oc. *sabata*, S. XII, 'zapato', fr. *savate*, S. XII, it. *ciabatta*, S. XIV, 'zapato viejo', vasco *zapata* y ár. vg. *sabbâṭ*, S. XI, 'zapato'. Una palabra semejante existe en lenguas eslavas del Norte (*čóbot*), en tártaro (*čabata*) y alguna forma semejante se ha empleado en persa (aunque no es palabra bien conocida en este idioma y en árabe sólo es antigua en el vulgar de España, si bien hoy se ha propagado hasta Siria). Es improbable que haya relación etimológica entre estas palabras orientales y las de las lenguas de Occidente, con las cuales podrían coincidir por casualidad. La documentación más antigua que hasta ahora se ha encontrado procede de la España cristiana y de la zona musulmana del mismo país, y en ninguna parte se encuentra una etimología que se imponga por razones lingüísticas. Acaso de una onomatopeya ¡*tsap!*, del ruido del que chapalea o pisa fuertemente; comp. los vascos *zapaldu* 'aplastar' y *zaplada* 'paso, zancada' (con el cual coincide el mozár. *chiflata* 'zapatazo en el agua') y V. lo dicho en SAPO y en CHAPÍN.
DERIV. *Zapatazo*. *Zapatear*, 1604; *zapateado*. *Zapatero*, 1124; *zapatería*, 1495. *Zapateta*, 1599. *Zapatilla*, 1611. *Zapatudo*, princ. S. XVII. Del fr. *savate* es alteración *sabot* 'zueco', S. XII, del cual deriva *saboter* 'hacer un trabajo sin cuidado', 1842, y luego 'entorpecer el trabajo', de donde *sabotear*, *sabotaje*, *saboteador*.

¡ZAPE!, 1528. Voz de creación expresiva u onomatopéyica.
DERIV. *Zapear*, 1739,

ZAPOTE, 1532. Del azteca *tzápotl* 'fruta del zapote'.
DERIV. *Zapotal*. *Zapotero*. *Zapotillo*, S. XVII. Y el cultismo botánico *sapotáceo*.

Zapuzar, V. *chapuzar*

ZAQUE, 1475. Del ár. *ziqq*, vulgarmente *zaqq*, 'odre'.
DERIV. *Zaca*. *Zaquear*, 1739.

ZAQUIZAMÍ 'especie de techo de madera o artesonado', 1490, de donde 'desván', h. 1580, porque se encuentra junto al techo. De una variante del ár. *saqf samâ* 'enmaderamiento de un techo', propte. 'techo de cielo'; probte. se trata de una pronunciación vulgar *saqef samí*, propia del árabe granadino.

ZARABANDA, 1539. Origen incierto. Lo único que consta es que este baile es oriundo de España, y es probable que aquí se creara también la palabra, con materiales puramente hispanos. Se han propuesto varias etimologías persas, suponiendo que sea palabra trasmitida por el árabe, pero todas ellas son inverosímiles. Tal vez de una modificación de *zaranda* (quizá en una letra o estribillo) por alusión a los zarandeos de este baile, muy atrevido.
DERIV. *Zarabandista*.

Zaragata, *zaragate*, *zaragatero*, V. *zalagarda*

ZARAGATONA, 1495. Del ár. *bazr qaṭûnâ* íd., cpt. del ár. *bazr* 'semilla' y un nombre extranjero de la zaragatona (de origen siríaco o persa). En árabe vulgar se mutiló el vocablo pronunciándolo *zarqaṭûna*, por haber confundido la sílaba *ba* con la preposición arábiga *bi* (o *ba*) 'por'.

ZARAGÜELLES, h. 1535, antes, y todavía en muchos dialectos, *zaragüel* (*zaragüeles*), 1490. Del ár. *sarâwil*, plural de *sirwâl* 'pantalón muy ancho', 'calzoncillos'.

Zaramagullón, V. *somorgujo*

ZARANDA, h. 1400 (y *saránd*, med. S. XI, una sola vez, en el árabe de España). Vieja palabra hispánica, en portugués *ciranda*. Origen incierto. Las varias etimologías orientales tropiezan con el hecho de que el vocablo es rarísimo en árabe, y probablemente de origen hispánico. Deben tenerse en cuenta las variantes aragonesas *zándara*, 1611, *zandra* y *candra*, y el dato de que la zaranda se llamó *taratantâra* en latín vulgar. Luego es posible que se trate de una onomatopeya *tsándara* (con variantes *tántara*, *kándara*, etc.), que expresaría el son rítmico de la criba y el grano al zarandearlos. El verbo *zandarar* (cuya remota fecha se comprueba por la del cat. arcaico *acerenar* 'cribar', S. XIII), se cambiaría por metátesis en *zarandar*, y de ahí se propagaría esa alteración al sustantivo.

DERIV. *Zarandear*, 1599; *zarandeo*. *Zarandillo*, 1693.

ZARANDAJAS 'cosas menudas y de poco valor', princ. S. XV, antes 'granos y semillas para alimento del ganado', 1563, y primitivamente 'granos o frutos tardíos', 1251. La forma moderna, 1563, es alteración (por influjo de *zaranda*) de *serondajas*, 1251, deriv. del adjetivo antiguo y provincial *serondo* 'tardío', 1495, procedente del lat. SERŌTĬNUS íd.

Zarandear, zarandeo, zarandillo, V. *zaranda   Zarapico*, V. *zarapito*

ZARAPITO, 1586, 'ave zancuda de pico delgado, largo y encorvado'. Alteración del antiguo *zarapico*, 1251, *cerapico*, 1252, hoy gallego (*zarrapico*) y vivo en América, cuya terminación se cambió por la diminutiva más general *-ito*. Origen incierto. Es probable que sea cpt. de *pico*, quizá *cierrapico*, aludiendo a lo que hace el ave con su gran pico al zamparse los animalitos de que se alimenta.

ZARAZAS 'especie de ungüento o pasta venenosa para matar animales', 1335. Origen incierto. Probte. del antiguo *çeraza* 'cierto ungüento curativo', 1385, deriv. de *cera*, por la que se emplearía en ambas composiciones. Se aplicó luego *zaraza* figuradamente a la mujer de mala vida (quizá ya 1335), como quien dijera *peste* o *azote*; de ahí pasó a aplicarse a hombres de modales y gustos mujeriles, en lo cual ha predominado la pronunciación andaluza *sarasa*, h. 1900.

Zarceta, V. *cerceta*

ZARCILLO, 1570, 'aro', 'pendiente', 'tallito voluble con que se ase la vid', anteriormente *cercillo*, 1256-76. Del lat. CĬRCĚLLUS 'circulito', diminutivo de CIRCUS (de donde *cerco*).

ZARCO, med. S. XIII, 'de color azulado, esp. los ojos'. Del ár. vg. *zárqa* (clásico *zarqā'*), femenino de *'ázraq* 'azul'.

ZARIGÜEYA 'mamífero marsupial', h. 1900. Del guaraní *sarigweya* íd.

ZARPA 'garra', 1611. Voz tardía y sólo existente en castellano. Más antiguamente aparece con el sentido de 'cazcarrias, lodo, que se pega al extremo del vestido o a los pies y piernas del que va descalzo', 1570, de donde pasaría a designar la pata misma de los animales, por su suciedad. En el

sentido de 'cazcarrias' parece tratarse de una alteración del antiguo *farpa*, 1492, 'tirilla de ropa que cuelga' (por las cazcarrias que coge), del mismo origen que *harapo* (véase). Al cambio de *farpa* en *zarpa*, fenómeno fonético bastante común en los dialectos locales, pudo en este caso contribuir el influjo de *zarria*, 1475, 'cazcarria' y 'harapo' (V. CHARRO) o el de voces vascas como *zaparreatu* 'destrozar', *atzapartu* 'arañar' y *atzaparr* 'garra de ave': sobre todo este último o alguna variante suya es de creer que tenga parte más o menos esencial en la génesis de *zarpa* 'garra'.

DERIV. *Zarpazo*, 1604. *Zarposo* 'cazcarriento', 1570; *zarrapastroso*, 1611, de **zarpastroso*.

Zarpanel, V. *carpanel*

ZARPAR, 1601, primitivamente se dijo *zarpar el ancla* o *el ferro*, abreviado pronto en *zarpar* 'levar anclas', princ. S. XVII. Del it. anticuado *sarpare* íd., princ. S. XVI (hoy *salpare*), de origen incierto. Como la forma más antigua en italiano fue *serpare*, 1335, probte. deriva de *serpe* 'espacio triangular de la punta de proa, donde se ponía el ancla al zarpar', propte. 'serpiente', cuyo nombre se explica por unos maderos de forma serpentina que limitaban este espacio.

Zarpazo, zarposo, V. *zarpa   Zarramplín*, V. *ramplón   Zarrapastroso*, V. *zarpa   Zarria*, V. *charro*

ZARZA, h. 1280, antiguamente *sarça*, 1132 (el colectivo *sarçal*, 913). Voz peculiar al castellano y el port. *sarça*. De origen incierto; seguramente prerromano. Es probable que esté emparentado con el vasco dialectal *sartzi*, variante del vasco *sasi* íd. Que haya alguna relación con otras voces prerromanas, como el mozárabe *arča* 'zarza', cat. *arç* 'cambronero', aragonés *barza*, cat. *esbarzer*, gascón *barta* 'zarza', es también posible, pero las conexiones existentes entre estos vocablos no se pueden determinar exactamente. En cuanto a *zarzo* 'tejido de varas', princ. S. XV, antiguamente *sarzo*, 1190, con *-z-* sonora, teniendo en cuenta la diferente cualidad de la consonante interna de las dos palabras, es probable que sea palabra independiente, quizá deriv. postverbal de *sarzir*, variante de *zurcir* (véase), existente en castellano antiguo y en catalán.

DERIV. *Zarzal*, 913. *Zarzuela*, princ. S. XVII: el nombre de esta representación lírico-dramática viene, según algunos, del Real Sitio de la Zarzuela, donde se representaría la primera, pero la historia del vocablo no se ha averiguado bien y en su primera aparición es nombre de una danza; *zarzuelero*; *zarzuelista*. *Enzarzar* 'enredar en zarzas', 1220-50.

CPT. *Zarzamora,* 1490. *Zarzaparrilla,* 1555, formado con *parrilla* 'parra de uva silvestre' o con *parrilla* (de asar) por la especie de emparrillado que forman las ramitas. *Zarzaperruna. Zarzarrosa.*

Zarzal, zarzamora, zarzaparrilla, zarzaperruna, zarzarrosa, zarzo, zarzuela, V. *zarza*

ZASCANDIL 'golpe repentino, acción impensada y sin reflexión', ant., 1625; 'hombre ligero y enredón', 1739. De *¡zas!, candil,* frase que se pronuncia cuando alguien en caso de bronca apaga el candil echándolo a tierra.
DERIV. *Zascandilear.*

ZATICO 'pedazo de pan', 1220-50. Del vasco *zatiko,* derivado de *zati* 'porción', 'pedazo', con matiz a un mismo tiempo diminutivo y aumentativo.
DERIV. *Zatiquero,* 1014, 'oficial palatino que cuidaba del pan'.

Zazo, zazoso, V. *cecear*

ZEDA, 1739, o **ZETA.** Del lat. *zēta,* gr. *zêta,* nombre de la misma letra.
DERIV. *Zedilla* o *cedilla,* 1558, 'cola que se pone a la *ç*', 'esta letra'.

ZÉJEL, 1925. Del ár. *zéyel* íd. (deriv. de *zéyil* 'elevar la voz', 'cantar').

Zeta, V. *zeda*   *Zeugma,* V. *sicigia*

ZIGZAG, 1885. Del fr. *zigzag,* 1662, y éste probte. del alem. *zickzack* íd., que parece ser cpt. con dos variantes de *zacke* 'punta, diente, almena'. Al principio fue término de fortificación.
DERIV. *Zigzaguear.*

Zócalo, V. *zueco*

ZOCO 'mercado moruno', med. S. XIX (*azoche,* S. XIII). Del ár. *sûq* 'mercado', 'bazar'.

Zodiacal, zodíaco, V. *zoo-*   *Zofra,* V. *sufra*

ZONA, 1438, lat. *zona.* Tom. del gr. *zṓnē* íd., propte. 'cinturón', deriv. de *zṓnnymi* 'yo ciño'.
DERIV. *Zoster,* fin S. XVI, gr. *zōstḗr* 'cinturón', otro deriv. de dicho verbo.

ZONZO 'tonto', 1622. Voz de creación expresiva. Pertenece a una categoría de vocablos de sentido análogo, formados con repetición de la consonante y muchas veces con vocal *o: tonto, chocho, ñoño, fofo, lelo, memo.* Esta misma repetición de consonante y vocal sugiere ya la idea de insistencia floja y necia. La existencia de las variantes consonánticas y vocálicas *sonso, zonzo* (con *z* sonora), *sonce,* vasco *zozo* y *xoxo,* comprueba se trata de una creación primaria del idioma.
DERIV. *Zonzorrión,* princ. S. XVII. *Zoncera,* amer.; *zoncería. Azonzado,* amer.

ZOO-, elemento de compuestos, tomado del gr. *zôion* 'animal'. *Zoófago,* med. S. XIX. *Zoófito,* 1765-83, formado con gr. *phytón* 'planta'. *Zoografía,* 1765-83. *Zoolatría,* med. S. XIX, con gr. *latréia* 'adoración'; *zoólatra. Zoología,* 1765-83; *zoológico, zoólogo,* 1832. *Zoospermo,* hacia 1900, con gr. *spérma* 'semilla'. *Zootecnia,* med. S. XIX; *zootécnico. Zoantropía,* med. S. XIX, con gr. *ánthrōpos* 'persona'. *Zodíaco,* 1438, gr. *zōídiakós* íd., deriv. del diminutivo *zōídion* 'figurita de animal', 'signo del zodíaco'; *zodiacal. Zopisa,* 1555, gr. *zōpissa* íd., cpt. de *zōós* 'vivo' (de la misma raíz que *zôion* 'animal') y *pissa* 'la pez'. *Protozoo,* h. 1900, formado con *prôtos* 'primero'; *protozoario. Epizootia,* sacado de *epidemia* sustituyendo el gr. *dêmos* 'gente' por *zôion* 'animal'; *epizoótico. Enzootia,* formado paralelamente a base de *endemia. Entozoario,* de *entós* 'adentro' y *zōídrion* 'animalito'.

ZOPENCO, 1765-83, 'tonto y abrutado'. Aparenta ser deriv. de *zopo,* pero como no parece ser cierto que haya tenido el sentido de éste, es más probable que sea alteración de *so penco,* interpelación insultante, con la *s-* cambiada en *z-* por influjo de *zopo.*

ZOPILOTE, 1765-83. Del azteca *tzopílotl* íd., cpt. de *tzotl* 'inmundicia', y *piloa* 'colgar', porque se llevan por los aires piltrafas de animales muertos.

Zopisa, V. *zoo-*

ZOPO 'lisiado, esp. el que lo es de los pies', 1495. Voz hermana del port. *zopo* (o *zoupo*), íd., it. *zòppo* 'cojo', fr. *chopper* o *achopper* (antiguamente *çoper*) 'tropezar'. Origen incierto. Probte. de *¡tsopp!,* onomatopeya de los choques con el suelo que acompañan rítmicamente la marcha del lisiado.

ZOQUETE, h. 1655, 'pedazo de madera o de pan que queda sobrante'. Probte. del ár. *suqâṭ* 'desecho, objeto sin valor'.
DERIV. *Zoqueta,* 1903. *Zoquetudo,* 1884.

ZORCICO, h. 1840. Del vasco *zortziko* 'octava, composición de ocho versos', 'música de baile en compás de cinco por ocho', deriv. de *zortzi* 'ocho'.

Zorete, V. *zurullo*   *Zorita, zorito,* V. *zurita*   *Zorollo,* V. *acerola*

ZORONGO 'especie de moño que llevan las mujeres', h. 1840; 'pañuelo doblado en forma de venda que llevan los aragoneses y navarros', 1884; 'cierto baile andaluz y su música', 1849. Origen incierto. En vasco, *zorunga* como nombre del tocado de mujer, y *tzorongo* para el pañuelo baturro. Pero es inseguro que sean voces antiguas en vasco.

ZORRA, ZORRO, 'raposa, -o', med. S. XV. Probte. el sentido primitivo fue 'mujer u hombre holgazanes', S. XIII (de donde luego *zorra* 'ramera', 1616), significado vivo todavía en portugués y aplicado popularmente a la raposa en son de vituperio. Comp. el oc. *mandra* 'raposa', propte. mandria'. En su sentido originario el vocablo derivará del antiguo y portugués *zorrar* 'arrastrar', 2.º cuarto S. XV, onomatopeya del roce del que se arrastra perezosamente. *Zorra* reemplazó a *raposa*, como éste había sustituido al más antiguo *vulpeja* (lat. *vulpes*), por la repugnancia del campesino a llamar por su nombre tradicional a este animal maléfico, lo que le conduce constantemente a buscar nuevos nombres indirectos y figurados para llamarle. Deriv. *Zorrera*, 1601, por la costumbre campesina de ahuyentar la zorra con humo; de ahí quizá *zorra* 'borrachera', 1739, por el mareo causado por la zorrera. *Zorrastrón*, 1739. *Zorrero* 'rezagado', h. 1570, propte. 'que se arrastra'. *Zorrino* 'mofeta' o *zorrillo*. *Zorrón, zorrona*, 1611. *Zorruno*, princ. S. XV. Cpt. *Zorrocloco*, princ. S. XVII, formado con una variante de *clueco* 'enfermizo'.

Zorrar, zorrastrón, zorrera, -ero, zorrino, zorro, zorrocloco, zorruno, V. *zorra*   *Zorullo*, V. *zurullo*.

ZORZAL, h. 1326. Voz onomatopéyica, común con el portugués *zorzal* y el ár. hispánico *zorzál* íd., S. XIII. Análogo al ár. clásico *zurzúr* 'estornino', 1382, vasco *zozar, zozo*, 'especie de tordo o mirlo'. Probablemente en los cuatro idiomas se trata de una formación paralela, que el castellano y el portugués no tomaron del árabe. Deriv. *Zorzaleño*, 1739. *Zorzalero*.

Zoster, V. *zona*

ZOTE 'necio', h. 1570. Palabra que con ligeras variantes aparece en varias lenguas romances: port. *zote*, S. XIII, fr. *sot*, S. XII; it. *žòtico*, med. S. XIV, napolitano y calabrés *ciuotu*. En todos ellos es antiguo y parece ser autóctono, pero las formas no se corresponden exactamente. El origen es incierto; probte. creación expresiva, como *zonzo, tonto*, etc. Quizá de una interjección despectiva *¡zutt!*, como la hoy existente en francés, aplicada luego a una persona o cosa sin valor: en Andalucía se emplea la expresión *ni un zotín* con el valor de 'nada', pero éste parece venir del vasco *zotin* 'trago' (que en esta lengua alterna normalmente con *zopin* y *txotin, txopin*, y por lo tanto parece hondamente arraigado allí).

Zotín, V. *zote*

ZOZOBRA 'cara del dado opuesta a la de que se trata', 1283 (*soçobra*), *hacer zozobra* 'volcarse la embarcación, zozobrar', med. S. XIV, y *zozobrar*, princ. S. XV. Del cat. *sotsobre* y su deriv. *sotsobrar* 'volcarse la embarcación', 'hacer caer uno a tierra al adversario y sujetarlo debajo de su cuerpo'. *Sotsobre* (cuya -e se pronuncia igual que -a) es cpt. de *sots* 'debajo' (lat. SUBTUS) y *sobre* 'encima'. De *hacer zozobra* se extrajo luego *zozobra* 'aflicción, congoja', 2.º cuarto S. XV.

Zozobrar, V. *zozobra*

ZUECO, 1475. Del lat. SŎCCUS 'especie de pantufla empleada por las mujeres y los comediantes'. Un significado análogo a éste parece haber existido en el cast. del S. XV y en otras lenguas hermanas, pero el de zueco predomina en todas y es ya el que hallamos en cast. desde princ. S. XVI. La z- del cast. reaparece en el it. *zòccolo* (antes *zocco*) y parece debida a influjo del vocablo prerromano TSŬCCA conservado en el fr. *souche* y el cat. *soc, soca*, 'cepa de árbol'. Del it. *zòccolo* 'zueco', y figuradamente 'basa' se tomó el cast. *zócalo*, 1633; igual origen tiene el vasco *txokolo* 'zueco', de donde el cast. *choclo*, 1588, 'chanclo con suela de madera'.

Zufra, V. *sufra*

ZULAQUE, 1601; antes *azulaque*, 1505. Del ár. hispánico *sulâqa* íd., deriv. de *sálaq* 'cocer, hacer hervir', 'embadurnar'. Deriv. *Zulacar; zulaquear*.

ZUMAQUE, 922. Del ár. *summâq* íd., que parece tomado del arameo *su(m)maqa* 'encarnado', por el color del fruto de esta planta. Deriv. *Zumacar*, sust., 1254. *Zumacar*, v., 1604.

ZUMAYA 'especie de chotacabras', 1495. Origen incierto. Quizá de un ár. vg. **sumáyyiᶜa*, diminutivo de *samîᶜ* 'oyente', que pudo tener además el sentido de 'cantor' (la raíz *sámaᶜ* 'escuchar' toma vulgarmente el sentido de 'cantar'); por el canto agorero de esta ave.

ZUMBAR, 1495. Onomatopeya del zumbido. En el sentido de 'burlarse de alguien',

1588, en portugués *zombar*, tendrá el mismo origen, habiendo significado primero 'abuchear, sisear'.

DERIV. *Zumba*, fin S. XVII. *Zumbador. Zumbel*, 1739. *Zumbido*, 3.er cuarto S. XV. *Zumbón*, 1739. Onomatopeya paralela es *zurrir*, 1739, o *zurriar*, princ. S. XVII. *Zurrido*, 1578.

CPT. *Zurriburri*, antes 'zumbido', princ. S. XVII; 'conjunto de gente baja', 'sujeto despreciable', 1611.

Zumbel, zumbón, V. *zumbar*

ZUMO, 3.er cuarto S. XIII. Procede en definitiva del gr. *zōmós* 'jugo', 'salsa'. Para explicar la *u* castellana se ha supuesto que viniera por conducto del ár. vg. *zûm* 'zumo', 'jugo'; pero esta palabra, de origen griego, sólo parece haberse empleado en Egipto, Siria y algún otro país del próximo Oriente y no hay noticias de que sea antigua en árabe. Luego parece más probable que en castellano venga del griego directamente, alterándose en el lat. vg. de España por influjo de la *ū* del sinónimo lat. SŪCUS y del grupo expresivo relacionado con *rezumar.*

DERIV. *Zumoso*, fin S. XV. *Zumiento*, S. XIV. *Rezumar*, 1475, en el cual ha venido a sumarse el cat. dial. *sumar (xu-)* 'gotear', 'beber chupando' (y demás variantes que cito en *SUMIR*), de creación expresiva; *rezumadero.*

ZUNCHO, voz náutica que hoy designa una abrazadera o aro de hierro, 1836, pero antiguamente era el nombre del émbolo de la bomba, h. 1573. En portugués *zoncho* 'émbolo de la bomba', S. XVI. De esta pieza de metal, de forma alargada, se pasaría luego al aro de hierro, que lo es también. Origen incierto. Aunque, desde luego, nada tendrá que ver con *cincho* ni con el lat. CINGĔRE 'ceñir', dada la *ú* y el significado antiguo. Quizá de una onomatopeya *zunch-*, que expresara el son profundo y sordo del émbolo.

DERIV. *Enzunchar. Zunchar.*

ZUPIA, 1475, 'poso del vino', 'vino turbio'. Emparentado con el vasco *txuzpin* íd., y con las palabras del ár. hispánico *zimpí* y *sûbya*, del mismo o análogo significado. De origen incierto; pero sin etimología en árabe ni en vasco. Teniendo en cuenta el sinónimo cast. *agua-pie*, quizá se trate de un cpt. romance *so-pie* 'lo que queda bajo el pie del lagar', suponiendo que la forma *zupia* resulte de la alteración sufrida por *sopié* al pasar por el mozárabe o por el vasco.

Zura, zurana, V. *zurita*

ZURCIR, 1475; antes *surzir*, princ. S. XIV. Del lat. SARCĪRE 'remendar', compárense el oc. y rosell. *sarcir* y el it. dial. *sarcire* 'zurcir'. Pero el cast., el cat. *sorgir* (o *sargir, sarzir*) y el port. *serzir* (o *zurzir*) presentan una alteración anómala de la primera vocal y de la tercera consonante. Probte. debida a una fusión de SARCĪRE con el lat. SŬRGĔRE 'surgir', que en oc. ant. *sorzer*, pasando por 'enderezar', toma el sentido de 'indemnizar, resarcir', y algo parecido debió de ocurrir ya en latín vulgar.

DERIV. *Zurcidor*, 1495. *Zurcido. Rezurcir,* S. XVI. *Resarcir*, S. XVIII, tom. del lat. *resarcire* íd.; *resarcimiento.*

ZURDO 'izquierdo', 1475. Emparentado con el gall. *mao xurda* 'mano izquierda', port. *surro, churro, churdo*, 'ruin, vil, sucio', bearnés *soùrrou* 'avaro', 'taciturno, maleducado', y con el vasco *zur* 'avaro, agarrado', *zurrun* 'inflexible, pesado'. Probablemente de una voz prerromana afín a estas palabras vascas. Los vocablos que significan 'zurdo' suelen partir de la idea de 'grosero', 'torpe', por la inhabilidad que se atribuye al zurdo. La *-rr-* se cambia normalmente en *-rd-* en palabras de procedencia aborigen.

ZURITA, 1475 (*çorita*), **ZURA**, 1601, o **ZURANA**, 1475. Hoy designa comúnmente variedades de paloma silvestre, S. XVI, pero antiguamente fueron nombres de la doméstica, SS. XV-XVI. Probte. de *zur* o *zuric*, palabra con que se llama a la paloma imitando su voz natural.

DERIV. *Zurear* 'arrullar (la paloma)', med. S. XIX; *zureo* 'arrullo'.

Zurra, V. *zurrar*

ZURRAPAS, 1490. Probablemente del radical prerromano del port. *surro* 'sucio', 'suciedad' (para el cual vid. *CHURRE*), de donde vendrá también *zurrarse* 'ciscarse, ensuciarse', princ. S. XVI.

DERIV. *Zurrapiento*, 1739; *zurraposo*, 1739.

Zurrapiento, zurraposo, V. *zurrapas*

ZURRAR 'curtir', 1350; 'dar una paliza', 1705 (*zurra* 'paliza', ya 1591). Voz común con el portugués (*surrar*) y el vasco (*zurratu, dzurratu*), quizá prerromano de onomatopéyico. De origen incierto.

DERIV. *Zurra*, 1591. *Zurrador*, 1350.

Zurrarse 'ciscarse', V. *zurrapas*

ZURRIAGA, 1475 (en mozárabe, S. XI; cast. *çorriagar*, v., S. XIII). Voz común con el catalán (*xurriaca*, 1560) y el portugués (*azorrague*, S. XIV o XV), y no ajena al

,asco (*azorri* 'azote', *azurriatu* 'azotar'). El
ár. *surriyâqa* se encuentra en España desde
el S. XI y más tarde en Sicilia y Egipto,
pero debe mirarse como palabra tomada
del español, y lo mismo puede creerse de
las citadas palabras vascas. Probte. viene en
definitiva del lat. vg. *EXCORRĬGĬATA íd.,
deriv. de CORRIGIA 'correa'; reducido a
*ESCORRIATA, dio el fr. *écourgée*, oc. *escorre-*
jada, it. ant. y dial. *scuriada*, y en el Sur
de España pasaría por metátesis a *ESTO-
RRIACA, de donde *açurriaca* en el dialecto
mozárabe, y de este lenguaje las formas
cast., cat. y portuguesa.

DERIV. *Zurriago*, princ. S. XVII. *Zurria-*
gar, S. XIII (*ço-*).

Zurriar, zurriburri, zurrido, V. *zumbar*

ZURRÓN, 1213. En port. *surrão*, h. 1400,
cat. *sarró*, S. XIII, y gascón *sarroû*. Una
palabra semejante existe en vasco (*zorro*) y
en árabe (*súrra*), y en estos dos idiomas es
ya antigua y parece ser autóctona. Es más
probable que la palabra romance venga del
vasco que del árabe, pues en éste tiene
forma más diferente y es una bolsa de dinero y no un zurrón de pastor como en
vasco y romance. El parecido con el árabe
será meramente casual.

ZURULLO, 1739, 'pedazo rollizo de masa', 'íd. de excremento'. Origen incierto. Está
muy extendida la variante *cerullo*, y hay
formas con otra terminación: *cerayo, cero-*
yo, zuruco, zorete, cerote. Quizá sean deriv.
de *cera* con la terminación de *gurullo*.

ZUTANO, 1438. Las variantes *citano*, h.
1600 (muy frecuente en los SS. XVII-
XVIII); *citrano*, 2.° cuarto S. XVI; *cicrano*,
1572; *sestrano*, y port. *sicrano* y *seclano*,
indican que sólo la primera letra es esencial
y constante en esta palabra. Lo que sugiere
se trató primero de una interjección ¡*cit*!
o ¡*zut*! (o ¡*sst*!), empleada para llamar y
luego para nombrar a un desconocido cualquiera, de quien se ignora el nombre: *don*
Zut!; luego adaptada a la terminación de
don Fulano y *don Mengano*. **MENGANO**,
princ. S. XIX, aparece ya en la forma *Man-*
cana en 1194, y aunque es de procedencia
incierta, es probable que salga del ár. *man*
kân 'quien sea', que se empleó en el estilo
notarial para reemplazar el nombre de un
personaje olvidado. **PERENGANO**, 1884,
viene, al parecer, de *Perencejo*, h. 1870
(que todavía se emplea en muchas partes
con el mismo valor), adaptado a la terminación de *Mengano* y demás. **PERENCEJO**
saldrá de una pronunciación descuidada de
Pero Vencejo (por el nombre de este enser
rústico), empleada como apodo del labrador o segador típico.

ZUZÓN, 1599, 'hierba cana', también llamada *suzón*, 1742. Quizá resulte del lat.
SENECIO, -ŌNIS, íd., pasando por *senzón y
solzón, con disimilación de las consonantes
y asimilación de las vocales.